Overzichtskaart / Plan d'ensemble
Übersichtskarte / Overview Map
Mapa indici / Quadro d'unione

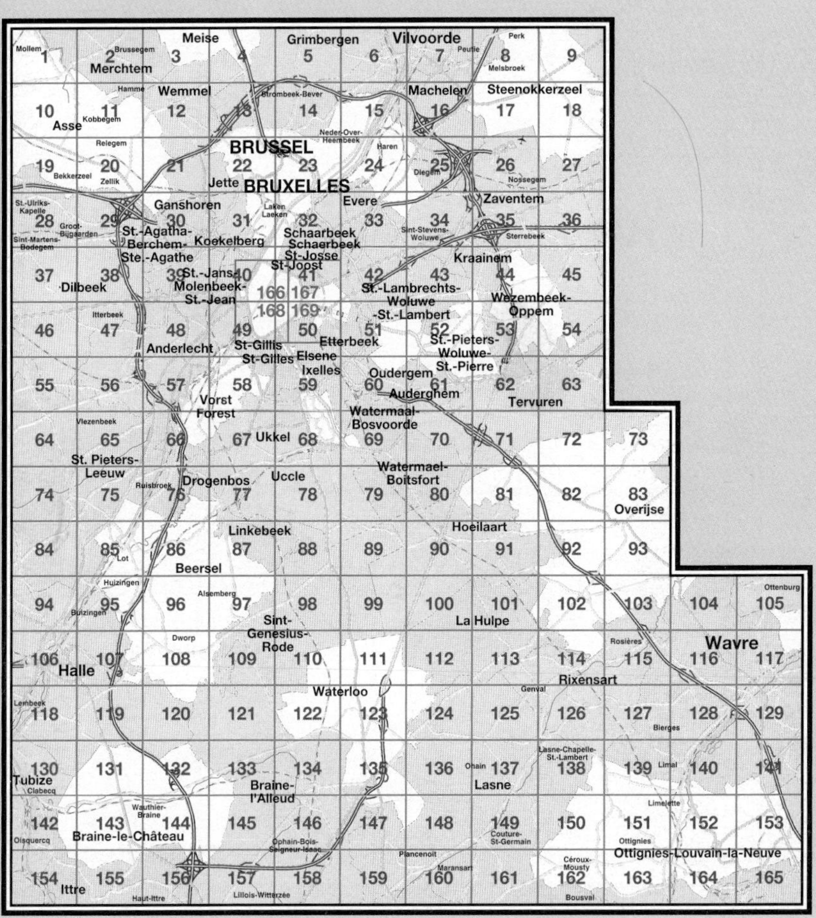

Mollem 1 · Brussegem 2 Merchtem · Meise 3 · 4 · Grimbergen 5 · 6 · Vilvoorde 7 · Peutie · Perk 8 Melsbroek · 9

10 Asse · Kobbegem 11 · Hamme · Wemmel 12 · 13 · Strombeek-Bever · 14 · Neder-Over-Heembeek · 15 · Machelen 16 · Steenokkerzeel 17 · 18

Relegem · 19 Bekkerzeel · 20 Zellik · 21 · BRUSSEL 22 · 23 · Haren · 24 · Diegem 25 · 26 Nossegem · 27 · Jette BRUXELLES

St.-Ulriks-Kapelle 28 · Groot-Bijgaarden 29 · Sint-Martens-Bodegem · Ganshoren 30 · St.-Agatha-Berchem- Ste.-Agathe · Koekelberg · 31 · Laken Laeken · 32 Schaarbeek Schaerbeek · Evere 33 · 34 Sint-Stevens-Woluwe · Zaventem 35 · Sterrebeek · 36

37 Dilbeek · 38 · 39 St.-Jans-Molenbeek- St.-Jean · 40 · St.-Josse St.-Joost 41 · 166 167 · 168 169 · 42 St.-Lambrechts-Woluwe -St.-Lambert · 43 · Kraainem 44 · Wezembeek-Oppem · 45

46 · Itterbeek 47 · 48 Anderlecht · 49 St-Gillis St-Gilles · 50 Elsene Ixelles · Etterbeek · 51 · 52 St.-Pieters-Woluwe- St.-Pierre · 53 · 54

55 · 56 · 57 · 58 Vorst Forest · 59 · Oudergem 60 · 61 Auderghem · 62 Tervuren · 63

64 · Vlezenbeek 65 · St. Pieters-Leeuw · 66 · 67 Ukkel · 68 · Watermaal-Bosvoorde 69 · 70 · 71 · 72 · 73

74 · 75 · Ruisbroek · 76 Drogenbos · 77 · Uccle 78 · 79 · Watermael-Boitsfort 80 · 81 · 82 · 83 Overijse

84 · 85 Lot · 86 Beersel · Linkebeek 87 · 88 · 89 · 90 · Hoeilaart 91 · 92 · 93

94 · Huizingen 95 Buizingen · 96 · Alsemberg 97 · 98 Sint-Genesius-Rode · 99 · 100 · 101 La Hulpe · 102 · 103 · 104 · Ottenburg 105

106 Halle · 107 · Dworp 108 · 109 · 110 · 111 · 112 · 113 · 114 Rixensart · Rosières 115 · Wavre 116 · 117

Lembeek 118 · 119 · 120 · 121 · 122 Waterloo · 123 · 124 · 125 · Genval · 126 · 127 Bierges · 128 · 129

130 Tubize Clabecq · 131 · 132 · 133 · Braine-l'Alleud · 134 · 135 · 136 · Ohain 137 Lasne · Lasne-Chapelle-St.-Lambert 138 · 139 Limal · 140 · 141

142 Oisquercq · 143 Braine-le-Château · Wauthier-Braine 144 · 145 · 146 Ophain-Bois-Seigneur-Isaac · 147 · 148 · 149 Couture-St-Germain · 150 · 151 Limelette Ottignies · 152 · 153 · Ottignies-Louvain-la-Neuve

154 Ittre · 155 · 156 Haut-Ittre · 157 Lillois-Witterzée · 158 · 159 · Plancenoit · Maransart 160 · 161 · Céroux-Mousty 162 Bousval · 163 · 164 · 165

Schaal / Echelle
Maßstab / E...
Scale / S...

0 100 200 300

1:12.50...
(1cm = 12...

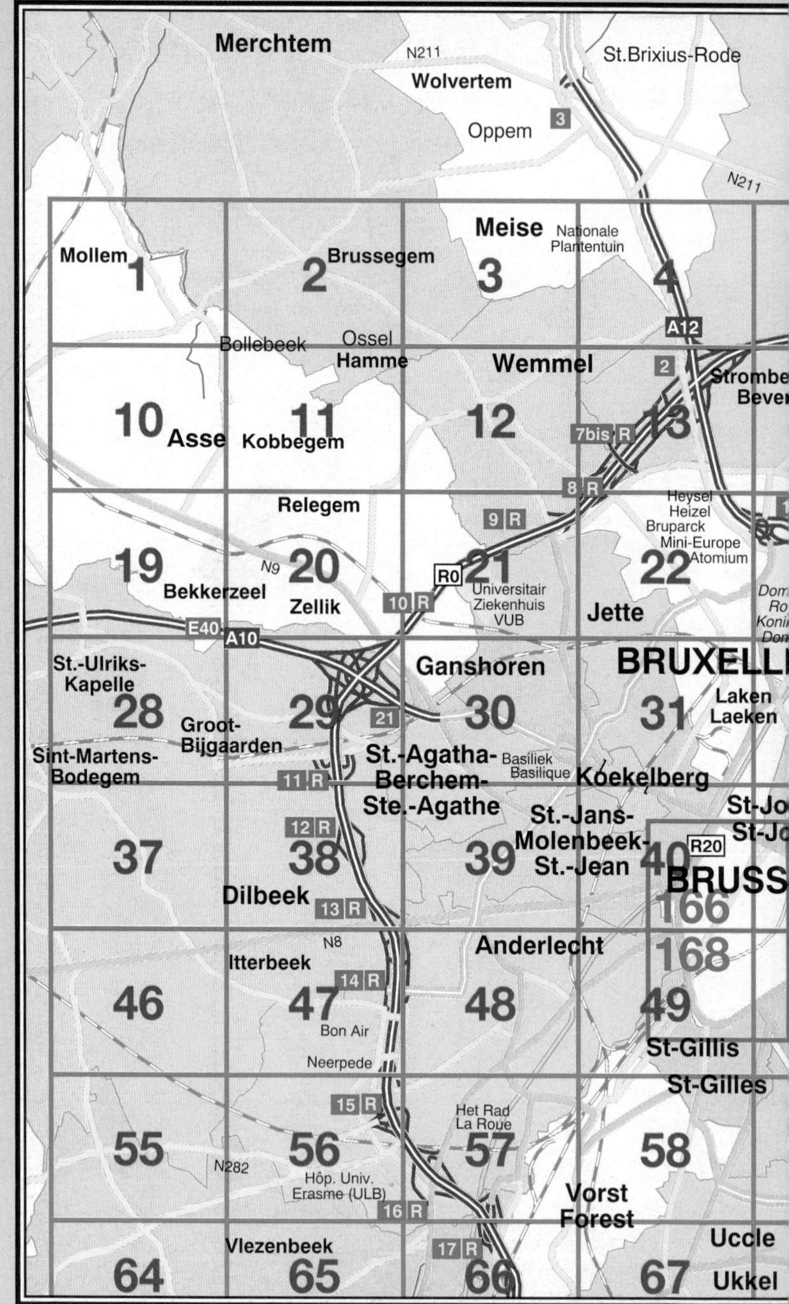
Merchtem
N211
Wolvertem
St.Brixius-Rode
3
Oppem
N211
Meise
Nationale
Plantentuin
Mollem
1
2
Brussegem
3
4
A12
Bollebeek
Ossel
Hamme
Wemmel
2
Strombe
Beve
10
Asse
11
Kobbegem
12
7bis R
13
8 R
Relegem
9 R
Heysel
Heizel
Bruparck
Mini-Europe
Atomium
19
N9
20
R0
21
22
Bekkerzeel
Zellik
10 R
Universitair
Ziekenhuis
VUB
Jette
E40
A10
St.-Ulriks-
Kapelle
Ganshoren
BRUXELL
28
Groot-
Bijgaarden
29
21
30
31
Laken
Laeken
Sint-Martens-
Bodegem
St.-Agatha-
Berchem-
Ste.-Agathe
Basiliek
Basilique
Koekelberg
11 R
St.-Jans-
Molenbeek-
St.-Jean
12 R
37
38
39
40
R20
BRUSS
Dilbeek
13 R
166
168
N8
Anderlecht
Itterbeek
14 R
46
47
48
49
Bon Air
Neerpede
St-Gillis
St-Gilles
15 R
Het Rad
La Roue
55
56
57
58
N282
Hôp. Univ.
Erasme (ULB)
16 R
Vorst
Forest
Vlezenbeek
17 R
Uccle
64
65
66
67
Ukkel

II

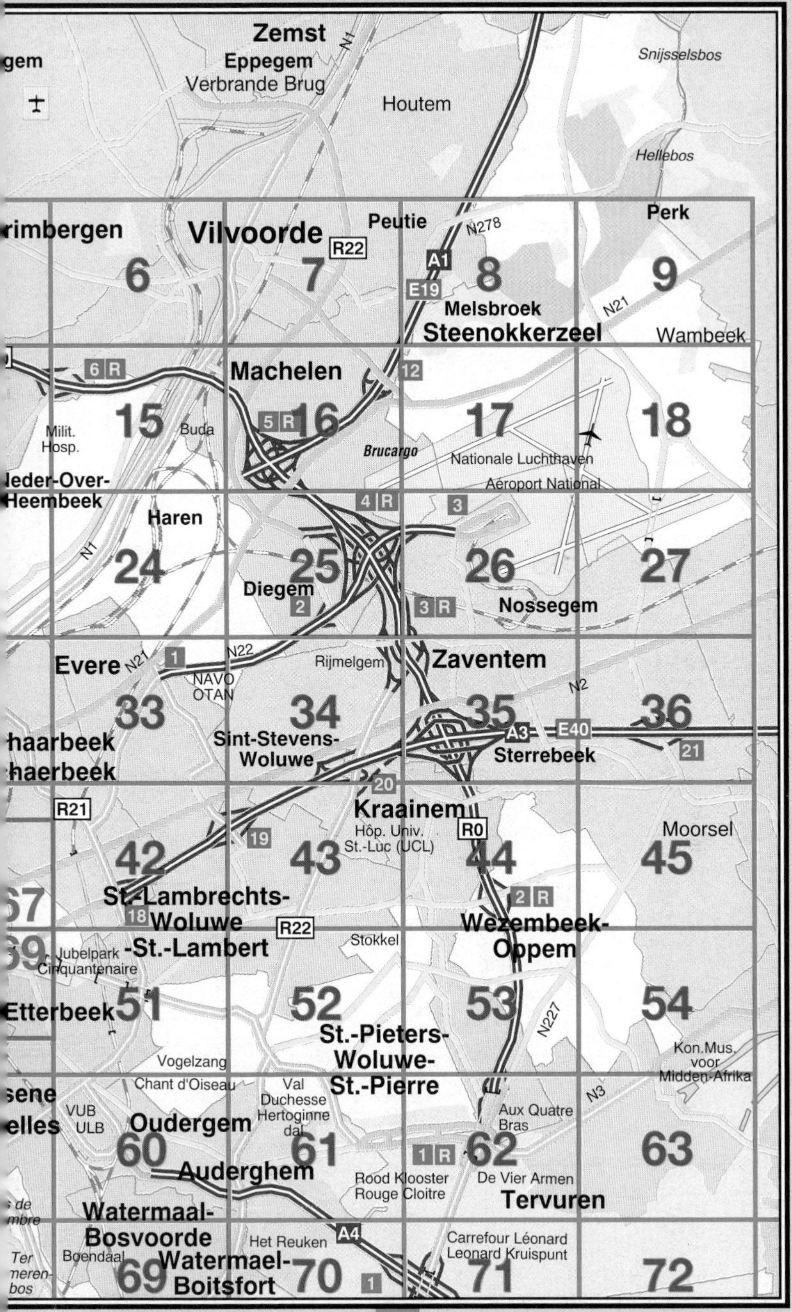
Zemst
Eppegem
Verbrande Brug
N1
Houtem
Snijsselsbos
Hellebos
gem
rimbergen
Vilvoorde
R22
Peutie
N278
Perk
A1
E19
Melsbroek
Steenokkerzeel
N21
Wambeek
6
7
8
9
6 R
Machelen
12
5 R
Milit.
Hosp.
Buda
Brucargo
Nationale Luchthaven
Aéroport National
15
16
17
18
leder-Over-
Heembeek
Haren
4 R
3
N1
24
25
26
27
Diegem
2
3 R
Nossegem
Evere
N21
1
N22
NAVO
OTAN
Rijmelgem
Zaventem
N2
33
34
35
36
haarbeek
haerbeek
Sint-Stevens-
Woluwe
A3
E40
21
Sterrebeek
20
R21
Kraainem
Hôp. Univ.
St.-Luc (UCL)
R0
Moorsel
19
42
43
44
45
67
St.-Lambrechts-
Woluwe
-St.-Lambert
18
R22
2 R
Wezembeek-
Oppem
69
Jubelpark
Cinquantenaire
Stokkel
Etterbeek
51
52
53
54
N227
St.-Pieters-
Woluwe-
St.-Pierre
Vogelzang
Chant d'Oiseau
Val
Duchesse
Hertoginne
dal
Kon.Mus.
voor
Midden-Afrika
N3
sene
elles
VUB
ULB
Oudergem
Aux Quatre
Bras
60
61
62
63
1 R
Auderghem
Rood Klooster
Rouge Cloitre
De Vier Armen
Tervuren
de
mbre
Watermaal-
Bosvoorde
Het Reuken
A4
Carrefour Léonard
Leonard Kruispunt
Ter
meren
bos
Boendaal
Watermael-
Boitsfort
69
70
1
71
72

II

I

46 47 Bon Air Neerpede 48 Anderlecht 49 St-Gillis 50 Etterbeek Elsene 51 Vog

St-Gilles Ixelles Chant d

15 R

Het Rad La Roue

VUB ULB Oude

55 N282 56 Hôp. Univ. Erasme (ULB) 57 58 59 60

16 R

Vorst Forest

Bois de la Cambre

Waterma Bosvoor Waterm Boitsfo

Vlezenbeek

17 R

64 65 66 67 Ukkel 68 Ter Kameren-bos 69

Uccle Vivier d'Oie Diesdelle St. Job

13

Calevoet Kalevoet

St. Pieters-Leeuw N261 Ruisbroek Drogenbos Fort Jaco Forêt

74 75 N6 76 77 78 79

A7

Linkebeek Petite Espinette Kleine Hut

14

84 85 Lot 86 Laarheide Beersel 87 88 89

Midden Hut Zoniënwo

Huizingen

Alsemberg Grote Hut

94 N28 95 Buizingen 96 97 98 99 N5

15

Provinciaal Domein Sint-Genesius-Rode De Hoek

Kluisbos

Halle E19 Dworp Le Faub

22 106 A8 107 108 109 110 111

Essen-beek 16

N6 N203 Zenne 24 R

Waterloo

Lembeek

118 119 120 121 122 12

Hallerbos Le Chenoi

23

Lembeekbos Joli-Bois

Clabecq Hain

130 131 132 133 134 135

Tubize Braine-le-Château 17 Braine-l'Alleud Mont-St-Jean

Hameau du 45

21 R

Wauthier-Braine

142 143 N28 144 145 146 147

Canal Bruxelles-Charleroi Butte du Lion Lion de Water

Ophain-Bois-Seigneur-Isaac

18 19 R 20 R

R0

154 155 N280 156 157 158 159

Haut-Ittre Lillois-Witterzée

Ittre

E19 N280 N27

Virginal-Samme A7

Basse Bruyère N28

18 Bruyère-

Fauqué Malplaquée Trou du Bois

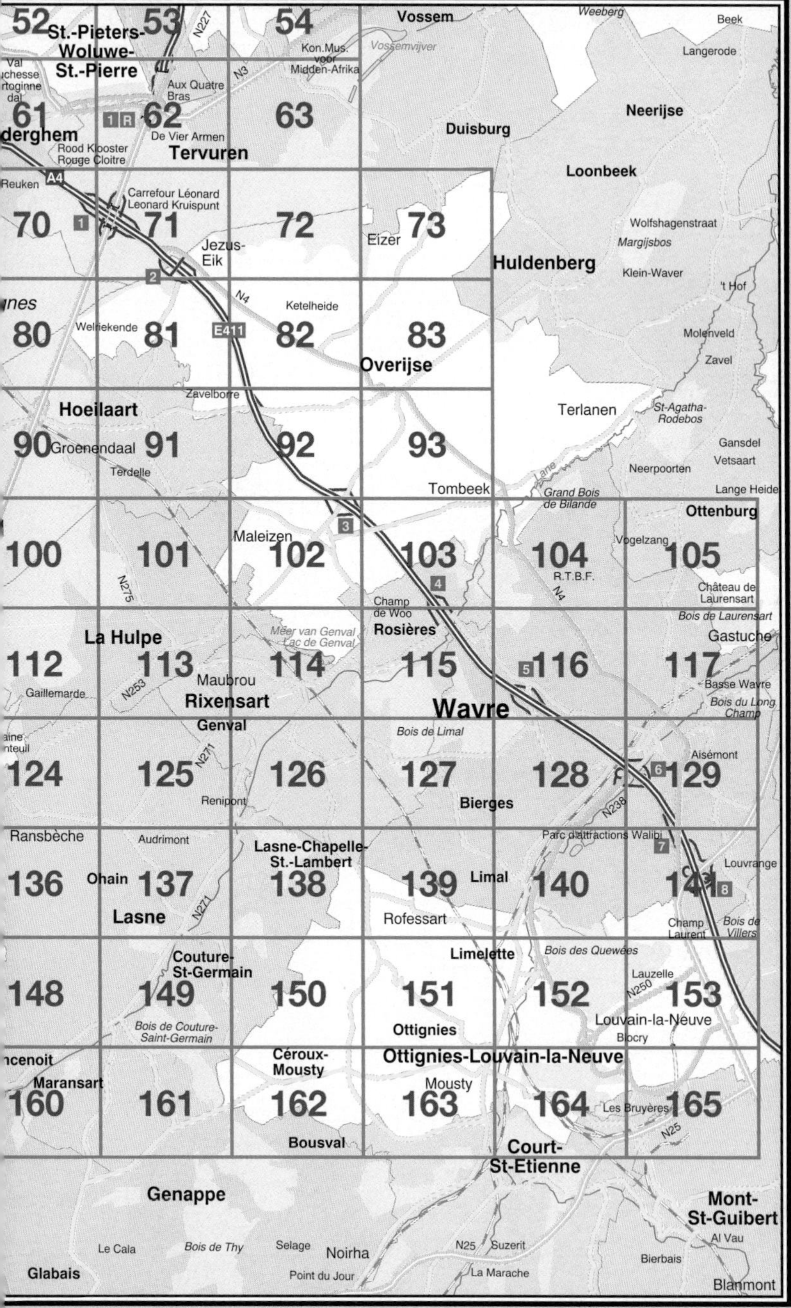

I
II
52 St.-Pieters-Woluwe-St.-Pierre
53
54
Vossem
Weeberg
Beek
Kon.Mus. voor Midden-Afrika
Vossemvijver
Langerode
Aux Quatre Bras
61
62
63
Neerijse
Duisburg
derghem
De Vier Armen
Rood Klooster
Rouge Cloitre
Tervuren
Loonbeek
Reuken
A4
Carrefour Léonard
Leonard Kruispunt
70
71
72
73
Wolfshagenstraat
Margijsbos
Jezus-Eik
Eizer
Huldenberg
Klein-Waver
't Hof
N4
Ketelheide
80
Welriekende
81
E411
82
83
Molenveld
Overijse
Zavel
Zavelborre
Hoeilaart
Terlanen
St-Agatha-Rodebos
90
Groenendaal
91
92
93
Gansdel
Vetsaart
Terdelle
Neerpoorten
Tombeek
Grand Bois de Bilande
Lange Heide
Ottenburg
Maleizen
Vogelzang
100
101
102
103
104
105
R.T.B.F.
N275
Château de Laurensart
Champ de Woo
Bois de Laurensart
Meer van Genval
Lac de Genval
Rosières
Gastuche
La Hulpe
112
113
114
115
116
117
Maubrou
Basse Wavre
Gaillemarde
N253
Rixensart
Wavre
Bois du Long Champ
Genval
Bois de Limal
Aisémont
124
125
126
127
128
129
N271
Renipont
Bierges
N238
Ransbèche
Audrimont
Parc d'attractions Walibi
Lasne-Chapelle-St.-Lambert
Louvrange
136
Ohain
137
138
139
Limal
140
141
Lasne
Rofessart
Champ Laurent
Bois de Villers
Couture-St-Germain
Limelette
Bois des Quewées
Lauzelle
148
149
150
151
152
N250
153
Bois de Couture-Saint-Germain
Ottignies
Louvain-la-Neuve
Blocry
Céroux-Mousty
Ottignies-Louvain-la-Neuve
Maransart
Mousty
160
161
162
163
164
Les Bruyères
165
N25
Bousval
Court-St-Etienne
Genappe
Mont-St-Guibert
Al Vau
Le Cala
Bois de Thy
Selage
Noirha
N25
Suzerit
Glabais
Point du Jour
La Marache
Bierbais
Blanmont
II

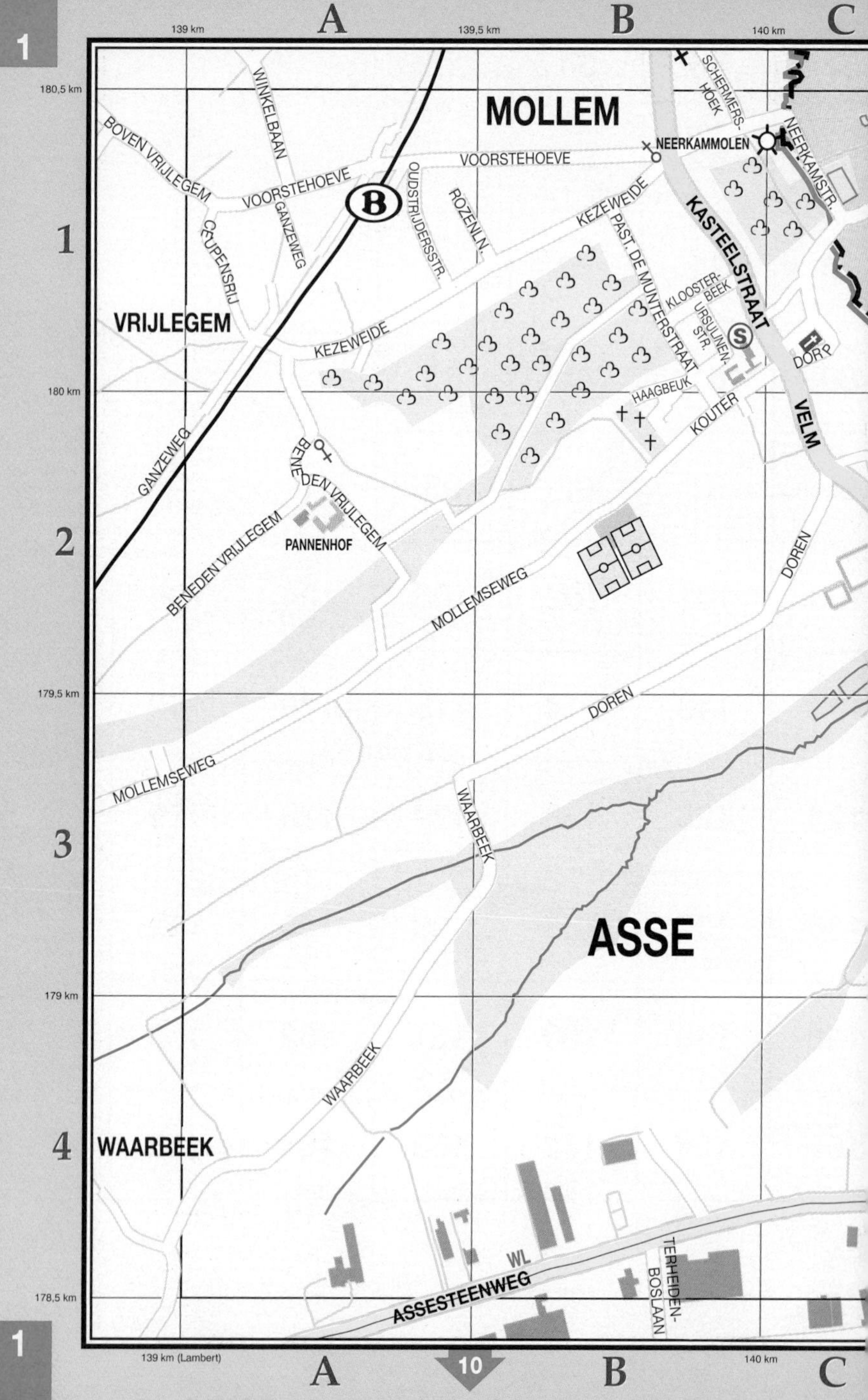
139 km
A
139,5 km
B
140 km
C
180,5 km
MOLLEM
WINKELBAAN
BOVEN VRIJLEGEM
VOORSTEHOEVE
SCHERMERS-
HOEK
NEERKAMMOLEN
NEERKAMSTR.
OUDSTRIJDERSSTR.
ROZENLN.
GANZEWEG
CEUPENSRIJ
KEZEWEIDE
PAST. DE MUNTERSTRAAT
KASTEELSTRAAT
KLOOSTER-
BEEK
URSULINEN-
STR.
1
VRIJLEGEM
DORP
180 km
HAAGBEUK
KOUTER
VELM
BENEDEN VRIJLEGEM
PANNENHOF
2
MOLLEMSEWEG
DOREN
179,5 km
3
WAARBEEK
ASSE
179 km
4
WAARBEEK
WL
ASSESTEENWEG
TERHEIDEN-
BOSLAAN
178,5 km
139 km (Lambert)
10

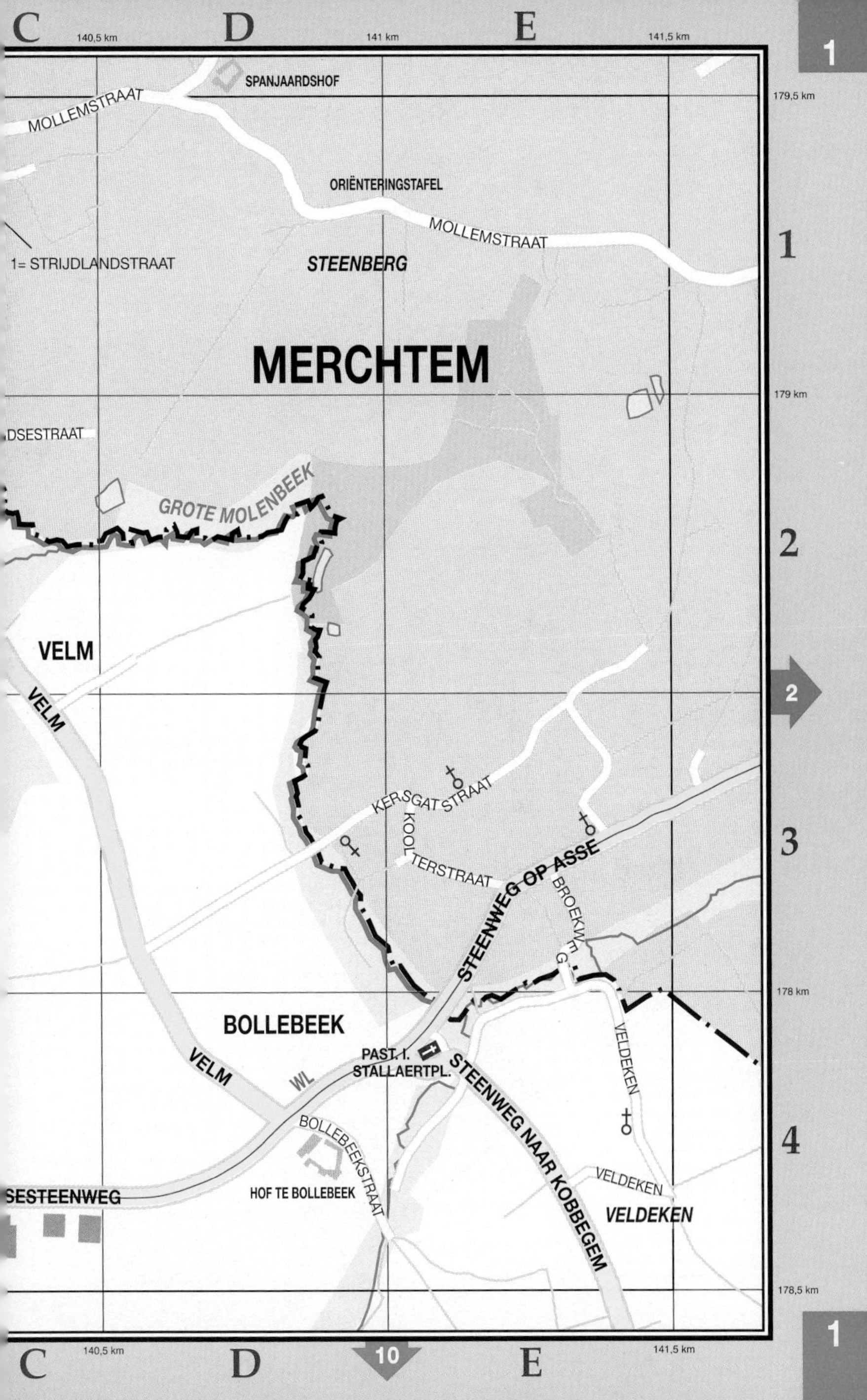

C
D
E
140,5 km
141 km
141,5 km
1
SPANJAARDSHOF
179,5 km
MOLLEMSTRAAT
ORIËNTERINGSTAFEL
MOLLEMSTRAAT
1= STRIJDLANDSTRAAT
STEENBERG
1
MERCHTEM
179 km
DSESTRAAT
GROTE MOLENBEEK
2
VELM
2
VELM
KERSGAT STRAAT
KOOLTERSTRAAT
STEENWEG OP ASSE
BROEKWEG
3
178 km
BOLLEBEEK
PAST. I. STALLAERTPL.
VELM
WL
STEENWEG NAAR KOBBEGEM
VELDEKEN
BOLLEBEEKSTRAAT
4
SESTEENWEG
HOF TE BOLLEBEEK
VELDEKEN
VELDEKEN
178,5 km
1
C
140,5 km
10
D
E
141,5 km

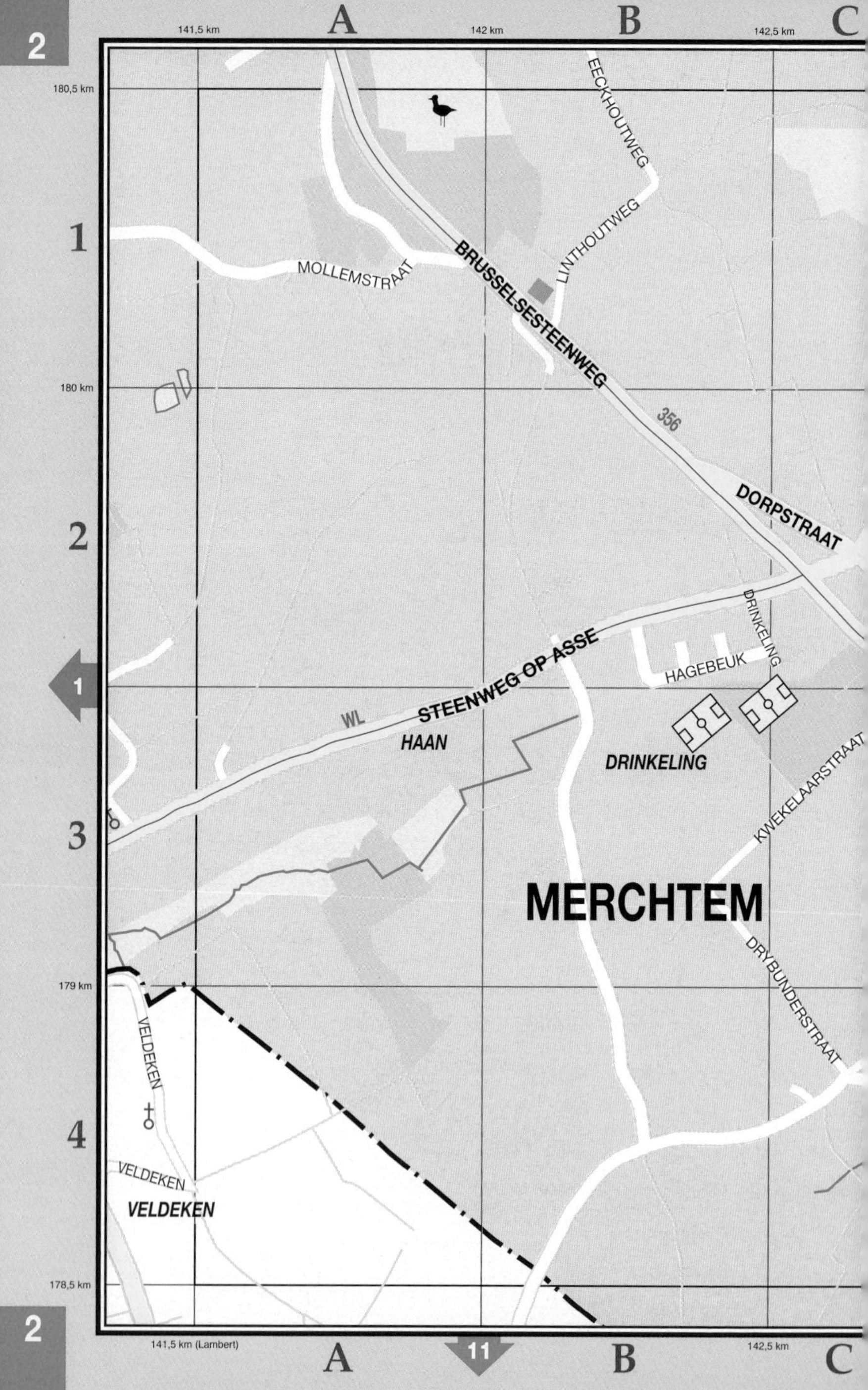
A
B
C
141,5 km
142 km
142,5 km
180,5 km
180 km
179 km
178,5 km
1
2
3
4
EECKHOUTWEG
LINTHOUTWEG
MOLLEMSTRAAT
BRUSSELSESTEENWEG
356
DORPSTRAAT
DRINKELING
HAGEBEUK
STEENWEG OP ASSE
WL
HAAN
DRINKELING
KWEKELAARSTRAAT
MERCHTEM
DRYBUNDERSTRAAT
VELDEKEN
VELDEKEN
VELDEKEN
141,5 km (Lambert)
142,5 km
11

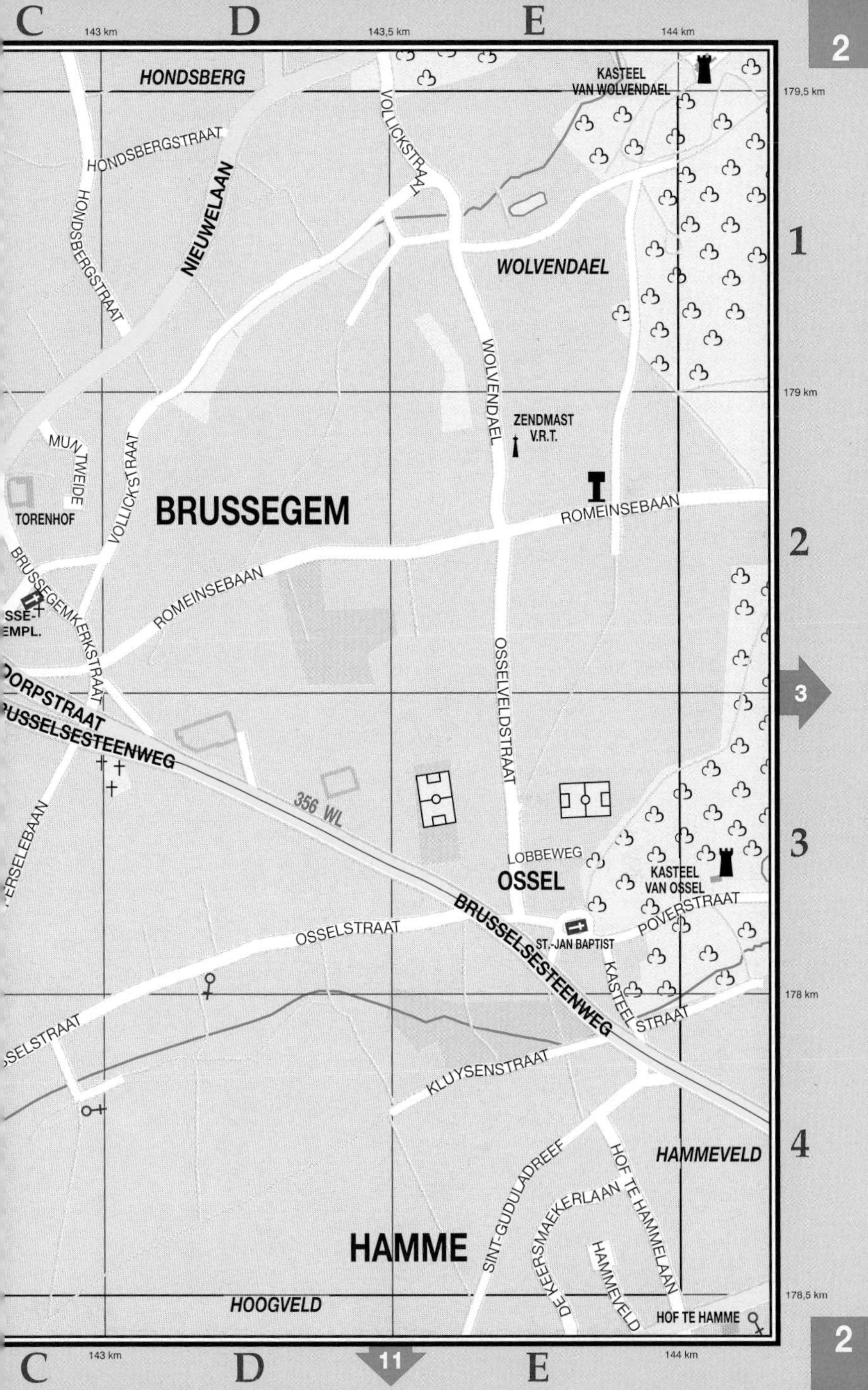
C
D
E
143 km
143,5 km
144 km
179,5 km
179 km
178 km
178,5 km
1
2
3
4
HONDSBERG
KASTEEL VAN WOLVENDAEL
HONDSBERGSTRAAT
NIEUWELAAN
VOLLICKSTRAAT
WOLVENDAEL
WOLVENDAEL
ZENDMAST V.R.T.
MUN TWEIDE
TORENHOF
BRUSSEGEM
ROMEINSEBAAN
ROMEINSEBAAN
BRUSSEGEMKERKSTRAAT
DORPSTRAAT
BRUSSELSESTEENWEG
OSSELVELDSTRAAT
356 WL
LOBBEWEG
OSSEL
KASTEEL VAN OSSEL
POVERSTRAAT
ST.-JAN BAPTIST
OSSELSTRAAT
KASTEELSTRAAT
KLUYSENSTRAAT
HAMMEVELD
SINT-GUDULADREEF
DE KEERSMAEKERLAAN
HOF TE HAMMELAAN
HAMMEVELD
HAMME
HOOGVELD
HOF TE HAMME
3
11

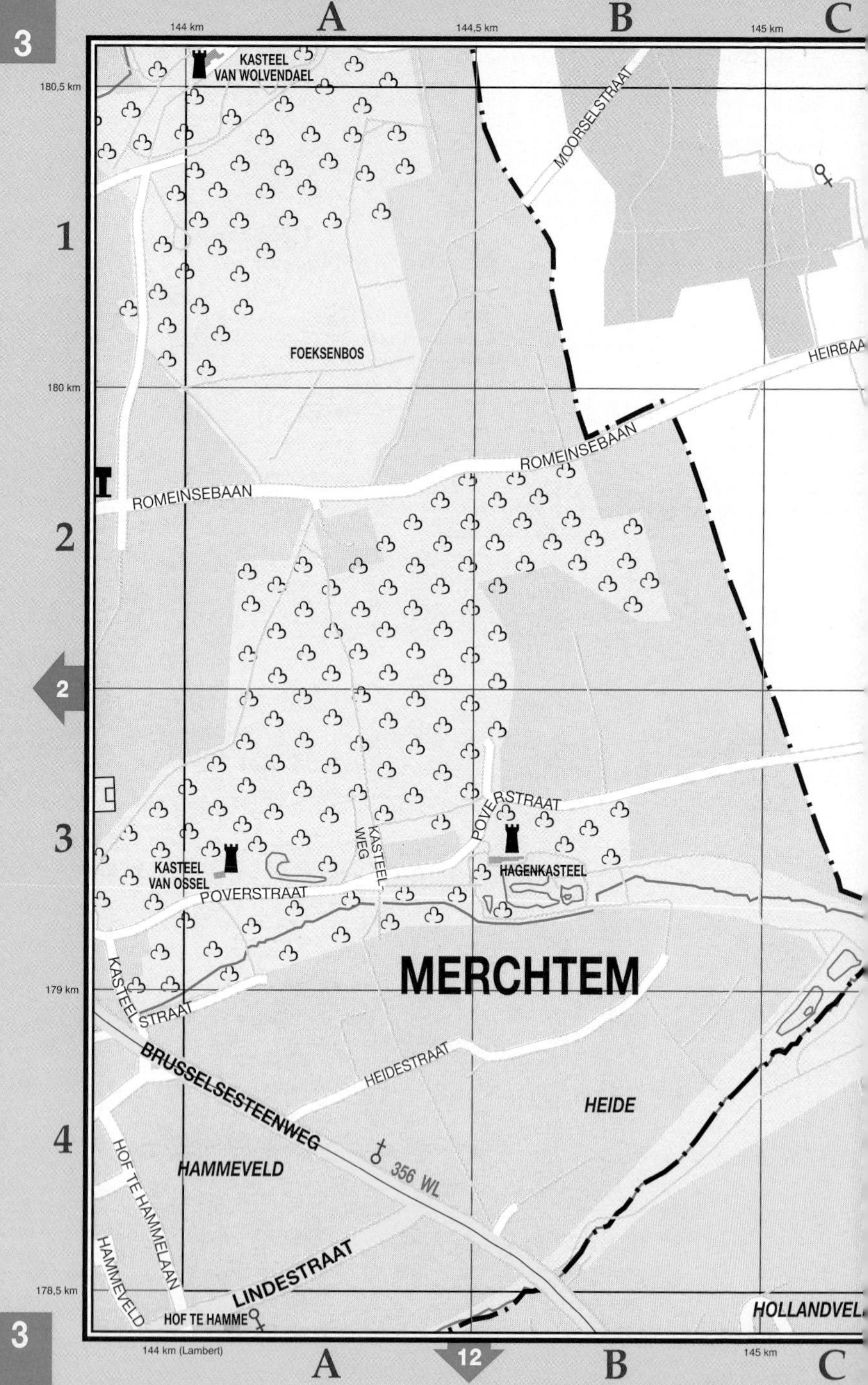
A
B
C
144 km
144,5 km
145 km
180,5 km
180 km
179 km
178,5 km
1
2
3
4
KASTEEL VAN WOLVENDAEL
MOORSELSTRAAT
FOEKSENBOS
HEIRBAAN
ROMEINSEBAAN
ROMEINSEBAAN
2
POVERSTRAAT
POVERSTRAAT
KASTEEL-WEG
POVERSTRAAT
KASTEEL VAN OSSEL
HAGENKASTEEL
MERCHTEM
KASTEEL STRAAT
BRUSSELSESTEENWEG
HEIDESTRAAT
HEIDE
HAMMEVELD
356 WL
HOF TE HAMMELAAN
HAMMEVELD
LINDESTRAAT
HOF TE HAMME
HOLLANDVEL
144 km (Lambert)
145 km
12

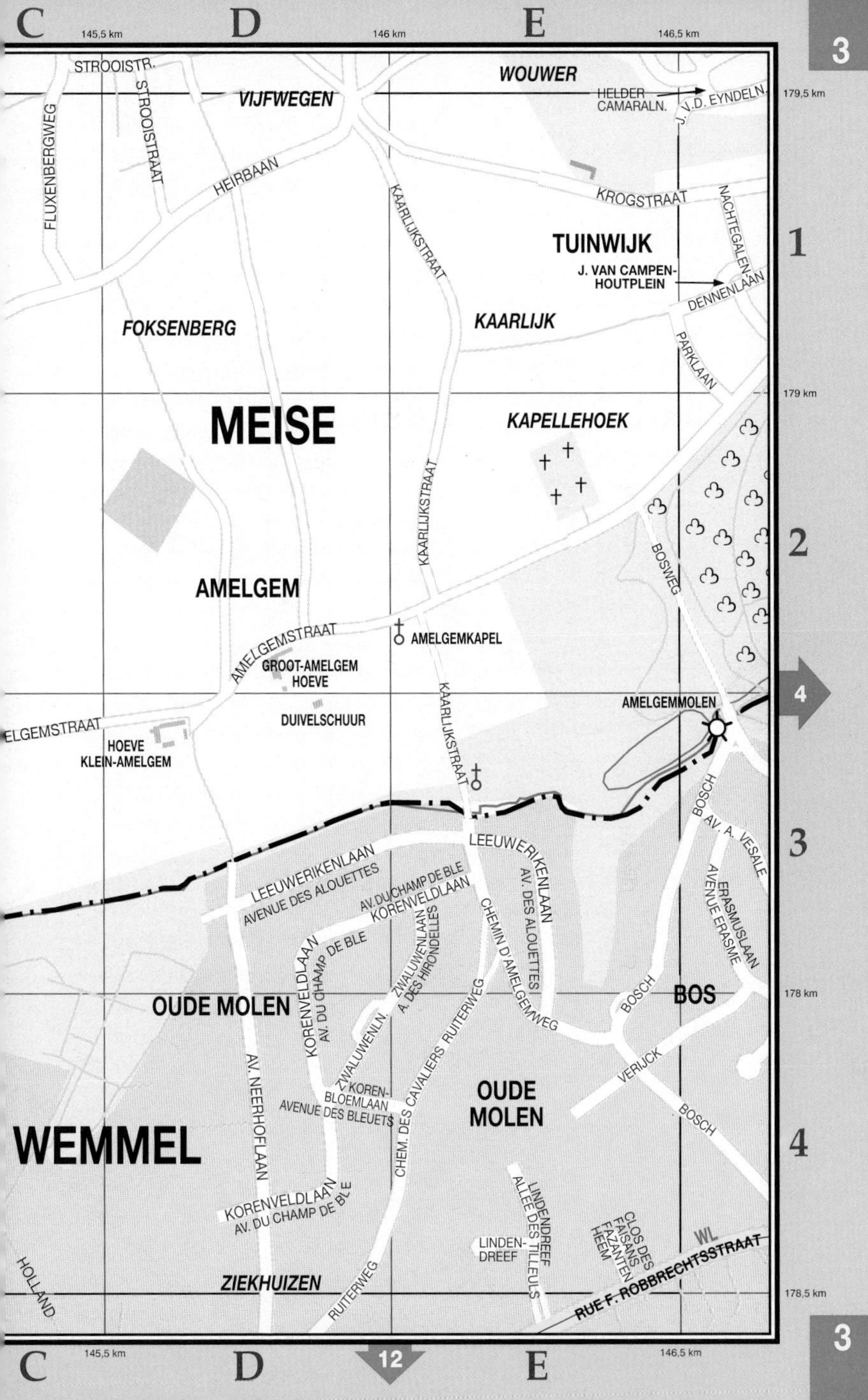
C
D
E
145,5 km
146 km
146,5 km
3
STROOISTR.
WOUWER
VIJFWEGEN
HELDER CAMARALN.
J. V.D. EYNDELN.
179,5 km
STROOISTRAAT
FLUXENBERGWEG
HEIRBAAN
KAARLIJKSTRAAT
KROGSTRAAT
NACHTEGALEN.
TUINWIJK
1
J. VAN CAMPEN-HOUTPLEIN
DENNENLAAN
FOKSENBERG
KAARLIJK
PARKLAAN
179 km
MEISE
KAPELLEHOEK
2
BOSWEG
AMELGEM
AMELGEMSTRAAT
AMELGEMKAPEL
GROOT-AMELGEM HOEVE
4
AMELGEMMOLEN
ELGEMSTRAAT
DUIVELSCHUUR
HOEVE KLEIN-AMELGEM
BOSCH
LEEUWERIKENLAAN
AV. A. VESALE
3
LEEUWERIKENLAAN
AVENUE DES ALOUETTES
AV. DU CHAMP DE BLE
KORENVELDLAAN
AV. DES ALOUETTES
ERASMUSLAAN
AVENUE ERASME
CHEMIN D'AMELGEMWEG
ZWALUWENLAAN
A. DES HIRONDELLES
KORENVELDLAAN
AV. DU CHAMP DE BLE
RUITERWEG
178 km
OUDE MOLEN
BOSCH
BOS
ZWALUWENLN.
VERIJCK
KORENBLOEMLAAN
AVENUE DES BLEUETS
CHEM. DES CAVALIERS
OUDE MOLEN
BOSCH
WEMMEL
AV. NEERHOFLAAN
4
LINDENDREEF
ALLEE DES TILLEULS
KORENVELDLAAN
AV. DU CHAMP DE BLE
CLOS DES FAISANS
FAZANTENHEEM
WL
LINDEN-DREEF
RUE F. ROBBRECHTSSTRAAT
HOLLAND
ZIEKHUIZEN
RUITERWEG
178,5 km
145,5 km
146,5 km
12
C
D
E
3

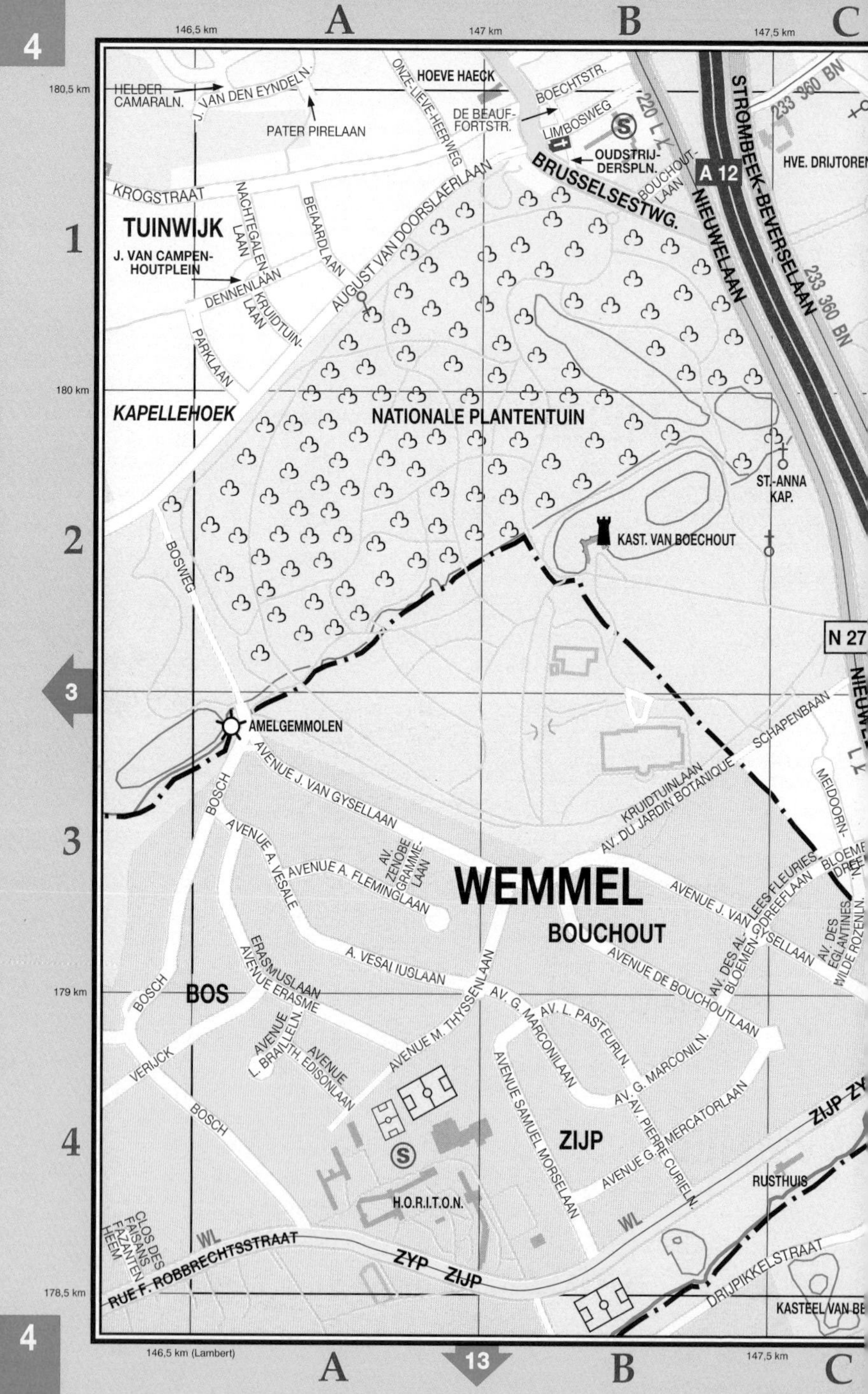
A
B
C
146,5 km
147 km
147,5 km
180,5 km
180 km
179 km
178,5 km
1
2
3
4
HELDER CAMARALN.
J. VAN DEN EYNDELN.
PATER PIRELAAN
ONZE-LIEVE-HEERWEG
HOEVE HAECK
BOECHTSTR.
DE BEAUFFORTSTR.
LIMBOSWEG
OUDSTRIJDERSPLN.
BRUSSELSESTWG.
BOUCHOUTLAAN
220 LK
A 12
NIEUWELAAN
STROMBEEK-BEVERSELAAN
233 360 BN
HVE. DRIJTOREN
KROGSTRAAT
NACHTEGALENLAAN
BEIAARDLAAN
AUGUST VAN DOORSLAERLAAN
TUINWIJK
J. VAN CAMPENHOUTPLEIN
DENNENLAAN
KRUIDTUINLAAN
PARKLAAN
KAPELLEHOEK
NATIONALE PLANTENTUIN
ST.-ANNA KAP.
KAST. VAN BOECHOUT
BOSWEG
N 27
3
AMELGEMMOLEN
SCHAPENBAAN
KRUIDTUINLAAN
AV. DU JARDIN BOTANIQUE
AVENUE J. VAN GYSELLAAN
BOSCH
AVENUE A. VESALE
AV. ZENOBE GRAMMELAAN
AVENUE A. FLEMINGLAAN
WEMMEL
BOUCHOUT
AVENUE J. VAN GYSELLAAN
AV. DES LILAS
MEIDOORNDREEF
BLOEMENDREEF
AV. DES ÉGLANTINES
WILDE ROZENLN.
AV. DES ALOUETTES
BLOEMENGYDREEFLAAN
A. VESALIUSLAAN
AVENUE DE BOUCHOUTLAAN
ERASMUSLAAN
AVENUE ERASME
BOS
BOSCH
AV. G. MARCONILAAN
AV. L. PASTEURLN.
AVENUE M. THYSSENLAAN
AVENUE L. BRAILLELN.
AVENUE TH. EDISONLAAN
VERIJCK
AVENUE SAMUEL MORSELAAN
AV. G. MARCONILN.
AV. AV. PIERRE CURIELN.
AVENUE G. MERCATORLAAN
ZIJP
ZIJP ZYP
BOSCH
RUSTHUIS
H.O.R.I.T.O.N.
CLOS DES FAISANS FAZANTENHEEM
WL
RUE F. ROBBRECHTSSTRAAT
ZYP ZIJP
WL
DRIJPIKKELSTRAAT
KASTEEL VAN BE
146,5 km (Lambert)
13
A
B
C

C
D
E
148 km
148,5 km
149 km
179,5 km
179 km
178 km
178,5 km
1
2
3
4
5
13
MEISE
GRIMBERGEN
ROOST
NEKKER
POTAARDE
UWFEESTLAAN
D'HOOGVORSTLAAN
MOLEN-
KOUTER
KEIZERINLAAN
SINT-ANNASTR.
ROOSTSTRAAT
ROOSTBAAN
NOODBEEKSTRAAT
'S GRAVEN-
MOLENSTRAAT
'S GRAVENMOLEN
DE WAETMOLEN
GROENDAL
NEKKERBOS
SPIEGELHOF
SPIEGEL-
HOFVOETWEG
DOORNBAAN
T-ANNASTRAAT
HEUSBLOK
WILLEM DE ZWIJGERLN.
DE NEKKER
PRIVATE DREEF
VAN IMMERSEELLN.
NEKKERLAAN
NEKKER-
LAAN
VINKENLN.
MERELLAAN
ROOD-
BORSTJESLN.
BOS-
DUIF-
LN.
MAAL-
BEEK-
SLN.
FAZANTENLN.
SPECHTLN.
WATER-
HOENLN.
N 276
A 12
SPRIETMOLENSTRAAT
WATERMOLENWEG
POTAARDE
SPRIETMOLEN
POTAARDEHOEVE
BOECHOUTLAAN
ANTWERPSELAAN
233 360 BN
SINT-ALEXIUSSTRAAT
R 0
P

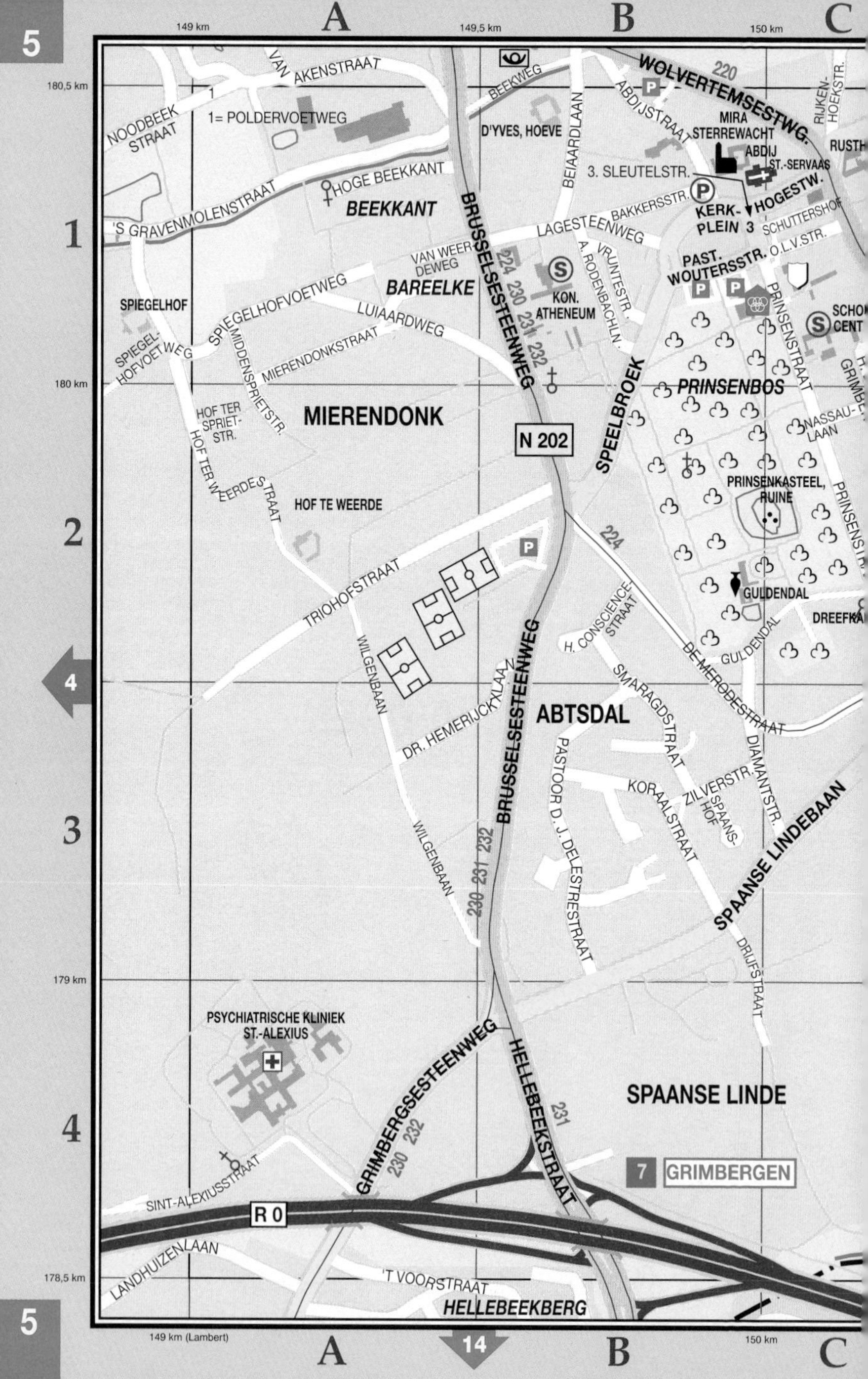
A
B
C
149 km
149,5 km
150 km
180,5 km
180 km
179 km
178,5 km
1
2
3
4
WOLVERTEMSESTWG.
ABDIJSTRAAT
MIRA STERREWACHT
ABDIJ ST.-SERVAAS
RIJKEN-HOEKSTR.
VAN AKENSTRAAT
BEEKWEG
NOODBEEK STRAAT
1= POLDERVOETWEG
D'YVES, HOEVE
BEIAARDLAAN
3. SLEUTELSTR.
HOGE BEEKKANT
BEEKKANT
'S GRAVENMOLENSTRAAT
BRUSSELSESTEENWEG
BAKKERSSTR.
KERK-PLEIN 3
HOGESTW.
SCHUTTERSHOF
LAGESTEENWEG
O.L.V.STR.
PAST. WOUTERSSTR.
VAN WEERDEWEG
BAREELKE
KON. ATHENEUM
A. RODENBACHLN.
VRIJNTESTR.
PRINSENSTRAAT
SPIEGELHOF
SPIEGELHOFVOETWEG
SPIEGEL-HOFVOETWEG
LUIAARDWEG
MIDDENSPRIETSTR.
MIERENDONKSTRAAT
SPEELBROEK
PRINSENBOS
NASSAU-LAAN
MIERENDONK
HOF TER SPRIET-STR.
HOF TER WEERDESTRAAT
N 202
PRINSENKASTEEL, RUINE
HOF TE WEERDE
224
TRIOHOFSTRAAT
GULDENDAL
H. CONSCIENCESTRAAT
DREEFKA
WILGENBAAN
DE MERODESTRAAT
SMARAGDSTRAAT
DR. HEMERIJCKXLAAN
ABTSDAL
PASTOOR D. J. DELESTRESTRAAT
KORAALSTRAAT
ZILVERSTR.
SPAANSHOF
DIAMANTSTR.
SPAANSE LINDEBAAN
230 231 232
DRIJFSTRAAT
PSYCHIATRISCHE KLINIEK ST.-ALEXIUS
GRIMBERGSESTEENWEG
HELLEBEEKSTRAAT
SPAANSE LINDE
231
7 GRIMBERGEN
SINT-ALEXIUSSTRAAT
R 0
LANDHUIZENLAAN
'T VOORSTRAAT
HELLEBEEKBERG
149 km (Lambert)
4
14

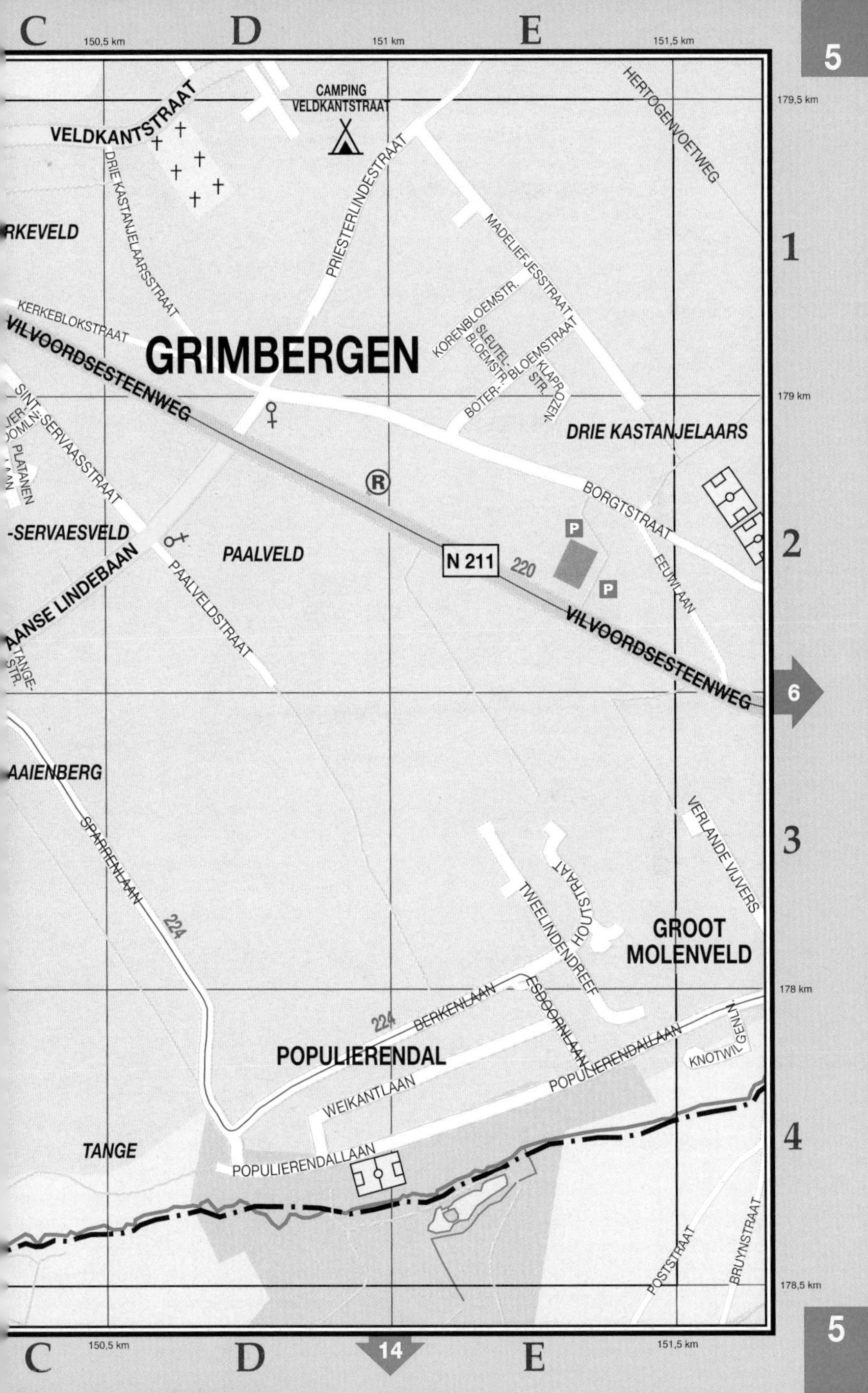
C
D
E
150,5 km
151 km
151,5 km
179,5 km
179 km
178 km
178,5 km
1
2
3
4
CAMPING
VELDKANTSTRAAT
VELDKANTSTRAAT
HERTOGENVOETWEG
DRIE KASTANJELAARSSTRAAT
PRIESTERLINDESTRAAT
MADELIEFJESSTRAAT
RKEVELD
KERKEBLOKSTRAAT
VILVOORDSESTEENWEG
GRIMBERGEN
KORENBLOEMSTR.
SLEUTEL-
BLOEMSTR.
BLOEMSTRAAT
KLAPROZEN-
STR.
BOTER-
SINT-SERVAASSTRAAT
PLATANEN
DRIE KASTANJELAARS
BORGTSTRAAT
-SERVAESVELD
PAALVELD
N 211
220
EEUWLAAN
AANSE LINDEBAAN
PAALVELDSTRAAT
VILVOORDSESTEENWEG
6
AAIENBERG
SPARRENLAAN
224
VERLANDE VIJVERS
HOUTSTRAAT
TWEELINDENDREEF
GROOT
MOLENVELD
ESDOORNLAAN
BERKENLAAN
224
POPULIERENDAL
POPULIERENDALLAAN
KNOTWILGENLN.
WEIKANTLAAN
TANGE
POPULIERENDALLAAN
POSTSTRAAT
BRUYNSTRAAT
C
D
E
150,5 km
151,5 km
14

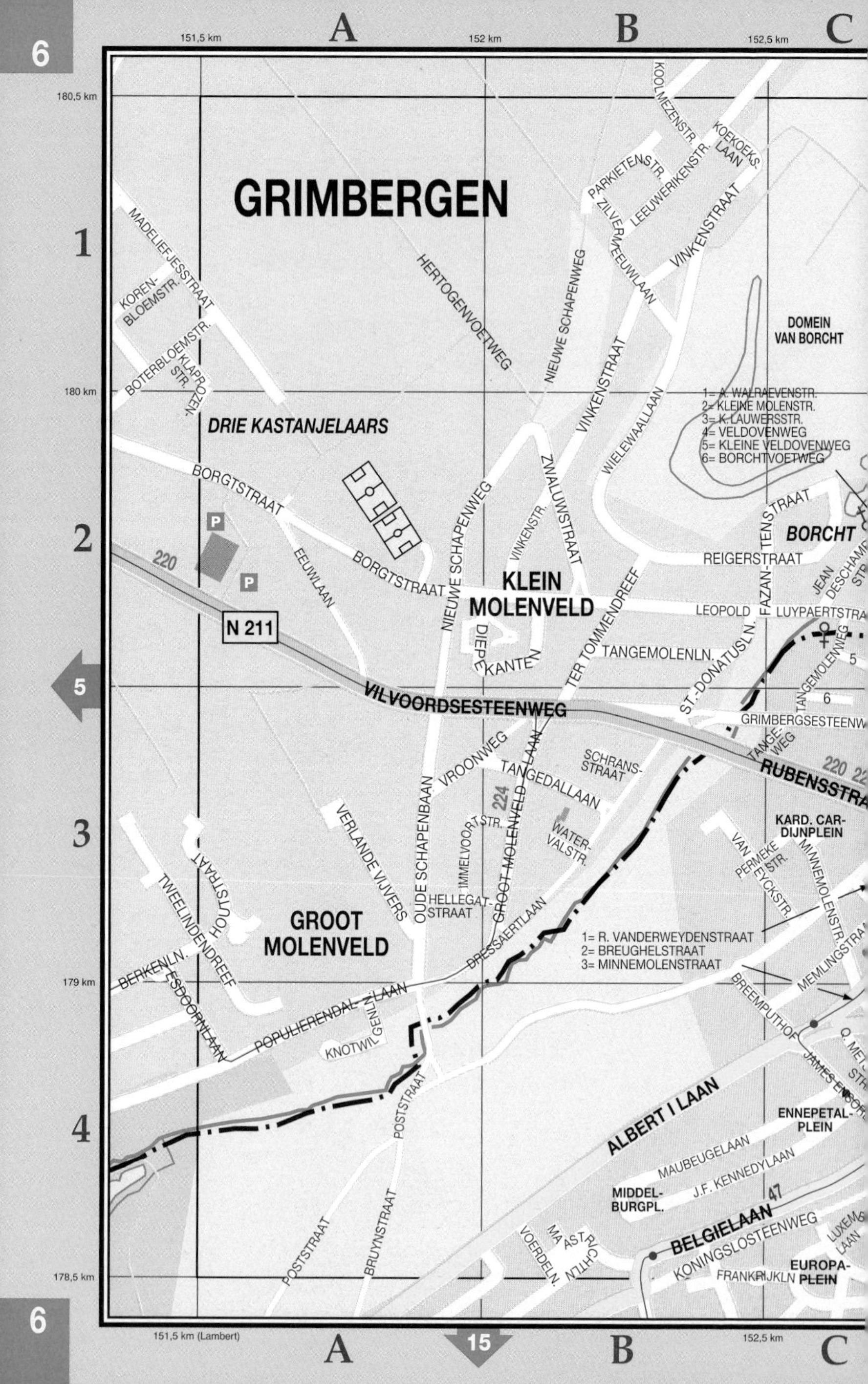

A
B
C
151,5 km
152 km
152,5 km
180,5 km
180 km
179 km
178,5 km
1
2
3
4
GRIMBERGEN
DRIE KASTANJELAARS
KLEIN MOLENVELD
GROOT MOLENVELD
DOMEIN VAN BORCHT
BORCHT
MADELIEFJESSTRAAT
KOREN-BLOEMSTR.
BOTERBLOEMSTR.
KLAPROZEN-STR.
HERTOGENVOETWEG
NIEUWE SCHAPENWEG
KOOLMEZENSTR.
KOEKOEKSLAAN
PARKIETENSTR.
LEEUWERIKENSTR.
ZILVERMEEUWLAAN
VINKENSTRAAT
WIELEWAALLAAN
1= A. WALRAEVENSTR.
2= KLEINE MOLENSTR.
3= K. LAUWERSSTR.
4= VELDOVENWEG
5= KLEINE VELDOVENWEG
6= BORCHTVOETWEG
BORGTSTRAAT
EEUWLAAN
VINKENSTR.
ZWALUWSTRAAT
TER TOMMENDREEF
FAZANTENSTRAAT
REIGERSTRAAT
JEAN DESCHAMPSSTR
LEOPOLD LUYPAERTSTRAAT
TANGEMOLENLN.
ST.-DONATUSLN.
TANGEMOLENWEG
DIEPE KANTEN
220
N 211
VILVOORDSESTEENWEG
GRIMBERGSESTEENWEG
RUBENSSTRAAT
TANGEWEG
VROONWEG
TANGEDALLAAN
SCHRANSSTRAAT
GROOT MOLENVELD LAAN
224
IMMELVOORT STR.
WATERVALSTR.
KARD. CARDIJNPLEIN
VAN PERMEKE STR.
VAN EYCKSTR.
MINNEMOLENSTR.
VERLANDE VIJVERS
OUDE SCHAPENBAAN
HELLEGATSTRAAT
HOUTSTRAAT
TWEELINDENDREEF
BERKENLN.
ESDOORNLAAN
DRESSAERTLAAN
1= R. VANDERWEYDENSTRAAT
2= BREUGHELSTRAAT
3= MINNEMOLENSTRAAT
MEMLINGSTRAAT
BREEMPUTHOF
POPULIERENDAL-LAAN
KNOTWILGENLN
POSTSTRAAT
JAMES ENSORL
ALBERT I LAAN
ENNEPETALPLEIN
MAUBEUGELAAN
J.F. KENNEDYLAAN
MIDDELBURGPL.
47
BELGIELAAN
KONINGSLOSTEENWEG
BRUYNSTRAAT
VOERDELN.
MAASTRICHTLN
LUXEMBURGLAAN
EUROPAPLEIN
FRANKRIJKLN
151,5 km (Lambert)
5
15

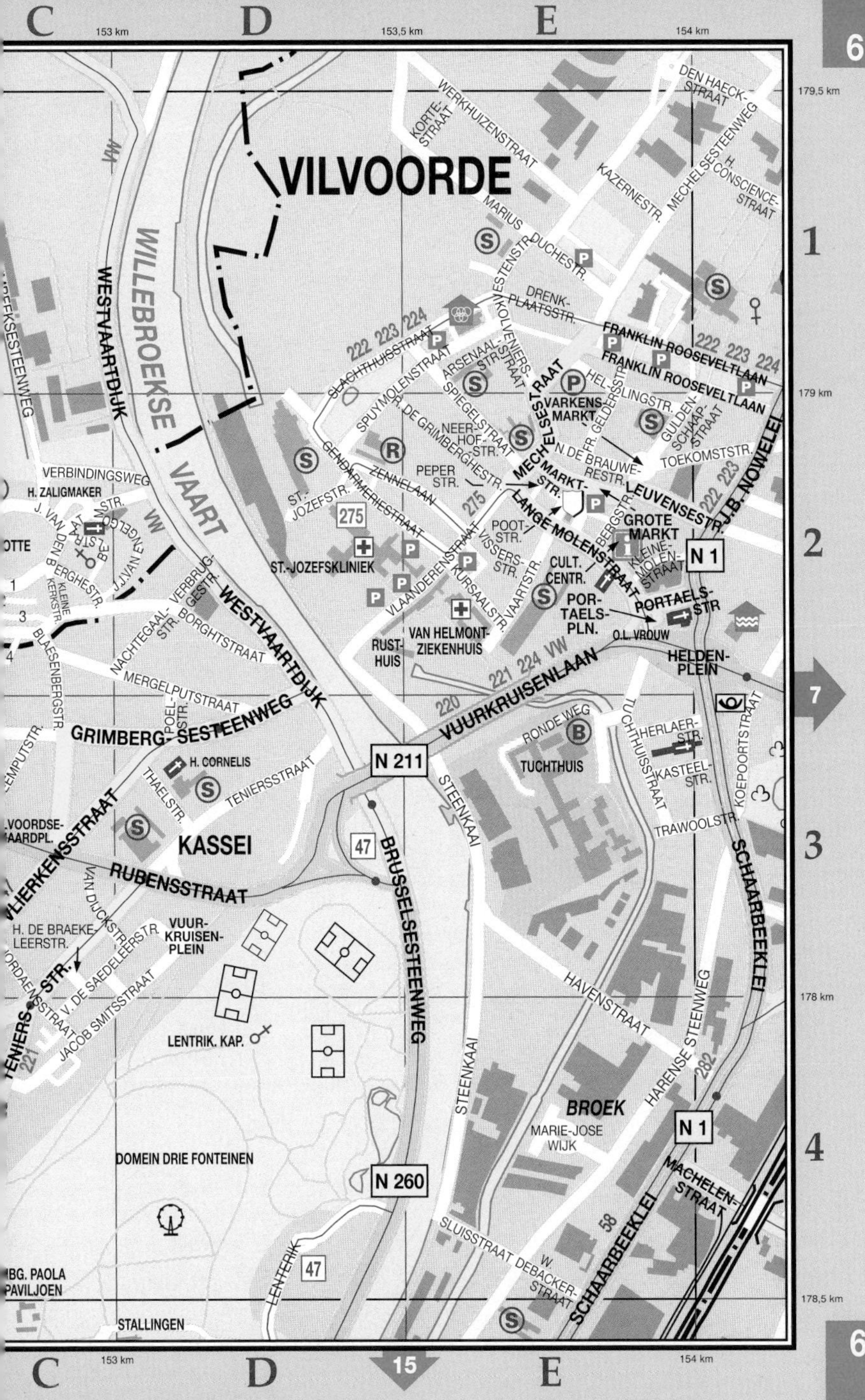
153 km
153,5 km
154 km
179,5 km
179 km
178 km
178,5 km
VILVOORDE
WILLEBROEKSE VAART
WESTVAARTDIJK
WERKHUIZENSTRAAT
KORTESTRAAT
DEN HAECKSTRAAT
MECHELSESTEENWEG
KAZERNESTR.
H. CONSCIENCESTRAAT
MARIUS DUCHESTR.
DRENKPLAATSSTR.
FRANKLIN ROOSEVELTLAAN
SLACHTHUISSTRAAT
SPUYMOLENSTRAAT
ARSENAALSTR.
KOLVENIERSSTRAAT
SPIEGELSTRAAT
MECHELSESTRAAT
VARKENSMARKT
HELSLINGSTR.
FR. DE GELDERSTR.
GULDENSCHAAPSTRAAT
TOEKOMSTSTR.
J.B. NOWELEI
R. DE GRIMBERGHESTR.
NEERHOFSTR.
N. DE BRAUWERESTR.
PEPER STR.
ZENNELAAN
GENDARMERIESTRAAT
ST.-JOZEFSTR.
MARKTSTR.
LEUVENSESTR.
GROTE MARKT
KLEINE MOLENSTRAAT
LANGE MOLENSTRAAT
BERGSTR.
POOTSTR.
VISSERSSTR.
ST.-JOZEFSKLINIEK
VLAANDERENSTRAAT
KURSAALSTR.
VAARTSTR.
CULT. CENTR.
PORTAELSPLN.
PORTAELSSTR
O.L.VROUW
HELDENPLEIN
VAN HELMONTZIEKENHUIS
RUSTHUIS
VUURKRUISENLAAN
N 1
N 211
N 260
VERBINDINGSWEG
H. ZALIGMAKER
J. VAN DEN BERGHESTR.
KERKSTR.
BLAESENBERGSTR.
NACHTEGAALSTR.
BORGHTSTRAAT
MERGELPUTSTRAAT
POELSTR.
GRIMBERGSESTEENWEG
H. CORNELIS
TENIERSSTRAAT
THAELSTR.
KASSEI
VLIERKENSSTRAAT
RUBENSSTRAAT
VAN DIJCKSTR.
H. DE BRAEKELEERSTR.
VUURKRUISENPLEIN
V. DE SAEDELEERSTR.
JACOB SMITSSTRAAT
LENTRIK. KAP.
BRUSSELSESTEENWEG
STEENKAAI
RONDE WEG
TUCHTHUIS
TUCHTHUISSTRAAT
HERLAERSTR.
KASTEELSTR.
TRAWOOLSTR.
KOEPOORTSTRAAT
SCHAARBEEKLEI
HAVENSTRAAT
HARENSE STEENWEG
BROEK
MARIE-JOSE WIJK
MACHELENSTRAAT
DOMEIN DRIE FONTEINEN
SLUISSTRAAT
W. DEBACKERSTRAAT
LENTERIK
STALLINGEN
PAVILJOEN
1
2
3
4
7
15

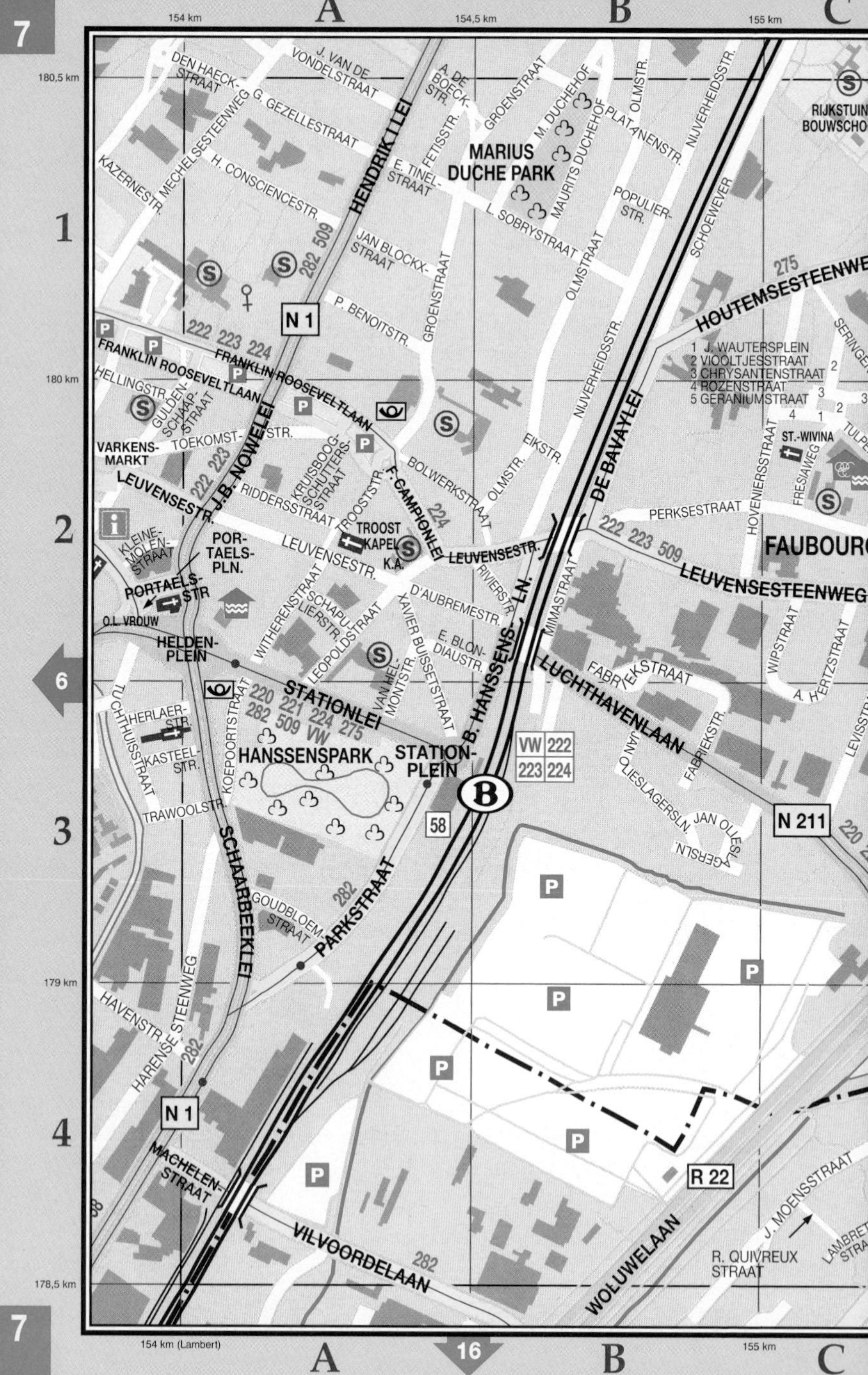

A
B
C
154 km
154,5 km
155 km
180,5 km
180 km
179 km
178,5 km
1
2
3
4
DEN HAECK-STRAAT
J. VAN DE VONDELSTRAAT
A. DE BOECK-STR.
GROENSTRAAT
M. DUCHEHOF
OLMSTR.
NIJVERHEIDSSTR.
RIJKSTUIN-BOUWSCHO
MECHELSESTEENWEG
G. GEZELLESTRAAT
HENDRIK I LEI
FETISSTR.
MARIUS DUCHE PARK
MAURITS DUCHEHOF
PLATANENSTR.
KAZERNESTR.
H. CONSCIENCESTR.
E. TINEL-STRAAT
L. SOBRYSTRAAT
POPULIER-STR.
SCHOEWEVER
JAN BLOCKX-STRAAT
282 509
OLMSTRAAT
275
HOUTEMSESTEENWE
N 1
P. BENOITSTR.
GROENSTRAAT
222 223 224
FRANKLIN ROOSEVELTLAAN
NIJVERHEIDSSTR.
1 J. WAUTERSPLEIN
2 VIOOLTJESSTRAAT
3 CHRYSANTENSTRAAT
4 ROZENSTRAAT
5 GERANIUMSTRAAT
SERINGEN
HELLINGSTR.
GULDEN-SCHAAP-STRAAT
DE BAVAYLEI
ST.-WIVINA
TULPE
VARKENS-MARKT
TOEKOMST-STR.
KRUISBOOG-SCHUTTERS-STRAAT
EIKSTR.
HOVENIERSSTRAAT
FRESIAWEG
LEUVENSESTR.
J.B. NOWELEI
RIDDERSSTRAAT
ROOSTSTR.
F. CAMPIONLEI
BOLWERKSTRAAT
OLMSTR.
PERKSESTRAAT
TROOST KAPEL
K.A.
LEUVENSESTR.
222 223 509
FAUBOURG
KLEINE-MOLEN-STRAAT
POR-TAELS-PLN.
LEUVENSESTR.
RIVIERSTR.
MIMASTRAAT
LEUVENSESTEENWEG
PORTAELS-STR
WITHERENSTRAAT
SCHAPU-LIERSTR.
D'AUBREMESTR.
B. HANSSENS-LN.
O.L. VROUW
HELDEN-PLEIN
LEOPOLDSTRAAT
XAVIER BUISSETSTRAAT
E. BLON-DIAUSTR.
FABRIEKSTRAAT
LUCHTHAVENLAAN
WIPSTRAAT
A. HERTZSTRAAT
6
TUCHTHUISSTRAAT
HERLAER-STR.
STATIONLEI
220 221 224 275
282 509 VW
VAN HEL-MONTSTR.
KOEPOORTSTRAAT
KASTEEL-STR.
HANSSENSPARK
STATION-PLEIN
VW 222
223 224
JAN OLIESLAGERSLN.
FABRIEKSTR.
LEVISSTRA
TRAWOOLSTR.
SCHAARBEEKLEI
58
N 211
JAN OLIESLAGERSLN.
220
GOUDBLOEM-STRAAT
282
PARKSTRAAT
HAVENSTR.
HARENSE STEENWEG
282
N 1
MACHELEN-STRAAT
R 22
J. MOENSSTRAAT
VILVOORDELAAN
282
WOLUWELAAN
R. QUIVREUX STRAAT
LAMBRET STRA
154 km (Lambert)
16
155 km

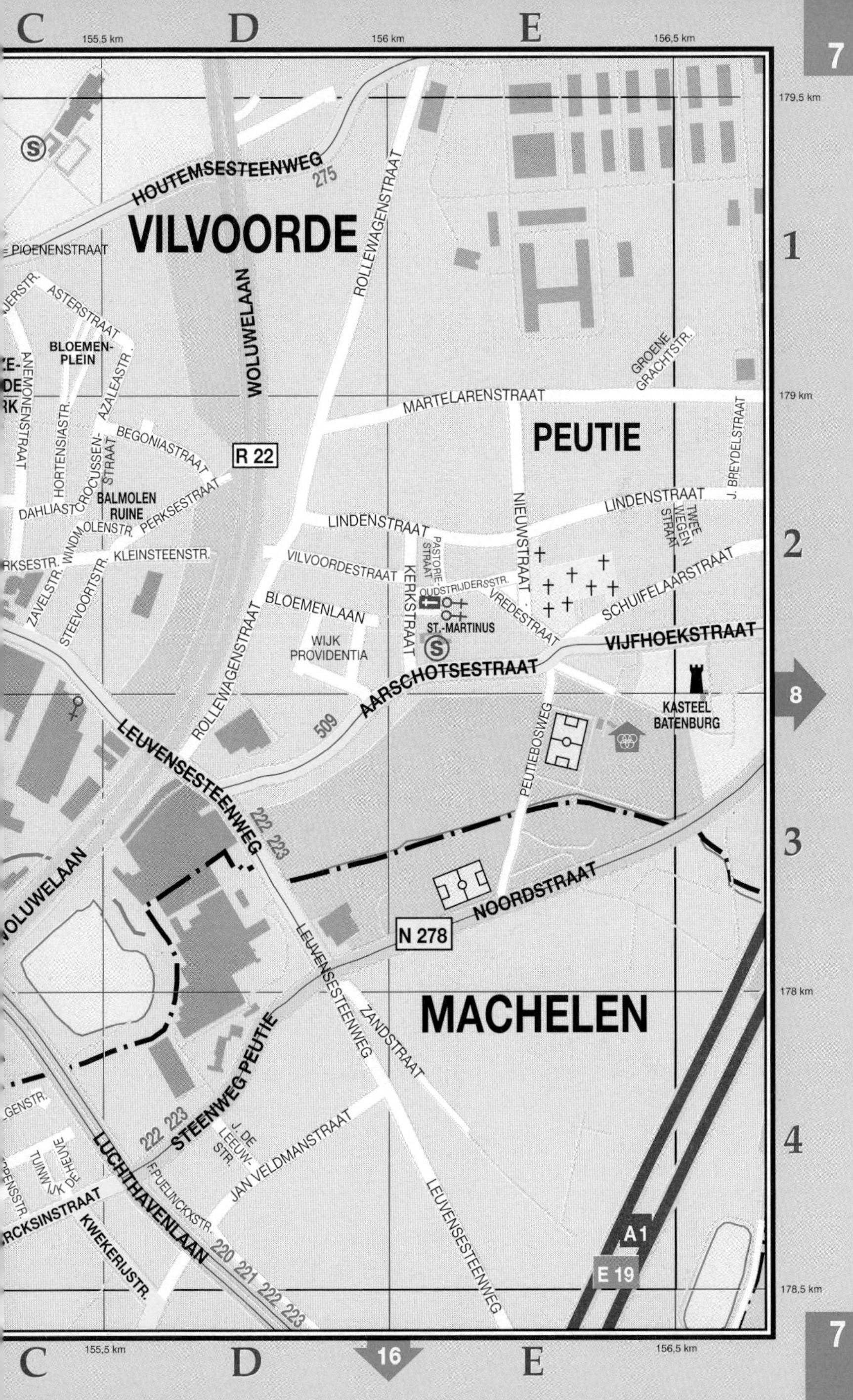
C
D
E
155,5 km
156 km
156,5 km
179,5 km
179 km
178 km
178,5 km
1
2
3
4
VILVOORDE
PEUTIE
MACHELEN
HOUTEMSESTEENWEG
275
PIOENENSTRAAT
ROLLEWAGENSTRAAT
WOLUWELAAN
ASTERSTRAAT
BLOEMEN-
PLEIN
ANEMONENSTRAAT
AZALEASTR.
HORTENSIASTR.
CROCUSSEN-
STRAAT
BEGONIASTRAAT
R 22
MARTELARENSTRAAT
GROENE
GRACHTSTR.
J. BREYDELSTRAAT
BALMOLEN
RUINE
PERKSESTRAAT
DAHLIASTR.
WINDMOLENSTR.
KLEINSTEENSTR.
LINDENSTRAAT
NIEUWSTRAAT
TWEE
WEGEN
STRAAT
PASTORIE-
STRAAT
VILVOORDESTRAAT
KERKSTRAAT
OUDSTRIJDERSSTR.
VREDESTRAAT
SCHUIFELAARSTRAAT
ZAVELSTR.
STEEVOORTSTR.
BLOEMENLAAN
ST.-MARTINUS
WIJK
PROVIDENTIA
VIJFHOEKSTRAAT
AARSCHOTSESTRAAT
509
KASTEEL
BATENBURG
LEUVENSESTEENWEG
PEUTIEBOSWEG
222 223
NOORDSTRAAT
N 278
ZANDSTRAAT
STEENWEG PEUTIE
J. DE
LEEUW-
STR.
JAN VELDMANSTRAAT
LUCHTHAVENLAAN
F.PUELINCKXSTR.
KWEKERIJSTR.
220 221 222 223
A1
E 19
8
16

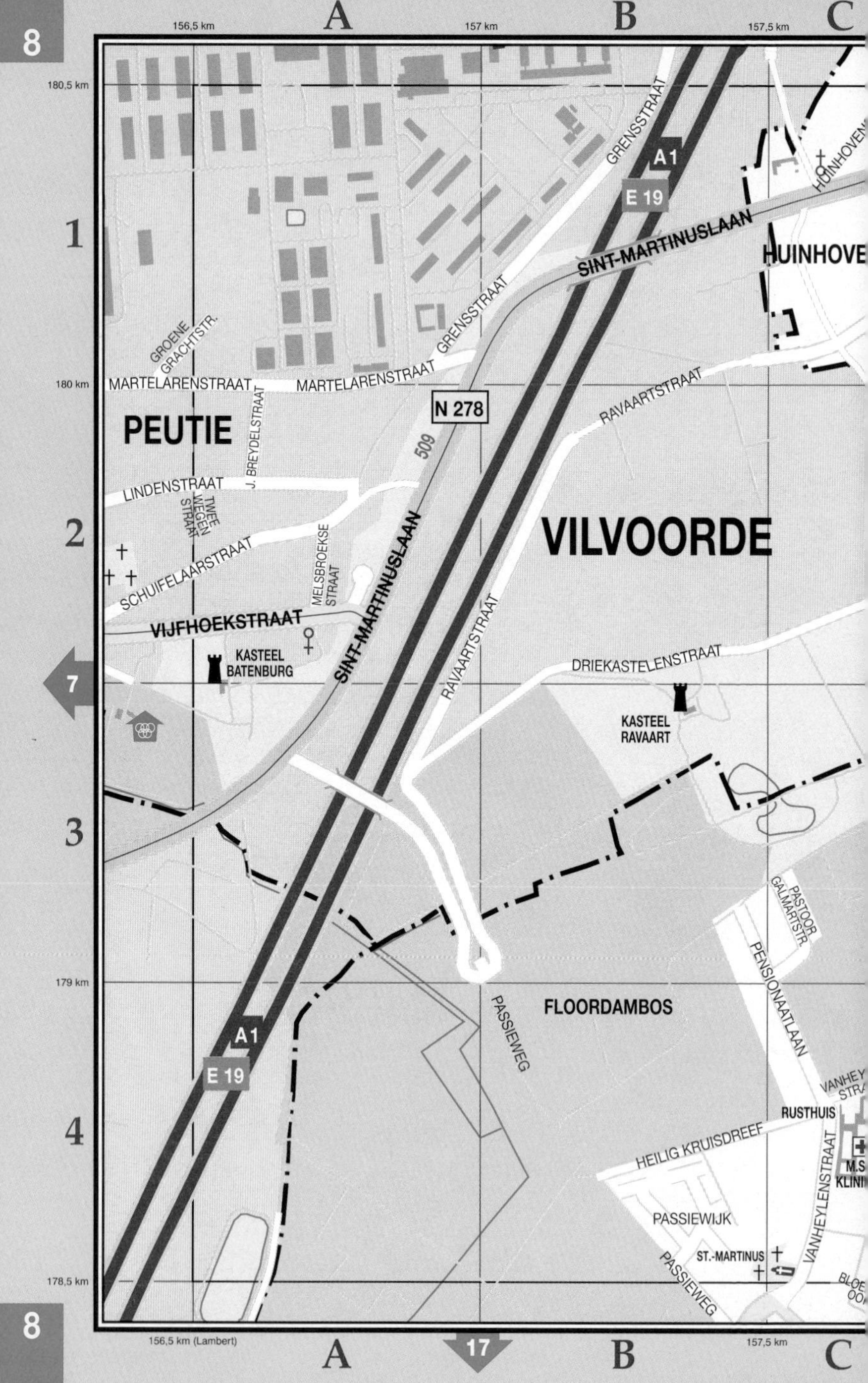
A
B
C
156,5 km
157 km
157,5 km
180,5 km
180 km
179 km
178,5 km
1
2
3
4
GRENSSTRAAT
A1
E 19
SINT-MARTINUSLAAN
HUINHOVE
GROENE GRACHTSTR.
MARTELARENSTRAAT
MARTELARENSTRAAT
N 278
RAVAARTSTRAAT
PEUTIE
J. BREYDELSTRAAT
509
LINDENSTRAAT
TWEE WEGEN STRAAT
SINT-MARTINUSLAAN
VILVOORDE
SCHUIFELAARSTRAAT
MELSBROEKSE STRAAT
VIJFHOEKSTRAAT
RAVAARTSTRAAT
KASTEEL BATENBURG
DRIEKASTELENSTRAAT
7
KASTEEL RAVAART
PASTOOR GALMARTSTR.
PENSIONAATLAAN
PASSIEWEG
FLOORDAMBOS
A1
E 19
RUSTHUIS
HEILIG KRUISDREEF
VANHEYLENSTRAAT
PASSIEWIJK
ST.-MARTINUS
PASSIEWEG
156,5 km (Lambert)
17
157,5 km

C
D
E
158 km
158,5 km
159 km
8
PERK
179,5 km
N 278
VILVOORDSE STEENWEG
509
ERSTEEK AUTOSNELWEG
VILVOORDSE STEENWEG
KREKELENHOEKSTRAAT
VAN STEELANTSTRAAT
D'YAN-VILLE STRAAT
DE BARONAIGESTR.
DE MARSELAERSTR.
LUTGARDISSTRAAT
SINT-ANNASTR.
ST.-NIKLAAS
KERKDREEF
DE RIBAU-COURTPLEIN
1
WALENBAAN
DRIESSTRAAT
DRIESSTRAAT
509
TERVUURSESTEENWEG
SPREEUWENHOEK
KOEKOEKSWEIDE
179 km
FAZANTENDAL
KRAAIENBOS
VINKENBAAN
WIELEWAALS-NEST
N 227
GANZEN DRIES
MEZENOORD
2
DIKT
VOGELZANG
PLATANENLAAN
LINDENLAAN
EIKENLAAN
TERVUURSESTEENWEG
9
BERKENLAAN
PERKSE STEENWEG
STEENOKKERZEEL
3
VOGELZANG
178 km
VAN DIJCK STRAAT
VOGELZANG
FRANS HALSLAAN
GROENVELDLN.
4
HOF TEN AS
GILDEN PLEIN
RUBENSLAAN
JORDAENS STRAAT
MELSBROEK
PERKSE STEENWEG
N 21
M
223 BH BK BM
HAACHTSESTEENWEG
GILLYNSSTRAAT
178,5 km
8
158 km
159 km
C
D
17
E

A
B
C
159 km
159,5 km
160 km
180,5 km
180 km
179 km
178,5 km
1
2
3
4
PERK
ST.-NIKLAAS
KERKDREEF
DE RIBAU-
COURTPLEIN
509
DRIESSTRAAT
TERVUURSESTEENWEG
SINT-JANNEKENSSTRAAT
KASTEEL-
HOEKSTRAAT
PASSIEWEG
BREEMSTRAAT
KASTEEL DE
RIBAUCOURT
ZONNEBOS
LORKENLAAN
HAZELNOTENLAAN
DE RIBAUCOURT
MISPELARENLN.
HEIDE
PLEIN
OLMEN
WILGENLAAN
MAGNOLIALAAN
SPARREN
LAAN
KROKUSSEN
LAAN
AZALEA
PLEIN
ELZEN
VARENSLAAN
MEIDOORNLAAN
DENNENLAAN
FAZANTEN
PAD
KASTANJE
LAAN
ZONNEBOSLAAN
POPULIERENLAAN
KOEKOEKSWEIDE
NIELEWAALS-
NEST
N 227
VINKENBAAN
DIKT
EIKENLAAN
PERKSE STEENWEG
8
SALVIA
PLEIN
DAHLIALN.
PETUNIALN.
KLAPROZENLAAN
HERTBLOCKLAAN
KORENBLOEMENLAAN
ANJELIERENLAAN
SNEEUW-
KLOKJES
WEG
TULPENPAD
SINT VEERLEDREEF
BEGONIALN.
MIMOSALN.
ORCHIDEEENLAAN
HAACHTSESTEENWEG
KEISTRAAT
BH BK
STEENOKKERZEEL
STEENWEG OP MECHELEN
VAN DIJCK
STRAAT
FRANS HALSLAAN
GROENVELDLAAN
BREUGHEL
STRAAT
WAMBEEK
GROENVELD
PEETERS
STRAAT
KEISTRAAT
KAPELSTRAAT
223
WAMBEEKSTRAAT
ARTOISSTRAAT
GILDEN
PLEIN
RUBENSLAAN
JORDAENS
STRAAT
VAN FRACHENLAAN
223 BM
HAACHTSESTEENWEG
223 BH BK BM
VERHOEVEN
STRAAT
AALVOETSTRAAT
LEMMENS
STRAAT
NIEUWSTRAAT
E. DE PROOSTSTRAAT
159 km (Lambert)
18

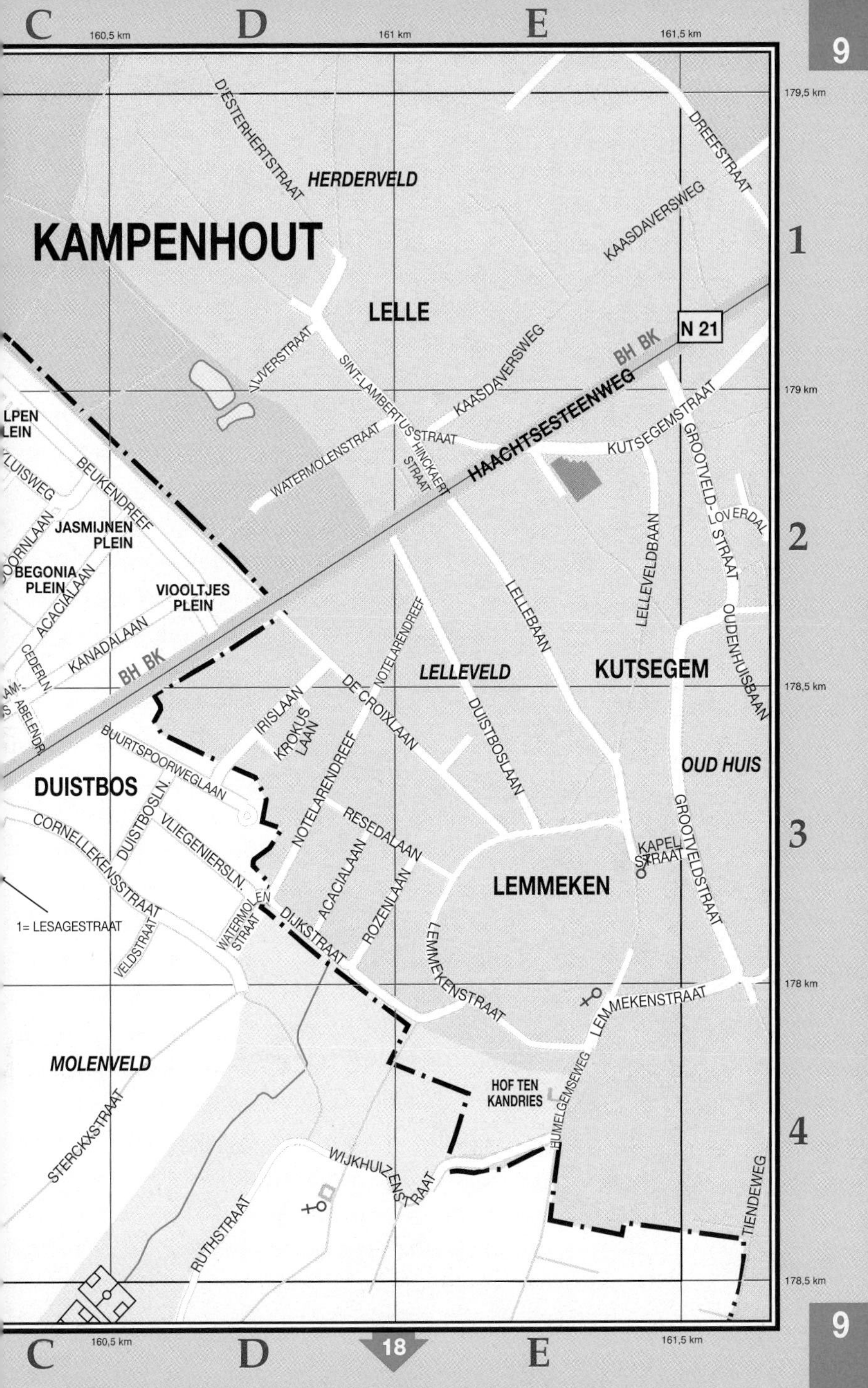
C
D
E
160,5 km
161 km
161,5 km
9
179,5 km
179 km
178,5 km
178 km
178,5 km
1
2
3
4
KAMPENHOUT
HERDERVELD
D'ESTERHERTSTRAAT
DREEFSTRAAT
KAASDAVERSWEG
LELLE
N 21
BH BK
HAACHTSESTEENWEG
NIJVERSTRAAT
SINT-LAMBERTUSSTRAAT
KAASDAVERSWEG
KUTSEGEMSTRAAT
GROOTVELD-STRAAT
LOVERDAL
WATERMOLENSTRAAT
HINCKAERT STRAAT
LPEN LEIN
LUISWEG
BEUKENDREEF
JASMIJNEN PLEIN
BEGONIA PLEIN
ACACIALAAN
VIOOLTJES PLEIN
KANADALAAN
CEDERLN.
ABELENDR.
BH BK
LELLEBAAN
LELLEVELDBAAN
OUDENHUISBAAN
NOTELARENDREEF
LELLEVELD
KUTSEGEM
DE CROIXLAAN
DUISTBOSLAAN
IRISLAAN
KROKUS LAAN
OUD HUIS
BUURTSPOORWEGLAAN
DUISTBOS
NOTELARENDREEF
GROOTVELDSTRAAT
RESEDALAAN
KAPEL STRAAT
CORNELLEKENSSTRAAT
DUISTBOSLN.
VLIEGENIERSLN.
ACACIALAAN
LEMMEKEN
1= LESAGESTRAAT
WATERMOLEN STRAAT
DIJKSTRAAT
ROZENLAAN
VELDSTRAAT
LEMMEKENSTRAAT
LEMMEKENSTRAAT
MOLENVELD
HOF TEN KANDRIES
EIJMELGEMSEWEG
STERCKXSTRAAT
WIJKHUIZENSTRAAT
TIENDEWEG
RUTHSTRAAT
18
C
D
E
160,5 km
161,5 km
9

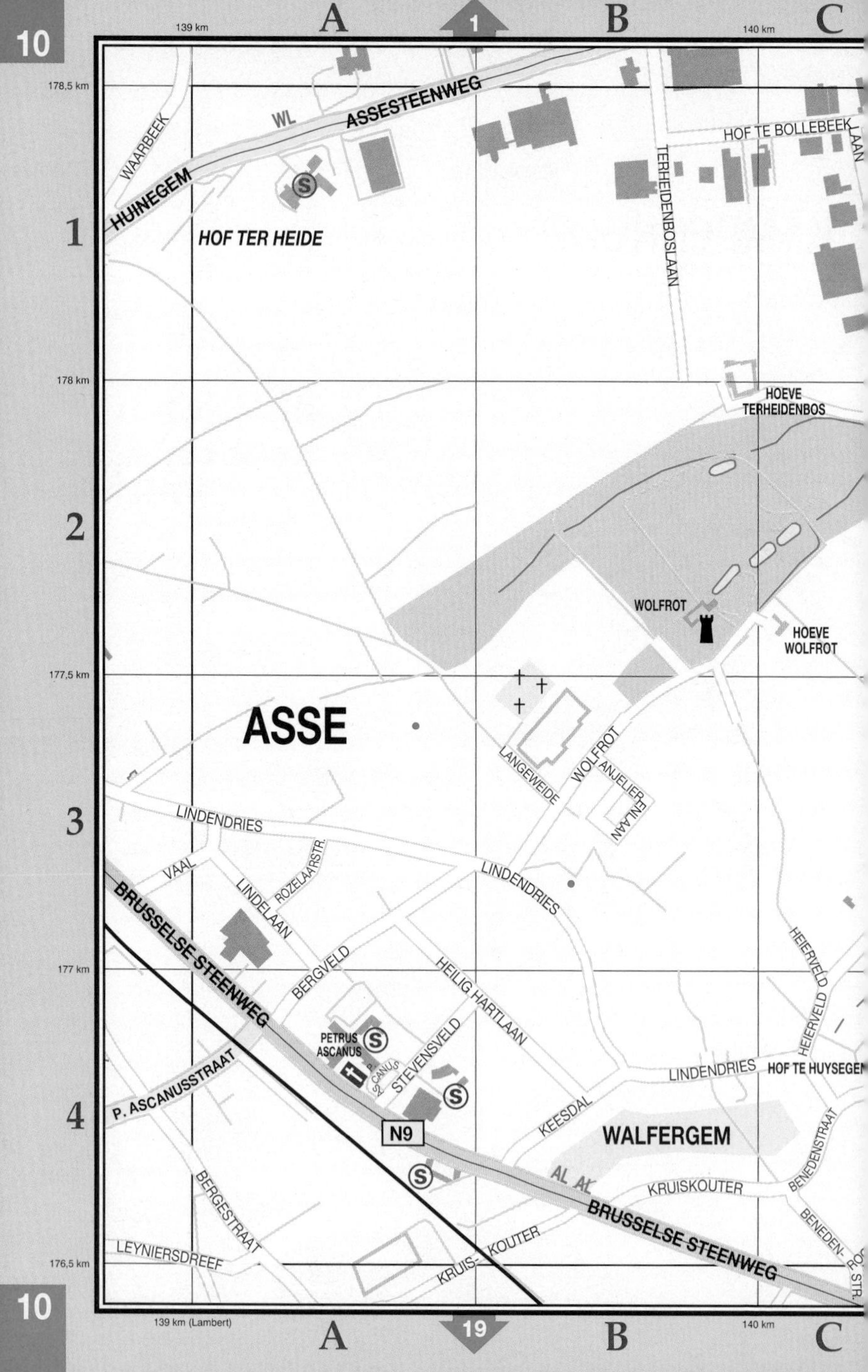
A
B
C
1
139 km
140 km
178,5 km
178 km
177,5 km
177 km
176,5 km
139 km (Lambert)
2
3
4
19
ASSESTEENWEG
WL
WAARBEEK
HUINEGEM
HOF TER HEIDE
TERHEIDENBOSLAAN
HOF TE BOLLEBEEKLAAN
HOEVE TERHEIDENBOS
WOLFROT
HOEVE WOLFROT
ASSE
LANGEWEIDE
WOLFROT
ANJELIERENLAAN
LINDENDRIES
VAAL
LINDELAAN
ROZELAARSTR.
BRUSSELSE STEENWEG
BERGVELD
HEILIG HARTLAAN
PETRUS ASCANUS
P. ASCANUS
STEVENSVELD
P. ASCANUSSTRAAT
HEIERVELD
HOF TE HUYSEGEM
KEESDAL
WALFERGEM
N9
AL
KRUISKOUTER
BENEDENSTRAAT
BENEDEN-R. STR.
BERGESTRAAT
LEYNIERSDREEF
KRUIS-KOUTER

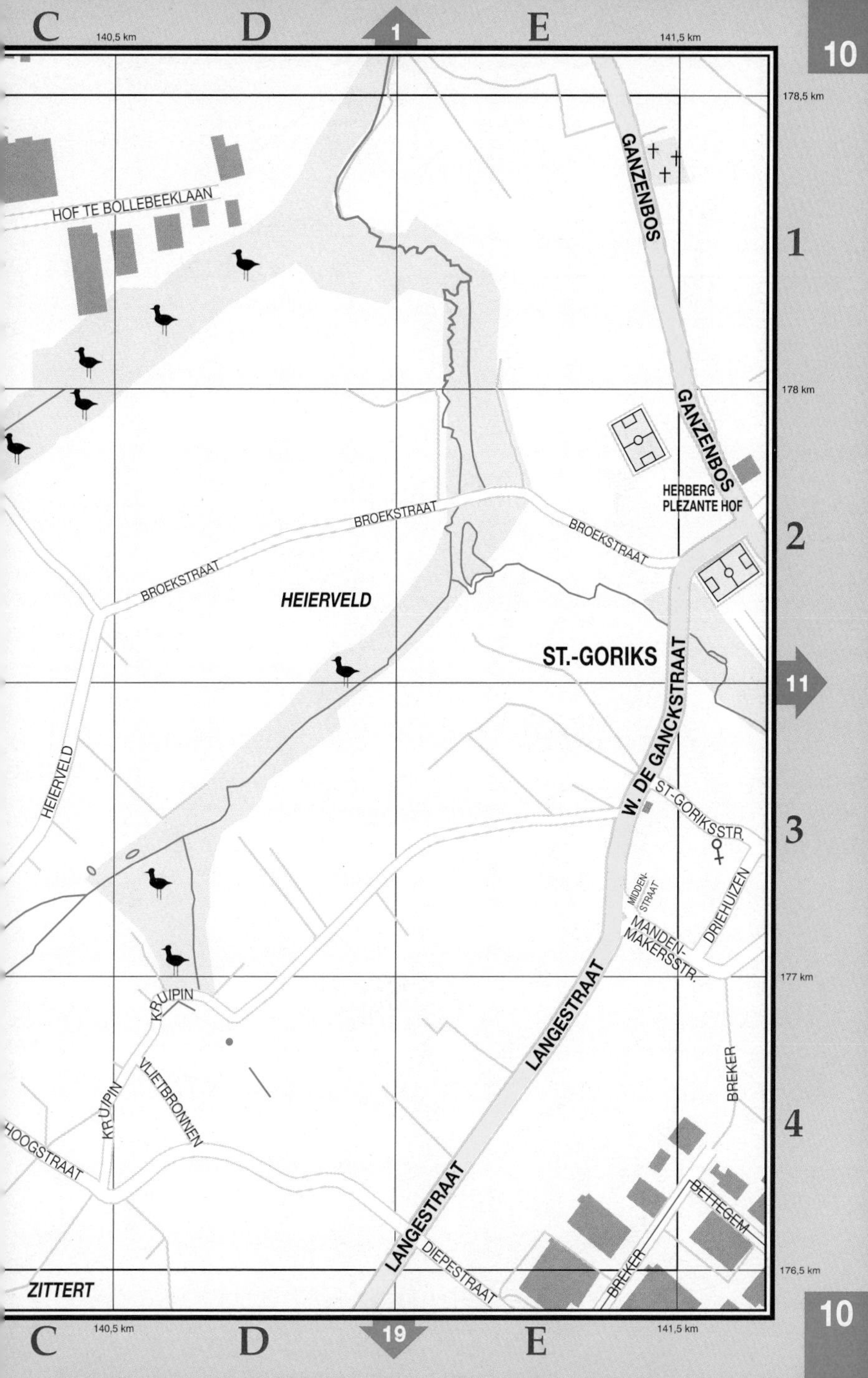
C
140,5 km
D
1
E
141,5 km
178,5 km
HOF TE BOLLEBEEKLAAN
GANZENBOS
1
178 km
GANZENBOS
HERBERG
PLEZANTE HOF
BROEKSTRAAT
BROEKSTRAAT
BROEKSTRAAT
2
HEIERVELD
ST.-GORIKS
11
W. DE GANCKSTRAAT
HEIERVELD
ST.-GORIKSSTR.
3
MIDDEN-
STRAAT
DRIEHUIZEN
MANDEN-
MAKERSSTR.
177 km
LANGESTRAAT
KRUIPIN
KRUIPIN
VLIETBRONNEN
BREKER
4
HOOGSTRAAT
LANGESTRAAT
BETTEGEM
DIEPESTRAAT
BREKER
176,5 km
ZITTERT
140,5 km
19
141,5 km
C
D
E

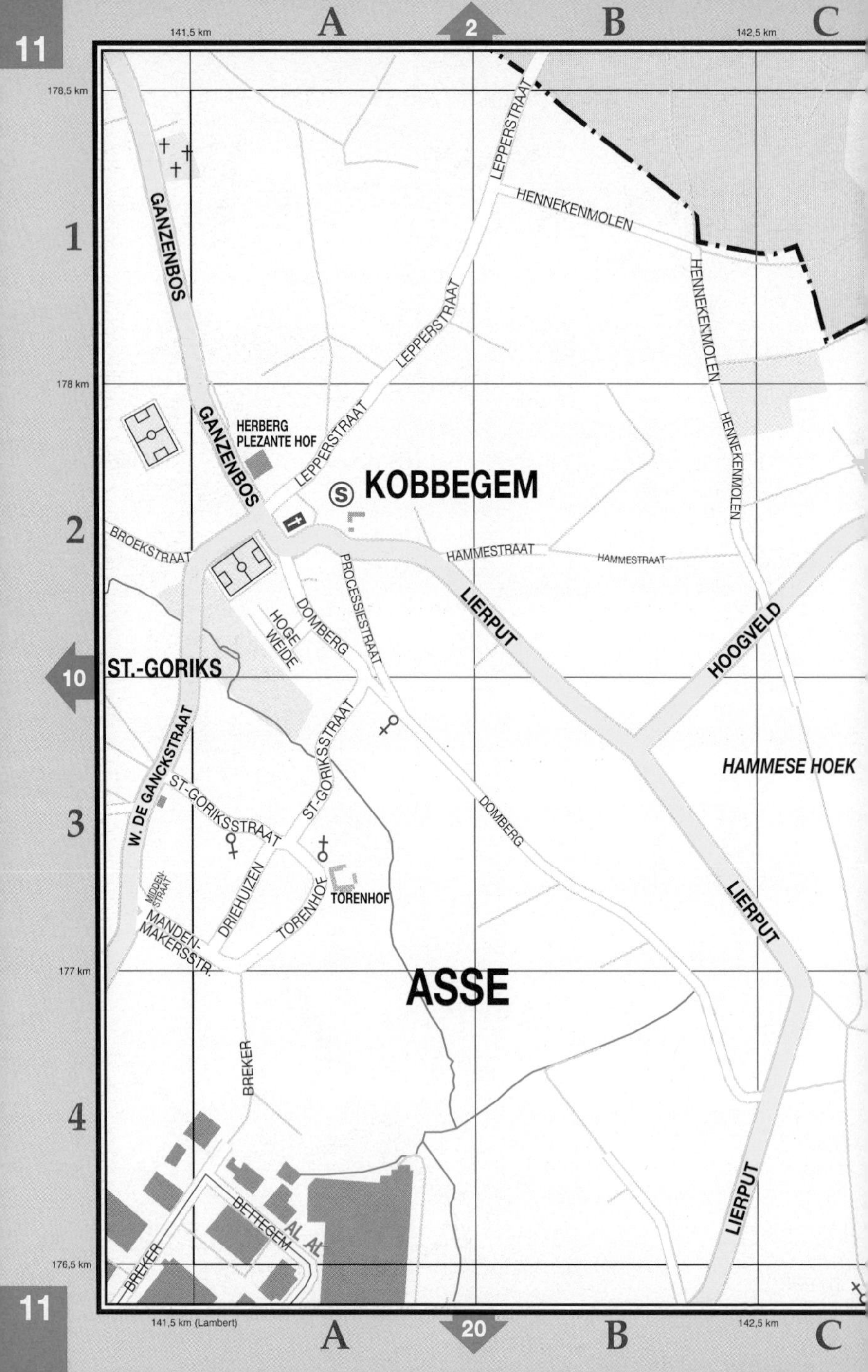
A
2
B
C
141,5 km
142,5 km
178,5 km
178 km
177 km
176,5 km
1
2
3
4
10
GANZENBOS
LEPPERSTRAAT
HENNEKENMOLEN
HERBERG
PLEZANTE HOF
KOBBEGEM
BROEKSTRAAT
HAMMESTRAAT
PROCESSIESTRAAT
DOMBERG
HOGE
WEIDE
LIERPUT
HOOGVELD
ST.-GORIKS
W. DE GANCKSTRAAT
ST.-GORIKSSTRAAT
HAMMESE HOEK
DRIEHUIZEN
TORENHOF
MIDDEN-
STRAAT
MANDEN-
MAKERSSTR.
ASSE
BREKER
BETTEGEM
141,5 km (Lambert)
20

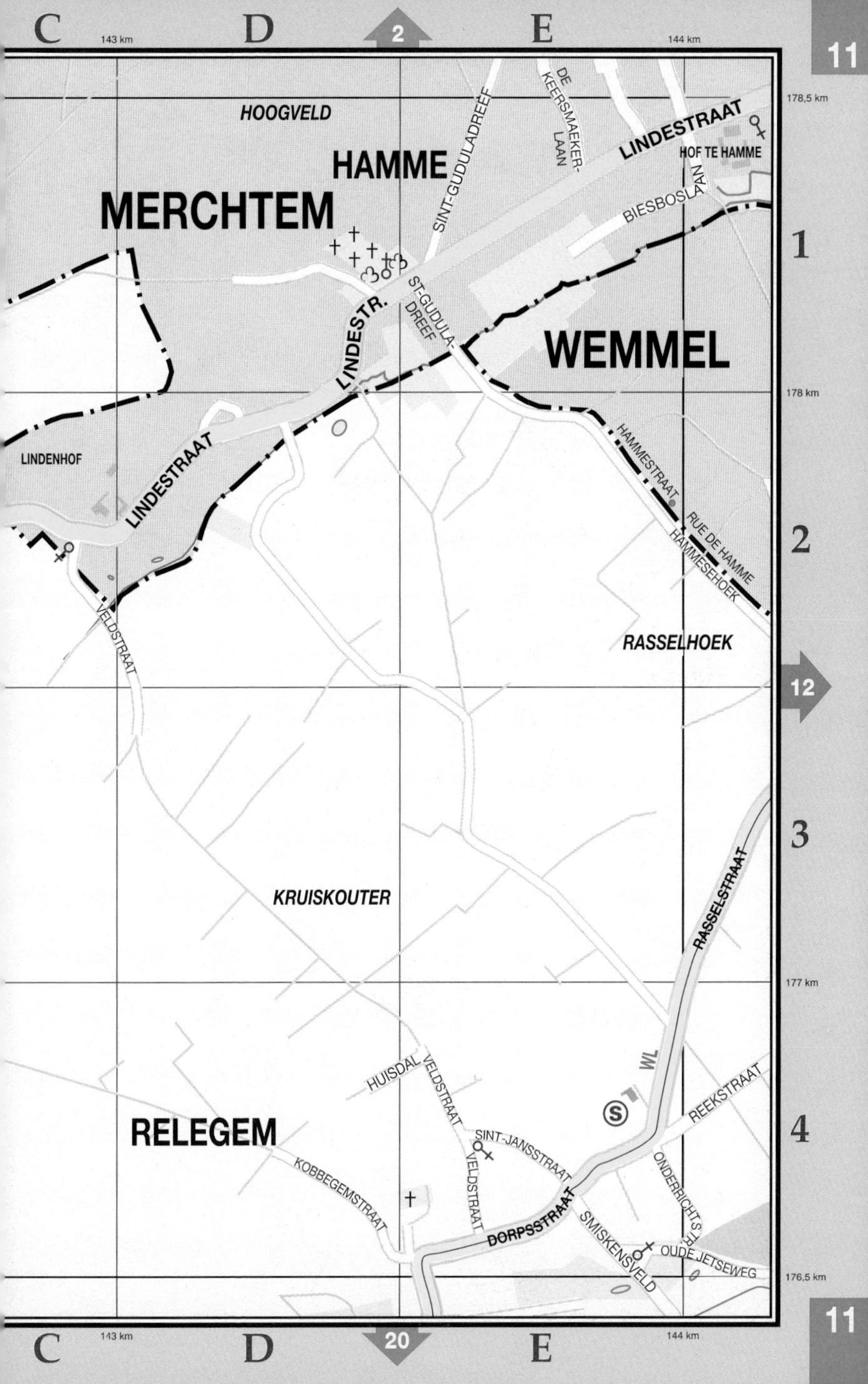
C
D
E
143 km
144 km
2
178,5 km
178 km
177 km
176,5 km
1
2
3
4
12
20
HOOGVELD
HAMME
MERCHTEM
WEMMEL
SINT-GUDULADREEF
DE KEERSMAEKER-LAAN
LINDESTRAAT
HOF TE HAMME
BIESBOSLAAN
LINDESTR.
ST.-GUDULA-DREEF
LINDENHOF
HAMMESTRAAT
RUE DE HAMME
HAMMESEHOEK
VELDSTRAAT
RASSELHOEK
KRUISKOUTER
RASSELSTRAAT
WL
HUISDAL
REEKSTRAAT
RELEGEM
SINT-JANSSTRAAT
ONDERRICHTSTR.
KOBBEGEMSTRAAT
DORPSSTRAAT
SMISKENSVELD
OUDE JETSEWEG

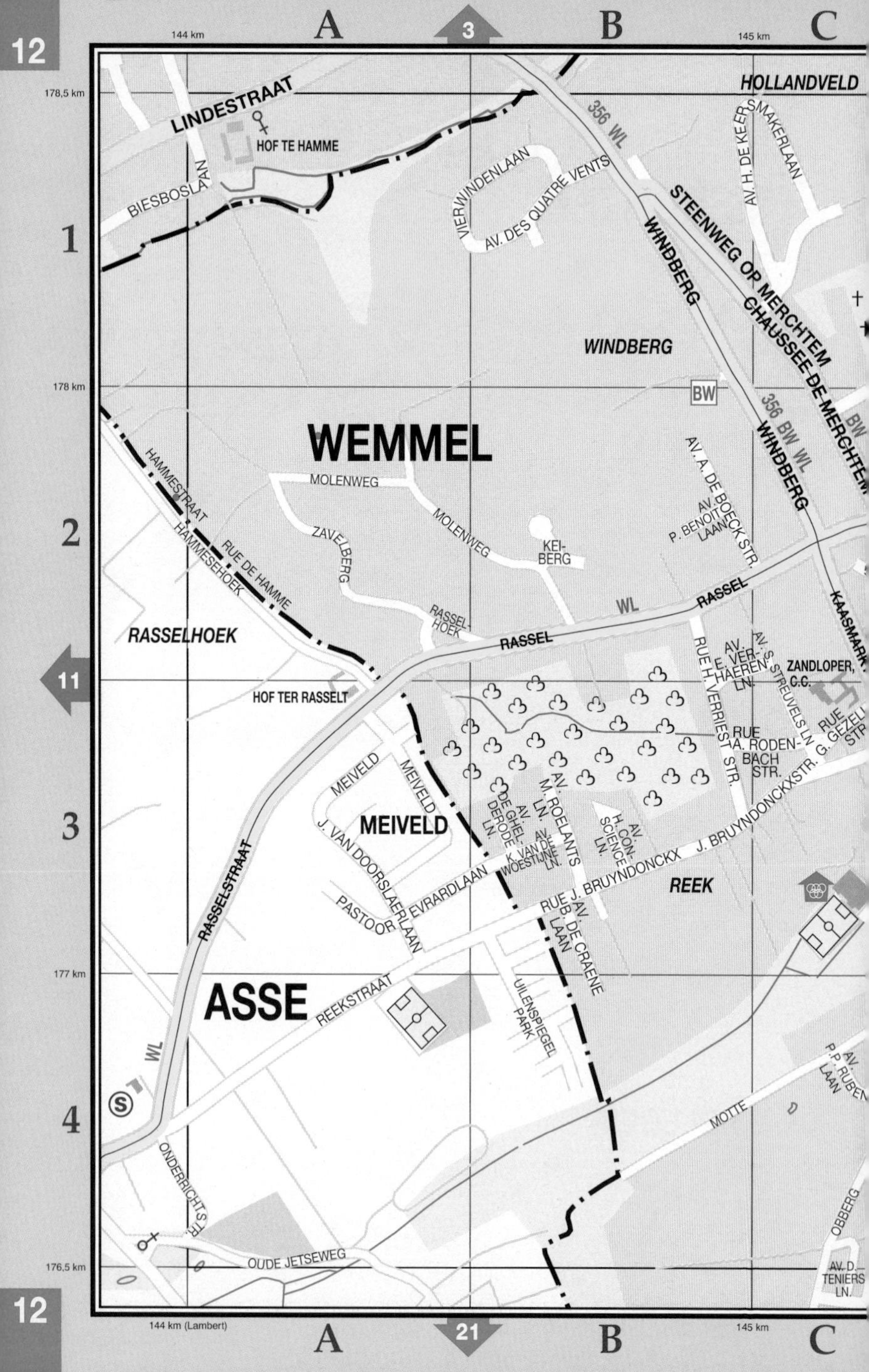
A
B
C
3
144 km
145 km
178,5 km
178 km
177 km
176,5 km
1
2
3
4
11
HOLLANDVELD
LINDESTRAAT
HOF TE HAMME
BIESBOSLAAN
356 WL
VIERWINDENLAAN
AV. DES QUATRE VENTS
AV. H. DE KEERSMAKERLAAN
STEENWEG OP MERCHTEM
CHAUSSEE DE MERCHTEM
WINDBERG
WINDBERG
BW
356 BW WL
WINDBERG
WEMMEL
MOLENWEG
MOLENWEG
HAMMESTRAAT
HAMMESEHOEK
RUE DE HAMME
ZAVELBERG
KEI-BERG
AV. A. DE BOECK STR.
AV. P. BENOIT LAAN
RASSEL
WL
RASSEL
RASSEL-HOEK
RASSEL
KAASMARKT
RASSELHOEK
HOF TER RASSELT
AV. E. VERHAEREN LN.
AV. S. STREUVELS LN.
RUE H. VERRIEST STR.
ZANDLOPER, C.C.
RUE A. RODENBACH STR.
RUE G. GEZELLE STR.
MEIVELD
MEIVELD
MEIVELD
J. VAN DOORSLAERLAAN
AV. DE GHELDERODE LN.
AV. M. ROELANTS LN.
AV. K. VAN DE WOESTIJNE LN.
AV. H. CONSCIENCE LN.
J. BRUYNDONCKXSTR.
RUE J. BRUYNDONCKX
J. BRUYNDONCKX
REEK
RASSELSTRAAT
PASTOOR EVRARDLAAN
RUE B. LAAN
AV. DE CRAENE
ASSE
REEKSTRAAT
UILENSPIEGEL PARK
WL
AV. P.P. RUBENS LAAN
MOTTE
ONDERRICHTSTR.
OBBERG
OUDE JETSEWEG
AV. D. TENIERS LN.
144 km (Lambert)
145 km
21

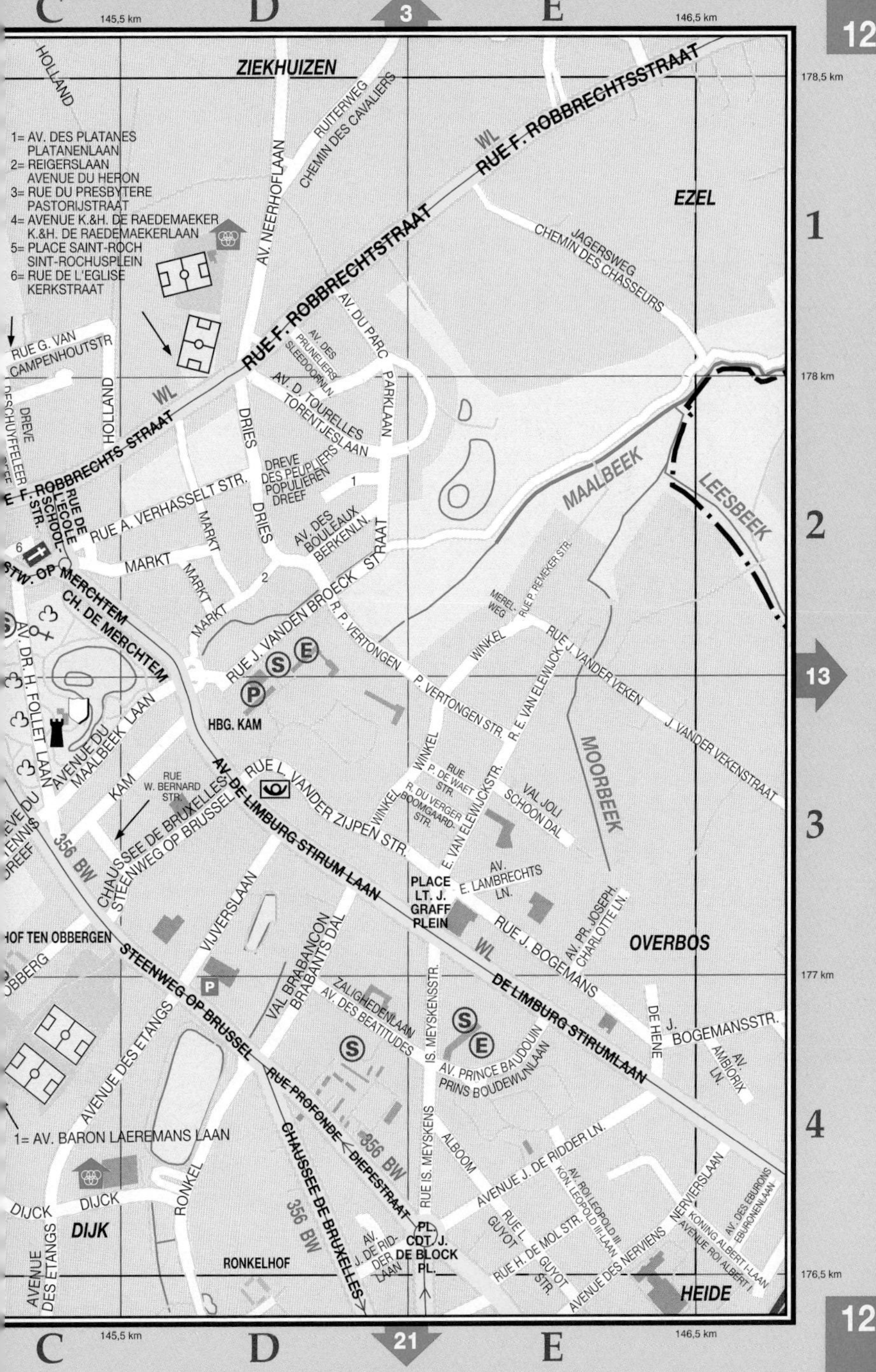
C
D
E
3
145,5 km
146,5 km
178,5 km
178 km
177 km
176,5 km
1
2
3
4
13
21
ZIEKHUIZEN
EZEL
OVERBOS
HEIDE
DIJK
1= AV. DES PLATANES
PLATANENLAAN
2= REIGERSLAAN
AVENUE DU HERON
3= RUE DU PRESBYTERE
PASTORIJSTRAAT
4= AVENUE K.&H. DE RAEDEMAEKER
K.&H. DE RAEDEMAEKERLAAN
5= PLACE SAINT-ROCH
SINT-ROCHUSPLEIN
6= RUE DE L'EGLISE
KERKSTRAAT
1= AV. BARON LAEREMANS LAAN
RUE F. ROBBRECHTSSTRAAT
RUE F. ROBBRECHTSSTRAAT
RUE F. ROBBRECHTS STRAAT
RUITERWEG
CHEMIN DES CAVALIERS
AV. NEERHOFLAAN
JAGERSWEG
CHEMIN DES CHASSEURS
AV. DU PARC
PARKLAAN
MAALBEEK
LEESBEEK
MOORBEEK
HBG. KAM
PLACE LT. J. GRAFF PLEIN
AV DE LIMBURG STIRUM LAAN
DE LIMBURG STIRUMLAAN
STEENWEG OP BRUSSEL
CHAUSSEE DE BRUXELLES
RUE PROFONDE
DIEPESTRAAT
PL. CDT. J. DE BLOCK PL.
RONKELHOF
HOF TEN OBBERGEN

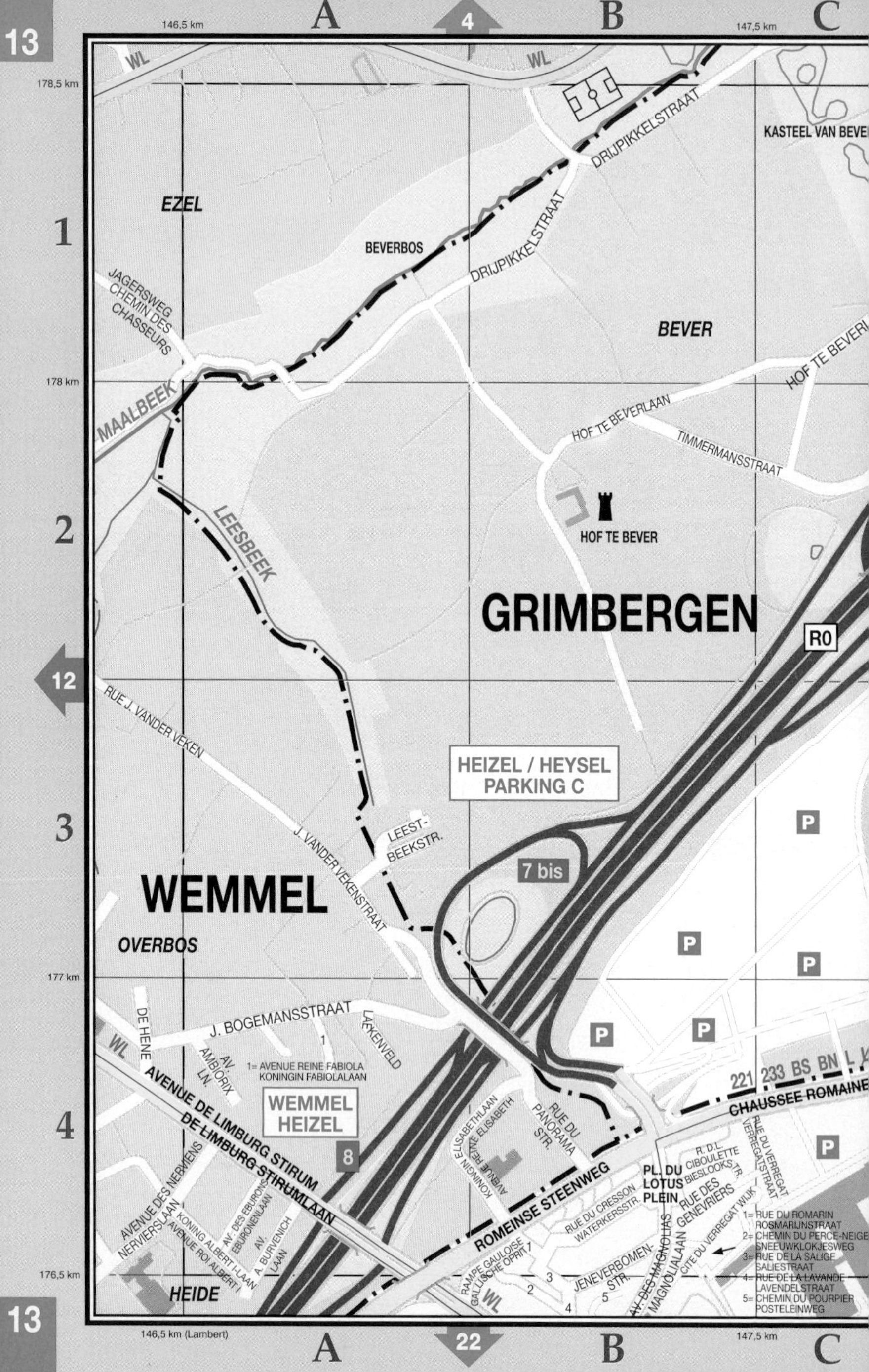

A
B
C
4
146,5 km
147,5 km
178,5 km
178 km
177 km
176,5 km
1
2
3
4
12
22
146,5 km (Lambert)
WL
EZEL
BEVERBOS
DRIJPIKKELSTRAAT
KASTEEL VAN BEVE
JAGERSWEG CHEMIN DES CHASSEURS
BEVER
MAALBEEK
HOF TE BEVERLAAN
HOF TE BEVER
TIMMERMANSSTRAAT
LEESBEEK
HOF TE BEVER
GRIMBERGEN
R0
RUE J. VANDER VEKEN
HEIZEL / HEYSEL PARKING C
P
LEEST-BEEKSTR.
J. VANDER VEKENSTRAAT
7 bis
WEMMEL
OVERBOS
J. BOGEMANSSTRAAT
LAEKENVELD
DE HENE
AV. AMBIORIX LN.
1= AVENUE REINE FABIOLA KONINGIN FABIOLALAAN
AVENUE DE LIMBURG STIRUM
DE LIMBURG STIRUMLAAN
WEMMEL HEIZEL
8
KONINGIN ELISABETHLAAN
AVENUE REINE ELISABETH
RUE DU PANORAMA STR.
221 233 BS BN L
CHAUSSEE ROMAINE
ROMEINSE STEENWEG
PL. DU LOTUS PLEIN
R. D.L. CIBOULETTE BIESLOOKS TR.
RUE DU VERREGAT VERREGATSTRAAT
RUE DU CRESSON WATERKERSSTR.
RUE DES GENEVRIERS
AVENUE DES NERVIENS NERVIERSLAAN
AV. DES EBURONS EBURONENLAAN
KONING ALBERT I-LAAN AVENUE ROI ALBERT I
AV. A. BURVENICH LAAN
RAMPE GAULOISE GALLISCHE OPRIT
JENEVERBOMEN-STR.
AV. DES MAGNOLIAS MAGNOLIALAAN
CITE DU VERREGAT WIJK
1= RUE DU ROMARIN ROSMARIJNSTRAAT
2= CHEMIN DU PERCE-NEIGE SNEEUWKLOKJESWEG
3= RUE DE LA SALIGE SALIESTRAAT
4= RUE DE LA LAVANDE LAVENDELSTRAAT
5= CHEMIN DU POURPIER POSTELEINWEG
HEIDE

C
D
E
148 km
149 km
4
R 0
178,5 km
178 km
177 km
176,5 km
1
2
3
4
14
22
STROMBEEK-
BEVER
STROMBEEK-BEVER
BRUSSEL
BRUXELLES
TENTOONSTELLINGSPARK
PARC DES
EXPOSITIONS
ANTWERPSELAAN
BOECHOUTLAAN
LANDHUIZENLAAN
POTAARDE
OUDE MECHELSESTRAAT
DOREKESVELD
KLEUVERBOS
HOVENIERSSTRAAT
BLOEMENHOF
J. DE VLEMINCKSTR.
BEVERSTR.
SINGEL
TRAMSTR.
MEISESTRAAT
MEZENHOF
DE BURTINSTRAAT
POSTSTR.
VAN DER NOOTSTR.
BORREKENSVELD
DE VILLEGAS DE CLERCAMPSTRAAT
PASTORIJSTR.
O. DE MENTOCK-PLEIN
WEMMELSESTRAAT
V. SOENSSTR.
H. DRAPSSTR.
SCHOOLSTR.
JAN MULSTRAAT
BEVERLINDESTR.
TEMSESTEENWEG
GENTSESTRAAT
HAZENSTRAAT
TIMMERMANSSTR.
GEMEENTEPLEIN
ADM. CULT. CENTR.
BIB.
VERBEYTSTRAAT
VIJVERSTRAAT
LAKENSESTRAAT
RIJKENDALSTR.
ACACIALAAN
HAZELAARLN.
NIEUWELAAN
VERBERTVELD
JETSESTRAAT
BAALHOEK
LUITBERG
JOZEF VAN ELEWIJCKSTRAAT
KLAUWAARTSLAAN
LINDELAAN
BERGDAL
HEUVELDAL
ROMEINSE STEENWEG
TEMSELAAN
A12
N276
N277
233 360 BN
221 232 BS
221 232
BS
ANC. CH. DE MEYSSE
OUDE MEISESTWG.
ESPLANADE
232
360
AVENUE DE MADRID
52
SENTIER DU SETTER WEG
RODE KRUISLAAN
AV. DE LA CROIX ROUGE
MEISESELAAN
1= SENTIER DU CHIEN DE BERGER HERDERSHONDWEG
2= SENTIER DU LEVRIER WINDHONDWEG
AVENUE DU FORUM
FORUMLAAN
AMFORALAAN
AV. DE L'AMPHORE
RUE DU LABRADOR STRAAT
TRADE MART
PLACE DE LA BELGIQUE
BELGIEPLEIN
AV. DE MIRAMAR LAAN
TREFT

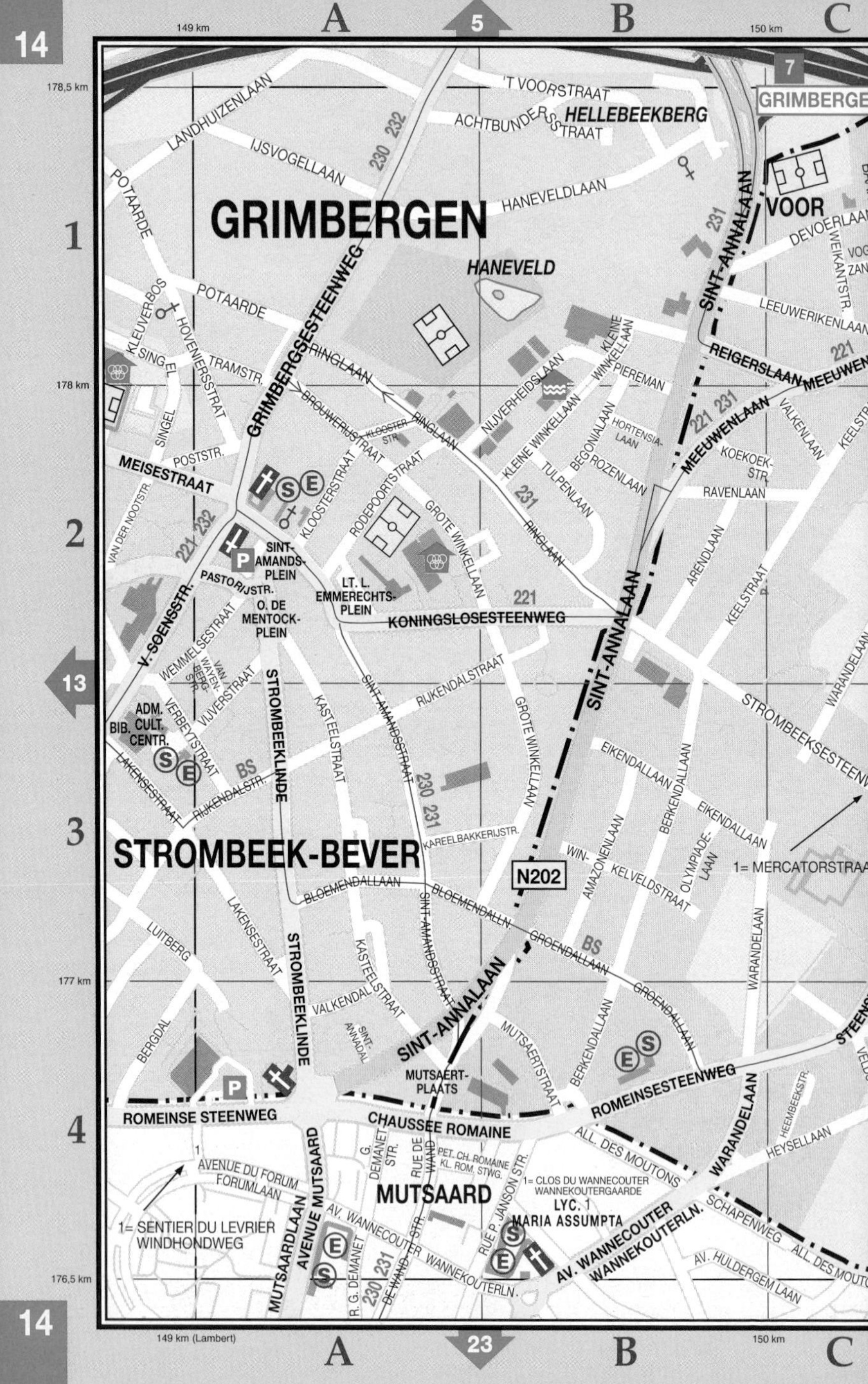

A
B
C
5
149 km
150 km
178,5 km
178 km
177 km
176,5 km
1
2
3
4
13
7
GRIMBERGE
GRIMBERGEN
HELLEBEEKBERG
HANEVELD
'T VOORSTRAAT
ACHTBUNDERSSTRAAT
LANDHUIZENLAAN
IJSVOGELLAAN
HANEVELDLAAN
POTAARDE
GRIMBERGSESTEENWEG
RINGLAAN
SINT-ANNALAAN
VOOR
DEVOERLAAN
LEEUWERIKENLAAN
REIGERSLAAN
MEEUWENLAAN
KLEUVERBOS
HOVENIERSSTRAAT
SINGEL
TRAMSTR.
BROUWERIJSTRAAT
KLOOSTERSTR.
NIJVERHEIDSLAAN
KLEINE WINKELLAAN
PIEREMAN
HORTENSIALAAN
BEGONIALAAN
ROZENLAAN
TULPENLAAN
KOEKOEKSTR.
RAVENLAAN
VALKENLAAN
POSTSTR.
MEISESTRAAT
VAN DER NOOTSTR.
KLOOSTERSTRAAT
RODEPOORTSTRAAT
GROTE WINKELLAAN
SINT-AMANDSPLEIN
PASTORIJSTR.
O. DE MENTOCKPLEIN
LT. L. EMMERECHTSPLEIN
KONINGSLOSESTEENWEG
ARENDLAAN
KEELSTRAAT
V. SOENSSTR.
WEMMELSESTRAAT
VAN WAYENBERGSTR.
VIJVERSTRAAT
STROMBEEKLINDE
KASTEELSTRAAT
SINT-AMANDSSTRAAT
RIJKENDALSTRAAT
STROMBEEKSESTEENWEG
WARANDELAAN
ADM. CULT. CENTR.
BIB.
VERBEYTSTRAAT
LAKENSESTRAAT
RIJKENDALSTR.
BS
EIKENDALLAAN
BERKENDALLAAN
OLYMPIADELAAN
1= MERCATORSTRAAT
STROMBEEK-BEVER
KAREELBAKKERIJSTR.
N202
AMAZONENLAAN
WINKELVELDSTRAAT
BLOEMENDALLAAN
BLOEMENDALLN.
GROENDALLAAN
LUITBERG
BERGDAL
VALKENDAL
SINT-ANNADAL
MUTSAERTSTRAAT
MUTSAERTPLAATS
ROMEINSESTEENWEG
ROMEINSE STEENWEG
CHAUSSEE ROMAINE
ALL. DES MOUTONS
HEYSELLAAN
HEEMBEEKSTR.
AVENUE DU FORUM
FORUMLAAN
G. DEMANETSTR.
RUE DE WAND
PET. CH. ROMAINE
KL. ROM. STWG.
RUE P. JANSON STR.
1= CLOS DU WANNECOUTER
WANNEKOUTERGAARDE
LYC. 1
MARIA ASSUMPTA
MUTSAARD
1= SENTIER DU LEVRIER
WINDHONDWEG
MUTSAARDLAAN
AVENUE MUTSAARD
AV. WANNECOUTER
WANNEKOUTERLN.
SCHAPENWEG
ALL. DES MOUTONS
AV. HULDERGEM LAAN
R. G. DEMANET
DE WAND STR.
149 km (Lambert)
23

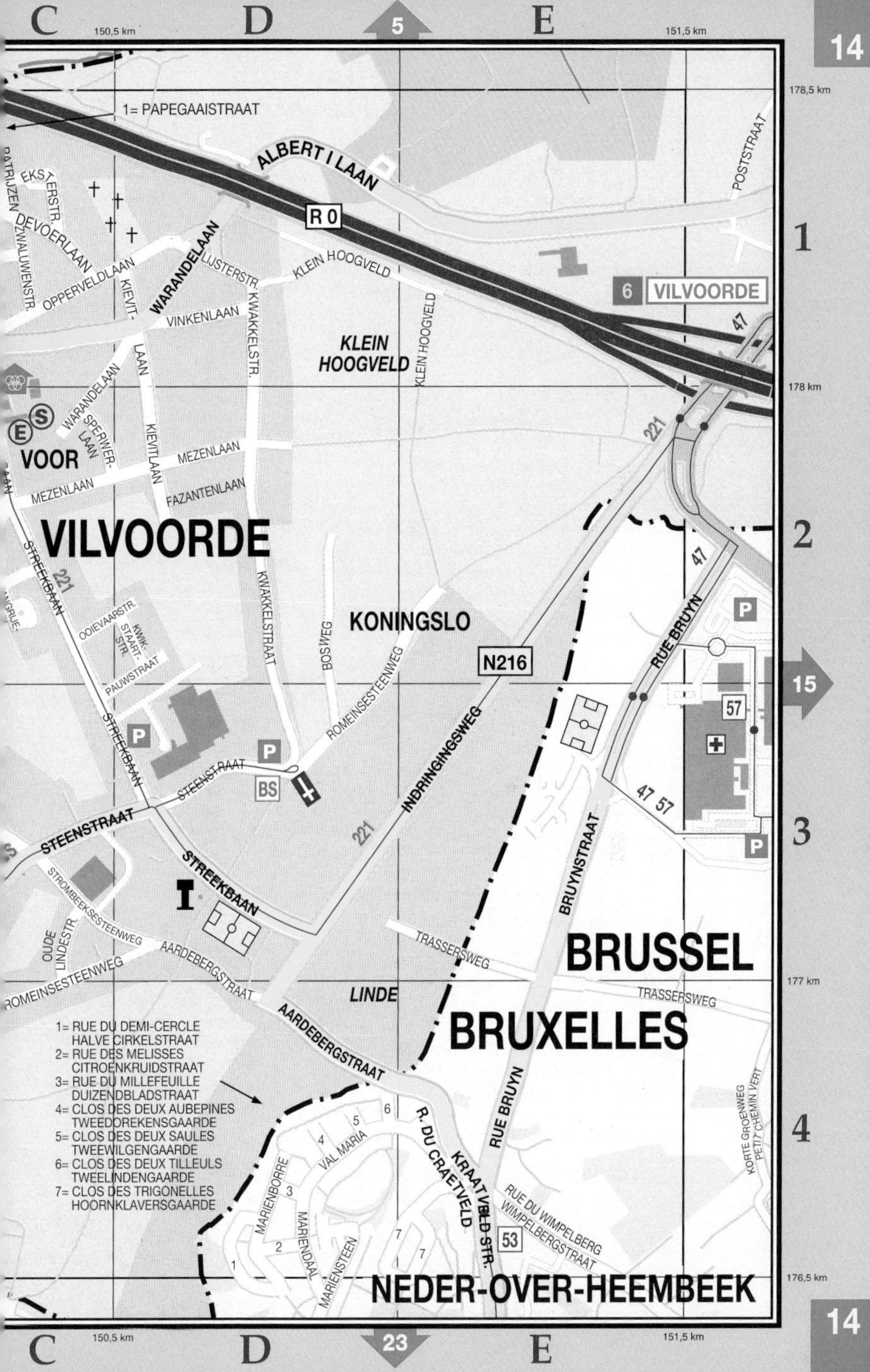

C
D
5
E
150,5 km
151,5 km
178,5 km
178 km
177 km
176,5 km
1
2
3
4
1= PAPEGAAISTRAAT
ALBERT I LAAN
POSTSTRAAT
R 0
KLEIN HOOGVELD
6 VILVOORDE
47
KLEIN HOOGVELD
WARANDELAAN
LIJSTERSTR.
OPPERVELDLAAN
KIEVIT-LAAN
VINKENLAAN
KWAKKELSTR.
DEVOERLAAN
ZWALUWENSTR.
EKSTERSTR.
PATRIJZEN
WARANDELAAN
SPERWER-LAAN
KIEVITLAAN
MEZENLAAN
MEZENLAAN
FAZANTENLAAN
VOOR
221
VILVOORDE
STREEKBAAN
KWAKKELSTRAAT
KONINGSLO
BOSWEG
RUE BRUYN
P
OOIEVAARSTR.
KWIKSTAARTSTR.
PAUWSTRAAT
ROMEINSESTEENWEG
N216
15
57
INDRINGINGSWEG
STREEKBAAN
P
P
STEENSTRAAT
BS
47 57
STEENSTRAAT
221
BRUYNSTRAAT
P
STREEKBAAN
STROMBEEKSESTEENWEG
OUDE LINDESTR.
AARDEBERGSTRAAT
ROMEINSESTEENWEG
TRASSERSWEG
BRUSSEL
TRASSERSWEG
LINDE
AARDEBERGSTRAAT
BRUXELLES
1= RUE DU DEMI-CERCLE
HALVE CIRKELSTRAAT
2= RUE DES MELISSES
CITROENKRUIDSTRAAT
3= RUE DU MILLEFEUILLE
DUIZENDBLADSTRAAT
4= CLOS DES DEUX AUBEPINES
TWEEDORENKENSGAARDE
5= CLOS DES DEUX SAULES
TWEEWILGENGAARDE
6= CLOS DES DEUX TILLEULS
TWEELINDENGAARDE
7= CLOS DES TRIGONELLES
HOORNKLAVERSGAARDE
VAL MARIA
R. DU CRAETVELD
KRAATVELD STR.
RUE BRUYN
KORTE GROENWEG
PETIT CHEMIN VERT
MARIENBORRE
MARIENDAL
MARIENSTEEN
RUE DU WIMPELBERG
WIMPELBERGSTRAAT
53
NEDER-OVER-HEEMBEEK
23

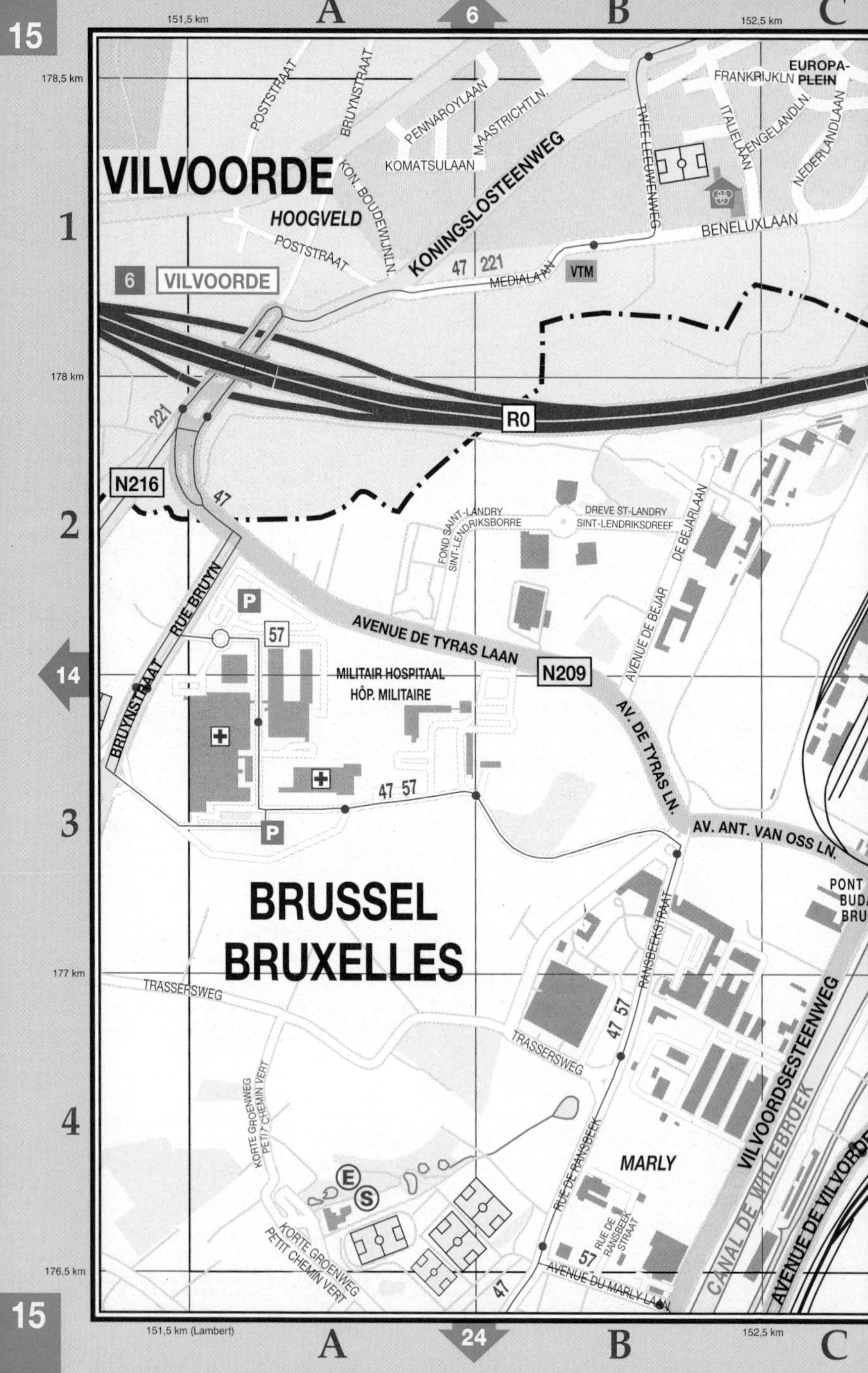
A
B
C
6
151,5 km
152,5 km
178,5 km
178 km
177 km
176,5 km
1
2
3
4
14
VILVOORDE
HOOGVELD
POSTSTRAAT
BRUYNSTRAAT
PENNAROYLAAN
MAASTRICHTLN.
KOMATSULAAN
KON. BOUDEWIJNLN.
KONINGSLOSTEENWEG
TWEE LEEUWENWEG
FRANKRIJKLN
EUROPA-
PLEIN
ITALIELAAN
ENGELANDLN.
NEDERLANDLAAN
BENELUXLAAN
MEDIALAAN
VTM
47
221
6
VILVOORDE
R0
N216
RUE BRUYN
FOND SAINT-LANDRY
SINT-LENDRIKSBORRE
DREVE ST-LANDRY
SINT-LENDRIKSDREEF
DE BEJARLAAN
AVENUE DE BEJAR
AVENUE DE TYRAS LAAN
N209
57
MILITAIR HOSPITAAL
HÔP. MILITAIRE
AV. DE TYRAS LN.
AV. ANT. VAN OSS LN.
PONT D
BUDA
BRUG
BRUSSEL
BRUXELLES
TRASSERSWEG
RANSBEEKSTRAAT
KORTE GROENWEG
PETIT CHEMIN VERT
MARLY
RUE DE RANSBEEK
RUE DE RANSBEEK STRAAT
AVENUE DU MARLY LAAN
VILVOORDSESTEENWEG
CANAL DE WILLEBROEK
AVENUE DE VILVORDE
151,5 km (Lambert)
24

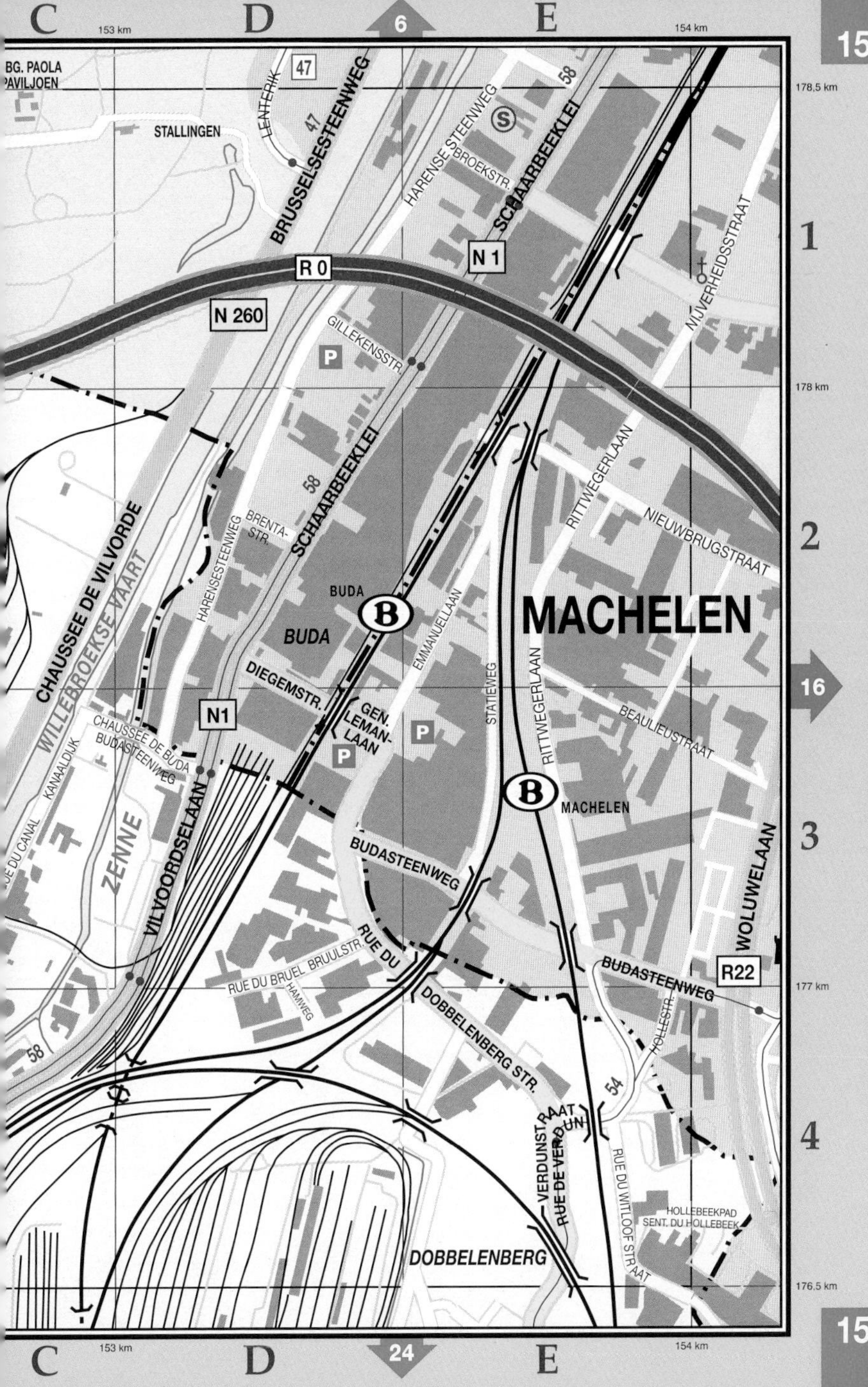
C
D
E
153 km
154 km
6
178,5 km
178 km
177 km
176,5 km
1
2
3
4
16
24
BG. PAOLA PAVILJOEN
STALLINGEN
LENTERIK
47
BRUSSELSESTEENWEG
HARENSE STEENWEG
BROEKSTR.
SCHAARBEEKLEI
58
R 0
N 1
N 260
GILLEKENSSTR.
NIJVERHEIDSSTRAAT
RITTWEGERLAAN
NIEUWBRUGSTRAAT
CHAUSSEE DE VILVORDE
WILLEBROEKSE VAART
HARENSESTEENWEG
BRENTA-STR.
BUDA
BUDA
MACHELEN
EMMANUELLAAN
STATIEWEG
DIEGEMSTR.
GEN. LEMAN-LAAN
N1
BEAULIEUSTRAAT
CHAUSSEE DE BUDA
BUDASTEENWEG
KANAALDIJK
RUE DU CANAL
ZENNE
VILVOORDSELAAN
MACHELEN
BUDASTEENWEG
WOLUWELAAN
RUE DU BRUEL
BRUULSTR.
HAMWEG
RUE DU DOBBELENBERG STR.
BUDASTEENWEG
R22
HOLLESTR.
54
VERDUNSTRAAT
RUE DE VERDUN
RUE DU WITLOOF STRAAT
HOLLEBEEKPAD
SENT. DU HOLLEBEEK
DOBBELENBERG

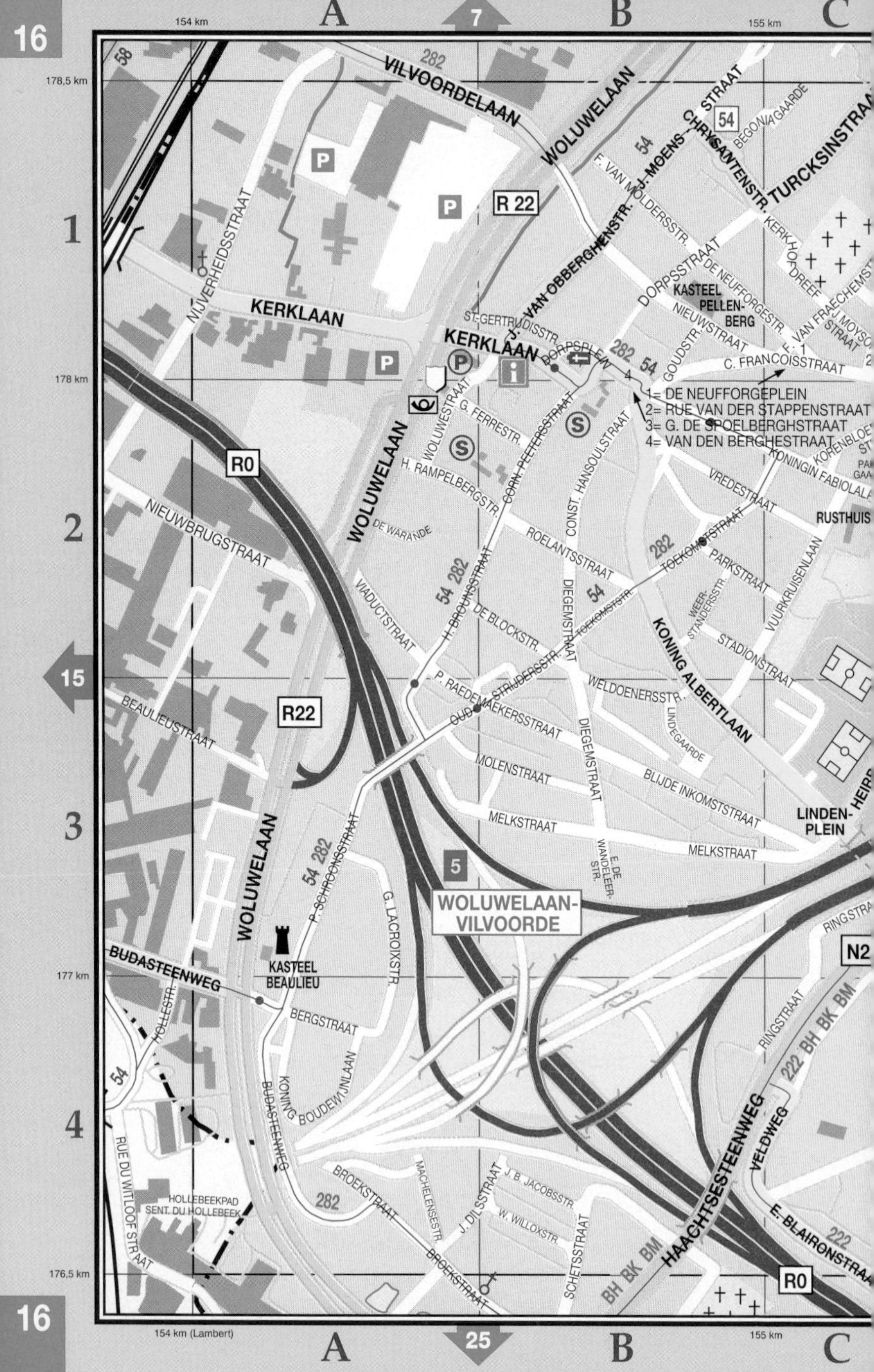
A
B
C
7
154 km
155 km
178,5 km
178 km
177 km
176,5 km
1
2
3
4
15
VILVOORDELAAN
WOLUWELAAN
R 22
KERKLAAN
NIJVERHEIDSSTRAAT
J. MOENS-STRAAT
CHRYSANTENSTR.
TURCKSINSTRAAT
BEGONIAGAARDE
F. VAN MOLDERSSTR.
J. VAN OBBERGHENSTR.
DORPSSTRAAT
DE NEUFFORGESTR.
KERKHOFDREEF
KASTEEL PELLENBERG
NIEUWSTRAAT
GOUDSTR.
ST.-GERTRUDISSTR.
DORPSPLEIN
C. FRANCOISSTRAAT
F. VAN FRAECHEMSTR.
J. MOYSONSTRAAT
1= DE NEUFFORGEPLEIN
2= RUE VAN DER STAPPENSTRAAT
3= G. DE SPOELBERGHSTRAAT
4= VAN DEN BERGHESTRAAT
KONINGIN FABIOLALAAN
KORENBLOEMSTR.
VREDESTRAAT
RUSTHUIS
R0
WOLUWESTRAAT
G. FERRESTR.
CORN. PETERSSTRAAT
CONST. HANSOULSTRAAT
H. RAMPELBERGSSTR.
NIEUWBRUGSTRAAT
DE WARANDE
ROELANTSSTRAAT
TOEKOMSTSTRAAT
PARKSTRAAT
VUURKRUISENLAAN
WEERSTANDERSSTR.
VIADUCTSTRAAT
H. BROUNSSTRAAT
DE BLOCKSTR.
DIEGEMSTRAAT
KONING ALBERTLAAN
STADIONSTRAAT
WELDOENERSSTR.
LINDEGAARDE
P. RAEDEMAEKERSSTRAAT
OUDSTRIJDERSSTR.
BEAULIEUSTRAAT
R22
MOLENSTRAAT
BLIJDE INKOMSTSTRAAT
LINDENPLEIN
HEIRBAAN
MELKSTRAAT
E. DE WANDELEERSTR.
P. SCHROONSSTRAAT
G. LACROIXSTR.
5
WOLUWELAAN-VILVOORDE
RINGSTRAAT
N2
BUDASTEENWEG
KASTEEL BEAULIEU
BERGSTRAAT
HOLLESTR.
KONING BOUDEWIJNLAAN
HAACHTSESTEENWEG
VELDWEG
222 BH BK BM
RUE DU WITLOOF STRAAT
HOLLEBEEKPAD SENT. DU HOLLEBEEK
BROEKSTRAAT
MACHELENSESTR.
J. DILSSTRAAT
J. B. JACOBSSTR.
W. WILLOXSTR.
SCHETSSTRAAT
E. BLAIRONSTRAAT
BH BK BM
154 km (Lambert)
25

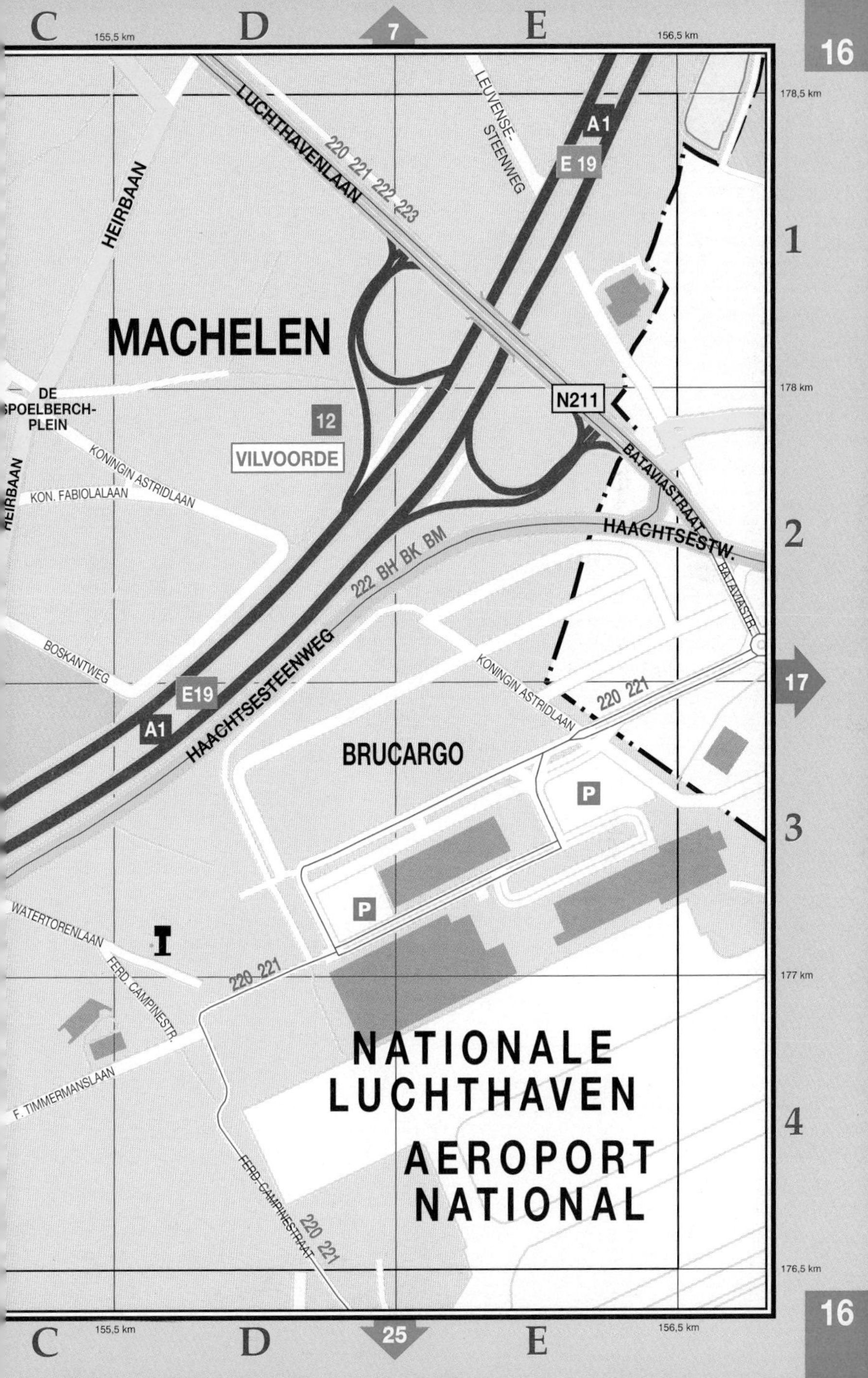
C
D
E
155,5 km
156,5 km
7
178,5 km
178 km
177 km
176,5 km
1
2
3
4
17
25
LUCHTHAVENLAAN
220 221 222 223
LEUVENSE-
STEENWEG
A1
E 19
HEIRBAAN
MACHELEN
DE
SPOELBERCH-
PLEIN
12
VILVOORDE
N211
KONINGIN ASTRIDLAAN
KON. FABIOLALAAN
BATAVIASTRAAT
HAACHTSESTW.
BATAVIASTR.
222 BH BK BM
HAACHTSESTEENWEG
BOSKANTWEG
E19
A1
KONINGIN ASTRIDLAAN
220 221
BRUCARGO
P
P
WATERTORENLAAN
FERD. CAMPINESTR.
220 221
F. TIMMERMANSLAAN
NATIONALE
LUCHTHAVEN
AEROPORT
NATIONAL
FERD. CAMPINESTRAAT
220 221

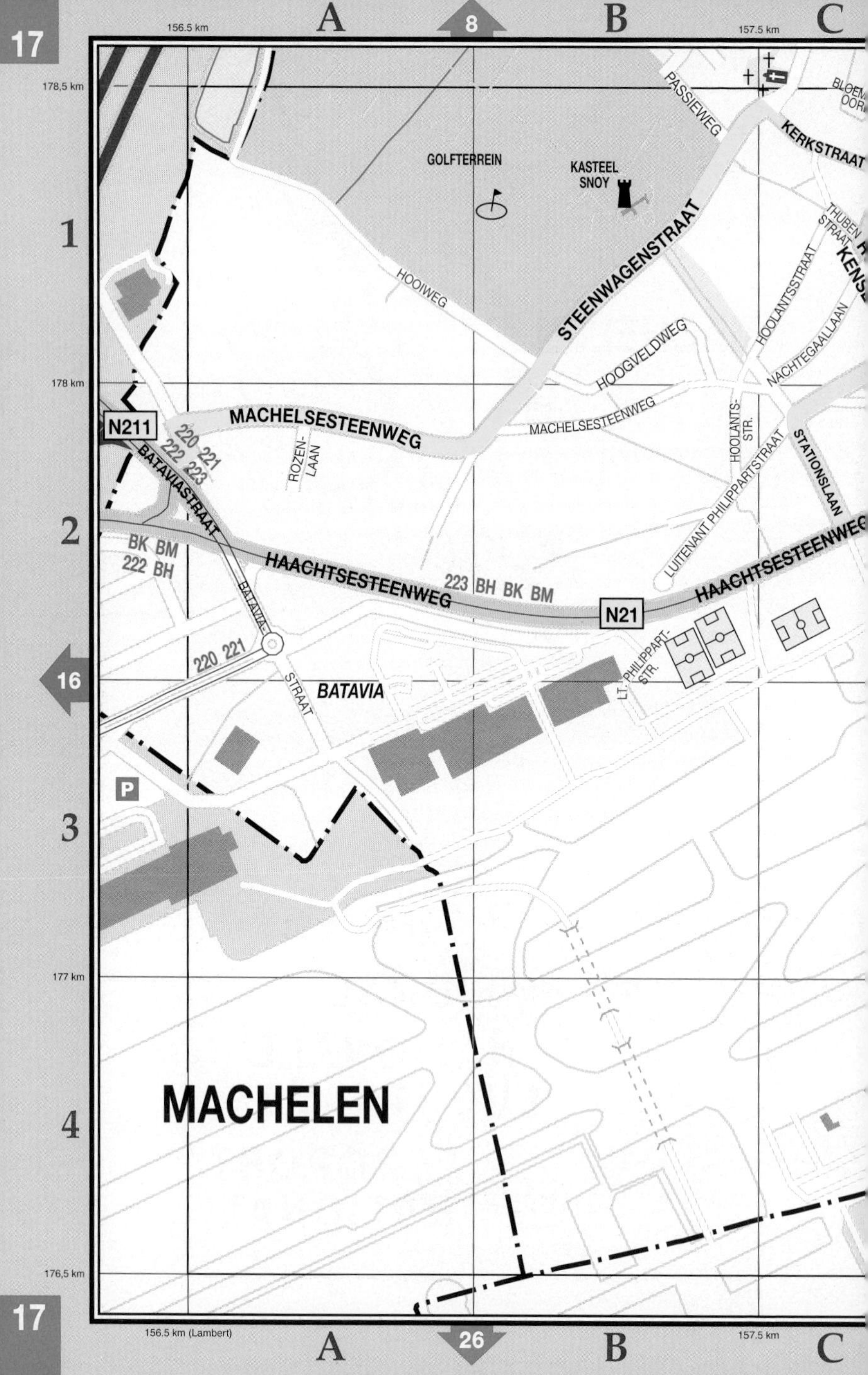
A
B
C
8
156.5 km
157.5 km
178,5 km
178 km
177 km
176,5 km
1
2
3
4
PASSIEWEG
KERKSTRAAT
GOLFTERREIN
KASTEEL
SNOY
STEENWAGENSTRAAT
THUBEN
STRAAT
HOOIWEG
HOOLANTSSTRAAT
NACHTEGAALLAAN
HOOGVELDWEG
MACHELSESTEENWEG
MACHELSESTEENWEG
N211
220 221
222 223
ROZEN-
LAAN
HOOLANTS-
STR.
STATIONSLAAN
BATAVIASTRAAT
LUITENANT PHILIPPARTSTRAAT
BK BM
222 BH
HAACHTSESTEENWEG
223 BH BK BM
HAACHTSESTEENWEG
N21
BATAVIA-
220 221
STRAAT
LT. PHILIPPART-
STR.
16
BATAVIA
P
MACHELEN
156.5 km (Lambert)
157.5 km
26

C
D
E
158 km
159 km
8
178,5 km
GILLYNSSTRAAT
KASTEEL
DEREINE
PERKSE STEENWEG
223 BH BK BM
N 21
STRIJDERSLAAN
SELLAERSTRAAT
LAMBRECHTSSTRAAT
HAACHTSESTEENWEG
GEERENSTRAAT
VANDER BORGHTSTRAAT
THENAERTSTR.
M
VAN ASSCHESTRAAT
MELSBROEK
178 km
223 BH BK BM
ZUIVERINGSINST.
1
2
STEENOKKERZEEL
18
3
NATIONALE LUCHTHAVEN
AEROPORT NATIONAL
177 km
4
ZAVENTEM
176,5 km
26

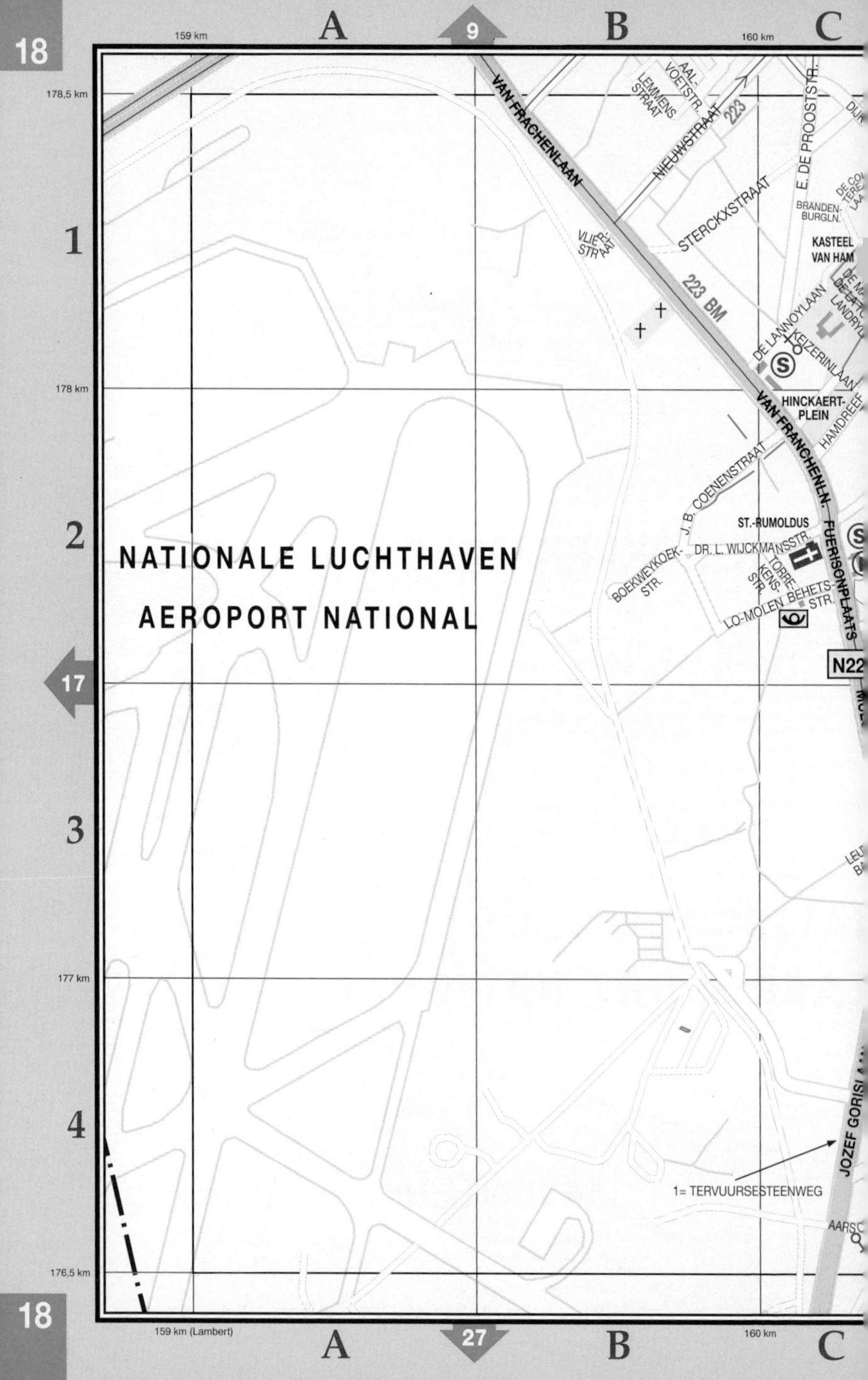

159 km
A
9
B
160 km
C
178,5 km
178 km
177 km
176,5 km
1
2
3
4
17
NATIONALE LUCHTHAVEN
AERОPORT NATIONAL
VAN FRACHENLAAN
AAL-VOETSTR.
LEMMENS STRAAT
NIEUWSTRAAT
223
E. DE PROOSTSTR.
STERCKXSTRAAT
BRANDEN-BURGLN.
KASTEEL VAN HAM
VLIER-STRAAT
223 BM
DE LANNOYLAAN
KEIZERINLAAN
HINCKAERT-PLEIN
HAMDREEF
VAN FRANCHENLN.
J. B. COENENSTRAAT
ST.-RUMOLDUS
FUERISONPLAATS
DR. L. WIJCKMANSSTR.
BOEKWEYKOEK-STR.
TORREKENS-STR.
LO-MOLEN
BEHETS-STR.
N22
JOZEF GORISLAAN
1= TERVUURSESTEENWEG
159 km (Lambert)
27
160 km

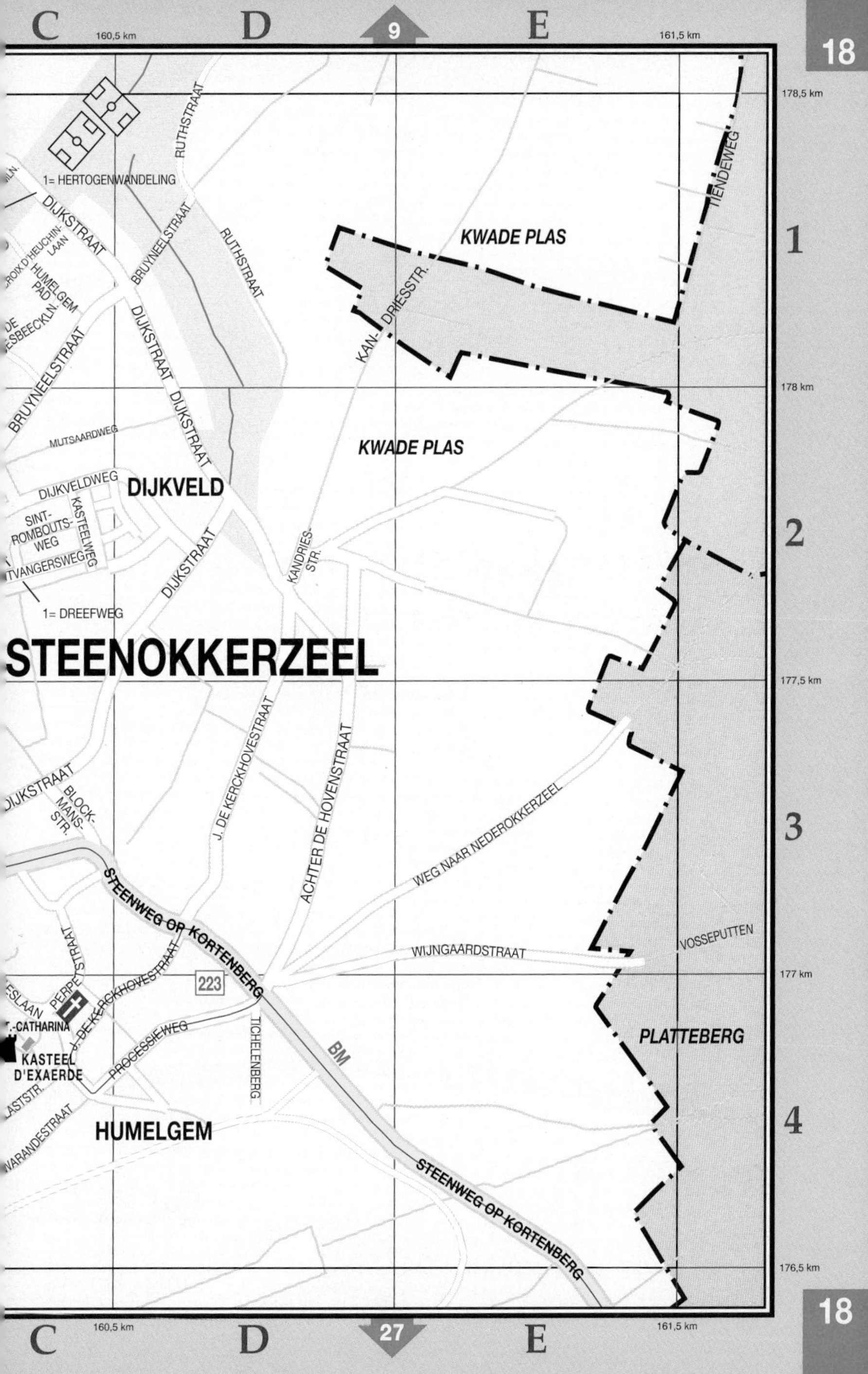
C
D
E
160,5 km
161,5 km
9
178,5 km
178 km
177,5 km
177 km
176,5 km
1
2
3
4
1= HERTOGENWANDELING
RUTHSTRAAT
DIJKSTRAAT
BRUYNEELSTRAAT
HUMELGEM PAD
BRUYNEELSTRAAT
MUTSAARDWEG
DIJKVELDWEG
DIJKVELD
SINT-ROMBOUTS-WEG
KASTEELWEG
1= DREEFWEG
KWADE PLAS
KAN. DRIESSTR.
KANDRIES-STR.
TIENDEWEG
STEENOKKERZEEL
J. DE KERCKHOVESTRAAT
ACHTER DE HOVENSTRAAT
WEG NAAR NEDEROKKERZEEL
BLOCK-MANS-STR.
STEENWEG OP KORTENBERG
WIJNGAARDSTRAAT
VOSSEPUTTEN
223
PERPETSTRAAT
PROCESSIEWEG
TICHELENBERG
BM
KASTEEL D'EXAERDE
PLATTEBERG
HUMELGEM
WARANDESTRAAT
27

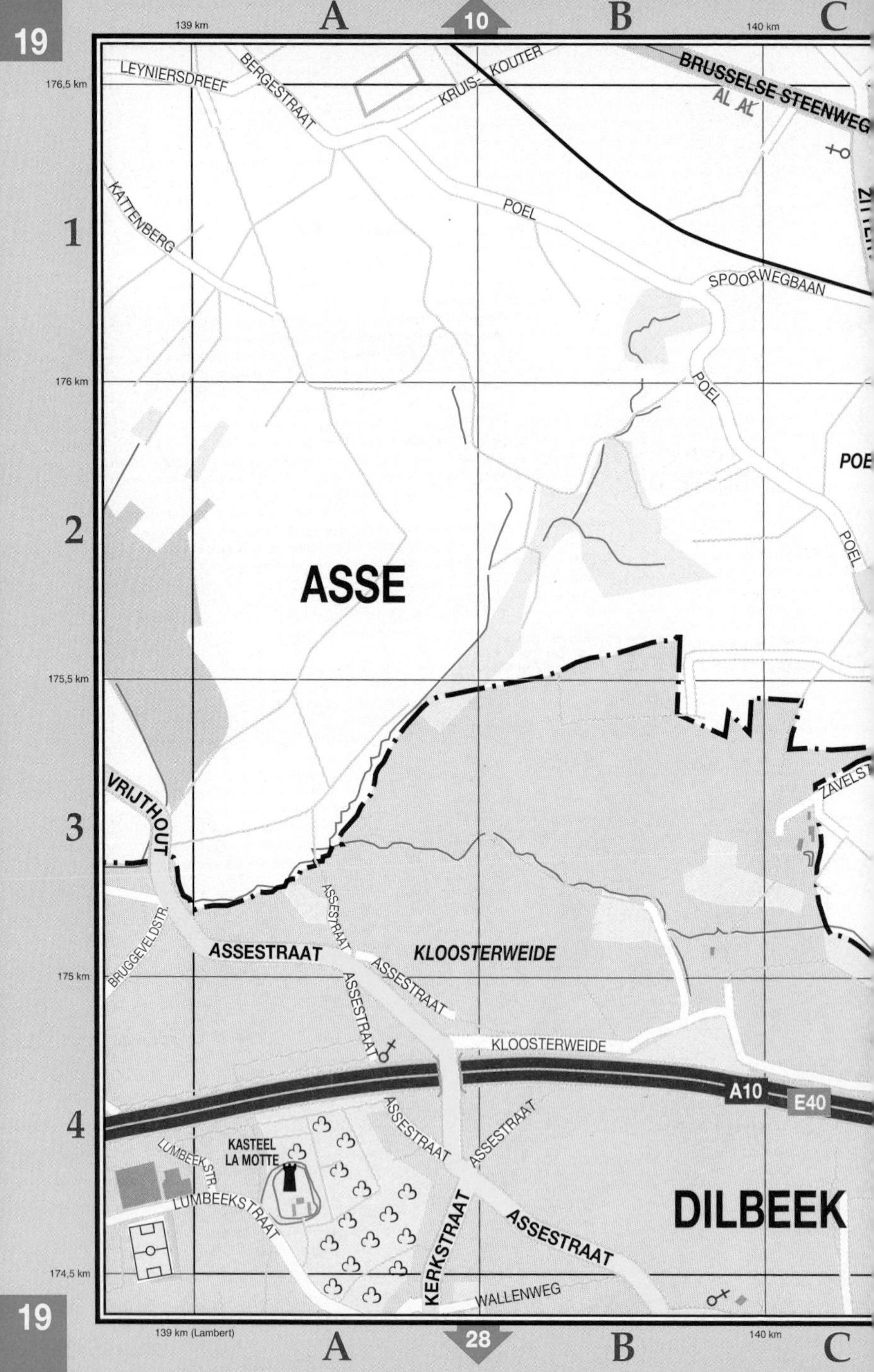

A
10
B
C
139 km
140 km
176,5 km
176 km
175,5 km
175 km
174,5 km
1
2
3
4
LEYNIERSDREEF
BERGESTRAAT
KRUIS-
KOUTER
BRUSSELSE STEENWEG
AL AL
KATTENBERG
POEL
SPOORWEGBAAN
POEL
POE
POEL
ASSE
VRIJTHOUT
ZAVELST
BRUGGEVELDSTR.
ASSESTRAAT
ASSESTRAAT
KLOOSTERWEIDE
ASSESTRAAT
ASSESTRAAT
KLOOSTERWEIDE
A10
E40
ASSESTRAAT
ASSESTRAAT
KASTEEL
LA MOTTE
LUMBEEKSTR.
LUMBEEKSTRAAT
KERKSTRAAT
ASSESTRAAT
DILBEEK
WALLENWEG
139 km (Lambert)
140 km
A
28
B
C

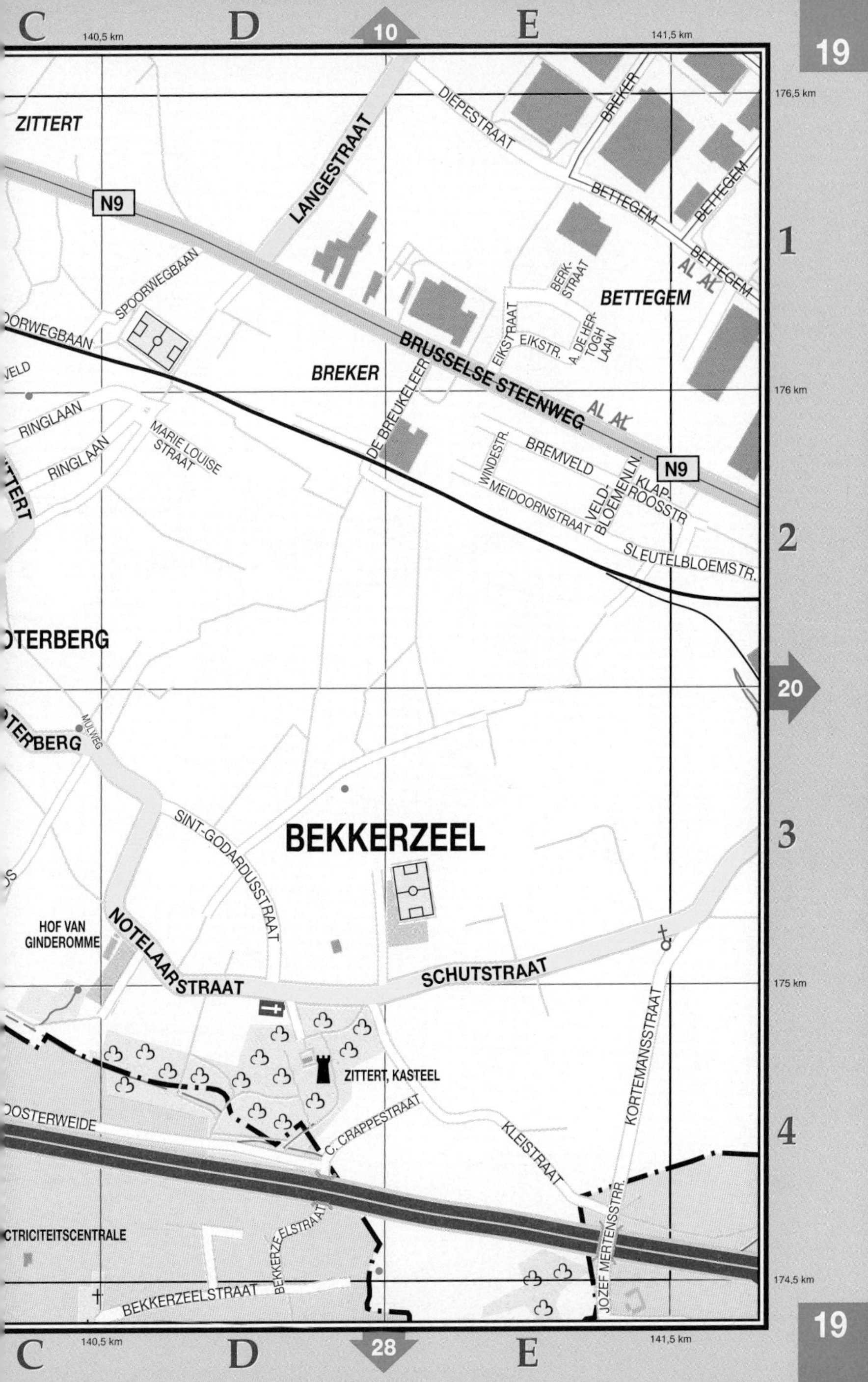
C
D
E
140,5 km
141,5 km
10
176,5 km
176 km
175 km
174,5 km
1
2
3
4
20
28
ZITTERT
N9
LANGESTRAAT
DIEPESTRAAT
BREKER
BETTEGEM
BETTEGEM
BETTEGEM
BETTEGEM
BERK-STRAAT
SPOORWEGBAAN
SPOORWEGBAAN
EIKSTRAAT
EIKSTR.
A. DE HERTOGH LAAN
BREKER
BRUSSELSE STEENWEG
DE BREUKELEER
RINGLAAN
RINGLAAN
MARIE LOUISE STRAAT
WINDESTR.
BREMVELD
MEIDOORNSTRAAT
VELD-BLOEMENLN.
KLAPROOSSTR
SLEUTELBLOEMSTR.
MULWEG
BEKKERZEEL
SINT-GODARDUSSTRAAT
NOTELAARSTRAAT
SCHUTSTRAAT
HOF VAN GINDEROMME
KORTEMANSSTRAAT
ZITTERT, KASTEEL
C. CRAPPESTRAAT
KLEISTRAAT
JOZEF MERTENSSTRR.
BEKKERZEELSTRAAT
BEKKERZEELSTRAAT

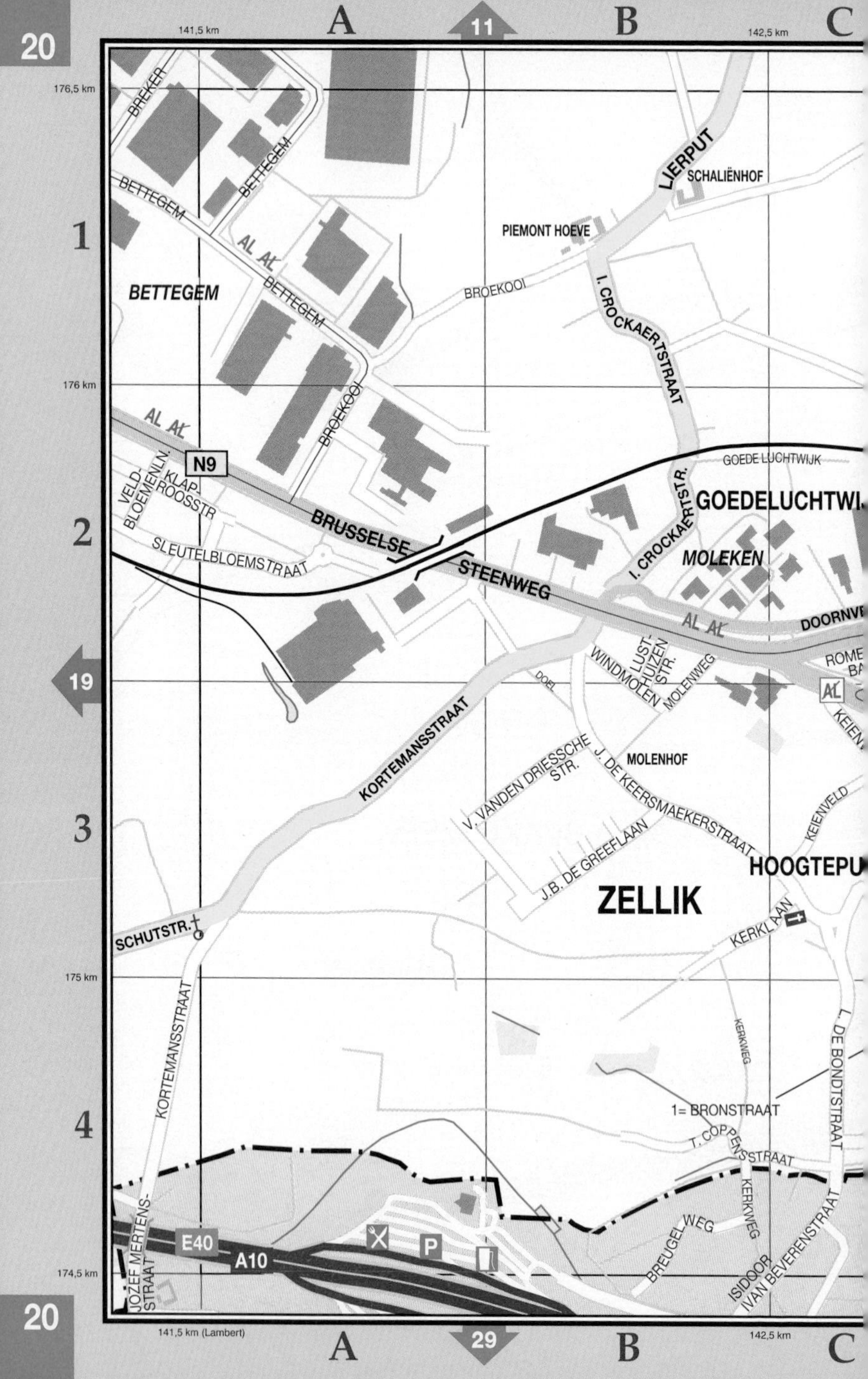
A
B
C
11
141,5 km
142,5 km
176,5 km
176 km
175 km
174,5 km
1
2
3
4
19
BREKER
BETTEGEM
BETTEGEM
BETTEGEM
BETTEGEM
AL AL
AL AL
AL AL
LIERPUT
SCHALIËNHOF
PIEMONT HOEVE
BROEKOOI
BROEKOOI
I. CROCKAERTSTRAAT
I. CROCKAERTSTR.
N9
VELD-BLOEMENLN.
KLAP-ROOSSTR
SLEUTELBLOEMSTRAAT
BRUSSELSE
STEENWEG
GOEDE LUCHTWIJK
GOEDELUCHTWI
MOLEKEN
DOORNVE
ROME
BA
DOEL
WINDMOLEN
LUST-HUIZEN-STR.
MOLENWEG
KEIEN
KORTEMANSSTRAAT
MOLENHOF
V. VANDEN DRIESSCHE STR.
J. DE KEERSMAEKERSTRAAT
KEIENVELD
J.B. DE GREEFLAAN
HOOGTEPU
ZELLIK
SCHUTSTR.
KERKLAAN
KORTEMANSSTRAAT
KERKWEG
L. DE BONDTSTRAAT
1= BRONSTRAAT
T. COPPENSSTRAAT
KERKWEG
BREUGELWEG
ISIDOOR VAN BEVERENSTRAAT
JOZEF MERTENS-STRAAT
E40
A10
P
141,5 km (Lambert)
142,5 km
29
A
B
C

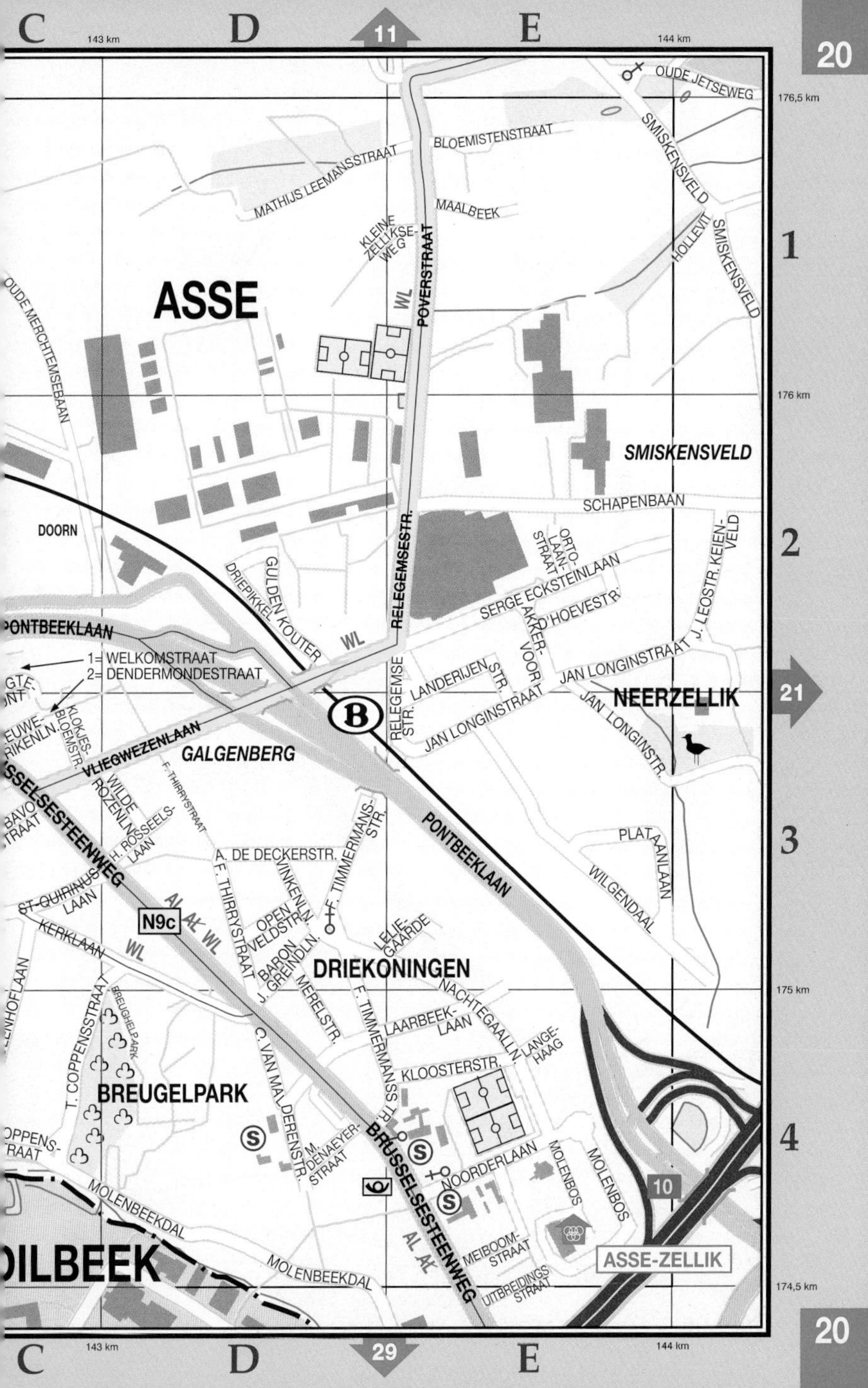
C
D
E
143 km
144 km
11
29
21
20
176,5 km
176 km
175 km
174,5 km
1
2
3
4
ASSE
SMISKENSVELD
NEERZELLIK
GALGENBERG
DRIEKONINGEN
BREUGELPARK
DOORN
ASSE-ZELLIK
OUDE JETSEWEG
SMISKENSVELD
BLOEMISTENSTRAAT
MATHIJS LEEMANSSTRAAT
MAALBEEK
KLEINE ZELLIKSE-WEG
POVERSTRAAT
HOLLEVIT
OUDE MERCHTEMSEBAAN
SCHAPENBAAN
ORTO-LAAN-STRAAT
RELEGEMSESTR.
GULDEN KOUTER
DRIEPIKKEL
SERGE ECKSTEINLAAN
D'HOEVESTR.
AKKER-VOOR
J. LEOSTR.
KEIEN-VELD
PONTBEEKLAAN
1= WELKOMSTRAAT
2= DENDERMONDESTRAAT
JAN LONGINSTRAAT
LANDERIJEN STR.
RELEGEMSE STR.
JAN LONGINSTR.
VLIEGWEZENLAAN
KLOKJES-BLOEMSTR.
BRUSSELSESTEENWEG
WILDE ROZENLN.
F. THIRRYSTRAAT
H. ROSSEELS-LAAN
F. TIMMERMANS-STR.
PLATAANLAAN
WILGENDAAL
A. DE DECKERSTR.
ST-QUIRINUS LAAN
VINKENLN.
N9c
OPEN VELDSTR.
LELIE-GAARDE
KERKLAAN
WL
BARON J. GREINDLN.
MERELSTR.
NACHTEGAALLN.
LANGE-HAAG
LAARBEEK-LAAN
T. COPPENSSTRAAT
BREUGHELPARK
C. VAN MALDERENSTR.
KLOOSTERSTR.
F. TIMMERMANSSTR.
M. DENAEYER-STRAAT
NOORDERLAAN
MOLENBOS
10
MOLENBEEKDAL
MEIBOOM-STRAAT
UITBREIDINGS STRAAT
ILBEEK

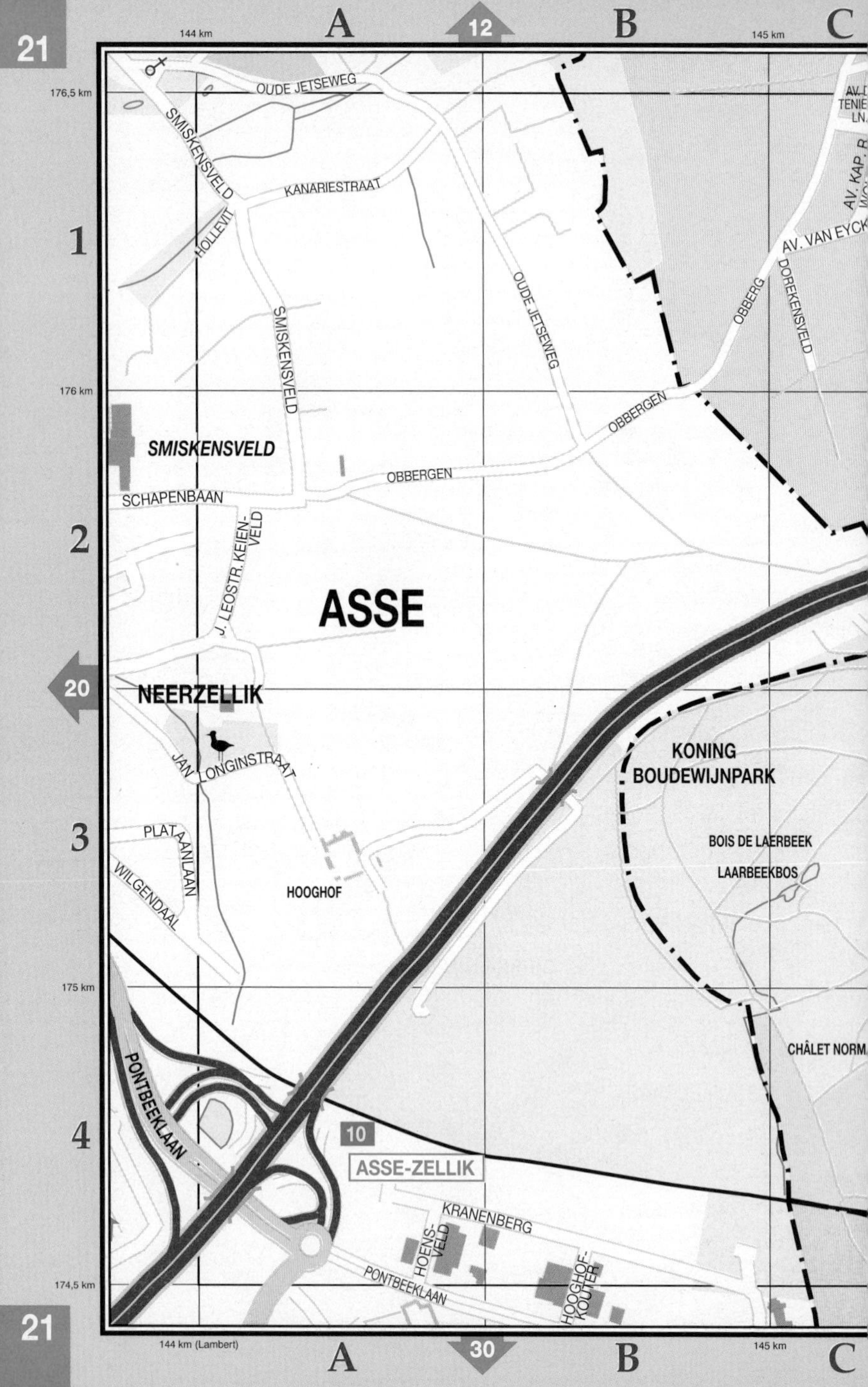
144 km
A
12
B
145 km
C
176,5 km
OUDE JETSEWEG
SMISKENSVELD
KANARIESTRAAT
HOLLEVIT
1
OUDE JETSEWEG
SMISKENSVELD
OBBERG
DOREKENSVELD
AV. VAN EYCK
176 km
OBBERGEN
SMISKENSVELD
OBBERGEN
SCHAPENBAAN
2
J. LEOSTR. KEIEN-VELD
ASSE
20
NEERZELLIK
KONING BOUDEWIJNPARK
JAN LONGINSTRAAT
3
PLATAANLAAN
BOIS DE LAERBEEK
LAARBEEKBOS
WILGENDAAL
HOOGHOF
175 km
CHÂLET NORM
PONTBEEKLAAN
4
10
ASSE-ZELLIK
KRANENBERG
HOENS-VELD
HOOGHOF-KOUTER
PONTBEEKLAAN
174,5 km
144 km (Lambert)
A
30
B
145 km
C

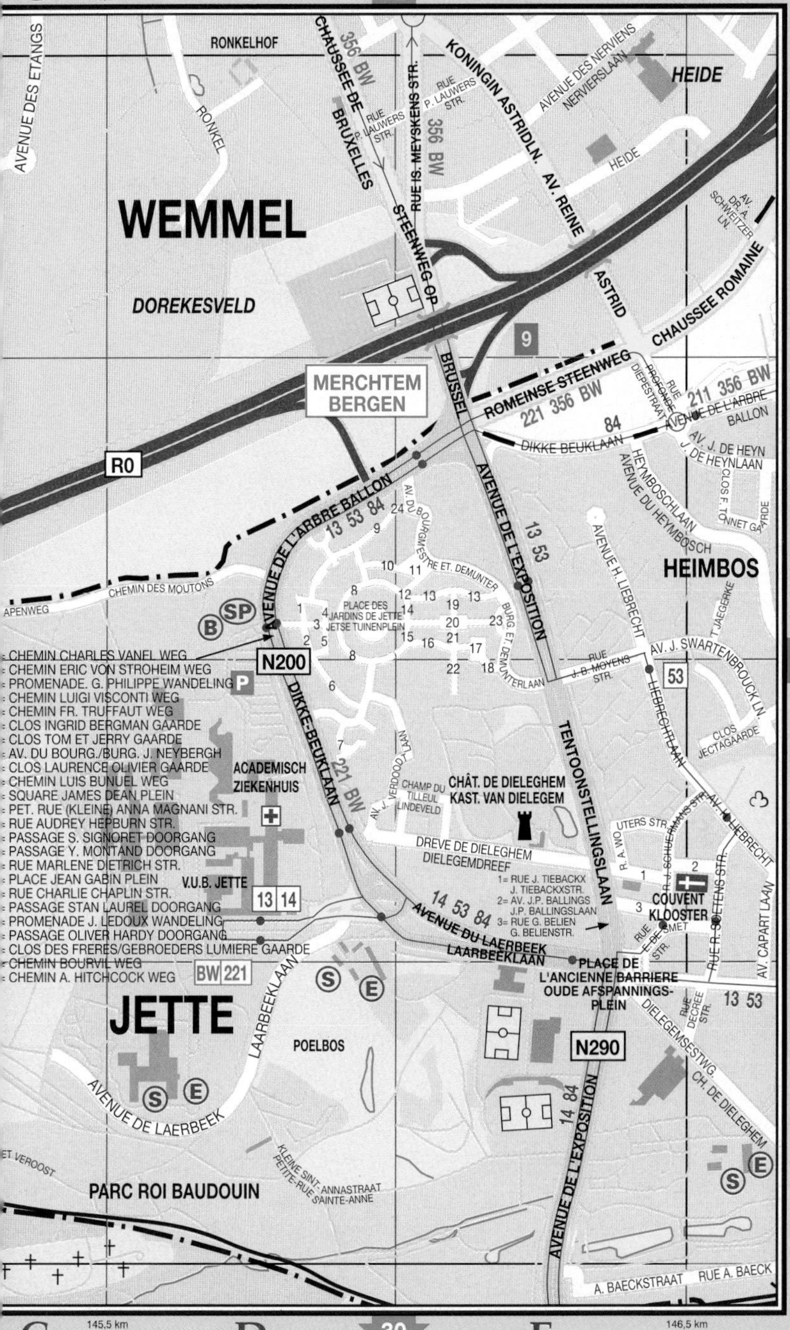

WEMMEL

RONKELHOF
AVENUE DES ETANGS
RONKEL
DOREKESVELD
CHAUSSEE DE BRUXELLES
356 BW
RUE P. LAUWERS STR.
RUE IS. MEYSKENS STR.
STEENWEG OP BRUSSEL
KONINGIN ASTRIDLN. AV. REINE ASTRID
AVENUE DES NERVIENS NERVIERSLAAN
HEIDE
AV. DR. A. SCHWEITZER LN.
CHAUSSEE ROMAINE
9
MERCHTEM BERGEN
R0
ROMEINSE STEENWEG
221 356 BW
211 356 BW
RUE PROFONDE DIEPESTRAAT
AVENUE DE L'ARBRE BALLON
84
DIKKE BEUKLAAN
AV. J. DE HEYN J. DE HEYNLAAN
HEYMBOSCHLAAN AVENUE DU HEYMBOSCH
CLOS F. TONNET GAARDE
AVENUE DE L'ARBRE BALLON 13 53 84
AV. DU BOURGMESTRE ET. DEMUNTER BURG. ET. DEMUNTERLAAN
PLACE DES JARDINS DE JETTE JETSE TUINENPLEIN
AVENUE DE L'EXPOSITION 13 53
AVENUE H. LIEBRECHT
HEIMBOS
RUE JAEGERKE
CHEMIN DES MOUTONS
APENWEG
B SP
RUE J.B. MOYENS STR.
AV. J. SWARTENBROUCK LN.
53
N200
LIEBRECHTLAAN
CLOS JECTAGAARDE
P
DIKKE-BEUKLAAN 221 BW
TENTOONSTELLINGSLAAN
ACADEMISCH ZIEKENHUIS
AV. J. VERDOODTLAAN
CHAMP DU TILLEUL LINDEVELD
CHÂT. DE DIELEGHEM KAST. VAN DIELEGEM
RUE R. WOUTERS STR.
R. J. SCHUERMANS STR.
AV. H. LIEBRECHT
DREVE DE DIELEGHEM DIELEGEMDREEF
V.U.B. JETTE
13 14
1= RUE J. TIEBACKX J. TIEBACKXSTR.
2= AV. J.P. BALLINGS J.P. BALLINGSLAAN
3= RUE G. BELIEN G. BELIENSTR.
COUVENT KLOOSTER
RUE R. SOETENS STR.
AV. CAPART LAAN
14 53 84
AVENUE DU LAERBEEK LAARBEEKLAAN
RUE E. DE SMET STR.
PLACE DE L'ANCIENNE BARRIERE OUDE AFSPANNINGS-PLEIN
13 53
RUE DECREE STR.
DIELEGEMSESTWG. CH. DE DIELEGHEM
BW 221
S E

- CHEMIN CHARLES VANEL WEG
- CHEMIN ERIC VON STROHEIM WEG
- PROMENADE. G. PHILIPPE WANDELING
- CHEMIN LUIGI VISCONTI WEG
- CHEMIN FR. TRUFFAUT WEG
- CLOS INGRID BERGMAN GAARDE
- CLOS TOM ET JERRY GAARDE
- AV. DU BOURG./BURG. J. NEYBERGH
- CLOS LAURENCE OLIVIER GAARDE
- CHEMIN LUIS BUNUEL WEG
- SQUARE JAMES DEAN PLEIN
- PET. RUE (KLEINE) ANNA MAGNANI STR.
- RUE AUDREY HEPBURN STR.
- PASSAGE S. SIGNORET DOORGANG
- PASSAGE Y. MONTAND DOORGANG
- RUE MARLENE DIETRICH STR.
- PLACE JEAN GABIN PLEIN
- RUE CHARLIE CHAPLIN STR.
- PASSAGE STAN LAUREL DOORGANG
- PROMENADE J. LEDOUX WANDELING
- PASSAGE OLIVER HARDY DOORGANG
- CLOS DES FRERES/GEBROEDERS LUMIERE GAARDE
- CHEMIN BOURVIL WEG
- CHEMIN A. HITCHCOCK WEG

JETTE

LAARBEEKLAAN
POELBOS
N290
AVENUE DE LAERBEEK
AVENUE DE L'EXPOSITION 14 84
ET VEROOST
KLEINE SINT-ANNASTRAAT PETITE-RUE SAINTE-ANNE
PARC ROI BAUDOUIN
A. BAECKSTRAAT RUE A. BAECK

176,5 km 1 176 km 2 22 3 175 km 4 174,5 km

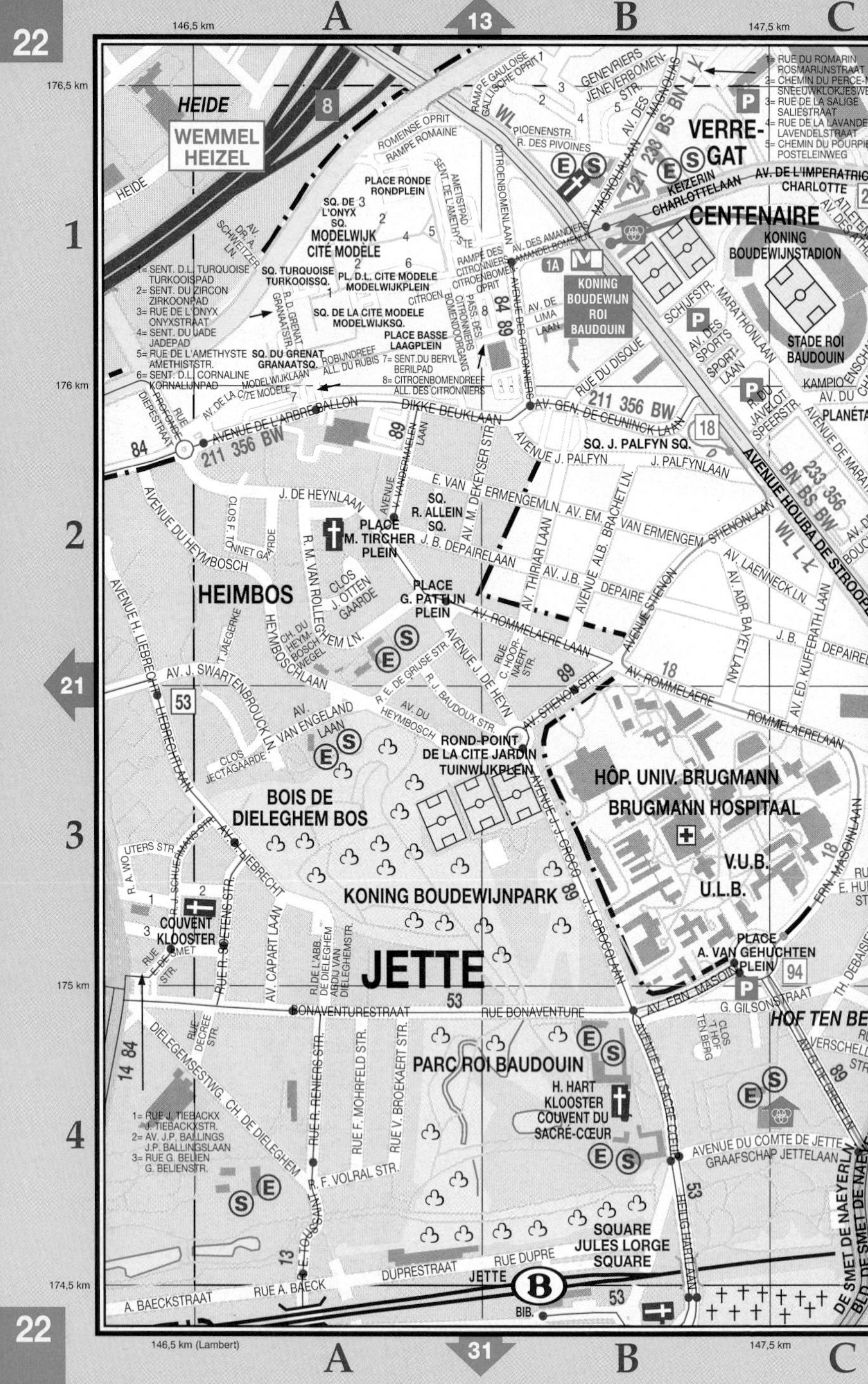

A
B
C
13
146,5 km
147,5 km
176,5 km
176 km
175 km
174,5 km
1
2
3
4
HEIDE
WEMMEL HEIZEL
VERRE-GAT
CENTENAIRE
KONING BOUDEWIJNSTADION
STADE ROI BAUDOUIN
KONING BOUDEWIJN ROI BAUDOUIN
PLANÉTA
HEIMBOS
BOIS DE DIELEGHEM BOS
KONING BOUDEWIJNPARK
JETTE
PARC ROI BAUDOUIN
HÔP. UNIV. BRUGMANN
BRUGMANN HOSPITAAL
V.U.B.
U.L.B.
H. HART KLOOSTER COUVENT DU SACRÉ-CŒUR
SQUARE JULES LORGE SQUARE
COUVENT KLOOSTER
HOF TEN BE
PLACE RONDE RONDPLEIN
MODELWIJK CITÉ MODÈLE
PLACE BASSE LAAGPLEIN
PLACE M. TIRCHER PLEIN
PLACE G. PATTIJN PLEIN
SQ. R. ALLEIN SQ.
SQ. J. PALFYN SQ.
ROND-POINT DE LA CITE JARDIN TUINWIJKPLEIN
PLACE A. VAN GEHUCHTEN PLEIN
AVENUE DE L'ARBRE BALLON
DIKKE BEUKLAAN
AV. GEN. DE CEUNINCK LAAN
AVENUE J. PALFYN
J. PALFYNLAAN
AVENUE HOUBA DE STROOPER
AV. DE L'IMPERATRICE CHARLOTTE
KEIZERIN CHARLOTTELAAN
AV. J. SWARTENBROUCK LN.
AV. ROMMELAERE LAAN
RUE BONAVENTURE
BONAVENTURESTRAAT
AV. ERN. MASOIN
G. GILSONSTRAAT
AVENUE DU COMTE DE JETTE
GRAAFSCHAP JETTELAAN
RUE DUPRE
DUPRESTRAAT
RUE A. BAECK
A. BAECKSTRAAT
JETTE
BIB.
1= RUE DU ROMARIN ROSMARIJNSTRAAT
2= CHEMIN DU PERCE-N SNEEUWKLOKJESWE
3= RUE DE LA SALIGE SALIESTRAAT
4= RUE DE LA LAVANDE LAVENDELSTRAAT
5= CHEMIN DU POURPIE POSTELEINWEG
1= SENT. D.L. TURQUOISE TURKOOISPAD
2= SENT. DU ZIRCON ZIRKOONPAD
3= RUE DE L'ONYX ONYXSTRAAT
4= SENT. DU JADE JADEPAD
5= RUE DE L'AMETHYSTE AMETHISTSTR.
6= SENT. D.L. CORNALINE KORNALIJNPAD
7= SENT.DU BERYL BERILPAD
8= CITROENBOMENDREEF ALL. DES CITRONNIERS
1= RUE J. TIEBACKX J. TIEBACKXSTR.
2= AV. J.P. BALLINGS J.P. BALLINGSLAAN
3= RUE G. BELIEN G. BELIENSTR.
21
146,5 km (Lambert)
31

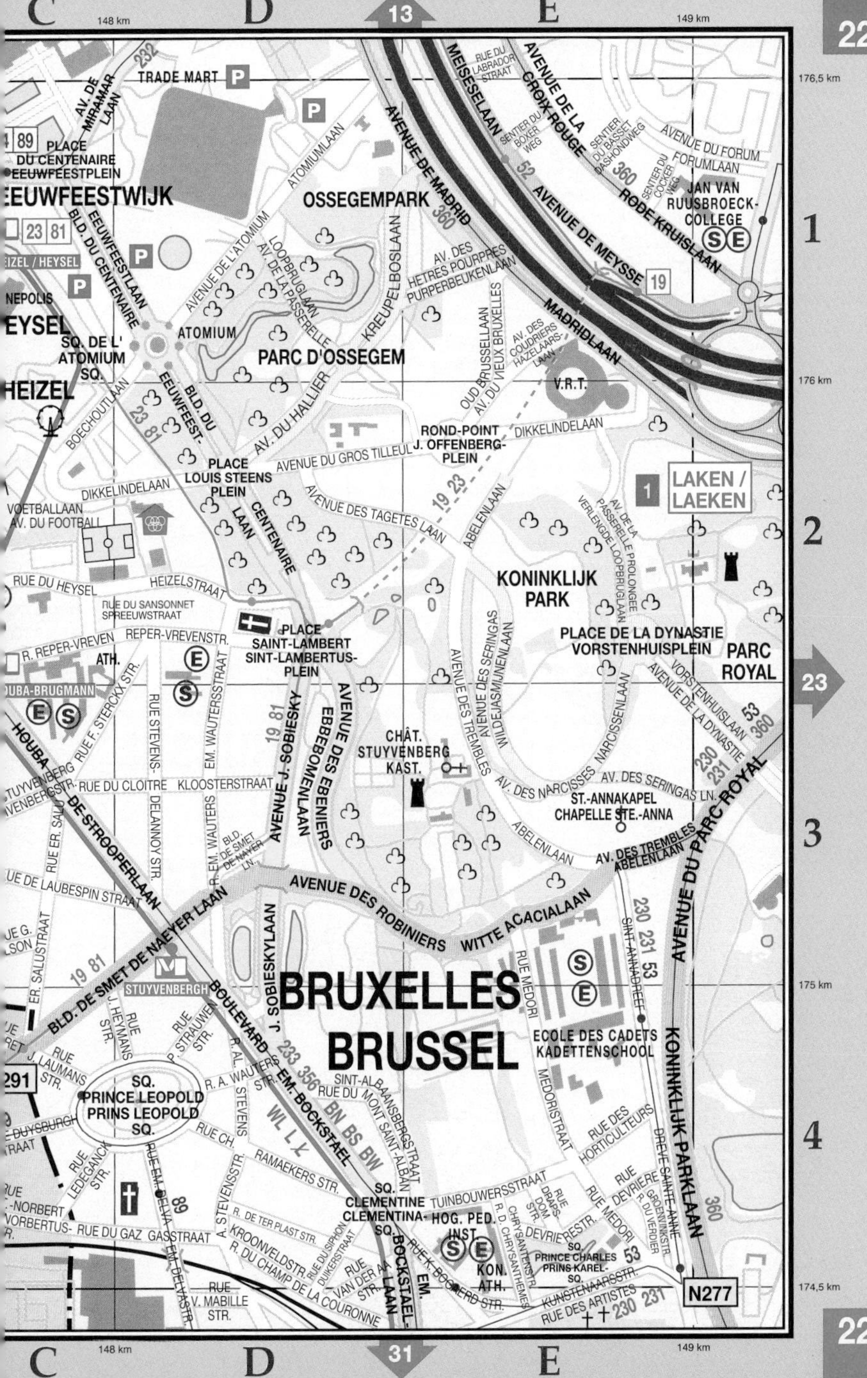
C
D
E
13
148 km
149 km
TRADE MART
AV. DE MIRAMAR LAAN
PLACE DU CENTENAIRE
EEUWFEESTPLEIN
EEUWFEESTWIJK
ATOMIUMLAAN
OSSEGEMPARK
AVENUE DE MADRID
MEISESELAAN
AVENUE DE LA CROIX ROUGE
AVENUE DU FORUM
FORUMLAAN
JAN VAN RUUSBROECK-COLLEGE
RODE KRUISLAAN
AVENUE DE MEYSSE
MADRIDLAAN
EEUWFEESTLAAN
BLD. DU CENTENAIRE
AVENUE DE L'ATOMIUM
ATOMIUM
SQ. DE L' ATOMIUM SQ.
HEYSEL
HEIZEL
PARC D'OSSEGEM
KREUPELBOSLAAN
AV. DES HETRES POURPRES
PURPERBEUKENLAAN
OUD BRUSSELLAAN
AV. DU VIEUX BRUXELLES
V.R.T.
AV. DU HALLIER
BOECHOUTLAAN
BLD. DU EEUWFEEST-
ROND-POINT J. OFFENBERG-PLEIN
DIKKELINDELAAN
AVENUE DU GROS TILLEUL
PLACE LOUIS STEENS PLEIN
LAKEN / LAEKEN
VOETBALLAAN
AV. DU FOOTBALL
AVENUE DES TAGETES LAAN
ABELENLAAN
CENTENAIRE LAAN
RUE DU HEYSEL
HEIZELSTRAAT
RUE DU SANSONNET
SPREEUWSTRAAT
KONINKLIJK PARK
PLACE SAINT-LAMBERT
SINT-LAMBERTUS-PLEIN
PLACE DE LA DYNASTIE
VORSTENHUISPLEIN
PARC ROYAL
REPER-VREVENSTR.
R. REPER-VREVEN
HOUBA-BRUGMANN
AVENUE DES SERINGAS
WILDEJASMIJNENLAAN
AVENUE DES TREMBLES
AVENUE J. SOBIESKY
AVENUE DES EBENIERS
EBBEBOMENLAAN
CHÂT. STUYVENBERG KAST.
VORSTENHUISLAAN
AVENUE DE LA DYNASTIE
23
RUE DU CLOITRE
KLOOSTERSTRAAT
HOUBA-DE STROOPERLAAN
AV. DES NARCISSES
NARCISSENLAAN
AV. DES SERINGAS LN.
ST.-ANNAKAPEL
CHAPELLE STE.-ANNA
AVENUE DU PARC ROYAL
AV. DES TREMBLES
AVENUE DES ROBINIERS
WITTE ACACIALAAN
SOBIESKYLAAN
BLD. DE SMET DE NAEYER LAAN
STUYVENBERGH
BRUXELLES
BRUSSEL
RUE MEDORI
MEDORISTRAAT
ECOLE DES CADETS
KADETTENSCHOOL
KONINKLIJK PARKLAAN
BOULEVARD EM. BOCKSTAEL
SQ. PRINCE LEOPOLD
PRINS LEOPOLD SQ.
RUE DU MONT SAINT-ALBAN
SINT-ALBAANSBERGSTRAAT
RAMAEKERS STR.
RUE DES HORTICULTEURS
DREVE SAINTE-ANNE
SQ. CLEMENTINE
CLEMENTINA-SQ.
TUINBOUWERSSTRAAT
HOG. PED. INST.
RUE DU GAZ
GASSTRAAT
KROONVELDSTR.
R. DU CHAMP DE LA COURONNE
SQ. PRINCE CHARLES
PRINS KAREL-SQ.
KUNSTENAARSSTR.
RUE DES ARTISTES
N277
RUE V. MABILLE STR.
BOCKSTAEL-LAAN
176,5 km
176 km
175 km
174,5 km
1
2
3
4
31

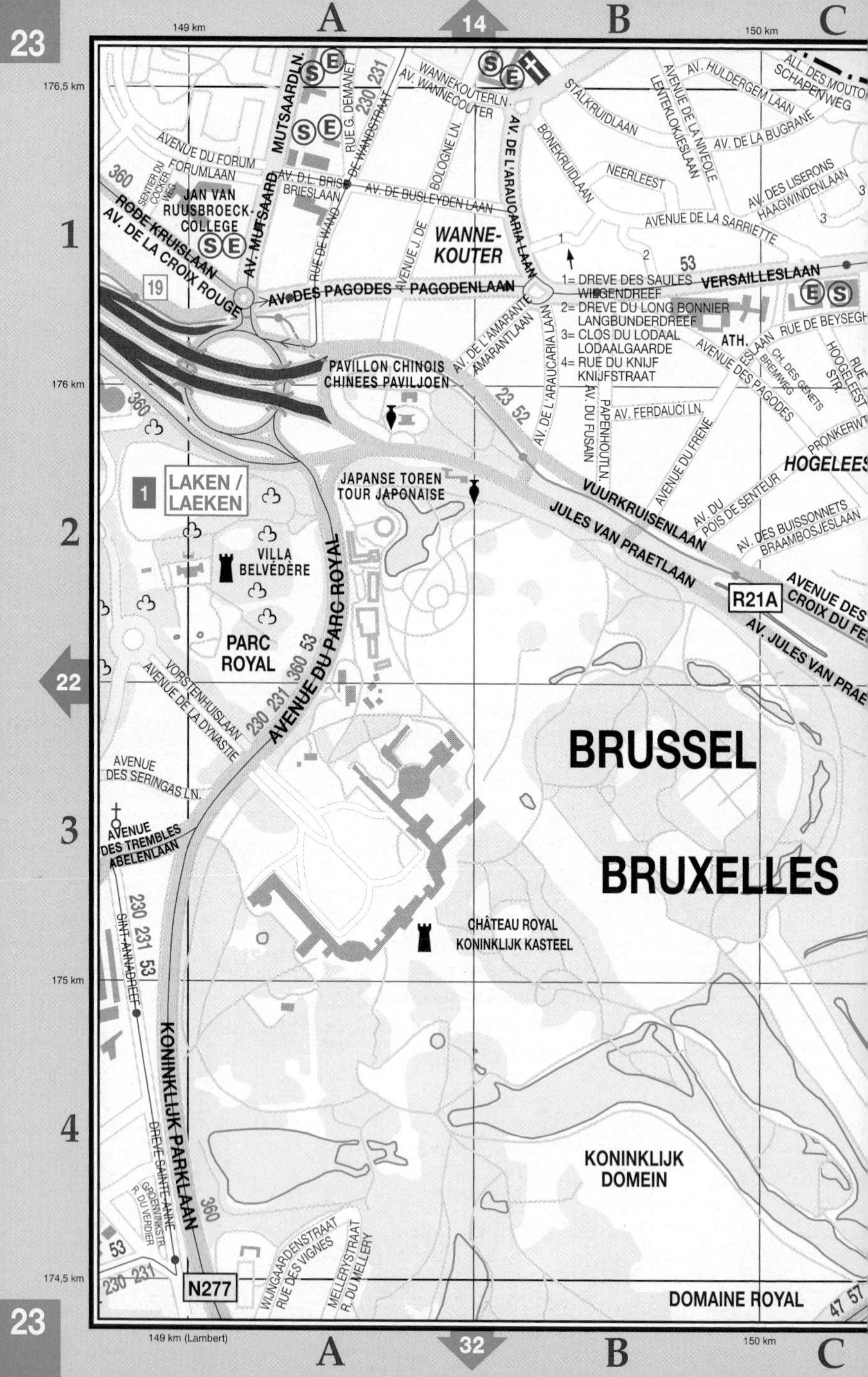

14
32
22
A
B
C
1
2
3
4
149 km
150 km
176,5 km
176 km
175 km
174,5 km
149 km (Lambert)
MUTSAARDLN.
AV. MUTSAARD
RUE G. DEMANET
DE WANDSTRAAT
AV. WANNECOUTER
WANNEKOUTERLN.
STALKRUIDLAAN
AV. DE L'ARAUCARIA LAAN
BONEKRUIDLAAN
AV. HULDERGEM LAAN
LENTEKLOKJESLAAN
AVENUE DE LA NIVEOLE
ALL. DES MOUTONS
SCHAPENWEG
AV. DE LA BUGRANE
NEERLEEST
AV. DES LISERONS
HAAGWINDENLAAN
AVENUE DE LA SARRIETTE
AVENUE DU FORUM
FORUMLAAN
SENTIER DU COCKER WEG
JAN VAN RUUSBROECK-COLLEGE
AV. D.L. BRISE
BRIESLAAN
AV. DE BUSLEYDEN LAAN
BOLOGNE LN.
RUE DE WAND
AVENUE J. DE
WANNE-KOUTER
RODE KRUISLAAN
AV. DE LA CROIX ROUGE
AV. DES PAGODES - PAGODENLAAN
VERSAILLESLAAN
1= DREVE DES SAULES
WILGENDREEF
2= DREVE DU LONG BONNIER
LANGBUNDERDREEF
3= CLOS DU LODAAL
LODAALGAARDE
4= RUE DU KNIJF
KNIJFSTRAAT
AV. DE L'AMARANTE
AMARANTLAAN
AV. DE L'ARAUCARIA LAAN
AV. DU FUSAIN
PAPENHOUTLN.
AV. FERDAUCI LN.
ATH.
AVENUE DES PAGODES
RUE DE BEYSEGHEM
CH. DES GENETS
BREMWEG
HOOGELEEST STR.
PRONKERWT
HOGELEEST
AVENUE DU FRENE
AV. DU POIS DE SENTEUR
AV. DES BUISSONNETS
BRAAMBOSJESLAAN
PAVILLON CHINOIS
CHINEES PAVILJOEN
JAPANSE TOREN
TOUR JAPONAISE
VUURKRUISENLAAN
JULES VAN PRAETLAAN
AVENUE DES CROIX DU FEU
AV. JULES VAN PRAET
R21A
LAKEN / LAEKEN
VILLA BELVÉDÈRE
PARC ROYAL
AVENUE DU PARC ROYAL
VORSTENHUISLAAN
AVENUE DE LA DYNASTIE
AVENUE DES SERINGAS LN.
AVENUE DES TREMBLES
ABELENLAAN
BRUSSEL
BRUXELLES
CHÂTEAU ROYAL
KONINKLIJK KASTEEL
SINT-ANNADREEF
KONINKLIJK PARKLAAN
DREVE SAINTE-ANNE
GROENWINKSTR.
R. DU VERDIER
WIJNGAARDENSTRAAT
RUE DES VIGNES
MELLERYSTRAAT
R. DU MELLERY
KONINKLIJK DOMEIN
DOMAINE ROYAL
N277
19
360
230 231
53
23 52
47 57

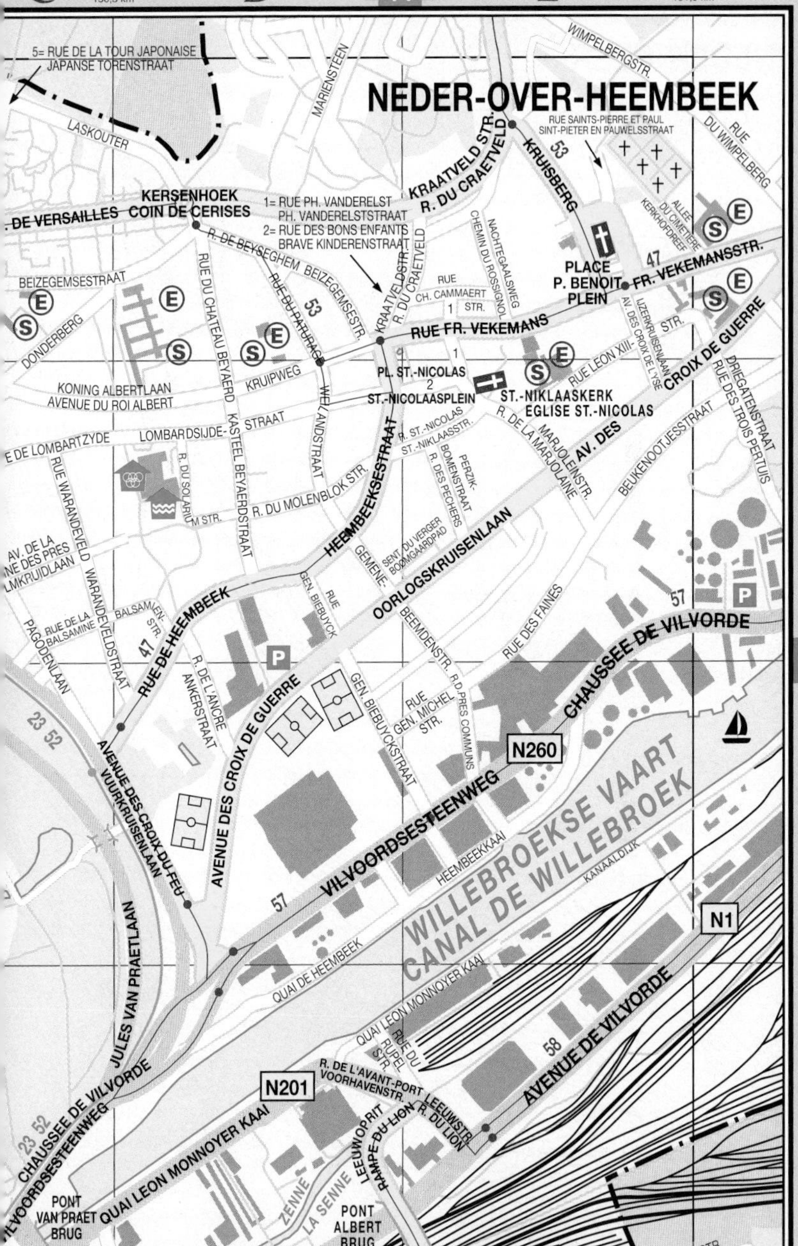

176,5 km

NEDER-OVER-HEEMBEEK

5= RUE DE LA TOUR JAPONAISE
JAPANSE TORENSTRAAT

LASKOUTER
MARIENSTEEN
WIMPELBERGSTR.
RUE DU WIMPELBERG
RUE SAINTS-PIERRE ET PAUL
SINT-PIETER EN PAUWELSSTRAAT
KRUISBERG
53
KRAATVELD STR.
R. DU CRAETVELD
KERSENHOEK
COIN DE CERISES
DE VERSAILLES
1= RUE PH. VANDERELST
PH. VANDERELSTSTRAAT
2= RUE DES BONS ENFANTS
BRAVE KINDERENSTRAAT
R. DE BEYSEGHEM
BEIZEGEMSESTR.
RUE DU PATURAGE
CHEMIN DU ROSSIGNOL
NACHTEGAALSWEG
ALLEE DU CIMETIERE
KERKHOFDREEF
PLACE
P. BENOIT
PLEIN
FR. VEKEMANSSTR.
47
BEIZEGEMSESTRAAT
DONDERBERG
RUE DU CHATEAU BEYAERD
KRAATVELDSTR.
R. DU CRAETVELD
RUE
CH. CAMMAERT
1 STR.
RUE FR. VEKEMANS
IJZERKRUISENLAAN
AV. DES CROIX DE L'YSE
STR.
CROIX DE GUERRE
DRIEGATENSTRAAT
RUE DES TROIS PERTUIS
RUE LEON XIII
1

176 km

KONING ALBERTLAAN
AVENUE DU ROI ALBERT
KRUIPWEG
WELANDSTRAAT
PL. ST.-NICOLAS
2
ST.-NICOLAASPLEIN
ST.-NIKLAASKERK
EGLISE ST.-NICOLAS
R. DE LA MARJOLAINE
MARJOLEINSTR.
AV. DES
BEUKENOOTJESSTRAAT
DE LOMBARTZYDE
LOMBARDSIJDE- STRAAT
KASTEEL BEYAERDSTRAAT
R. ST.-NICOLAS
ST.-NIKLAASSTR.
BOMENSTRAAT
R. DES PECHERS
PERZIKBOMENSTRAAT
RUE WARANDEVELD
R. DU SOLARIUM STR.
R. DU MOLENBLOK STR.
HEEMBEEKSESTRAAT
OORLOGSKRUISENLAAN
SENT. DU VERGER
BOOMGAARDPAD
GEMENE-
2
AV. DE LA
NE DES PRES
LMKRUIDLAAN
WARANDEVELD
RUE GEN. BIEBUYCK
BEEMDENSTR.
RUE DES FAINES
57
P
CHAUSSEE DE VILVORDE
PAGODENLAAN
RUE DE LA BALSAMINE
BALSAMIENSTR.
WARANDEVELDSTRAAT
47
RUE DE HEEMBEEK
R. DE L'ANCRE
ANKERSTRAAT
P
AVENUE DES CROIX DE GUERRE
GEN. BIEBUYCKSTRAAT
RUE GEN. MICHEL STR.
R. D. PRES COMMUNS
23 52
N260
AVENUE DES CROIX DU FEU
VUURKRUISENLAAN
VILVOORDSESTEENWEG
WILLEBROEKSE VAART
CANAL DE WILLEBROEK
3
HEEMBEEKKAAI
KANAALDIJK
57
N1

175 km

JULES VAN PRAETLAAN
QUAI DE HEEMBEEK
QUAI LEON MONNOYER KAAI
RUPELSTR.
RUE DU RUPEL
58
AVENUE DE VILVORDE
N201
R. DE L'AVANT-PORT
VOORHAVENSTR.
LEEUWSTR.
R. DU LION
LEEUWOPRIT
RAMPE DU LION
4
CHAUSSEE DE VILVORDE
VILVOORDSESTEENWEG
23 52
QUAI LEON MONNOYER KAAI
ZENNE
LA SENNE
PONT VAN PRAET BRUG
PONT ALBERT BRUG
KASTEELSTR.
R. DU CHATEAU

174,5 km

24

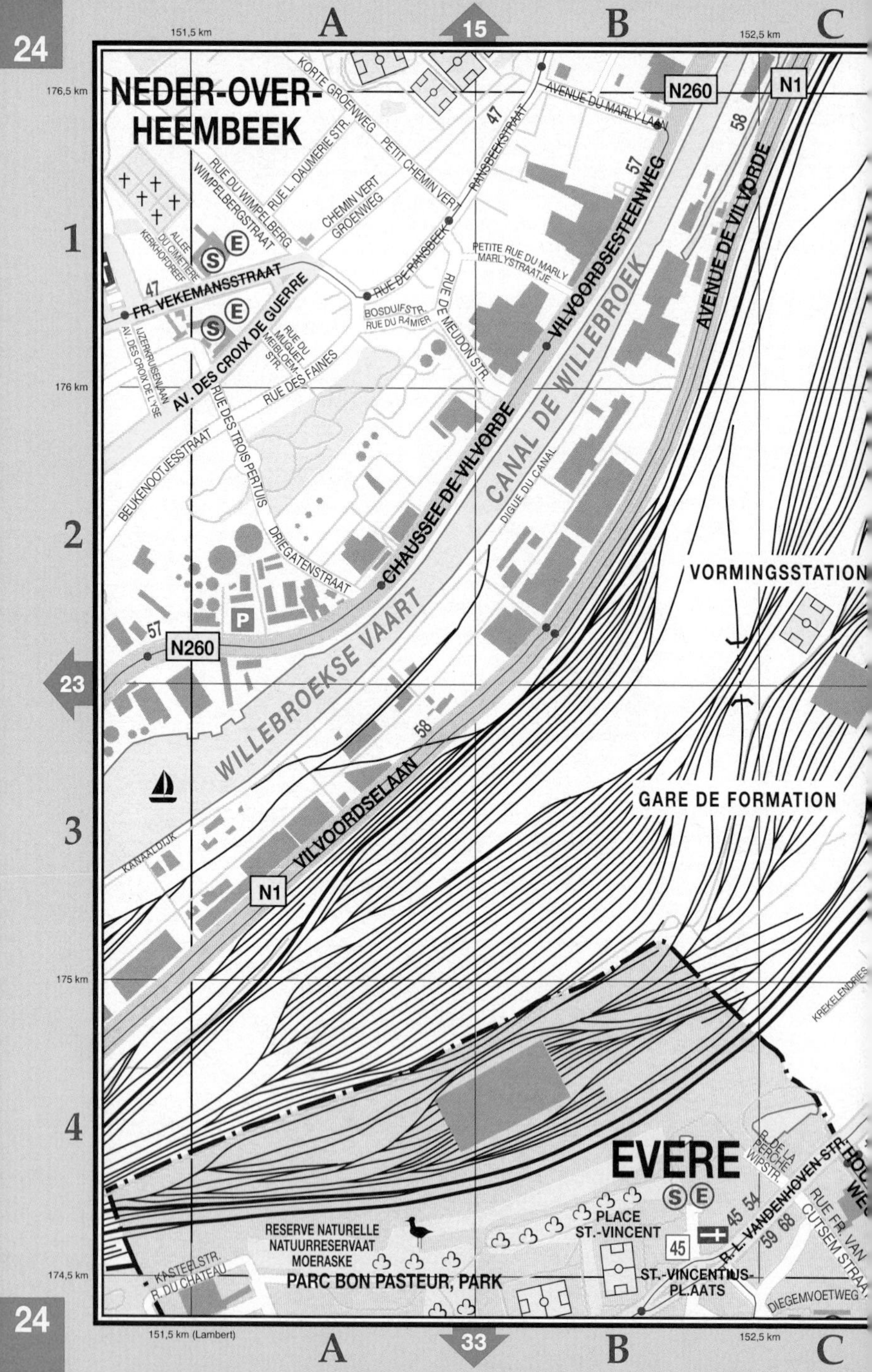

151,5 km
A
15
B
152,5 km
C
176,5 km
NEDER-OVER-HEEMBEEK
KORTE GROENWEG
N260
N1
AVENUE DU MARLY LAAN
RUE L. DAUMERIE STR.
PETIT CHEMIN VERT
RUE DU WIMPELBERG
WIMPELBERGSTRAAT
CHEMIN VERT GROENWEG
RANSBEEKSTRAAT
VILVOORDSESTEENWEG
AVENUE DE VILVORDE
1
ALLEE DU CIMETIERE KERKHOFDREEF
FR. VEKEMANSSTRAAT
RUE DE RANSBEEK
PETITE RUE DU MARLY MARLYSTRAATJE
AV. DES CROIX DE GUERRE
RUE DU MUGUET MEIBLOEM-STR.
BOSDUIFSTR. RUE DU RAMIER
RUE DE MEUDON STR.
IJZERKRUISENLAAN AV. DES CROIX DE L'YSE
RUE DES FAINES
CANAL DE WILLEBROEK
176 km
RUE DES TROIS PERTUIS
BEUKENOOTJESSTRAAT
CHAUSSEE DE VILVORDE
DIGUE DU CANAL
DRIEGATENSTRAAT
2
VORMINGSSTATION
WILLEBROEKSE VAART
23
VILVOORDSELAAN
GARE DE FORMATION
3
KANAALDIJK
175 km
KREKELENDRIES
4
EVERE
R. DE LA PERCHE WIPSTR.
R. L. VANDENHOVEN STR.
RUE FR. VAN CUTSEM STRAAT
RESERVE NATURELLE NATUURRESERVAAT MOERASKE
PARC BON PASTEUR, PARK
PLACE ST.-VINCENT
ST.-VINCENTIUS-PLAATS
KASTEELSTR. R. DU CHATEAU
DIEGEMVOETWEG
174,5 km
151,5 km (Lambert)
33

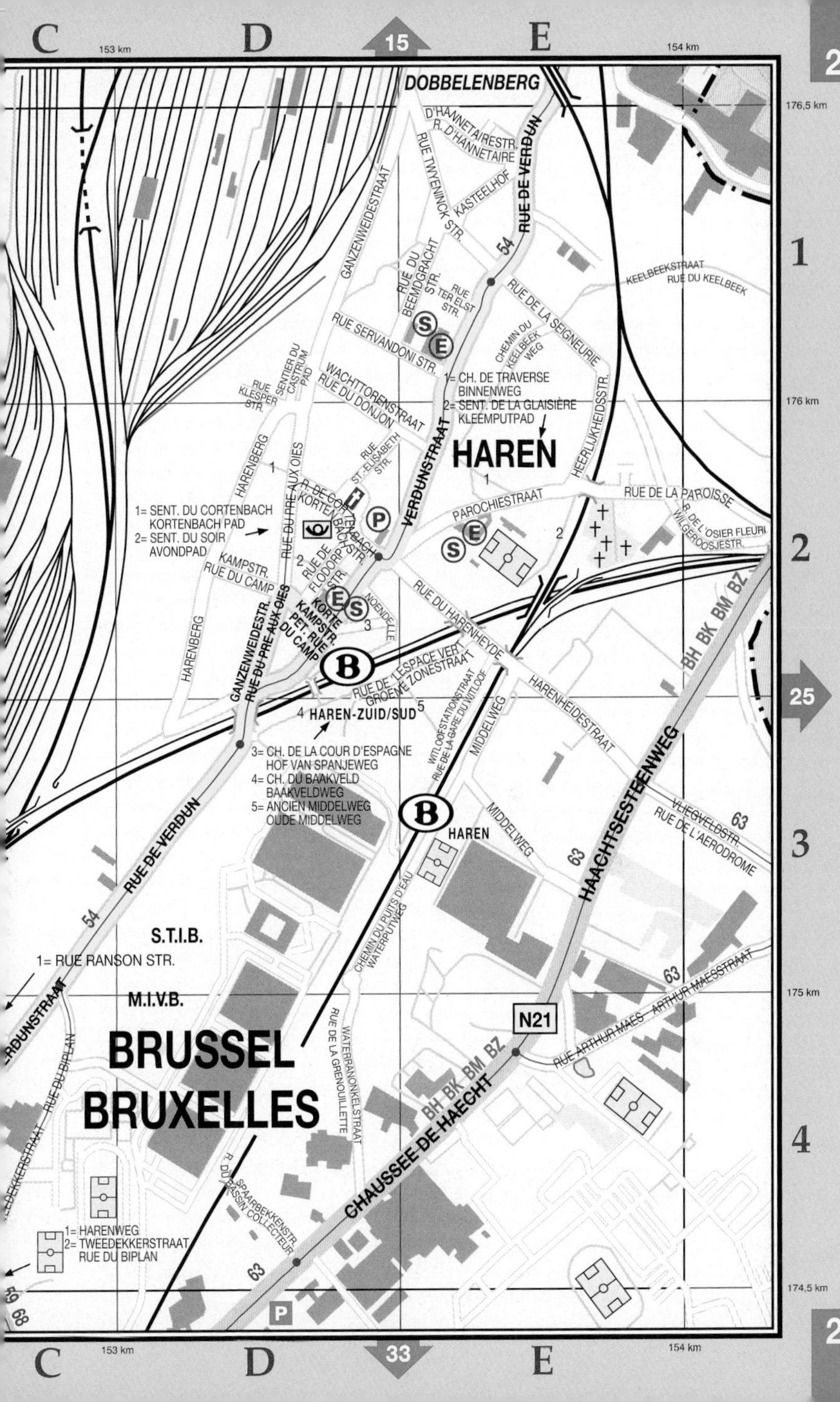

176,5 km

DOBBELENBERG

D'HANNETAIRESTR.
R. D'HANNETAIRE
RUE TWYENINCK STR.
KASTEELHOF
RUE DE VERDUN
GANZENWEIDESTRAAT
54

1

KEELBEEKSTRAAT
RUE DU KEELBEEK
RUE DU BEEMDGRACHT STR.
RUE TER ELST STR.
RUE DE LA SEIGNEURIE
RUE SERVANDONI STR.
CHEMIN DU KEELBEEK WEG
SENTIER DU CASTRUM PAD
RUE KLESPER STR.
WACHTTORENSTRAAT
RUE DU DONJON

1= CH. DE TRAVERSE
BINNENWEG
2= SENT. DE LA GLAISIÈRE
KLEEMPUTPAD

176 km

HEERLIJKHEIDSSTR.
HAREN
VERDUNSTRAAT
RUE ST.-ELISABETH STR.
HARENBERG
RUE DU PRE AUX OIES
R. DE CORTENBACH
KORTENBACHSTR.
PAROCHIESTRAAT
RUE DE LA PAROISSE
R. DE L'OSIER FLEURI
WILGEROOSJESTR.

1= SENT. DU CORTENBACH
KORTENBACH PAD
2= SENT. DU SOIR
AVONDPAD

2

KAMPSTR.
RUE DU CAMP
RUE DE FLODORP STR.
KORTE KAMPSTR.
PET. RUE DU CAMP
NOENDELLE
RUE DU HARENHEYDE
HARENBERG
GANZENWEIDESTR.
RUE DU PRE AUX OIES
RUE DE L'ESPACE VERT
GROENE ZONESTRAAT
BH BK BM BZ
HARENHEIDESTRAAT
WITLOOFSTATIONSTRAAT
RUE DE LA GARE DU WITLOOF
MIDDELWEG
HAREN-ZUID/SUD

25

3= CH. DE LA COUR D'ESPAGNE
HOF VAN SPANJEWEG
4= CH. DU BAAKVELD
BAAKVELDWEG
5= ANCIEN MIDDELWEG
OUDE MIDDELWEG

RUE DE VERDUN
HAREN
MIDDELWEG
HAACHTSESTEENWEG
63
VLIEGVELDSTR.
RUE DE L'AERODROME

3

54
CHEMIN DU PUITS D'EAU
WATERPUTWEG
S.T.I.B.
1= RUE RANSON STR.
M.I.V.B.
63
ARTHUR MAESSTRAAT
RUE ARTHUR MAES

175 km

VERDUNSTRAAT
N21
RUE DE LA GRENOUILLETTE
WATERRANONKELSTRAAT

BRUSSEL
BRUXELLES

RUE DU BIPLAN
BH BK BM BZ
CHAUSSEE DE HAECHT
TWEEDEKKERSTRAAT

4

R. DU BASSIN COLLECTEUR
SPAARBEKKENSTR.

1= HARENWEG
2= TWEEDEKKERSTRAAT
RUE DU BIPLAN

63
59 68

174,5 km

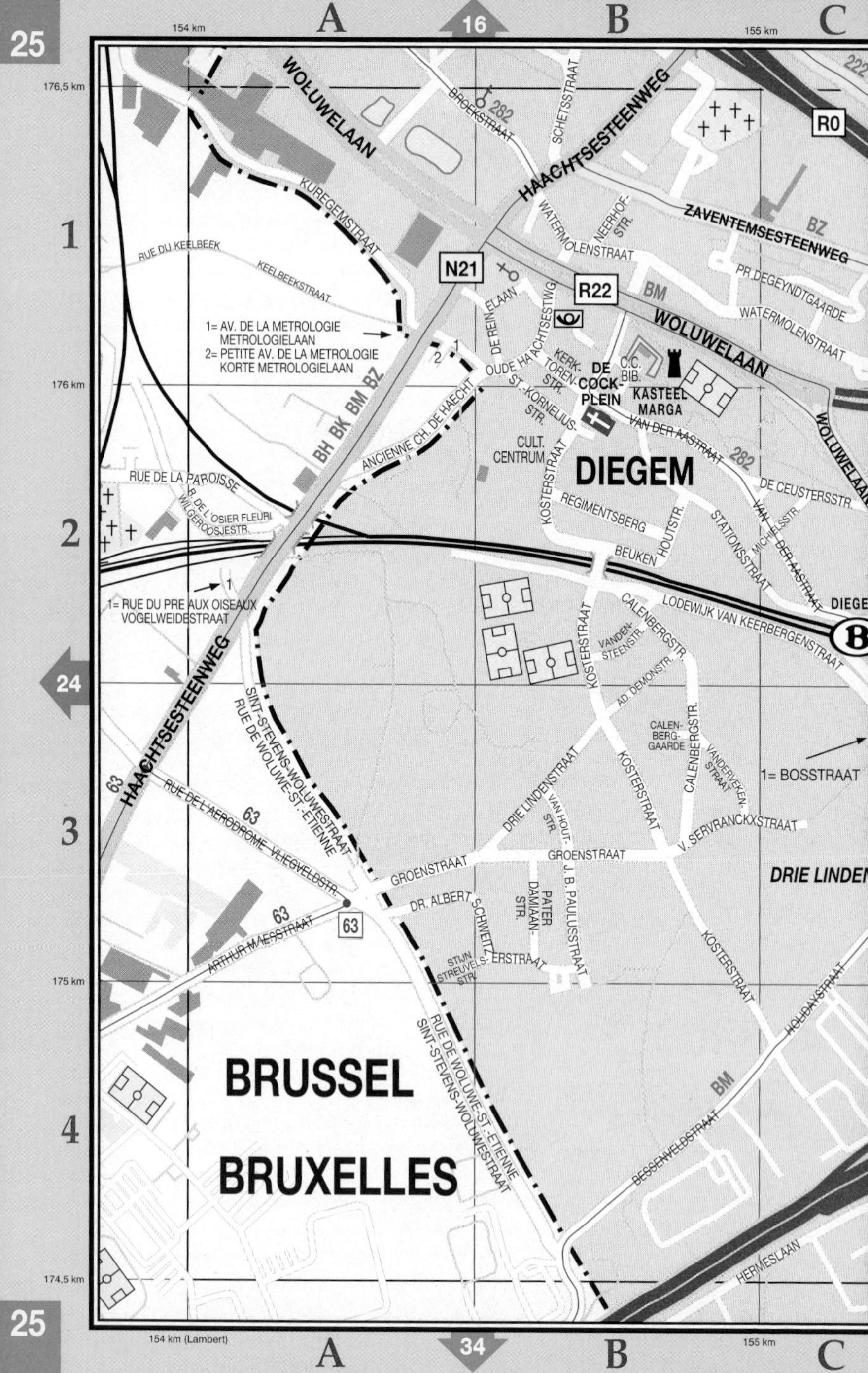
A
16
B
C
154 km
155 km
176,5 km
176 km
175 km
174,5 km
1
2
3
4
24
WOLUWELAAN
HAACHTSESTEENWEG
BROEKSTRAAT
282
SCHETSSTRAAT
R0
222
KUREGEMSTRAAT
RUE DU KEELBEEK
KEELBEEKSTRAAT
N21
WATERMOLENSTRAAT
NEERHOF-STR.
ZAVENTEMSESTEENWEG
BZ
R22
BM
PR.DEGEYNDTGAARDE
WATERMOLENSTRAAT
WOLUWELAAN
1= AV. DE LA METROLOGIE
METROLOGIELAAN
2= PETITE AV. DE LA METROLOGIE
KORTE METROLOGIELAAN
DE REINELAAN
OUDE HAACHTSESTWG
KERK-TOREN-STR.
DE COCK-PLEIN
C.C. BIB.
KASTEEL MARGA
ST.-KORNELIUS-STR.
VAN DER AASTRAAT
BH BK BM BZ
ANCIENNE CH. DE HAECHT
CULT. CENTRUM
KOSTERSTRAAT
DIEGEM
DE CEUSTERSSTR.
RUE DE LA PAROISSE
R. DE L'OSIER FLEURI
WILGEROOSJESTR.
REGIMENTSBERG
HOUTSTR.
STATIONSSTRAAT
MICHIELSSTR.
VAN DER AASTRAAT
BEUKEN
DIEGE
1= RUE DU PRE AUX OISEAUX
VOGELWEIDESTRAAT
CALENBERGSTR.
LODEWIJK VAN KEERBERGENSTRAAT
B
VANDEN-STEENSTR.
AD. DEMONSTR.
SINT-STEVENS-WOLUWESTRAAT
RUE DE WOLUWE-ST.-ETIENNE
CALEN-BERG-GAARDE
CALENBERGSTR.
VANDERVEKEN-STRAAT
1= BOSSTRAAT
63
RUE DE L'AERODROME
VLIEGVELDSTR.
DRIE LINDENSTRAAT
VAN HOUT-STR.
V. SERVRANCKXSTRAAT
GROENSTRAAT
J. B. PAULUSSTRAAT
DRIE LINDEN
DR. ALBERT SCHWEITZERSTRAAT
PATER DAMIAAN-STR.
ARTHUR MAESSTRAAT
STIJN STREUVELS-STR.
HOLIDAYSTRAAT
BRUSSEL
BRUXELLES
RUE DE WOLUWE-ST.-ETIENNE
SINT-STEVENS-WOLUWESTRAAT
BESSENVELDSTRAAT
HERMESLAAN
154 km (Lambert)
34

C
155,5 km
D
16
E
156,5 km
176,5 km
176 km
175 km
174,5 km
1
2
3
4
26
34
BLAIRONSTRAAT
222 BZ
220 221
DRESTSTRAAT
P. DE KLEERMAEKER-STR.
LOSTRAAT
FERD. CAMPINESTRAAT
NIEUWE ZAVENTEMSESTEENWEG
ZAVENTEMSESTEENWEG
4
WOLUWELAAN
A201
GURICKXSTRAAT
DE GREEF-STR.
SINT-KATARINASTRAAT
VUURBERG
GRENSSTRAAT
DIEGEMSTRAAT
BM
P
MACHELEN
HOEK-PLEIN
LAMBROEKSTRAAT
FABRIEKSSTRAAT
DE KLEETLAAN
282 BM
J. E. MOMMAERTSLAAN
J. F. KENNEDYLAAN
CULLIGANLAAN
KOUTERVELDSTRAAT
BEDRIJVENPARK NOORD
ZAVENTEM
EXCELSIORLAAN
BEDRIJVENPARK KEIBERG
R0
DIEGEM
2
HERMESLAAN
3
ST.-STEVENS-WOLUWE
282
HECTOR HENNEAULAAN

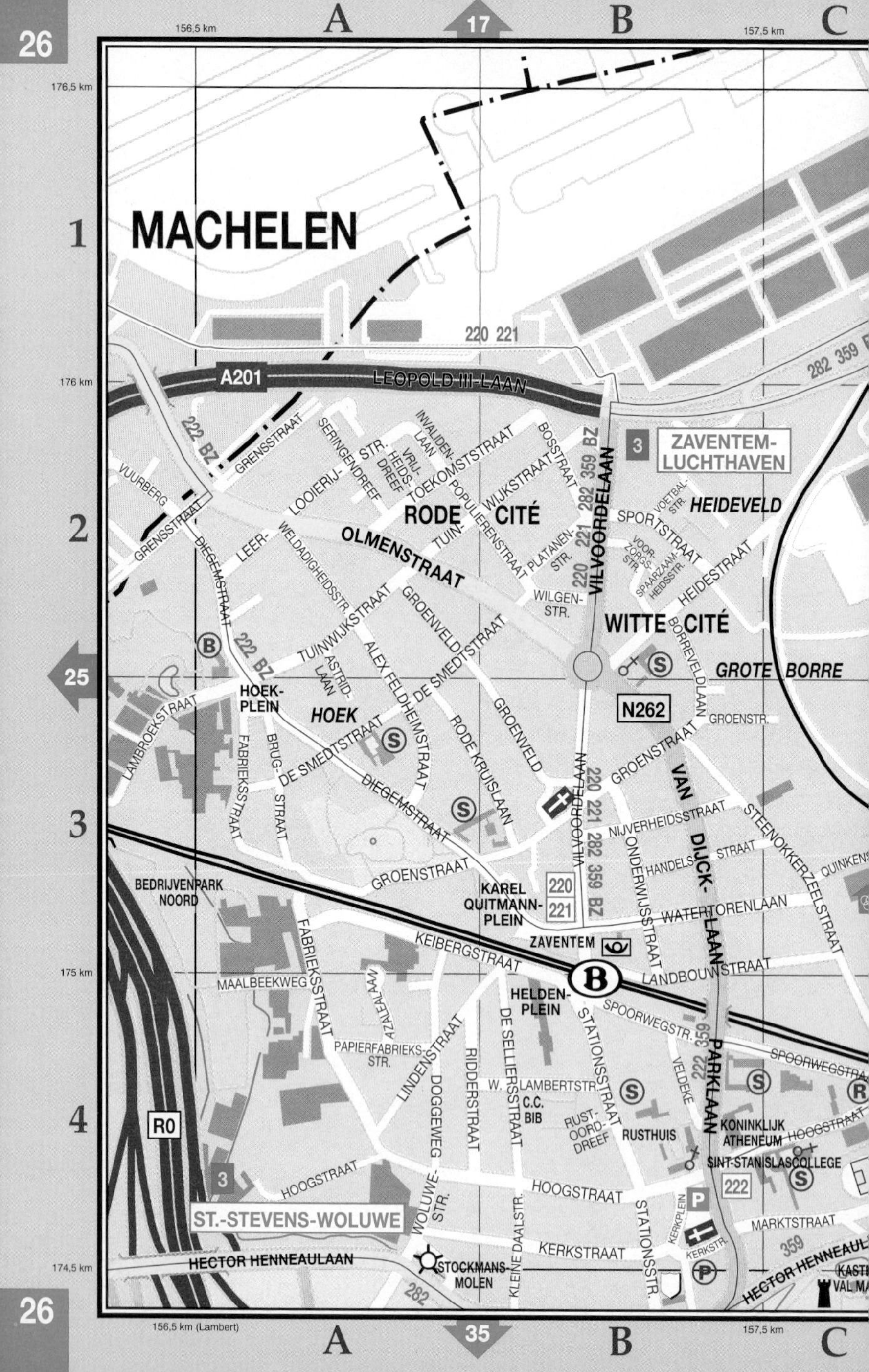
A
17
B
C
156,5 km
157,5 km
176,5 km
176 km
175 km
174,5 km
1
2
3
4
25
MACHELEN
220 221
282 359
A201
LEOPOLD III-LAAN
222 BZ
GRENSSTRAAT
SERINGENDREEF
INVALIDEN-LAAN
VRIJ-HEIDS-DREEF
TOEKOMSTSTRAAT
BOSSTRAAT
359 BZ
3
ZAVENTEM-LUCHTHAVEN
VUURBERG
LOOIERIJ-STR.
RODE CITÉ
POPULIERENSTRAAT
WIJKSTRAAT
282
VILVOORDELAAN
VOETBAL-STR.
HEIDEVELD
SPORTSTRAAT
GRENSSTRAAT
DIEGEMSTRAAT
LEER-
WELDADIGHEIDSSTR.
OLMENSTRAAT
TUIN-
PLATANEN-STR.
221
220
VOOR-ZORGS-STR.
SPAARZAAM-HEIDSSTR.
HEIDESTRAAT
WILGEN-STR.
WITTE CITÉ
BORREVELDLAAN
TUINWIJKSTRAAT
GROENVELD
DE SMEDTSTRAAT
ASTRID-LAAN
ALEX FELDHEIMSTRAAT
GROTE BORRE
HOEK-PLEIN
HOEK
LAMBROEKSTRAAT
N262
GROENSTR.
FABRIEKSSTRAAT
BRUG-STRAAT
DE SMEDTSTRAAT
RODE KRUISLAAN
GROENVELD
GROENSTRAAT
VAN DIJCK-LAAN
DIEGEMSTRAAT
220 221 282 359 BZ
NIJVERHEIDSSTRAAT
STEENOKKERZEELSTRAAT
ONDERWIJSSTRAAT
HANDELSSTRAAT
QUINKENS
GROENSTRAAT
BEDRIJVENPARK NOORD
KAREL QUITMANN-PLEIN
220
221
WATERTORENLAAN
ZAVENTEM
KEIBERGSTRAAT
FABRIEKSSTRAAT
LANDBOUWSTRAAT
MAALBEEKWEG
AZALEALAAN
HELDEN-PLEIN
SPOORWEGSTR.
222 359
PARKLAAN
PAPIERFABRIEKS-STR.
LINDENSTRAAT
RIDDERSTRAAT
DE SELLIERSSTRAAT
STATIONSSTRAAT
VELDEKE
SPOORWEGSTRAAT
DOGGEWEG
W. LAMBERTSTR.
C.C. BIB
RUST-OORD-DREEF
RUSTHUIS
KONINKLIJK ATHENEUM
HOOGSTRAAT
R0
SINT-STANISLASCOLLEGE
3
HOOGSTRAAT
222
HOOGSTRAAT
WOLUWE-STR.
KLEINE DAALSTR.
STATIONSSTR.
KERKPLEIN
MARKTSTRAAT
ST.-STEVENS-WOLUWE
KERKSTRAAT
KERKSTR.
359
HECTOR HENNEAULAAN
STOCKMANS-MOLEN
HECTOR HENNEAULAAN
KASTEEL VAL MA
282
156,5 km (Lambert)
35

C
D
E
158 km
159 km
17
176,5 km
176 km
175 km
174,5 km
1
2
3
4
27
35
282
359
BZ
RUSSEL-NATIONAAL-LUCHTHAVEN
RUXELLES-NATIONAL-AEROPORT
B
P
NATIONALE LUCHTHAVEN
AERPORT NATIONAL
ZAVENTEM
NOSSEGEMDELLE
ZEVEN TOMMEN
CHRYSTANTENLAAN
HODDEVELD
KERKHOFLAAN
ZEVEN TOMMEN
MICHIELSSTRAAT
SINT-MARTINUSWEG
WEYNBOSLAAN
KLEINE BEEK
1= NOSSEGEMSTRAAT
IMBROEKSTRAAT
IMBROEKSTRAAT
KROMMEWEG
MICHIELSSTR.
SINT-MARTINUSWEG
IMBROEK
NOSSEGEM
ERKMANSSTRAAT
359

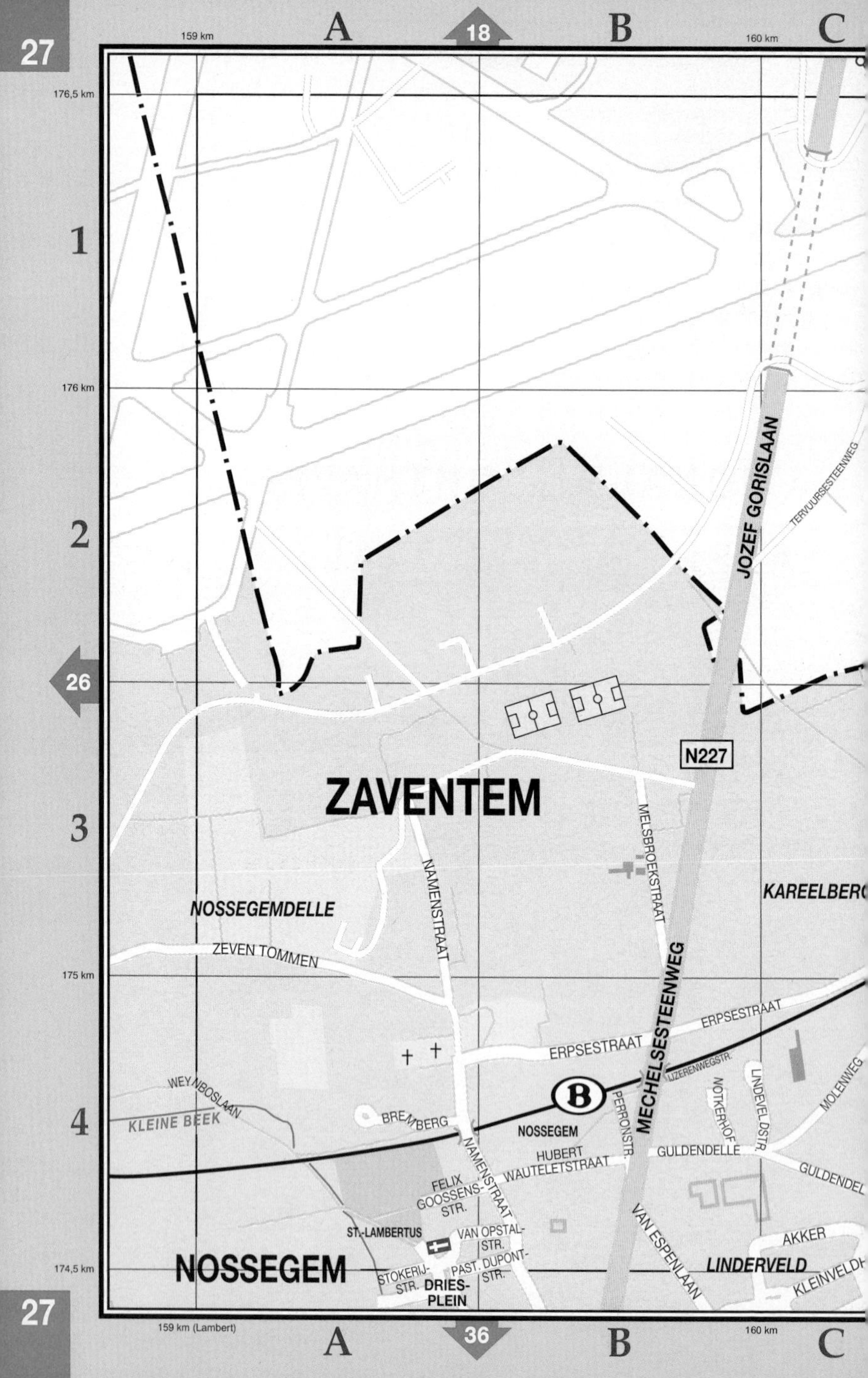

A
B
C
18
159 km
160 km
176,5 km
176 km
175 km
174,5 km
1
2
3
4
26
JOZEF GORISLAAN
TERVUURSESTEENWEG
N227
ZAVENTEM
MELSBROEKSTRAAT
NAMENSTRAAT
KAREELBERG
NOSSEGEMDELLE
ZEVEN TOMMEN
MECHELSESTEENWEG
ERPSESTRAAT
ERPSESTRAAT
IJZERENWEGSTR.
NOTKERHOF
LINDEVELDSTR.
MOLENWEG
WEYNBOSLAAN
KLEINE BEEK
BREMBERG
NOSSEGEM
PERRONSTR.
HUBERT WAUTELETSTRAAT
GULDENDELLE
GULDENDELLE
FELIX GOOSSENS-STR.
NAMENSTRAAT
VAN ESPENLAAN
ST.-LAMBERTUS
VAN OPSTAL-STR.
AKKER
NOSSEGEM
STOKERIJ-STR.
DRIES-PLEIN
PAST. DUPONT-STR.
LINDERVELD
KLEINVELD
159 km (Lambert)
160 km
36

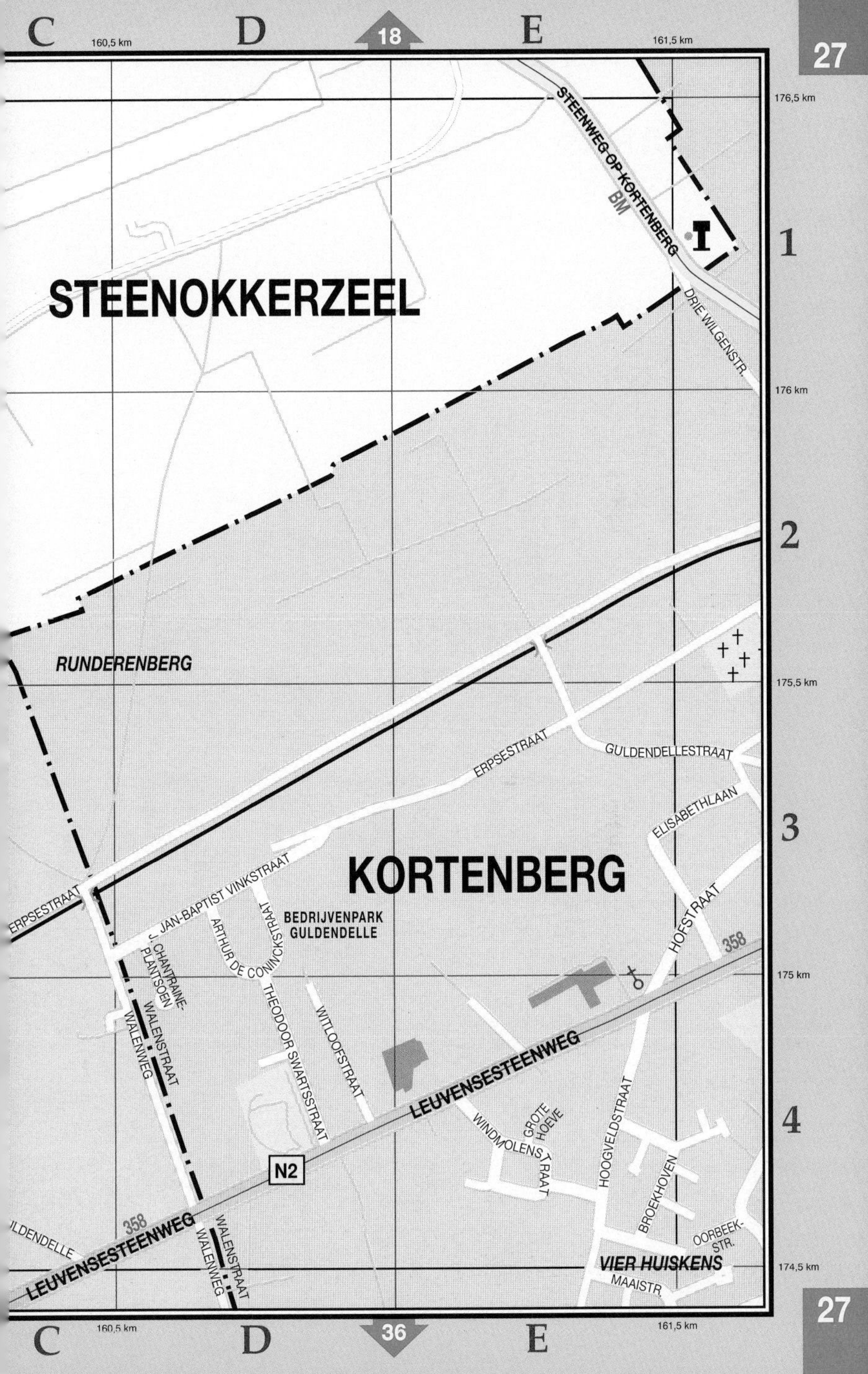
C
D
18
E
160,5 km
161,5 km
176,5 km
STEENWEG OP KORTENBERG
BM
1
STEENOKKERZEEL
DRIE WILGENSTR.
176 km
2
RUNDERENBERG
175,5 km
ERPSESTRAAT
GULDENDELLESTRAAT
ELISABETHLAAN
3
KORTENBERG
HOFSTRAAT
ERPSESTRAAT
JAN-BAPTIST VINKSTRAAT
ARTHUR DE CONINCKSTRAAT
BEDRIJVENPARK
GULDENDELLE
J. CHANTRAINE-PLANTSOEN
358
175 km
WALENSTRAAT
WALENWEG
THEODOOR SWARTSSTRAAT
WITLOOFSTRAAT
LEUVENSESTEENWEG
4
GROTE HOEVE
WINDMOLENSTRAAT
HOOGVELDSTRAAT
BROEKHOVEN
N2
358
GULDENDELLE
LEUVENSESTEENWEG
WALENSTRAAT
WALENWEG
OORBEEK-STR.
VIER HUISKENS
MAAISTR.
174,5 km
C
160,5 km
36
D
E
161,5 km

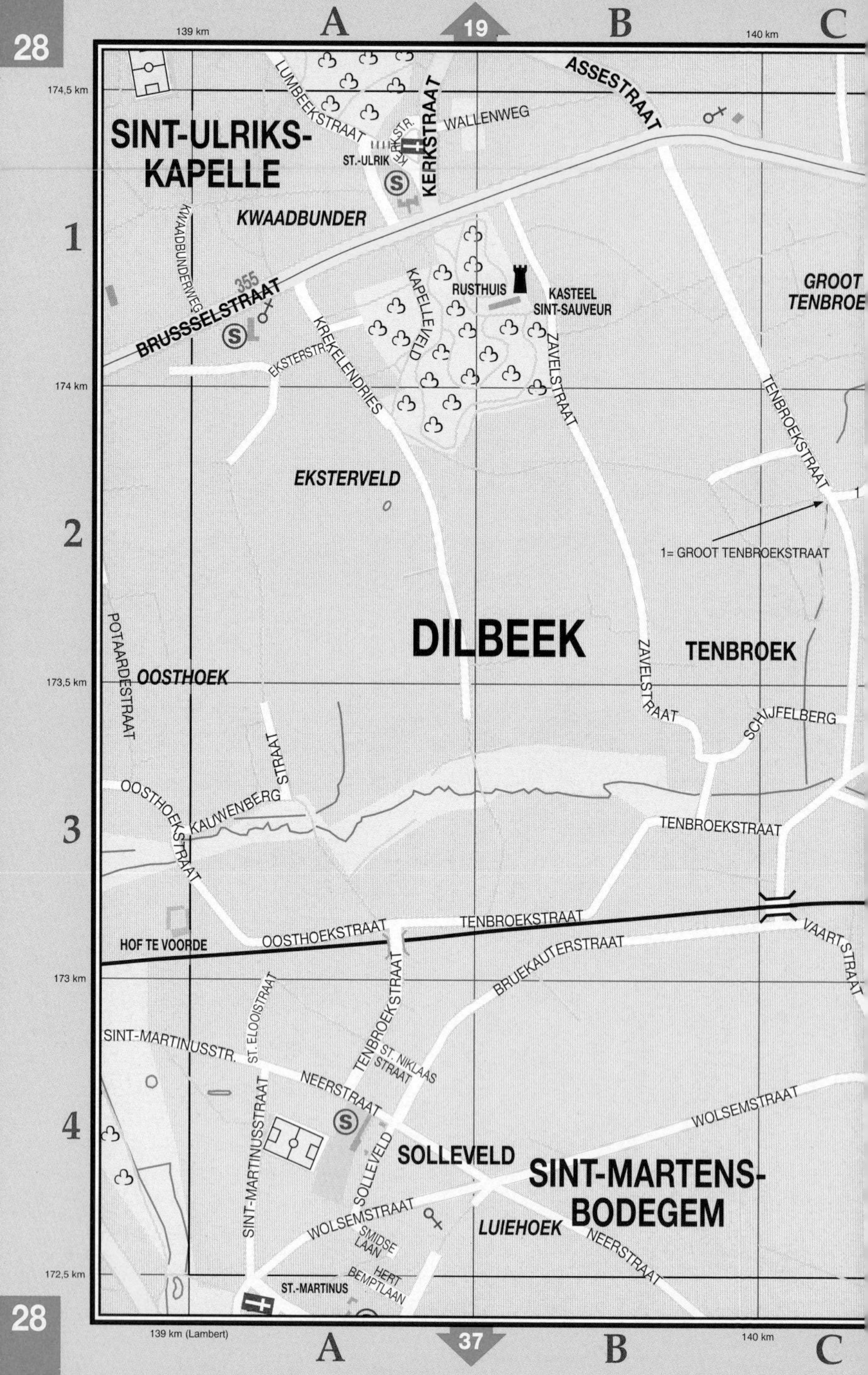
139 km
A
19
B
140 km
C
174,5 km
1
174 km
2
173,5 km
3
173 km
4
172,5 km
139 km (Lambert)
37
SINT-ULRIKS-
KAPELLE
LUMBEEKSTRAAT
KERKSTR.
KERKSTRAAT
WALLENWEG
ASSESTRAAT
ST.-ULRIK
KWAADBUNDER
KWAADBUNDERWEG
355
BRUSSSELSTRAAT
EKSTERSTR.
KREKELENDRIES
KAPELLEVELD
RUSTHUIS
KASTEEL
SINT-SAUVEUR
ZAVELSTRAAT
GROOT
TENBROE
TENBROEKSTRAAT
1= GROOT TENBROEKSTRAAT
EKSTERVELD
DILBEEK
TENBROEK
POTAARDESTRAAT
OOSTHOEK
SCHIJFELBERG
OOSTHOEKSTRAAT
KAUWENBERG
STRAAT
HOF TE VOORDE
OOSTHOEKSTRAAT
VAARTSTRAAT
BRUEKAUTERSTRAAT
ST. ELOOISTRAAT
SINT-MARTINUSSTR.
TENBROEKSTRAAT
ST. NIKLAAS
STRAAT
NEERSTRAAT
WOLSEMSTRAAT
SOLLEVELD
SINT-MARTENS-
BODEGEM
SINT-MARTINUSSTRAAT
WOLSEMSTRAAT
SMIDSE
LAAN
LUIEHOEK
NEERSTRAAT
HERT
BEMPTLAAN
ST.-MARTINUS

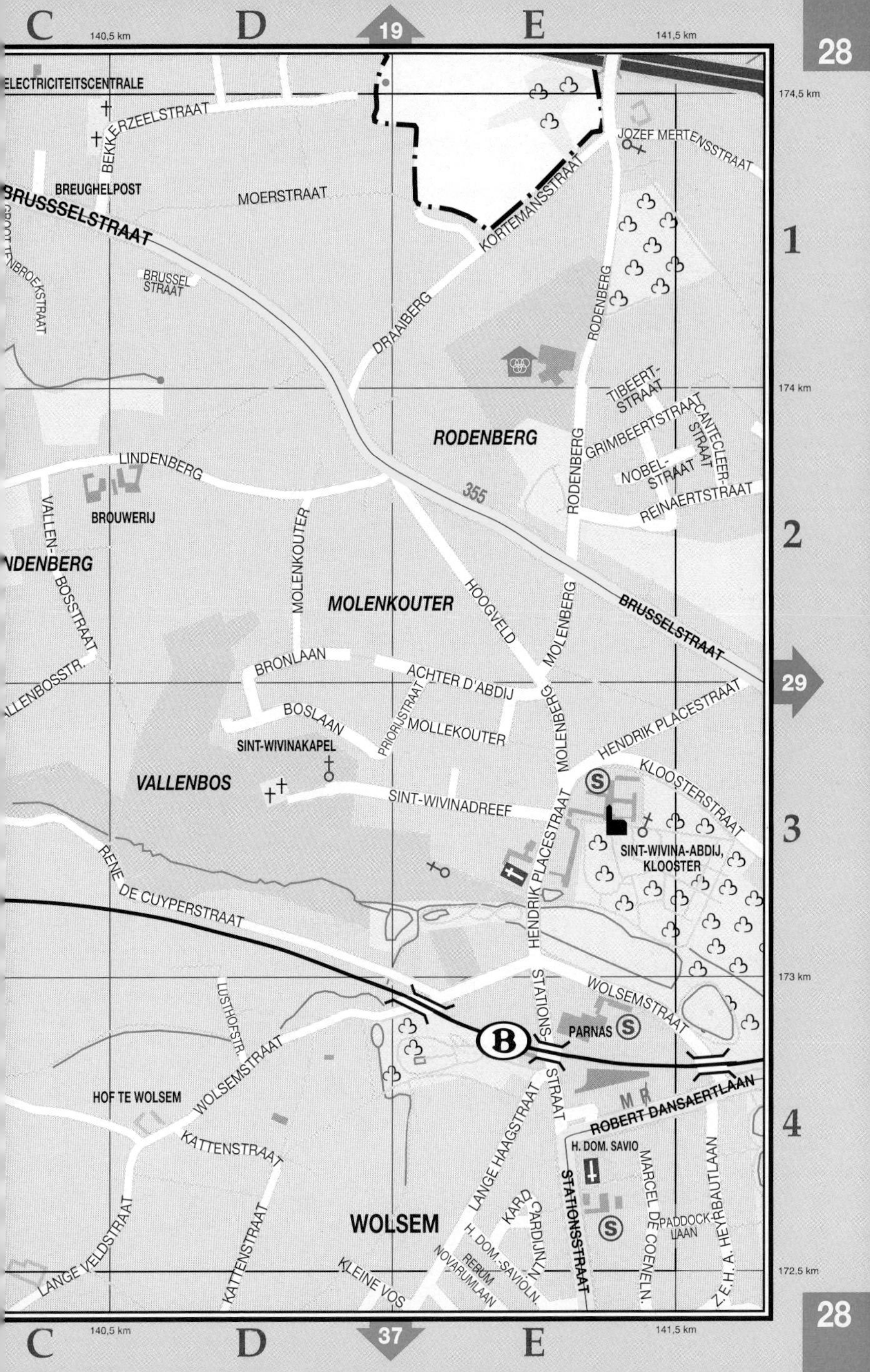
C
D
E
19
140,5 km
141,5 km
174,5 km
174 km
173 km
172,5 km
1
2
3
4
29
37
ELECTRICITEITSCENTRALE
BEKKERZEELSTRAAT
JOZEF MERTENSSTRAAT
BREUGHELPOST
MOERSTRAAT
BRUSSSELSTRAAT
KORTEMANSSTRAAT
BRUSSEL STRAAT
DRAAIBERG
RODENBERG
TIBEERT-STRAAT
GRIMBEERTSTRAAT
CANTECLEER-STRAAT
NOBEL-STRAAT
REINAERTSTRAAT
RODENBERG
LINDENBERG
355
BROUWERIJ
VALLEN-BOSSTRAAT
NDENBERG
MOLENKOUTER
MOLENKOUTER
HOOGVELD
MOLENBERG
BRUSSELSTRAAT
BRONLAAN
ACHTER D'ABDIJ
ALLENBOSSTR.
BOSLAAN
PRIORIJSTRAAT
MOLLEKOUTER
HENDRIK PLACESTRAAT
SINT-WIVINAKAPEL
KLOOSTERSTRAAT
VALLENBOS
SINT-WIVINADREEF
HENDRIK PLACESTRAAT
SINT-WIVINA-ABDIJ, KLOOSTER
RENE DE CUYPERSTRAAT
LUSTHOFSTR.
STATIONS-STRAAT
WOLSEMSTRAAT
PARNAS
WOLSEMSTRAAT
HOF TE WOLSEM
ROBERT DANSAERTLAAN
KATTENSTRAAT
LANGE HAAGSTRAAT
H. DOM. SAVIO
STATIONSSTRAAT
MARCEL DE COENELN.
PADDOCK-LAAN
Z.E.H. A. HEYRBAUTLAAN
KARD. CARDIJNLN.
H. DOM.-SAVIOLN.
WOLSEM
LANGE VELDSTRAAT
KATTENSTRAAT
KLEINE VOS
NOVARUMLAAN
RERUM

A
B
C
20
141,5 km
142,5 km
174,5 km
174 km
173 km
172,5 km
1
2
3
4
28
38
141,5 km (Lambert)
GROOT-BIJGAARDEN
DILBEEK
REINAARTWIJK
ST.-WIVINAWIJK
NIEUWENBOS
JOZEF MERTENSSTRAAT
RODENBERG
ISIDOOR VAN BEVERENSTR.
ISIDOOR VAN BEVEREN-STRAAT
ROEKHO
A10
E40
FRIESLAND
GROENSTRAAT
TIBEERT-STRAAT
GRIMBEERTSTRAAT
CANTECLEER-STRAAT
IZEGRIM-STRAAT
NOBEL-STRAAT
REINAERTSTRAAT
BEKKERZEELWEG
BREMER-LAAN
KASTEELLAAN
TAAIBOOMSTRAAT
KAST. PELGRIMS DE BIGARD
355
BRUSSELSTRAAT
HENDRIK PLACESTRAAT
BLOEMENLN.
RUSTLAAN
LENTE-STR.
KLOOSTERSTRAAT
KREBBE-WEG
HUGO VERRIESTLN.
OPENVELDLAAN
KLIMOPLAAN
DIANALAAN
M. MAZARELLO INST.
SINT-WIVINA-ABDIJ, KLOOSTER
KONIJNENBERG
HAZEPAD
NIEUWENBOS
BOSSTRAAT
FRETBOS
WOLSEMSTRAAT
PARNAS
ELZENSTR.
LINDEN-LAAN
PETER BENOITST
ROBERT DANSAERTLAAN
EMIL BLUTSL
RIETLAAN
SNIJBOS
LELIESTRAAT
GODETIA LAAN
BREM-STRAAT
STICHELBERG
LEEUWERIKEN-LAAN
KIEVITENLAAN
MARCEL DE COENELN.
E.H. A. HEYRBAUTLAAN
PADDOCK-LAAN
WILGENGAARDE
BREEDVELI

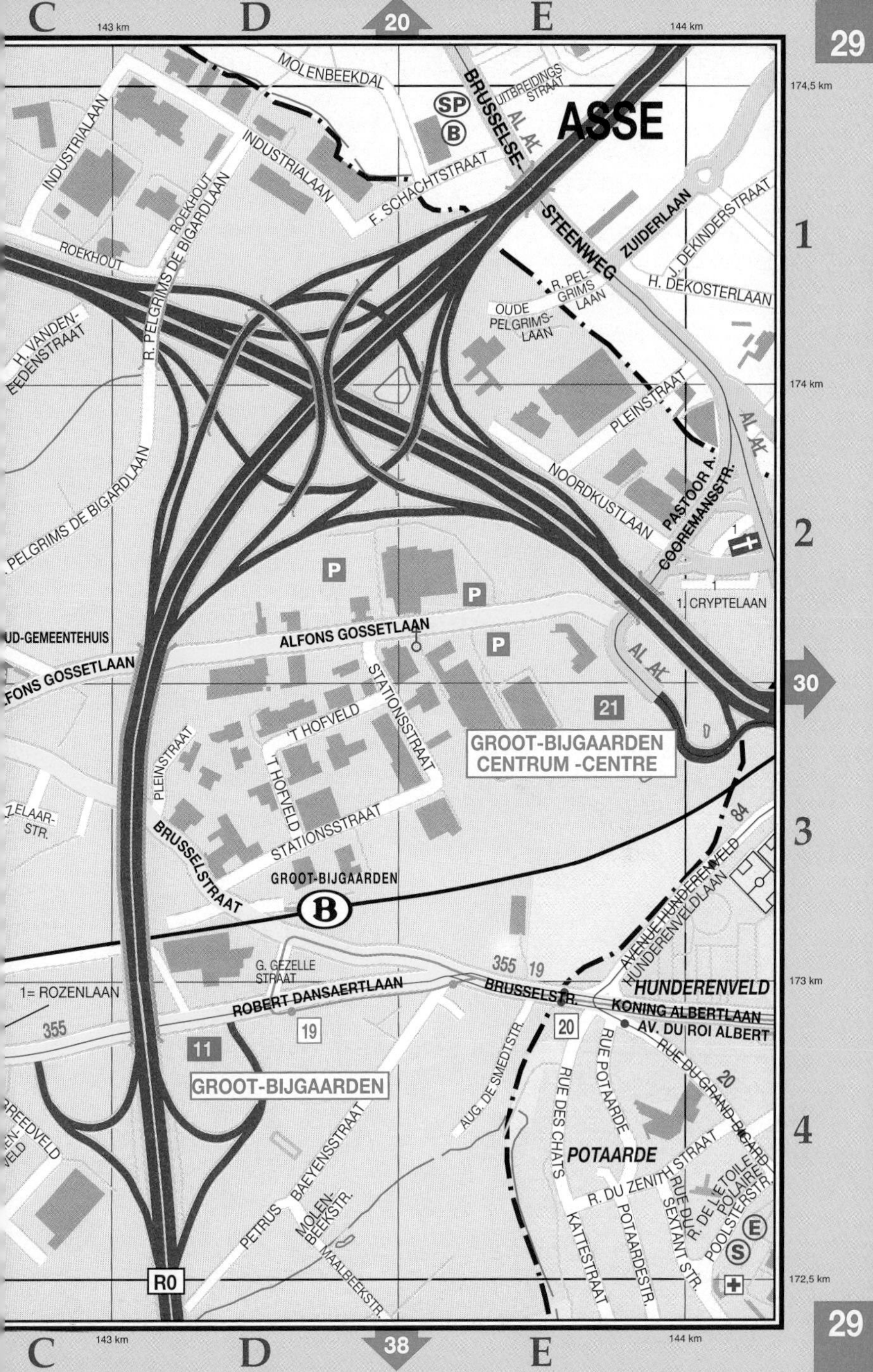
C
D
E
20
143 km
144 km
174,5 km
174 km
173 km
172,5 km
1
2
3
4
30
38
ASSE
MOLENBEEKDAL
BRUSSELSE-
STEENWEG
UITBREIDINGS STRAAT
AL AL
INDUSTRIALAAN
INDUSTRIALAAN
F. SCHACHTSTRAAT
ROEKHOUT
ROEKHOUT
R. PELGRIMS DE BIGARDLAAN
ZUIDERLAAN
J. DEKINDERSTRAAT
H. DEKOSTERLAAN
R. PEL- GRIMS LAAN
OUDE PELGRIMS- LAAN
H. VANDEN- EEDENSTRAAT
PLEINSTRAAT
NOORDKUSTLAAN
PASTOOR A. COOREMANSSTR.
1. CRYPTELAAN
R. PELGRIMS DE BIGARDLAAN
UD-GEMEENTEHUIS
ALFONS GOSSETLAAN
ALFONS GOSSETLAAN
STATIONSSTRAAT
'T HOFVELD
'T HOFVELD
PLEINSTRAAT
STATIONSSTRAAT
21
GROOT-BIJGAARDEN CENTRUM -CENTRE
ZELAAR- STR.
BRUSSELSTRAAT
GROOT-BIJGAARDEN
84
AVENUE HUNDERENVELD
HUNDERENVELDLAAN
G. GEZELLE STRAAT
1= ROZENLAAN
ROBERT DANSAERTLAAN
355
355 19
BRUSSELSTR.
HUNDERENVELD
KONING ALBERTLAAN
AV. DU ROI ALBERT
19
20
11
GROOT-BIJGAARDEN
AUG. DE SMEDTSTR.
RUE DES CHATS
RUE POTAARDE
RUE DU GRAND BIGARD
20
POTAARDE
R. DU ZENITH
H. STRAAT
RUE DU SEXTANT
SEXTANT STR.
R. DE L'ETOILE POLAIRE
POOLSTERSTR.
POTAARDESTR.
KATTESTRAAT
PETRUS BAEYENSSTRAAT
MOLEN- BEEKSTR.
MAALBEEKSTR.
R0

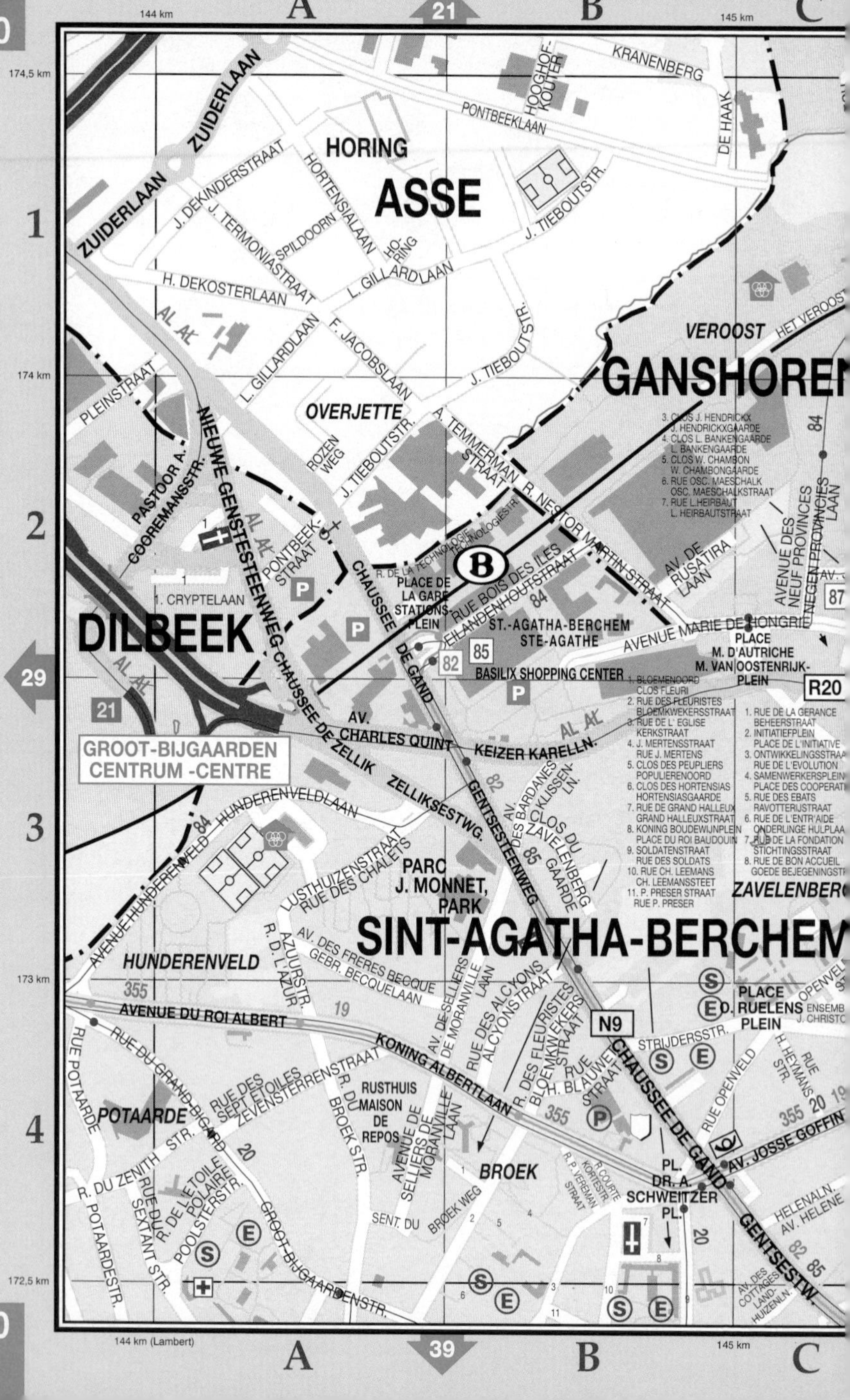

144 km A 21 B 145 km C

174,5 km

KRANENBERG
HOOGHOF-KOUTER
PONTBEEKLAAN
DE HAAK
ZUIDERLAAN
ZUIDERLAAN
ZUIDERLAAN
HORING
ASSE
J. DEKINDERSTRAAT
HORTENSIALAAN
J. TERMONIASTRAAT
SPILDOORN
HO-RING
J. TIEBOUTSTR.
J. TIEBOUTSTR.
L. GILLARDLAAN
H. DEKOSTERLAAN
F. JACOBSLAAN
L. GILLARDLAAN
J. TIEBOUTSTR.
VEROOST
HET VEROOST
GANSHOREN

174 km

PLEINSTRAAT
OVERJETTE
A. TEMMERMANSTRAAT
ROZENWEG
J. TIEBOUTSTR.
PASTOOR A. COOREMANSSTR.
NIEUWE GENTSESTEENWEG
CHAUSSEE DE ZELLIK
R. NESTOR MARTIN STRAAT
R. DE LA TECHNOLOGIE
TECHNOLOGIESTR.
PONTBEEK-STRAAT
CHAUSSEE DE GAND
PLACE DE LA GARE
STATIONSPLEIN
RUE BOIS DES ILES
EILANDENHOUTSTRAAT
84
AV. DE RUSATIRA LAAN
AVENUE DES NEUF PROVINCES
NEGEN PROVINCIES LAAN
84
87
1. CRYPTELAAN
DILBEEK
ST.-AGATHA-BERCHEM
STE-AGATHE
AVENUE MARIE DE HONGRIE
85
82
PLACE M. D'AUTRICHE
M. VAN OOSTENRIJK-PLEIN
BASILIX SHOPPING CENTER
R20

3. CLOS J. HENDRICKX
J. HENDRICKXGAARDE
4. CLOS L. BANKENGAARDE
L. BANKENGAARDE
5. CLOS W. CHAMBON
W. CHAMBONGAARDE
6. RUE OSC. MAESCHALK
OSC. MAESCHALKSTRAAT
7. RUE L.HEIRBAUT
L. HEIRBAUTSTRAAT

29
21
AL AL
AV. CHARLES QUINT
KEIZER KARELLN.
GROOT-BIJGAARDEN
CENTRUM -CENTRE
ZELLIKSESTWG.
GENTSESTEENWEG
82
85
AV. DES BARDANES
KLISSENLN.
CLOS DU ZAVELENBERG GAARDE

1. BLOEMENOORD
CLOS FLEURI
2. RUE DES FLEURISTES
BLOEMKWEKERSSTRAAT
3. RUE DE L' EGLISE
KERKSTRAAT
4. J. MERTENSSTRAAT
RUE J. MERTENS
5. CLOS DES PEUPLIERS
POPULIERENOORD
6. CLOS DES HORTENSIAS
HORTENSIASGAARDE
7. RUE DE GRAND HALLEUX
GRAND HALLEUXSTRAAT
8. KONING BOUDEWIJNPLEIN
PLACE DU ROI BAUDOUIN
9. SOLDATENSTRAAT
RUE DES SOLDATS
10. RUE CH. LEEMANS
CH. LEEMANSSTEET
11. P. PRESER STRAAT
RUE P. PRESER

1. RUE DE LA GERANCE
BEHEERSTRAAT
2. INITIATIEFPLEIN
PLACE DE L'INITIATIVE
3. ONTWIKKELINGSSTRAAT
RUE DE L'EVOLUTION
4. SAMENWERKERSPLEIN
PLACE DES COOPERAT
5. RUE DES EBATS
RAVOTTERIJSTRAAT
6. RUE DE L'ENTR'AIDE
ONDERLINGE HULPLAA
7. RUE DE LA FONDATION
STICHTINGSSTRAAT
8. RUE DE BON ACCUEIL
GOEDE BEJEGENINGSTR

HUNDERENVELDLAAN
84
AVENUE HUNDERENVELD
LUSTHUIZENSTRAAT
RUE DES CHALETS
PARC J. MONNET, PARK
ZAVELENBERG
SINT-AGATHA-BERCHEM
HUNDERENVELD
AZUURSTR.
R. D. L'AZUR
AV. DES FRERES BECQUE
GEBR. BECQUELAAN
AV. DE SELLIERS DE MORANVILLE LAAN
RUE DES ALCYONS
ALCYONSTRAAT
R. DES FLEURISTES
BLOEMKWEKERSSTRAAT
N9
PLACE D. RUELENS PLEIN
OPENVELD
ENSEMB
J. CHRISTO

173 km

355
AVENUE DU ROI ALBERT
19
KONING ALBERTLAAN
RUE POTAARDE
RUE DU GRAND-BIGARD
RUE DES SEPT ETOILES
ZEVENSTERRENSTRAAT
R. DU BROEK STR.
RUSTHUIS MAISON DE REPOS
AVENUE DE SELLIERS DE MORANVILLE LAAN
RUE H. BLAUWE STRAAT
STRIJDERSSTR.
RUE OPENVELD
H. HEYMANS STR.
RUE
CHAUSSEE DE GAND
POTAARDE
STR.
20
355
355
20
AV. JOSSE GOFFIN
R. DU ZENITH
BROEK
R.P. VEREMAN
R.P. VEREMANSTRAAT
R. COURTE KORTESTR.
PL. DR. A. SCHWEITZER PL.
HELENALN.
AV. HELENE
POTAARDESTR.
RUE DU SEXTANT STR.
R. DE L'ETOILE POLAIRE
POOLSTERSTR.
GROOT-BIJGAARDENSTR.
SENT. DU BROEK WEG
20
82
85
GENTSESTW.
AV. DES COTTAGES
LANDHUIZENLN.

172,5 km

144 km (Lambert) A 39 B 145 km C

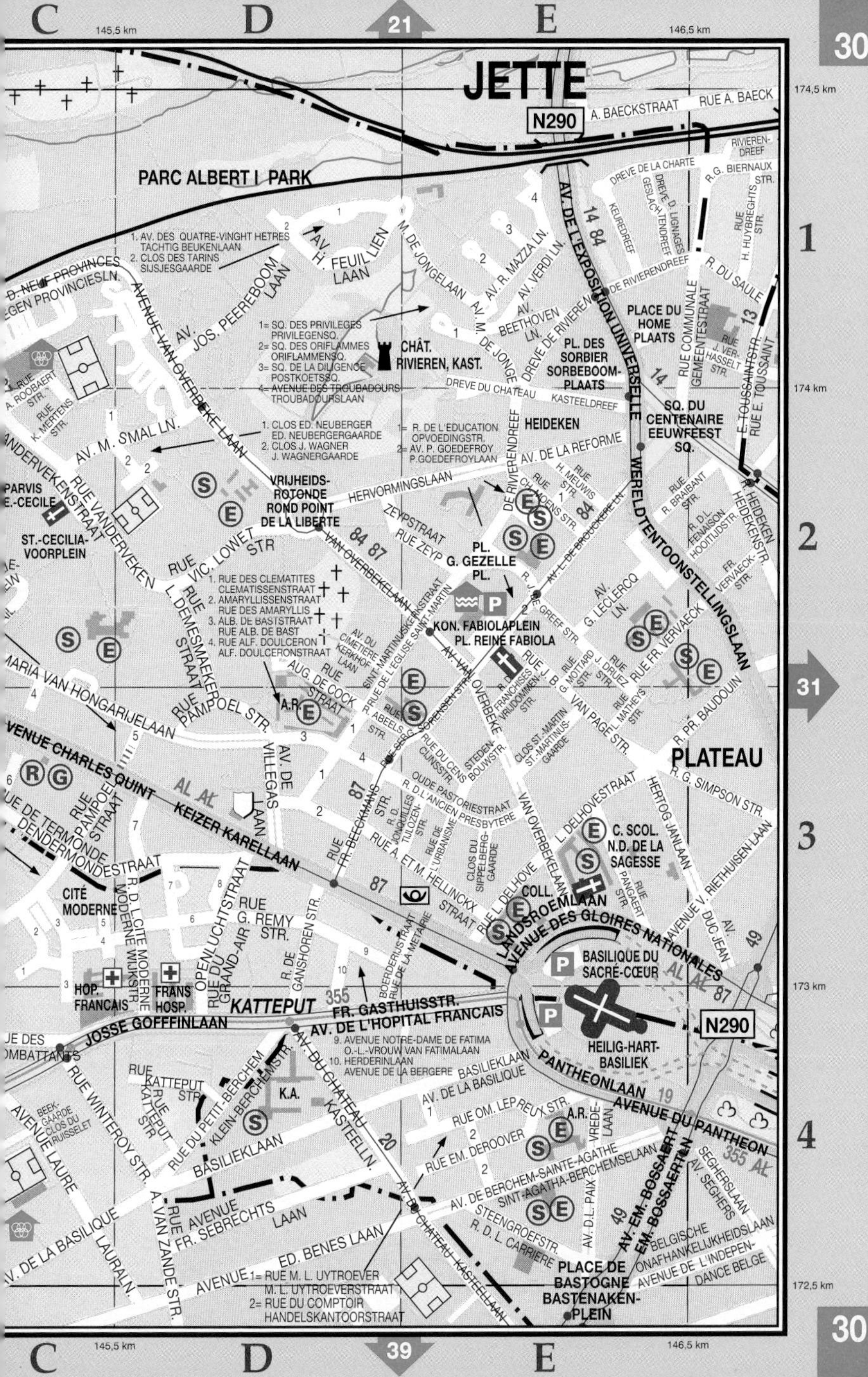

C
D
E
21
145,5 km
146,5 km
174,5 km
174 km
173 km
172,5 km
JETTE
N290
A. BAECKSTRAAT
RUE A. BAECK
PARC ALBERT I PARK
1. AV. DES QUATRE-VINGHT HETRES
TACHTIG BEUKENLAAN
2. CLOS DES TARINS
SIJSJESGAARDE
AV. H. FEUILLIEN LAAN
M. DE JONGELAAN
AV. R. MAZZA LN.
AV. VERDI LN.
AV. DE L'EXPOSITION UNIVERSELLE
WERELDTENTOONSTELLINGSLAAN
DREVE DE LA CHARTE
R. G. BIERNAUX STR.
RIVIERENDREEF
DREVE D. LIGNAGES GESLACHTENDREEF
KEUREDREEF
R. H. HUYBREGHTS STR.
DE RIVIERENDREEF
R. DU SAULE
PLACE DU HOME PLAATS
RUE COMMUNALE GEMEENTESTRAAT
RUE J. VERHASSELT STR.
E. TOUSSAINTSTR.
RUE E. TOUSSAINT
D. NEUF PROVINCES
NEGEN PROVINCIESLN.
AVENUE VAN OVERBEKE LAAN
AV. JOS. PEEREBOOM LAAN
1= SQ. DES PRIVILEGES PRIVILEGENSQ.
2= SQ. DES ORIFLAMMES ORIFLAMMENSQ.
3= SQ. DE LA DILIGENCE POSTKOETSSQ.
4= AVENUE DES TROUBADOURS TROUBADOURSLAAN
CHÂT. RIVIEREN, KAST.
AV. BEETHOVEN LN.
DREVE DE RIVIEREN
AV. M. DE JONGE
PL. DES SORBIER SORBEBOOMPLAATS
DREVE DU CHATEAU
KASTEELDREEF
SQ. DU CENTENAIRE EEUWFEEST SQ.
RUE A. ROOBAERT STR.
RUE K. MERTENS STR.
AV. M. SMAL LN.
1. CLOS ED. NEUBERGER
ED. NEUBERGERGAARDE
2. CLOS J. WAGNER
J. WAGNERGAARDE
1= R. DE L'EDUCATION OPVOEDINGSTR.
2= AV. P. GOEDEFROY P.GOEDEFROYLAAN
HEIDEKEN
AV. DE LA REFORME
HERVORMINGSLAAN
DE RIVIERENDREEF
RUE CHAMOENS STR.
RUE H. MEUWIS STR.
AV. L. DE BROUCKERE LN.
RUE R. BRAIBANT STR.
R. D. L. FENAISON HOOITIJDSTR.
R. HEIDEKEN HEIDEKENSTR.
FR. VERVAECKSTR.
PARVIS STE.-CECILE
ST.-CECILIA-VOORPLEIN
RUE VANDERVEKEN
VANDERVEKENSTRAAT
VRIJHEIDS-ROTONDE
ROND POINT DE LA LIBERTE
ZEYPSTRAAT
RUE ZEYP
VAN OVERBEKELAAN
PL. G. GEZELLE PL.
RUE VIC. LOWET STR
RUE L. DEMESMAEKER STRAAT
1. RUE DES CLEMATITES CLEMATISSENSTRAAT
2. AMARYLLISSENSTRAAT RUE DES AMARYLLIS
3. ALB. DE BASTSTRAAT RUE ALB. DE BAST
4. RUE ALF. DOULCERON ALF. DOULCERONSTRAAT
AV. DU CIMETIERE KERKHOFLAAN
SINT-MARTINUSKERKSTRAAT
RUE DE L'EGLISE SAINT-MARTIN
KON. FABIOLAPLEIN
PL. REINE FABIOLA
R. J. DE GREEF STR.
AV. G. LECLERCQ LN.
RUE FR. VERVAECK
MARIA VAN HONGARIJELAAN
RUE AUG. DE COCK STRAAT
AV. VAN OVERBEKE
R. D. FRANCHISES VRIJDOMMENSTR.
RUE J. B. VAN PAGE STR.
RUE G. MOTTARD STR.
J. DRUEZ STR.
RUE L. MATHEYS STR.
R. PR. BAUDOUIN
31
RUE PAMPOEL STR.
A.R.
R. ABEELS STR.
R. SERG. SORENSEN STR.
RUE DU CENS CIJNSSTR.
STEDENBOUWSTR.
CLOS ST.-MARTIN ST.-MARTINUSGAARDE
PLATEAU
R. G. SIMPSON STR.
AVENUE CHARLES QUINT
KEIZER KARELLAAN
AV. DE VILLEGAS LAAN
OUDE PASTORIESTRAAT
R. D. L'ANCIEN PRESBYTERE
R. D. JONQUILLES TIJLOZENSTR.
RUE DE L'URBANISME
CLOS DU SIPPELBERG GAARDE
VAN OVERBEKELAAN
L. DELHOVESTRAAT
HERTOG JANLAAN
AVENUE V. RIETHUISEN LAAN
RUE PAMPOEL STRAAT
RUE DE TERMONDE
DENDERMONDESTRAAT
RUE FR. BECKMANS STR.
RUE A. ET M. HELLINCKX STRAAT
RUE L. DELHOVE
C. SCOL. N.D. DE LA SAGESSE
RUE PANGAERT STR.
COLL.
LANDSROEMLAAN
AVENUE DES GLOIRES NATIONALES
AV. DUC JEAN
CITÉ MODERNE
R. D. L. CITE MODERNE
MODERNE WIJKSTR.
OPENLUCHTSTRAAT
RUE DU GRAND-AIR
RUE G. REMY STR.
R. DE GANSHOREN STR.
BOERDERIJSTRAAT
RUE DE LA METAIRIE
BASILIQUE DU SACRÉ-CŒUR
HOP. FRANCAIS
FRANS HOSP.
KATTEPUT
FR. GASTHUISSTR.
AV. DE L'HOPITAL FRANCAIS
HEILIG-HART-BASILIEK
JOSSE GOFFINLAAN
RUE DES COMBATTANTS
9. AVENUE NOTRE-DAME DE FATIMA
O.-L.-VROUW VAN FATIMALAAN
10. HERDERINLAAN
AVENUE DE LA BERGERE
BASILIEKLAAN
AV. DE LA BASILIQUE
PANTHEONLAAN
AVENUE DU PANTHEON
RUE KATTEPUT STR.
RUE KATTEPUT STR.
K.A.
KLEIN-BERCHEMSTR.
AV. DU CHATEAU KASTEELLN.
RUE OM. LEPREUX STR.
A.R.
VREDELAAN
RUE WINTEROY STR.
BEEKGAARDE
CLOS DU RUISSELET
AVENUE LAURE
RUE DU PETIT-BERCHEM
BASILIEKLAAN
RUE EM. DEROOVER
AV. DE BERCHEM-SAINTE-AGATHE
SINT-AGATHA-BERCHEMSELAAN
AV. EM. BOSSAERT
EM. BOSSAERTLN.
SEGHERSLAAN
AV. SEGHERS
RUE A. VAN ZANDE STR.
AVENUE FR. SEBRECHTS LAAN
STEENGROEFSTR.
R. D. L. CARRIERE
AV. D.L. PAIX
BELGISCHE ONAFHANKELIJKHEIDSLAAN
AVENUE DE L'INDEPENDANCE BELGE
AV. DE LA BASILIQUE
LAURALN.
AVENUE ED. BENES LAAN
1= RUE M. L. UYTROEVER
M. L. UYTROEVERSTRAAT
2= RUE DU COMPTOIR
HANDELSKANTOORSTRAAT
AV. DU CHATEAU KASTEELLAAN
PLACE DE BASTOGNE
BASTENAKENPLEIN
39

22
A B C
146,5 km
147,5 km
174,5 km
174 km
173 km
172,5 km
1
2
3
4
30

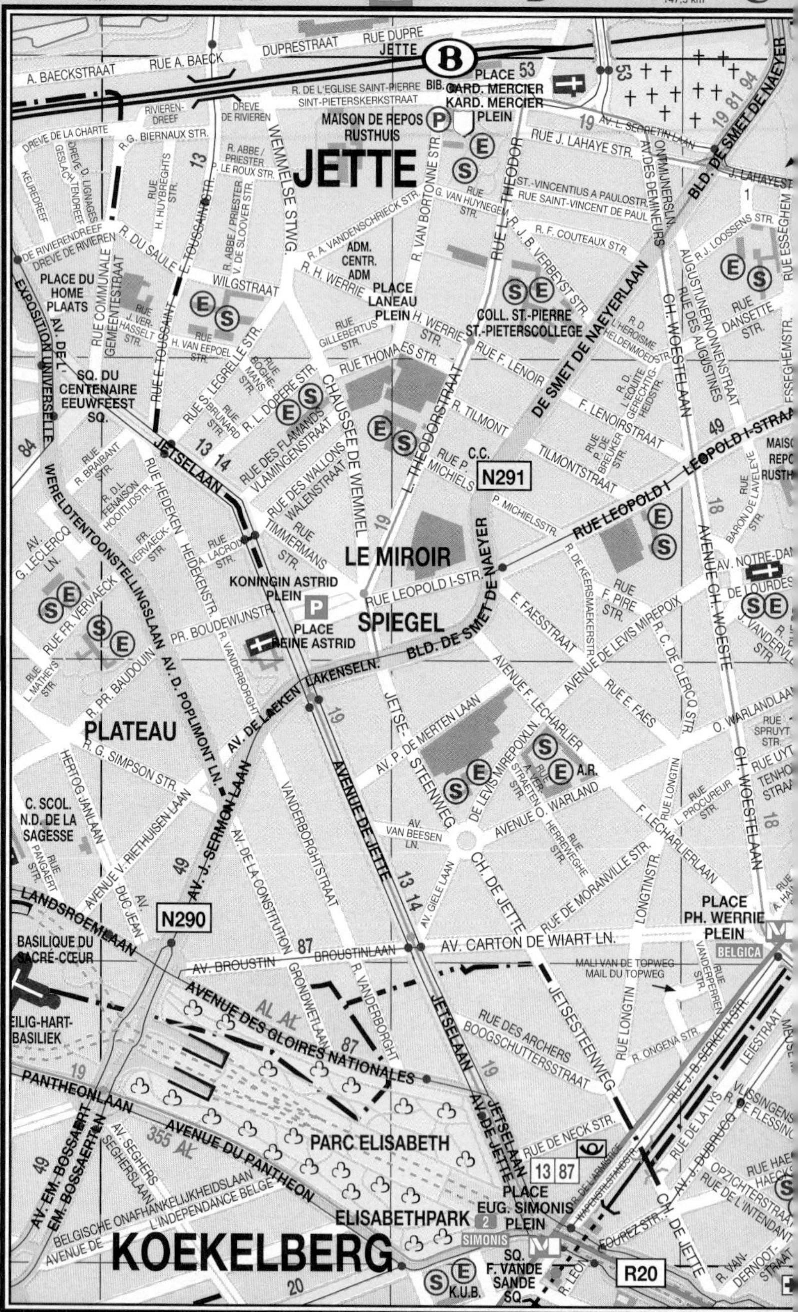

JETTE
A. BAECKSTRAAT
RUE A. BAECK
DUPRESTRAAT
RUE DUPRE
JETTE
BIB.
PLACE CARD. MERCIER
KARD. MERCIER PLEIN
R. DE L'EGLISE SAINT-PIERRE
SINT-PIETERSKERKSTRAAT
MAISON DE REPOS RUSTHUIS
RIVIEREN-DREEF
DREVE DE RIVIEREN
DREVE DE LA CHARTE
R. G. BIERNAUX STR.
R. ABBE / PRIESTER P. LE ROUX STR.
WEMMELSE STWG.
RUE J. LAHAYE STR.
AV. L. SECRETIN LAAN
ONTMIJNERSLN.
AV. DES DEMINEURS
BLD. DE SMET DE NAEYER
J. LAHAYEST
ST.-VINCENTIUS A PAULOSTR.
RUE SAINT-VINCENT DE PAUL
RUE G. VAN HUYNEGEM STR.
R. VAN BORTONNE STR.
RUE L. THEODOR
R. J. B. VERBEYST STR.
R. F. COUTEAUX STR.
R. A. VANDENSCHRIECK STR.
ADM. CENTR. ADM
R. H. WERRIE
PLACE LANEAU PLEIN
RUE H. HUYBREGHTS STR.
KEURDREEF
DREVE D. LIGNAGES GESLACHTENDREEF
DE RIVIERENDREEF DREVE DE RIVIEREN
R. DU SAULE
RUE E. TOUSSAINT STR.
R. ABBE / PRIESTER V. DE SLOOVER STR.
WILGSTRAAT
PLACE DU HOME PLAATS
RUE COMMUNALE GEMEENTESTRAAT
RUE J. VERHASSELT STR.
RUE H. VAN EEPOEL STR.
RUE GILLEBERTUS STR.
H. WERRIE STR.
COLL. ST.-PIERRE ST.-PIETERSCOLLEGE
R. D. L'HEROISME HELDENMOEDSTR.
CH. WOESTELAAN
AUGUSTIJNERNONNENSTRAAT RUE DES AUGUSTINES
R. J. LOOSSENS STR.
RUE DANSETTE STR.
ESSEGHEMSTR.
RUE F. LENOIR
F. LENOIRSTRAAT
R. D. L'EQUITE GERECHTIGHEIDSTR.
DE SMET DE NAEYERLAAN
RUE THOMAES STR.
RUE BOGHEMANS STR.
RUE S. LEGRELLE STR.
R. L. DOPERE STR.
RUE BRUNARD STR.
CHAUSSEE DE WEMMEL
L. THEODORSTRAAT
R. TILMONT
TILMONTSTRAAT
RUE P. MICHIELS
C.C.
N291
P. MICHIELSSTR.
RUE P. DE BREUKER STR.
RUE LEOPOLD I
LEOPOLD I-STRAAT
MAISON REPOS RUSTHUIS
RUE BARON DE LAVELEYE STR.
SQ. DU CENTENAIRE EEUWFEEST SQ.
AV. DE L'EXPOSITION UNIVERSELLE
JETSELAAN
RUE DES FLAMANDS VLAMINGENSTRAAT
RUE DES WALLONS WALENSTRAAT
RUE TIMMERMANS STR.
RUE BRAIBANT STR.
R. D. L. FENAISON HOOITIJDSTR.
WERELDTENTOONSTELLINGSLAAN
RUE HEIDEKEN HEIDEKENSTR.
AV. G. LECLERCQ LN.
FR. VERVAECK-STR.
R. A. LACROIX STR.
KONINGIN ASTRID PLEIN
LE MIROIR
SPIEGEL
RUE LEOPOLD I-STR.
R. DE KEERSMAEKERSTR.
AV. NOTRE-DAME DE LOURDES
RUE F. PIRE STR.
RUE FR. VERVAECK
PR. BOUDEWIJNSTR.
PLACE REINE ASTRID
E. FAESSTRAAT
AVENUE DE LEVIS MIREPOIX
R. C. DE CLERCQ STR.
AVENUE CH. WOESTE
J. VANDERVELDE
RUE L. MATHEYS STR.
R. PR. BAUDOUIN
R. VANDERBORGHT
LAKENSELN.
AV. DE LAEKEN
BLD. DE SMET DE NAEYER
AVENUE F. LECHARLIER
RUE E. FAES
O. WARLANDLAAN
RUE SPRUYT STR.
PLATEAU
R. G. SIMPSON STR.
AV. D. POPLIMONT LN.
AVENUE DE JETTE
JETSE-STEENWEG
AV. P. DE MERTEN LAAN
DE LEVIS MIREPOIXLN.
A. VER STRAETEN STR.
AVENUE O. WARLAND
A.R.
RUE L. PROCUREUR STR.
RUE LONGTIN
RUE UYTTENHOVE STRAAT
C. SCOL. N.D. DE LA SAGESSE
HERTOG JANLAAN
AVENUE V. RIETHUISEN LAAN
AV. DUC JEAN
RUE PANGAERT STR.
AV. J. SERMON LAAN
AV. DE LA CONSTITUTION
VANDERBORGHTSTRAAT
AV. VAN BEESEN LN.
AV. GIELE LAAN
CH. DE JETTE
RUE HERREWEGHE STR.
RUE DE MORANVILLE STR.
LONGTINSTR.
F. LECHARLIERLAAN
CH. WOESTELAAN
PLACE PH. WERRIE PLEIN
BELGICA
N290
LANDSROEMLAAN
BASILIQUE DU SACRÉ-CŒUR
HEILIG-HART-BASILIEK
AV. BROUSTIN
BROUSTINLAAN
AV. CARTON DE WIART LN.
MALI VAN DE TOPWEG
MAIL DU TOPWEG
RUE VANDERPERREN STR.
GRONDWETLAAN
R. VANDERBORGHT
AVENUE DES GLOIRES NATIONALES
AL AL
RUE DES ARCHERS
BOOGSCHUTTERSSTRAAT
JETSESTEENWEG
RUE LONGTIN
R. ONGENA STR.
RUE J. B. SERKEYN STR.
LEIESTRAAT
PANTHEONLAAN
AVENUE DU PANTHEON
355 AL
PARC ELISABETH
JETSELAAN
AV. DE JETTE
RUE DE NECK STR.
RUE DE LA LYS
VLISSINGENSTR.
R. DE FLESSINGUE
AV. J. DUBRUCQ
AV. EM. BOSSAERT
EM. BOSSAERTLN.
AV. SEGHERS
SEGHERSLAAN
BELGISCHE ONAFHANKELIJKHEIDSLAAN
AVENUE DE L'INDEPENDANCE BELGE
ELISABETHPARK
PLACE EUG. SIMONIS PLEIN
SIMONIS
R. DE L'ARMISTICE
WAPENSTILSTANDSTR.
FOUREZ STR.
CH. DE JETTE
OPZICHTERSTRAAT
RUE DE L'INTENDANT
RUE HAECK
KOEKELBERG
SQ. F. VANDE SANDE SQ.
K.U.B.
R. LEON
R20
R. VANDERNOOT-STRAAT

146,5 km (Lambert)
147,5 km
A B C
40

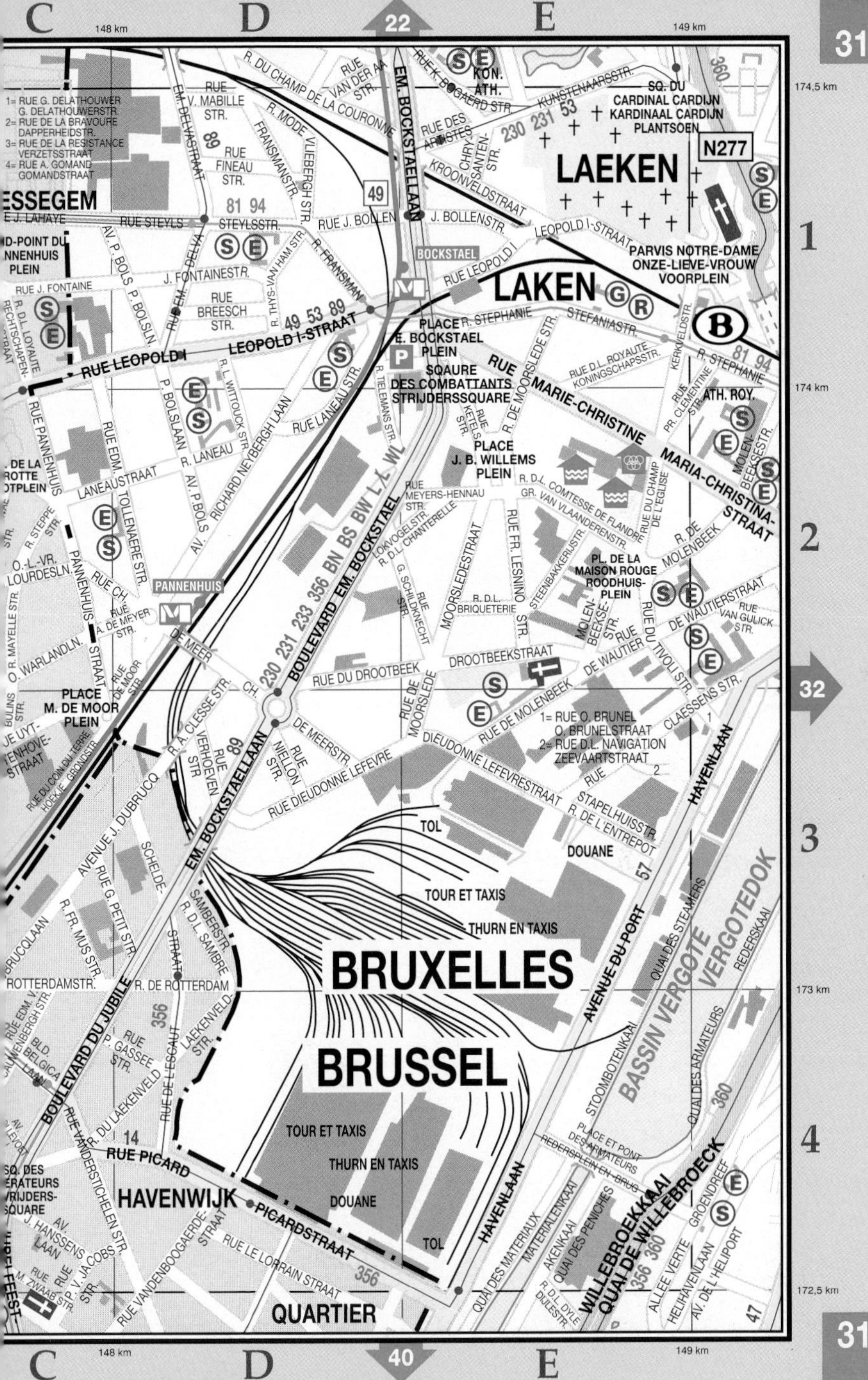
C
D
E
22
148 km
149 km
174,5 km
174 km
173 km
172,5 km
1
2
3
4
32
40
1= RUE G. DELATHOUWER
G. DELATHOUWERSTR.
2= RUE DE LA BRAVOURE
DAPPERHEIDSTR.
3= RUE DE LA RESISTANCE
VERZETSSTRAAT
4= RUE A. GOMAND
GOMANDSTRAAT
ESSEGEM
R. DU CHAMP DE LA COURONNE
RUE VAN DER AA STR.
EM. BOCKSTAELLAAN
RUE K. BOGAERD STR.
KON. ATH.
KUNSTENAARSSTR.
SQ. DU CARDINAL CARDIJN
KARDINAAL CARDIJN PLANTSOEN
N277
LAEKEN
EM. DELVASTRAAT
RUE V. MABILLE STR.
R. MODE VLIEBERGH STR.
FRANSMANSTR.
RUE FINEAU STR.
RUE DES ARTISTES
CHRYSANTEN-STR.
KROONVELDSTRAAT
49
RUE STEYLS
STEYLSSTR.
RUE J. BOLLEN
J. BOLLENSTR.
LEOPOLD I-STRAAT
PARVIS NOTRE-DAME
ONZE-LIEVE-VROUW
VOORPLEIN
BOCKSTAEL
RUE LEOPOLD I
LAKEN
J. FONTAINESTR.
RUE J. FONTAINE
RUE BREESCH STR.
R. FRANSMAN
R. STEPHANIE
STEFANIASTR.
PLACE E. BOCKSTAEL PLEIN
LEOPOLD I-STRAAT
RUE LEOPOLD I
R. STEPHANIE
SQAURE DES COMBATTANTS
STRIJDERSSQUARE
RUE MARIE-CHRISTINE
MARIA-CHRISTINA-STRAAT
ATH. ROY.
RUE D.L. ROYAUTE
KONINGSCHAPSSTR.
RUE LANEAU STR.
RUE PANNENHUIS
LANEAUSTRAAT
R. LANEAU
AV. P. BOLS
P. BOLSLAAN
RICHARD NEYBERGH LAAN
PLACE J. B. WILLEMS PLEIN
R. D.L. COMTESSE DE FLANDRE
GR. VAN VLAANDERENSTR.
RUE MEYERS-HENNAU STR.
BOULEVARD EM. BOCKSTAEL
230 231 233 356 BN BS BW L X WL
MOORSLEDESTRAAT
RUE FR. LESNINO STR.
R. D.L. BRIQUETERIE
PL. DE LA MAISON ROUGE
ROODHUIS-PLEIN
R. DE MOLENBEEK
PANNENHUIS
PANNENHUISSTRAAT
TOLLENAERE STR.
RUE DE WAUTIER
RUE DU TIVOLI STR.
DE WAUTIERSTRAAT
RUE VAN GULICK STR.
DROOTBEEKSTRAAT
RUE DU DROOTBEEK
RUE DE MOLENBEEK
PLACE M. DE MOOR PLEIN
1= RUE O. BRUNEL
O. BRUNELSTRAAT
2= RUE D.L. NAVIGATION
ZEEVAARTSTRAAT
CLAESSENS STR.
DE MEERSTR.
RUE NIELLON STR.
DIEUDONNE LEFEVRESTRAAT
RUE DIEUDONNE LEFEVRE
RUE STAPELHUISSTR.
R. DE L'ENTREPOT
HAVENLAAN
TOL
DOUANE
TOUR ET TAXIS
THURN EN TAXIS
AVENUE J. DUBRUCQ
EM. BOCKSTAELLAAN
AVENUE DU PORT
QUAI DES STEAMERS
BASSIN VERGOTE
VERGOTEDOK
REDERSKAAI
BRUXELLES
BRUSSEL
ROTTERDAMSTR.
R. DE ROTTERDAM
BOULEVARD DU JUBILE
STOOMBOTENKAAI
QUAI DES ARMATEURS
PLACE ET PONT DES ARMATEURS
REDERSPLEIN EN -BRUG
RUE PICARD
PICARDSTRAAT
HAVENWIJK
RUE LE LORRAIN STRAAT
QUAI DES MATERIAUX
MATERIALENKAAI
AKENKAAI
QUAI DES PENICHES
WILLEBROEKKAAI
QUAI DE WILLEBROECK
ALLEE VERTE
GROENDREEF
HELIHAVENLAAN
AV. DE L'HELIPORT
QUARTIER
TOUR ET TAXIS
THURN EN TAXIS
DOUANE
TOL
356
360

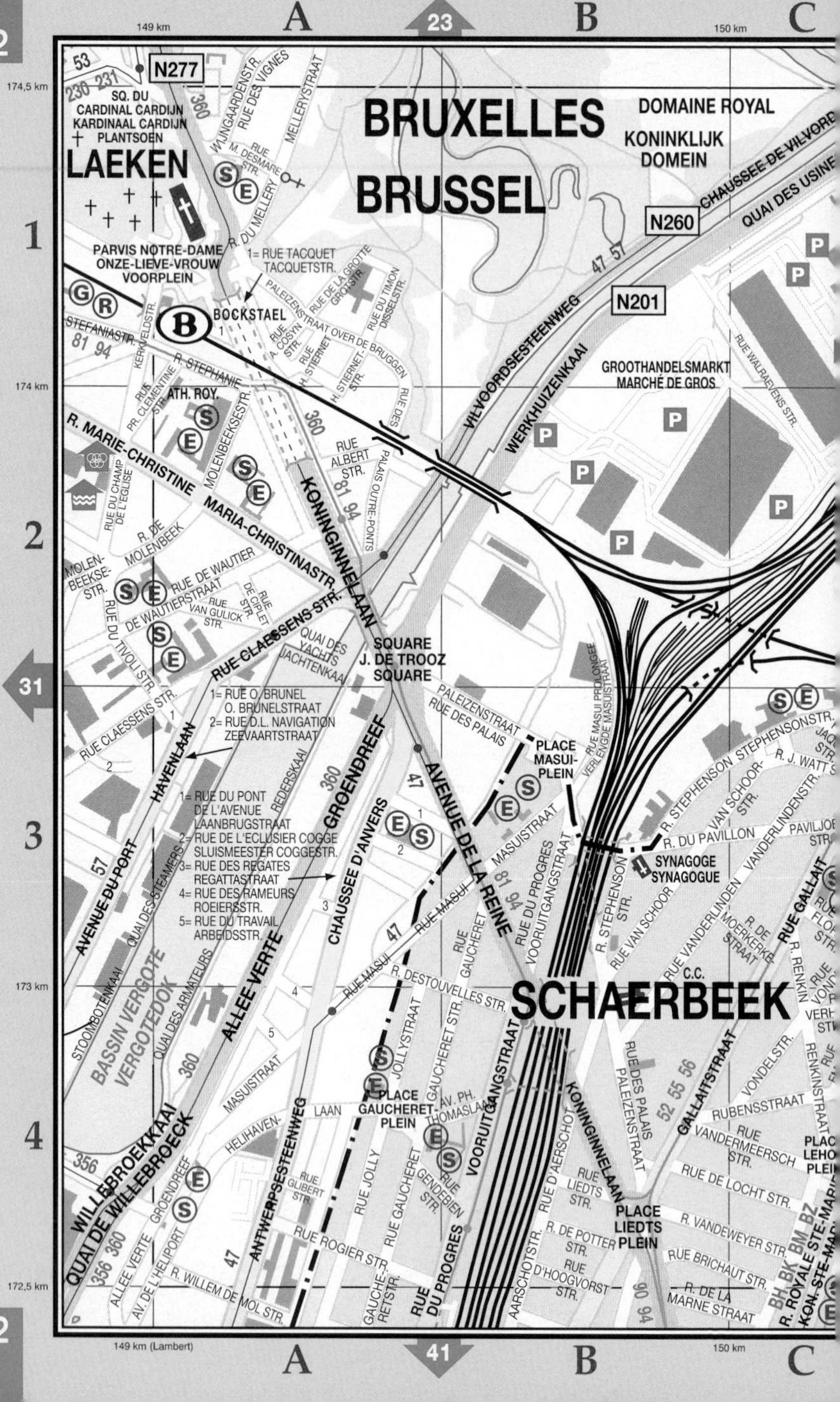

23

149 km A B 150 km C

174,5 km

N277

53 230 231 360

SQ. DU CARDINAL CARDIJN
KARDINAAL CARDIJN PLANTSOEN

LAEKEN

WIJNGAARDENSTR. RUE DES VIGNES

MELLERYSTRAAT

RUE M. DESMARET STR.

R. DU MELLERY

BRUXELLES

BRUSSEL

DOMAINE ROYAL

KONINKLIJK DOMEIN

CHAUSSEE DE VILVORDE

QUAI DES USINES

N260

47 57

1

PARVIS NOTRE-DAME
ONZE-LIEVE-VROUW
VOORPLEIN

1= RUE TACQUET
TACQUETSTR.

RUE DE LA GROTTE GROTSTR.

RUE DU TIMON DISSELSTR.

PALEIZENSTRAAT OVER DE BRUGGEN

BOCKSTAEL

N201

VILVOORDSESTEENWEG

STEFANIASTR. 81 94

KERKVELDSTR.

RUE A. COSYN STR.

RUE H. STIERNET

H. STIERNET-STR.

RUE DES PALAIS

RUE WALRAEVENS STR.

GROOTHANDELSMARKT
MARCHÉ DE GROS

174 km

R. STEPHANIE

RUE PR. CLEMENTINE STR.

ATH. ROY.

WERKHUIZENKAAI

R. MARIE-CHRISTINE

MOLENBEEKSESTR.

360

RUE ALBERT STR.

PALAIS OUTRE-PONTS

P

KONINGINNELAAN 81 94

MARIA-CHRISTINASTR.

RUE DU CHAMP DE L'EGLISE

2

R. DE MOLENBEEK

MOLEN-BEEKSE-STR.

RUE DE WAUTIER
DE WAUTIERSTRAAT

RUE DE CIPLET STR.

RUE VAN GULICK STR.

RUE DU TIVOLI STR.

RUE CLAESSENS STR.

QUAI DES YACHTS JACHTENKAAI

SQUARE J. DE TROOZ SQUARE

RUE MASUI PROLONGEE VERLENGDE MASUISTRAAT

31

1= RUE O. BRUNEL
O. BRUNELSTRAAT
2= RUE D.L. NAVIGATION
ZEEVAARTSTRAAT

PALEIZENSTRAAT RUE DES PALAIS

RUE CLAESSENS STR.

HAVENLAAN

REDERSKAAI

GROENDREEF

AVENUE DE LA REINE

PLACE MASUI-PLEIN

STEPHENSONSTR.

RUE STEPHENSON

R. J. WATT STR.

JAQ STR.

RUE VAN SCHOOR-STR.

R. DU PAVILLON

PAVILJOE STR.

VANDERLINDENSTR.

1= RUE DU PONT
DE L'AVENUE
LAANBRUGSTRAAT
2= RUE DE L'ECLUSIER COGGE
SLUISMEESTER COGGESTR.
3= RUE DES REGATES
REGATTASTRAAT
4= RUE DES RAMEURS
ROEIERSSTR.
5= RUE DU TRAVAIL
ARBEIDSSTR.

3

AVENUE DU PORT 57

QUAI DES STEAMERS

CHAUSSEE D'ANVERS

MASUISTRAAT

RUE DU PROGRES VOORUITGANGSTRAAT

SYNAGOGE SYNAGOGUE

R. STEPHENSON STR.

RUE VAN SCHOOR

RUE VANDERLINDEN

R. DE MOERKERKE STRAAT

RUE GALLAIT

RUE FLOR STR.

RUE MASUI

47

RUE GAUCHERET

C.C.

R. RENKIN

RUE VONDEL

STOOMBOTENKAAI

BASSIN VERGOTE VERGOTEDOK

QUAI DES ARMATEURS

ALLEE VERTE

RUE MASUI

R. DESTOUVELLES STR.

SCHAERBEEK

173 km

VERH STR.

RENKINSTRAAT

JOLLYSTRAAT

GAUCHERET STR.

RUE DES PALAIS PALEIZENSTRAAT

52 55 56

GALLAITSTRAAT

VONDELSTR.

MASUISTRAAT

360

HELIHAVEN-LAAN

PLACE GAUCHERET-PLEIN

AV. PH. THOMASLAAN

RUBENSSTRAAT

4

WILLEBROEKKAAI

QUAI DE WILLEBROECK

356

GROENDREEF

ANTWERPSESTEENWEG

RUE GLIBERT STR.

RUE JOLLY

RUE GAUCHERET

RUE GENDEBIEN STR.

VOORUITGANGSTRAAT

RUE D'AERSCHOT

KONINGINNELAAN

RUE VANDERMEERSCH STR.

PLACE LEHON PLEIN

RUE DE LOCHT STR.

RUE LIEDTS STR.

PLACE LIEDTS PLEIN

R. VANDEWEYER STR.

356 360

ALLEE VERTE

AV. DE L'HELIPORT

47

RUE ROGIER STR.

R. DE POTTER STR.

RUE D'HOOGVORST STR.

RUE BRICHAUT STR.

BH BK BM BZ

R. ROYALE STE-MARIE

KON. STE-MARIA

R. WILLEM DE MOL STR.

GAUCHERETSTR.

RUE DU PROGRES

AARSCHOTSTR.

90 94

R. DE LA MARNE STRAAT

172,5 km

149 km (Lambert) 150 km

41

A B C

C
D
E
23
150,5 km
151,5 km
174,5 km
174 km
173 km
172,5 km
1
2
3
4
33
41
SCHAARBEEK
MON PLAISIR
PONT VAN PRAET BRUG
PONT TEICHMANN BRUG
SCHAARBEEK SCHAERBEEK
PLACE PRINCESSE ELISABETH
PRINSES ELISABETHPLEIN
BOULEVARD LAMBERMONT
HAACHTSESTEENWEG
CHAUSSEE DE HAECHT
AV. ZENOBE GRAMME LAAN
AV. G. RODENBACH LAAN
HÔPITAL P. BRIEN
HOSPITAAL P. BRIEN
PLACE DE HELMET
HELMETSEPLEIN
PLACE EUG. VERBOEKHOVEN-PLEIN
SQ. FR. RIGA SQ.
PLACE TERDELT PLEIN
PLACE POGGE PLEIN
PL. DE HOUFFALIZE PLEIN
INST. SUP. CARD. MERCIER
INST. SUP. F. FISCHER
CAGE AUX OURS
BEREPUT
BRUSILIA
PARC JOSAPHAT
JOSAPHATPARK
LAMBERMONTLAAN
AVENUE VOLTAIRE
VOLTAIRELAAN
AV. VOLTAIRE
AVENUE LOUIS BERTRAND
LOUIS BERTRANDLAAN
AVENUE DES GLYCINES
BLAUWEREGENLAAN
AV. DES CAPUCINES
KAPUCIJNBLOEMENLAAN
AV. DES HELIOTROPES
HELIOTROPENLAAN
CHEMIN DU FORGERON
SMIDSWEG
KON.ATH.
1= RUE HANCART
HANCARTSTR.
N1
N21
R21

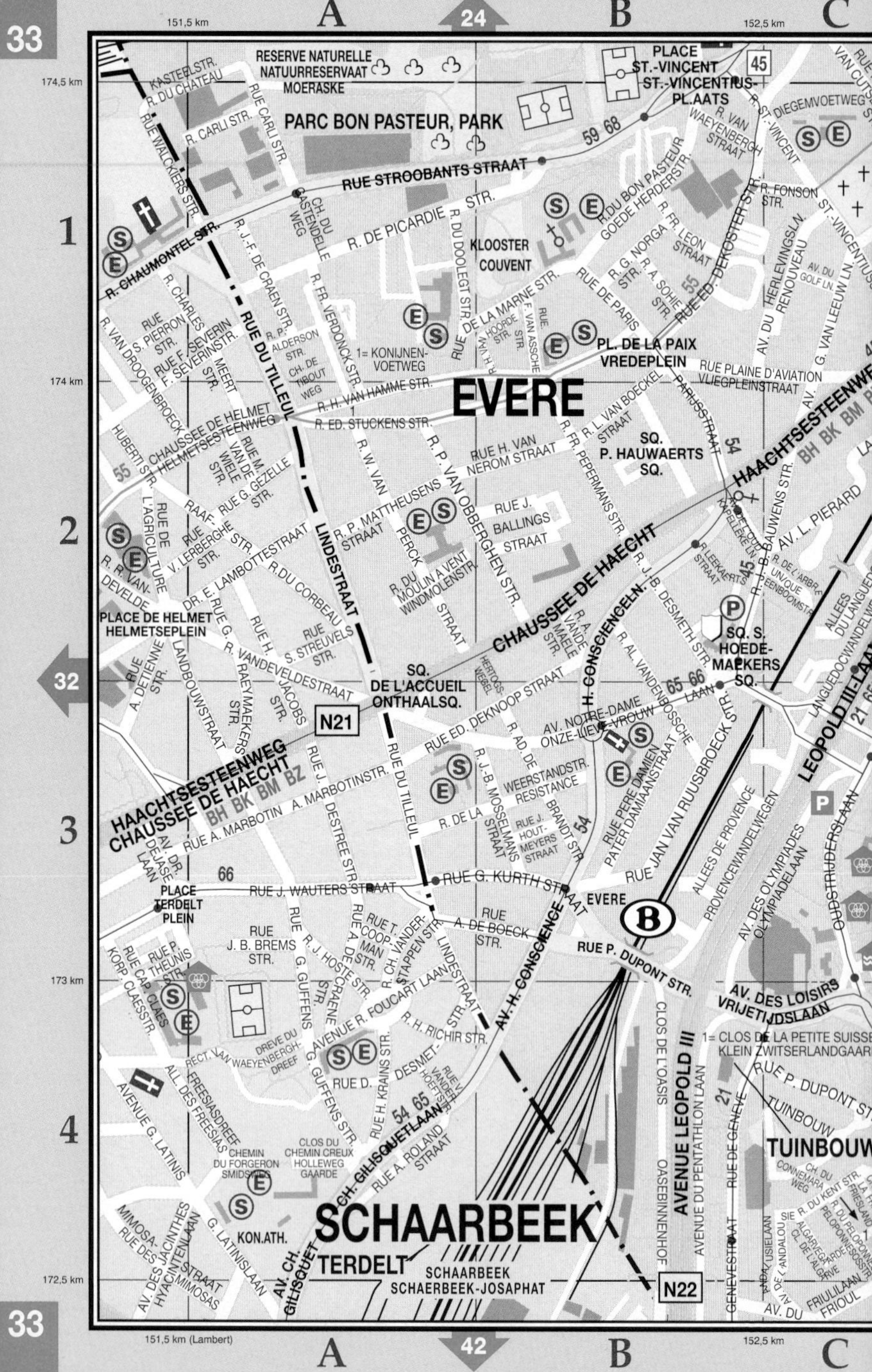
A
B
C
24
151,5 km
152,5 km
174,5 km
174 km
173 km
172,5 km
1
2
3
4
32
42
151,5 km (Lambert)
RESERVE NATURELLE
NATUURRESERVAAT
MOERASKE
PARC BON PASTEUR, PARK
PLACE
ST.-VINCENT
ST.-VINCENTIUS-
PL.AATS
45
KASTEELSTR.
R. DU CHATEAU
RUE CARLI STR.
R. CARLI STR.
RUE WALCKIERS STR.
RUE STROOBANTS STRAAT
59 68
R. VAN
WAEYENBERGH
STRAAT
R. ST.-VINCENT
DIEGEMVOETWEG
R. FONSON
STR.
ST.-VINCENTIUS
CH. DU
CASTENDELLE
WEG
R. DE PICARDIE STR.
R. DU DOOLEGT STR.
KLOOSTER
COUVENT
R.DU BON PASTEUR
GOEDE HERDERSTR.
R. FR. LEON
STRAAT
R. ED. DEKOSTER STR.
R. CHAUMONTEL STR.
R. J.-F. DE CRAEN STR.
R. FR. VERDONCK STR.
RUE DE LA MARNE STR.
RUE DE PARIS
R. G. NORGA
STR.
R. A. SOHIE
STR.
55
AV. DU HERLEVINGSLN.
AV. DU
RENOUVEAU
AV. DU
GOLF LN.
AV. G. VAN LEEUW LN.
R. CHARLES
RUE
S. PIERRON
STR.
RUE F. SEVERIN
F. SEVERINSTR.
MEERT
STR.
RUE DU TILLEUL
R. P.
ALDERSON
STR.
CH. DE
TIBOUT
WEG
1= KONIJNEN-
VOETWEG
R. VAN
HOORDE
STR.
RUE
F. VAN ASSCHE
STR.
PL. DE LA PAIX
VREDEPLEIN
RUE PLAINE D'AVIATION
VLIEGPLEINSTRAAT
R. VAN DROOGENBROECK
R. H. VAN HAMME STR.
EVERE
R. ED. STUCKENS STR.
CHAUSSEE DE HELMET
HELMETSESTEENWEG
R. L. VAN BOECKEL
STRAAT
PARIJSSTRAAT
HAACHTSESTEENWEG
HUBERTI STR.
55
RUE
VAN DE
WIELE
STR.
RUE M.
R. W. VAN
PERCK
R. P. VAN OBBERGHEN STR.
RUE H. VAN
NEROM STRAAT
R. FR. PEPERMANS STR.
SQ.
P. HAUWAERTS
SQ.
54
BH BK BM
RUE G. GEZELLE
STR.
R. P. MATTHEUSENS
STRAAT
RUE J.
BALLINGS
STRAAT
R. J.-B. BAUWENS STR.
AV. L. PIERARD
RUE DE
L'AGRICULTURE
RAAF
RUE
V. LERBERGHE
STR.
DR. E. LAMBOTTESTRAAT
LINDESTRAAT
R. DU
MOULIN A VENT
WINDMOLENSTR.
STRAAT
CHAUSSEE DE HAECHT
R. J. B. DESMETH STR.
R. LEEKAERTS
STRAAT
45
R. DE L'ARBRE
UNIQUE
EENBOOMSTR.
R. R. VAN
DEVELDE
R.DU CORBEAU
H. CONSCIENCELN.
R. A.
VANDE
MAELE
STR.
P
PLACE DE HELMET
HELMETSEPLEIN
RUE G.
LANDBOUWSTRAAT
RUE H.
RUE
S. STREUVELS
STR.
R. AL. VANDENBOSSCHE
SQ. S.
HOEDE-
MAEKERS
SQ.
ALLEES
DU LANGUEDOC
LANGUEDOCWANDELW
RUE
A. DETIENNE
STR.
R. VANDEVELDESTRAAT
JACOBS
STR.
SQ.
DE L'ACCUEIL
ONTHAALSQ.
HERTOGS
WEBEL
RUE ED. DEKNOOP STRAAT
65 66
LAAN
RAEYMAEKERS
STR.
N21
AV. NOTRE-DAME
ONZE-LIEVE-VROUW
LEOPOLD III-LAAN
21 65
RUE J.
RUE DU TILLEUL
R. AD. DE
BRANDT STR.
RUE JAN VAN RUUSBROECK STR.
HAACHTSESTEENWEG
CHAUSSEE DE HAECHT
BH BK BM BZ
A. MARBOTINSTR.
RUE A. MARBOTIN
R. J.-B. MOSSELMANS
STRAAT
WEERSTANDSTR.
RESISTANCE
RUE PERE DAMIEN
PATER DAMIAANSTRAAT
ALLEES DE PROVENCE
PROVENCEWANDELWEGEN
AV. DES OLYMPIADES
OLYMPIADELAAN
OUDSTRIJDERSLAAN
P
AV. DR.
DEJASE
LAAN
DESTREE STR.
R. DE LA
RUE J.
HOUT-
MEYERS
STRAAT
54
RUE
66
PLACE
TERDELT
PLEIN
RUE J. WAUTERS STRAAT
RUE G. KURTH STRAAT
EVERE
RUE
A. DE BOECK
STR.
B
RUE
J. B. BREMS
STR.
RUE
G. GUFFENS
RUE A. DE CRAENE
STR.
RUE T.
COOP-
MAN
STR.
R. CH. VANDER-
STAPPEN STR.
LINDESTRAAT
AV. H. CONSCIENCE
RUE P. DUPONT STR.
RUE P.
THEUNIS
STR.
RUE CAP. CLAES
KORP. CLAESSTR.
R. J. HOSTE STR.
AVENUE R. FOUCART LAAN
AV. DES LOISIRS
VRIJETIJDSLAAN
R. H. RICHIR STR.
DREVE DU
WAEYENBERGH
DREEF
RECT. VAN
G. GUFFENS STR.
RUE D.
DESMET-
STR.
RUE H. KRAINS STR.
RUE V.
VANDER-
HOEFT STR.
CLOS DE L'OASIS
AVENUE LEOPOLD III
AVENUE DU PENTATHLON LAAN
1= CLOS DE LA PETITE SUISSE
KLEIN ZWITSERLANDGAARD
RUE P. DUPONT ST
TUINBOUW
ALL. DES FREESIAS
FREESIASDREEF
AVENUE G. LATINIS
54 65
CH. GILISQUETLAAN
CHEMIN
DU FORGERON
SMIDSWEG
CLOS DU
CHEMIN CREUX
HOLLEWEG
GAARDE
RUE A. ROLAND
STRAAT
OASEBINNENHOF
21
RUE DE GENEVE
GENEVESTRAAT
TUINBOUW
CH. DU
CONNEMARA
WEG
R. DU KENT STR.
KON.ATH.
SCHAARBEEK
MIMOSA-
RUE DES JACINTHES
HYACINTENLAAN
G. LATINISLAAN
RUE DES MIMOSAS
STRAAT
AV. CH.
GILISQUET
TERDELT
SCHAARBEEK
SCHAERBEEK-JOSAPHAT
N22
AV. DU
FRIOUL
FRIULILAAN

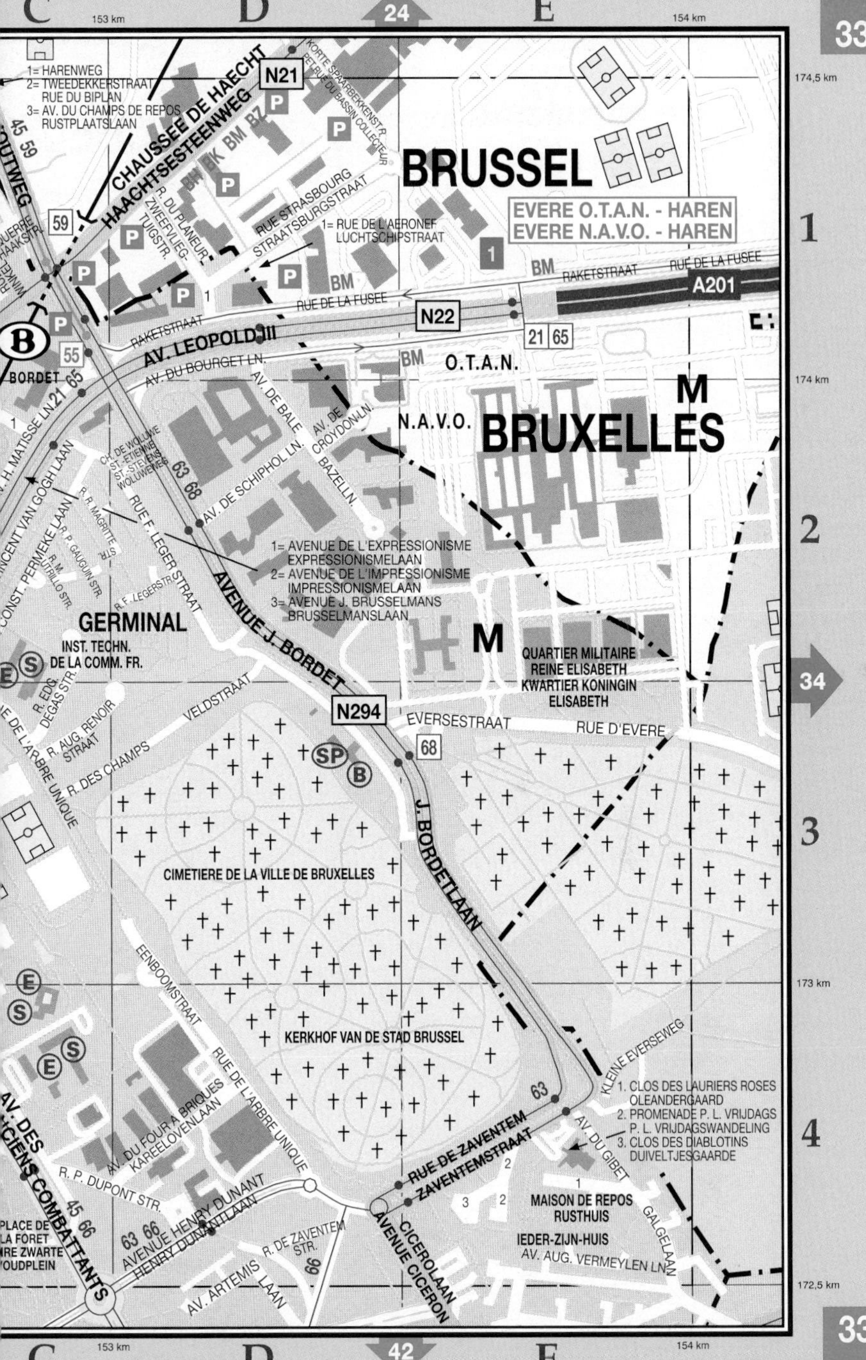
C
D
E
153 km
154 km
24
174,5 km
174 km
173 km
172,5 km
1
2
3
4
34
42
1= HARENWEG
2= TWEEDEKKERSTRAAT
RUE DU BIPLAN
3= AV. DU CHAMPS DE REPOS
RUSTPLAATSLAAN
N21
CHAUSSEE DE HAECHT
HAACHTSESTEENWEG
BRUSSEL
EVERE O.T.A.N. - HAREN
EVERE N.A.V.O. - HAREN
RUE STRASBOURG
STRAATSBURGSTRAAT
1= RUE DE L'AERONEF
LUCHTSCHIPSTRAAT
R. DU PLANEUR
ZWEEFVLIEGTUIGSTR.
RAKETSTRAAT
RUE DE LA FUSEE
A201
N22
AV. LEOPOLD III
AV. DU BOURGET LN.
BORDET
O.T.A.N.
N.A.V.O.
BRUXELLES
AV. DE BALE
AV. DE CROYDON LN.
BAZELLN
AV. DE SCHIPHOL LN.
H. MATISSE LN.
VINCENT VAN GOGHLAAN
CONST. PERMEKE LAAN
R. R. MAGRITTE STR.
R. P. GAUGUIN STR.
R. M. UTRILLO STR.
RUE F. LEGER STRAAT
R. F. LEGERSTR.
1= AVENUE DE L'EXPRESSIONISME
EXPRESSIONISMELAAN
2= AVENUE DE L'IMPRESSIONISME
IMPRESSIONISMELAAN
3= AVENUE J. BRUSSELMANS
BRUSSELMANSLAAN
AVENUE J. BORDET
GERMINAL
INST. TECHN.
DE LA COMM. FR.
QUARTIER MILITAIRE
REINE ELISABETH
KWARTIER KONINGIN
ELISABETH
N294
EVERSESTRAAT
RUE D'EVERE
VELDSTRAAT
R. EDG. DEGAS STR.
R. AUG. RENOIR STRAAT
R. DES CHAMPS
RUE DE L'ARBRE UNIQUE
J. BORDETLAAN
CIMETIERE DE LA VILLE DE BRUXELLES
EENBOOMSTRAAT
KERKHOF VAN DE STAD BRUSSEL
KLEINE EVERSEWEG
1. CLOS DES LAURIERS ROSES
OLEANDERGAARD
2. PROMENADE P. L. VRIJDAGS
P. L. VRIJDAGSWANDELING
3. CLOS DES DIABLOTINS
DUIVELTJESGAARDE
AV. DU GIBET
RUE DE ZAVENTEM
ZAVENTEMSTRAAT
AV. DU FOUR A BRIQUES
KAREELOVENLAAN
R. P. DUPONT STR.
AVENUE HENRY DUNANT
HENRY DUNANTLAAN
MAISON DE REPOS
RUSTHUIS
IEDER-ZIJN-HUIS
AV. AUG. VERMEYLEN LN.
GALGELAAN
CICEROLAAN
AVENUE CICERON
R. DE ZAVENTEM STR.
AV. ARTEMIS LAAN
AV. DES ANCIENS COMBATTANTS
PLACE DE LA FORET
ZWARTE WOUDPLEIN

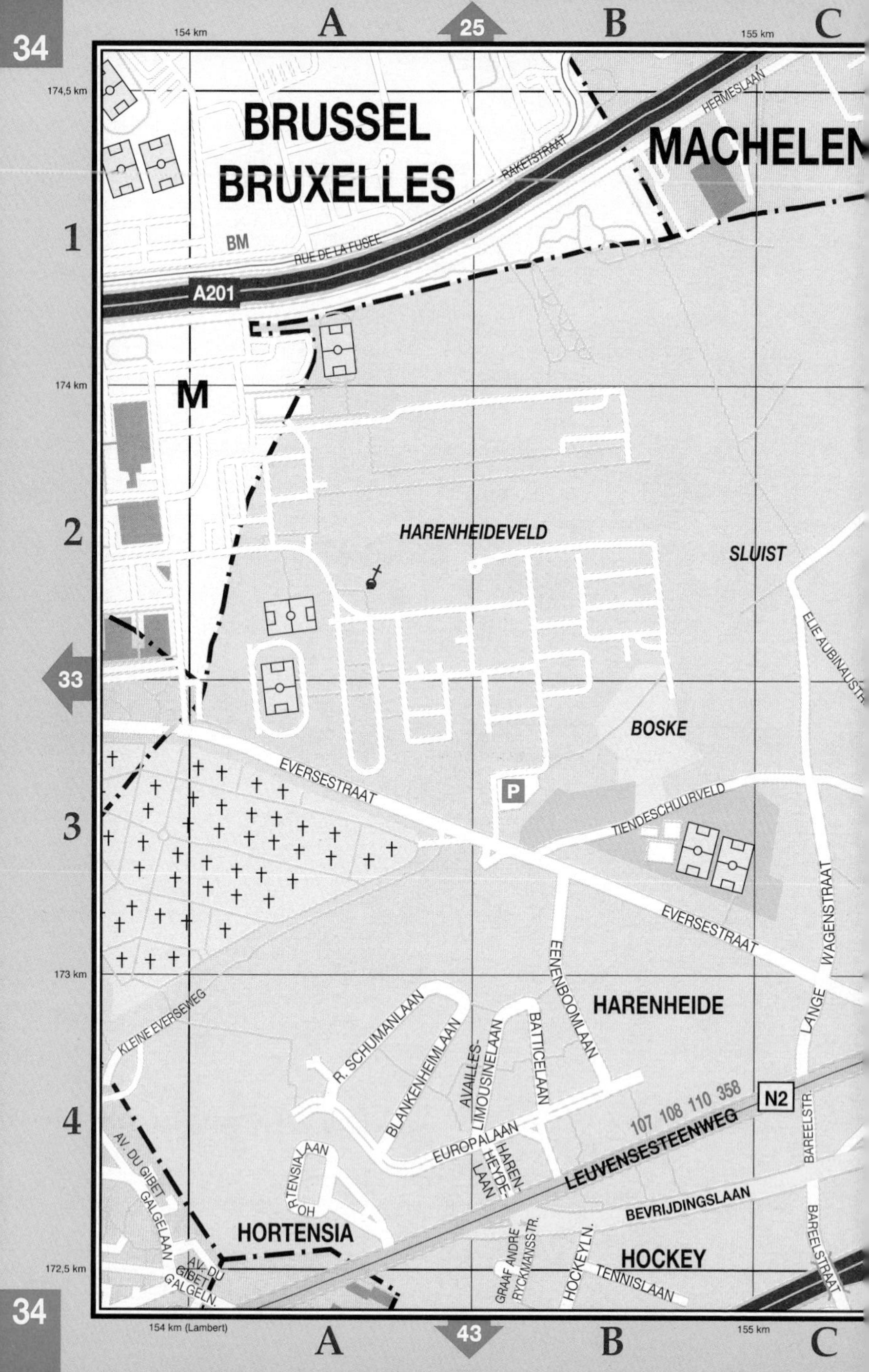
154 km
A
25
B
155 km
C
174,5 km
BRUSSEL
BRUXELLES
MACHELEN
HERMESLAAN
RAKETSTRAAT
BM
RUE DE LA FUSEE
A201
1
174 km
M
2
HARENHEIDEVELD
SLUIST
33
ELIE AUBINAUSTR.
BOSKE
EVERSESTRAAT
P
TIENDESCHUURVELD
3
EVERSESTRAAT
WAGENSTRAAT
LANGE
173 km
EENENBOOMLAAN
HARENHEIDE
KLEINE EVERSEWEG
R. SCHUMANLAAN
BLANKENHEIMLAAN
AVAILLES-LIMOUSINELAAN
BATTICELAAN
107 108 110 358
N2
4
LEUVENSESTEENWEG
EUROPALAAN
HARENHEYDELAAN
BAREELSTR.
AV. DU GIBET
GALGELAAN
BEVRIJDINGSLAAN
BAREELSTRAAT
HORTENSIA
GRAAF ANDRE RYCKMANSSTR.
HOCKEYLN.
HOCKEY
172,5 km
AV. DU GIBET
GALGELN.
TENNISLAAN
154 km (Lambert)
A
43
B
155 km
C

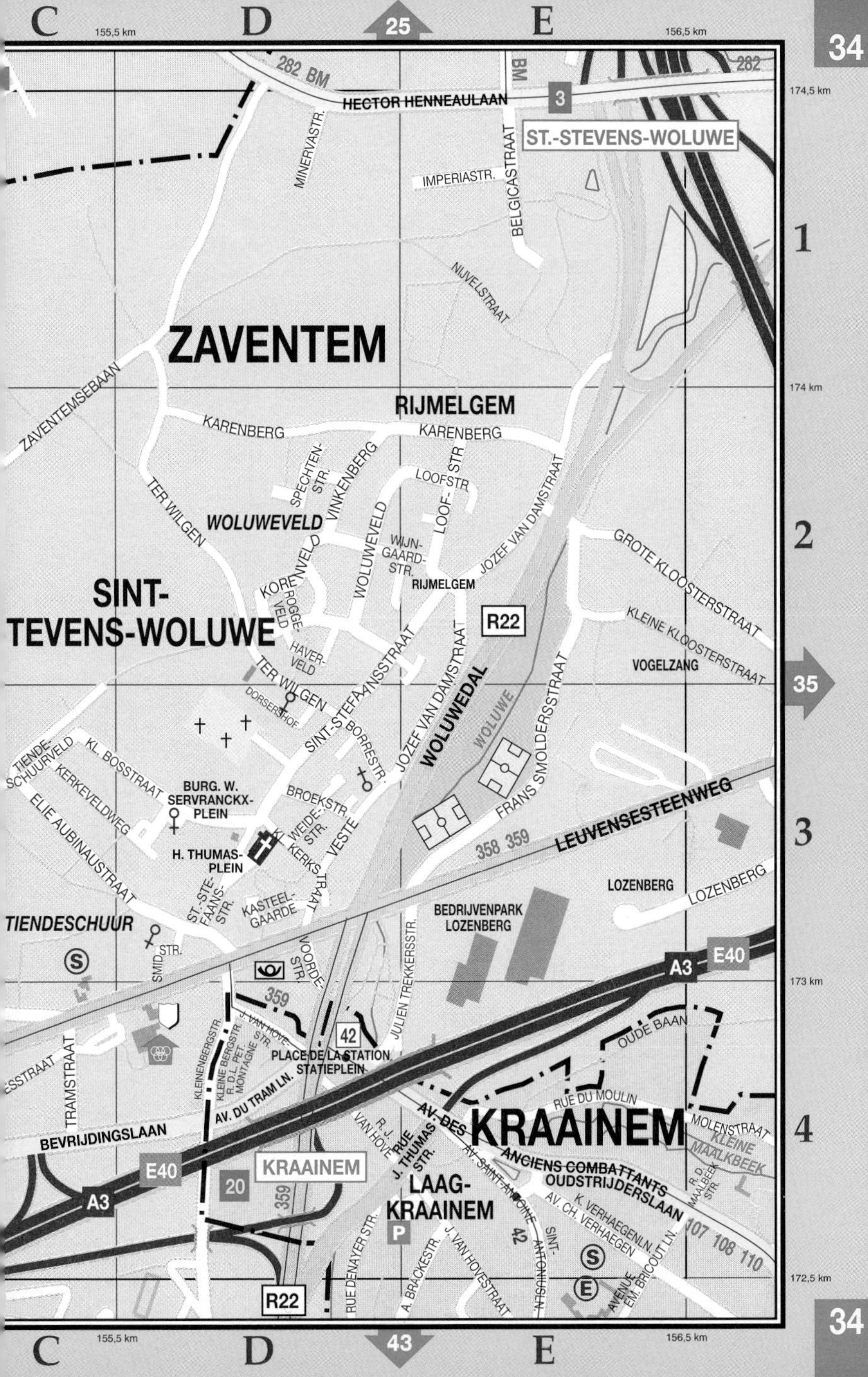
C
D
E
25
155,5 km
156,5 km
174,5 km
174 km
173 km
172,5 km
1
2
3
4
35
43
282 BM
BM
282
HECTOR HENNEAULAAN
3
ST.-STEVENS-WOLUWE
MINERVASTR.
IMPERIASTR.
BELGICASTRAAT
NIJVELSTRAAT
ZAVENTEM
ZAVENTEMSEBAAN
RIJMELGEM
KARENBERG
KARENBERG
SPECHTEN-STR.
VINKENBERG
LOOFSTR.
LOOF-STR
TER WILGEN
WOLUWEVELD
WOLUWEVELD
WIJN-GAARD-STR.
RIJMELGEM
JOZEF VAN DAMSTRAAT
GROTE KLOOSTERSTRAAT
KLEINE KLOOSTERSTRAAT
VOGELZANG
SINT-
TEVENS-WOLUWE
KORENVELD
ROGGE-VELD
HAVER-VELD
R22
JOZEF VAN DAMSTRAAT
WOLUWEDAL
WOLUWE
FRANS SMOLDERSSTRAAT
TER WILGEN
DORSERSHOF
SINT-STEFAANSSTRAAT
BORRESTR.
TIENDE-SCHUURVELD
KL. BOSSTRAAT
KERKEVELDWEG
ELIE AUBINAUSTRAAT
BURG. W. SERVRANCKX-PLEIN
BROEKSTR.
WEIDE-STR.
VESTE
H. THUMAS-PLEIN
KL. KERKSTRAAT
LEUVENSESTEENWEG
358 359
LOZENBERG
LOZENBERG
BEDRIJVENPARK LOZENBERG
ST.-STE-FAANS-STR.
KASTEEL-GAARDE
TIENDESCHUUR
SMID-STR.
VOORDE-STR.
JULIEN TREKKERSSTR.
A3
E40
359
42
KLEINENBERGSTR.
KLEINE BERGSTR.
R. D. L. PET. MONTAGNE STR.
J. VAN HOVE STR.
PLACE DE LA STATION
STATIEPLEIN
OUDE BAAN
AV. DU TRAM LN.
TRAMSTRAAT
ESSTRAAT
BEVRIJDINGSLAAN
RUE DU MOULIN
MOLENSTRAAT
KLEINE MAALBEEK
R. D. MAALBEEK STR.
KRAAINEM
AV. DES ANCIENS COMBATTANTS
OUDSTRIJDERSLAAN
R. J. VAN HOVE
RUE J. THOMAS STR.
AV. SAINT-ANTOINE
E40
A3
20
KRAAINEM
359
LAAG-KRAAINEM
P
K. VERHAEGENLN.
AV. CH. VERHAEGEN
107 108 110
RUE DENAYER STR.
A. BRACKESTR.
J. VAN HOVESTRAAT
42
SINT-ANTONIUSLN.
AVENUE EM. BRICOUT LN.
R22

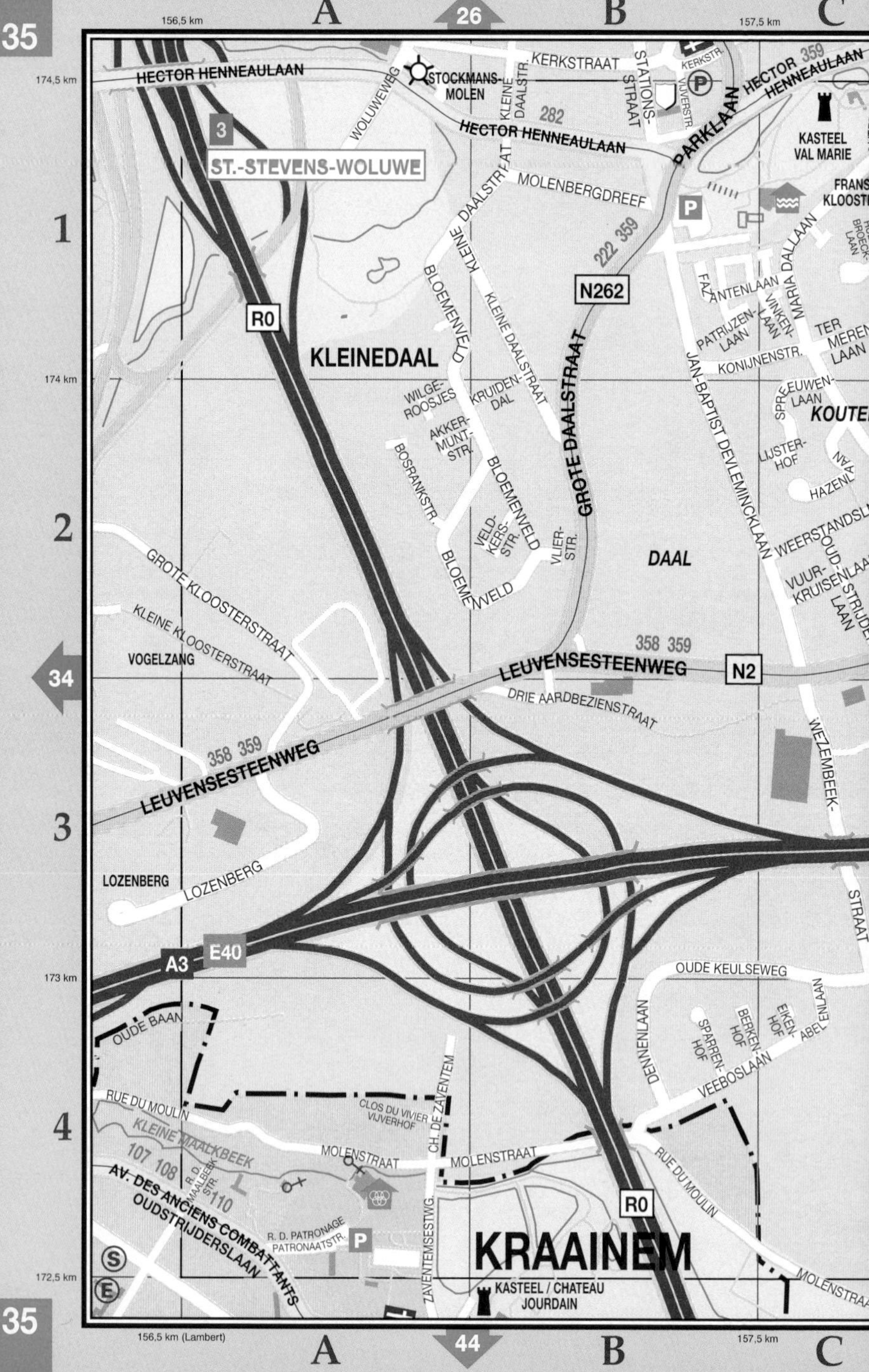
A
B
C
26
156,5 km
157,5 km
174,5 km
174 km
173 km
172,5 km
1
2
3
4
34
HECTOR HENNEAULAAN
KERKSTRAAT
STOCKMANS-MOLEN
WOLUWEWEG
STATIONS-STRAAT
PARKLAAN
HECTOR HENNEAULAAN
KASTEEL VAL MARIE
ST.-STEVENS-WOLUWE
MOLENBERGDREEF
KLEINE DAALSTRAAT
N262
R0
KLEINEDAAL
BLOEMENVELD
KLEINE DAALSTRAAT
GROTE DAALSTRAAT
JAN-BAPTIST DEVLEMINCKLAAN
MARIA DALLAAN
KONIJNENSTR.
KOUTER
WILGE-ROOSJES
KRUIDEN-DAL
AKKER-MUNT-STR.
BOSRANKSTR.
VELD-KERS-STR.
VLIER-STR.
DAAL
WEERSTANDSLN
OUD-STRIJDERSLAAN
VUUR-KRUISENLAAN
GROTE KLOOSTERSTRAAT
KLEINE KLOOSTERSTRAAT
VOGELZANG
LEUVENSESTEENWEG
N2
DRIE AARDBEZIENSTRAAT
358 359
WEZEMBEEK-STRAAT
LOZENBERG
A3
E40
OUDE KEULSEWEG
DENNENLAAN
SPARREN-HOF
BERKEN-HOF
EIKEN-HOF
ABEELENLAAN
VEEBOSLAAN
OUDE BAAN
RUE DU MOULIN
KLEINE MAALBEEK
CLOS DU VIVIER VIJVERHOF
CH. DE ZAVENTEM
MOLENSTRAAT
AV. DES ANCIENS COMBATTANTS
OUDSTRIJDERSLAAN
R. D. PATRONAGE
PATRONAATSTR.
ZAVENTEMSESTWG.
KRAAINEM
KASTEEL / CHATEAU JOURDAIN
RUE DU MOULIN
MOLENSTRAAT
156,5 km (Lambert)
44

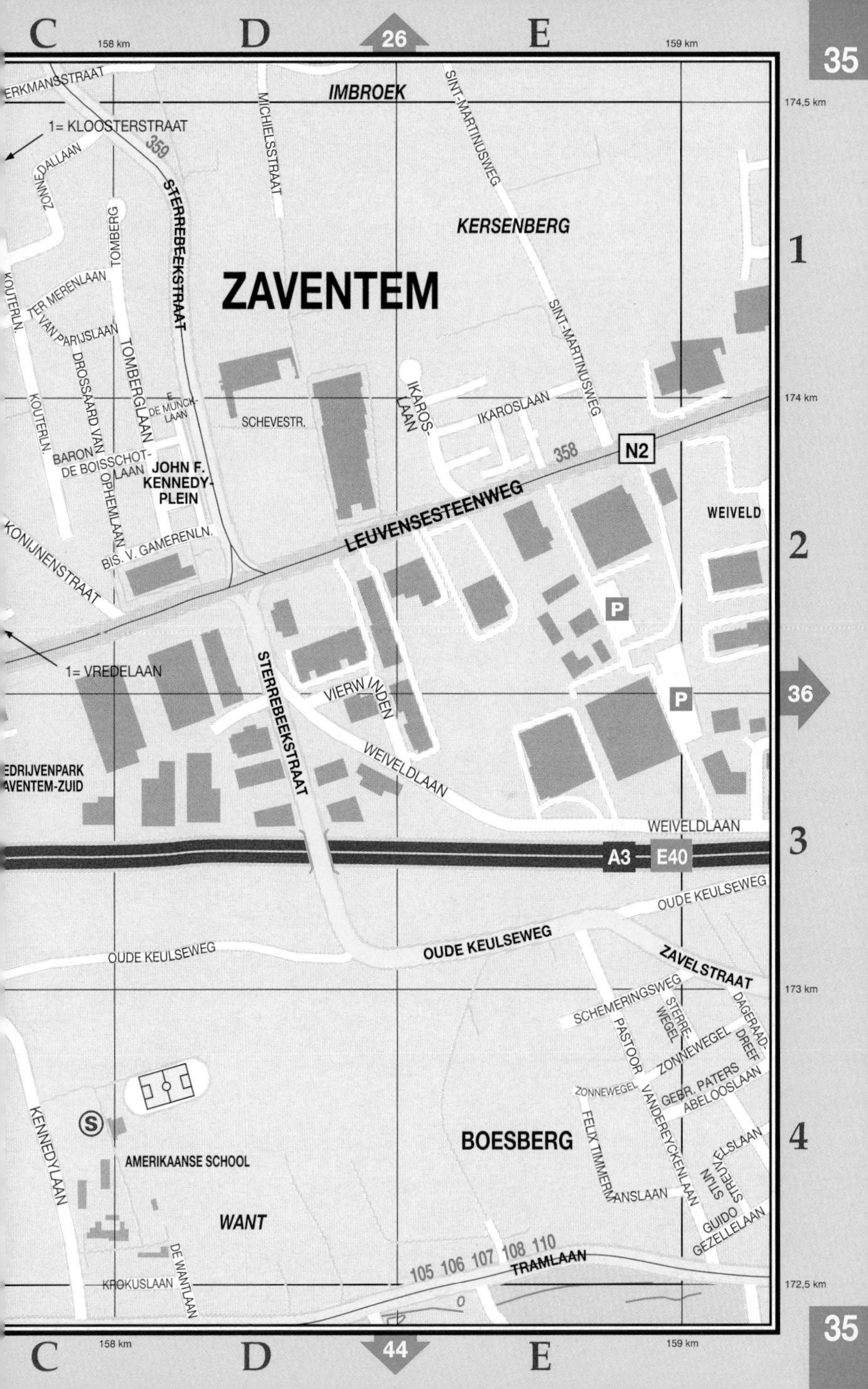
C
D
26
E
158 km
159 km
174,5 km
174 km
173 km
172,5 km
1
2
3
4
36
44
IMBROEK
KERSENBERG
ZAVENTEM
WEIVELD
BOESBERG
WANT
ERKMANSSTRAAT
1= KLOOSTERSTRAAT
359
358
N2
ZONNEDALLAAN
TOMBERG
STERREBEEKSTRAAT
MICHIELSSTRAAT
SINT-MARTINUSWEG
KOUTERLN.
TER MERENLAAN
VAN PARIJSLAAN
DROSSAARD VAN OPHEMLAAN
TOMBERGLAAN
E. DE MUNCK-LAAN
SCHEVESTR.
IKAROS-LAAN
IKAROSLAAN
BARON DE BOISSCHOT-LAAN
JOHN F. KENNEDY-PLEIN
LEUVENSESTEENWEG
KONIJNENSTRAAT
BIS. V. GAMERENLN.
1= VREDELAAN
VIERWINDEN
WEIVELDLAAN
BEDRIJVENPARK ZAVENTEM-ZUID
P
A3
E40
OUDE KEULSEWEG
ZAVELSTRAAT
SCHEMERINGSWEG
STERREWEGEL
DAGERAAD-DREEF
PASTOOR VANDEREYCKENLAAN
ZONNEWEGEL
GEBR. PATERS ABELOOSLAAN
FELIX TIMMERMANSLAAN
STIJN STREUVELSLAAN
GUIDO GEZELLELAAN
KENNEDYLAAN
AMERIKAANSE SCHOOL
DE WANTLAAN
KROKUSLAAN
TRAMLAAN
105
106
107
108
110

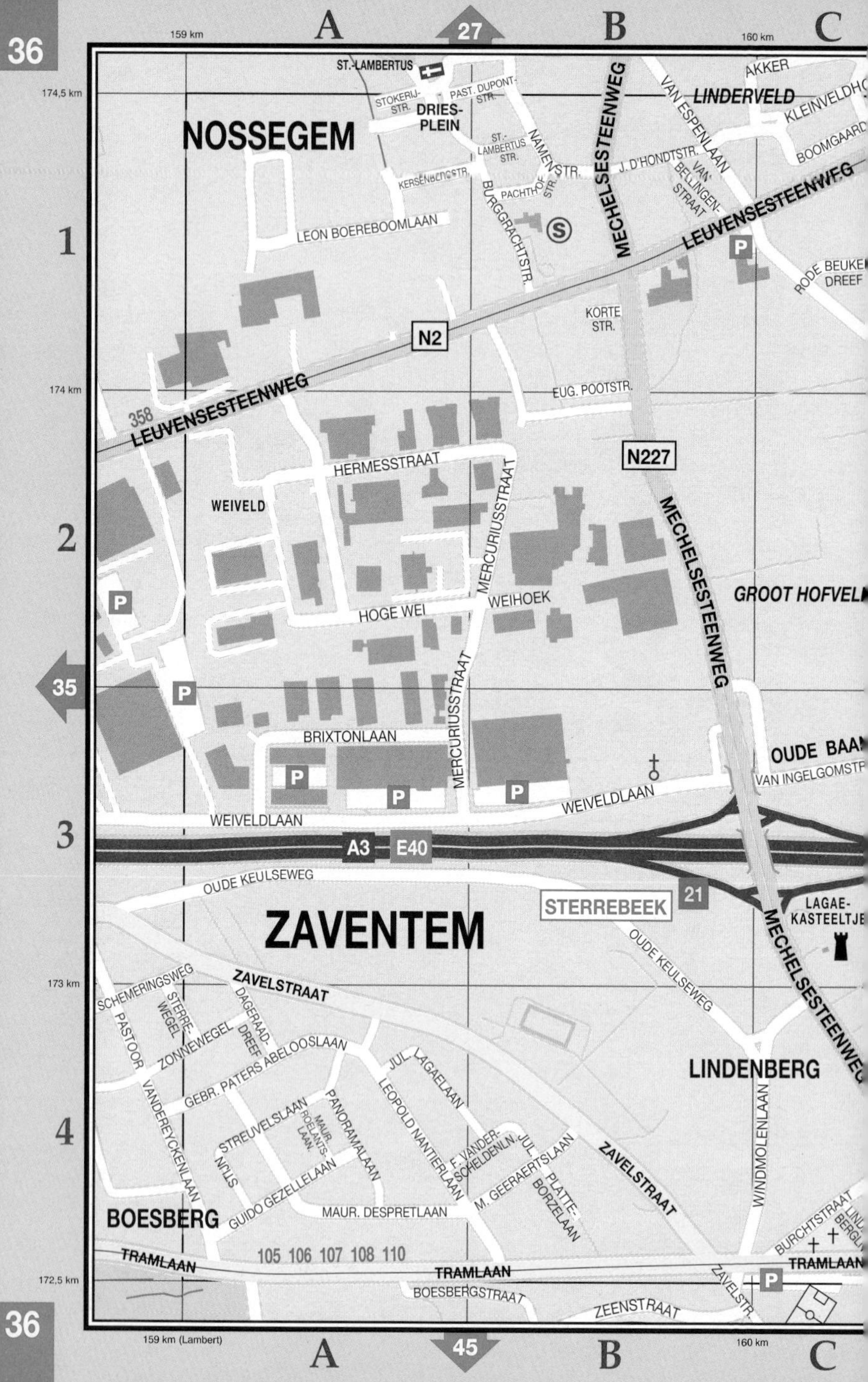
A
B
C
27
159 km
160 km
174,5 km
174 km
173 km
172,5 km
1
2
3
4
ST.-LAMBERTUS
STOKERIJ-STR.
PAST. DUPONT-STR.
DRIES-PLEIN
NOSSEGEM
ST.-LAMBERTUS STR.
NAMEN STR.
KERSENBERGSTR.
PACHTHOF STR.
BURGGRACHTSTR.
LEON BOEREBOOMLAAN
MECHELSESTEENWEG
VAN ESPENLAAN
AKKER
LINDERVELD
KLEINVELDHO
BOOMGAARD
J. D'HONDTSTR.
VAN BELLINGEN-STRAAT
LEUVENSESTEENWEG
RODE BEUKEN DREEF
N2
KORTE STR.
EUG. POOTSTR.
358
N227
HERMESSTRAAT
MERCURIUSSTRAAT
WEIVELD
WEIHOEK
GROOT HOFVELD
HOGE WEI
35
BRIXTONLAAN
OUDE BAAN
VAN INGELGOMSTR.
WEIVELDLAAN
A3
E40
OUDE KEULSEWEG
21
STERREBEEK
LAGAE-KASTEELTJE
ZAVENTEM
ZAVELSTRAAT
SCHEMERINGSWEG
STERRE-WEGEL
DAGERAAD-DREEF
PASTOOR VANDEREYCKENLAAN
ZONNEWEGEL
GEBR. PATERS ABELOOSLAAN
JUL. LAGAELAAN
LEOPOLD NANTIERLAAN
LINDENBERG
WINDMOLENLAAN
STREUVELSLAAN
MAUR. ROELANTS-LAAN
PANORAMALAAN
STIJN
GUIDO GEZELLELAAN
F. VANDER-SCHELDENLN.
JUL. PLATTE-BORZELAAN
M. GEERAERTSLAAN
MAUR. DESPRETLAAN
BOESBERG
105 106 107 108 110
BURCHTSTRAAT
TRAMLAAN
BOESBERGSTRAAT
ZAVELSTR.
ZEENSTRAAT
159 km (Lambert)
45

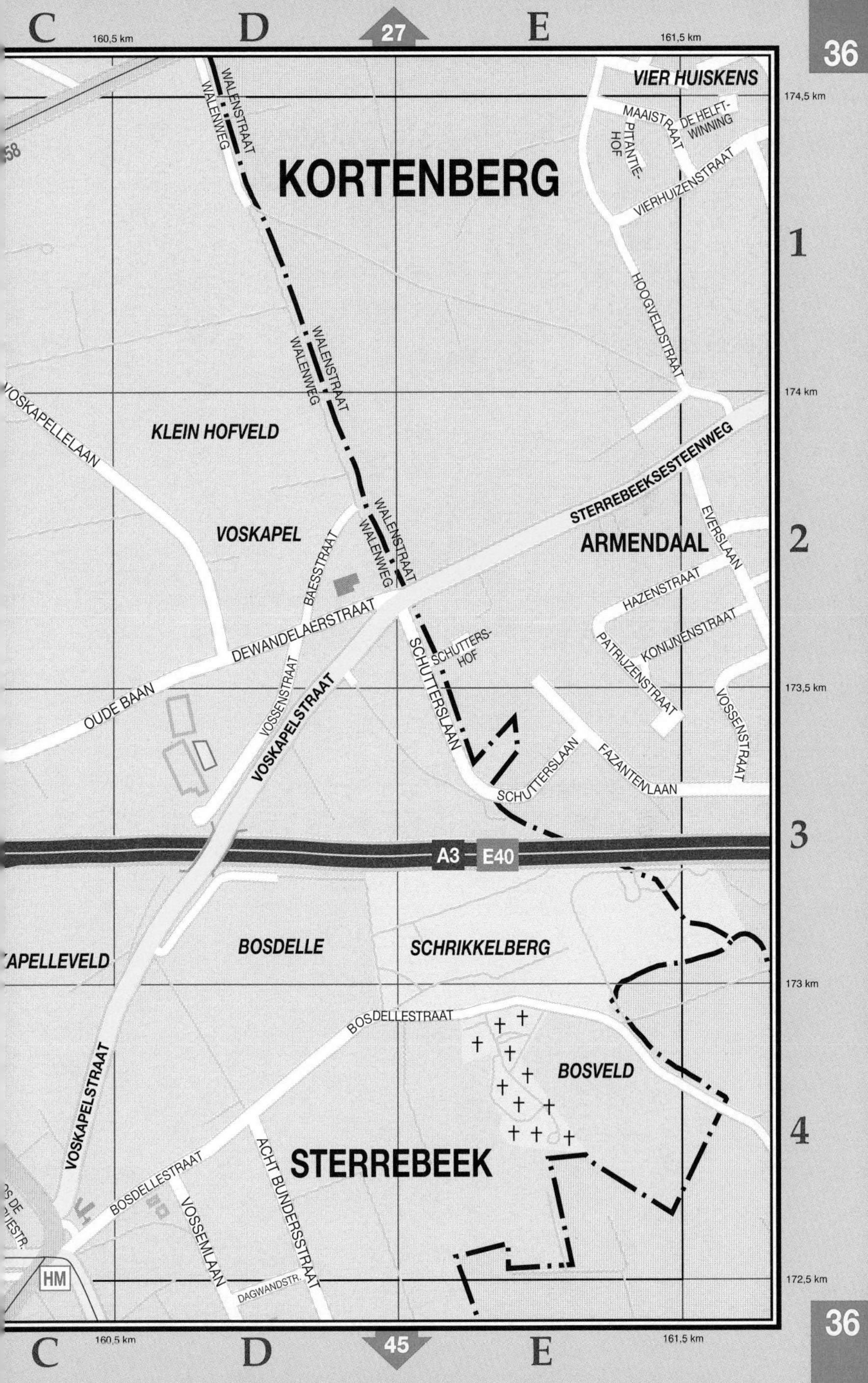
C
D
27
E
160,5 km
161,5 km
174,5 km
174 km
173,5 km
173 km
172,5 km
1
2
3
4
KORTENBERG
VIER HUISKENS
MAAISTRAAT
DE HELFT-
WINNING
PITANTIE-
HOF
VIERHUIZENSTRAAT
HOOGVELDSTRAAT
WALENSTRAAT
WALENWEG
KLEIN HOFVELD
VOSKAPELLELAAN
VOSKAPEL
BAESSTRAAT
STERREBEEKSESTEENWEG
ARMENDAAL
EVERSLAAN
HAZENSTRAAT
KONIJNENSTRAAT
PATRIJZENSTRAAT
VOSSENSTRAAT
DEWANDELAERSTRAAT
SCHUTTERS-
HOF
SCHUTTERSLAAN
OUDE BAAN
VOSKAPELSTRAAT
FAZANTENLAAN
A3
E40
BOSDELLE
SCHRIKKELBERG
KAPELLEVELD
BOSDELLESTRAAT
BOSVELD
STERREBEEK
ACHT BUNDERSSTRAAT
VOSSEMLAAN
DAGWANDSTR.
HM
45

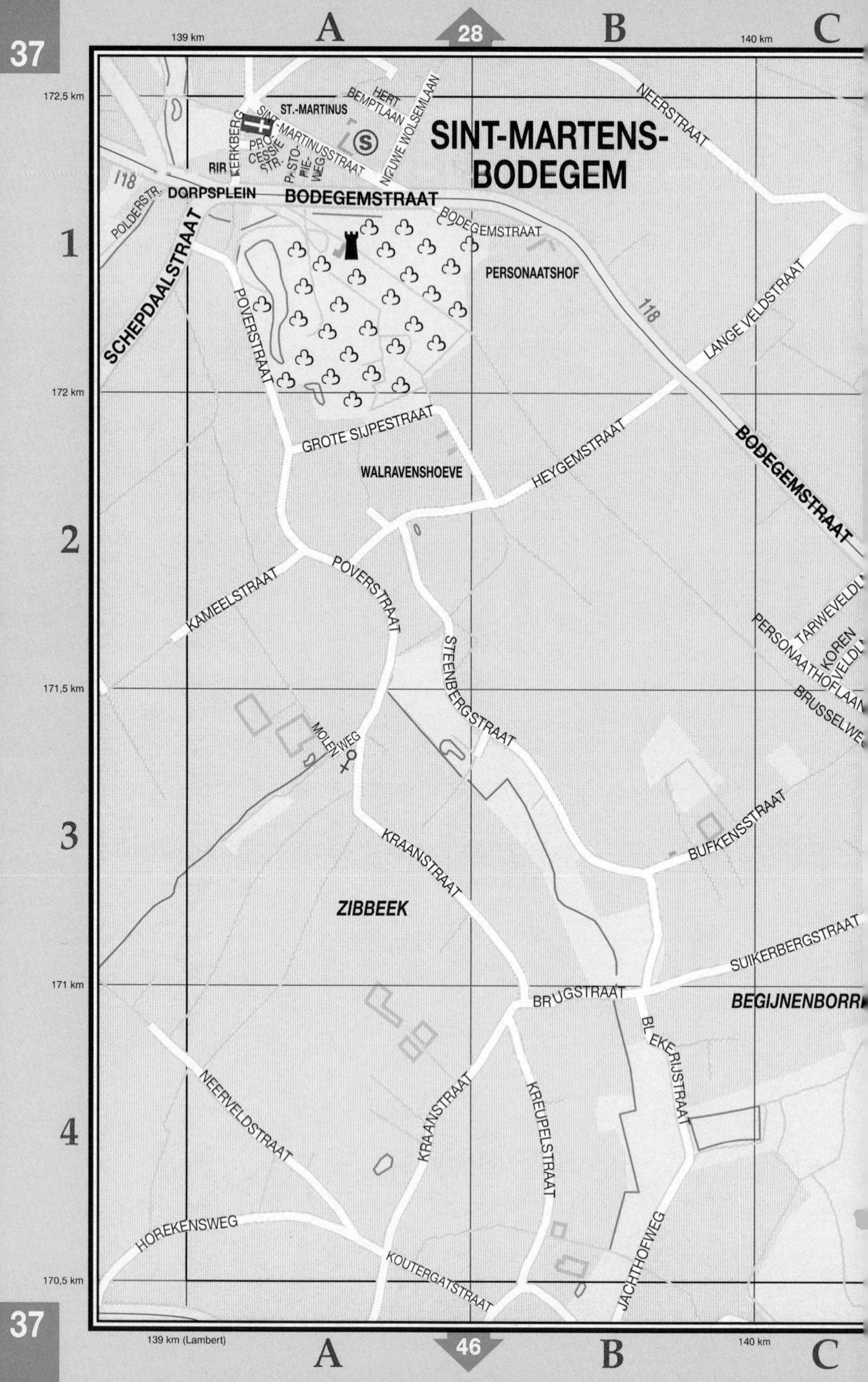

139 km
A
28
B
140 km
C
172,5 km
172 km
171,5 km
171 km
170,5 km
1
2
3
4
SINT-MARTENS-
BODEGEM
ST.-MARTINUS
HERT
BEMPTLAAN
NIEUWE WOLSEMLAAN
KERKBERG
SINT-MARTINUSSTRAAT
PRO-
CESSIE
STR.
PASTO-
RIE-
WEG
RIR
118
POLDERSTR.
DORPSPLEIN
BODEGEMSTRAAT
SCHEPDAALSTRAAT
POVERSTRAAT
PERSONAATSHOF
NEERSTRAAT
LANGE VELDSTRAAT
GROTE SIJPESTRAAT
WALRAVENSHOEVE
HEYGEMSTRAAT
KAMEELSTRAAT
STEENBERGSTRAAT
MOLENWEG
TARWEVELDL
KOREN
VELDL
PERSONAATHOFLAAN
BRUSSELWEG
BUFKENSSTRAAT
KRAANSTRAAT
ZIBBEEK
SUIKERBERGSTRAAT
BRUGSTRAAT
BEGIJNENBORR
BLEKERIJSTRAAT
NEERVELDSTRAAT
KREUPELSTRAAT
HOREKENSWEG
KOUTERGATSTRAAT
JACHTHOFWEG
139 km (Lambert)
46

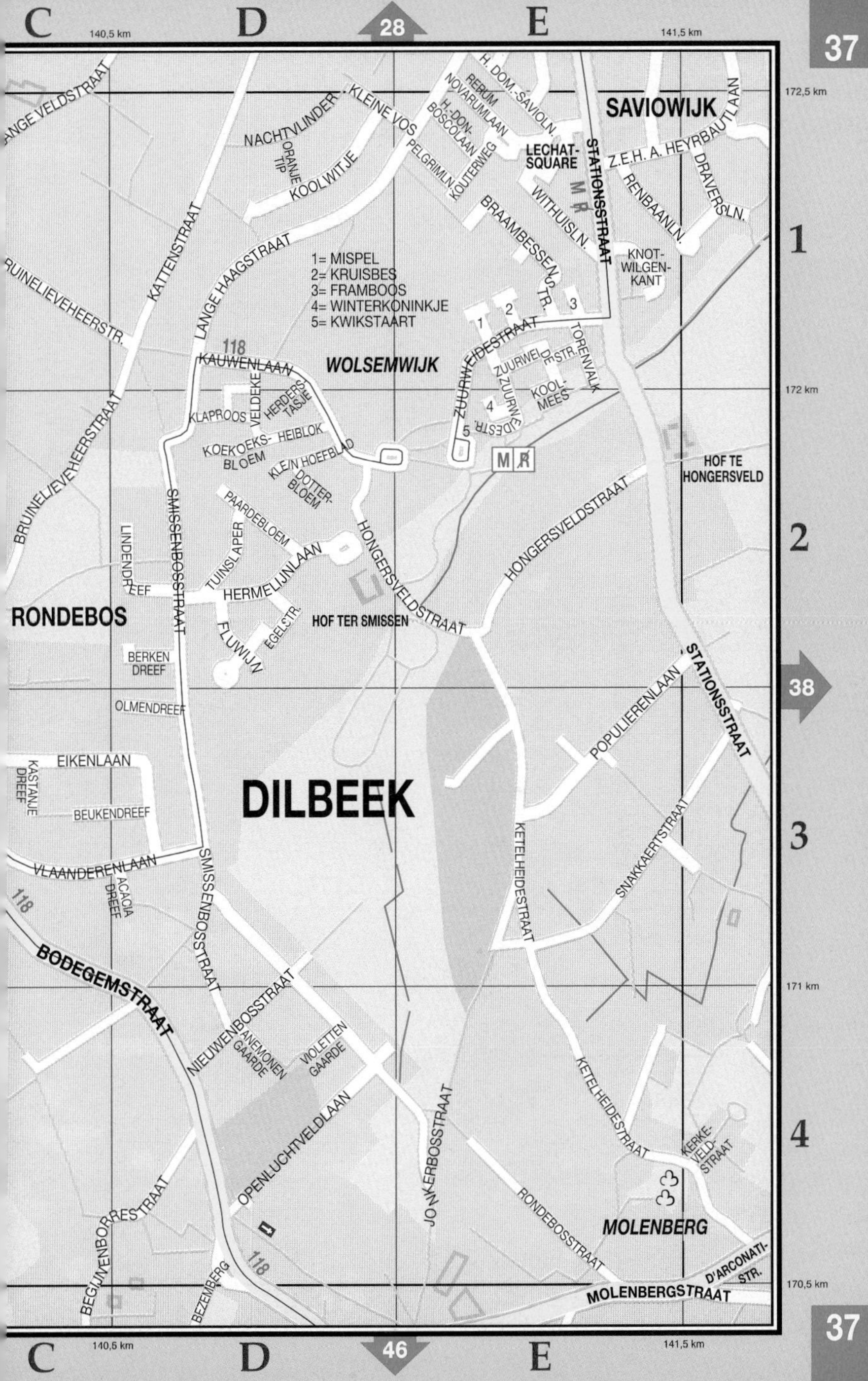
140,5 km
141,5 km
172,5 km
172 km
171 km
170,5 km
1
2
3
4
SAVIOWIJK
LANGE VELDSTRAAT
KLEINE VOS
NACHTVLINDER
ORANJE TIP
KOOLWITJE
H. DOM.-SAVIOLN.
RERUM NOVARUMLAAN
H. DON BOSCOLAAN
PELGRIMLN.
KOUTERWEG
LECHAT-SQUARE
STATIONSSTRAAT
Z.E.H. A. HEYRBAUTLAAN
RENBAANLN.
DRAVERSLN.
WITHUISLN.
BRAAMBESSENSTR.
KNOT-WILGEN-KANT
KATTENSTRAAT
LANGE HAAGSTRAAT
BRUINELIEVEHEERSTR.
1= MISPEL
2= KRUISBES
3= FRAMBOOS
4= WINTERKONINKJE
5= KWIKSTAART
ZUURWEIDESTRAAT
TORENVALK
ZUURWEIDESTR.
KOOL-MEES
WOLSEMWIJK
KAUWENLAAN
118
VELDEKE
HERDERSTASJE
KLAPROOS
KOEKOEKS-BLOEM
HEIBLOK
KLEIN HOEFBLAD
DOTTER-BLOEM
HOF TE HONGERSVELD
BRUINELIEVEHEERSTRAAT
SMISSENBOSSTRAAT
PAARDEBLOEM
LINDENDREEF
TUINSLAPER
HERMELIJNLAAN
HONGERSVELDSTRAAT
RONDEBOS
FLUWIJN
EGELSTR.
HOF TER SMISSEN
BERKEN DREEF
OLMENDREEF
POPULIERENLAAN
EIKENLAAN
KASTANJE DREEF
BEUKENDREEF
DILBEEK
KETELHEIDESTRAAT
SNAKKAERTSTRAAT
VLAANDERENLAAN
ACACIA DREEF
BODEGEMSTRAAT
NIEUWENBOSSTRAAT
ANEMONEN GAARDE
VIOLETTEN GAARDE
OPENLUCHTVELDLAAN
JONKERBOSSTRAAT
KERKE-VELD-STRAAT
BEGIJNENBORRESTRAAT
RONDEBOSSTRAAT
MOLENBERG
BEZEMBERG
D'ARCONATI-STR.
MOLENBERGSTRAAT
38

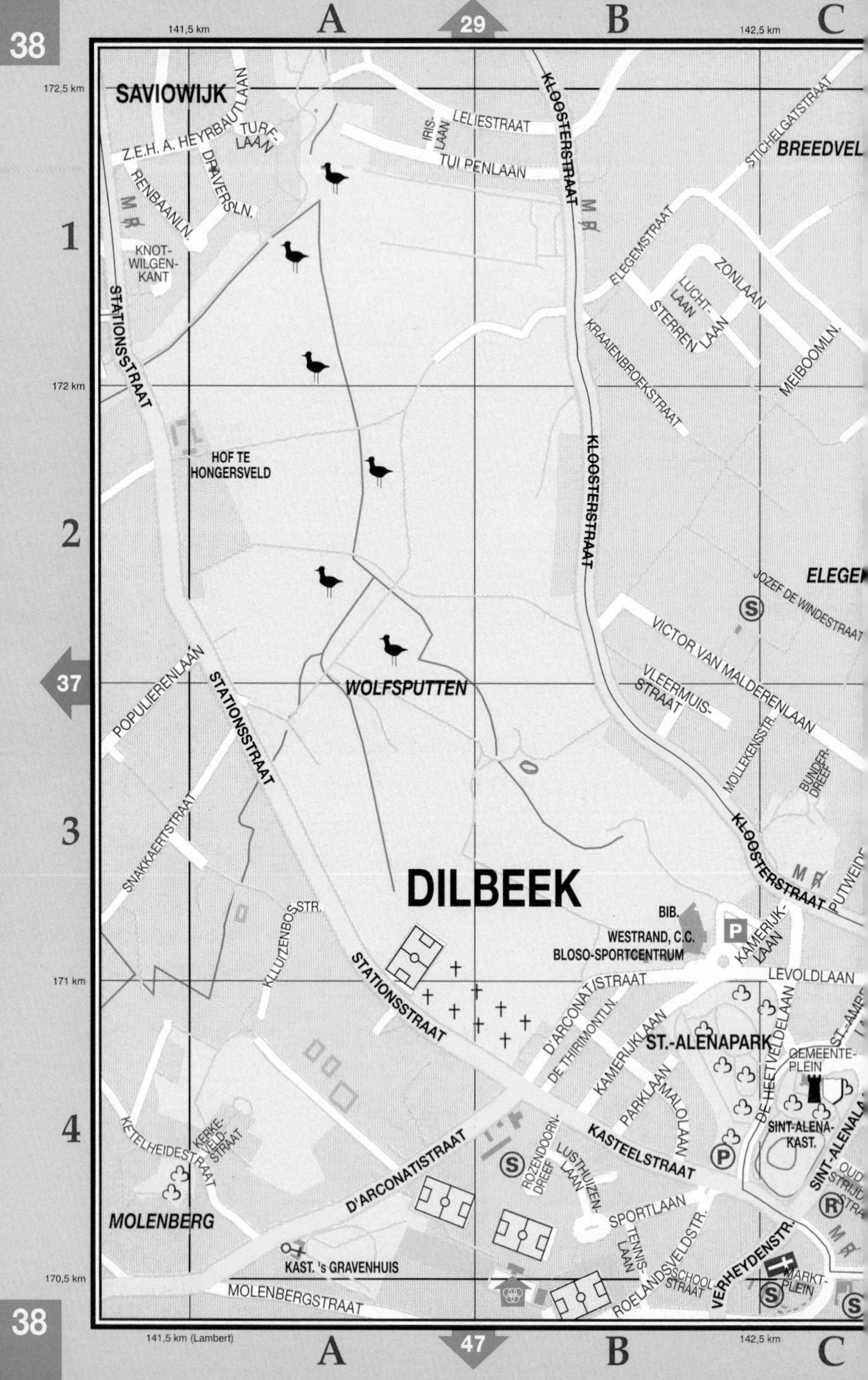
A
29
B
C
141,5 km
142,5 km
172,5 km
172 km
171 km
170,5 km
1
2
3
4
37
SAVIOWIJK
Z.E.H. A. HEYRBAUTLAAN
TURF-LAAN
DRAVERSLN.
RENBAANLN.
KNOT-WILGEN-KANT
STATIONSSTRAAT
LELIESTRAAT
IRIS-LAAN
TULPENLAAN
KLOOSTERSTRAAT
STICHELGATSTRAAT
BREEDVEL
ELEGEMSTRAAT
LUCHT-LAAN
ZONLAAN
STERREN LAAN
MEIBOOMLN.
KRAAIENBROEKSTRAAT
HOF TE HONGERSVELD
ELEGE
JOZEF DE WINDESTRAAT
VICTOR VAN MALDERENLAAN
VLEERMUIS-STRAAT
MOLLEKENSSTR.
BUNDER-DREEF
WOLFSPUTTEN
POPULIERENLAAN
SNAKKAERTSTRAAT
DILBEEK
PUTWEIDE
BIB.
WESTRAND, C.C.
BLOSO-SPORTCENTRUM
KAMERIJK-LAAN
KLUIZENBOS STR.
D'ARCONATISTRAAT
LEVOLDLAAN
DE THIRIMONTLN.
KAMERIJKLAAN
ST.-ALENAPARK
DE HEETVELDELAAN
GEMEENTE-PLEIN
PARKLAAN
MALOLAAN
KASTEELSTRAAT
SINT-ALENA-KAST.
KETELHEIDESTRAAT
KERKE-VELD-STRAAT
ROZENDOORN-DREEF
LUSTHUIZEN-LAAN
SPORTLAAN
TENNIS-LAAN
ROELANDSVELDSTR.
SCHOOLSTRAAT
VERHEYDENSTR.
MARKT-PLEIN
MOLENBERG
KAST. 's GRAVENHUIS
MOLENBERGSTRAAT
141,5 km (Lambert)
47

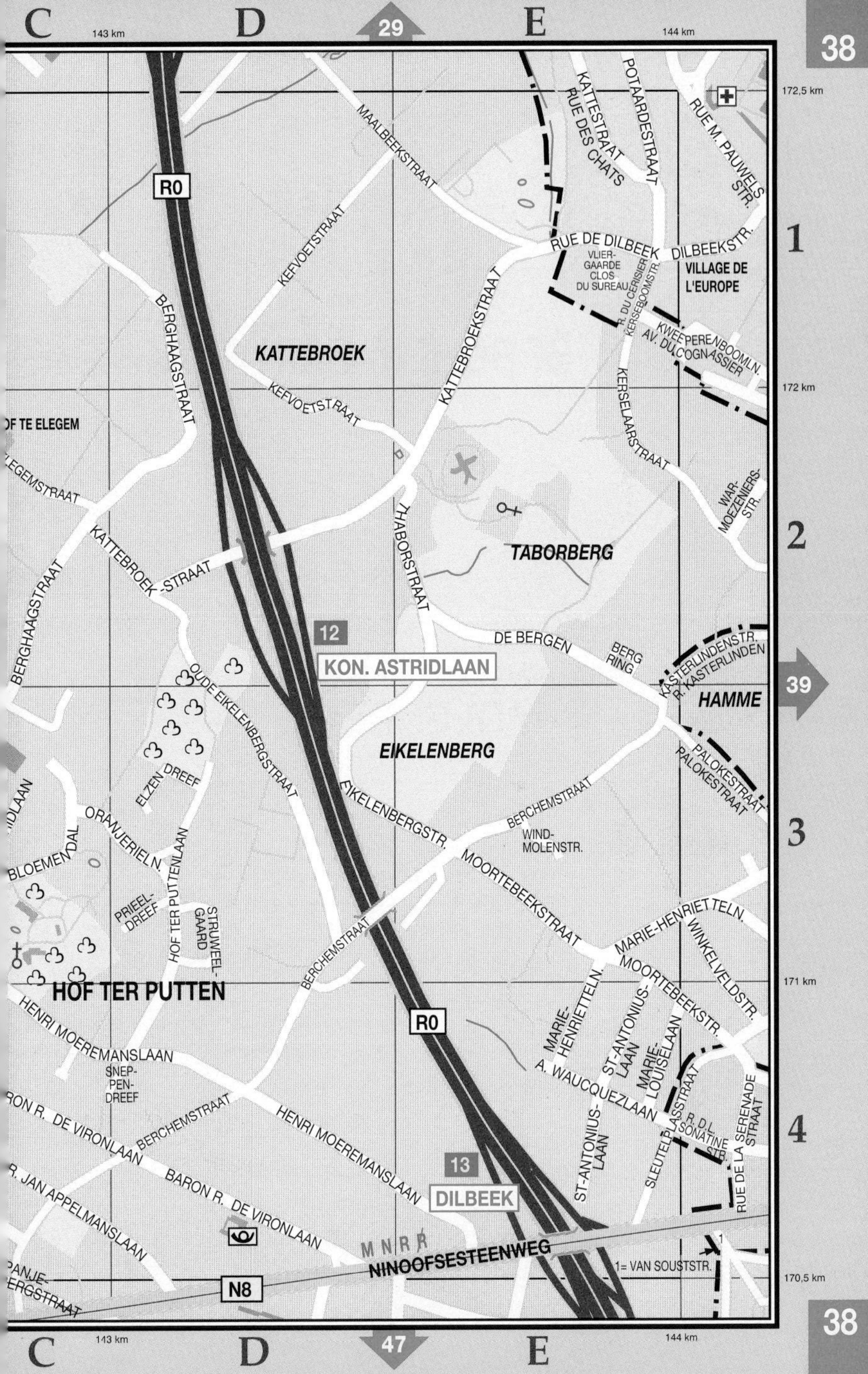
C
143 km
D
29
E
144 km
172,5 km
R0
MAALBEEKSTRAAT
KATTESTRAAT
RUE DES CHATS
POTAARDESTRAAT
RUE M. PAUWELS STR.
1
KEFVOETSTRAAT
RUE DE DILBEEK
DILBEEKSTR.
VLIER-GAARDE
CLOS DU SUREAU
VILLAGE DE L'EUROPE
BERGHAAGSTRAAT
KATTEBROEKSTRAAT
KATTEBROEK
KWEPERENBOOMLN.
AV. DU COGNASSIER
172 km
KEFVOETSTRAAT
KERSELAARSTRAAT
F TE ELEGEM
ELEGEMSTRAAT
WAR-MOEZENIERS-STR.
THABORSTRAAT
2
KATTEBROEK-STRAAT
TABORBERG
BERGHAAGSTRAAT
12
DE BERGEN
BERG RING
KASTERLINDENSTR.
R. KASTERLINDEN
KON. ASTRIDLAAN
39
HAMME
OUDE EIKELENBERGSTRAAT
EIKELENBERG
PALOKESTRAAT
ELZEN DREEF
EIKELENBERGSTR.
BERCHEMSTRAAT
ORANJERIELN.
WIND-MOLENSTR.
3
BLOEMENDAL
HOF TER PUTTENLAAN
MOORTEBEEKSTRAAT
PRIEEL-DREEF
STRUWEEL-GAARD
MARIE-HENRIETTELN.
WINKELVELDSTR.
BERCHEMSTRAAT
MOORTEBEEKSTR.
HOF TER PUTTEN
171 km
R0
MARIE-HENRIETTELN.
ST-ANTONIUS-LAAN
MARIE-LOUISELAAN
HENRI MOEREMANSLAAN
SNEP-PEN-DREEF
A. WAUCQUEZLAAN
SLEUTELPLASSTRAAT
R. D.L. SONATINE STR.
RUE DE LA SERENADE STRAAT
BARON R. DE VIRONLAAN
BERCHEMSTRAAT
HENRI MOEREMANSLAAN
ST-ANTONIUS-LAAN
4
13
DILBEEK
BARON R. DE VIRONLAAN
R. JAN APPELMANSLAAN
MNRR
NINOOFSESTEENWEG
1= VAN SOUSTSTR.
PANJE-BERGSTRAAT
N8
170,5 km
C
143 km
D
47
E
144 km

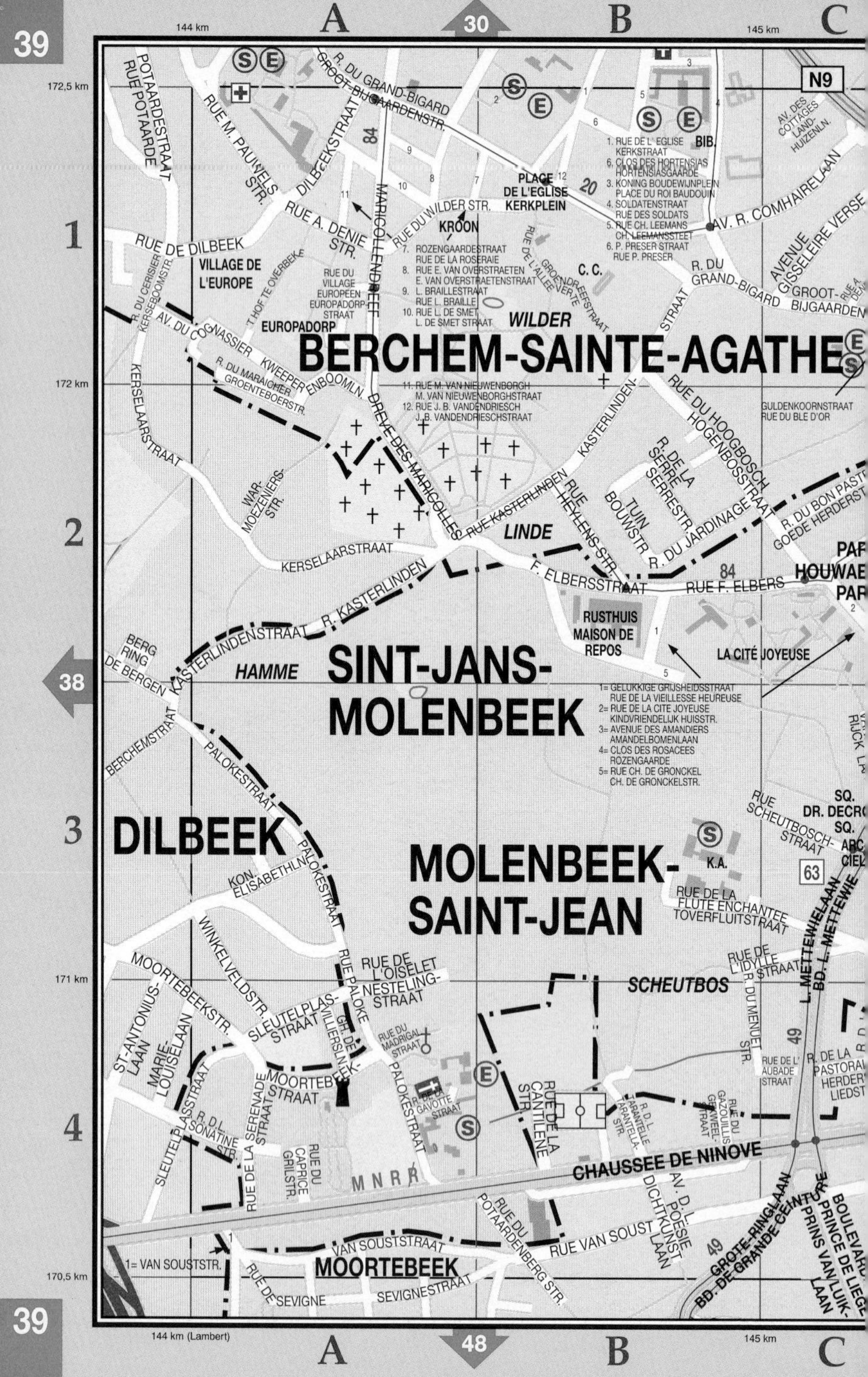
144 km
A
30
B
145 km
C
172,5 km
172 km
171 km
170,5 km
1
2
3
4
N9
38
63
84
49
20
BERCHEM-SAINTE-AGATHE
SINT-JANS-MOLENBEEK
MOLENBEEK-SAINT-JEAN
DILBEEK
WILDER
LINDE
HAMME
SCHEUTBOS
MOORTEBEEK
KROON
VILLAGE DE L'EUROPE
EUROPADORP
PLACE DE L'EGLISE
KERKPLEIN
C. C.
BIB.
K.A.
RUSTHUIS
MAISON DE REPOS
LA CITÉ JOYEUSE
MNRR
POTAARDESTRAAT
RUE POTAARDE
RUE M. PAUWELS STR.
DILBEEKSTRAAT
R. DU GRAND-BIGARD
GROOT-BIJGAARDENSTR.
MARICOLLENDREEF
RUE A. DENIE STR.
RUE DU WILDER STR.
RUE DE DILBEEK
R. DU CERISIER
KERSEBOOMSTR.
T HOF TE OVERBEKE
AV. DU COGNASSIER
KWEEPERENBOOMLN.
R. DU MARAICHER
GROENTEBOERSTR.
KERSELAARSTRAAT
DREVE DES MARICOLLES
WAR-MOEZENIERS-STR.
RUE DU VILLAGE EUROPEEN
EUROPADORP-STRAAT
RUE DE L'ALLEE VERTE
GROENDREEFSTRAAT
KASTERLINDENSTRAAT
RUE KASTERLINDEN
RUE HEYLENS STR.
RUE DU HOOGBOSCH
HOGENBOSSTRAAT
R. DE LA SERRE
SERRESTR.
TUINBOUWSTR.
R. DU JARDINAGE
F. ELBERSSTRAAT
RUE F. ELBERS
R. DU BON PASTEUR
GOEDE HERDERSTR.
AV. R. COMHAIRELAAN
AVENUE GISSELEIRE VERSE
R. DU GRAND-BIGARD
GROOT-BIJGAARDEN
AV. DES COTTAGES
LANDHUIZENLN.
GULDENKOORNSTRAAT
RUE DU BLE D'OR
R. KASTERLINDEN
BERG RING
DE BERGEN
BERCHEMSTRAAT
PALOKESTRAAT
KON. ELISABETHLN.
WINKELVELDSTR.
MOORTEBEEKSTR.
ST-ANTONIUSLAAN
MARIE-LOUISELAAN
SLEUTELPLASSTRAAT
SLEUTELPLAS-STRAAT
RUE DE L'OISELET
NESTELING-STRAAT
RUE PALOKE
GR. DE VILLIERSLN.
MOORTEBEEKSTRAAT
R. D.L. SONATINE STR.
RUE DE LA SERENADE
RUE DU CAPRICE
GRILSTR.
RUE DU MADRIGAL STRAAT
R. DE LA GAVOTTE STRAAT
RUE DE LA CANTILENE STR.
R. D. L. TARANTELLE
TARANTELLA-STR.
RUE DU GAZOUILLIS
GEKWEELSTRAAT
RUE DE LA FLUTE ENCHANTEE
TOVERFLUITSTRAAT
RUE DE L'IDYLLE STRAAT
R. DU MENUET STR.
RUE DE L'AUBADE STRAAT
R. DE LA PASTORALE
HERDERSLIEDSTR.
RUE SCHEUTBOSCH-STRAAT
SQ. DR. DECROLY
SQ. ARC-EN-CIEL
L. METTEWIELAAN
BD. L. METTEWIE
CHAUSSEE DE NINOVE
AV. D. L. POESIE
DICHTKUNSTLAAN
RUE DU POTAARDENBERG STR.
RUE VAN SOUST
VAN SOUSTSTRAAT
1= VAN SOUSTSTR.
RUE DE SEVIGNE
SEVIGNESTRAAT
GROTE-RINGLAAN
BD. DE GRANDE CEINTURE
BOULEVARD PRINCE DE LIEGE
PRINS VAN LUIKLAAN
1. RUE DE L' EGLISE
KERKSTRAAT
6. CLOS DES HORTENSIAS
HORTENSIAGAARDE
3. KONING BOUDEWIJNPLEIN
PLACE DU ROI BAUDOUIN
4. SOLDATENSTRAAT
RUE DES SOLDATS
5. RUE CH. LEEMANS
CH. LEEMANSSTEET
6. P. PRESER STRAAT
RUE P. PRESER
7. ROZENGAARDESTRAAT
RUE DE LA ROSERAIE
8. RUE E. VAN OVERSTRAETEN
E. VAN OVERSTRAETENSTRAAT
9. L. BRAILLESTRAAT
RUE L. BRAILLE
10. RUE L. DE SMET
L. DE SMET STRAAT
11. RUE M. VAN NIEUWENBORGH
M. VAN NIEUWENBORGHSTRAAT
12. RUE J. B. VANDENDRIESCH
J. B. VANDENDRIESCHSTRAAT
1= GELUKKIGE GRIJSHEIDSSTRAAT
RUE DE LA VIEILLESSE HEUREUSE
2= RUE DE LA CITE JOYEUSE
KINDVRIENDELIJK HUISSTR.
3= AVENUE DES AMANDIERS
AMANDELBOMENLAAN
4= CLOS DES ROSACEES
ROZENGAARDE
5= RUE CH. DE GRONCKEL
CH. DE GRONCKELSTR.
144 km (Lambert)
48
145 km

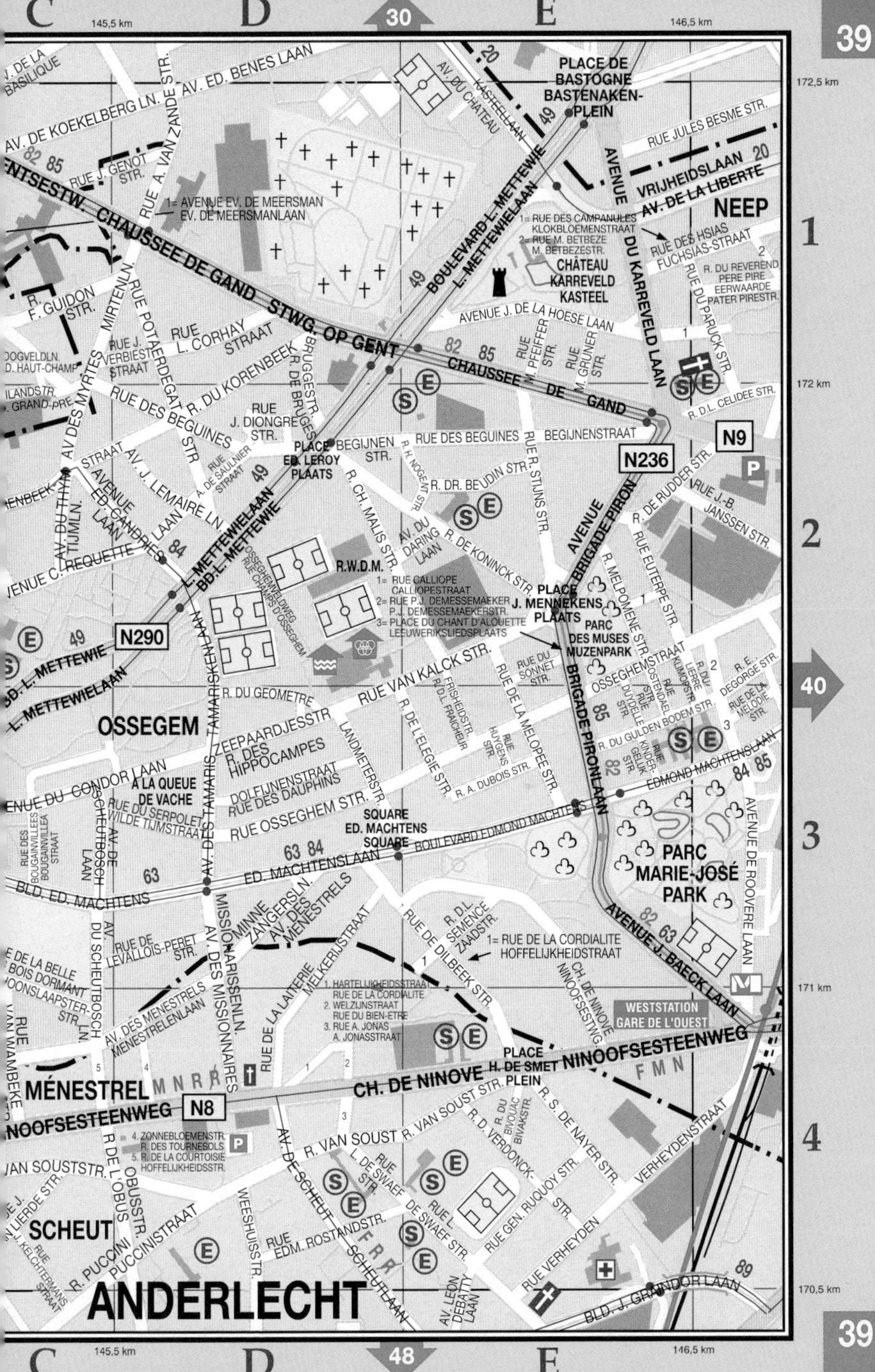

C
D
E
145,5 km
146,5 km
30
48
40
172,5 km
172 km
171 km
170,5 km
1
2
3
4
PLACE DE BASTOGNE BASTENAKEN-PLEIN
NEEP
CHÂTEAU KARREVELD KASTEEL
CHAUSSEE DE GAND
STWG. OP GENT
BOULEVARD L. METTEWIE L. METTEWIELAAN
AVENUE DU KARREVELD LAAN
VRIJHEIDSLAAN AV. DE LA LIBERTE
RUE JULES BESME STR.
AV. DE KOEKELBERG LN.
AV. ED. BENES LAAN
1= AVENUE EV. DE MEERSMAN EV. DE MEERSMANLAAN
1= RUE DES CAMPANULES KLOKBLOEMENSTRAAT
2= RUE M. BETBEZE M. BETBEZESTR.
R.W.D.M.
1= RUE CALLIOPE CALLIOPESTRAAT
2= RUE P.J. DEMESSEMAEKER P.J. DEMESSEMAEKERSTR.
3= PLACE DU CHANT D'ALOUETTE LEEUWERIKSLIEDSPLAATS
PLACE J. MENNEKENS PLAATS
PARC DES MUSES MUZENPARK
AVENUE BRIGADE PIRON
BRIGADE PIRONLAAN
N9
N236
N290
N8
OSSEGEM
À LA QUEUE DE VACHE
SQUARE ED. MACHTENS SQUARE
BOULEVARD EDMOND MACHTENS
ED. MACHTENSLAAN
EDMOND MACHTENSLAAN
PARC MARIE-JOSÉ PARK
AVENUE J. BAECK LAAN
1= RUE DE LA CORDIALITE HOFFELIJKHEIDSTRAAT
1. HARTELIJKHEIDSSTRAAT RUE DE LA CORDIALITE
2. WELZIJNSTRAAT RUE DU BIEN-ETRE
3. RUE A. JONAS A. JONASSTRAAT
WESTSTATION GARE DE L'OUEST
PLACE H. DE SMET PLEIN
CH. DE NINOVE
NINOOFSESTEENWEG
MÉNESTREL
4. ZONNEBLOEMENSTR. R. DES TOURNESOLS
5. R. DE LA COURTOISIE HOFFELIJKHEIDSSTR.
SCHEUT
ANDERLECHT
BLD. J. GRAINDOR LAAN
RUE VERHEYDEN
VERHEYDENSTRAAT

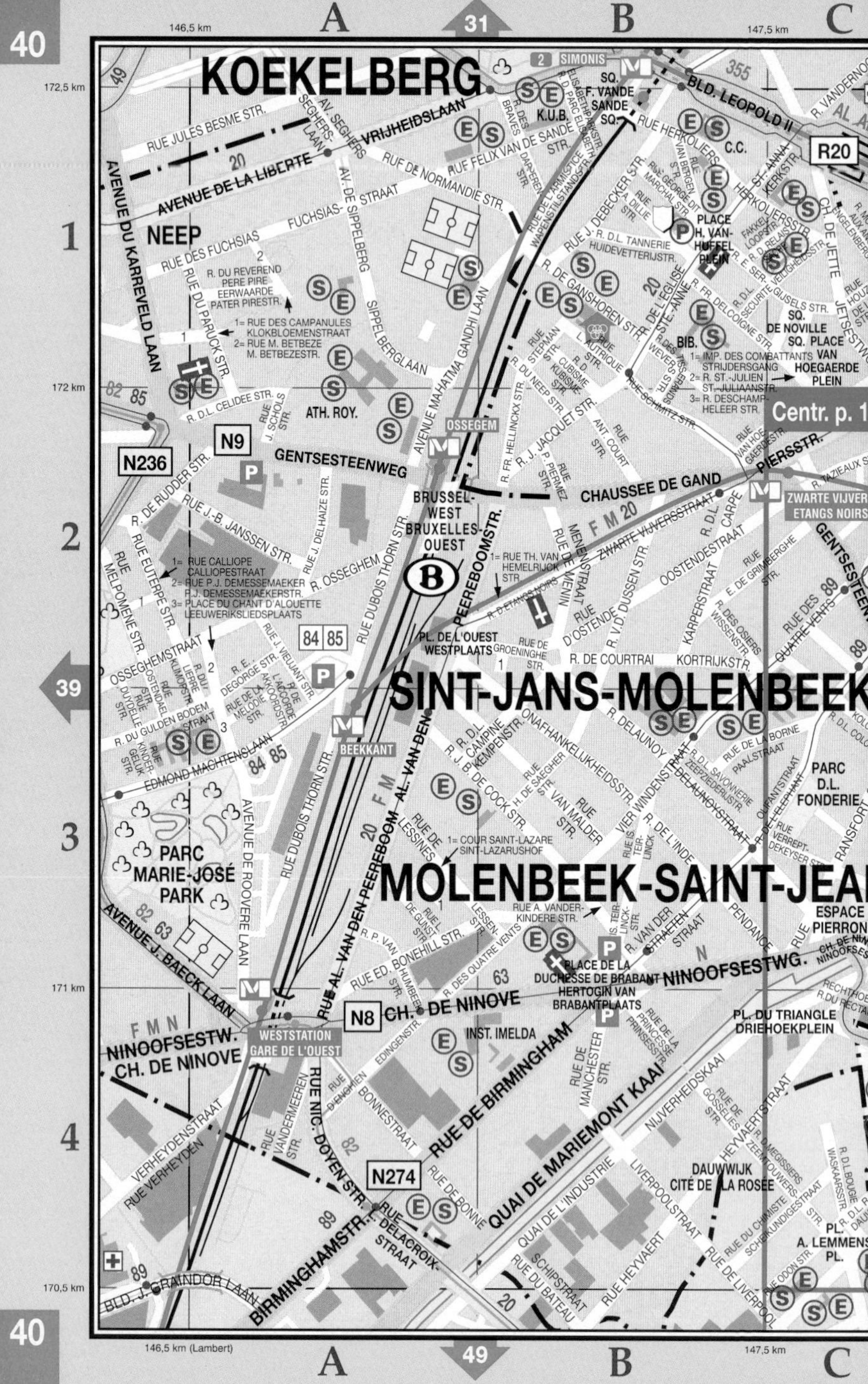
146,5 km
A
31
B
147,5 km
C
172,5 km
1
172 km
2
39
3
171 km
4
170,5 km
KOEKELBERG
NEEP
SIMONIS
SQ. F. VANDE SANDE SQ.
BLD. LEOPOLD II
R20
RUE JULES BESME STR.
AV. SEGHERS SEGHERSLAAN
VRIJHEIDSLAAN
AVENUE DE LA LIBERTE
AVENUE DU KARREVELD LAAN
RUE FELIX VAN DE SANDE STR.
RUE DE NORMANDIE STR.
FUCHSIAS- STRAAT
RUE DES FUCHSIAS
AV. DE SIPPELBERG
SIPPELBERGLAAN
K.U.B.
C.C.
PLACE H. VAN-HUFFEL PLEIN
RUE HERKOLIERS
HERKOLIERSSTR.
RUE J. DEBECKER STR.
R. D.L. TANNERIE HUIDEVETTERIJSTR.
R. DE GANSHOREN STR.
R. DE L'EGLISE STE. ANNE
R. FR. DELCOIGNE STR.
SQ. DE NOVILLE
SQ. PLACE VAN HOEGAERDE PLEIN
BIB.
1= IMP. DES COMBATTANTS STRIJDERSGANG
2= R. ST.-JULIEN ST.-JULIAANSTR.
3= R. DESCHAMP-HELEER STR.
R. DU REVEREND PERE PIRE EERWAARDE PATER PIRESTR.
1= RUE DES CAMPANULES KLOKBLOEMENSTRAAT
2= RUE M. BETBEZE M. BETBEZESTR.
RUE DU PARUCK STR.
R. D.L. CELIDEE STR.
ATH. ROY.
AVENUE MAHATMA GANDHI LAAN
OSSEGEM
N9
N236
GENTSESTEENWEG
CHAUSSEE DE GAND
PIERSSTR.
ZWARTE VIJVERS ETANGS NOIRS
Centr. p. 1
BRUSSEL-WEST BRUXELLES-OUEST
PEEREBOOMSTR.
ZWARTE VIJVERSSTRAAT
OOSTENDESTRAAT
KARPERSTRAAT
GENTSESTEENWEG
R. DE RUDDER STR.
RUE J.-B. JANSSEN STR.
R. OSSEGHEM
RUE DUBOIS THORN STR.
1= RUE CALLIOPE CALLIOPESTRAAT
2= RUE P.J. DEMESSEMAEKER P.J. DEMESSEMAEKERSTR.
3= PLACE DU CHANT D'ALOUETTE LEEUWERIKSLIEDSPLAATS
1= RUE TH. VAN HEMELRIJCK STR.
PL. DE L'OUEST WESTPLAATS
R. DE COURTRAI
KORTRIJKSTR.
RUE DES QUATRE VENTS
SINT-JANS-MOLENBEEK
OSSEGHEMSTRAAT
BEEKKANT
EDMOND MACHTENSLAAN
R. DELAUNOY
DELAUNOYSTRAAT
ONAFHANKELIJKHEIDSSTR.
VIER WINDENSTRAAT
PARC D.L. FONDERIE
PARC MARIE-JOSÉ PARK
AVENUE DE ROOVERE LAAN
RUE DUBOIS THORN STR.
RUE AL. VAN DEN PEEREBOOM
1= COUR SAINT-LAZARE SINT-LAZARUSHOF
MOLENBEEK-SAINT-JEAN
RUE A. VANDER-KINDERE STR.
ESPACE PIERRON
AVENUE J. BAECK LAAN
RUE ED. BONEHILL STR.
PLACE DE LA DUCHESSE DE BRABANT HERTOGIN VAN BRABANTPLAATS
NINOOFSESTWG.
N8
CH. DE NINOVE
PL. DU TRIANGLE DRIEHOEKPLEIN
WESTSTATION GARE DE L'OUEST
NINOOFSESTW. CH. DE NINOVE
INST. IMELDA
RUE DE BIRMINGHAM
QUAI DE MARIEMONT KAAI
NIJVERHEIDSKAAI
HEYVAERTSTRAAT
RUE NIC. DOYEN STR.
N274
VERHEYDENSTRAAT RUE VERHEYDEN
DAUWWIJK CITÉ DE LA ROSÉE
QUAI DE L'INDUSTRIE
LIVERPOOLSTRAAT
RUE DE LIVERPOOL
RUE HEYVAERT
SCHIPSTRAAT
RUE DU BATEAU
BIRMINGHAMSTR.
RUE DELACROIX-STRAAT
BLD. J. GRAINDOR LAAN
PL. A. LEMMENS PL.
146,5 km (Lambert)
49
147,5 km

C 148 km D 31 E 149 km

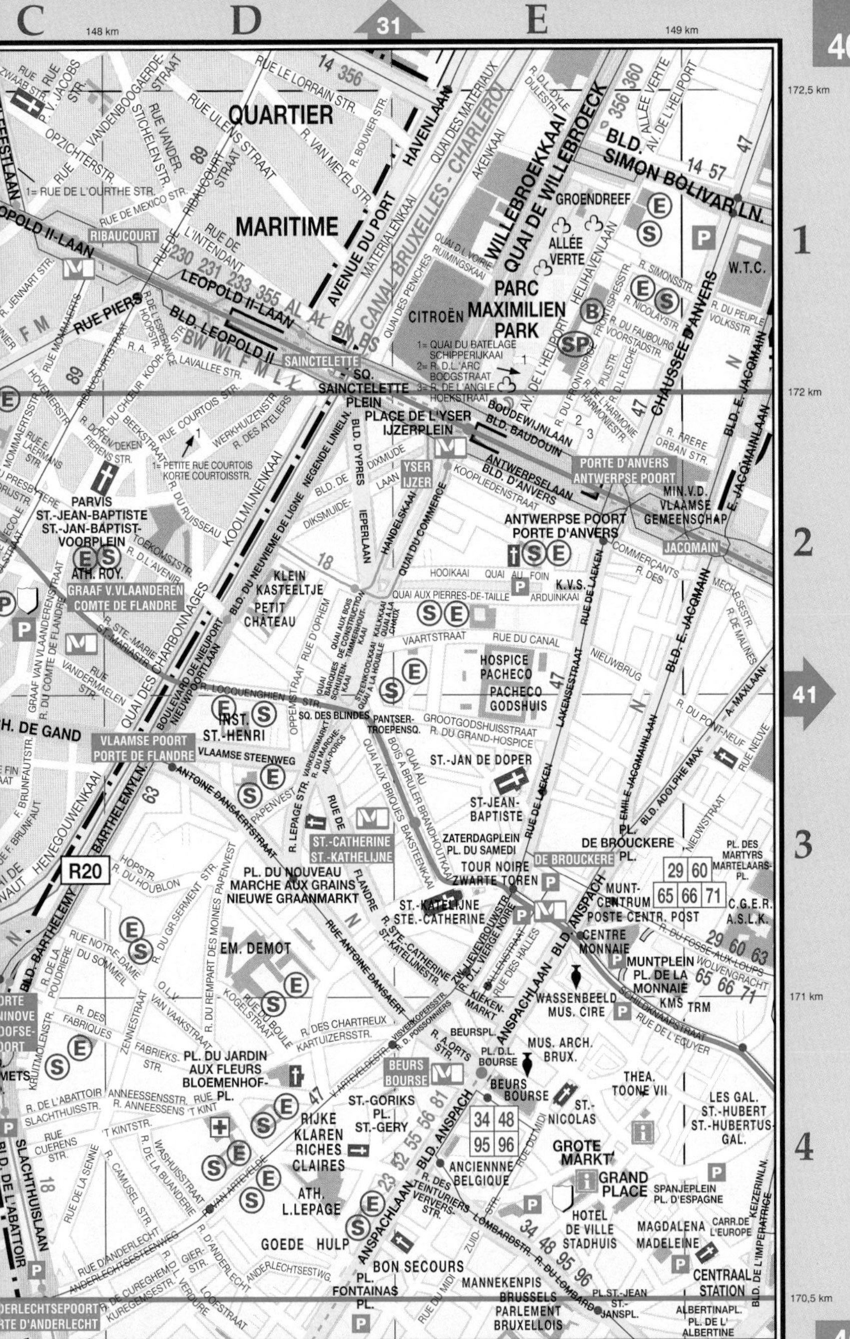

41

C 148 km D 49 E 149 km

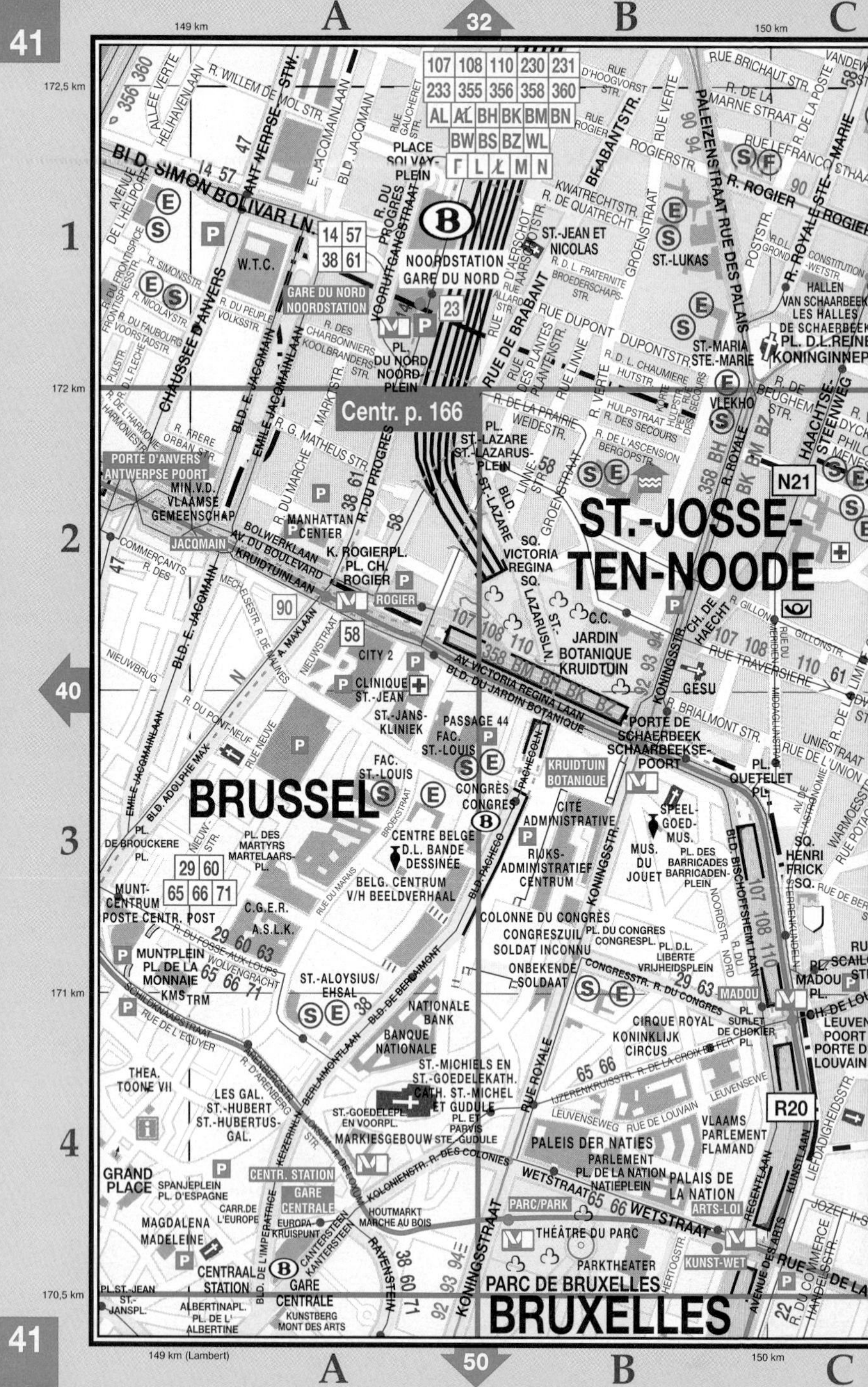
A
B
C
32
50
40
149 km
150 km
172,5 km
172 km
171 km
170,5 km
149 km (Lambert)
1
2
3
4
Centr. p. 166
ST.-JOSSE-
TEN-NOODE
BRUSSEL
BRUXELLES
NOORDSTATION
GARE DU NORD
GARE DU NORD
NOORDSTATION
PLACE
SOLVAY-
PLEIN
W.T.C.
BLD. SIMON BOLIVAR LN.
CHAUSSEE D'ANVERS
BLD. E. JACQMAIN
EMILE JACQMAINLAAN
R. DU PROGRES
VOORUITGANGSTRAAT
RUE DE BRABANT
BRABANTSTR.
PALEIZENSTRAAT RUE DES PALAIS
R. ROGIER
ROGIERSTR.
R. ROYALE STE.-MARIE
ST.-JEAN ET
NICOLAS
ST.-LUKAS
HALLEN
VAN SCHAARBEEK
LES HALLES
DE SCHAERBEEK
PL. D.L.REINE
KONINGINNEPL.
ST.-MARIA
STE.-MARIE
VLEKHO
RUE DUPONT
DUPONTSTR.
PORTE D'ANVERS
ANTWERPSE POORT
MIN.V.D.
VLAAMSE
GEMEENSCHAP
JACQMAIN
MANHATTAN
CENTER
K. ROGIERPL.
PL. CH.
ROGIER
ROGIER
PL.
ST.-LAZARE
ST.-LAZARUS-
PLEIN
SQ.
VICTORIA
REGINA
SQ.
C.C.
JARDIN
BOTANIQUE
KRUIDTUIN
N21
CITY 2
CLINIQUE
ST.-JEAN
ST.-JANS-
KLINIEK
PASSAGE 44
FAC.
ST.-LOUIS
AV. VICTORIA REGINA LAAN
BLD. DU JARDIN BOTANIQUE
GESU
PORTE DE
SCHAERBEEK
SCHAARBEEKSE-
POORT
KRUIDTUIN
BOTANIQUE
PL.
QUETELET
PL.
CONGRÈS
CONGRES
CITÉ
ADMINISTRATIVE
RIJKS-
ADMINISTRATIEF
CENTRUM
SPEEL-
GOED-
MUS.
MUS.
DU
JOUET
PL. DES
BARRICADES
BARRICADEN-
PLEIN
SQ.
HENRI
FRICK
SQ.
PL.
DE BROUCKERE
PL.
PL. DES
MARTYRS
MARTELAARS-
PL.
CENTRE BELGE
D.L. BANDE
DESSINÉE
BELG. CENTRUM
V/H BEELDVERHAAL
MUNT-
CENTRUM
POSTE CENTR. POST
C.G.E.R.
A.S.L.K.
COLONNE DU CONGRÈS
CONGRESZUIL
SOLDAT INCONNU
ONBEKENDE
SOLDAAT
PL. DU CONGRES
CONGRESPL.
PL. D.L.
LIBERTE
VRIJHEIDSPLEIN
MADOU
MADOU
PL.
MUNTPLEIN
PL. DE LA
MONNAIE
KMS
TRM
ST.-ALOYSIUS/
EHSAL
NATIONALE
BANK
BANQUE
NATIONALE
CIRQUE ROYAL
KONINKLIJK
CIRCUS
PL.
SURLET
DE CHOKIER
PL.
LEUVEN
POORT
PORTE DE
LOUVAIN
THEA.
TOONE VII
LES GAL.
ST.-HUBERT
ST.-HUBERTUS-
GAL.
STEL.-MICHIELS EN
ST.-GOEDELEKATH.
CATH. ST.-MICHEL
ET GUDULE
ST.-GOEDELEPL.
EN VOORPL.
PL. ET
PARVIS
STE.-GUDULE
MARKIESGEBOUW
R20
PALEIS DER NATIES
PARLEMENT
PL. DE LA NATION
NATIEPLEIN
PALAIS DE
LA NATION
VLAAMS
PARLEMENT
FLAMAND
RUE ROYALE
GRAND
PLACE
SPANJEPLEIN
PL. D'ESPAGNE
CARR.DE
L'EUROPE
CENTR. STATION
GARE
CENTRALE
PARC/PARK
ARTS-LOI
WETSTRAAT
MAGDALENA
MADELEINE
EUROPA-
KRUISPUNT
HOUTMARKT
MARCHE AU BOIS
THÉATRE DU PARC
PARKTHEATER
KUNST-WET
CENTRAAL
STATION
GARE
CENTRALE
PARC DE BRUXELLES
KONINGSSTRAAT
RAVENSTEIN
PL.ST.-JEAN
ST.-
JANSPL.
ALBERTINAPL.
PL. DE L'
ALBERTINE
KUNSTBERG
MONT DES ARTS
BLD. BISCHOFFSHEIM LAAN
KUNSTLAAN
AVENUE DES ARTS
REGENTLAAN

172,5 km

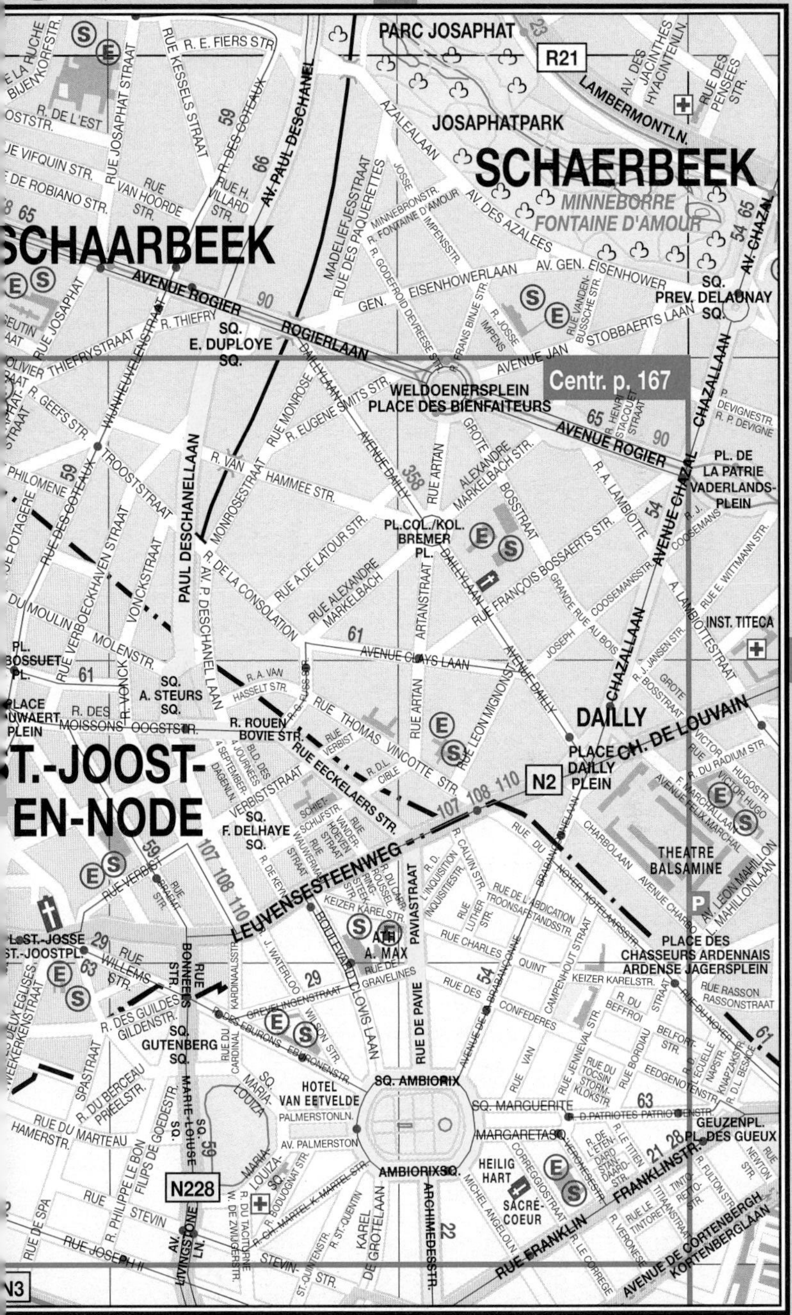

PARC JOSAPHAT
JOSAPHATPARK
R21
SCHAERBEEK
MINNEBORRE
FONTAINE D'AMOUR
SCHAARBEEK
LAMBERMONTLN.
AV. DES JACINTHES
HYACINTENLN.
RUE DES PENSEES
STR.
AV. CHAZAL
54 65
1
AV. GEN. EISENHOWER
GEN. EISENHOWERLAAN
SQ. PREV. DELAUNAY SQ.
STOBBAERTS LAAN
RUE VANDEN-BUSSCHE STR.
R. JOSSE IMPENS
R. FRANS BINJE STR.
R. GODEFROID DEVREESE STR.
R. FONTAINE D'AMOUR
MINNEBRONSTR.
JOSSE IMPENSSTR.
AV. DES AZALEES
AZALEALAAN
RUE DES PAQUERETTES
MADELIEFJESSTRAAT
AV. PAUL DESCHANEL
RUE H. VILLARD STR.
R. DES COTEAUX
59
66
RUE KESSELS STRAAT
R. E. FIERS STR.
RUE JOSAPHAT STRAAT
R. DE L'EST
OOSTSTR.
LA RUCHE
BIJENKORFSTR.
VIFQUIN STR.
DE ROBIANO STR.
RUE VAN HOORDE STR.
65
AVENUE ROGIER
ROGIERLAAN
90
R. THIEFRY
THIEFRYSTRAAT
SQ. E. DUPLOYE SQ.
RUE JOSAPHAT
WIJNHEUVELENSTRAAT
AVENUE JAN
172 km

Centr. p. 167

WELDOENERSPLEIN
PLACE DES BIENFAITEURS
DAILLYLAAN
RUE EUGENE SMITS STR.
RUE MONROSE
MONROSESTRAAT
R. VAN HAMMEE STR.
AVENUE DAILLY
358
RUE ARTAN
GROTE BOSSTRAAT
ALEXANDRE MARKELBACH STR.
65
R. HENRI STACQUET STRAAT
90
AVENUE ROGIER
CHAZALLAAN
P. DEVIGNESTR.
R. P. DEVIGNE
PL. DE LA PATRIE
VADERLANDSPLEIN
R. A. LAMBIOTTE
AVENUE CHAZAL
54
2
R. J. COOSEMANS
RUE E. WITTMANN STR.
PL.COL./KOL. BREMER PL.
RUE A. DE LATOUR STR.
RUE ALEXANDRE MARKELBACH
ARTANSTRAAT
DAILLYLAAN
RUE FRANÇOIS BOSSAERTS STR.
GRANDE RUE AU BOIS
COOSEMANSSTR.
A. LAMBIOTTESTRAAT
INST. TITECA
PAUL DESCHANELLAAN
R. DE LA CONSOLATION
AV. P. DESCHANEL LAAN
TROOSTSTRAAT
R. PHILOMENE
R. DES COTEAUX
59
RUE VERBOECKHAVEN STRAAT
VONCKSTRAAT
DU MOULIN
MOLENSTR.
R. DU POTAGER
PL. BOSSUET PL.
61
RUE VONCK
SQ. A. STEURS SQ.
PLACE ... WAERT PLEIN
R. DES MOISSONS
OOGSTSTR.
61
AVENUE CLAYS LAAN
JOSEPH
CHAZALLAAN
R. J. JANSEN STR.
GROTE BOSSTRAAT

42

R. A. VAN HASSELT STR.
R. G. FUSS STR.
RUE THOMAS VINCOTTE STR.
RUE LEON MIGNON STR.
AVENUE DAILLY
DAILLY
CH. DE LOUVAIN
PLACE DAILLY PLEIN
N2
107 108 110
R. ROUEN BOVIE STR.
RUE EECKELAERS STR.
RUE VERBIST
R. D.L. CIBLE
ST.-JOOST-TEN-NODE
BLD. DES 4 JOURNEES
4 SEPTEMBER-DAGENLN.
VERBISTSTRAAT
SQ. F. DELHAYE SQ.
SCHIETSCHIJFSTR.
RUE VANDER HOEVEN STRAAT
RUE WAUWERMANS STRAAT
R. DE KEYN
LEUVENSESTEENWEG
107 108 110
59
RUE VERBIST
RUE BRAEMT STR.
RUE DU NOYER
NOTELAARSSTR.
RUE DU BRABANT
CHARBOLAAN
AVENUE CHARBO
RUE VICTOR HUGO
HUGOSTR.
R. DU RADIUM STR.
F. MARCHALLAAN
AVENUE FELIX MARCHAL
THEATRE BALSAMINE
AV. LEON MAHILLON
L. MAHILLONLAAN
3
R. D. L'INQUISITION
INQUISITIESTR.
R. CALVIN STR.
RUE DE L'ABDICATION
TROONSAFSTANDSSTR.
RUE LUTHER STR.
PAVIAASTRAAT
RUE DU CHAR
R. DU RINGSTEEK
KEIZER KARELSTR.
BOULEVARD CLOVIS LAAN
ATH. A. MAX
RUE CHARLES QUINT
KEIZER KARELSTR.
RUE DE LA BRABANCONNE
CAMPENHOUT STRAAT
RUE DES CONFEDERES
54
PLACE DES CHASSEURS ARDENNAIS
ARDENSE JAGERSPLEIN
171 km
RUE RASSON
RASSONSTRAAT
R. DU BEFFROI
BELFORTSTR.
STRAAT
61
L. ST.-JOSSE
ST.-JOOSTPL.
29
RUE WILLEMS STR.
63
RUE BONNEELS STR.
J. WATERLOO
29
RUE DE GRAVELINES
GREVELINGENSTRAAT
RUE DE PAVIE
RUE DEUX EGLISES
TWEEKERKENSTRAAT
R. DES GUILDES
GILDENSTR.
SQ. GUTENBERG SQ.
RUE DU CARDINAL
KARDINAALSSTR.
R. DES EBURONS
EBURONENSTR.
WILSON STR.
AVENUE DE LA BRABANCONNE
RUE VAN
RUE JENNEVAL STR.
RUE BORDIAU
RUE DU TOCSIN
STORMKLOKSTR.
EEDGENOTENSTR.
R. L'ECUELLE
NAPSTR.
KNAPZAKSTR.
R. D.L. BESACE
SPASTRAAT
R. DU BERCEAU
PRIEELSTR.
SQ. MARIA-LOUIZA
HOTEL VAN EETVELDE
SQ. AMBIORIX
PALMERSTONLN.
AV. PALMERSTON
SQ. MARGUERITE
MARGARETASQ.
D. PATRIOTES PATRIOTENSTR.
63
4
GEUZENPL.
PL. DES GUEUX
RUE DU MARTEAU
HAMERSTR.
RUE PHILIPPE LE BON
FILIPS DE GOEDESTR.
SQ. MARIE-LOUISE SQ.
59
N228
MARIA-LOUIZASQ.
R. BODEGHEM
R. CH. MARTEL K. MARTELSTR.
AMBIORIXSQ.
ARCHIMEDESSTR.
HEILIG HART
SACRÉ-COEUR
CORREGGIOSTRAAT
MICHEL ANGELOLN.
R. VERONESESTR.
R. DE L'ETENDARD STANDAARDSTR.
R. LE TITIEN
21 28
FRANKLINSTR.
R. FULTON STR.
NEWTON RUE
RUE STEVIN
RUE DE SPA
RUE JOSEPH II
AV. LIVINGSTONE LN.
W. DE ZWIJGERSTR.
R. DU TACITURNE
STEVINSTR.
ST.-QUINTENSTR.
R. ST.-QUENTIN
KAREL DE GROTELAAN
22
RUE FRANKLIN
R. VERONESE
RUE LE TINTORET
TITIAANSTRAAT
TINTORETTOSTR.
R. LE CORREGE
AVENUE DE CORTENBERGH
KORTENBERGLAAN
170,5 km
N3

42
151,5 km
A
33
B
C
152,5 km
172,5 km
172 km
171 km
170,5 km
1
2
3
4
41
SCHAARBEEK
SCHAERBEEK-JOSAPHAT
1= CLOS DES MOUETTES
MEEUWENGAARDE
2= CLOS DES POETES
DICHTERSGAARDE
3= CLOS DES FLEURS
BLOEMENGAARDE
4= CLOS DES ARTISTES
KUNSTENAARSGAARDE
N22
RUE DE GENEVE
GENEVESTRAAT
FRIULILAAN
AV. DU FRIOUL
AV. DES JACINTHES
HYACINTENLN.
RUE DES PENSEES
STR.
LAMBERMONTLAAN
AV. CH. GILISQUET
MINNEBORRE
FONTAINE D'AMOUR
R21
BLD. GENERAL WAHIS LAAN
BLOEMENWIJK
SITE FLEURI
BOULEVARD LEOPOLD III
LEOPOLD III-LAAN
AVENUE HENRY DUNANT
HENRY DUNANT
HOME FAMILIAL
DU BRABANT
RUE DE GENEVE
AV. JAN STOBBAERTS LAAN
SQ. PREV. DELAUNAY SQ.
AV. CHAZAL
CHAZALLAAN
AVENUE ERNEST CAMBIER
AVENUE DES JARDINS
AV. FRANS COURTENS LN.
RUE PAUL LEDUC STRAAT
R. P. DEVIGNE
RUE DES CHARDONS
DISTELSSTRAAT
PAPAVERSTR.
BLD. GENERAL WAHIS
GENERAAL WAHISLAAN
RUE P. HYMANS STR.
RUE HENRI CHOME STR.
PL. DE LA PATRIE
VADERLANDSPL.
R. A. LAMBIOTTE
AVENUE CHAZAL
ROGIERLAAN
AVENUE ROGIER
E. CAMBIERLAAN
R. DES PAVOTS
LEUVENSESTEENWEG
PLACE GEN. MEISER PLEIN
SCHAERBEEK
SCHAARBEEK
MEISER
INST. TITECA
RUE E. WITTMANN STR.
RUE DE LA LUZERNE STRAAT
A. LAMBIOTTESTRAAT
JOSEPH COOSEMANS STRAAT
CHAZALLAAN
DAILLY
CHAUSSEE DE LOUVAIN
RUE H. EVENEPOEL
AUGUSTE REYERS LAAN
AV. EUGENE PLASKY
EUGENE PLASKYLAAN
MILCAMPSLAAN
R. DU SAPHIR
SAFFIER-STR.
TOPAASLAAN
AVENUE DE LA TOPAZE
SMARAGDLN.
AV. DE L'EMERAUDE
KARABINIERSPLEIN
PL. DES CARABINIERS
R.T.B.F.
V.R.T.
AV. DU DIAMANT
RUE DU RADIUM STR.
RUE VICTOR HUGO
AVENUE FELIX MARCHAL
AV. LEON MAHILLON
AV. MILCAMPS
N244
DIAMANTLAAN
AV. EMILE MAX
RUE COL./KOL. BOURG S
THEATRE BALSAMINE
CHARBOLAAN
AVENUE CHARBO
LEON MAHILLONLAAN
F. MARCHALLAAN
VICTOR HUGOSTRAAT
SQUARE EUG. PLASKY SQUARE
AVENUE DU DIAMANT LAAN
OPAALLAAN
BLD. AUGUSTE REYERS
AV. DE ROODEBEEK LAAN
PLACE DES CHASSEURS ARDENNAIS
ARDENSE JAGERSPLEIN
E. MAXLAAN
RUE V. OUDART STR.
RUE LEON FREDERIC STR.
R. VICTOR HUGO
AVENUE DE L'OPALE
AV. ADOLPHE LACOMBE
DIAMANT
RUE A. SMEKENS
AV. DES CERISIERS
RUE KNAPEN STR.
R. DU BEFFROI
RUE DU NOYER
RUE RASSON
RASSONSTRAAT
BELFORT-STR.
RUE BORDIAU
AV. MILCAMPS
PL. DE JAMBLINNE DE MEUX PL.
AV. DE ROODEBEEK LAAN
N23
CITE OUVRIERE DE LINTHOUT
LINTHOUTSE WERKMANS-WOONWIJK
EEDGENOTENSTR.
R. D. PATRIOTES
PATRIOTENSTR.
GEUZENPL.
PL. DES GUEUX
LINTHOUTSTR.
R21
AV. HERBERT HOOVER
R. LE TITIEN
R. FRANKLIN STR.
KORTENBERGLAAN
RUE GEN. GRATRY STRAAT
SQUARE VERGOTE PLEIN
AV. GEN. LARTIGUE
AVENUE DE CORTENBERGH
ECOLE ROYALE MILITAIRE
RUE DE LINTHOUT
RUE FREDERIC PELLETIER STR.
RUE TH. ROOSEVELT STR.
RUE V. LEFEVRE STR.
PL. WAPPERS PL.
RUE WAPPERS-STR.
RUE HOBBEMA
HOBBEMASTRAAT
R. LEONARDO DA VINCI STR.
KON. MILITARE SCHOOL
R. VERGOTE STR.
LAMBEAU
VERONESESTR.
R. VERONESE
42
151,5 km (Lambert)
51
152,5 km

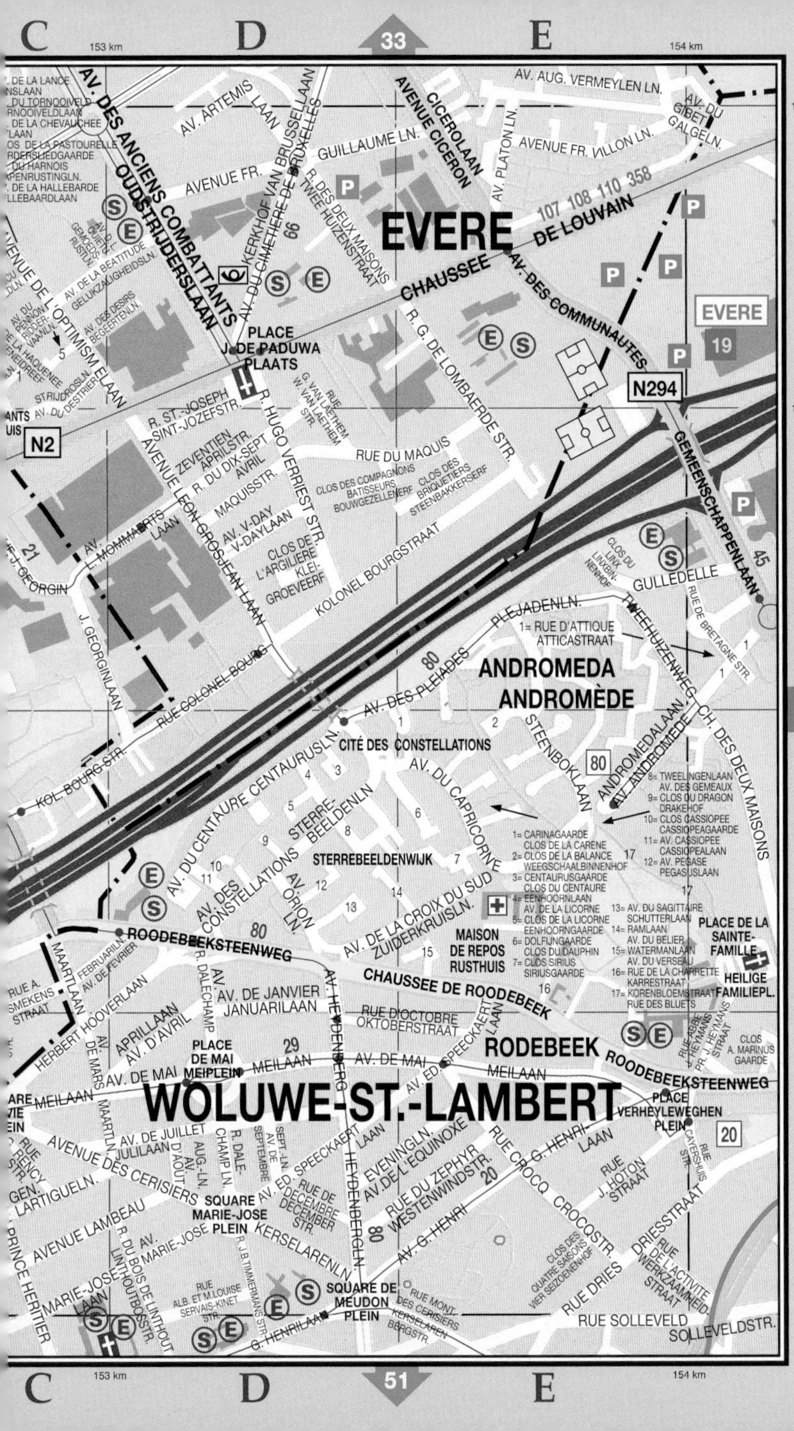

EVERE
WOLUWE-ST.-LAMBERT
ANDROMEDA
ANDROMÈDE
RODEBEEK
STERREBEELDENWIJK
CITÉ DES CONSTELLATIONS

AV. DES ANCIENS COMBATTANTS
OUDSTRIJDERSLAAN
AV. ARTEMIS LAAN
GUILLAUME LN.
AVENUE FR.
KERKHOF VAN BRUSSELLAAN
AV. DU CIMETIERE DE BRUXELLES
R. DES DEUX MAISONS
TWEE HUIZENSTRAAT
CICEROLAAN
AVENUE CICERON
AV. PLATON LN.
AV. AUG. VERMEYLEN LN.
AVENUE FR. VILLON LN.
AV. DU GIBET
GALGELN.
CHAUSSEE DE LOUVAIN
107 108 110 358
AV. DES COMMUNAUTES
GEMEENSCHAPPENLAAN
N294
N2
PLACE J. DE PADUWA PLAATS
R. ST.-JOSEPH
SINT-JOZEFSTR.
R. HUGO VERRIEST STR.
R. G. DE LOMBAERDE STR.
RUE G. VAN LAETHEM
W. VAN LAETHEM STR.
AVENUE DE L'OPTIMISME
OPTIMISMELAAN
AV. DE LA BEATITUDE
GELUKZALIGHEIDSLN.
AV. DES DESIRS
BEGEERTENLN.
AV. DU DESTRIER
ROSLN.
ZEVENTIEN APRILSTR.
R. DU DIX-SEPT AVRIL
RUE DU MAQUIS
MAQUISSTR.
CLOS DES COMPAGNONS BATISSEURS
BOUWGEZELLENERF
CLOS DES BRIQUETIERS
STEENBAKKERSERF
AV. V.-DAY
V-DAYLAAN
CLOS DE L'ARGILIERE
KLEIGROEVEERF
KOLONEL BOURGSTRAAT
RUE COLONEL BOURG
KOL. BOURG STR.
AV. L. MOMMAERTS LAAN
AVENUE LEON GROSJEAN LAAN
J. GEORGINLAAN
CLOS DU LINX
LINXBINNENHOF
GULLEDELLE
RUE DE BRETAGNE STR.
PLEJADENLN.
AV. DES PLEIADES
TWEEHUIZENWEG
CH. DES DEUX MAISONS
ANDROMEDALAAN
AV. ANDROMEDE
STEENBOKLAAN
AV. DU CAPRICORNE
AV. DU CENTAURE CENTAURUSLN.
STERREBEELDENLN
AV. DES CONSTELLATIONS
AV. ORION LN.
AV. DE LA CROIX DU SUD
ZUIDERKRUISLN.
MAISON DE REPOS
RUSTHUIS
PLACE DE LA SAINTE-FAMILLE
HEILIGE FAMILIEPL.
ROODEBEEKSTEENWEG
CHAUSSEE DE ROODEBEEK
FEBRUARILN.
AV. DE FEVRIER
MAARTLAAN
AV. DE MARS
RUE A. SMEKENS STRAAT
HERBERT HOOVERLAAN
APRILLAAN
AV. D'AVRIL
R. DALECHAMP
AV. DE JANVIER
JANUARILAAN
AV. HEYDENBERG
RUE D'OCTOBRE
OKTOBERSTRAAT
AV. ED. SPECKAERT LAAN
RUE ABBE J. HEYMANS
PR. J. HEYMANS STRAAT
CLOS A. MARINUS GAARDE
PLACE DE MAI
MEIPLEIN
AV. DE MAI
MEILAAN
PLACE VERHEYLEWEGHEN PLEIN
RUE CAYERSHUIS STR.
AV. DE JUILLET
JULILAAN
AVENUE DES CERISIERS
AUG.-LN.
AV. D'AOUT
R. DALECHAMP LN.
SEPT.-LN.
AV. DE SEPTEMBRE
RUE DE DECEMBRE
DECEMBERSTR.
EVENINGLN.
AV. DE L'EQUINOXE
RUE DU ZEPHYR
WESTENWINDSTR.
RUE G. HENRI LAAN
AV. G. HENRI
G. HENRILAAN
RUE CROCQ
CROCQSTR.
RUE J. HOTON STRAAT
DRIESSTRAAT
RUE DRIES
RUE DE L'ACTIVITE
WERKZAAMHEIDSTRAAT
CLOS DES QUATRE SAISONS
VIER SEIZOENENHOF
RUE SOLLEVELD
SOLLEVELDSTR.
GEN. LARTIGUELN.
AVENUE LAMBEAU
SQUARE MARIE-JOSE PLEIN
AV. MARIE-JOSE
MARIE-JOSE LAAN
R. DU BOIS DE LINTHOUT
LINTHOUTBOSSTR.
KERSELARENLN.
R. J.B. TIMMERMANS STR.
RUE ALB. ET M.LOUISE SERVAIS-KINET STR.
SQUARE DE MEUDON PLEIN
RUE MONT. DES CERISIERS
KERSELARENBERGSTR.
PRINCE HERITIER

1= RUE D'ATTIQUE
ATTICASTRAAT

1= CARINAGAARDE
CLOS DE LA CARENE
2= CLOS DE LA BALANCE
WEEGSCHAALBINNENHOF
3= CENTAURUSGAARDE
CLOS DU CENTAURE
4= EENHOORNLAAN
AV. DE LA LICORNE
5= CLOS DE LA LICORNE
EENHOORNGAARDE
6= DOLFIJNGAARDE
CLOS DU DAUPHIN
7= CLOS SIRIUS
SIRIUSGAARDE

8= TWEELINGENLAAN
AV. DES GEMEAUX
9= CLOS DU DRAGON
DRAKEHOF
10= CLOS CASSIOPEE
CASSIOPEAGAARDE
11= AV. CASSIOPEE
CASSIOPEALAAN
12= AV. PEGASE
PEGASUSLAAN

13= AV. DU SAGITTAIRE
SCHUTTERLAAN
14= RAMLAAN
AV. DU BELIER
15= WATERMANLAAN
AV. DU VERSEAU
16= RUE DE LA CHARRETTE
KARRESTRAAT
17= KORENBLOEMSTRAAT
RUE DES BLUETS

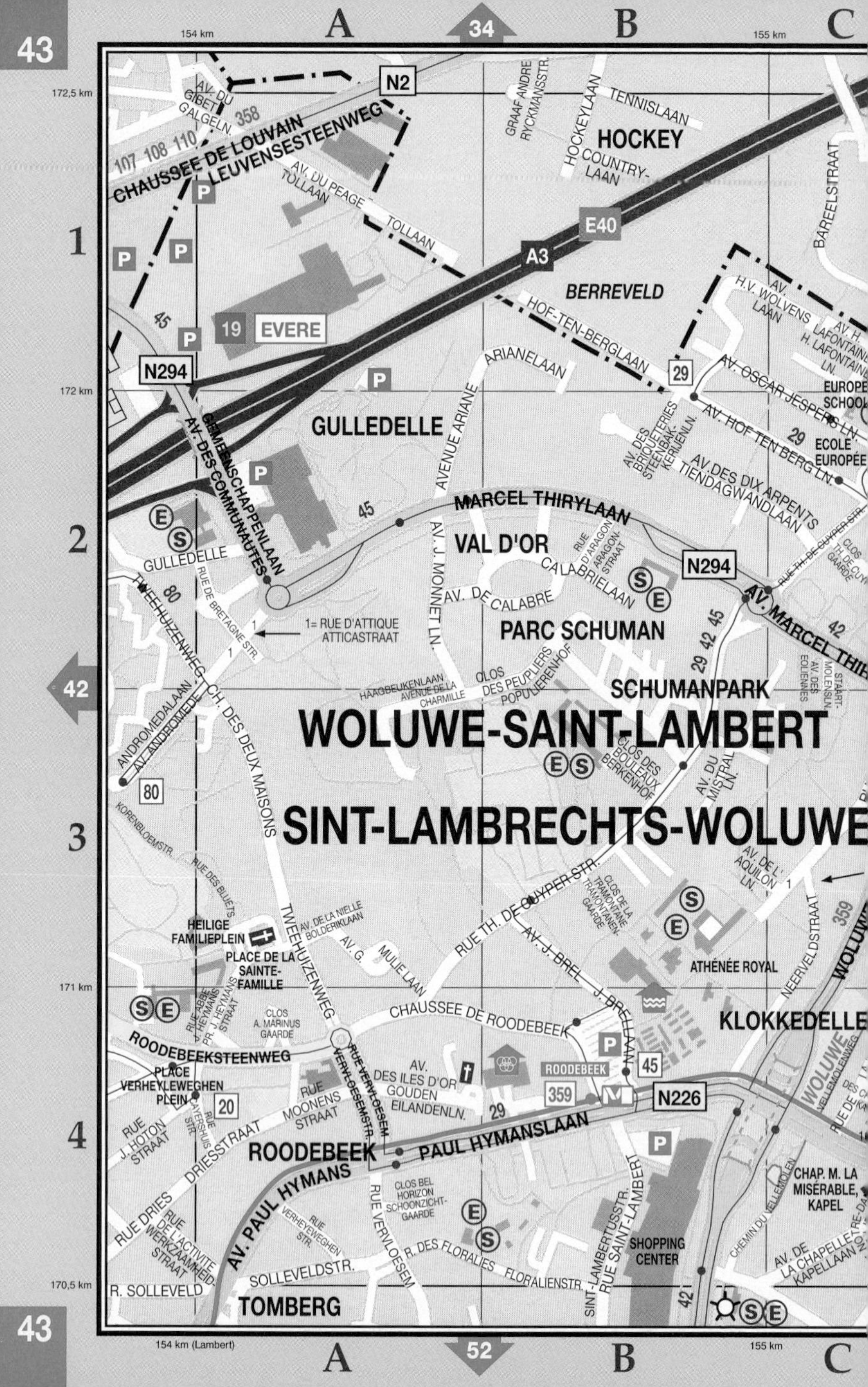
A
B
C
34
154 km
155 km
172,5 km
172 km
171 km
170,5 km
1
2
3
4
42
52
154 km (Lambert)
CHAUSSEE DE LOUVAIN
LEUVENSESTEENWEG
N2
HOCKEY
E40
A3
BERREVELD
EVERE
N294
GULLEDELLE
MARCEL THIRYLAAN
VAL D'OR
N294
PARC SCHUMAN
SCHUMANPARK
WOLUWE-SAINT-LAMBERT
SINT-LAMBRECHTS-WOLUWE
1= RUE D'ATTIQUE
ATTICASTRAAT
ATHÉNÉE ROYAL
KLOKKEDELLE
ROODEBEEKSTEENWEG
CHAUSSEE DE ROODEBEEK
ROODEBEEK
PAUL HYMANSLAAN
AV. PAUL HYMANS
N226
SHOPPING CENTER
TOMBERG
R. SOLLEVELD
HEILIGE FAMILIEPLEIN
PLACE DE LA SAINTE-FAMILLE
PLACE VERHEYLEWEGHEN PLEIN
CHAP. M. LA MISÉRABLE, KAPEL

155,5 km
156,5 km
172,5 km
172 km
171 km
170,5 km

1
2
3
4

KRAAINEM

ZAVENTEM
KAPELLEVELD
CITÉ DE L'AMITIÉ
VRIENDSCHAPSWIJK
HENNEKENBERG
HOF TEN KLEINENBERG
HOF TER MUSSEN
KLOOSTER
ZANDGROEVE
CLINIQUE UNIV. ST.-LUC
U.C.L.
INST. P. LAMBIN
E.P.H.E.C.
ALMA
VANDERVELDE
CRAINHEM KRAAINEM
GROENENBERG

R22
359
42
N226
106
30 31
30 31 106

WOLUWEDAL
KLEINENBERGSTRAAT
ACACIA
ACACIALAAN
BORRE-VELD-LAAN
RUE DENAYER STRAAT
A. BRACKESTR.
R. J. VAN HOVE
J. VAN HOVESTRAAT
RUE L. NIEMEGEERS STR.
RUE DU BEGUINAGE
BEGIJNHOFSTRAAT
RUE A. BRACKE
AV. ST.-ANTOINE
ST.-ANTONIUS LN.
AVENUE DES SORBIERS
AVENUE EM. BRICOUT LN.
AV. CH. VERHAEGEN
K. VERHAEGENLN.
LIJSTERBESSENBOMENLN.
PL. DE LA CHAPELLE
KAPELLEPLEIN
AV. DES AUBEPINES
HAAGDOORNLN.
DREVE SAINT-MICHEL
SINT-MICHIELSDREEF
RUE AU BOIS
AV. ARMAND FORTON LN.
AV. ST.-GEORGES
SINT-JORISLN.
KRUISVELD
CHAMP DE LA CROIX
AVENUE D'ANNECY LAAN
KAPELLELAAN
1= AV. DES COQUELICOTS
KLAPROZENLAAN
PETITE NORMANDIE
KLEIN NORMANDIE
AV. DES ASTERS
ASTERSLAAN
AVENUE DE LA CHAPELLE
AV. DE LA PLAINE DE JEUX
SPEELPLEINLAAN
AV. D.L. CHAPELLE
KAPELLELAAN
BOSSTRAAT
HEBRONLAAN
AV. HEBRON
HONNEKINBERG
AVENUE DES CAPUCINES
CAPUCIENENLAAN
KAPELLELAAN
AV. DES PETUNIAS LN.
AV. TEREYCKEN LAAN
CYCLAMENLAAN
AV. DES CYCLAMENS
AV. DE LA CHAPELLE
RUE DE LA LIMITE
SASSTRAAT
RUE DE L'ECLUSE
1= KLEINENBERG
2= CLOS HOF TEN BERG
LENNEKE MARELAAN
HIPPOCRATESLAAN
AVENUE HIPPOCRATE
AV. EM. MOUNIER
EM. MOUNIERLAAN
AV. EM. MOUNIER
AV. DE LA PALESTRE LN.
CH. DE LA CRETE
KIMWEG
CLOS DU GENET
BREMGAARDE
AVENUE DE KRAAINEM LAAN
GRENSSTR.
AV. K. ADENAUER LN.
SQ. J. HANSE SQ
GAL. DES ARGOUSSIER DUINDOORNGALERIJ
DREVE HOF TER MUSSCHEN DREEF
CLOS CHAPELLE AUX CHAMPS
VELDKAPELGAARDE
AV. DE L'IDEAL
AV. DE LA SEMOY
AV. DE LA LESSE
AV. DE L'ASSOMPTION
MARIA HEMELVAARTLN.
AV. DU REVE
DROOMLN.
AV. DE WEZEMBEEK
AVENUE E. VANDERVELDE
VANDERVELDELAAN
CHAPELLE AUX CHAMPS VELDKAPELLN.
AV. DU GOBELET D'OR
GOUDEN BEKERLN.
RIDELLE STR.
AV. ALBERT DUMONT
ALBERT DUMONTLAAN
LESSE LN.
SEMOYLN.
AV. DU BOIS JEAN
JANSBOSLN.
IDEAALLN.
CLOS PROMETHEE
PROMETHEUS GAARDE
KORENBLOEMLN.
AV. DE LA FLEUR DE BLE
AV. DE L'IDEAL
P. VANDER BIEST LAAN
AV.
AV. J. F. DEBECKER
J. F. DEBECKERLAAN
AV. M. DEVIENNE
AV. DE L'EXCURSION
UITSTAPLAAN
AV. DE LA SPIRALE
SPIRAALLN.
PLACE DE LA FLEUR DE BLE
KORENBLOEMPLEIN
1= AV. DE LA CLAIREAU
CLAIREAULN.
9= LANDSCHAPLAAN
AV. DU SITE

1= KON. ATHENEUMSTR.
RUE DE L'ATHENEE ROYAL
2= CLOS FOLIANT
FOLIANTGAARDE
3= KLUIZE MARIALN.
AV. DE LA CLUSE
4= AV. MARIE LA MISERABLE
LENNEKE MARELAAN
5= PASSAGE DU SOLEIL COUCHANT
AVONDZON-PASSAGE
6= LE VALLON
KLEIN DAL
7= PLACE DE LA VECQUEE
VECQUEEPLEIN
8= DEDALE DU CAMPANILE
CAMPANILEDOOLGANG
9= PLACE DU CAMPANILE
CAMPANILEPLEIN
10= RUE DE LA VECQUEE
VECQUEESTR.
11= RUE DU CAMPANILE
CAMPANILESTRAAT
12= JARDIN MARTIN V
MARTINUS V-TUIN
13= RUE MARTIN V
MARTINUS V-STRAAT
14= PLACE DE L'ALMA
ALMAPLEIN

1. PRINS-REGENTLAAN
AV. DU PRINCE-REGENT
2. CLOS DE LA LIBERATION
BEVRIJDINGSGAARDE
3. DE BORNIVALLAAN
AV. DE BORNIVAL
4. AV. DE WITTHEM
DE WITTHEMLAAN
5. VANDER BIESTGAARDE
CLOS VANDER BIEST
6. LANDSCHAPSGAARD E
CLOS DU SITE
7. RUE DE L'ANGLE JAUNE
GELE HOEKSTRAAT
8. RUE A. ANDRE
A. ANDRESTR.

1= KAST. KIEFFELTSTRAAT
RUE DU CHAT. KIEFFELT
2= CLOS DE LA CHAPELLE
KAPELBINNENHOF

44

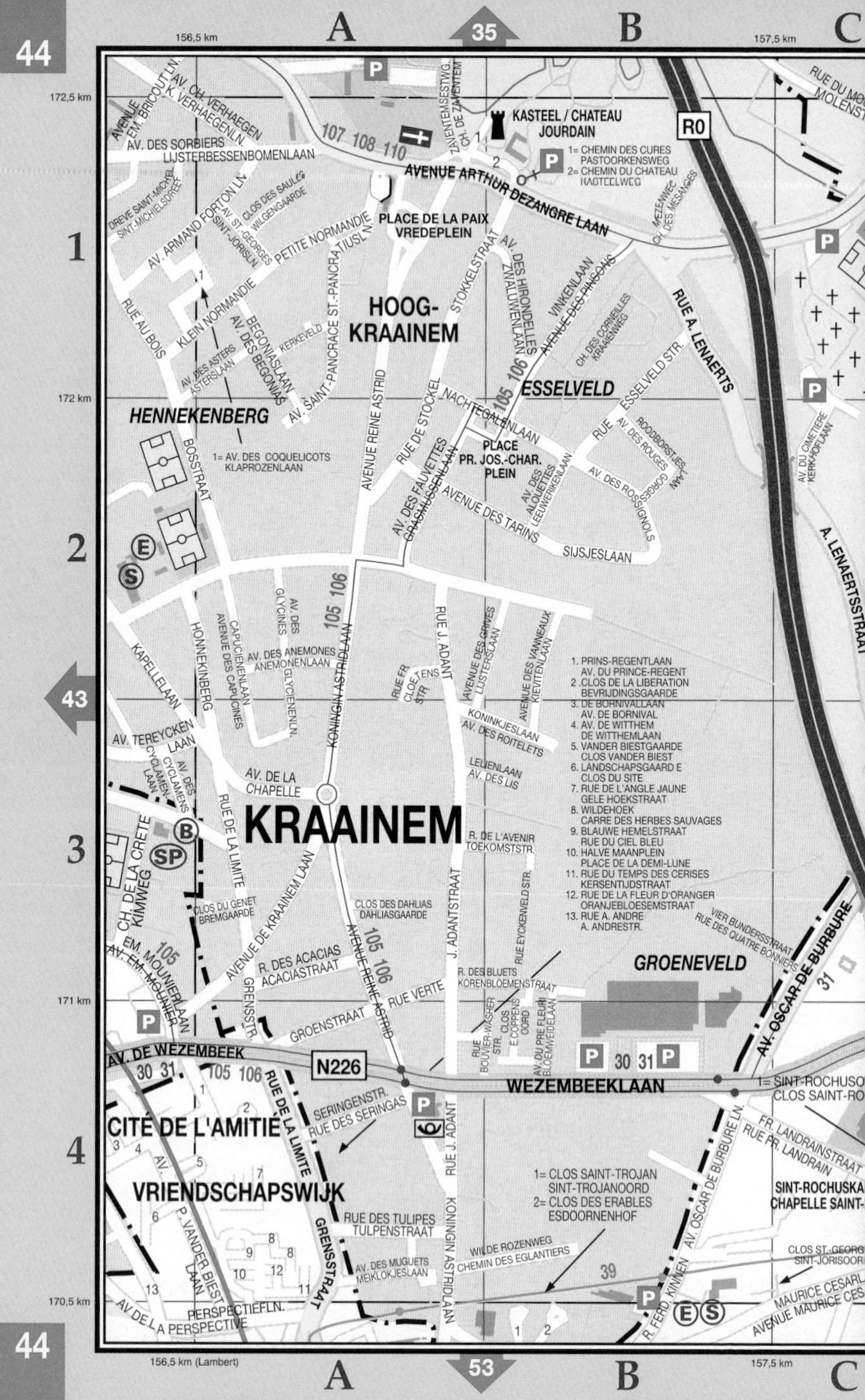
156,5 km
A
35
B
157,5 km
C
172,5 km
172 km
171 km
170,5 km
1
2
3
4
43
KASTEEL / CHATEAU
JOURDAIN
1= CHEMIN DES CURES
PASTOORKENSWEG
2= CHEMIN DU CHATEAU
KASTEELWEG
R0
AVENUE ARTHUR DEZANGRE LAAN
PLACE DE LA PAIX
VREDEPLEIN
107 108 110
AV. DES SORBIERS
LIJSTERBESSENBOMENLAAN
AV. CH. VERHAEGEN
K. VERHAEGENLN.
AVENUE EM. BRICOUT LN.
AV. ARMAND FORTON LN.
PETITE NORMANDIE
KLEIN NORMANDIE
AV. SAINT-PANCRACE ST.-PANCRATIUSLN.
RUE AU BOIS
AV. DES BEGONIAS
BEGONIASLAAN
AV. DES ASTERS
ASTERSLAAN
KERKEVELD
HOOG-
KRAAINEM
STOKKELSTRAAT
AV. DES HIRONDELLES
ZWALUWENLAAN
VINKENLAAN
AVENUE DES PINSONS
CH. DES CORNEILLES
KRAAIENWEG
RUE A. LENAERTS
ESSELVELD
RUE ESSELVELD STR.
105 106
HENNEKENBERG
1= AV. DES COQUELICOTS
KLAPROZENLAAN
BOSSTRAAT
AVENUE REINE ASTRID
RUE DE STOCKEL
NACHTEGALENLAAN
PLACE
PR. JOS.-CHAR.
PLEIN
AV. DES FAUVETTES
GRASMUSSENLAAN
AVENUE DES TARINS
SIJSJESLAAN
AV. DES ALOUETTES
LEEUWERIKENLAAN
AV. DES ROUGES
ROODBORSTJESLAAN
AV. DES ROSSIGNOLS
AV. DU CIMETIERE
KERKHOFLAAN
A. LENAERTSSTRAAT
HONNEKINBERG
KAPELLELAAN
AVENUE DES CAPUCINES
CAPUCIENENLAAN
AV. DES GLYCINES
GLYCINENLN.
AV. DES ANEMONES
ANEMONENLAAN
KONINGIN ASTRIDLAAN
RUE J. ADANT
AVENUE DES GRIVES
LIJSTERSLAAN
AVENUE DES VANNEAUX
KIEVITENLAAN
KONINKJESLAAN
AV. DES ROITELETS
LELIENLAAN
AV. DES LIS
1. PRINS-REGENTLAAN
AV. DU PRINCE-REGENT
2. CLOS DE LA LIBERATION
BEVRIJDINGSGAARDE
3. DE BORNIVALLAAN
AV. DE BORNIVAL
4. AV. DE WITTHEM
DE WITTHEMLAAN
5. VANDER BIESTGAARDE
CLOS VANDER BIEST
6. LANDSCHAPSGAARD E
CLOS DU SITE
7. RUE DE L'ANGLE JAUNE
GELE HOEKSTRAAT
8. WILDEHOEK
CARRE DES HERBES SAUVAGES
9. BLAUWE HEMELSTRAAT
RUE DU CIEL BLEU
10. HALVE MAANPLEIN
PLACE DE LA DEMI-LUNE
11. RUE DU TEMPS DES CERISES
KERSENTIJDSTRAAT
12. RUE DE LA FLEUR D'ORANGER
ORANJEBLOESEMSTRAAT
13. RUE A. ANDRE
A. ANDRESTR.
AV. TEREYCKEN LAAN
AV. DE LA CHAPELLE
AV. DES CYCLAMENS
CYCLAMENLAAN
KRAAINEM
R. DE L'AVENIR
TOEKOMSTSTR.
CH. DE LA CRETE
KIMWEG
RUE DE LA LIMITE
AVENUE DE KRAAINEM LAAN
CLOS DU GENET
BREMGAARDE
CLOS DES DAHLIAS
DAHLIASGAARDE
J. ADANTSTRAAT
RUE EYCKENVELD STR.
VIER BUNDERSSTRAAT
RUE DES QUATRE BONNIERS
AV. OSCAR DE BURBURE
GROENEVELD
31
EM. MOUNIERLAAN
AV. EM. MOUNIER
R. DES ACACIAS
ACACIASTRAAT
GRENSSTR.
R. DES BLUETS
KORENBLOEMENSTRAAT
RUE VERTE
GROENSTRAAT
AV. DE WEZEMBEEK
N226
WEZEMBEEKLAAN
30 31
1= SINT-ROCHUSO
CLOS SAINT-RO
CITÉ DE L'AMITIÉ
VRIENDSCHAPSWIJK
SERINGENSTR.
RUE DES SERINGAS
RUE DE LA LIMITE
GRENSSTRAAT
RUE J. ADANT
KONINGIN ASTRIDLAAN
AV. OSCAR DE BURBURE LN.
FR. LANDRAINSTRAAT
RUE FR. LANDRAIN
SINT-ROCHUSKA
CHAPELLE SAINT-
1= CLOS SAINT-TROJAN
SINT-TROJANOORD
2= CLOS DES ERABLES
ESDOORNENHOF
RUE DES TULIPES
TULPENSTRAAT
AV. DES MUGUETS
MEIKLOKJESLAAN
WILDE ROZENWEG
CHEMIN DES EGLANTIERS
39
CLOS ST.-GEORG
SINT-JORISOOR
AVENUE MAURICE CESA
MAURICE CESARL
R. FERD. KINNEN
P. VANDER BIEST LAAN
PERSPECTIEFLN.
AV. DE LA PERSPECTIVE
156,5 km (Lambert)
53
157,5 km

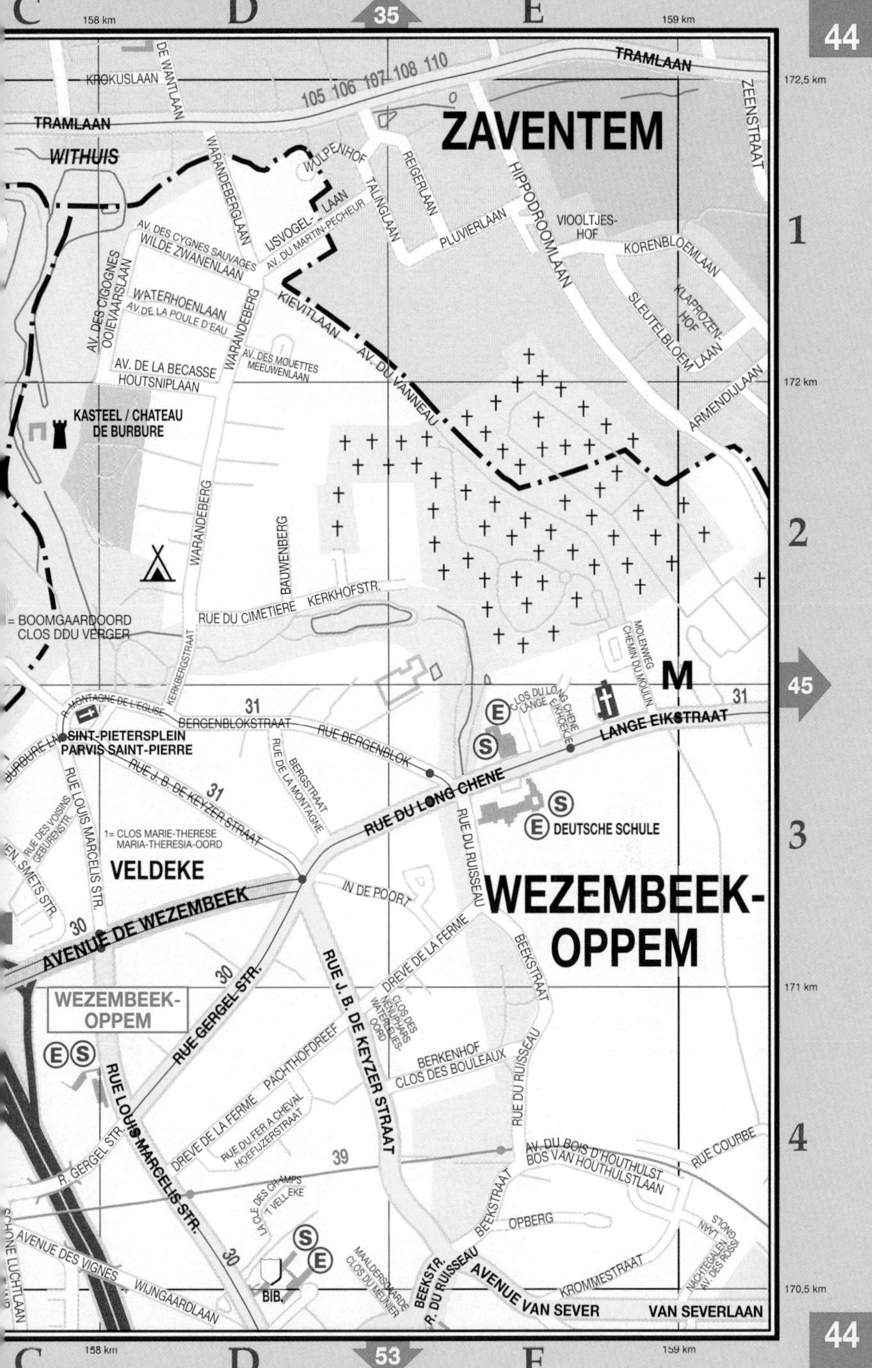
C
D
E
158 km
159 km
35
172,5 km
172 km
171 km
170,5 km
1
2
3
4
45
53
ZAVENTEM
WEZEMBEEK-
OPPEM
TRAMLAAN
KROKUSLAAN
DE WANTLAAN
WITHUIS
WARANDEBERGLAAN
WULPENHOF
REIGERLAAN
HIPPODROOMLAAN
ZEENSTRAAT
IJSVOGEL-
LAAN
AV. DU MARTIN-PECHEUR
TALINGLAAN
PLUVIERLAAN
VIOOLTJES-
HOF
KORENBLOEMLAAN
AV. DES CYGNES SAUVAGES
WILDE ZWANENLAAN
WATERHOENLAAN
AV. DE LA POULE D'EAU
AV. DES CIGOGNES
OOIEVAARSLAAN
WARANDEBERG
KIEVITLAAN
AV. DU VANNEAU
SLEUTELBLOEM
KLAPROZEN-
HOF
LAAN
AV. DES MOUETTES
MEEUWENLAAN
AV. DE LA BECASSE
HOUTSNIPLAAN
ARMENDIJLAAN
KASTEEL / CHATEAU
DE BURBURE
BAUWENBERG
KERKHOFSTR.
RUE DU CIMETIERE
= BOOMGAARDOORD
CLOS DDU VERGER
KERKBERGSTRAAT
MOLENWEG
CHEMIN DU MOULIN
M
R. MONTAGNE DE L'EGLISE
31
BERGENBLOKSTRAAT
RUE BERGENBLOK
C. CLOS DU LONG CHENE
LANGE EIKHOEK
LANGE EIKSTRAAT
SINT-PIETERSPLEIN
PARVIS SAINT-PIERRE
BURBURE LN.
RUE DE LA MONTAGNE
BERGSTRAAT
RUE J. B. DE KEYZER STRAAT
RUE DU LONG CHENE
RUE DU RUISSEAU
DEUTSCHE SCHULE
RUE DES VOISINS
GEBURENSTR.
RUE LOUIS MARCELIS STR.
1= CLOS MARIE-THERESE
MARIA-THERESIA-OORD
VELDEKE
EN. SMETS STR.
IN DE POORT
AVENUE DE WEZEMBEEK
30
DREVE DE LA FERME
BEEKSTRAAT
RUE GERGEL STR.
WEZEMBEEK-
OPPEM
RUE J. B. DE KEYZER STRAAT
CLOS DES NENUPHARS
WATERLELIE-
OORD
PACHTHOFDREEF
BERKENHOF
CLOS DES BOULEAUX
RUE DU RUISSEAU
RUE LOUIS MARCELIS STR.
DREVE DE LA FERME
RUE DU FER A CHEVAL
HOEFIJZERSTRAAT
39
AV. DU BOIS D'HOUTHULST
BOS VAN HOUTHULSTLAAN
RUE COURBE
R. GERGEL STR.
LA CLE DES CHAMPS
'T VELDEKE
BEEKSTRAAT
OPBERG
AVENUE DES VIGNES
WIJNGAARDLAAN
SCHONE LUCHTLAAN
BIB.
MAALDERSGAARDE
CLOS DU MEUNIER
BEEKSTR.
R. DU RUISSEAU
AVENUE VAN SEVER
KROMMESTRAAT
NACHTEGALEN
LAAN
AV. DES ROSSIGNOLS
VAN SEVERLAAN

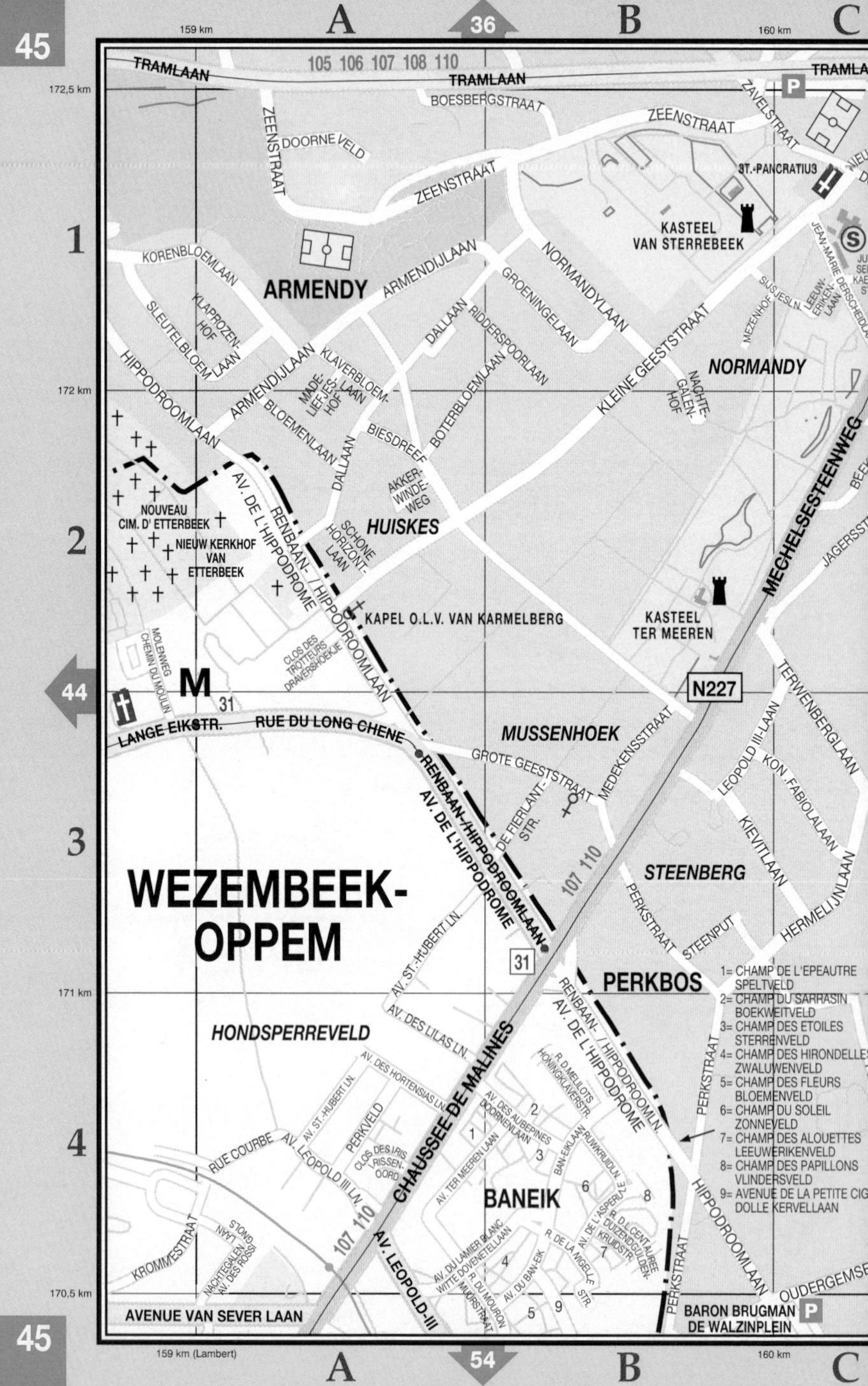
A
B
C
36
159 km
160 km
172,5 km
172 km
171 km
170,5 km
1
2
3
4
TRAMLAAN
105 106 107 108 110
BOESBERGSTRAAT
ZEENSTRAAT
DOORNEVELD
ZAVELSTRAAT
ST.-PANCRATIUS
KASTEEL VAN STERREBEEK
ARMENDY
KORENBLOEMLAAN
ARMENDIJLAAN
NORMANDYLAAN
GROENINGELAAN
KLAPROZENHOF
KLAPROZENLAAN
SLEUTELBLOEMLAAN
HIPPODROOMLAAN
KLAVERBLOEMLAAN
MADELIEFJESHOF
BLOEMENLAAN
DALLAAN
RIDDERSPOORLAAN
BOTERBLOEMLAAN
KLEINE GEESTSTRAAT
NACHTEGALENHOF
NORMANDY
MEZENHOF
SIJSJESLN.
LEEUWERIKENLAAN
JEAN-MARIE DERSCHEIDLAAN
MECHELSESTEENWEG
JAGERSSTR.
BIESDREEF
AKKERWINDEWEG
HUISKES
SCHONE HORIZONTLAAN
NOUVEAU CIM. D' ETTERBEEK
NIEUW KERKHOF VAN ETTERBEEK
AV. DE L'HIPPODROME
RENBAAN- / HIPPODROOMLAAN
KAPEL O.L.V. VAN KARMELBERG
KASTEEL TER MEEREN
CLOS DES TROTTEURS DRAVERSHOEKJE
MOLENWEG CHEMIN DU MOULIN
M
44
31
N227
LANGE EIKSTR.
RUE DU LONG CHENE
MUSSENHOEK
GROTE GEESTSTRAAT
MEDEKENSSTRAAT
DE FIERLANTSTR.
TERWENBERGLAAN
LEOPOLD III-LAAN
KON. FABIOLALAAN
KIEVITLAAN
HERMELIJNLAAN
STEENBERG
PERKSTRAAT
STEENPUT
WEZEMBEEK-OPPEM
107 110
AV. ST.-HUBERT LN.
PERKBOS
1= CHAMP DE L'EPEAUTRE SPELTVELD
2= CHAMP DU SARRASIN BOEKWEITVELD
3= CHAMP DES ETOILES STERRENVELD
4= CHAMP DES HIRONDELLES ZWALUWENVELD
5= CHAMP DES FLEURS BLOEMENVELD
6= CHAMP DU SOLEIL ZONNEVELD
7= CHAMP DES ALOUETTES LEEUWERIKENVELD
8= CHAMP DES PAPILLONS VLINDERSVELD
9= AVENUE DE LA PETITE CIG DOLLE KERVELLAAN
HONDSPERREVELD
AV. DES LILAS LN.
CHAUSSEE DE MALINES
AV. DES HORTENSIAS LN.
R. D.MELILOTS HONINGKLAVERSTR.
AV. DES AUBEPINES DOORNENLAAN
AV. TER MEEREN LAAN
BAN-EIKLAAN
RUWKRUIDLN.
PERKVELD
CLOS DES IRIS IRISSENOORD
RUE COURBE
AV. LEOPOLD III LN.
BANEIK
KROMMESTRAAT
NACHTEGALEN LAAN
AV. DES ROSSIGNOLS
AV. LEOPOLD-III
AV. DU LAMIER BLANC WITTE DOVENETELLAAN
R. DU MOURON MUURSTRAAT
AV. DU BAN-EIK
R. DE LA NIGELLE STR.
R. D.L.CENTAUREE DUIZENDGULDENKRUIDSTR.
HIPPODROOMLAAN
OUDERGEMSE
AVENUE VAN SEVER LAAN
BARON BRUGMAN DE WALZINPLEIN
159 km (Lambert)
54

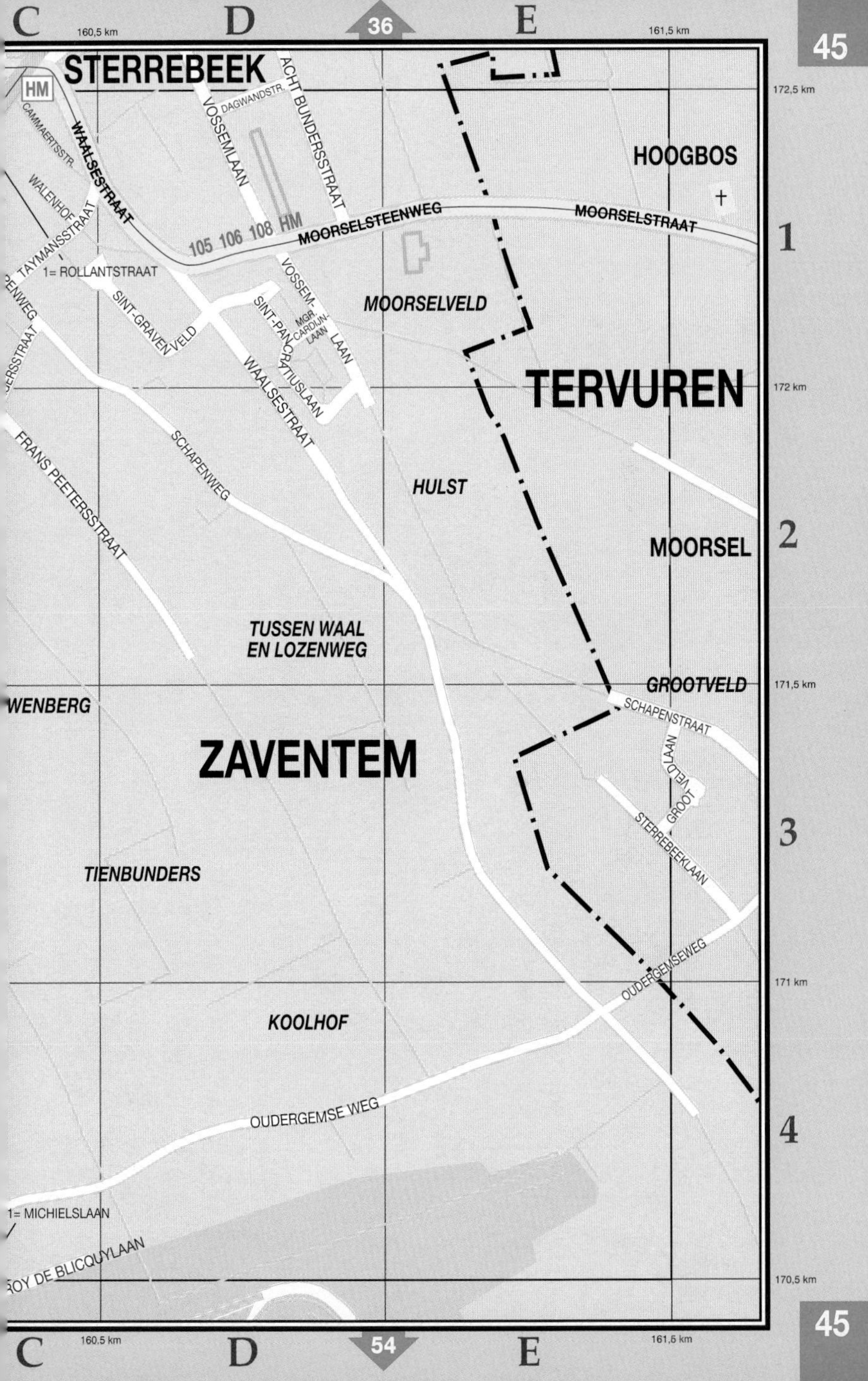
C
160,5 km
D
36
E
161,5 km
STERREBEEK
HM
CAMMAERTSSTR.
WAALSESTRAAT
DAGWANDSTR.
VOSSEMLAAN
ACHT BUNDERSSTRAAT
WALENHOF
TAYMANSSTRAAT
105 106 108 HM
MOORSELSTEENWEG
MOORSELSTRAAT
HOOGBOS
172,5 km
1
1= ROLLANTSTRAAT
SINT-GRAVENVELD
VOSSEM-LAAN
MGR. CARDIJN-LAAN
SINT-PANCRATIUSLAAN
MOORSELVELD
TERVUREN
172 km
WAALSESTRAAT
SCHAPENWEG
FRANS PEETERSSTRAAT
HULST
MOORSEL
2
TUSSEN WAAL EN LOZENWEG
GROOTVELD
171,5 km
WENBERG
SCHAPENSTRAAT
ZAVENTEM
GROOT VELDLAAN
STERREBEEKLAAN
3
TIENBUNDERS
OUDERGEMSEWEG
171 km
KOOLHOF
OUDERGEMSE WEG
4
1= MICHIELSLAAN
ROY DE BLICQUYLAAN
170,5 km
C
160,5 km
D
54
E
161,5 km

139 km
A
37
B
140 km
C
170,5 km
1
170 km
2
169,5 km
3
169 km
4
168,5 km
KOUTERGATSTRAAT
JACHTHOFWEG
SNIKBERGSTRAAT
VREDELN.
KLEINE SNIKBERGSTRAAT
JAN DE TROCHSTRAAT
KRAANSTRAAT
KREUPELSTRAAT
SPANUIT
BOSWEG
KUIPERWEG
LN N
NINOOFSESTEENWEG
N8
OUDE GERAARDSBERGSEBAAN
BETTENDRIESLN.
MID DENLN.
NIEUWLAAN
HERDEBEEKSTRAAT
PLANKENSTRAAT
GERAARDS-BERGSESTR.
IJSBERGSTRAAT
VLEZENBEEKSTRAAT
IJSBERGWEG
IJSBOSLAAN
IJSBOS
WOUTERS-BORRE
MUSSEBEEKLAAN
118
POTAARDESTR.
GAFFELSTR.
SIKKELSTR.
DORS-VLEGEL-STRAAT
SCHUURSTR.
LOVELDSTRAAT
WANMOLEN STRAAT
BIESBEEK STRAAT
ZAAISTRAAT
KLEIVELD
EGSTRAAT
PLOEGSTR.
SPADESTR.
LOVELD WEG
AKKERSTRAAT
BEUKENBOS
LOSSEBAAN
PLANKENSTR.
SINT-ANNA-PEDE
KLEINVEL
ZEVENTIEN BRUGGEN
LOSTRAAT
ROOMSTRAAT
HOF TE ROME
ISABELLASTRAAT
BROUWERIJ
139 km (Lambert)
55
140 km

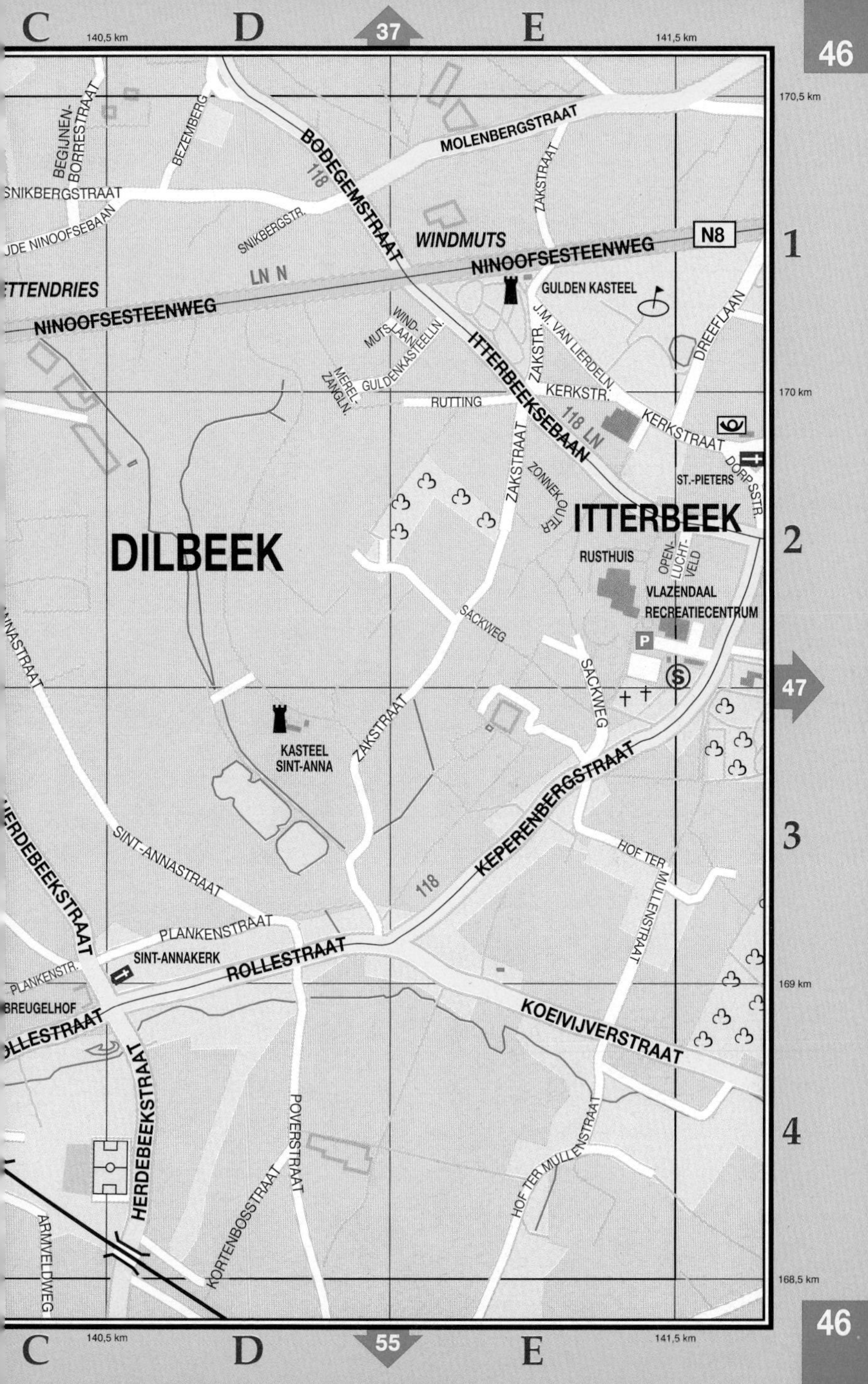
C
D
E
37
55
47
140,5 km
141,5 km
170,5 km
170 km
169 km
168,5 km
1
2
3
4
DILBEEK
ITTERBEEK
BODEGEMSTRAAT
MOLENBERGSTRAAT
ZAKSTRAAT
SNIKBERGSTRAAT
BEGIJNEN-BORRESTRAAT
BEZEMBERG
OUDE NINOOFSEBAAN
SNIKBERGSTR.
WINDMUTS
N8
NINOOFSESTEENWEG
LN N
ETTENDRIES
GULDEN KASTEEL
J.M. VAN LIERDELN.
DREEFLAAN
WIND-MUTSLAAN
GULDENKASTEELLN.
ITTERBEEKSEBAAN
MEREL-ZANGLN.
RUTTING
KERKSTR.
118 LN
KERKSTRAAT
ST.-PIETERS
DORPSSTR.
ZONNEKOUTER
RUSTHUIS
OPEN-LUCHT-VELD
VLAZENDAAL
RECREATIECENTRUM
SACKWEG
KASTEEL SINT-ANNA
KEPERENBERGSTRAAT
HOF TER MULLENSTRAAT
SINT-ANNASTRAAT
HERDEBEEKSTRAAT
PLANKENSTRAAT
SINT-ANNAKERK
ROLLESTRAAT
PLANKENSTR.
BREUGELHOF
KOEIVIJVERSTRAAT
POVERSTRAAT
KORTENBOSSTRAAT
ARMVELDWEG
118

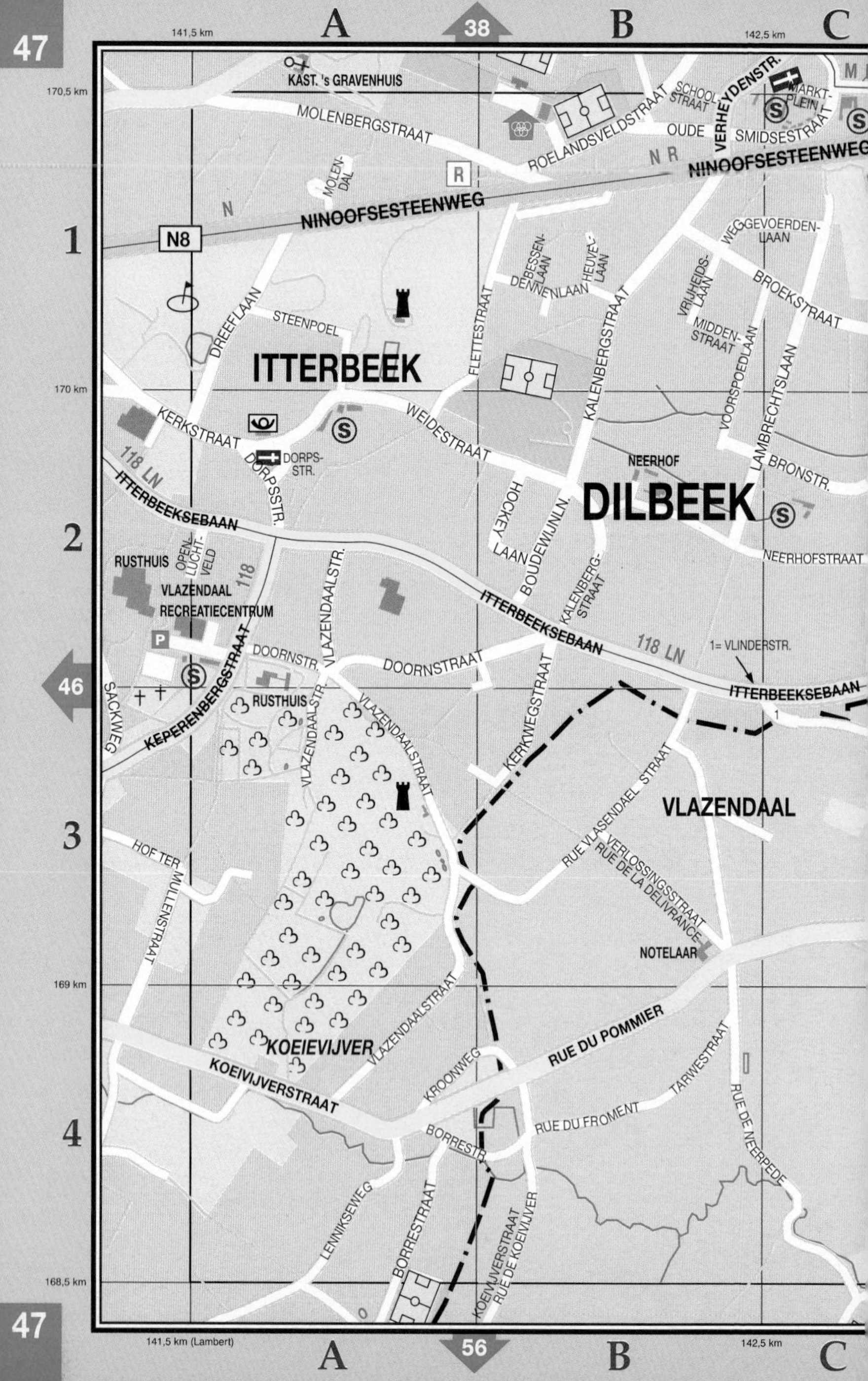

141,5 km
A
38
B
142,5 km
C
170,5 km
170 km
169 km
168,5 km
1
2
3
4
46
56
141,5 km (Lambert)
KAST. 's GRAVENHUIS
MOLENBERGSTRAAT
ROELANDSVELDSTRAAT
SCHOOLSTRAAT
VERHEYDENSTR.
MARKTPLEIN
OUDE SMIDSESTRAAT
NINOOFSESTEENWEG
N8
MOLENDAL
GEVOERDENLAAN
BESSENLAAN
HEUVELLAAN
DENNENLAAN
VRIJHEIDSLAAN
BROEKSTRAAT
MIDDENSTRAAT
DREEFLAAN
STEENPOEL
ITTERBEEK
FLETTESTRAAT
KALENBERGSTRAAT
VOORSPOEDLAAN
LAMBRECHTSLAAN
KERKSTRAAT
WEIDESTRAAT
DORPSSTR.
NEERHOF
BRONSTR.
118 LN
ITTERBEEKSEBAAN
DILBEEK
HOCKEYLAAN
BOUDEWIJNLN.
NEERHOFSTRAAT
RUSTHUIS
OPENLUCHTVELD
VLAZENDAAL
RECREATIECENTRUM
KALENBERGSTRAAT
VLAZENDAALSTR.
DOORNSTR.
DOORNSTRAAT
1= VLINDERSTR.
SACKWEG
KEPERENBERGSTRAAT
KERKWEGSTRAAT
VLAZENDAALSTRAAT
RUE VLASENDAEL STRAAT
VLAZENDAAL
HOF TER MULLENSTRAAT
VERLOSSINGSSTRAAT
RUE DE LA DELIVRANCE
NOTELAAR
RUE DU POMMIER
KOEIEVIJVER
KOEIVIJVERSTRAAT
KROONWEG
TARWESTRAAT
RUE DU FROMENT
BORRESTR.
RUE DE NEERPEDE
LENNIKSEWEG
BORRESTRAAT
KOEIVIJVERSTRAAT
RUE DE KOEIVIJVER
142,5 km

C
D
E
38
143 km
144 km
N8
NINOOFSESTEENWEG
DILBEEK
13
LIVINUS WALRAVENSLAAN
SCHILDERKUNSTLAAN
KAUDENAARDESTRAAT
KOUDENAARDE
REGINA CÆLILYCEUM
1. H. THERESIA LAAN
BEELDHOUW-KUNSTLAAN
KAPELSTRAAT
1= LOWEIDESTRAAT
TUINBOUWLAAN
H. THERESIALN.
PIPPEZIJP
KLEINEKAPELLAAN
ANDERLECHT-NOORD-NORD
BROEKSTRAAT
14
VOORSTRAAT
AV. DE LA FECONDITE
VRUCHTBAARHEIDSLAAN
HOOGVELDLAAN
118 LN
AVENUE D'ITTERBEEK
ITTERBEEKSELAAN
BON AIR
VEEWEYDE
1= PLACE DE LA CROIX ROUGE RODE KRUISPLEIN
2= AVENUE DE LA TEMPERANCE MATIGHEIDSLAAN
3= PLACE DE L'AURORE DAGERAADPLEIN
4= RUE DE LA DIGNITE WAARDIGHEIDSSTRAAT
5= AVENUE DE LA SALUBRITE HEILZAAMHEIDSLAAN
6= PLACE SEVERINE SEVERINEPLEIN
7= RUE G. COUDYSER G. COUDYSERSTRAAT
8= RUE ED. VAN MUYLDERS ED. VAN MUYLDERSSTRAAT
9= AVENUE AUG. BOURGEOIS AUG. BOURGEOIS LAAN
10= RUE DE LA MODESTIE ZEDIGHEIDSSTRAAT
11= SQUARE DE LA FRATERNELLE FRATERNELLESQUARE
J. BRACOPSLAAN
ITTERBEEKSELN. AV. D'ITTERBEEK
48
APPELBOOMSTRAAT
RUE DES PAPILLONS
RUE P. VAN REYMENANT STR.
SCHERDEMAALSTRAAT
N220
AV. DU LUIZENMOLEN LN.
BOULEVARD J. BRACOPS
SCHERDE-MAAL
KLEIN GOEDVELD
DREVE TYL ULENSPIEGEL TIJL ULENSPIEGELDREEF
ANDERLECHT
N220a
RUE DE SCHERDEMAEL
NEERPEDESTRAAT
SQUARE VOETS
PLACE MARTIN LUTHER KING-PLEIN
RUE DU CHAUDRON KETELSTRAAT
170,5 km
170 km
169 km
168,5 km
1
2
3
4
56

144 km
A
39
B
145 km
C
170,5 km
170 km
169 km
168,5 km
1
2
3
4
MOORTEBEEK
PETERBOS
ANDERLECHT
SCHEUTVELD
SCHERDEMAAL
WESTLAND SHOPPING CENTER
ANDERLECHT-NOORD-NORD
BOULEVARD S. DUPUIS
N219
S. DUPUISLAAN
118 LN 89
BLD. M. GROENINCKX - DE MAY LAAN
GROTE-RINGLAAN BD. DE GRANDE CEINTURE
AV. COM. VANDER MEEREN LAAN
BD. PRINCE LIEGE
1= RUE BEECKMAN DE CRAYLOO
BEECKMAN DE CRAYLOOSTRAAT
R. BERREWAERTSLN.
AV. R. BERREWAERTS
RUE DU POTAERDENBERG
AV. DES CROCUS
KROKUSSENLN.
1= RUE J. VAN BOTERDAEL
J. VAN BOTERDAELSTR.
2= BOERKOZENSTRAAT
RUE MARAICHERS
3= RUE M. VAN LIER
M. VAN LIERSTR
RUE E. HELLEBAUT STRAAT
RUE BUFFONSTR.
RUE A. WILLEMYNS
A. WILLEMYNSSTRAAT
RUE A. WILLEMYNS STR.
R. MERCATOR STR.
BROEKSTR.
RUE DU BROECK
RUE A. DE MUNTER STR.
RUE ERASME
P. MOERMAN STR.
RUE SEVIGNE
SEVIGNESTRAAT
RUE HOMERE
HOMERUSSTRAAT
VIRGILIUSSTRAAT
RUE VIRGILE
RUE HORACE
HORATIUSSTR.
AGRONOOMSTR.
R. D. L'AGRONOMIE
P.H. DEVOSSTR.
L. WALRAVENSLN.
RUE FENELON STR.
BLD. SHAKESPEARE
SHAKESPEARELAAN
RUE RONSARD
RONSARDSTR.
R. LAMARTINE STR.
AV. J. JOSEE LN.
AV. TOLSTOI LN.
R. D. PIPENZIJPE STR.
1. KORVETSTRAAT
RUE DE LA CORVETTE
2. RUE DES AUBERGINES
EIERPLANTENSTRAAT
3. KARVEELSTRAAT
RUE DE LA CARAVELLE
J. BRACOPSLAAN
VOORSTRAAT
C. PAULSEN SQUARE
RUE P. STOPPELAERE STRAAT
RUE DU SILLON
RUE DES FRUITS
FRUITSTRAAT
R. K. V. D. WOESTIJNE STR.
R. D. L. COMPETITION
MEDEDINGINGSTRAAT
KAMPIOENSTR.
R. D. CHAMPION
R. D. TROPHEE
TROFEESTR.
PLACE DE LINDE PLEIN
AV. TH. VERBEECK LN.
118 LN
AVENUE D'ITTERBEEK
ITTERBEEKSELAAN
RUE DR. HUET STR.
CENTRE HOSP. J. BRACOPS, VERPLEGINGS CENTRUM
R. HENRYSTR.
RUE R. HENRY
STADE CONSTANT VANDENSTOCK STADION
AGAVENDREEF
DREVE DES AGAVES
AV. P. BEYST LAAN
AV. J. SIBELIUS LN.
N220
AV. CAP. FOSSOUL
KAP. FOSSOUL LAAN
ROND POINT PIERRE DE TOLLENAERE PLEIN
N290
SQ. EG. ROMBAUX SQ.
ASTRIDPARK
PARC ASTRID
AV. CHANOINE ROOSE
KANUNNIK ROOSELN.
AV. C. VANEUKEM LN.
NEERPEDESTRAAT
AVENUE N. MELBA LAAN
AVENUE E. YSAYE
1= SAIOLAAN
AV. D. SAIO
KONING-SOLDAATLAAN
BOULEVARD J. BRACOPS
AV. DE LA LIBRE ACADEMIE
VRIJE-ACADEMIELN.
TUINBOUWSCHOOL
AV. R. ROLLAND LAAN
RUE DE NEERPEDE
AV. DU ROI SOLDAT
RUE L. VAN BEETHOVEN STR.
E. YSAYELN.
RUE P. LONGIN STR.
M. RENARDLAAN
AV. G. STASSART
RUE CL. DEBUSSY STR.
SQUARE VOETS
AV. DR. LEMOINE LAAN
RUE A. NYS
SQ. DE LA PEDE SQ.
LAMBERT LN.
BD. THEO
74
VEEWEYDE
AVENUE M. RENARD
PARC LEMAIRE PARK
SQ. FR. HALS SQ.
N282
PLACE MARTIN LUTHER KING-PLEIN
BERGENSE STW.
47
14
89
144 km (Lambert)
57

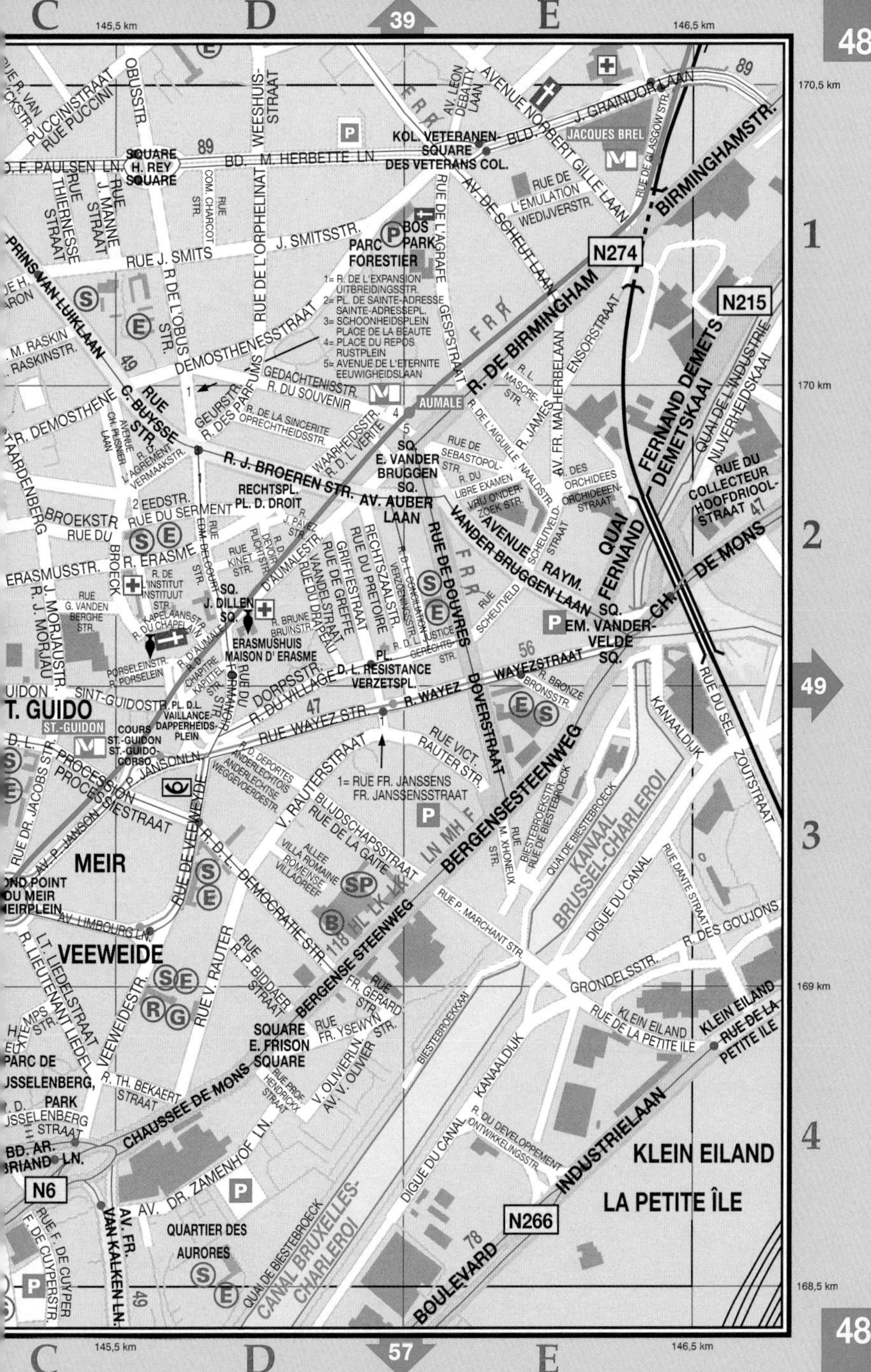
C
D
E
145,5 km
146,5 km
39
170,5 km
170 km
169 km
168,5 km
1
2
3
4
49
57
RUE PUCCINI
PUCCINISTRAAT
OBUSSTR.
WEESHUIS-STRAAT
SQUARE H. REY SQUARE
BD. M. HERBETTE LN.
KOL. VETERANEN SQUARE
SQUARE DES VETERANS COL.
AV. LEON DEBATTY LAAN
AVENUE NORBERT GILLE LAAN
J. GRAINDORLAAN
JACQUES BREL
RUE DE GLASGOW STR.
BIRMINGHAMSTR.
RUE THIERNESSE STRAAT
RUE J. MANNE STRAAT
RUE COM. CHARCOT STR.
RUE DE L'ORPHELINAT
AV. DE SCHEUT LAAN
RUE DE L'EMULATION WEDIJVERSTR.
RUE DE L'AGRAFE
BOS PARK
PARC FORESTIER
J. SMITSSTR.
RUE J. SMITS
PRINS VAN LUIKLAAN
R. DE L'OBUS STR.
N274
N215
1= R. DE L'EXPANSION UITBREIDINGSSTR.
2= PL. DE SAINTE-ADRESSE SAINTE-ADRESSEPL.
3= SCHOONHEIDSPLEIN PLACE DE LA BEAUTE
4= PLACE DU REPOS RUSTPLEIN
5= AVENUE DE L'ETERNITE EEUWIGHEIDSLAAN
DEMOSTHENESSTRAAT
GEDACHTENISSTR.
R. DU SOUVENIR
R. DE BIRMINGHAM
ENSORSTRAAT
FERNAND DEMETS DEMETSKAAI
QUAI DE L'INDUSTRIE NIJVERHEIDSKAAI
AUMALE
R. DEMOSTHENE
RUE C. BUYSSE STR.
GEURSTR.
R. DES PARFUMS
R. DE LA SINCERITE OPRECHTHEIDSSTR.
WAARHEIDSSTR.
R. D. L. VERITE
SQ. E. VANDER BRUGGEN SQ.
R. L. MASCRE-STR.
R. JAMES
AV. FR. MALHERBELAAN
R. DE L'AIGUILLE NAALDSTR.
RUE DE SEBASTOPOL-STR.
R. DU LIBRE EXAMEN VRIJ ONDERZOEK STR.
R. DES ORCHIDEES ORCHIDEEENSTRAAT
SCHEUTVELD-STRAAT
RUE DU COLLECTEUR HOOFDRIOOL-STRAAT
R. J. BROEREN STR.
RECHTSPL. PL. D. DROIT
AV. AUBER LAAN
AVENUE RAYM. VANDER BRUGGEN LAAN
QUAI FERNAND
CH. DE MONS
BROEKSTR
RUE DU BROECK
RUE DU SERMENT
EEDSTR.
R. ERASME
ERASMUSSTR.
R. J. MORJAU
J. MORJAUSTR.
RUE G. VANDEN BERGHE STR.
R. DE L'INSTITUT INSTITUUT STR.
RUE KINET STR.
SQ. J. DILLEN SQ.
R. D'AUMALE
D'AUMALESTR.
RUE DE GRIFFE
GRIFFIESTRAAT
RUE DU PRETOIRE
RECHTSZAALSTR.
VANDELSTRAAT
RUE DU DRAPEAU
RUE DE DOUVRES
R. D. L. CONCILIATION VERZOENINGSSTR.
RUE SCHEUTVELD
SQ. EM. VANDER VELDE SQ.
ERASMUSHUIS MAISON D' ERASME
R. BRUNE BRUINSTR.
PL. D. L. RESISTANCE VERZETSPL.
R. D. L. JUSTICE GERECHTSSTR.
WAYEZSTRAAT
R. WAYEZ
R. BRONZE BRONSSTR.
DORPSSTR.
R. DU VILLAGE
RUE WAYEZ STR.
DOVERSTRAAT
T. GUIDO
ST.-GUIDON
SINT-GUIDOSTR.
COURS ST.-GUIDON ST.-GUIDO-CORSO
PL. D.L. VAILLANCE DAPPERHEIDSPLEIN
RUE DU FIRMAMENT
P. JANSONLN.
PROCESSIESTRAAT
RUE DR. JACOBS STR.
AV. P. JANSON
V. RAUTERSTRAAT
RUE VICT. RAUTER STR.
1= RUE FR. JANSSENS FR. JANSSENSSTRAAT
R. D. DEPORTES ANDERLECHTOIS
ANDERLECHTSE WEGGEVOERDESTR.
BIJDSCHAPSSTRAAT
RUE DE LA GAITE
ALLEE VILLA ROMAINE ROMEINSE VILLADREEF
BERGENSESTEENWEG
KANAALDIJK
RUE DU SEL
ZOUTSTRAAT
M. XHONEUX STR.
BIESTEBROEKSTR.
RUE DE BIESTEBROECK
QUAI DE BIESTEBROECK
KANAAL BRUSSEL-CHARLEROI
DIGUE DU CANAL
RUE DANTE STRAAT
R. DES GOUJONS
MEIR
ROND POINT DU MEIR
MEIRPLEIN
AV. LIMBOURG LN.
R. D. L. DEMOCRATIE STR.
RUE DE VEEWEYDE
VEEWEIDE
RUE P. MARCHANT STR.
GRONDELSSTR.
KLEIN EILAND
RUE DE LA PETITE ILE
R. LIEUTENANT LIEDEL
LT. LIEDELSTRAAT
VEEWEIDESTR.
RUE V. RAUTER
RUE R. P. BIDDAER STRAAT
BERGENSE STEENWEG
RUE FR. GERARD STR.
RUE FR. YSEWYN STR.
SQUARE E. FRISON SQUARE
BIESTEBROEKKAAI
PARC DE ...USSELENBERG, PARK
R. TH. BEKAERT STRAAT
CHAUSSEE DE MONS
RUE PROF. HENDRICKX STRAAT
V. OLIVIERLN.
AV. V. OLIVIER
R. DU DEVELOPPEMENT ONTWIKKELINGSSTR.
INDUSTRIELAAN
KLEIN EILAND
LA PETITE ÎLE
BD. AR. BRIAND LN.
N6
AV. DR. ZAMENHOF LN.
N266
AV. FR. VAN KALKEN LN.
RUE F. DE CUYPER
F. DE CUYPERSTR.
QUARTIER DES AURORES
QUAI DE BIESTEBROECK
CANAL BRUXELLES-CHARLEROI
BOULEVARD

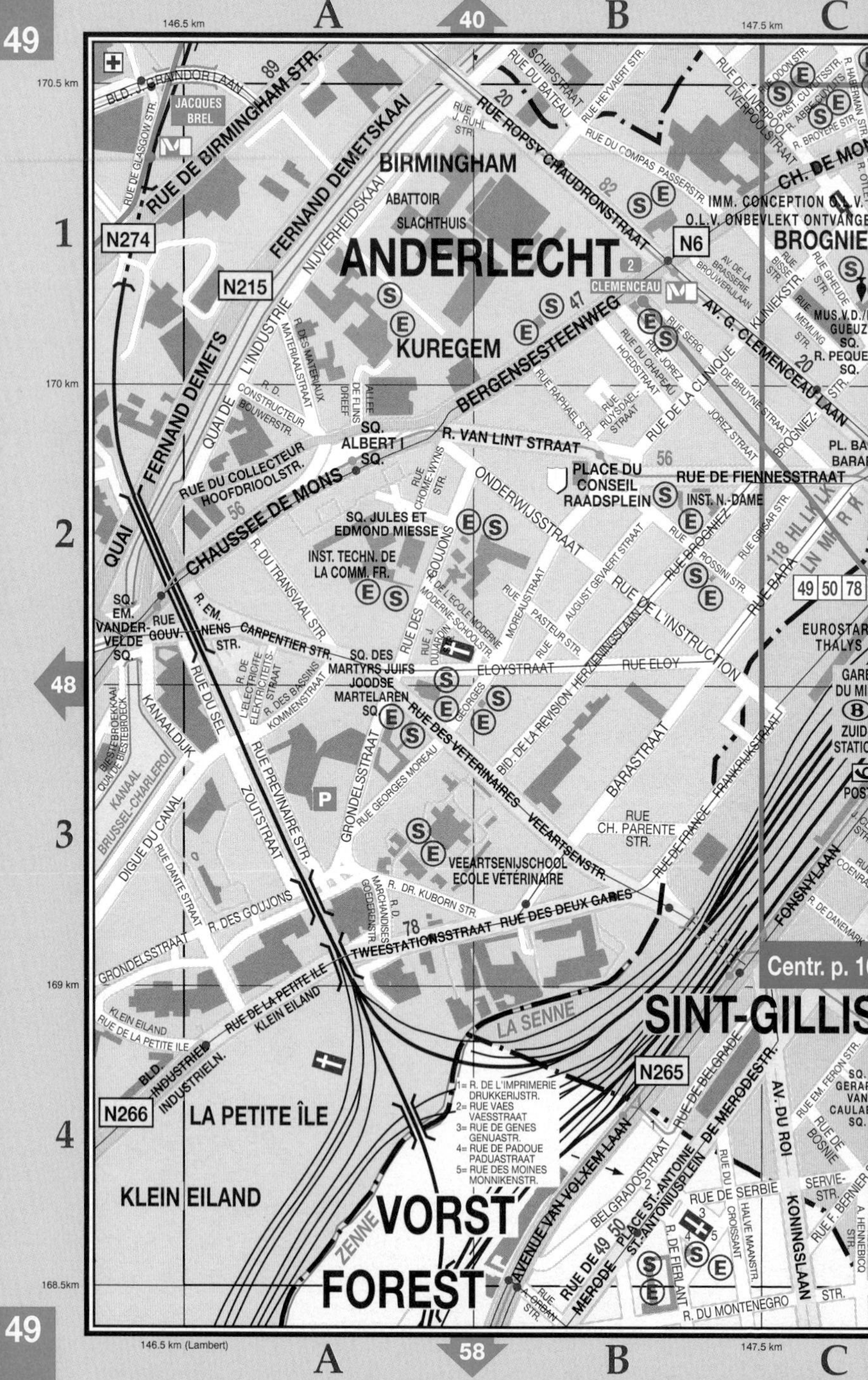

A
B
C
40
58
48
146.5 km
147.5 km
170.5 km
170 km
169 km
168.5km
146.5 km (Lambert)
1
2
3
4
ANDERLECHT
BIRMINGHAM
ABATTOIR
SLACHTHUIS
KUREGEM
SINT-GILLIS
VORST
FOREST
LA PETITE ÎLE
KLEIN EILAND
RUE DE BIRMINGHAM STR.
FERNAND DEMETSKAAI
QUAI FERNAND DEMETS
NIJVERHEIDSKAAI
QUAI DE L'INDUSTRIE
RUE ROPSY CHAUDRONSTRAAT
BERGENSESTEENWEG
CHAUSSEE DE MONS
AV. G. CLEMENCEAULAAN
CH. DE MONS
IMM. CONCEPTION O.L.V.
O.L.V. ONBEVLEKT ONTVANGE
BROGNIEZ
JACQUES BREL
CLEMENCEAU
N274
N215
N6
N265
N266
R. VAN LINT STRAAT
SQ. ALBERT I SQ.
PLACE DU CONSEIL RAADSPLEIN
RUE DE FIENNESSTRAAT
INST. N.-DAME
ONDERWIJSSTRAAT
RUE DE L'INSTRUCTION
SQ. JULES ET EDMOND MIESSE
INST. TECHN. DE LA COMM. FR.
SQ. DES MARTYRS JUIFS JOODSE MARTELAREN SQ.
RUE ELOY
ELOYSTRAAT
RUE DES VETERINAIRES
VEEARTSENSTR.
VEEARTSENIJSCHOOL
ECOLE VÉTÉRINAIRE
RUE DES DEUX GARES
TWEESTATIONSSTRAAT
RUE DE LA PETITE ILE
KLEIN EILAND
BLD. INDUSTRIEL
INDUSTRIELN.
LA SENNE
ZENNE
EUROSTAR-THALYS
GARE DU MIDI
ZUID-STATION
Centr. p. 16
FONSNYLAAN
RUE DE FRANCE
FRANKRIJKSTRAAT
BARASTRAAT
RUE BARA
RUE CH. PARENTE STR.
GRONDELSSTRAAT
R. DES GOUJONS
RUE DU SEL
ZOUTSTRAAT
RUE PREVINAIRE STR.
DIGUE DU CANAL
KANAALDIJK
KANAAL BRUSSEL-CHARLEROI
AVENUE VAN VOLXEM LAAN
RUE DE MERODE
AV. DU ROI
KONINGSLAAN
RUE DE SERBIE
R. DU MONTENEGRO
1= R. DE L'IMPRIMERIE DRUKKERIJSTR.
2= RUE VAES VAESSTRAAT
3= RUE DE GENES GENUASTR.
4= RUE DE PADOUE PADUASTRAAT
5= RUE DES MOINES MONNIKENSTR.

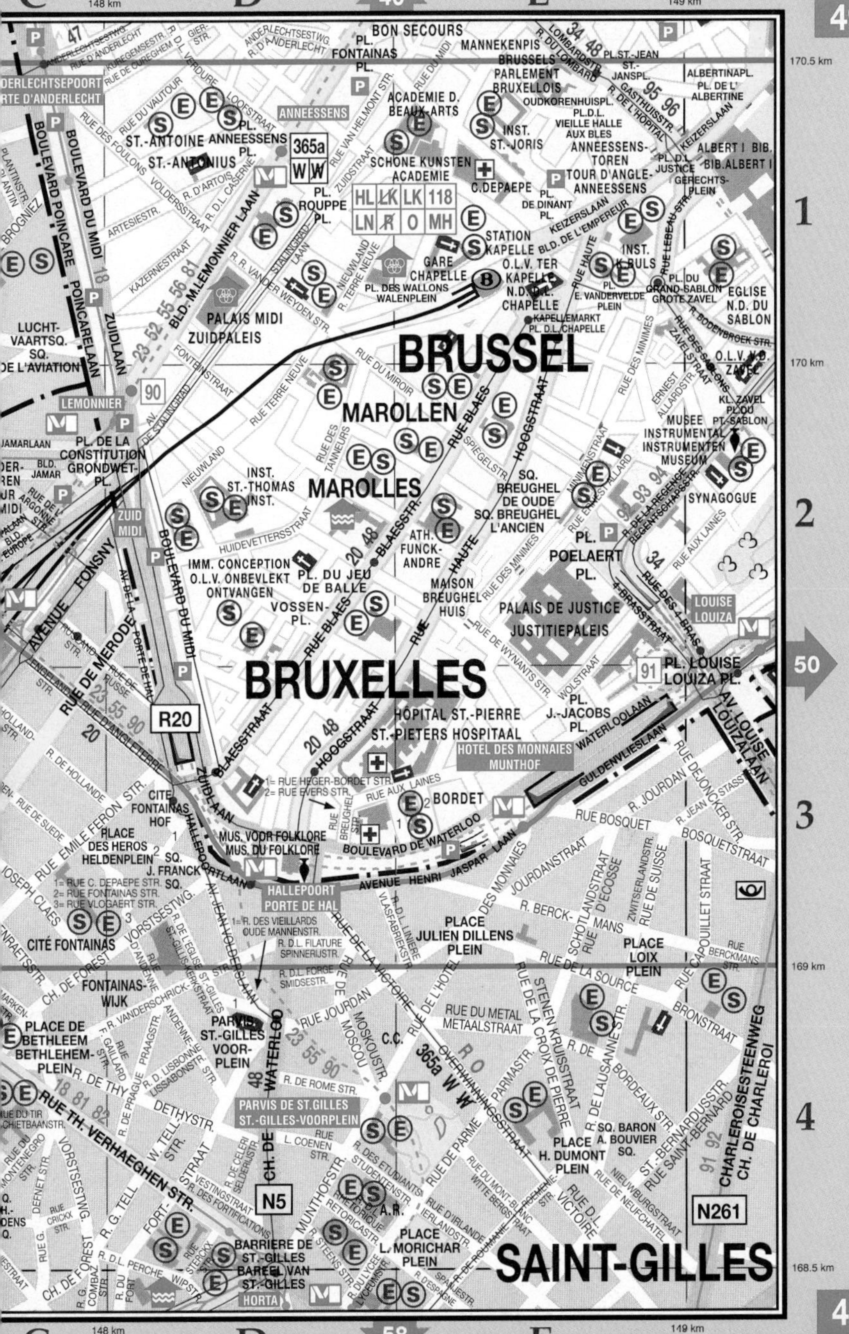
C
D
E
148 km
149 km
40
170.5 km
170 km
169 km
168.5 km
1
2
3
4
50
58
BRUSSEL
BRUXELLES
MAROLLEN
MAROLLES
SAINT-GILLES
PALAIS MIDI
ZUIDPALEIS
PALAIS DE JUSTICE
JUSTITIEPALEIS
HÔPITAL ST.-PIERRE
ST.-PIETERS HOSPITAAL
HOTEL DES MONNAIES
MUNTHOF
HALLEPOORT
PORTE DE HAL
PARVIS DE ST.GILLES
ST.-GILLES-VOORPLEIN
PL. LOUISE
LOUIZA PL.
BOULEVARD DU MIDI
BOULEVARD DE WATERLOO
AVENUE HENRI JASPAR LAAN
AV. LOUISE
LOUIZALAAN
R20
N5
N261

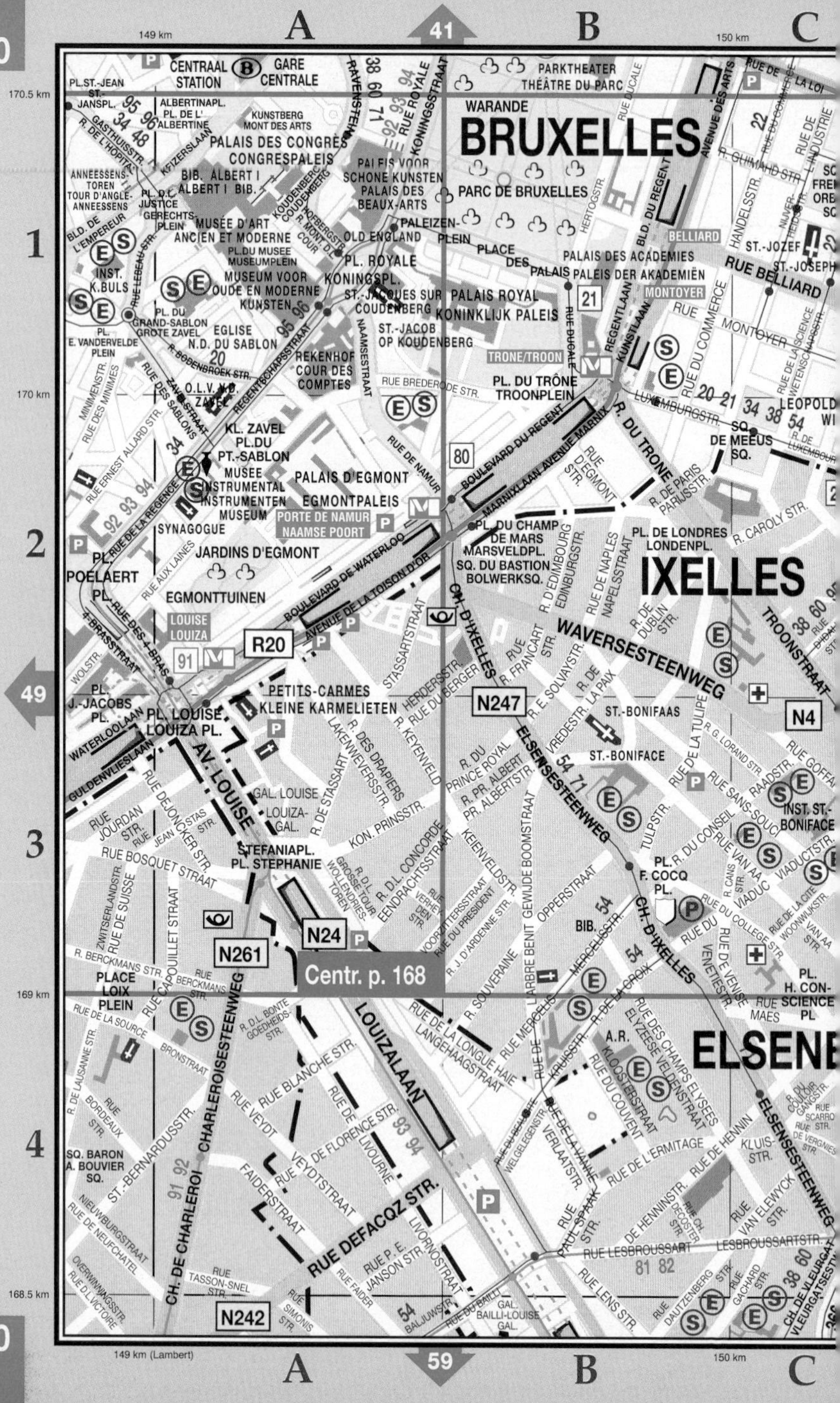

149 km A B 150 km C

41

170.5 km

1

170 km

2

49

3

169 km

4

168.5 km

BRUXELLES

IXELLES

ELSENE

CENTRAAL STATION
GARE CENTRALE
PL.ST.-JEAN ST.-JANSPL.
ALBERTINAPL. PL. DE L'ALBERTINE
KUNSTBERG MONT DES ARTS
GASTHUISSTR.
R. DE L'HOPITAL
PALAIS DES CONGRÈS CONGRESPALEIS
RAVENSTEIN
RUE ROYALE
KONINGSSTRAAT
PARKTHEATER THÉATRE DU PARC
WARANDE
RUE DUCALE
AVENUE DES ARTS
RUE DE LA LOI
RUE DU COMMERCE
RUE DE L'INDUSTRIE
ANNEESSENS-TOREN TOUR D'ANGLE-ANNEESSENS
KEIZERSLAAN
BIB. ALBERT I ALBERT I BIB.
KOUDENBERG COUDENBERG
PALEIS VOOR SCHONE KUNSTEN PALAIS DES BEAUX-ARTS
PARC DE BRUXELLES
HERTOGSTR.
BLD. DU REGENT
R. GUIMARD STR.
HANDELSSTR.
NIJVERHEIDSSTR.
PL. D.L. JUSTICE GERECHTSPLEIN
MUSÉE D'ART ANCIEN ET MODERNE
HOFBERGSTR.
R. MONT D.L. COUR
PALEIZENPLEIN
PLACE DES PALAIS
OLD ENGLAND
BELLIARD
ST.-JOZEF ST.-JOSEPH
BLD. DE L'EMPEREUR
PL.DU MUSEE MUSEUMPLEIN
MUSEUM VOOR OUDE EN MODERNE KUNSTEN
PL. ROYALE KONINGSPL.
PALAIS DES ACADEMIES PALEIS DER AKADEMIËN
RUE BELLIARD
INST. K.BULS
RUE LEBEAU STR.
ST.-JACQUES SUR COUDENBERG
PALAIS ROYAL KONINKLIJK PALEIS
21
MONTOYER
RUE MONTOYER
PL. DU GRAND-SABLON GROTE ZAVEL
EGLISE N.D. DU SABLON
95 96
ST.-JACOB OP KOUDENBERG
RUE DUCALE
REGENTLAAN
KUNSTLAAN
RUE DU COMMERCE
RUE DE LA SCIENCE WETENSCHAPSSTR.
PL. E. VANDERVELDE PLEIN
R. BODENBROEK STR.
20
REGENTSCHAPSSTRAAT
NAAMSESTRAAT
REKENHOF COUR DES COMPTES
TRONE/TROON
PL. DU TRÔNE TROONPLEIN
LUXEMBURGSTR.
20 21 34 38 54
LEOPOLD
MINIMENSTR.
RUE DES MINIMES
ZAVELSTRAAT
RUE DES SABLONS
O.L.V. V.D. ZAVEL
RUE BREDERODE STR.
SQ. DE MEEUS SQ.
R. DE LUXEMBOURG
RUE ERNEST ALLARD STR.
34
KL. ZAVEL PL.DU PT.-SABLON
RUE DE NAMUR
80
BOULEVARD DU REGENT
MARNIXLAAN AVENUE MARNIX
R. DU TRONE
RUE D'EGMONT STR.
R. DE PARIS PARIJSSTR.
MUSEE INSTRUMENTAL INSTRUMENTEN MUSEUM
PALAIS D'EGMONT EGMONTPALEIS
RUE DE LA REGENCE
92 93 94
SYNAGOGUE
PORTE DE NAMUR NAAMSE POORT
PL. DU CHAMP DE MARS MARSVELDPL.
SQ. DU BASTION BOLWERKSQ.
R. D'EDIMBOURG EDINBURGSTR.
RUE DE NAPLES NAPELSSTRAAT
PL. DE LONDRES LONDENPL.
R. CAROLY STR.
PL. POELAERT PL.
RUE AUX LAINES
JARDINS D'EGMONT EGMONTTUINEN
BOULEVARD DE WATERLOO
AVENUE DE LA TOISON D'OR
CH. D'IXELLES
R. DE DUBLIN STR.
TROONSTRAAT
38 60
RUE DES 4 BRAS
4-BRASSTRAAT
LOUISE LOUIZA
R20
STASSARTSTRAAT
RUE FRANCART STR.
WAVERSESTEENWEG
91
WOLSTR.
PL. J.-JACOBS PL.
PETITS-CARMES KLEINE KARMELIETEN
HERDERSSTR.
RUE DU BERGER
N247
R. E. SOLVAYSTR.
R. DE VREDESTR. LA PAIX
ST.-BONIFAAS ST.-BONIFACE
N4
PL. LOUISE LOUIZA PL.
WATERLOOLAAN
GULDENVLIESLAAN
AV. LOUISE
LAKENWEVERSSTR.
R. DES DRAPIERS
R. KEYENVELD
R. DU PRINCE ROYAL PRINS.
R. PR. ALBERT PR. ALBERTSTR.
ELSENSESTEENWEG
54 71
RUE DE LA TULIPE
R. G. LORAND STR.
RUE GOFFART
RUE SANS-SOUCI
RAADSTR.
INST. ST.-BONIFACE
RUE JOURDAN STR.
RUE DEJONCKER STR.
RUE JEAN STAS STR.
GAL. LOUISE LOUIZA-GAL.
R. DE STASSART
KON. PRINSSTR.
TULPSTR.
R. DU CONSEIL
RUE VAN AA VIADUC
VIADUCTSTR.
STEFANIAPL. PL. STEPHANIE
RUE BOSQUET STRAAT
ZWITSERLANDSTR. RUE DE SUISSE
CAPOUILLET STRAAT
R. D.L. GROSSE TOUR WOLLENDRIES-TOREN
R. D.L. CONCORDE EENDRACHTSSTRAAT
RUE VERHEYDEN STR.
VOORZITTERSSTRAAT RUE DU PRESIDENT
KEIENVELDSTR.
R. J. D'ARDENNE STR.
GEWIJDE BOOMSTRAAT
OPPERSTRAAT
PL. F. COCQ PL.
R. CANS STR.
RUE DU COLLEGE STR.
R. DE LA CITE WOONWIJKSTR.
VAN AA STR.
N261
N24
BIB.
54
CH. D'IXELLES
RUE DU VENETIESTR.
RUE DE VENISE
PL. H. CONSCIENCE PL.
R. BERCKMANS STR.
RUE BERCKMANS STR.
PLACE LOIX PLEIN
CHARLEROISESTEENWEG
Centr. p. 168
R. SOUVERAINE
RUE DE L'ARBRE BENIT
RUE MERCELIS
MERCELISSTR.
R. DE LA CROIX
RUE MAES
RUE DE LA SOURCE
BRONSTRAAT
R. D.L. BONTE GOEDHEIDS-STR.
LOUIZALAAN
RUE DE LA LONGUE HAIE LANGEHAAGSTRAAT
KRUISSTR.
A.R.
KLOOSTERSTRAAT
RUE DU COUVENT
RUE DES CHAMPS ELYSEES ELYZEESE VELDENSTRAAT
RUE DE LAUSANNE STR.
RUE BORDEAUX STR.
RUE BLANCHE STR.
RUE VEYDT
VEYDTSTRAAT
RUE DE LIVOURNE
RUE DE FLORENCE STR.
93 94
RUE DU BEAU SITE WELGELEGENSTR.
RUE DE LA VANNE VERLAATSTR.
RUE DE L'ERMITAGE
RUE DE HENNIN
KLUISSTR.
R. DU COULOIR GANGSTR.
RUE SCARRON STR.
RUE DE VERGNIES STR.
ELSENSESTEENWEG
SQ. BARON A. BOUVIER SQ.
ST.-BERNARDUSSTR.
91 92
FAIDERSTRAAT
CH. DE CHARLEROI
RUE PAUL SPAAK STR.
DE HENNINSTR.
RUE CH. DECOSTER STR.
RUE VAN ELEWYCK STR.
NIEUWBURGSTRAAT RUE DE NEUFCHATEL
RUE DEFACQZ STR.
LIVORNOSTRAAT
RUE LESBROUSSART
LESBROUSSARTSTR.
81 82
38 60
OVERWINNINGSSTR. RUE D.L. VICTOIRE
RUE TASSON-SNEL STR.
RUE P. E. JANSON STR.
RUE FAIDER
RUE LENS STR.
RUE DAUTZENBERG STR.
RUE GACHARD STR.
CH. DE VLEURGAT VLEURGATSESTW.
N242
RUE SIMONIS STR.
54
BALJUWSTR. RUE DU BAILLI
GAL. BAILLI-LOUISE GAL.

149 km (Lambert) A B 150 km C

59

C
D
E
41
150.5 km
151.5 km
170.5 km
170 km
169 km
168.5 km
1
2
3
4
51
59
BRUSSEL
ETTERBEEK
JOURDAN
JUBELPARK
PARC DU CINQUANTENAIRE
EUROPESE WIJK
QUARTIER EUROPEEN
SCHUMAN STATION
GARE SCHUMAN
CONSEIL EUROPÉEN
EUROPESE RAAD
ROND-POINT
R. SCHUMAN-
PLEIN
CARREFOUR
J. MONNET
KRUISPUNT
BERLAYMONT
E.U.
U.E.
BERLAIMONT
INFO
POINT
MOSKEE
GRANDE MOSQUÉE
TEMPEL VAN HORTA
PAVILLON HORTA
ECOLE
ROYALE
MILITAIRE
KON. MILITAIRE
SCHOOL
ERASMUS-
HOGESCHOOL
EUROPEES PARLEMENT
PARLEMENT EUROPÉEN
BIBLIOTHEQUE
SOLVAY
BIBLIOTHEEK
PARC
LEOPOLD
PARK
MUSÉE
WIERTZ-
MUSEUM
MUSEUM VOOR
NATUURWETENSCHAPPEN
MUSÉUM DES
SCIENCES
NATURELLES
CENTRE
BORSCHETTE
CENTRUM
INST. ST.-
JOSEPH
LA CHASSE
JACHT
ST.-ANTONIUS
ST.-ANTOINE
MAISON DE REPOS
RUSTHUIS
CHAUSSEE DE WAVRE
CH. DE WAVRE
RUE BELLIARD
BELLIARDSTR.
RUE DE LA LOI
WETSTRAAT
AV. DES NERVIENS
NERVIERSLAAN
AVENUE D'AUDERGHEM
OUDERGEMLAAN
AVENUE DE CORTENBERGH
KORTENBERGLAAN
AV. DE LA RENAISSANCE LN.
AV. JOHN F. KENNEDY LN.
AVENUE DE LA COURONNE
KROONLAAN
AVENUE VICTOR JACOBS LN.
AV. EUD. PIRMEZ LN.
AV. DES CASERNES
KAZERNENLN.
AVENUE AUG. RODIN LAAN
RUE GRAY
GRAYSTRAAT
RUE MALIBRAN STR.
RUE DU TRONE
R. BLYCKAERTS
PL.
SQ.
FORTI DEI
MARMI
SQ.
1= CLOS DES
ETANGS
VIJVERSGAARDE
1= MOUTERIJSTR.
RUE DU GERMOIR
2= VISVIJVERBLOK
CARRE DU VIVIER
LEOPOLD-
STAD-
PLEIN
SQ. DE
LEOPOLD-
VILLE
PL.
ST.-ANTOINE
ST.-ANTOON-
PLEIN
SQ.
J. JOLY
SQ.
ACASIA'S PL.
PL. DES
ACASIAS
PL.
VAN MEYEL
PL.
PL.
JOURDAN
PL.
JEAN REY
PL.
BREYDEL
SQ.
CH.-M.
WISER
SQ.
RUE LOUIS HAP STRAAT
N3
N228
N293
N23
N295
N298
N205
N4
N248
366
Centr. p. 169

A
B
C
42
60
50
1
2
3
4
151,5 km
152,5 km
151,5 km (Lambert)
170,5 km
170 km
169 km
168,5 km
ECOLE ROYALE MILITAIRE
KON. MILITAIRE SCHOOL
PL. WAPPERS PL.
SQUARE VERGOTE PLEIN
LINTHOUT
AV. DE LA RENAISSANCE
RENAISSANCELN.
N296
MOSKEE GRANDE MOSQUÉE
TEMPEL VAN HORTA PAVILLON HORTA
PARC DU CINQUANTENAIRE
MUSEUM VAN HET LEGER EN DE KRIJGSKUNDE
MUSÉE DE L'ARMÉE ET D'HISTOIRE MILITAIRE
RUE DE LINTHOUT
LINTHOUTSTRAAT
SQ. J. DE BURLET PL.
AV. ALBERT JONNART LAAN
AVENUE DES ROGATIONS KRUISDAGENLAAN
AV. GEORGES HENRI LAAN
GEORGES-HENRI
AV. JOHN F. KENNEDY LN.
JUBELPARK
IJZERLAAN AV. DE L'YSER
GERARDSTRAAT
CLOS DU CINQUANTENAIRE JUBELGAARDE
PASSAGE LINTHOUT DOORGANG
AV. ALBERT-ELISABETH LN.
CENTRE SCOL. SACRE-COEUR DE LINTHOUT
TRIOMFBOOG ARCADE DU CINQUANTENAIRE
AUTOWORLD
MUSÉES ROYAUX D'ART ET D'HISTOIRE
KON. MUSEA VOOR KUNST EN GESCHIEDENIS
PORTE DE TERVUEREN TERVUURSEPOORT
MERODE
RUE DES TONGRES TONGERENSTR.
GAL. DU CINQUANTENAIRE JUBELGALERIJ
1= RUE DES TREVIRES TREVIERENSTR.
2= RUE DES MORINS MORINENSTR.
AV. DE TERVUEREN
TERVURENLAAN
N295
NERVIERSLAAN
GALLIERSLN. AV. DES GAULOIS
AV. DES CELTES KELTENLAAN
MONT DU CINQUANTENAIRE JUBELBERG
INST. ST.-JOSEPH
SQ. PR. J. DE MERODE PL.
MAARSCHALK MONTGOMERYPL.
SQUARE MARECHAL MONTGOMERY
PL. VAN MEYEL PL.
PL. ST.-PIERRE ST.-PIETERSPL.
CH. ST.-PIERRE
ST.-PIETERSSTEENWEG
LOUIS HAP STRAAT
R. LOUIS HAP
KONINGSVELDSTRAAT
AVENUE DE LA CHASSE
RUE DE LA GRANDE HAIE
STATIONSSTRAAT
MERODE
R. PERE DE DEKEN
R. DES BATAVES BATAVIERENSTRAAT
AV. DE L'ARMEE
ETTERBEEK
COURS ST.-MICHIEL ST.-MICHIELSHOF
THIEFFRY
BOULEVARD SAINT-MICHEL
SINT-MICHIELSLAAN
N205
AVENUE D'AUDERGHEM OUDERGEMLAAN
RUE CHAMP DU ROI
PLACE DU RINSDELLE PLEIN
AV. EDOUARD DE THIBAULTLAAN
GROTE HAAGSTR.
PONT F. DEMANY BRUG
R21
ACASIA'S PL. PL. DES ACASIAS
ELF NOVEMBERLN.
AV. DU ONZE NOVEMBRE
KONING OVERWINNAARPL.
PL. DU ROI VAINQUEUR
PL. DU 4 AOUT 4 AUGUSTUS PL.
BOILEAU
AV. BOILEAU LAAN
JACHTLAAN
AV. A. GALOPIN LN.
PLACE A. DANDOY PLEIN
TERVATESTRAAT
LA CHASSE
RUE DES CHAMPS VELDSTRAAT AV. DES CHAMPS
SQ. J. ABSIL SQ.
AV. LE MARINEL
N4
JACHT
AV. DES CASERNES KAZERNENLN.
WAVERSESTW.
R. GEN. FIVE STRAAT
KOMMANDANT PONTHIERSTR.
R. COMMANDANT PONTHIER
BOULEVARD LOUIS SCHMIDT
LOUIS SCHMIDTLAAN
AV. COMM. KOMM. LOTHAIRE LAAN
KINDER-PARADIJS PARADIS DES ENFANTS
SQ. J. JOLY SQ.
MAISON DE REPOS RUSTHUIS
PÉTILLON
VRIJWILLIGERSLN.
AV. DES VOLONTAIRES
AV. GEN. BERNHEIM LAAN
AVENUE DE LA FORCE AERIENNE LUCHTMACHTLAAN
1= RUE CAM. COQUILHAT CAM. COQUILHATSTR.
2= RUE LT. LIPPENS LT. LIPPENSSTR.
3= RUE LT. J. BECKERS LT. J. BECKERSSTR.
4= PROMENADE H. ROLIN H. ROLIN-WANDELING
5= AV. R. PIRET R. PIRETLAAN

C D E

153 km 154 km

42

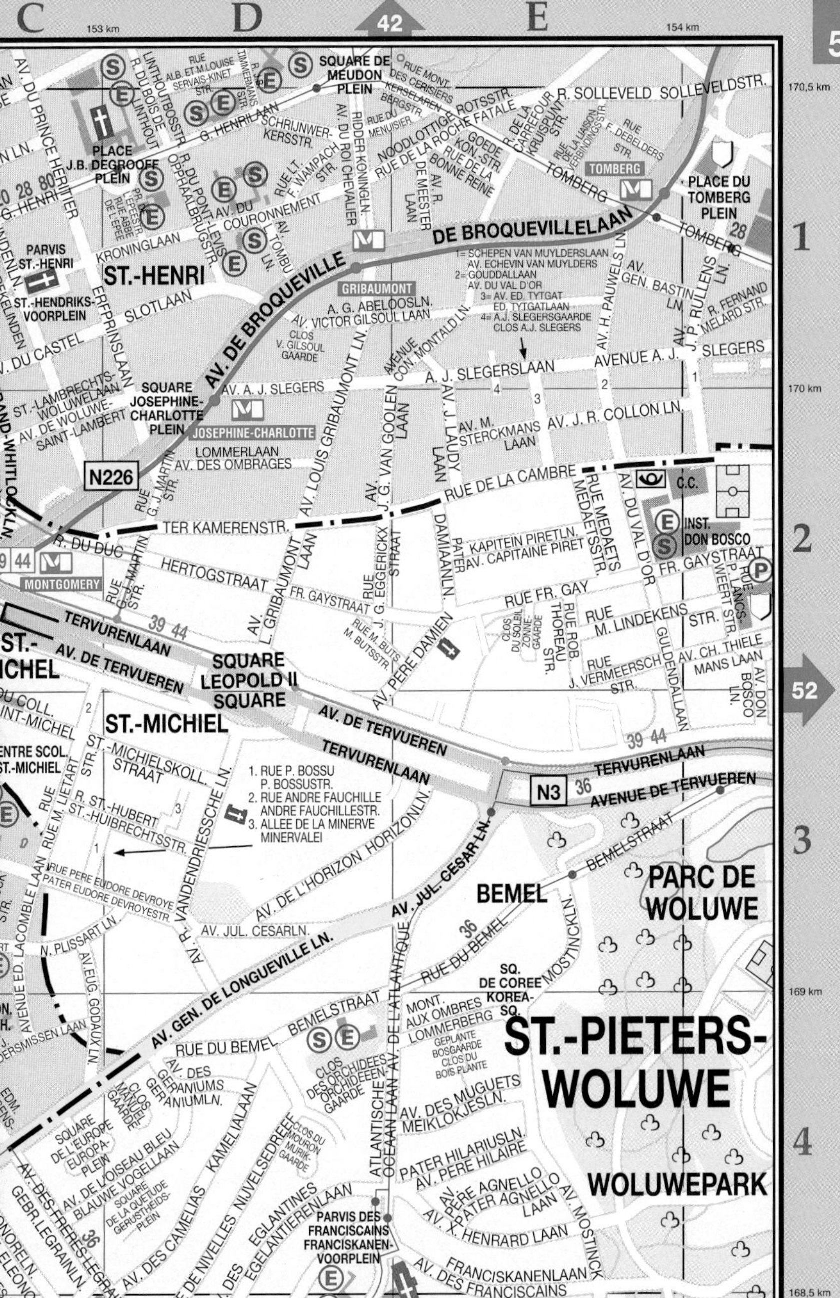

1 2 3 4

170,5 km 170 km 169 km 168,5 km

52

C D E

153 km 154 km

60

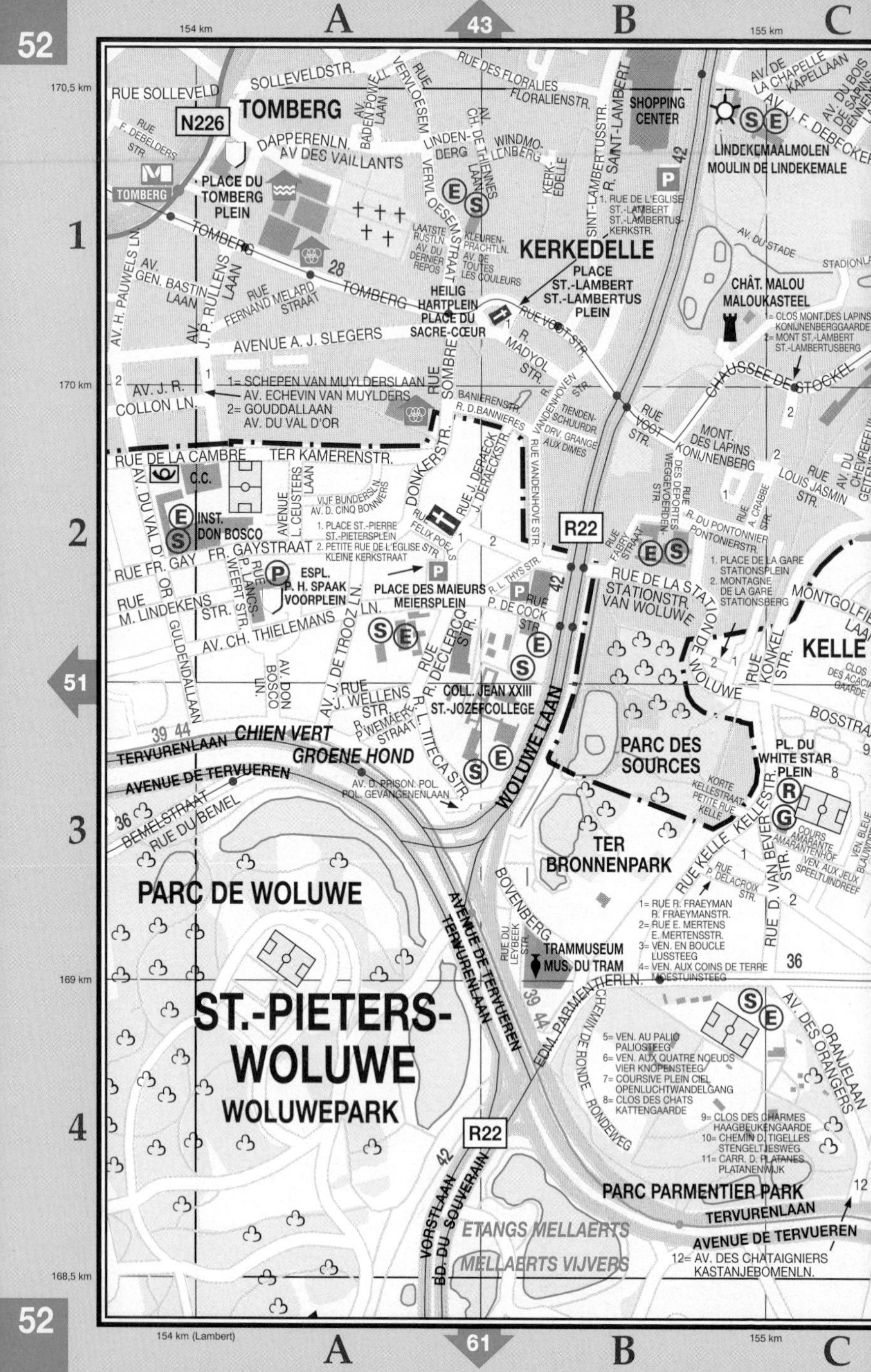
A
43
B
C
154 km
155 km
170,5 km
170 km
169 km
168,5 km
1
2
3
4
51
TOMBERG
N226
SOLLEVELDSTR.
RUE SOLLEVELD
RUE F. DEBELDERS STR.
DAPPERENLN.
AV DES VAILLANTS
PLACE DU TOMBERG PLEIN
TOMBERG
AV. H. PAUWELS LN.
AV. GEN. BASTIN LAAN
AV. J. P. RULLENS LAAN
RUE FERNAND MELARD STRAAT
AVENUE A. J. SLEGERS
AV. J. R. COLLON LN.
1= SCHEPEN VAN MUYLDERSLAAN
AV. ECHEVIN VAN MUYLDERS
2= GOUDDALLAAN
AV. DU VAL D'OR
RUE DES FLORALIES
FLORALIENSTR.
AV. BADEN POWELL LAAN
VERVLOESEM STRAAT
RUE VERVLOESEM
LINDEN-DERG
AV. CH. DE THIENNES LAAN
WINDMOLENBERG
KERKEDELLE
SINT-LAMBERTUSSTR.
R. SAINT-LAMBERT
SHOPPING CENTER
1. RUE DE L'EGLISE ST.-LAMBERT
ST.-LAMBERTUS-KERKSTR.
LAATSTE RUSTLN.
AV. DU DERNIER REPOS
KLEUREN-PRACHTLN.
AV. DE TOUTES LES COULEURS
HEILIG HARTPLEIN
PLACE DU SACRE-CŒUR
PLACE ST.-LAMBERT
ST.-LAMBERTUS PLEIN
RUE VOOT STR.
R. MADYOL STR.
RUE SOMBRE
BANIERENSTR.
R. D.BANNIERES
LINDEKEMAALMOLEN
MOULIN DE LINDEKEMALE
AV. DE LA CHAPELLE
KAPELLAAN
AV. DU BOIS DE SAPINS DENNENBOS
AV. J. F. DEBECKER
AV. DU STADE
STADIONLAAN
CHÂT. MALOU
MALOUKASTEEL
1= CLOS MONT.DES LAPINS KONIJNENBERGGAARDE
2= MONT ST.-LAMBERT ST.-LAMBERTUSBERG
CHAUSSEE DE STOCKEL
MONT. DES LAPINS KONIJNENBERG
RUE LOUIS JASMIN STR.
AV. DU CHEVREFEUILLE
RUE DE LA CAMBRE
TER KAMERENSTR.
C.C.
INST. DON BOSCO
AV. DU VAL D'OR
AVENUE L. CEUSTERS LAAN
VIJF BUNDERSLN.
AV. D. CINQ BONNIERS
DONKERSTR.
RUE J. DERAECK
J. DERAECKSTR.
RUE VANDENHOVEN
VANDENHOVE STR.
TIENDEN-SCHUURDR.
DRV. GRANGE AUX DIMES
R22
RUE DES DEPORTES
WEGGEVOERDEN-STR.
R. DU PONTONNIER
PONTONIERSTR.
RUE A. CRABBE STR.
1. PLACE ST.-PIERRE
ST.-PIETERSPLEIN
2. PETITE RUE DE L'EGLISE
KLEINE KERKSTRAAT
RUE FELIX POELS STR.
RUE FR. GAY
FR. GAYSTRAAT
ESPL. P. H. SPAAK VOORPLEIN
RUE P. LANGS-WEERT STR.
PLACE DES MAIEURS
MEIERSPLEIN
R. L. THYS STR.
RUE P. DE COCK STR.
RUE FABRY STRAAT
RUE DE LA STATION
STATIONSTR. VAN WOLUWE
1. PLACE DE LA GARE
STATIONSPLEIN
2. MONTAGNE DE LA GARE
STATIONSBERG
MONTGOLFIER LAAN
KELLE
RUE M. LINDEKENS STR.
AV. CH. THIELEMANS
GULDENDALLAAN
AV. J. DE TROOZ LN.
RUE R. DECLERCQ STR.
AV. DON BOSCO LN.
RUE J. WELLENS STR.
R. P. WEMAERE STRAAT
R. L. TITECA STR.
COLL. JEAN XXIII
ST.-JOZEFCOLLEGE
WOLUWE LAAN
DE WOLUWE
RUE KONKEL STR.
CLOS DES ACACIAS GAARDE
BOSSTRAAT
39
44
TERVURENLAAN
CHIEN VERT
GROENE HOND
AVENUE DE TERVUEREN
AV. D. PRISON. POL.
POL. GEVANGENENLAAN
36
BEMELSTRAAT
RUE DU BEMEL
PARC DES SOURCES
KORTE KELLESTRAAT
PETITE RUE KELLE
PL. DU WHITE STAR PLEIN
8
9
TER BRONNENPARK
RUE KELLE
KELLESTR.
COURS AMARANTE
AMARANTEHOF
VEN. AUX JEUX SPEELTUINDREEF
VEN. BLEUE BLAUWE
RUE P. DELACROIX STR.
RUE D. VAN BEVER STR.
PARC DE WOLUWE
AVENUE DE TERVUEREN
TERVURENLAAN
BOVENBERG
RUE DU LEYBEEK STR.
TRAMMUSEUM
MUS. DU TRAM
1= RUE R. FRAEYMAN
R. FRAEYMANSTR.
2= RUE E. MERTENS
E. MERTENSSTR.
3= VEN. EN BOUCLE
LUSSTEEG
4= VEN. AUX COINS DE TERRE
MOESTUINSTEEG
EDM. PARMENTIERLN.
ST.-PIETERS-WOLUWE
WOLUWEPARK
CHEMIN DE RONDE
RONDEWEG
5= VEN. AU PALIO
PALIOSTEEG
6= VEN. AUX QUATRE NOEUDS
VIER KNOPENSTEEG
7= COURSIVE PLEIN CIEL
OPENLUCHTWANDELGANG
8= CLOS DES CHATS
KATTENGAARDE
AV. DES ORANGERS
ORANJELAAN
9= CLOS DES CHARMES
HAAGBEUKENGAARDE
10= CHEMIN D. TIGELLES
STENGELTJESWEG
11= CARR. D. PLATANES
PLATANENWIJK
12
PARC PARMENTIER PARK
TERVURENLAAN
AVENUE DE TERVUEREN
12= AV. DES CHATAIGNIERS
KASTANJEBOMENLN.
VORSTLAAN
BD. DU SOUVERAIN
ETANGS MELLAERTS
MELLAERTS VIJVERS
154 km (Lambert)
61

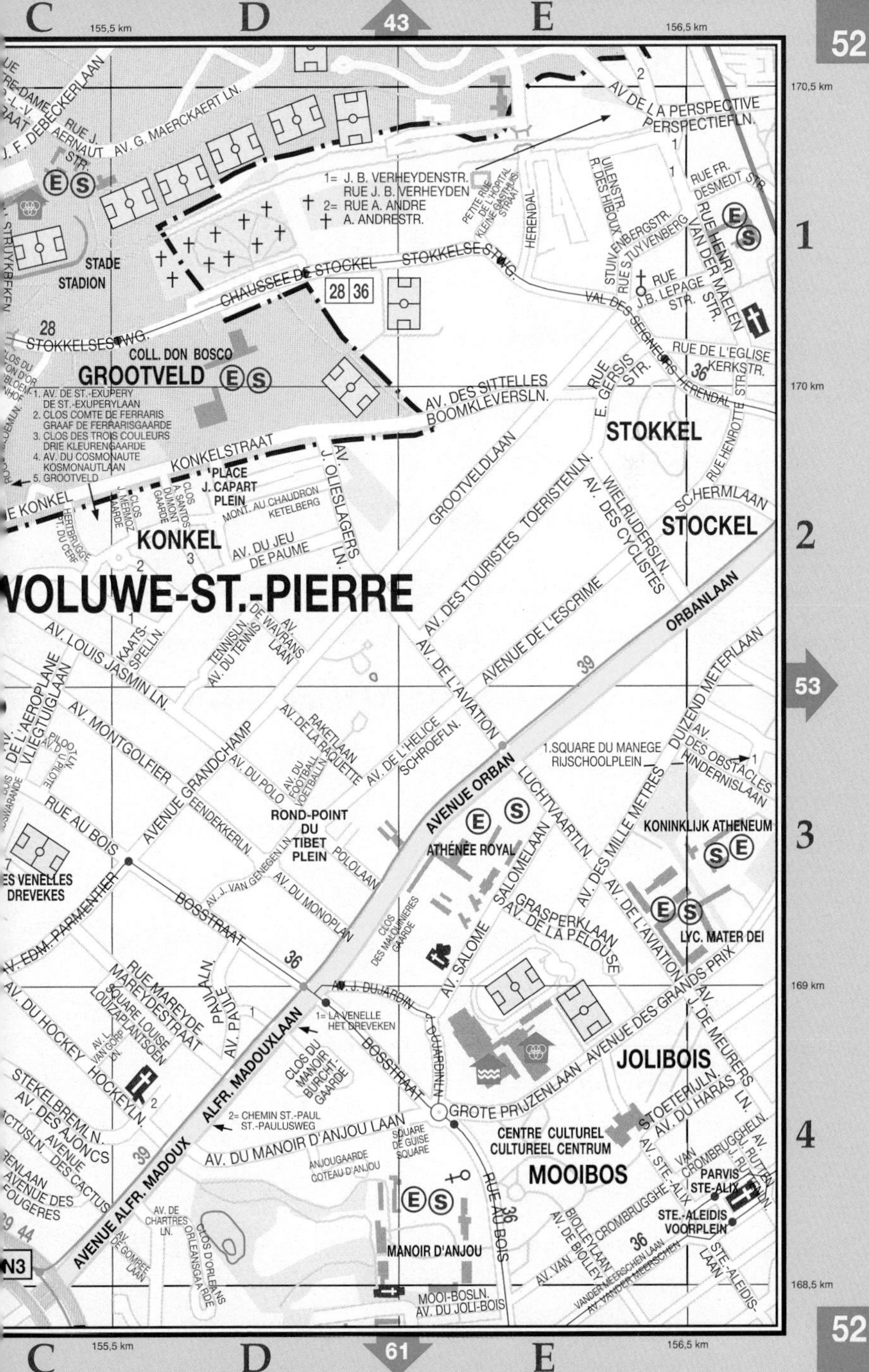
C
D
E
43
155,5 km
156,5 km
170,5 km
170 km
169 km
168,5 km
1
2
3
4
53
61
WOLUWE-ST.-PIERRE
GROOTVELD
KONKEL
STOKKEL
STOCKEL
JOLIBOIS
MOOIBOS
STADE
STADION
COLL. DON BOSCO
1= J. B. VERHEYDENSTR.
RUE J. B. VERHEYDEN
2= RUE A. ANDRE
A. ANDRESTR.
1. AV. DE ST.-EXUPERY
DE ST.-EXUPERYLAAN
2. CLOS COMTE DE FERRARIS
GRAAF DE FERRARISGAARDE
3. CLOS DES TROIS COULEURS
DRIE KLEURENGAARDE
4. AV. DU COSMONAUTE
KOSMONAUTLAAN
5. GROOTVELD
AV. DE LA PERSPECTIVE
PERSPECTIEFLN.
AV. G. MAERCKAERT LN.
CHAUSSEE DE STOCKEL
STOKKELSESTWG.
KONKELSTRAAT
AV. DES SITTELLES
BOOMKLEVERSLN.
PLACE
J. CAPART
PLEIN
MONT. AU CHAUDRON
KETELBERG
AV. DU JEU
DE PAUME
AV. J. OLIESLAGERS LN.
GROOTVELDLAAN
AV. DES TOURISTES TOERISTENLN.
AV. DES CYCLISTES
WIELRIJDERSLN.
SCHERMLAAN
ORBANLAAN
AVENUE DE L'ESCRIME
AV. DE L'AVIATION
AV. LOUIS JASMIN LN.
AV. MONTGOLFIER
AVENUE GRANDCHAMP
AV. DU POLO
AV. DE L'HELICE
SCHROEFLN.
RAKETLAAN
AV. DE LA RAQUETTE
ROND-POINT
DU
TIBET
PLEIN
POLOLAAN
AV. DU MONOPLAN
AVENUE ORBAN
ATHÉNÉE ROYAL
LUCHTVAARTLN.
SALOMELAAN
AV. SALOME
GRASPERKLAAN
AV. DE LA PELOUSE
AV. DES MILLE METRES
DUIZEND METERLAAN
1.SQUARE DU MANEGE
RIJSCHOOLPLEIN
AV. DES OBSTACLES
HINDERNISLAAN
KONINKLIJK ATHENEUM
LYC. MATER DEI
AVENUE DES GRANDS PRIX
GROTE PRIJZENLAAN
AV. J. DE MEURERS LN.
RUE AU BOIS
BOSSTRAAT
AV. EDM. PARMENTIER
ES VENELLES
DREVEKES
RUE MAREYDE
MAREYDESTRAAT
SQUARE LOUISE
LOUIZAPLANTSOEN
AV. DU HOCKEY
HOCKEYLN.
AV. DES AJONCS
AVENUE DES CACTUS
AVENUE DES FOUGERES
AVENUE ALFR. MADOUX
ALFR. MADOUXLAAN
1= LA VENELLE
HET DREVEKEN
2= CHEMIN ST.-PAUL
ST.-PAULUSWEG
CLOS DU MANOIR BURCHT-GAARDE
AV. DU MANOIR D'ANJOU LAAN
ANJOUGAARDE
COTEAU D'ANJOU
SQUARE DE GUISE SQUARE
MANOIR D'ANJOU
MOOI-BOSLN.
AV. DU JOLI-BOIS
CENTRE CULTUREL
CULTUREEL CENTRUM
AV. DU HARAS
STOETERIJLN.
PARVIS
STE-ALIX
STE.-ALEIDIS
VOORPLEIN
AV. DE BIOLLEY
BIOLLEYLAAN
AV. VAN CROMBRUGGHE
AV. J. RUTTEN
AV. STE.-ALIX
STE.-ALEIDISLAAN
VANDER MEERSCHEN LAAN
AV. VANDER MEERSCHEN
RUE HENRI VAN DER MAELEN STR.
RUE DE L'EGLISE
KERKSTR.
VAL DES SEIGNEURS
HERENDAL
RUE E. GERSIS STR.
RUE HENROTTE
RUE J.B. LEPAGE STR.
STUIVENBERGSTR.
RUE S.TUYVENBERG
UILENSTR.
R. DES HIBOUX
RUE FR. DESMEDT STR.
PETITE RUE DE L'HOPITAL
KLEINE GASTHUISSTRAAT
AV. DE CHARTRES LN.
CLOS D'ORLEANS
ORLEANSGAARDE
AV. DE GOMREE LAAN
AV. DE WAVRANS LAAN
AV. DU TENNIS
TENNISLN.
KAATSSPELLN.
AV. DE L'AEROPLANE
VLIEGTUIGLAAN
AV. DU FOOTBALL
VOETBALLN.
EENDEKKERLN.
AV. J. VAN GENEGEN LN.
AV. J. DUJARDIN
J. DUJARDINLN.
CLOS DES MALOUINIERES GAARDE
AV. PAULE
PAULALN.
AV. L. VAN GORP LN.
N3
28
36
39
44

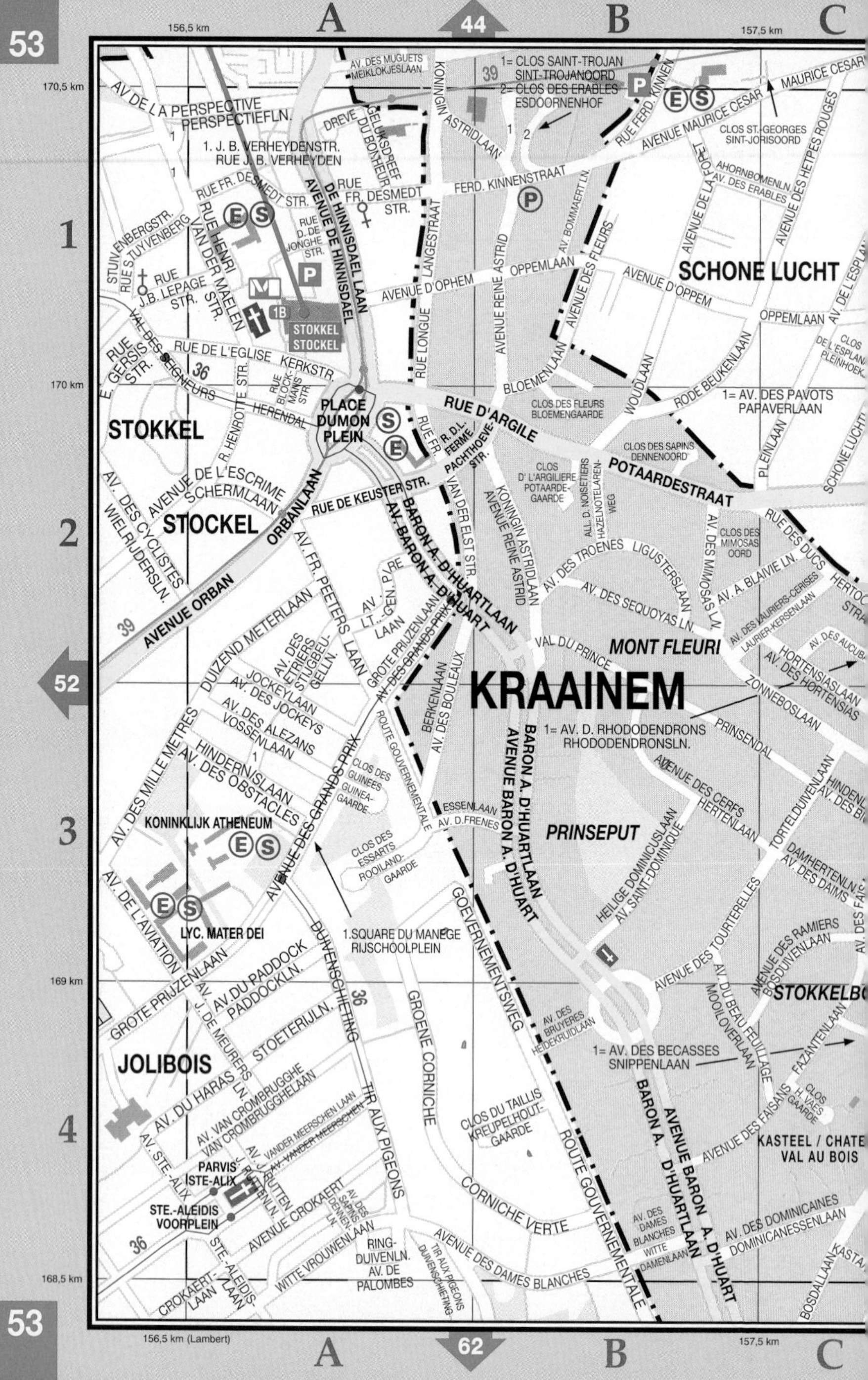
A
B
C
44
62
52
1
2
3
4
156,5 km
157,5 km
170,5 km
170 km
169 km
168,5 km
156,5 km (Lambert)
STOKKEL
STOCKEL
KRAAINEM
SCHONE LUCHT
MONT FLEURI
PRINSEPUT
JOLIBOIS
STOKKELB
STOKKEL STOCKEL
PLACE DUMON PLEIN
KONINKLIJK ATHENEUM
LYC. MATER DEI
PARVIS STE-ALIX
STE.-ALEIDIS VOORPLEIN
KASTEEL / CHATE VAL AU BOIS
AV DE LA PERSPECTIVE PERSPECTIEFLN.
1. J. B. VERHEYDENSTR. RUE J. B. VERHEYDEN
1= CLOS SAINT-TROJAN SINT-TROJANOORD
2= CLOS DES ERABLES ESDOORNENHOF
AV. DES MUGUETS MEIKLOKJESLAAN
RUE FR. DESMEDT STR.
AVENUE DE HINNISDAEL
DE HINNISDAEL LAAN
FERD. KINNENSTRAAT
RUE FERD. KINNEN
AVENUE MAURICE CESAR
MAURICE CESAR
CLOS ST.-GEORGES SINT-JORISOORD
AHORNBOMENLN. AV. DES ERABLES
AVENUE DES HETRES ROUGES
AVENUE DE LA FORET
KONINGIN ASTRIDLAAN
AVENUE REINE ASTRID
AV. BOMMAERT LN.
AVENUE DES FLEURS
OPPEMLAAN
AVENUE D'OPHEM
AVENUE D'OPPEM
RUE LONGUE
LANGESTRAAT
STUIVENBERGSTR. RUE S.TUYVENBERG
RUE HENRI VAN DER MAELEN STR.
RUE J.B. LEPAGE STR.
RUE D. DE JONGHE STR.
RUE DE L'EGLISE KERKSTR.
VAL DES SEIGNEURS HERENDAL
RUE E. GERSIS STR.
RUE BLOCKMANS STR.
R. HENROTTE STR.
BLOEMENLAAN
CLOS DES FLEURS BLOEMENGAARDE
WOUDLAAN
RODE BEUKENLAAN
1= AV. DES PAVOTS PAPAVERLAAN
PLEINLAAN
SCHONE LUCHT
CLOS DE L'ESPLANADE PLEINHOEK
RUE D'ARGILE
POTAARDESTRAAT
CLOS DES SAPINS DENNENOORD
CLOS D' L'ARGILIERE POTAARDE-GAARDE
ALL. D. NOISETIERS HAZELNOTELARENWEG
R. D.L. FERME PACHTHOEVE STR.
RUE FR. VAN DER ELST STR.
RUE DE KEUSTER STR.
AVENUE DE L'ESCRIME SCHERMLAAN
AV. DES CYCLISTES WIELRIJDERSLN.
ORBANLAAN
AVENUE ORBAN
BARON A. D'HUARTLAAN
AV. BARON A. D'HUART
AV. DES MIMOSAS LN.
CLOS DES MIMOSAS OORD
RUE DES DUCS
AV. DES TROENES LIGUSTERSLAAN
AV. DES SEQUOYAS LN.
AV. A. BLAIVIE LN.
AV. DES LAURIERS-CERISES LAURIER-KERSENLAAN
AV. DES AUCUBA
HORTENSIASLAAN AV. DES HORTENSIAS
ZONNEBOSLAAN
VAL DU PRINCE
PRINSENDAL
1= AV. D. RHODODENDRONS RHODODENDRONSLN.
AV. FR. PEETERS LAAN
AV. LT.-GEN. PIRE LAAN
DUIZEND METERLAAN
AV. DES ETRIERS STIJGBEUGELLN.
JOCKEYLAAN AV. DES JOCKEYS
AV. DES ALEZANS VOSSENLAAN
HINDERNISLAAN AV. DES OBSTACLES
AV. DES MILLE METRES
GROTE PRIJZENLAAN AV. DES GRANDS PRIX
AVENUE DES GRANDS PRIX
ROUTE GOUVERNEMENTALE
BERKENLAAN AV. DES BOULEAUX
CLOS DES GUINEES GUINEA-GAARDE
ESSENLAAN AV. D.FRENES
CLOS DES ESSARTS ROOILAND-GAARDE
AVENUE DES CERFS HERTENLAAN
TORTELDUIVENLAAN
HINDENL AV. DES BI
DAMHERTENLN AV. DES DAIMS
HEILIGE DOMINICUSLAAN AV. SAINT-DOMINIQUE
AVENUE DES TOURTERELLES
AVENUE DES RAMIERS BOSDUIVENLAAN
AV. DES FAIS
AV. DU BEAU FEUILLAGE MOOILOVERLAAN
FAZANTENLAAN
CLOS H. VRES GAARDE
AVENUE DES FAISANS
1= AV. DES BECASSES SNIPPENLAAN
AV. DES BRUYERES HEIDEKRUIDLAAN
AV. DE L'AVIATION
1.SQUARE DU MANEGE RIJSCHOOLPLEIN
DUIVENSCHIETING
GOEVERNEMENTSWEG
GROTE PRIJZENLAAN
AV.DU PADDOCK PADDOCKLN.
AV. J. DE MEURERS LN.
STOETERIJLN.
AV. DU HARAS
AV. VAN CROMBRUGGHE VAN CROMBRUGGHELAAN
VANDER MEERSCHEN LAAN AV. VANDER MEERSCHEN
AV. J. RUTTEN LN.
AV. STE.-ALIX
AVENUE CROKAERT
AV. DES SAPINS DENNEN LN
TIR AUX PIGEONS
GROENE CORNICHE
CLOS DU TAILLIS KREUPELHOUT-GAARDE
CORNICHE VERTE
WITTE VROUWENLAAN
RING-DUIVENLN. AV. DE PALOMBES
TIR AUX PIGEONS DUIVENSCHIETING
AVENUE DES DAMES BLANCHES
ROUTE GOUVERNEMENTALE
AV. DES DAMES BLANCHES WITTE DAMENLAAN
AVENUE BARON A. D'HUARTLAAN
AV. DES DOMINICAINES DOMINICANESSENLAAN
BOSDALLAAN
CROKAERT-LAAN
STE.-ALEIDIS-LAAN

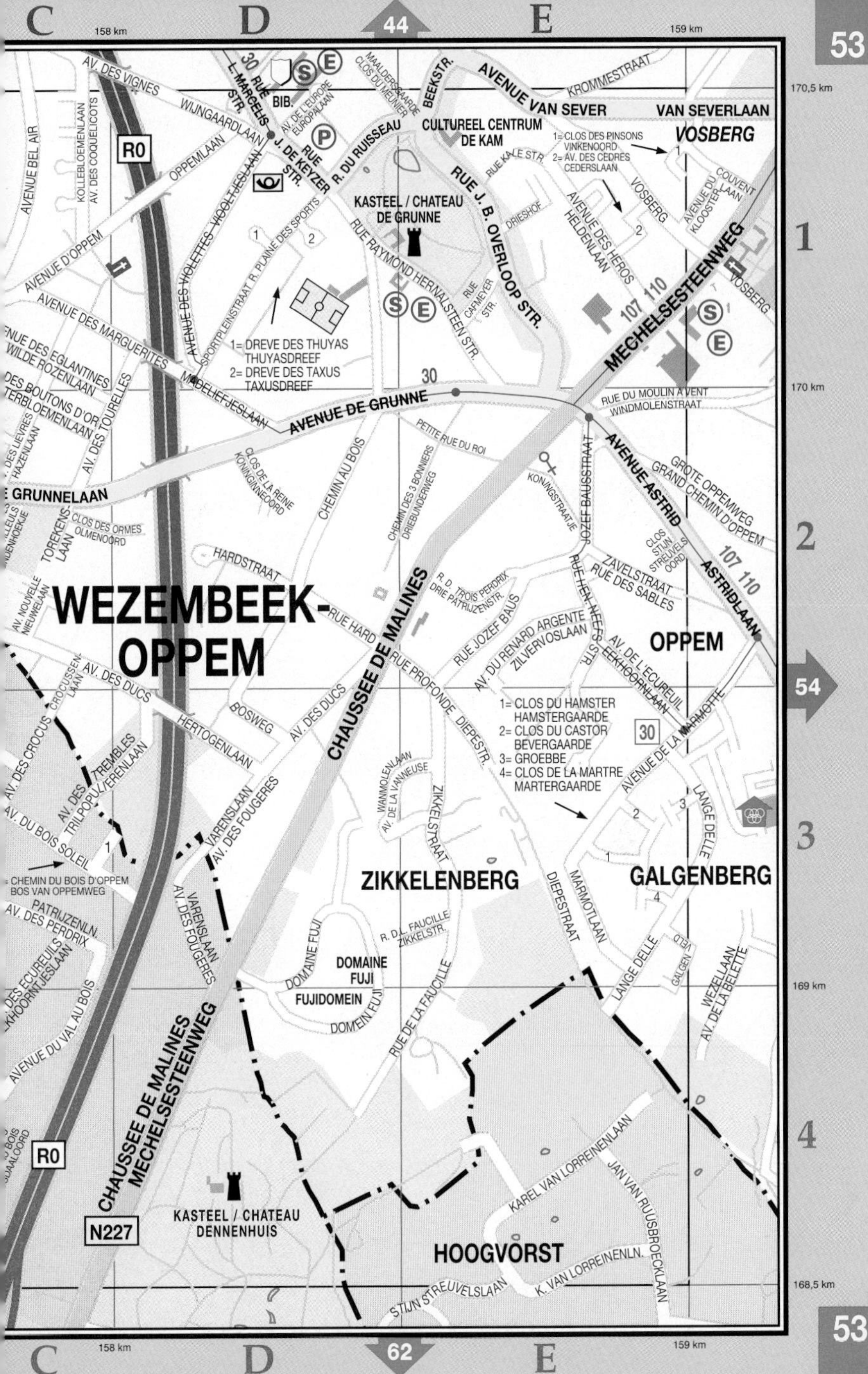
C
D
E
44
62
54
158 km
159 km
170,5 km
170 km
169 km
168,5 km
1
2
3
4
WEZEMBEEK-OPPEM
OPPEM
VOSBERG
ZIKKELENBERG
GALGENBERG
HOOGVORST
CULTUREEL CENTRUM DE KAM
KASTEEL / CHATEAU DE GRUNNE
KASTEEL / CHATEAU DENNENHUIS
DOMAINE FUJI
FUJIDOMEIN
AVENUE VAN SEVER
VAN SEVERLAAN
MECHELSESTEENWEG
CHAUSSEE DE MALINES
AVENUE DE GRUNNE
GRUNNELAAN
AVENUE ASTRID
ASTRIDLAAN
R0
N227
1= DREVE DES THUYAS
THUYASDREEF
2= DREVE DES TAXUS
TAXUSDREEF
1= CLOS DES PINSONS
VINKENOORD
2= AV. DES CEDRES
CEDERSLAAN
1= CLOS DU HAMSTER
HAMSTERGAARDE
2= CLOS DU CASTOR
BEVERGAARDE
3= GROEBBE
4= CLOS DE LA MARTRE
MARTERGAARDE
= CHEMIN DU BOIS D'OPPEM
BOS VAN OPPEMWEG

WEZEMBEEK-OPPEM
VOSBERG
OPPEM
VURENVELD
GALGENBERG
TERMUNT
AVENUE VAN SEVER LAAN
CH. DE MALINES
MECHELSESTEENWEG
N227
AVENUE LEOPOLD-III
LEOPOLD-III LAAN
AV. BRUEGHEL
BRUEGHELLAAN
OUDERGEMSEWEG
CHEMIN D'AUDERGHEM
OUDERGEMSELAAN
BARON BRUGMAN
DE WALZINPLEIN
DU ROY DE BLICQUYLAAN
PERKSTRAAT
RUE PERK
1= CLOS DES PINSONS VINKENOORD
2= AV. DES CEDRES CEDERSLAAN
KLOOSTER ST.-MICHAËL
1= CHAMP DES FLEURS BLOEMENVELD
RUE DU MOULIN A VENT
WINDMOLENSTRAAT
AVENUE ASTRID
ASTRIDLAAN
GRAND CHEMIN D'OPPEM
ALBERTLAAN
AVENUE ALBERT
DIEWEG
RUE DE LA LIMITE
ZAVELSTRAAT
RUE DES SABLES
AV. DE L'ECUREUIL
EEKHOORNLAAN
AVENUE DE LA MARMOTTE
1= CLOS DU HAMSTER HAMSTERGAARDE
2= CLOS DU CASTOR BEVERGAARDE
3= GROEBBE
4= CLOS DE LA MARTRE MARTERGAARDE
LANGE DELLE
GROTE OPPEMWEG
ELISABETHLAAN
AVENUE ELISABETH
H. HARTCOLLEGE
H. HART
RUE PIERRE MARCHAND STR.
AVENUE DES GENETS
BREMLAAN
WEZELLAAN
AV. DE LA BELETTE
DIEPESTRAAT
JAN VAN RUUSBROECKLAAN
CHEMIN DUCAL
HERTOGWEG
HOFKENSSTRAAT
WEZEMBEEKSTR.
LISKENSSTR.
HERTOGENWEG
OPPEMSTRAAT
TERVURENLAAN

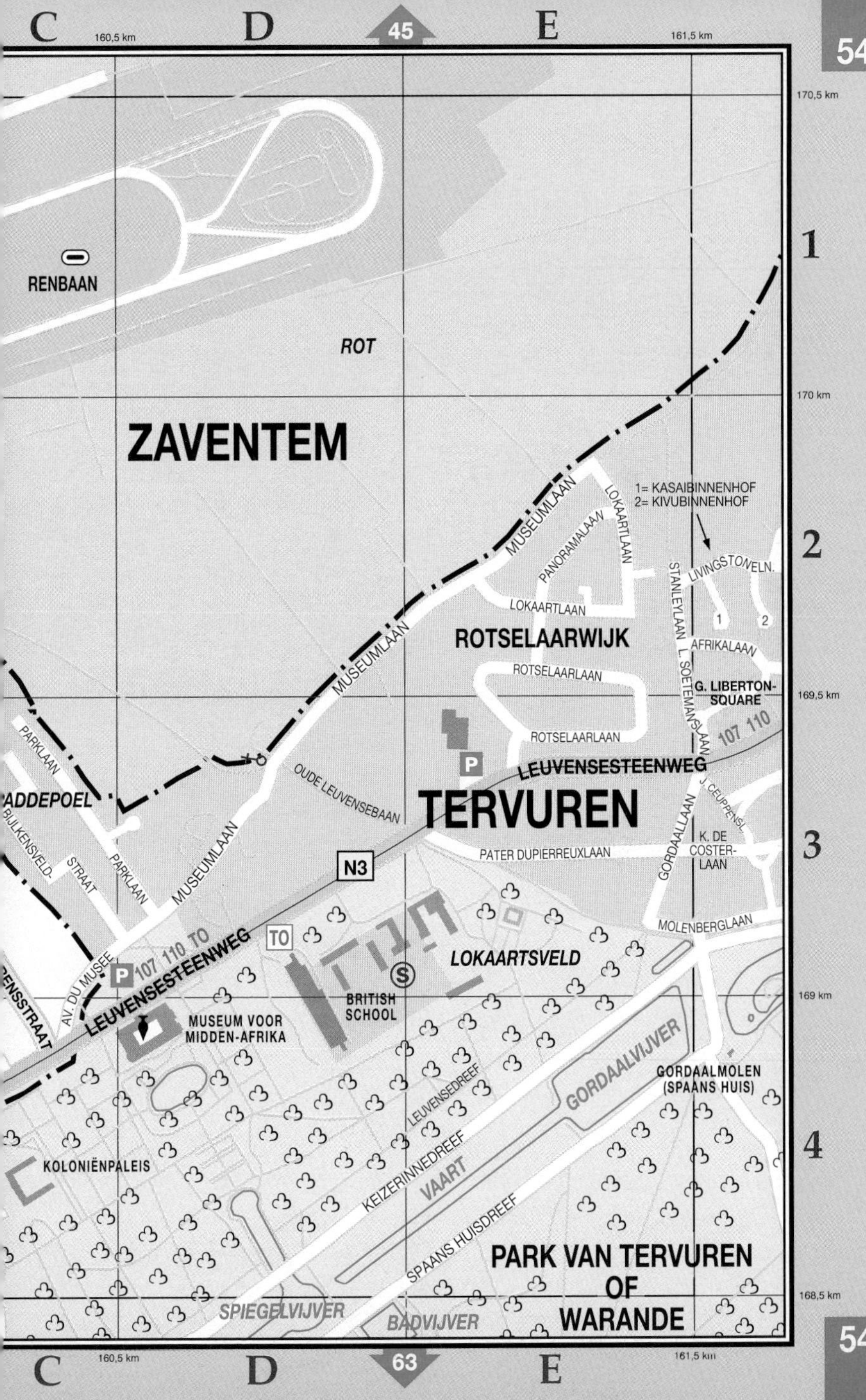
C
D
45
E
160,5 km
161,5 km
170,5 km
170 km
169,5 km
169 km
168,5 km
1
2
3
4
RENBAAN
ROT
ZAVENTEM
1= KASAIBINNENHOF
2= KIVUBINNENHOF
MUSEUMLAAN
LOKAARTLAAN
PANORAMALAAN
LIVINGSTONELN.
STANLEYLAAN
LOKAARTLAAN
ROTSELAARWIJK
AFRIKALAAN
L. SOETEMANSLAAN
ROTSELAARLAAN
G. LIBERTON-
SQUARE
ROTSELAARLAAN
107 110
LEUVENSESTEENWEG
J. CEUPPENSL.
TERVUREN
PARKLAAN
ADDEPOEL
OUDE LEUVENSEBAAN
BIJLKENSVELD.
STRAAT
PARKLAAN
MUSEUMLAAN
N3
PATER DUPIERREUXLAAN
GORDAALLAAN
K. DE
COSTER-
LAAN
MOLENBERGLAAN
107 110 TO
LEUVENSESTEENWEG
TO
LOKAARTSVELD
AV. DU MUSEE
BRITISH
SCHOOL
MUSEUM VOOR
MIDDEN-AFRIKA
GORDAALVIJVER
GORDAALMOLEN
(SPAANS HUIS)
LEUVENSEDREEF
KOLONIËNPALEIS
KEIZERINNEDREEF
VAART
SPAANS HUISDREEF
PARK VAN TERVUREN
OF
WARANDE
SPIEGELVIJVER
BADVIJVER
C
D
63
E
160,5 km
161,5 km

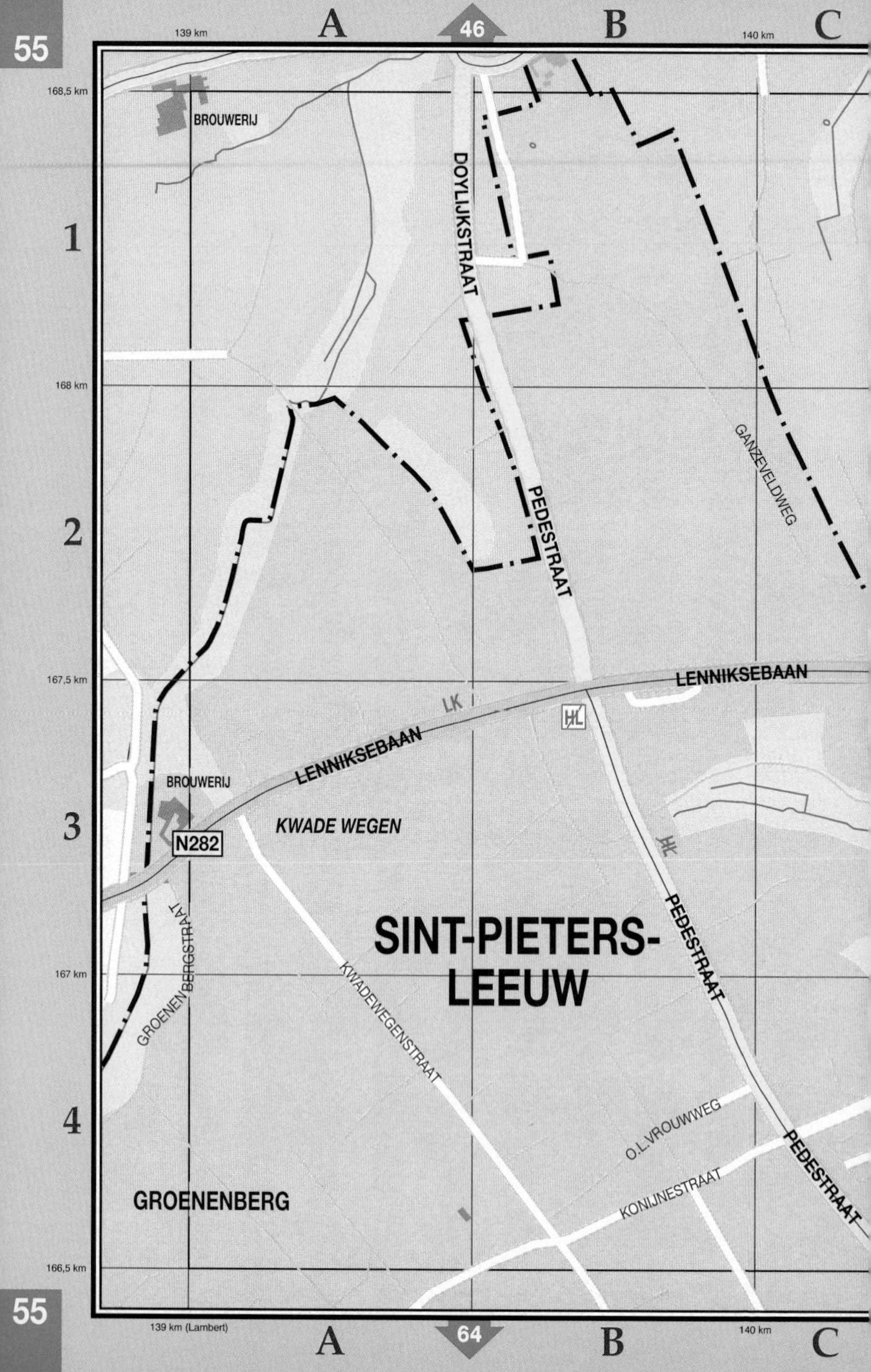
A
B
C
46
139 km
140 km
168,5 km
168 km
167,5 km
167 km
166,5 km
1
2
3
4
BROUWERIJ
DOYLIJKSTRAAT
PEDESTRAAT
GANZEVELDWEG
LENNIKSEBAAN
LK
HL
BROUWERIJ
KWADE WEGEN
N282
SINT-PIETERS-
LEEUW
GROENENBERGSTRAAT
KWADEWEGENSTRAAT
O.L.VROUWWEG
KONIJNESTRAAT
GROENENBERG
139 km (Lambert)
64

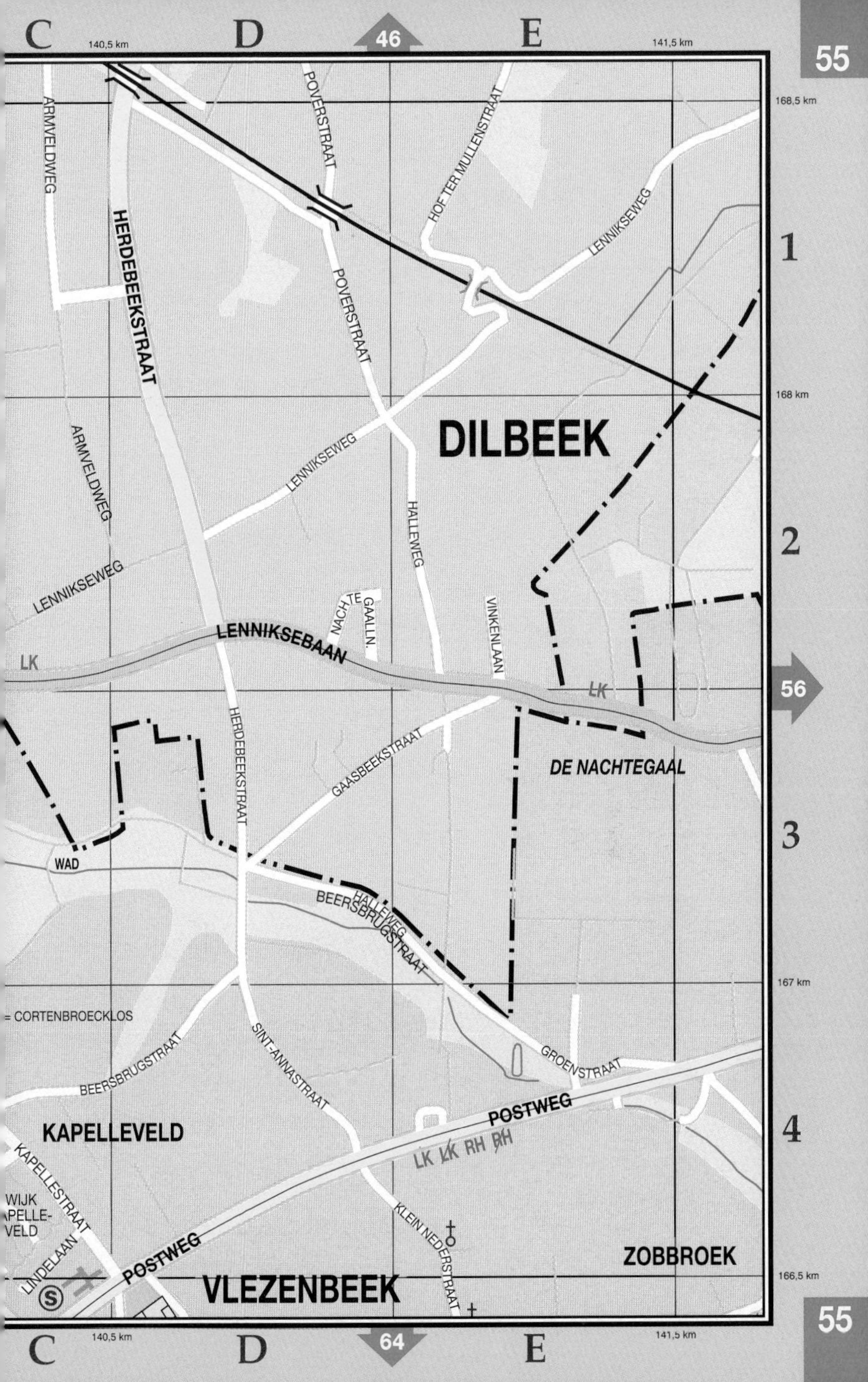
C
D
46
E
140,5 km
141,5 km
168,5 km
168 km
167 km
166,5 km
1
2
3
4
56
ARMVELDWEG
HERDEBEEKSTRAAT
POVERSTRAAT
HOF TER MULLENSTRAAT
LENNIKSEWEG
DILBEEK
HALLEWEG
VINKENLAAN
NACHTEGAALLN.
LENNIKSEBAAN
LK
GAASBEEKSTRAAT
DE NACHTEGAAL
WAD
BEERSBRUGSTRAAT
= CORTENBROECKLOS
SINT-ANNASTRAAT
GROENSTRAAT
POSTWEG
LK LK RH RH
KAPELLEVELD
KAPELLESTRAAT
WIJK
KAPELLE-
VELD
LINDELAAN
KLEIN NEDERSTRAAT
ZOBBROEK
VLEZENBEEK
C
D
64
E

A
B
C
47
141,5 km
142,5 km
168,5 km
168 km
167 km
166,5 km
1
2
3
4
55
DILBEEK
ANDERLECHT
SINT-PIETERS-LEEUW
LENNIKSEWEG
BORRE-STRAAT
RUE DE KOEIVIJVER
NEERPEDE
HOEVE
RUE DES BETTERAVE
KOEIVIJVERSTRAAT
BIETENSTRAAT
R. DES BETTERAVES
BIETENSTRAAT
R. DU CHAUDR
LO
KETELSTRAAT
RUE DU CHAUDRON
MEERVELD
KETELSTRAAT
LK
LENNIKSEBAAN
LENNIKSEBAAN
ROUTE DE LENNIK
DE NACHTEGAAL
PAUL VELDEKENSSTRAAT
P
56
AV. J. WYBRAN LAAN
74
98
F
LK LK RH RH
POSTWEG
POSTWEG
RUE MIJLENMEERSSTRAAT
GROENSTRAAT
STEENBERGSTRAAT
LEEGHOF
VOORSTRAAT
DOMSTRAAT
DOMSTRAAT
PLANKVOETWEG
ZOBBROEK
HERDEWEG
141,5 km (Lambert)
65

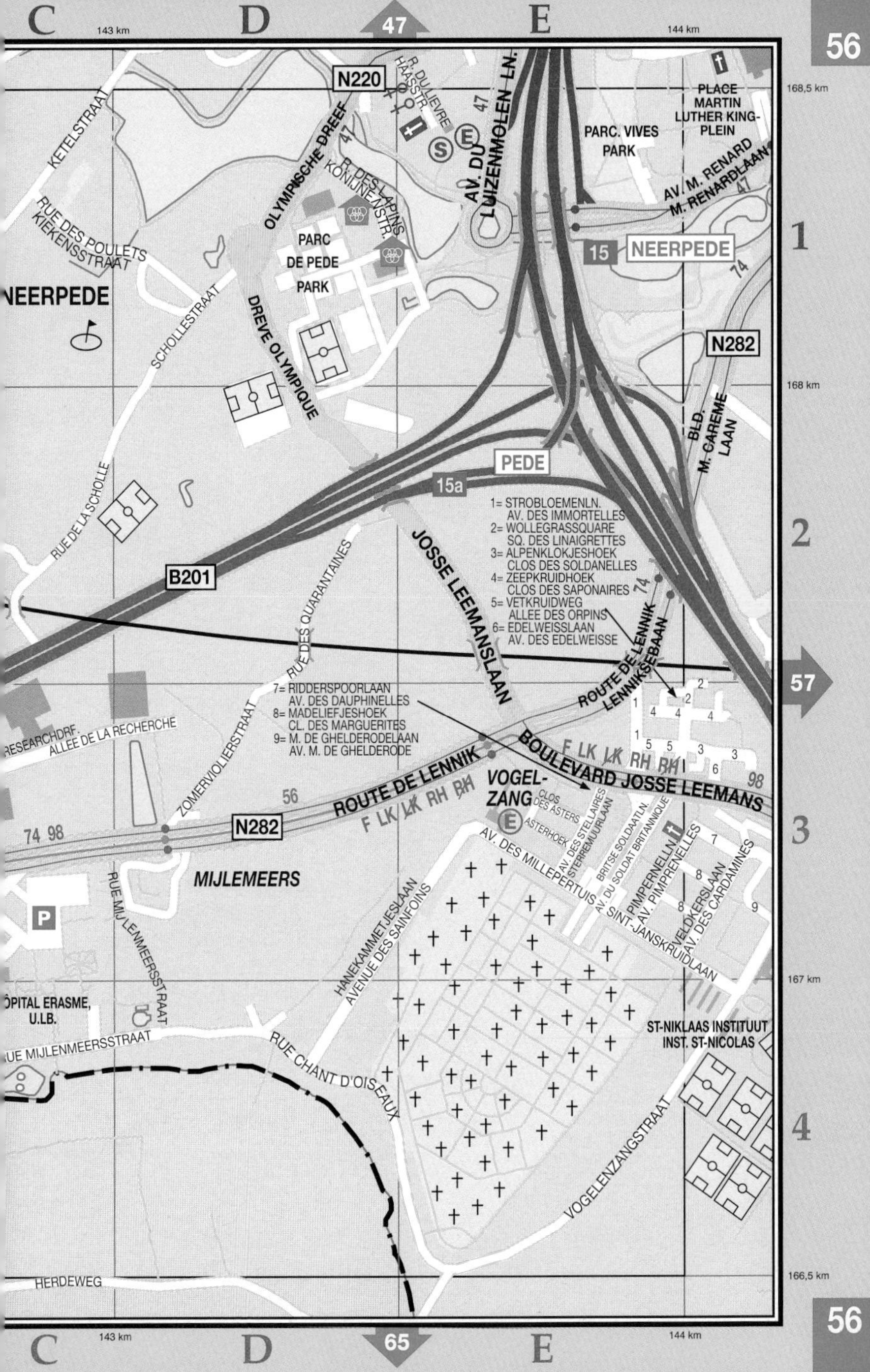
C
D
E
143 km
144 km
47
N220
R. DU LIEVRE
HAASSTR.
47
OLYMPISCHE DREEF
R. DES LAPINS
KONIJNENSTR.
AV. DU LUIZENMOLEN LN.
PARC. VIVES PARK
PLACE MARTIN LUTHER KING-PLEIN
AV. M. RENARD
M. RENARDLAAN
47
KETELSTRAAT
RUE DES POULETS
KIEKENSSTRAAT
PARC DE PEDE PARK
15
NEERPEDE
74
NEERPEDE
SCHOLLESTRAAT
DREVE OLYMPIQUE
N282
168,5 km
168 km
1
BLD. M. CAREME LAAN
PEDE
15a
RUE DE LA SCHOLLE
1= STROBLOEMENLN.
AV. DES IMMORTELLES
2= WOLLEGRASSQUARE
SQ. DES LINAIGRETTES
3= ALPENKLOKJESHOEK
CLOS DES SOLDANELLES
4= ZEEPKRUIDHOEK
CLOS DES SAPONAIRES
5= VETKRUIDWEG
ALLEE DES ORPINS
6= EDELWEISSLAAN
AV. DES EDELWEISSE
2
JOSSE LEEMANSLAAN
RUE DES QUARANTAINES
B201
74
ROUTE DE LENNIK
LENNIKSEBAAN
57
7= RIDDERSPOORLAAN
AV. DES DAUPHINELLES
8= MADELIEFJESHOEK
CL. DES MARGUERITES
9= M. DE GHELDERODELAAN
AV. M. DE GHELDERODE
RESEARCHDRF.
ALLEE DE LA RECHERCHE
ZOMERVIOLIERSTRAAT
ROUTE DE LENNIK
BOULEVARD JOSSE LEEMANS
F LK LK RH RH
98
VOGEL-ZANG
CLOS DES ASTERS
ASTERHOEK
AV. DES STELLAIRES
STERREMUURLAAN
BRITSE SOLDAATLN.
AV. DU SOLDAT BRITANNIQUE
PIMPERNELLN.
AV. PIMPRENELLES
74 98
56
N282
F LK LK RH RH
3
AV. DES MILLEPERTUIS
SINT-JANSKRUIDLAAN
VELDKERSLAAN
AV. DES CARDAMINES
MIJLEMEERS
RUE MIJLENMEERSSTRAAT
P
HANEKAMMETJESLAAN
AVENUE DES SAINFOINS
167 km
HÔPITAL ERASME, U.L.B.
RUE MIJLENMEERSSTRAAT
RUE CHANT D'OISEAUX
ST-NIKLAAS INSTITUUT
INST. ST-NICOLAS
4
VOGELENZANGSTRAAT
HERDEWEG
166,5 km
143 km
144 km
65
C
D
E

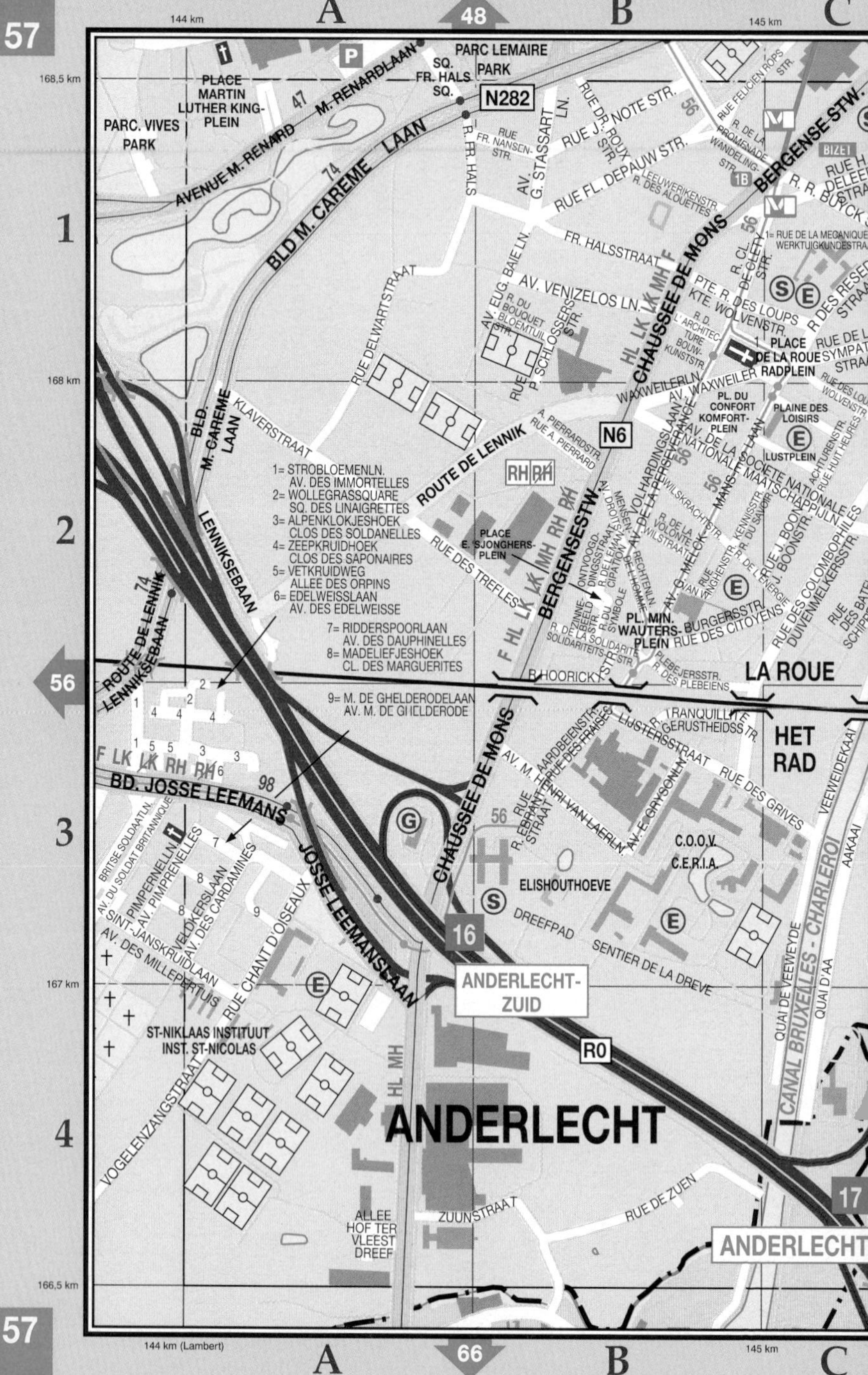
A
48
B
C
144 km
145 km
168,5 km
168 km
167 km
166,5 km
1
2
3
4
56
PARC LEMAIRE
PARK
SQ.
FR. HALS
SQ.
N282
PLACE
MARTIN
LUTHER KING-
PLEIN
PARC. VIVES
PARK
M. RENARDLAAN
AVENUE M. RENARD
BLD M. CAREME LAAN
R. FR. HALS
RUE
FR. NANSEN-
STR.
AV.
G. STASSART
LN.
RUE J. NOTE STR.
RUE DR. ROUX
STR.
RUE FL. DEPAUW STR.
R. LEEUWERIKENSTR.
R. DES ALOUETTES
RUE FELICIEN ROPS
STR.
R. DE LA
PROMENADE
WANDELING-
STR.
BERGENSE STW.
BIZET
RUE H.
DELEER
STRA
R. R. BUYCK S
1= RUE DE LA MECANIQUE
WERKTUIGKUNDESTRAAT
FR. HALSSTRAAT
AV. EUG. BAIE LN.
AV. VENIZELOS LN.
CHAUSSEE DE MONS
PTE. R. DES LOUPS
KTE. WOLVENSTR.
R. CL.
DE CLETY
STR.
R. DES RESED
STRAAT
R. DU
BOUQUET
BLOEMTUIL
STR.
R. P. SCHLOSSERS
STR.
R. D.
L'ARCHITEC-
TURE
BOUW-
KUNSTSTR.
PLACE
DE LA ROUE
RADPLEIN
RUE DE LA
SYMPATH
STRAAT
RUE DES LOUPS
WOLVENSTR.
RUE DELWARTSTRAAT
WAXWEILERLN.
AV. WAXWEILER
PL. DU
CONFORT
KOMFORT-
PLEIN
PLAINE DES
LOISIRS
LUSTPLEIN
KLAVERSTRAAT
BLD.
M. CAREME
LAAN
ROUTE DE LENNIK
A. PIERRARDSTR.
RUE A. PIERRARD
N6
VOLHARDINGSLAAN
AV. DE LA PERSEVERANCE
AV. DE LA SOCIETE NATIONALE
NATIONALE MAATSCHAPPIJLN.
MANS-LAAN
ACHTURENSTR.
RUE HUIT HEURES
1= STROBLOEMENLN.
AV. DES IMMORTELLES
2= WOLLEGRASSQUARE
SQ. DES LINAIGRETTES
3= ALPENKLOKJESHOEK
CLOS DES SOLDANELLES
4= ZEEPKRUIDHOEK
CLOS DES SAPONAIRES
5= VETKRUIDWEG
ALLEE DES ORPINS
6= EDELWEISSLAAN
AV. DES EDELWEISSE
7= RIDDERSPOORLAAN
AV. DES DAUPHINELLES
8= MADELIEFJESHOEK
CL. DES MARGUERITES
9= M. DE GHELDERODELAAN
AV. M. DE GHELDERODE
LENNIKSEBAAN
PLACE
E. SJONGHERS-
PLEIN
RUE DES TREFLES
BERGENSESTW.
WILSKRACHTSTR.
R. DE LA
VOLONTE
WILSTRAAT
KENNISSTR.
R. DU SAVOIR
R. J. BOON
J. BOONSTR.
RUE DES COLOMBOPHILES
DUIVENMELKERSSTR.
AV. G. MELCK
R. DE L'ENERGIE
ONTVOOGD-
DINGSSTRAAT
AV. DE L'EMAN-
CIPATION
MENSEN-
RECHTENLN.
AV. DROITS DE L'HOMME
ZINNE-
BEELD
STR.
R. DU
SYMBOLE
PL. MIN.
WAUTERS-
PLEIN
BURGERSSTR.
RUE DES CITOYENS
RUE
DES BATE
SCHIPPE
ROUTE DE LENNIK
LENNIKSEBAAN
74
R. DE LA SOLIDARITE
SOLIDARITEITS-STR.
R. HOORICKX
PLEBEJERSSTR.
R. DES PLEBEIENS
LA ROUE
R. TRANQUILLITE
GERUSTHEIDSSTR.
HET
RAD
LIJSTERSSTRAAT
RUE DES GRIVES
VEEWEIDEKAAI
BD. JOSSE LEEMANS
98
CHAUSSEE DE MONS
AV. M. HENRI VAN LAERLN.
AARDBEIENSTR.
RUE DES FRAISES
AV. E. GRYSONLN.
RUE
R. EBRANT
STRAAT
C.O.O.V.
C.E.R.I.A.
ELISHOUTHOEVE
DREEFPAD
SENTIER DE LA DREVE
JOSSE LEEMANSLAAN
BRITSE SOLDAATLN.
AV. DU SOLDAT BRITANNIQUE
PIMPERNELLN.
AV. PIMPRENELLES
VELDKERSLAAN
AV. DES CARDAMINES
SINT-JANSKRUIDLAAN
AV. DES MILLEPERTUIS
RUE CHANT D'OISEAUX
16
ANDERLECHT-
ZUID
ST-NIKLAAS INSTITUUT
INST. ST-NICOLAS
R0
VOGELENZANGSTRAAT
ANDERLECHT
QUAI DE VEEWEYDE
CANAL BRUXELLES - CHARLEROI
QUAI D'AA
AAKAAI
17
ANDERLECHT
RUE DE ZUEN
ZUUNSTRAAT
ALLEE
HOF TER
VLEEST
DREEF
144 km (Lambert)
145 km
66
A
B
C

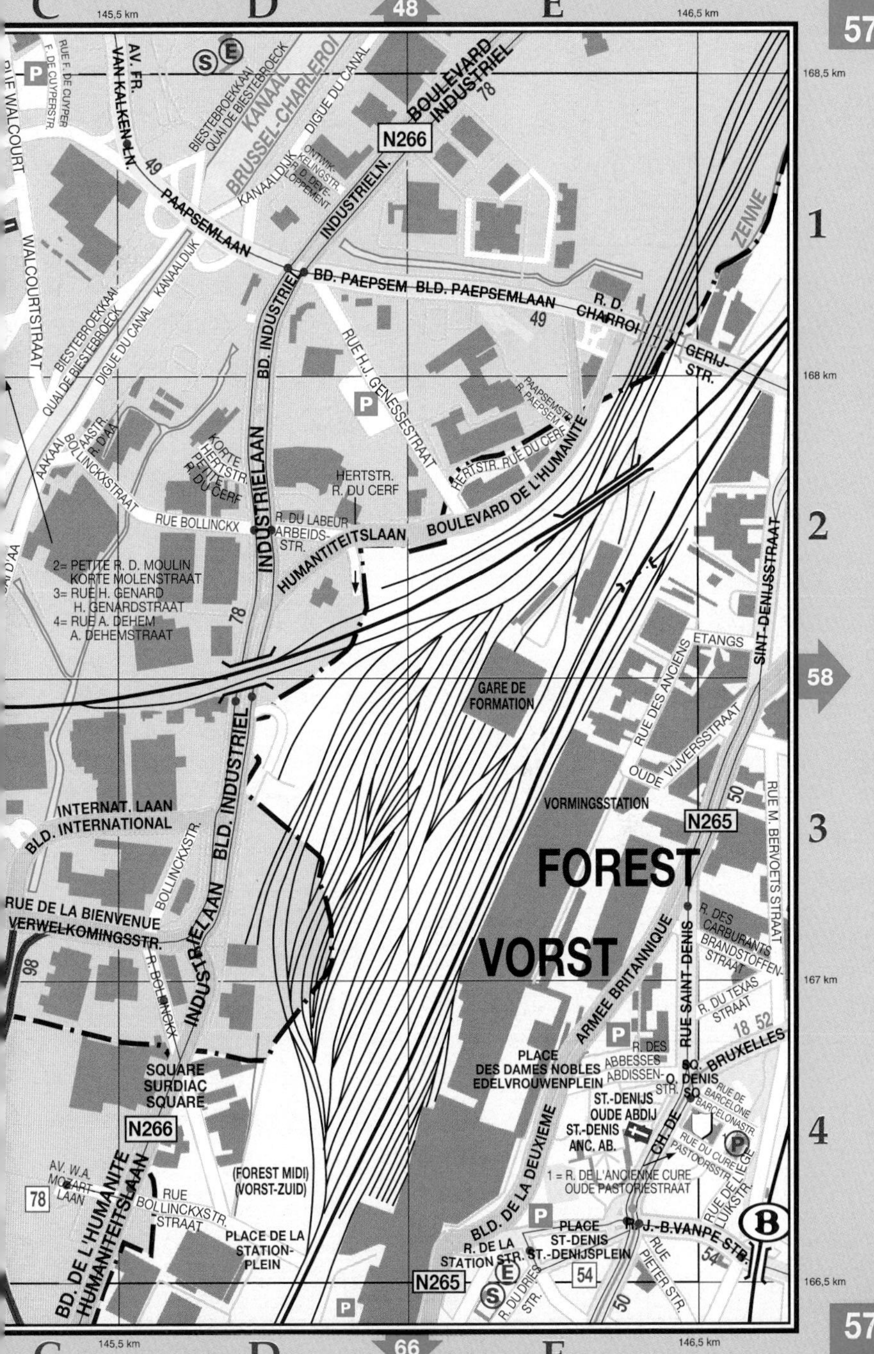
C
D
E
145,5 km
146,5 km
48
168,5 km
168 km
167 km
166,5 km
1
2
3
4
58
66
FOREST
VORST
GARE DE FORMATION
VORMINGSSTATION
BOULEVARD INDUSTRIEL
N266
INDUSTRIELN.
PAAPSEMLAAN
BD. PAEPSEM BLD. PAEPSEMLAAN
R. D. CHARROI
GERIJ-STR.
ZENNE
KANAAL BRUSSEL-CHARLEROI
DIGUE DU CANAL
BIESTEBROEKKAAI QUAI DE BIESTEBROECK
KANAALDIJK
AV. FR. VAN KALKEN LN.
RUE F. DE CUYPER F. DE CUYPERSTR.
RUE WALCOURT
WALCOURTSSTRAAT
BD. INDUSTRIEL
INDUSTRIELAAN
RUE H.J. GENESSESTRAAT
PAAPSEMSTR. R. PAEPSEM
HERTSTR. RUE DU CERF
BOULEVARD DE L'HUMANITE
HUMANITEITSLAAN
HERTSTR. R. DU CERF
R. DU LABEUR ARBEIDS-STR.
RUE BOLLINCKX
KORTE HERTSTR. PETITE R. DU CERF
AASTR. R. D'AA
BOLLINCKXSTRAAT
AAKAAI
2= PETITE R. D. MOULIN KORTE MOLENSTRAAT
3= RUE H. GENARD H. GENARDSTRAAT
4= RUE A. DEHEM A. DEHEMSTRAAT
ETANGS
RUE DES ANCIENS
OUDE VIJVERSSTRAAT
SINT-DENIJSSTRAAT
N265
RUE M. BERVOETS STRAAT
INTERNAT. LAAN
BLD. INTERNATIONAL
BOLLINCKXSTR.
RUE DE LA BIENVENUE
VERWELKOMINGSSTR.
R. BOLLINCKX
SQUARE SURDIAC SQUARE
ARMEE BRITANNIQUE
RUE SAINT-DENIS
R. DES CARBURANTS BRANDSTOFFEN-STRAAT
R. DU TEXAS STRAAT
R. DES ABBESSES ABDISSEN-STR.
PLACE DES DAMES NOBLES EDELVROUWENPLEIN
SQ. O. DENIS SQ.
BRUXELLES
ST.-DENIJS OUDE ABDIJ
ST.-DENIS ANC. AB.
RUE DE BARCELONE BARCELONASTR.
RUE DU CURE PASTOORSSTR.
CH. DE
RUE DE LIEGE LUIKSTR.
1 = R. DE L'ANCIENNE CURE OUDE PASTORIESTRAAT
BLD. DE LA DEUXIEME
AV. W.A. MOZART LAAN
BD. DE L'HUMANITE HUMANITEITSLAAN
RUE BOLLINCKXSTR. STRAAT
(FOREST MIDI) (VORST-ZUID)
PLACE DE LA STATION-PLEIN
R. DE LA STATION STR.
PLACE ST-DENIS ST.-DENIJSPLEIN
R. J.-B.VANPE STR.
RUE PIETER STR.
R. DU DRIES STR.
N265
54
50
78
49
98
18 52

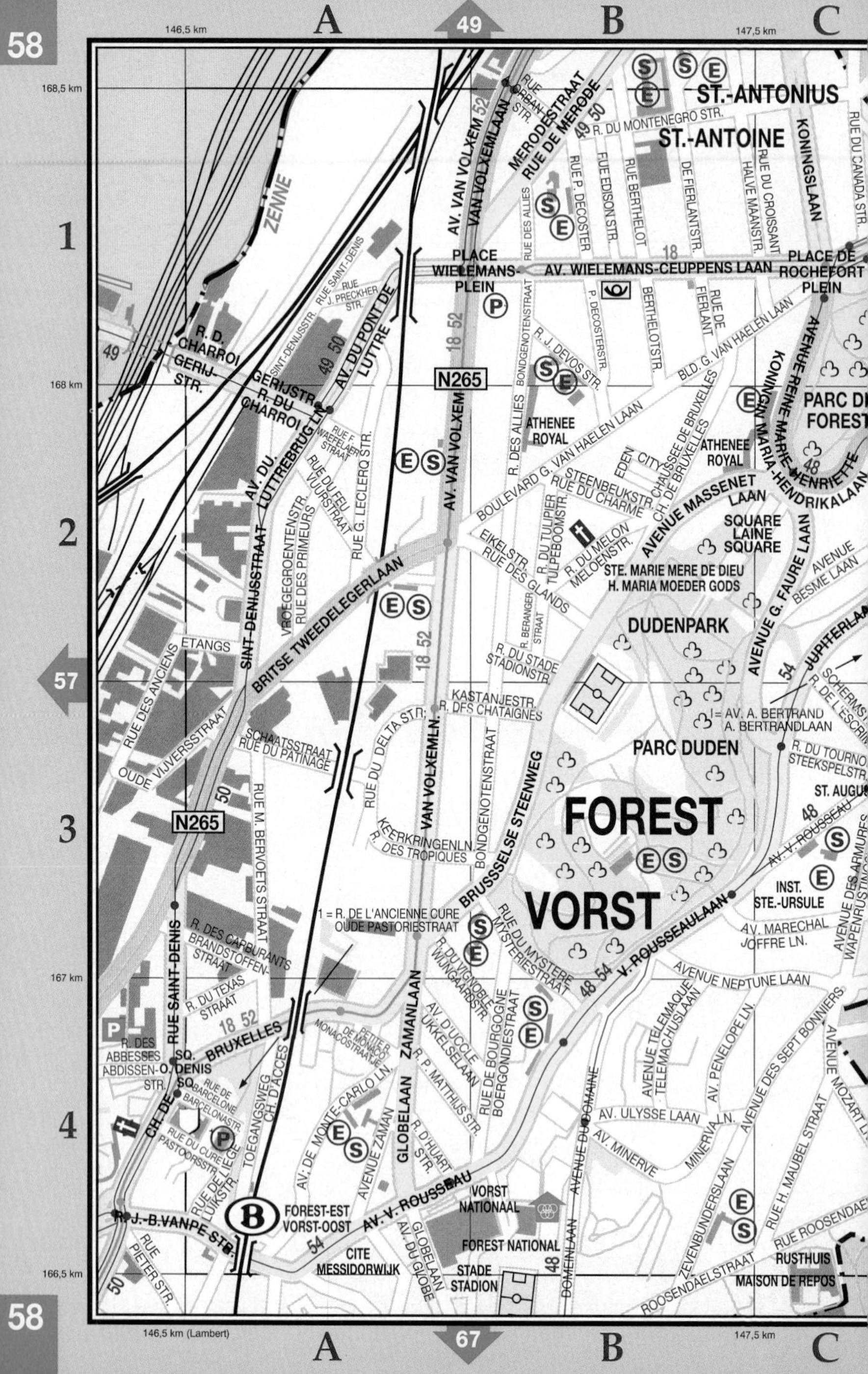
A
B
C
49
146,5 km
147,5 km
168,5 km
168 km
167 km
166,5 km
146,5 km (Lambert)
1
2
3
4
57
67
ST.-ANTONIUS
ST.-ANTOINE
R. DU MONTENEGRO STR.
MERODESTRAAT
RUE DE MERODE
RUE ORBAN STR.
AV. VAN VOLXEM
VAN VOLXEMLAAN
RUE P. DECOSTER
RUE EDISON STR.
RUE BERTHELOT
DE FIERLANTSTR.
HALVE MAANSTR.
RUE DU CROISSANT
KONINGSLAAN
RUE DU CANADA STR.
ZENNE
RUE DES ALLIES
PLACE WIELEMANS-PLEIN
AV. WIELEMANS-CEUPPENS LAAN
PLACE DE ROCHEFORT PLEIN
RUE SAINT-DENIS
RUE J. PRECKHER STR.
SINT-DENIJSSTR.
AV. DU PONT DE LUTTRE
R. D. CHARROI GERIJ-STR.
GERIJSTR. R. DU CHARROI
P. DECOSTERSTR.
BERTHELOTSTR.
RUE DE FIERLANT
R. J. DEVOS STR.
BONDGENOTENSTRAAT
BLD. G. VAN HAELEN LAAN
AVENUE REINE MARIE-HENRIETTE
KONINGIN MARIA-HENDRIKALAAN
PARC DE FOREST
N265
AV. DU LUTTREBRUG LN.
RUE F. WAEFELAER STRAAT
RUE G. LECLERQ STR.
RUE DU FEU VUURSTRAAT
ATHENEE ROYAL
BOULEVARD G. VAN HAELEN LAAN
EDEN CITY
CHAUSSEE DE BRUXELLES
CH. DE BRUXELLES
STEENBEUKSTR.
RUE DU CHARME
AVENUE MASSENET LAAN
SQUARE LAINE SQUARE
48
SINT-DENIJSSTRAAT
VROEGEGROENTENSTR.
RUE DES PRIMEURS
BRITSE TWEEDELEGERLAAN
EIKELSTR.
RUE DES GLANDS
R. DU TULIPIER TULPEBOOMSTR.
R. DU MELON MELOENSTR.
STE. MARIE MERE DE DIEU
H. MARIA MOEDER GODS
AVENUE G. FAURE LAAN
AVENUE BESME LAAN
JUPITERLAAN
R. BERANGER STRAAT
DUDENPARK
R. DU STADE STADIONSTR.
ETANGS
RUE DES ANCIENS
KASTANJESTR.
R. DES CHATAIGNES
1 = AV. A. BERTRAND
A. BERTRANDLAAN
RUE DU DELTA STR.
SCHAATSSTRAAT
RUE DU PATINAGE
OUDE VIJVERSSTRAAT
PARC DUDEN
R. DU TOURNOI STEEKSPELSTR.
ST. AUGU
VAN VOLXEMLN.
BRUSSELSE STEENWEG
FOREST
VORST
RUE M. BERVOETS STRAAT
KEERKRINGENLN.
R. DES TROPIQUES
AV. V. ROUSSEAU
INST. STE.-URSULE
AVENUE DES ARMURES
1 = R. DE L'ANCIENNE CURE
OUDE PASTORIESTRAAT
RUE DU MYSTERE
MYSTERIESTRAAT
V. ROUSSEAULAAN
AV. MARECHAL JOFFRE LN.
R. DES CARBURANTS
BRANDSTOFFEN-STRAAT
R. DU VIGNOBLE WIJNGAARDSTR.
RUE SAINT-DENIS
AVENUE NEPTUNE LAAN
R. DU TEXAS STRAAT
ZAMANLAAN
AVENUE TELEMAQUE TELEMACHUSLAAN
AV. PENELOPE LN.
AVENUE DES SEPT BONNIERS
AVENUE MOZART
R. DES ABBESSES ABDISSEN-STR.
SQ. O. DENIS SQ.
BRUXELLES
PETITE R. DE MONACO MONACOSTRAATJE
AV. D'UCCLE UKKELSELAAN
RUE DE BOURGOGNE BOURGONDIESTRAAT
R. P. MATTHUS STR.
CH. DE
RUE DE BARCELONE BARCELONASTR.
TOEGANGSWEG CH. D'ACCES
AV. DE MONTE-CARLO LN.
AVENUE ZAMAN
GLOBELAAN
AV. ULYSSE LAAN
AV. MINERVE
MINERVA LN.
RUE DU CURE PASTOORSSTR.
RUE DE LIEGE LUIKSTR.
R. D'HUART STR.
AVENUE DU DOMAINE
DOMEINLAAN
RUE H. MAUBEL STRAAT
AV. V. ROUSSEAU
VORST NATIONAAL
R. J.-B. VANPE STR.
FOREST-EST VORST-OOST
FOREST NATIONAL
ZEVENBUNDERSLAAN
RUE ROOSENDAEL
RUE PIETER STR.
CITE MESSIDORWIJK
AV. DU GLOBE
STADE STADION
ROOSENDAELSTRAAT
RUSTHUIS
MAISON DE REPOS
18
52
50
54

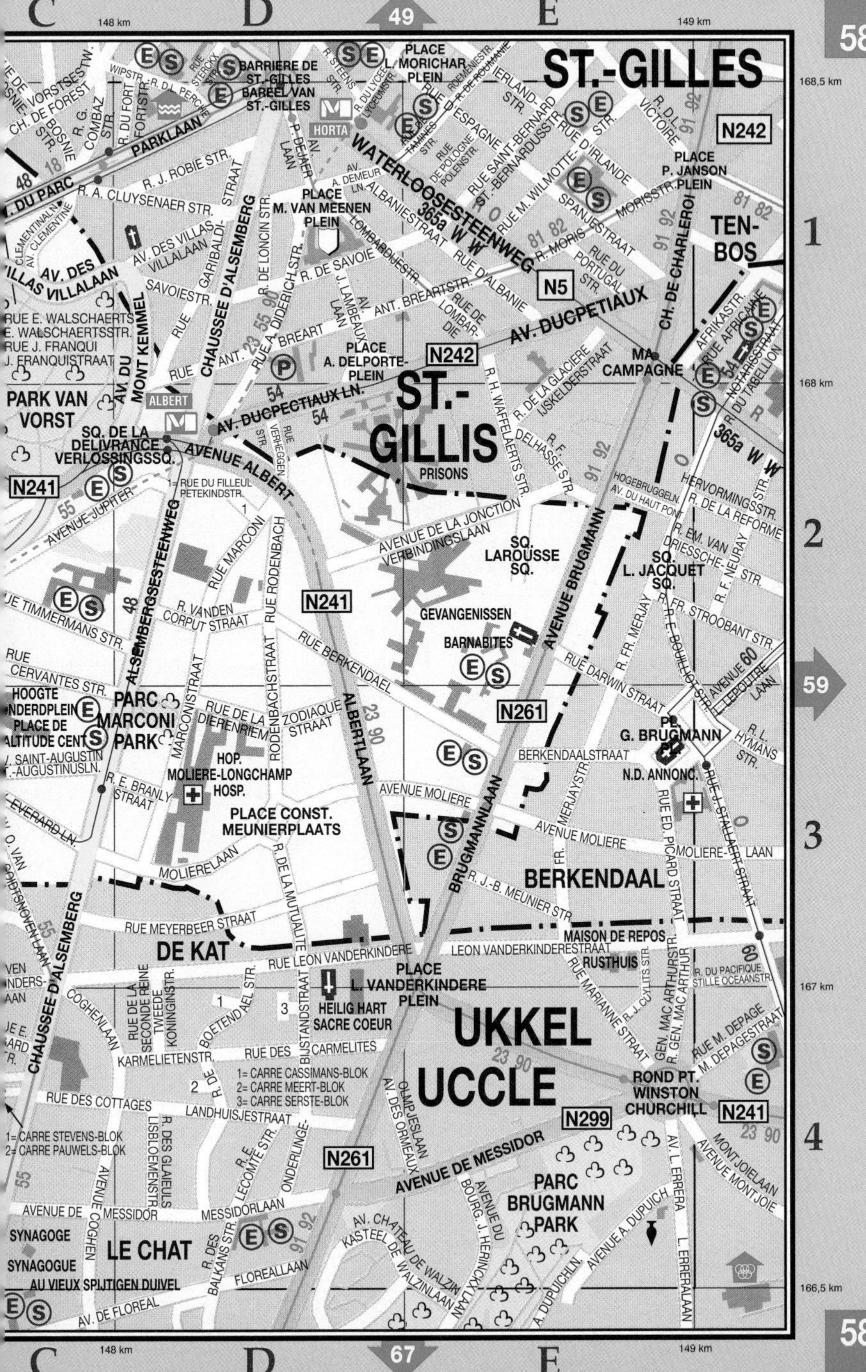
ST.-GILLES
ST.-GILLIS
PRISONS
UKKEL
UCCLE
TEN-BOS
BERKENDAAL
DE KAT
LE CHAT
PARK VAN VORST
BARRIERE DE ST.-GILLES
BAREEL VAN ST.-GILLES
PLACE L. MORICHAR PLEIN
HORTA
ALBERT
PLACE M. VAN MEENEN PLEIN
PLACE A. DELPORTE-PLEIN
PLACE P. JANSON PLEIN
MA CAMPAGNE
SQ. DE LA DELIVRANCE VERLOSSINGSSQ.
SQ. LAROUSSE SQ.
SQ. L. JACQUET SQ.
GEVANGENISSEN
BARNABITES
PL. G. BRUGMANN PL.
N.D. ANNONC.
HOP. MOLIERE-LONGCHAMP HOSP.
PLACE CONST. MEUNIERPLAATS
PARC MARCONI PARK
MAISON DE REPOS RUSTHUIS
PLACE L. VANDERKINDERE PLEIN
HEILIG HART SACRE COEUR
ROND PT. WINSTON CHURCHILL
PARC BRUGMANN PARK
SYNAGOGE SYNAGOGUE
AU VIEUX SPIJTIGEN DUIVEL
1= RUE DU FILLEUL PETEKINDSTR.
1= CARRE CASSIMANS-BLOK
2= CARRE MEERT-BLOK
3= CARRE SERSTE-BLOK
1= CARRE STEVENS-BLOK
2= CARRE PAUWELS-BLOK
PARKLAAN
WATERLOOSESTEENWEG
AV. DUCPETIAUX
AV. DUCPETIAUX LN.
CHAUSSEE D'ALSEMBERG
ALSEMBERGSESTEENWEG
AVENUE ALBERT
ALBERTLAAN
AVENUE BRUGMANN
BRUGMANNLAAN
CH. DE CHARLEROI
AVENUE DE LA JONCTION VERBINDINGSLAAN
RUE BERKENDAEL
BERKENDAALSTRAAT
AVENUE MOLIERE
MOLIERELAAN
RUE MEYERBEER STRAAT
RUE LEON VANDERKINDERE
LEON VANDERKINDERESTRAAT
AVENUE DE MESSIDOR
MESSIDORLAAN
RUE DES CARMELITES
KARMELIETENSTR.
RUE DES COTTAGES
LANDHUISJESTRAAT
AV. DE FLOREAL
FLOREALLAAN
AVENUE JUPITER
RUE DARWIN STRAAT
N242
N5
N241
N261
N299
365a W W
59
1
2
3
4
168,5 km
168 km
167 km
166,5 km

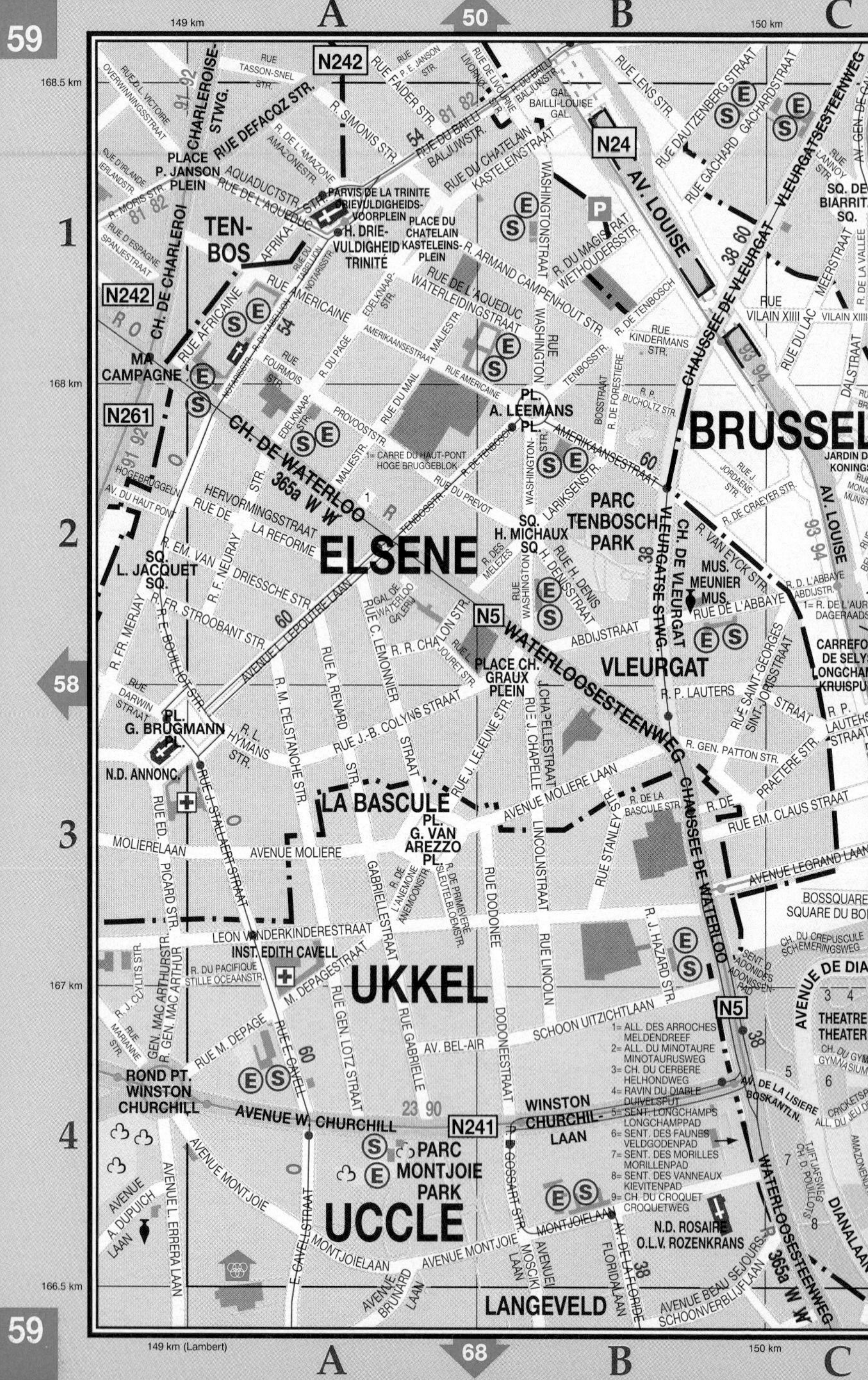
A
B
C
50
149 km
150 km
168.5 km
168 km
167 km
166.5 km
1
2
3
4
58
68
149 km (Lambert)
N242
N24
N261
N5
N241
BRUSSEL
ELSENE
UKKEL
UCCLE
TEN-BOS
VLEURGAT
LA BASCULE
LANGEVELD
RUE TASSON-SNEL STR.
RUE P. E. JANSON STR.
RUE FAIDER STR.
R. SIMONIS STR.
RUE DE LIVOURNE LIVORNOSTR.
RUE DU BAILLI BALJUWSTR.
GAL. BAILLI-LOUISE GAL.
RUE LENS STR.
RUE DAUTZENBERG STRAAT
RUE GACHARD GACHARDSTRAAT
VLEURGATSESTEENWEG
RUE D.L. VICTOIRE OVERWINNINGSSTRAAT
CHARLEROISE-STWG.
RUE DEFACQZ STR.
R. DE L'AMAZONE AMAZONESTR.
PLACE P. JANSON PLEIN
AQUADUCTSTR.
RUE DE L'AQUEDUC
PARVIS DE LA TRINITE DRIEVULDIGHEIDS-VOORPLEIN
H. DRIE-VULDIGHEID TRINITÉ
PLACE DU CHATELAIN KASTELEINS-PLEIN
RUE DU CHATELAIN KASTELEINSTRAAT
R. ARMAND CAMPENHOUT STR.
WASHINGTONSTRAAT
R. DU MAGISTRAT WETHOUDERSSTR.
AV. LOUISE
CHAUSSEE DE VLEURGAT
SQ. DE BIARRITZ SQ.
RUE VILAIN XIIII
RUE DU LAC
MEERSTRAAT
DALSTRAAT
R. DE TENBOSCH
RUE KINDERMANS STR.
CH. DE CHARLEROI
RUE AFRICAINE
RUE AMERICAINE
AMERIKAANSESTRAAT
RUE DE L'AQUEDUC WATERLEIDINGSTRAAT
MA CAMPAGNE
RUE FOURMOIS STR.
R. DU PAGE
RUE DU MAIL
MALIESTR.
PL. A. LEEMANS PL.
TENBOSSTR.
R. DE FORESTIERE
R. P. BUCHOLTZ STR.
CH. DE WATERLOO
365a
PROVOOSTSTR.
1= CARRE DU HAUT-PONT HOGE BRUGGEBLOK
RUE DU PREVOT
HOGEBRUGGELN.
AV. DU HAUT PONT
HERVORMINGSSTRAAT
RUE DE LA REFORME
PARC TENBOSCH PARK
SQ. H. MICHAUX SQ
RUE H. DENIS
JARDIN DU KONINGST
R. DE CRAEYER STR.
R. VAN EYCK STR.
AV. LOUISE
SQ. L. JACQUET SQ.
R. EM. VAN DRIESSCHE STR.
R. F. NEURAY
R. FR. STROOBANT STR.
R. FR. MERJAY
AVENUE L. LEPOUTRE LAAN
GAL DE WATERLOO GALERIJ
RUE C. LEMONNIER
R. R. CHALON STR.
CH. DE VLEURGAT
VLEURGATSE STWG.
MUS. MEUNIER MUS.
RUE DE L'ABBAYE
ABDIJSTRAAT
R. D. L'ABBAYE ABDIJSTR.
1= R. DE L'AURORE DAGERAADST
CARREFOUR DE SELYS-LONGCHAMPS KRUISPUNT
WATERLOOSESTEENWEG
PLACE CH. GRAUX PLEIN
RUE DARWIN STRAAT
R. E. BOUILLOT STR.
PL. G. BRUGMANN PL.
R. L. HYMANS STR.
R. M. DELSTANCHE STR.
RUE A. RENARD STR.
RUE J.-B. COLYNS STRAAT
RUE J. LEJEUNE STR.
RUE J. CHAPELLE J. CHAPELLESTRAAT
R. P. LAUTERS
RUE SAINT-GEORGES SINT-JORISSTRAAT
R. GEN. PATTON STR.
PRAETERE STR.
R. P. LAUTERS STRAAT
N.D. ANNONC.
RUE ED. PICARD STR.
RUE J. STALLAERT STRAAT
AVENUE MOLIERE LAAN
R. DE LA BASCULE STR.
RUE EM. CLAUS STRAAT
PL. G. VAN AREZZO PL.
MOLIERELAAN
AVENUE MOLIERE
GABRIELLESTRAAT
RUE DODONEE
LINCOLNSTRAAT
RUE STANLEY STR.
CHAUSSEE DE WATERLOO
AVENUE LEGRAND LAAN
BOSSQUARE SQUARE DU BOIS
CH. DU CREPUSCULE SCHEMERINGSWEG
LEON VANDERKINDERESTRAAT
INST. EDITH CAVELL
R. DU PACIFIQUE STILLE OCEAANSTR.
M. DEPAGESTRAAT
R. J. HAZARD STR.
RUE LINCOLN
AVENUE DE DIANE
THEATRE THEATER
R. J. CUYLITS STR.
GEN. MAC ARTHURSTR.
R. GEN. MAC ARTHUR
RUE MARIANNE STR.
RUE M. DEPAGE
RUE E. CAVELL
RUE GEN. LOTZ STRAAT
RUE GABRIELLE
DODONEESTRAAT
SCHOON UITZICHTLAAN
AV. BEL-AIR
1= ALL. DES ARROCHES MELDENDREEF
2= ALL. DU MINOTAURE MINOTAURUSWEG
3= CH. DU CERBERE HELHONDWEG
4= RAVIN DU DIABLE DUIVELSPUT
5= SENT. LONGCHAMPS LONGCHAMPPAD
6= SENT. DES FAUNES VELDGODENPAD
7= SENT. DES MORILLES MORILLENPAD
8= SENT. DES VANNEAUX KIEVITENPAD
9= CH. DU CROQUET CROQUETWEG
ROND PT. WINSTON CHURCHILL
AVENUE W. CHURCHILL
WINSTON CHURCHIL-LAAN
AV. DE LA LISIERE BOSKANTLN.
PARC MONTJOIE PARK
AVENUE MONTJOIE
MONTJOIELAAN
AVENUE A. DUPUICH LAAN
AVENUE L. ERRERA LAAN
E. CAVELLSTRAAT
R. GOSSART STR.
AVENUE MOSCICKI LAAN
AV. DE LA FLORIDE
FLORIDALAAN
N.D. ROSAIRE O.L.V. ROZENKRANS
AVENUE BEAU SEJOUR SCHOONVERBLIJFLAAN
AVENUE BRUNARD LAAN
DIANALAAN
TIJFTJAFSWEG CH. D. POUILLOTS

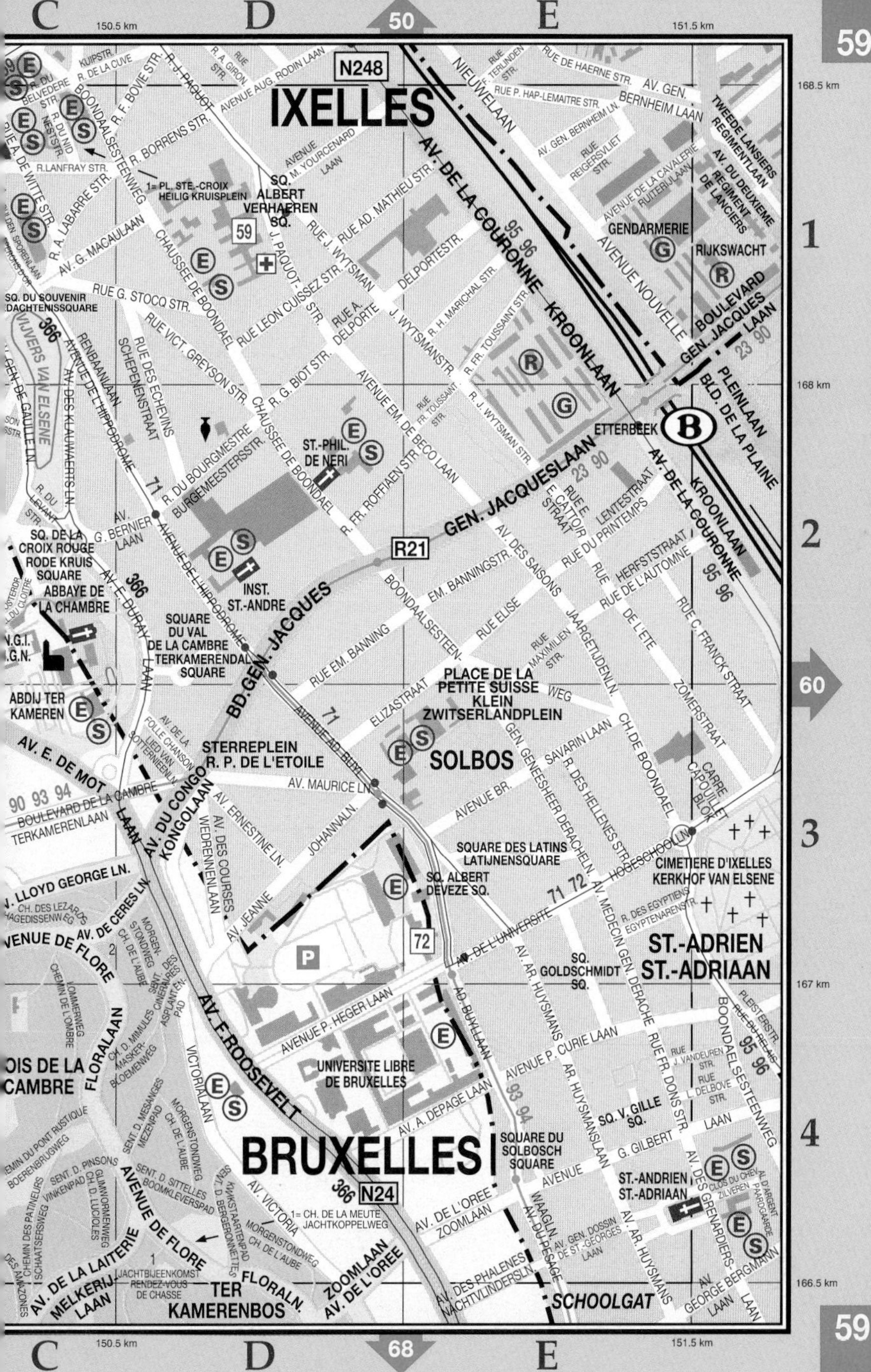
C
D
E
150.5 km
151.5 km
50
60
68
168.5 km
168 km
167 km
166.5 km
1
2
3
4
IXELLES
BRUXELLES
N248
R21
N24
SOLBOS
ST.-ADRIEN
ST.-ADRIAAN
UNIVERSITE LIBRE
DE BRUXELLES
CIMETIERE D'IXELLES
KERKHOF VAN ELSENE
PLACE DE LA
PETITE SUISSE
KLEIN
ZWITSERLANDPLEIN
STERREPLEIN
R. P. DE L'ETOILE
ETTERBEEK
GENDARMERIE
RIJKSWACHT
AV. DE LA COURONNE
KROONLAAN
GEN. JACQUESLAAN
BD.GEN. JACQUES
AV. F.ROOSEVELT
AVENUE NOUVELLE
NIEUWELAAN
CHAUSSEE DE BOONDAEL
BOONDAALSESTEENWEG
AVENUE DE L'HIPPODROME
RENBAANLAAN
SQ. ALBERT
VERHAEREN
SQ.
SQUARE
DU VAL
DE LA CAMBRE
TERKAMERENDAL
SQUARE
ABBAYE DE
LA CHAMBRE
ABDIJ TER
KAMEREN
SQ. DE LA
CROIX ROUGE
RODE KRUIS
SQUARE
VIJVERS VAN ELSENE
SQUARE DES LATINS
LATIJNENSQUARE
SQ. ALBERT
DEVEZE SQ.
SQUARE DU
SOLBOSCH
SQUARE
ST.-PHIL.
DE NERI
INST.
ST.-ANDRE
TER
KAMERENBOS
SCHOOLGAT
1= PL. STE.-CROIX
HEILIG KRUISPLEIN
1= CH. DE LA MEUTE
JACHTKOPPELWEG
AV. E. DE MOT
LAAN
AV. DU CONGO
KONGOLAAN
AVENUE DE FLORE
FLORALAAN
AV. DE LA LAITERIE
MELKERIJ-
LAAN
ZOOMLAAN
AV. DE L'OREE
AVENUE P. HEGER LAAN
AV. DE L'UNIVERSITE
HOGESCHOOLLN.
AVENUE P. CURIE LAAN
AV. A. DEPAGE LAAN
AV. AR. HUYSMANS
CH.DE BOONDAEL
BOULEVARD GEN. JACQUES LAAN
PLEINLAAN
BLD. DE LA PLAINE
BOULEVARD DE LA CAMBRE
TERKAMERENLAAN

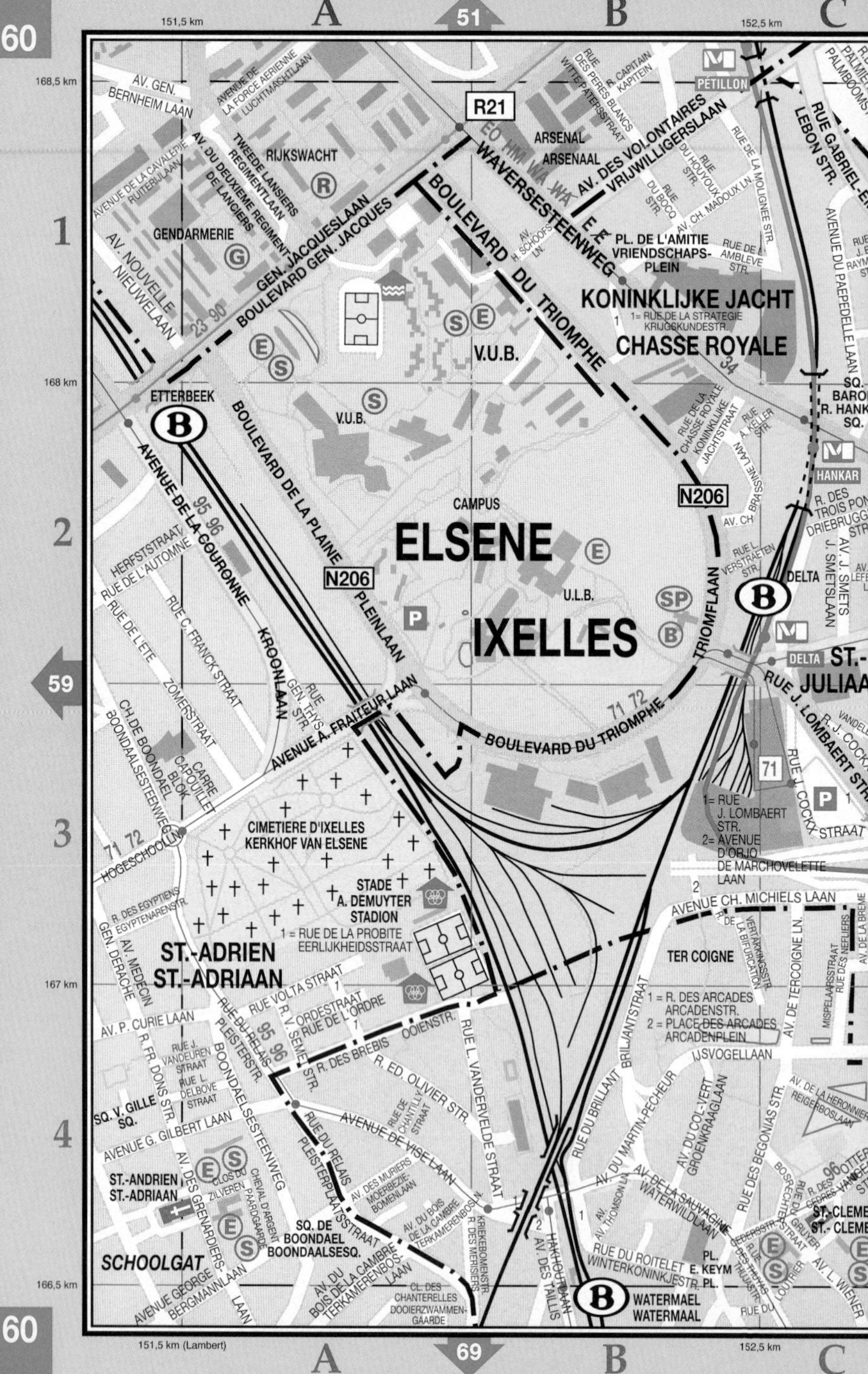

A
51
B
C
151,5 km
152,5 km
168,5 km
168 km
167 km
166,5 km
1
2
3
4
59
R21
N206
AV. GEN. BERNHEIM LAAN
AVENUE DE LA FORCE AERIENNE LUCHTMACHTLAAN
AVENUE DE LA CAVALERIE RUITERIJLAAN
TWEEDE LANSIERS REGIMENTLAAN
AV. DU DEUXIEME REGIMENT DE LANCIERS
RIJKSWACHT
GENDARMERIE
AV. NOUVELLE NIEUWELAAN
GEN. JACQUESLAAN
BOULEVARD GEN. JACQUES
RUE DES PERES BLANCS WITTE PATERSSTRAAT
R. CAPITAIN KAPITEIN
ARSENAL
ARSENAAL
WAVERSESTEENWEG
AV. DES VOLONTAIRES VRIJWILLIGERSLAAN
RUE DU HOUYOUX STR.
RUE DU BOCQ STR.
RUE DE LA MOLIGNEE STR.
AV. CH. MADOUX LN.
PÉTILLON
RUE GABRIEL-EM
RUE LEBON STR.
R. DE PALMIERS PALMBOOMST
AVENUE DU PAEPEDELLE LAAN
BOULEVARD DU TRIOMPHE
AV. H. SCHOOFS LN.
PL. DE L'AMITIE VRIENDSCHAPS-PLEIN
RUE DE L'AMBLEVE STR.
KONINKLIJKE JACHT
CHASSE ROYALE
1= RUE DE LA STRATEGIE KRIJGSKUNDESTR.
V.U.B.
ETTERBEEK
RUE DE LA CHASSE ROYALE KONINKLIJKE JACHTSTRAAT
RUE A. KELLER STR.
BRASSINE LAAN
SQ. BARON R. HANKAR SQ.
HANKAR
R. DES TROIS PONTS DRIEBRUGGESTR.
AV. J. SMETS J. SMETSLAAN
AV. CH
RUE L. VERSTRAETEN STR.
CAMPUS
ELSENE
IXELLES
U.L.B.
DELTA
ST.-JULIAAN
TRIOMFLAAN
AVENUE DE LA COURONNE
KROONLAAN
BOULEVARD DE LA PLAINE
PLEINLAAN
HERFSTSTRAAT
RUE DE L'AUTOMNE
RUE C. FRANCK STRAAT
RUE DE L'ETE
ZOMERSTRAAT
CH. DE BOONDAEL BOONDAALSESTEENWEG
CARRE CAPOUILLET BLOK
RUE GEN. THYS STR.
AVENUE A. FRAITEUR LAAN
BOULEVARD DU TRIOMPHE
RUE J. LOMBAERT STR.
R. J. COCKX
VANDELE
RUE J. COCKX STRAAT
1= RUE J. LOMBAERT STR.
2= AVENUE D'ORJO DE MARCHOVELETTE LAAN
HOGESCHOOLLN.
CIMETIERE D'IXELLES
KERKHOF VAN ELSENE
STADE A. DEMUYTER STADION
1 = RUE DE LA PROBITE EERLIJKHEIDSSTRAAT
R. DES EGYPTIENS EGYPTENARENSTR.
AV. MEDECIN GEN. DERACHE
ST.-ADRIEN
ST.-ADRIAAN
AVENUE CH. MICHIELS LAAN
VERTAKKINGSSTR. LA BIFURCATION
AV. DE TERCOIGNE LN.
TER COIGNE
MISPELAARSSTRAAT RUE DES NEFLIERS
1 = R. DES ARCADES ARCADENSTR.
2 = PLACE DES ARCADES ARCADENPLEIN
RUE VOLTA STRAAT
AV. P. CURIE LAAN
R. V. SEMET STR.
ORDESTRAAT RUE DE L'ORDRE
RUE L. VANDERVELDE STRAAT
R. DES BREBIS OOIENSTR.
R. ED. OLIVIER STR.
RUE J. VANDEUREN STRAAT
RUE L. DELBOVE STRAAT
R. FR. DONS STR.
RUE DU RELAIS PLEISTERSTR.
BOONDAELSESTEENWEG
BRILJANTSTRAAT
RUE DU BRILLANT
IJSVOGELLAAN
AV. DU MARTIN-PECHEUR
AV. DU COL-VERT GROENKRAAGLAAN
RUE DES BEGONIAS STR.
AV. DE LA HERONNIERE REIGERBOSLAAN
SQ. V. GILLE SQ.
AVENUE G. GILBERT LAAN
AVENUE DE VISE LAAN
RUE DE CHANTILLY STRAAT
RUE DU RELAIS PLEISTERPLAATSSTRAAT
AV. DES MURIERS MOERBEZIE-BOMENLAAN
AV. DU BOIS DE LA CAMBRE TERKAMERENBOSLN.
KRIEKEBOMENSTR. R. DES MERISIERS
AV. DE LA SAUVAGINE WATERWILDLAAN
AV. THOMSON LN.
ST.-ANDRIEN ST.-ADRIAAN
AV. DES GRENADIERS BERGMANNLAAN
CLOS DU ZILVEREN
CHEVAL D'ARGENT PAARDGAARDE
SQ. DE BOONDAEL BOONDAALSESQ.
SCHOOLGAT
AVENUE GEORGE BERGMANNLAAN
AV. DU BOIS DE LA CAMBRE TERKAMERENBOSLAAN
CL. DES CHANTERELLES DOOIERZWAMMEN-GAARDE
HAKHOUTLAAN AV. DES TAILLIS
RUE DU ROITELET WINTERKONINKJESTR.
PL. E. KEYM PL.
WATERMAEL
WATERMAAL
BOSRECHTERSTRAAT
RUE DES CEDRES
ST.-CLEME
AV. L. WIENER
151,5 km (Lambert)
69

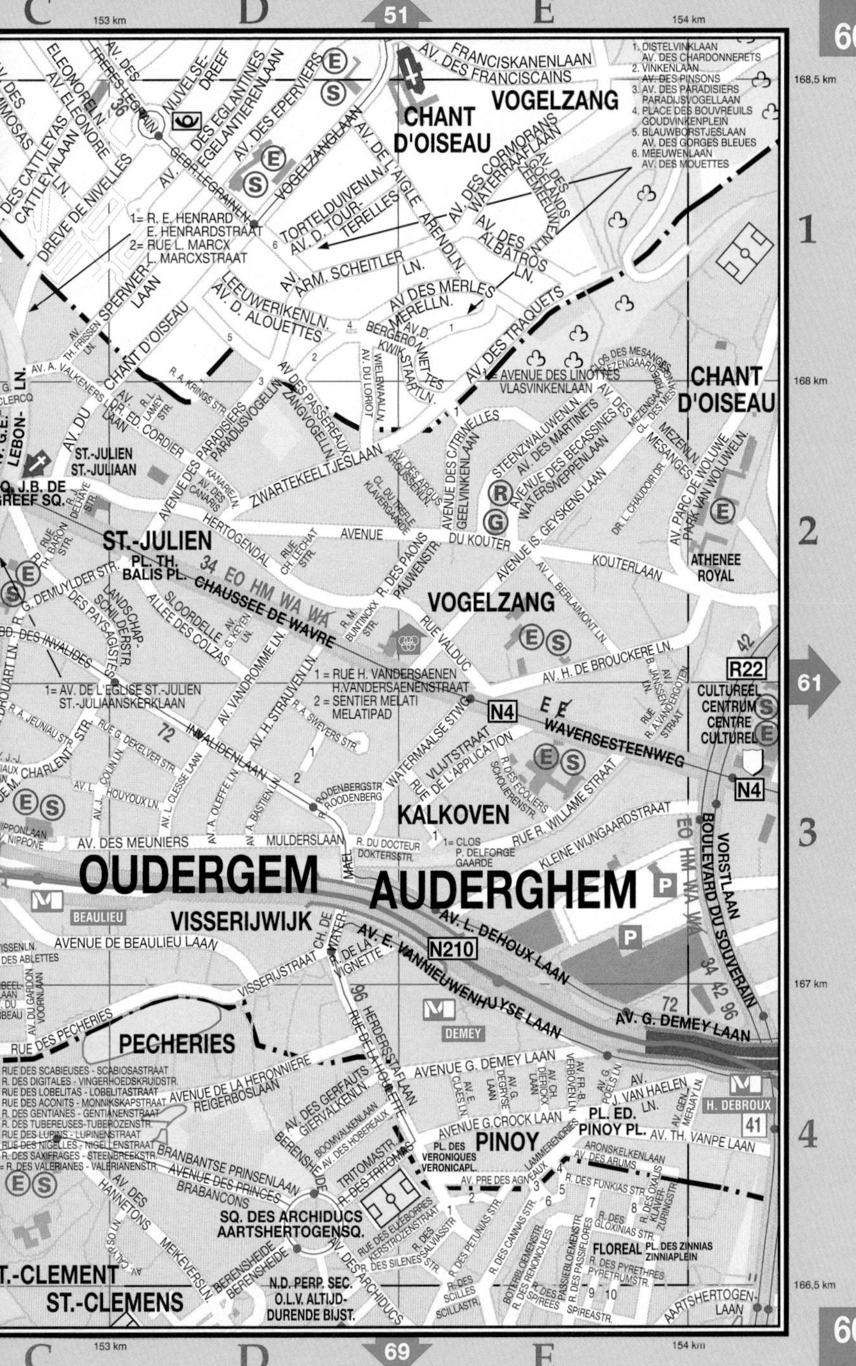
VOGELZANG
CHANT D'OISEAU
AV. DES FRANCISCAINS
FRANCISCANENLAAN
1. DISTELVINKLAAN AV. DES CHARDONNERETS
2. VINKENLAAN AV. DES PINSONS
3. AV. DES PARADISIERS PARADIJSVOGELLAAN
4. PLACE DES BOUVREUILS GOUDVINKENPLEIN
5. BLAUWBORSTJESLAAN AV. DES GORGES BLEUES
6. MEEUWENLAAN AV. DES MOUETTES
1= R. E. HENRARD E. HENRARDSTRAAT
2= RUE L. MARCX L. MARCXSTRAAT
AV. DES TRAQUETS
AV. DES EPERVIERS
VOGELZANGLAAN
DREVE DE NIVELLES
NIVELSE-DREEF
CHANT D'OISEAU
1= AVENUE DES LINOTTES VLASVINKENLAAN
CHANT D'OISEAU
ST.-JULIEN ST.-JULIAAN
SQ. J.B. DE GREEF SQ.
ST.-JULIEN
PL. TH. BALIS PL.
ZWARTEKEELTJESLAAN
AVENUE DU KOUTER
KOUTERLAAN
ATHENEE ROYAL
VOGELZANG
CHAUSSEE DE WAVRE
WAVERSESTEENWEG
1= AV. DE L'EGLISE ST.-JULIEN ST.-JULIAANSKERKLAAN
1 = RUE H. VANDERSAENEN H.VANDERSAENENSTRAAT
2 = SENTIER MELATI MELATIPAD
INVALIDENLAAN
N4
R22
CULTUREEL CENTRUM CENTRE CULTUREL
KALKOVEN
AV. DES MEUNIERS
MULDERSLAAN
1= CLOS P. DELFORGE GAARDE
OUDERGEM
AUDERGHEM
BEAULIEU
VISSERIJWIJK
AVENUE DE BEAULIEU LAAN
AV. L. DEHOUX LAAN
AV. E. VANNIEUWENHUYSE LAAN
N210
BOULEVARD DU SOUVERAIN
VORSTLAAN
DEMEY
AV. G. DEMEY LAAN
PECHERIES
RUE DES PECHERIES
1= RUE DES SCABIEUSES - SCABIOSASTRAAT
2= R. DES DIGITALES - VINGERHOEDSKRUIDSTR.
3= RUE DES LOBELIAS - LOBELIASTRAAT
4= RUE DES ACONITS - MONNIKSKAPSTRAAT
5= R. DES GENTIANES - GENTIANENSTRAAT
6= R. DES TUBEREUSES-TUBEROZENSTR.
7= RUE DES LUPINS - LUPINENSTRAAT
8= RUE DES NIGELLES - NIGELLENSTRAAT
9= R. DES SAXIFRAGES - STEENBREEKSTR.
10= R. DES VALERIANES - VALERIANENSTR.
AVENUE DE LA HERONNIERE REIGERBOSLAAN
AVENUE G. DEMEY LAAN
H. DEBROUX
AVENUE G.CROCK LAAN
PINOY
PL. ED. PINOY PL.
AV. TH. VANPE LAAN
BRABANTSE PRINSENLAAN
AVENUE DES PRINCES BRABANCONS
SQ. DES ARCHIDUCS AARTSHERTOGENSQ.
FLOREAL
PL. DES ZINNIAS ZINNIAPLEIN
T.-CLEMENT
ST.-CLEMENS
N.D. PERP. SEC. O.L.V. ALTIJD-DURENDE BIJST.
AARTSHERTOGENLAAN
1 2 3 4
168,5 km
168 km
167 km
166,5 km
61

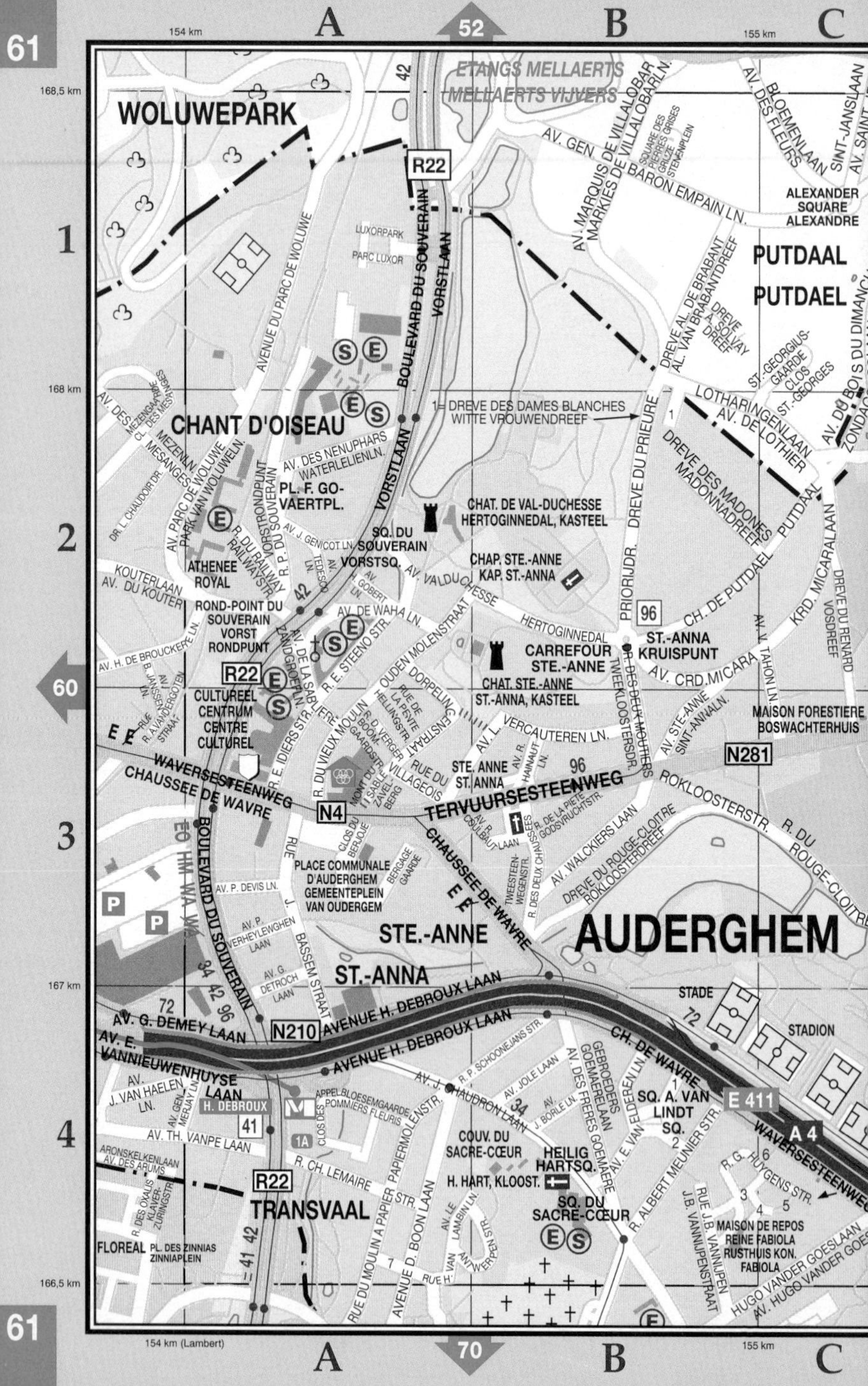

A
52
B
C
154 km
155 km
168,5 km
168 km
167 km
166,5 km
1
2
3
4
60
WOLUWEPARK
ETANGS MELLAERTS
MELLAERTS VIJVERS
R22
LUXORPARK
PARC LUXOR
BOULEVARD DU SOUVERAIN
VORSTLAAN
AVENUE DU PARC DE WOLUWE
AV. GEN. BARON EMPAIN LN.
AV. MARQUIS DE VILLALOBAR
MARKIES DE VILLALOBARLN.
SQUARE DES PIERRES GRISES
GRIJZE STENENPLEIN
AV. DES FLEURS
BLOEMENLAAN
SINT-JANSLAAN
ALEXANDER SQUARE ALEXANDRE
PUTDAAL
PUTDAEL
DREVE AL. DE BRABANT
AL. VAN BRABANTDREEF
DREVE A. SOLVAY DREEF
ST.-GEORGIUS-GAARDE
CLOS ST.-GEORGES
LOTHARINGENLAAN
AV. DE LOTHIER
AV. DU BOIS DU DIMANCHE
CHANT D'OISEAU
1= DREVE DES DAMES BLANCHES
WITTE VROUWENDREEF
AV. DES NENUPHARS
WATERLELIENLN.
PL. F. GOVAERTPL.
DREVE DU PRIEURE
PRIORIJDR.
DREVE DES MADONES
MADONNADREEF
CHAT. DE VAL-DUCHESSE
HERTOGINNEDAL, KASTEEL
SQ. DU SOUVERAIN
VORSTSQ.
AV. VALDUCHESSE
HERTOGINNEDAL
CHAP. STE.-ANNE
KAP. ST.-ANNA
AV. PARC DE WOLUWE
PARK VAN WOLUWELN.
R. DU RAILWAY
RAILWAYSTR.
R. P. DU SOUVERAIN
VORSTRONDPUNT
AV. J. GENICOT LN.
AV. TEDESCO LN.
AV. GOBERT LN.
DR. L. CHAUDOIR DR.
AV. DES MESANGES
MEZENLN.
MEZENGAARDE
CL. DES MESANGES
ATHENEE ROYAL
KOUTERLAAN
AV. DU KOUTER
ROND-POINT DU SOUVERAIN
VORST RONDPUNT
AV. DE WAHA LN.
CH. DE PUTDAEL
PUTDAAL
KRD. MICARALAAN
DREVE DU RENARD
VOSDREEF
96
ST.-ANNA KRUISPUNT
AV. CRD. MICARA
AV. V. TAHON LN.
AV. H. DE BROUCKERE LN.
AV. B. JANSSEN
AV. A. VANDERGOTEN
R22
CULTUREEL CENTRUM
CENTRE CULTUREL
AV. DE LA SABLIERE
ZANDGROEFLN.
R. E. STEENO STR.
R. E. IDIERS STR.
OUDEN MOLENSTRAAT
CARREFOUR STE.-ANNE
CHAT. STE.-ANNE
ST.-ANNA, KASTEEL
R. DES DEUX MOUTIERS
TWEEKLOOSTERSDR.
AV. STE.-ANNE
SINT-ANNALN.
MAISON FORESTIERE
BOSWACHTERHUIS
DORPELINGENSTRAAT
RUE DE LA PENTE
HELLINGSTR.
R. DU VIEUX MOULIN
R. D. VERGER
BOOMGAARDSTR.
AV. L. VERCAUTEREN LN.
AV. R. HAINAUT LN.
N281
WAVERSESTEENWEG
CHAUSSEE DE WAVRE
RUE DU VILLAGEOIS
MONT DU SABLE
ZAVELBERG
STE. ANNE
ST. ANNA
TERVUURSESTEENWEG
ROKLOOSTERSTR.
R. DU ROUGE-CLOITRE
N4
CLOS DU BERJOUE
AV. R. COULBAUT LAAN
R. DE LA PIETE
GODSVRUCHTSTR.
AV. WALCKIERS LAAN
DREVE DU ROUGE-CLOITRE
ROKLOOSTERDREEF
R. DES DEUX CHAUSSEES
TWEESTEENWEGENSTR.
CHAUSSEE DE WAVRE
PLACE COMMUNALE D'AUDERGHEM
GEMEENTEPLEIN VAN OUDERGEM
BERGAGE GAARDE
AV. P. DEVIS LN.
AV. P. VERHEYLEWGHEN LAAN
RUE J. BASSEM STRAAT
STE.-ANNE
ST.-ANNA
AUDERGHEM
AV. G. DETROCH LAAN
AVENUE H. DEBROUX LAAN
STADE
STADION
72
34 42 96
AV. G. DEMEY LAAN
N210
AV. E. VANNIEUWENHUYSE LAAN
R. P. SCHOONEJANS STR.
AV. JOLE LAAN
GEBROEDERS GOEMAERELAAN
AV. DES FRERES GOEMAERE
AV. E. VAN ELDEREN LN.
CH. DE WAVRE
E 411
A 4
WAVERSESTEENWEG
AV. J. VAN HAELEN LN.
AV. GEN. MERJAY LN.
H. DEBROUX
APPELBLOESEMGAARDE
POMMIERS FLEURIS
CLOS DES POMMIERS
AV. J. CHAUDRON LAAN
AV. J. BORLE LN.
SQ. A. VAN LINDT SQ.
41
1A
AV. TH. VANPE LAAN
COUV. DU SACRE-CŒUR
H. HART, KLOOST.
HEILIG HARTSQ.
R. ALBERT MEUNIER STR.
R. G. HUYGENS STR.
ARONSKELKENLAAN
AV. DES ARUMS
R. CH. LEMAIRE STR.
R. DES OXALIS
KLAVERZURINGSTR.
TRANSVAAL
PAPIERMOLENSTR.
AVENUE D. BOON LAAN
AV. LE LAMBIN LN.
VAN ANTWERPEN STR.
SQ. DU SACRE-CŒUR
RUE J.B. VANNIJPEN
J.B. VANNIJPENSTRAAT
MAISON DE REPOS REINE FABIOLA
RUSTHUIS KON. FABIOLA
HUGO VANDER GOESLAAN
AV. HUGO VANDER GOES
FLOREAL
PL. DES ZINNIAS
ZINNIAPLEIN
RUE DU MOULIN A PAPIER
154 km (Lambert)
70

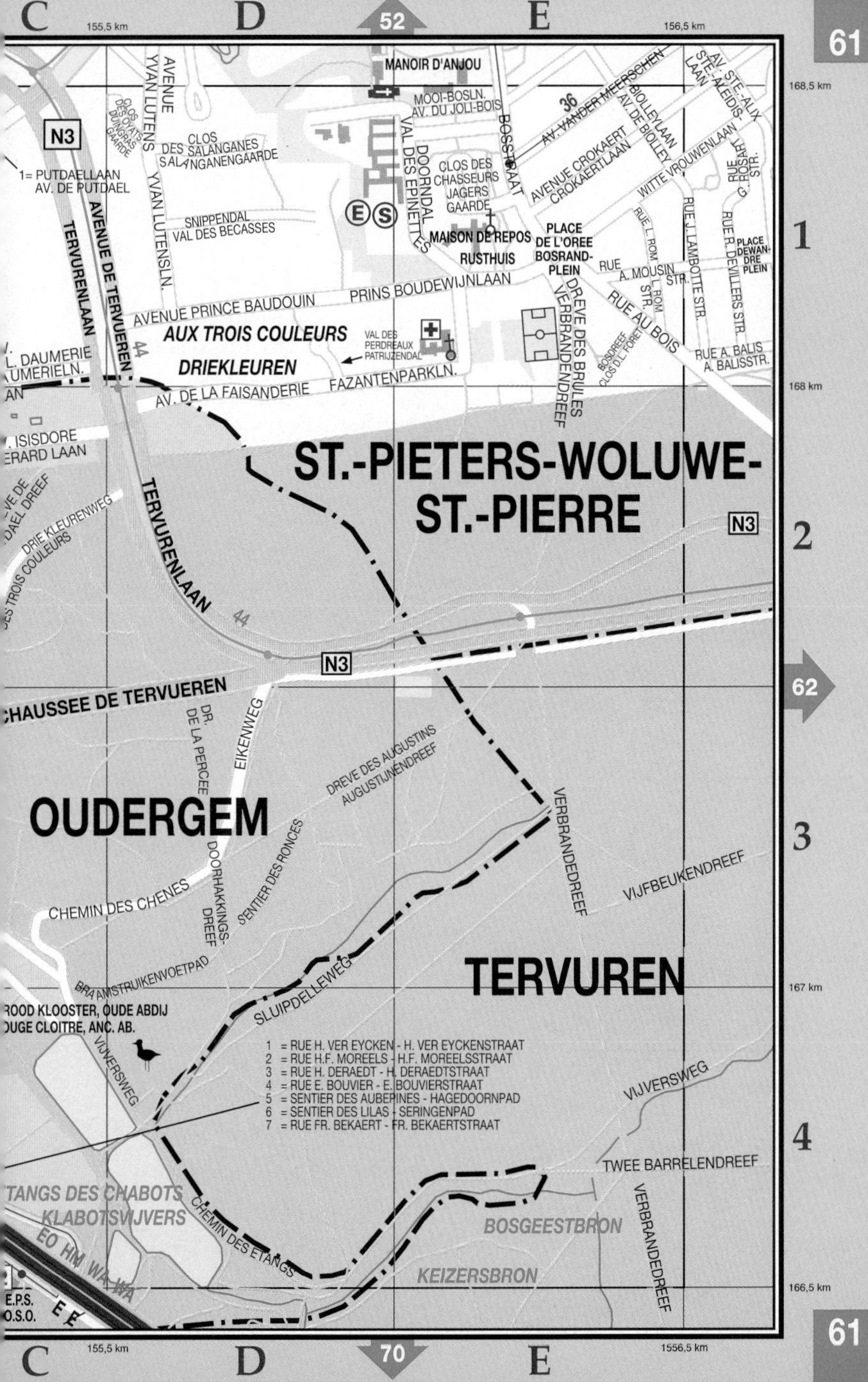
C
D
E
155,5 km
156,5 km
52
MANOIR D'ANJOU
MOOI-BOSLN.
AV. DU JOLI-BOIS
AVENUE YVAN LUTENS
CLOS DES JOYAUX DUINGRAS GAARDE
CLOS DES SALANGANES
SALANGANENGAARDE
N3
1= PUTDAELLAAN AV. DE PUTDAEL
YVAN LUTENSLN.
SNIPPENDAL
VAL DES BECASSES
TERVURENLAAN
AVENUE DE TERVUEREN
VAL DES EPINETTES
DOORNDAL
CLOS DES CHASSEURS
JAGERS GAARDE
BOSSTRAAT
36
AV. VANDER MEERSCHEN
BIOLLEYLAAN
AV. DE BIOLLEY
AV. STE-ALIX
STE-ALEIDIS-LAAN
AVENUE CROKAERT
CROKAERTLAAN
WITTE VROUWENLAAN
RUE G. ROSART
RUE J. LAMBOTTE STR.
RUE R. DEVILLERS STR.
PLACE DEWANDRE PLEIN
MAISON DE REPOS
RUSTHUIS
PLACE DE L'OREE
BOSRAND-PLEIN
RUE A. MOUSIN STR.
RUE L. ROM STR.
RUE AU BOIS
PRINS BOUDEWIJNLAAN
AVENUE PRINCE BAUDOUIN
AUX TROIS COULEURS
DRIEKLEUREN
VAL DES PERDREAUX
PATRIJZENDAL
DREVE DES BRULES
VERBRANDENDREEF
BOSDREEF
CLOS D.L. FORET
RUE A. BALIS
A. BALISSTR.
L. DAUMERIE
DAUMERIELN.
FAZANTENPARKLN.
AV. DE LA FAISANDERIE
44
168,5 km
168 km
167 km
166,5 km
1
2
3
4
ISISDORE
ERARD LAAN
DRIE KLEURENWEG
DES TROIS COULEURS
ST.-PIETERS-WOLUWE-
ST.-PIERRE
N3
TERVURENLAAN
44
N3
62
CHAUSSEE DE TERVUEREN
DR. DE LA PERCEE
EIKENWEG
DREVE DES AUGUSTINS
AUGUSTIJNENDREEF
VERBRANDEDREEF
OUDERGEM
DOORHAKKINGS-DREEF
SENTIER DES RONCES
VIJFBEUKENDREEF
CHEMIN DES CHENES
BRAAMSTRUIKENVOETPAD
SLUIPDELLEWEG
TERVUREN
ROOD KLOOSTER, OUDE ABDIJ
ROUGE CLOITRE, ANC. AB.
VIJVERSWEG
1 = RUE H. VER EYCKEN - H. VER EYCKENSTRAAT
2 = RUE H.F. MOREELS - H.F. MOREELSSTRAAT
3 = RUE H. DERAEDT - H. DERAEDTSTRAAT
4 = RUE E. BOUVIER - E. BOUVIERSTRAAT
5 = SENTIER DES AUBEPINES - HAGEDOORNPAD
6 = SENTIER DES LILAS - SERINGENPAD
7 = RUE FR. BEKAERT - FR. BEKAERTSTRAAT
VIJVERSWEG
TWEE BARRELENDREEF
VERBRANDEDREEF
ETANGS DES CHABOTS
KLABOTSVIJVERS
CHEMIN DES ETANGS
BOSGEESTBRON
KEIZERSBRON
E.P.S.
O.S.O.
155,5 km
1556,5 km
70
C
D
E

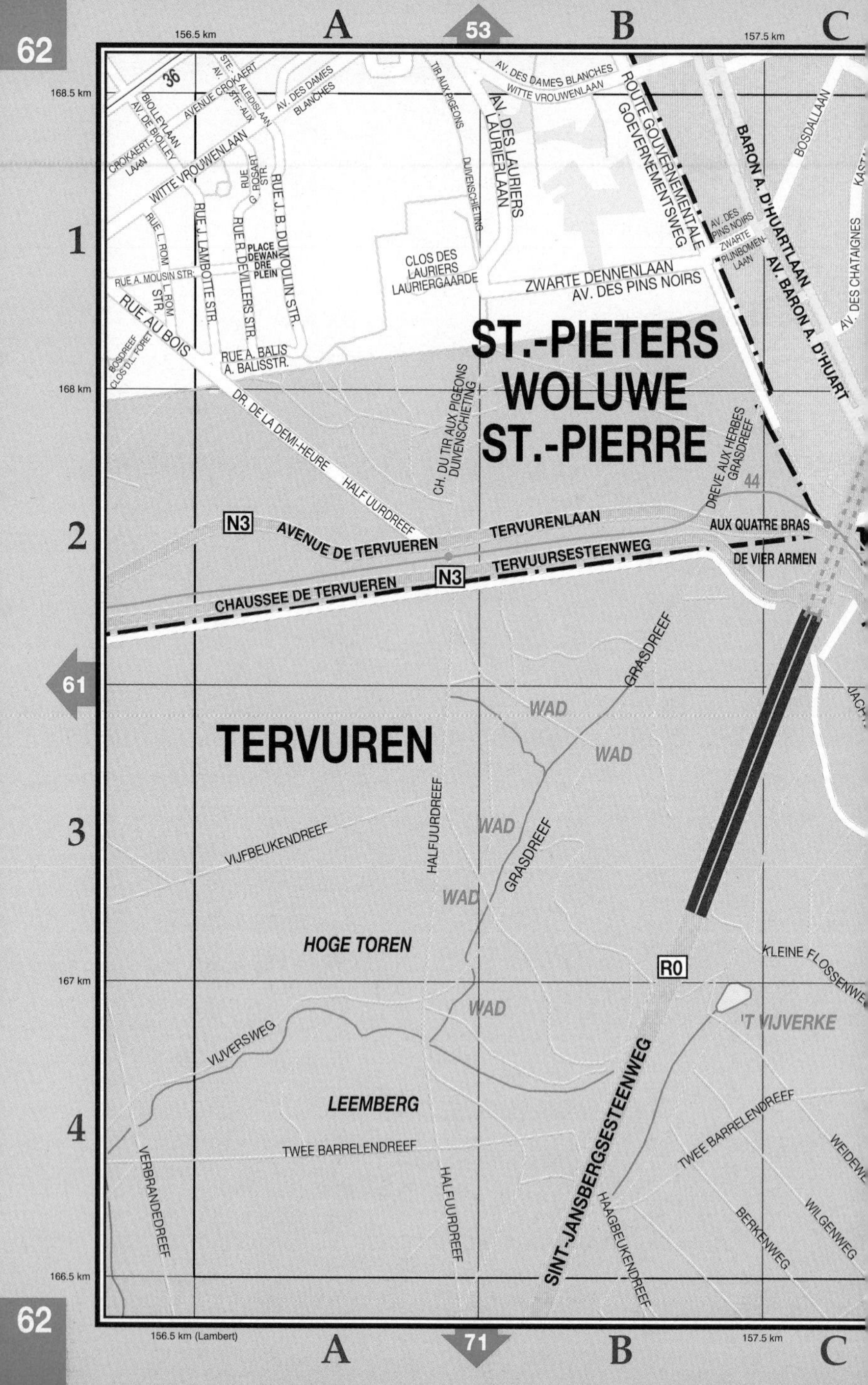

156.5 km
A
53
B
157.5 km
C
168.5 km
168 km
167 km
166.5 km
1
2
3
4
61
36
STE.-ALEIDISLAAN
AV. STE.-ALIX
AVENUE CROKAERT
AV. DES DAMES BLANCHES
BIOLLEYLAAN
AV. DE BIOLLEY
CROKAERT-LAAN
WITTE VROUWENLAAN
RUE G. ROSART STR.
RUE J. B. DUMOULIN STR.
RUE L. ROM
RUE J. LAMBOTTE STR.
RUE R. DEVILLERS STR.
PLACE DEWANDRE PLEIN
RUE A. MOUSIN STR.
L. ROM STR.
RUE AU BOIS
BOSDREEF
CLOS D'L FORET
RUE A. BALIS
A. BALISSTR.
TIR AUX PIGEONS
DUIVENSCHIETING
AV. DES LAURIERS
LAURIERLAAN
CLOS DES LAURIERS
LAURIERGAARDE
AV. DES DAMES BLANCHES
WITTE VROUWENLAAN
ROUTE GOUVERNEMENTALE
GOEVERNEMENTSWEG
BARON A. D'HUARTLAAN
AV. BARON A. D'HUART
BOSDALLAAN
AV. DES PINS NOIRS
ZWARTE PIJNBOMENLAAN
ZWARTE DENNENLAAN
AV. DES PINS NOIRS
AV. DES CHATAIGNES
ST.-PIETERS
WOLUWE
ST.-PIERRE
DR. DE LA DEMI-HEURE
HALF UURDREEF
CH. DU TIR AUX PIGEONS
DUIVENSCHIETING
DREVE AUX HERBES
GRASDREEF
44
N3
AVENUE DE TERVUEREN
TERVURENLAAN
AUX QUATRE BRAS
TERVUURSESTEENWEG
DE VIER ARMEN
N3
CHAUSSEE DE TERVUEREN
GRASDREEF
WAD
WAD
TERVUREN
HALFUURDREEF
WAD
GRASDREEF
VIJFBEUKENDREEF
WAD
HOGE TOREN
R0
KLEINE FLOSSENWEG
WAD
'T VIJVERKE
VIJVERSWEG
SINT-JANSBERGSESTEENWEG
LEEMBERG
TWEE BARRELENDREEF
TWEE BARRELENDREEF
VERBRANDEDREEF
HALFUURDREEF
HAAGBEUKENDREEF
BERKENWEG
WILGENWEG
156.5 km (Lambert)
A
71
B
157.5 km
C

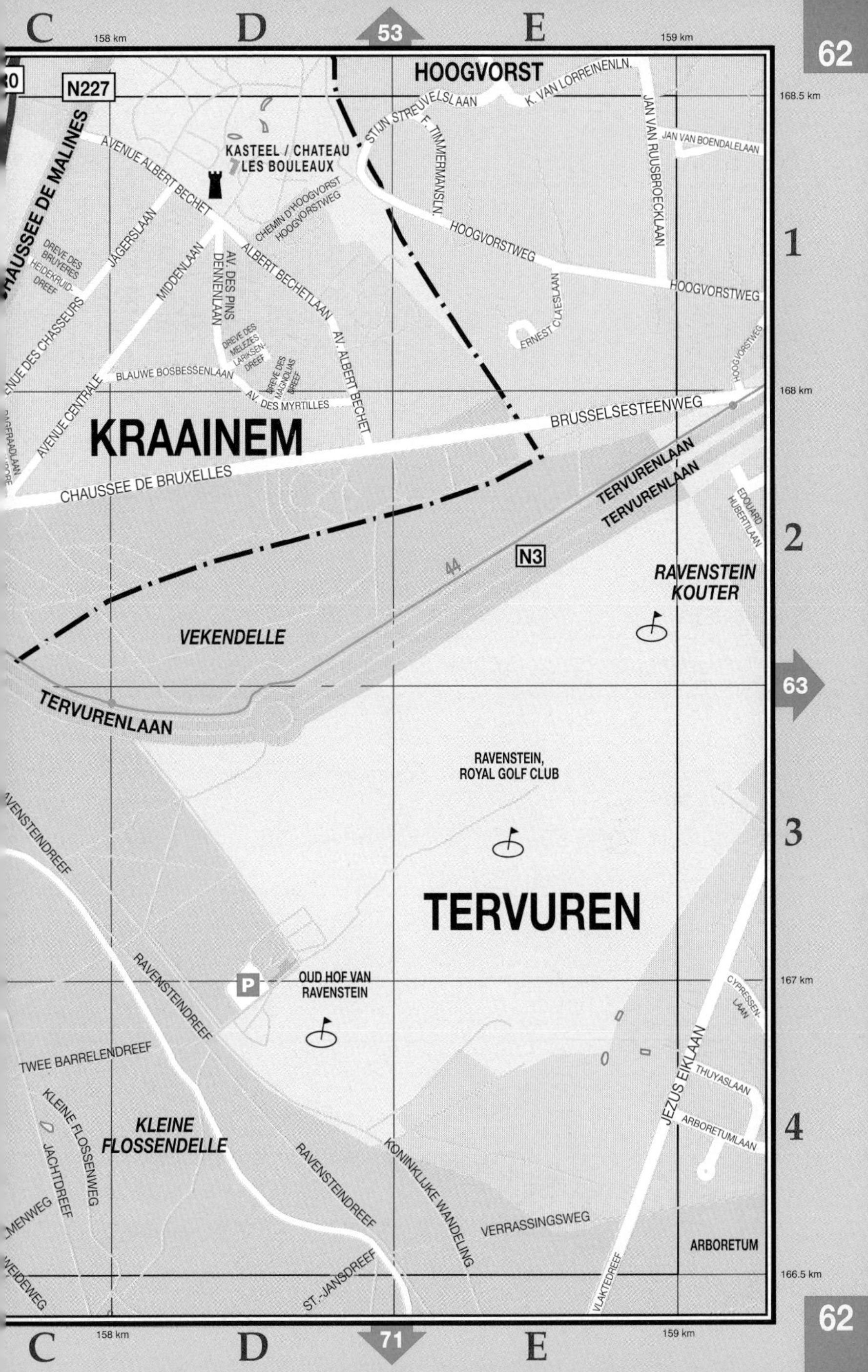
C
D
E
158 km
159 km
53
N227
HOOGVORST
K. VAN LORREINENLN.
STIJN STREUVELSLAAN
F. TIMMERMANSLN.
JAN VAN RUUSBROECKLAAN
JAN VAN BOENDALELAAN
KASTEEL / CHATEAU
LES BOULEAUX
CHAUSSEE DE MALINES
AVENUE ALBERT BECHET
CHEMIN D'HOOGVORST
HOOGVORSTWEG
DREVE DES BRUYERES
HEIDEKRUID-DREEF
JAGERSLAAN
MIDDENLAAN
AV. DES PINS
DENNENLAAN
ALBERT BECHETLAAN
AV. ALBERT BECHET
ERNEST CLAESLAAN
HOOGVORSTWEG
AVENUE DES CHASSEURS
DREVE DES MELEZES
LARIKSEN-DREEF
DREVE DES MAGNOLIAS
DREEF
BLAUWE BOSBESSENLAAN
AV. DES MYRTILLES
AVENUE CENTRALE
BRUSSELSESTEENWEG
KRAAINEM
CHAUSSEE DE BRUXELLES
TERVURENLAAN
TERVURENLAAN
EDOUARD HUBERTLAAN
N3
44
RAVENSTEIN
KOUTER
VEKENDELLE
TERVURENLAAN
RAVENSTEIN,
ROYAL GOLF CLUB
RAVENSTEINDREEF
TERVUREN
RAVENSTEINDREEF
P
OUD HOF VAN
RAVENSTEIN
CYPRESSEN-LAAN
TWEE BARRELENDREEF
JEZUS EIKLAAN
THUYASLAAN
ARBORETUMLAAN
KLEINE FLOSSENWEG
KLEINE
FLOSSENDELLE
JACHTDREEF
RAVENSTEINDREEF
KONINKLIJKE WANDELING
VERRASSINGSWEG
ARBORETUM
VLAKTEDREEF
ST.-JANSDREEF
168.5 km
168 km
167 km
166.5 km
1
2
3
4
63
71

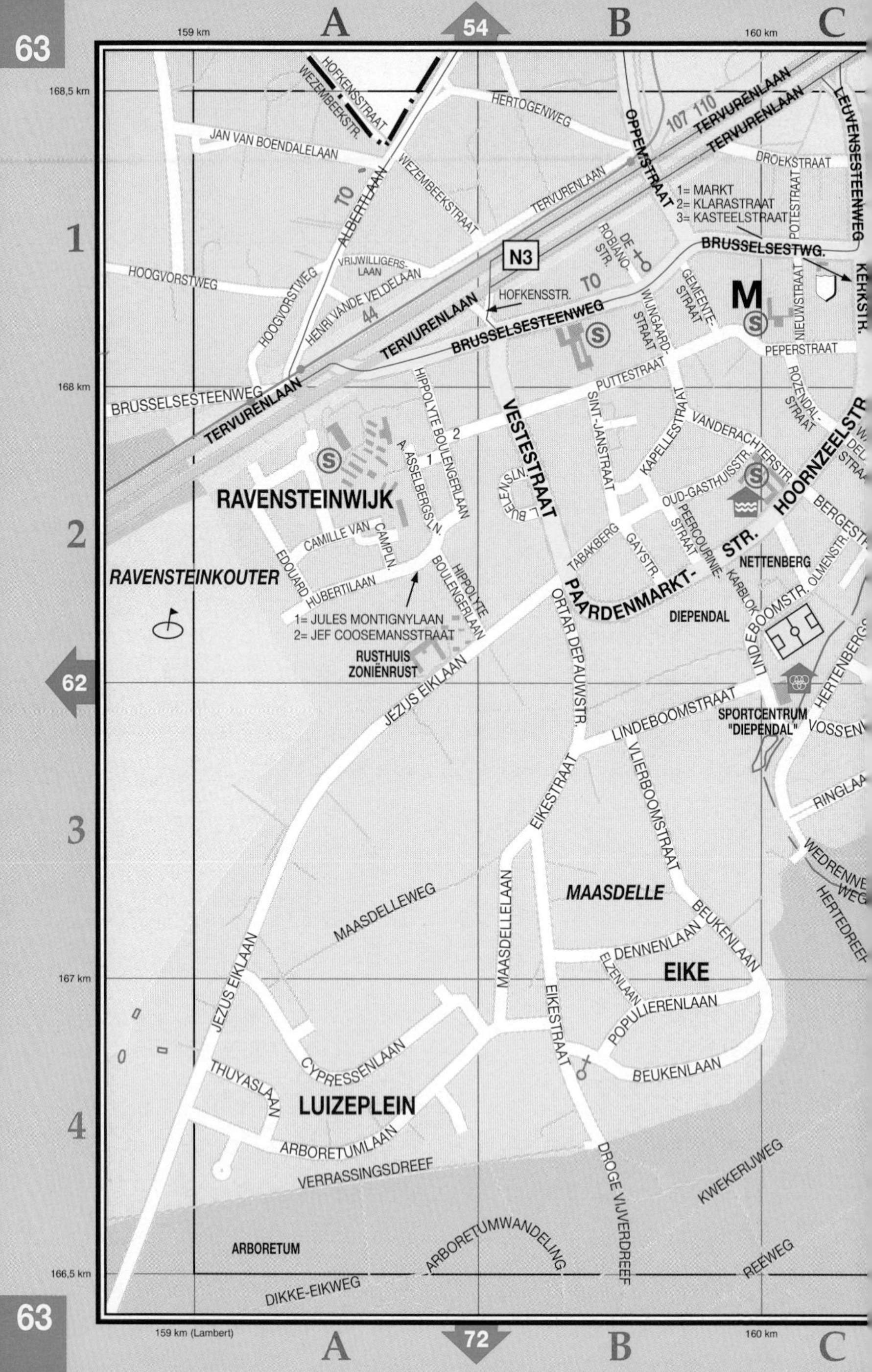
RAVENSTEINWIJK
RAVENSTEINKOUTER
TERVURENLAAN
BRUSSELSESTEENWEG
VESTESTRAAT
PAARDENMARKT-STR.
HOORNZEELSTR.
1= MARKT
2= KLARASTRAAT
3= KASTEELSTRAAT
1= JULES MONTIGNYLAAN
2= JEF COOSEMANSSTRAAT
RUSTHUIS ZONIËNRUST
NETTENBERG
DIEPENDAL
SPORTCENTRUM "DIEPENDAL"
JEZUS EIKLAAN
MAASDELLE
EIKE
LUIZEPLEIN
ARBORETUM
DIKKE-EIKWEG
DROGE VIJVERDREEF
ARBORETUMWANDELING

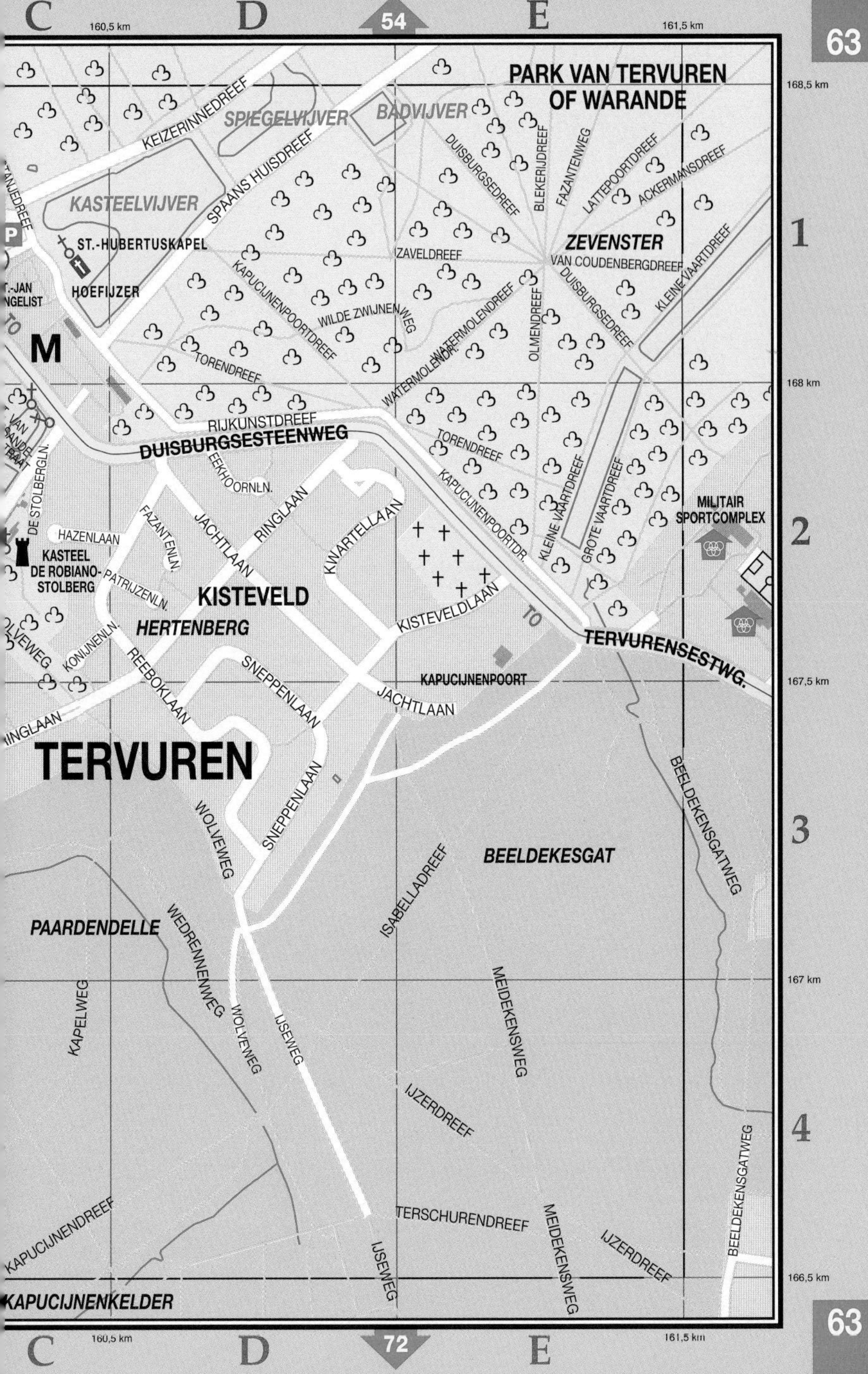
C
D
E
54
72
160,5 km
161,5 km
168,5 km
168 km
167,5 km
167 km
166,5 km
1
2
3
4
PARK VAN TERVUREN
OF WARANDE
SPIEGELVIJVER
BADVIJVER
KEIZERINNEDREEF
SPAANS HUISDREEF
KASTEELVIJVER
ST.-HUBERTUSKAPEL
HOEFIJZER
DUISBURGSEDREEF
BLEKERIJDREEF
FAZANTENWEG
LATTEPOORTDREEF
ACKERMANSDREEF
ZEVENSTER
VAN COUDENBERGDREEF
KLEINE VAARTDREEF
IZAVELDREEF
KAPUCIJNENPOORTDREEF
WILDE ZWIJNENWEG
WATERMOLENDREEF
WATERMOLENDR.
OLMENDREEF
TORENDREEF
RIJKUNSTDREEF
DUISBURGSESTEENWEG
EEKHOORNLN.
RINGLAAN
JACHTLAAN
KWARTELLAAN
KAPUCIJNENPOORTDR.
GROTE VAARTDREEF
MILITAIR
SPORTCOMPLEX
DE STOLBERGLN.
HAZENLAAN
FAZANTENLN.
KASTEEL
DE ROBIANO-
STOLBERG
PATRIJZENLN.
KISTEVELD
KISTEVELDLAAN
HERTENBERG
KONIJNENLN.
REEBOKLAAN
SNEPPENLAAN
TERVURENSESTWG.
KAPUCIJNENPOORT
TERVUREN
WOLVEWEG
BEELDEKENSGATWEG
BEELDEKESGAT
ISABELLADREEF
PAARDENDELLE
WEDRENNENWEG
MEIDEKENSWEG
KAPELWEG
IJSEWEG
IJZERDREEF
KAPUCIJNENDREEF
TERSCHURENDREEF
KAPUCIJNENKELDER
M
TO

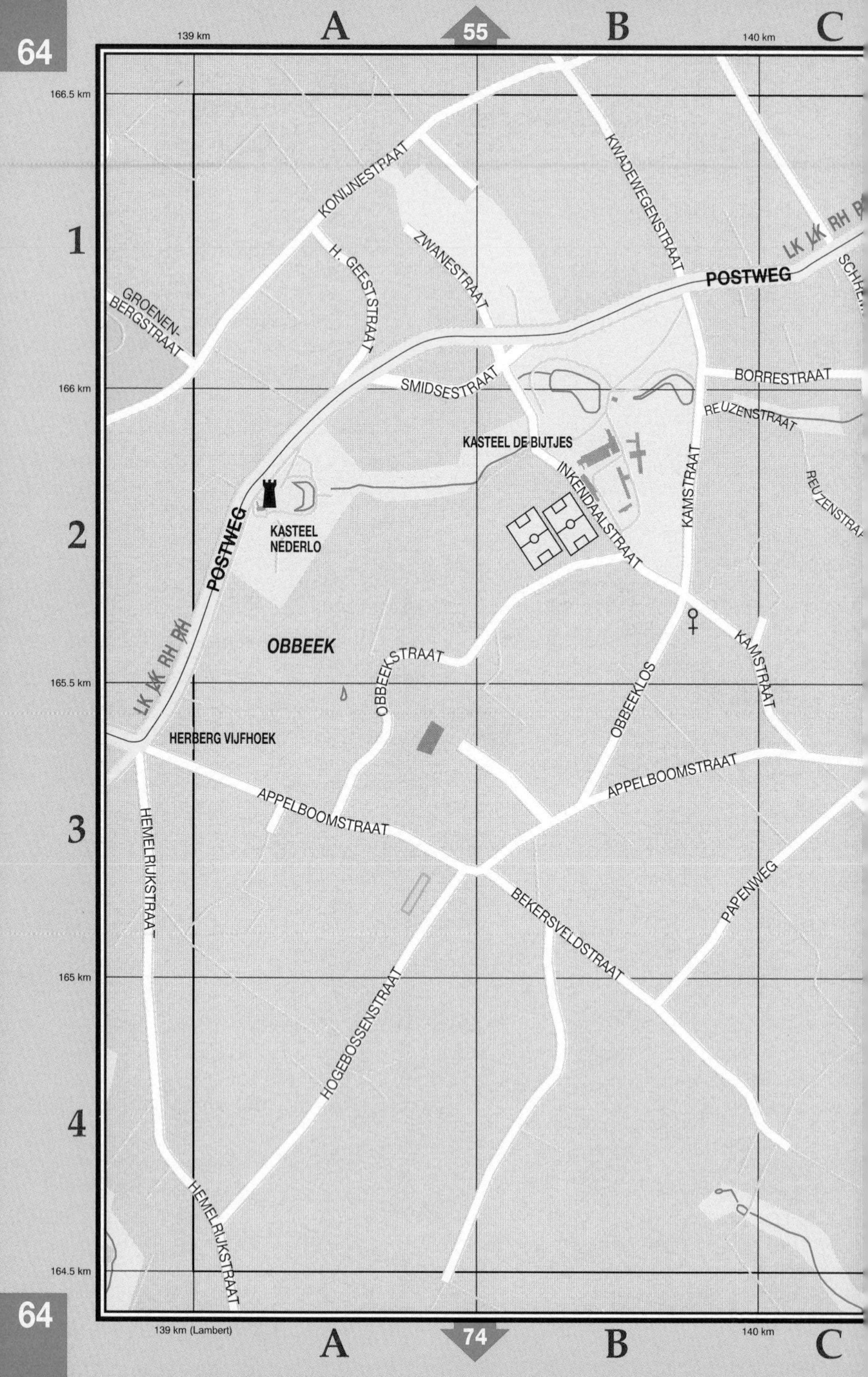
139 km
A
55
B
140 km
C
166.5 km
1
166 km
2
165.5 km
3
165 km
4
164.5 km
KONIJNESTRAAT
H. GEESTSTRAAT
ZWANESTRAAT
KWADEWEGENSTRAAT
POSTWEG
LK LK RH RH
GROENEN-BERGSTRAAT
SMIDSESTRAAT
BORRESTRAAT
REUZENSTRAAT
KASTEEL DE BIJTJES
INKENDAALSTRAAT
KAMSTRAAT
KASTEEL NEDERLO
POSTWEG
OBBEEK
OBBEEKSTRAAT
OBBEEKLOS
KAMSTRAAT
LK LK RH RH
HERBERG VIJFHOEK
APPELBOOMSTRAAT
APPELBOOMSTRAAT
HEMELRIJKSTRAAT
BEKERSVELDSTRAAT
PAPENWEG
HOGEBOSSENSTRAAT
HEMELRIJKSTRAAT
139 km (Lambert)
A
74
B
140 km
C

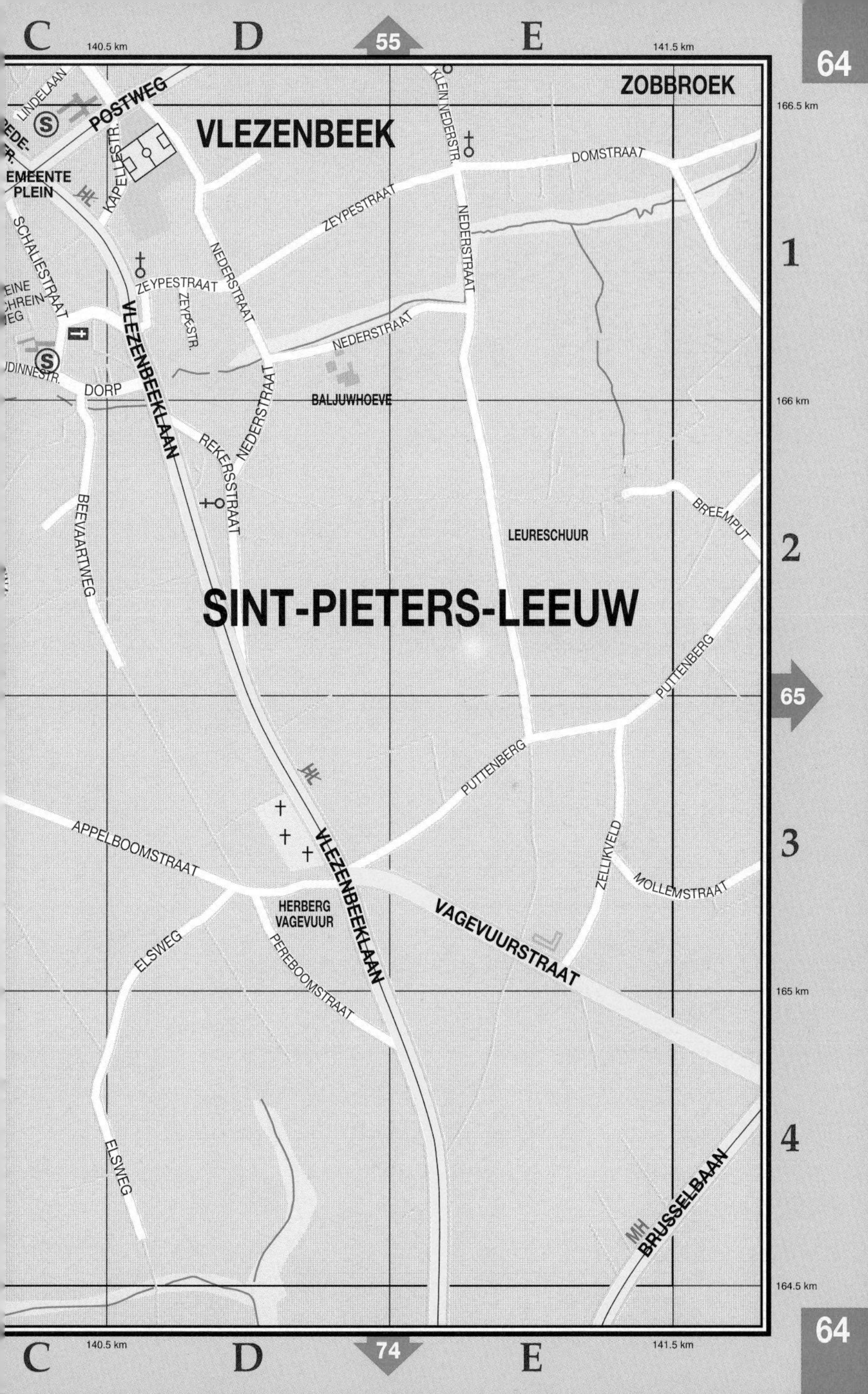
C
D
55
E
140.5 km
141.5 km
ZOBBROEK
VLEZENBEEK
LINDELAAN
POSTWEG
KAPELLESTR.
EMEENTE PLEIN
SCHALIESTRAAT
KLEIN NEDERSTR.
DOMSTRAAT
ZEYPESTRAAT
NEDERSTRAAT
ZEYPESTR.
VLEZENBEEKLAAN
DORP
BALJUWHOEVE
REKERSSTRAAT
BEEVAARTWEG
BREEMPUT
LEURESCHUUR
SINT-PIETERS-LEEUW
PUTTENBERG
65
APPELBOOMSTRAAT
ZELLIKVELD
MOLLEMSTRAAT
HERBERG VAGEVUUR
VAGEVUURSTRAAT
ELSWEG
PEREBOOMSTRAAT
BRUSSELBAAN
MH
166.5 km
166 km
165 km
164.5 km
1
2
3
4
74

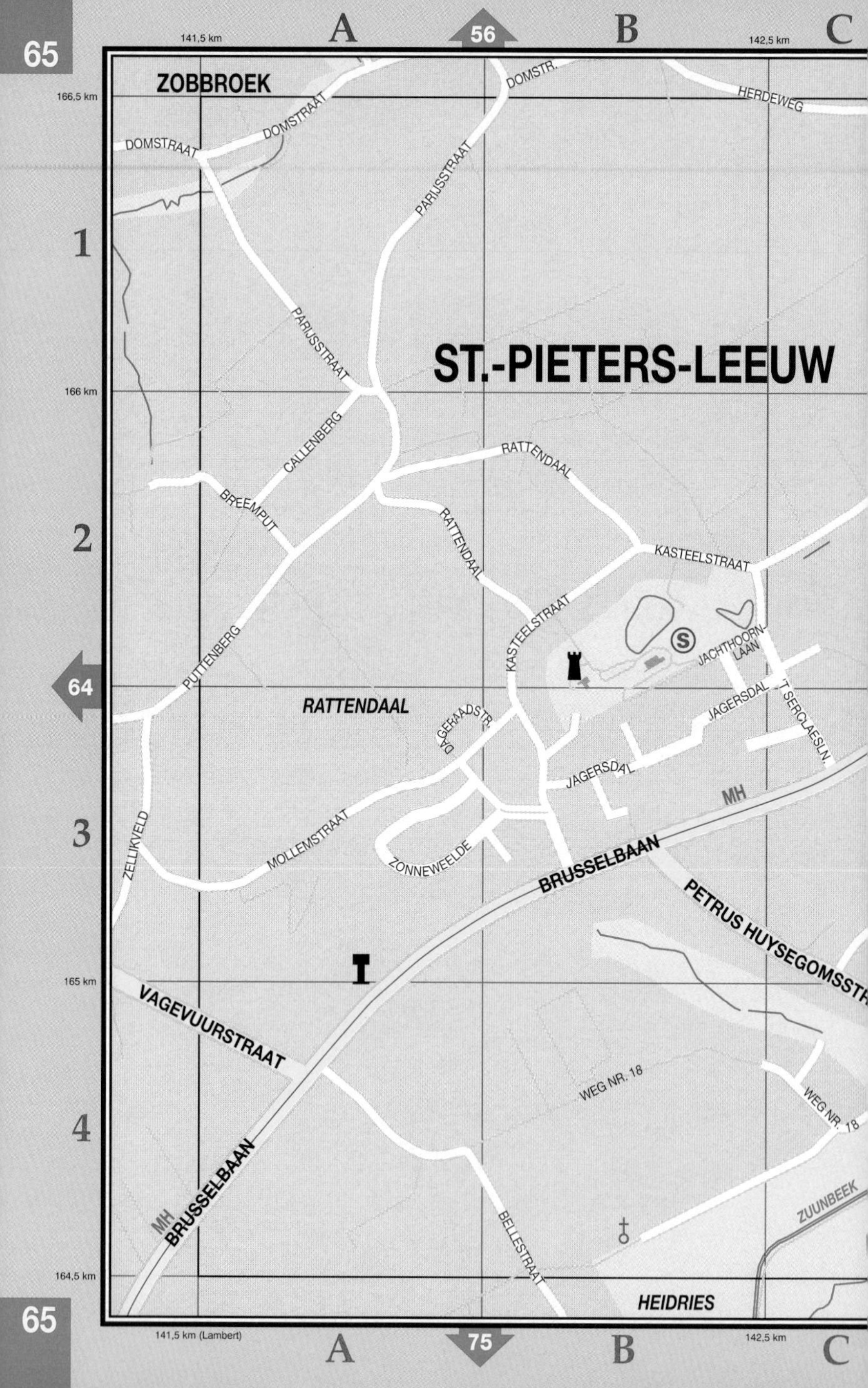
A
B
C
56
141,5 km
142,5 km
166,5 km
166 km
165 km
164,5 km
1
2
3
4
64
ZOBBROEK
DOMSTRAAT
DOMSTRAAT
DOMSTR.
HERDEWEG
PARIJSSTRAAT
PARIJSSTRAAT
ST.-PIETERS-LEEUW
CALLENBERG
BREEMPUT
RATTENDAAL
RATTENDAAL
KASTEELSTRAAT
KASTEELSTRAAT
JACHTHOORN-
LAAN
JAGERSDAL
JAGERSDAL
T SERCLAESLN.
PUTTENBERG
RATTENDAAL
DAGERAADSTR.
MH
ZELLIKVELD
MOLLEMSTRAAT
ZONNEWEELDE
BRUSSELBAAN
PETRUS HUYSEGOMSSTR
VAGEVUURSTRAAT
WEG NR. 18
WEG NR. 18
ZUUNBEEK
MH
BRUSSELBAAN
BELLESTRAAT
HEIDRIES
141,5 km (Lambert)
142,5 km
75
A
B
C

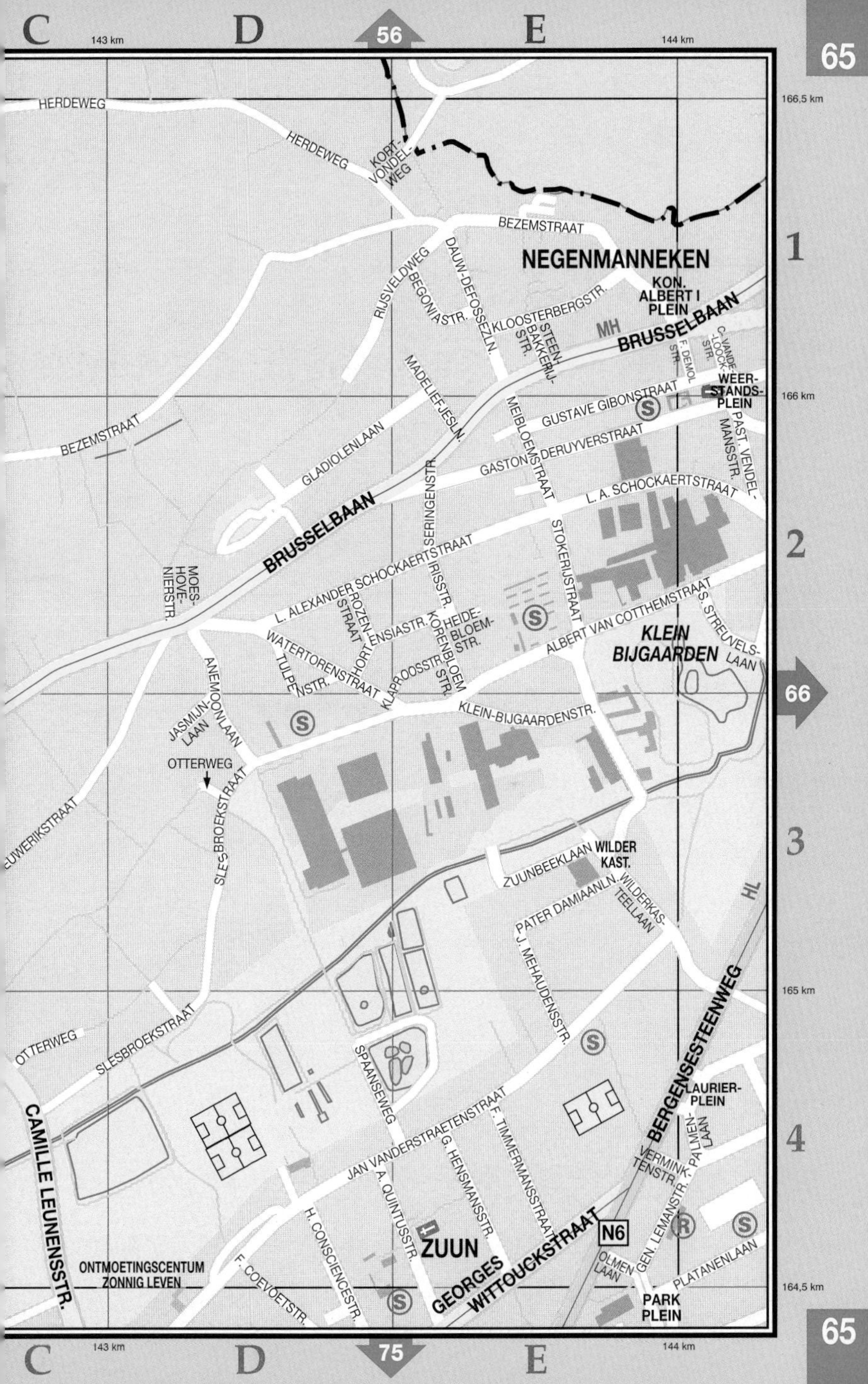
C
D
E
143 km
144 km
56
75
66
1
2
3
4
166,5 km
166 km
165 km
164,5 km
HERDEWEG
HERDEWEG
KORT-
VONDEL-
WEG
BEZEMSTRAAT
NEGENMANNEKEN
KON.
ALBERT I
PLEIN
RIJSVELDWEG
BEGONIASTR.
DAUW-DEFOSSEZLN.
KLOOSTERBERGSTR.
STEEN-
BAKKERIJ-
STR.
MH
BRUSSELBAAN
F. DEMOL
STR.
C. VANDE-
-LOOCK-
STR.
WEER-
STANDS-
PLEIN
MADELIEFJESLN.
GUSTAVE GIBONSTRAAT
PAST. VENDEL-
MANSSTR.
BEZEMSTRAAT
GLADIOLENLAAN
MEIBLOEMSTRAAT
GASTON DERUYVERSTRAAT
SERINGENSTR.
L. A. SCHOCKAERTSTRAAT
BRUSSELBAAN
STOKERIJSTRAAT
MOES-
HOVE-
NIERSTR.
L. ALEXANDER SCHOCKAERTSTRAAT
IRISSTR.
ROZEN-
STRAAT
HEIDE-
BLOEM-
STR.
HORTENSIASTR.
KORENBLOEM
STR.
ALBERT VAN COTTHEMSTRAAT
S. STREUVELS-
LAAN
KLEIN
BIJGAARDEN
WATERTORENSTRAAT
TULPENSTR.
KLAPROOSSTR.
ANEMOONLAAN
KLEIN-BIJGAARDENSTR.
JASMIJN-
LAAN
OTTERWEG
SLESBROEKSTRAAT
EUWERIKSTRAAT
ZUUNBEEKLAAN
WILDER
KAST.
PATER DAMIAANLN.
WILDERKAS-
TEELLAAN
J. MEHAUDENSSTR.
HL
BERGENSESTEENWEG
OTTERWEG
SLESBROEKSTRAAT
SPAANSEWEG
LAURIER-
PLEIN
PALMEN-
LAAN
CAMILLE LEUNENSSTR.
JAN VANDERSTRAETENSTRAAT
G. HENSMANSSTR.
F. TIMMERMANSSTRAAT
VERMINK-
TENSTR.
A. QUINTUSSTR.
H. CONSCIENCESTR.
ZUUN
GEORGES
WITTOUCKSTRAAT
N6
GEN. LEMANSTR.
OLMEN-
LAAN
PLATANENLAAN
ONTMOETINGSCENTUM
ZONNIG LEVEN
F. COEVOETSTR.
PARK
PLEIN

A
B
C
57
144 km
145 km
166,5 km
166 km
165 km
164,5 km
1
2
3
4
65
ANDERLECHT
NEGENMANNEKEN
BRUSSELBAAN
KON. ALBERT I PLEIN
LEON KREPERLAAN
MH
HL MH
OUDSTRIJDERSSTRAAT
P. WALCKIEFSSTR.
P. WITTOUCKSTR.
A. DEBROYER STRAAT
ST.-PIETERS-LEEUW
DRIE FONTEINEN
R. DES TROIS FONTAI
F. DEMOL STR.
C. VANDE LOOCK STR.
ST.-STEVENSSTR.
GUSTAVE GIBONSTRAAT
WEERSTANDS-PLEIN
GASTON DERUYVER-STRAAT
PAST. VENDEL-MANSSTR.
R. DE RENESSESTR.
ZUUNBEEK
BERGENSESTEENWEG
VAARTKANT
L. A. SCHOCKAERTSTRAAT
EUGENE GHIJSSTRAAT
ALBERT VAN COTTHEMSTRAAT
S. STREUVELSLN.
SPORTLAAN
KONING ALBERTSTRAAT
RUE D'ANDERLEC
KLEIN BIJGAARDEN
CARRE WITTOUCK
DROGENBOSSTR.
ANDERLECHTSTRAAT
WILDER SPORTCOMPLEX
P. DE BOECK-STR.
V. VAN PAEPEGHEMSTR.
DROGENBOS
GROOT BIJGAARDENSTRAAT
RUE GRAND-BIGARD
BROUWERIJ
N6
HBG. FERME BRETONNE
WILDER KAST.
WILDERKAS-TEELLAAN
HL
P
F. BAESSTR.
WITTE HOEDSTRAAT
VORSTSESTEENW
EDOUARD DE BAERDEMAEKERSTRAAT
DENNENLAAN
WILGENLN.
BEUKENLN.
VELD-STR.
LAURIER-PLEIN
PALMEN-LAAN
DOORNLN.
NOTELARENLN.
KANAAL BRUSSEL CHARLEROI
KORTE-STR.
1= P. GILSONLAAN
VERMINK-TENSTR.
GEN. LEMANSTR.
POPULIERENLN.
SPOOR.
SPOORWEG-STR.
WEGSTR.
GIETERIJSTRAAT
VORSTSESTEENWEG
HUMANITEITS
R
S
B
OLMEN-LAAN
PLATANENLAAN
PARK PLEIN
EIKLAAN
144 km (Lambert)
76

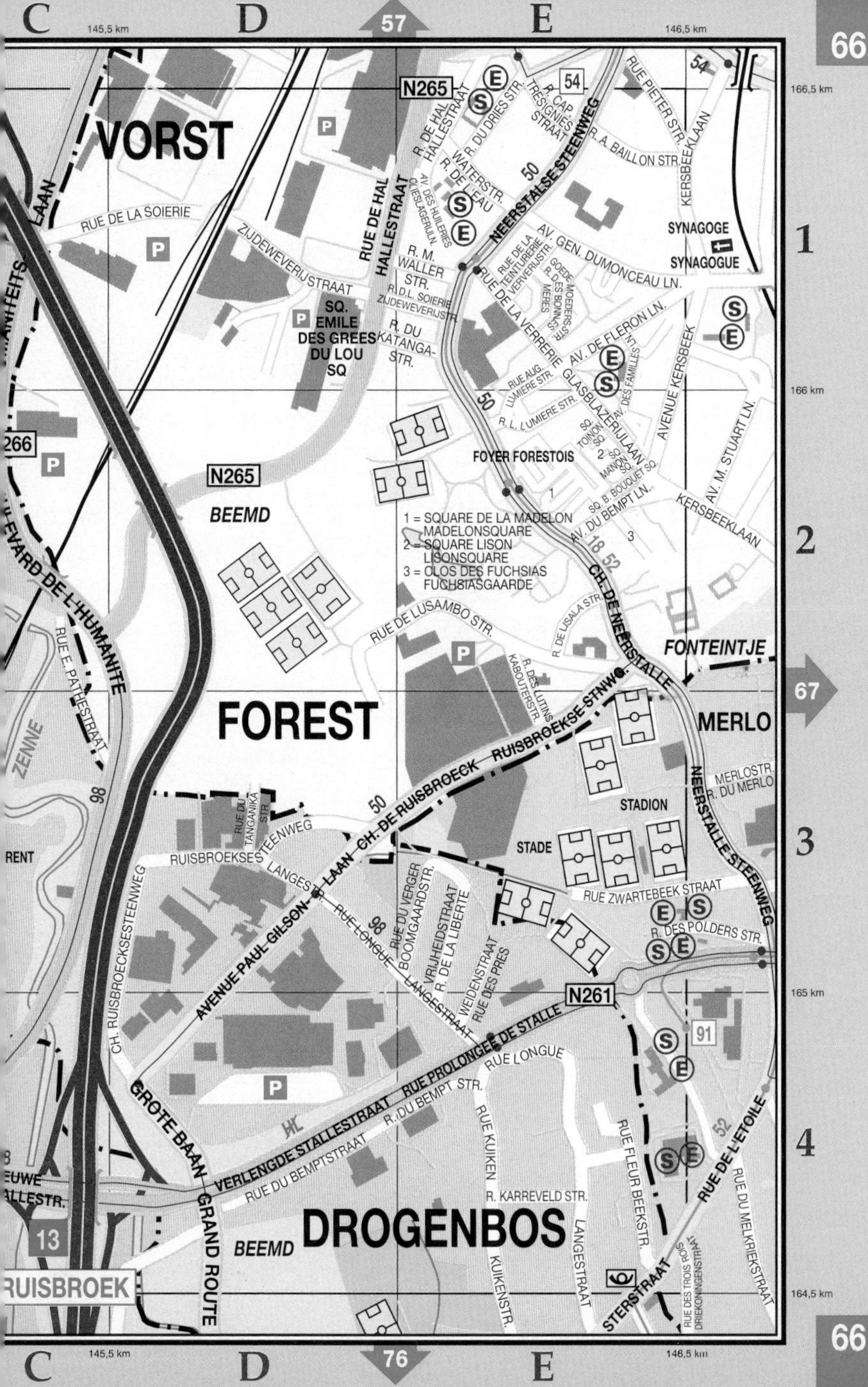
C
D
E
57
145,5 km
146,5 km
166,5 km
166 km
165 km
164,5 km
1
2
3
4
67
76
VORST
FOREST
DROGENBOS
MERLO
BEEMD
FONTEINTJE
N265
N266
N261
RUE DE HAL
HALLESTRAAT
NEERSTALSE STEENWEG
CH. DE NEERSTALLE
NEERSTALLE STEENWEG
RUE DE LA SOIERIE
ZIJDEWEVERIJSTRAAT
SQ. EMILE DES GREES DU LOU SQ
SYNAGOGE
SYNAGOGUE
AV. GEN. DUMONCEAU LN.
AV. DE FLERON LN.
AVENUE KERSBEEK
KERSBEEKLAAN
AV. DU BEMPT LN.
AV. M. STUART LN.
GLASBLAZERIJLAAN
RUE DE LA VERRERIE
RUE A. BAILLON STR.
RUE PIETER STR.
FOYER FORESTOIS
1 = SQUARE DE LA MADELON
MADELONSQUARE
2 = SQUARE LISON
LISONSQUARE
3 = CLOS DES FUCHSIAS
FUCHSIASGAARDE
RUE DE LUSAMBO STR.
R. DE LISALA STR.
R. DES LUTINS KABOUTERSTR.
CH. DE RUISBROECK RUISBROEKSE STNW.
RUISBROEKSESTEENWEG
AVENUE PAUL GILSON LAAN
RUE LONGUE
LANGESTRAAT
RUE DU VERGER BOOMGAARDSTR.
VRIJHEIDSTRAAT R. DE LA LIBERTE
WEIDENSTRAAT RUE DES PRES
RUE ZWARTEBEEK STRAAT
R. DES POLDERS STR.
MERLOSTR. R. DU MERLO
STADION
STADE
RUE E. PATHESTRAAT
ZENNE
RUE PROLONGEE DE STALLE
VERLENGDE STALLESTRAAT
R. DU BEMPT STR.
RUE DU BEMPTSTRAAT
GROTE BAAN
GRAND ROUTE
RUE KUIKEN
KUIKENSTR.
R. KARREVELD STR.
LANGESTRAAT
RUE FLEUR BEEKSTR.
RUE DE L'ETOILE
STERSTRAAT
RUE DU MELKRIEKSTRAAT
RUE DES TROIS ROIS DRIEKONINGENSTRAAT
RUISBROEK
13
91
54
50
52
98
18 52

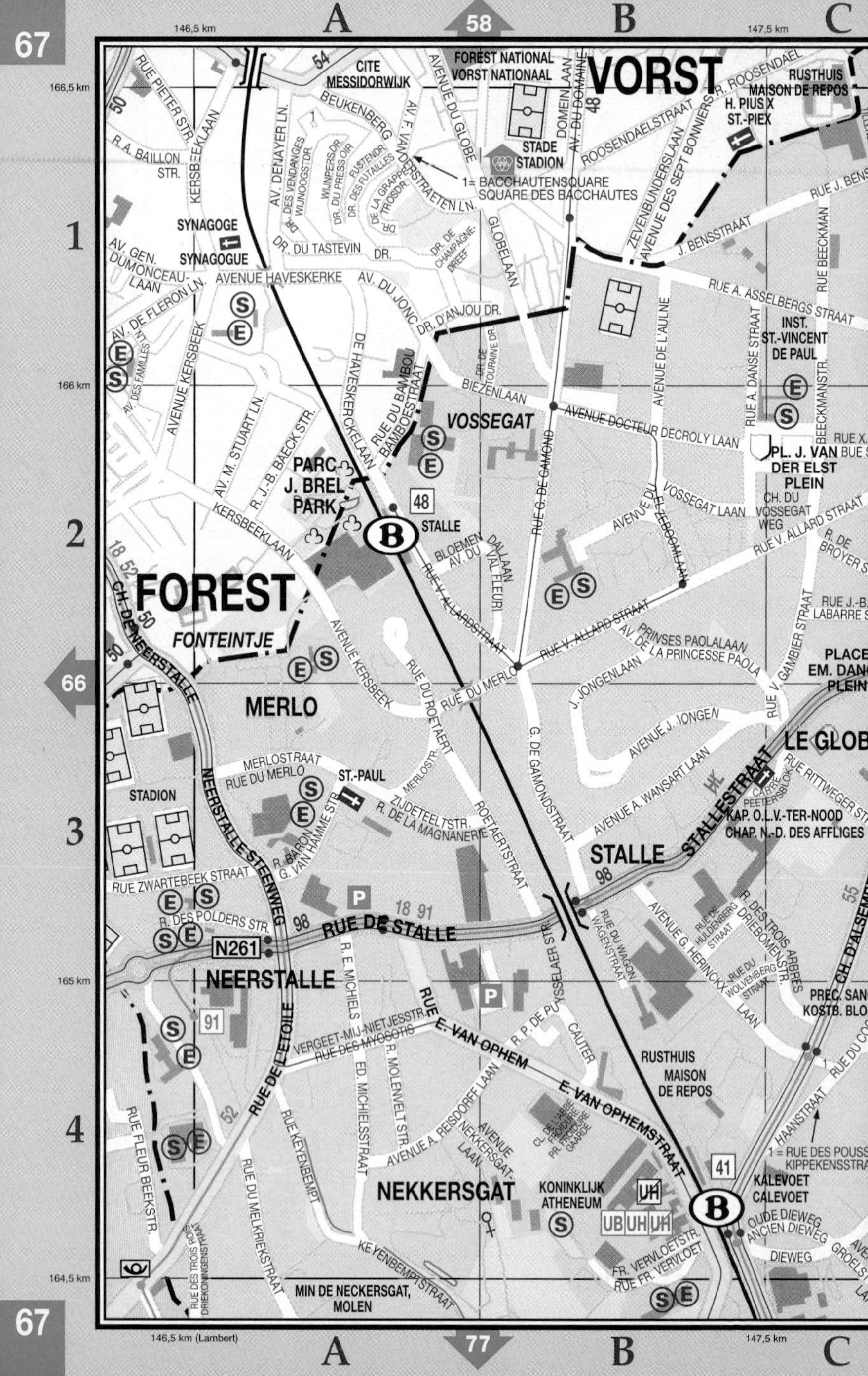
146,5 km
A
58
B
147,5 km
C
166,5 km
166 km
165 km
164,5 km
1
2
3
4
66
77
146,5 km (Lambert)
VORST
FOREST
FONTEINTJE
MERLO
VOSSEGAT
STALLE
NEERSTALLE
NEKKERSGAT
LE GLOB
CITE
MESSIDORWIJK
FOREST NATIONAL
VORST NATIONAAL
STADE
STADION
1= BACCHAUTENSQUARE
SQUARE DES BACCHAUTES
RUSTHUIS
MAISON DE REPOS
H. PIUS X
ST.-PIEX
SYNAGOGE
SYNAGOGUE
PARC
J. BREL
PARK
INST.
ST.-VINCENT
DE PAUL
PL. J. VAN
DER ELST
PLEIN
PLACE
EM. DAN
PLEIN
ST.-PAUL
STADION
KAP. O.L.V.-TER-NOOD
CHAP. N.-D. DES AFFLIGES
RUSTHUIS
MAISON
DE REPOS
KONINKLIJK
ATHENEUM
KALEVOET
CALEVOET
MIN DE NECKERSGAT,
MOLEN
PREC. SAN
KOSTB. BLO
1 = RUE DES POUSS
KIPPEKENSSTRA
RUE PIETER STR.
R. A. BAILLON
STR.
KERSBEEKLAAN
AV. DENAYER LN.
BEUKENBERG
AV. F. VANDERSTRAETEN LN.
AVENUE DU GLOBE
GLOBELAAN
DOMEINLAAN
AV. DU DOMAINE
ROOSENDAELSTRAAT
R. ROOSENDAEL
ZEVENBUNDERSLAAN
AVENUE DES SEPT BONNIERS
RUE J. BENS
J. BENSSTRAAT
RUE BEECKMAN
DR. DU TASTEVIN DR.
AV. GEN.
DUMONCEAU-
LAAN
AVENUE HAVESKERKE
AV. DU JONC
DR. D'ANJOU DR.
AV. DE FLERON LN.
AVENUE KERSBEEK
AV. DES FAMILLES
RUE A. ASSELBERGS STRAAT
AVENUE DE L'AULNE
RUE A. DANSE STRAAT
BEECKMANSTR.
DE HAVESKERCKELAAN
RUE DU BAMBOU
BAMBOESTRAAT
BIEZENLAAN
AVENUE DOCTEUR DECROLY LAAN
AV. M. STUART LN.
R. J.-B. BAECK STR.
RUE G. DE GAMOND
VOSSEGAT LAAN
CH. DU
VOSSEGAT
WEG
AVENUE DU
EL ZEBOOMLAAN
RUE V. ALLARD STRAAT
R. DE
BROYER S
BLOEMEN
AV. DU
DALLAAN
VAL FLEURI
RUE V. ALLARDSTRAAT
RUE J.-B.
LABARRE S
CH. DE NEERSTALLE
PRINSES PAOLALAAN
AV. DE LA PRINCESSE PAOLA
RUE V. GAMBIER STRAAT
AVENUE KERSBEEK
RUE DU ROETAERT
RUE DU MERLO
J. JONGENLAAN
AVENUE J. JONGEN
G. DE GAMONDSTRAAT
MERLOSTRAAT
RUE DU MERLO
MERLOSTR.
NEERSTALLE STEENWEG
ZIJDETEELTSTR.
R. DE LA MAGNANERIE
ROETAERTSTRAAT
AVENUE A. WANSART LAAN
STALLESTRAAT
RUE RITTWEGER ST
CARRE
PEETERSBLOK
R. BARON
G. VAN HAMME STR.
RUE ZWARTEBEEK STRAAT
R. DES POLDERS STR.
N261
RUE DE STALLE
RUE DU WAGON
WAGENSTRAAT
AVENUE G. HERINCKX
LAAN
RUE DE
HULDENBERG
STRAAT
R. DES TROIS ARBRES
DRIEBOMENSTR.
RUE DU
WOLVENBERG
STRAAT
CH. D'ALSEM
R. E. MICHIELS
ED. MICHIELSSTRAAT
RUE E. VAN OPHEM
E. VAN OPHEMSTRAAT
R. P. DE PUYSSELAER STR.
CAUTER
VERGEET-MIJ-NIETJESSTR.
RUE DES MYOSOTIS
R. MOLENVELT STR.
RUE DE L'ETOILE
AVENUE A. REISDORFF LAAN
AVENUE
NEKKERSGAT-
LAAN
CL. DE L'ABBE FROIDURE
PR. FROIDURE GAARDE
HAANSTRAAT
RUE DU CO
RUE FLEUR BEEKSTR.
RUE DU MELKRIEKSTRAAT
RUE KEYENBEMPT
KEYENBEMPTSTRAAT
RUE DES TROIS ROIS
DRIEKONINGENSTRAAT
OUDE DIEWEG
ANCIEN DIEWEG
DIEWEG
GROELST
FR. VERVLOETSTR.
RUE FR. VERVLOET
48
98
91
41
52
50
54
55
18 52
18 91

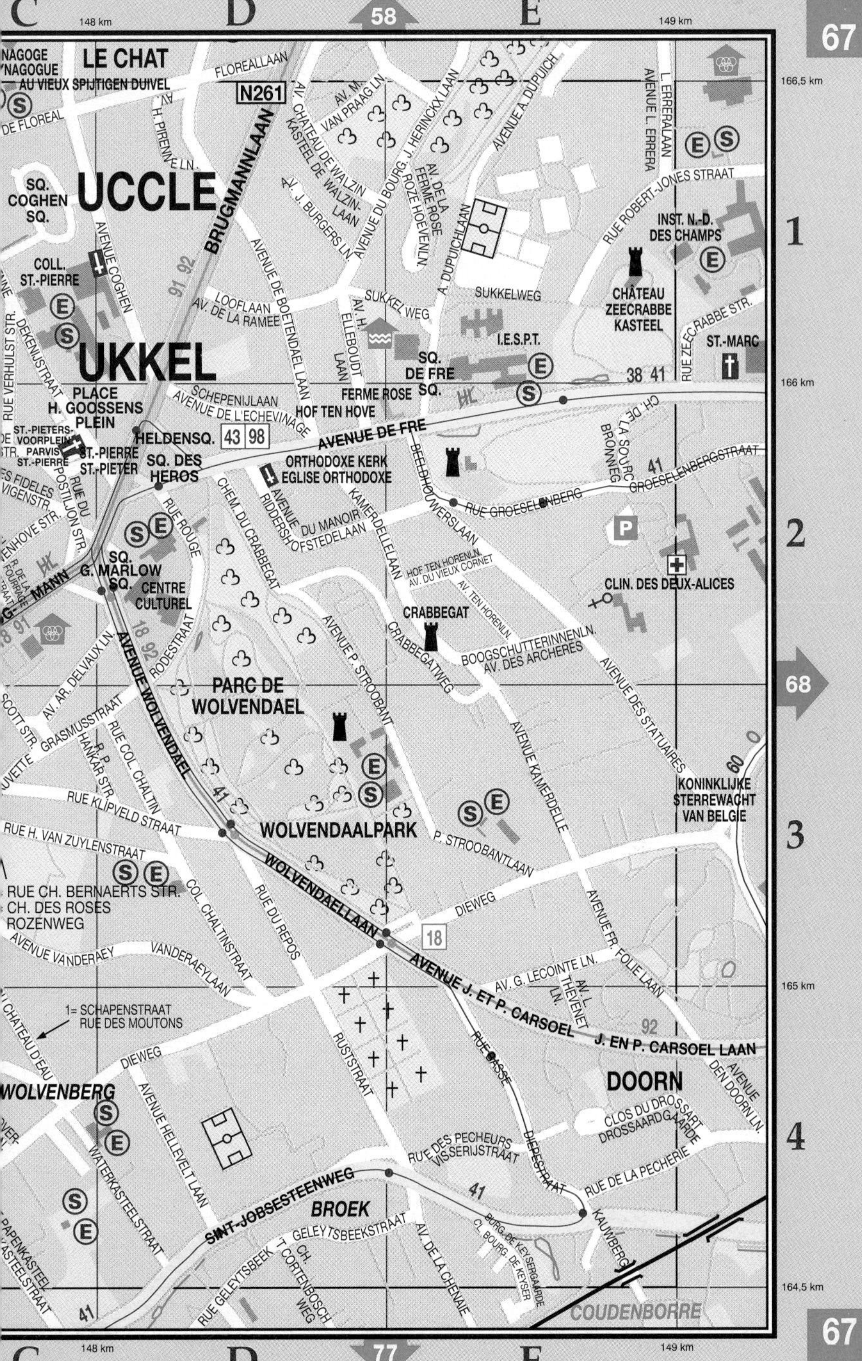

C
D
58
E
148 km
149 km
166,5 km
166 km
165 km
164,5 km
1
2
3
4
68
77
LE CHAT
AU VIEUX SPIJTIGEN DUIVEL
FLOREALLAAN
DE FLOREAL
N261
UCCLE
UKKEL
SQ. COGHEN SQ.
BRUGMANNLAAN
COLL. ST.-PIERRE
AVENUE COGHEN
AV. CHATEAU DE WALZIN
KASTEEL DE WALZIN-LAAN
AV. M. VAN PRAAG LN.
AVENUE DU BOURG. J. HERINCKX LAAN
AV. DE LA FERME ROSE
ROZE HOEVENLN.
AVENUE A. DUPUICH
A. DUPUICHLAAN
AV. J. BURGERS LN.
AVENUE L. ERRERA
L. ERRERALAAN
RUE ROBERT-JONES STRAAT
INST. N.-D. DES CHAMPS
CHÂTEAU ZEECRABBE KASTEEL
RUE ZEECRABBE STR.
ST.-MARC
SUKKELWEG
LOOFLAAN
AV. DE LA RAMEE
AVENUE DE BOETENDAEL LAAN
AV. H. ELLEBOUDT LAAN
SQ. DE FRE SQ.
I.E.S.P.T.
FERME ROSE
HOF TEN HOVE
PLACE H. GOOSSENS PLEIN
SCHEPENIJLAAN
AVENUE DE L'ECHEVINAGE
HELDENSQ.
SQ. DES HEROS
43
98
AVENUE DE FRE
ST.-PIETERS-VOORPLEIN
PARVIS ST.-PIERRE
ST.-PIERRE ST.-PIETER
ORTHODOXE KERK
EGLISE ORTHODOXE
CH. DE LA SOURCE
BRONNEG
GROESELENBERGSTRAAT
RUE GROESELENBERG
BEELDHOUWERSLAAN
KAMERDELLELAAN
AVENUE DU MANOIR
RIDDERSHOFSTEDELAAN
CHEM. DU CRABBEGAT
RUE ROUGE
DEKENIJSTRAAT
RUE VERHULST STR.
RUE DU POSTILJON STR.
SQ. G. MARLOW SQ.
CENTRE CULTUREL
G. MANN
HOF TEN HORENLN.
AV. DU VIEUX CORNET
AV. TEN HORENLN.
CLIN. DES DEUX-ALICES
CRABBEGAT
CRABBEGATWEG
BOOGSCHUTTERINNENLN.
AV. DES ARCHERES
AVENUE DES STATUAIRES
AVENUE WOLVENDAEL
RODESTRAAT
AV. AR. DELVAUX LN.
PARC DE WOLVENDAEL
AVENUE P. STROOBANT
AVENUE KAMERDELLE
GRASMUSSTRAAT
RUE COL. CHALTIN
SCOTT STR.
KONINKLIJKE STERREWACHT VAN BELGIE
RUE KLIPVELD STRAAT
RUE H. VAN ZUYLENSTRAAT
WOLVENDAALPARK
P. STROOBANTLAAN
RUE CH. BERNAERTS STR.
CH. DES ROSES
ROZENWEG
COL. CHALTINSTRAAT
RUE DU REPOS
WOLVENDAELLAAN
DIEWEG
18
AVENUE FR. FOLIE LAAN
AVENUE VANDERAEY
VANDERAEYLAAN
AV. G. LECOINTE LN.
AV. L. THEVENET LN.
AVENUE J. ET P. CARSOEL
J. EN P. CARSOEL LAAN
1= SCHAPENSTRAAT RUE DES MOUTONS
CHATEAU D'EAU
WOLVENBERG
AVENUE HELLEVELT LAAN
RUSTSTRAAT
RUE BASSE
DOORN
AVENUE DEN DOORN LN.
CLOS DU DROSSART
DROSSAARDGAARDE
WATERKASTEELSTRAAT
RUE DES PECHEURS
VISSERIJSTRAAT
DIEPESTRAAT
RUE DE LA PECHERIE
SINT-JOBSESTEENWEG
BROEK
GELEYTSBEEKSTRAAT
RUE GELEYTSBEEK
CH. T. CORTENBOSCH WEG
AV. DE LA CHENAIE
BURG. DE KEYSERGAARDE
CL. BOURG. DE KEYSER
KAUWBERG
COUDENBORRE
PAPENKASTEEL
KASTEELSTR.
41
92

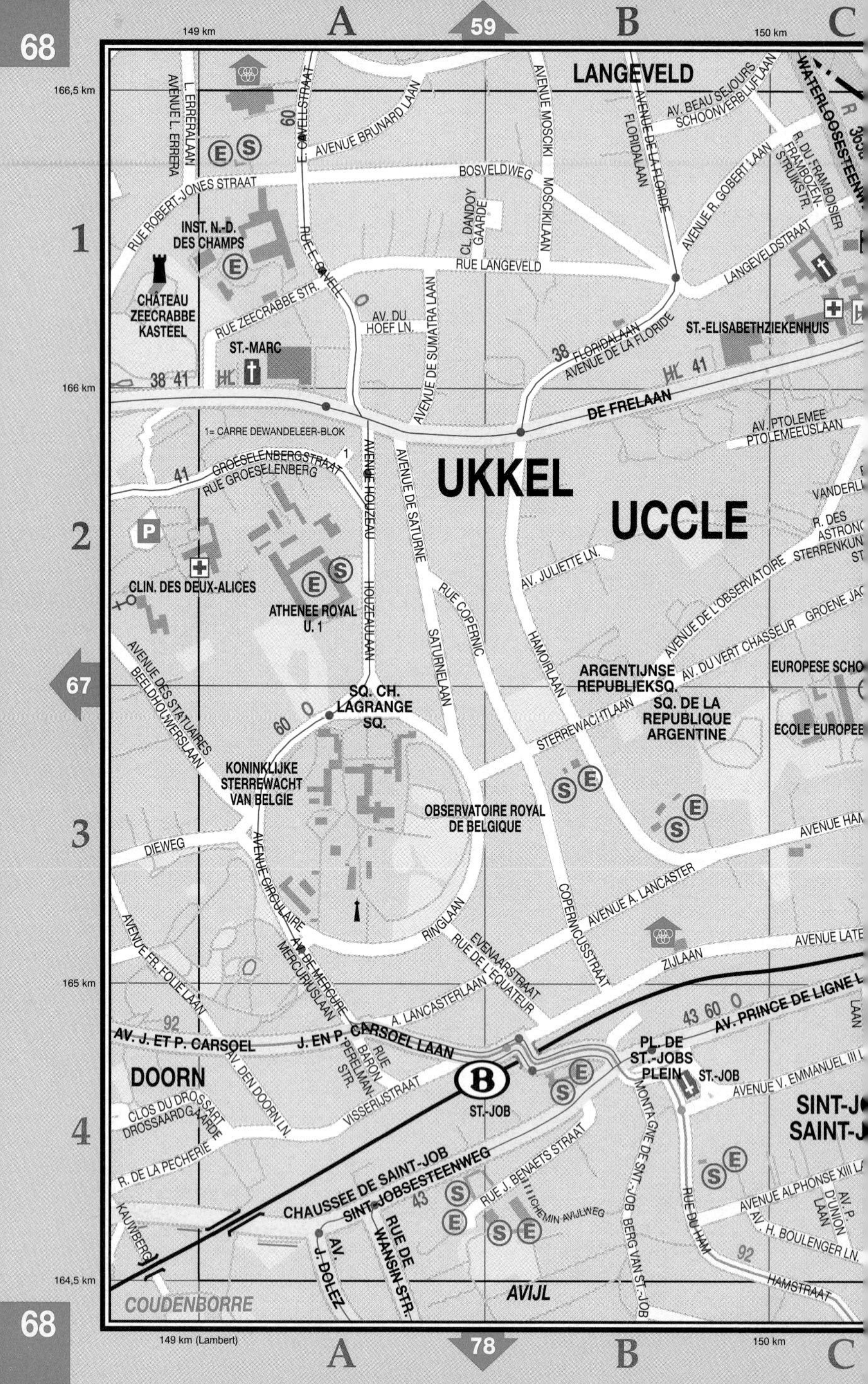
A
B
C
59
149 km
150 km
166,5 km
166 km
165 km
164,5 km
149 km (Lambert)
78
67
1
2
3
4
LANGEVELD
UKKEL
UCCLE
DOORN
AVIJL
COUDENBORRE
SINT-J
SAINT-J
AVENUE L. ERRERA
L. ERRERALAAN
E. CAVELLSTRAAT
AVENUE BRUNARD LAAN
BOSVELDWEG
AVENUE MOSCIKI
MOSCIKILAAN
AVENUE DE LA FLORIDE
FLORIDALAAN
AV. BEAU SEJOURS
SCHOONVERBLIJFLAAN
WATERLOOSESTEENW.
AVENUE R. GOBERT LAAN
R. DU FRAMBOISIER
FRAMBOZEN-STRUIKSTR.
RUE ROBERT-JONES STRAAT
INST. N.-D.
DES CHAMPS
CHÂTEAU
ZEECRABBE
KASTEEL
RUE E. CAVELL
CL. DANDOY
GAARDE
RUE LANGEVELD
LANGEVELDSTRAAT
RUE ZEECRABBE STR.
AV. DU
HOEF LN.
AVENUE DE SUMATRA LAAN
ST.-MARC
FLORIDALAAN
AVENUE DE LA FLORIDE
ST.-ELISABETHZIEKENHUIS
DE FRELAAN
AV. PTOLEMEE
PTOLEMEEUSLAAN
1= CARRE DEWANDELEER-BLOK
GROESELENBERGSTRAAT
RUE GROESELENBERG
AVENUE HOUZEAU
HOUZEAULAAN
AVENUE DE SATURNE
SATURNELAAN
RUE COPERNIC
HAMOIRLAAN
AV. JULIETTE LN.
R. DES
ASTRONO
STERRENKUN
AVENUE DE L'OBSERVATOIRE
STERRENWACHTLAAN
AV. DU VERT CHASSEUR
GROENE JA
CLIN. DES DEUX-ALICES
ATHENEE ROYAL
U. 1
ARGENTIJNSE
REPUBLIEKSQ.
SQ. DE LA
REPUBLIQUE
ARGENTINE
EUROPESE SCHO
ECOLE EUROPEE
SQ. CH.
LAGRANGE
SQ.
AVENUE DES STATUAIRES
BEELDHOUWERSLAAN
KONINKLIJKE
STERREWACHT
VAN BELGIE
OBSERVATOIRE ROYAL
DE BELGIQUE
DIEWEG
AVENUE CIRCULAIRE
RINGLAAN
AVENUE A. LANCASTER
COPERNICUSSTRAAT
AVENUE HAM
AVENUE FR. FOLIE LAAN
AV. DE MERCURE
MERCURIUSLAAN
EVENAARSTRAAT
RUE DE L'EQUATEUR
ZIJLAAN
AVENUE LATE
A. LANCASTERLAAN
AV. J. ET P. CARSOEL
J. EN P. CARSOEL LAAN
AV. PRINCE DE LIGNE L
AV. DEN DOORN LN.
RUE BARON PERELMAN STR.
VISSERIJSTRAAT
ST.-JOB
PL. DE
ST.-JOBS
PLEIN
AVENUE V. EMMANUEL III L
CLOS DU DROSSART
DROSSAARDGAARDE
R. DE LA PECHERIE
CHAUSSEE DE SAINT-JOB
SINT-JOBSESTEENWEG
RUE J. BENAETS STRAAT
CHEMIN AVIJLWEG
MONTAGNE DE ST.-JOB
BERG VAN ST.-JOB
RUE DU HAM
AVENUE ALPHONSE XIII L
AV. DE L'UNION LAAN
AV. H. BOULENGER LN.
HAMSTRAAT
KAUWBERG
AV. J. DOLEZ
RUE DE WANSIN STR.
38
41
60
43
92
HL

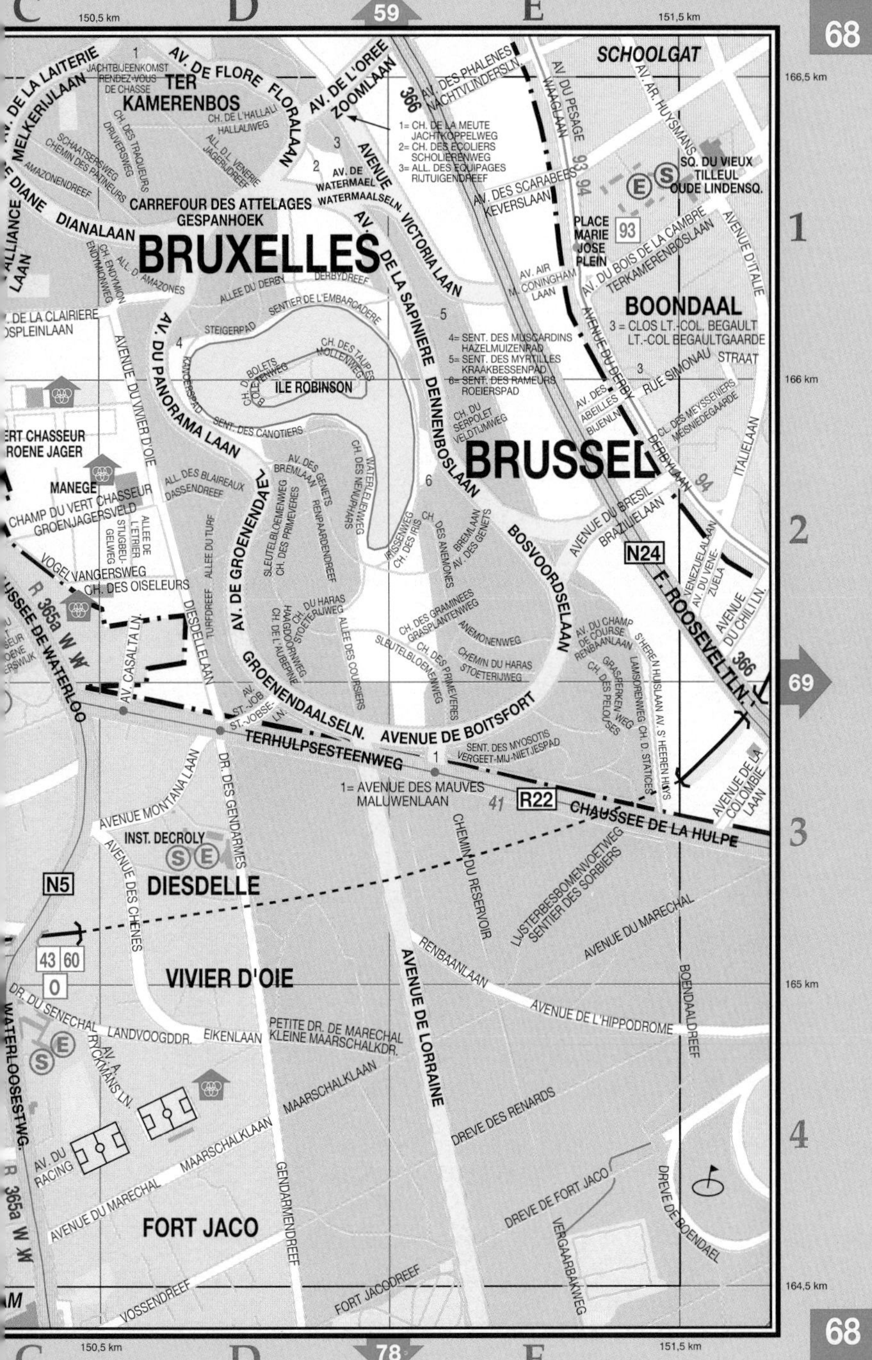

1
2
3
4

166,5 km
166 km
165 km
164,5 km

69

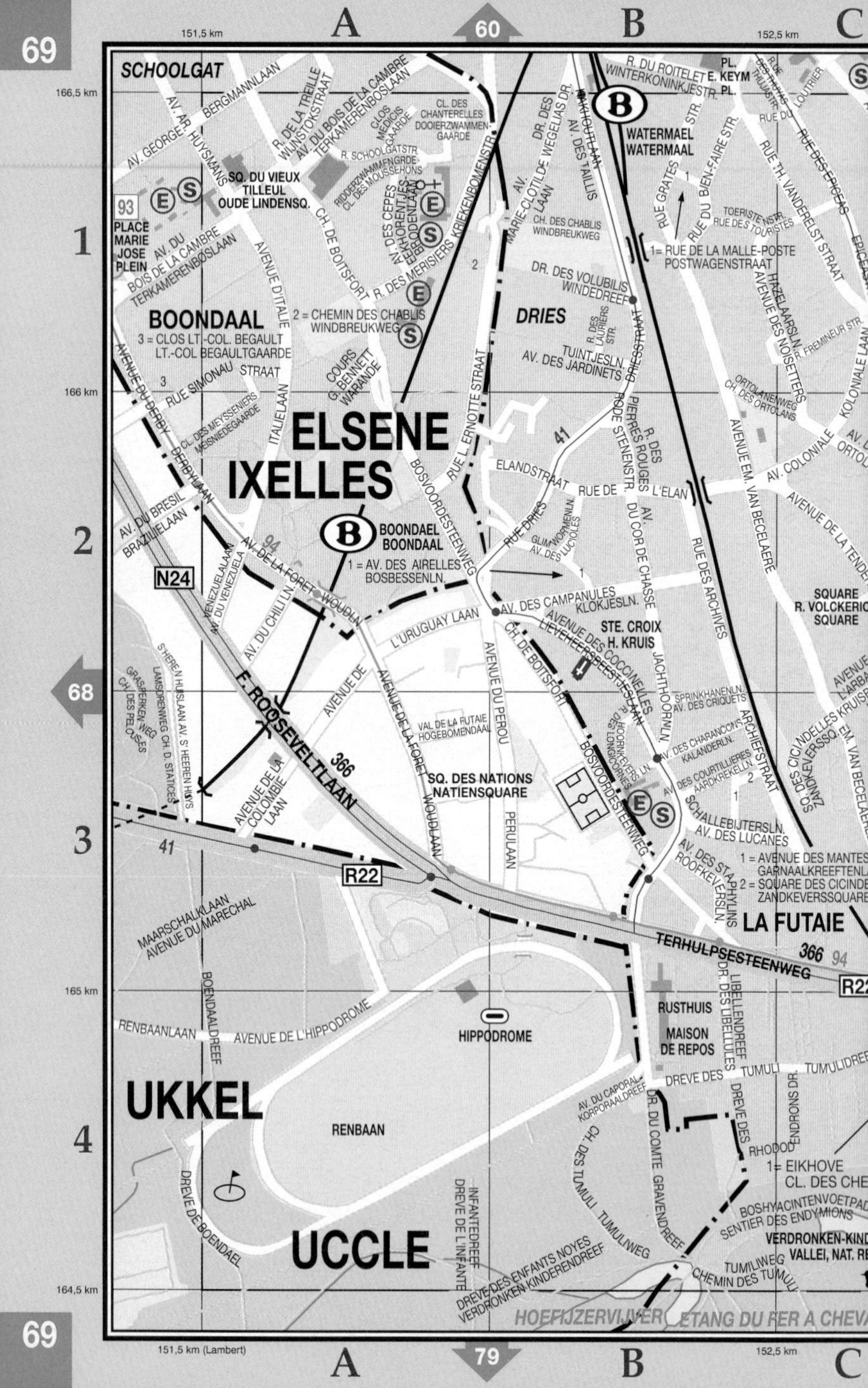
A
B
C
60
79
68
151,5 km
152,5 km
166,5 km
166 km
165 km
164,5 km
151,5 km (Lambert)
1
2
3
4
SCHOOLGAT
ELSENE
IXELLES
BOONDAAL
DRIES
WATERMAEL
WATERMAAL
BOONDAEL
BOONDAAL
UKKEL
UCCLE
LA FUTAIE
HIPPODROME
RENBAAN
RUSTHUIS
MAISON
DE REPOS
SQ. DU VIEUX
TILLEUL
OUDE LINDENSQ.
PLACE
MARIE
JOSE
PLEIN
SQ. DES NATIONS
NATIENSQUARE
STE. CROIX
H. KRUIS
SQUARE
R. VOLCKERIC
SQUARE
2 = CHEMIN DES CHABLIS
WINDBREUKWEG
3 = CLOS LT.-COL. BEGAULT
LT.-COL BEGAULTGAARDE
1 = AV. DES AIRELLES
BOSBESSENLN.
1= RUE DE LA MALLE-POSTE
POSTWAGENSTRAAT
1 = AVENUE DES MANTES
GARNAALKREEFTENLA
2 = SQUARE DES CICINDE
ZANDKEVERSSQUARE
1= EIKHOVE
CL. DES CHE
TERHULPSESTEENWEG
F. ROOSEVELTLAAN
AVENUE DE L'HIPPODROME
RENBAANLAAN
HOEFIJZERVIJVER
ETANG DU FER A CHEVA
VERDRONKEN-KIND
VALLEI, NAT. RE
N24
R22
366
94
41
93

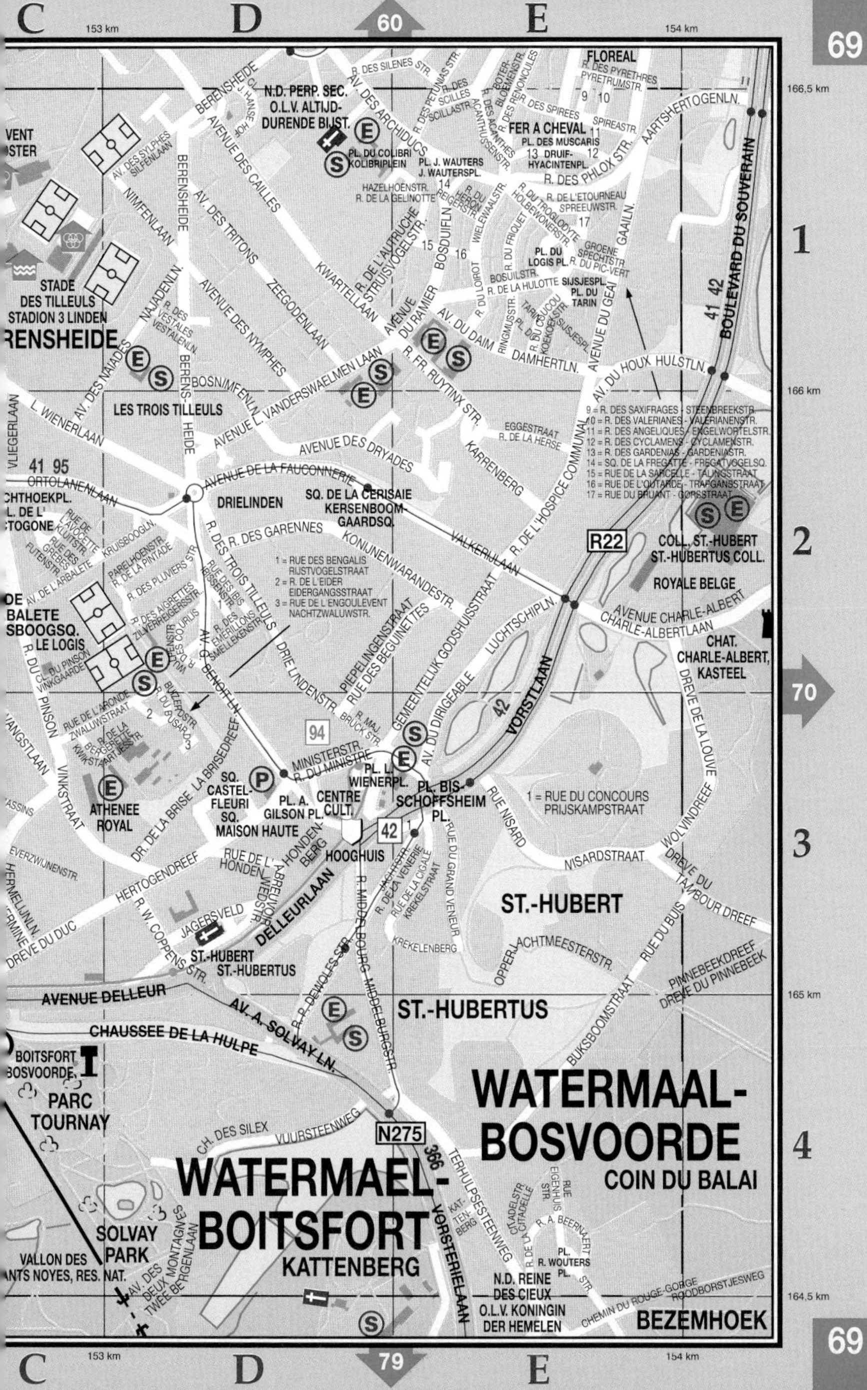
C
D
E
60
153 km
154 km
166,5 km
166 km
165 km
164,5 km
1
2
3
4
70
79
FLOREAL
R. DES PYRETHRES
PYRETRUMSTR.
R. DES SPIREES
SPIREASTR.
AARTSHERTOGENLN.
N.D. PERP. SEC.
O.L.V. ALTIJD-
DURENDE BIJST.
BERENSHEIDE
AV. DES ARCHIDUCS
R. DES SILENES STR.
FER A CHEVAL
PL. DES MUSCARIS
DRUIF-
HYACINTENPL.
R. DES PHLOX STR.
PL. DU COLIBRI
KOLIBRIPLEIN
PL. J. WAUTERS
J. WAUTERSPL.
HAZELHOENSTR.
R. DE LA GELINOTTE
R. DE L'ETOURNEAU
SPREEUWSTR.
BOULEVARD DU SOUVERAIN
AVENUE DES CAILLES
AV. DES TRITONS
NIMFENLAAN
AV. DES SYLPHES
SILFENLAAN
STADE
DES TILLEULS
STADION 3 LINDEN
RENSHEIDE
AVENUE DES NYMPHES
ZEEGODENLAAN
KWARTELLAAN
BOSDUIFLN
R. DE L'AUTRUCHE
STRUISVOGELSTR.
PL. DU
LOGIS PL.
GROENE
SPECHTSTR.
R. DU PIC-VERT
BOSUILSTR.
R. DE LA HULOTTE
SIJSJESPL.
PL. DU
TARIN
AVENUE DU GEAI
GAAILN.
AVENUE
DU RAMIER
AV. DU DAIM
DAMHERTLN.
AV. DU HOUX HULSTLN.
R. FR. RUYTINX STR.
AVENUE L. VANDERSWAELMEN LAAN
BOSNIMFENLN.
LES TROIS TILLEULS
BERENS-
HEIDE
AV. DES NAIADES
L. WIENERLAAN
VLIEGERLAAN
41 95
ORTOLANENLAAN
EGGESTRAAT
R. DE LA HERSE
KARRENBERG
AVENUE DES DRYADES
AVENUE DE LA FAUCONNERIE
9 = R. DES SAXIFRAGES - STEENBREEKSTR.
10 = R. DES VALERIANES - VALERIANENSTR.
11 = R. DES ANGELIQUES - ENGELWORTELSTR.
12 = R. DES CYCLAMENS - CYCLAMENSTR.
13 = R. DES GARDENIAS - GARDENIASTR.
14 = SQ. DE LA FREGATTE - FREGATVOGELSQ.
15 = RUE DE LA SARCELLE - TALINGSTRAAT
16 = RUE DE L'OUTARDE - TRAPGANSSTRAAT
17 = RUE DU BRUANT - GORSSTRAAT
DRIELINDEN
SQ. DE LA CERISAIE
KERSENBOOM-
GAARDSQ.
R. DES GARENNES
KONIJNENWARANDESTR.
VALKERIJLAAN
R. DE L'HOSPICE COMMUNAL
R22
COLL. ST.-HUBERT
ST.-HUBERTUS COLL.
ROYALE BELGE
AVENUE CHARLE-ALBERT
CHARLE-ALBERTLAAN
CHAT.
CHARLE-ALBERT,
KASTEEL
1 = RUE DES BENGALIS
RIJSTVOGELSTRAAT
2 = R. DE L'EIDER
EIDERGANGSSTRAAT
3 = RUE DE L'ENGOULEVENT
NACHTZWALUWSTR.
R. DES TROIS TILLEULS
AV. G. BENOIT LN.
GEMEENTELIJK GODSHUISSTRAAT
LUCHTSCHIPLN.
PIEPELINGENSTRAAT
RUE DES BEGUINETTES
DRIE LINDENSTR.
AV. DU DIRIGEABLE
VORSTLAAN
42
DREVE DE LA LOUVE
ATHENEE
ROYAL
LE LOGIS
R. DU PINSON
VINKSTRAAT
SQ.
CASTEL-
FLEURI
SQ.
MAISON HAUTE
94
MINISTERSTR.
R. DU MINISTRE
PL. L.
WIENERPL.
PL. A.
GILSON PL.
CENTRE
CULT.
PL. BIS-
SCHOFFSHEIM
PL.
RUE NISARD
1 = RUE DU CONCOURS
PRIJSKAMPSTRAAT
WOLVINDREEF
DR. DE LA BRISE
LA BRISEDREEF
HOOGHUIS
HERTOGENDREEF
NISARDSTRAAT
DREVE DU
TAMBOUR DREEF
ST.-HUBERT
RUE DU GRAND VENEUR
R. MIDDELBOURG
DELLEURLAAN
JAGERSVELD
R. W. COPPENS STR.
DREVE DU DUC
ST.-HUBERT
ST.-HUBERTUS
KREKELENBERG
JACHTMEESTERSTR.
RUE DU BUIS
PINNEBEEKDREEF
DREVE DU PINNEBEEK
BUKSBOOMSTRAAT
AVENUE DELLEUR
AV. A. SOLVAY LN.
CHAUSSEE DE LA HULPE
ST.-HUBERTUS
MIDDELBURGSTR.
BOITSFORT
BOSVOORDE
PARC
TOURNAY
WATERMAAL-
BOSVOORDE
COIN DU BALAI
CH. DES SILEX
VUURSTEENWEG
N275
366
WATERMAEL-
BOITSFORT
KATTENBERG
SOLVAY
PARK
VALLON DES
ANTS NOYES, RES. NAT.
AV. DES
DEUX MONTAGNES
TWEE BERGENLAAN
VORSTERIELAAN
TERHULPSESTEENWEG
R. A. BEERNAERT
PL.
R. WOUTERS
PL.
N.D. REINE
DES CIEUX
O.L.V. KONINGIN
DER HEMELEN
CHEMIN DU ROUGE-GORGE
ROODBORSTJESWEG
BEZEMHOEK
153 km
154 km
C
D
E

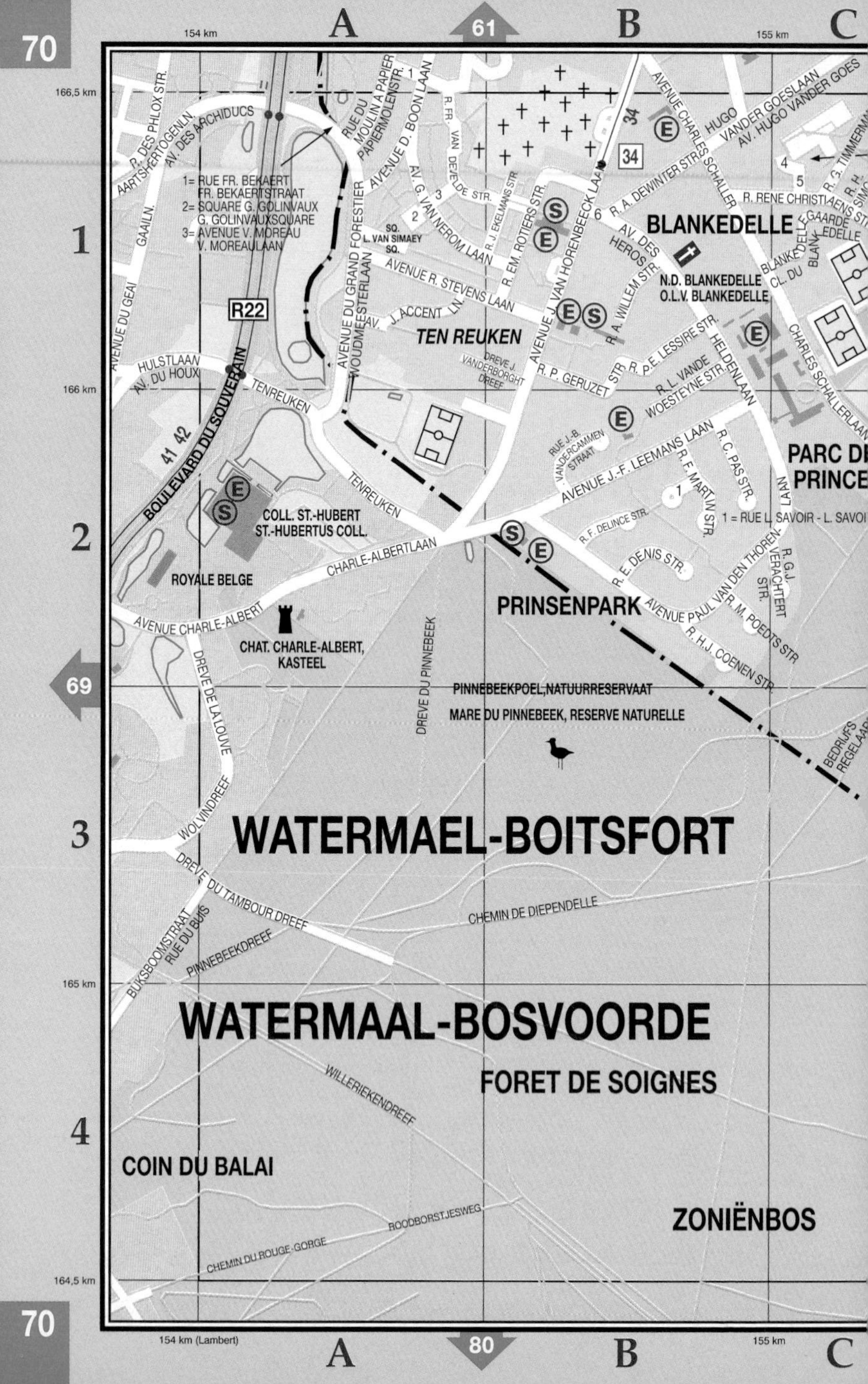
A
61
B
C
154 km
155 km
166,5 km
166 km
165 km
164,5 km
1
2
3
4
69
1= RUE FR. BEKAERT
FR. BEKAERTSTRAAT
2= SQUARE G. GOLINVAUX
G. GOLINVAUXSQUARE
3= AVENUE V. MOREAU
V. MOREAULAAN
BLANKEDELLE
N.D. BLANKEDELLE
O.L.V. BLANKEDELLE
TEN REUKEN
PARC DE
PRINCE
1 = RUE L. SAVOIR - L. SAVOI
COLL. ST.-HUBERT
ST.-HUBERTUS COLL.
ROYALE BELGE
PRINSENPARK
CHAT. CHARLE-ALBERT,
KASTEEL
PINNEBEEKPOEL,NATUURRESERVAAT
MARE DU PINNEBEEK, RESERVE NATURELLE
WATERMAEL-BOITSFORT
WATERMAAL-BOSVOORDE
FORET DE SOIGNES
COIN DU BALAI
ZONIËNBOS
R22
BOULEVARD DU SOUVERAIN
TENREUKEN
CHARLE-ALBERTLAAN
AVENUE CHARLE-ALBERT
DREVE DE LA LOUVE
WOLVINDREEF
DREVE DU TAMBOUR DREEF
PINNEBEEKDREEF
BUKSBOOMSTRAAT
RUE DU BUIS
CHEMIN DE DIEPENDELLE
WILLERIEKENDREEF
ROODBORSTJESWEG
CHEMIN DU ROUGE-GORGE
DREVE DU PINNEBEEK
AVENUE J.-F. LEEMANS LAAN
AVENUE PAUL VAN DEN THOREN LAAN
HELDENLAAN
AVENUE CHARLES SCHALLER
CHARLES SCHALLERLAAN
AVENUE J. VAN HORENBEECK LAAN
AVENUE R. STEVENS LAAN
AVENUE DU GRAND FORESTIER
WOUDMEESTERLAAN
AVENUE D. BOON LAAN
AV. G. VAN NEROM LAAN
HULSTLAAN
AV. DU HOUX
AVENUE DU GEAI
GAAILN.
AV. DES ARCHIDUCS
AARTSHERTOGENLN.
R. DES PHLOX STR.
RUE DU MOULIN A PAPIER
PAPIERMOLENSTR.
HUGO VANDER GOESLAAN
AV. HUGO VANDER GOES
R. RENE CHRISTIAENS STR.
R. P. GERUZET STR
R. P.E. LESSIRE STR.
R. L. VANDE WOESTEYNE STR.
R. A. DEWINTER STR.
AV. DES HEROS
R. A. WILLEM STR.
R. EM. ROTIERS STR.
R. J. EKELMANS STR.
R. FR. VAN DEVELDE STR.
SQ. L. VAN SIMAEY SQ.
AV. J. ACCENT LN.
DREVE J. VANDERBORGHT DREEF
RUE J.-B. VANDERCAMMEN STRAAT
R. F. MARTIN STR.
R. C. PAS STR.
R. F. DELINCE STR.
R. E. DENIS STR.
R. M. POEDTS STR
R. H.J. COENEN STR.
R. G.J. VERACHTERT STR.
BEDRIJFS REGELAAR
154 km (Lambert)
80

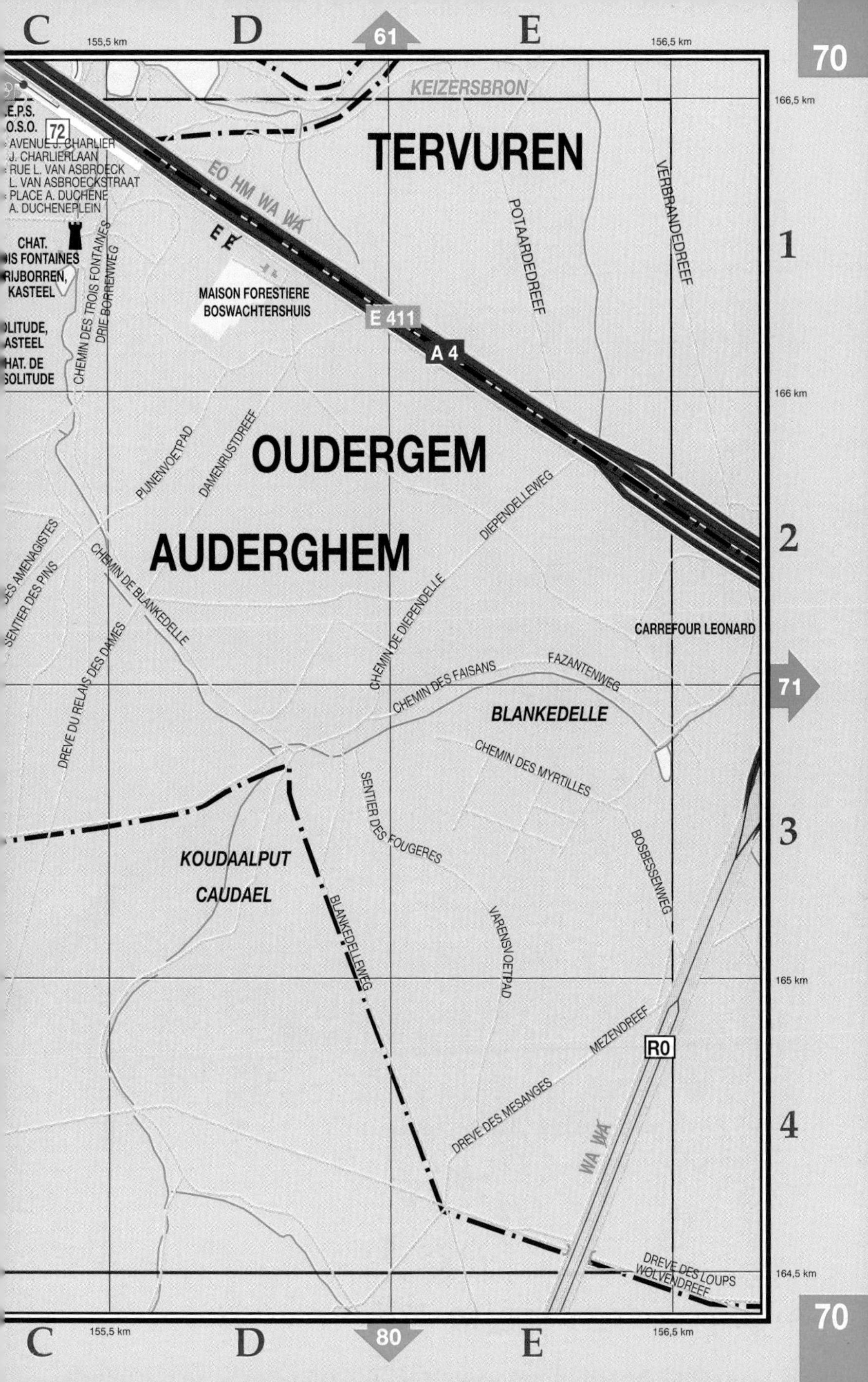
C
D
E
155,5 km
156,5 km
61
KEIZERSBRON
166,5 km
TERVUREN
72
AVENUE J. CHARLIER
J. CHARLIERLAAN
RUE L. VAN ASBROECK
L. VAN ASBROECKSTRAAT
PLACE A. DUCHENE
A. DUCHENEPLEIN
EO HM WA WA
VERBRANDEDREEF
POTAARDEDREEF
1
CHAT.
MAISON FORESTIERE
BOSWACHTERSHUIS
CHEMIN DES TROIS FONTAINES
DRIE BORRENWEG
E 411
A 4
166 km
OUDERGEM
PIJNENVOETPAD
DAMENRUSTDREEF
DIEPENDELLEWEG
AUDERGHEM
2
CHEMIN DE BLANKEDELLE
SENTIER DES PINS
CHEMIN DE DIEPENDELLE
CARREFOUR LEONARD
DREVE DU RELAIS DES DAMES
CHEMIN DES FAISANS
FAZANTENWEG
71
BLANKEDELLE
CHEMIN DES MYRTILLES
SENTIER DES FOUGERES
3
KOUDAALPUT
CAUDAEL
BOSBESSENWEG
BLANKEDELLEWEG
VARENSVOETPAD
165 km
MEZENDREEF
R0
DREVE DES MESANGES
4
WA WA
DREVE DES LOUPS
WOLVENDREEF
164,5 km
C
D
E
155,5 km
156,5 km
80

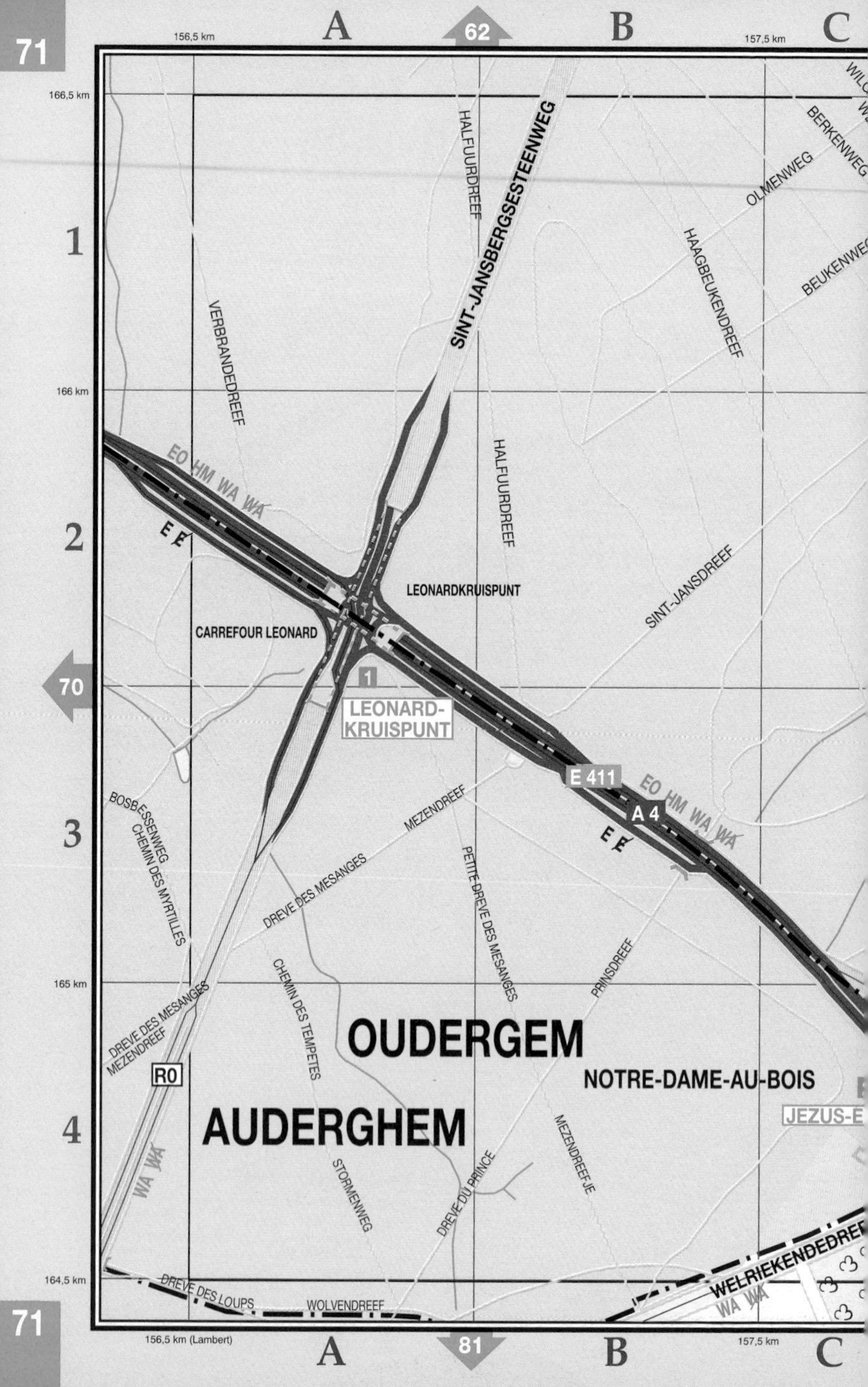
A
B
C
62
156,5 km
157,5 km
166,5 km
166 km
165 km
164,5 km
1
2
3
4
70
SINT-JANSBERGSESTEENWEG
HALFUURDREEF
BERKENWEG
OLMENWEG
HAAGBEUKENDREEF
BEUKENWEG
VERBRANDEDREEF
EO HM WA WA
LEONARDKRUISPUNT
CARREFOUR LEONARD
SINT-JANSDREEF
1
LEONARD-
KRUISPUNT
E 411
A 4
BOSBESSENWEG
CHEMIN DES MYRTILLES
MEZENDREEF
DREVE DES MESANGES
PETITE DREVE DES MESANGES
PRINSDREEF
CHEMIN DES TEMPETES
DREVE DES MESANGES
MEZENDREEF
R0
OUDERGEM
NOTRE-DAME-AU-BOIS
AUDERGHEM
JEZUS-E
WA WA
STORMENWEG
DREVE DU PRINCE
MEZENDREEFJE
WELRIEKENDEDREEF
DREVE DES LOUPS
WOLVENDREEF
156,5 km (Lambert)
81

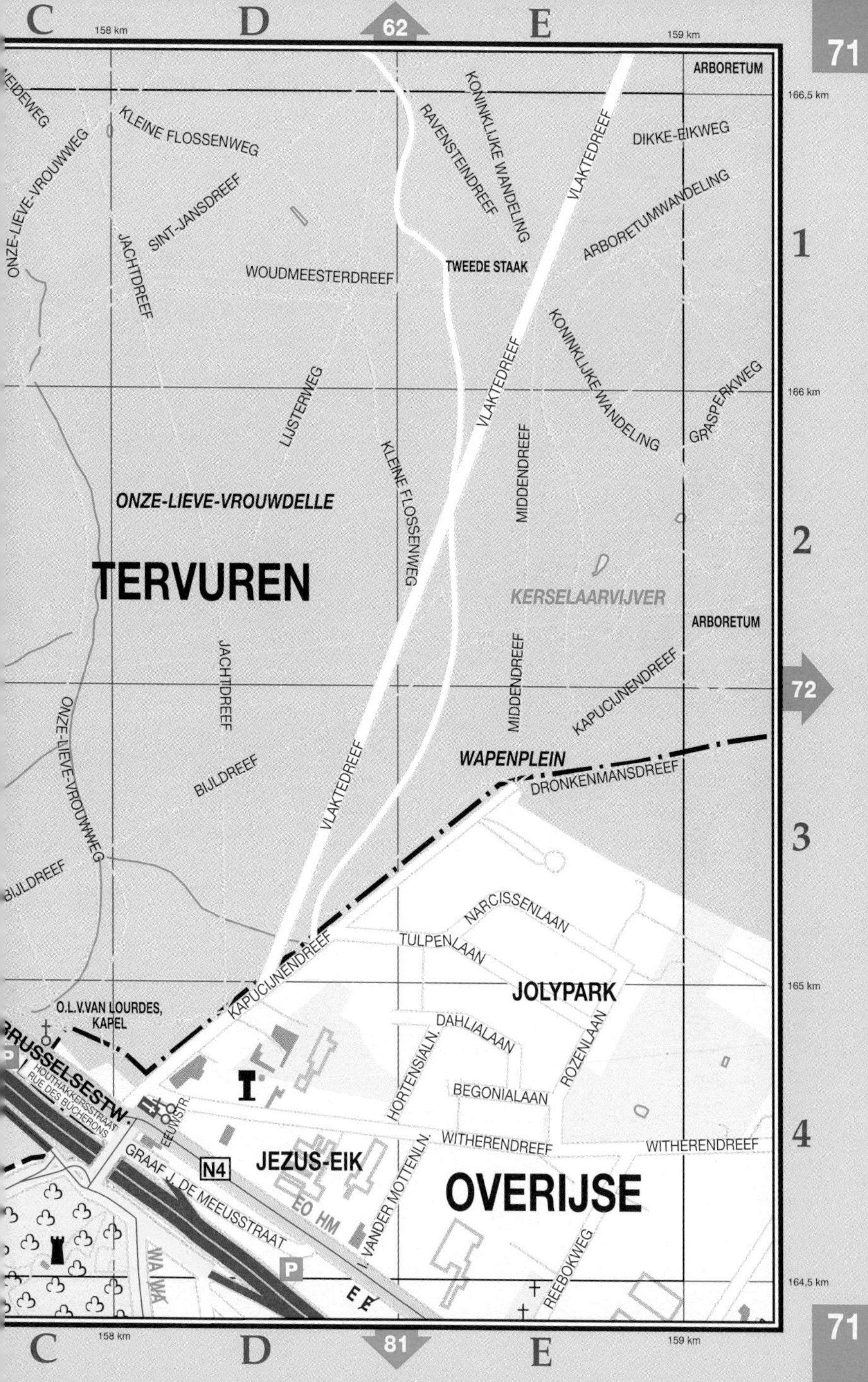
C
D
E
158 km
159 km
62
81
72
1
2
3
4
166,5 km
166 km
165 km
164,5 km
ARBORETUM
KLEINE FLOSSENWEG
ONZE-LIEVE-VROUWWEG
SINT-JANSDREEF
JACHTDREEF
WOUDMEESTERDREEF
RAVENSTEINDREEF
KONINKLIJKE WANDELING
TWEEDE STAAK
VLAKTEDREEF
DIKKE-EIKWEG
ARBORETUMWANDELING
LIJSTERWEG
KLEINE FLOSSENWEG
MIDDENDREEF
GRASPERKWEG
ONZE-LIEVE-VROUWDELLE
TERVUREN
KERSELAARVIJVER
ARBORETUM
KAPUCIJNENDREEF
WAPENPLEIN
DRONKENMANSDREEF
BIJLDREEF
BIJLDREEF
NARCISSENLAAN
TULPENLAAN
JOLYPARK
O.L.V.VAN LOURDES, KAPEL
BRUSSELSESTW.
HOUTHAKKERSSTRAAT
RUE DES BÛCHERONS
DAHLIALAAN
HORTENSIALN.
ROZENLAAN
BEGONIALAAN
WITHERENDREEF
JEZUS-EIK
N4
GRAAF J. DE MEEUSSTRAAT
I. VANDER MOTTENLN.
OVERIJSE
REEBOKWEG
EO HM
P

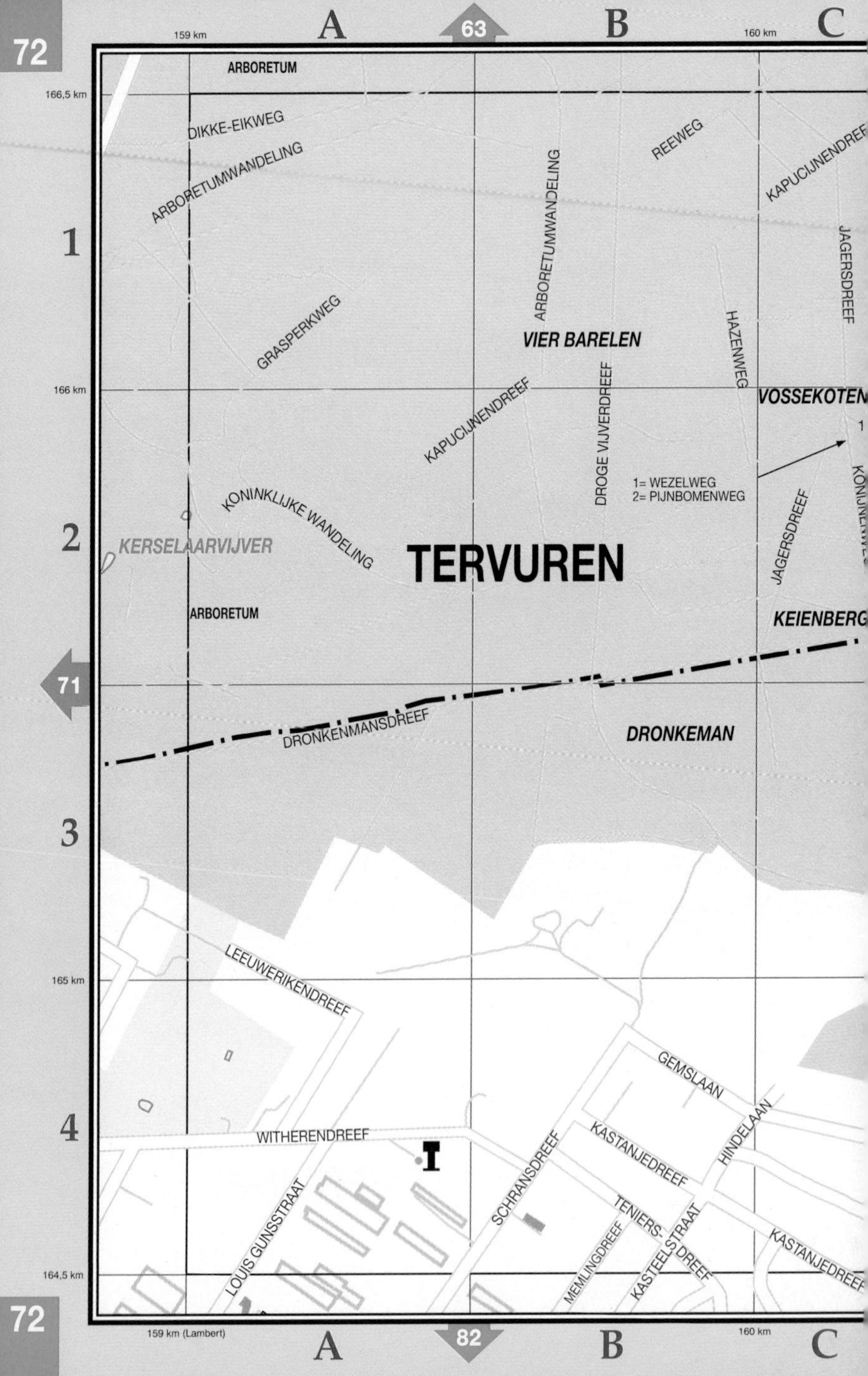
A
63
B
C
159 km
160 km
166,5 km
166 km
165 km
164,5 km
1
2
3
4
71
ARBORETUM
DIKKE-EIKWEG
ARBORETUMWANDELING
REEWEG
KAPUCIJNENDREEF
JAGERSDREEF
GRASPERKWEG
VIER BARELEN
HAZENWEG
VOSSEKOTEN
KAPUCIJNENDREEF
DROGE VIJVERDREEF
1= WEZELWEG
2= PIJNBOMENWEG
KONINKLIJKE WANDELING
KERSELAARVIJVER
TERVUREN
JAGERSDREEF
KEIENBERG
ARBORETUM
DRONKENMANSDREEF
DRONKEMAN
LEEUWERIKENDREEF
GEMSLAAN
KASTANJEDREEF
HINDELAAN
WITHERENDREEF
SCHRANSDREEF
TENIERS-DREEF
LOUIS GUNSSTRAAT
MEMLINGDREEF
KASTEELSTRAAT
KASTANJEDREEF
159 km (Lambert)
82
A
160 km
B
C

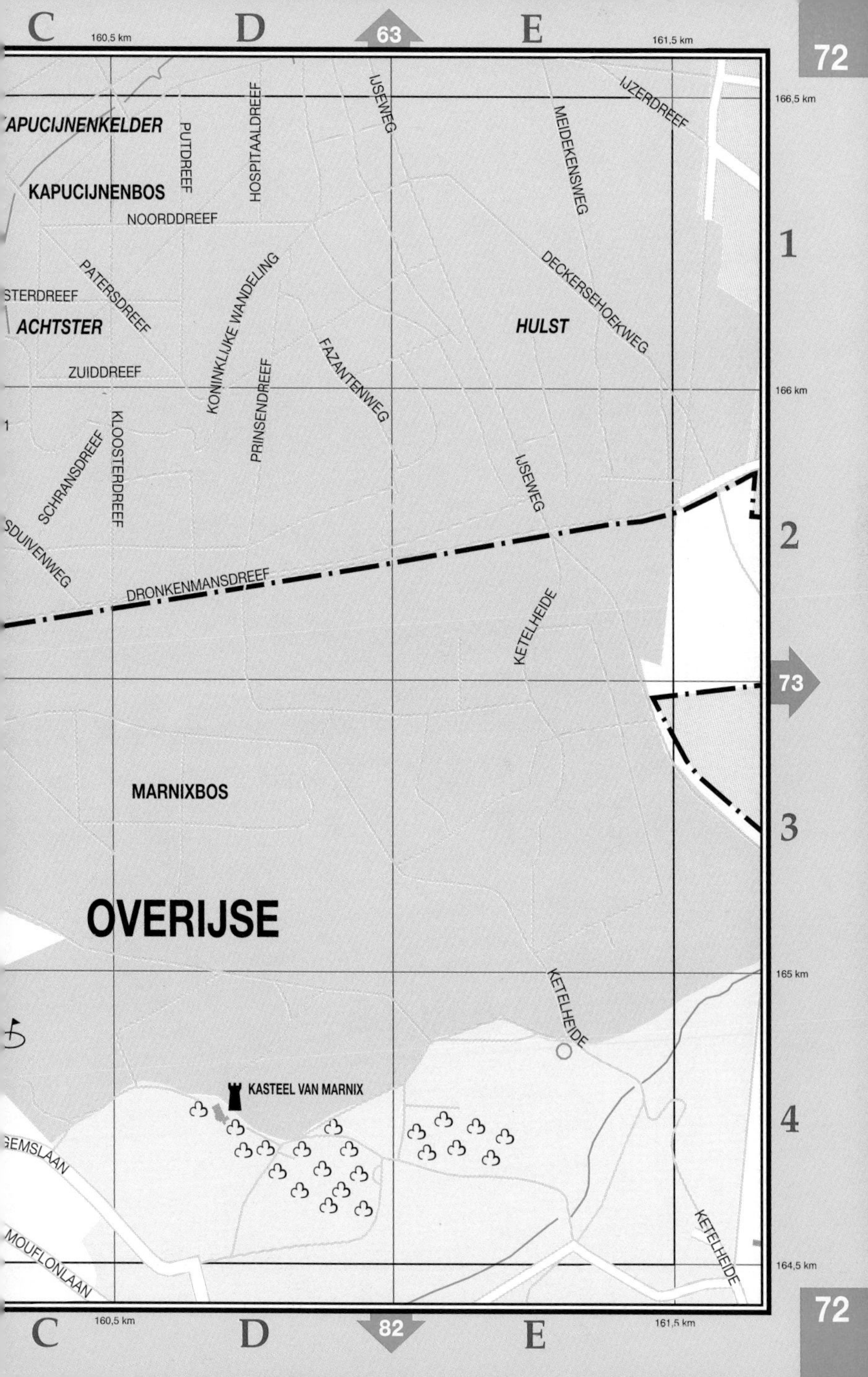
C
D
E
63
160,5 km
161,5 km
166,5 km
166 km
165 km
164,5 km
1
2
3
4
73
82
KAPUCIJNENKELDER
KAPUCIJNENBOS
PUTDREEF
HOSPITAALDREEF
IJSEWEG
IJZERDREEF
MEIDEKENSWEG
NOORDDREEF
PATERSDREEF
STERDREEF
ACHTSTER
KONINKLIJKE WANDELING
FAZANTENWEG
DECKERSEHOEKWEG
HULST
ZUIDDREEF
PRINSENDREEF
KLOOSTERDREEF
SCHRANSDREEF
SDUIVENWEG
DRONKENMANSDREEF
KETELHEIDE
MARNIXBOS
OVERIJSE
KASTEEL VAN MARNIX
GEMSLAAN
MOUFLONLAAN

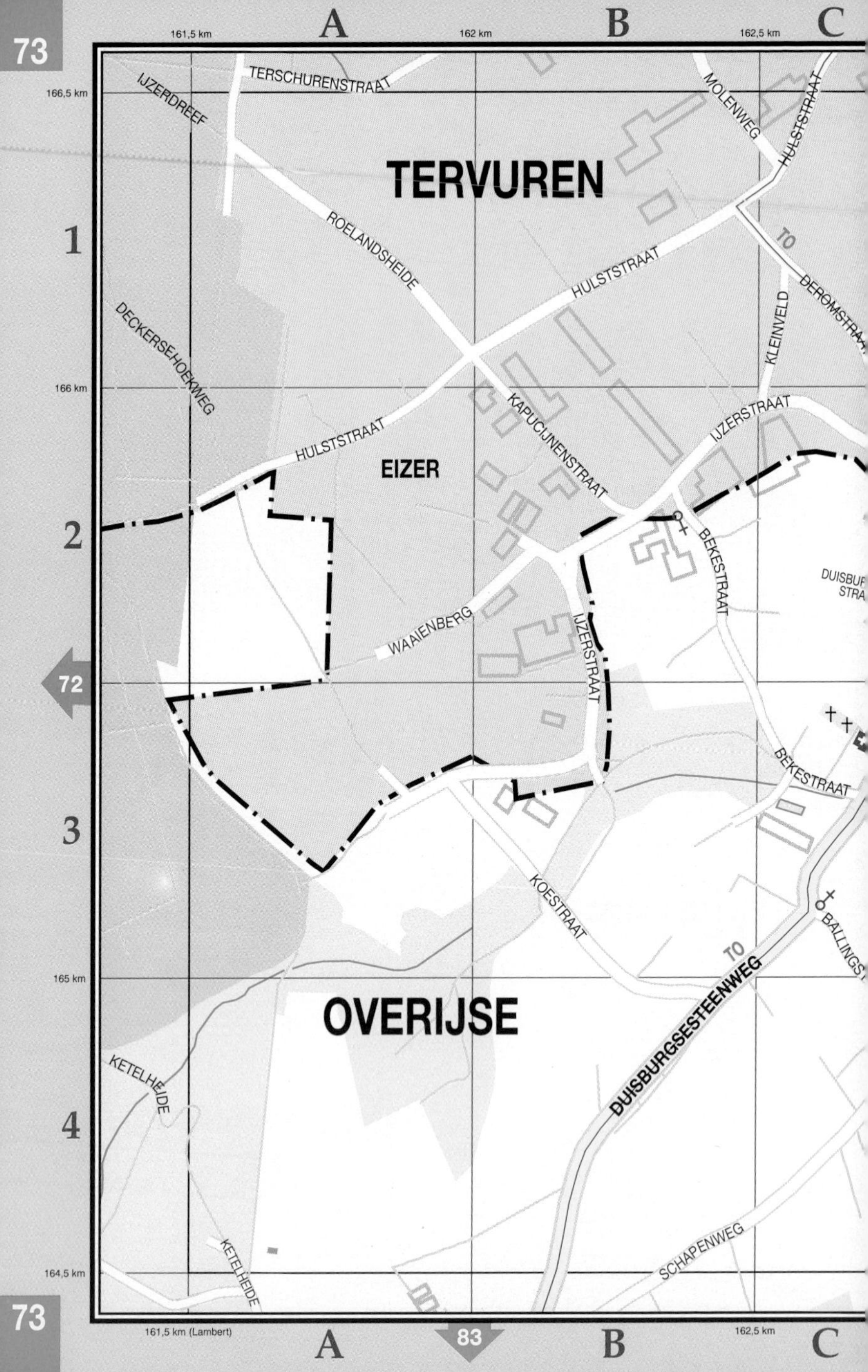

72

83

161,5 km (Lambert)

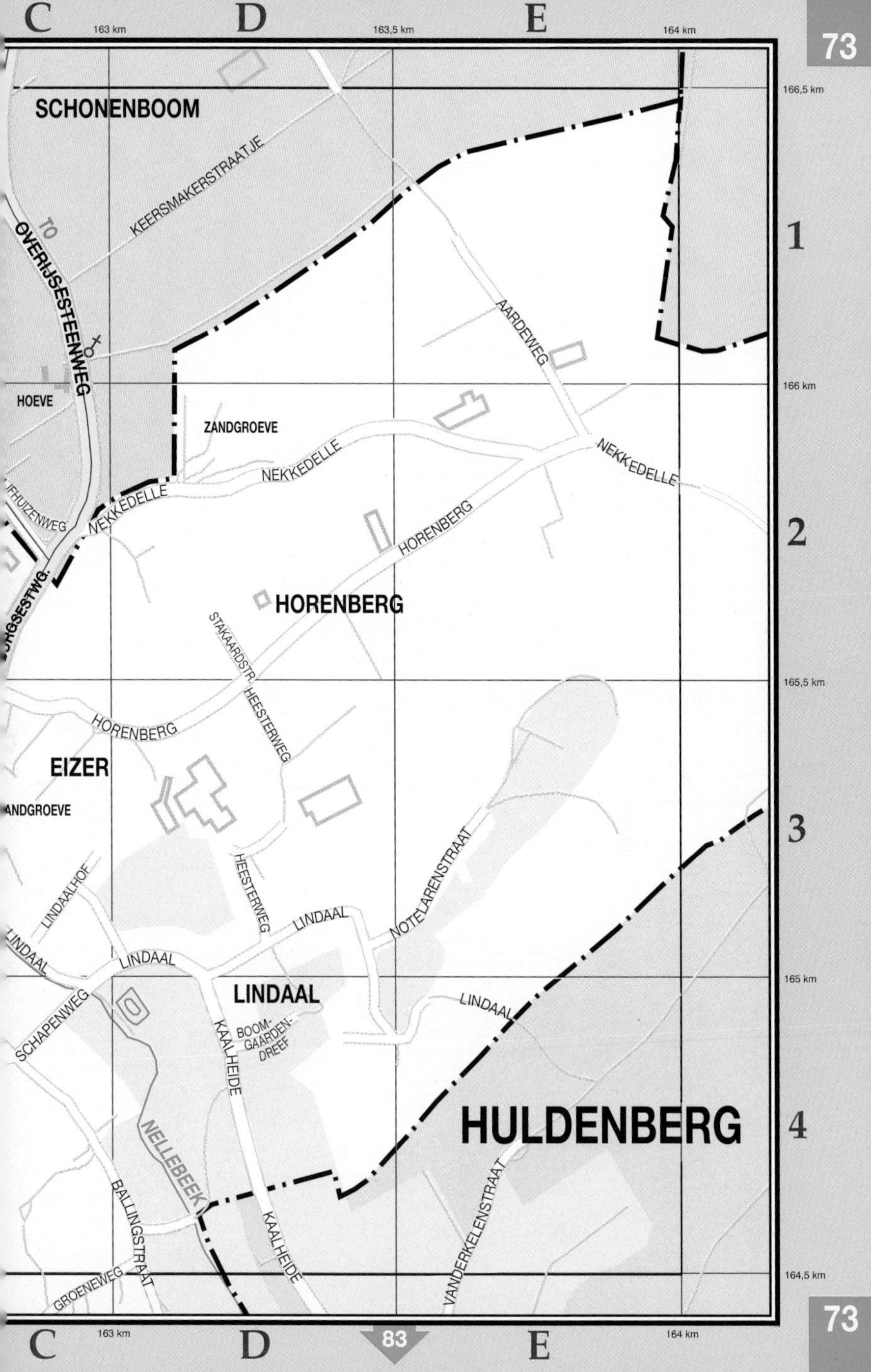
C
D
E
163 km
163,5 km
164 km
166,5 km
166 km
165,5 km
165 km
164,5 km
1
2
3
4
SCHONENBOOM
KEERSMAKERSTRAATJE
OVERIJSESTEENWEG
HOEVE
ZANDGROEVE
NEKKEDELLE
AARDEWEG
HORENBERG
STAKAARDSTR.
HEESTERWEG
EIZER
ANDGROEVE
LINDAALHOF
LINDAAL
NOTELARENSTRAAT
SCHAPENWEG
LINDAAL
KAALHEIDE
BOOM-
GAARDEN-
DREEF
NELLEBEEK
HULDENBERG
BALLINGSTRAAT
GROENEWEG
VANDERKELENSTRAAT
83

A
B
C
64
139 km
140 km
164.5 km
164 km
163.5 km
163 km
162.5 km
1
2
3
4
HEMELRIJKSTRAAT
SINT-PIETERS-LEEUW
BEISBERG
HEMELRIJKSTRAAT
HOOGSTRAAT
WAD
BRABANTSEBAAN
HERBERG DE BLAUW
ALFONS FLEURUSSTRAAT
OUDENAKENSTRAAT
BRABANTSEBAAN
GAASBEEKSESTNWG.
139 km (Lambert)
84

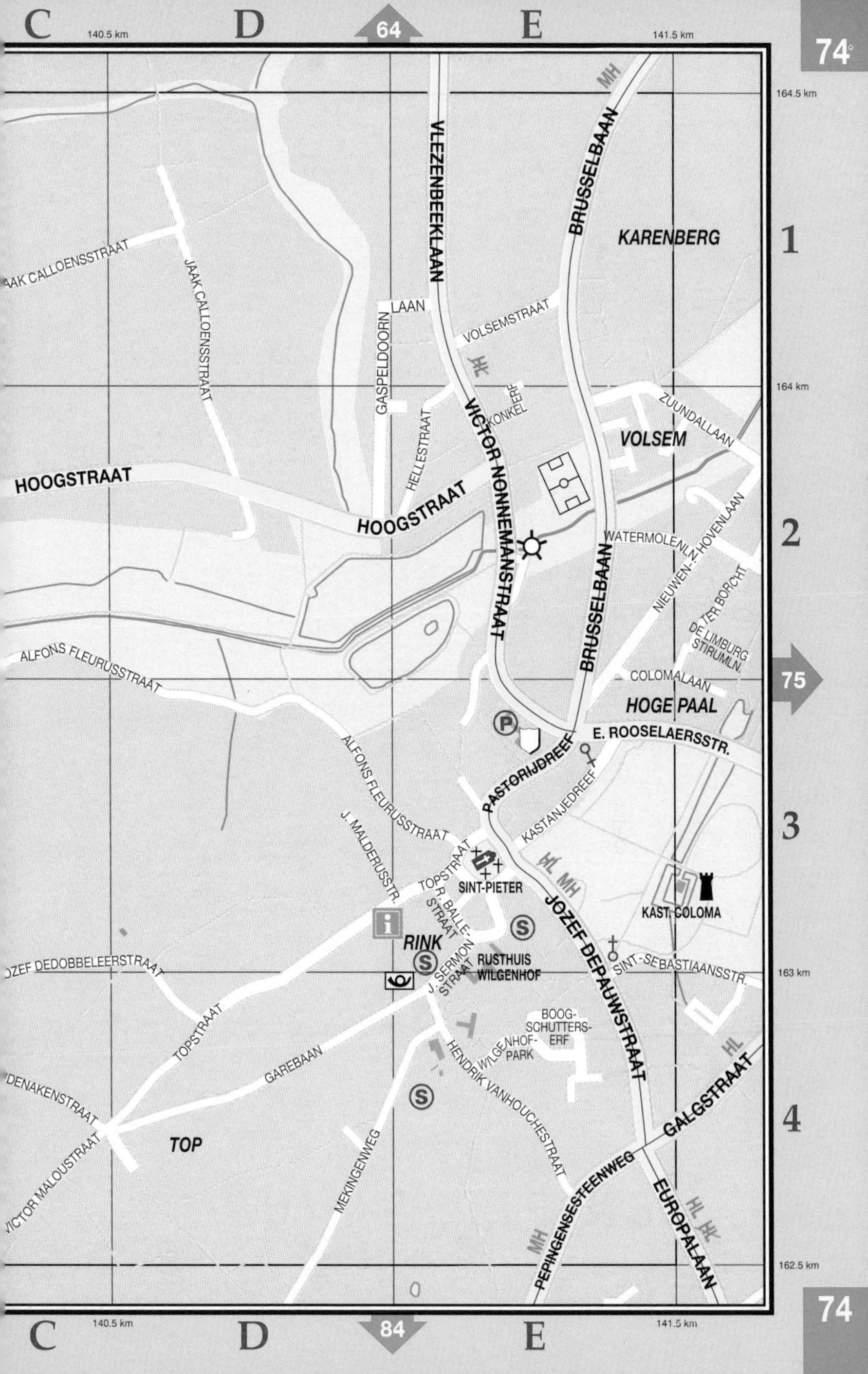
C
D
64
E
140.5 km
141.5 km
164.5 km
164 km
163 km
162.5 km
1
2
3
4
75
84
KARENBERG
VOLSEM
HOGE PAAL
TOP
RINK
VLEZENBEEKLAAN
BRUSSELBAAN
VOLSEMSTRAAT
GASPELDOORNLAAN
JAAK CALLOENSSTRAAT
HOOGSTRAAT
HELLESTRAAT
KONKELERF
VICTOR NONNEMANSTRAAT
ZUUNDALLAAN
WATERMOLENLN.
NIEUWEN-HOVENLAAN
TER BORCHT
DE LIMBURG STIRUMLN.
COLOMALAAN
ALFONS FLEURUSSTRAAT
E. ROOSELAERSSTR.
PASTORIJDREEF
KASTANJEDREEF
J. MALDERUSSTR.
TOPSTRAAT
SINT-PIETER
R. BALLESTRAAT
KAST. COLOMA
JOZEF DEPAUWSTRAAT
RUSTHUIS WILGENHOF
J. SERMONSTRAAT
SINT-SEBASTIAANSSTR.
JOZEF DEDOBBELEERSTRAAT
BOOGSCHUTTERSERF
WILGENHOFPARK
HENDRIK VANHOUCHESTRAAT
GAREBAAN
DENAKENSTRAAT
VICTOR MALOUSTRAAT
MEKINGENWEG
PEPINGENSESTEENWEG
GALGSTRAAT
EUROPALAAN
MH
HL

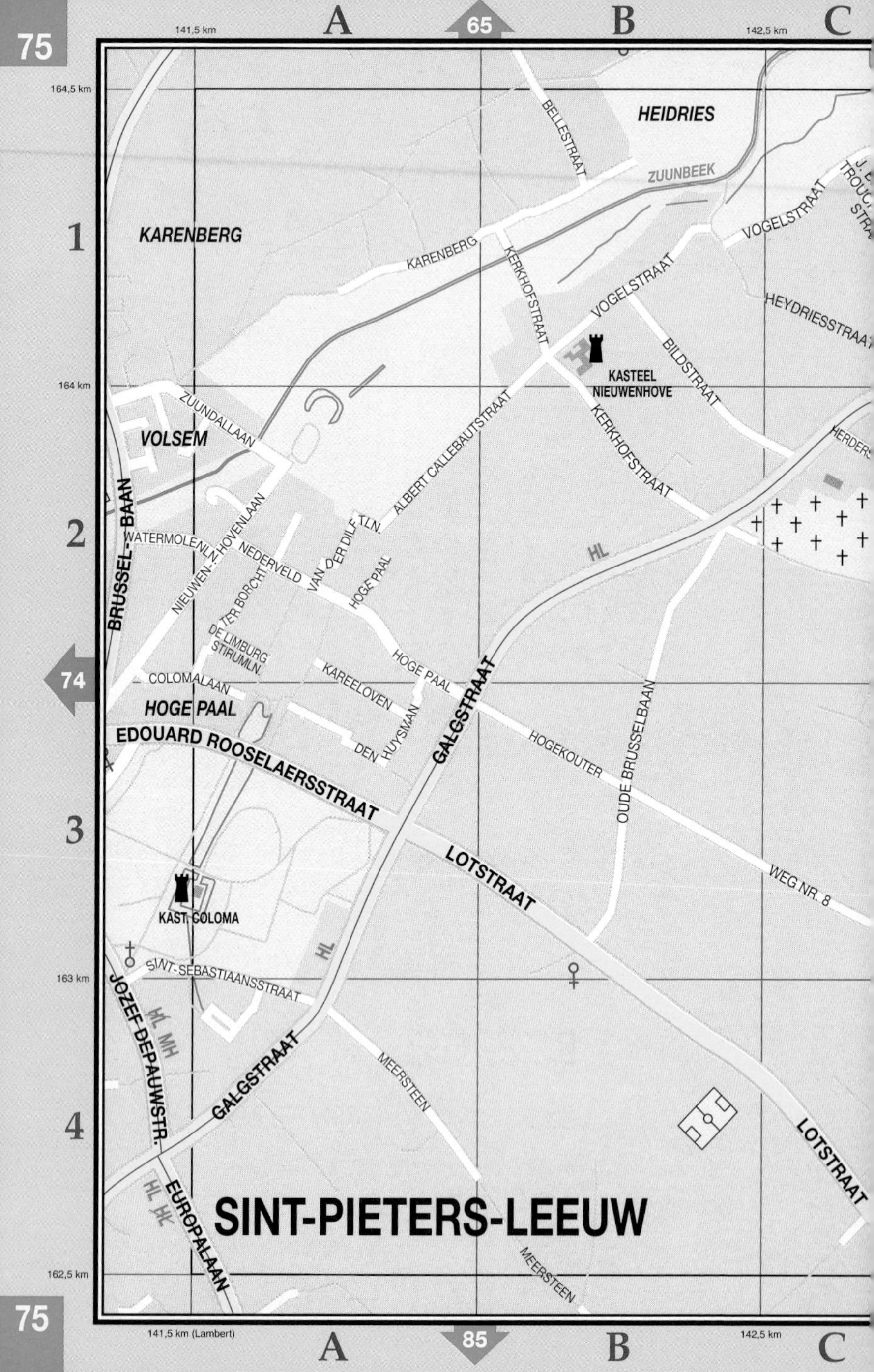
141,5 km
A
65
B
142,5 km
C
164,5 km
164 km
163 km
162,5 km
1
2
3
4
74
HEIDRIES
BELLESTRAAT
ZUUNBEEK
KARENBERG
KARENBERG
VOGELSTRAAT
VOGELSTRAAT
KERKHOFSTRAAT
HEYDRIESSTRAAT
KASTEEL NIEUWENHOVE
BILDSTRAAT
KERKHOFSTRAAT
ZUUNDALLAAN
VOLSEM
ALBERT CALLEBAUTSTRAAT
BRUSSEL-BAAN
WATERMOLENLN.
NIEUWEN-Z.-HOVENLAAN
NEDERVELD
VAN DER DILF LN.
HOGE PAAL
TER BORCHT
DE LIMBURG STIRUMLN.
COLOMALAAN
HOGE PAAL
KAREELOVEN
HOGE PAAL
DEN HUYSMAN
GALGSTRAAT
EDOUARD ROOSELAERSSTRAAT
HOGEKOUTER
OUDE BRUSSELBAAN
HL
LOTSTRAAT
WEG NR. 8
KAST. COLOMA
HL
SINT-SEBASTIAANSSTRAAT
JOZEF DEPAUWSTR.
HL MH
GALGSTRAAT
MEERSTEEN
LOTSTRAAT
EUROPALAAN
HL HL
SINT-PIETERS-LEEUW
MEERSTEEN
141,5 km (Lambert)
A
85
B
142,5 km
C

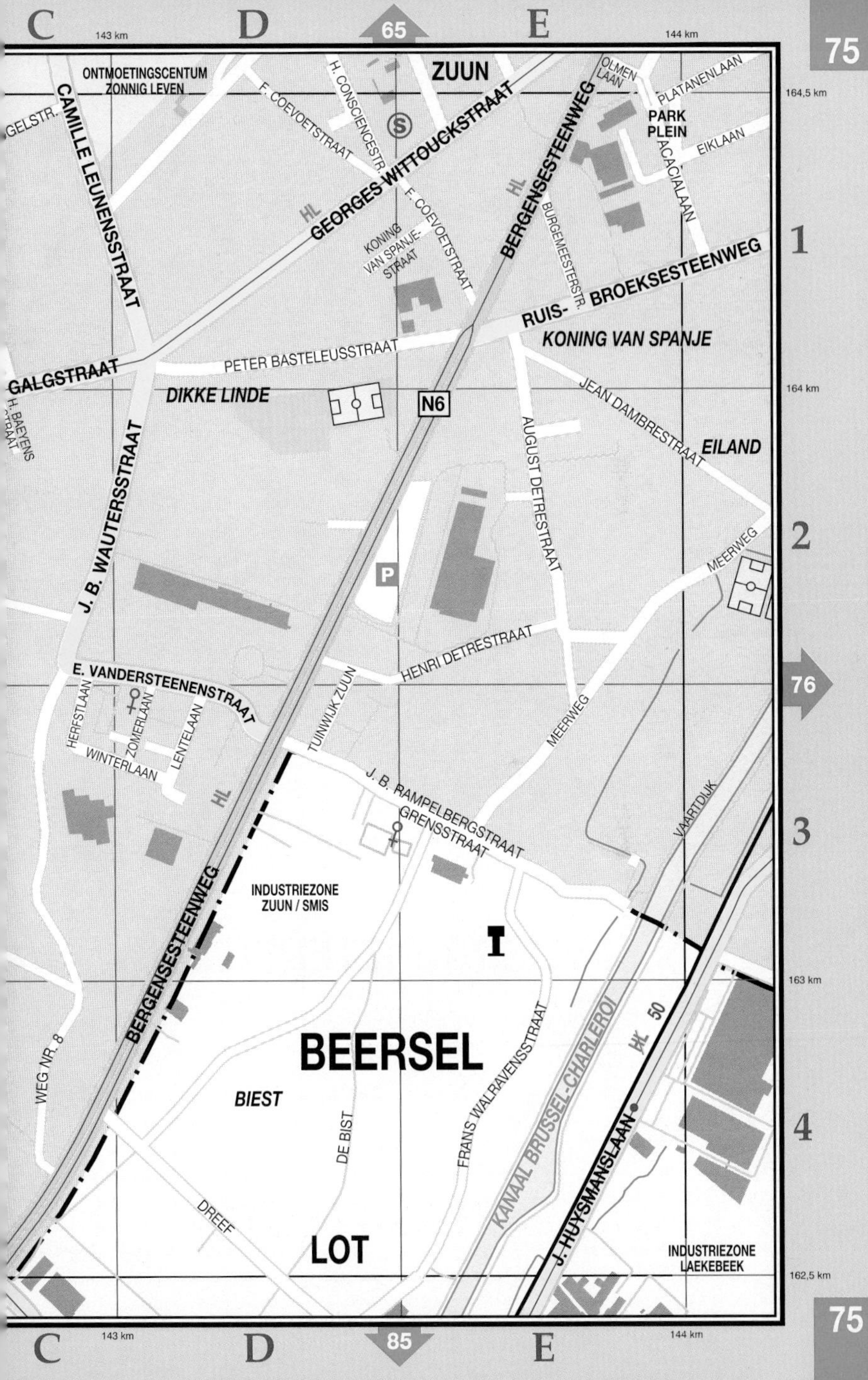
C
D
65
E
143 km
144 km
ONTMOETINGSCENTUM
ZONNIG LEVEN
ZUUN
CAMILLE LEUNENSSTRAAT
H. CONSCIENCESTR.
F. COEVOETSTRAAT
GEORGES WITTOUCKSTRAAT
BERGENSESTEENWEG
OLMEN LAAN
PLATANENLAAN
PARK PLEIN
ACACIALAAN
EIKLAAN
BURGEMEESTERSTR.
KONING VAN SPANJE-STRAAT
RUIS- BROEKSESTEENWEG
KONING VAN SPANJE
PETER BASTELEUSSTRAAT
GALGSTRAAT
DIKKE LINDE
N6
JEAN DAMBRESTRAAT
EILAND
AUGUST DETRESTRAAT
J. B. WAUTERSSTRAAT
MEERWEG
HENRI DETRESTRAAT
E. VANDERSTEENENSTRAAT
HERFSTLAAN
ZOMERLAAN
LENTELAAN
WINTERLAAN
TUINWIJK ZUUN
J. B. RAMPELBERGSTRAAT
GRENSSTRAAT
VAARTDIJK
INDUSTRIEZONE ZUUN / SMIS
BERGENSESTEENWEG
WEG NR. 8
BEERSEL
BIEST
DE BIST
FRANS WALRAVENSSTRAAT
KANAAL BRUSSEL-CHARLEROI
50
J. HUYSMANSLAAN
DREEF
LOT
INDUSTRIEZONE LAEKEBEEK
164,5 km
164 km
163 km
162,5 km
1
2
3
4
76
85

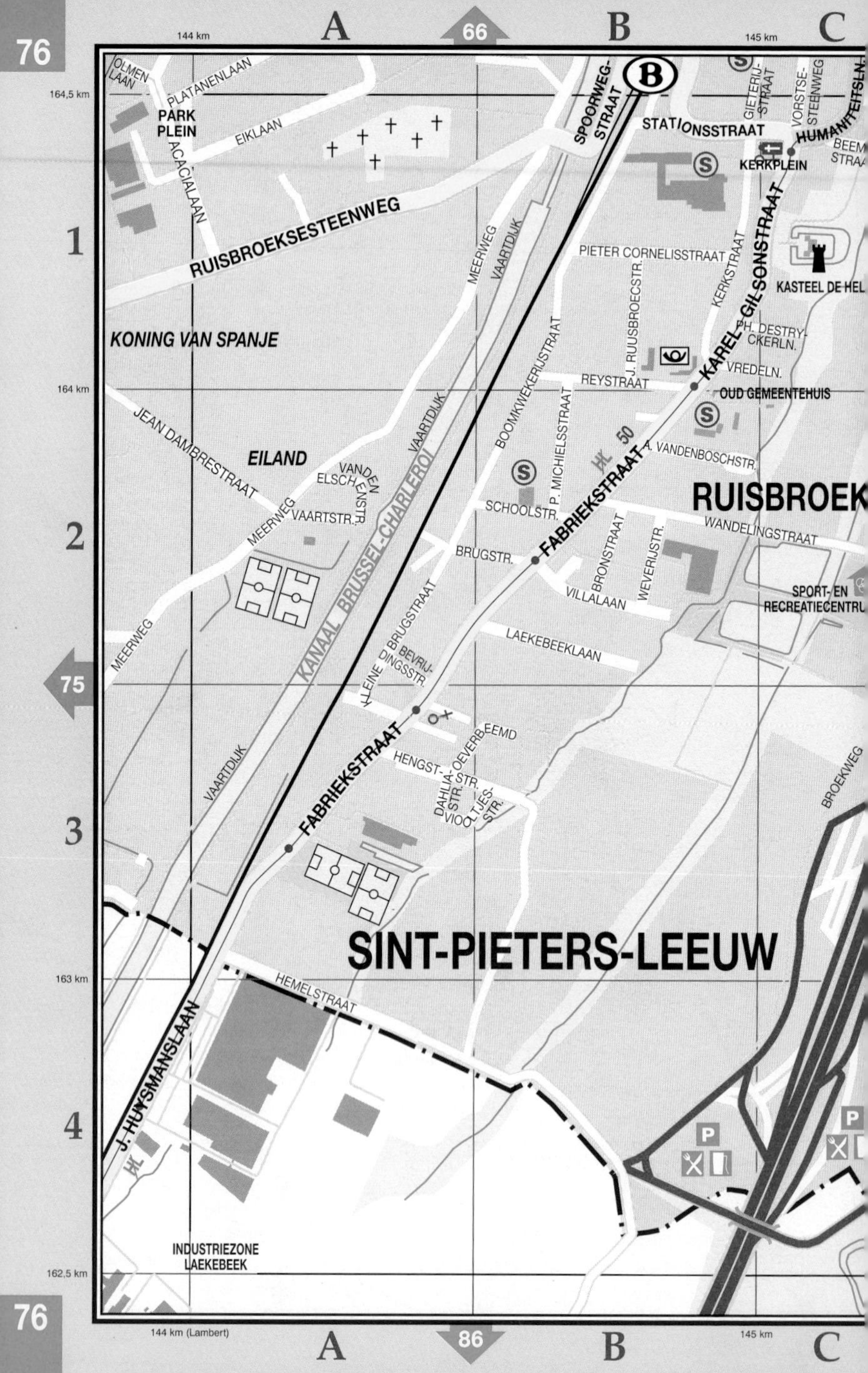

144 km
A
66
B
145 km
C
164,5 km
1
2
3
4
164 km
163 km
162,5 km
75
OLMENLAAN
PLATANENLAAN
PARK PLEIN
EIKLAAN
ACACIALAAN
RUISBROEKSESTEENWEG
SPOORWEGSTRAAT
STATIONSSTRAAT
GIETERIJSTRAAT
VORSTSESTEENWEG
HUMANITEITSLN.
KERKPLEIN
BEEM STRAAT
PIETER CORNELISSTRAAT
KERKSTRAAT
KAREL GILSONSTRAAT
KASTEEL DE HEL
MEERWEG
VAARTDIJK
KONING VAN SPANJE
J. RUUSBROECSTR.
BOOMKWEKERIJSTRAAT
PH. DESTRYCKERLN.
VREDELN.
REYSTRAAT
OUD GEMEENTEHUIS
P. MICHIELSSTRAAT
JEAN DAMBRESTRAAT
EILAND
VANDEN ELSCHENSTR.
A. VANDENBOSCHSTR.
50
FABRIEKSTRAAT
RUISBROEK
SCHOOLSTR.
VAARTSTR.
WANDELINGSTRAAT
KANAAL BRUSSEL-CHARLEROI
BRUGSTR.
BRONSTRAAT
WEVERIJSTR.
VILLALAAN
SPORT- EN RECREATIECENTRU
BRUGSTRAAT
LAEKEBEEKLAAN
KLEINE BRUGSTRAAT
BEVRIJDINGSSTR.
OEVERBEEMD
HENGST-STR.
DAHLIASTR.
VIOOLTJESSTR.
BROEKWEG
SINT-PIETERS-LEEUW
HEMELSTRAAT
J. HUYSMANSLAAN
INDUSTRIEZONE LAEKEBEEK
144 km (Lambert)
86
145 km

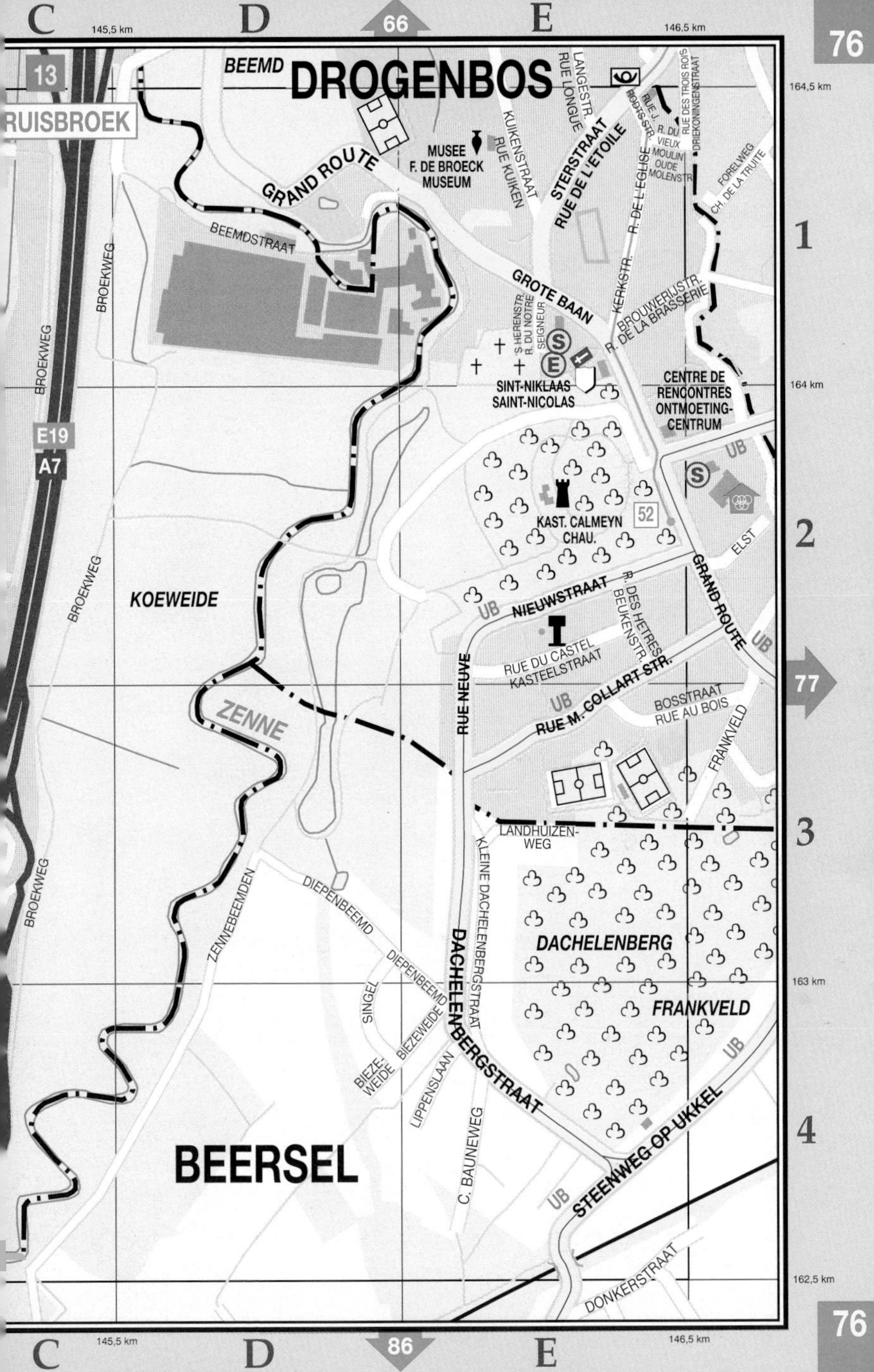
C
D
E
145,5 km
146,5 km
66
13
RUISBROEK
BEEMD
DROGENBOS
LANGESTR.
RUE LONGUE
RUE DES TROIS ROIS
DRIEKONINGENSTRAAT
RUE J. RODTS
R. DU VIEUX MOULIN
OUDE MOLENSTR.
MUSEE
F. DE BROECK
MUSEUM
KUIKENSTRAAT
RUE KUIKEN
STERSTRAAT
RUE DE L'ETOILE
R. DE L'EGLISE
KERKSTR.
FORELWEG
CH. DE LA TRUITE
GRAND ROUTE
BEEMDSTRAAT
BROEKWEG
GROTE BAAN
'S HERENSTR.
R. DU NOTRE SEIGNEUR
BROUWERIJSTR.
R. DE LA BRASSERIE
SINT-NIKLAAS
SAINT-NICOLAS
CENTRE DE RENCONTRES
ONTMOETING-CENTRUM
E19
A7
UB
KAST. CALMEYN
CHAU.
52
ELST
KOEWEIDE
NIEUWSTRAAT
R. DES HETRES
BEUKENSTR.
GRAND ROUTE
RUE DU CASTEL
KASTEELSTRAAT
RUE M. COLLART STR.
BOSSTRAAT
RUE AU BOIS
FRANKVELD
ZENNE
RUE NEUVE
LANDHUIZENWEG
KLEINE DACHELENBERGSTRAAT
ZENNEBEEMDEN
DIEPENBEEMD
DACHELENBERG
SINGEL
BIEZEWEIDE
LIPPENSLAAN
DACHELENBERGSTRAAT
FRANKVELD
STEENWEG OP UKKEL
C. BAUNEWEG
BEERSEL
DONKERSTRAAT
164,5 km
164 km
163 km
162,5 km
1
2
3
4
77
86

146,5 km
A
67
B
147,5 km
C
164,5 km
164 km
163 km
162,5 km
1
2
3
4
76
MIN DE NECKERSGAT, MOLEN
KEYENBEMPT
GELEYTSBEEK
MELKRIEK
CENTRE DE RENCONTRES ONTMOETING-CENTRUM
STWG. OP DROGENBOS
CH. DE DROGENBOS
N.D. CONSOLATION O.L.V. VAN TROOST
ALSEMBERGSESTEENWEG
CHAUSSEE D'ALSEMBERG
RUE DU BOURDON
KRIEKENPU
CALEVOET
KALEVOET
CREMATORIUM
CIMETIERE DE ST. GILLES
KERKHOF VAN ST.GILLIS
NIEUWE BAUWMOLEN
LINKEBEEK
GRAND ROUTE
GROTE BAAN
RUE M. COLLART STRAAT
BOSSTRAAT
RUE AU BOIS
FRANKVELD
CHAUSSEE D'UCCLE
STEENWEG OP UKKEL
CH. D'ALSEMBERG
BROUWERIJSTRAAT
MOENSBERG
HORZELSTRAAT
RUE DE LA BRASSERIE
R. D.L. STATION
MOLENSTRAAT
RUE DU MOULIN
1= BRAAMBEZIENLAAN
AVENUE DES MURES
BEERSEL
DAPPERENS
SQ. DES
BRAVES
1 = SENTIER DU PRESBYTERE
PASTORIJPAD
146,5 km (Lambert)
87

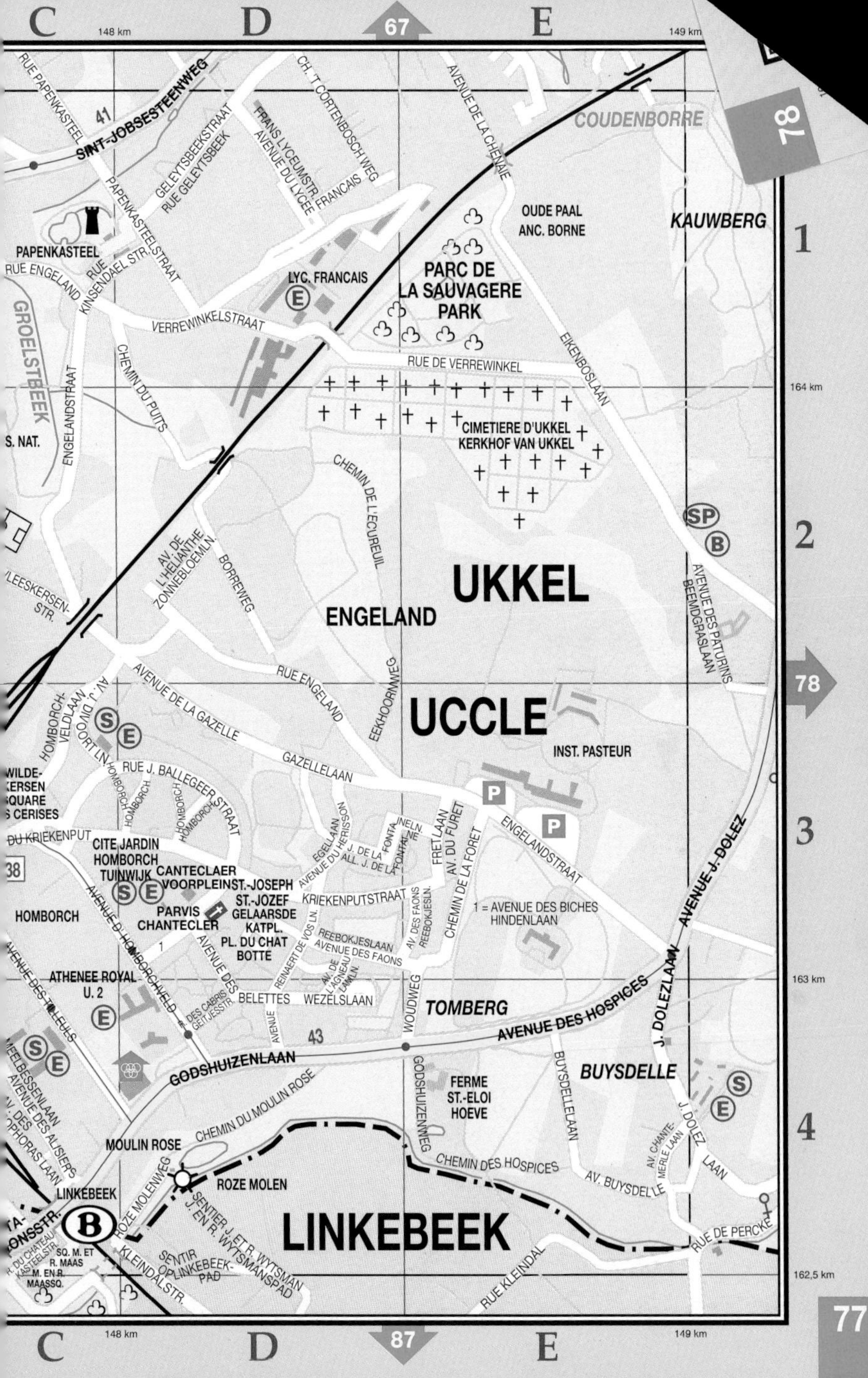
C
D
E
67
148 km
149 km
SINT-JOBSESTEENWEG
RUE PAPENKASTEEL
PAPENKASTEELSTRAAT
GELEYTSBEEKSTRAAT
RUE GELEYTSBEEK
FRANS LYCEUMSTR.
AVENUE DU LYCEE FRANCAIS
CH. 'T CORTENBOSCH WEG
AVENUE DE LA CHENAIE
COUDENBORRE
78
KAUWBERG
OUDE PAAL
ANC. BORNE
PAPENKASTEEL
RUE ENGELAND
RUE KINSENDAEL STR.
LYC. FRANCAIS
PARC DE
LA SAUVAGERE
PARK
GROELSTBEEK
VERREWINKELSTRAAT
CHEMIN DU PUITS
RUE DE VERREWINKEL
EIKENBOSLAAN
ENGELANDSTRAAT
164 km
CIMETIERE D'UKKEL
KERKHOF VAN UKKEL
CHEMIN DE L'ECUREUIL
AV. DE L'HELIANTHE
ZONNEBLOEMLN.
BORREWEG
UKKEL
ENGELAND
AVENUE DES PATURINS
BEEMDGRASLAAN
RUE ENGELAND
EEKHOORNWEG
UCCLE
AVENUE DE LA GAZELLE
GAZELLELAAN
INST. PASTEUR
HOMBORCH-VELDLAAN
AV. J. DIVOORT LN.
RUE J. BALLEGEER STRAAT
ENGELANDSTRAAT
AVENUE J. DOLEZ
CITE JARDIN
HOMBORCH
TUINWIJK
CANTECLAER
VOORPLEIN
INST.-JOSEPH
ST.-JOZEF
GELAARSDE
KATPL.
PL. DU CHAT
BOTTE
PARVIS
CHANTECLER
KRIEKENPUTSTRAAT
REEBOKJESLAAN
AVENUE DES FAONS
FRETLAAN
AV. DU FURET
CHEMIN DE LA FORET
1 = AVENUE DES BICHES
HINDENLAAN
HOMBORCH
AVENUE D'HOMBORCHVELD
ATHENEE ROYAL
U. 2
BELETTES
WEZELSLAAN
WOUDWEG
TOMBERG
AVENUE DES HOSPICES
163 km
J. DOLEZLAAN
GODSHUIZENLAAN
43
GODSHUIZENWEG
FERME
ST.-ELOI
HOEVE
BUYSDELLELAAN
BUYSDELLE
CHEMIN DU MOULIN ROSE
MOULIN ROSE
ROZE MOLEN
CHEMIN DES HOSPICES
AV. BUYSDELLE
J. DOLEZ LAAN
LINKEBEEK
ROZE MOLENWEG
SENTIER J. ET R. WYTSMAN
J. EN R. WYTSMANSPAD
SENTIR OPLINKEBEEK-PAD
KLEINDALSTR.
LINKEBEEK
RUE KLEINDAL
RUE DE PERCKE
162,5 km
148 km
87
149 km

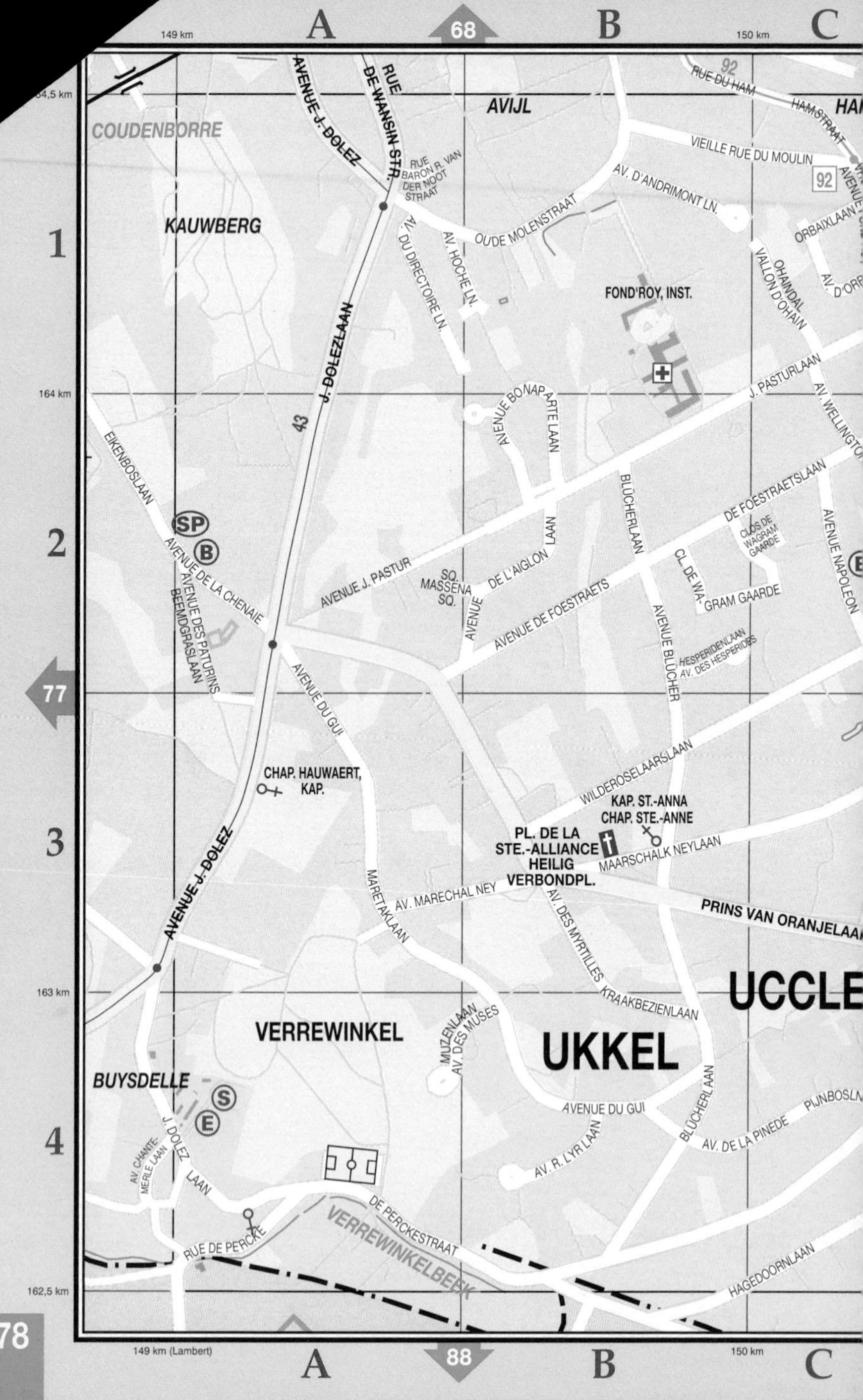

A
68
B
C
149 km
150 km
COUDENBORRE
KAUWBERG
AVIJL
AVENUE J. DOLEZ
RUE DE WANSIN STR.
RUE BARON R. VAN DER NOOT STRAAT
RUE DU HAM
HAMSTRAAT
VIEILLE RUE DU MOULIN
AV. D'ANDRIMONT LN.
OUDE MOLENSTRAAT
AV. DU DIRECTOIRE LN.
AV. HOCHE LN.
FOND'ROY, INST.
ORBAIXLAAN
OHAINDAL VALLON D'OHAIN
J. DOLEZLAAN
43
J. PASTURLAAN
AV. WELLINGTON
AVENUE BONAPARTE LAAN
EIKENBOSLAAN
BLÜCHERLAAN
DE FOESTRAETSLAAN
CLOS DE WAGRAM GAARDE
AVENUE NAPOLEON
AVENUE J. PASTUR
SQ. MASSENA SQ.
DE L'AIGLON LAAN
AVENUE
CL. DE WAGRAM GAARDE
AVENUE DE LA CHENAIE
AVENUE DES PATURINS BEEMDGRASLAAN
AVENUE DE FOESTRAETS
HESPERIDENLAAN AV. DES HESPERIDES
AVENUE BLÜCHER
77
AVENUE DU GUI
CHAP. HAUWAERT, KAP.
WILDEROSELAARSLAAN
KAP. ST.-ANNA CHAP. STE.-ANNE
PL. DE LA STE.-ALLIANCE HEILIG VERBONDPL.
MAARSCHALK NEYLAAN
AV. MARECHAL NEY
MARETAKLAAN
AV. DES MYRTILLES
PRINS VAN ORANJELAAN
AVENUE J. DOLEZ
UCCLE
KRAAKBEZIENLAAN
VERREWINKEL
MUZENLAAN AV. DES MUSES
UKKEL
BUYSDELLE
AVENUE DU GUI
BLÜCHERLAAN
PIJNBOSLN.
AV. DE LA PINEDE
J. DOLEZ LAAN
AV. CHANTE-MERLE LAAN
AV. R. LYR LAAN
DE PERCKESTRAAT
VERREWINKELBEEK
RUE DE PERCKE
HAGEDOORNLAAN
164 km
163 km
162,5 km
1
2
3
4
149 km (Lambert)
88

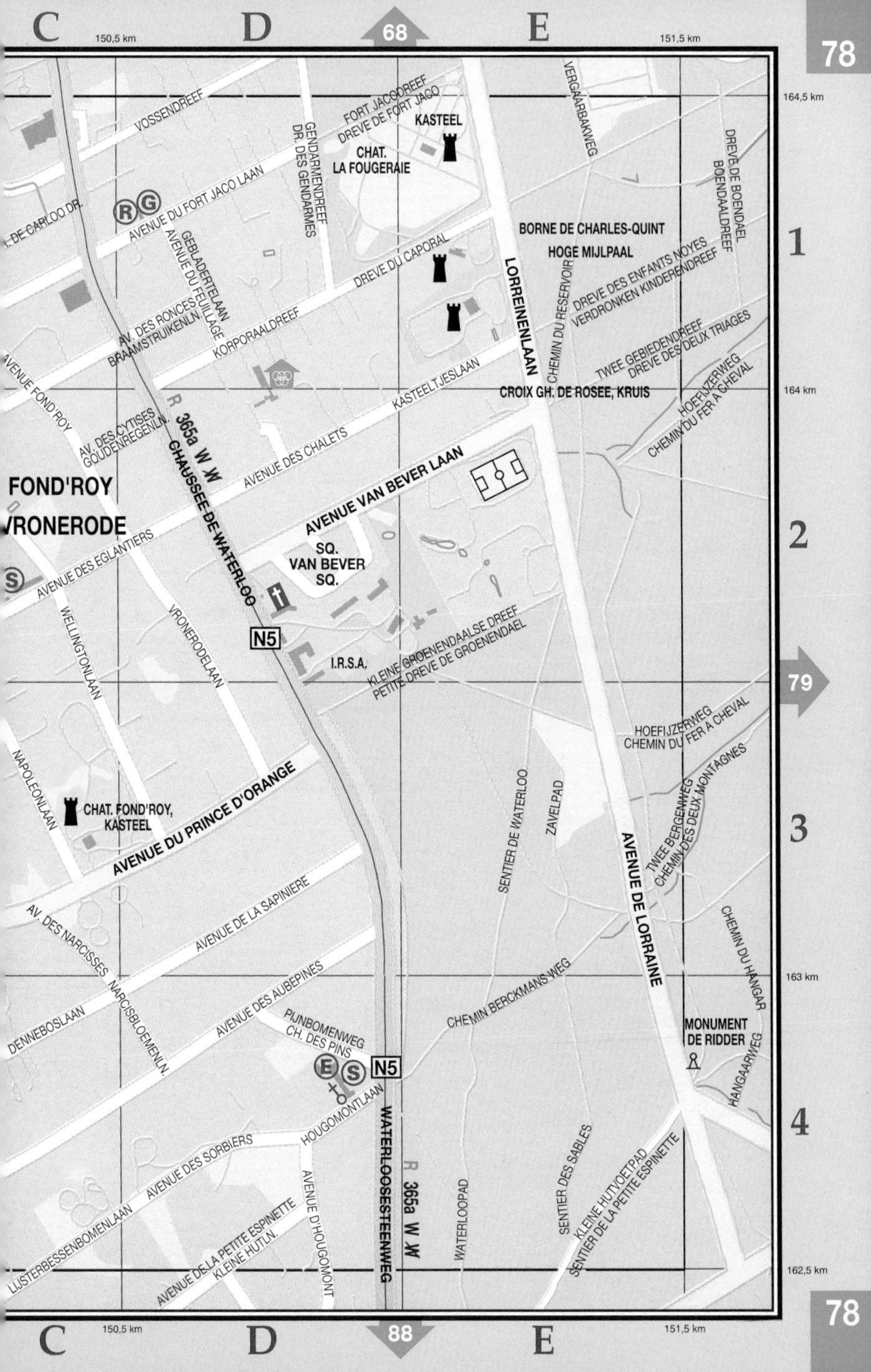
C
D
E
150,5 km
151,5 km
68
164,5 km
164 km
163 km
162,5 km
1
2
3
4
79
88
VOSSENDREEF
FORT JACODREEF
DREVE DE FORT JACO
KASTEEL
CHAT.
LA FOUGERAIE
GENDARMENDREEF
DR. DES GENDARMES
VERGAARBAKWEG
DREVE DE BOENDAEL
BOENDAALDREEF
AVENUE DU FORT JACO LAAN
DE CARLOO DR.
GEBLADERTELAAN
AVENUE DU FEUILLAGE
DREVE DU CAPORAL
BORNE DE CHARLES-QUINT
HOGE MIJLPAAL
LORREINENLAAN
CHEMIN DU RESERVOIR
DREVE DES ENFANTS NOYES
VERDRONKEN KINDERENDREEF
AV. DES RONCES
BRAAMSTRUIKENLN.
KORPORAALDREEF
TWEE GEBIEDENDREEF
DREVE DES DEUX TRIAGES
AVENUE FOND'ROY
KASTEELTJESLAAN
CROIX GH. DE ROSEE, KRUIS
HOEFIJZERWEG
CHEMIN DU FER A CHEVAL
AV. DES CYTISES
GOUDENREGENLN.
R 365a W W
CHAUSSEE DE WATERLOO
AVENUE DES CHALETS
AVENUE VAN BEVER LAAN
FOND'ROY
VRONERODE
AVENUE DES EGLANTIERS
SQ.
VAN BEVER
SQ.
WELLINGTONLAAN
VRONERODELAAN
N5
I.R.S.A.
KLEINE GROENENDAALSE DREEF
PETITE DREVE DE GROENENDAEL
HOEFIJZERWEG
CHEMIN DU FER A CHEVAL
NAPOLEONLAAN
CHAT. FOND'ROY,
KASTEEL
AVENUE DU PRINCE D'ORANGE
SENTIER DE WATERLOO
ZAVELPAD
AVENUE DE LORRAINE
TWEE BERGENWEG
CHEMIN DES DEUX MONTAGNES
AV. DES NARCISSES
NARCISBLOEMENLN.
AVENUE DE LA SAPINIERE
CHEMIN DU HANGAR
DENNEBOSLAAN
AVENUE DES AUBEPINES
CHEMIN BERCKMANS WEG
PIJNBOMENWEG
CH. DES PINS
MONUMENT
DE RIDDER
HANGAARWEG
HOUGOMONTLAAN
WATERLOOSESTEENWEG
R 365a W W
AVENUE DES SORBIERS
LIJSTERBESSENBOMENLAAN
AVENUE DE LA PETITE ESPINETTE
KLEINE HUTLN.
AVENUE D'HOUGOMONT
WATERLOOPAD
SENTIER DES SABLES
KLEINE HUTVOETPAD
SENTIER DE LA PETITE ESPINETTE

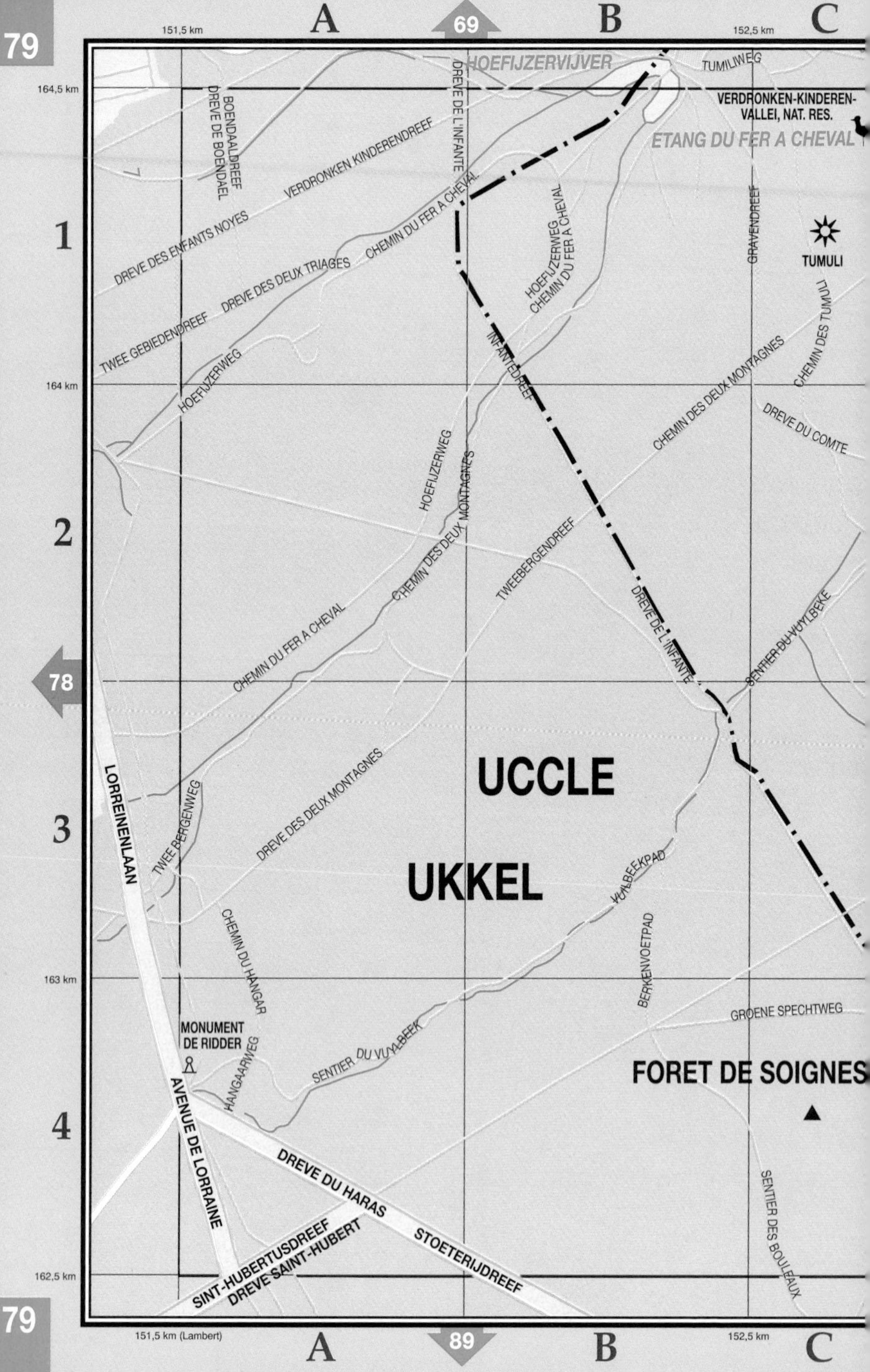
A
B
C
69
151,5 km
152,5 km
164,5 km
164 km
163 km
162,5 km
1
2
3
4
78
HOEFIJZERVIJVER
TUMULIWEG
VERDRONKEN-KINDEREN-VALLEI, NAT. RES.
ETANG DU FER A CHEVAL
BOENDAALDREEF
DREVE DE BOENDAEL
DREVE DE L'INFANTE
VERDRONKEN KINDERENDREEF
DREVE DES ENFANTS NOYES
CHEMIN DU FER A CHEVAL
DREVE DES DEUX TRIAGES
TWEE GEBIEDENDREEF
HOEFIJZERWEG
CHEMIN DU FER A CHEVAL
GRAVENDREEF
TUMULI
CHEMIN DES TUMULI
INFANTEDREEF
CHEMIN DES DEUX MONTAGNES
DREVE DU COMTE
HOEFIJZERWEG
CHEMIN DES DEUX MONTAGNES
TWEEBERGENDREEF
CHEMIN DU FER A CHEVAL
DREVE DE L'INFANTE
SENTIER DU VUYLBEKE
LORREINENLAAN
UCCLE
UKKEL
DREVE DES DEUX MONTAGNES
TWEE BERGENWEG
VUYLBEEKPAD
CHEMIN DU HANGAR
BERKENVOETPAD
GROENE SPECHTWEG
MONUMENT DE RIDDER
HANGAARWEG
SENTIER DU VUYLBEEK
FORET DE SOIGNES
AVENUE DE LORRAINE
DREVE DU HARAS
STOETERIJDREEF
SINT-HUBERTUSDREEF
DREVE SAINT-HUBERT
SENTIER DES BOULEAUX
151,5 km (Lambert)
152,5 km
89

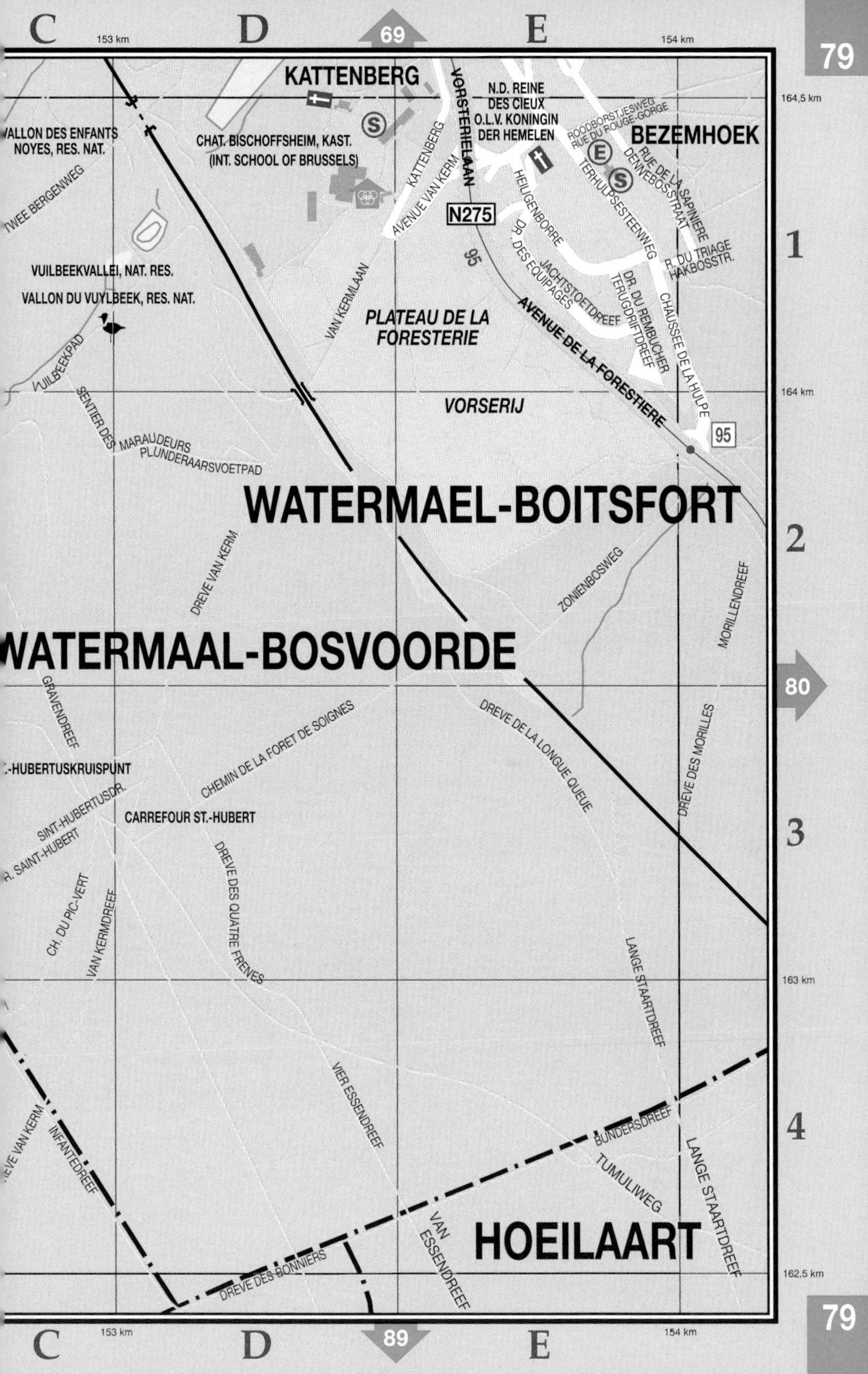
C
D
69
E
153 km
154 km
164,5 km
KATTENBERG
N.D. REINE
DES CIEUX
O.L.V. KONINGIN
DER HEMELEN
BEZEMHOEK
VALLON DES ENFANTS
NOYES, RES. NAT.
CHAT. BISCHOFFSHEIM, KAST.
(INT. SCHOOL OF BRUSSELS)
TWEE BERGENWEG
KATTENBERG
AVENUE VAN KERM
VORSTERIELAAN
N275
HEILIGENBORRE
ROODBORSTJESWEG
RUE DU ROUGE-GORGE
TERHULPSESTEENWEG
RUE DE LA SAPINIERE
DENNEBOSSTRAAT
1
DR. DES EQUIPAGES
R. DU TRIAGE
HAKBOSSTR.
95
VUILBEEKVALLEI, NAT. RES.
VALLON DU VUYLBEEK, RES. NAT.
VAN KERMLAAN
PLATEAU DE LA
FORESTERIE
JACHTSTOETDREEF
DR. DU REMBUCHER
TERUGDRIFTDREEF
CHAUSSEE DE LA HULPE
AVENUE DE LA FORESTIERE
VUILBEEKPAD
164 km
VORSERIJ
SENTIER DES MARAUDEURS
PLUNDERAARSVOETPAD
95
WATERMAEL-BOITSFORT
2
DREVE VAN KERM
ZONIENBOSWEG
MORILLENDREEF
WATERMAAL-BOSVOORDE
80
GRAVENDREEF
DREVE DE LA LONGUE QUEUE
CHEMIN DE LA FORET DE SOIGNES
-HUBERTUSKRUISPUNT
DREVE DES MORILLES
SINT-HUBERTUSDR.
CARREFOUR ST.-HUBERT
R. SAINT-HUBERT
3
DREVE DES QUATRE FRENES
CH. DU PIC-VERT
VAN KERMDREEF
LANGE STAARTDREEF
163 km
VIER ESSENDREEF
4
EVE VAN KERM
INFANTEDREEF
BUNDERSDREEF
TUMULIWEG
LANGE STAARTDREEF
VAN
ESSENDREEF
HOEILAART
DREVE DES BONNIERS
162,5 km
C
153 km
D
89
E
154 km

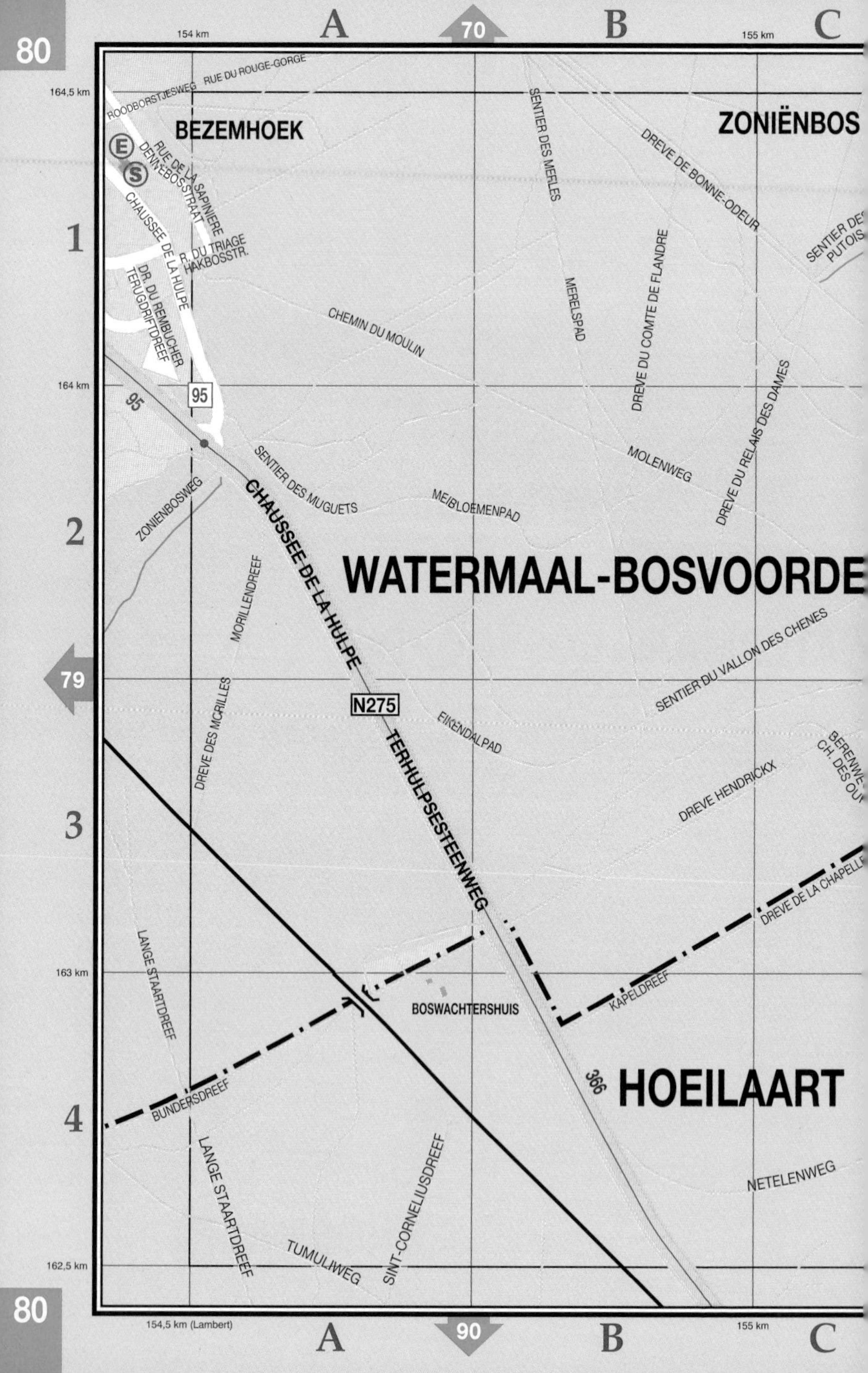
A
B
C
70
154 km
155 km
164,5 km
164 km
163 km
162,5 km
1
2
3
4
79
90
154,5 km (Lambert)
ROODBORSTJESWEG
RUE DU ROUGE-GORGE
BEZEMHOEK
ZONIËNBOS
RUE DE LA SAPINIERE
DENNEBOSSTRAAT
CHAUSSEE DE LA HULPE
R. DU TRIAGE
HAKBOSSTR.
DR. DU REMBUCHER
TERUGDRIFTDREEF
SENTIER DES MERLES
MERELSPAD
DREVE DE BONNE-ODEUR
DREVE DU COMTE DE FLANDRE
SENTIER DES PUTOIS
CHEMIN DU MOULIN
DREVE DU RELAIS DES DAMES
MOLENWEG
95
SENTIER DES MUGUETS
MEIBLOEMENPAD
ZONIENBOSWEG
CHAUSSEE DE LA HULPE
WATERMAAL-BOSVOORDE
MORILLENDREEF
SENTIER DU VALLON DES CHENES
N275
EIKENDALPAD
DREVE DES MORILLES
TERHULPSESTEENWEG
DREVE HENDRICKX
DREVE DE LA CHAPELLE
LANGE STAARTDREEF
BOSWACHTERSHUIS
KAPELDREEF
366
HOEILAART
BUNDERSDREEF
LANGE STAARTDREEF
SINT-CORNELIUSDREEF
NETELENWEG
TUMULIWEG

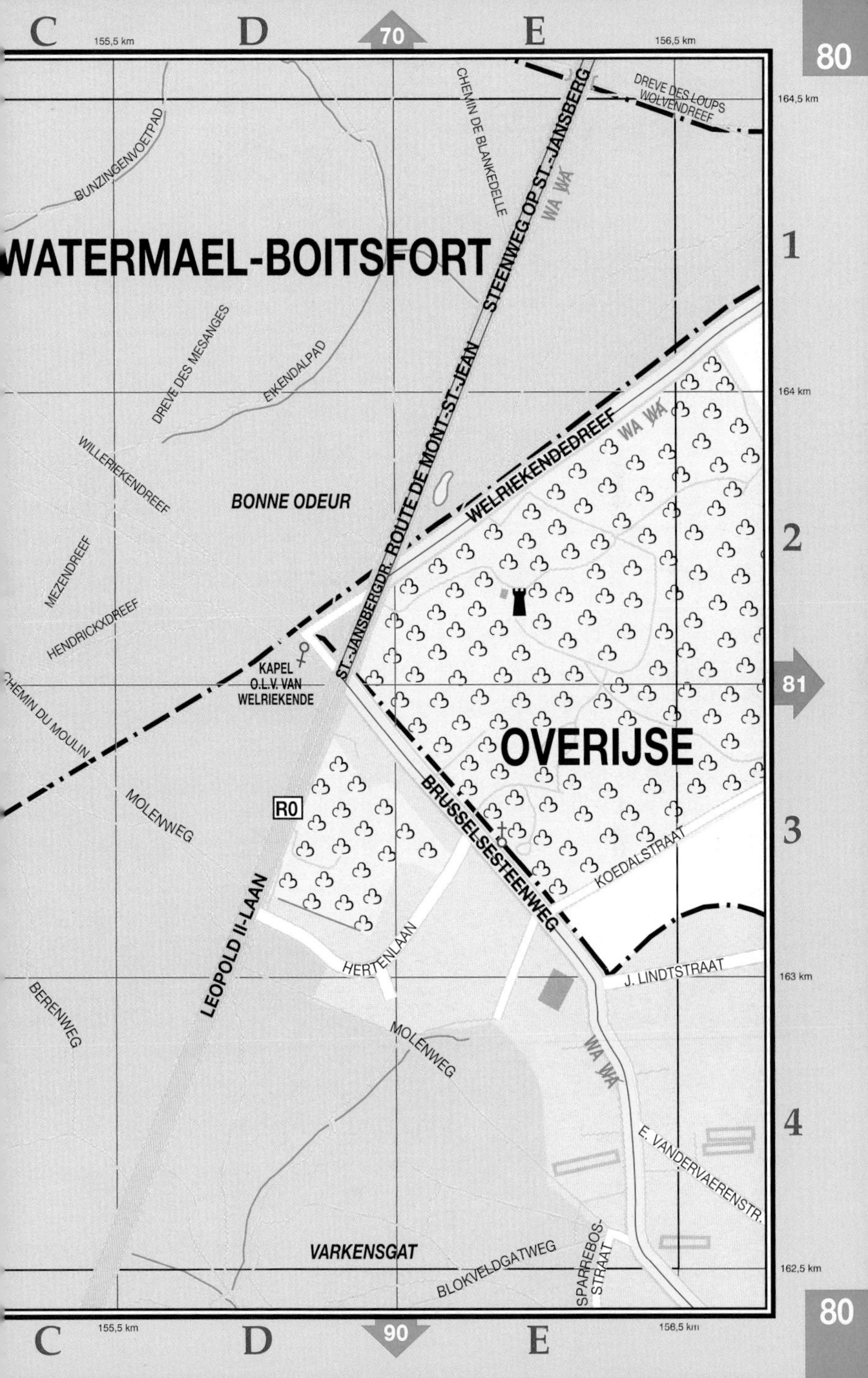
C
D
70
E
155,5 km
156,5 km
164,5 km
164 km
163 km
162,5 km
1
2
3
4
81
90
WATERMAEL-BOITSFORT
OVERIJSE
BONNE ODEUR
VARKENSGAT
BUNZINGENVOETPAD
CHEMIN DE BLANKEDELLE
STEENWEG OP ST.-JANSBERG
DREVE DES LOUPS
WOLVENDREEF
WA WA
DREVE DES MESANGES
EIKENDALPAD
ST.-JANSBERGDR. ROUTE DE MONT-ST-JEAN
WELRIEKENDEDREEF
WILLERIEKENDREEF
MEZENDREEF
HENDRICKXDREEF
KAPEL
O.L.V. VAN
WELRIEKENDE
CHEMIN DU MOULIN
MOLENWEG
R0
BRUSSELSESTEENWEG
KOEDALSTRAAT
LEOPOLD II-LAAN
HERTENLAAN
J. LINDTSTRAAT
BERENWEG
MOLENWEG
E. VANDERVAERENSTR.
SPARREBOS-
STRAAT
BLOKVELDGATWEG

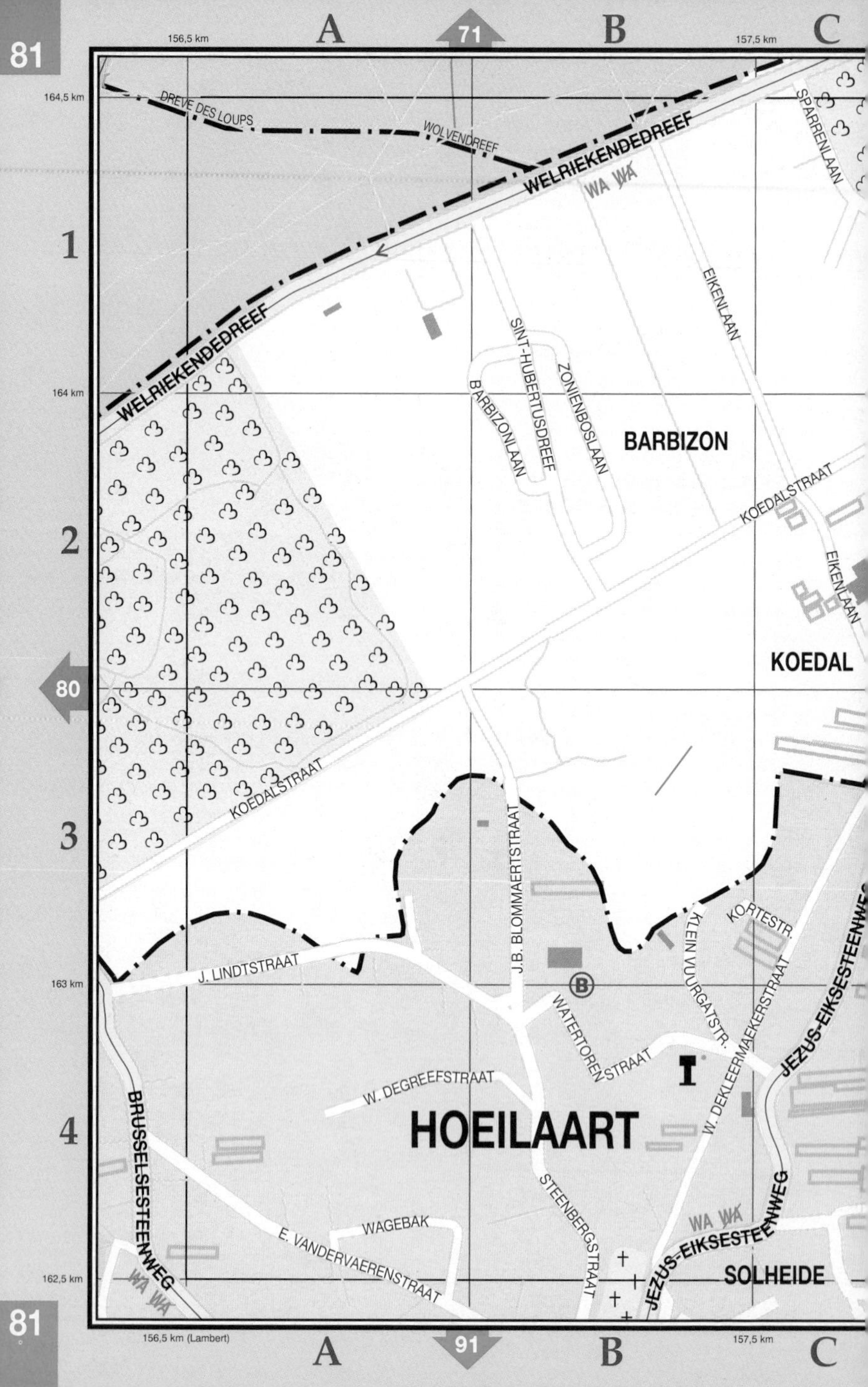
81
A
71
B
C
156,5 km
157,5 km
164,5 km
164 km
163 km
162,5 km
1
2
3
4
80
DREVE DES LOUPS
WOLVENDREEF
WELRIEKENDEDREEF
SPARRENLAAN
EIKENLAAN
SINT-HUBERTUSDREEF
ZONIENBOSLAAN
BARBIZONLAAN
BARBIZON
KOEDALSTRAAT
KOEDAL
J.B. BLOMMAERTSTRAAT
KORTESTR.
KLEIN VUURGATSTR.
J. LINDTSTRAAT
WATERTOREN STRAAT
W. DEKLEERMAEKERSTRAAT
JEZUS-EIKSESTEENWEG
W. DEGREEFSTRAAT
HOEILAART
BRUSSELSESTEENWEG
STEENBERGSTRAAT
WAGEBAK
E. VANDERVAERENSTRAAT
SOLHEIDE
156,5 km (Lambert)
91
81

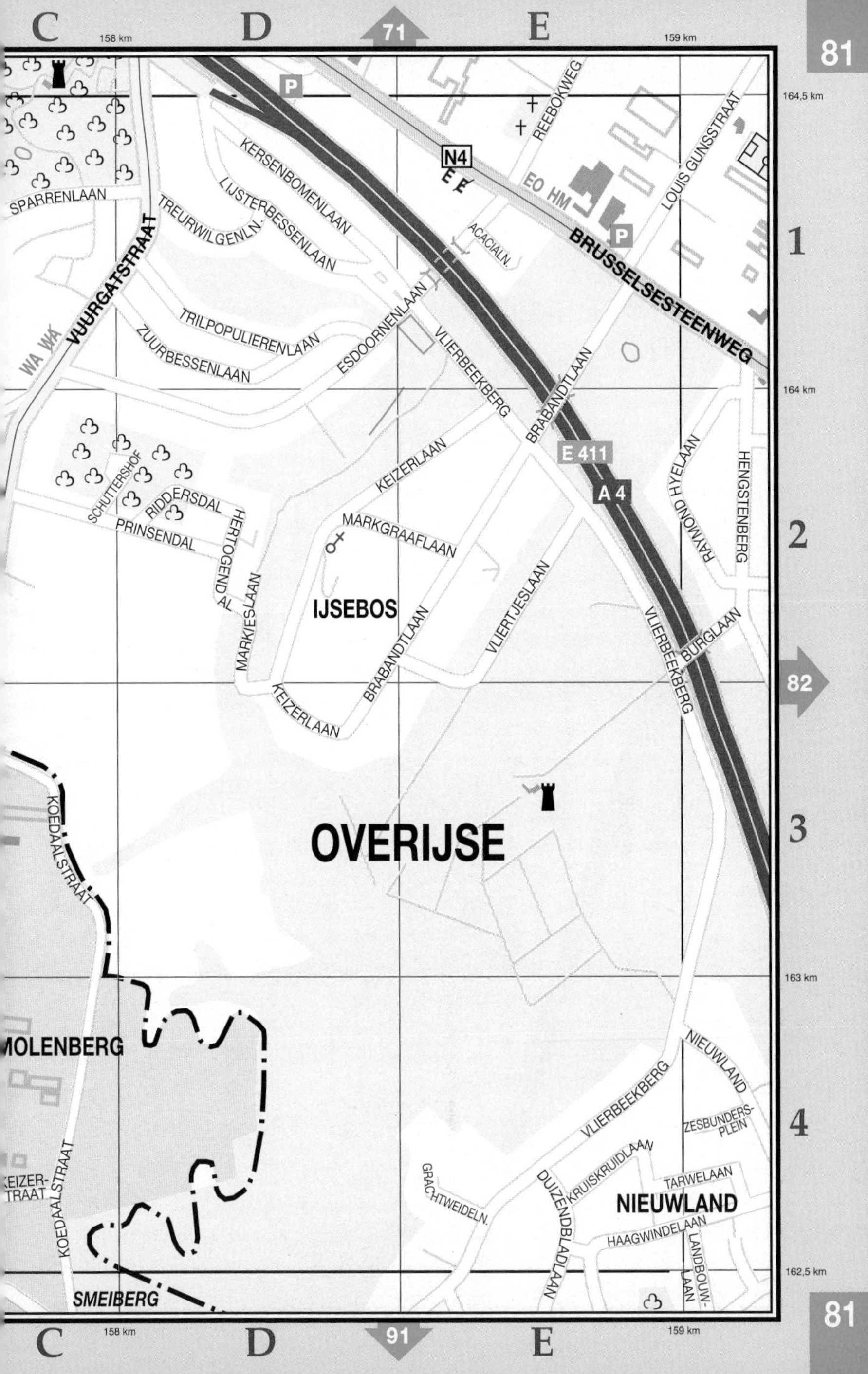
C
D
E
158 km
159 km
71
164,5 km
164 km
163 km
162,5 km
1
2
3
4
82
91
N4
E 411
A 4
P
SPARRENLAAN
VIJURGATSTRAAT
WA WA
KERSENBOMENLAAN
LIJSTERBESSENLAAN
TREURWILGENLN.
TRILPOPULIERENLAAN
ZUURBESSENLAAN
ESDOORNENLAAN
ACACIALN.
REEBOKWEG
EO HM
LOUIS GUNSSTRAAT
BRUSSELSESTEENWEG
VLIERBEEKBERG
BRABANDTLAAN
KEIZERLAAN
MARKGRAAFLAAN
RAYMOND HYELAAN
HENGSTENBERG
SCHUTTERSHOF
RIDDERSDAL
PRINSENDAL
HERTOGENDAL
MARKIESLAAN
IJSEBOS
VLIERTJESLAAN
BURGLAAN
OVERIJSE
KOEDAALSTRAAT
MOLENBERG
KEIZERSTRAAT
SMEIBERG
NIEUWLAND
ZESBUNDERSPLEIN
KRUISKRUIDLAAN
TARWELAAN
DUIZENDBLADLAAN
GRACHTWEIDELN.
HAAGWINDELAAN
LANDBOUWLAAN

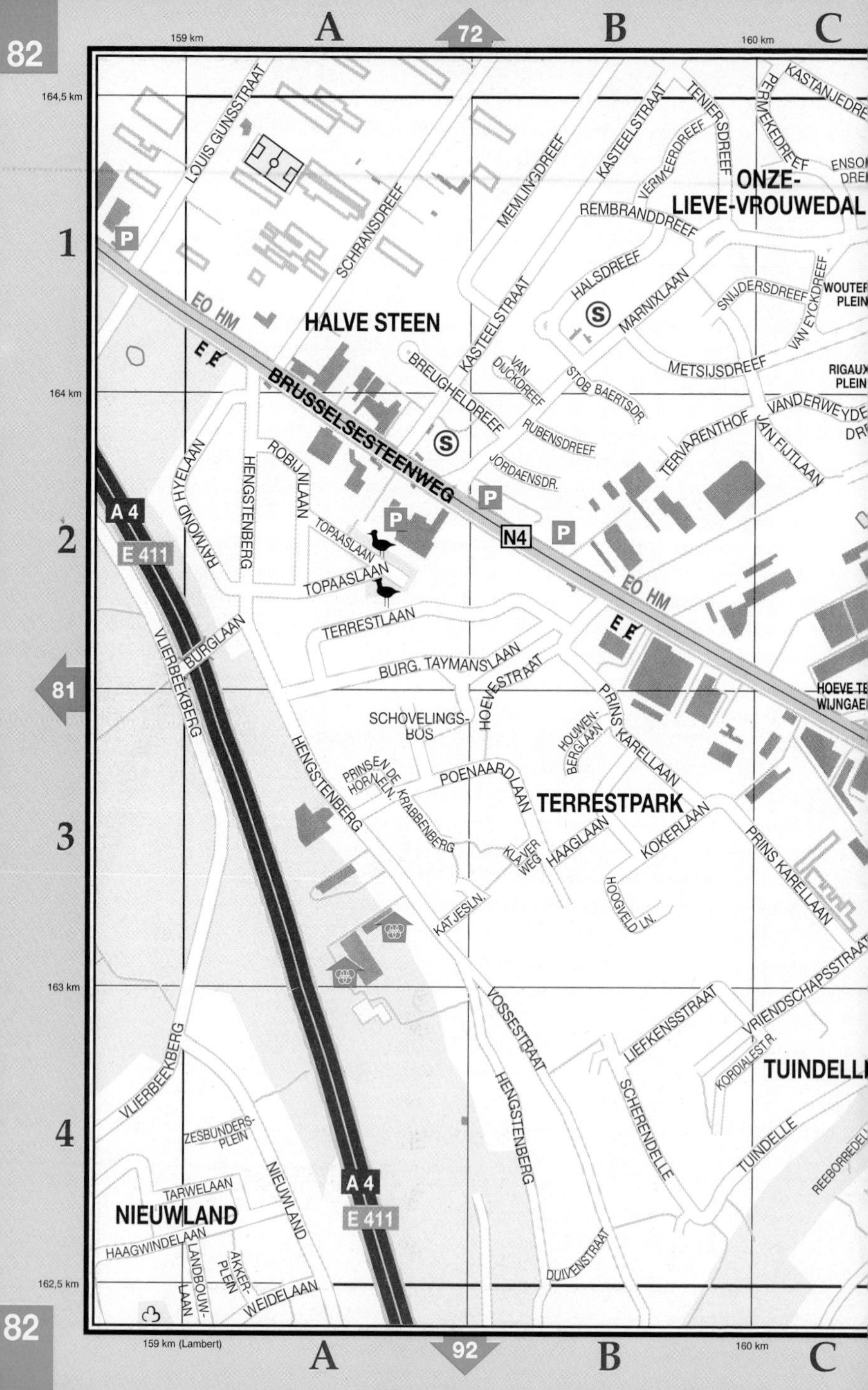

A
B
C
72
159 km
160 km
164,5 km
164 km
163 km
162,5 km
1
2
3
4
81
92
159 km (Lambert)
LOUIS GUNSSTRAAT
SCHRANSDREEF
MEMLINGDREEF
KASTEELSTRAAT
TENIERSDREEF
PERMEKEDREEF
KASTANJEDREEF
VERMEERDREEF
REMBRANDDREEF
ONZE-
LIEVE-VROUWEDAL
ENSOR DREEF
HALSDREEF
MARNIXLAAN
SNIJDERSDREEF
VAN EYCKDREEF
WOUTERS PLEIN
HALVE STEEN
EO HM
BRUSSELSESTEENWEG
BREUGHELDREEF
VAN DIJCKDREEF
STOB BAERTSDR.
METSIJSDREEF
RIGAUX PLEIN
VANDERWEYDEDREEF
TERVARENTHOF
JAN FIJTLAAN
RUBENSDREEF
JORDAENSDR.
RAYMOND HYELAAN
HENGSTENBERG
ROBIJNLAAN
TOPAASLAAN
N4
A 4
E 411
TERRESTLAAN
BURGLAAN
VLIERBEEKBERG
BURG. TAYMANSLAAN
HOEVESTRAAT
PRINS KARELLAAN
HOEVE TER WIJNGAERT
SCHOVELINGS-
BOS
HOUWENBERGLAAN
PRINSEN DE HORNELN.
POENAARDLAAN
TERRESTPARK
KRABBENBERG
KLAVERWEG
HAAGLAAN
KOKERLAAN
HOOGVELD LN.
KATJESLN.
VRIENDSCHAPSSTRAAT
VOSSESTRAAT
LIEFKENSSTRAAT
KORDIALESTR.
TUINDELLE
SCHERENDELLE
REEBORREDELLE
ZESBUNDERSPLEIN
NIEUWLAND
TARWELAAN
HAAGWINDELAAN
LANDBOUWLAAN
AKKERPLEIN
WEIDELAAN
DUIVENSTRAAT

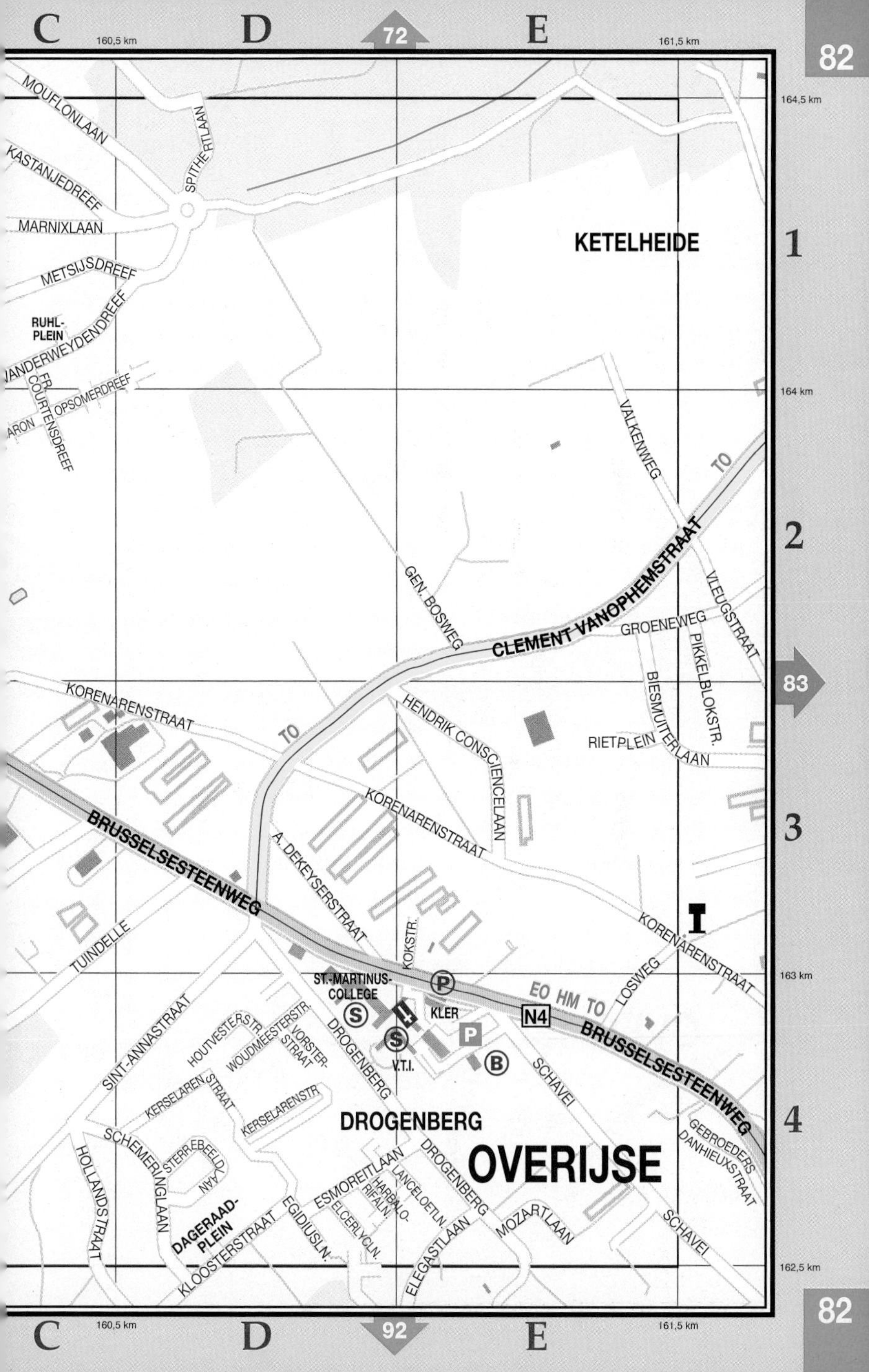
C
D
E
72
160,5 km
161,5 km
164,5 km
164 km
163 km
162,5 km
1
2
3
4
83
92
MOUFLONLAAN
SPITHERTLAAN
KASTANJEDREEF
MARNIXLAAN
METSIJSDREEF
RUHL-
PLEIN
VANDERWEYDENDREEF
FR. COURTENSDREEF
OPSOMERDREEF
ARON
KETELHEIDE
VALKENWEG
TO
CLEMENT VANOPHEMSTRAAT
GEN. BOSWEG
VLEUGSTRAAT
GROENEWEG
PIKKELBLOKSTR.
BIESMUITERLAAN
RIETPLEIN
KORENARENSTRAAT
HENDRIK CONSCIENCELAAN
BRUSSELSESTEENWEG
A. DEKEYSERSTRAAT
KOKSTR.
TUINDELLE
ST.-MARTINUS-
COLLEGE
KLER
V.T.I.
EO HM TO
N4
LOSWEG
SINT-ANNASTRAAT
HOUTVESTERSTR.
WOUDMEESTERSTR.
VORSTER-
STRAAT
DROGENBERG
SCHAVEI
KERSELARENSTRAAT
KERSELARENSTR.
GEBROEDERS DANHIEUXSTRAAT
SCHEMERINGLAAN
STERREBEELD-
LAAN
HOLLANDSTRAAT
DAGERAAD-
PLEIN
KLOOSTERSTRAAT
EGIDIUSLN.
ESMOREITLAAN
HARBALO-
RIFALN.
ELCERLYCLN.
LANCELOETLN.
ELEGASTLAAN
MOZARTLAAN
OVERIJSE

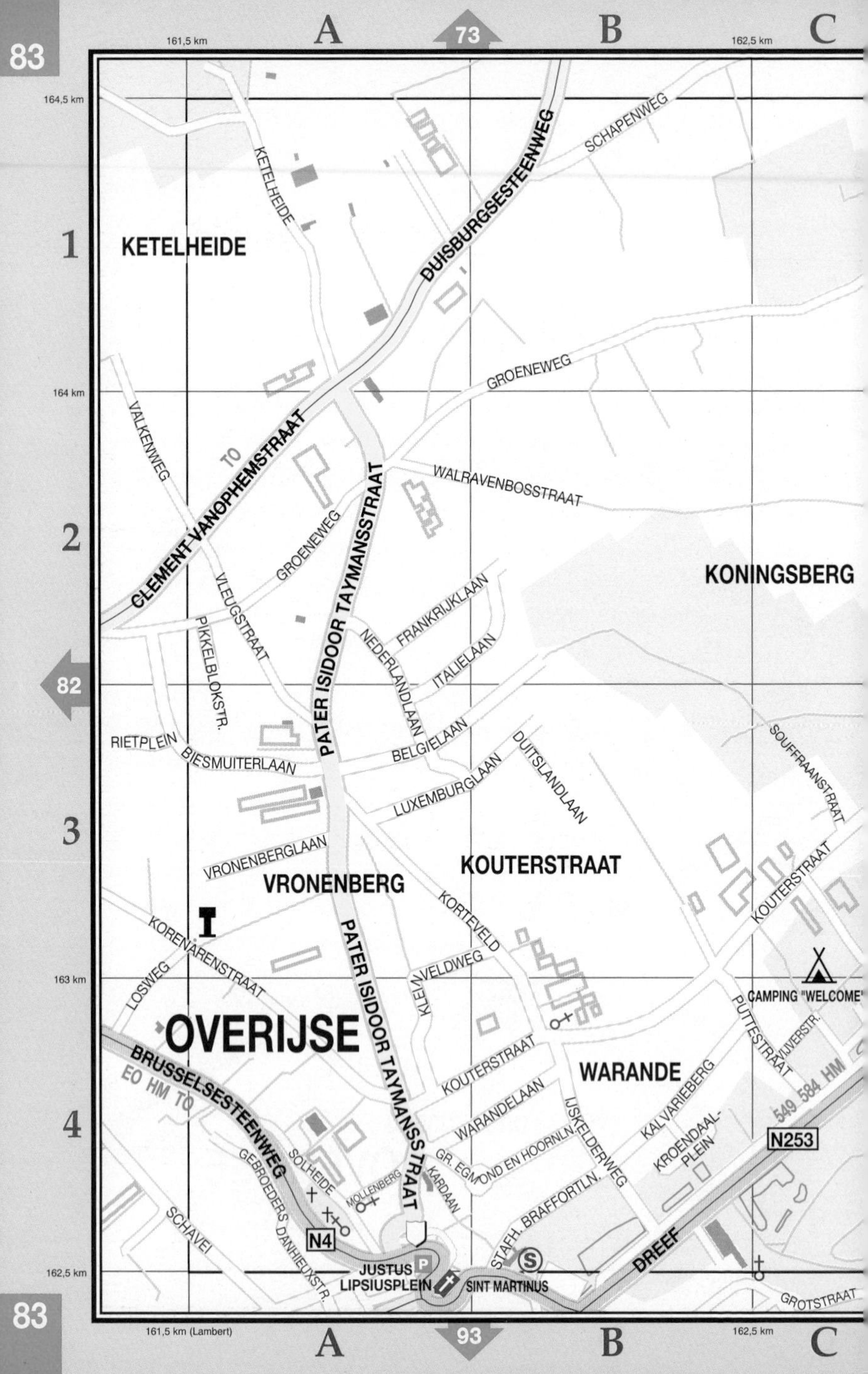
A
73
B
C
161,5 km
162,5 km
164,5 km
164 km
163 km
162,5 km
1
2
3
4
82
KETELHEIDE
KETELHEIDE
SCHAPENWEG
DUISBURGSESTEENWEG
GROENEWEG
VALKENWEG
CLEMENT VANOPHEMSTRAAT
TO
WALRAVENBOSSTRAAT
PATER ISIDOOR TAYMANSSTRAAT
GROENEWEG
VLEUGSTRAAT
PIKKELBLOKSTR.
KONINGSBERG
FRANKRIJKLAAN
NEDERLANDLAAN
ITALIELAAN
RIETPLEIN
BIESMUITERLAAN
BELGIELAAN
LUXEMBURGLAAN
DUITSLANDLAAN
SOUFFRAANSTRAAT
VRONENBERGLAAN
VRONENBERG
KOUTERSTRAAT
KORTEVELD
KOUTERSTRAAT
KORENARENSTRAAT
KLEINVELDWEG
LOSWEG
OVERIJSE
CAMPING "WELCOME"
PUTTESTRAAT
VIJVERSTR.
BRUSSELSESTEENWEG
EO HM TO
KOUTERSTRAAT
WARANDE
WARANDELAAN
IJSKELDERWEG
KALVARIEBERG
KROENDAAL-PLEIN
549 584 HM
N253
GEBROEDERS DANHIEUXSTR.
SOLHEIDE
MOLLENBERG
KARDAAN
GR. EGMOND EN HOORNLN.
BRAFFORTLN.
STAFH.
DREEF
SCHAVEI
N4
JUSTUS LIPSIUSPLEIN
P
SINT MARTINUS
GROTSTRAAT
161,5 km (Lambert)
162,5 km
A
93
B
C

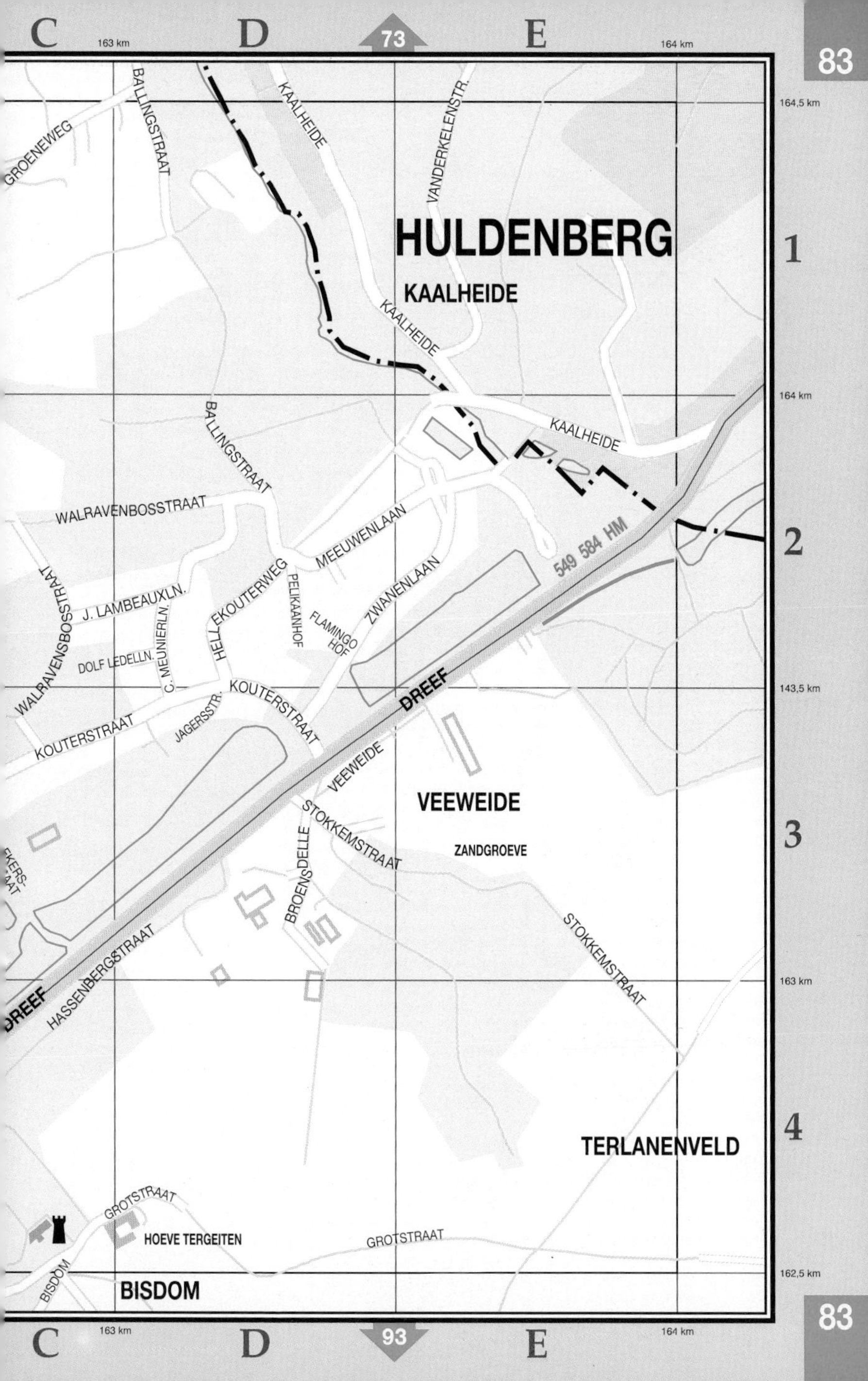

C
D
E
73
163 km
164 km
164,5 km
164 km
143,5 km
163 km
162,5 km
1
2
3
4
HULDENBERG
KAALHEIDE
KAALHEIDE
VANDERKELENSTR.
BALLINGSTRAAT
GROENEWEG
WALRAVENBOSSTRAAT
MEEUWENLAAN
ZWANENLAAN
PELIKAANHOF
FLAMINGO HOF
HELLEKOUTERWEG
J. LAMBEAUXLN.
C. MEUNIERLN.
DOLF LEDELLN.
WALRAVENSBOSSTRAAT
KOUTERSTRAAT
JAGERSSTR.
549 584 HM
DREEF
VEEWEIDE
STOKKEMSTRAAT
BROENSDELLE
ZANDGROEVE
HASSENBERGSTRAAT
TERLANENVELD
GROTSTRAAT
HOEVE TERGEITEN
BISDOM
93

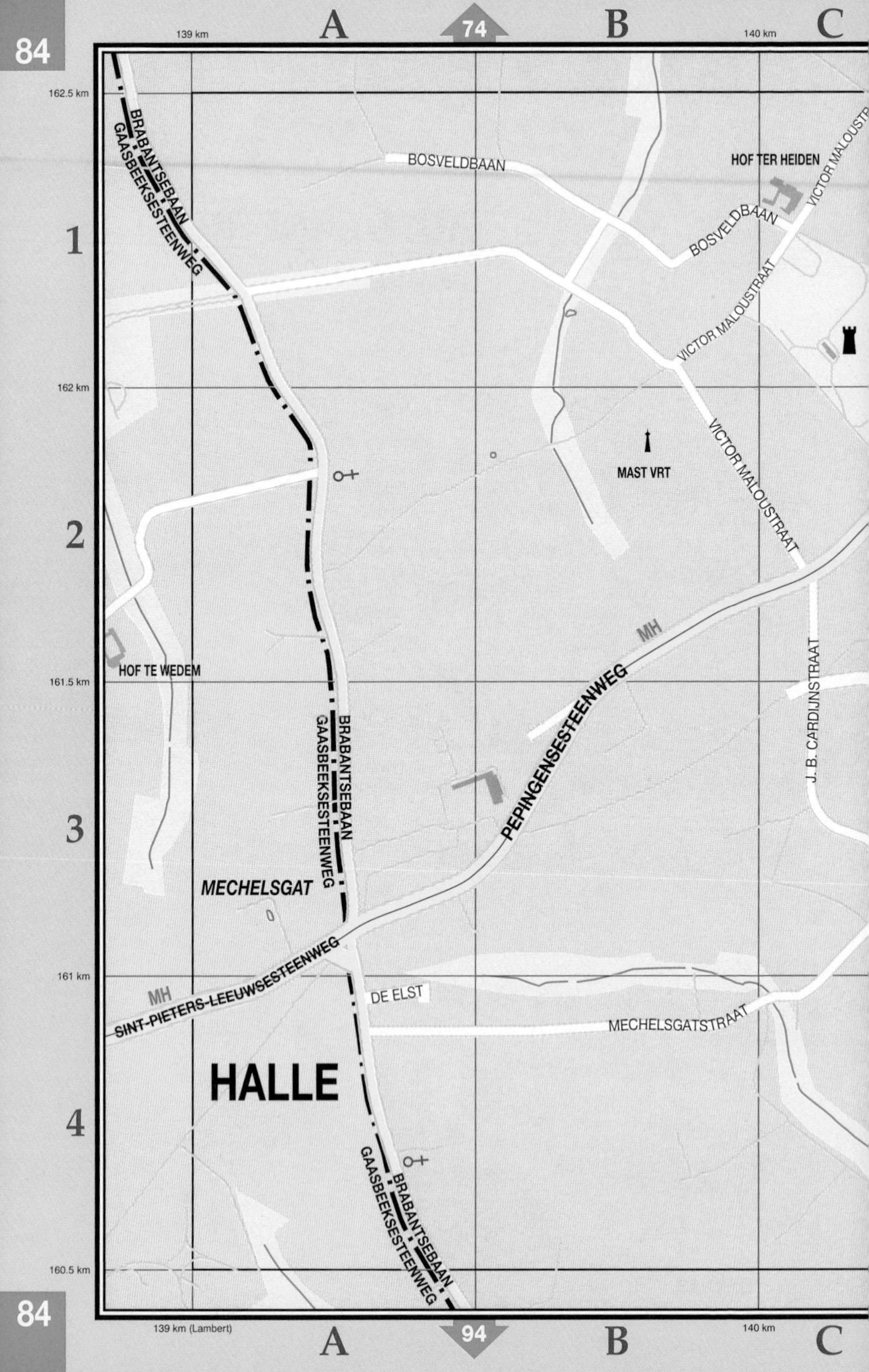
A
74
B
C
139 km
140 km
162.5 km
162 km
161.5 km
161 km
160.5 km
1
2
3
4
BRABANTSEBAAN
GAASBEEKSESTEENWEG
BOSVELDBAAN
HOF TER HEIDEN
VICTOR MALOUSTRAAT
MAST VRT
HOF TE WEDEM
MH
PEPINGENSESTEENWEG
J. B. CARDIJNSTRAAT
MECHELSGAT
SINT-PIETERS-LEEUWSESTEENWEG
DE ELST
MECHELSGATSTRAAT
HALLE
139 km (Lambert)
94

C
D
E
140.5 km
141.5 km
74
162.5 km
162 km
161 km
160.5 km
1
2
3
4
85
94
RUKKELINGEN
MEKINGENWEG
PEPINGENSESTEENWEG
MH
IMPELEER
FRANS PICKESTRAAT
EUROPALAAN
HL
SINT-PIETERS-LEEUW
RODEBEEKSTR.
VICTOR MILLAIRSTRAAT
PIJNBROEKSTRAAT
MEKINGEN
VOSHOLENWEG
HALLEWEG
JEROME AMEYSSTRAAT
TRAPPUTWEG
BERGENSESTEENWEG
N6

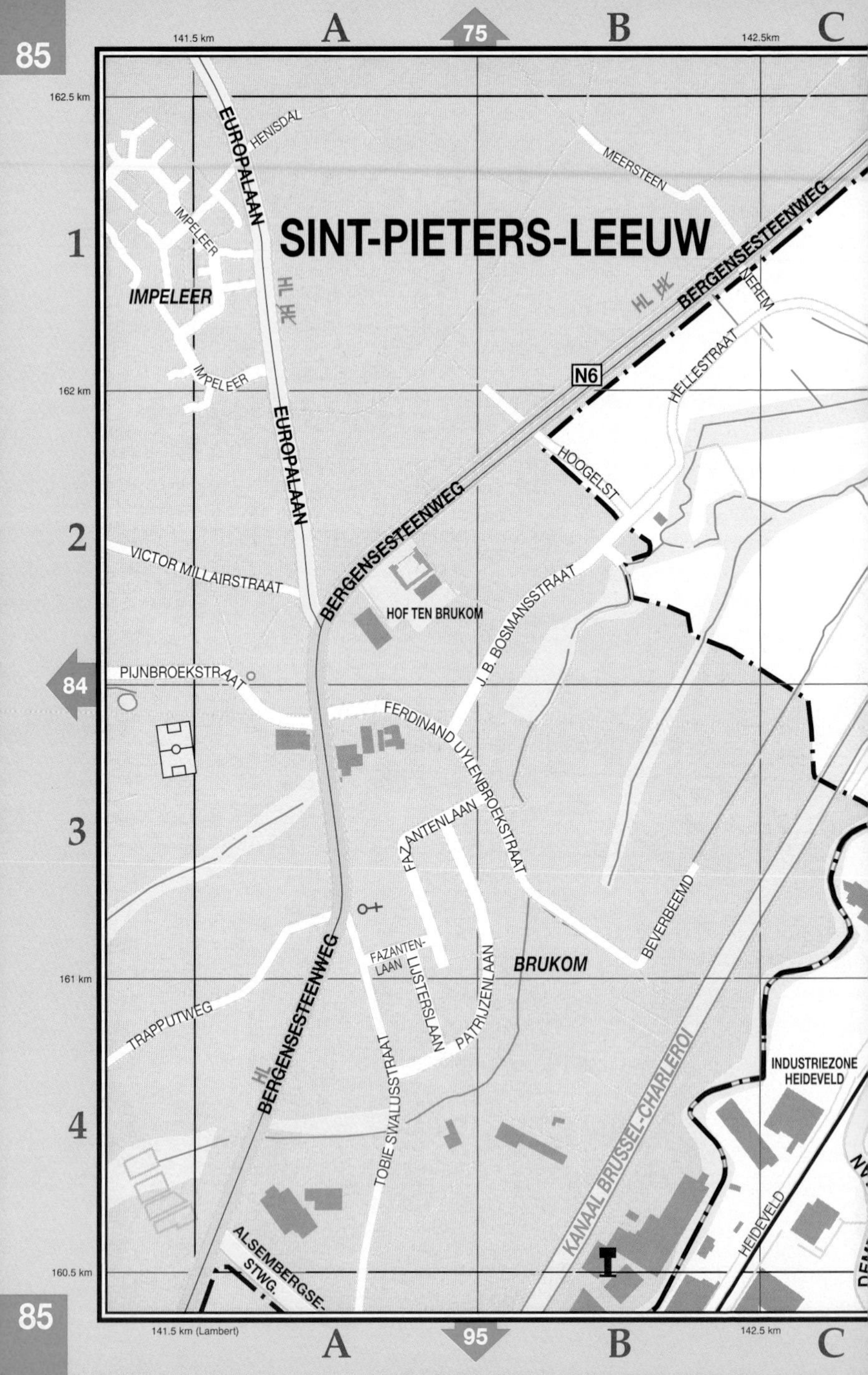
A
B
C
75
141.5 km
142.5km
162.5 km
162 km
161 km
160.5 km
1
2
3
4
SINT-PIETERS-LEEUW
EUROPALAAN
HENISDAL
MEERSTEEN
IMPELEER
IMPELEER
IMPELEER
BERGENSESTEENWEG
NEREM
HELLESTRAAT
N6
HOOGELST
BERGENSESTEENWEG
VICTOR MILLAIRSTRAAT
HOF TEN BRUKOM
J. B. BOSMANSSTRAAT
84
PIJNBROEKSTRAAT
FERDINAND UYLENBROEKSTRAAT
FAZANTENLAAN
BEVERBEEMD
FAZANTEN-LAAN
LIJSTERSLAAN
PATRIJZENLAAN
BRUKOM
TRAPPUTWEG
BERGENSESTEENWEG
TOBIE SWALUSSTRAAT
KANAAL BRUSSEL-CHARLEROI
INDUSTRIEZONE HEIDEVELD
HEIDEVELD
ALSEMBERGSE-STWG.
141.5 km (Lambert)
142.5 km
95

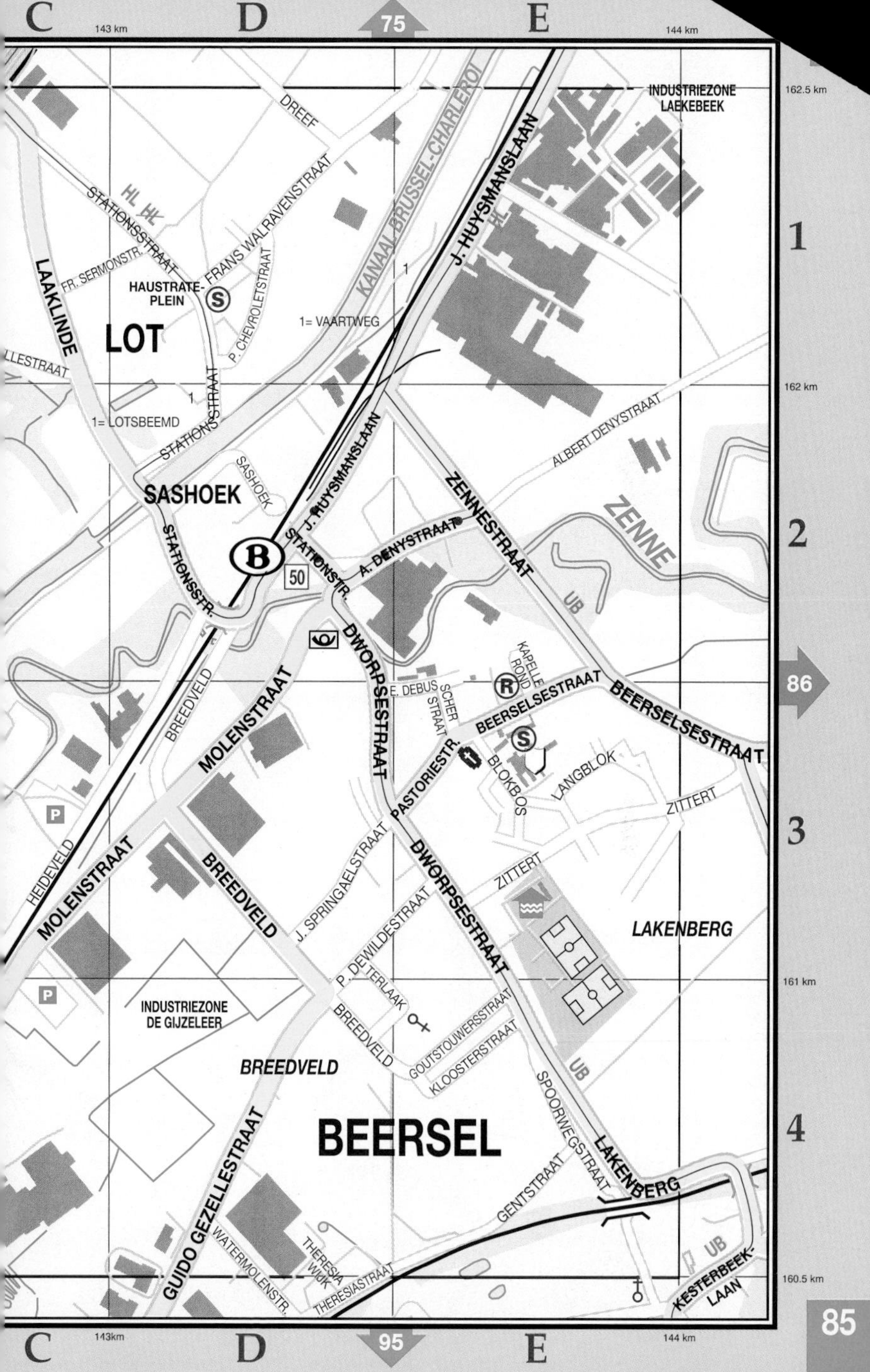
C
D
E
75
143 km
144 km
INDUSTRIEZONE
LAEKEBEEK
162.5 km
DREEF
KANAAL BRUSSEL-CHARLEROI
J. HUYSMANSLAAN
FRANS WALRAVENSTRAAT
STATIONSSTRAAT
FR. SERMONSTR.
LAAKLINDE
HAUSTRATE-
PLEIN
P. CHEVROLETSTRAAT
1= VAARTWEG
LOT
1
162 km
1= LOTSBEEMD
STATIONSSTRAAT
ALBERT DENYSTRAAT
SASHOEK
ZENNESTRAAT
ZENNE
STATIONSSTR.
A. DENYSTRAAT
STATIONSTR.
50
DWORPSESTRAAT
KAPELLE
ROND
E. DEBUS
SCHER
STRAAT
BEERSELSESTRAAT
86
BREEDVELD
MOLENSTRAAT
PASTORIESTR.
BLOKBOS
LANGBLOK
ZITTERT
HEIDEVELD
J. SPRINGAELSTRAAT
BREEDVELD
LAKENBERG
P. DEWILDESTRAAT
TERLAAK
161 km
INDUSTRIEZONE
DE GIJZELEER
GOUTSTOUWERSSTRAAT
KLOOSTERSTRAAT
BREEDVELD
SPOORWEGSTRAAT
BEERSEL
GUIDO GEZELLESTRAAT
GENTSTRAAT
WATERMOLENSTR.
THERESIA
WIJK
THERESIASTRAAT
KESTERBEEK-
LAAN
160.5 km
143km
95
144 km
2
3
4

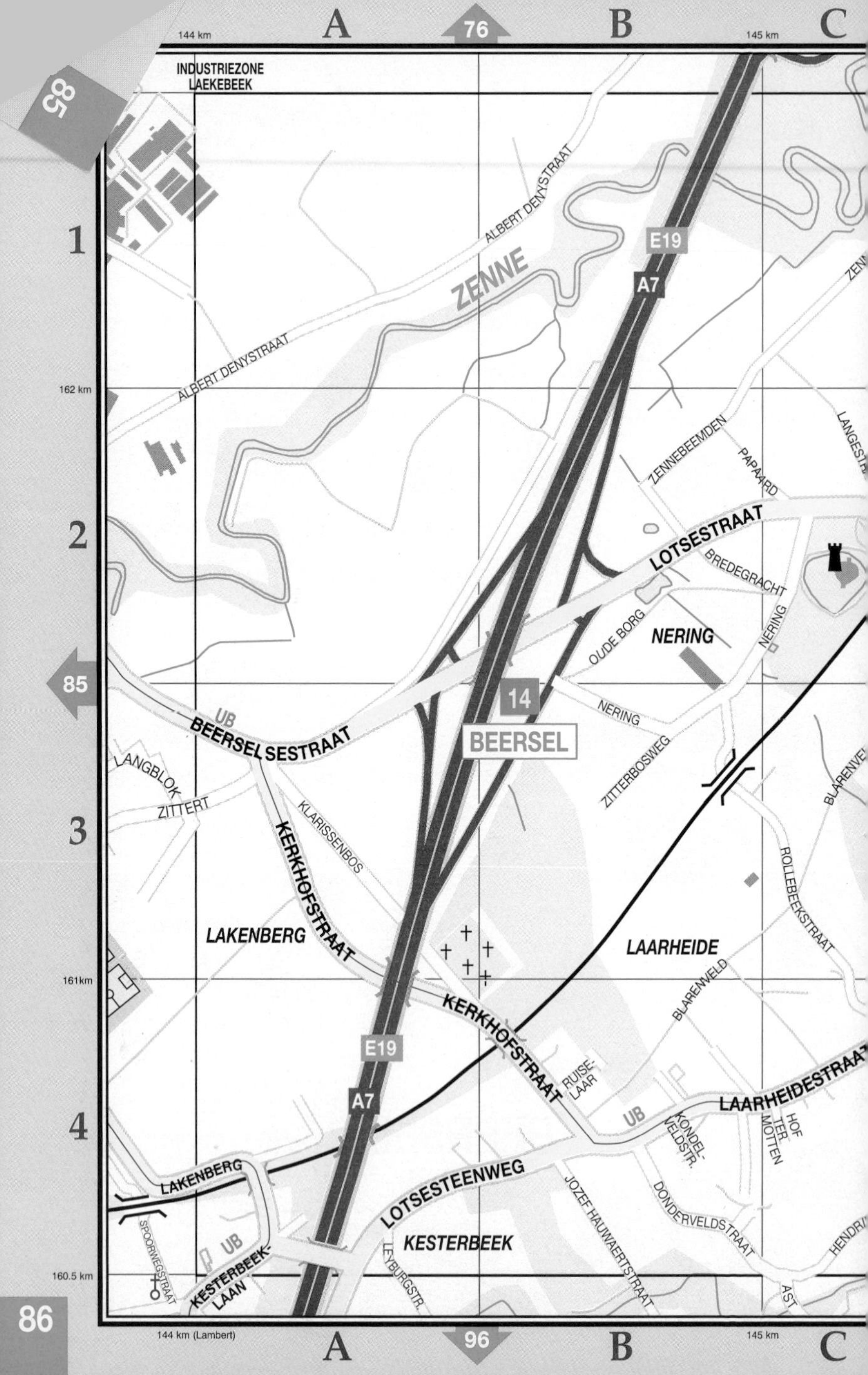

A
76
B
C
144 km
145 km
INDUSTRIEZONE LAEKEBEEK
85
1
2
3
4
162 km
161km
160.5 km
ALBERT DENYSTRAAT
ZENNE
E19
A7
ZENNEBEEMDEN
PAPAARD
LANGESTR.
LOTSESTRAAT
BREDEGRACHT
OUDE BORG
NERING
14
BEERSEL
UB
BEERSELSESTRAAT
LANGBLOK
ZITTERT
KLARISSENBOS
ZITTERBOSWEG
BLARENVELD
KERKHOFSTRAAT
LAKENBERG
ROLLEBEEKSTRAAT
LAARHEIDE
RUISELAAR
LAARHEIDESTRAAT
KONDELVELDSTR.
HOF TER MOTTEN
LOTSESTEENWEG
JOZEF HAUWAERTSTRAAT
DONDERVELDSTRAAT
KESTERBEEK
KESTERBEEKLAAN
SPOORWEGSTRAAT
LEYBURGSTR.
HENDRI
AST
144 km (Lambert)
96

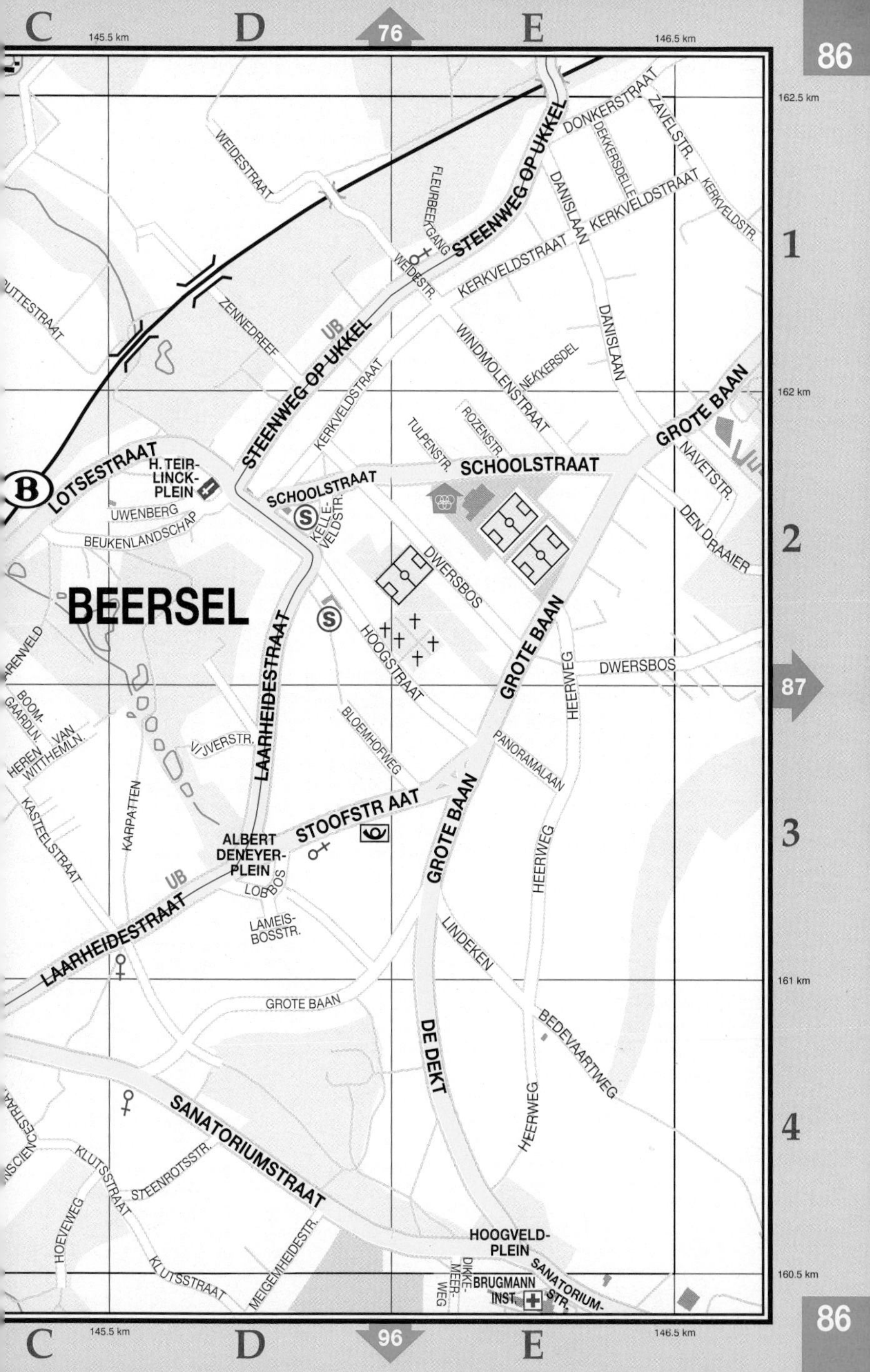
C
D
76
E
145.5 km
146.5 km
162.5 km
162 km
161 km
160.5 km
1
2
3
4
87
BEERSEL
STEENWEG OP UKKEL
WEIDESTRAAT
DONKERSTRAAT
ZAVELSTR.
DEKKERSDELLE
DANISLAAN
KERKVELDSTRAAT
KERKVELDSTR.
FLEURBEEKGANG
WEIDESTR.
ZENNEDREEF
WINDMOLENSTRAAT
NEKKERSDEL
KERKVELDSTRAAT
ROZENSTR.
TULPENSTR.
SCHOOLSTRAAT
GROTE BAAN
NAVETSTR.
DEN DRAAIER
LOTSESTRAAT
H. TEIR-LINCK-PLEIN
UWENBERG
BEUKENLANDSCHAP
KELLE-VELDSTR.
DWERSBOS
HOOGSTRAAT
LAARHEIDESTRAAT
HEERWEG
BOOM-GAARDLN.
HEREN VAN WITTHEMLN.
VIJVERSTR.
BLOEMHOFWEG
PANORAMALAAN
KASTEELSTRAAT
KARPATTEN
STOOFSTRAAT
ALBERT DENEYER-PLEIN
LOBBOS
LAMEIS-BOSSTR.
UB
LINDEKEN
GROTE BAAN
DE DEKT
BEDEVAARTWEG
SANATORIUMSTRAAT
KLUTSSTRAAT
STEENROTSSTR.
HOEVEWEG
MEIGEMHEIDESTR.
HOOGVELD-PLEIN
DIKKE-MEER-WEG
BRUGMANN INST.
SANATORIUM-STR.
96

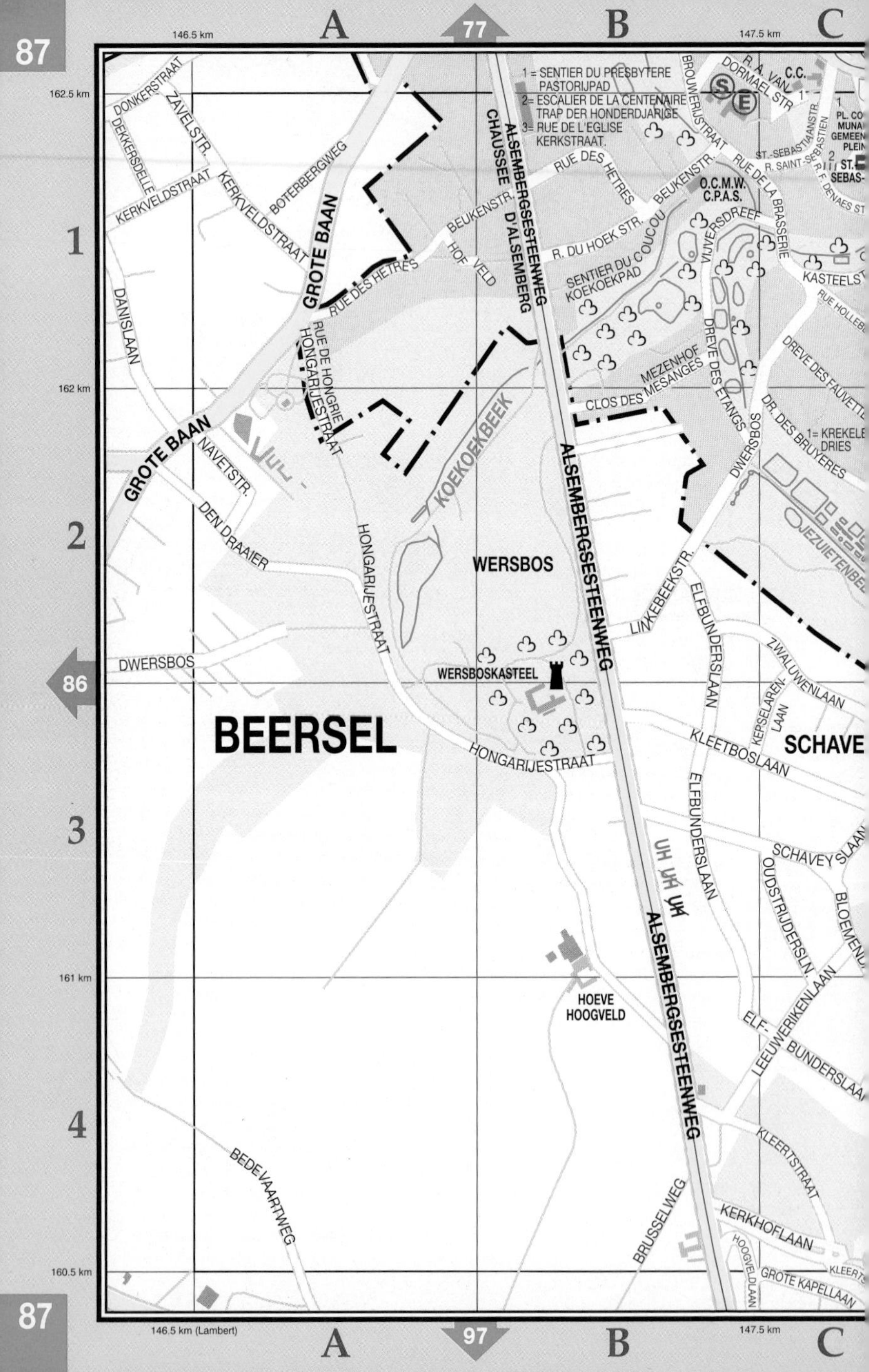
A
B
C
146.5 km
147.5 km
77
97
86
1
2
3
4
162.5 km
162 km
161 km
160.5 km
146.5 km (Lambert)
1 = SENTIER DU PRESBYTERE
PASTORIJPAD
2= ESCALIER DE LA CENTENAIRE
TRAP DER HONDERDJARIGE
3= RUE DE L'EGLISE
KERKSTRAAT.
1= KREKELE
DRIES
BEERSEL
SCHAVE
WERSBOS
WERSBOSKASTEEL
HOEVE
HOOGVELD
KOEKOEKBEEK
C.C.
O.C.M.W.
C.P.A.S.
DONKERSTRAAT
ZAVELSTR.
DEKKERSDELLE
KERKVELDSTRAAT
BOTERBERGWEG
GROTE BAAN
RUE DES HETRES
BEUKENSTR.
HOF VELD
ALSEMBERGSESTEENWEG
CHAUSSEE D'ALSEMBERG
R. DU HOEK STR.
SENTIER DU COUCOU
KOEKOEKPAD
VIJVERSDREEF
BROUWERIJSTRAAT
R. A. VAN DORMAEL STR.
RUE DE LA BRASSERIE
KASTEELSTR.
DANISLAAN
RUE DE HONGRIE
HONGARIJESTRAAT
NAVETSTR.
DEN DRAAIER
CLOS DES MESANGES
MEZENHOF
DREVE DES ETANGS
DWERSBOS
DREVE DES FAUVETTES
DR. DES BRUYERES
LINKEBEEKSTR.
ELFBUNDERSLAAN
ZWALUWENLAAN
KEPSELAREN-LAAN
KLEETBOSLAAN
SCHAVEYSLAAN
OUDSTRIJDERSLN.
BLOEMENDAL
LEEUWERIKENLAAN
ELF-BUNDERSLAAN
KLEERTSTRAAT
KERKHOFLAAN
HOOGVELDLAAN
GROTE KAPELLAAN
BRUSSELWEG
BEDEVAARTWEG

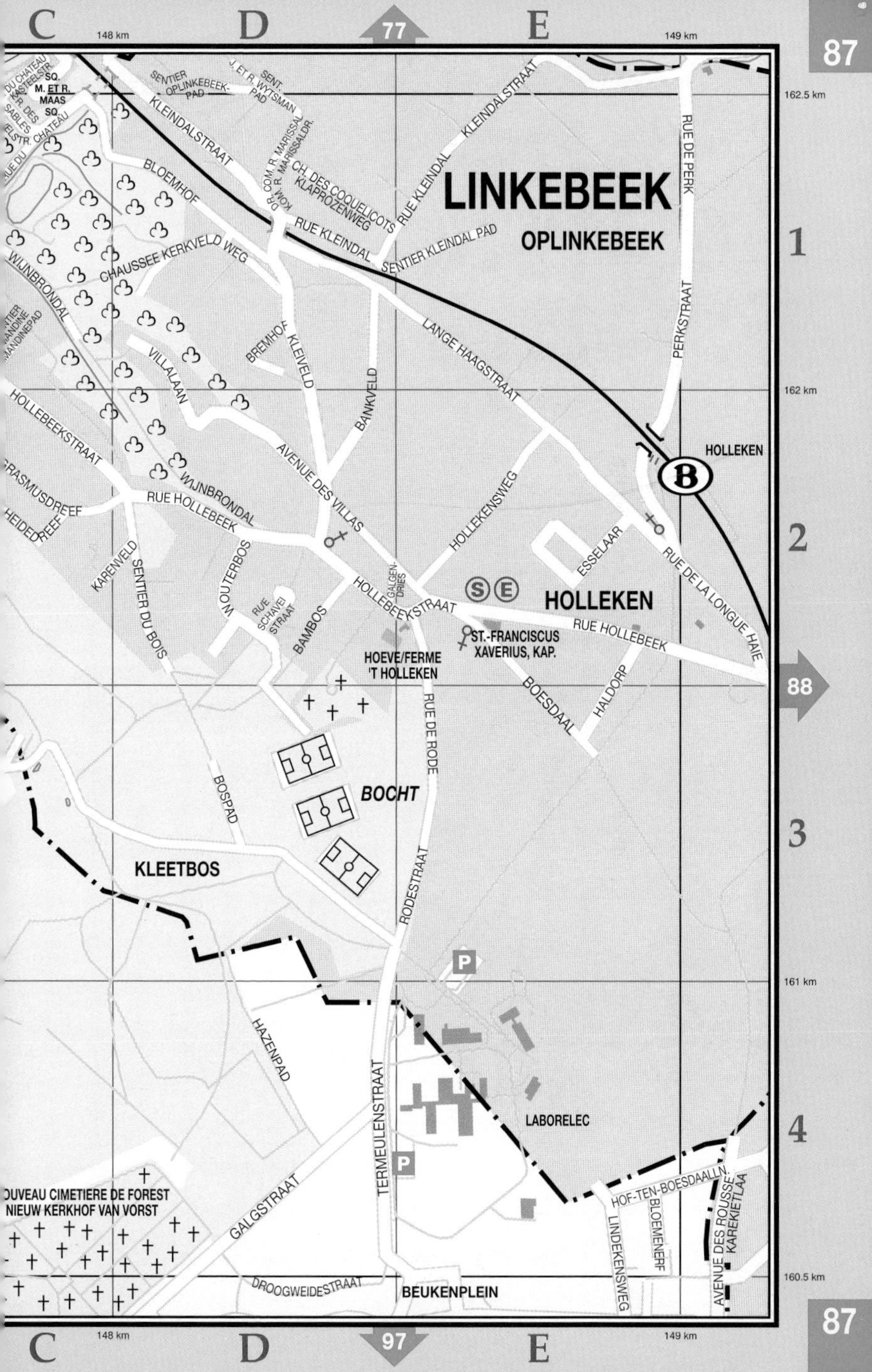
C
D
E
77
148 km
149 km
162.5 km
162 km
161 km
160.5 km
1
2
3
4
88
97
LINKEBEEK
OPLINKEBEEK
HOLLEKEN
HOLLEKEN
KLEETBOS
BOCHT
BEUKENPLEIN
LABORELEC
HOEVE/FERME
'T HOLLEKEN
ST.-FRANCISCUS
XAVERIUS, KAP.
NOUVEAU CIMETIERE DE FOREST
NIEUW KERKHOF VAN VORST
KLEINDALSTRAAT
RUE KLEINDAL
SENTIER KLEINDAL PAD
RUE DE PERK
PERKSTRAAT
BLOEMHOF
CHAUSSEE KERKVELD WEG
CH. DES COQUELICOTS
KLAPROZENWEG
SENTIER OPLINKEBEEK-PAD
SENT. J. ET R. WYTSMAN PAD
WIJNBRONDAL
VILLALAAN
BREMHOF
KLEIVELD
BANKVELD
LANGE HAAGSTRAAT
HOLLEBEEKSTRAAT
RUE HOLLEBEEK
AVENUE DES VILLAS
HOLLEKENSWEG
ESSELAAR
RUE DE LA LONGUE HAIE
GRASMUSDREEF
HEIDEDREEF
KARENVELD
SENTIER DU BOIS
WOUTERBOS
RUE SCHAVEI STRAAT
BAMBOS
GALGENDRIES
BOESDAAL
HALDORP
RUE DE RODE
RODESTRAAT
BOSPAD
HAZENPAD
TERMEULENSTRAAT
GALGSTRAAT
DROOGWEIDESTRAAT
HOF-TEN-BOESDAALLN.
BLOEMENERF
LINDEKENSWEG
AVENUE DES ROUSSE
KAREKIETLAA

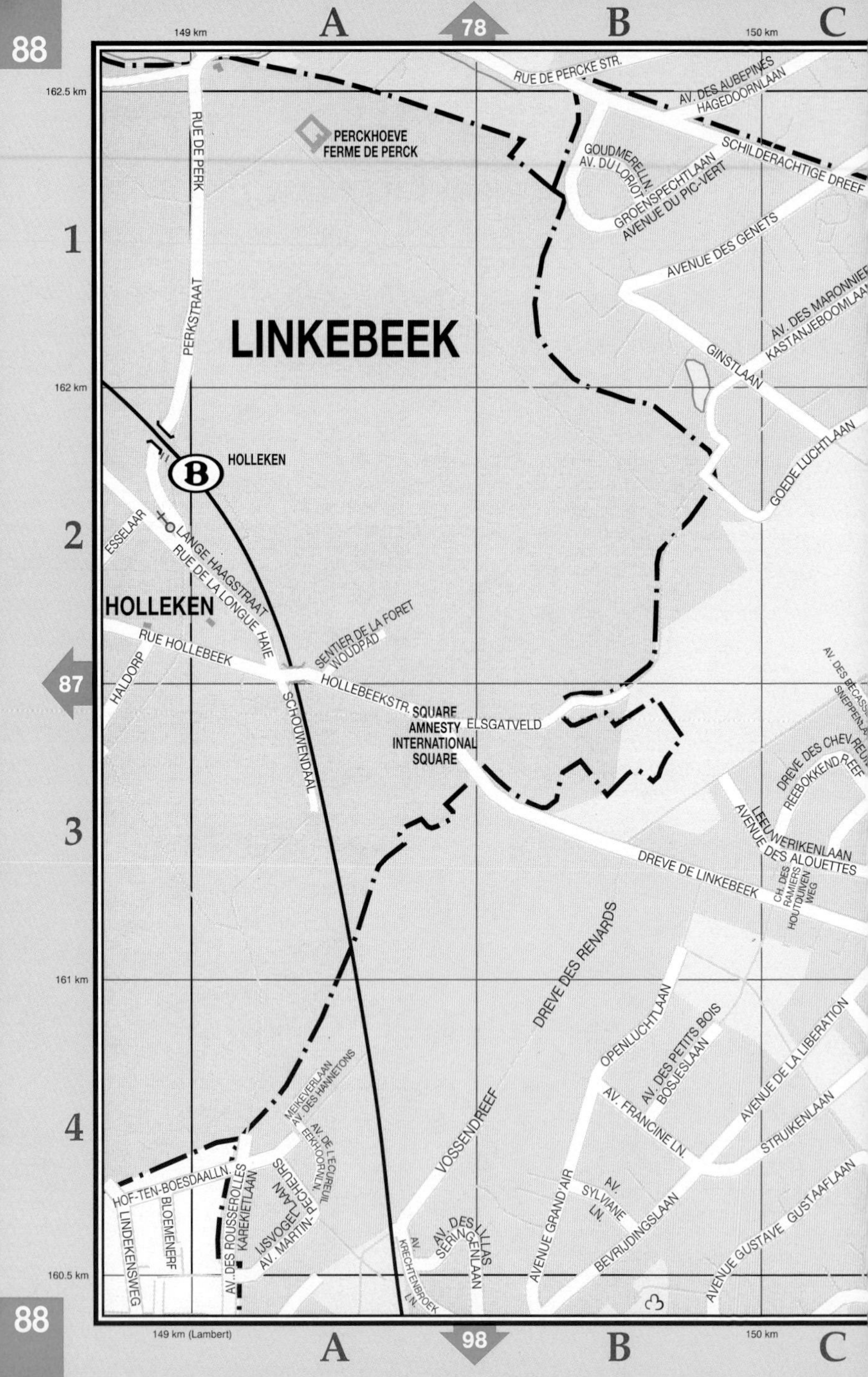
149 km
A
78
B
150 km
C
162.5 km
RUE DE PERCKE STR.
AV. DES AUBEPINES
HAGEDOORNLAAN
RUE DE PERK
PERCKHOEVE
FERME DE PERCK
SCHILDERACHTIGE DREEF
GOUDMERELLN
AV. DU LORIOT
GROENSPECHTLAAN
AVENUE DU PIC-VERT
1
AVENUE DES GENETS
PERKSTRAAT
LINKEBEEK
AV. DES MARONNIER
KASTANJEBOOMLAA
GINSTLAAN
162 km
HOLLEKEN
GOEDE LUCHTLAAN
2
ESSELAAR
LANGE HAAGSTRAAT
RUE DE LA LONGUE HAIE
HOLLEKEN
SENTIER DE LA FORET
WOUDPAD
RUE HOLLEBEEK
87
HALDORP
HOLLEBEEKSTR.
SCHOUWENDAAL
SQUARE
AMNESTY
INTERNATIONAL
SQUARE
ELSGATVELD
AV. DES BECASS
SNEPPENLA
DREVE DES CHEV.REUI
REEBOKKENDREEF
3
LEEUWERIKENLAAN
AVENUE DES ALOUETTES
DREVE DE LINKEBEEK
CH. DES RAMIERS
HOUTDUIVEN WEG
DREVE DES RENARDS
161 km
OPENLUCHTLAAN
AV. DES PETITS BOIS
BOSJESLAAN
AVENUE DE LA LIBERATION
MEIKEVERLAAN
AV. DES HANNETONS
AV. FRANCINE LN.
4
AV. DE L'ECUREUIL
EEKHOORNLN.
VOSSENDREEF
STRUIKENLAAN
HOF-TEN-BOESDAALLN.
AV. DES ROUSSEROLLES
KAREKIETLAAN
IJSVOGELLAAN
AV. MARTIN-PECHEURS
AV. SYLVIANE LN.
AVENUE GUSTAVE GUSTAAFLAAN
BLOEMENERF
LINDEKENSWEG
AV. KRECHTENBROEK LN.
AV. DES LILAS
SERINGENLAAN
AVENUE GRAND'AIR
BEVRIJDINGSLAAN
160.5 km
149 km (Lambert)
A
98
B
150 km
C

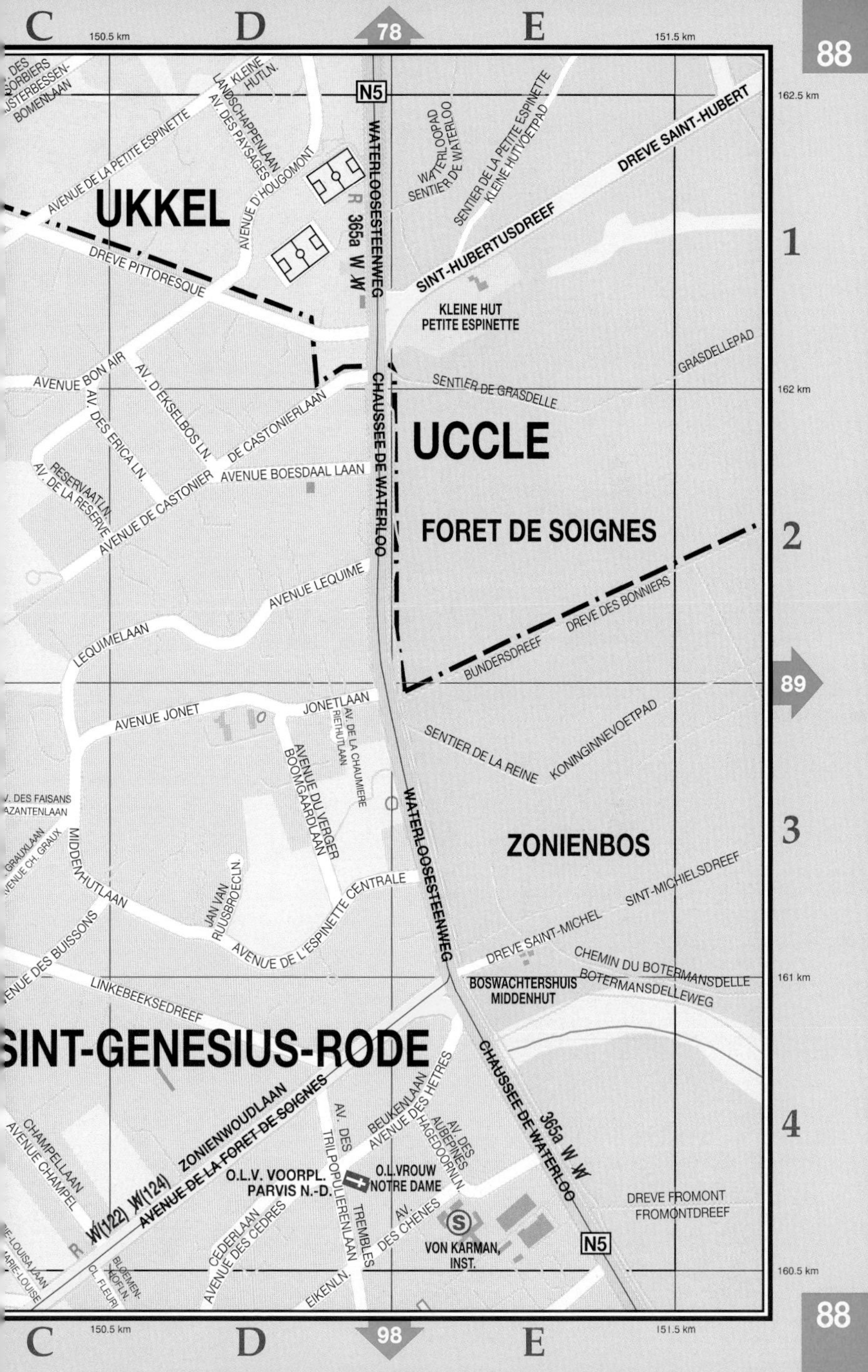
C
D
E
150.5 km
151.5 km
78
N5
162.5 km
162 km
161 km
160.5 km
1
2
3
4
89
98
UKKEL
UCCLE
FORET DE SOIGNES
ZONIENBOS
SINT-GENESIUS-RODE
AVENUE DE LA PETITE ESPINETTE
LANDSCHAPPENLAAN
AV. DES PAYSAGES
KLEINE HUTLN.
AVENUE D'HOUGOMONT
DREVE PITTORESQUE
WATERLOOSESTEENWEG
CHAUSSEE DE WATERLOO
365a
WATERLOOPAD
SENTIER DE WATERLOO
SENTIER DE LA PETITE ESPINETTE
KLEINE HUTVOETPAD
DREVE SAINT-HUBERT
SINT-HUBERTUSDREEF
KLEINE HUT
PETITE ESPINETTE
GRASDELLEPAD
SENTIER DE GRASDELLE
AVENUE BON AIR
AV. D'EKSELBOS LN.
AV. DES ERICA LN.
DE CASTONIERLAAN
AVENUE DE CASTONIER
AVENUE BOESDAAL LAAN
RESERVAATLN
AV. DE LA RESERVE
AVENUE LEQUIME
LEQUIMELAAN
DREVE DES BONNIERS
BUNDERSDREEF
AVENUE JONET
JONETLAAN
AV. DE LA CHAUMIERE
RIETHUTLAAN
AVENUE DU VERGER
BOOMGAARDLAAN
SENTIER DE LA REINE
KONINGINNEVOETPAD
AV. DES FAISANS
FAZANTENLAAN
GRAUXLAAN
AVENUE CH. GRAUX
MIDDENHUTLAAN
JAN VAN RUUSBROECLN.
AVENUE DE L'ESPINETTE CENTRALE
SINT-MICHIELSDREEF
DREVE SAINT-MICHEL
CHEMIN DU BOTERMANSDELLE
BOTERMANSDELLEWEG
BOSWACHTERSHUIS
MIDDENHUT
AVENUE DES BUISSONS
LINKEBEEKSEDREEF
ZONIENWOUDLAAN
AVENUE DE LA FORET DE SOIGNES
W(122) W(124)
CHAMPELLAAN
AVENUE CHAMPEL
AV. DES TRILPOPULIERENLAAN
BEUKENLAAN
AVENUE DES HETRES
AV. DES AUBEPINES
HAGEDOORNLN.
O.L.V. VOORPL.
PARVIS N.-D.
O.L.VROUW
NOTRE DAME
TREMBLES
AV. DES CHENES
VON KARMAN, INST.
CEDERLAAN
AVENUE DES CEDRES
EIKENLN.
BLOEMENHOFLN.
CL. FLEURI
DREVE FROMONT
FROMONTDREEF

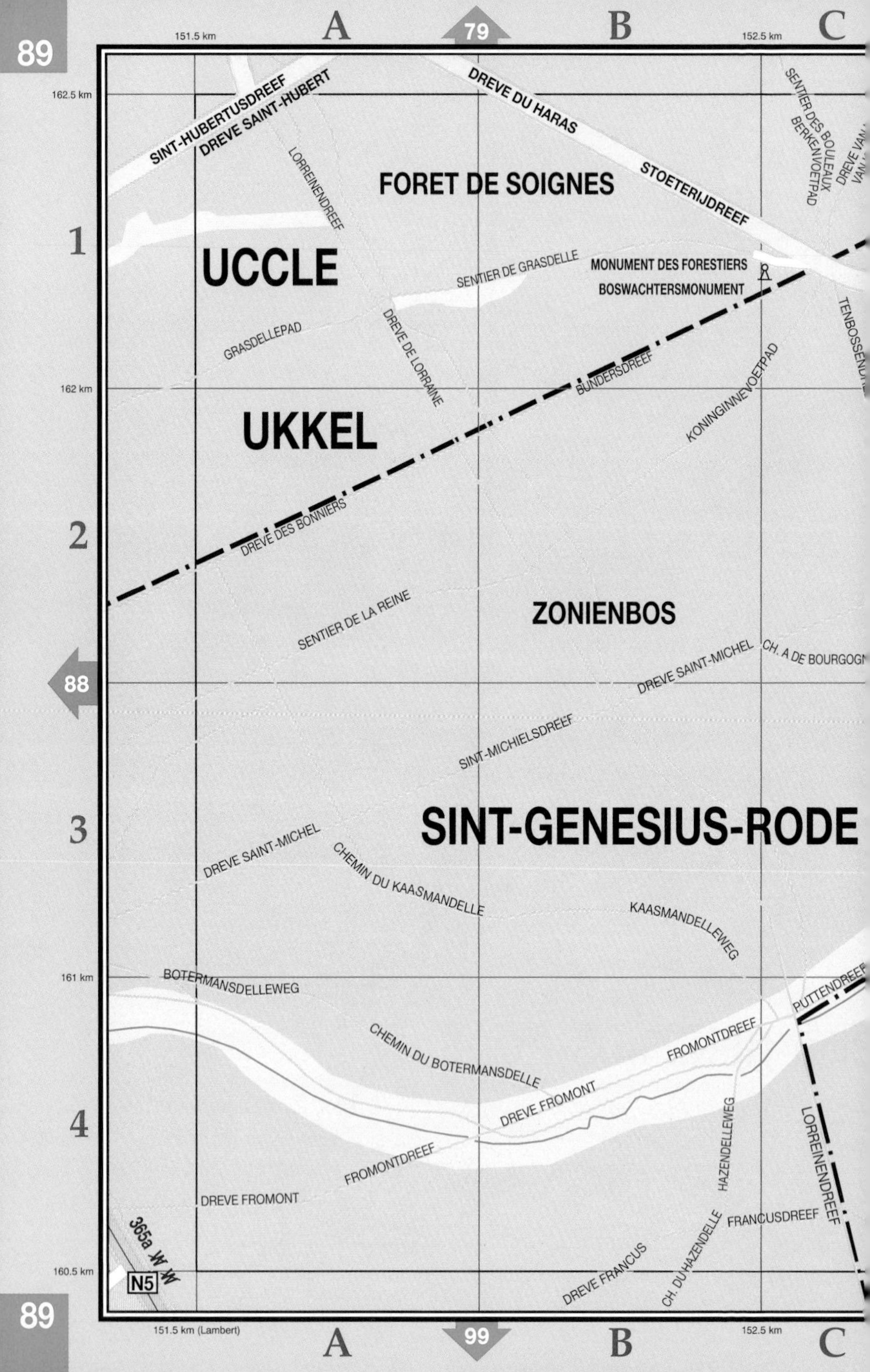
151.5 km
A
79
B
152.5 km
C
162.5 km
SINT-HUBERTUSDREEF
DREVE SAINT-HUBERT
DREVE DU HARAS
STOETERIJDREEF
SENTIER DES BOULEAUX
BERKENVOETPAD
LORREINENDREEF
FORET DE SOIGNES
1
UCCLE
SENTIER DE GRASDELLE
MONUMENT DES FORESTIERS
BOSWACHTERSMONUMENT
GRASDELLEPAD
DREVE DE LORRAINE
BUNDERSDREEF
KONINGINNEVOETPAD
162 km
UKKEL
2
DREVE DES BONNIERS
SENTIER DE LA REINE
ZONIENBOS
88
DREVE SAINT-MICHEL
SINT-MICHIELSDREEF
3
SINT-GENESIUS-RODE
DREVE SAINT-MICHEL
CHEMIN DU KAASMANDELLE
KAASMANDELLEWEG
161 km
BOTERMANSDELLEWEG
PUTTENDREEF
CHEMIN DU BOTERMANSDELLE
FROMONTDREEF
DREVE FROMONT
4
FROMONTDREEF
HAZENDELLEWEG
LORREINENDREEF
DREVE FROMONT
FRANCUSDREEF
CH. DU HAZENDELLE
DREVE FRANCUS
365a
N5
160.5 km
151.5 km (Lambert)
A
99
B
152.5 km
C

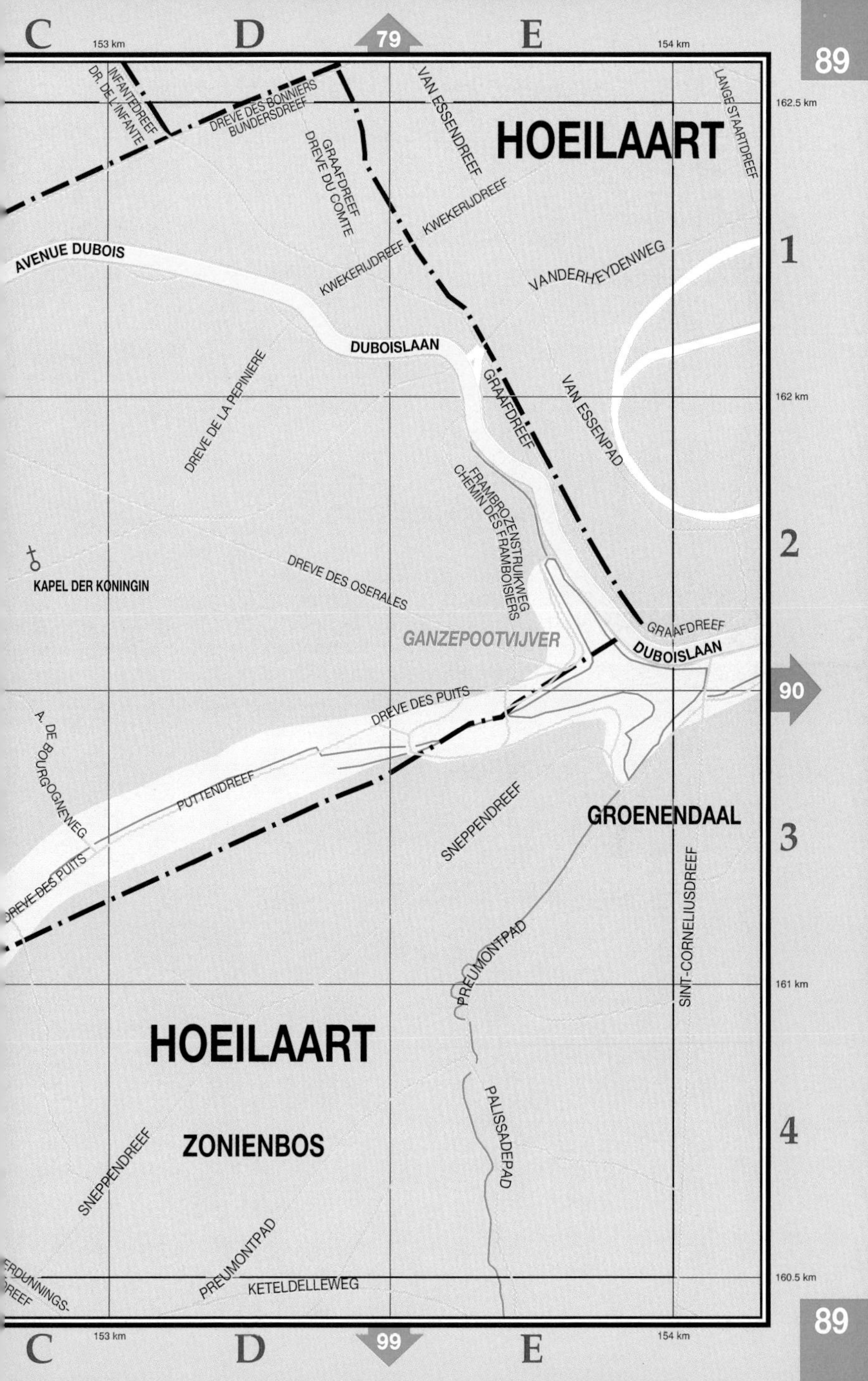
C
D
E
153 km
154 km
79
99
90
162.5 km
162 km
161 km
160.5 km
1
2
3
4
HOEILAART
INFANTEDREEF
DR. DE L'INFANTE
DREVE DES BONNIERS
BUNDERSDREEF
GRAAFDREEF
DREVE DU COMTE
VAN ESSENDREEF
LANGESTAARTDREEF
KWEKERIJDREEF
AVENUE DUBOIS
VANDERHEYDENWEG
DUBOISLAAN
DREVE DE LA PEPINIERE
GRAAFDREEF
VAN ESSENPAD
FRAMBROZENSTRUIKWEG
CHEMIN DES FRAMBOISIERS
KAPEL DER KONINGIN
DREVE DES OSERALES
GANZEPOOTVIJVER
GRAAFDREEF
DUBOISLAAN
DREVE DES PUITS
A. DE BOURGOGNEWEG
PUTTENDREEF
SNEPPENDREEF
GROENENDAAL
DREVE DES PUITS
SINT-CORNELIUSDREEF
PREUMONTPAD
HOEILAART
PALISSADEPAD
ZONIENBOS
SNEPPENDREEF
PREUMONTPAD
KETELDELLEWEG

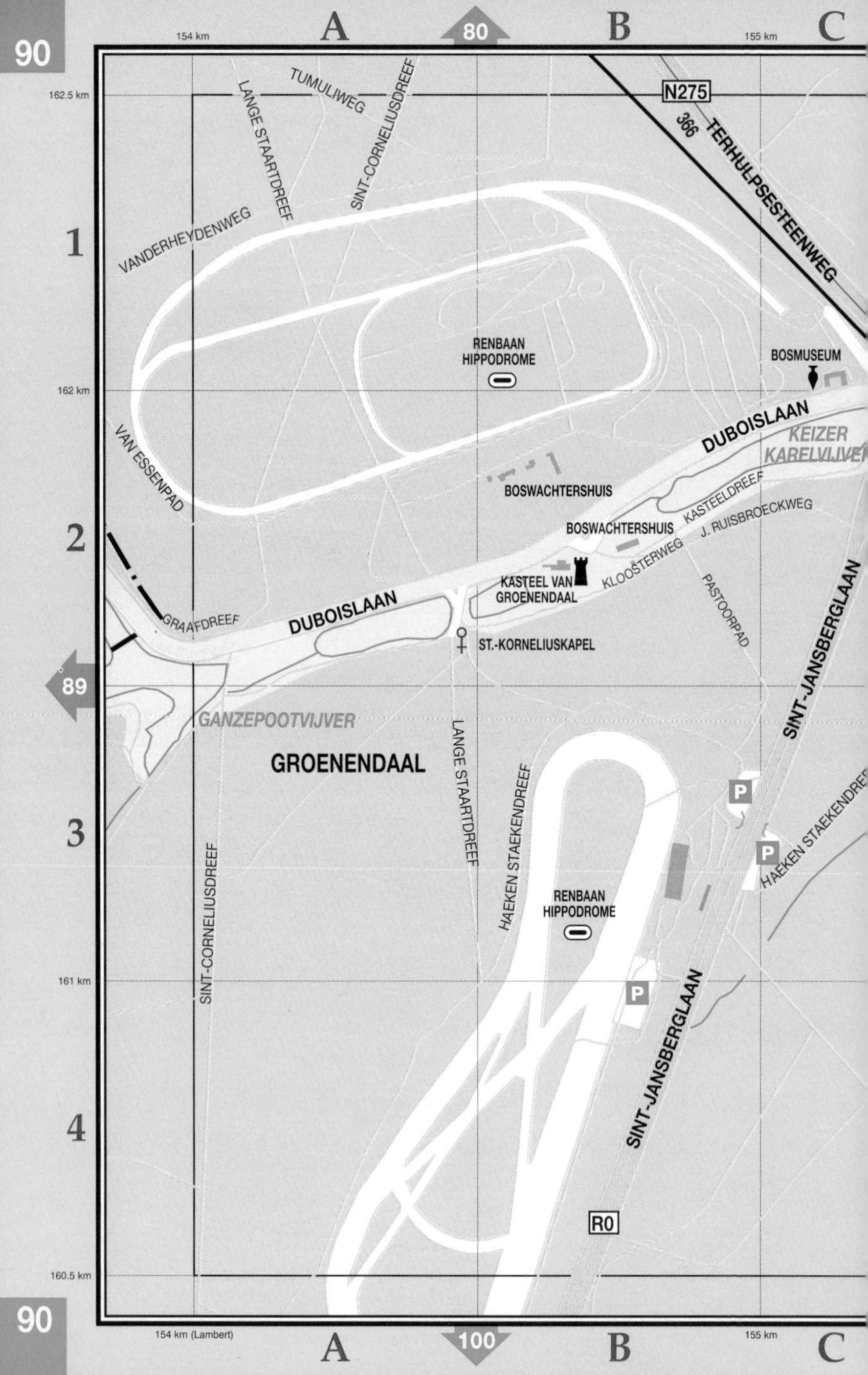

A
80
B
C
154 km
155 km
162.5 km
162 km
161 km
160.5 km
1
2
3
4
N275
366
TERHULPSESTEENWEG
TUMULIWEG
LANGE STAARTDREEF
SINT-CORNELIUSDREEF
VANDERHEYDENWEG
RENBAAN
HIPPODROME
BOSMUSEUM
DUBOISLAAN
KEIZER
KARELVIJVER
VAN ESSENPAD
BOSWACHTERSHUIS
KASTEELDREEF
J. RUISBROECKWEG
BOSWACHTERSHUIS
KLOOSTERWEG
PASTOORPAD
KASTEEL VAN
GROENENDAAL
GRAAFDREEF
DUBOISLAAN
ST.-KORNELIUSKAPEL
89
GANZEPOOTVIJVER
GROENENDAAL
SINT-JANSBERGLAAN
LANGE STAARTDREEF
HAEKEN STAEKENDREEF
P
HAEKEN STAEKENDREEF
SINT-CORNELIUSDREEF
RENBAAN
HIPPODROME
P
SINT-JANSBERGLAAN
R0
154 km (Lambert)
155 km
100
A
B
C

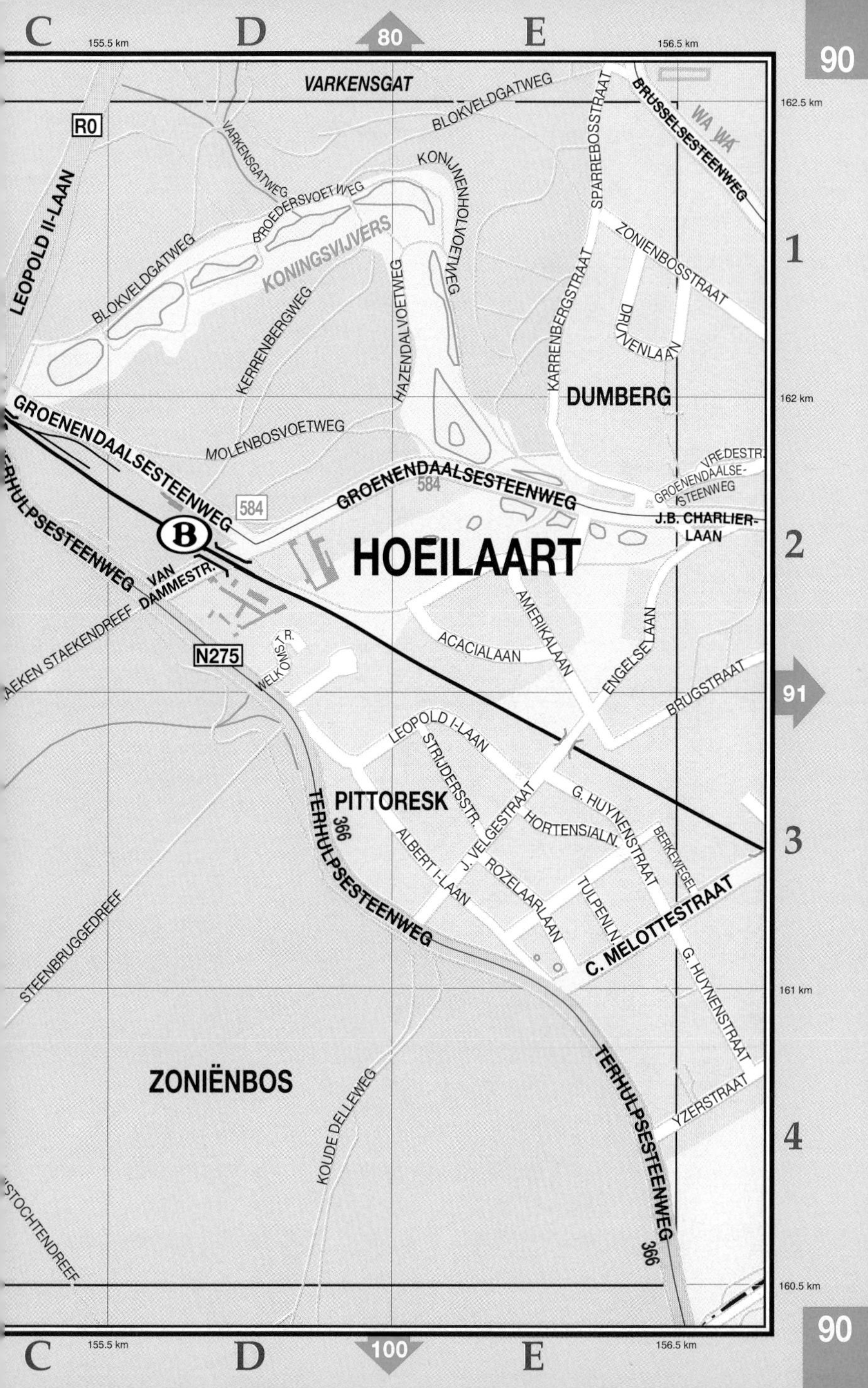
C
D
E
80
155.5 km
156.5 km
162.5 km
162 km
161 km
160.5 km
1
2
3
4
91
100
VARKENSGAT
R0
LEOPOLD II-LAAN
VARKENSGATWEG
BLOKVELDGATWEG
BRUSSELSESTEENWEG
WA WA
SPARREBOSSTRAAT
KONIJNENHOLVOETWEG
BROEDERSVOETWEG
KONINGSVIJVERS
ZONIENBOSSTRAAT
KARRENBERGSTRAAT
DRUIVENLAAN
HAZENDALVOETWEG
KERRENBERGWEG
DUMBERG
GROENENDAALSESTEENWEG
MOLENBOSVOETWEG
584
VREDESTR.
GROENENDAALSE-STEENWEG
J.B. CHARLIER-LAAN
TERHULPSESTEENWEG
VAN DAMMESTR.
HOEILAART
AMERIKALAAN
ACACIALAAN
ENGELSELAAN
BRUGSTRAAT
N275
WELKOMST R.
LEOPOLD I-LAAN
STRIJDERSSTR.
PITTORESK
366
G. HUYNENSTRAAT
HORTENSIALN.
J. VELGESTRAAT
BERKEWEGEL
ALBERT I-LAAN
ROZELAARLAAN
TULPENLN.
C. MELOTTESTRAAT
STEENBRUGGEDREEF
ZONIËNBOS
KOUDE DELLEWEG
YZERSTRAAT

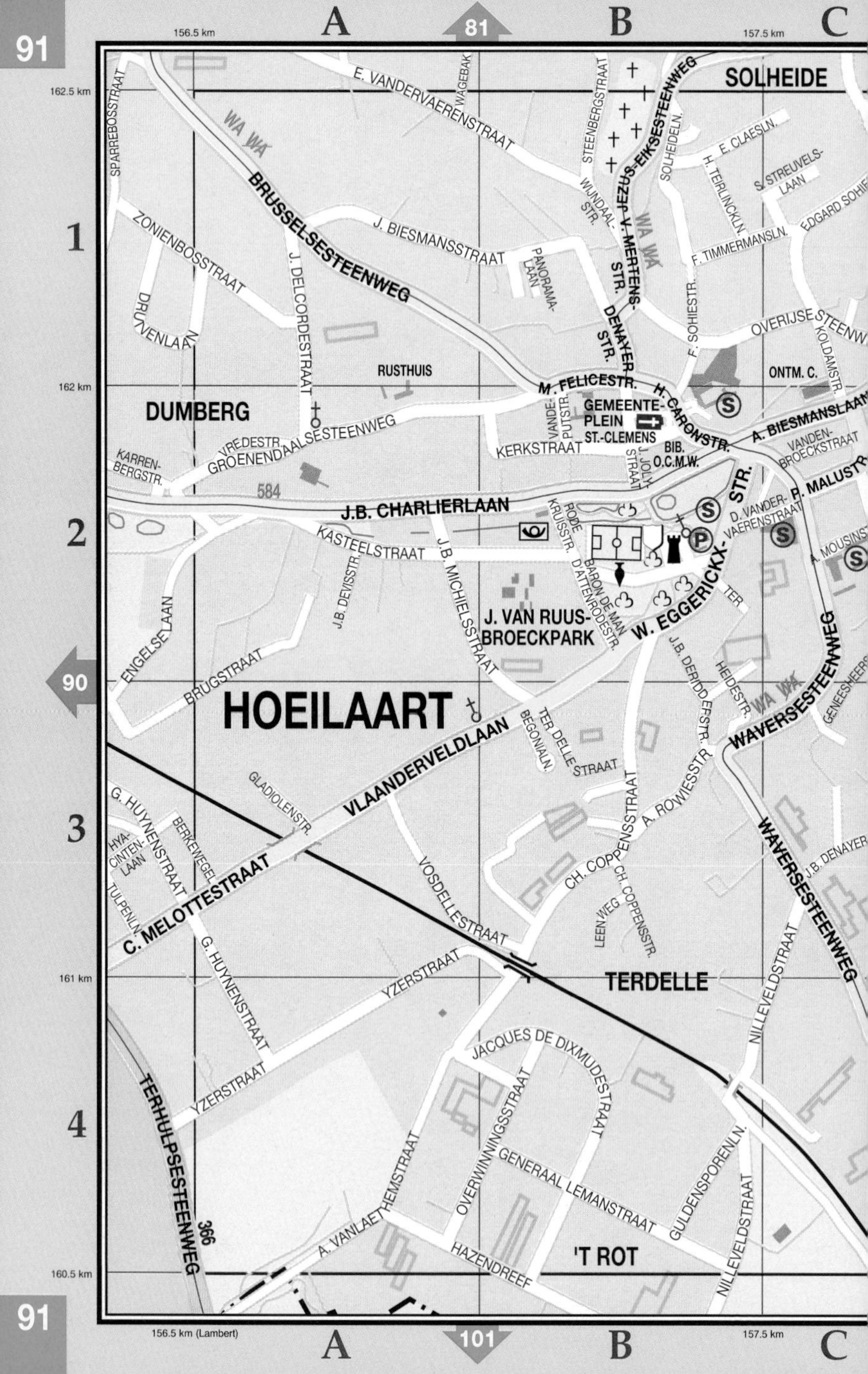
A
B
C
81
101
90
156.5 km
157.5 km
162.5 km
162 km
161 km
160.5 km
156.5 km (Lambert)
1
2
3
4
SOLHEIDE
DUMBERG
HOEILAART
TERDELLE
'T ROT
E. VANDERVAERENSTRAAT
WAGEBAK
SPARREBOSSTRAAT
BRUSSELSESTEENWEG
ZONIENBOSSTRAAT
DRUIVENLAAN
J. DELCORDESTRAAT
J. BIESMANSSTRAAT
PANORAMA-LAAN
STEENBERGSTRAAT
WIJNDAAL-STR.
JEZUS-EIKSESTEENWEG
J. V. MERTENS-STR.
DENAYER-STR.
SOLHEIDELN.
E. CLAESLN.
H. TEIRLINCKLN.
S. STREUVELS-LAAN
EDGARD SOHIE
F. TIMMERMANSLN.
F. SOHIESTR.
OVERIJSESTEENW.
KOLDAMSTR.
ONTM. C.
RUSTHUIS
M. FELICESTR.
H. CARONSTR.
GEMEENTE-PLEIN
ST.-CLEMENS
VANDE-PUTSTR.
KERKSTRAAT
J. JOLY-STRAAT
BIB.
O.C.M.W.
A. BIESMANSLAAN
VANDEN-BROECKSTRAAT
P. MALUSTR.
VREDESTR.
GROENENDAALSESTEENWEG
KARREN-BERGSTR.
584
J.B. CHARLIERLAAN
RODE KRUISSTR.
STR.
D. VANDER-VAERENSTRAAT
KASTEELSTRAAT
J.B. MICHIELSSTRAAT
J.B. DEVISSTR.
BARON DE MAN D'ATTENRODESTR.
A. MOUSINST
W. EGGERICKX-
TER
J. VAN RUUS-BROECKPARK
ENGELSELAAN
BRUGSTRAAT
J.B. DERIDDERSTR.
HEIDESTR.
WAVERSESTEENWEG
GENEESHEERS
TER DELLESTRAAT
BEGONIALN.
VLAANDERVELDLAAN
A. ROWIESSTR.
GLADIOLENSTR.
G. HUYNENSTRAAT
HYA-CINTEN-LAAN
BERKEWEGEL
TULPENLN.
C. MELOTTESTRAAT
VOSDELLESTRAAT
CH. COPPENSSTRAAT
CH. COPPENSSTR.
LEEN WEG
J.B. DENAYER
NILLEVELDSTRAAT
YZERSTRAAT
JACQUES DE DIXMUDESTRAAT
TERHULPSESTEENWEG
366
OVERWINNINGSSTRAAT
GENERAAL LEMANSTRAAT
GULDENSPORENLN.
A. VANLAETHEMSTRAAT
HAZENDREEF
WA WA

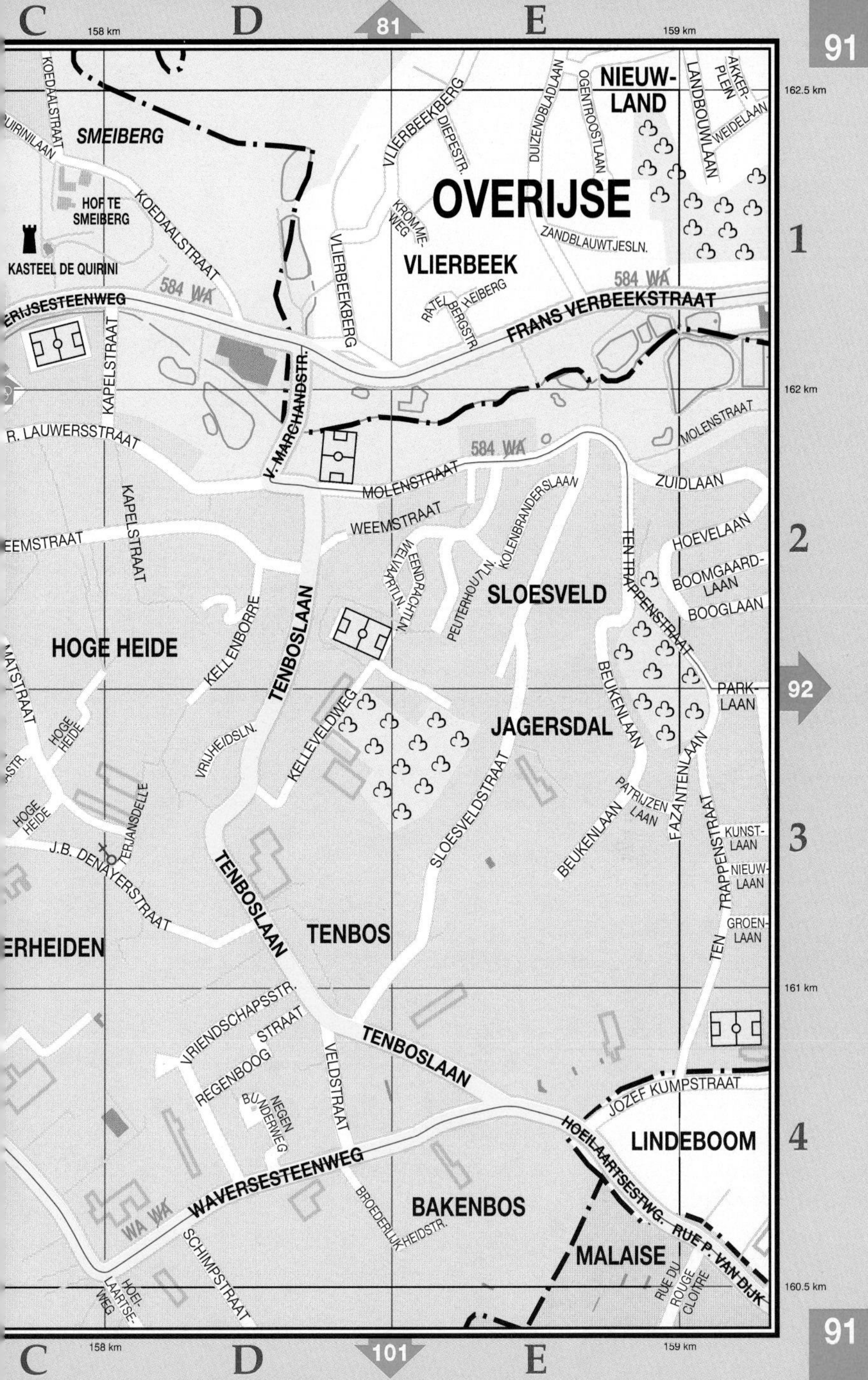
C
D
E
158 km
159 km
81
162.5 km
162 km
161 km
160.5 km
1
2
3
4
92
101
KOEDAALSTRAAT
QUIRINILAAN
SMEIBERG
HOF TE SMEIBERG
KASTEEL DE QUIRINI
KOEDAALSTRAAT
584 WA
ERIJSESTEENWEG
KAPELSTRAAT
V. MARCHANDSTR.
VLIERBEEKBERG
DIEPESTR.
KROMME-WEG
VLIERBEEKBERG
OVERIJSE
VLIERBEEK
RATEL
BERGSTR.
HEIBERG
DUIZENDBLADLAAN
OGENTROOSTLAAN
NIEUW-LAND
LANDBOUWLAAN
AKKER-PLEIN
WEIDELAAN
ZANDBLAUWTJESLN.
584 WA
FRANS VERBEEKSTRAAT
R. LAUWERSSTRAAT
584 WA
MOLENSTRAAT
MOLENSTRAAT
ZUIDLAAN
WEEMSTRAAT
EEMSTRAAT
KAPELSTRAAT
WELVAARTLN.
WEENDRACHTLN.
PEUTERHOUTLN.
KOLENBRANDERSLAAN
SLOESVELD
TEN TRAPPENSTRAAT
HOEVELAAN
BOOMGAARD-LAAN
BOOGLAAN
HOGE HEIDE
KELLENBORRE
TENBOSLAAN
MATSTRAAT
HOGE HEIDE
KELLEVELDWEG
JAGERSDAL
BEUKENLAAN
PARK-LAAN
VRIJHEIDSLN.
SLOESVELDSTRAAT
PATRIJZEN LAAN
FAZANTENLAAN
BEUKENLAAN
KUNST-LAAN
NIEUW-LAAN
GROEN-LAAN
TEN TRAPPENSTRAAT
HOGE HEIDE
TERJANSDELLE
J.B. DENAYERSTRAAT
TENBOSLAAN
TENBOS
ERHEIDEN
VRIENDSCHAPSSTR.
STRAAT
REGENBOOG
BUNDER
NEGEN BUNDERWEG
VELDSTRAAT
TENBOSLAAN
JOZEF KUMPSTRAAT
LINDEBOOM
HOEILAARTSESTWG.
WAVERSESTEENWEG
WA WA
BAKENBOS
BROEDERLIJK
HEIDSTR.
RUE P. VAN DIJK
MALAISE
RUE DU ROUGE CLOITRE
SCHIMPSTRAAT
HOEILAARTSE-WEG
C
D
E
158 km
159 km

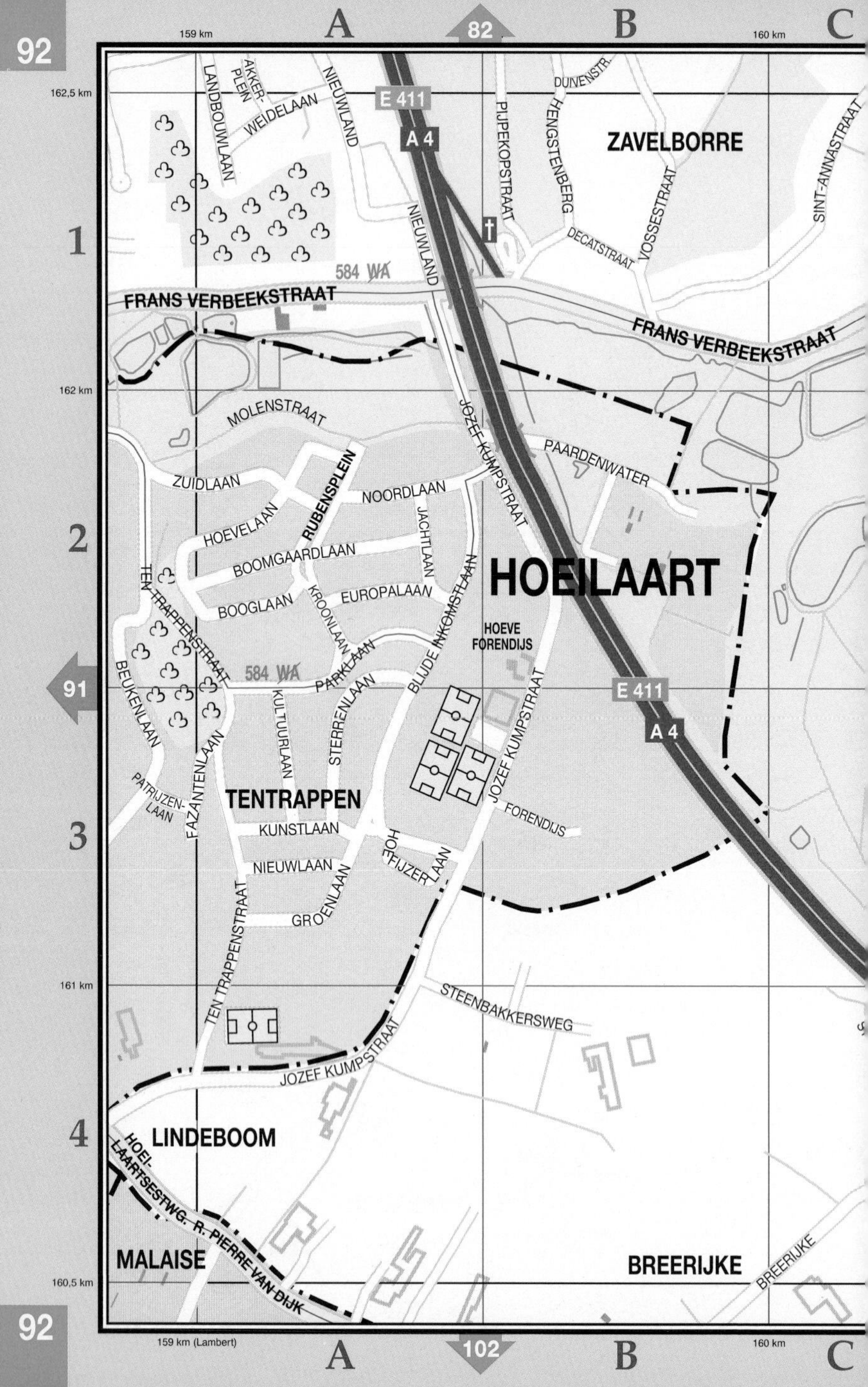
A
B
C
1
2
3
4
82
102
91
159 km
160 km
159 km (Lambert)
162,5 km
162 km
161 km
160,5 km
E 411
A 4
ZAVELBORRE
HOEILAART
TENTRAPPEN
LINDEBOOM
MALAISE
BREERIJKE
FRANS VERBEEKSTRAAT
584 WA
LANDBOUWLAAN
AKKER-PLEIN
WEIDELAAN
NIEUWLAND
PIJPEKOPSTRAAT
DUIVENSTR.
HENGSTENBERG
DECATSTRAAT
VOSSESTRAAT
SINT-ANNASTRAAT
MOLENSTRAAT
JOZEF KUMPSTRAAT
PAARDENWATER
ZUIDLAAN
NOORDLAAN
RUBENSPLEIN
HOEVELAAN
BOOMGAARDLAAN
JACHTLAAN
EUROPALAAN
BOOGLAAN
KROONLAAN
TEN TRAPPENSTRAAT
BLIJDE INKOMSTLAAN
HOEVE FORENDIJS
PARKLAAN
BEUKENLAAN
KULTUURLAAN
STERRENLAAN
FAZANTENLAAN
PATRIJZEN-LAAN
FORENDIJS
KUNSTLAAN
NIEUWLAAN
HOEFIJZERLAAN
GROENLAAN
STEENBAKKERSWEG
HOEL-LAARTSESTWG.
R. PIERRE VAN DIJK

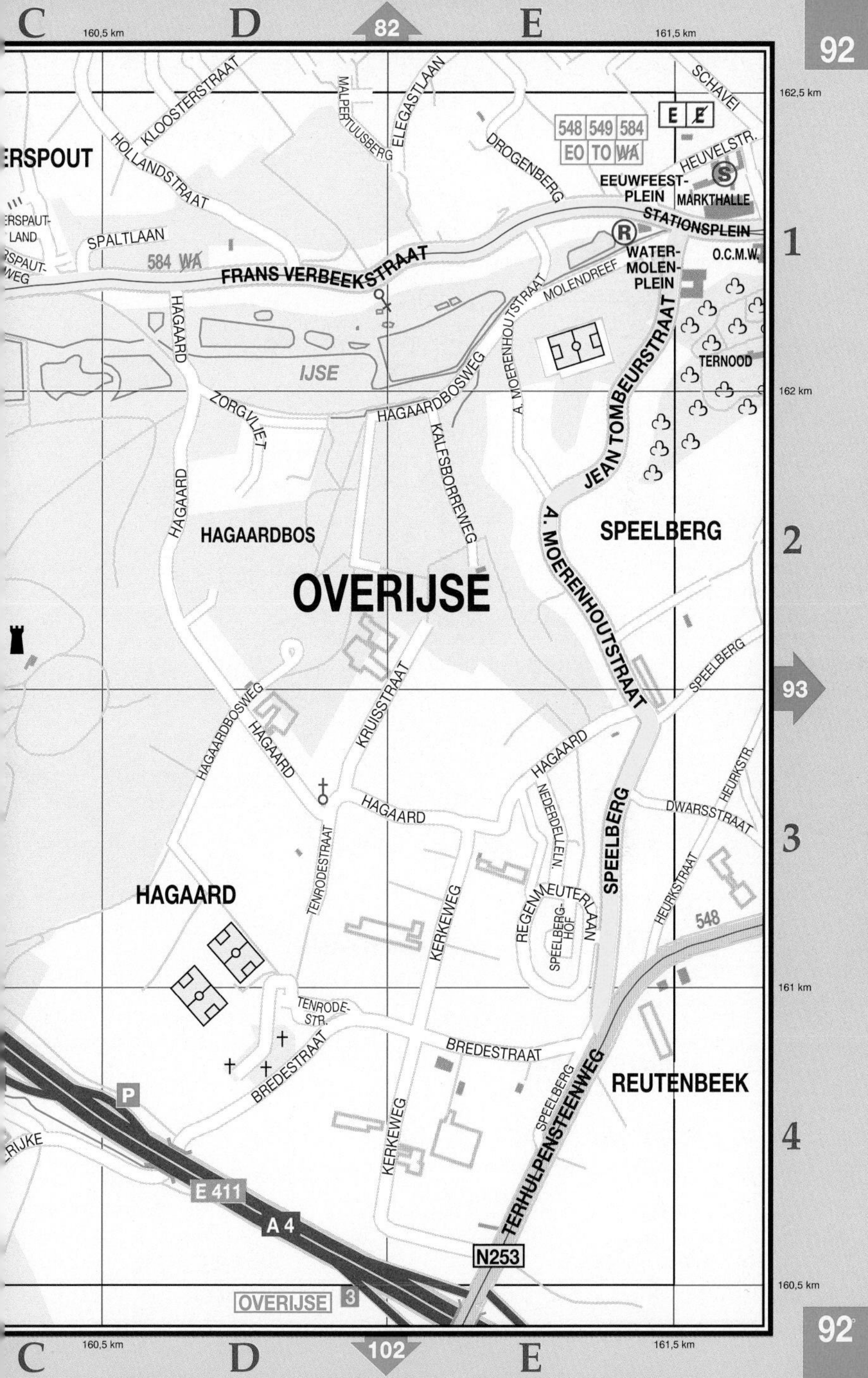
C
D
E
82
160,5 km
161,5 km
162,5 km
ERSPOUT
KLOOSTERSTRAAT
HOLLANDSTRAAT
MALPERTUUSBERG
ELEGASTLAAN
DROGENBERG
SCHAVEI
HEUVELSTR.
EEUWFEEST-PLEIN
MARKTHALLE
STATIONSPLEIN
SPALTLAAN
584 WA
548 549 584
EO TO WA
FRANS VERBEEKSTRAAT
MOLENDREEF
WATER-MOLEN-PLEIN
O.C.M.W.
1
HAGAARD
IJSE
A. MOERENHOUTSTRAAT
JEAN TOMBEURSTRAAT
TERNOOD
162 km
ZORGVLIET
HAGAARDBOSWEG
KALFSBORREWEG
HAGAARDBOS
SPEELBERG
2
OVERIJSE
A. MOERENHOUTSTRAAT
SPEELBERG
93
KRUISSTRAAT
HAGAARDBOSWEG
HAGAARD
NEDERDELLEIN.
HEURKSTR.
DWARSSTRAAT
3
TENRODESTRAAT
HAGAARD
REGENMEUTERLAAN
SPEELBERG-HOF
HEURKSTRAAT
548
KERKEWEG
161 km
TENRODE-STR.
BREDESTRAAT
BREDESTRAAT
REUTENBEEK
P
SPEELBERG
TERHULPENSTEENWEG
4
KERKEWEG
E 411
A 4
N253
160,5 km
OVERIJSE 3
102

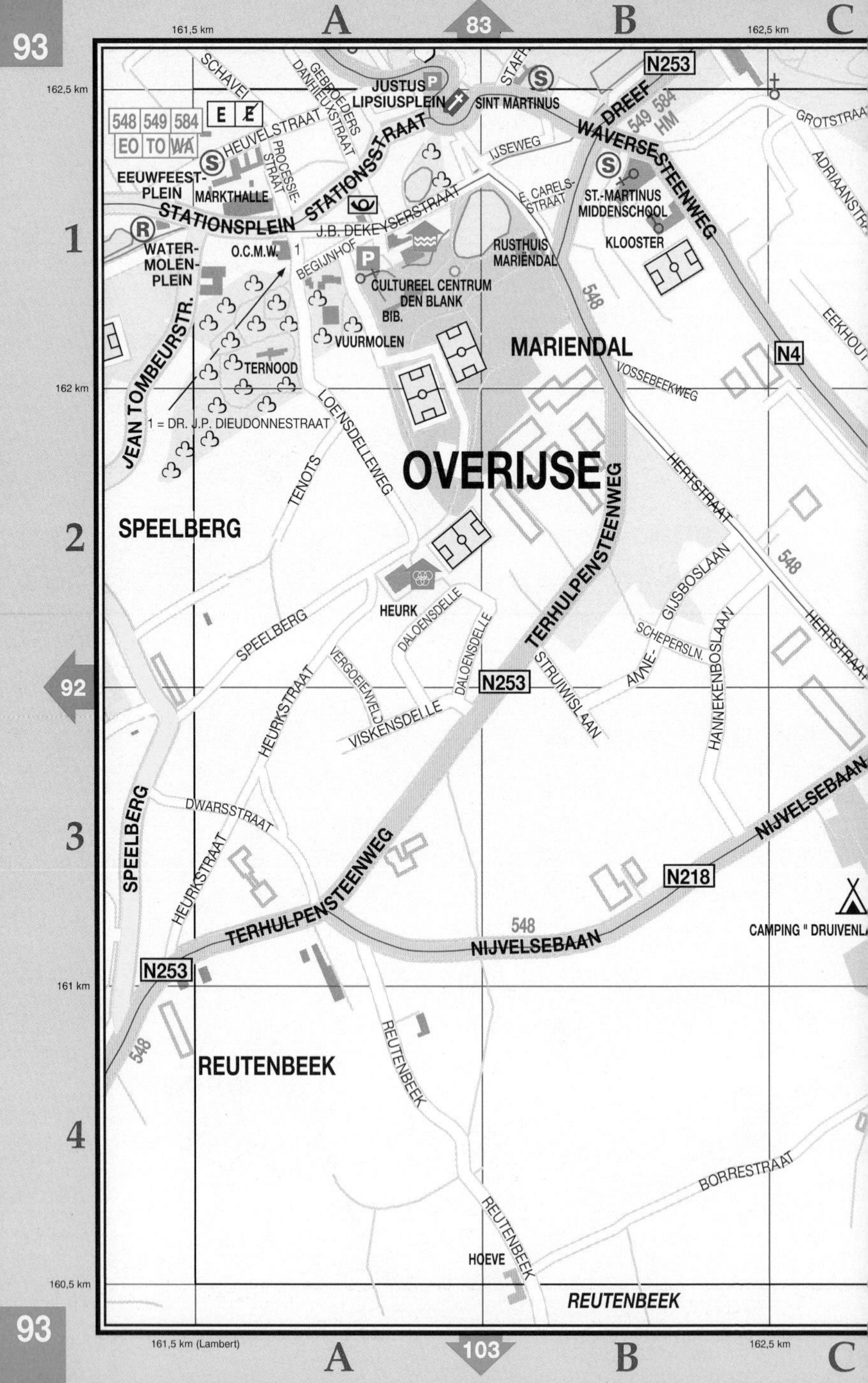

A
B
C
83
161,5 km
162,5 km
162 km
161 km
160,5 km
1
2
3
4
92
OVERIJSE
SPEELBERG
MARIENDAL
REUTENBEEK
JUSTUS LIPSIUSPLEIN
SINT MARTINUS
STATIONSSTRAAT
STATIONSPLEIN
EEUWFEEST-PLEIN
MARKTHALLE
WATER-MOLEN-PLEIN
O.C.M.W.
TERNOOD
VUURMOLEN
CULTUREEL CENTRUM DEN BLANK
BIB.
RUSTHUIS MARIËNDAL
ST.-MARTINUS MIDDENSCHOOL
KLOOSTER
HEURK
HOEVE
CAMPING " DRUIVENL
1 = DR. J.P. DIEUDONNESTRAAT
JEAN TOMBEURSTR.
HEUVELSTRAAT
PROCESSIESTRAAT
GEBROEDERS DANHIEUXSTRAAT
SCHAVEI
J.B. DEKEYSERSTRAAT
BEGIJNHOF
IJSEWEG
E. CARELSSTRAAT
DREEF
WAVERSESTEENWEG
GROTSTRAAT
ADRIAANSTR
EEKHOUT
VOSSEBEEKWEG
HERTSTRAAT
LOENSDELLEWEG
TENOTS
TERHULPENSTEENWEG
SPEELBERG
HEURKSTRAAT
VERGOEIENWEL
VISKENSDELLE
DALOENSDELLE
STRUIWISLAAN
SCHEPERSLN.
ANNE-GIJSBOSLAAN
HANNEKENBOSLAAN
NIJVELSEBAAN
DWARSSTRAAT
REUTENBEEK
BORRESTRAAT
N253
N4
N218
548
549
584
HM
EO
TO
WA
161,5 km (Lambert)
103

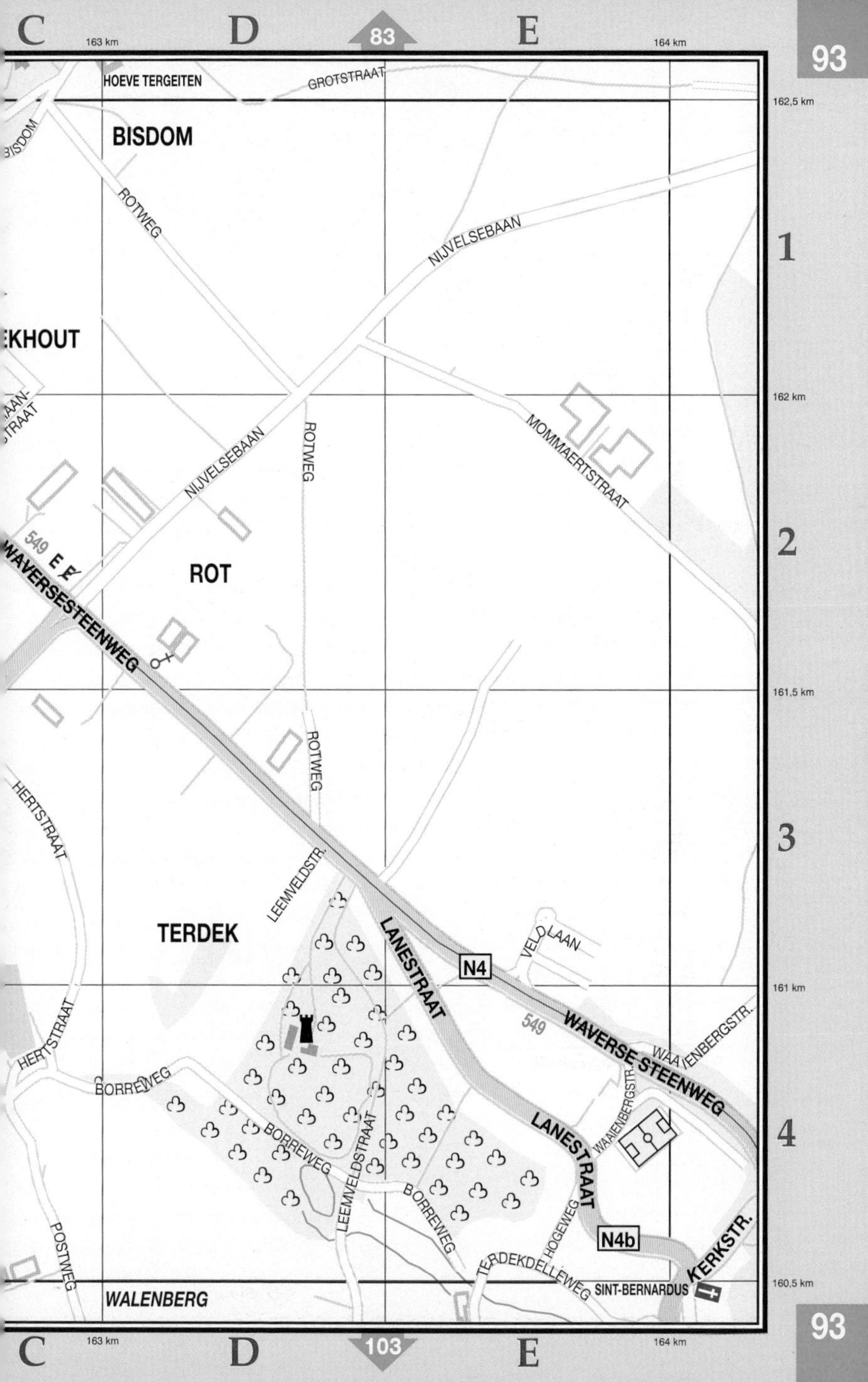
C
D
E
163 km
164 km
83
103
162,5 km
162 km
161,5 km
161 km
160,5 km
1
2
3
4
HOEVE TERGEITEN
GROTSTRAAT
BISDOM
BISDOM
ROTWEG
NIJVELSEBAAN
KHOUT
MOMMAERTSTRAAT
549
E
WAVERSESTEENWEG
ROT
HERTSTRAAT
LEEMVELDSTR.
TERDEK
LANESTRAAT
N4
VELDLAAN
WAVERSE STEENWEG
WAAIENBERGSTR.
BORREWEG
LEEMVELDSTRAAT
HOGEWEG
N4b
KERKSTR.
TERDEKDELLEWEG
SINT-BERNARDUS
POSTWEG
WALENBERG

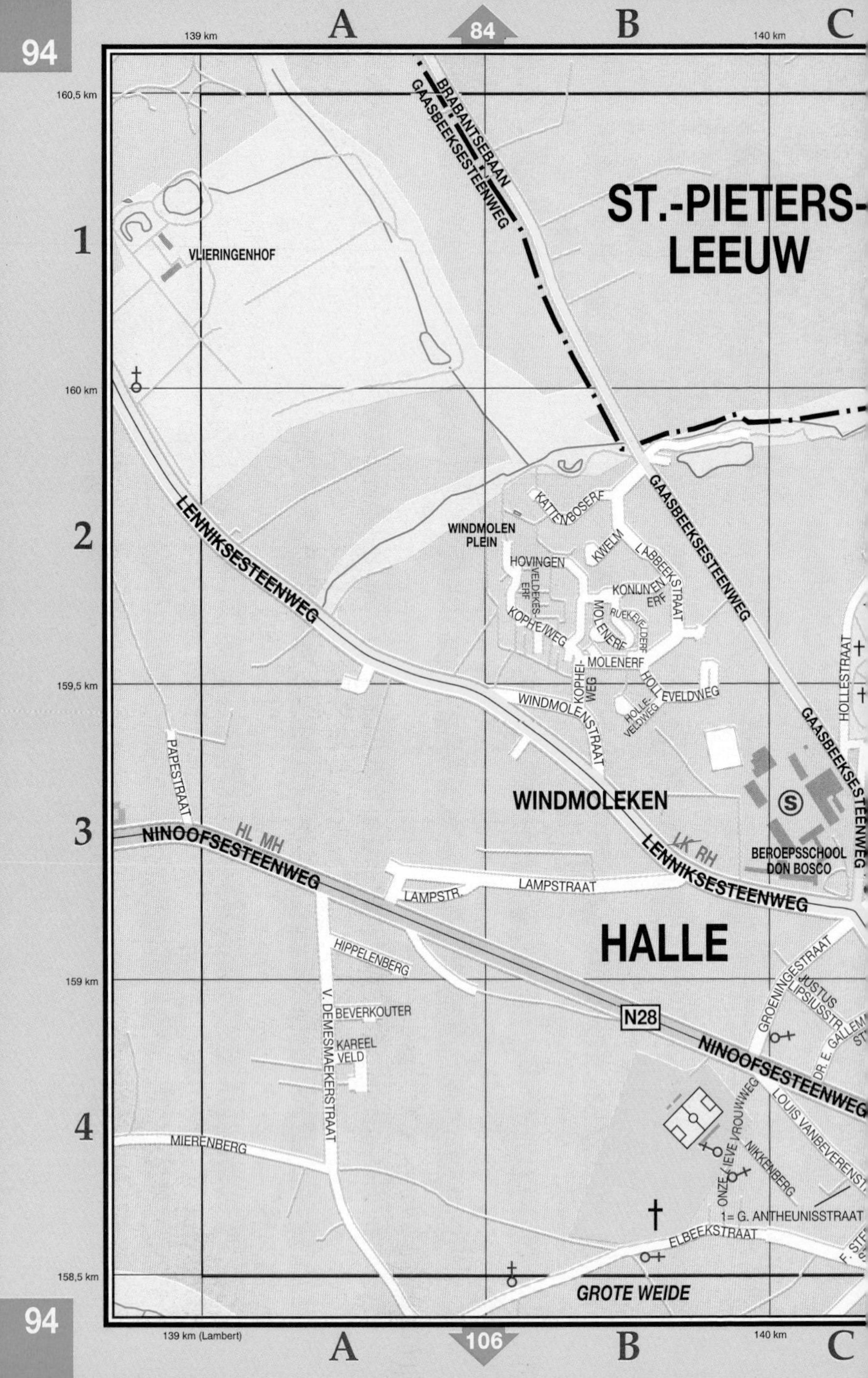
A
84
B
C
139 km
140 km
160,5 km
160 km
159,5 km
159 km
158,5 km
1
2
3
4
BRABANTSEBAAN
GAASBEEKSESTEENWEG
ST.-PIETERS-
LEEUW
VLIERINGENHOF
LENNIKSESTEENWEG
WINDMOLEN
PLEIN
KATTENBOSERF
KWELM
LABBEEKSTRAAT
GAASBEEKSESTEENWEG
HOVINGEN
VELDEKES-
ERF
KONIJNEN
ERF
MOLENERF
RUEKEVELDERF
KOPHEIWEG
MOLENERF
HOLLEVELDWEG
KOPHEI-
WEG
WINDMOLENSTRAAT
HOLLE-
VELDWEG
HOLLESTRAAT
PAPESTRAAT
WINDMOLEKEN
BEROEPSSCHOOL
DON BOSCO
NINOOFSESTEENWEG
HL MH
LK RH
LAMPSTRAAT
LAMPSTR.
HALLE
HIPPELENBERG
GROENINGESTRAAT
JUSTUS
LIPSIUSSTR.
N28
V. DEMESMAEKERSTRAAT
BEVERKOUTER
KAREEL
VELD
NINOOFSESTEENWEG
DR. E. GALLEM
ONZE LIEVE VROUWWEG
LOUIS VANBEVERENST
NIKKENBERG
MIERENBERG
1= G. ANTHEUNISSTRAAT
ELBEEKSTRAAT
GROTE WEIDE
139 km (Lambert)
106
140 km

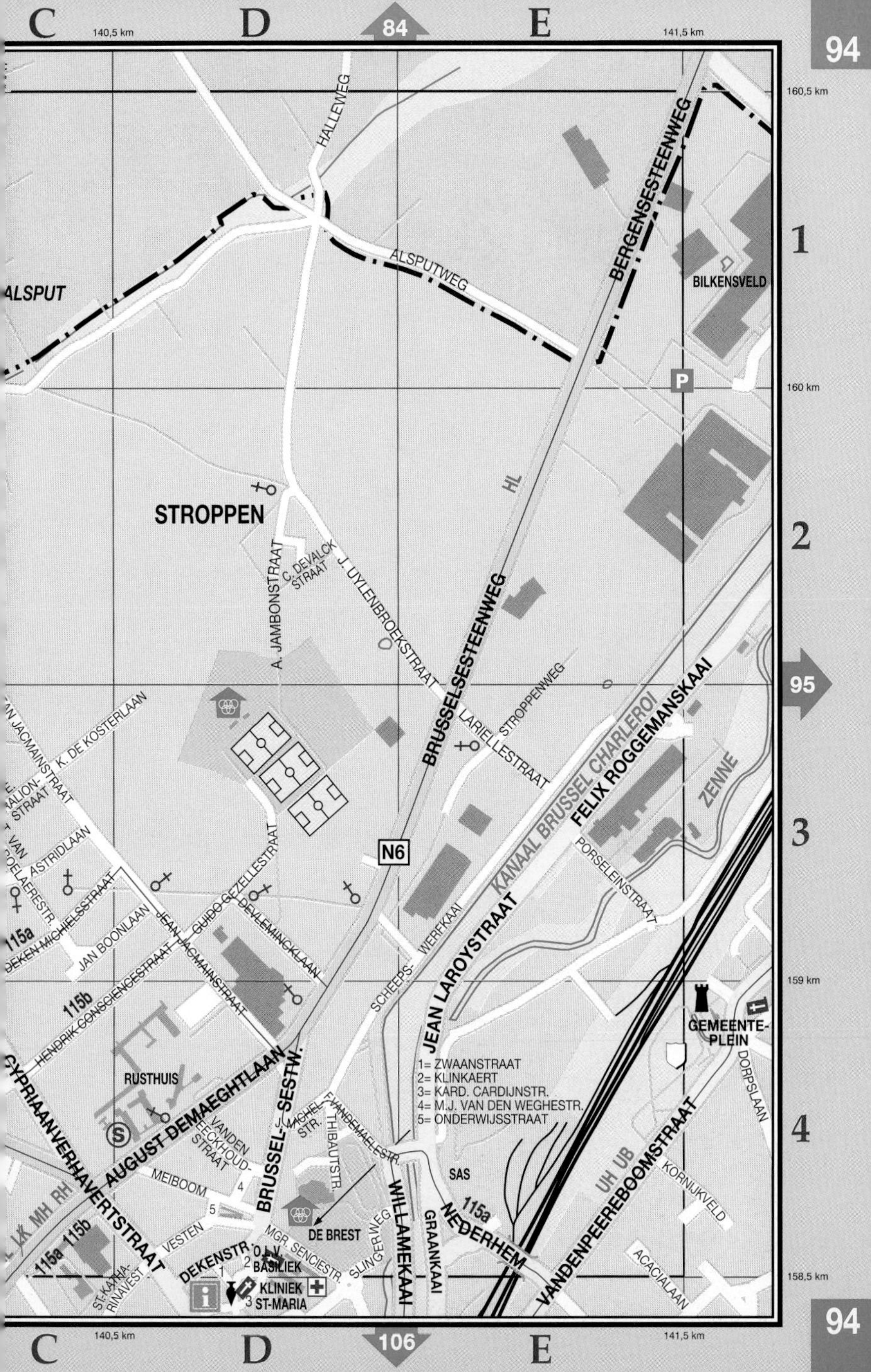
C
D
E
140,5 km
84
141,5 km
160,5 km
HALLEWEG
BERGENSESTEENWEG
ALSPUT
ALSPUTWEG
BILKENSVELD
1
P
160 km
HL
STROPPEN
2
A. JAMBONSTRAAT
C. DEVALCK STRAAT
J. UYLENBROEKSTRAAT
BRUSSELSESTEENWEG
STROPPENWEG
LARIELLESTRAAT
95
FELIX ROGGEMANSKAAI
KANAAL BRUSSEL CHARLEROI
ZENNE
K. DE KOSTERLAAN
JAN JACMAINSTRAAT
ASTRIDLAAN
N6
3
PORSELEINSTRAAT
GUIDO GEZELLESTRAAT
DEVLEMINCKLAAN
JAN BOONLAAN
JEAN JACMAINSTRAAT
DEKEN MICHIELSSTRAAT
115a
115b
HENDRIK CONSCIENCESTRAAT
SCHEEPS-WERFKAAI
JEAN LAROYSTRAAT
159 km
GEMEENTE-PLEIN
RUSTHUIS
AUGUST DEMAEGHTLAAN
BRUSSEL-SESTW.
CYPRIAAN VERHAVERTSTRAAT
1= ZWAANSTRAAT
2= KLINKAERT
3= KARD. CARDIJNSTR.
4= M.J. VAN DEN WEGHESTR.
5= ONDERWIJSSTRAAT
DORPSLAAN
4
VANDEN EECKHOUD-STRAAT
J. MICHEL STR.
THIBAUTSTR.
E. VANDEMAELESTR.
SAS
MEIBOOM
WILLAMEKAAI
GRAANKAAI
NEDERHEM
115a
DE BREST
SLINGERWEG
MGR. SENCIESTR.
VESTEN
DEKENSTR.
O.L.V. BASILIEK
KLINIEK ST-MARIA
ST-KATHARINAVEST
UH UB
VANDENPEEREBOOMSTRAAT
KORNIJKVELD
ACACIALAAN
158,5 km
140,5 km
141,5 km
106
C
D
E

A
B
C
85
141,5 km
142,5 km
160,5 km
160 km
159 km
158,5 km
1
2
3
4
94
N6
BERGENSESTEENWEG
ALSEMBERGSESTEENWEG
T. SWALUSSTR.
HL
BILKENSVELD
BILKENSVELD
HEIDEVELD
INDUSTRIEZONE ZENNEVELD
1= J. VAN LAETSTRAAT
VAN HAMSTRAAT
VAUCAMPSLAAN
SINNE-BLOK
PALLIETERVELDE-STRAAT
GUIDO GEZELLESTR.
BEERSELSE STRAAT
ALSEMBERGSESTEENWEG
KANAAL BRUSSEL CHARLEROI
ZENNE
F. ROGGEMANSKAAI
OCTAAF DE KERCKHOVE D'EXAERDESTRAAT
EIZINGEN
1= H. NIHOULLAAN
SCHOOLGAT-WEG
V. MERTENSSTRAAT
BIEZEPUT
TUINWIJK
UH UB
EIZINGENDORP
NARCISSEN
ROZENLAAN
HOOGVELD
KORTE STRAAT
ZONNELAAN
BIEZEPUT
GROENSTRAAT
BEGONIALAAN
STEENBORRE
J. LIEKENSSTR.
DELLEPUT
SUM
E. DEROOVERLAAN
L. GODEAUSTRAAT
ZENNE-WEG
O. DE KERCKHOVE D'EXAERDESTRAAT
BUIZINGEN
HALLE
KERKSTR.
J. DEGELAENSTRAAT
GEMEENTE-PLEIN
VANDENPEEREBOOM-STRAAT
GROENSTRAAT
H. DEVEDELEERSTR.
KLUISBOS
GEYNSTBOS
UH UB
DORPSLAAN
NACHTEGAALSTRAAT
KLEUTERSBAAN
VINKENLAAN
ST.-JOZEFLN.
KORNIJKVELD
ACACIALAAN
FLORALAAN
KLUISBOS
SANATORIUM
141,5 km (Lambert)
107

C
D
E
143 km
144 km
85
160,5 km
160 km
159 km
158,5 km
1
2
3
4
96
107
NEERDORP
GUIDO GEZELLESTRAAT
THERESIASTRAAT
WATERMOLEN-
STRAAT
THERESIA
WIJK
SOLLENBERG
KESTERBEEKLAAN
UB
VELDWEG
RANSBERG
BOVENHEIDE
SOLLENERF
ANSBERG
SOLLENBERG
WATERMOLENSTRAAT
BEEMD
VAUCAMPSLAAN
SOLLENBEEMD
DEN BEEMD
MENISBERG
BEERSEL
HUIZINGEN
UH UB
OUDSTRIJDERSSTRAAT
SINT-JANSWEG
BATENBORG
UB
MENISBERG
TORLEYLAAN
SINT-LEONARDUSLAAN
EIKVELD
STRAAT
E. BELSACKLAAN
GOUDKASTEELLAAN
FABIOLALAAN
DEVILLERSSTRAAT
STEERT VELD
E19
A7
P
OUD DORP
KASTEEL
BEAULIEU
STEENWEG NAAR ALSEMBERG
L. DESCAMPSLAAN
GRENSWEG
REIBERG
TORLEYLAAN
PROVINCIAAL DOMEIN
LOUIZALAAN
TURCKSINSTRAAT
15
HUIZINGEN
NACHTEGAAL
DIESBEEKSTRAAT
SLEKKEWEG
ALSEMBERGSESTEENWEG
UH
PRETERSBLOK
POTAARDELAAN
DISBEEKWEG
A. BOSMANSSTR.
HALLEWEG

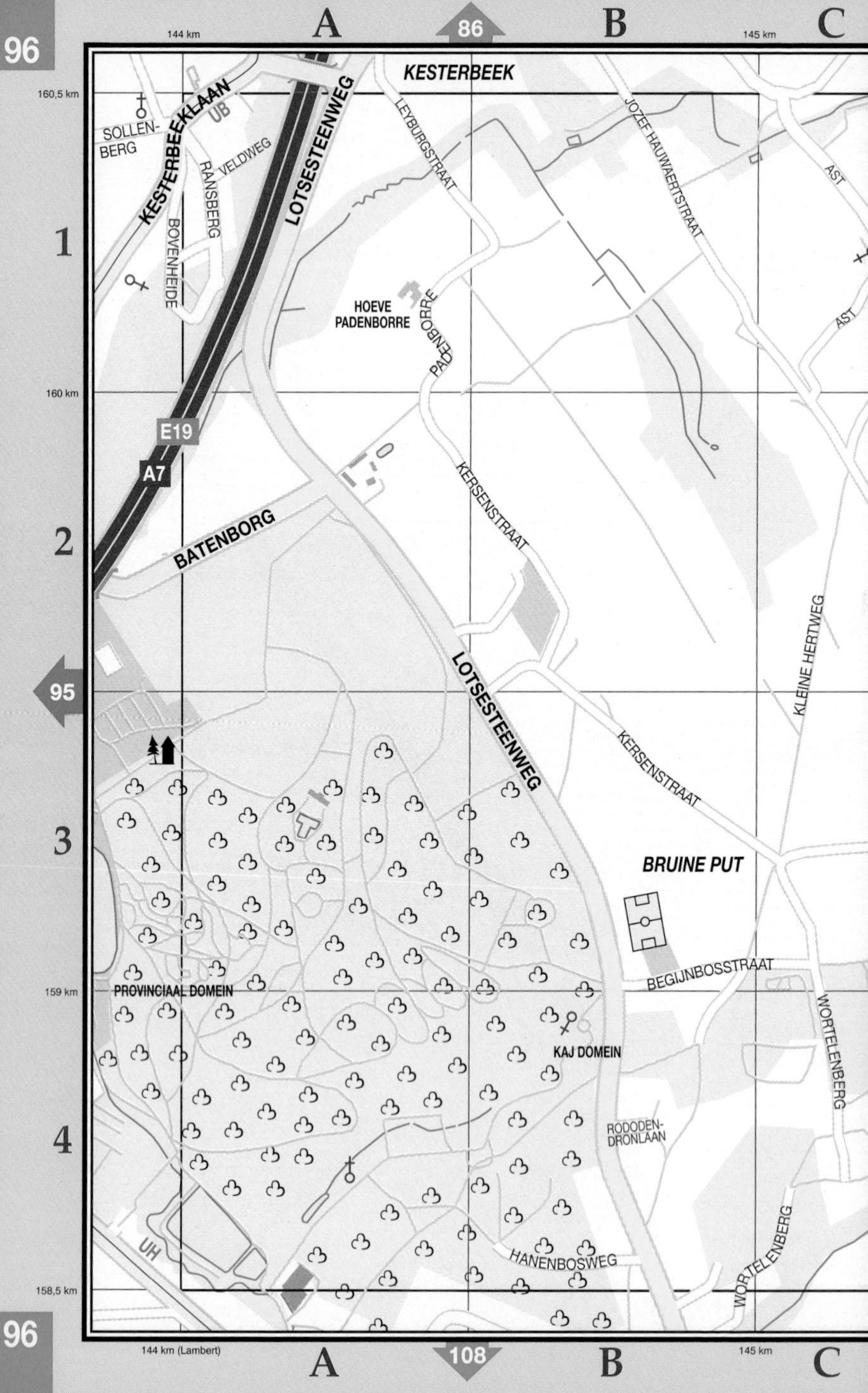
A
86
B
C
144 km
145 km
160,5 km
160 km
159 km
158,5 km
1
2
3
4
95
KESTERBEEK
KESTERBEEKLAAN
SOLLEN-
BERG
UB
VELDWEG
RANSBERG
BOVENHEIDE
LOTSESTEENWEG
LEYBURGSTRAAT
JOZEF HAUWAERTSTRAAT
AST
HOEVE
PADENBORRE
PADENBORRE
E19
A7
KERSENSTRAAT
BATENBORG
KLEINE HERTWEG
BRUINE PUT
BEGIJNBOSSTRAAT
PROVINCIAAL DOMEIN
KAJ DOMEIN
WORTELENBERG
RODODEN-
DRONLAAN
UH
HANENBOSWEG
144 km (Lambert)
108

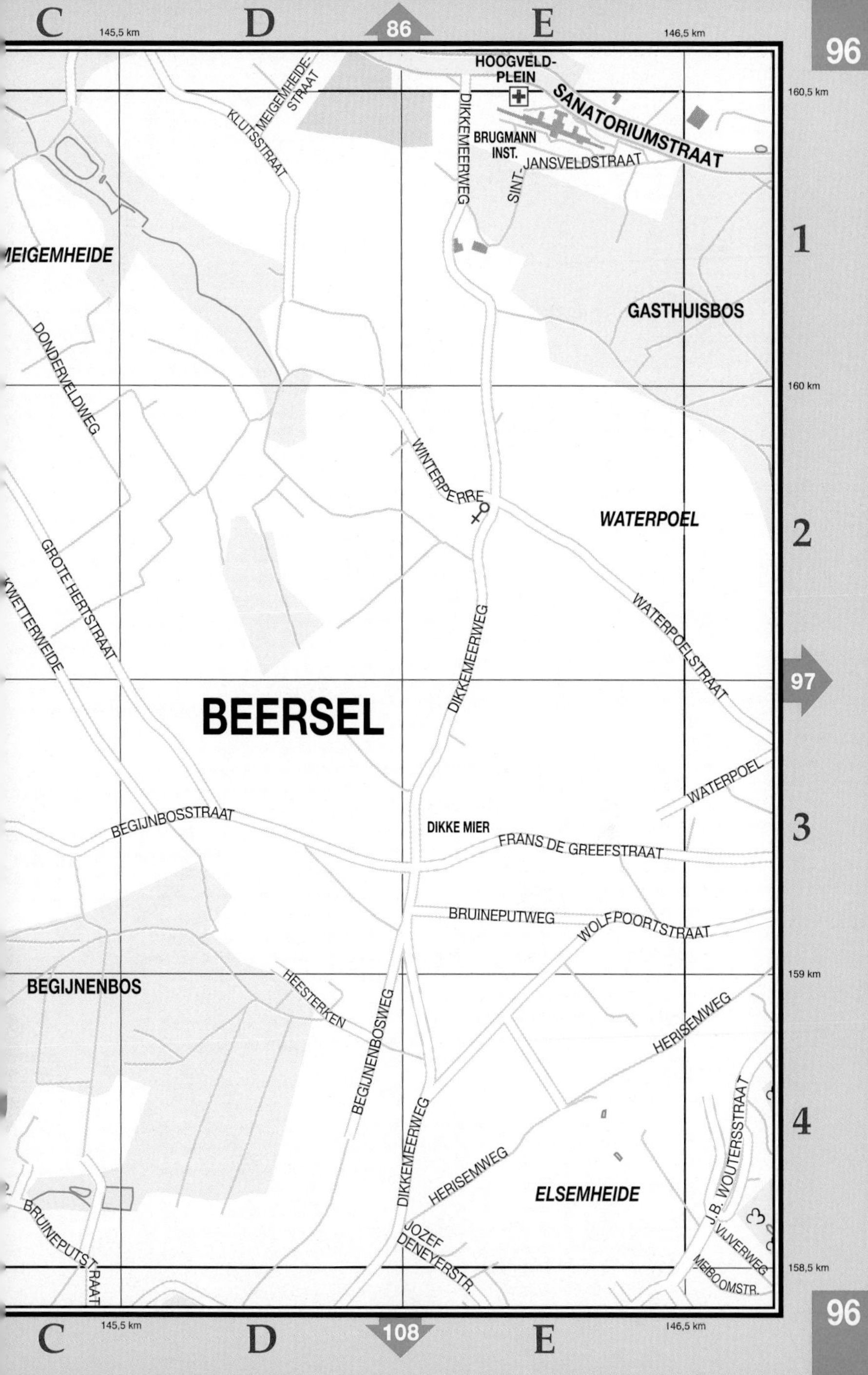

160,5 km
HOOGVELD-PLEIN
SANATORIUMSTRAAT
MEIGEMHEIDE-STRAAT
KLUTSSTRAAT
DIKKEMEERWEG
BRUGMANN INST.
SINT-JANSVELDSTRAAT
1
MEIGEMHEIDE
GASTHUISBOS
DONDERVELDWEG
160 km
WINTERPERRE
WATERPOEL
2
GROTE HERTSTRAAT
KWETTERWEIDE
DIKKEMEERWEG
WATERPOELSTRAAT
97
BEERSEL
WATERPOEL
BEGIJNBOSSTRAAT
DIKKE MIER
3
FRANS DE GREEFSTRAAT
BRUINEPUTWEG
WOLFPOORTSTRAAT
159 km
BEGIJNENBOS
HEESTERKEN
BEGIJNENBOSWEG
HERISEMWEG
J.B. WOUTERSSTRAAT
4
DIKKEMEERWEG
HERISEMWEG
ELSEMHEIDE
BRUINEPUTSTRAAT
JOZEF DENEYERSTR.
VIJVERWEG
MEIBOOMSTR.
158,5 km

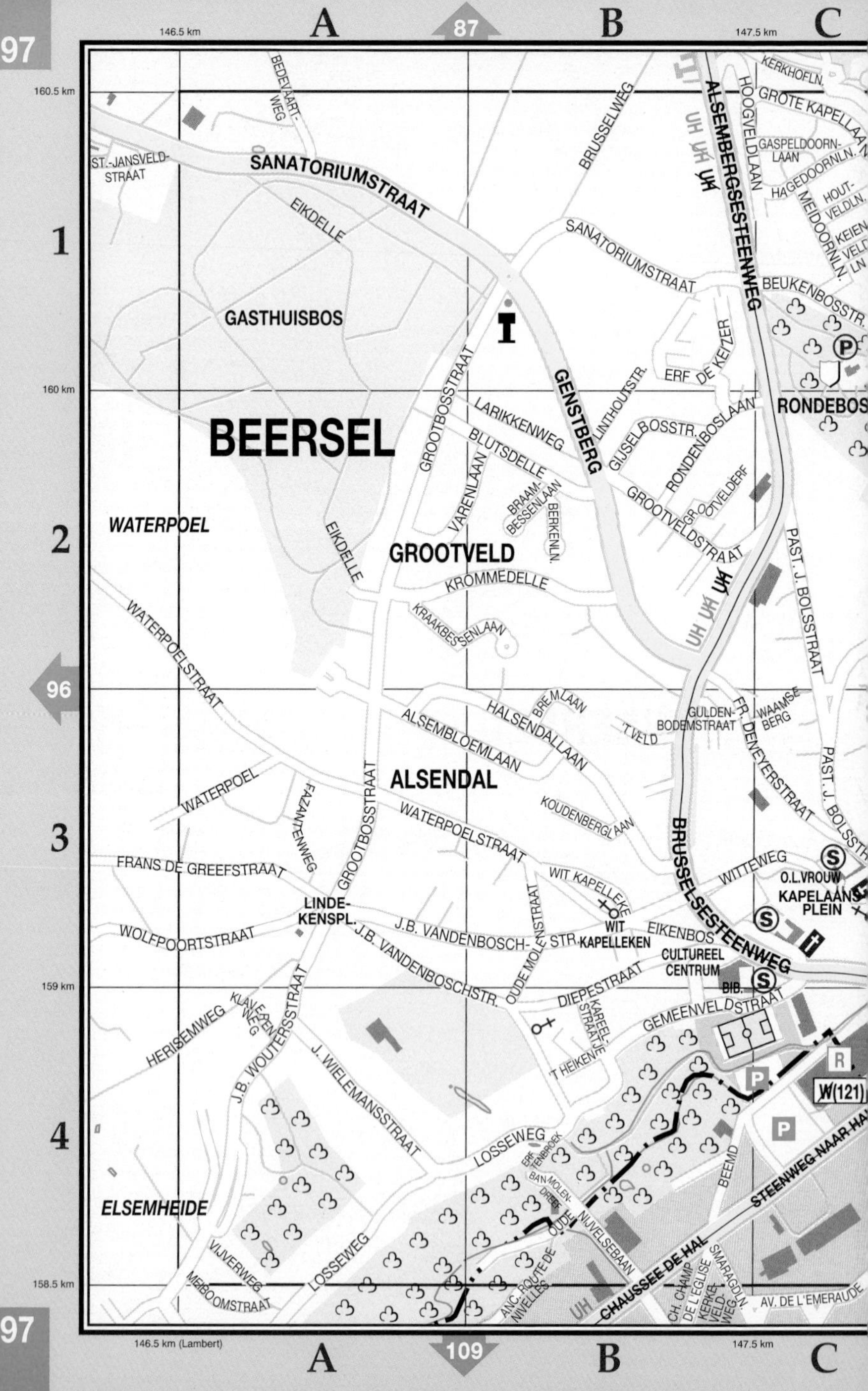
A
B
C
87
146.5 km
147.5 km
160.5 km
160 km
159 km
158.5 km
1
2
3
4
96
109
146.5 km (Lambert)
BEERSEL
GASTHUISBOS
WATERPOEL
GROOTVELD
ALSENDAL
ELSEMHEIDE
RONDEBOS
SANATORIUMSTRAAT
ALSEMBERGSESTEENWEG
BRUSSELSESTEENWEG
GENSTBERG
BRUSSELWEG
BEDEVAART-WEG
ST.-JANSVELD-STRAAT
EIKDELLE
KERKHOFLN.
GROTE KAPELLAAN
HOOGVELDLAAN
GASPELDOORN-LAAN
HAGEDOORNLN.
MEIDOORNLN.
HOUT-VELDLN.
KEIENVELD LN
BEUKENBOSSTR.
ERF DE KEIZER
LINTHOUTSTR.
GROOTBOSSTRAAT
LARIKKENWEG
BLUTSDELLE
GIJSELBOSSTR.
RONDENBOSLAAN
GROOTVELDERF
GROOTVELDSTRAAT
VARENLAAN
BRAAM-BESSENLAAN
BERKENLN.
KROMMEDELLE
KRAAKBESSENLAAN
PAST. J. BOLSSTRAAT
WATERPOELSTRAAT
HALSENDALLAAN
BREMLAAN
ALSEMBLOEMLAAN
'T VELD
GULDEN-BODEMSTRAAT
FR. DENEYERSTRAAT
WAAMSE BERG
KOUDENBERGLAAN
FAZANTENWEG
FRANS DE GREEFSTRAAT
WIT KAPELLEKE
WITTEWEG
O.L.VROUW KAPELAANS PLEIN
LINDE-KENSPL.
WOLFPOORTSTRAAT
J.B. VANDENBOSCH-STR.
J.B. VANDENBOSCHSTR.
OUDE MOLENSTRAAT
WIT KAPELLEKEN
EIKENBOS
CULTUREEL CENTRUM
BIB.
DIEPESTRAAT
KAREEL-STRAATJE
GEMEENVELDSTRAAT
HERISEMWEG
KLAVEREN WEG
J.B. WOUTERSSTRAAT
J. WIELEMANSSTRAAT
'T HEIKEN
LOSSEWEG
ERF TENBROEK
BAN-MOLEN-DREEF
OUDE NIJVELSEBAAN
BEEMD
STEENWEG NAAR HAL
CHAUSSEE DE HAL
VIJVERWEG
MEIBOOMSTRAAT
ANC. ROUTE DE NIVELLES
CH. CHAMP DE L'EGLISE
KERKE-VELD-WEG
SMARAGDLN.
AV. DE L'EMERAUDE
W(121)

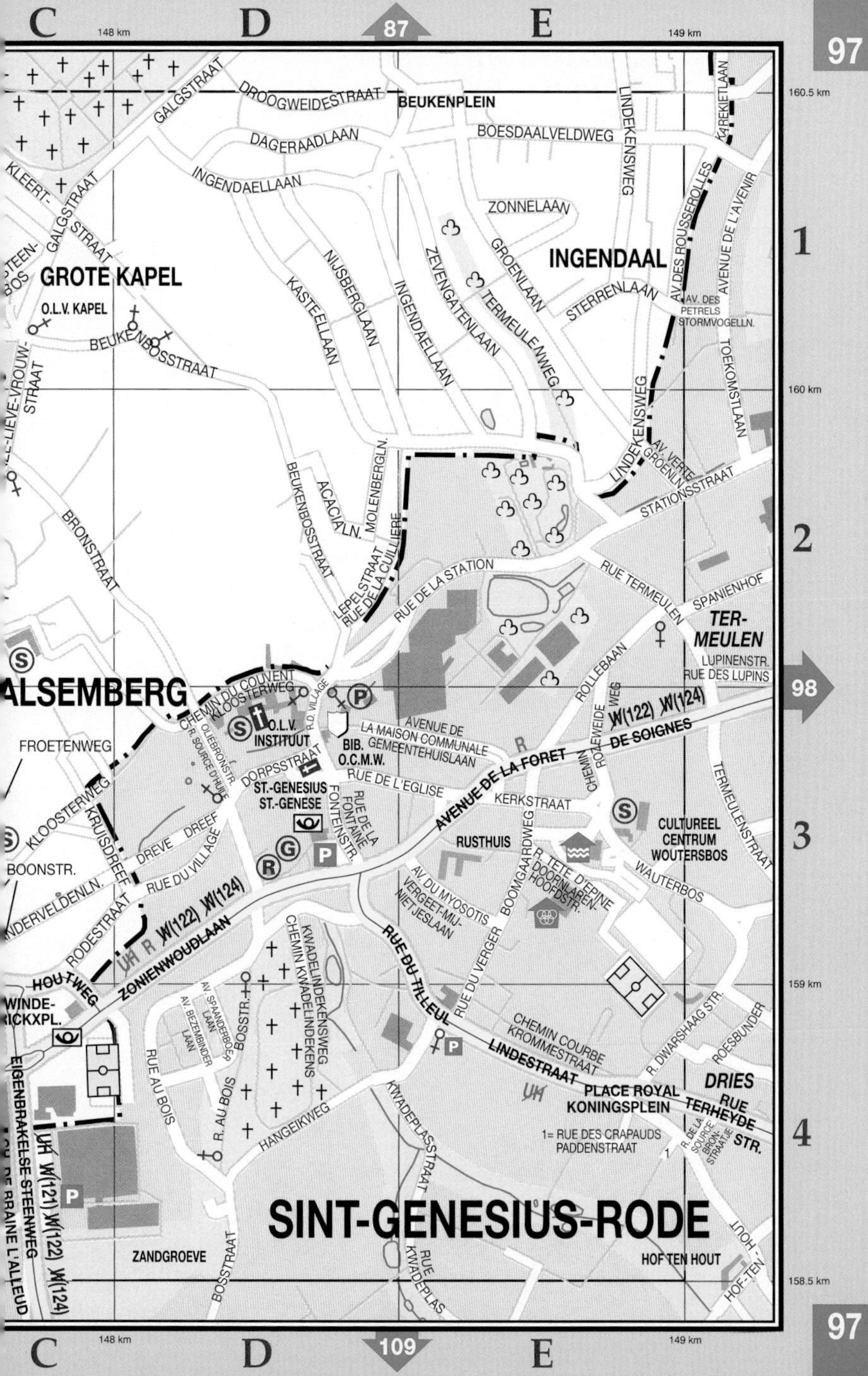
C
D
E
148 km
149 km
87
160.5 km
160 km
159 km
158.5 km
1
2
3
4
98
109
BEUKENPLEIN
DROOGWEIDESTRAAT
GALGSTRAAT
DAGERAADLAAN
BOESDAALVELDWEG
INGENDAELLAAN
ZONNELAAN
LINDEKENSWEG
KAREKIETLAAN
AV. DES ROUSSEROLLES
AVENUE DE L'AVENIR
KLEERT-STRAAT
GROTE KAPEL
INGENDAAL
NIJSBERGLAAN
KASTEELLAAN
ZEVENGATENLAAN
GROENLAAN
TERMEULENWEG
STERRENLAAN
AV. DES PETRELS
STORMVOGELLN.
TOEKOMSTLAAN
O.L.V. KAPEL
BEUKENBOSSTRAAT
ONZE-LIEVE-VROUW-STRAAT
AV. VERTE GROENLN.
STATIONSSTRAAT
MOLENBERGLN.
BEUKENBOSSTRAAT
ACACIALN.
BRONSTRAAT
RUE DE LA CUILLIERE
LEPELSTRAAT
RUE DE LA STATION
RUE TERMEULEN
SPANIENHOF
TER-MEULEN
LUPINENSTR.
RUE DES LUPINS
ALSEMBERG
CHEMIN DU COUVENT
KLOOSTERWEG
R.D. VILLAGE
O.L.V. INSTITUUT
BIB. O.C.M.W.
AVENUE DE LA MAISON COMMUNALE
GEMEENTEHUISLAAN
ROLLEBAAN
ROZEWEIDE WEG
DE SOIGNES
FROETENWEG
OLIEBRONSTR.
R. SOURCE D'HUILE
DORPSSTRAAT
RUE DE L'EGLISE
AVENUE DE LA FORET
CHEMIN
KERKSTRAAT
TERMEULENSTRAAT
KLOOSTERWEG
KRUISDREEF
ST.-GENESIUS
ST.-GENESE
RUE DE LA FONTAINE
FONTEINSTR.
RUSTHUIS
CULTUREEL CENTRUM WOUTERSBOS
DREVE
DREEF
BOONSTR.
RUE DU VILLAGE
BOOMGAARDWEG
R. TETE D'EPINE
DOORNLAREN-HOOFDSTR.
WAUTERBOS
AV. DU MYOSOTIS
VERGEET-MIJ-NIETJESLAAN
ZONIENWOUDLAAN
RODESTRAAT
HOUTWEG
WINDE-RICKXPL.
CHEMIN KWADELINDEKENS
KWADELINDEKENSWEG
RUE DU TILLEUL
RUE DU VERGER
AV. SPAANDERBOS LAAN
AV. BEZEMBINDER LAAN
BOSSTR.
RUE AU BOIS
R. AU BOIS
CHEMIN COURBE
KROMMESTRAAT
LINDESTRAAT
R. DWARSHAAG STR.
POESBUNDER
DRIES
PLACE ROYAL
KONINGSPLEIN
RUE TERHEYDE STR.
HANGEIKWEG
KWADEPLASSTRAAT
1= RUE DES CRAPAUDS
PADDENSTRAAT
R. DE LA SOURCE
BRONSTRAATJE
EIGENBRAKELSE STEENWEG
CH. DE BRAINE L'ALLEUD
SINT-GENESIUS-RODE
ZANDGROEVE
BOSSTRAAT
RUE KWADEPLAS
HOF TEN HOUT
HOF-TEN-HOUT
W(121)
W(122)
W(124)

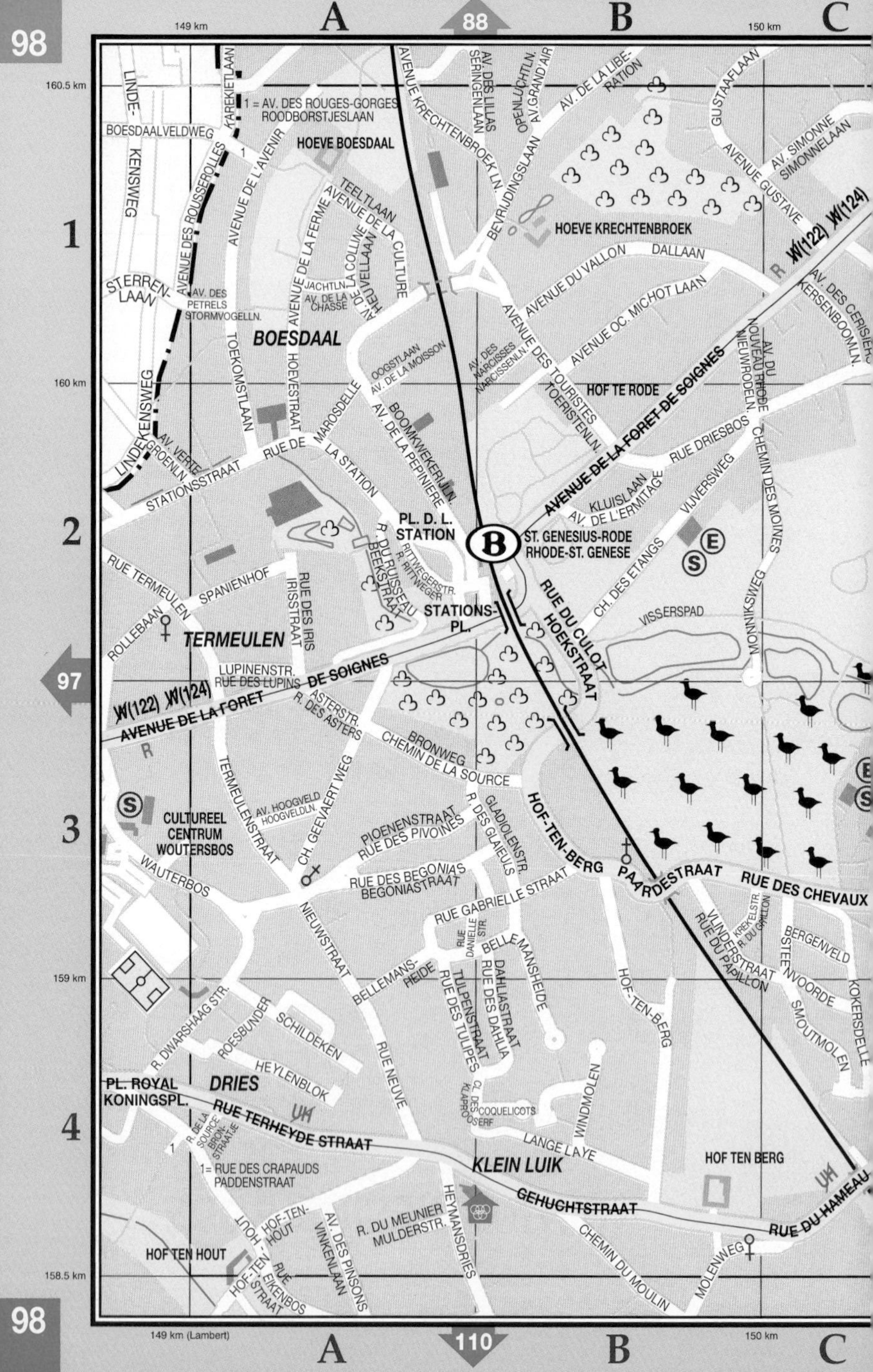
A
88
B
C
149 km
150 km
160.5 km
160 km
159 km
158.5 km
1
2
3
4
97
110
149 km (Lambert)
LINDEKENSWEG
BOESDAALVELDWEG
KAREKIETLAAN
1 = AV. DES ROUGES-GORGES
ROODBORSTJESLAAN
HOEVE BOESDAAL
AVENUE DES ROUSSEROLLES
AVENUE DE L'AVENIR
STERRENLAAN
AV. DES PETRELS
STORMVOGELLN.
TEELTLAAN
AVENUE DE LA FERME
AVENUE DE LA CULTURE
AVENUE DE LA COLLINE
HEUVELLAAN
JACHTLN.
AV. DE LA CHASSE
BOESDAAL
TOEKOMSTLAAN
HOEVESTRAAT
OOGSTLAAN
AV. DE LA MOISSON
MAROSDELLE
RUE DE LA STATION
STATIONSSTRAAT
AV. VERTE
GROENLN.
BOOMKWEKERIJLN.
AV. DE LA PEPINIERE
AVENUE KRECHTENBROEK LN.
AV. DES LILAS
SERINGENLAAN
OPENLUCHTLN.
AV. GRAND'AIR
AV. DE LA LIBERATION
BEVRIJDINGSLAAN
GUSTAAFLAAN
AVENUE GUSTAVE
AV. SIMONNE
SIMONNELAAN
HOEVE KRECHTENBROEK
AVENUE DU VALLON
DALLAAN
AVENUE OC. MICHOT LAAN
AV. DES NARCISSES
NARCISSENLN.
AVENUE DES TOURISTES
TOERISTENLN.
HOF TE RODE
AVENUE DE LA FORET DE SOIGNES
AV. DU NOUVEAU RHODE
NIEUWRODELN.
AV. DES CERISIERS
KERSENBOOMLN.
RUE DRIESBOS
CHEMIN DES MOINES
KLUISLAAN
AV. DE L'ERMITAGE
VIJVERSWEG
PL. D. L. STATION
ST. GENESIUS-RODE
RHODE-ST. GENESE
R. DU RUISSEAU
BEEKSTRAAT
RITTWEGERSTR.
R. RITTWEGER
RUE TERMEULEN
SPANIENHOF
RUE DES IRIS
IRISSTRAAT
STATIONSPL.
RUE DU CULOT
HOEKSTRAAT
CH. DES ETANGS
VISSERSPAD
MONNIKSWEG
ROLLEBAAN
TERMEULEN
LUPINENSTR.
RUE DES LUPINS
DE SOIGNES
AVENUE DE LA FORET
ASTERSTR.
R. DES ASTERS
BRONWEG
CHEMIN DE LA SOURCE
TERMEULENSTRAAT
AV. HOOGVELD
HOOGVELDLN.
CH. GEEVAERT WEG
CULTUREEL CENTRUM WOUTERSBOS
PIOENENSTRAAT
RUE DES PIVOINES
R. DES GLAIEULS
GLADIOLENSTR.
HOF-TEN-BERG
PAARDESTRAAT
RUE DES CHEVAUX
WAUTERBOS
RUE DES BEGONIAS
BEGONIASTRAAT
RUE GABRIELLE STRAAT
NIEUWSTRAAT
RUE DANIELLE STR.
BELLEMANSHEIDE
BELLEMANS-HEIDE
TULPENSTRAAT
RUE DES TULIPES
DAHLIASTRAAT
RUE DES DAHLIA
HOF-TEN-BERG
VLINDERSTRAAT
RUE DU PAPILLON
KREKELSTR.
R. DU GRILLON
BERGENVELD
BSTEENVOORDE
SMOUTMOLEN
KOKERSDELLE
R. DWARSHAAG STR.
ROESBUNDER
SCHILDEKEN
HEYLENBLOK
RUE NEUVE
CL. DES KLAPROOSERF
COQUELICOTS
WINDMOLEN
PL. ROYAL
KONINGSPL.
DRIES
RUE TERHEYDE STRAAT
R. DE LA SOURCE
BRONSTRAATJE
LANGE LAYE
1= RUE DES CRAPAUDS
PADDENSTRAAT
KLEIN LUIK
HOF TEN BERG
GEHUCHTSTRAAT
RUE DU HAMEAU
HOF-TEN-HOUT
HOUT
HEYMANSDRIES
R. DU MEUNIER
MULDERSTR.
AV. DES PINSONS
VINKENLAAN
CHEMIN DU MOULIN
MOLENWEG
HOF TEN HOUT
HOF-TEN-STRAAT
RUE EIKENBOS

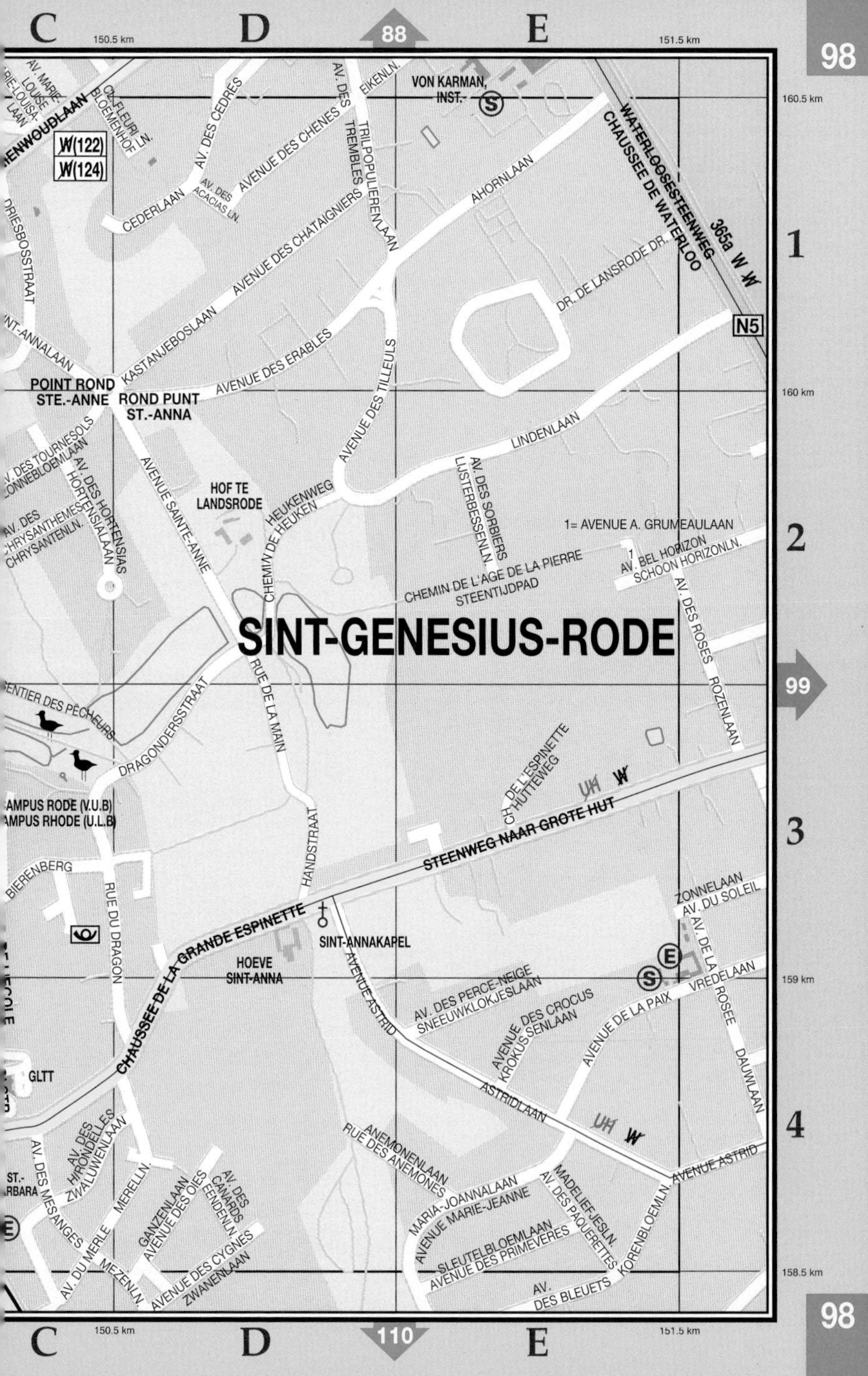
C
D
E
88
150.5 km
151.5 km
160.5 km
160 km
159 km
158.5 km
1
2
3
4
99
110
VON KARMAN, INST.
AV. MARIE LOUISE
CL. FLEURI BLOEMENHOF LN.
AV. DES CEDRES
AVENUE DES CHENES
AV. DES TREMBLES
TRILPOPULIERENLAAN
EIKENLN.
W(122)
W(124)
CEDERLAAN
AV. DES ACACIAS LN.
AVENUE DES CHATAIGNIERS
AHORNLAAN
WATERLOOSESTEENWEG
CHAUSSEE DE WATERLOO
365a
DRIESBOSSTRAAT
KASTANJEBOSLAAN
AVENUE DES ERABLES
AVENUE DES TILLEULS
DR. DE LANSRODE DR.
N5
POINT ROND STE.-ANNE
ROND PUNT ST.-ANNA
LINDENLAAN
AV. DES TOURNESOLS
AV. DES HORTENSIAS
HORTENSIALAAN
AV. DES CHRYSANTHEMES
CHRYSANTENLN.
AVENUE SAINTE-ANNE
HOF TE LANDSRODE
HEUKENWEG
CHEMIN DE HEUKEN
AV. DES SORBIERS
LIJSTERBESSENLN.
1= AVENUE A. GRUMEAULAAN
AV. BEL HORIZON
SCHOON HORIZONLN.
CHEMIN DE L'AGE DE LA PIERRE
STEENTIJDPAD
SINT-GENESIUS-RODE
AV. DES ROSES
ROZENLAAN
RUE DE LA MAIN
SENTIER DES PECHEURS
DRAGONDERSSTRAAT
CH. DE L'ESPINETTE
HUTTEWEG
CAMPUS RODE (V.U.B)
CAMPUS RHODE (U.L.B)
HANDSTRAAT
STEENWEG NAAR GROTE HUT
BIERENBERG
RUE DU DRAGON
CHAUSSEE DE LA GRANDE ESPINETTE
SINT-ANNAKAPEL
HOEVE SINT-ANNA
ZONNELAAN
AV. DU SOLEIL
AV. DE LA ROSEE
VREDELAAN
AVENUE ASTRID
AV. DES PERCE-NEIGE
SNEEUWKLOKJESLAAN
AVENUE DES CROCUS
KROKUSSENLAAN
AVENUE DE LA PAIX
DAUWLAAN
ASTRIDLAAN
GLTT
AV. DES HIRONDELLES
ZWALUWENLAAN
AV. DES MESANGES
ANEMONENLAAN
RUE DES ANEMONES
MERELLN.
AV. DU MERLE
GANZENLAAN
AVENUE DES OIES
AV. DES CANARDS
EENDENLN.
MEZENLN.
AVENUE DES CYGNES
ZWANENLAAN
MARIA-JOANNALAAN
AVENUE MARIE-JEANNE
MADELIEFJESLN.
AV. DES PAQUERETTES
KORENBLOEMLN.
SLEUTELBLOEMLAAN
AVENUE DES PRIMEVERES
AV. DES BLEUETS

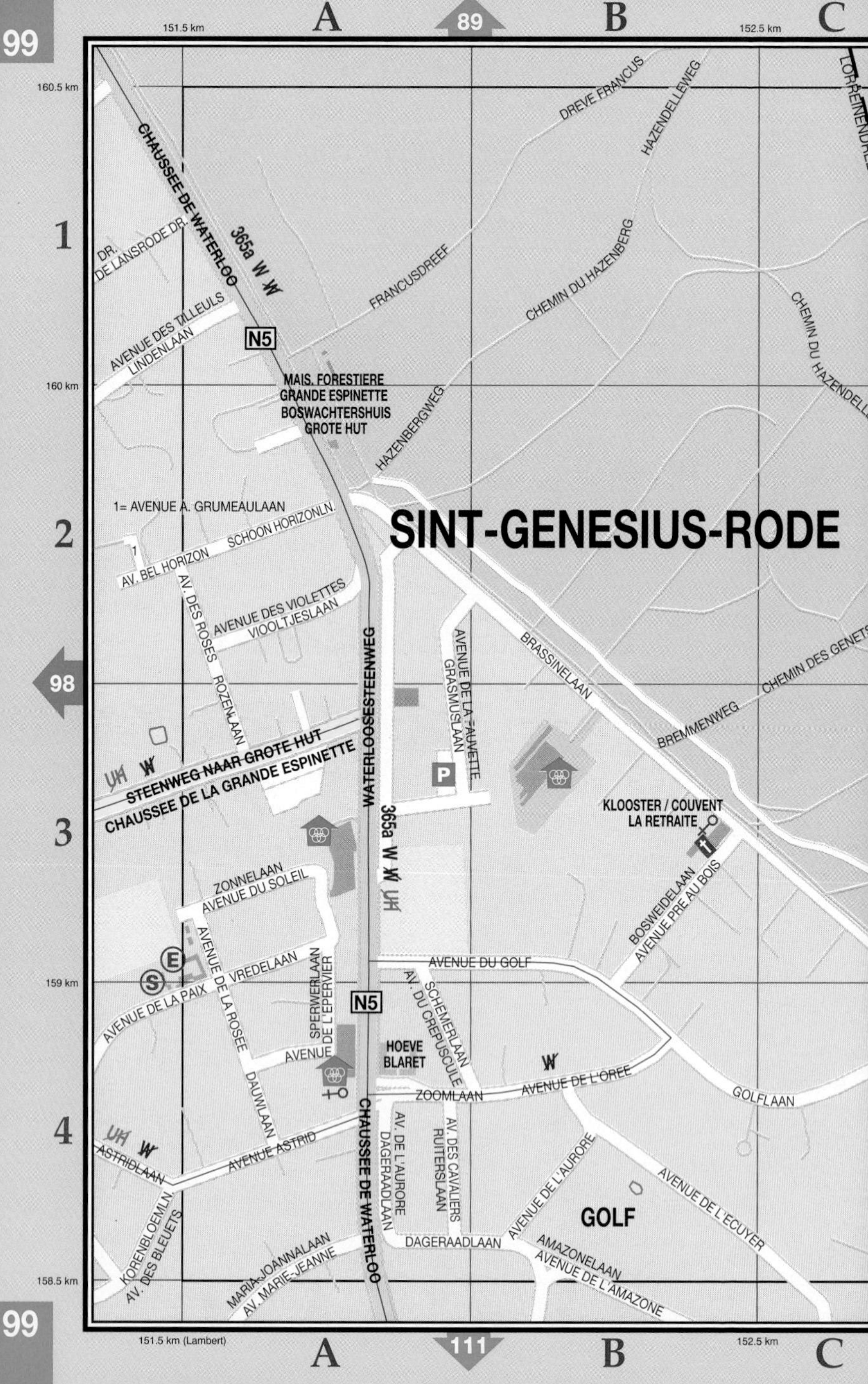
A
B
C
89
151.5 km
152.5 km
160.5 km
160 km
159 km
158.5 km
1
2
3
4
98
SINT-GENESIUS-RODE
CHAUSSEE DE WATERLOO
365a
N5
DR. DE LANSRODE DR.
AVENUE DES TILLEULS
LINDENLAAN
DREVE FRANCUS
HAZENDELLEWEG
LORREINENDREEF
FRANCUSDREEF
CHEMIN DU HAZENBERG
CHEMIN DU HAZENDELLE
HAZENBERGWEG
MAIS. FORESTIERE
GRANDE ESPINETTE
BOSWACHTERSHUIS
GROTE HUT
1= AVENUE A. GRUMEAULAAN
AV. BEL HORIZON
SCHOON HORIZONLN.
AV. DES ROSES
ROZENLAAN
AVENUE DES VIOLETTES
VIOOLTJESLAAN
WATERLOOSESTEENWEG
AVENUE DE LA FAUVETTE
GRASMUSLAAN
BRASSINELAAN
CHEMIN DES GENETS
BREMMENWEG
STEENWEG NAAR GROTE HUT
CHAUSSEE DE LA GRANDE ESPINETTE
P
KLOOSTER / COUVENT
LA RETRAITE
ZONNELAAN
AVENUE DU SOLEIL
BOSWEIDELAAN
AVENUE PRE AU BOIS
AVENUE DE LA ROSEE
AVENUE DE LA PAIX
VREDELAAN
SPERWERLAAN
DE L'EPERVIER
AVENUE
AVENUE DU GOLF
AV. DU CREPUSCULE
SCHEMERLAAN
HOEVE
BLARET
AVENUE DE L'OREE
ZOOMLAAN
GOLFLAAN
DAUWLAAN
ASTRIDLAAN
AVENUE ASTRID
AV. DE L'AURORE
DAGERAADLAAN
AV. DES CAVALIERS
RUITERSLAAN
AVENUE DE L'AURORE
AVENUE DE L'ECUYER
GOLF
KORENBLOEMLN.
AV. DES BLEUETS
MARIA-JOANNALAAN
AV. MARIE-JEANNE
DAGERAADLAAN
AMAZONELAAN
AVENUE DE L'AMAZONE
151.5 km (Lambert)
111

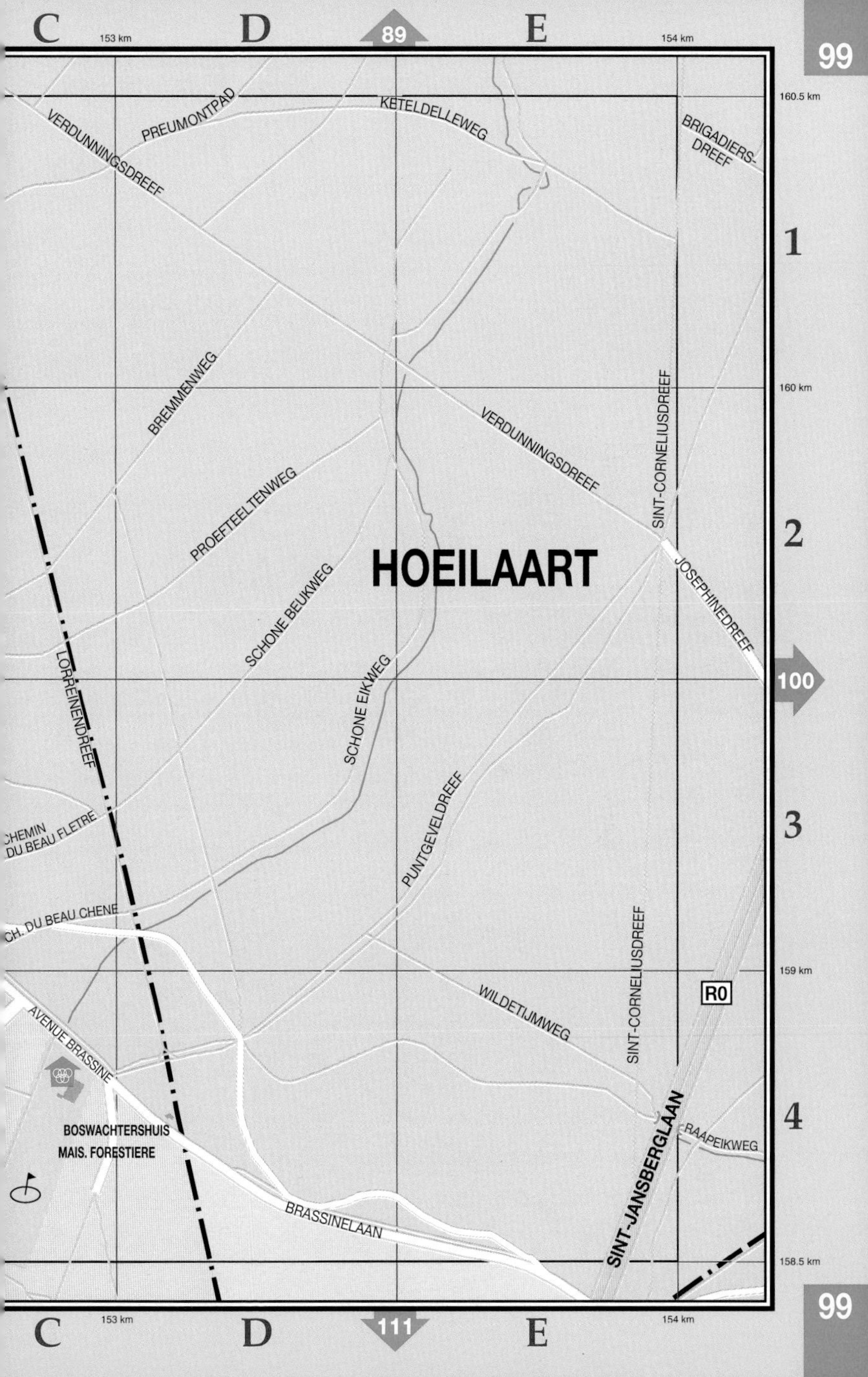
C
D
E
89
153 km
154 km
160.5 km
160 km
159 km
158.5 km
1
2
3
4
100
111
VERDUNNINGSDREEF
PREUMONTPAD
KETELDELLEWEG
BRIGADIERS-
DREEF
BREMMENWEG
PROEFTEELTENWEG
SINT-CORNELIUSDREEF
HOEILAART
JOSEPHINEDREEF
SCHONE BEUKWEG
SCHONE EIKWEG
LORREINENDREEF
CHEMIN
DU BEAU FLETRE
PUNTGEVELDREEF
CH. DU BEAU CHENE
R0
WILDETIJMWEG
AVENUE BRASSINE
BOSWACHTERSHUIS
MAIS. FORESTIERE
SINT-JANSBERGLAAN
RAAPEIKWEG
BRASSINELAAN

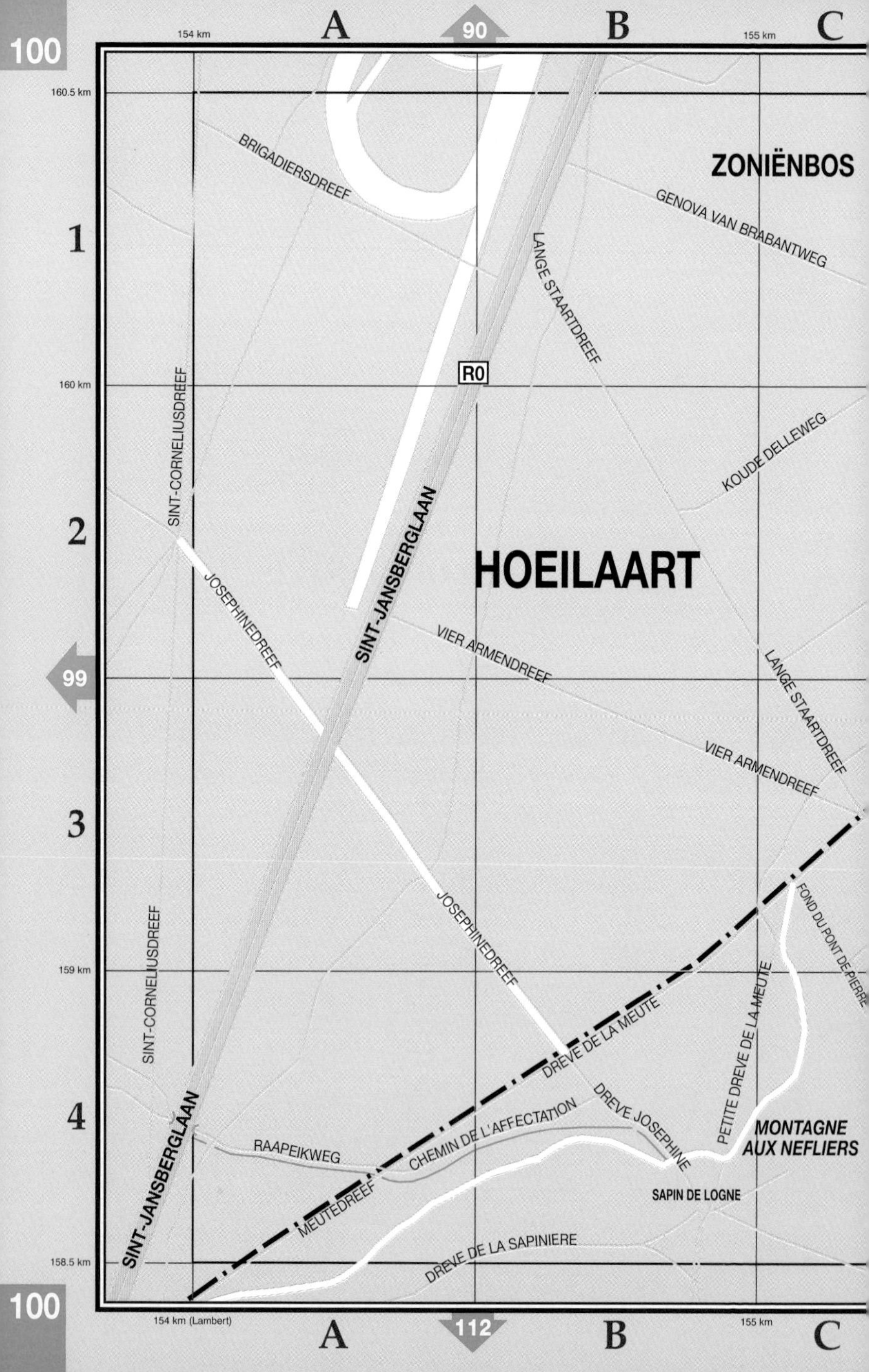

A
B
C
90
154 km
155 km
160.5 km
160 km
159 km
158.5 km
1
2
3
4
99
112
154 km (Lambert)
ZONIËNBOS
HOEILAART
MONTAGNE AUX NEFLIERS
SAPIN DE LOGNE
R0
BRIGADIERSDREEF
GENOVA VAN BRABANTWEG
LANGE STAARTDREEF
SINT-CORNELIUSDREEF
SINT-JANSBERGLAAN
KOUDE DELLEWEG
JOSEPHINEDREEF
VIER ARMENDREEF
FOND DU PONT DE PIERRE
PETITE DREVE DE LA MEUTE
DREVE DE LA MEUTE
DREVE JOSEPHINE
CHEMIN DE L'AFFECTATION
RAAPEIKWEG
MEUTEDREEF
DREVE DE LA SAPINIERE

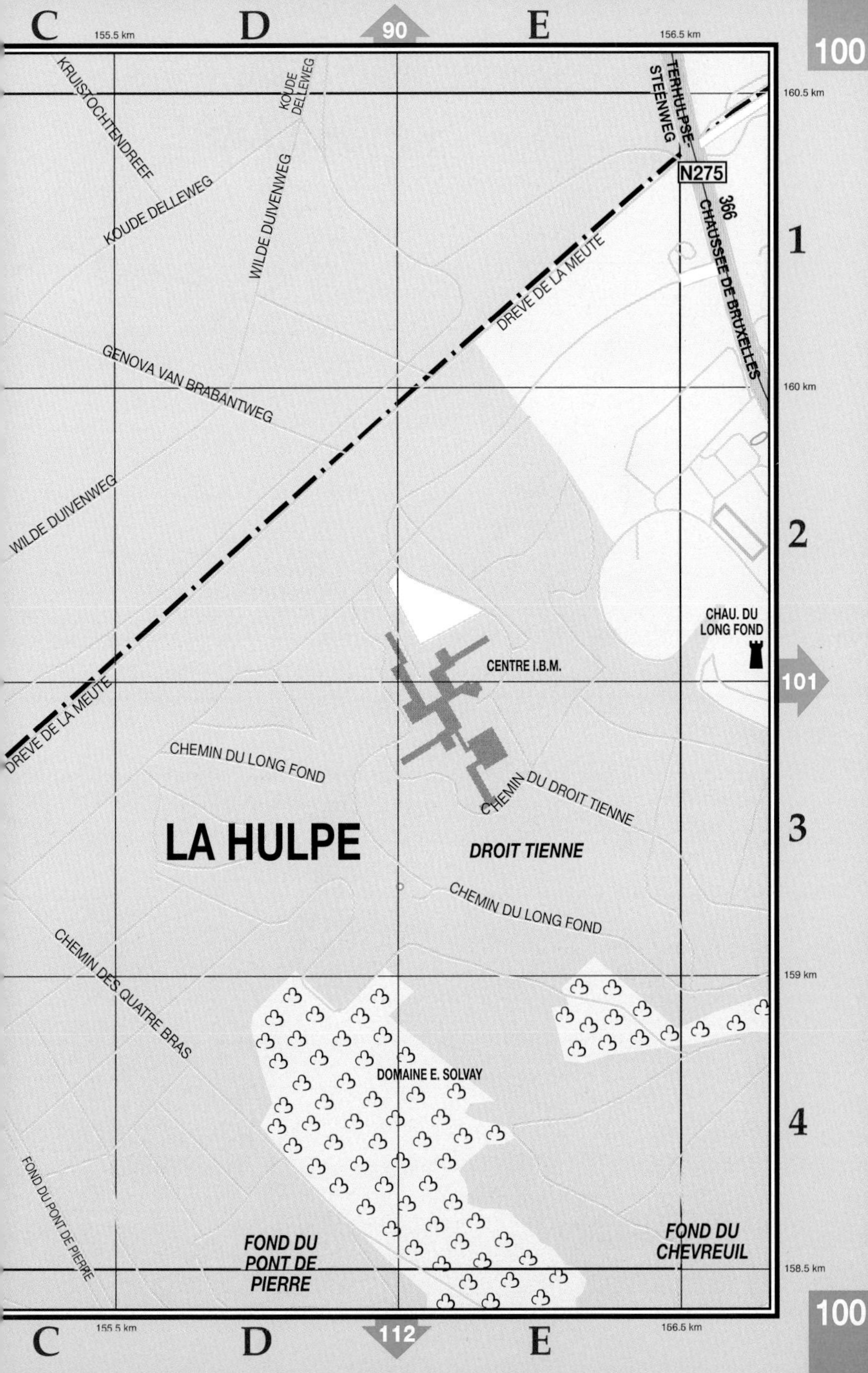
C
D
E
90
155.5 km
156.5 km
160.5 km
160 km
159 km
158.5 km
1
2
3
4
101
112
KRUISTOCHTENDREEF
KOUDE DELLEWEG
KOUDE DELLEWEG
WILDE DUIVENWEG
TERHULPSE-STEENWEG
N275
366
CHAUSSEE DE BRUXELLES
DREVE DE LA MEUTE
GENOVA VAN BRABANTWEG
WILDE DUIVENWEG
CHAU. DU LONG FOND
CENTRE I.B.M.
DREVE DE LA MEUTE
CHEMIN DU LONG FOND
CHEMIN DU DROIT TIENNE
LA HULPE
DROIT TIENNE
CHEMIN DU LONG FOND
CHEMIN DES QUATRE BRAS
DOMAINE E. SOLVAY
FOND DU PONT DE PIERRE
FOND DU PONT DE PIERRE
FOND DU CHEVREUIL

A
B
C
91
156.5 km
157.5 km
160.5 km
160 km
159 km
158.5 km
1
2
3
4
100
113
156.5 km (Lambert)
'T ROT
HOEILAART
HAZENDREEF
NILLEVELDSTRAAT
A. VAN-LAETHEMSTR.
TERHULPSE-STEENWEG
366
DREVE DE LA MEUTE
CHAUSSEE DE BRUXELLES
N275
CHAU. CLAIRES-COLLINES
CHAU. DU LONG FOND
CHEMIN DU DROIT TIENNE
CHEMIN DU LONG FOND
CHAU. LA RONCIERE
AVENUE ERNEST SOLVAY
CHAU. DE L'ARGENTINE
L'ARGENTINE
S.W.I.F.T.
P
TROIS MAISONS
FOND DU CHEVREUIL

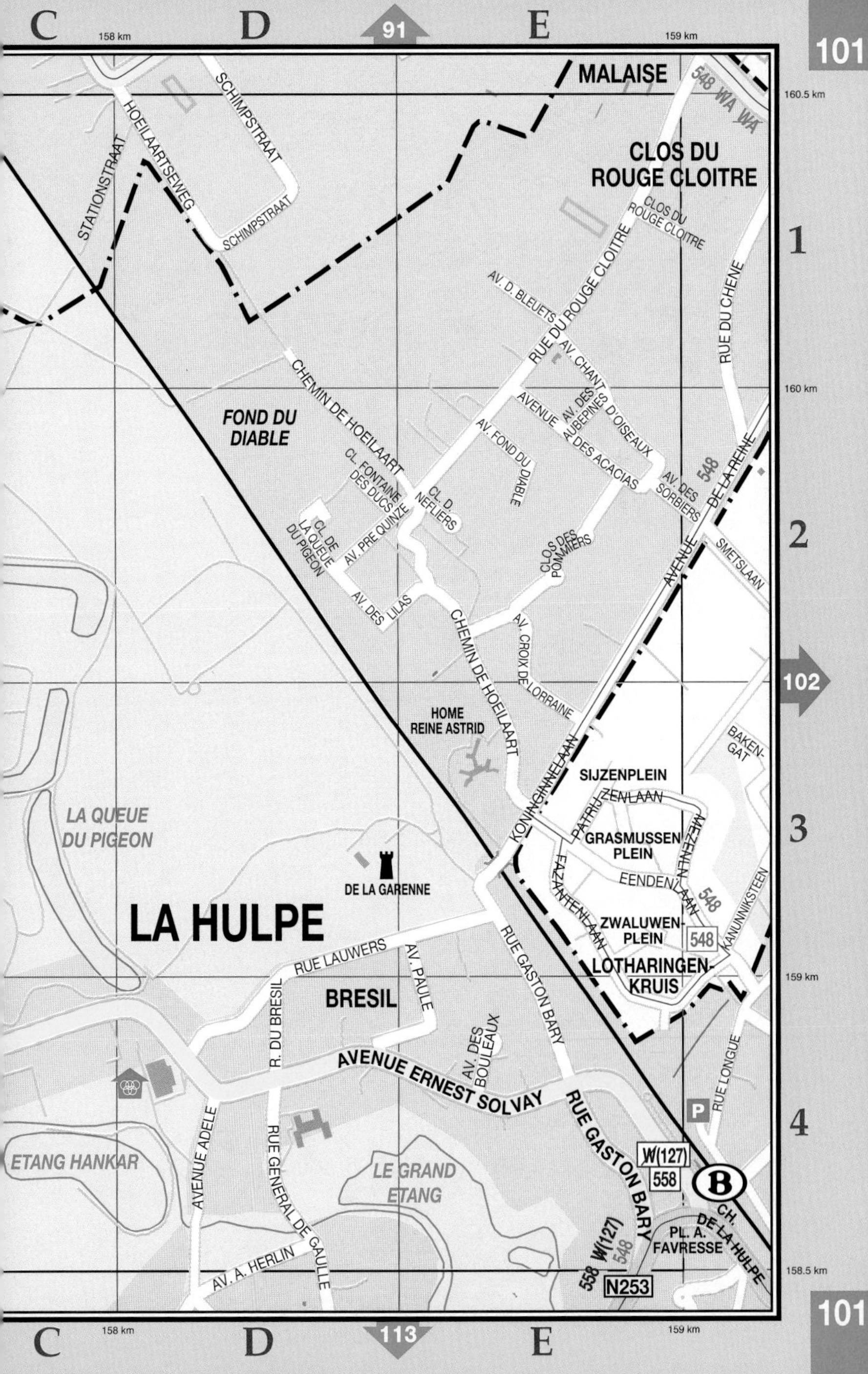
C
D
91
E
158 km
159 km
160.5 km
160 km
159 km
158.5 km
1
2
3
4
102
MALAISE
CLOS DU ROUGE CLOITRE
SCHIMPSTRAAT
HOEILAARTSEWEG
STATIONSTRAAT
CLOS DU ROUGE CLOITRE
RUE DU ROUGE CLOITRE
RUE DU CHENE
AV. D. BLEUETS
AV. CHANT D'OISEAUX
AV. DES AUBEPINES
AVENUE DES ACACIAS
AV. DES SORBIERS
AVENUE DE LA REINE
548
548 WA WA
FOND DU DIABLE
CHEMIN DE HOEILAART
AV. FOND DU DIABLE
CL. FONTAINE DES DUCS
CL. D. NEFLIERS
CL. DE LA QUEUE DU PIGEON
AV. PRE QUINZE
CLOS DES POMMIERS
SMETSLAAN
AV. DES LILAS
CHEMIN DE HOEILAART
AV. CROIX DE LORRAINE
HOME REINE ASTRID
BAKENGAT
KONINGINNELAAN
SIJZENPLEIN
PATRIJZENLAAN
MEZENLAAN
GRASMUSSENPLEIN
EENDENLAAN
FAZANTENLAAN
ZWALUWENPLEIN
LOTHARINGENKRUIS
KANUNNIKSTEEN
LA QUEUE DU PIGEON
DE LA GARENNE
LA HULPE
RUE LAUWERS
AV. PAULE
RUE GASTON BARY
BRESIL
R. DU BRESIL
AV. DES BOULEAUX
AVENUE ERNEST SOLVAY
RUE GASTON BARY
RUE LONGUE
P
ETANG HANKAR
AVENUE ADELE
RUE GENERAL DE GAULLE
LE GRAND ETANG
W(127)
558
B
CH. DE LA HULPE
PL. A. FAVRESSE
558 W(127) 548
N253
AV. A. HERLIN
C
D
113
E
158 km
159 km

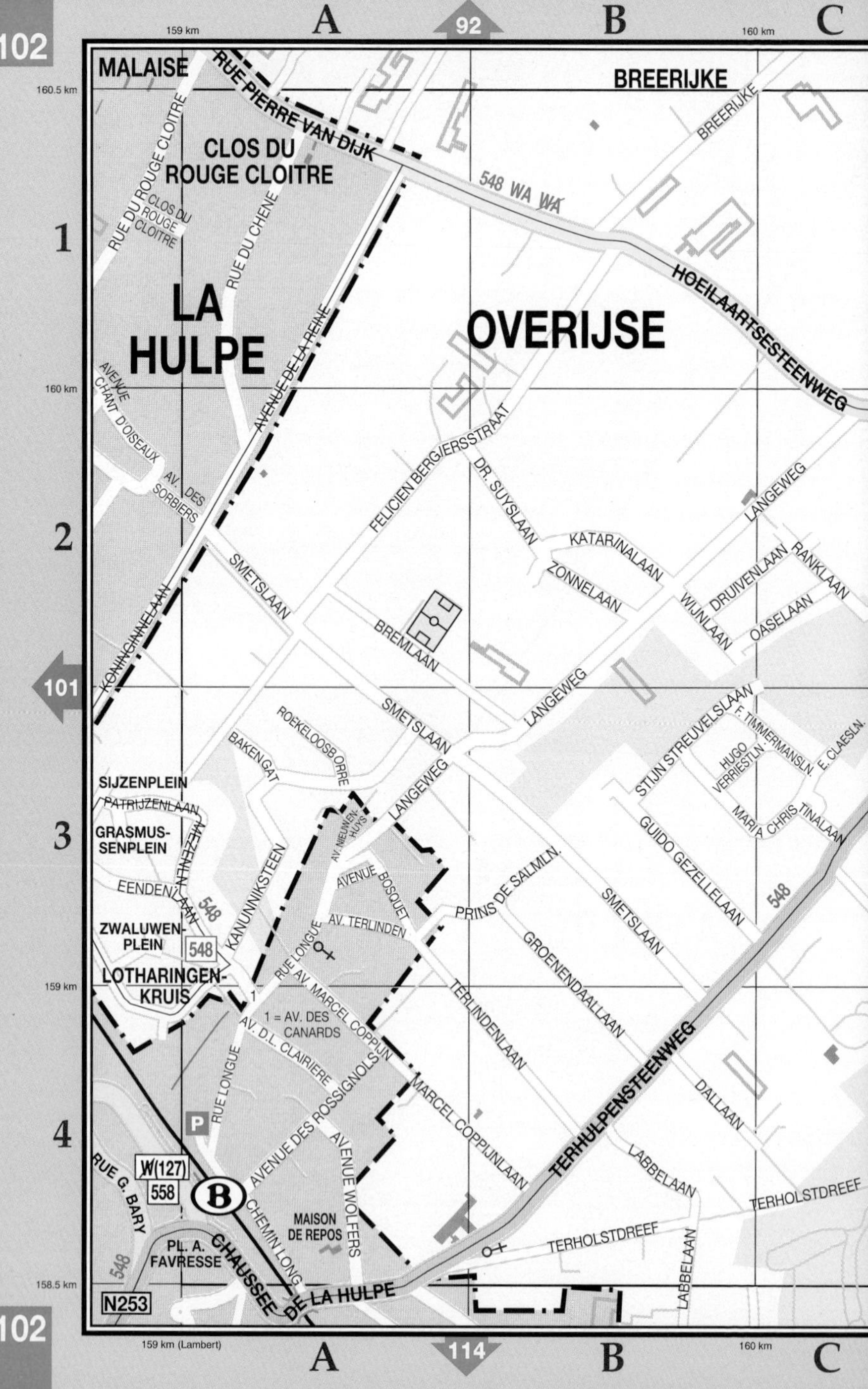
A
B
C
92
159 km
160 km
160.5 km
160 km
159 km
158.5 km
1
2
3
4
101
114
159 km (Lambert)
MALAISE
RUE PIERRE VAN DIJK
BREERIJKE
CLOS DU ROUGE CLOITRE
RUE DU ROUGE CLOITRE
CLOS DU ROUGE CLOITRE
RUE DU CHENE
548 WA WA
HOEILAARTSESTEENWEG
LA HULPE
OVERIJSE
AVENUE DE LA REINE
AVENUE CHANT D'OISEAUX
AV. DES SORBIERS
FELICIEN BERGIERSSTRAAT
DR. SUYSLAAN
LANGEWEG
KATARINALAAN
ZONNELAAN
DRUIVENLAAN
RANKLAAN
WIJNLAAN
OASELAAN
SMETSLAAN
BREMLAAN
KONINGINNELAAN
ROEKELOOSBORRE
BAKENGAT
STIJN STREUVELSLAAN
F. TIMMERMANSLN.
E. CLAESLN.
HUGO VERRIESTLN.
MARIA CHRISTINALAAN
GUIDO GEZELLELAAN
SIJZENPLEIN
PATRIJZENLAAN
GRASMUSSENPLEIN
MEZENLN.
EENDENLAAN
ZWALUWENPLEIN
LOTHARINGENKRUIS
KANUNNIKSTEEN
AV. NIEUWENHUYS
AVENUE BOSQUET
AV. TERLINDEN
PRINS DE SALMLN.
GROENENDAALLAAN
TERLINDENLAAN
RUE LONGUE
AV. MARCEL COPPIJN
1 = AV. DES CANARDS
AV. D.L. CLAIRIERE
AVENUE DES ROSSIGNOLS
MARCEL COPPIJNLAAN
AVENUE WOLFERS
TERHULPENSTEENWEG
548
DALLAAN
LABBELAAN
TERHOLSTDREEF
W(127)
558
RUE G. BARY
CHEMIN LONG
MAISON DE REPOS
PL. A. FAVRESSE
CHAUSSEE DE LA HULPE
N253
P
B

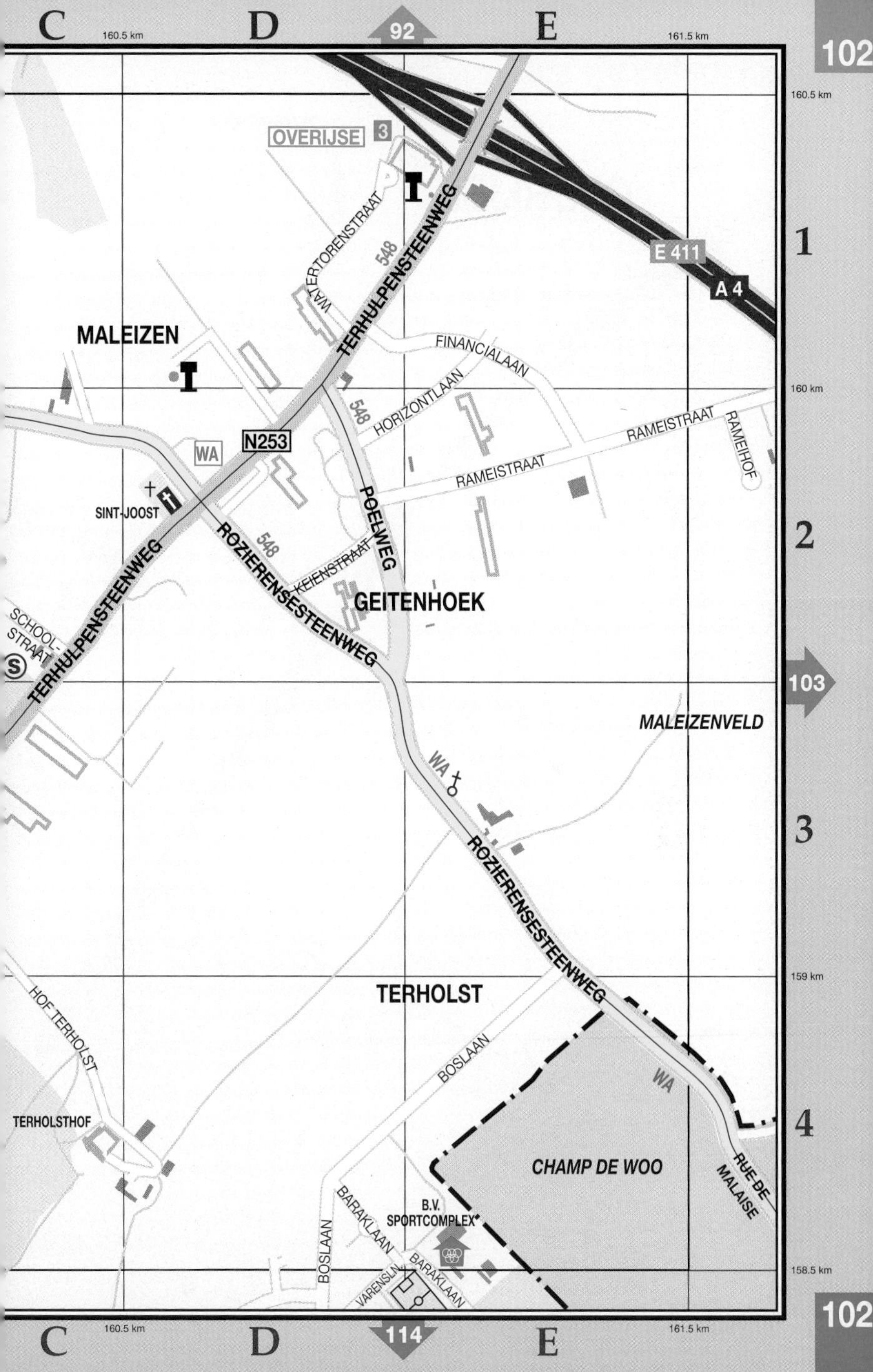
C
D
E
92
160.5 km
161.5 km
160.5 km
OVERIJSE
3
1
E 411
A 4
548
WATERTORENSTRAAT
TERHULPENSTEENWEG
MALEIZEN
FINANCIALAAN
HORIZONTLAAN
160 km
548
N253
WA
RAMEISTRAAT
RAMEISTRAAT
RAMEIHOF
SINT-JOOST
POELWEG
2
548
ROZIERENSESTEENWEG
KEIENSTRAAT
GEITENHOEK
SCHOOL-
STRAAT
S
TERHULPENSTEENWEG
103
MALEIZENVELD
WA
3
ROZIERENSESTEENWEG
159 km
TERHOLST
HOF TERHOLST
BOSLAAN
WA
4
TERHOLSTHOF
CHAMP DE WOO
RUE DE
MALAISE
BARAKLAAN
B.V.
SPORTCOMPLEX
BOSLAAN
BARAKLAAN
VARENSLN
158.5 km
160.5 km
161.5 km
114
C
D
E

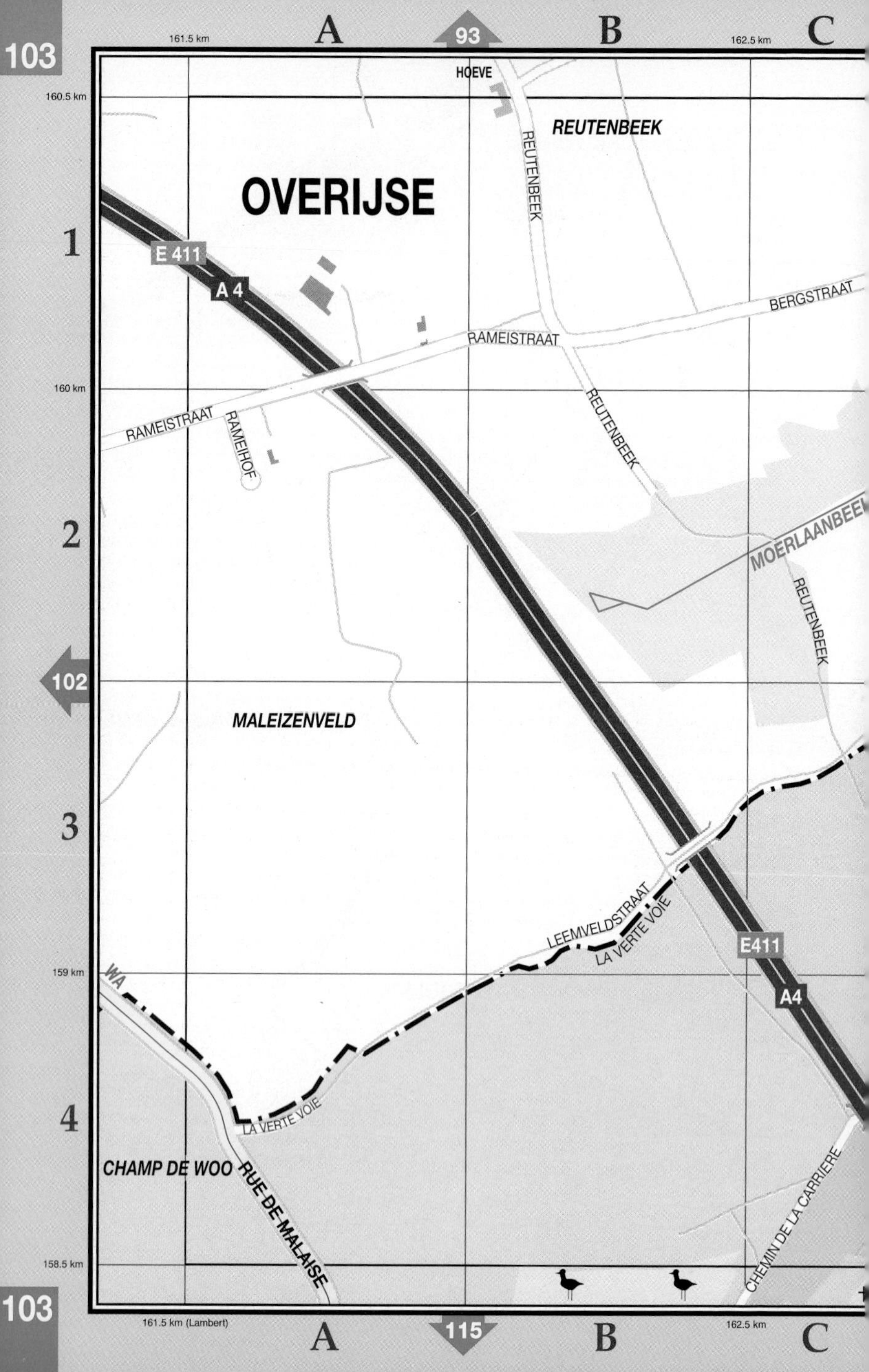

A
B
C
93
161.5 km
162.5 km
160.5 km
160 km
159 km
158.5 km
1
2
3
4
HOEVE
REUTENBEEK
OVERIJSE
E 411
A 4
BERGSTRAAT
RAMEISTRAAT
RAMEIHOF
MOERLAANBEEK
102
MALEIZENVELD
LEEMVELDSTRAAT
LA VERTE VOIE
E411
WA
CHAMP DE WOO
RUE DE MALAISE
CHEMIN DE LA CARRIERE
161.5 km (Lambert)
115

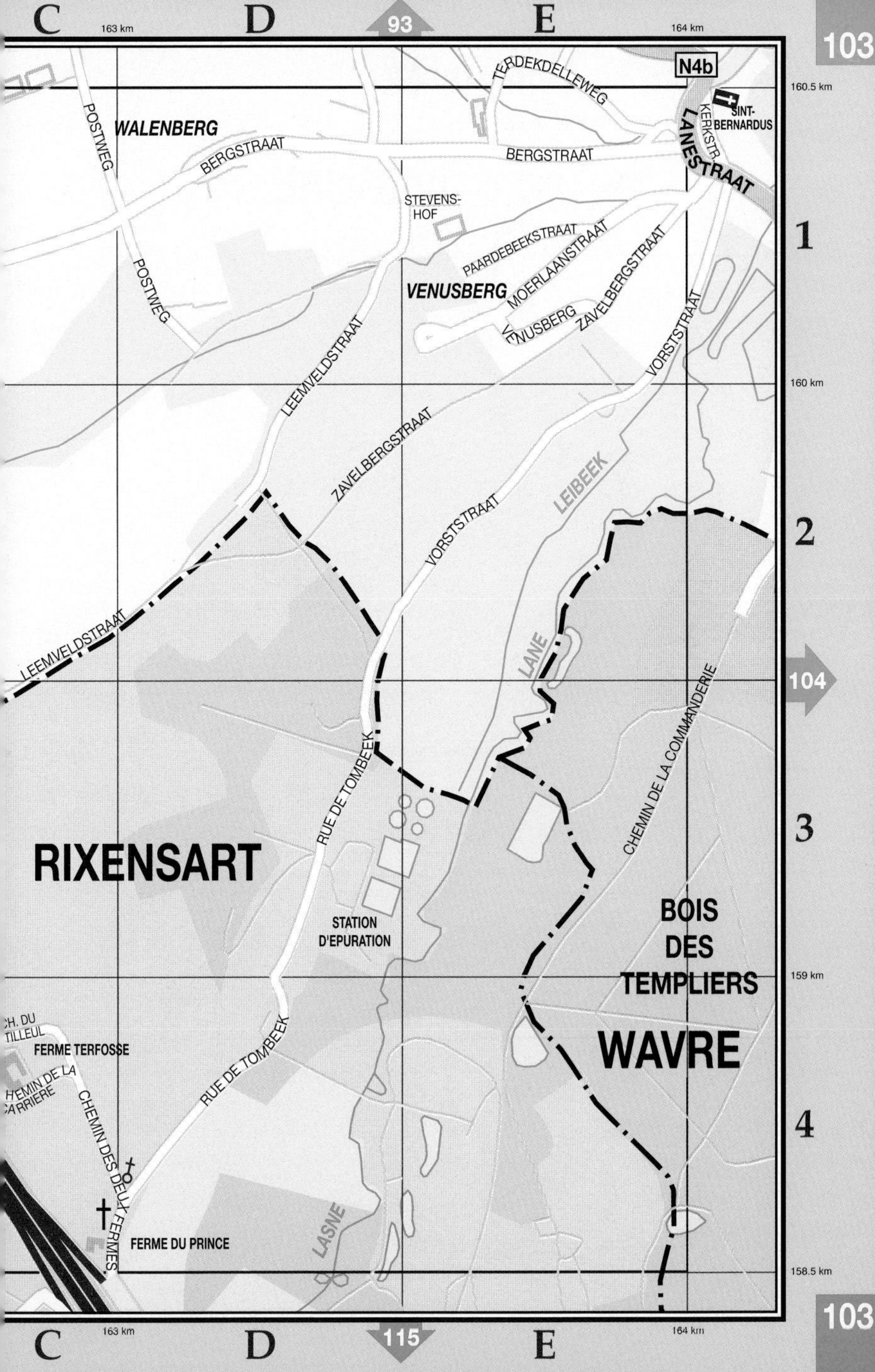
C
D
E
93
163 km
164 km
N4b
160.5 km
TERDEKDELLEWEG
SINT-BERNARDUS
KERKSTR.
LANESTRAAT
POSTWEG
WALENBERG
BERGSTRAAT
BERGSTRAAT
STEVENS-HOF
1
PAARDEBEEKSTRAAT
MOERLAANSTRAAT
ZAVELBERGSTRAAT
VENUSBERG
POSTWEG
VENUSBERG
ZAVELBERG
LEEMVELDSTRAAT
VORSTSTRAAT
160 km
ZAVELBERGSTRAAT
LEIBEEK
VORSTSTRAAT
2
LEEMVELDSTRAAT
LANE
104
RUE DE TOMBEEK
CHEMIN DE LA COMMANDERIE
3
RIXENSART
STATION D'EPURATION
BOIS DES TEMPLIERS
159 km
CH. DU TILLEUL
FERME TERFOSSE
WAVRE
RUE DE TOMBEEK
CHEMIN DE LA CARRIERE
CHEMIN DES DEUX FERMES
4
FERME DU PRINCE
LASNE
158.5 km
163 km
164 km
115
C
D
E

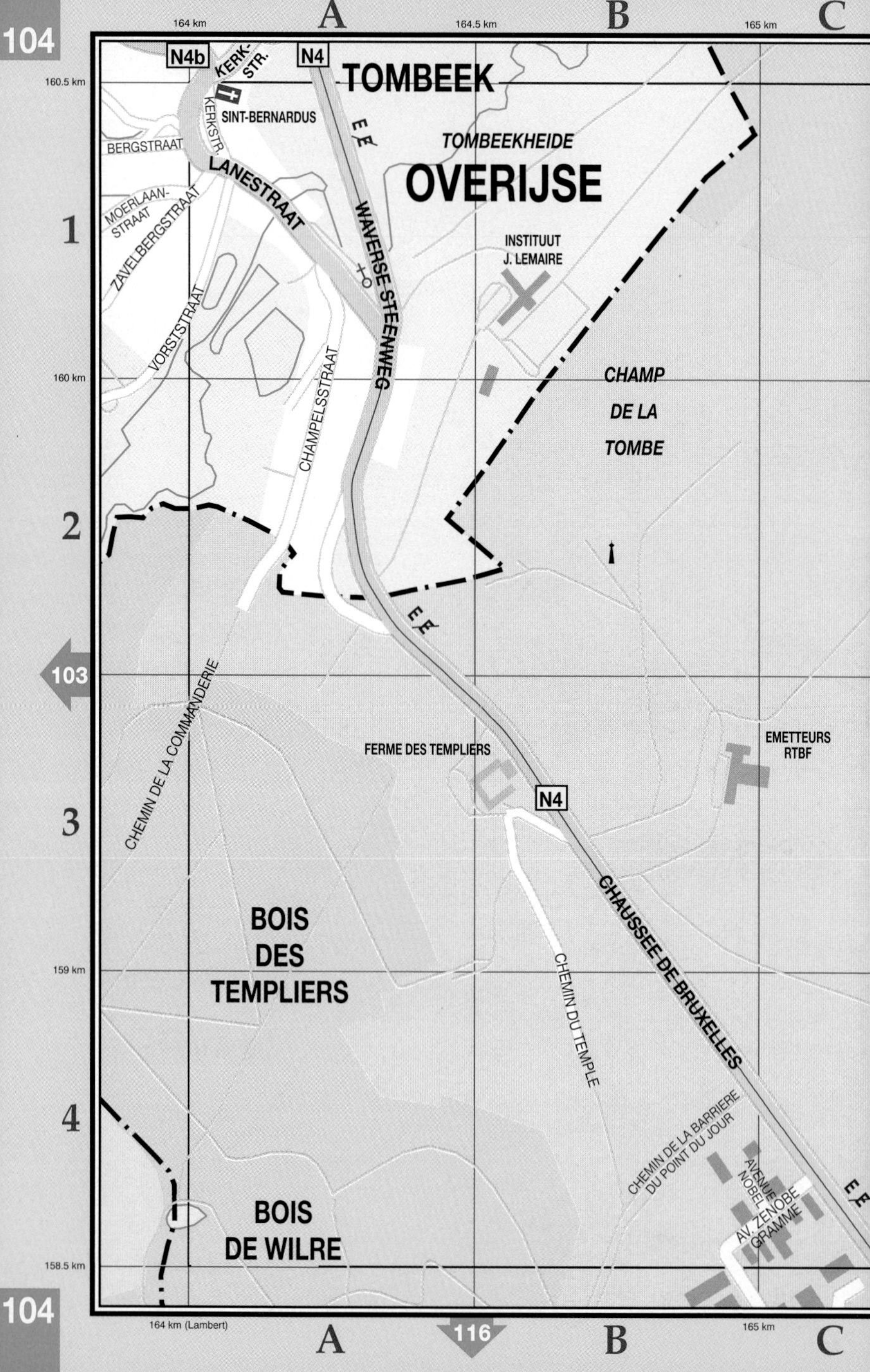
A
B
C
164 km
164.5 km
165 km
160.5 km
160 km
159 km
158.5 km
1
2
3
4
N4b
KERK-
STR.
N4
TOMBEEK
SINT-BERNARDUS
KERKSTR.
BERGSTRAAT
LANESTRAAT
TOMBEEKHEIDE
OVERIJSE
MOERLAAN-
STRAAT
ZAVELBERGSTRAAT
WAVERSE STEENWEG
INSTITUUT
J. LEMAIRE
VORSTSTRAAT
CHAMPELSSTRAAT
CHAMP
DE LA
TOMBE
103
CHEMIN DE LA COMMANDERIE
FERME DES TEMPLIERS
EMETTEURS
RTBF
N4
CHAUSSEE DE BRUXELLES
BOIS
DES
TEMPLIERS
CHEMIN DU TEMPLE
CHEMIN DE LA BARRIERE
DU POINT DU JOUR
AVENUE
NOBEL
AV. ZENOBE
GRAMME
BOIS
DE WILRE
164 km (Lambert)
116
165 km

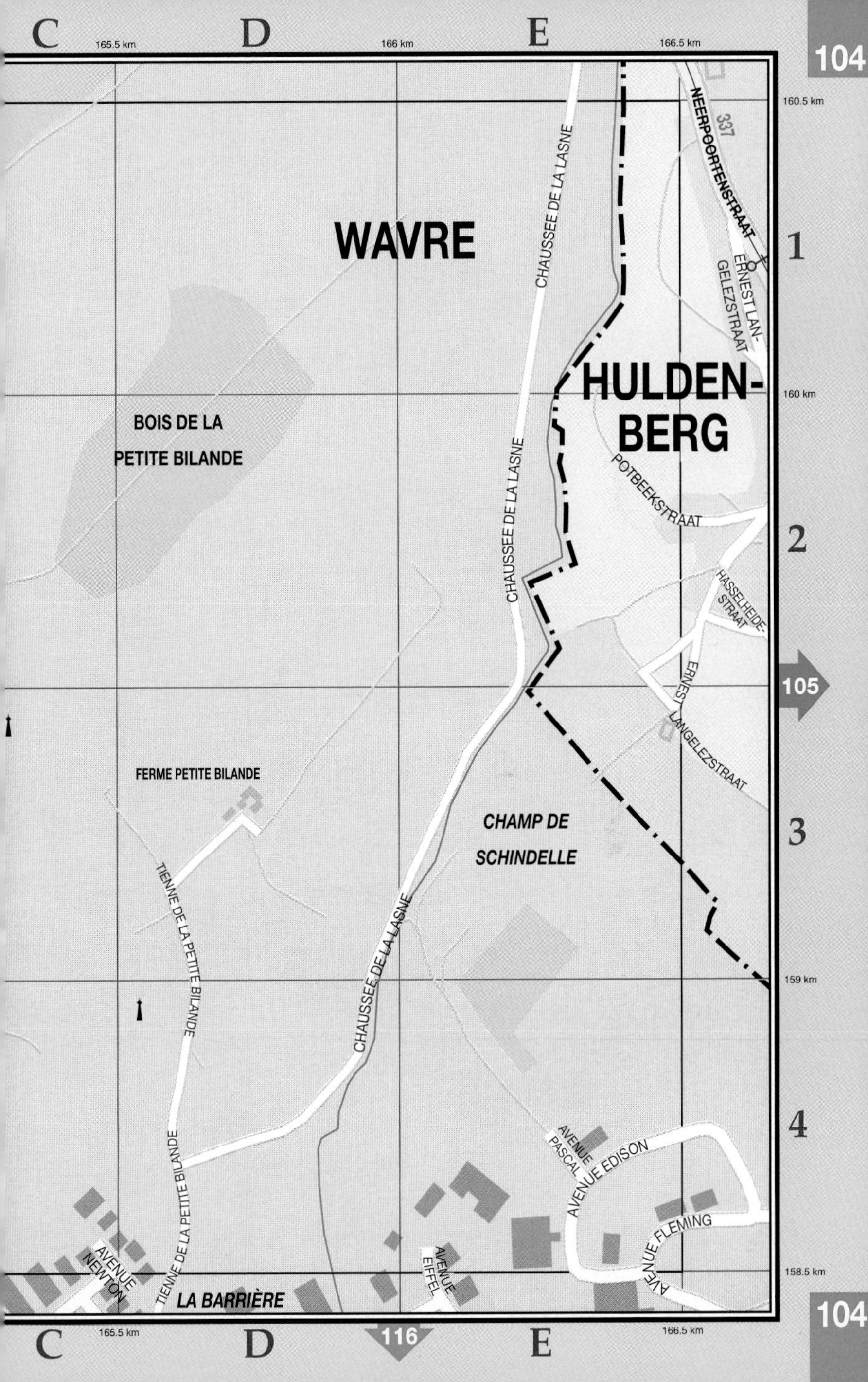
C
D
E
165.5 km
166 km
166.5 km
160.5 km
160 km
159 km
158.5 km
1
2
3
4
WAVRE
HULDEN-
BERG
CHAUSSEE DE LA LASNE
NEERPOORTENSTRAAT
337
ERNEST LAN-
GELEZSTRAAT
BOIS DE LA
PETITE BILANDE
POTBEEKSTRAAT
HASSELHEIDE-
STRAAT
ERNEST
LANGELEZSTRAAT
105
FERME PETITE BILANDE
CHAMP DE
SCHINDELLE
TIENNE DE LA PETITE BILANDE
AVENUE
PASCAL
AVENUE EDISON
AVENUE FLEMING
AVENUE
NEWTON
AVENUE
EIFFEL
LA BARRIÈRE
116
C
D
E

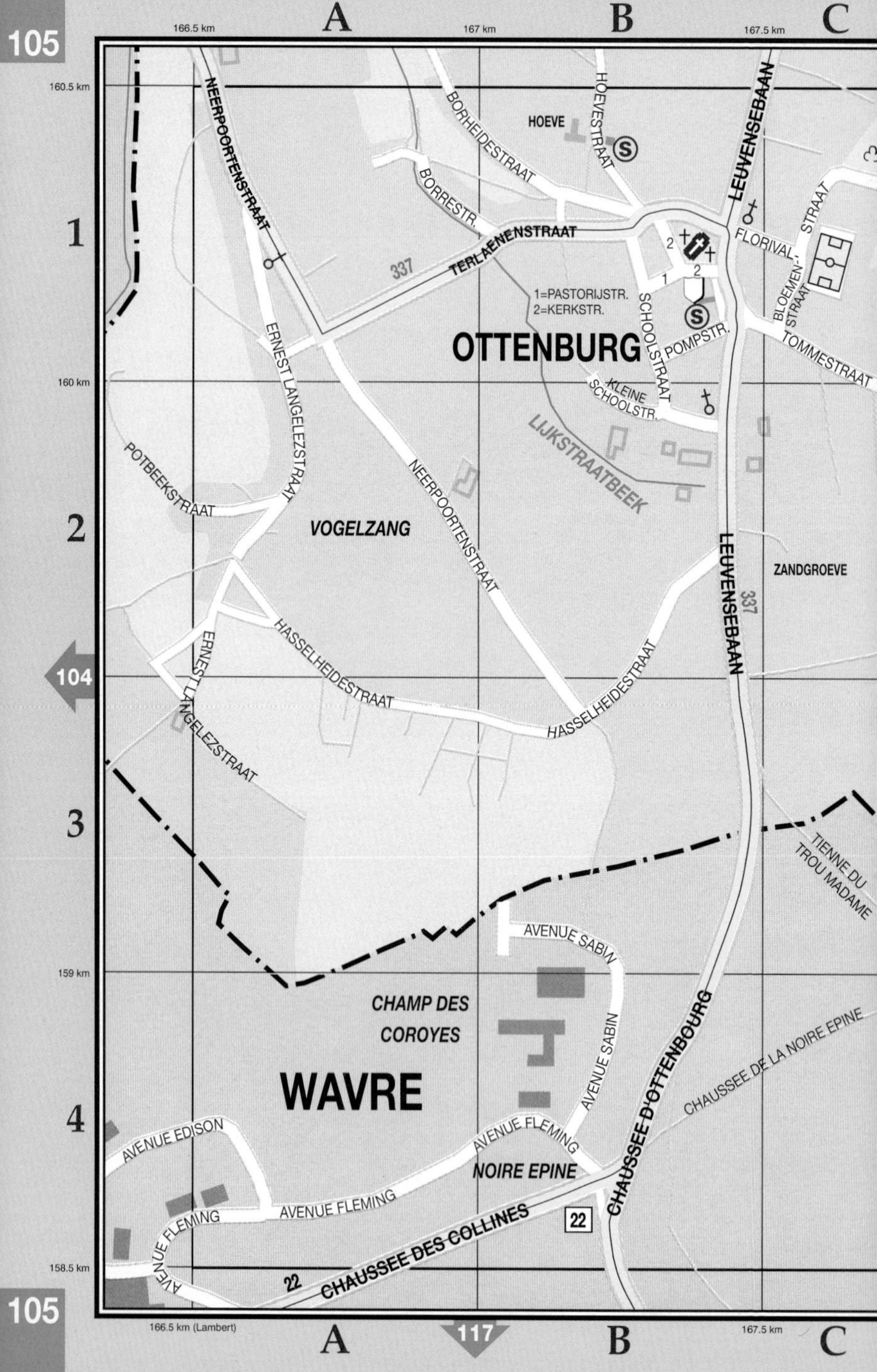
A
B
C
166.5 km
167 km
167.5 km
160.5 km
160 km
159 km
158.5 km
1
2
3
4
104
NEERPOORTENSTRAAT
BORHEIDESTRAAT
HOEVESTRAAT
HOEVE
LEUVENSEBAAN
BORRESTR.
TERLAENENSTRAAT
337
FLORIVAL-
STRAAT
BLOEMEN-
STRAAT
1=PASTORIJSTR.
2=KERKSTR.
SCHOOLSTRAAT
POMPSTR.
TOMMESTRAAT
OTTENBURG
ERNEST LANGELEZSTRAAT
KLEINE
SCHOOLSTR.
LIJKSTRAATBEEK
POTBEEKSTRAAT
VOGELZANG
NEERPOORTENSTRAAT
LEUVENSEBAAN
ZANDGROEVE
337
HASSELHEIDESTRAAT
HASSELHEIDESTRAAT
ERNEST LANGELEZSTRAAT
TIENNE DU
TROU MADAME
AVENUE SABIN
CHAMP DES
COROYES
AVENUE SABIN
CHAUSSEE D'OTTENBOURG
CHAUSSEE DE LA NOIRE EPINE
WAVRE
AVENUE EDISON
AVENUE FLEMING
NOIRE EPINE
AVENUE FLEMING
AVENUE FLEMING
22
AVENUE
CHAUSSEE DES COLLINES
22
166.5 km (Lambert)
167.5 km
117

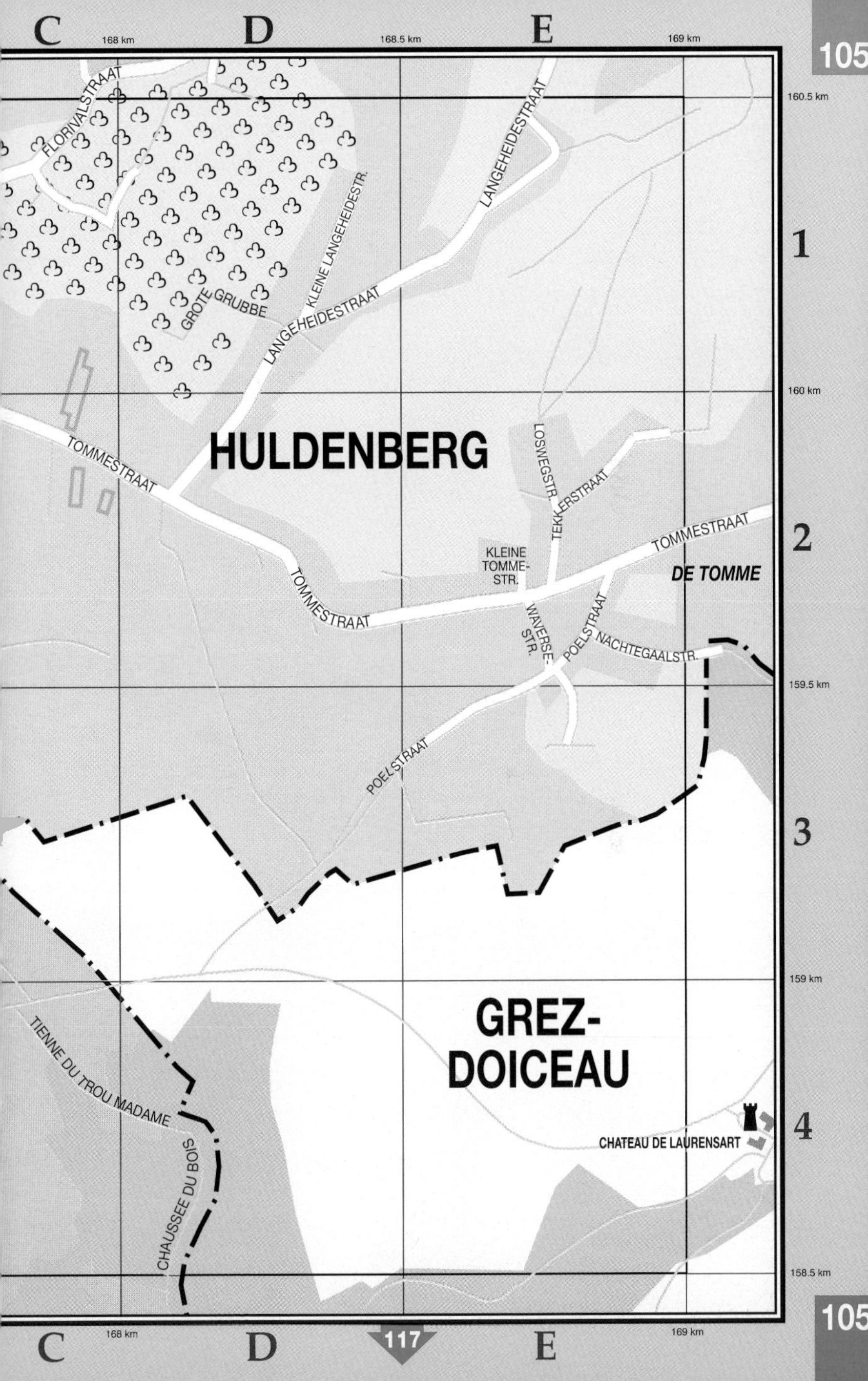
C
168 km
D
168.5 km
E
169 km
160.5 km
160 km
159.5 km
159 km
158.5 km
1
2
3
4
FLORIVALSTRAAT
LANGEHEIDESTRAAT
KLEINE LANGEHEIDESTR.
GROTE GRUBBE
HULDENBERG
TOMMESTRAAT
LOSWEGSTR.
TEKKERSTRAAT
KLEINE TOMME-STR.
WAVERSE-STR.
POELSTRAAT
NACHTEGAALSTR.
DE TOMME
GREZ-DOICEAU
TIENNE DU TROU MADAME
CHAUSSEE DU BOIS
CHATEAU DE LAURENSART
C
D
E
168 km
169 km

117

A
B
C
94
139 km
140 km
158,5 km
158 km
157,5 km
157 km
156,5 km
1
2
3
4
ELSBEEKSTRAAT
GROTE WEIDE
ELBEEK
VICTOR DEMESMAEKERSTRAAT
GROTE WEIDE
1= ZWAANSTRAAT
2= KLINKAERT
3= KARD. CARDIJNSTR.
4= SOLLENBEEMD
5= HOORNSTRAAT
6= MAANDAGMARKT
7= STOOFSTRAAT
8= VAN RUYCHEVELTSTRAAT
9= LEEUWENSTRAAT
10= THEUNCKENSSTRAAT
11= MINDERBROEDERSSTRAAT
12= BARON JACQUESSTRAAT
13= SLACHTHUISSTRAAT
14= BEESTENMARKT
15= KLOOSTERGANG
TRAMSTRAAT
FABRIEKSTR.
ZIEKENHUISLAAN
AUGUST DEMAEGHTLAAN
BEERTSESTRAAT
BEERTSESTRAAT
WILGENVELD
WILGENVELD
OUDE GROENWEG
HALLE
N7
EDINGENSESTEENWEG
BERGENSESTEENWEG
115b
ZINKSTRAAT
471
N6
N203A
E429
SCHUMANLAAN
SCHUMANLAAN
EUROPALAAN
EUROPA-LAAN
VOLDERSSTRAAT
BERGENSESTEENWEG
115b
HEERWEG
PRINSENBOS
PRINSENBOS
WIJNGAARD
DREEF
139 km (Lambert)
140 km
118

C
D
E
140,5 km
141,5 km
94
118
107
1
2
3
4
158,5 km
158 km
157 km
156,5 km
GROTE MARKT
VOLPESTRAAT
ARKENVEST
SUIKERKAAI
WILLAMEKAAI
GRAANKAAI
VANDENPEEREBOOMSTRAAT
STATIONSPLEIN
SINT-ROCHUSSTRAAT
ALBERT-STRAAT
NIJVELSESTEENWEG
ED. NERINCXSTRAAT
KARDINAAL MERCIERPLEIN
UNION HALLOISE
SINT-ROCHUS
RODENEM
N203
N28
N203A
E429
KANAAL BRUSSEL-CHARLEROI
1= KONINGIN ELISABETHLAAN
2= MARIE HENRIETTESQUARE

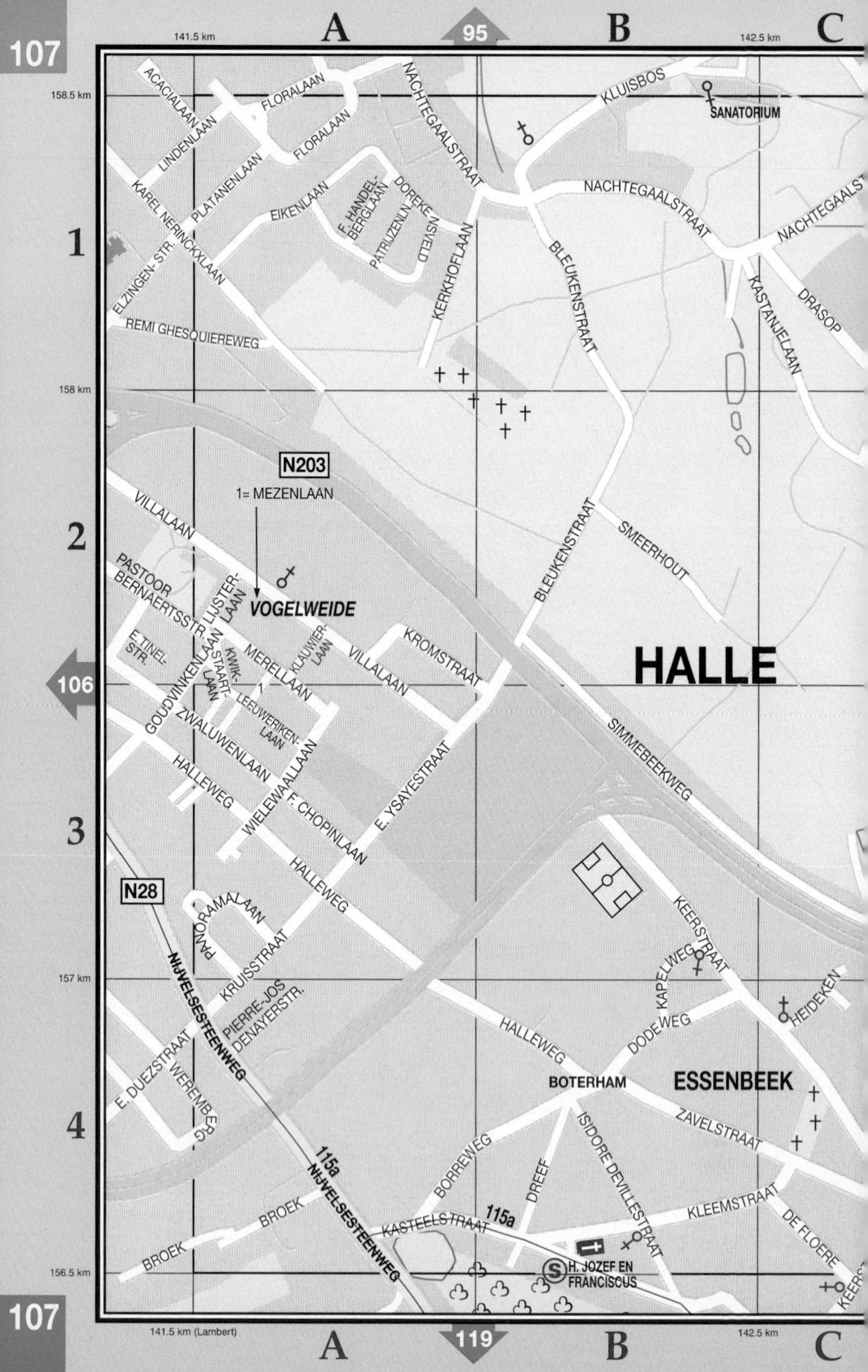
A
95
B
C
141.5 km
142.5 km
158.5 km
158 km
157 km
156.5 km
1
2
3
4
106
ACACIALAAN
FLORALAAN
LINDENLAAN
PLATANENLAAN
KAREL NERINCKXLAAN
EIKENLAAN
F. HANDEL-BERGLAAN
PATRIJZENLN.
DOREKE
NSVELD
NACHTEGAALSTRAAT
KERKHOFLAAN
KLUISBOS
SANATORIUM
BLEUKENSTRAAT
KASTANJELAAN
DRASOP
ELZINGEN- STR.
REMI GHESQUIEREWEG
N203
1= MEZENLAAN
VILLALAAN
PASTOOR BERNAERTSSTR.
LUISTER-LAAN
VOGELWEIDE
E. TINEL-STR.
GOUDVINKENLAAN
KWIK-STAART-LAAN
MERELLAAN
KLAUWIER-LAAN
LEEUWERIKEN-LAAN
KROMSTRAAT
SMEERHOUT
HALLE
ZWALUWENLAAN
HALLEWEG
WIELEWAALLAAN
F. CHOPINLAAN
E. YSAYESTRAAT
SIMMEBEEKWEG
N28
PANORAMALAAN
KRUISSTRAAT
NIJVELSESTEENWEG
PIERRE-JOS DENAYERSTR.
E. DUEZSTRAAT
WEREMBERG
KEERSTRAAT
KAPELWEG
DODEWEG
HEIDEKEN
BOTERHAM
ESSENBEEK
ZAVELSTRAAT
BORREWEG
DREEF
ISIDORE DEVILLESTRAAT
115a
BROEK
KASTEELSTRAAT
KLEEMSTRAAT
DE FLOERE
H. JOZEF EN FRANCISCUS
141.5 km (Lambert)
119

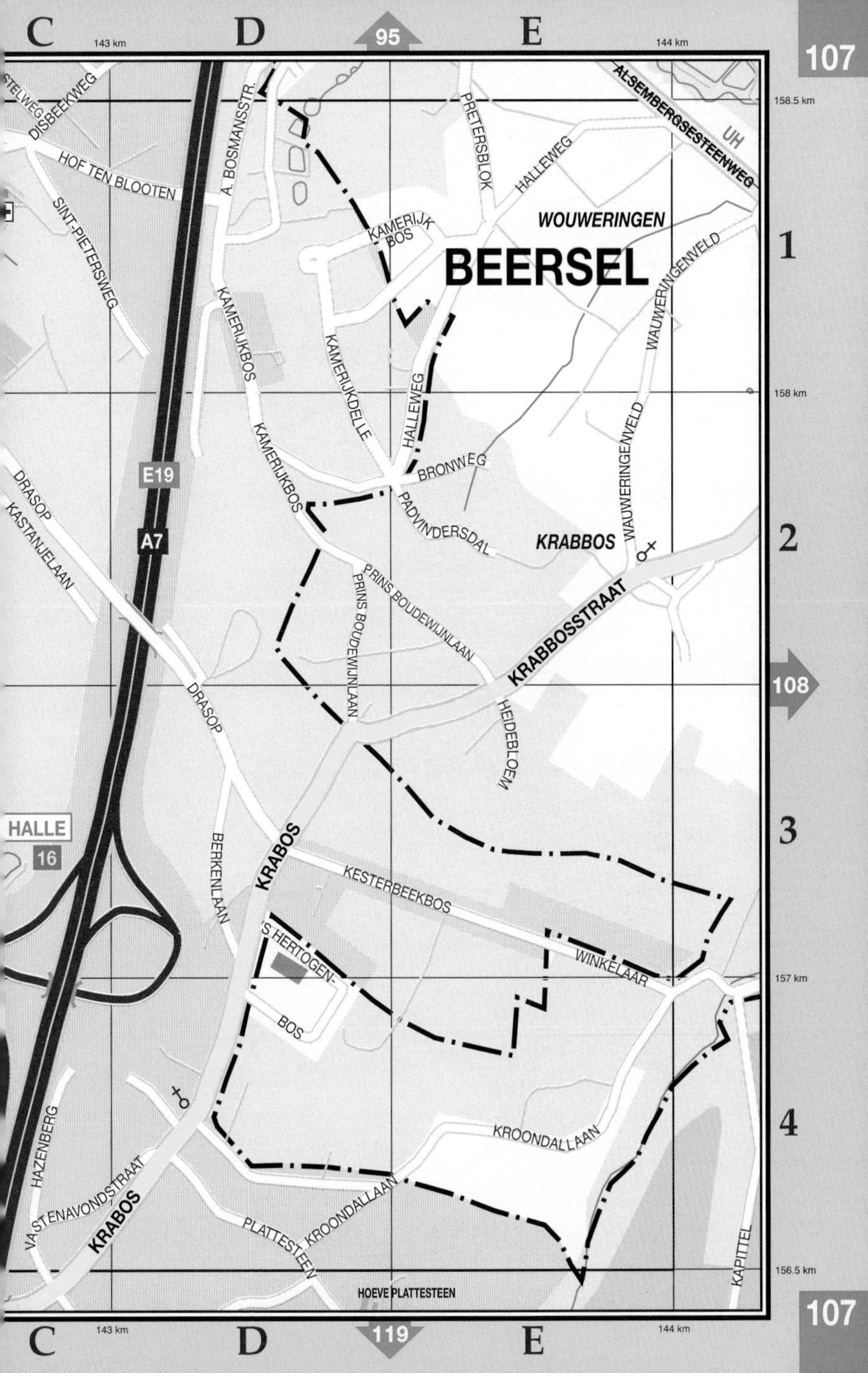
C
D
E
143 km
144 km
95
158.5 km
158 km
157 km
156.5 km
1
2
3
4
108
119
DISBEEKWEG
HOF TEN BLOOTEN
SINT-PIETERSWEG
A. BOSMANSSTR.
KAMERIJK BOS
PRETERSBLOK
HALLEWEG
ALSEMBERGSESTEENWEG
UH
WOUWERINGEN
BEERSEL
WAUWERINGENVELD
KAMERIJKBOS
KAMERIJKDELLE
HALLEWEG
WAUWERINGENVELD
E19
A7
BRONWEG
DRASOP
KASTANJELAAN
KAMERIJKBOS
PADVINDERSDAL
KRABBOS
PRINS BOUDEWIJNLAAN
PRINS BOUDEWIJNLAAN
KRABBOSSTRAAT
DRASOP
HEIDEBLOEM
HALLE
16
BERKENLAAN
KRABOS
KESTERBEEKBOS
'S HERTOGEN-
BOS
WINKELAAR
KROONDALLAAN
HAZENBERG
VASTENAVONDSTRAAT
KRABOS
PLATTESTEEN
KROONDALLAAN
KAPITTEL
HOEVE PLATTESTEEN
C
D
E
143 km
144 km

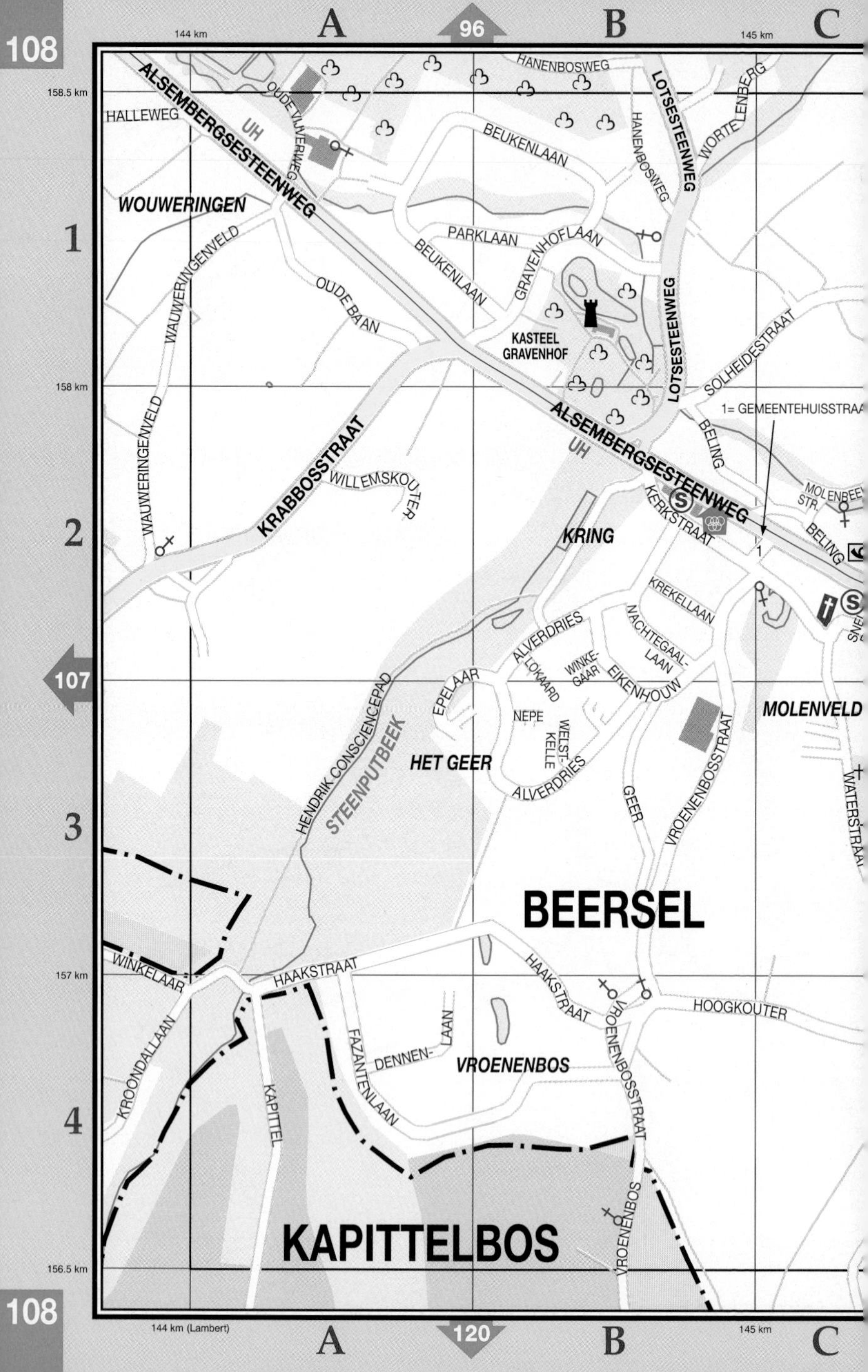

96
A
B
C
144 km
145 km
158.5 km
158 km
157 km
156.5 km
1
2
3
4
107
120
144 km (Lambert)
HANENBOSWEG
ALSEMBERGSESTEENWEG
OUDE VIJVERWEG
HALLEWEG
UH
BEUKENLAAN
HANENBOSWEG
LOTSESTEENWEG
WORTELENBERG
WOUWERINGEN
PARKLAAN
GRAVENHOFLAAN
WAUWERINGENVELD
OUDE BAAN
KASTEEL
GRAVENHOF
SOLHEIDESTRAAT
1= GEMEENTEHUISSTRAAT
BELING
KRABBOSSTRAAT
WILLEMSKOUTER
KERKSTRAAT
MOLENBEEK STR.
KRING
KREKELLAAN
NACHTEGAAL-
LAAN
ALVERDRIES
LOKAARD
WINKE-
GAAR
EIKENHOUW
EPELAAR
NEPE
WELST-
KELLE
MOLENVELD
HENDRIK CONSCIENCEPAD
STEENPUTBEEK
HET GEER
GEER
VROENENBOSSTRAAT
WATERSTRAAT
BEERSEL
WINKELAAR
HAAKSTRAAT
HOOGKOUTER
DENNEN-
LAAN
FAZANTENLAAN
VROENENBOS
KROONDALLAAN
KAPITTEL
VROENENBOS
KAPITTELBOS

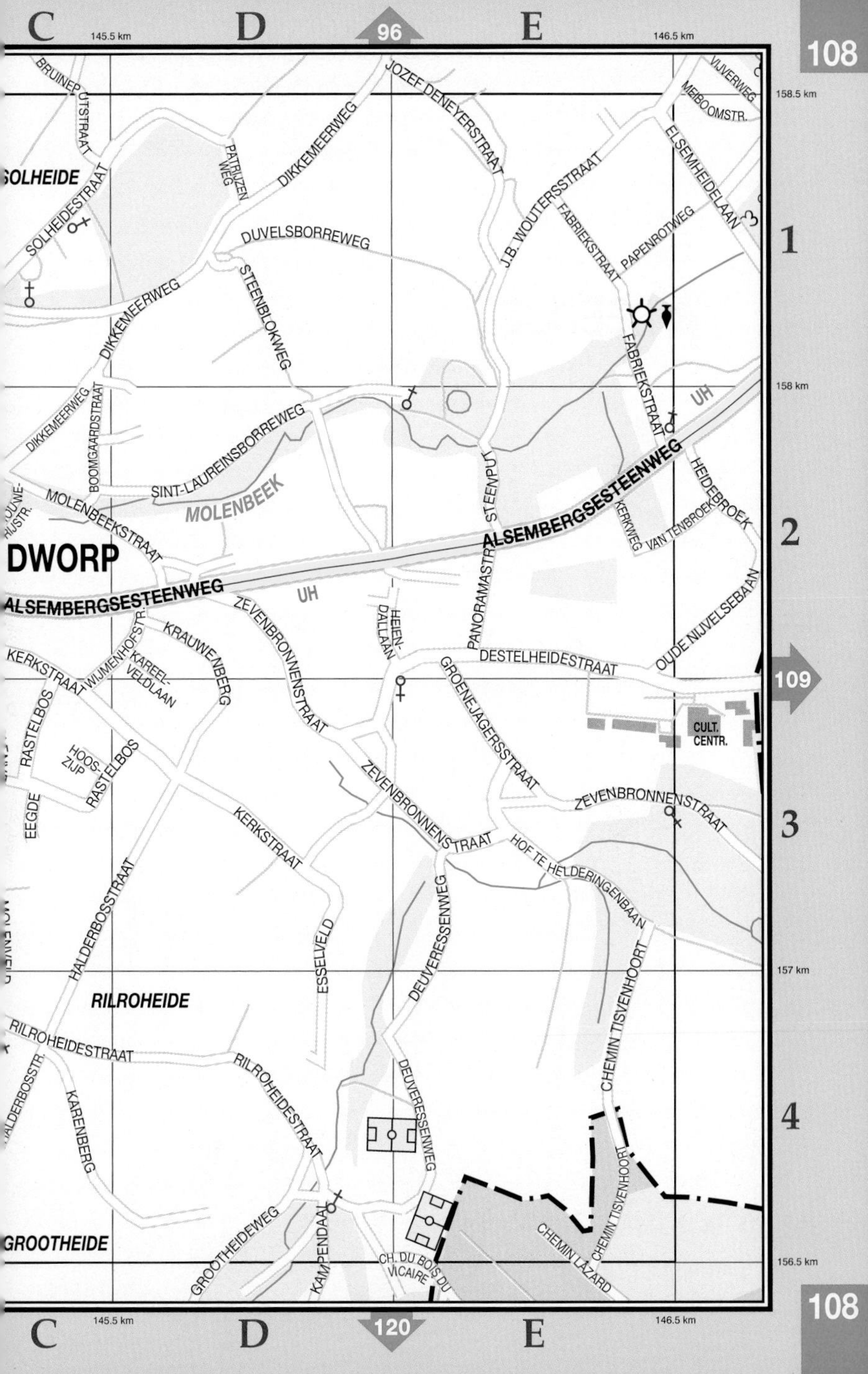
C
D
E
145.5 km
146.5 km
96
120
109
1
2
3
4
158.5 km
158 km
157 km
156.5 km
BRUINEPUTSTRAAT
JOZEF DENEYERSTRAAT
VIJVERWEG
MEIBOOMSTR.
ELSEMHEIDELAAN
SOLHEIDE
SOLHEIDESTRAAT
PATRIJZENWEG
DIKKEMEERWEG
J.B. WOUTERSSTRAAT
FABRIEKSTRAAT
PAPENROTWEG
DUVELSBORREWEG
STEENBLOKWEG
UH
DIKKEMEERWEG
BOOMGAARDSTRAAT
SINT-LAUREINSBORREWEG
MOLENBEEK
MOLENBEEKSTRAAT
STEENPUT
ALSEMBERGSESTEENWEG
HEIDEBROEK
KERKWEG
VAN TENBROEK
DWORP
PANORAMASTR.
OUDE NIJVELSEBAAN
ZEVENBRONNENSTRAAT
KRAUWENBERG
HEIEN-DALLAAN
DESTELHEIDESTRAAT
KERKSTRAAT
WIJMENHOFSTR.
KAREEL-VELDLAAN
GROENEJAGERSSTRAAT
CULT. CENTR.
RASTELBOS
HOOS-ZIJP
RASTELBOS
ZEVENBRONNENSTRAAT
HOF TE HELDERINGENBAAN
KERKSTRAAT
HALDERBOSSTRAAT
ESSELVELD
DEUVERESSENWEG
CHEMIN TISVENHOORT
RILROHEIDE
RILROHEIDESTRAAT
RILROHEIDESTRAAT
KARENBERG
DEUVERESSENWEG
CHEMIN TISVENHOORT
GROOTHEIDEWEG
KAMPENDAAL
CH. DU BOIS DU VICAIRE
CHEMIN LAZARD
CHEMIN TISVENHOORT
GROOTHEIDE

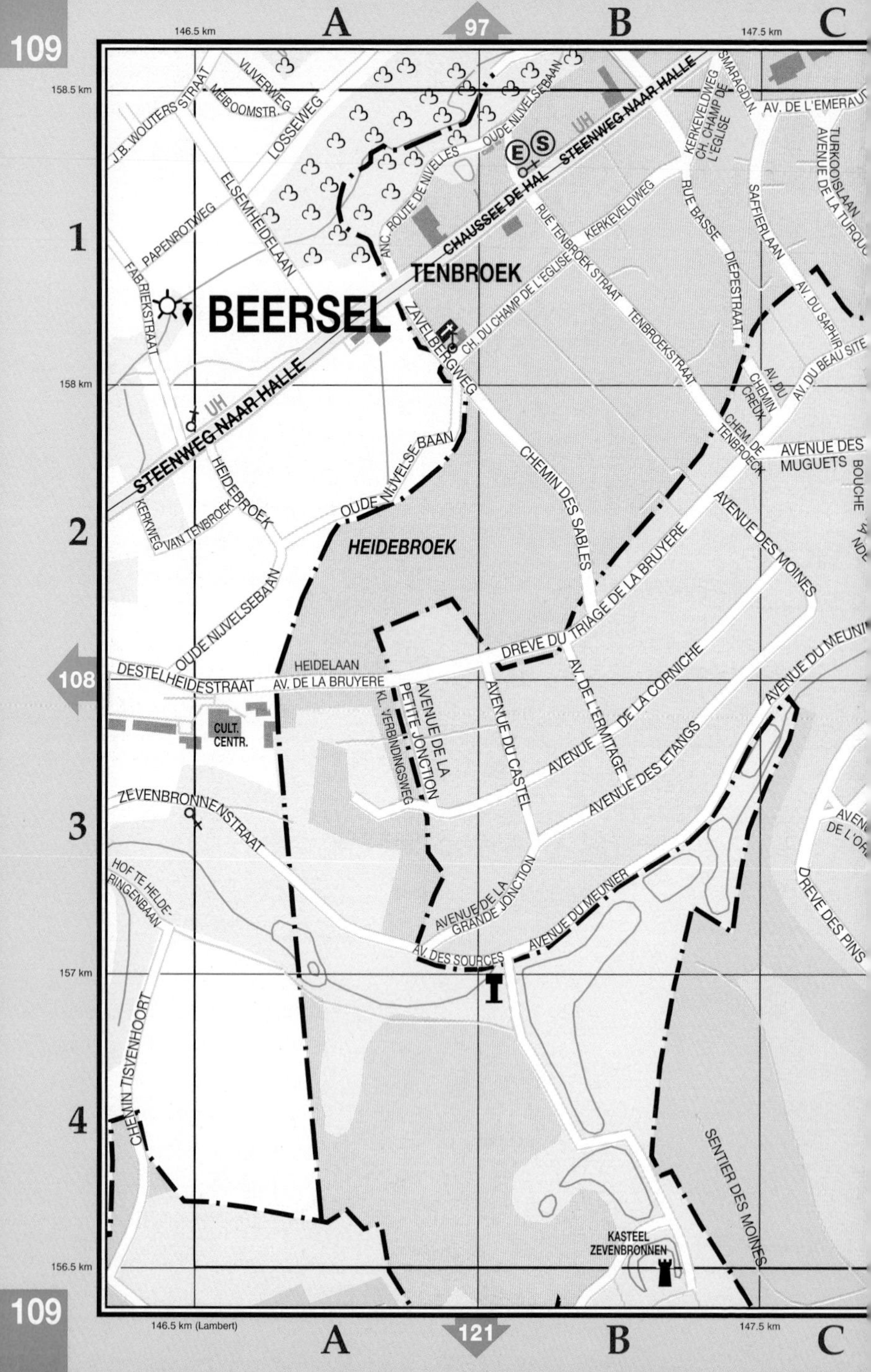

146.5 km
A
97
B
147.5 km
C
158.5 km
158 km
157 km
156.5 km
1
2
3
4
108
BEERSEL
TENBROEK
HEIDEBROEK
J.B. WOUTERS STRAAT
VIJVERWEG
MEIBOOMSTR.
LOSSEWEG
ELSEMHEIDELAAN
PAPENROTWEG
FABRIEKSTRAAT
ANC. ROUTE DE NIVELLES
OUDE NIJVELSEBAAN
CHAUSSEE DE HAL
STEENWEG NAAR HALLE
UH
SMARAGDLN.
AV. DE L'EMERAUDE
KERKEVELDWEG
CH. CHAMP DE L'EGLISE
RUE BASSE
DIEPESTRAAT
SAFFIERLAAN
TURKOOISLAAN
AVENUE DE LA TURQUOISE
RUE TENBROEK STRAAT
CH. DU CHAMP DE L'EGLISE
ZAVELBERGWEG
TENBROEKSTRAAT
AV. DU SAPHIR
AV. DU BEAU SITE
AV. DU CHEMIN CREUX
CHEM. DE TENBROECK
AVENUE DES MUGUETS
BOUCHE
HEIDEBROEK
KERKWEG
VAN TENBROEK
CHEMIN DES SABLES
AVENUE DES MOINES
DREVE DU TRIAGE DE LA BRUYERE
DESTELHEIDESTRAAT
HEIDELAAN
AV. DE LA BRUYERE
AVENUE DE LA PETITE JONCTION
KL. VERBINDINGSWEG
AVENUE DU CASTEL
AV. DE L'ERMITAGE
AVENUE DE LA CORNICHE
AVENUE DES ETANGS
AVENUE DU MEUNIER
CULT. CENTR.
ZEVENBRONNENSTRAAT
HOF TE HELDE-RINGENBAAN
AVENUE DE LA GRANDE JONCTION
AV. DES SOURCES
DREVE DES PINS
CHEMIN TISVENHOORT
SENTIER DES MOINES
KASTEEL ZEVENBRONNEN
146.5 km (Lambert)
121

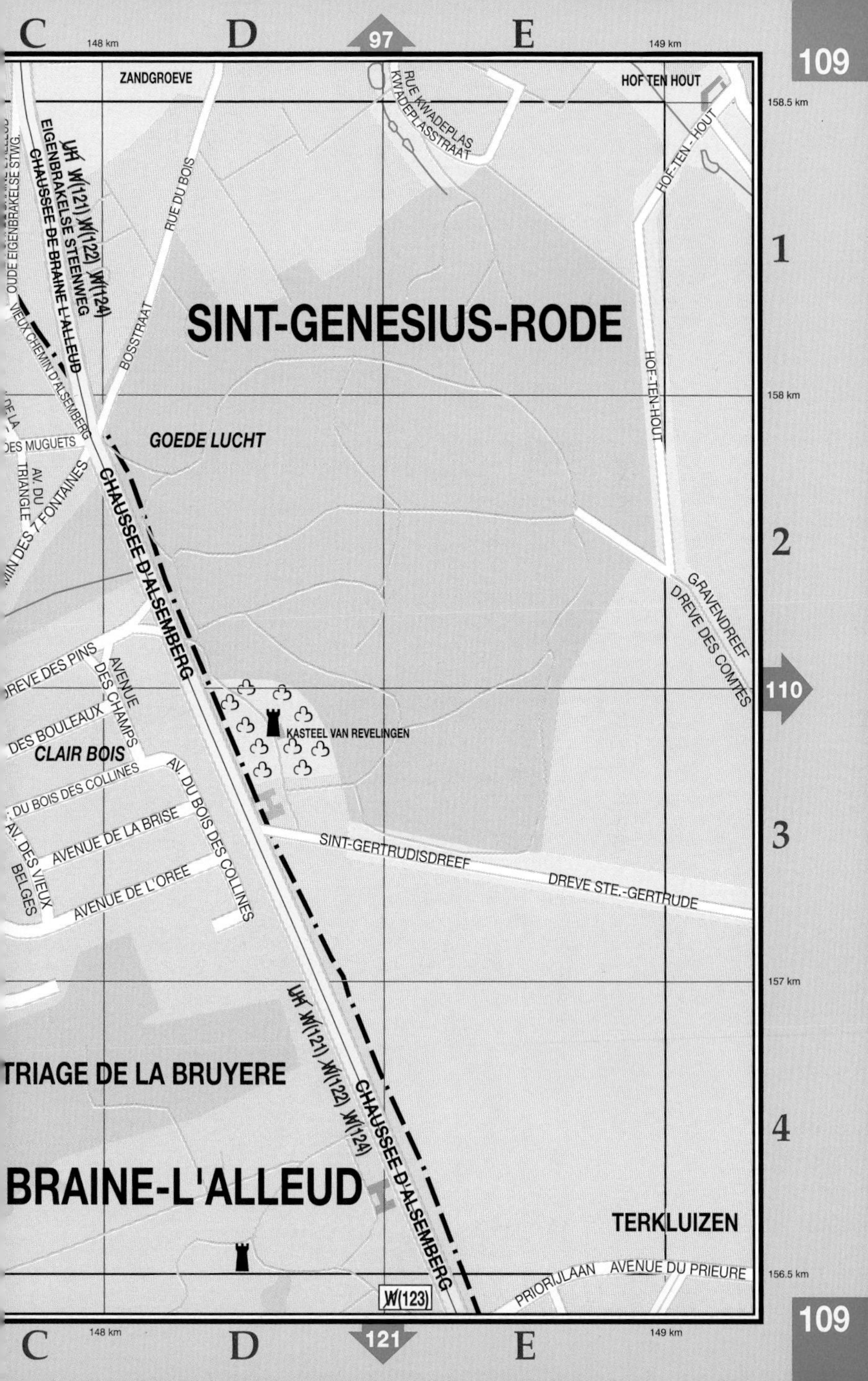
C
D
E
148 km
149 km
97
110
121
158.5 km
158 km
157 km
156.5 km
1
2
3
4
ZANDGROEVE
HOF TEN HOUT
RUE KWADEPLAS
KWADEPLASSTRAAT
HOF-TEN-HOUT
RUE DU BOIS
BOSSTRAAT
EIGENBRAKELSE STEENWEG
CHAUSSEE DE BRAINE-L'ALLEUD
OUDE EIGENBRAKELSE STWG.
VIEUX CHEMIN D'ALSEMBERG
SINT-GENESIUS-RODE
GOEDE LUCHT
DES MUGUETS
AV. DU TRIANGLE
CHAUSSEE D'ALSEMBERG
GRAVENDREEF
DREVE DES COMTES
DREVE DES PINS
AVENUE DES CHAMPS
DES BOULEAUX
CLAIR BOIS
KASTEEL VAN REVELINGEN
DU BOIS DES COLLINES
AV. DU BOIS DES COLLINES
AVENUE DE LA BRISE
AV. DES VIEUX BELGES
AVENUE DE L'OREE
SINT-GERTRUDISDREEF
DREVE STE.-GERTRUDE
TRIAGE DE LA BRUYERE
BRAINE-L'ALLEUD
TERKLUIZEN
PRIORIJLAAN
AVENUE DU PRIEURE
W(123)

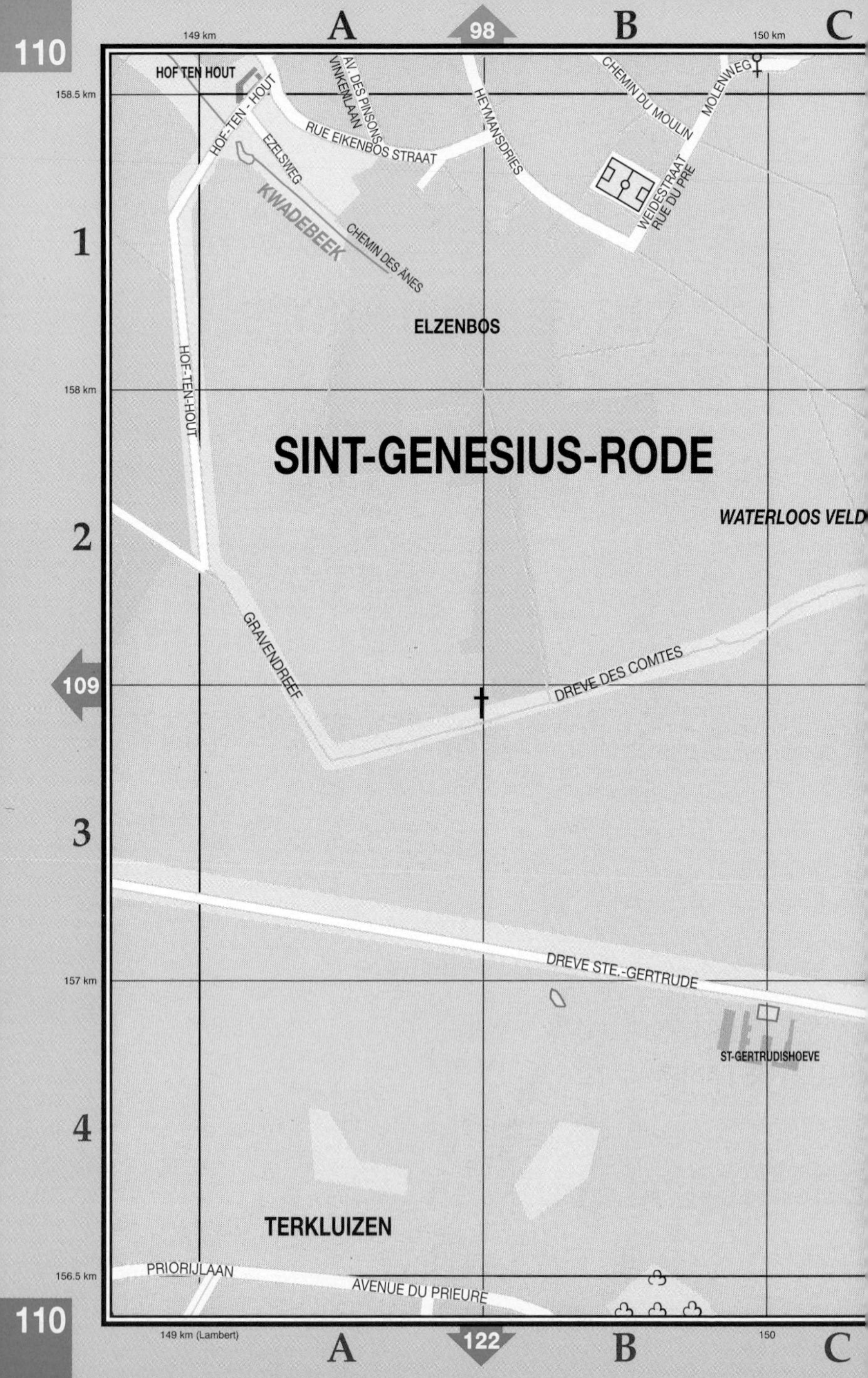
A
98
B
C
149 km
150 km
158.5 km
158 km
157 km
156.5 km
1
2
3
4
109
HOF TEN HOUT
HOF-TEN - HOUT
AV. DES PINSONS
VINKENLAAN
RUE EIKENBOS STRAAT
EZELSWEG
KWADEBEEK
CHEMIN DES ÂNES
HEYMANSDRIES
CHEMIN DU MOULIN
MOLENWEG
WEIDESTRAAT
RUE DU PRE
ELZENBOS
HOF-TEN-HOUT
SINT-GENESIUS-RODE
WATERLOOS VELD
GRAVENDREEF
DREVE DES COMTES
DREVE STE.-GERTRUDE
ST-GERTRUDISHOEVE
TERKLUIZEN
PRIORIJLAAN
AVENUE DU PRIEURE
149 km (Lambert)
150
122
A
B
C

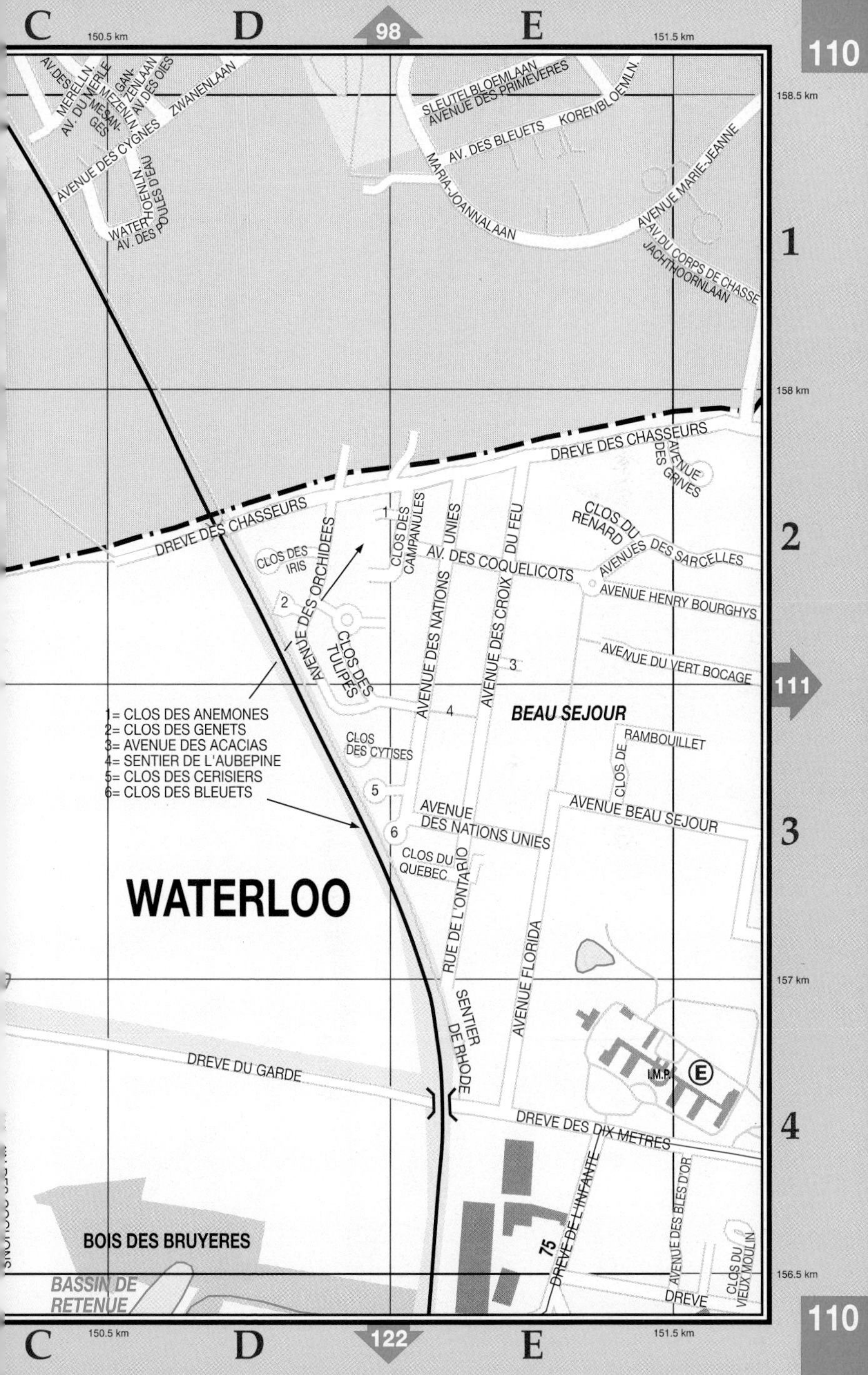
C
D
E
98
150.5 km
151.5 km
158.5 km
158 km
157 km
156.5 km
1
2
3
4
111
122
WATERLOO
BEAU SEJOUR
BOIS DES BRUYERES
BASSIN DE RETENUE
ZWANENLAAN
AVENUE DES CYGNES
AVENUE DES PRIMEVERES
SLEUTELBLOEMLAAN
KORENBLOEMLN.
AV. DES BLEUETS
MARIA-JOANNALAAN
AVENUE MARIE-JEANNE
AV. DU CORPS DE CHASSE
JACHTHOORNLAAN
DREVE DES CHASSEURS
AVENUE DES GRIVES
CLOS DU RENARD
AVENUES DES SARCELLES
AV. DES COQUELICOTS
AVENUE HENRY BOURGHYS
AVENUE DU VERT BOCAGE
CLOS DES IRIS
AVENUE DES ORCHIDEES
CLOS DES CAMPANULES
AVENUE DES NATIONS UNIES
AVENUE DES CROIX DU FEU
CLOS DES TULIPES
1= CLOS DES ANEMONES
2= CLOS DES GENETS
3= AVENUE DES ACACIAS
4= SENTIER DE L'AUBEPINE
5= CLOS DES CERISIERS
6= CLOS DES BLEUETS
CLOS DES CYTISES
CLOS DE RAMBOUILLET
AVENUE BEAU SEJOUR
CLOS DU QUEBEC
RUE DE L'ONTARIO
SENTIER DE RHODE
AVENUE FLORIDA
DREVE DU GARDE
DREVE DES DIX METRES
I.M.P.
DREVE DE L'INFANTE
75
AVENUE DES BLES D'OR
CLOS DU VIEUX MOULIN
DREVE

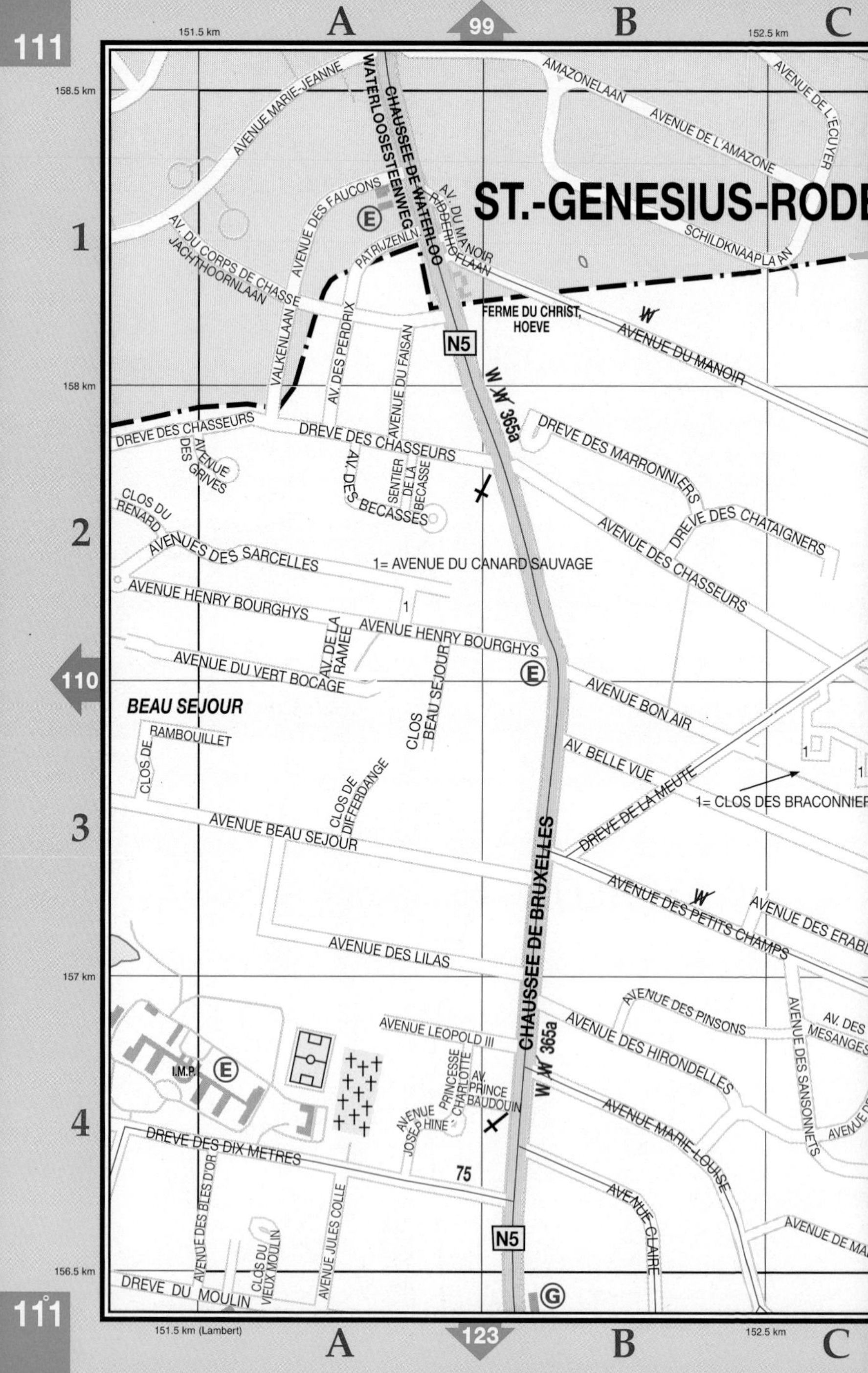

A
B
C
99
151.5 km
152.5 km
158.5 km
158 km
157 km
156.5 km
1
2
3
4
110
123
151.5 km (Lambert)
ST.-GENESIUS-RODE
AMAZONELAAN
AVENUE DE L'AMAZONE
AVENUE DE L'ECUYER
SCHILDKNAAPLAAN
AVENUE MARIE-JEANNE
CHAUSSEE DE WATERLOO
WATERLOOSESTEENWEG
AVENUE DES FAUCONS
AV. DU MANOIR
RIDDERHOFLAAN
AV. DU CORPS DE CHASSE
JACHTHOORNLAAN
PATRIJZENLN.
VALKENLAAN
AV. DES PERDRIX
AVENUE DU FAISAN
FERME DU CHRIST, HOEVE
AVENUE DU MANOIR
N5
365a
DREVE DES CHASSEURS
DREVE DES MARRONNIERS
AVENUE DES GRIVES
AV. DES BECASSES
SENTIER DE LA BECASSE
CLOS DU RENARD
DREVE DES CHATAIGNERS
AVENUE DES CHASSEURS
AVENUES DES SARCELLES
1= AVENUE DU CANARD SAUVAGE
AVENUE HENRY BOURGHYS
AV. DE LA RAMEE
AVENUE DU VERT BOCAGE
BEAU SEJOUR
CLOS BEAU SEJOUR
AVENUE BON AIR
CLOS DE RAMBOUILLET
AV. BELLE VUE
CLOS DE DIFFERDANGE
DREVE DE LA MEUTE
1= CLOS DES BRACONNIER
AVENUE BEAU SEJOUR
CHAUSSEE DE BRUXELLES
AVENUE DES PETITS CHAMPS
AVENUE DES ERABL
AVENUE DES LILAS
AVENUE DES PINSONS
AV. DES MESANGES
AVENUE LEOPOLD III
AVENUE DES HIRONDELLES
AVENUE DES SANSONNETS
I.M.P.
PRINCESSE CHARLOTTE
AV. PRINCE BAUDOUIN
AVENUE JOSEPHINE
AVENUE MARIE-LOUISE
DREVE DES DIX METRES
75
AVENUE CLAIRE
AVENUE DE MA
AVENUE DES BLES D'OR
AVENUE JULES COLLE
CLOS DU VIEUX MOULIN
DREVE DU MOULIN

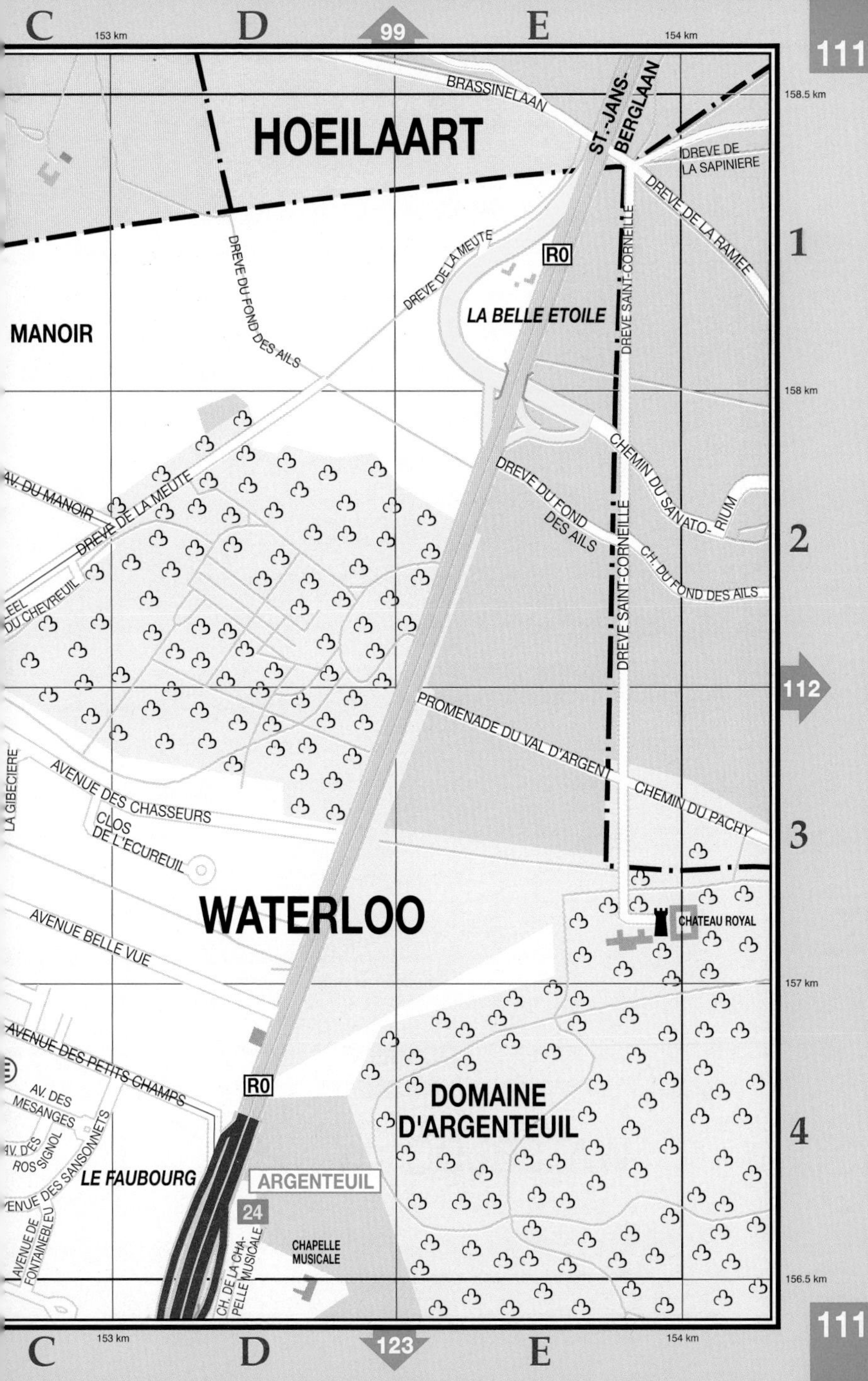
C
D
E
153 km
154 km
99
158.5 km
158 km
157 km
156.5 km
1
2
3
4
112
123
HOEILAART
BRASSINELAAN
ST.-JANS-BERGLAAN
DREVE DE LA SAPINIERE
DREVE DE LA RAMEE
DREVE SAINT-CORNEILLE
R0
DREVE DU FOND DES AILS
DREVE DE LA MEUTE
LA BELLE ETOILE
MANOIR
AV. DU MANOIR
CHEMIN DU SANATORIUM
DREVE DU FOND DES AILS
CH. DU FOND DES AILS
DREVE DU CHEVREUIL
PROMENADE DU VAL D'ARGENT
CHEMIN DU PACHY
LA GIBECIERE
AVENUE DES CHASSEURS
CLOS DE L'ECUREUIL
WATERLOO
CHATEAU ROYAL
AVENUE BELLE VUE
AVENUE DES PETITS CHAMPS
AV. DES MESANGES
AV. DES ROSSIGNOL
AVENUE DES SANSONNETS
LE FAUBOURG
AVENUE DE FONTAINEBLEU
DOMAINE D'ARGENTEUIL
ARGENTEUIL
24
CH. DE LA CHAPELLE MUSICALE
CHAPELLE MUSICALE

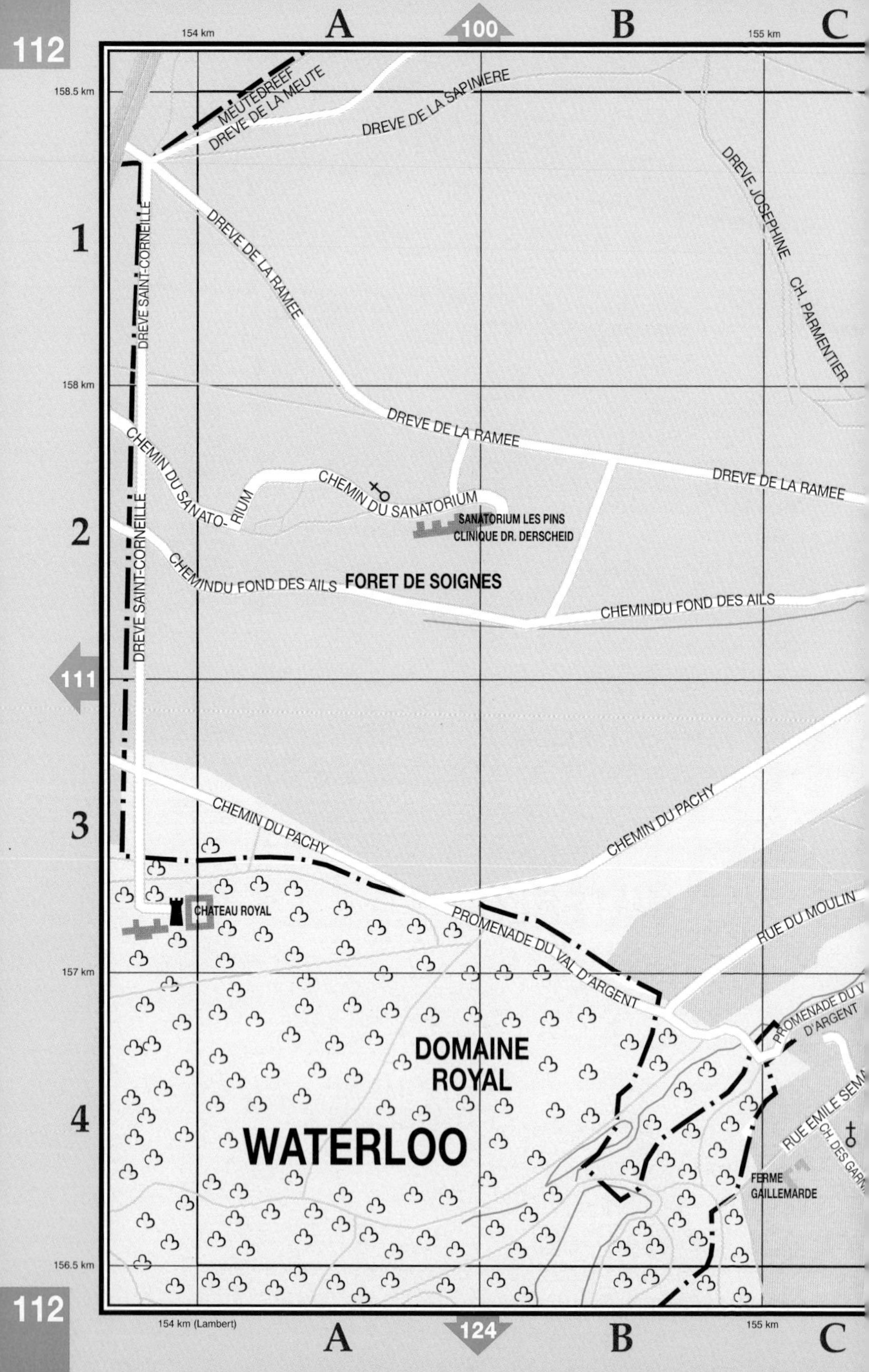
A
B
C
100
154 km
155 km
158.5 km
158 km
157 km
156.5 km
1
2
3
4
111
MEUTEDREEF
DREVE DE LA MEUTE
DREVE DE LA SAPINIERE
DREVE JOSEPHINE
CH. PARMENTIER
DREVE SAINT-CORNEILLE
DREVE DE LA RAMEE
DREVE DE LA RAMEE
DREVE DE LA RAMEE
CHEMIN DU SANATO- RIUM
CHEMIN DU SANATORIUM
SANATORIUM LES PINS
CLINIQUE DR. DERSCHEID
CHEMINDU FOND DES AILS
FORET DE SOIGNES
CHEMINDU FOND DES AILS
DREVE SAINT-CORNEILLE
CHEMIN DU PACHY
CHEMIN DU PACHY
CHATEAU ROYAL
PROMENADE DU VAL D'ARGENT
RUE DU MOULIN
PROMENADE DU VAL D'ARGENT
DOMAINE ROYAL
WATERLOO
RUE EMILE SEM
CH. DES GAR
FERME GAILLEMARDE
154 km (Lambert)
155 km
124
A
B
C

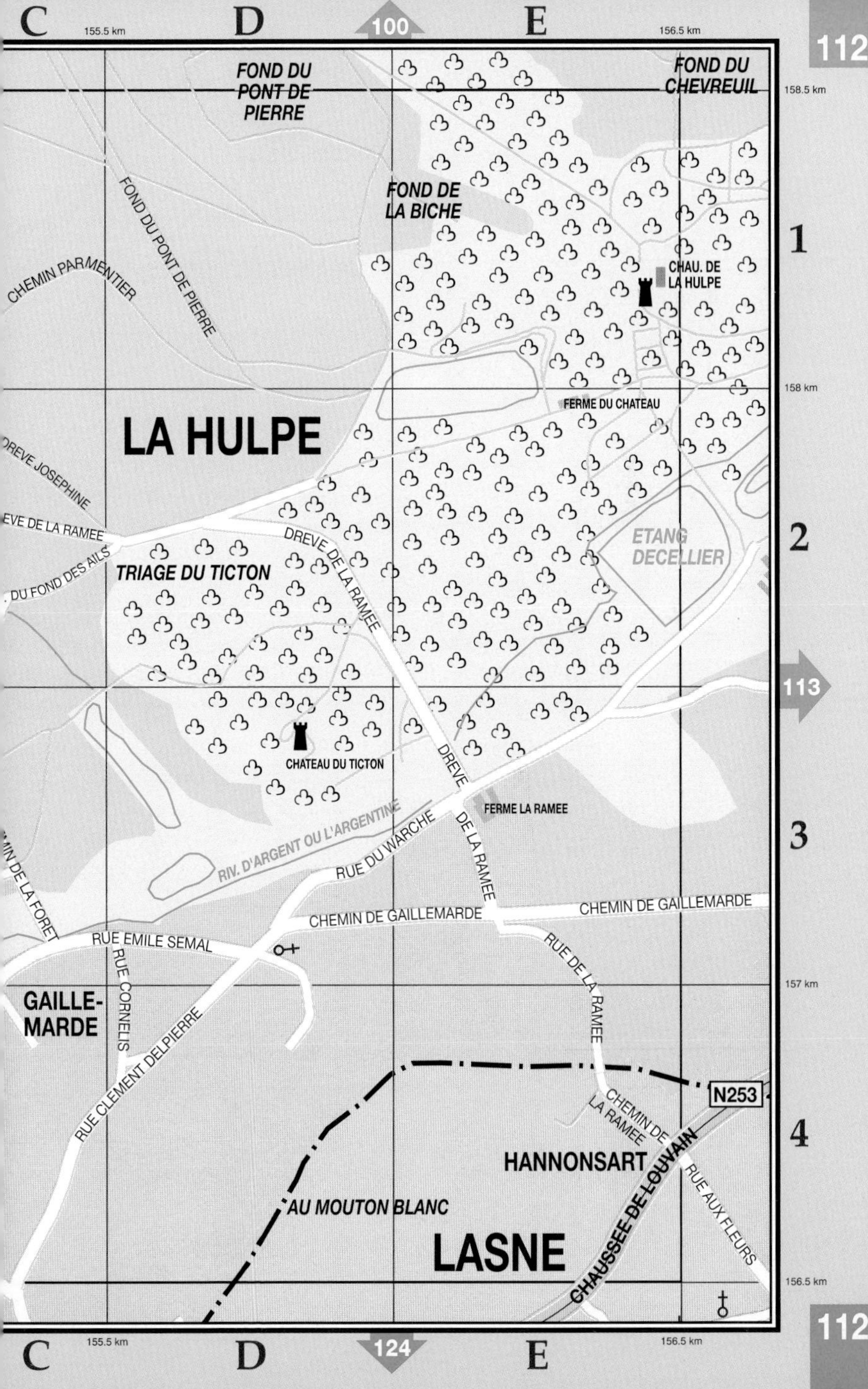
C
D
E
100
155.5 km
156.5 km
FOND DU PONT DE PIERRE
FOND DU CHEVREUIL
158.5 km
FOND DE LA BICHE
FOND DU PONT DE PIERRE
CHEMIN PARMENTIER
1
CHAU. DE LA HULPE
158 km
FERME DU CHATEAU
LA HULPE
DREVE JOSEPHINE
EVE DE LA RAMEE
DREVE DE LA RAMEE
DU FOND DES AILS
TRIAGE DU TICTON
ETANG DECELLIER
2
113
CHATEAU DU TICTON
DREVE
DE LA RAMEE
FERME LA RAMEE
RIV. D'ARGENT OU L'ARGENTINE
RUE DU WARCHE
3
MIN DE LA FORET
CHEMIN DE GAILLEMARDE
CHEMIN DE GAILLEMARDE
RUE EMILE SEMAL
RUE CORNELIS
RUE DE LA RAMEE
157 km
GAILLE-MARDE
RUE CLEMENT DELPIERRE
N253
CHEMIN DE LA RAMEE
4
HANNONSART
CHAUSSEE DE LOUVAIN
RUE AUX FLEURS
AU MOUTON BLANC
LASNE
156.5 km
155.5 km
156.5 km
124
C
D
E

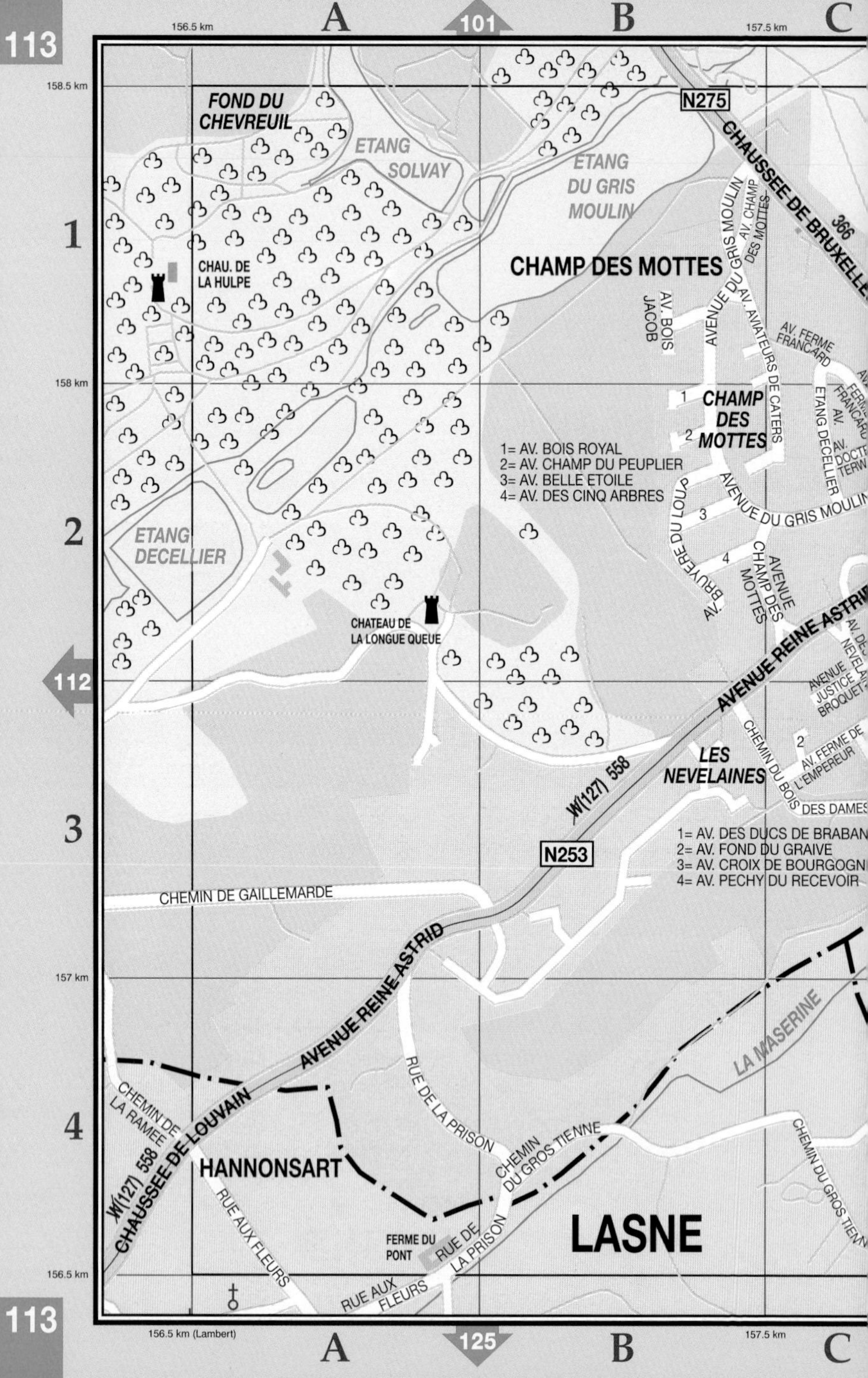
A
B
C
101
156.5 km
157.5 km
158.5 km
158 km
157 km
156.5 km
156.5 km (Lambert)
1
2
3
4
112
125
N275
CHAUSSEE DE BRUXELLES
366
FOND DU CHEVREUIL
ETANG SOLVAY
ETANG DU GRIS MOULIN
CHAMP DES MOTTES
CHAU. DE LA HULPE
AV. BOIS JACOB
AVENUE DU GRIS MOULIN
AV. CHAMP DES MOTTES
AV. AVIATEURS DE CATERS
AV. FERME FRANCARD
AV. ETANG DECELLIER
CHAMP DES MOTTES
1= AV. BOIS ROYAL
2= AV. CHAMP DU PEUPLIER
3= AV. BELLE ETOILE
4= AV. DES CINQ ARBRES
AV. BRUYERE DU LOUP
AVENUE DU GRIS MOULIN
AVENUE CHAMP DES MOTTES
ETANG DECELLIER
CHATEAU DE LA LONGUE QUEUE
AVENUE REINE ASTRID
AVENUE JUSTICE BROQUET
CHEMIN DU BOIS DES DAMES
AV. FERME DE L'EMPEREUR
LES NEVELAINES
W(127) 558
N253
1= AV. DES DUCS DE BRABAN
2= AV. FOND DU GRAIVE
3= AV. CROIX DE BOURGOGN
4= AV. PECHY DU RECEVOIR
CHEMIN DE GAILLEMARDE
AVENUE REINE ASTRID
LA MASERINE
CHAUSSEE DE LOUVAIN
CHEMIN DE LA RAMEE
RUE DE LA PRISON
CHEMIN DU GROS TIENNE
CHEMIN DU GROS TIENNE
HANNONSART
W(127) 558
RUE AUX FLEURS
LASNE
FERME DU PONT
RUE DE LA PRISON
RUE AUX FLEURS

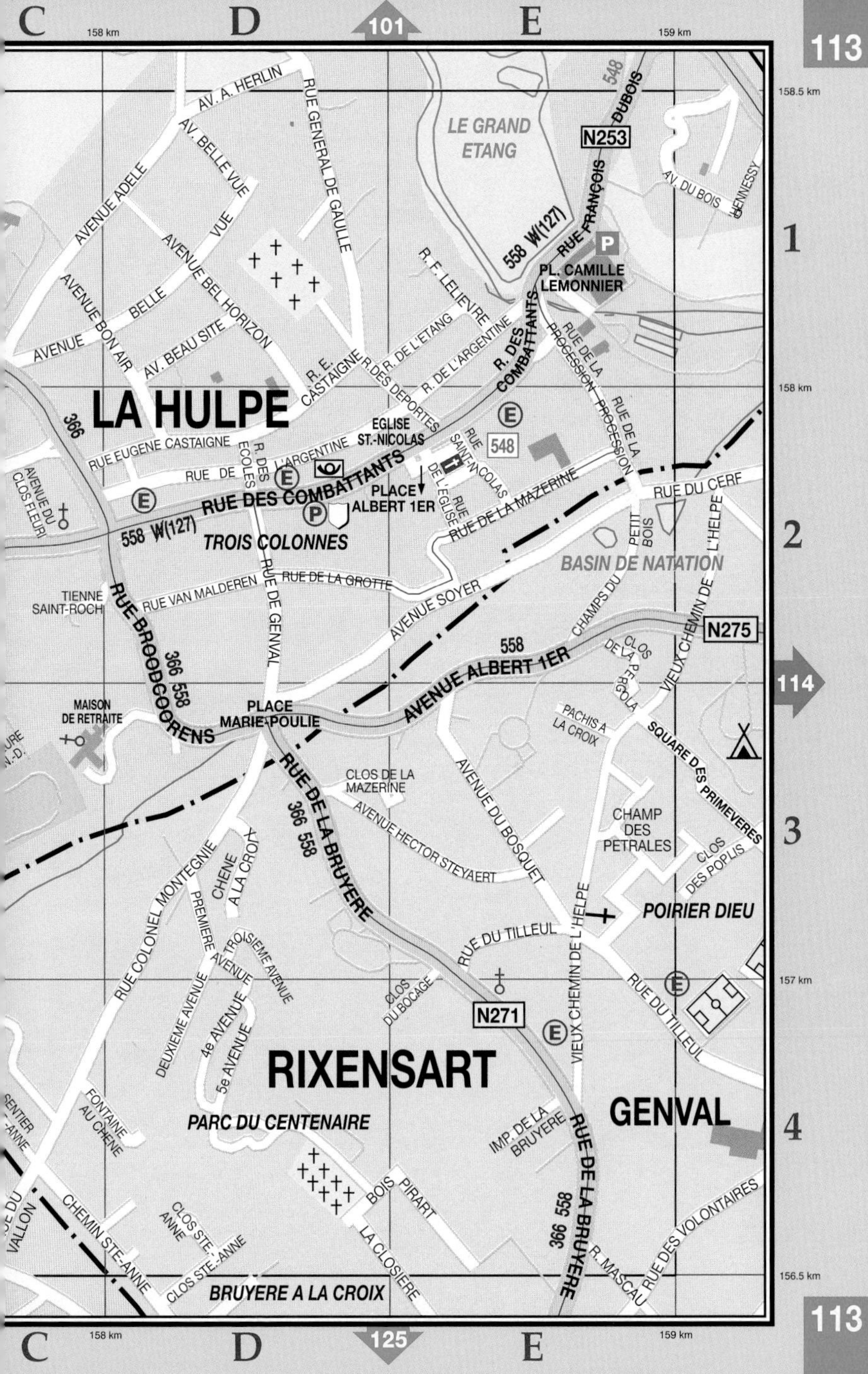
C
D
E
158 km
159 km
101
158.5 km
158 km
157 km
156.5 km
1
2
3
4
114
125
LA HULPE
RIXENSART
GENVAL
LE GRAND ETANG
TROIS COLONNES
BASIN DE NATATION
POIRIER DIEU
PARC DU CENTENAIRE
BRUYERE A LA CROIX
N253
N275
N271
548
RUE FRANÇOIS DUBOIS
PL. CAMILLE LEMONNIER
AV. DU BOIS HENNESSY
AV. A. HERLIN
RUE GENERAL DE GAULLE
AV. BELLE VUE
AVENUE ADELE
AVENUE BELLE VUE
AVENUE BEL HORIZON
AVENUE BON AIR
AV. BEAU SITE
R. F. LELIEVRE
R. DE L'ETANG
R. DE L'ARGENTINE
R. DES DEPORTES
R. E. CASTAIGNE
R. DES COMBATTANTS
RUE DE LA PROCESSION
RUE EUGENE CASTAIGNE
RUE DE L'ARGENTINE
R. DES ECOLES
EGLISE ST.-NICOLAS
RUE SAINT-NICOLAS
RUE DE L'EGLISE
PLACE ALBERT 1ER
RUE DES COMBATTANTS
558 W(127)
RUE DE LA MAZERINE
RUE DU CERF
PETIT BOIS
AVENUE DU CLOS FLEURI
366
RUE VAN MALDEREN
RUE DE LA GROTTE
TIENNE SAINT-ROCH
AVENUE SOYER
CHAMPS DU
VIEUX CHEMIN DE L'HELPE
RUE BROODCOORENS
366 558
RUE DE GENVAL
558
AVENUE ALBERT 1ER
CLOS DE LA PERGOLA
MAISON DE RETRAITE
PLACE MARIE-POULIE
PACHIS A LA CROIX
SQUARE DES PRIMEVERES
RUE DE LA BRUYERE
CLOS DE LA MAZERINE
AVENUE DU BOSQUET
AVENUE HECTOR STEYAERT
CHAMP DES PETRALES
CLOS DES POPLIS
RUE COLONEL MONTEGNIE
CHENE A LA CROIX
PREMIERE AVENUE
TROISIEME AVENUE
RUE DU TILLEUL
VIEUX CHEMIN DE L'HELPE
DEUXIEME AVENUE
4e AVENUE
5e AVENUE
CLOS DU BOCAGE
FONTAINE AU CHENE
SENTIER STE-ANNE
IMP. DE LA BRUYERE
RUE DU VALLON
CHEMIN STE-ANNE
CLOS STE-ANNE
BOIS PIRART
LA CLOSIERE
R. MASCAU
RUE DES VOLONTAIRES

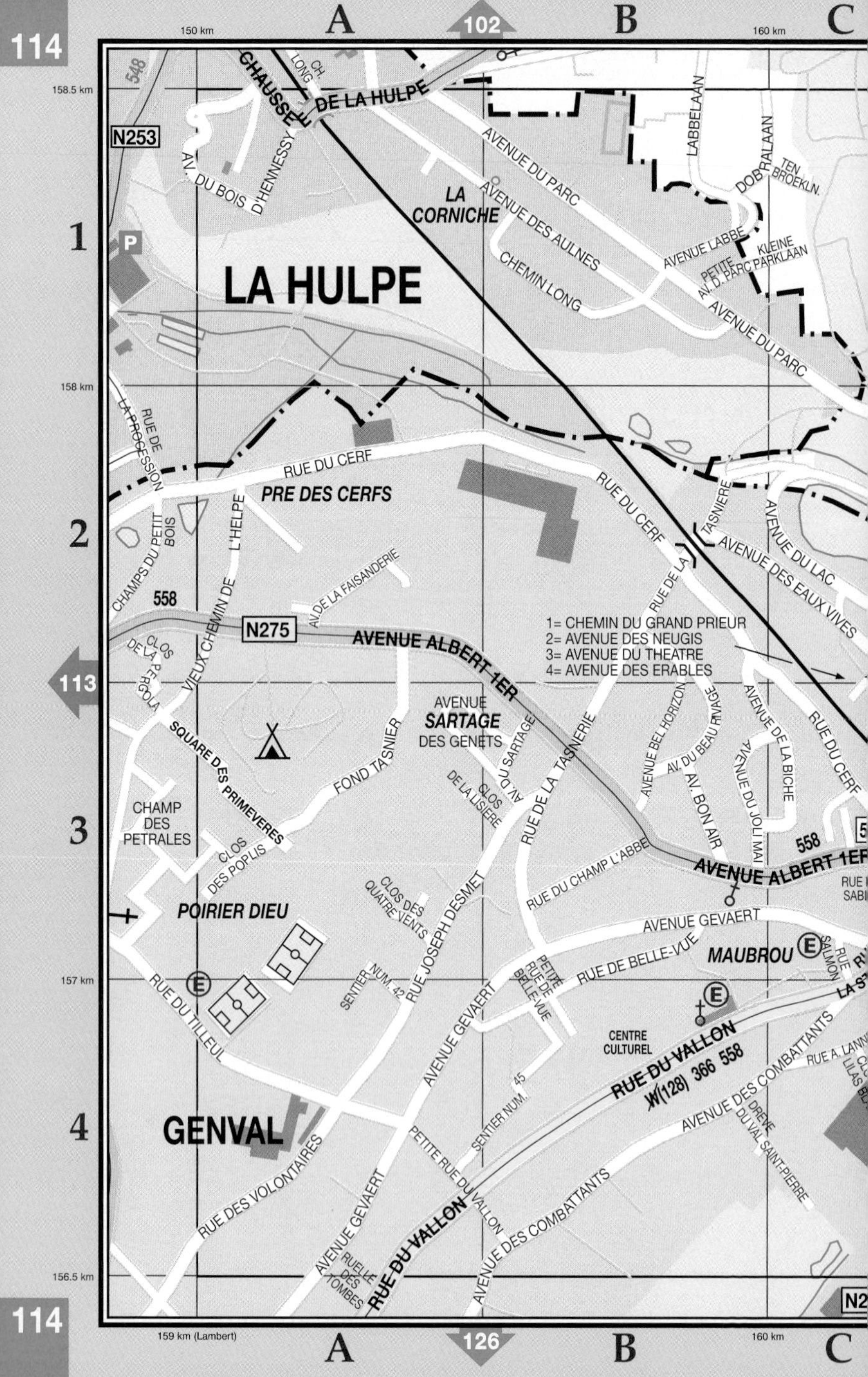

114
A
102
B
C
150 km
160 km
158.5 km
158 km
157 km
156.5 km
1
2
3
4
113
LA HULPE
GENVAL
LA CORNICHE
PRE DES CERFS
SARTAGE
POIRIER DIEU
MAUBROU
CHAMP DES PETRALES
CENTRE CULTUREL
N253
N275
548
558
CHAUSSEE DE LA HULPE
CH. LONG
AV. DU BOIS D'HENNESSY
AVENUE DU PARC
AVENUE DES AULNES
CHEMIN LONG
LABBELAAN
DOB RALAAN
TEN BROEKLN.
AVENUE LABBE
PETITE AV. D. PARC
KLEINE PARKLAAN
RUE DE LA PROCESSION
RUE DU CERF
CHAMPS DU PETIT BOIS
VIEUX CHEMIN DE L'HELPE
AV. DE LA FAISANDERIE
AVENUE ALBERT 1ER
CLOS DE LA PERGOLA
SQUARE DES PRIMEVERES
FOND TASNIER
AVENUE DES GENETS
AV. DU SARTAGE
CLOS DE LA LISIERE
RUE DE LA TASNERIE
RUE DE LA TASNIERE
AVENUE DU LAC
AVENUE DES EAUX VIVES
1= CHEMIN DU GRAND PRIEUR
2= AVENUE DES NEUGIS
3= AVENUE DU THEATRE
4= AVENUE DES ERABLES
AVENUE BEL HORIZON
AV. DU BEAU RIVAGE
AV. BON AIR
AVENUE DU JOLI MAI
AVENUE DE LA BICHE
RUE DU CHAMP L'ABBE
CLOS DES POPLIS
CLOS DES QUATRE VENTS
RUE JOSEPH DESMET
AVENUE GEVAERT
RUE DE BELLE-VUE
PETITE RUE DE BELLE-VUE
RUE SALMON
SENTIER NUM. 42
SENTIER NUM. 45
RUE DU TILLEUL
RUE DU VALLON
W(128) 366 558
AVENUE DES COMBATTANTS
DREVE DU VAL SAINT-PIERRE
RUE A. LANN
RUE DES VOLONTAIRES
PETITE RUE DU VALLON
RUELLE DES TOMBES
N2
159 km (Lambert)
126

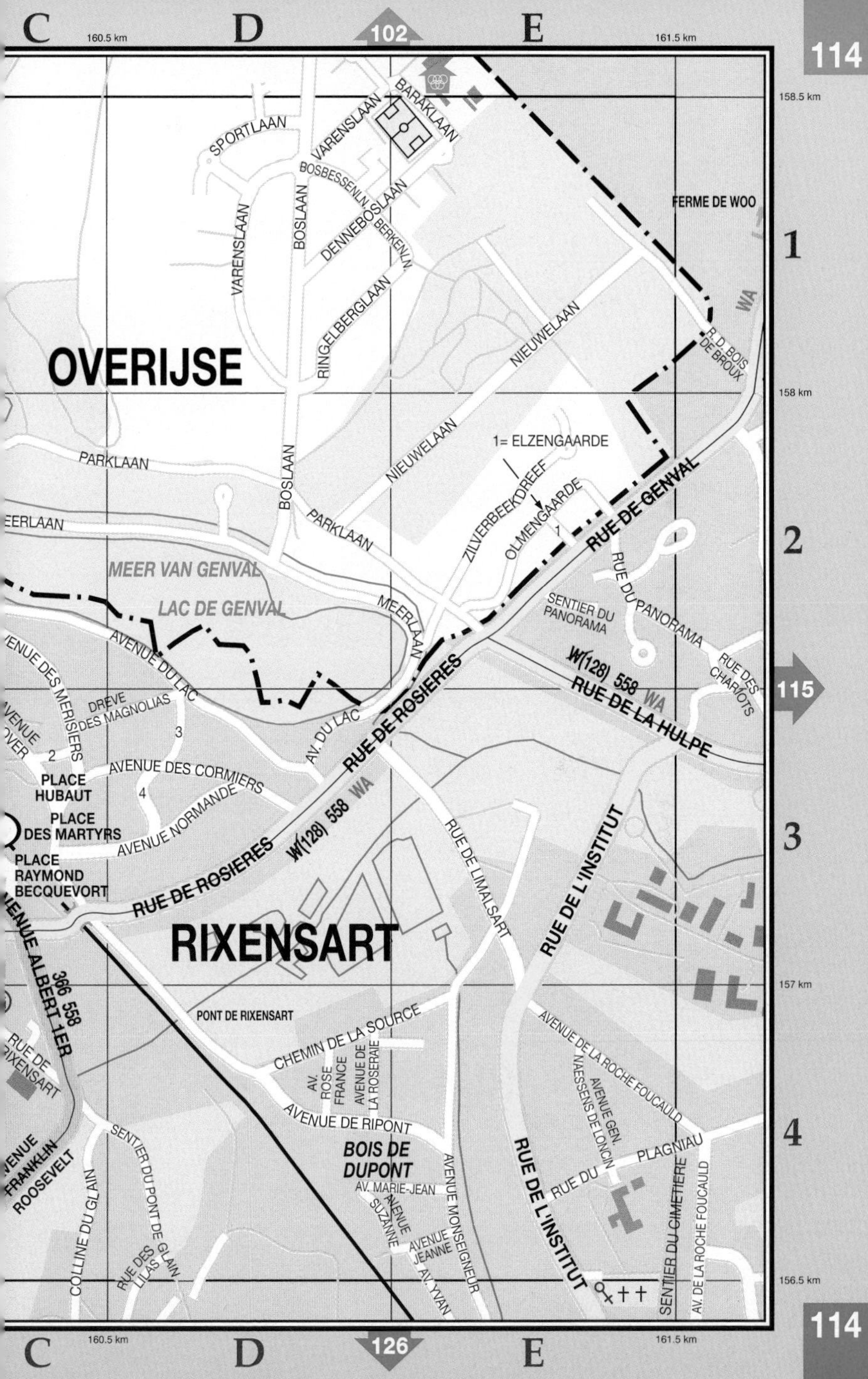
C
D
E
102
160.5 km
161.5 km
158.5 km
158 km
157 km
156.5 km
1
2
3
4
115
126
OVERIJSE
RIXENSART
SPORTLAAN
VARENSLAAN
BARAKLAAN
BOSLAAN
BOSBESSENLN.
DENNEBOSLAAN
BERKENLN.
RINGELBERGLAAN
FERME DE WOO
NIEUWELAAN
R. D. BOIS DE BROUX
PARKLAAN
1= ELZENGAARDE
ZILVERBEEKDREEF
OLMENGAARDE
RUE DE GENVAL
MEER VAN GENVAL
LAC DE GENVAL
MEERLAAN
AVENUE DU LAC
AVENUE DES MERISIERS
DREVE DES MAGNOLIAS
PLACE HUBAUT
PLACE DES MARTYRS
PLACE RAYMOND BECQUEVORT
AVENUE DES CORMIERS
AVENUE NORMANDE
AV. DU LAC
RUE DE ROSIERES
SENTIER DU PANORAMA
RUE DU PANORAMA
RUE DES CHARIOTS
RUE DE LA HULPE
RUE DE LIMALSART
RUE DE L'INSTITUT
AVENUE ALBERT 1ER
366 558
PONT DE RIXENSART
CHEMIN DE LA SOURCE
AV. ROSE FRANCE
AVENUE DE LA ROSERAIE
AVENUE DE RIPONT
BOIS DE DUPONT
AV. MARIE-JEAN
AVENUE SUZANNE
AVENUE JEANNE
AV. YVAN
AVENUE MONSEIGNEUR
AVENUE DE LA ROCHE FOUCAULD
AVENUE GEN. NAESSENS DE LONCIN
RUE DU PLAGNIAU
SENTIER DU CIMETIERE
AV. DE LA ROCHE FOUCAULD
RUE DE RIXENSART
AVENUE FRANKLIN ROOSEVELT
SENTIER DU PONT DE GLAIN
COLLINE DU GLAIN
RUE DES LILAS

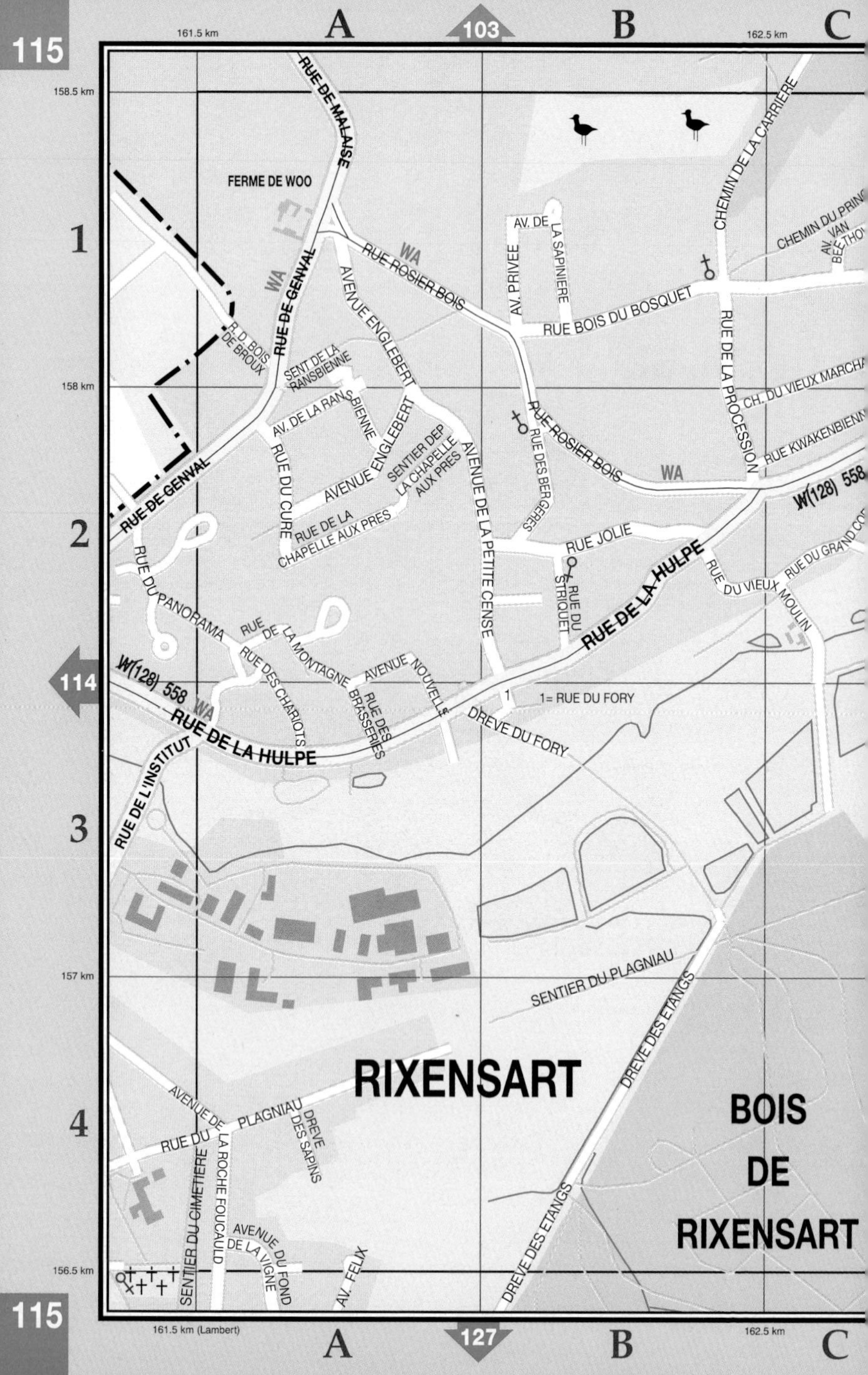
A
B
C
103
161.5 km
162.5 km
158.5 km
158 km
157 km
156.5 km
1
2
3
4
114
127
161.5 km (Lambert)
FERME DE WOO
RUE DE MALAISE
RUE DE GENVAL
RUE ROSIER BOIS
AVENUE ENGLEBERT
AV. DE LA SAPINIERE
AV. PRIVEE
CHEMIN DE LA CARRIERE
CHEMIN DU PRINC
AV. VAN BEETHOV
RUE BOIS DU BOSQUET
RUE DE LA PROCESSION
CH. DU VIEUX MARCHA
RUE KWAKENBIENN
R. D. BOIS DE BROUX
SENT DE LA RANSBIENNE
AV. DE LA RANSBIENNE
RUE DU CURE
SENTIER DEP LA CHAPELLE AUX PRES
RUE DE LA CHAPELLE AUX PRES
AVENUE DE LA PETITE CENSE
RUE DES BERGERES
RUE JOLIE
RUE DU STRIQUET
W(128) 558
RUE DE LA HULPE
RUE DU VIEUX MOULIN
RUE DU GRAND CO
RUE DU PANORAMA
RUE DE LA MONTAGNE
RUE DES CHARIOTS
RUE DES BRASSERIES
AVENUE NOUVELLE
1= RUE DU FORY
DREVE DU FORY
RUE DE L'INSTITUT
WA
SENTIER DU PLAGNIAU
DREVE DES ETANGS
RIXENSART
BOIS DE RIXENSART
AVENUE DE
RUE DU PLAGNIAU
DREVE DES SAPINS
SENTIER DU CIMETIERE
LA ROCHE FOUCAULD
AVENUE DE LA VIGNE
AVENUE DU FOND
AV. FELIX

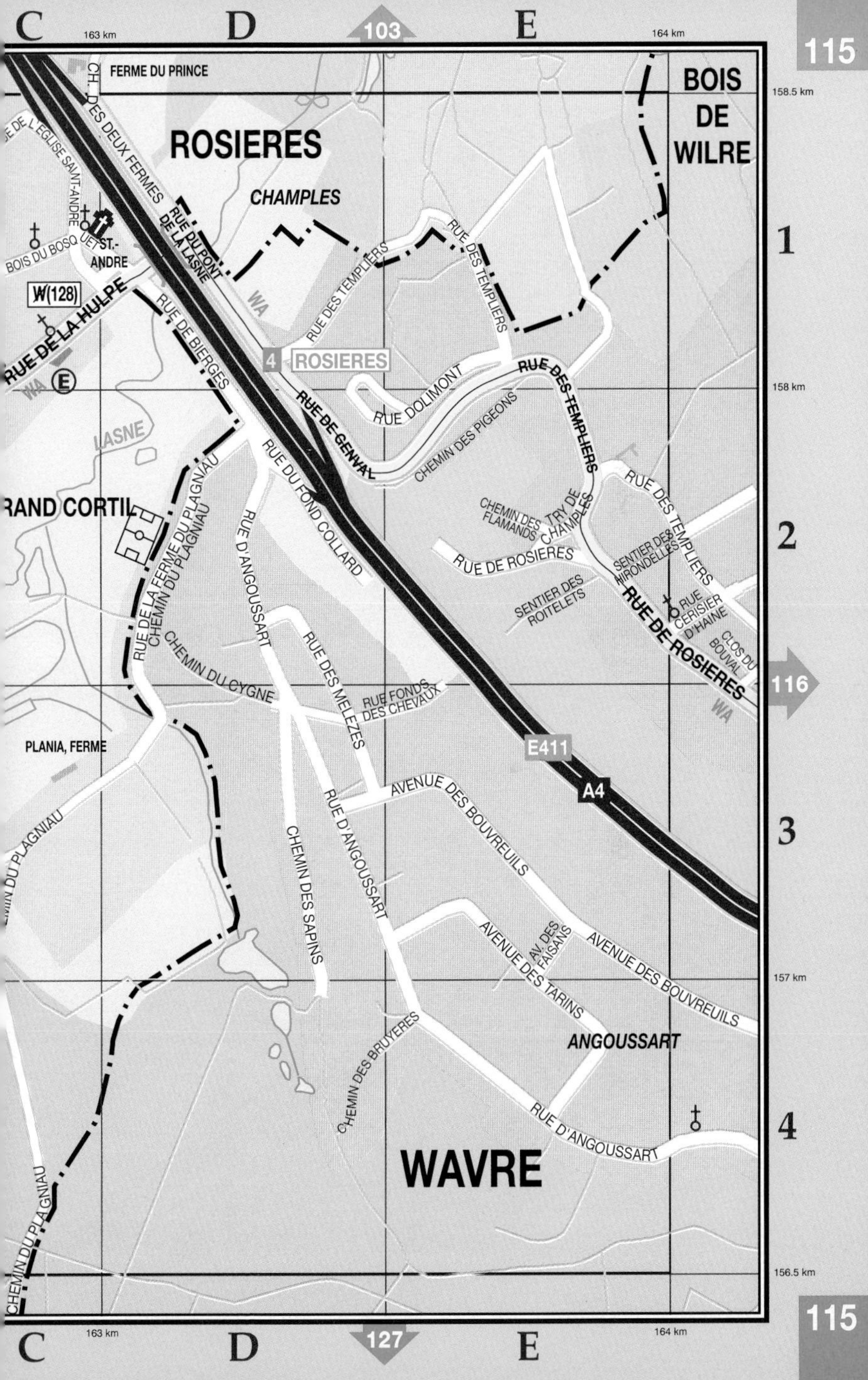
C
D
E
163 km
164 km
103
FERME DU PRINCE
ROSIERES
CHAMPLES
BOIS
DE
WILRE
158.5 km
CH. DES DEUX FERMES
RUE DE L'EGLISE SAINT-ANDRE
RUE DU PONT DE LA LASNE
RUE DES TEMPLIERS
BOIS DU BOSQUET
ST.-ANDRE
W(128)
RUE DE LA HULPE
RUE DE BIERGES
WA
4 ROSIERES
RUE DOLIMONT
RUE DES TEMPLIERS
RUE DE GENVAL
CHEMIN DES PIGEONS
158 km
LASNE
RAND CORTIL
RUE DU FOND COLLARD
RUE D'ANGOUSSART
RUE DE LA FERME DU PLAGNIAU
CHEMIN DU PLAGNIAU
CHEMIN DES FLAMANDS
TRY DE CHAMPLES
RUE DE ROSIERES
SENTIER DES HIRONDELLES
SENTIER DES ROITELETS
RUE CERISIER D'HAINE
CLOS DU BOUVAL
RUE DE ROSIERES
1
2
3
4
116
CHEMIN DU CYGNE
RUE DES MELEZES
RUE FONDS DES CHEVAUX
PLANIA, FERME
E411
A4
AVENUE DES BOUVREUILS
RUE D'ANGOUSSART
CHEMIN DES SAPINS
AVENUE DES TARINS
AV. DES FAISANS
AVENUE DES BOUVREUILS
157 km
CHEMIN DES BRUYERES
ANGOUSSART
RUE D'ANGOUSSART
WAVRE
CHEMIN DU PLAGNIAU
156.5 km
127

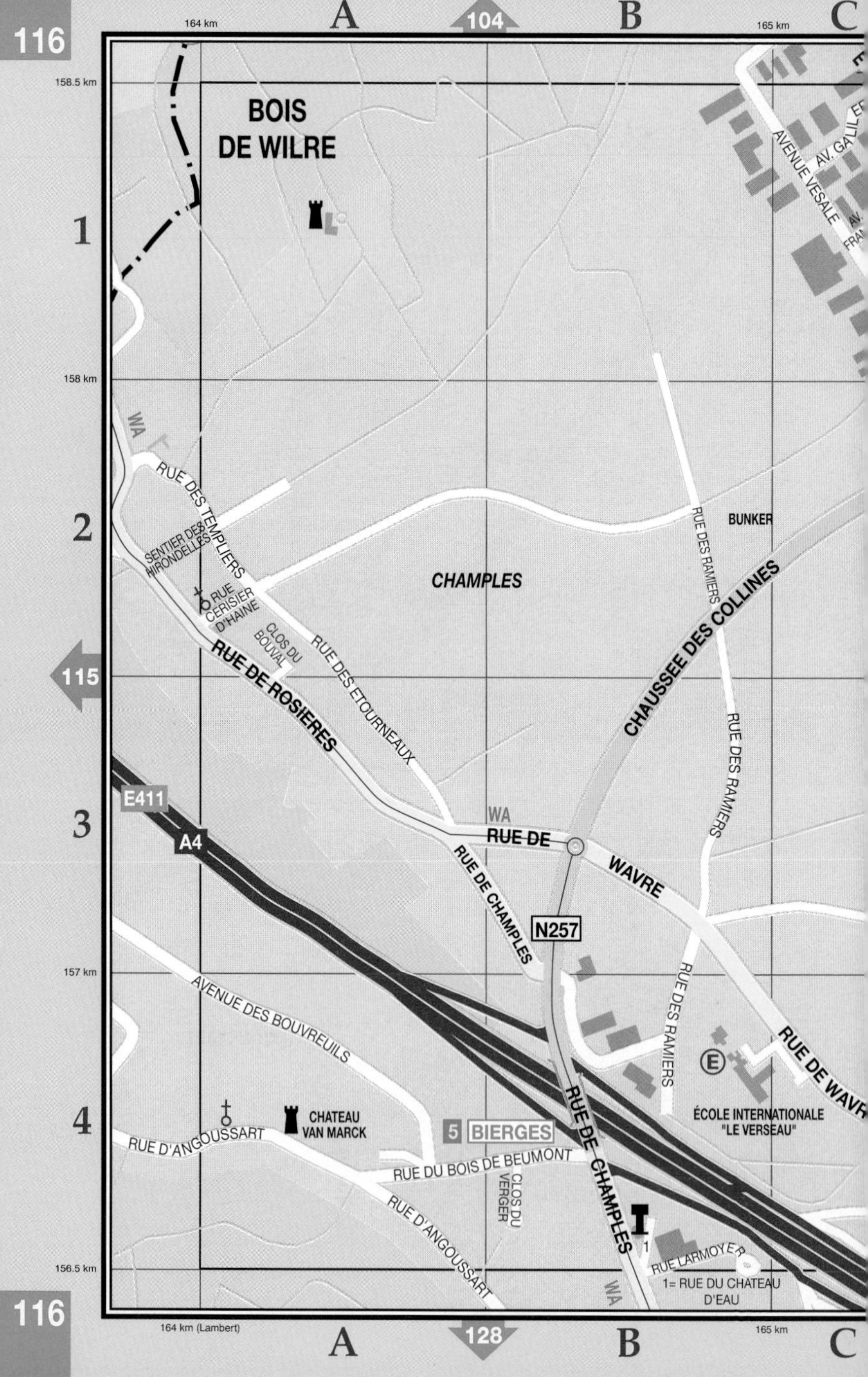

164 km
A
104
B
165 km
C
158.5 km
BOIS
DE WILRE
AVENUE VESALE
AV. GALILEE
AV. FRAN
1
158 km
WA
RUE DES TEMPLIERS
2
SENTIER DES HIRONDELLES
RUE CERISIER D'HAINE
CLOS DU BOUVAL
CHAMPLES
RUE DES RAMIERS
BUNKER
CHAUSSEE DES COLLINES
115
RUE DE ROSIERES
RUE DES ETOURNEAUX
RUE DES RAMIERS
E411
3
A4
WA
RUE DE
WAVRE
RUE DE CHAMPLES
N257
157 km
AVENUE DES BOUVREUILS
RUE DES RAMIERS
RUE DE WAVRE
4
CHATEAU VAN MARCK
5 BIERGES
RUE DE CHAMPLES
ÉCOLE INTERNATIONALE "LE VERSEAU"
RUE D'ANGOUSSART
RUE DU BOIS DE BEUMONT
CLOS DU VERGER
RUE D'ANGOUSSART
RUE LARMOYER
156.5 km
1= RUE DU CHATEAU D'EAU
WA
164 km (Lambert)
A
128
B
165 km
C

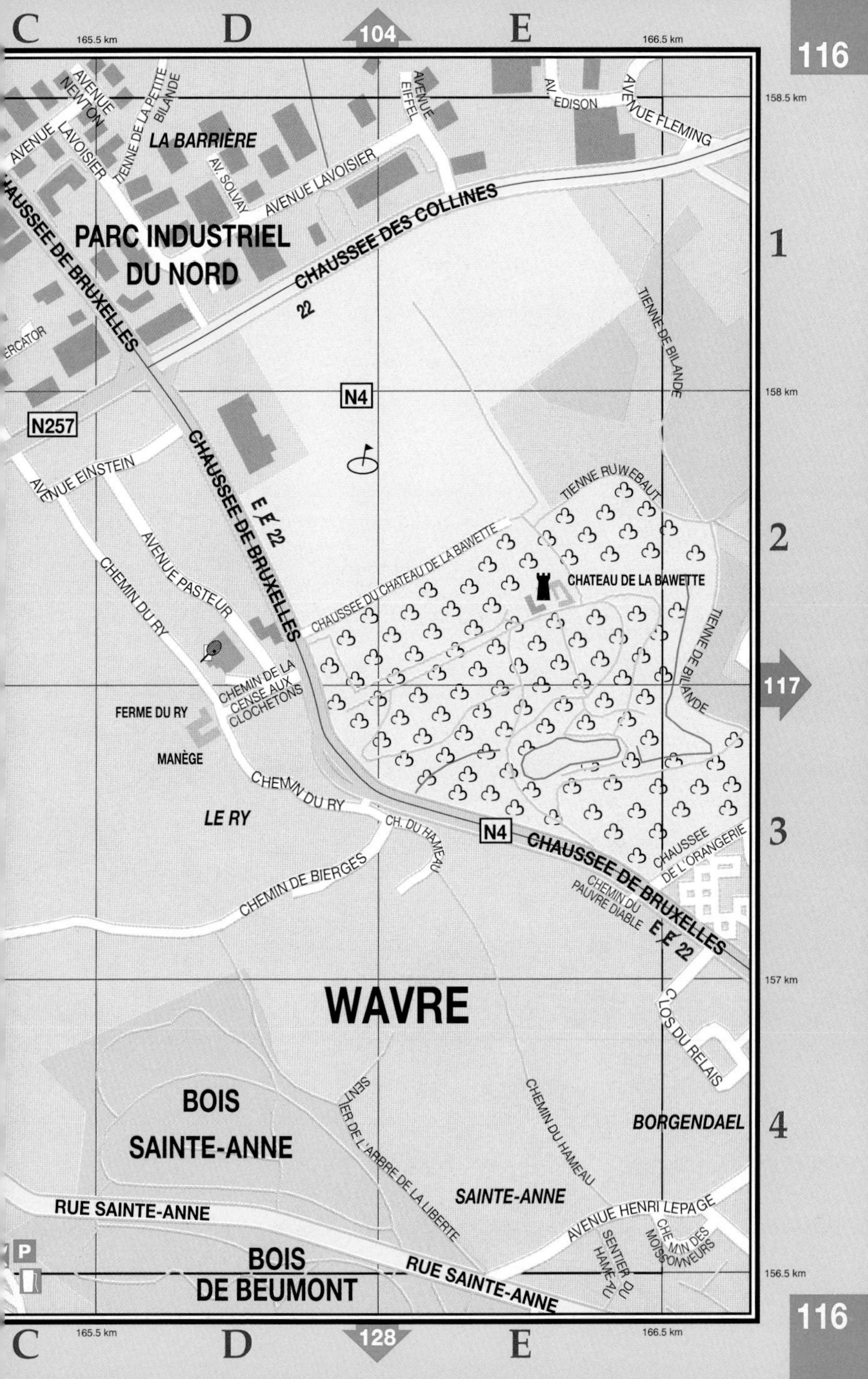

C
D
E
165.5 km
166.5 km
104
158.5 km
158 km
157 km
156.5 km
1
2
3
4
117
128
AVENUE NEWTON
TIENNE DE LA PETITE BILANDE
AVENUE EIFFEL
AV. EDISON
AVENUE FLEMING
AVENUE LAVOISIER
LA BARRIÈRE
AV. SOLVAY
CHAUSSEE DE BRUXELLES
CHAUSSEE DES COLLINES
PARC INDUSTRIEL DU NORD
22
TIENNE DE BILANDE
N4
N257
AVENUE EINSTEIN
E 22
TIENNE RUWEBAUT
CHAUSSEE DU CHATEAU DE LA BAWETTE
CHATEAU DE LA BAWETTE
AVENUE PASTEUR
CHEMIN DU RY
CHEMIN DE LA CENSE AUX CLOCHETONS
FERME DU RY
MANÈGE
LE RY
CH. DU HAMEAU
CHAUSSEE DE L'ORANGERIE
CHEMIN DE BIERGES
CHEMIN DU PAUVRE DIABLE
WAVRE
CLOS DU RELAIS
BOIS SAINTE-ANNE
SENTIER DE L'ARBRE DE LA LIBERTE
CHEMIN DU HAMEAU
BORGENDAEL
SAINTE-ANNE
RUE SAINTE-ANNE
AVENUE HENRI LEPAGE
SENTIER DU HAMEAU
CHEMIN DES MOISSONNEURS
BOIS DE BEUMONT
P

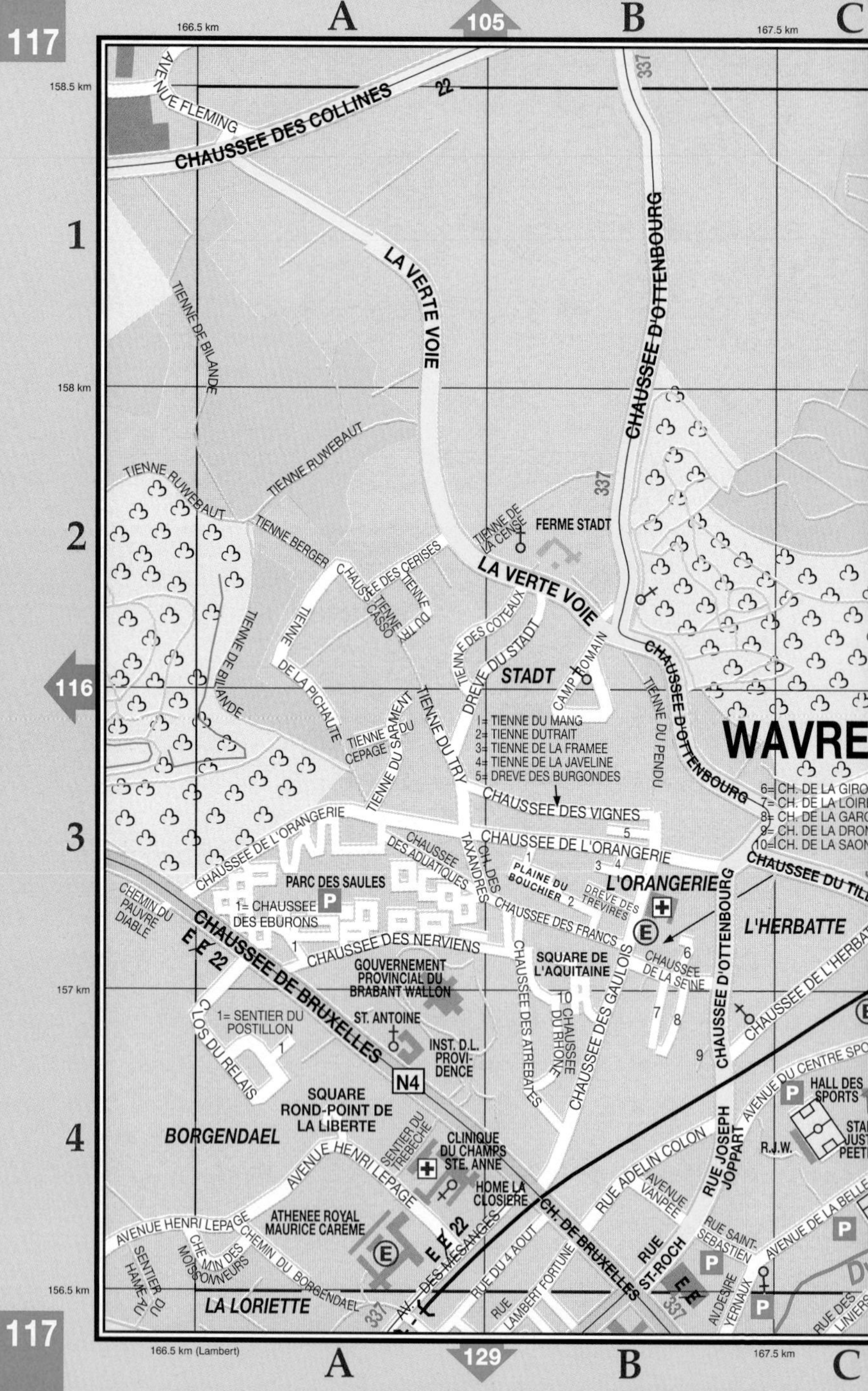

A
B
C
105
166.5 km
167.5 km
158.5 km
158 km
157 km
156.5 km
1
2
3
4
116
AVENUE FLEMING
CHAUSSEE DES COLLINES
22
337
LA VERTE VOIE
CHAUSSEE D'OTTENBOURG
TIENNE DE BILANDE
TIENNE RUWEBAUT
TIENNE BERGER
TIENNE DE LA CENSE
FERME STADT
CHAUSSEE DES CERISES
TIENNE CASSO
TIENNE DU TRY
TIENNE DE LA PICHAUTE
TIENNE DES COTEAUX
DREVE DU STADT
STADT
CAMP ROMAIN
TIENNE DU PENDU
WAVRE
TIENNE DU SARMENT
TIENNE CEPAGE
1= TIENNE DU MANG
2= TIENNE DUTRAIT
3= TIENNE DE LA FRAMEE
4= TIENNE DE LA JAVELINE
5= DREVE DES BURGONDES
CHAUSSEE DES VIGNES
CHAUSSEE DE L'ORANGERIE
6= CH. DE LA GIRO
7= CH. DE LA LOIRE
8= CH. DE LA GARC
9= CH. DE LA DROM
10= CH. DE LA SAON
CHAUSSEE DU TILL
CHAUSSEE DES ADUATIQUES
CH. DES TAXANDRES
PLAINE DU BOUCHIER
DREVE DES TREVIRES
L'ORANGERIE
L'HERBATTE
PARC DES SAULES
1= CHAUSSEE DES EBURONS
CHAUSSEE DES FRANCS
CHAUSSEE DES NERVIENS
CHEMIN DU PAUVRE DIABLE
CHAUSSEE DE BRUXELLES
E 22
GOUVERNEMENT PROVINCIAL DU BRABANT WALLON
SQUARE DE L'AQUITAINE
CHAUSSEE DE LA SEINE
CHAUSSEE DE L'HERBATTE
CLOS DU RELAIS
1= SENTIER DU POSTILLON
ST. ANTOINE
INST. D.L. PROVIDENCE
CHAUSSEE DES ATREBATES
CHAUSSEE DU RHONE
CHAUSSEE DES GAULOIS
N4
AVENUE DU CENTRE SPO
HALL DES SPORTS
SQUARE ROND-POINT DE LA LIBERTE
BORGENDAEL
SENTIER DU TREBECHE
CLINIQUE DU CHAMPS STE. ANNE
RUE ADELIN COLON
RUE JOSEPH JOPPART
R.J.W.
STAD JUST PEETE
AVENUE HENRI LEPAGE
HOME LA CLOSIERE
AVENUE VANPEE
ATHENEE ROYAL MAURICE CAREME
CHEMIN DES MOISSONNEURS
CHEMIN DU BORGENDAEL
AV. DES MESANGES
RUE DU 4 AOUT
CH. DE BRUXELLES
RUE ST-ROCH
RUE SAINT-SEBASTIEN
AVENUE DE LA BELLE
SENTIER DU HAMEAU
LA LORIETTE
RUE LAMBERT FORTUNE
AV. DESIRE YERNAUX
RUE DES LINIERS
166.5 km (Lambert)
129

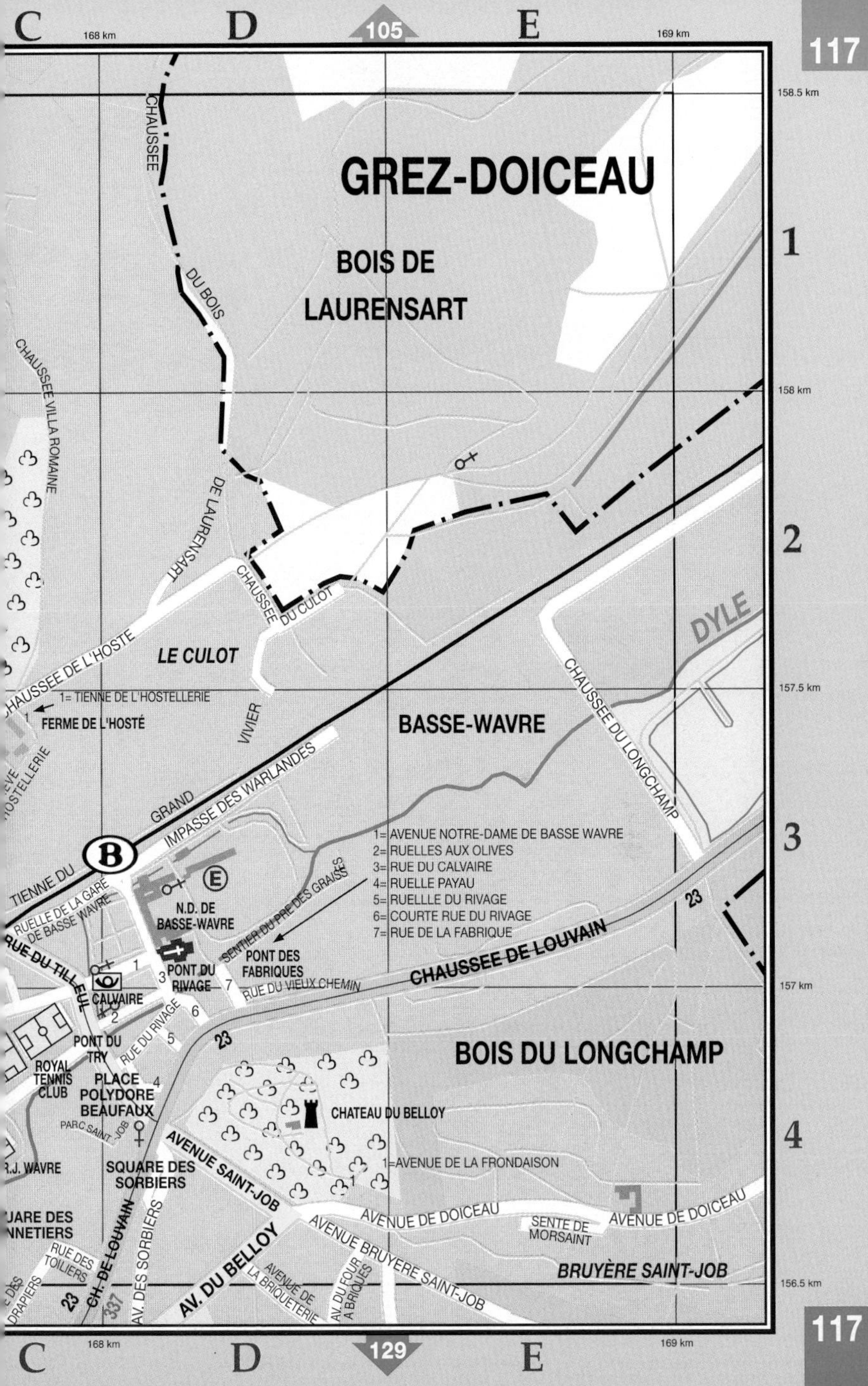
C
D
E
168 km
169 km
105
158.5 km
158 km
157.5 km
157 km
156.5 km
1
2
3
4
GREZ-DOICEAU
BOIS DE
LAURENSART
CHAUSSEE
DU BOIS
CHAUSSEE VILLA ROMAINE
DE LAURENSART
CHAUSSEE
DU CULOT
DYLE
LE CULOT
CHAUSSEE DE L'HOSTE
1= TIENNE DE L'HOSTELLERIE
FERME DE L'HOSTÉ
VIVIER
BASSE-WAVRE
CHAUSSEE DU LONGCHAMP
IMPASSE DES WARLANDES
GRAND
TIENNE DU
1= AVENUE NOTRE-DAME DE BASSE WAVRE
2= RUELLES AUX OLIVES
3= RUE DU CALVAIRE
4= RUELLE PAYAU
5= RUELLLE DU RIVAGE
6= COURTE RUE DU RIVAGE
7= RUE DE LA FABRIQUE
RUELLE DE LA GARE DE BASSE WAVRE
N.D. DE
BASSE-WAVRE
SENTIER DU PRE DES GRAISSES
PONT DES
FABRIQUES
RUE DU TILLEUL
PONT DU
RIVAGE
CALVAIRE
RUE DU VIEUX CHEMIN
CHAUSSEE DE LOUVAIN
23
RUE DU RIVAGE
PONT DU
TRY
ROYAL
TENNIS
CLUB
PLACE
POLYDORE
BEAUFAUX
PARC SAINT JOB
BOIS DU LONGCHAMP
CHATEAU DU BELLOY
1=AVENUE DE LA FRONDAISON
AVENUE SAINT-JOB
SQUARE DES
SORBIERS
AVENUE DE DOICEAU
SENTE DE
MORSAINT
AVENUE DE DOICEAU
AVENUE BRUYERE SAINT-JOB
BRUYÈRE SAINT-JOB
AV. DU BELLOY
AVENUE DE LA BRIQUETERIE
AV. DU FOUR À BRIQUES
AV. DES SORBIERS
CH. DE LOUVAIN
337
RUE DES TOILIERS
DRAPIERS
168 km
169 km
129
C
D
E

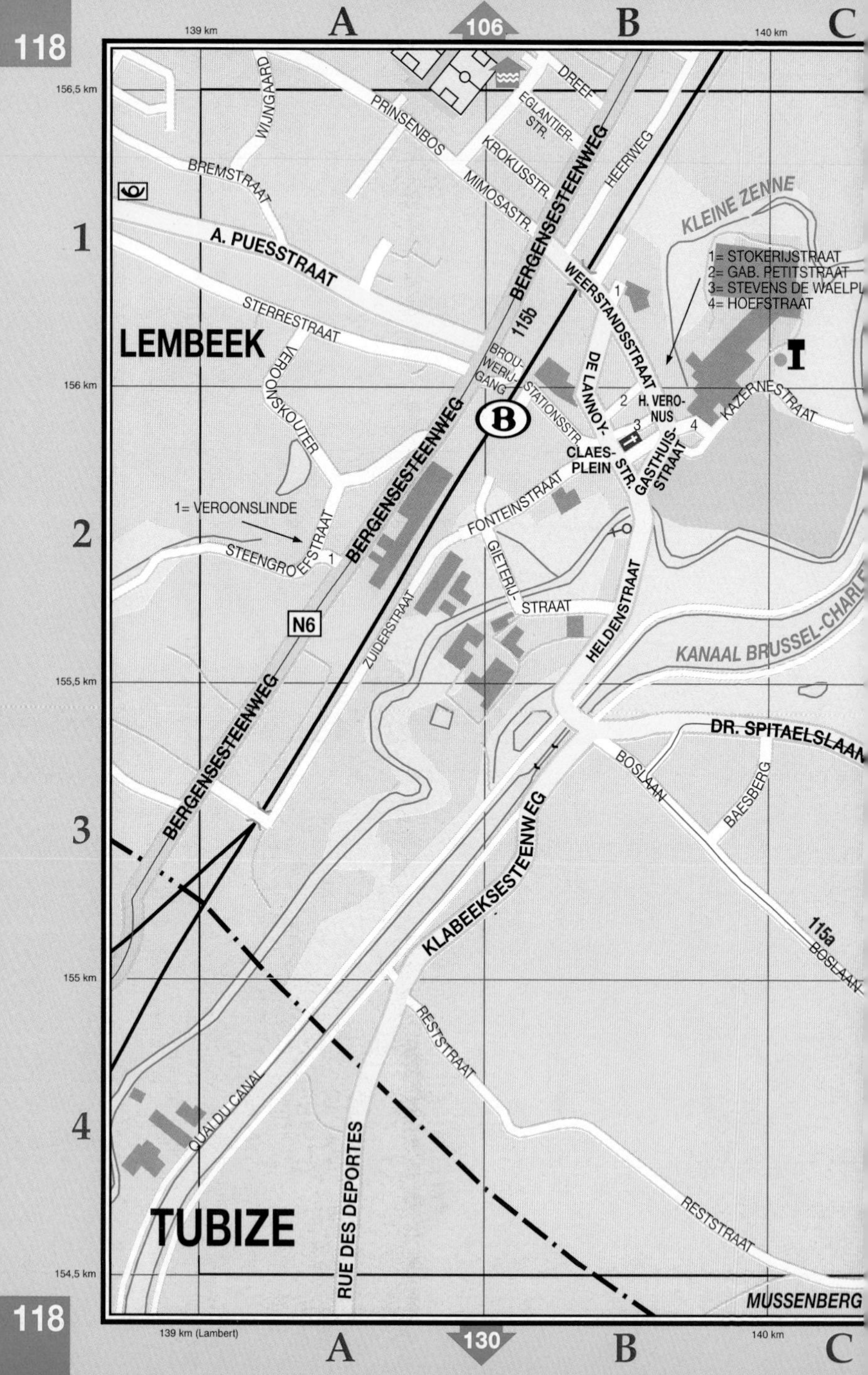
139 km
A
106
B
140 km
C
156,5 km
156 km
155,5 km
155 km
154,5 km
1
2
3
4
WIJNGAARD
PRINSENBOS
DREEF
EGLANTIER-STR.
KROKUSSTR.
MIMOSASTR.
BERGENSESTEENWEG
HEERWEG
BREMSTRAAT
KLEINE ZENNE
A. PUESSTRAAT
WEERSTANDSSTRAAT
1= STOKERIJSTRAAT
2= GAB. PETITSTRAAT
3= STEVENS DE WAELPL
4= HOEFSTRAAT
STERRESTRAAT
115b
LEMBEEK
VEROONSKOUTER
BROU-WERIJ-GANG
DE LANNOY-STR.
STATIONSSTR.
H. VERO-NUS
KAZERNESTRAAT
CLAES-PLEIN
GASTHUIS-STRAAT
FONTEINSTRAAT
1= VEROONSLINDE
STEENGROEFSTRAAT
GIETERIJ-STRAAT
HELDENSTRAAT
N6
ZUIDERSTRAAT
KANAAL BRUSSEL-CHARLE
DR. SPITAELSLAAN
BOSLAAN
BAESBERG
KLABEEKSESTEENWEG
115a
RESTSTRAAT
QUAI DU CANAL
RUE DES DEPORTES
TUBIZE
MUSSENBERG
139 km (Lambert)
130
140 km

C
D
E
106
140,5 km
141,5 km
156,5 km
156 km
155 km
154,5 km
1
2
3
4
119
130
BROEK
VIJVERBEEK
BERENDRIES
DRIEPIKKEL
VEUGELEER
HOEVE RESTELEURS
BERENDRIES
MAASDALBEEK
MALHEIDEWEG
HALLE
115a
DR. SPITAELSLAAN
MAASDAL
BLEKERIJSTRAAT
TROMPSTRAAT
MOLLEBEEK
BOTERMELKSTRAAT
VILLERSBEEK
MALHEIDE
KASTEEL BRAKELSESTEENWEG
MUSSENBERG
TWAALF BUNDEL

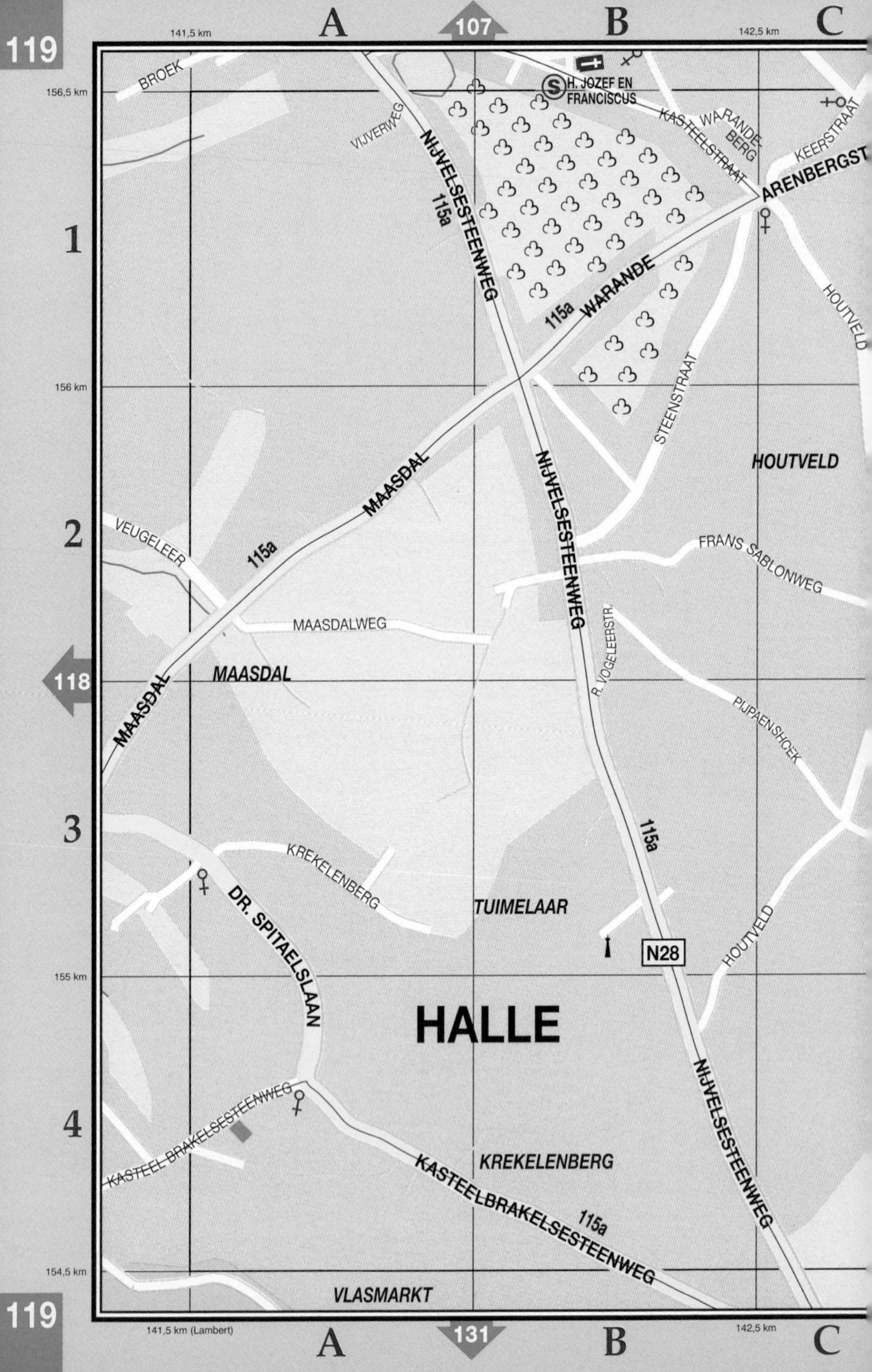
A
107
B
C
141,5 km
142,5 km
156,5 km
156 km
155 km
154,5 km
1
2
3
4
118
BROEK
H. JOZEF EN FRANCISCUS
VIJVERWEG
NIJVELSESTEENWEG
115a
KASTEELSTRAAT
WARANDE BERG
KEERSTRAAT
ARENBERGST
WARANDE
HOUTVELD
STEENSTRAAT
HOUTVELD
MAASDAL
VEUGELEER
FRANS SABLONWEG
MAASDALWEG
R. VOGELEERSTR.
MAASDAL
PIJPAENSHOEK
KREKELENBERG
DR. SPITAELSLAAN
TUIMELAAR
N28
HALLE
KASTEEL BRAKELSESTEENWEG
KREKELENBERG
KASTEELBRAKELSESTEENWEG
VLASMARKT
141,5 km (Lambert)
131

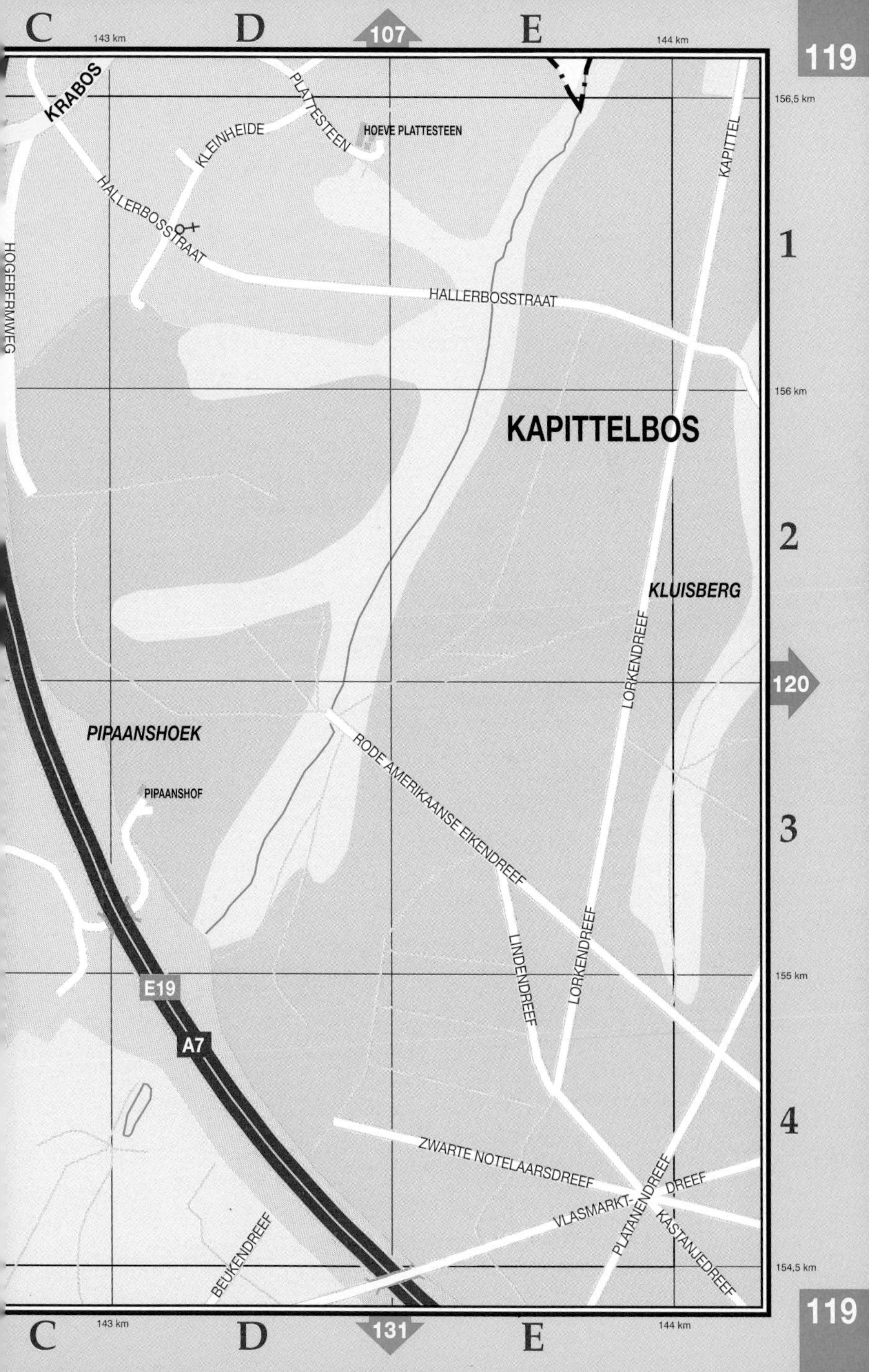
C
D
E
143 km
144 km
107
156,5 km
156 km
155 km
154,5 km
1
2
3
4
120
131
KRABOS
PLATTESTEEN
HOEVE PLATTESTEEN
KLEINHEIDE
HALLERBOSSTRAAT
HALLERBOSSTRAAT
KAPITTEL
HOGEBERMWEG
KAPITTELBOS
KLUISBERG
LORKENDREEF
PIPAANSHOEK
PIPAANSHOF
RODE AMERIKAANSE EIKENDREEF
LINDENDREEF
LORKENDREEF
E19
A7
ZWARTE NOTELAARSDREEF
DREEF
VLASMARKT-
PLATANENDREEF
KASTANJEDREEF
BEUKENDREEF

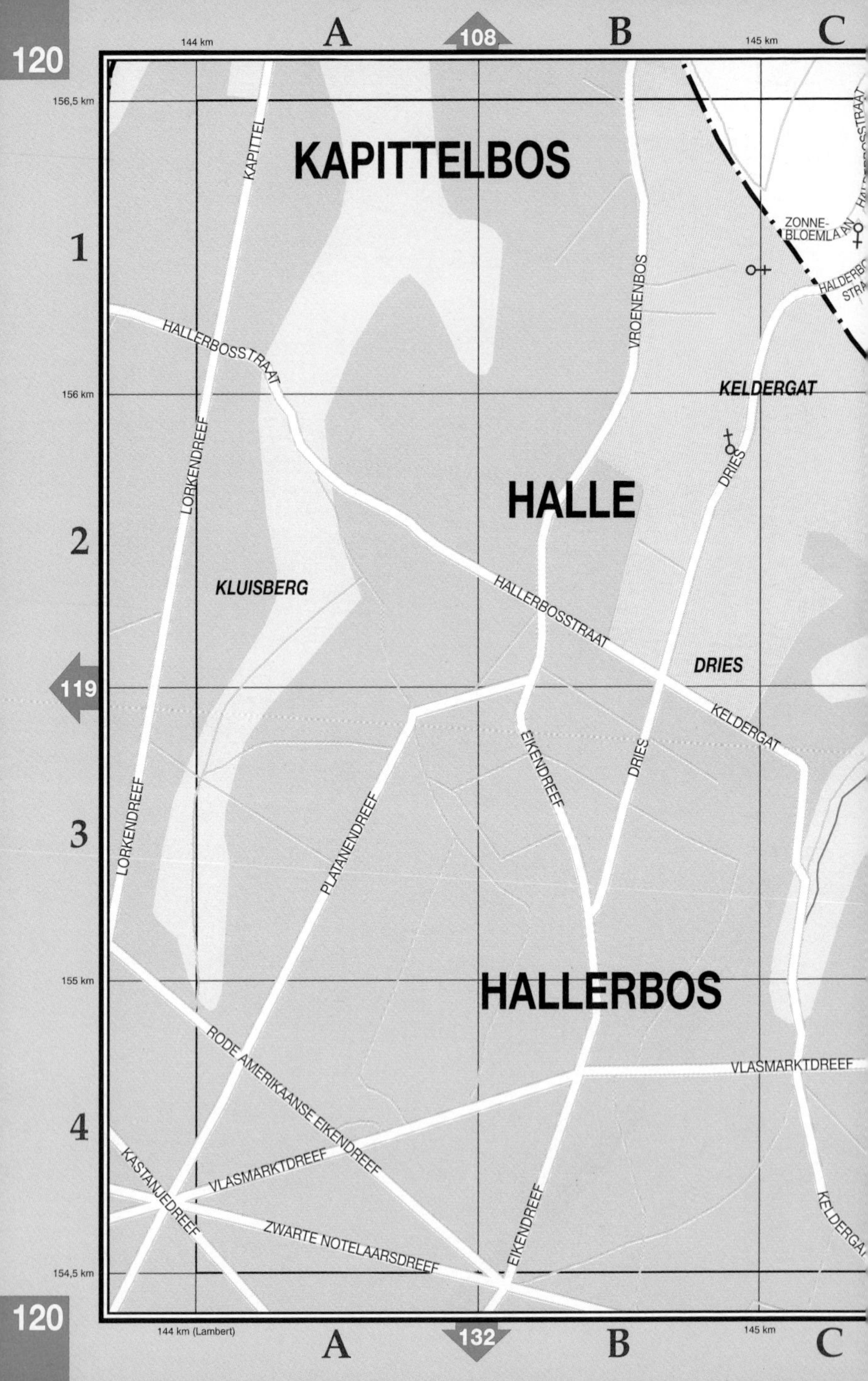
A
108
B
C
144 km
145 km
156,5 km
156 km
155 km
154,5 km
1
2
3
4
119
KAPITTELBOS
KAPITTEL
HALLERBOSSTRAAT
LORKENDREEF
VROENENBOS
ZONNE-
BLOEMLAAN
HALDERBOSSTRAAT
KELDERGAT
DRIES
HALLE
KLUISBERG
HALLERBOSSTRAAT
DRIES
KELDERGAT
EIKENDREEF
DRIES
LORKENDREEF
PLATANENDREEF
HALLERBOS
RODE AMERIKAANSE EIKENDREEF
VLASMARKTDREEF
KASTANJEDREEF
VLASMARKTDREEF
ZWARTE NOTELAARSDREEF
EIKENDREEF
144 km (Lambert)
132

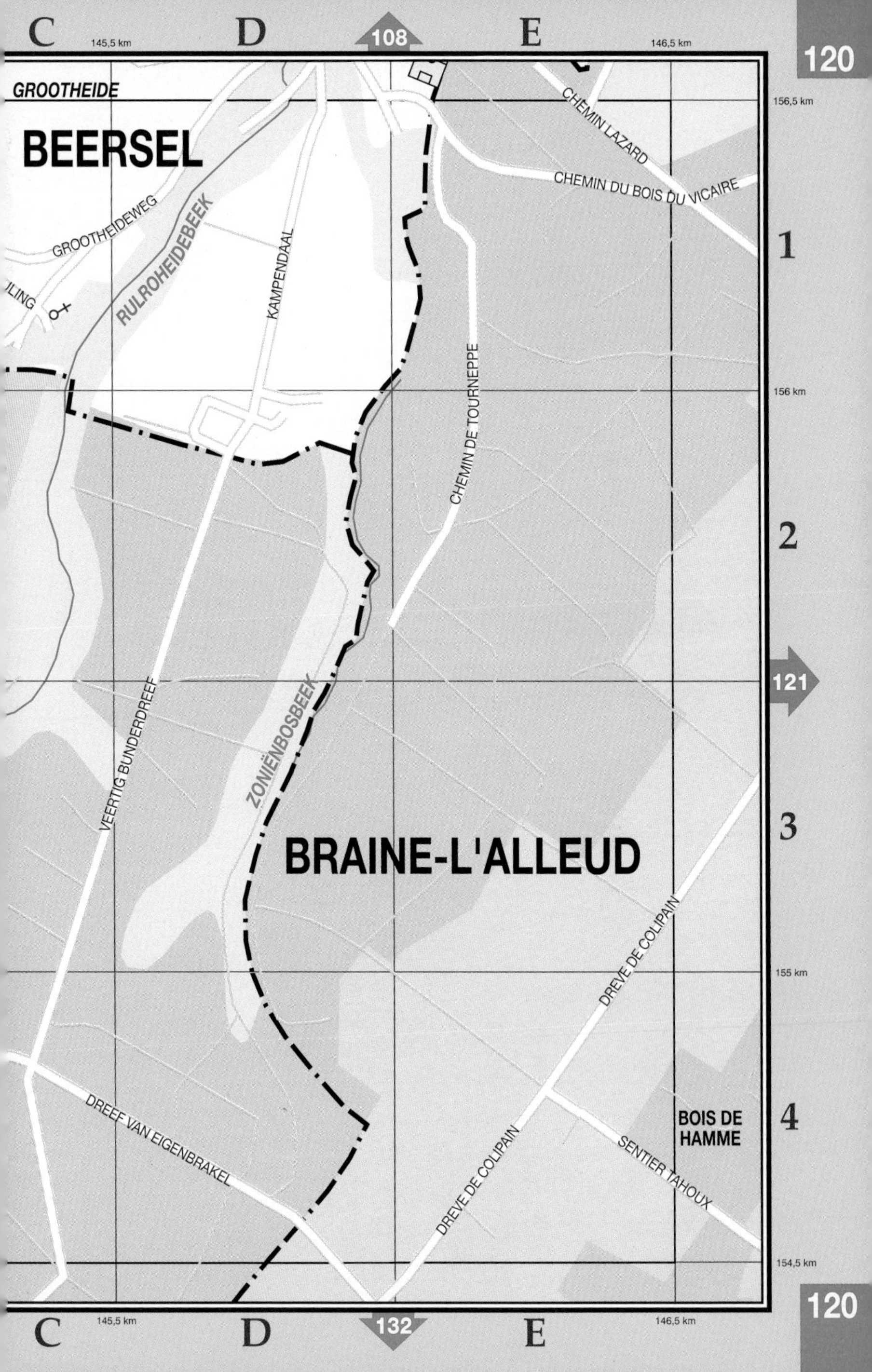
C
D
E
108
145,5 km
146,5 km
GROOTHEIDE
BEERSEL
CHEMIN LAZARD
CHEMIN DU BOIS DU VICAIRE
156,5 km
GROOTHEIDEWEG
RULROHEIDEBEEK
KAMPENDAAL
1
156 km
CHEMIN DE TOURNEPPE
2
121
VEERTIG BUNDERDREEF
ZONIËNBOSBEEK
BRAINE-L'ALLEUD
3
DREVE DE COLIPAIN
155 km
DREEF VAN EIGENBRAKEL
BOIS DE HAMME
SENTIER TAHOUX
4
154,5 km
132

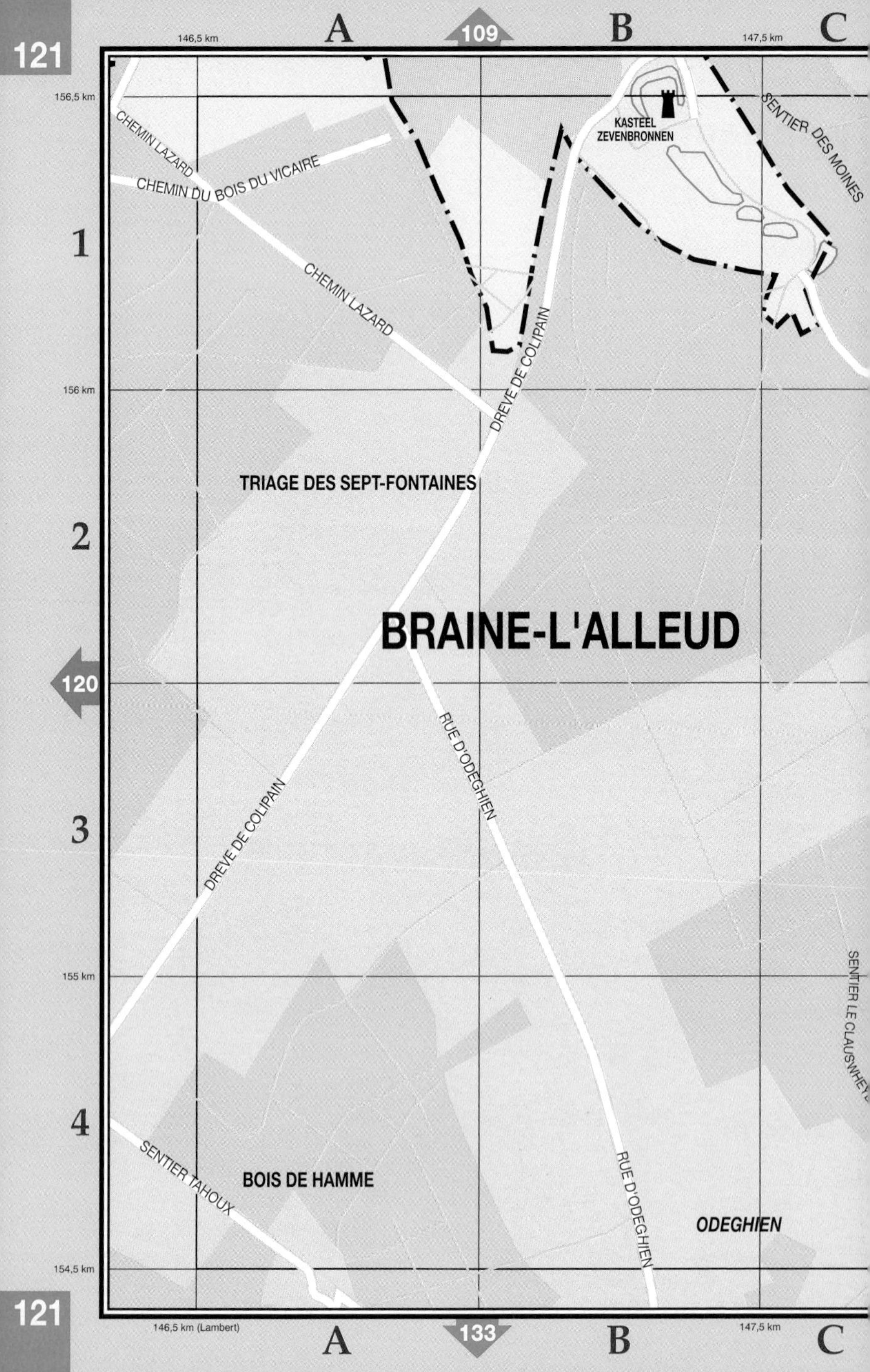

A
109
B
C
146,5 km
147,5 km
156,5 km
156 km
155 km
154,5 km
1
2
3
4
120
KASTEEL ZEVENBRONNEN
SENTIER DES MOINES
CHEMIN LAZARD
CHEMIN DU BOIS DU VICAIRE
CHEMIN LAZARD
DREVE DE COLIPAIN
TRIAGE DES SEPT-FONTAINES
BRAINE-L'ALLEUD
RUE D'ODEGHIEN
DREVE DE COLIPAIN
SENTIER LE CLAUSWHEY
SENTIER TAHOUX
BOIS DE HAMME
RUE D'ODEGHIEN
ODEGHIEN
146,5 km (Lambert)
147,5 km
A
133
B
C

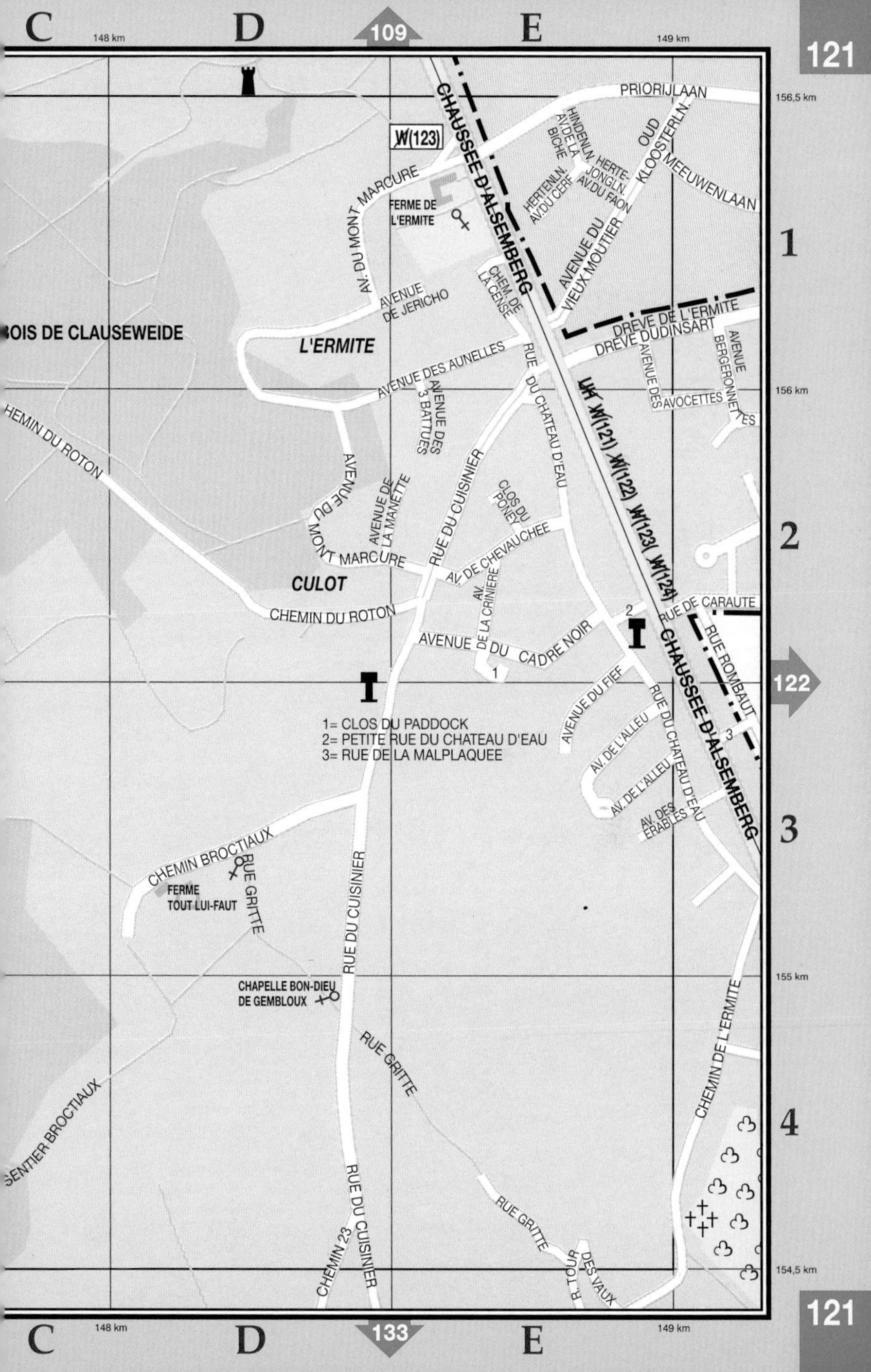
C
D
E
148 km
149 km
109
133
122
156,5 km
156 km
155 km
154,5 km
1
2
3
4
BOIS DE CLAUSEWEIDE
L'ERMITE
CULOT
PRIORIJLAAN
CHAUSSEE D'ALSEMBERG
AV. DU MONT MARCURE
FERME DE L'ERMITE
HINDENLN. AV.DE LA BICHE
HERTENLN. AV.DU CERF
HERTE-JONGLN. AV.DU FAON
OUD KLOOSTERLN.
MEEUWENLAAN
AVENUE DU VIEUX MOUTIER
CHEM. DE LA CENSE
AVENUE DE JERICHO
DREVE DE L'ERMITE
DREVE DUDINSART
AVENUE DES AVOCETTES
AVENUE BERGERONNETTES
AVENUE DES AUNELLES
AVENUE DES 3 BATTUES
RUE DU CHATEAU D'EAU
CHEMIN DU ROTON
AVENUE DU MONT MARCURE
AVENUE DE LA MANETTE
RUE DU CUISINIER
CLOS DU PONEY
AV. DE CHEVAUCHEE
AV. DE LA CRINIERE
RUE DE CARAUTE
AVENUE DU CADRE NOIR
RUE ROMBAUT
AVENUE DU FIEF
AV. DE L'ALLEU
AV. DES ERABLES
1= CLOS DU PADDOCK
2= PETITE RUE DU CHATEAU D'EAU
3= RUE DE LA MALPLAQUEE
CHEMIN BROCTIAUX
RUE GRITTE
FERME TOUT LUI-FAUT
CHAPELLE BON-DIEU DE GEMBLOUX
SENTIER BROCTIAUX
CHEMIN DE L'ERMITE
CHEMIN 23
R. TOUR
DES VAUX

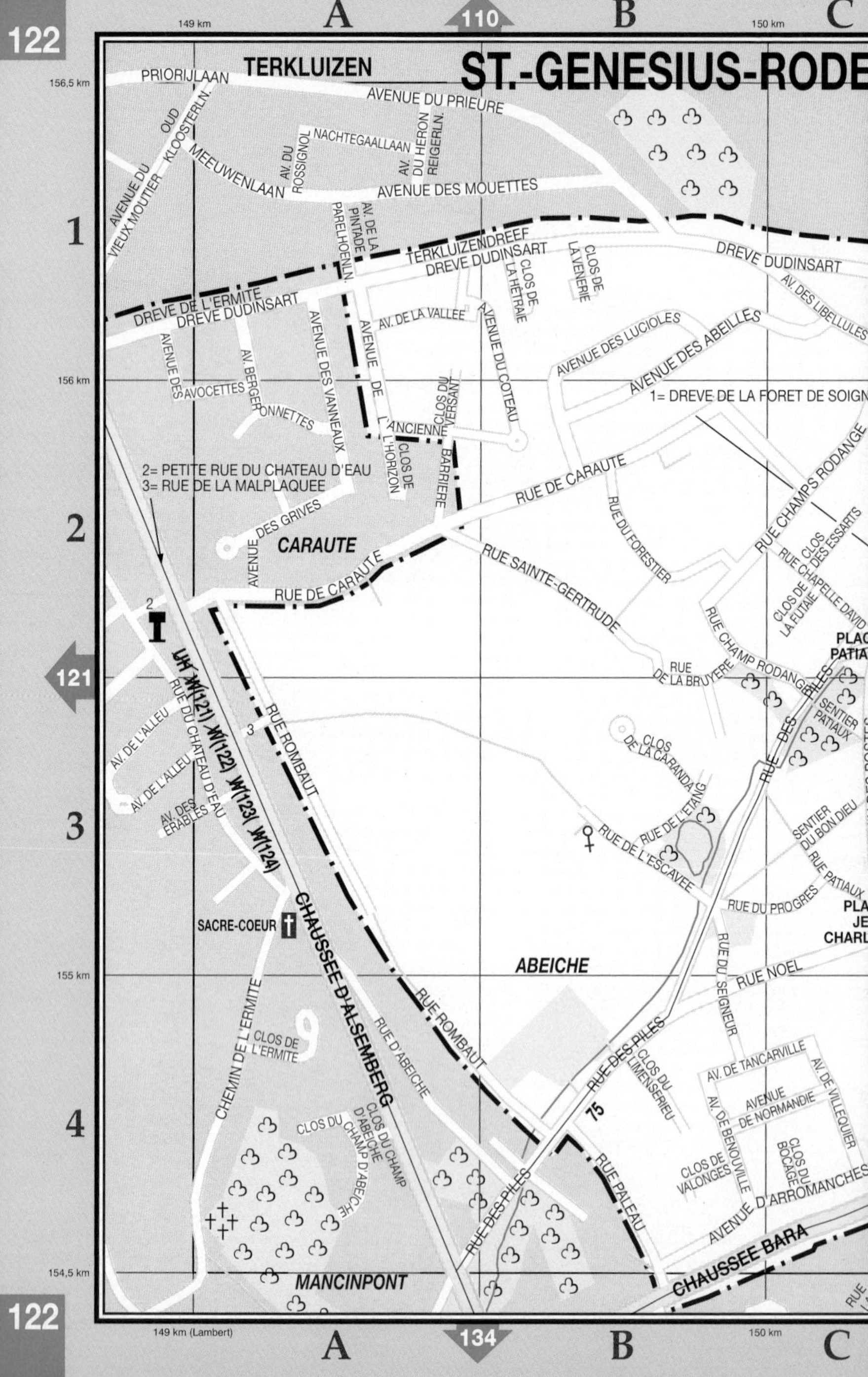
ST.-GENESIUS-RODE
TERKLUIZEN
PRIORIJLAAN
AVENUE DU PRIEURE
OUD KLOOSTERLN.
AVENUE DU VIEUX MOUTIER
MEEUWENLAAN
NACHTEGAALLAAN
AV. DU ROSSIGNOL
AV. DU HERON
REIGERLN.
AVENUE DES MOUETTES
AV. DE LA PINTADE
PARELHOENLN.
TERKLUIZENDREEF
DREVE DUDINSART
CLOS DE LA HETRAIE
CLOS DE LA VENERIE
DREVE DE L'ERMITE
AV. DES LIBELLULES
AVENUE DES AVOCETTES
AV. BERGERONNETTES
AVENUE DES VANNEAUX
AVENUE DE L'ANCIENNE BARRIERE
AV. DE LA VALLEE
CLOS DU VERSANT
AVENUE DU COTEAU
AVENUE DES LUCIOLES
AVENUE DES ABEILLES
1= DREVE DE LA FORET DE SOIGNES
CLOS DE L'HORIZON
2= PETITE RUE DU CHATEAU D'EAU
3= RUE DE LA MALPLAQUEE
RUE DE CARAUTE
AVENUE DES GRIVES
CARAUTE
RUE DU FORESTIER
RUE CHAMPS RODANGE
CLOS DES ESSARTS
RUE CHAPELLE DAVID
CLOS DE LA FUTAIE
RUE SAINTE-GERTRUDE
PLACE PATIAUX
RUE CHAMP RODANGE
RUE DE LA BRUYERE
RUE DES PILES
SENTIER PATIAUX
AV. DE L'ALLEU
RUE DU CHATEAU D'EAU
AV. DES ERABLES
RUE ROMBAUT
CLOS DE LA CARANDA
RUE DE L'ETANG
RUE DE L'ESCAVEE
SENTIER DU BON DIEU
RUE PATIAUX
RUE DU PROGRES
PLACE JEAN CHARLIER
SACRE-COEUR
CHAUSSEE D'ALSEMBERG
ABEICHE
RUE NOEL
RUE DU SEIGNEUR
CHEMIN DE L'ERMITE
CLOS DE L'ERMITE
RUE D'ABEICHE
CLOS DU LIMENSERIEU
AV. DE TANCARVILLE
AVENUE DE NORMANDIE
AV. DE VILLEQUIER
AV. DE BENOUVILLE
CLOS DU CHAMP D'ABEICHE
CLOS DE VALONGES
CLOS DU BOCAGE
RUE PALEAU
AVENUE D'ARROMANCHES
CHAUSSEE BARA
MANCINPONT
75
149 km
150 km
156,5 km
156 km
155 km
154,5 km
149 km (Lambert)
A
B
C
1
2
3
4
110
121
134

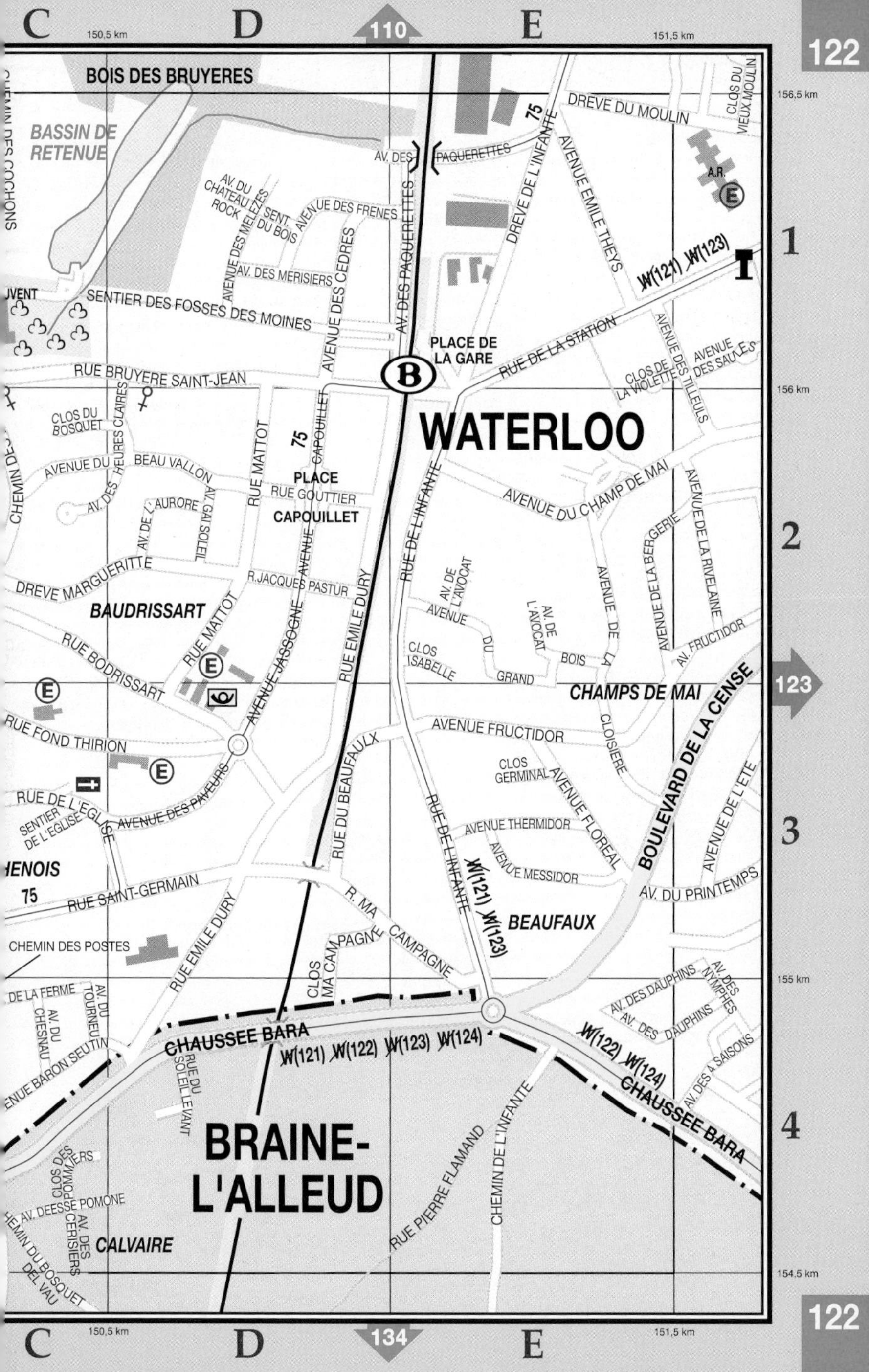
C
D
E
110
150,5 km
151,5 km
156,5 km
156 km
155 km
154,5 km
1
2
3
4
123
134
BOIS DES BRUYERES
BASSIN DE RETENUE
CHEMIN DES COCHONS
DREVE DU MOULIN
CLOS DU VIEUX MOULIN
AV. DES PAQUERETTES
75
DREVE DE L'INFANTE
AVENUE EMILE THEYS
A.R.
AV. DU CHATEAU ROCK
AV. DES MELEZES
SENT. DU BOIS
AVENUE DES FRENES
AVENUE DES CEDRES
AV. DES MERISIERS
SENTIER DES FOSSES DES MOINES
W(121) W(123)
PLACE DE LA GARE
RUE DE LA STATION
AVENUE DES TILLEULS
CLOS DE LA VIOLETTE
AVENUE DES SAULES
RUE BRUYERE SAINT-JEAN
CLOS DU BOSQUET
AVENUE DES HEURES CLAIRES
CAPOUILLET
WATERLOO
AVENUE DU BEAU VALLON
RUE MATTOT
PLACE
RUE GOUTTIER
CAPOUILLET
AVENUE DU CHAMP DE MAI
AV. DES AURORE
AV. DE L'AURORE
AV. GAI SOLEIL
CHEMIN DE
RUE DE L'INFANTE
AVENUE DE LA BERGERIE
AVENUE DE LA RIVELAINE
DREVE MARGUERITTE
R.JACQUES PASTUR
AV. DE L'AVOCAT
AVENUE JASSOGNE
RUE EMILE DURY
BAUDRISSART
AVENUE DU GRAND BOIS
AVENUE DE LA CLOISIERE
RUE MATTOT
CLOS ISABELLE
AV. FRUCTIDOR
RUE BODRISSART
CHAMPS DE MAI
RUE FOND THIRION
AVENUE FRUCTIDOR
BOULEVARD DE LA CENSE
RUE DU BEAUFAULX
CLOS GERMINAL
AVENUE FLOREAL
RUE DE L'EGLISE
SENTIER DE L'EGLISE
AVENUE DES PAVEURS
AVENUE THERMIDOR
AVENUE DE L'ETE
HENOIS
AVENUE MESSIDOR
RUE SAINT-GERMAIN
R. MA CAMPAGNE
AV. DU PRINTEMPS
W(121) W(123)
BEAUFAUX
CHEMIN DES POSTES
RUE EMILE DURY
CLOS MA CAMPAGNE
DE LA FERME
AV. DU TOURNEU
AV. DU CHESNAU
AV. DES DAUPHINS
AV. DES NYMPHES
CHAUSSEE BARA
W(121) W(122) W(123) W(124)
W(122) W(124)
AV. DES 4 SAISONS
AVENUE BARON SEUTIN
RUE DU SOLEIL LEVANT
CHAUSSEE BARA
CHEMIN DE L'INFANTE
RUE PIERRE FLAMAND
BRAINE-L'ALLEUD
CLOS DES POMMIERS
AV. DEESSE POMONE
AV. DES CERISIERS
CALVAIRE
CHEMIN DU BOSQUET DEL VAU

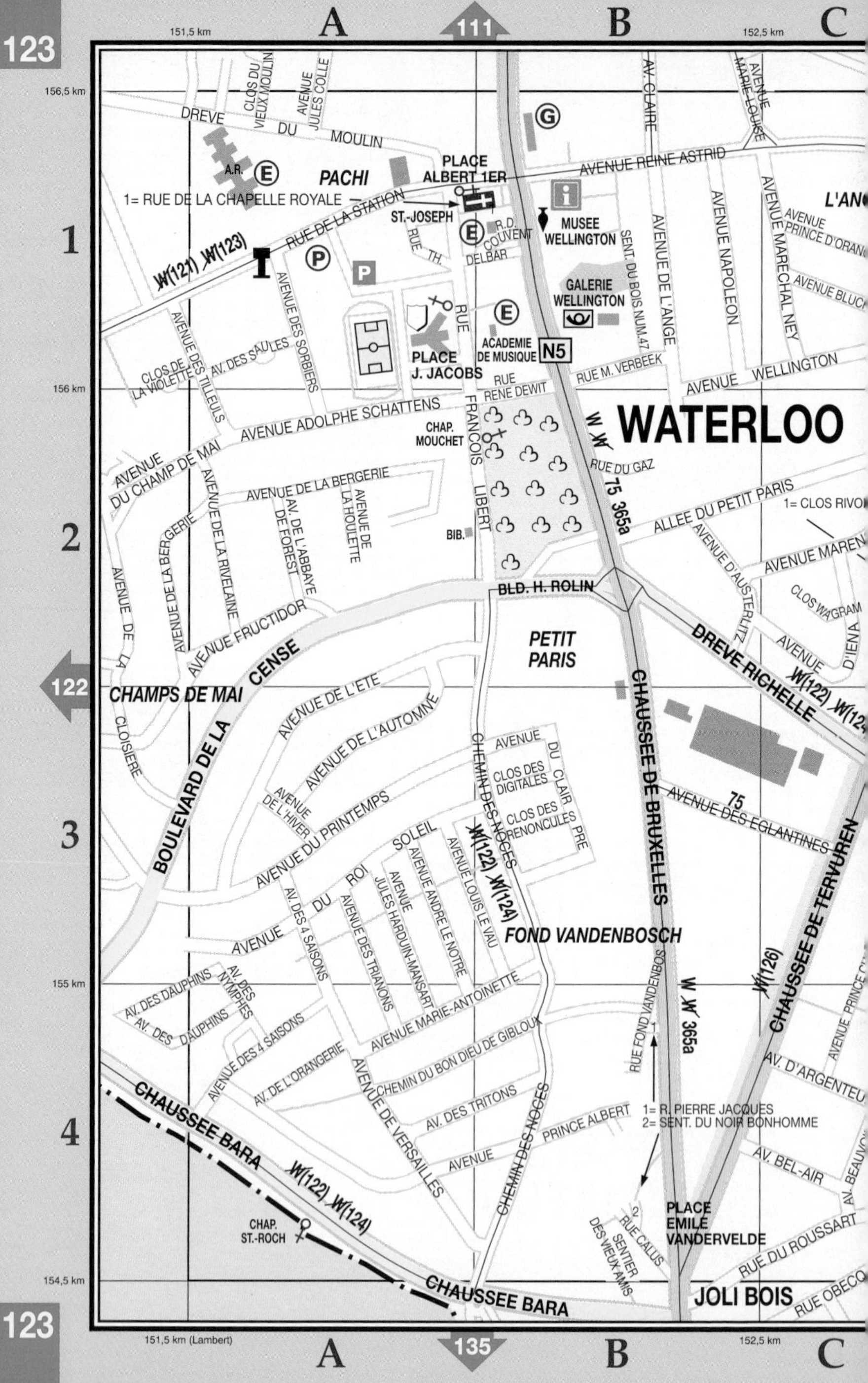
A
B
C
111
151,5 km
152,5 km
156,5 km
156 km
155 km
154,5 km
1
2
3
4
122
WATERLOO
PACHI
PLACE ALBERT 1ER
1= RUE DE LA CHAPELLE ROYALE
ST.-JOSEPH
MUSEE WELLINGTON
GALERIE WELLINGTON
ACADEMIE DE MUSIQUE
N5
PLACE J. JACOBS
CHAP. MOUCHET
BIB.
BLD. H. ROLIN
PETIT PARIS
CHAMPS DE MAI
FOND VANDENBOSCH
CHAUSSEE DE BRUXELLES
CHAUSSEE DE TERVUREN
CHAUSSEE BARA
BOULEVARD DE LA CENSE
DREVE RICHELLE
DREVE DU MOULIN
AVENUE REINE ASTRID
RUE DE LA STATION
AVENUE ADOLPHE SCHATTENS
AVENUE WELLINGTON
RUE FRANCOIS LIBERT
ALLEE DU PETIT PARIS
AVENUE DES EGLANTINES
1= CLOS RIVO
L'AN
1= R. PIERRE JACQUES
2= SENT. DU NOIR BONHOMME
PLACE EMILE VANDERVELDE
JOLI BOIS
CHAP. ST.-ROCH
RUE DU ROUSSART
RUE OBECQ
AV. BEL-AIR
AV. D'ARGENTEU
CHEMIN DES NOCES
CHEMIN DU BON DIEU DE GIBLOUX
AVENUE MARIE-ANTOINETTE
AVENUE DE VERSAILLES
AVENUE DU ROI SOLEIL
AVENUE DU PRINTEMPS
AVENUE DE L'AUTOMNE
AVENUE DE L'ETE
AVENUE DE L'HIVER
AVENUE DU CLAIR PRE
CLOS DES DIGITALES
CLOS DES RENONCULES
AVENUE LOUIS LE VAU
AVENUE ANDRE LE NOTRE
AVENUE JULES HARDUIN-MANSART
AVENUE DES TRIANONS
AV. DES 4 SAISONS
AVENUE DES 4 SAISONS
AV. DE L'ORANGERIE
AV. DES TRITONS
AVENUE PRINCE ALBERT
AV. DES DAUPHINS
AV. DES NYMPHES
AVENUE FRUCTIDOR
AVENUE DE LA BERGERIE
AVENUE DE LA RIVELAINE
AV. DE L'ABBAYE DE FOREST
AVENUE DE LA HOULETTE
AVENUE DU CHAMP DE MAI
AVENUE DE LA CLOISIERE
CLOS DE LA VIOLETTE
AVENUE DES TILLEULS
AV. DES SAULES
AVENUE DES SORBIERS
RUE TH. DELBAR
R.D. COUVENT
RUE RENE DEWIT
RUE M. VERBEEK
RUE DU GAZ
SENT. DU BOIS NUM.47
AVENUE DE L'ANGE
AVENUE NAPOLEON
AVENUE MARECHAL NEY
AVENUE PRINCE D'ORAN
AVENUE BLUC
AV. CLAIRE
AVENUE MARIE LOUISE
CLOS DU VIEUX MOULIN
AVENUE JULES COLLE
AVENUE D'AUSTERLITZ
AVENUE MAREN
CLOS WAGRAM
AVENUE D'IENA
RUE FOND VANDENBOS
RUE CALUS
SENTIER DES VIEUX AMIS
75 365a
135
151,5 km (Lambert)

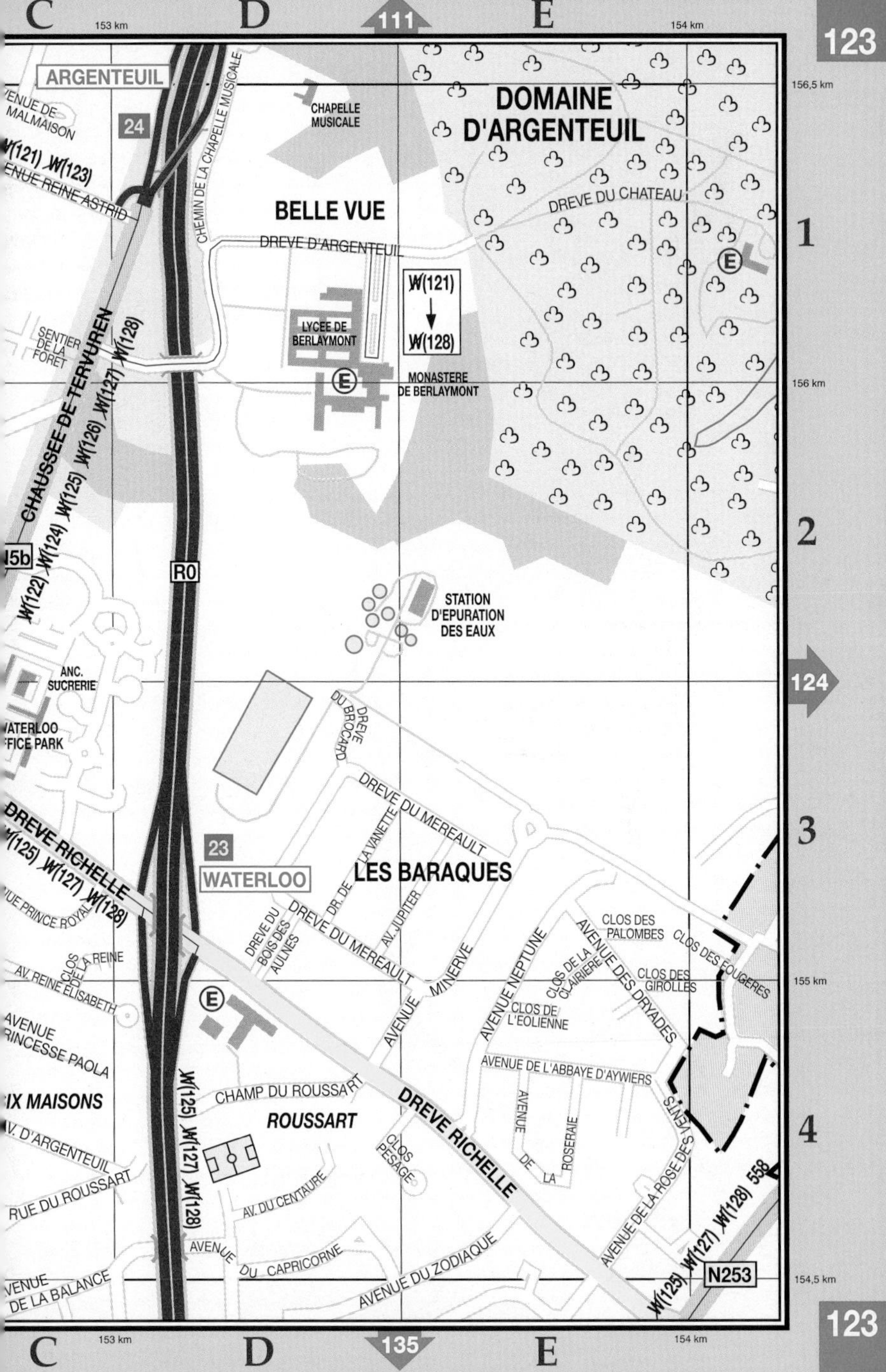
C
D
E
153 km
154 km
111
ARGENTEUIL
AVENUE DE MALMAISON
24
CHAPELLE MUSICALE
DOMAINE D'ARGENTEUIL
CHEMIN DE LA CHAPELLE MUSICALE
AVENUE REINE ASTRID
BELLE VUE
DREVE DU CHATEAU
DREVE D'ARGENTEUIL
LYCEE DE BERLAYMONT
MONASTERE DE BERLAYMONT
SENTIER DE LA FORET
CHAUSSEE DE TERVUREN
R0
STATION D'EPURATION DES EAUX
ANC. SUCRERIE
WATERLOO OFFICE PARK
DREVE DU BROCARD
DREVE DU MEREAULT
DREVE RICHELLE
23
WATERLOO
LES BARAQUES
DR. DE LA VANETTE
AV. JUPITER
RUE PRINCE ROYAL
DREVE DU BOIS DES AULNES
CLOS DES PALOMBES
CLOS DES FOUGERES
CLOS DE LA REINE
AV. REINE ELISABETH
AVENUE MINERVE
AVENUE NEPTUNE
CLOS DE LA CLAIRIERE
AVENUE DES DRYADES
CLOS DES GIROLLES
CLOS DE L'EOLIENNE
AVENUE PRINCESSE PAOLA
AVENUE DE L'ABBAYE D'AYWIERS
CHAMP DU ROUSSART
ROUSSART
AV. D'ARGENTEUIL
AVENUE DE LA ROSERAIE
CLOS PESAGE
RUE DU ROUSSART
AV. DU CENTAURE
AVENUE DE LA ROSE DES VENTS
AVENUE DU CAPRICORNE
AVENUE DU ZODIAQUE
AVENUE DE LA BALANCE
N253
558
156,5 km
156 km
155 km
154,5 km
1
2
3
4
124
135

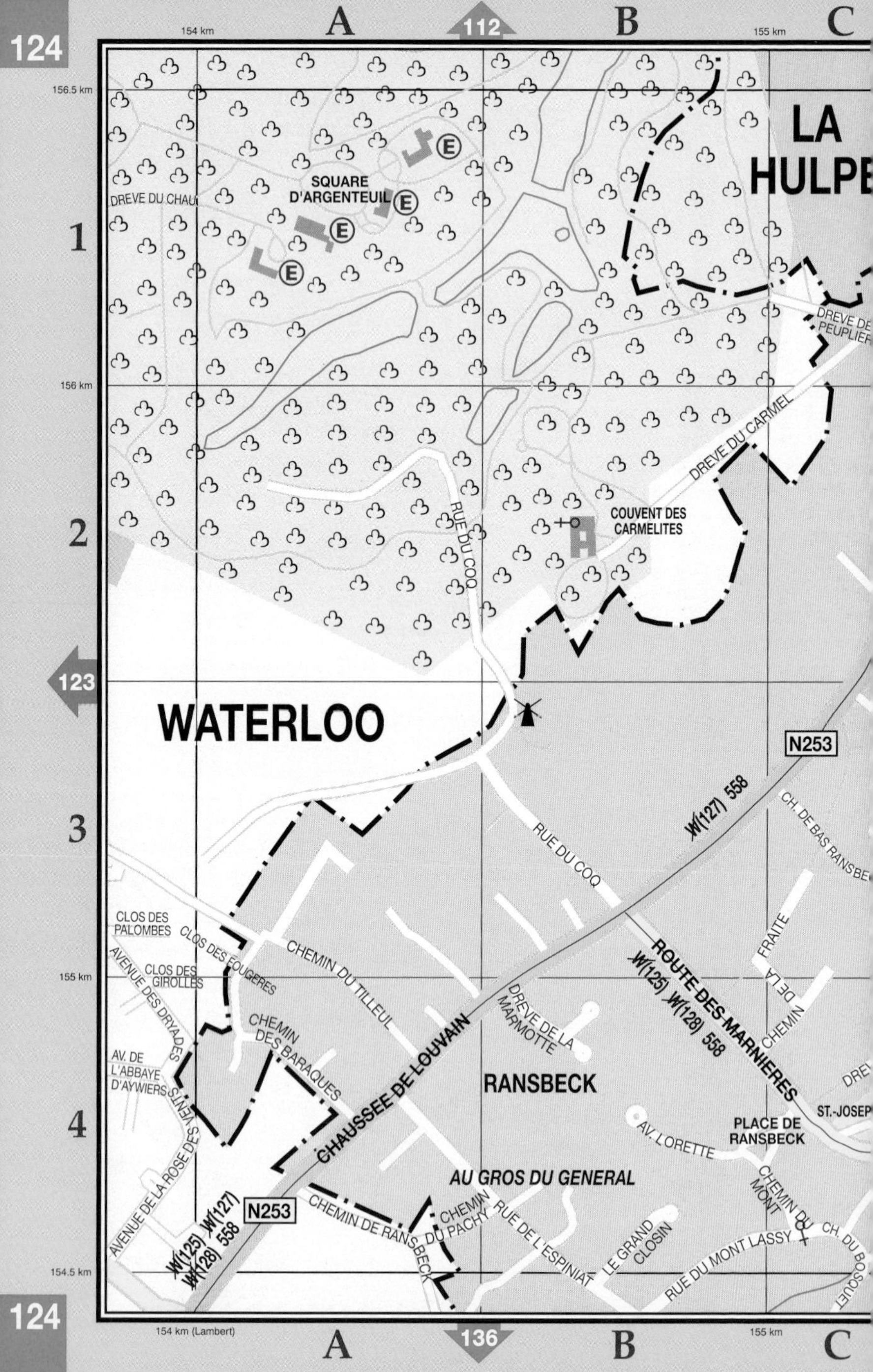
154 km
A
112
B
155 km
C
156.5 km
LA
HULPE
SQUARE
D'ARGENTEUIL
DREVE DU CHAU
1
DREVE DES
PEUPLIER
156 km
DREVE DU CARMEL
RUE DU COQ
COUVENT DES
CARMELITES
2
123
WATERLOO
N253
W(127) 558
3
RUE DU COQ
CH. DE BAS RANSBEC
CLOS DES
PALOMBES
CLOS DES FOUGERES
CHEMIN DU TILLEUL
ROUTE DES MARNIERES
W(125) W(128) 558
FRAITE
DE LA
CHEMIN
155 km
CLOS DES
GIROLLES
AVENUE DES DRYADES
CHEMIN
DES BARAQUES
DREVE DE LA
MARMOTTE
AV. DE
L'ABBAYE
D'AYWIERS
RANSBECK
CHAUSSEE DE LOUVAIN
4
SEPT VENTS
PLACE DE
RANSBECK
ST.-JOSEP
AV. LORETTE
AU GROS DU GENERAL
CHEMIN DU
MONT
AVENUE DE LA ROSE DES VENTS
N253
W(125) W(127)
W(128) 558
CHEMIN DE RANSBECK
CHEMIN
DU PACHY
RUE DE L'ESPINIAT
LE GRAND
CLOSIN
RUE DU MONT LASSY
CH. DU BOSQUET
154.5 km
154 km (Lambert)
A
136
B
155 km
C

C
D
E
155.5 km
156.5 km
112
156.5 km
156 km
155 km
154.5 km
1
2
3
4
125
136
CHAUSSEE DE LOUVAIN
N253
W(127) 558
RUE JEAN-PHILIPPE
CHEMIN DES GARMILLES
DREVE DES PEUPLIERS
CHAMP DE LA VALLEE
CHEMIN DU BOIS MAGONETTE
CHEMIN DU FOND CORON
LASNE
CHEMIN DU CATTY
CHEMIN DU GRAND GALOP
BAS-RANSBEC
CHEMIN DE BAS RANSBECK
CLE DES CHAMPS
CLOS DES POMMIERS
ROUTE DES MARNIERES
W(125) W(128) 558
= CHEMIN DU BOITEUX

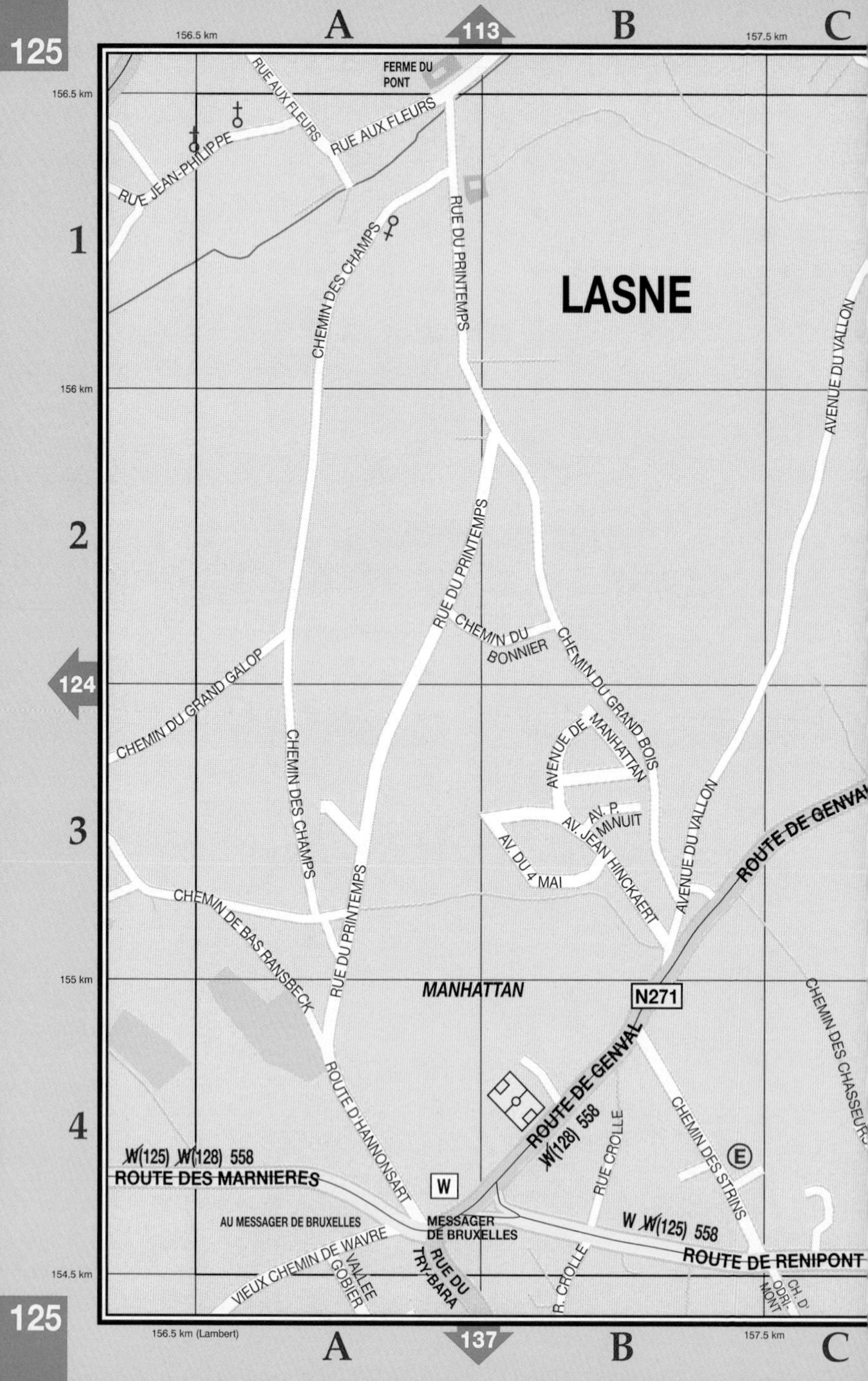

A
B
C
113
156.5 km
157.5 km
156.5 km
156 km
155 km
154.5 km
1
2
3
4
124
LASNE
FERME DU PONT
RUE AUX FLEURS
RUE JEAN-PHILIPPE
CHEMIN DES CHAMPS
RUE DU PRINTEMPS
AVENUE DU VALLON
CHEMIN DU BONNIER
CHEMIN DU GRAND BOIS
CHEMIN DU GRAND GALOP
AVENUE DE MANHATTAN
AV. P. MINUIT
AV. JEAN HINCKAERT
AV. DU 4 MAI
ROUTE DE GENVAL
CHEMIN DE BAS RANSBECK
MANHATTAN
N271
CHEMIN DES CHASSEURS
ROUTE D'HANNONSART
RUE CROLLE
CHEMIN DES STRINS
W(125) W(128) 558
ROUTE DES MARNIERES
W(128) 558
W
AU MESSAGER DE BRUXELLES
MESSAGER DE BRUXELLES
W W(125) 558
ROUTE DE RENIPONT
VIEUX CHEMIN DE WAVRE
VALLEE GOBIER
RUE DU TRY-BARA
R. CROLLE
CH. D' ODRIMONT
156.5 km (Lambert)
137

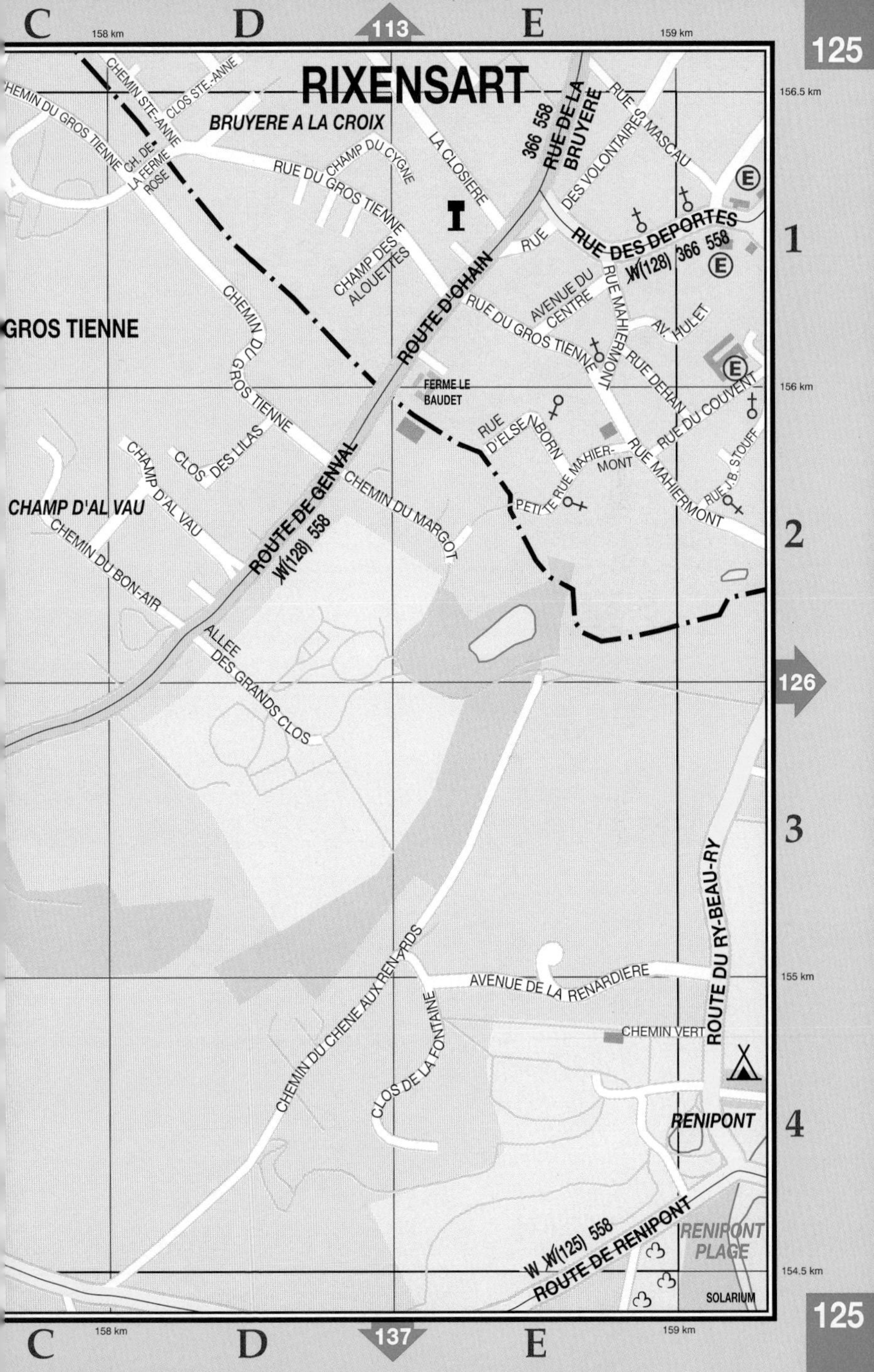
C
D
E
113
158 km
159 km
RIXENSART
BRUYERE A LA CROIX
CHEMIN DU GROS TIENNE
CHEMIN STE-ANNE
CLOS STE-ANNE
CH. DE LA FERME ROSE
RUE DU GROS TIENNE
CHAMP DU CYGNE
LA CLOSIERE
366 558
RUE DE LA BRUYERE
RUE MASCAU
RUE DES VOLONTAIRES
RUE
RUE DES DEPORTES
W(128) 366 558
CHAMP DES ALOUETTES
ROUTE D'OHAIN
AVENUE DU CENTRE
RUE MAHIERMONT
AV. HULET
GROS TIENNE
CHEMIN DU GROS TIENNE
RUE DU GROS TIENNE
RUE DEHAN
FERME LE BAUDET
RUE DU COUVENT
RUE D'ELSENBORN
RUE J.B. STOUFF
CLOS DES LILAS
CHAMP D'AL VAU
PETITE RUE MAHIERMONT
RUE MAHIERMONT
ROUTE DE GENVAL
W(128) 558
CHAMP D'AL VAU
CHEMIN DU MARGOT
CHEMIN DU BON-AIR
ALLEE DES GRANDS CLOS
156.5 km
156 km
155 km
154.5 km
1
2
3
4
126
ROUTE DU RY-BEAU-RY
AVENUE DE LA RENARDIERE
CHEMIN DU CHENE AUX RENARDS
CLOS DE LA FONTAINE
CHEMIN VERT
RENIPONT
W W(125) 558
ROUTE DE RENIPONT
RENIPONT PLAGE
SOLARIUM
137
158 km
159 km
C
D
E

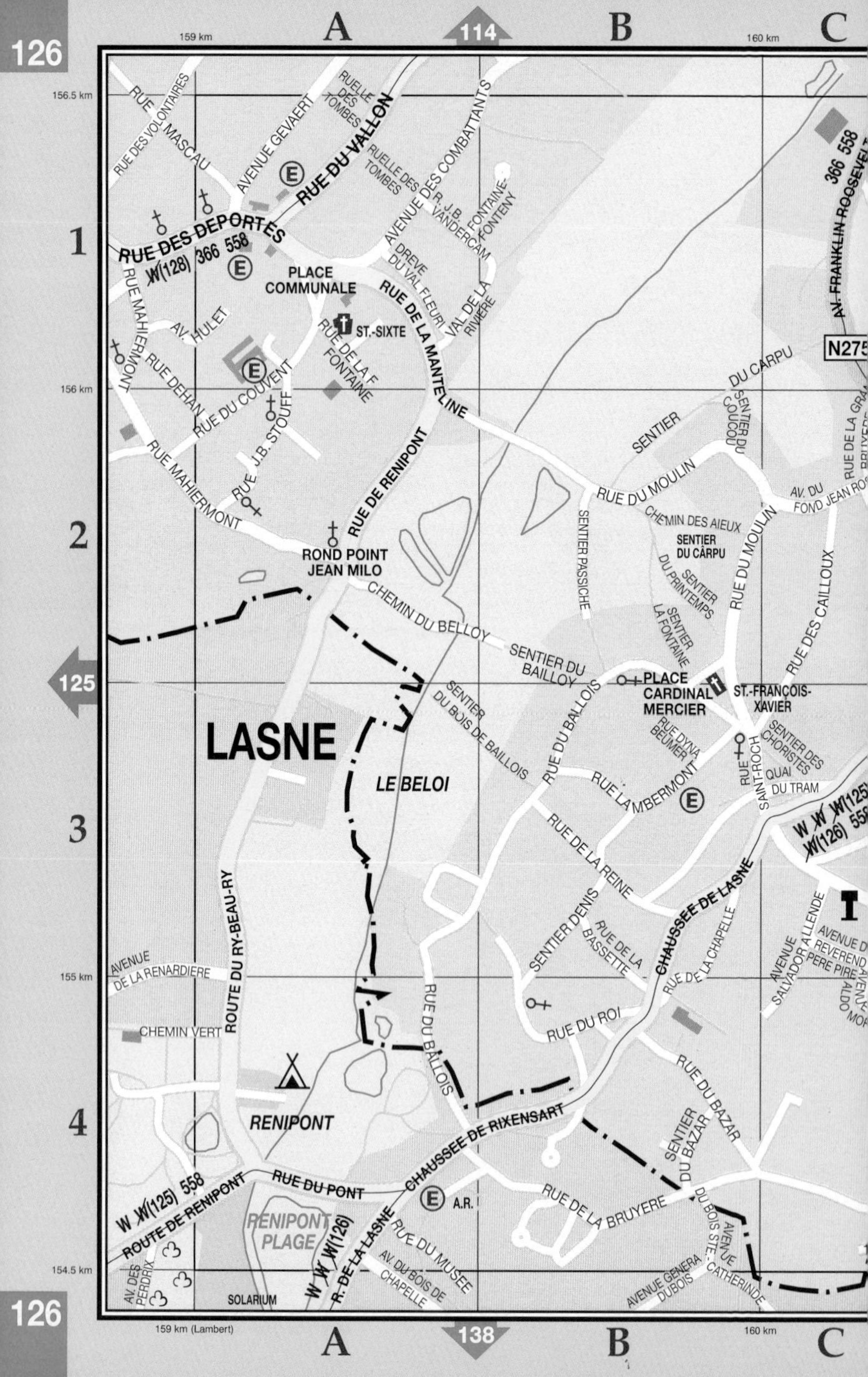
A
B
C
114
159 km
160 km
156.5 km
156 km
155 km
154.5 km
1
2
3
4
125
LASNE
LE BELOI
RENIPONT
RUE DES VOLONTAIRES
RUE MASCAU
AVENUE GEVAERT
RUELLE DES TOMBES
RUE DU VALLON
AVENUE DES COMBATTANTS
RUELLE DES TOMBES
R. J.B. VANDERCAM
FONTAINE-FONTENY
RUE DES DEPORTES
W (128) 366 558
PLACE COMMUNALE
DREVE DU VAL FLEURI
VAL DE LA RIVIERE
RUE DE LA MANTELINE
RUE MAHIERMONT
AV. HULET
ST.-SIXTE
RUE DE LA F FONTAINE
RUE DEHAN
RUE DU COUVENT
RUE J.B. STOUFF
RUE MAHIERMONT
RUE DE RENIPONT
ROND POINT JEAN MILO
CHEMIN DU BELLOY
SENTIER DU BAILLOY
366 558
AV. FRANKLIN ROOSEVELT
N275
RUE DU CARPU
SENTIER DU COUCOU
SENTIER
RUE DU MOULIN
RUE DE LA GRA BRUYERE
AV. DU FOND JEAN RO
CHEMIN DES AIEUX
SENTIER DU CÂRPU
SENTIER PASSICHE
SENTIER DU PRINTEMPS
SENTIER LA FONTAINE
RUE DU MOULIN
RUE DES CAILLOUX
PLACE CARDINAL MERCIER
ST.-FRANÇOIS-XAVIER
SENTIER DU BOIS DE BAILLOIS
RUE DU BALLOIS
RUE DYNA BEUMER
RUE SAINT-ROCH
SENTIER DES CHORISTES
QUAI DU TRAM
RUE LAMBERMONT
W W W (125) 558
W (126) 558
RUE DE LA REINE
CHAUSSEE DE LASNE
SENTIER DENIS
RUE DE LA BASSETTE
RUE DE LA CHAPELLE
AVENUE SALVADOR ALLENDE
AVENUE DU REVEREND PERE PIRE
AVENUE ALDO MORO
AVENUE DE LA RENARDIERE
ROUTE DU RY-BEAU-RY
CHEMIN VERT
RUE DU BALLOIS
RUE DU ROI
RUE DU BAZAR
SENTIER DU BAZAR
CHAUSSEE DE RIXENSART
W W (125) 558
ROUTE DE RENIPONT
RUE DU PONT
A.R.
RUE DE LA BRUYERE
AVENUE DU BOIS STE. CATHERINE
RENIPONT PLAGE
W W W (126)
R. DE LA LASNE
RUE DU MUSEE
AV. DU BOIS DE CHAPELLE
AVENUE GENERAL DUBOIS
AV. DES PERDRIX
SOLARIUM
159 km (Lambert)
160 km
138

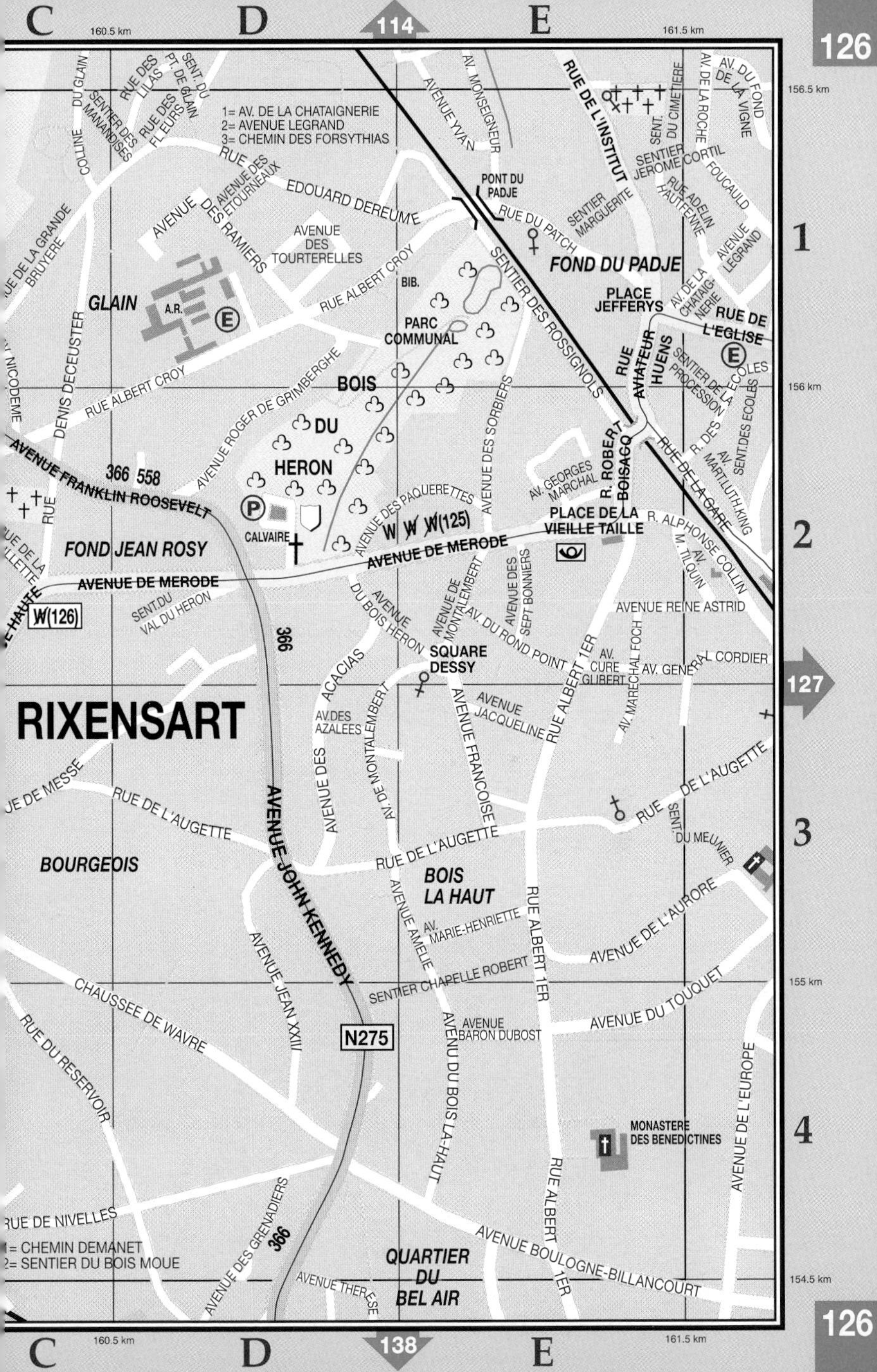
C
D
E
114
160.5 km
161.5 km
156.5 km
156 km
155 km
154.5 km
1
2
3
4
127
138
1= AV. DE LA CHATAIGNERIE
2= AVENUE LEGRAND
3= CHEMIN DES FORSYTHIAS
RUE DE L'INSTITUT
FOND DU PADJE
PLACE JEFFERYS
RUE DE L'EGLISE
PONT DU PADJE
RUE DU PATCH
SENTIER DES ROSSIGNOLS
RUE EDOUARD DEREUME
AVENUE DES TOURTERELLES
AVENUE DES RAMIERS
GLAIN
RUE ALBERT CROY
BIB.
PARC COMMUNAL
BOIS DU HERON
AVENUE ROGER DE GRIMBERGHE
AVENUE FRANKLIN ROOSEVELT
366 558
FOND JEAN ROSY
CALVAIRE
AVENUE DE MERODE
PLACE DE LA VIEILLE TAILLE
R. ROBERT BOISACQ
RUE AVIATEUR HUENS
RUE DE LA GARE
R. ALPHONSE COLLIN
AVENUE REINE ASTRID
AVENUE DES SORBIERS
AVENUE DES PAQUERETTES
SQUARE DESSY
AV. DU ROND POINT
AV. GENERAL CORDIER
RUE ALBERT 1ER
RIXENSART
AVENUE DES ACACIAS
AV.DES AZALEES
AVENUE FRANCOISE
AVENUE JACQUELINE
RUE DE L'AUGETTE
AVENUE JOHN KENNEDY
BOURGEOIS
BOIS LA HAUT
AVENUE DE L'AURORE
SENTIER CHAPELLE ROBERT
CHAUSSEE DE WAVRE
AVENUE JEAN XXIII
N275
AVENUE BARON DUBOST
AVENUE DU TOUQUET
AVENUE DU BOIS LA-HAUT
MONASTERE DES BENEDICTINES
AVENUE DE L'EUROPE
RUE DU RESERVOIR
RUE DE NIVELLES
1= CHEMIN DEMANET
2= SENTIER DU BOIS MOUE
AVENUE DES GRENADIERS
QUARTIER DU BEL AIR
AVENUE BOULOGNE-BILLANCOURT
AVENUE THERESE

RIXENSART
BOIS DE RIXENSART
1= AV. DE LA CHATAIGNERIE
2= AVENUE LEGRAND
3= CHEMIN DES FORSYTHIAS
1= BEAU SITE PREMIERE AVENUE
2= BEAU SITE DEUZIEME AVENUE
3= BEAU SITE TROIZIEME AVENUE
4= BEAU SITE QUATRIEME AVENUE
5= BEAU SITE CINQUIEME AVENUE
6= RUE DE FROIDMONT
1= CLOS DES PRIMEVERES
2= CLOS DES PERVENCHES
PLACE JEFFERYS
ST.-ETIENNE
RUE DE L'EGLISE
RUE DE L'INSTITUT
DREVE DES ETANGS
PLACE DE LA PERCHE
PLACE DU BEAU SITE
AVENUE ROYALE
SQUARE DE LA RESISTANCE
PLACE DE LA GARE
PLACE VERTE
AVENUE REINE ASTRID
AV. LEOPOLD
SITE
AVENUE JOSEPHINE CHARLOTTE
AVENUE REINE ELISABETH
AVENUE DU FOND MARIE MONSEU
FERME DE FROIDMONT, MONASTERE
RUE DE L'AUGETTE
AVENUE DE L'AURORE
AVENUE DU TOUQUET
AVENUE DE L'EUROPE
AVENUE DE WINTERBERG
AVENUE DU QUEBEC
RUE DE LIMAL
AVENUE PAOLA
AVENUE DU PELERIN
RUE DES BLEUETS
CHEMIN DE PELERIN
MONASTERE DES BENEDICTINES
PROMENADE DE BIRSTALL
AVENUE BOULOGNE-BILLANCOURT
CHEMIN DE ROFESSART
RUE JOSEPH SNEESSENS
AV. DES ANEMONES
AV. DES CERISIERS

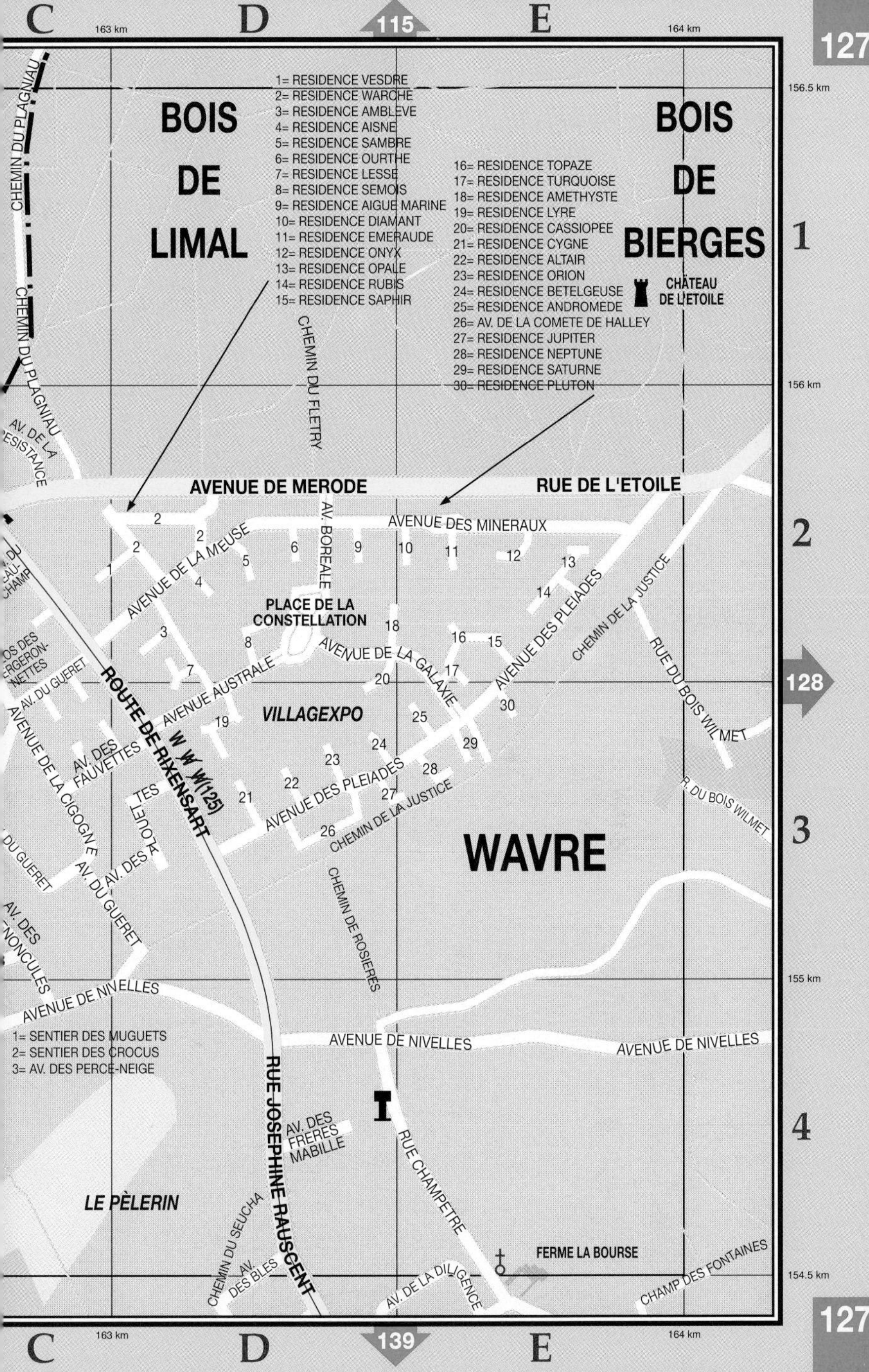
C
D
E
115
163 km
164 km
156.5 km
156 km
155 km
154.5 km
1
2
3
4
128
BOIS DE LIMAL
BOIS DE BIERGES
1= RESIDENCE VESDRE
2= RESIDENCE WARCHE
3= RESIDENCE AMBLEVE
4= RESIDENCE AISNE
5= RESIDENCE SAMBRE
6= RESIDENCE OURTHE
7= RESIDENCE LESSE
8= RESIDENCE SEMOIS
9= RESIDENCE AIGUE MARINE
10= RESIDENCE DIAMANT
11= RESIDENCE EMERAUDE
12= RESIDENCE ONYX
13= RESIDENCE OPALE
14= RESIDENCE RUBIS
15= RESIDENCE SAPHIR
16= RESIDENCE TOPAZE
17= RESIDENCE TURQUOISE
18= RESIDENCE AMETHYSTE
19= RESIDENCE LYRE
20= RESIDENCE CASSIOPEE
21= RESIDENCE CYGNE
22= RESIDENCE ALTAIR
23= RESIDENCE ORION
24= RESIDENCE BETELGEUSE
25= RESIDENCE ANDROMEDE
26= AV. DE LA COMETE DE HALLEY
27= RESIDENCE JUPITER
28= RESIDENCE NEPTUNE
29= RESIDENCE SATURNE
30= RESIDENCE PLUTON
CHÂTEAU DE L'ETOILE
CHEMIN DU PLAGNIAU
CHEMIN DU FLETRY
AV. DE LA RESISTANCE
AVENUE DE MERODE
RUE DE L'ETOILE
AVENUE DES MINERAUX
AV. BOREALE
AVENUE DE LA MEUSE
PLACE DE LA CONSTELLATION
AVENUE DE LA GALAXIE
AVENUE DES PLEIADES
CHEMIN DE LA JUSTICE
RUE DU BOIS WILMET
R. DU BOIS WILMET
AVENUE AUSTRALE
VILLAGEXPO
ROUTE DE RIXENSART
W W W(125)
AV. DU GUERET
AV. DES FAUVETTES
AVENUE DE LA CIGOGNE
AV. DES ALOUETTES
AV. DU GUERET
WAVRE
CHEMIN DE ROSIERES
AVENUE DE NIVELLES
AVENUE DE NIVELLES
AVENUE DE NIVELLES
1= SENTIER DES MUGUETS
2= SENTIER DES CROCUS
3= AV. DES PERCE-NEIGE
RUE JOSEPHINE RAUSCENT
AV. DES FRERES MABILLE
RUE CHAMPETRE
LE PÈLERIN
CHEMIN DU SEUCHA
AV. DES BLES
AV. DE LA DILIGENCE
FERME LA BOURSE
CHAMP DES FONTAINES
139

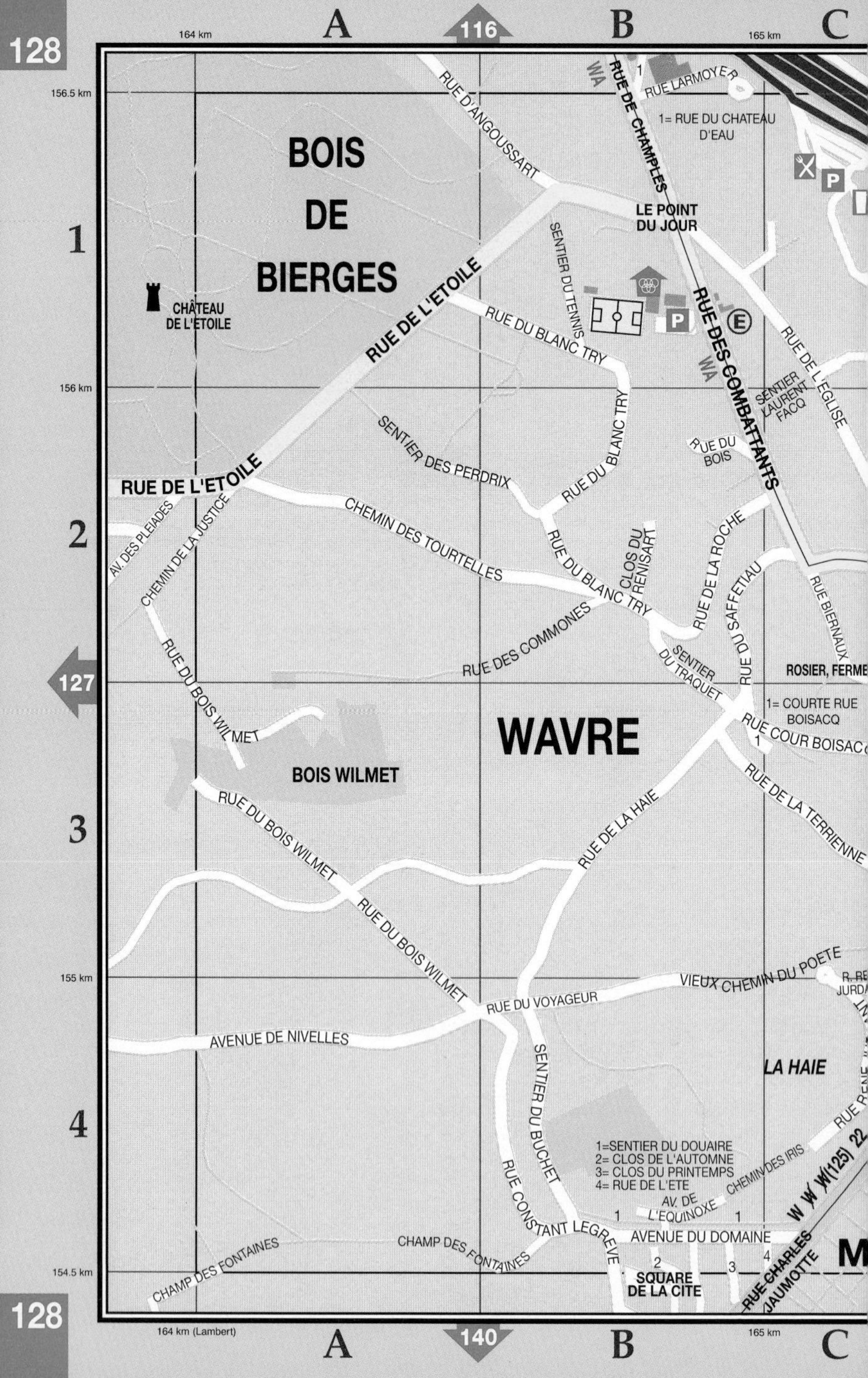

164 km
A
116
B
165 km
C
156.5 km
RUE D'ANGOUSSART
RUE DE CHAMPLES
RUE LARMOYER
1= RUE DU CHATEAU D'EAU
BOIS DE BIERGES
LE POINT DU JOUR
SENTIER DU TENNIS
RUE DE L'ETOILE
CHÂTEAU DE L'ETOILE
RUE DU BLANC TRY
RUE DES COMBATTANTS
RUE DE L'EGLISE
SENTIER LAURENT FACQ
156 km
SENTIER DES PERDRIX
RUE DU BOIS
RUE DE L'ETOILE
AV. DES PLEIADES
CHEMIN DE LA JUSTICE
CHEMIN DES TOURTELLES
CLOS DU RENISART
RUE DE LA ROCHE
RUE DU SAFFETIAU
RUE BIERNAUX
RUE DES COMMONES
SENTIER DU TRAQUET
RUE DU BOIS WILMET
ROSIER, FERME
127
1= COURTE RUE BOISACQ
RUE COUR BOISACQ
WAVRE
BOIS WILMET
RUE DE LA TERRIENNE
RUE DE LA HAIE
RUE DU BOIS WILMET
VIEUX CHEMIN DU POETE
155 km
RUE DU VOYAGEUR
AVENUE DE NIVELLES
SENTIER DU BUCHET
LA HAIE
1=SENTIER DU DOUAIRE
2= CLOS DE L'AUTOMNE
3= CLOS DU PRINTEMPS
4= RUE DE L'ETE
CHEMIN DES IRIS
AV. DE L'EQUINOXE
RUE CONSTANT LEGREVE
CHAMP DES FONTAINES
AVENUE DU DOMAINE
SQUARE DE LA CITE
RUE CHARLES JAUMOTTE
154.5 km
164 km (Lambert)
140
165 km
1
2
3
4

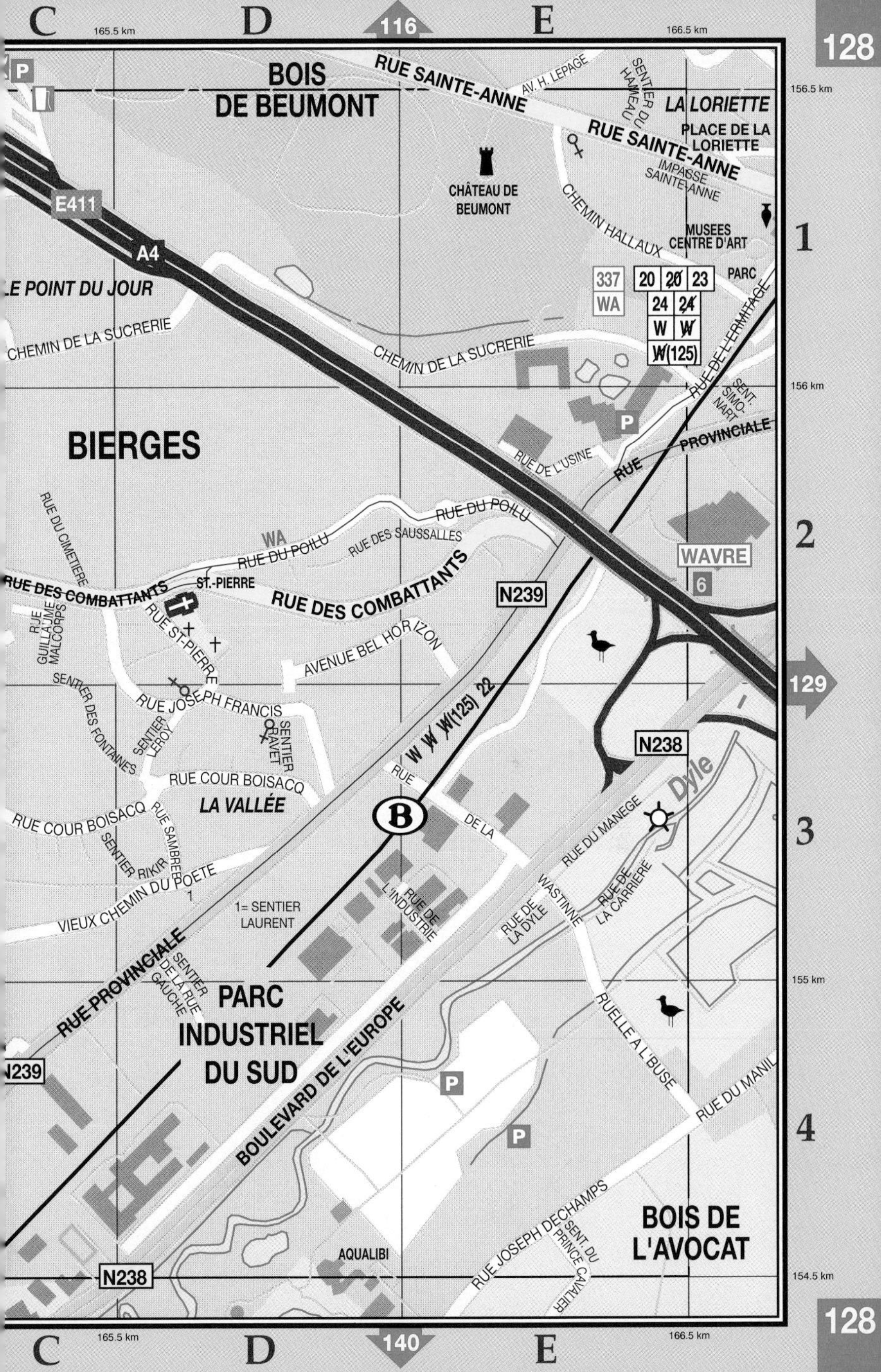

C
D
E
165.5 km
166.5 km
116
BOIS
DE BEUMONT
RUE SAINTE-ANNE
AV. H. LEPAGE
SENTIER DU HAMEAU
LA LORIETTE
PLACE DE LA LORIETTE
IMPASSE SAINTE-ANNE
CHÂTEAU DE BEUMONT
CHEMIN HALLAUX
MUSEES CENTRE D'ART
E411
A4
LE POINT DU JOUR
CHEMIN DE LA SUCRERIE
337
WA
20
23
24
W
W(125)
PARC
RUE DE L'ERMITAGE
156.5 km
156 km
SENT. SIMONART
RUE PROVINCIALE
BIERGES
RUE DE L'USINE
RUE DU POILU
RUE DES SAUSSALLES
RUE DU CIMETIERE
RUE DES COMBATTANTS
ST.-PIERRE
N239
WAVRE
6
RUE GUILLAUME MALCORPS
RUE ST-PIERRE
AVENUE BEL HORIZON
129
SENTIER DES FONTAINES
RUE JOSEPH FRANCIS
SENTIER LEROY
SENTIER RAVET
W W W(125) 22
N238
Dyle
RUE COUR BOISACQ
LA VALLÉE
RUE DE LA
RUE DU MANEGE
RUE SAMBREE
SENTIER RIKIR
VIEUX CHEMIN DU POETE
1= SENTIER LAURENT
RUE DE L'INDUSTRIE
RUE DE LA DYLE
WASTINNE
RUE DE LA CARRIERE
SENTIER DE LA RUE GAUCHE
PARC INDUSTRIEL DU SUD
155 km
RUE PROVINCIALE
BOULEVARD DE L'EUROPE
RUELLE A L'BUSE
RUE DU MANIL
P
BOIS DE L'AVOCAT
RUE JOSEPH DECHAMPS
SENT. DU PRINCE CAVALIER
AQUALIBI
154.5 km
1
2
3
4
140

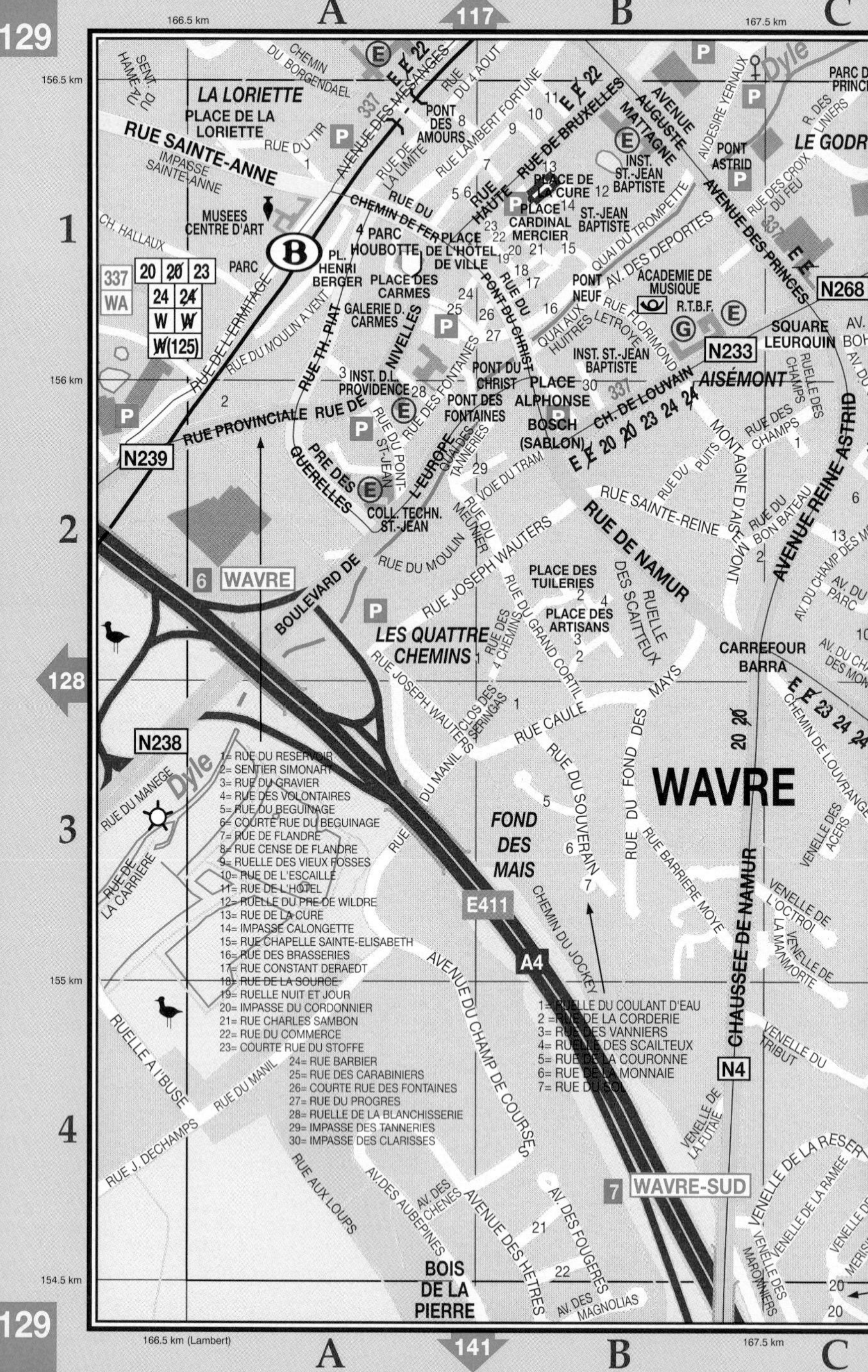

A
B
C
117
166.5 km
167.5 km
156.5 km
156 km
155 km
154.5 km
1
2
3
4
128
LA LORIETTE
PLACE DE LA LORIETTE
RUE SAINTE-ANNE
IMPASSE SAINTE-ANNE
MUSEES CENTRE D'ART
PARC
PL. HENRI BERGER
PARC HOUBOTTE
PLACE DE L'HÔTEL DE VILLE
PLACE DES CARMES
GALERIE D. CARMES
PLACE CARDINAL MERCIER
PLACE DE LA CURE
ST.-JEAN BAPTISTE
INST. ST.-JEAN BAPTISTE
AVENUE AUGUSTE MATTAGNE
PONT ASTRID
LE GODRU
PARC DES PRINCES
ACADEMIE DE MUSIQUE
R.T.B.F.
PONT NEUF
SQUARE LEURQUIN
AISÉMONT
INST. D.L. PROVIDENCE
PONT DU CHRIST
PONT DES FONTAINES
PLACE ALPHONSE BOSCH (SABLON)
COLL. TECHN. ST.-JEAN
RUE PROVINCIALE
RUE DE NAMUR
RUE SAINTE-REINE
AVENUE REINE ASTRID
PLACE DES TUILERIES
PLACE DES ARTISANS
LES QUATTRE CHEMINS
CARREFOUR BARRA
WAVRE
FOND DES MAIS
CHAUSSEE DE NAMUR
E411
A4
WAVRE-SUD
BOIS DE LA PIERRE
N239
N238
N268
N233
N4
1= RUE DU RESERVOIR
2= SENTIER SIMONART
3= RUE DU GRAVIER
4= RUE DES VOLONTAIRES
5= RUE DU BEGUINAGE
6= COURTE RUE DU BEGUINAGE
7= RUE DE FLANDRE
8= RUE CENSE DE FLANDRE
9= RUELLE DES VIEUX FOSSES
10= RUE DE L'ESCAILLE
11= RUE DE L'HOTEL
12= RUELLE DU PRE DE WILDRE
13= RUE DE LA CURE
14= IMPASSE CALONGETTE
15= RUE CHAPELLE SAINTE-ELISABETH
16= RUE DES BRASSERIES
17= RUE CONSTANT DERAEDT
18= RUE DE LA SOURCE
19= RUELLE NUIT ET JOUR
20= IMPASSE DU CORDONNIER
21= RUE CHARLES SAMBON
22= RUE DU COMMERCE
23= COURTE RUE DU STOFFE
24= RUE BARBIER
25= RUE DES CARABINIERS
26= COURTE RUE DES FONTAINES
27= RUE DU PROGRES
28= RUELLE DE LA BLANCHISSERIE
29= IMPASSE DES TANNERIES
30= IMPASSE DES CLARISSES
1= RUELLE DU COULANT D'EAU
2 = RUE DE LA CORDERIE
3= RUE DES VANNIERS
4= RUELLE DES SCAILTEUX
5= RUE DE LA COURONNE
6= RUE DE LA MONNAIE
7= RUE DU SOL
166.5 km (Lambert)
167.5 km
141

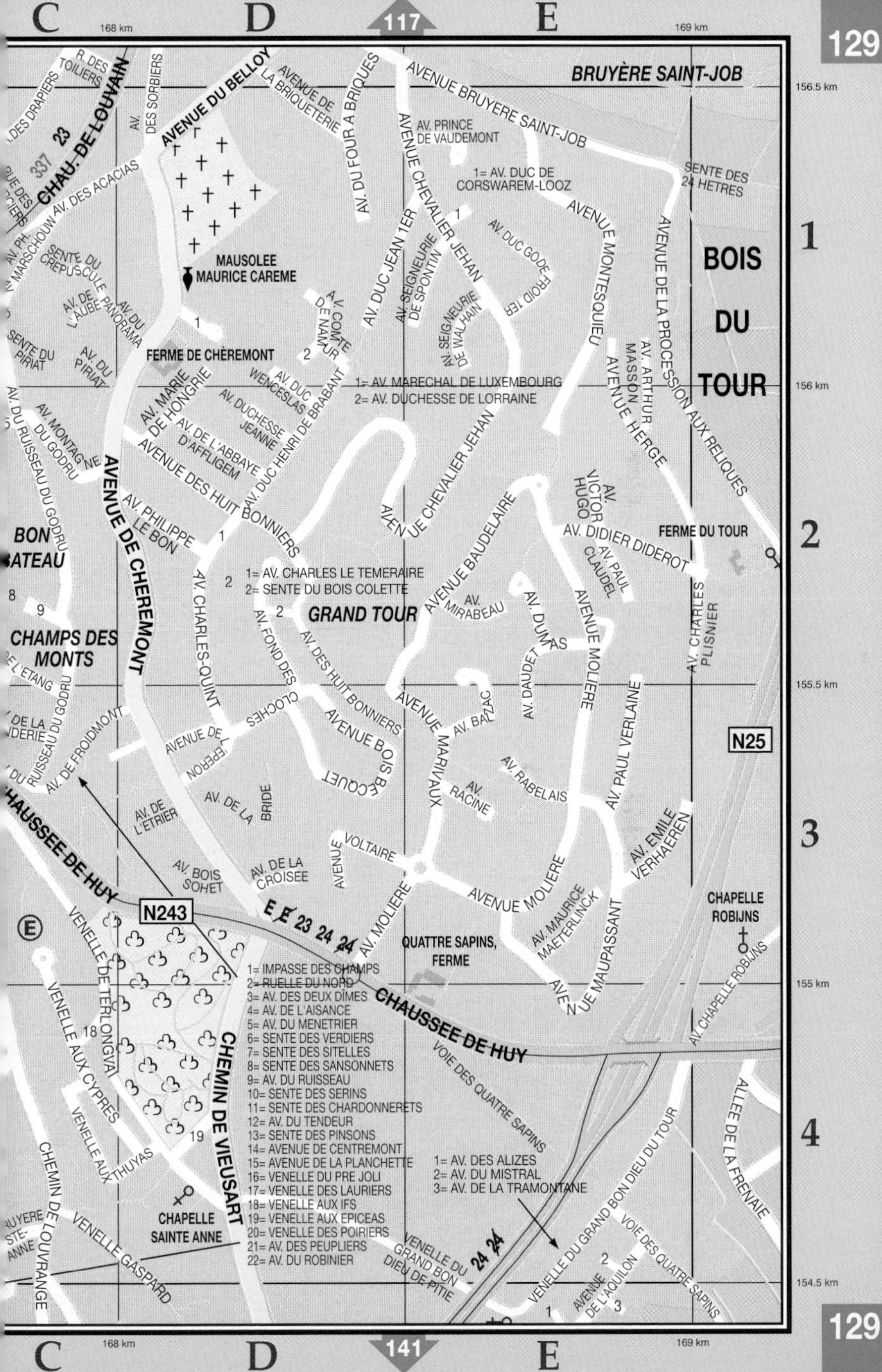
C
D
E
117
168 km
169 km
156.5 km
156 km
155.5 km
155 km
154.5 km
1
2
3
4
BRUYÈRE SAINT-JOB
AVENUE BRUYERE SAINT-JOB
AVENUE DU BELLOY
AVENUE DE LA BRIQUETERIE
AV. DU FOUR A BRIQUES
AVENUE CHEVALIER JEHAN
AV. PRINCE DE VAUDEMONT
1= AV. DUC DE CORSWAREM-LOOZ
SENTE DES 24 HETRES
AVENUE DE LA PROCESSION AUX RELIQUES
BOIS DU TOUR
AVENUE MONTESQUIEU
AV. DUC GODEFROID 1ER
AV. SEIGNEURIE DE SPONTIN
AV. SEIGNEURIE DE WALHAIN
AV. DUC JEAN 1ER
AV. COMTE DE NAMUR
CHAU. DE LOUVAIN
337
23
R. DES TOILIERS
AV. DES SORBIERS
AV. DES ACACIAS
AV. PH. MARSCHOUW
SENTE DU CREPUSCULE
AV. DE L'AUBE
AV. DU PANORAMA
SENTE DU PIRIAT
AV. DU PIRIAT
MAUSOLEE MAURICE CAREME
FERME DE CHÈREMONT
AV. MARIE DE HONGRIE
AV. DUC WENCESLAS
AV. DUCHESSE JEANNE
AV. DUC HENRI DE BRABANT
1= AV. MARECHAL DE LUXEMBOURG
2= AV. DUCHESSE DE LORRAINE
AV. ARTHUR MASSON
AVENUE HERGE
AV. DE L'ABBAYE D'AFFLIGEM
AVENUE DES HUIT BONNIERS
AV. MONTAGNE DU GODRU
AV. DU RUISSEAU DU GODRU
AVENUE DE CHEREMONT
AV. PHILIPPE LE BON
BON BATEAU
CHAMPS DES MONTS
AV. VICTOR HUGO
AV. DIDIER DIDEROT
FERME DU TOUR
AV. PAUL CLAUDEL
AVENUE BAUDELAIRE
1= AV. CHARLES LE TEMERAIRE
2= SENTE DU BOIS COLETTE
GRAND TOUR
AV. CHARLES-QUINT
AV. FOND DES CLOCHES
AV. DES HUIT BONNIERS
AV. MIRABEAU
AV. DUMAS
AVENUE MOLIERE
AV. CHARLES PLISNIER
AV. DAUDET
AV. BALZAC
AVENUE MARIVAUX
AVENUE BOIS BECQUET
AVENUE DE L'EPERON
AV. DE FROIDMONT
N25
AV. PAUL VERLAINE
AV. RABELAIS
AV. RACINE
AV. DE L'ETRIER
AV. DE LA BRIDE
AV. EMILE VERHAEREN
CHAUSSEE DE HUY
AVENUE VOLTAIRE
AV. BOIS SOHET
AV. DE LA CROISEE
N243
E 23 24
AV. MOLIERE
QUATTRE SAPINS, FERME
AV. MAURICE MAETERLINCK
AVENUE MAUPASSANT
CHAPELLE ROBIJNS
AV. CHAPELLE ROBIJNS
VENELLE DE TERLONGVAL
VENELLE AUX CYPRES
1= IMPASSE DES CHAMPS
2= RUELLE DU NORD
3= AV. DES DEUX DÎMES
4= AV. DE L'AISANCE
5= AV. DU MENETRIER
6= SENTE DES VERDIERS
7= SENTE DES SITELLES
8= SENTE DES SANSONNETS
9= AV. DU RUISSEAU
10= SENTE DES SERINS
11= SENTE DES CHARDONNERETS
12= AV. DU TENDEUR
13= SENTE DES PINSONS
14= AVENUE DE CENTREMONT
15= AVENUE DE LA PLANCHETTE
16= VENELLE DU PRE JOLI
17= VENELLE DES LAURIERS
18= VENELLE AUX IFS
19= VENELLE AUX EPICEAS
20= VENELLE DES POIRIERS
21= AV. DES PEUPLIERS
22= AV. DU ROBINIER
CHEMIN DE VIEUSART
VOIE DES QUATRE SAPINS
ALLEE DE LA FRENAIE
AVENUE DU GRAND BON DIEU DU TOUR
1= AV. DES ALIZES
2= AV. DU MISTRAL
3= AV. DE LA TRAMONTANE
VENELLE AUX THUYAS
CHEMIN DE LOUVRANGE
VENELLE GASPARD
CHAPELLE SAINTE ANNE
VENELLE DU GRAND BON DIEU DE PITIE
VENELLE DU GRAND BON DIEU DU TOUR
AVENUE DE L'AQUILON
141

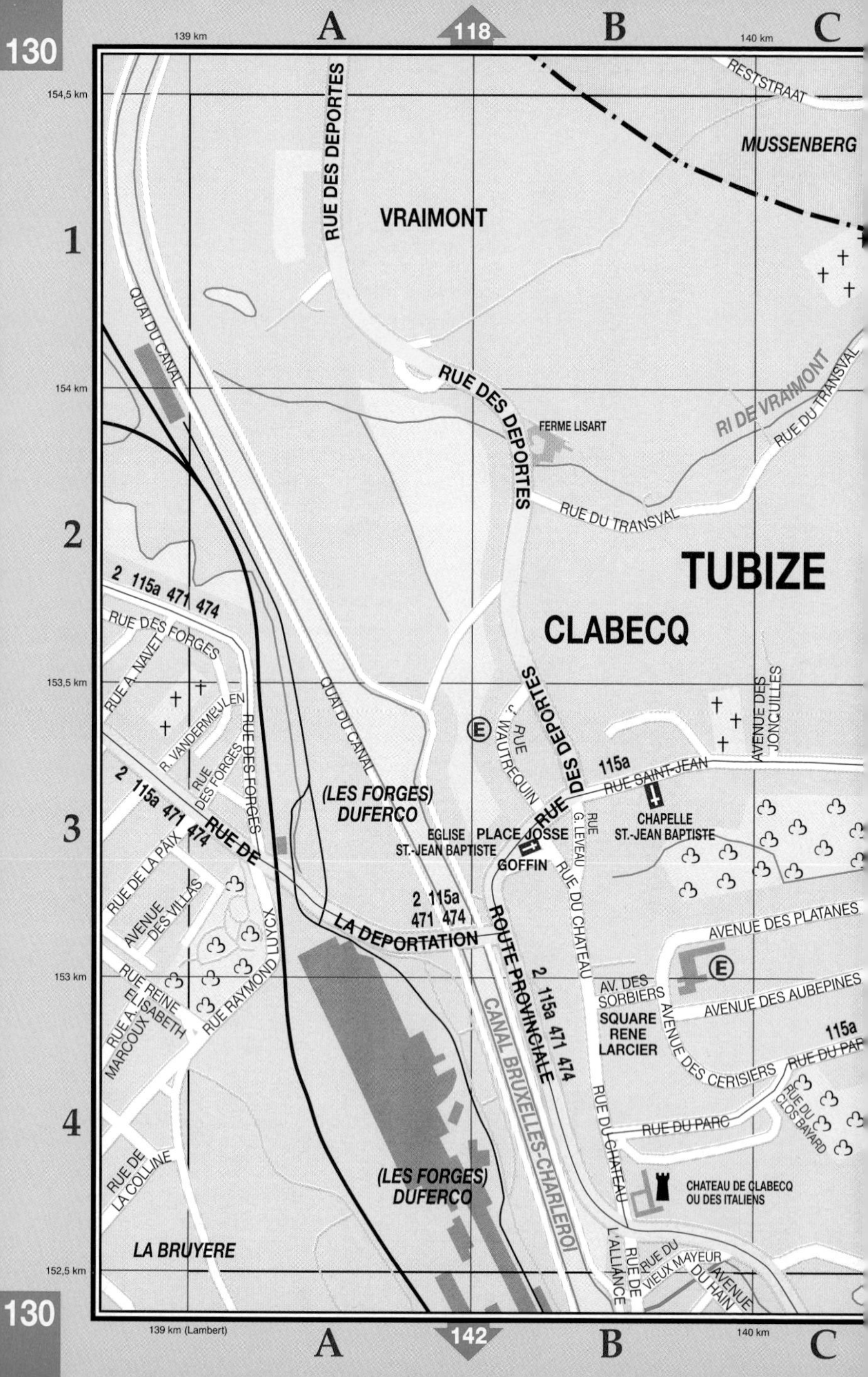
A
B
C
118
139 km
140 km
154,5 km
154 km
153,5 km
153 km
152,5 km
1
2
3
4
RESTSTRAAT
MUSSENBERG
RUE DES DEPORTES
VRAIMONT
QUAI DU CANAL
RUE DES DEPORTES
FERME LISART
RI DE VRAIMONT
RUE DU TRANSVAL
RUE DU TRANSVAL
TUBIZE
CLABECQ
2 115a 471 474
RUE DES FORGES
RUE A. NAVET
R. VANDERMEULEN
RUE DES FORGES
RUE DES FORGES
QUAI DU CANAL
RUE J. WAUTREQUIN
RUE DES DEPORTES
AVENUE DES JONCQUILLES
115a
RUE SAINT-JEAN
2 115a 471 474
RUE DE LA DEPORTATION
(LES FORGES) DUFERCO
EGLISE ST.-JEAN BAPTISTE
PLACE JOSSE GOFFIN
RUE G. LEVEAU
CHAPELLE ST.-JEAN BAPTISTE
RUE DE LA PAIX
AVENUE DES VILLAS
2 115a 471 474
RUE DU CHATEAU
ROUTE PROVINCIALE
AVENUE DES PLATANES
RUE REINE ELISABETH
RUE RAYMOND LUYCX
RUE A. MARCOUX
2 115a 471 474
CANAL BRUXELLES-CHARLEROI
AV. DES SORBIERS
AVENUE DES AUBEPINES
SQUARE RENE LARCIER
AVENUE DES CERISIERS
115a
RUE DU PARC
RUE DU CLOS BAYARD
RUE DU PARC
RUE DU CHATEAU
RUE DE LA COLLINE
(LES FORGES) DUFERCO
CHATEAU DE CLABECQ OU DES ITALIENS
LA BRUYERE
RUE DE L'ALLIANCE
RUE DU VIEUX MAYEUR
AVENUE DU HAIN
139 km (Lambert)
140 km
142

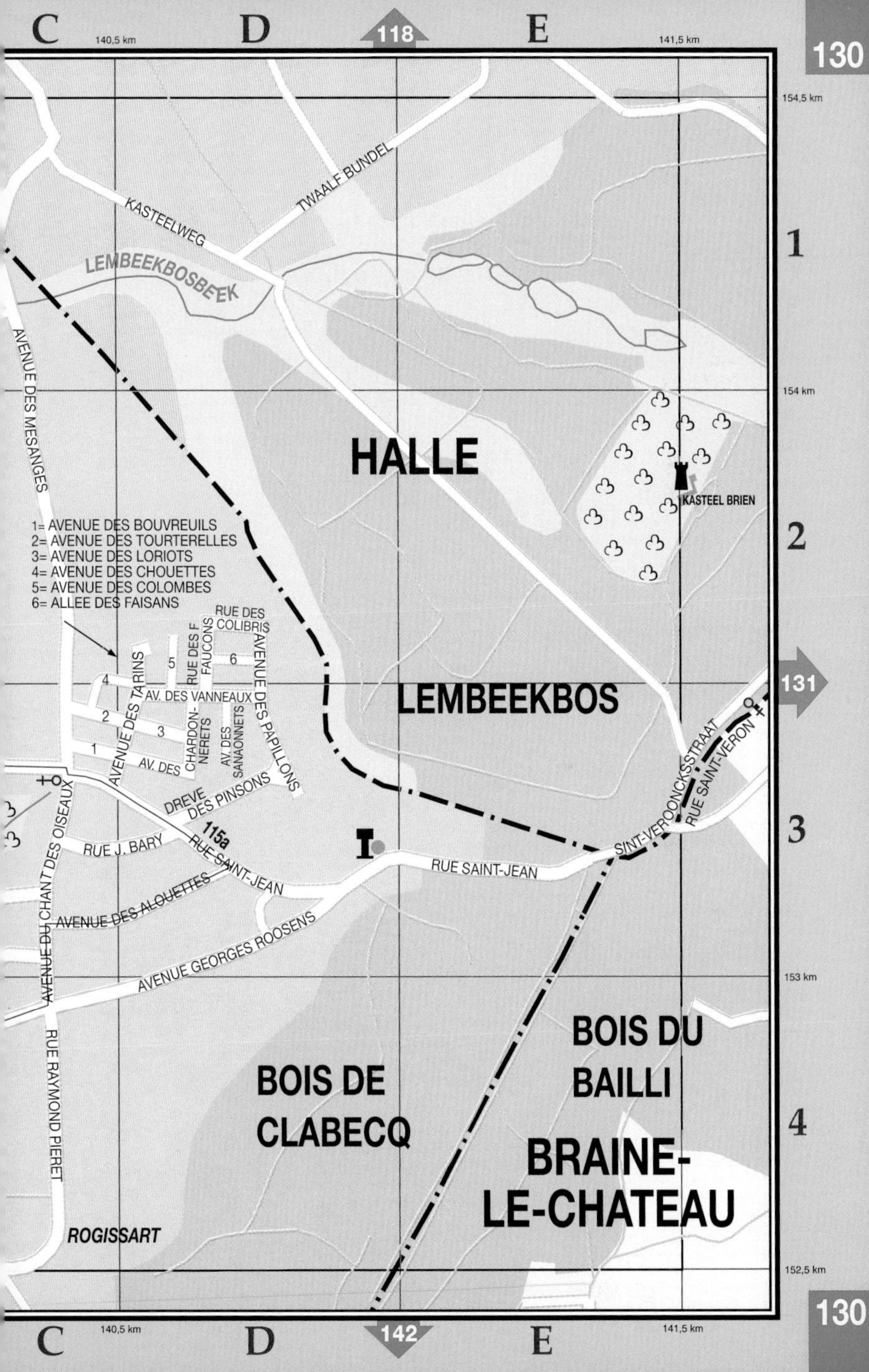
C
D
118
E
140,5 km
141,5 km
154,5 km
154 km
153 km
152,5 km
1
2
3
4
TWAALF BUNDEL
KASTEELWEG
LEMBEEKBOSBEEK
AVENUE DES MESANGES
HALLE
KASTEEL BRIEN
1= AVENUE DES BOUVREUILS
2= AVENUE DES TOURTERELLES
3= AVENUE DES LORIOTS
4= AVENUE DES CHOUETTES
5= AVENUE DES COLOMBES
6= ALLEE DES FAISANS
RUE DES COLIBRIS
RUE DES FAUCONS
AVENUE DES PAPILLONS
AVENUE DES TARINS
AV. DES VANNEAUX
CHARDONNERETS
AV. DES SANSONNETS
AV. DES
DREVE DES PINSONS
LEMBEEKBOS
131
SINT-VEROONCKSSTRAAT
RUE SAINT-VERON
AVENUE DU CHANT DES OISEAUX
115a
RUE J. BARY
RUE SAINT-JEAN
RUE SAINT-JEAN
AVENUE DES ALOUETTES
AVENUE GEORGES ROOSENS
RUE RAYMOND PIERET
BOIS DU BAILLI
BOIS DE CLABECQ
BRAINE-LE-CHATEAU
ROGISSART
C
D
142
E
140,5 km
141,5 km

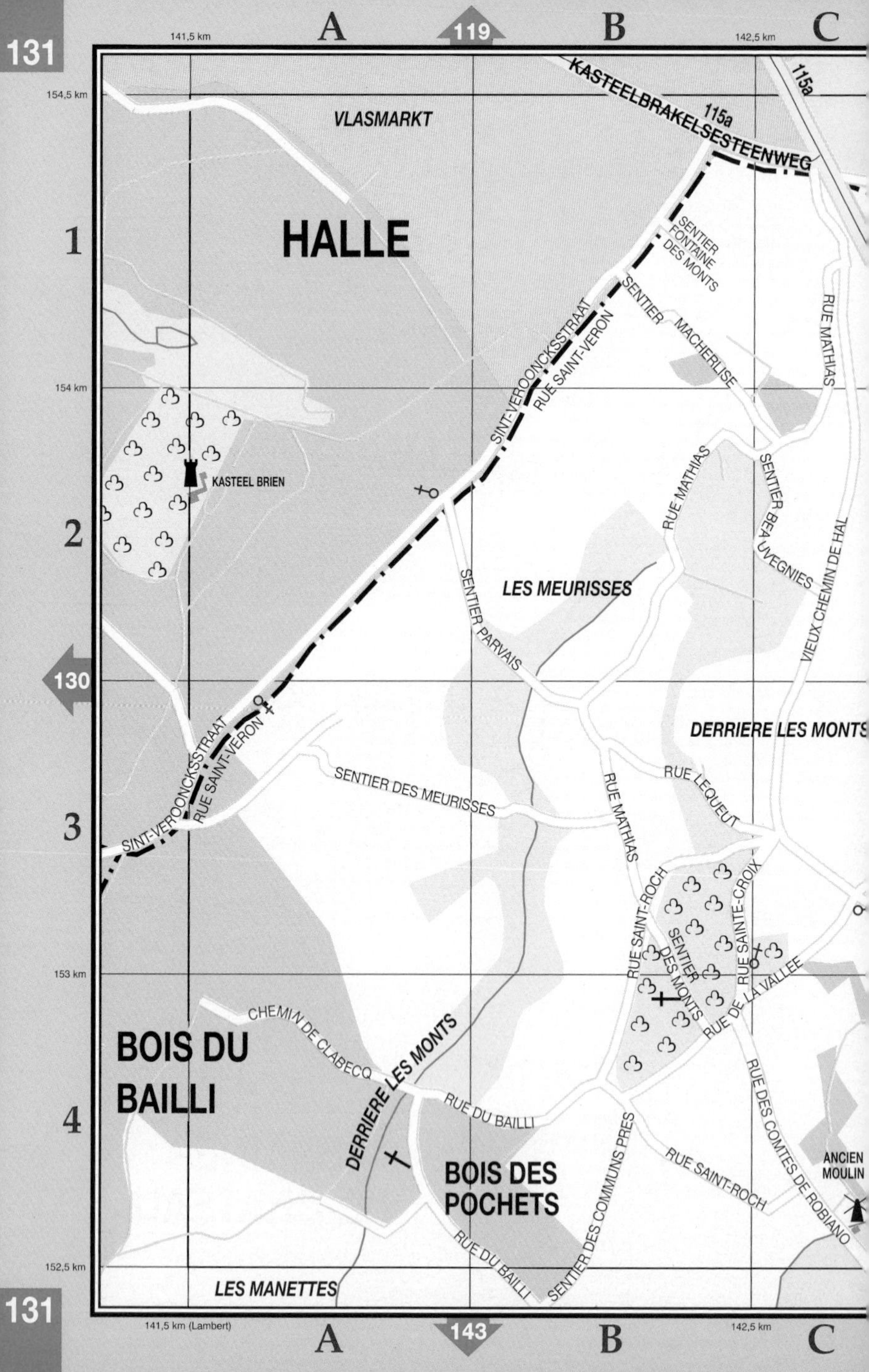
141,5 km
A
119
B
142,5 km
C
154,5 km
KASTEELBRAKELSESTEENWEG
115a
115a
VLASMARKT
HALLE
1
SENTIER FONTAINE DES MONTS
SENTIER MACHERLISE
RUE MATHIAS
SINT-VEROONCKSSTRAAT
RUE SAINT-VERON
154 km
KASTEEL BRIEN
SENTIER BEAUVEGNIES
RUE MATHIAS
2
LES MEURISSES
SENTIER PARVAIS
VIEUX CHEMIN DE HAL
130
DERRIERE LES MONTS
SINT-VEROONCKSSTRAAT
RUE SAINT-VERON
SENTIER DES MEURISSES
RUE MATHIAS
RUE LEQUEUT
3
SINT-VEROONCKSSTRAAT
RUE SAINT-ROCH
SENTIER DES MONTS
RUE SAINTE-CROIX
RUE DE LA VALLEE
153 km
CHEMIN DE CLABECQ
BOIS DU BAILLI
DERRIERE LES MONTS
RUE DU BAILLI
4
RUE DES COMTES DE ROBIANO
SENTIER DES COMMUNS PRES
RUE SAINT-ROCH
ANCIEN MOULIN
BOIS DES POCHETS
RUE DU BAILLI
152,5 km
LES MANETTES
141,5 km (Lambert)
A
143
B
142,5 km
C

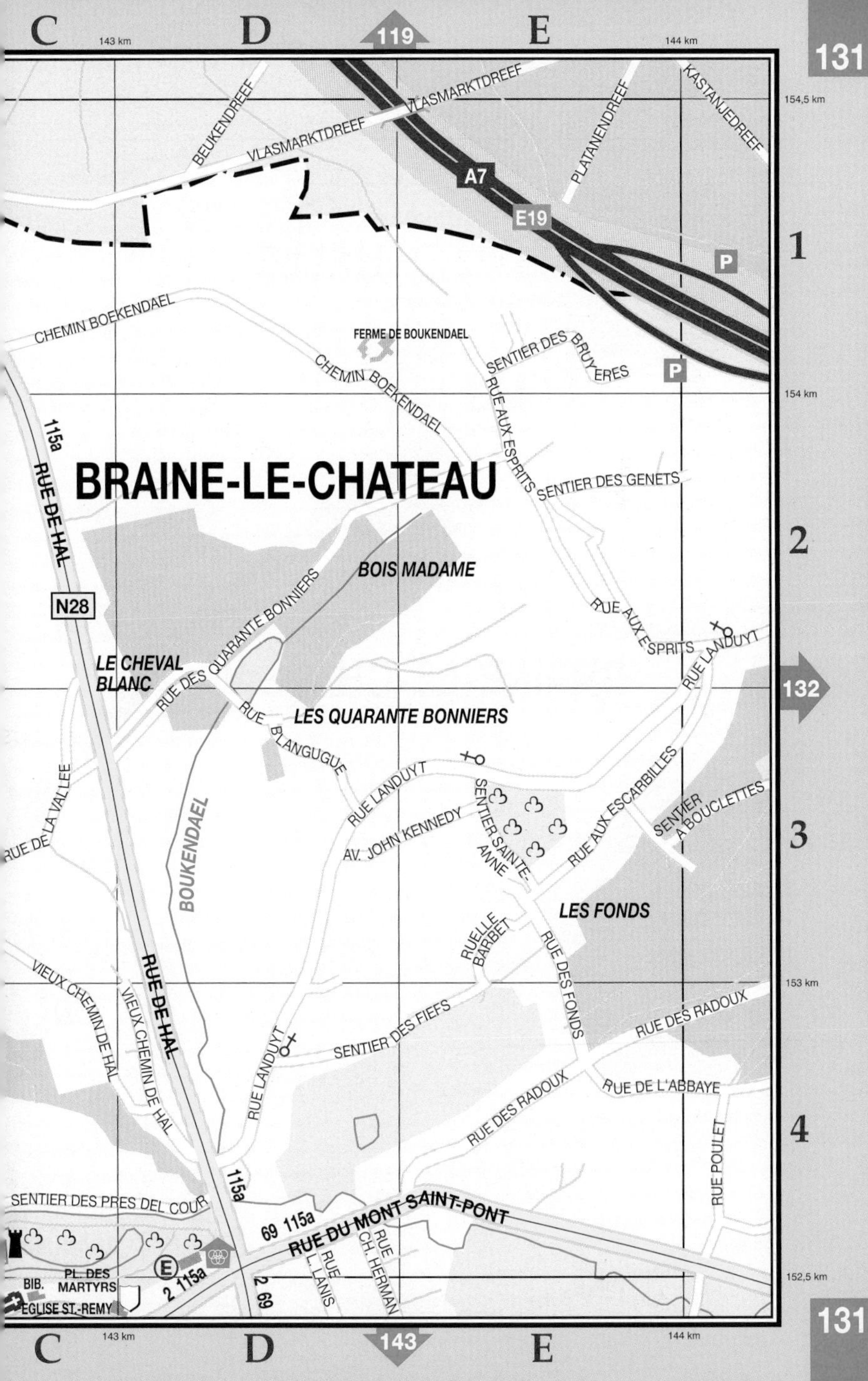
C
D
E
143 km
144 km
119
154,5 km
154 km
153 km
152,5 km
1
2
3
4
132
143
BRAINE-LE-CHATEAU
VLASMARKTDREEF
BEUKENDREEF
PLATANENDREEF
KASTANJEDREEF
A7
E19
P
CHEMIN BOEKENDAEL
FERME DE BOUKENDAEL
SENTIER DES BRUYERES
RUE AUX ESPRITS
SENTIER DES GENETS
115a
RUE DE HAL
N28
BOIS MADAME
RUE DES QUARANTE BONNIERS
LE CHEVAL BLANC
LES QUARANTE BONNIERS
RUE BLANGUGUE
RUE LANDUYT
AV. JOHN KENNEDY
SENTIER SAINTE-ANNE
RUE AUX ESCARBILLES
SENTIER A BOUCLETTES
RUE DE LA VALLEE
BOUKENDAEL
LES FONDS
RUELLE BARBET
RUE DES FONDS
VIEUX CHEMIN DE HAL
SENTIER DES FIEFS
RUE DES RADOUX
RUE DE L'ABBAYE
RUE POULET
SENTIER DES PRES DEL COUR
69 115a
RUE DU MONT SAINT-PONT
RUE CH. HERMAN
RUE L. LANIS
BIB.
PL. DES MARTYRS
EGLISE ST.-REMY
2 115a
2 69

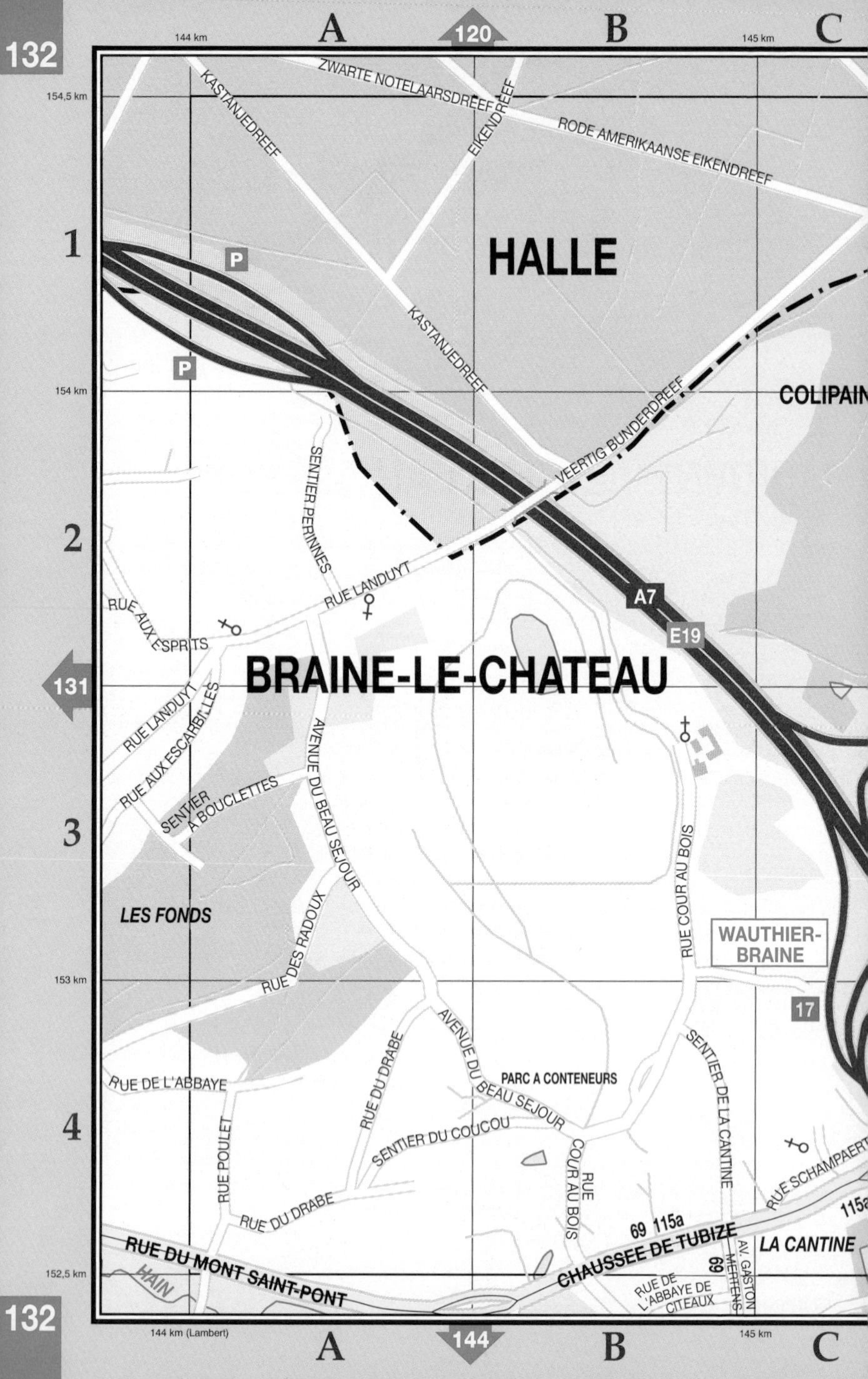
A
120
B
C
144 km
145 km
154,5 km
154 km
153 km
152,5 km
1
2
3
4
131
ZWARTE NOTELAARSDREEF
KASTANJEDREEF
EIKENDREEF
RODE AMERIKAANSE EIKENDREEF
HALLE
P
P
COLIPAIN
VEERTIG BUNDERDREEF
SENTIER PERINNES
RUE LANDUYT
A7
E19
RUE AUX ESPRITS
BRAINE-LE-CHATEAU
RUE LANDUYT
RUE AUX ESCARBILLES
AVENUE DU BEAU SEJOUR
SENTIER A BOUCLETTES
LES FONDS
RUE DES RADOUX
RUE COUR AU BOIS
WAUTHIER-BRAINE
17
RUE DE L'ABBAYE
RUE DU DRABE
AVENUE DU BEAU SEJOUR
PARC A CONTENEURS
SENTIER DE LA CANTINE
SENTIER DU COUCOU
RUE POULET
RUE COUR AU BOIS
RUE SCHAMPAERT
RUE DU DRABE
69
115a
115a
CHAUSSEE DE TUBIZE
LA CANTINE
69
AV. GASTON MERTENS
RUE DU MONT SAINT-PONT
HAIN
RUE DE L'ABBAYE DE CITEAUX
144 km (Lambert)
144
145 km

C
D
E
145,5 km
146,5 km
120
154,5 km
154 km
153 km
152,5 km
1
2
3
4
133
144
BRAINE-L'ALLEUD
DREVE DE COLIPAIN
CHEMIN DU STECQ
CHEMIN DU BOIS DE HAL
RUE HILAIRE PARMENTIER
SENTIER D'ALSEMBERG
CHEMIN DU STECK
CHEMIN DES PIECETTES
RUE DU VALCQ
RUE FONDS GOUVART
RUE L. GHEUDE
RUE E. VAN VOLXEM
RUE EDMOND VAN VOLXEM
RUE ARDICHAMP
RUE HENRI GOUVART
RUE DES FRERES HERPAIN
CHAUSSEE DE TUBIZE
HAIN
LA BRUYERE
RUE EMILE VANDERVELDE
SENTIER CIGARETTE
115a
RUE DU PARC INDUSTRIEL
FERME DE BOULARMONT
SENTIER DU TRY
RUE BOULARMONT
RUE ROBERT LEDECQ
RUE DU RUISSEAU
INDUSTRIEL
RUE DU PARC
RUE DU TRY
RUE DU CHAMP BINET
R. DU BOIS D'HAUMONT
CLOS DU CHENOY
AV. DE LA MARBRERIE
CLOS DES AULNES
CLOS DE GIRS ART
VENELLE DE LA PLACETTE
DREVE
RUE DU CHENE USE

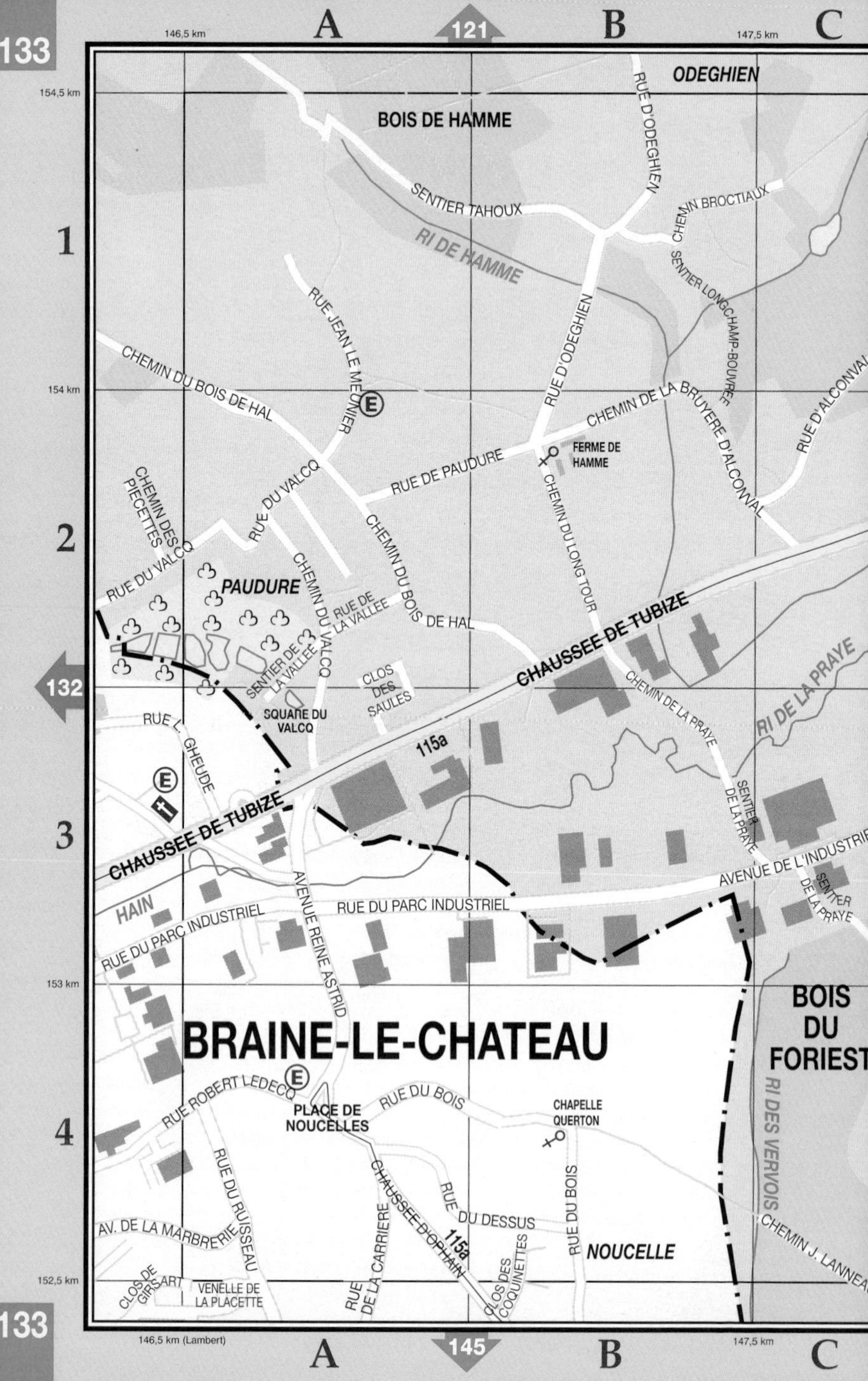
A
121
B
C
146,5 km
147,5 km
154,5 km
154 km
153 km
152,5 km
1
2
3
4
132
ODEGHIEN
BOIS DE HAMME
SENTIER TAHOUX
RI DE HAMME
RUE D'ODEGHIEN
CHEMIN BROCTIAUX
SENTIER LONGCHAMP-BOUVREE
RUE JEAN LE MEUNIER
CHEMIN DU BOIS DE HAL
CHEMIN DE LA BRUYERE D'ALCONVAL
RUE D'ALCONVAL
FERME DE HAMME
RUE DE PAUDURE
CHEMIN DES PIECETTES
RUE DU VALCQ
CHEMIN DU LONG TOUR
PAUDURE
CHEMIN DU VALCQ
RUE DE LA VALLEE
SENTIER DE LA VALLEE
CHEMIN DU BOIS DE HAL
CHAUSSEE DE TUBIZE
CLOS DES SAULES
SQUARE DU VALCQ
CHEMIN DE LA PRAYE
RI DE LA PRAYE
RUE L. GHEUDE
115a
SENTIER DE LA PRAYE
AVENUE DE L'INDUSTRIE
HAIN
AVENUE REINE ASTRID
RUE DU PARC INDUSTRIEL
BOIS DU FORIEST
BRAINE-LE-CHATEAU
RUE ROBERT LEDECQ
PLACE DE NOUCELLES
RUE DU BOIS
CHAPELLE QUERTON
RI DES VERVOIS
RUE DU RUISSEAU
CHAUSSEE D'OPHAIN
RUE DU DESSUS
RUE DU BOIS
AV. DE LA MARBRERIE
CHEMIN J. LANNEAU
RUE DE LA CARRIERE
CLOS DES COQUINETTES
NOUCELLE
CLOS DE GIRSART
VENELLE DE LA PLACETTE
146,5 km (Lambert)
145

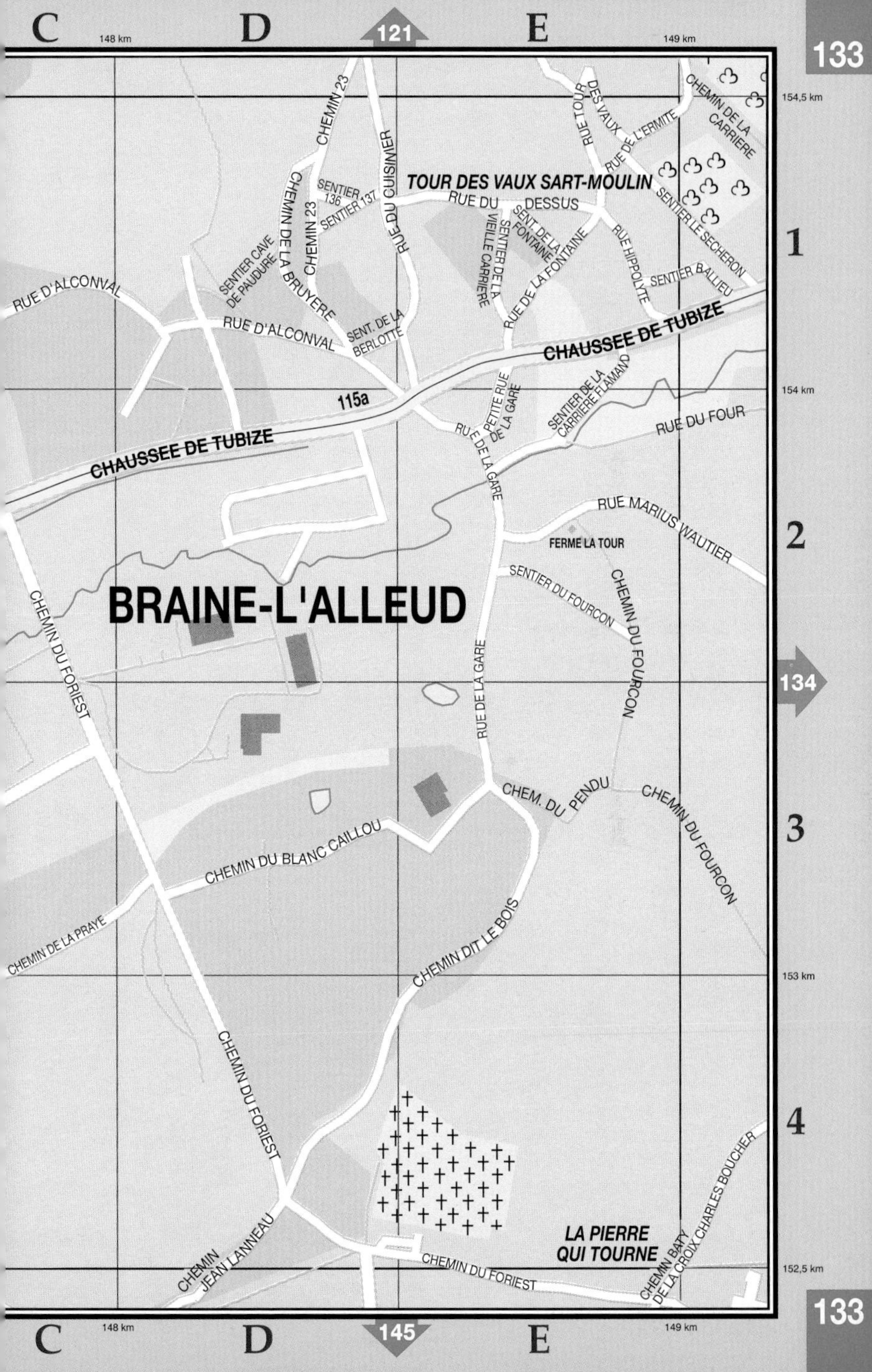
C
D
E
148 km
149 km
121
154,5 km
154 km
153 km
152,5 km
1
2
3
4
134
145
BRAINE-L'ALLEUD
TOUR DES VAUX SART-MOULIN
LA PIERRE QUI TOURNE
FERME LA TOUR
CHAUSSEE DE TUBIZE
115a
RUE D'ALCONVAL
CHEMIN 23
CHEMIN DE LA BRUYERE
SENTIER CAVE DE PAUDURE
SENTIER 136
SENTIER 137
RUE DU CUISINIER
RUE DU DESSUS
SENTIER DE LA VIEILLE CARRIERE
SENT. DE LA FONTAINE
RUE DE LA FONTAINE
RUE HIPPOLYTE
SENTIER B. ALLIEU
RUE TOUR DES VAUX
RUE DE L'ERMITE
CHEMIN DE LA CARRIERE
SENTIER LE SECHERON
SENT. DE LA BERLOTTE
PETITE RUE DE LA GARE
SENTIER DE LA CARRIERE FLAMAND
RUE DU FOUR
RUE DE LA GARE
RUE MARIUS WAUTIER
SENTIER DU FOURCON
CHEMIN DU FOURCON
CHEMIN DU FORIEST
CHEM. DU PENDU
CHEMIN DU BLANC CAILLOU
CHEMIN DE LA PRAYE
CHEMIN DIT LE BOIS
CHEMIN JEAN LANNEAU
CHEMIN BATY DE LA CROIX CHARLES BOUCHER

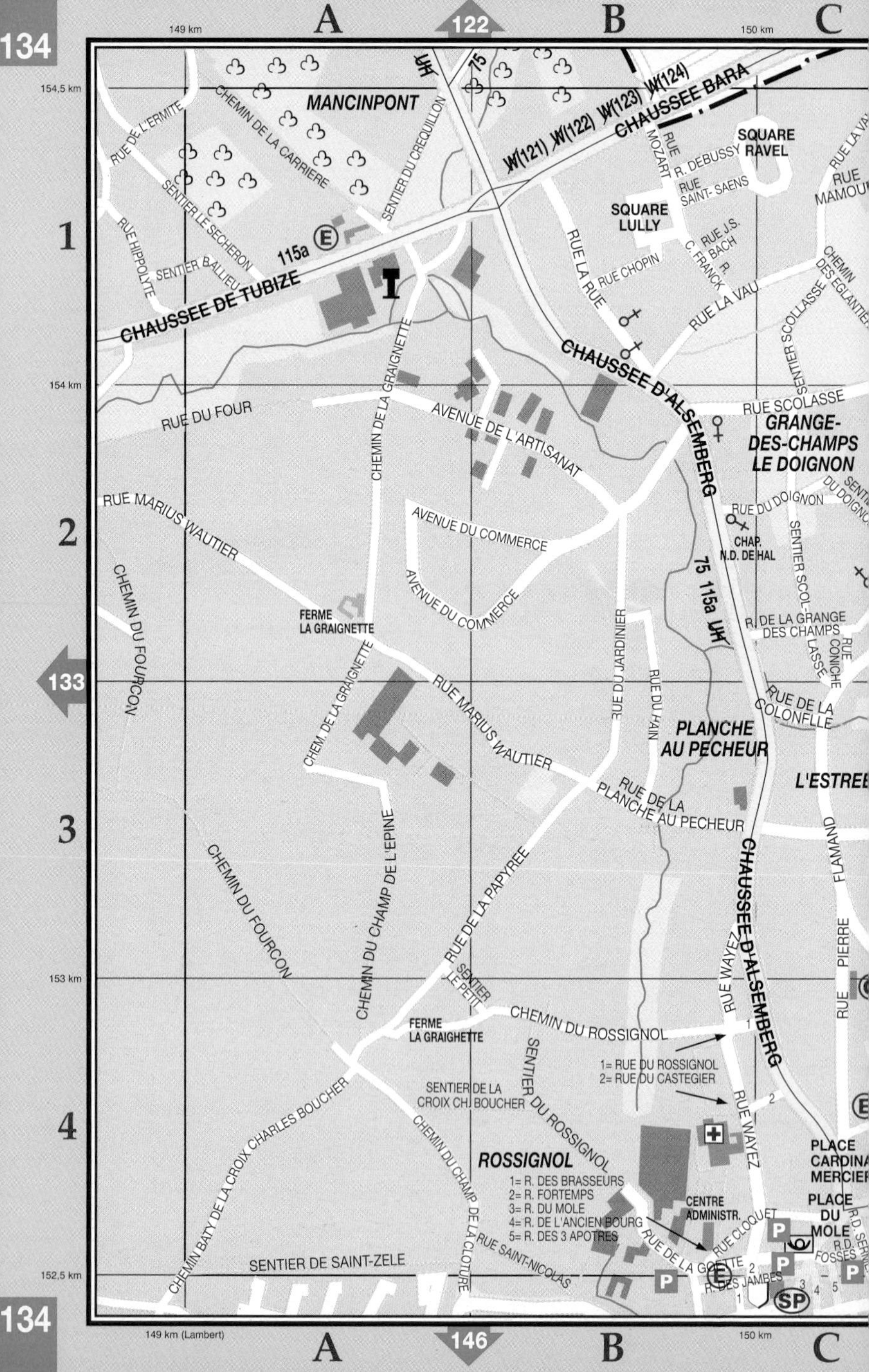
A
B
C
122
149 km
150 km
154,5 km
154 km
153 km
152,5 km
1
2
3
4
133
MANCINPONT
CHAUSSEE BARA
CHAUSSEE DE TUBIZE
115a
RUE DE L'ERMITE
CHEMIN DE LA CARRIERE
SENTIER DU CREQUILLON
SENTIER LE SECHERON
RUE HIPPOLYTE
SENTIER BALLIEU
SQUARE RAVEL
R. DEBUSSY
RUE MOZART
RUE SAINT-SAENS
SQUARE LULLY
RUE J.S. BACH
R. C. FRANCK
RUE LA RUE
RUE CHOPIN
RUE LA VAU
RUE MAMOUR
CHEMIN DES EGLANTIERS
CHAUSSEE D'ALSEMBERG
SENTIER SCOLASSE
RUE SCOLASSE
GRANGE-DES-CHAMPS LE DOIGNON
RUE DU DOIGNON
SENTIER DU DOIGNON
CHAP. N.D. DE HAL
SENTIER SCOLLASSE
R. DE LA GRANGE DES CHAMPS
RUE CONICHE
RUE DE LA COLONFLLE
RUE DU FOUR
AVENUE DE L'ARTISANAT
CHEMIN DE LA GRAIGNETTE
RUE MARIUS WAUTIER
AVENUE DU COMMERCE
CHEMIN DU FOURCON
FERME LA GRAIGNETTE
RUE DU JARDINIER
RUE DU HAIN
PLANCHE AU PECHEUR
L'ESTREE
CHEM. DE LA GRAIGNETTE
RUE DE LA PLANCHE AU PECHEUR
CHEMIN DU CHAMP DE L'EPINE
RUE DE LA PAPYREE
FLAMAND
RUE PIERRE
RUE WAYEZ
SENTIER LE PETIT
CHEMIN DU ROSSIGNOL
FERME LA GRAIGHETTE
1= RUE DU ROSSIGNOL
2= RUE DU CASTEGIER
SENTIER DE LA CROIX CH. BOUCHER
SENTIER DU ROSSIGNOL
SENTIER DE LA CROIX CHARLES BOUCHER
CHEMIN DU CHAMP DE LA CLOTURE
ROSSIGNOL
1= R. DES BRASSEURS
2= R. FORTEMPS
3= R. DU MOLE
4= R. DE L'ANCIEN BOURG
5= R. DES 3 APOTRES
CENTRE ADMINISTR.
RUE CLOQUET
RUE DE LA GOLETTE
R. DES JAMBES
PLACE CARDINAL MERCIER
PLACE DU MOLE
R. D. SERNE
R.D. FOSSES
CHEMIN BATY DE LA CROIX CHARLES BOUCHER
SENTIER DE SAINT-ZELE
RUE SAINT-NICOLAS
149 km (Lambert)
146

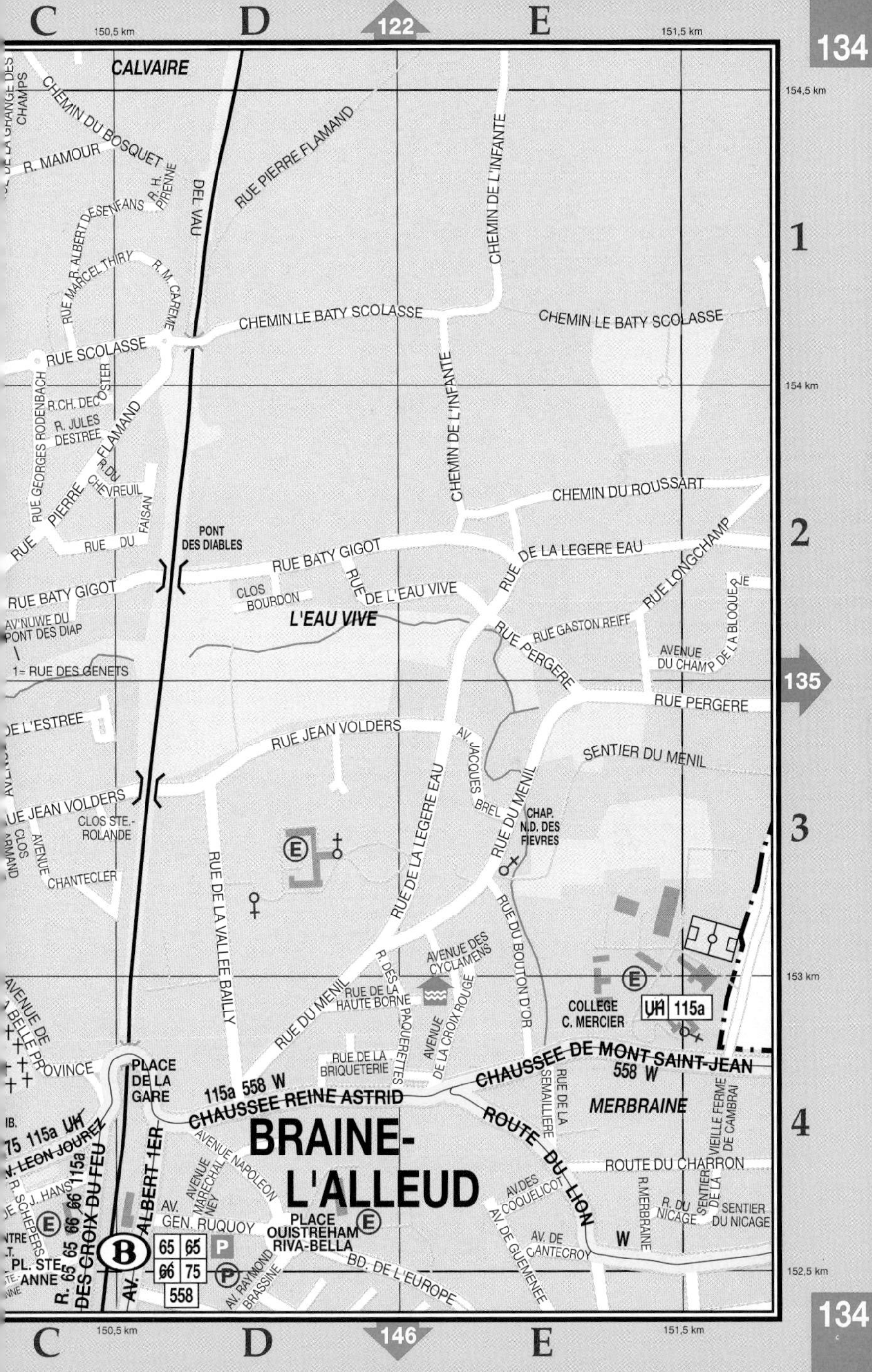
C
D
E
150,5 km
151,5 km
122
146
135
154,5 km
154 km
153 km
152,5 km
1
2
3
4
CALVAIRE
CHEMIN DU BOSQUET
R. MAMOUR
DEL VAU
RUE PIERRE FLAMAND
CHEMIN DE L'INFANTE
R. H. PIRENNE
R. ALBERT DESENFANS
RUE MARCEL THIRY
R. M. CAREME
CHEMIN LE BATY SCOLASSE
RUE SCOLASSE
RUE GEORGES RODENBACH
R.CH. DECOSTER
R. JULES DESTREE
RUE PIERRE FLAMAND
R.DU CHEVREUIL
RUE DU FAISAN
CHEMIN DU ROUSSART
PONT DES DIABLES
RUE BATY GIGOT
RUE DE LA LEGERE EAU
RUE LONGCHAMP
CLOS BOURDON
RUE DE L'EAU VIVE
L'EAU VIVE
AV. NUWE DU PONT DES DIAP
1= RUE DES GENETS
RUE GASTON REIFF
RUE PERGERE
AVENUE DU CHAMP DE LA BLOQUE
DE L'ESTREE
RUE JEAN VOLDERS
AV. JACQUES BREL
SENTIER DU MENIL
RUE DU MENIL
CLOS STE.-ROLANDE
CLOS ARMAND
AVENUE CHANTECLER
RUE DE LA VALLEE BAILLY
RUE DE LA LEGERE EAU
CHAP. N.D. DES FIEVRES
RUE DU BOUTON D'OR
AVENUE DES CYCLAMENS
R. DES PAQUERETTES
RUE DE LA HAUTE BORNE
AVENUE DE LA CROIX ROUGE
COLLEGE C. MERCIER
115a
AVENUE DE LA BELLE PR
PROVINCE
PLACE DE LA GARE
115a 558 W
CHAUSSEE REINE ASTRID
CHAUSSEE DE MONT SAINT-JEAN
558 W
RUE DE LA BRIQUETERIE
RUE DE LA SEMAILLIERE
MERBRAINE
VIEILLE FERME DE CAMBRAI
ROUTE DU LION
BRAINE-L'ALLEUD
75 115a
AV. LEON JOUREZ
R. DES CROIX DU FEU
115a
AV. ALBERT 1ER
AVENUE NAPOLEON
AVENUE MARECHAL NEY
ROUTE DU CHARRON
R. SCHEPERS
J. HANS
65 65 66 66
AV. GEN. RUQUOY
PLACE OUISTREHAM RIVA-BELLA
AV.DES COQUELICOT
AV. DE GUEMENEE
R.MERBRAINE
R. DU NICAGE
SENTIER DE LA
SENTIER DU NICAGE
W
AV. DE CANTECROY
65 65 66 75
558
PL. STE ANNE
AV. RAYMOND BRASSINE
BD. DE L'EUROPE

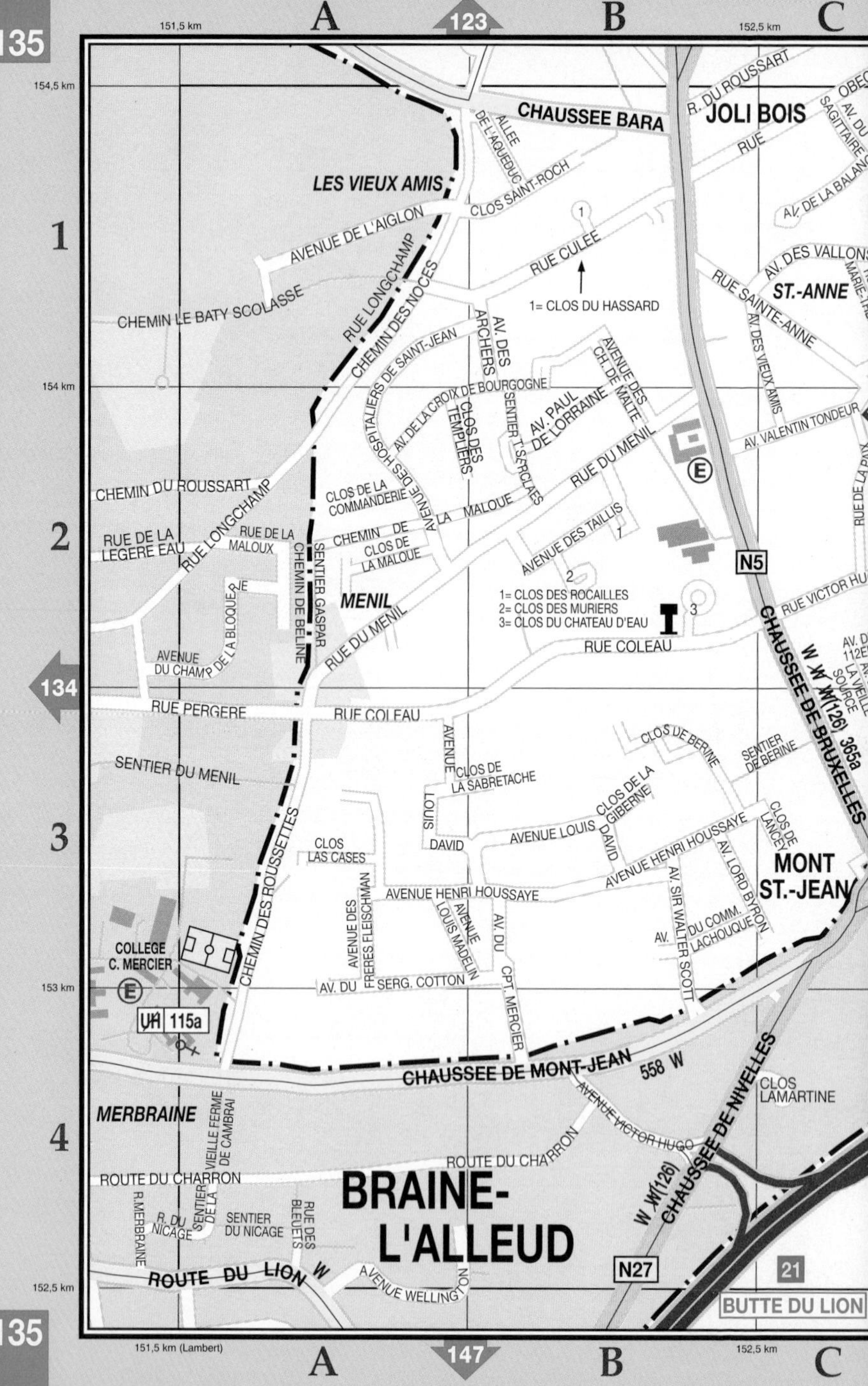
A
B
C
123
151,5 km
152,5 km
154,5 km
154 km
153 km
152,5 km
1
2
3
4
134
CHAUSSEE BARA
R. DU ROUSSART
JOLI BOIS
ALLEE DE L'AQUEDUC
LES VIEUX AMIS
CLOS SAINT-ROCH
AVENUE DE L'AIGLON
RUE CULEE
1= CLOS DU HASSARD
RUE LONGCHAMP
CHEMIN DES NOCES
CHEMIN LE BATY SCOLASSE
AV. DES ARCHERS
AV. DES VALLONS
RUE SAINTE-ANNE
ST.-ANNE
AV. DES VIEUX AMIS
AV. DE LA BALANCE
AV. VALENTIN TONDEUR
AVENUE DES HOSPITALIERS DE SAINT-JEAN
AV. DE LA CROIX DE BOURGOGNE
CLOS DES TEMPLIERS
SENTIER T'SERCLAES
AV. PAUL DE LORRAINE
AVENUE DES CH. DE MALTE
RUE DU MENIL
CHEMIN DU ROUSSART
CLOS DE LA COMMANDERIE
CHEMIN DE LA MALOUE
CLOS DE LA MALOUE
AVENUE DES TAILLIS
RUE DE LA LEGERE EAU
RUE DE LA MALOUX
CHEMIN DE BELINE
SENTIER GASPAR
MENIL
1= CLOS DES ROCAILLES
2= CLOS DES MURIERS
3= CLOS DU CHATEAU D'EAU
N5
RUE VICTOR HUGO
AVENUE DU CHAMP DE LA BLOQUE
RUE COLEAU
CHAUSSEE DE BRUXELLES
RUE PERGERE
SENTIER DU MENIL
AVENUE LOUIS DAVID
CLOS DE LA SABRETACHE
CLOS DE BERINE
SENTIER DE BERINE
CLOS DE LA GIBERNE
CLOS LAS CASES
AVENUE HENRI HOUSSAYE
AV. LORD BYRON
CLOS DE LANCEY
MONT ST.-JEAN
AVENUE DES FRERES FLEISCHMAN
AVENUE LOUIS MADELIN
AV. DU CPT. MERCIER
AV. SIR WALTER SCOTT
AV. DU COMM. LACHOUQUE
CHEMIN DES ROUSSETTES
COLLEGE C. MERCIER
AV. DU SERG. COTTON
115a
CHAUSSEE DE MONT-JEAN
558 W
CLOS LAMARTINE
AVENUE VICTOR HUGO
CHAUSSEE DE NIVELLES
MERBRAINE
VIEILLE FERME DE CAMBRAI
ROUTE DU CHARRON
BRAINE-L'ALLEUD
R. MERBRAINE
R. DU NICAGE
SENTIER DE LA
SENTIER DU NICAGE
RUE DES BLEUETS
N27
ROUTE DU LION
AVENUE WELLINGTON
21
BUTTE DU LION
151,5 km (Lambert)
147

153 km
154 km
154,5 km
154 km
153 km
152,5 km
1
2
3
4
AVENUE DU CAPRICORNE
AV. DE LA BALANCE
AVENUE DES GEMEAUX
AVENUE DU BELIER
AVENUE DU VERSEAU
AVENUE DU ZODIAQUE
AVENUE DE LA CROIX DU SUD
AVENUE VENUS
AVENUE DE L'ETOILE POLAIRE
AV. DES CONSTELLATIONS
AVENUE DE LA GALAXIE
AVENUE DES ALLIES
AV. DES COMBATTANTS
ALLEE DES GRILLONS
R0
N253
VERT-COUCOU
CHAUSSEE DE LOUVAIN
1= ALLEE DES PHALENES
2= ALLEE DES COCCINELLES
3= ALLEE DES CIGALES
RUE VICTOR HUGO
RUE SAINTE-ANNE
COLUMBARIUM
ECOSSAIS
CLOS DES GALLOIS
RUE DE LA GRANGE
LASNE
AVENUE DES MARINIERS
AV. DU LONGCHAMP
CHEMIN DE CATAMOREAU
22
MONT ST.-JEAN
CLOS DE SYLVE
558
1= AVENUE DES ANGLAIS
N5
WATERLOO
FERME DE MONT ST.-JEAN
CHAUSSEE DE CHARLEROI
365a
CHAMP DE BATAILLE 1815
136

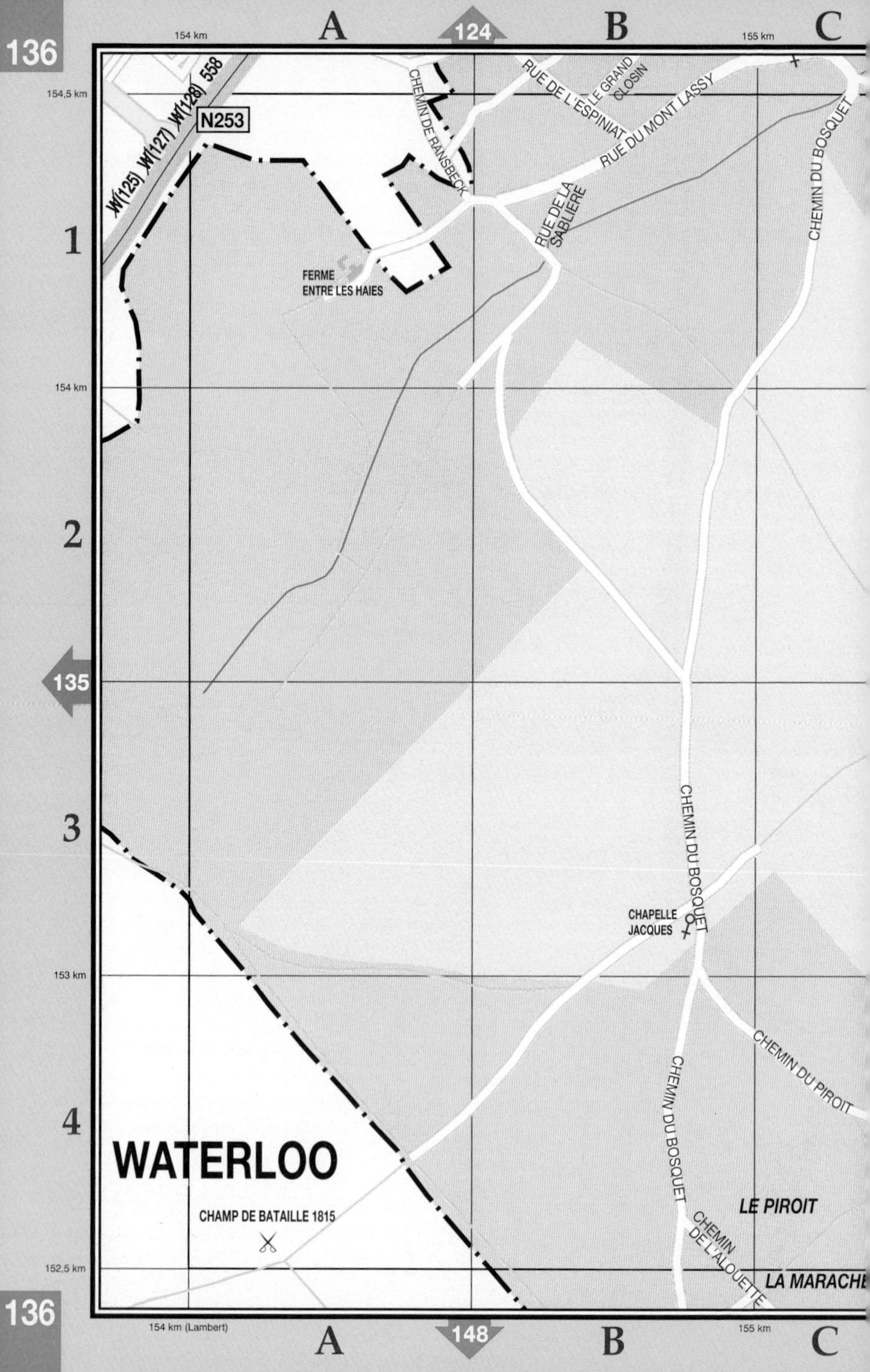
154 km
A
124
B
155 km
C
154,5 km
154 km
153 km
152,5 km
1
2
3
4
135
N253
W(125) W(127) W(128) 558
CHEMIN DE RANSBECK
RUE DE L'ESPINIAT
LE GRAND CLOSIN
RUE DU MONT LASSY
RUE DE LA SABLIERE
CHEMIN DU BOSQUET
FERME
ENTRE LES HAIES
CHAPELLE
JACQUES
CHEMIN DU BOSQUET
CHEMIN DU PIROIT
CHEMIN DU BOSQUET
CHEMIN DE L'ALOUETTE
LE PIROIT
LA MARACHE
WATERLOO
CHAMP DE BATAILLE 1815
154 km (Lambert)
A
148
B
155 km
C

C
D
E
155,5 km
156,5 km
124
154,5 km
154 km
153 km
152,5 km
1
2
3
4
137
LASNE
VIEUX CHEMIN DE WAVRE
CHEMIN DES MESSES
LE BORICAR
LA GRANDE BUISSIERE
CHEMIN DU PEQUE
CHAPELLE N-D
DE BON-SECOURS
BOIS D'OHAIN
CHEMIN DU BOITEUX
VIEUX CHEMIN DE WAVRE
BOIS-HEROS
ROUTE DE LA MARACHE
OIS-HEROS
CHEMIN DE LEVROMONT
PECHERE
RUE
BOIS-HEROS
RUE BEAU-CHENE
CHEVAL
DE BOIS
BEAU CHENE
R. BARON DE DE XAVIER
RUE BEAU-CHENE
CHEMIN DU CHEVAL DE BOIS
CHEMIN DU PARADIS
HEMIN DU PIROIT
ROUTE DE LA MARACHE
LE SMOHAIN
RUE DE GENLEAU
148
155,5 km
156,5 km
C
D
E

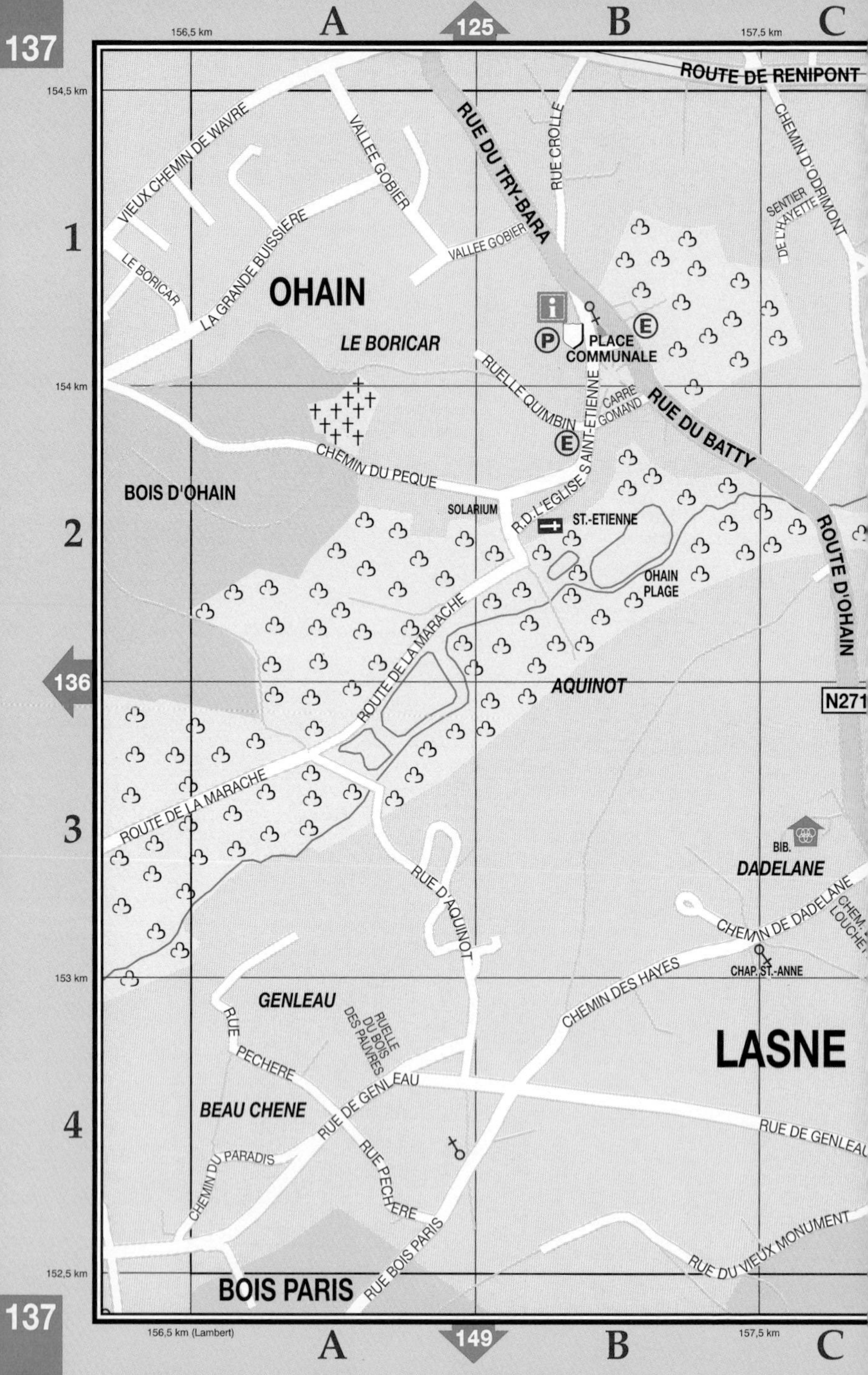
A
B
C
125
156,5 km
157,5 km
154,5 km
154 km
153 km
152,5 km
1
2
3
4
136
ROUTE DE RENIPONT
RUE DU TRY-BARA
RUE CROLLE
VALLEE GOBIER
VIEUX CHEMIN DE WAVRE
LA GRANDE BUISSIERE
LE BORICAR
CHEMIN D'ODRIMONT
SENTIER DE L'HAYETTE
OHAIN
LE BORICAR
PLACE COMMUNALE
RUELLE QUIMBIN
CARRE GOMAND
RUE DU BATTY
R.D.L'EGLISE S SAINT-ETIENNE
CHEMIN DU PEQUE
BOIS D'OHAIN
SOLARIUM
ST.-ETIENNE
OHAIN PLAGE
ROUTE D'OHAIN
ROUTE DE LA MARACHE
AQUINOT
N271
ROUTE DE LA MARACHE
BIB.
DADELANE
RUE D'AQUINOT
CHEMIN DE DADELANE
CHEM. LOUCHET
CHAP. ST.-ANNE
CHEMIN DES HAYES
GENLEAU
RUE PECHERE
RUELLE DU BOIS DES PAUVRES
LASNE
RUE DE GENLEAU
BEAU CHENE
RUE DE GENLEAU
CHEMIN DU PARADIS
RUE PECHERE
RUE BOIS PARIS
RUE DU VIEUX MONUMENT
BOIS PARIS
156,5 km (Lambert)
149

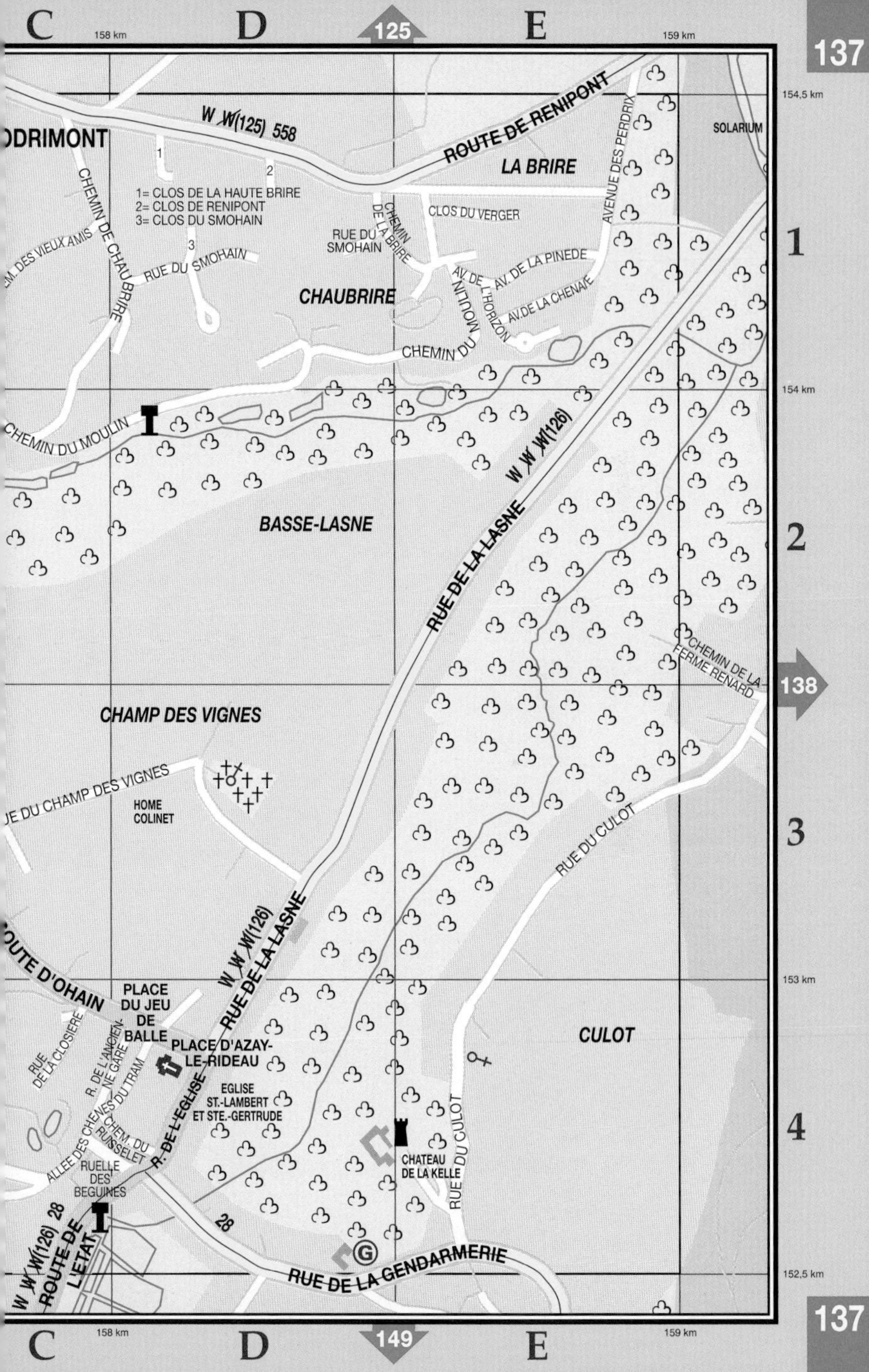
ODRIMONT
W W(125) 558
ROUTE DE RENIPONT
LA BRIRE
SOLARIUM
AVENUE DES PERDRIX
1= CLOS DE LA HAUTE BRIRE
2= CLOS DE RENIPONT
3= CLOS DU SMOHAIN
CHEMIN DE CHAUBRIRE
CHEM. DES VIEUX AMIS
RUE DU SMOHAIN
RUE DU SMOHAIN
CHEMIN DE LA BRIRE
CLOS DU VERGER
AV. DE LA PINEDE
AV. DE L'HORIZON
AV.DE LA CHENAIE
CHAUBRIRE
CHEMIN DU MOULIN
CHEMIN DU MOULIN
W W W(126)
BASSE-LASNE
RUE DE LA LASNE
CHEMIN DE LA FERME RENARD
CHAMP DES VIGNES
RUE DU CHAMP DES VIGNES
HOME COLINET
RUE DU CULOT
ROUTE D'OHAIN
W W W(126)
RUE DE LA LASNE
PLACE DU JEU DE BALLE
PLACE D'AZAY-LE-RIDEAU
RUE DE LA CLOSIERE
R. DE L'ANCIENNE GARE
EGLISE ST.-LAMBERT ET STE.-GERTRUDE
CULOT
ALLEE DES CHENES DU TRAM
CHEM. DU RUISSELET
R. DE L'EGLISE
RUELLE DES BEGUINES
CHATEAU DE LA KELLE
RUE DU CULOT
W W W(126) 28
ROUTE DE L'ETAT
28
RUE DE LA GENDARMERIE
154,5 km
154 km
153 km
152,5 km
1
2
3
4

138

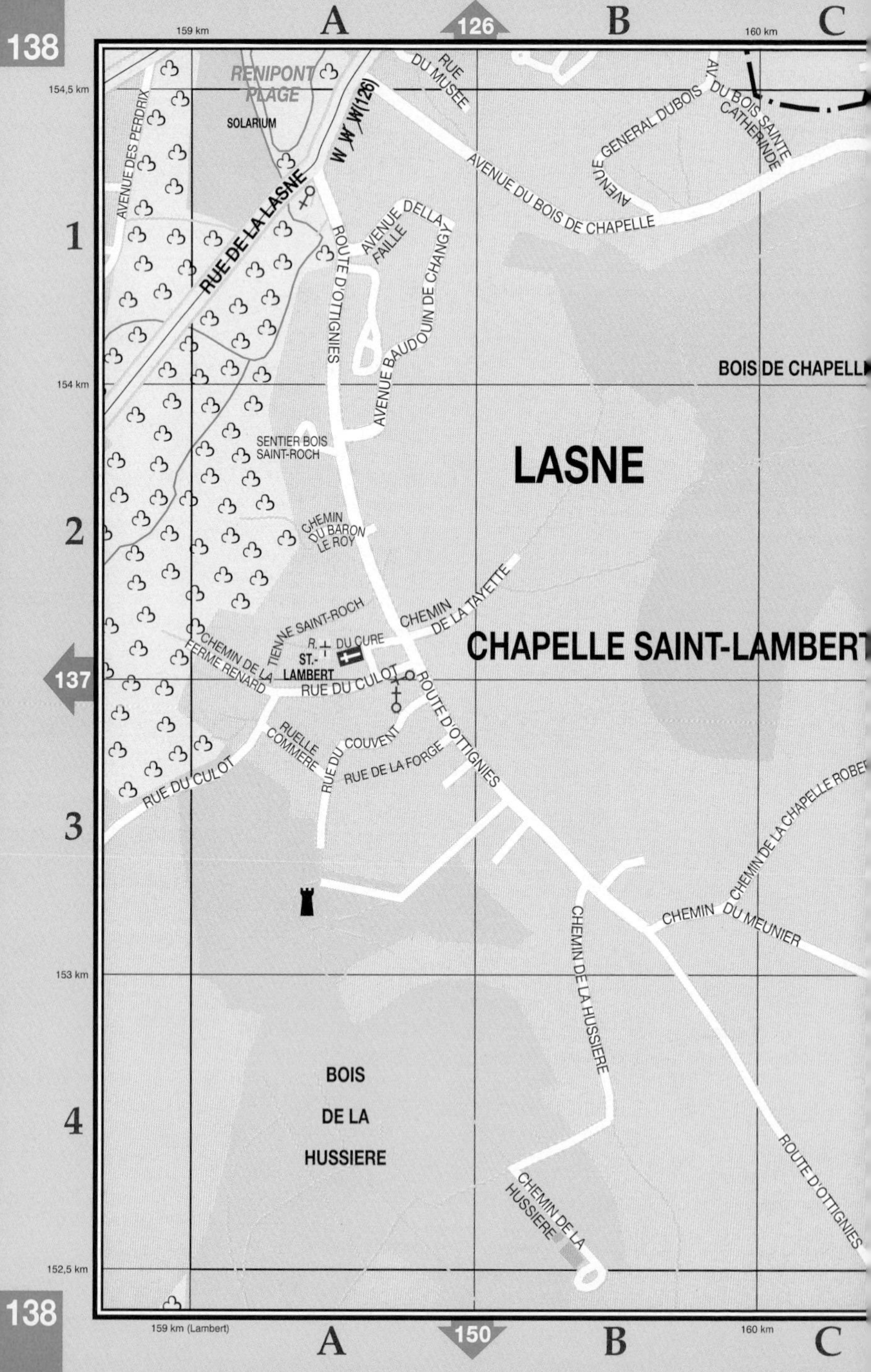

A
B
C
126
159 km
160 km
154,5 km
154 km
153 km
152,5 km
1
2
3
4
137
150
159 km (Lambert)
RENIPONT PLAGE
SOLARIUM
RUE DU MUSEE
W W W(126)
AVENUE DES PERDRIX
RUE DE LA LASNE
ROUTE D'OTTIGNIES
AVENUE DELLA FAILLE
AVENUE BAUDOUIN DE CHANGY
AVENUE DU BOIS DE CHAPELLE
AVENUE GENERAL DUBOIS
AV. DU BOIS SAINTE CATHERINDE
BOIS DE CHAPELLE
LASNE
SENTIER BOIS SAINT-ROCH
CHEMIN DU BARON LE ROY
CHEMIN DE LA TAYETTE
TIENNE SAINT-ROCH
R. DU CURE
ST.-LAMBERT
CHAPELLE SAINT-LAMBERT
CHEMIN DE LA FERME RENARD
RUE DU CULOT
RUELLE COMMERE
RUE DU COUVENT
RUE DE LA FORGE
ROUTE D'OTTIGNIES
CHEMIN DE LA CHAPELLE ROBERT
CHEMIN DU MEUNIER
CHEMIN DE LA HUSSIERE
BOIS DE LA HUSSIERE
CHEMIN DE LA HUSSIERE
ROUTE D'OTTIGNIES

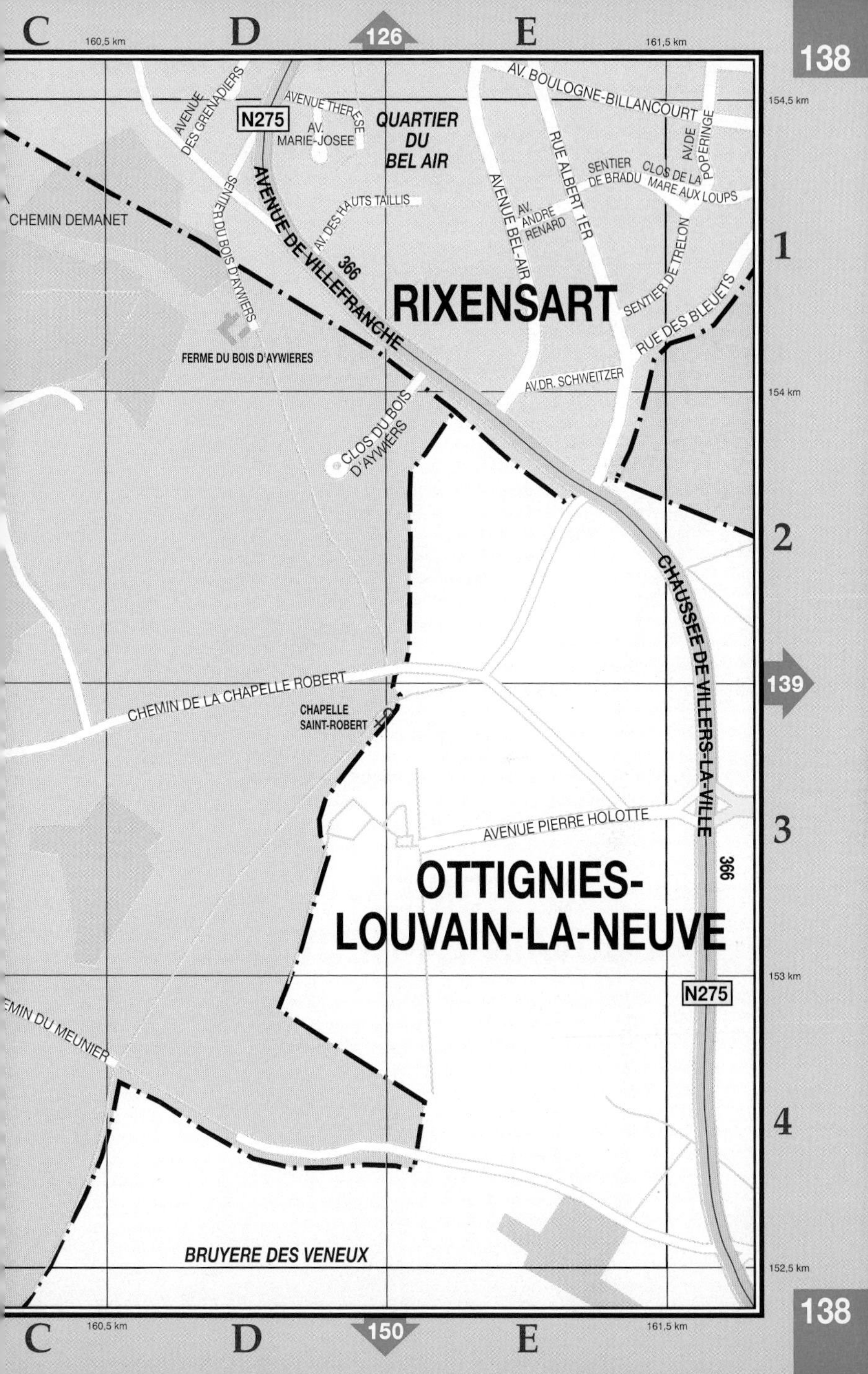

C
D
E
160,5 km
161,5 km
126
154,5 km
154 km
153 km
152,5 km
1
2
3
4
139
150
AV. BOULOGNE-BILLANCOURT
AVENUE DES GRENADIERS
AVENUE THERESE
N275
QUARTIER DU BEL AIR
AV. MARIE-JOSEE
RUE ALBERT 1ER
AV. DE POPERINGE
SENTIER DE BRADU
CLOS DE LA MARE AUX LOUPS
AVENUE BEL-AIR
AV. ANDRE RENARD
SENTIER DU BOIS D'AYWIERS
AVENUE DE VILLEFRANCHE
AV. DES HAUTS TAILLIS
CHEMIN DEMANET
SENTIER DE TRELON
366
RIXENSART
RUE DES BLEUETS
FERME DU BOIS D'AYWIERES
AV.DR. SCHWEITZER
CLOS DU BOIS D'AYWIERS
CHAUSSEE DE VILLERS-LA-VILLE
CHEMIN DE LA CHAPELLE ROBERT
CHAPELLE SAINT-ROBERT
AVENUE PIERRE HOLOTTE
OTTIGNIES-LOUVAIN-LA-NEUVE
N275
MIN DU MEUNIER
BRUYERE DES VENEUX

A
127
B
C
161,5 km
162,5 km
154,5 km
154 km
153 km
152,5 km
1
2
3
4
138
AV. BOULOGNE-BILLANCOURT
AV. DE POPERINGE
SENT. DE RUHONDO
SENTIER DE BRADU
CLOS DE LA MARE AUX LOUPS
RUE DES BLEUETS
SENTIER DE TRELON
RUE ALBERT 1ER
CHEMIN DE ROFESSART
CHEMIN DE PELERIN
RUE JOSEPH SNEESSENS
CHEMIN DE BOURGEOIS
RUE DU BOIS DES CA
RUE DE MORIENSART
WAVRE
RUE DE ROFESSART
RUE DES JARDINS
AV. GEORGETTE
AVENUE DECUYPER
PROFONDSART
SENTIER DU BOIS MICHOT
RUE ELIE LEGREVE
AV. DU BALE
366
CHAUSSEE DE VILLERS-LA-VILLE
RUE LAMBYHAYE
ROFESSART
RUE VICTOR STENUIT
AVENUE DES ROSES
AVENUE PIERRE HOLOTTE
RUE ALFRED HAULOTTE
RUE DE PROFONDSART
RUE DU BALEAU
OTTIGNIES-LOUVAIN-LA-NEUVE
N275
FOND DU TRY
CLOS DU CHARNOIS
RUE DU CHARNOIS
AV. DES CHATAIGNIERS
CHEMIN DES MARRONNIERS
RUE DE LASNE
161,5 km (Lambert)
151

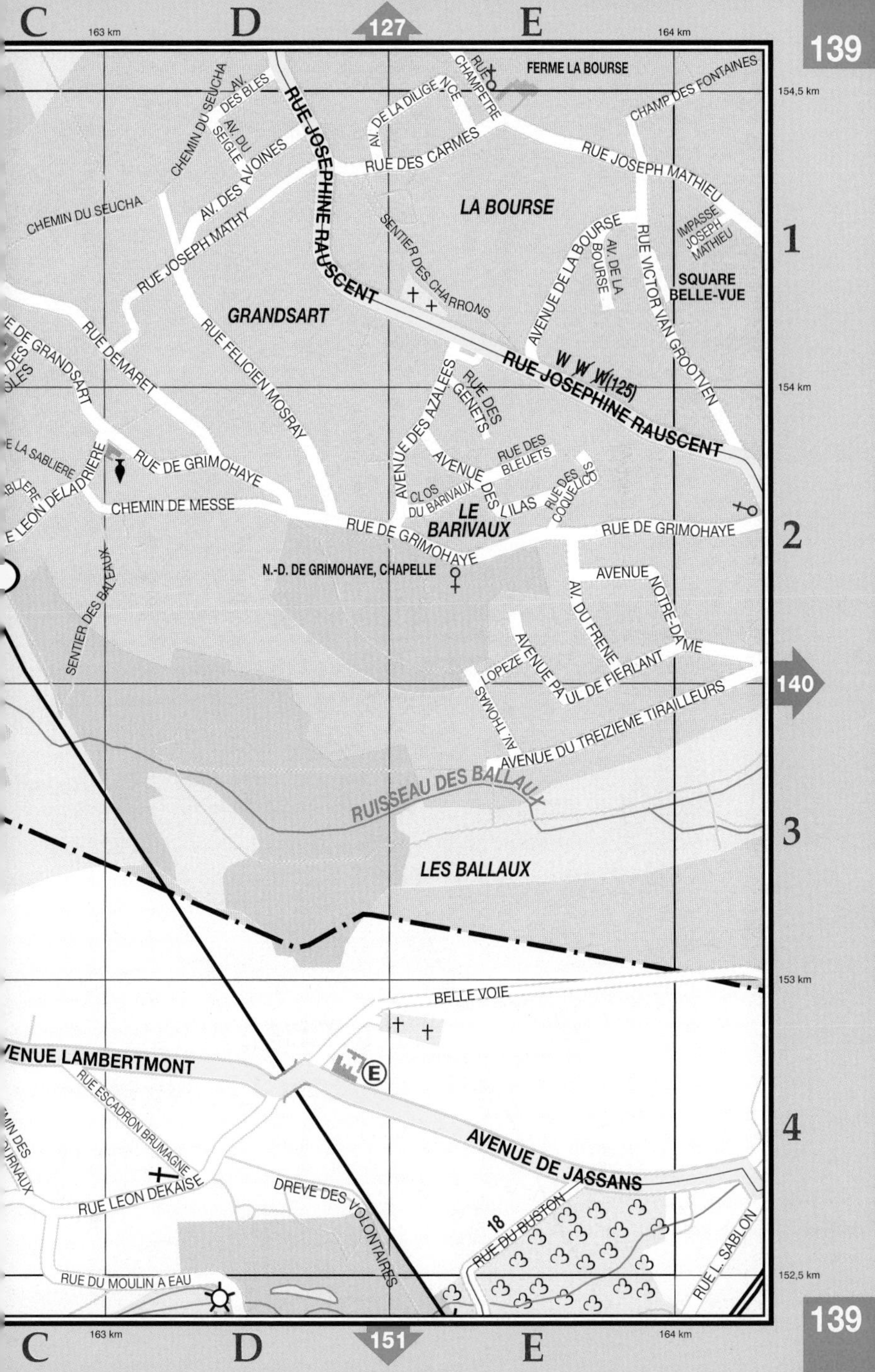
C
163 km
D
127
E
164 km
154,5 km
154 km
153 km
152,5 km
1
2
3
4
140
FERME LA BOURSE
RUE CHAMPETRE
CHAMP DES FONTAINES
AV. DE LA DILIGENCE
AV. DES BLES
AV. DU SEIGLE
CHEMIN DU SEUCHA
RUE JOSEPHINE RAUSCENT
RUE DES CARMES
RUE JOSEPH MATHIEU
AV. DES AVOINES
CHEMIN DU SEUCHA
RUE JOSEPH MATHY
LA BOURSE
SENTIER DES CHARRONS
AVENUE DE LA BOURSE
AV. DE LA BOURSE
RUE VICTOR VAN GROOTVEN
IMPASSE JOSEPH MATHIEU
SQUARE BELLE-VUE
GRANDSART
RUE DE GRANDSART
RUE DEMARET
RUE FELICIEN MOSRAY
RUE DES GENETS
AVENUE DES AZALEES
RUE JOSEPHINE RAUSCENT
(125)
RUE DE GRIMOHAYE
RUE DES BLEUETS
AVENUE DES LILAS
CLOS DU BARIVAUX
RUE DES COQUELICOTS
LE BARIVAUX
CHEMIN DE MESSE
RUE LEON DELADRIERE
RUE DE GRIMOHAYE
RUE DE GRIMOHAYE
N.-D. DE GRIMOHAYE, CHAPELLE
AVENUE NOTRE-DAME
AV. DU FRENE
SENTIER DES BALLAUX
AVENUE PAUL DE FIERLANT
LOPEZE
AV. THOMAS
AVENUE DU TREIZIEME TIRAILLEURS
RUISSEAU DES BALLAUX
LES BALLAUX
BELLE VOIE
AVENUE LAMBERTMONT
RUE ESCADRON BRUMAGNE
AVENUE DE JASSANS
RUE LEON DEKAISE
DREVE DES VOLONTAIRES
RUE DU BUSTON
18
RUE L. SABLON
RUE DU MOULIN A EAU
151

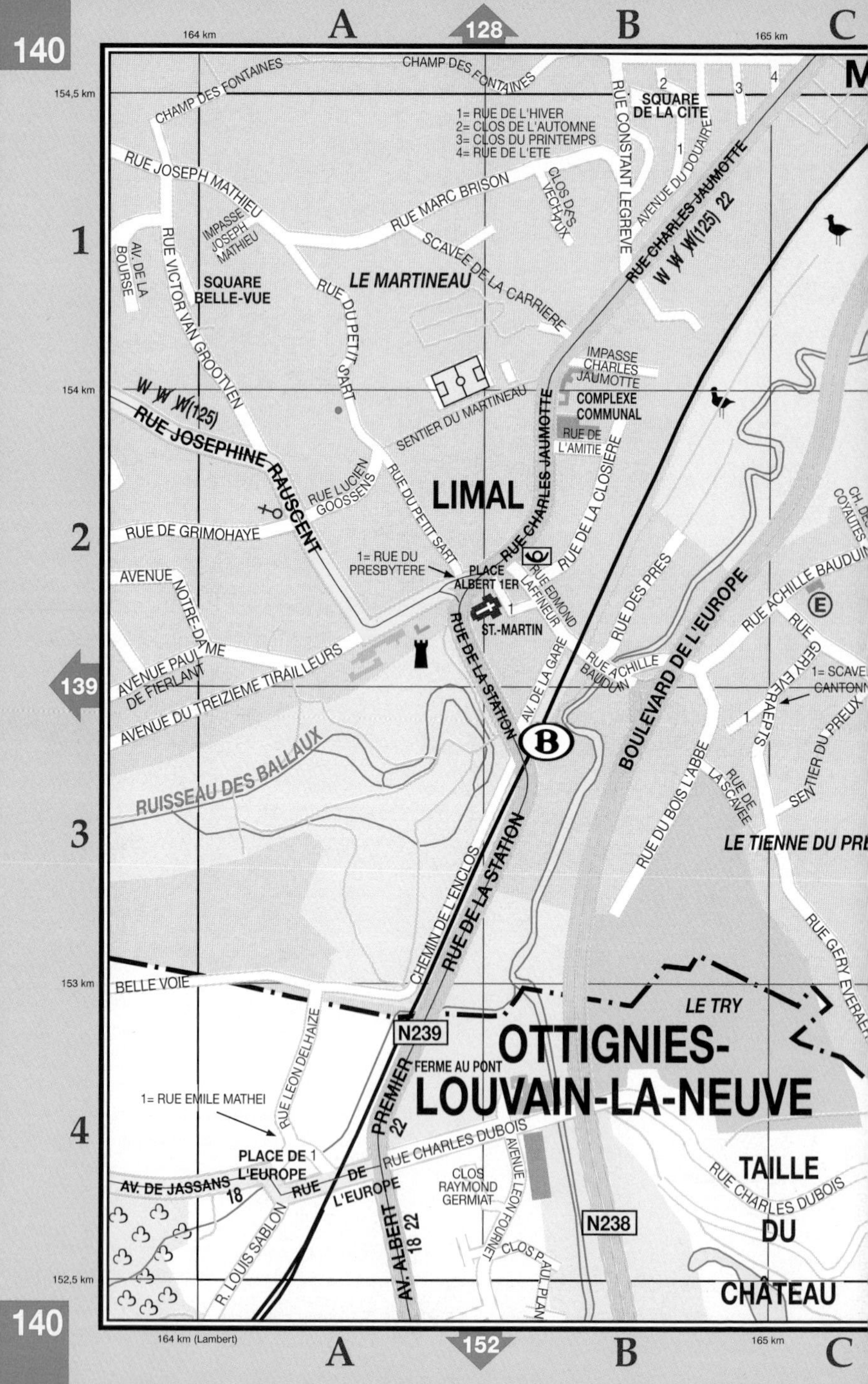
A
B
C
128
164 km
165 km
154,5 km
154 km
153 km
152,5 km
1
2
3
4
139
CHAMP DES FONTAINES
1= RUE DE L'HIVER
2= CLOS DE L'AUTOMNE
3= CLOS DU PRINTEMPS
4= RUE DE L'ETE
SQUARE DE LA CITE
RUE CONSTANT LEGREVE
AVENUE DU DOUAIRE
RUE JOSEPH MATHIEU
RUE MARC BRISON
CLOS DES VECHAUX
RUE CHARLES JAUMOTTE
W W W(125) 22
IMPASSE JOSEPH MATHIEU
AV. DE LA BOURSE
RUE VICTOR VAN GROOTVEN
SQUARE BELLE-VUE
LE MARTINEAU
SCAVEE DE LA CARRIERE
RUE DU PETIT SART
IMPASSE CHARLES JAUMOTTE
COMPLEXE COMMUNAL
W W W(125)
RUE JOSEPHINE RAUSCENT
SENTIER DU MARTINEAU
RUE DE L'AMITIE
RUE DE LA CLOSIERE
RUE LUCIEN GOOSSENS
LIMAL
RUE DE GRIMOHAYE
1= RUE DU PRESBYTERE
PLACE ALBERT 1ER
RUE EDMOND LAFFINEUR
RUE DES PRES
BOULEVARD DE L'EUROPE
RUE ACHILLE BAUDUIN
CH. DES COYAUTES
AVENUE NOTRE-DAME
ST.-MARTIN
RUE DE LA STATION
AVENUE PAUL DE FIERLANT
AVENUE DU TREIZIEME TIRAILLEURS
AV. DE LA GARE
RUE ACHILLE BAUDUIN
RUE GERY EVERAEPTS
1= SCAVEE CANTONN
SENTIER DU PREUX
RUISSEAU DES BALLAUX
RUE DU BOIS L'ABBE
RUE DE LA SCAVEE
LE TIENNE DU PRE
CHEMIN DE L'ENCLOS
BELLE VOIE
LE TRY
N239
OTTIGNIES-
LOUVAIN-LA-NEUVE
FERME AU PONT
RUE LEON DELHAIZE
1= RUE EMILE MATHEI
PLACE DE L'EUROPE
AV. DE JASSANS 18
RUE DE L'EUROPE
RUE CHARLES DUBOIS
AV. ALBERT PREMIER 22 18 22
CLOS RAYMOND GERMIAT
AVENUE LEON FOURNET
TAILLE DU CHÂTEAU
N238
CLOS PAUL PLAN
R. LOUIS SABLON
164 km (Lambert)
152

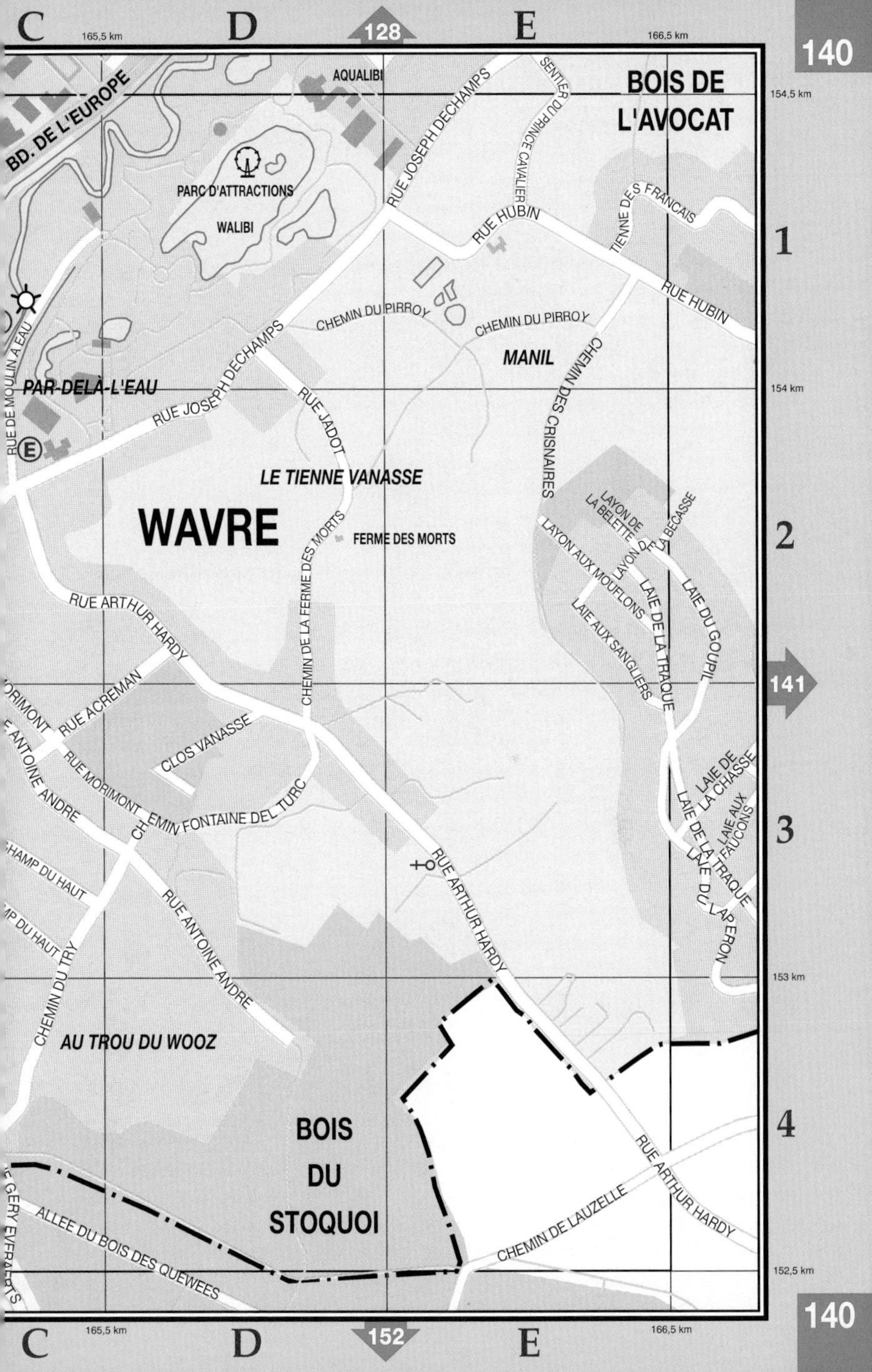
C
D
E
165,5 km
166,5 km
128
154,5 km
154 km
153 km
152,5 km
1
2
3
4
141
152
BOIS DE L'AVOCAT
AQUALIBI
BD. DE L'EUROPE
PARC D'ATTRACTIONS
WALIBI
RUE JOSEPH DECHAMPS
SENTIER DU PRINCE CAVALIER
RUE HUBIN
TIENNE DES FRANCAIS
CHEMIN DU PIRROY
MANIL
CHEMIN DES CRISNAIRES
RUE DE MOULIN A EAU
PAR-DELÀ-L'EAU
RUE JADOT
LE TIENNE VANASSE
WAVRE
FERME DES MORTS
CHEMIN DE LA FERME DES MORTS
LAYON DE LA BELETTE
LAYON DE LA BECASSE
LAYON AUX MOUFLONS
LAIE AUX SANGLIERS
LAIE DE LA TRAQUE
LAIE DU GOUPIL
RUE ARTHUR HARDY
RUE ACREMAN
RUE MORIMONT
CLOS VANASSE
RUE ANTOINE ANDRE
CHEMIN FONTAINE DEL TURC
LAIE DE LA CHASSE
LAIE AUX FAUCONS
LAIE DU LAPERON
CHAMP DU HAUT
CHEMIN DU TRY
AU TROU DU WOOZ
BOIS DU STOQUOI
CHEMIN DE LAUZELLE
ALLEE DU BOIS DES QUEWEES

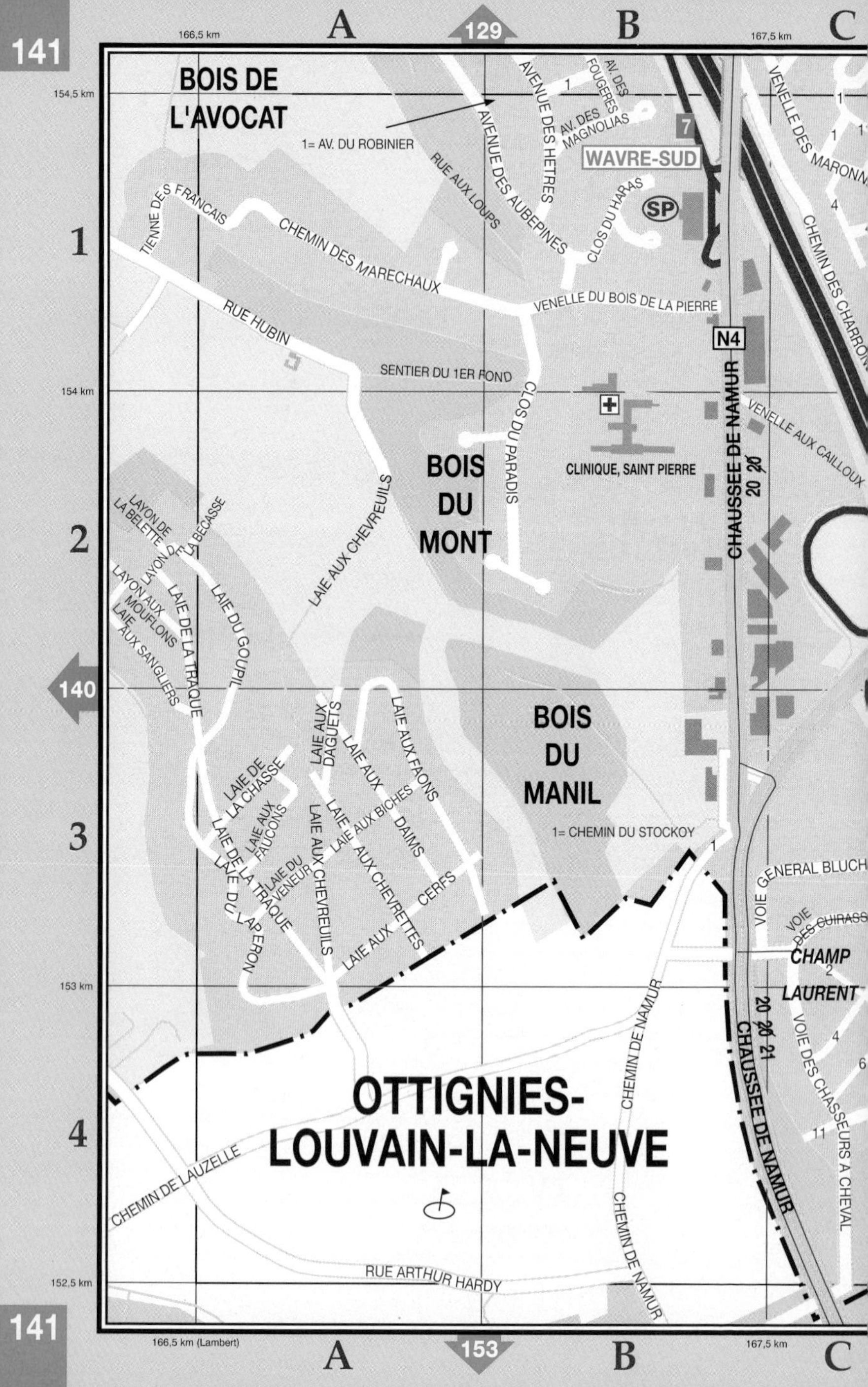
A
B
C
129
166,5 km
167,5 km
154,5 km
154 km
153 km
152,5 km
1
2
3
4
140
BOIS DE L'AVOCAT
1= AV. DU ROBINIER
AVENUE DES HETRES
AV. DES FOUGERES
AV. DES MAGNOLIAS
WAVRE-SUD
7
RUE AUX LOUPS
AVENUE DES AUBEPINES
CLOS DU HARAS
SP
VENELLE DES MARONN
CHEMIN DES CHARRON
TIENNE DES FRANCAIS
CHEMIN DES MARECHAUX
VENELLE DU BOIS DE LA PIERRE
RUE HUBIN
N4
SENTIER DU 1ER FOND
CLOS DU PARADIS
CHAUSSEE DE NAMUR
VENELLE AUX CAILLOUX
BOIS DU MONT
CLINIQUE, SAINT PIERRE
LAYON DE LA BELETTE
LAYON DE LA BECASSE
LAYON AUX MOUFLONS
LAIE AUX SANGLIERS
LAIE DE LA TRAQUE
LAIE DU GOUPIL
LAIE AUX CHEVREUILS
BOIS DU MANIL
LAIE AUX DAGUETS
LAIE AUX FAONS
LAIE AUX DAIMS
LAIE DE LA CHASSE
LAIE AUX FAUCONS
LAIE AUX BICHES
LAIE DU VENEUR
LAIE AUX CHEVRETTES
LAIE AUX CERFS
LAIE DU LAPERON
1= CHEMIN DU STOCKOY
VOIE GENERAL BLUCH
VOIE DES CUIRASS
CHAMP LAURENT
VOIE DES CHASSEURS A CHEVAL
CHEMIN DE NAMUR
OTTIGNIES-LOUVAIN-LA-NEUVE
CHEMIN DE LAUZELLE
RUE ARTHUR HARDY
166,5 km (Lambert)
153

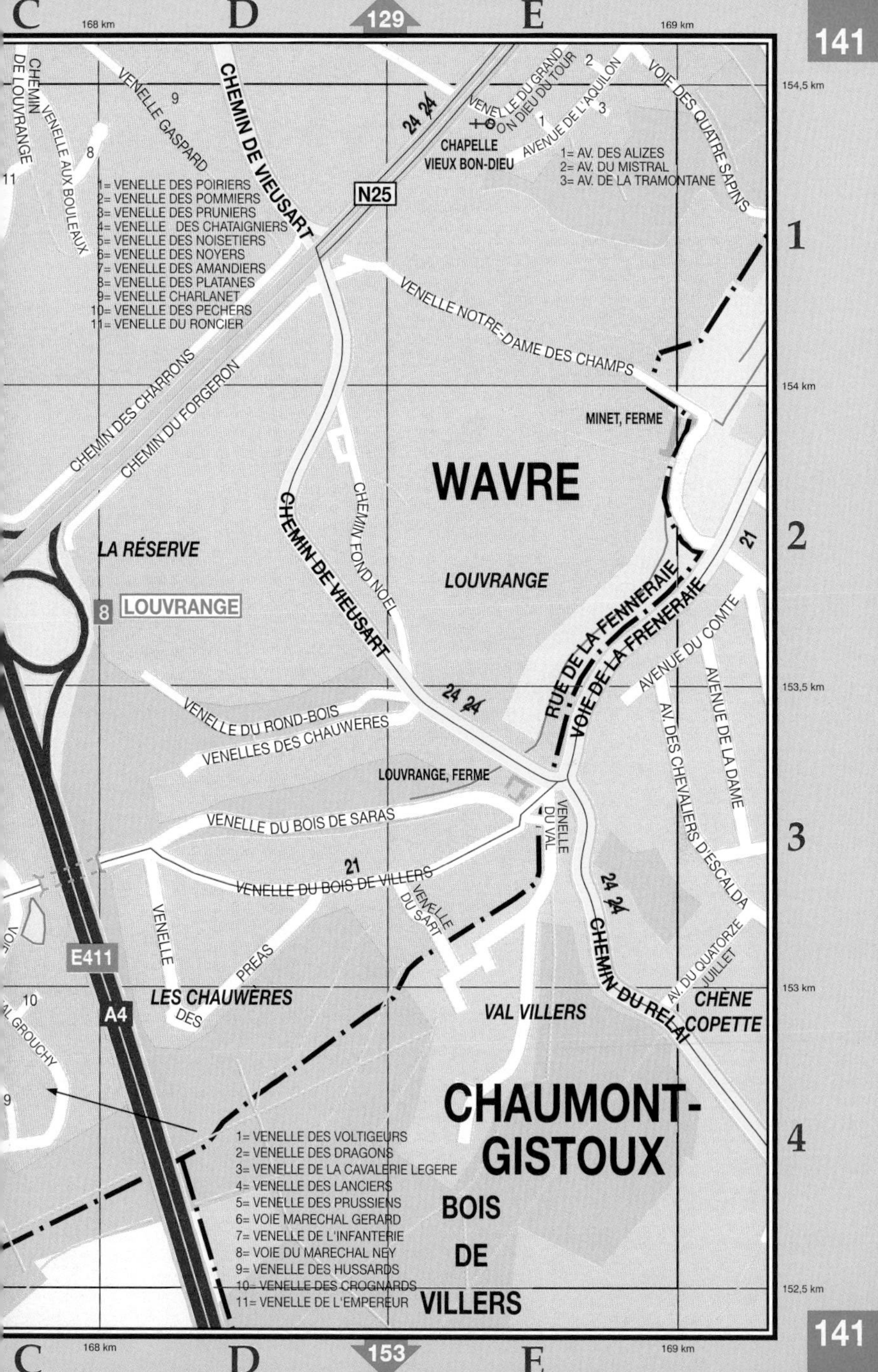
168 km
169 km
154,5 km
154 km
153,5 km
153 km
152,5 km
1
2
3
4
CHEMIN DE LOUVRANGE
VENELLE AUX BOULEAUX
VENELLE GASPARD
CHEMIN DE VIEUSART
N25
CHAPELLE
VIEUX BON-DIEU
VENELLE DU GRAND
BON DIEU DU TOUR
AVENUE DE L'AQUILON
VOIE DES QUATRE SAPINS
1= AV. DES ALIZES
2= AV. DU MISTRAL
3= AV. DE LA TRAMONTANE
1= VENELLE DES POIRIERS
2= VENELLE DES POMMIERS
3= VENELLE DES PRUNIERS
4= VENELLE DES CHATAIGNIERS
5= VENELLE DES NOISETIERS
6= VENELLE DES NOYERS
7= VENELLE DES AMANDIERS
8= VENELLE DES PLATANES
9= VENELLE CHARLANET
10= VENELLE DES PECHERS
11= VENELLE DU RONCIER
VENELLE NOTRE-DAME DES CHAMPS
CHEMIN DES CHARRONS
CHEMIN DU FORGERON
MINET, FERME
WAVRE
CHEMIN FOND NOEL
LA RÉSERVE
LOUVRANGE
8 LOUVRANGE
RUE DE LA FENNERAIE
VOIE DE LA FRENERAIE
AVENUE DU COMTE
AVENUE DE LA DAME
AV. DES CHEVALIERS D'ESCALDA
VENELLE DU ROND-BOIS
VENELLES DES CHAUWERES
LOUVRANGE, FERME
VENELLE DU BOIS DE SARAS
VENELLE DU VAL
VENELLE DU BOIS DE VILLERS
VENELLE DU SART
CHEMIN DU RELAI
AV. DU QUATORZE JUILLET
VENELLE DES PREAS
E411
A4
LES CHAUWÈRES
VAL VILLERS
CHÊNE COPETTE
GROUCHY
CHAUMONT-GISTOUX
1= VENELLE DES VOLTIGEURS
2= VENELLE DES DRAGONS
3= VENELLE DE LA CAVALERIE LEGERE
4= VENELLE DES LANCIERS
5= VENELLE DES PRUSSIENS
6= VOIE MARECHAL GERARD
7= VENELLE DE L'INFANTERIE
8= VOIE DU MARECHAL NEY
9= VENELLE DES HUSSARDS
10= VENELLE DES CROGNARDS
11= VENELLE DE L'EMPEREUR
BOIS
DE
VILLERS

A
B
C
130
139 km
140 km
152.5 km
152 km
151.5 km
151 km
150.5 km
1
2
3
4
LA BRUYERE
RUE BALLAND
TUBIZE
RUE D'OISQUERCQ
RUE DU VIEUX MAYEUR
RUE DE L'ALLIANCE
AVENUE J. MARECHAL
AVENUE DES ROSES
AVENUE DU HAIN
RUE DE LA CARRIERE
RUE DE CLABECQ
RUE DE L'ALLIANCE
RUE RAYM
471 474
115
(LES FORGES) DUFERCO
RUE D'OISQUERCO
RUE DE STEHOUX
RUE DELVAL
FERME DELVAL
CANAL BRUXELLES - CHARLEROI
PLAT QUERTIN
RUE DU PLA
SAINT-MARTIN
OISQUERCQ
PLACE DES GREES DU LOU
RUE DU CANAL
BOIS D'OISQUERCQ
RUE DE LA FALIZE
474
DREVE DU VIV
RUE DU CANAL
RUE D'IT
RUE BOLLE
RUE DE SAMME
RUE NOTRE-DAME
RUE DU ROI JARDIN
CITE DU DOUAIRE
RUE DES SALISSES
RUE CHAMP DE LA HAIE
RUE DE BONVOISIN
BOIS D'OISQUERC
139 km (Lambert)
140 km
154

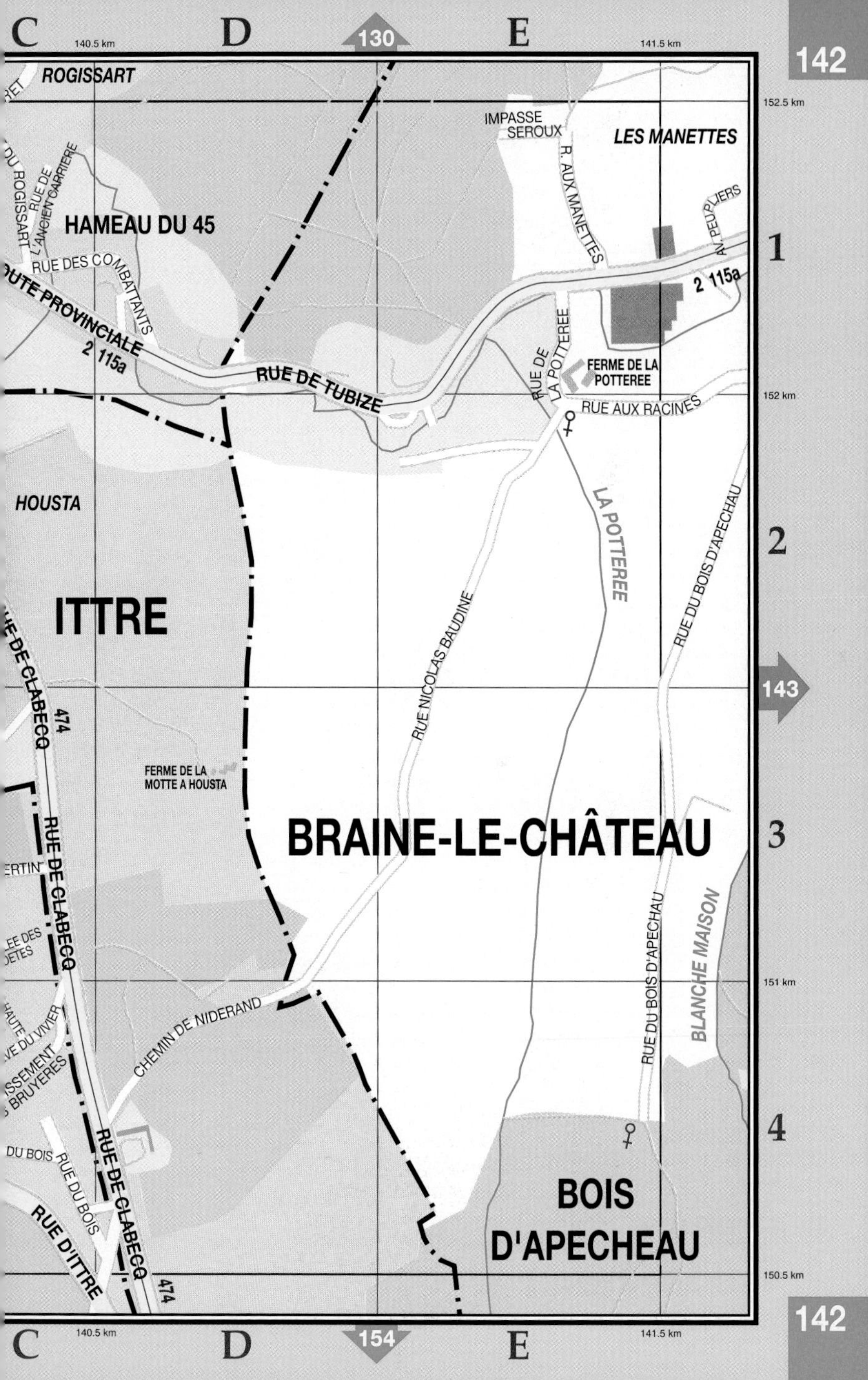
C
D
E
130
140.5 km
141.5 km
152.5 km
152 km
151 km
150.5 km
1
2
3
4
143
154
ROGISSART
HAMEAU DU 45
RUE DE L'ANCIEN CARRIERE
DU ROGISSART
RUE DES COMBATTANTS
ROUTE PROVINCIALE
2 115a
RUE DE TUBIZE
IMPASSE SEROUX
R. AUX MANETTES
LES MANETTES
AV. PEUPLIERS
RUE DE LA POTTEREE
FERME DE LA POTTEREE
RUE AUX RACINES
LA POTTEREE
HOUSTA
ITTRE
RUE NICOLAS BAUDINE
RUE DU BOIS D'APECHAU
RUE DE CLABECQ
474
FERME DE LA MOTTE A HOUSTA
BRAINE-LE-CHÂTEAU
BLANCHE MAISON
CHEMIN DE NIDERAND
BOIS D'APECHEAU
DU BOIS
RUE DU BOIS
RUE D'ITTRE

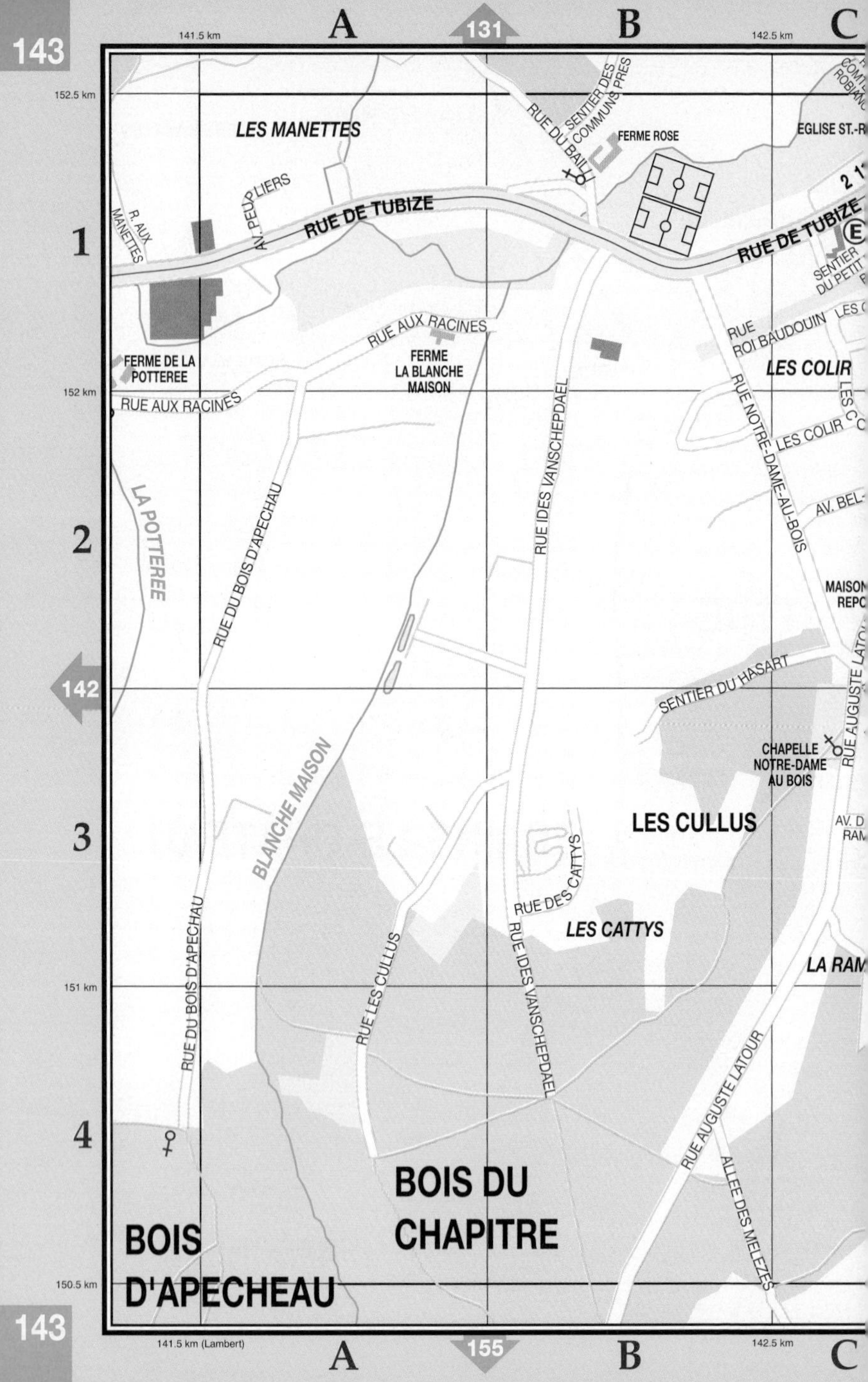
A
131
B
C
141.5 km
142.5 km
152.5 km
152 km
151 km
150.5 km
1
2
3
4
142
LES MANETTES
RUE DU BAILLI
SENTIER DES COMMUNS PRES
FERME ROSE
EGLISE ST.-R
R. AUX MANETTES
AV. PEUPLIERS
RUE DE TUBIZE
RUE DE TUBIZE
SENTIER DU PETIT
RUE AUX RACINES
FERME LA BLANCHE MAISON
FERME DE LA POTTEREE
RUE AUX RACINES
RUE ROI BAUDOUIN
LES COLIR
LES COLIR
RUE NOTRE-DAME-AU-BOIS
RUE IDES VANSCHEPDAEL
AV. BEL-
LA POTTEREE
RUE DU BOIS D'APECHAU
MAISON REPO
SENTIER DU HASART
RUE AUGUSTE LATOUR
CHAPELLE NOTRE-DAME AU BOIS
BLANCHE MAISON
LES CULLUS
RUE DES CATTYS
LES CATTYS
RUE LES CULLUS
RUE IDES VANSCHEPDAEL
RUE DU BOIS D'APECHAU
LA RAM
RUE AUGUSTE LATOUR
ALLEE DES MELEZES
BOIS DU CHAPITRE
BOIS D'APECHEAU
141.5 km (Lambert)
155
142.5 km

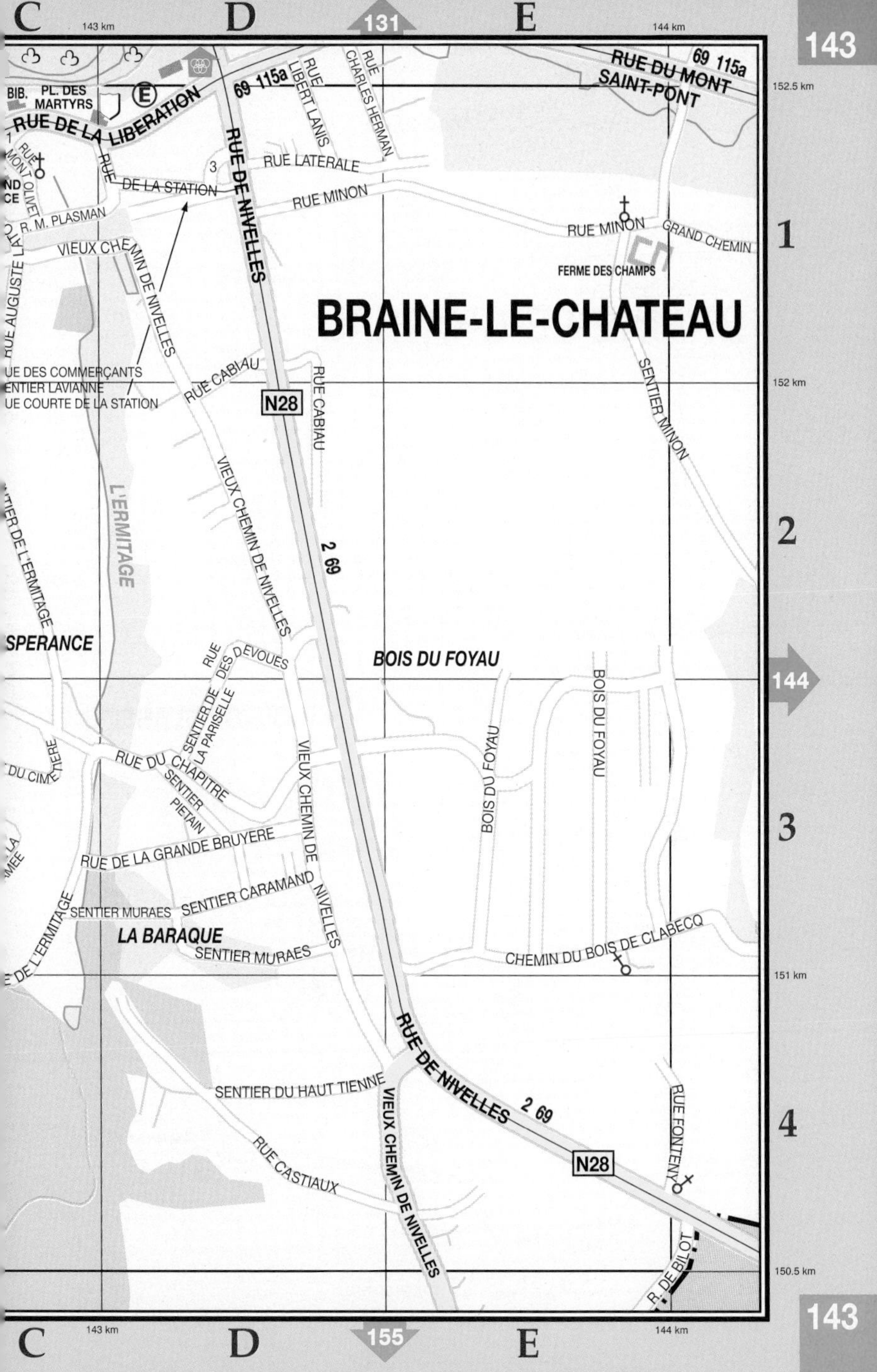
C
D
E
143 km
144 km
131
155
144
152.5 km
152 km
151 km
150.5 km
1
2
3
4
BRAINE-LE-CHATEAU
RUE DE LA LIBERATION
BIB.
PL. DES MARTYRS
RUE DE NIVELLES
69 115a
RUE LIBERT LANIS
RUE CHARLES HERMAN
RUE DU MONT SAINT-PONT
RUE LATERALE
RUE DE LA STATION
RUE MINON
R. M. PLASMAN
RUE MONT OLIVET
RUE AUGUSTE LATO
VIEUX CHEMIN DE NIVELLES
GRAND CHEMIN
FERME DES CHAMPS
UE DES COMMERÇANTS
ENTIER LAVIANNE
UE COURTE DE LA STATION
RUE CABIAU
N28
SENTIER MINON
L'ERMITAGE
TIER DE L'ERMITAGE
2 69
SPERANCE
BOIS DU FOYAU
RUE DES DEVOUES
SENTIER DE LA PARISELLE
RUE DU CHAPITRE
SENTIER PIETAIN
DU CIMETIERE
RUE DE LA GRANDE BRUYERE
SENTIER CARAMAND
SENTIER MURAES
LA BARAQUE
CHEMIN DU BOIS DE CLABECQ
SENTIER DU HAUT TIENNE
RUE CASTIAUX
RUE FONTENY
R. DE BILOT

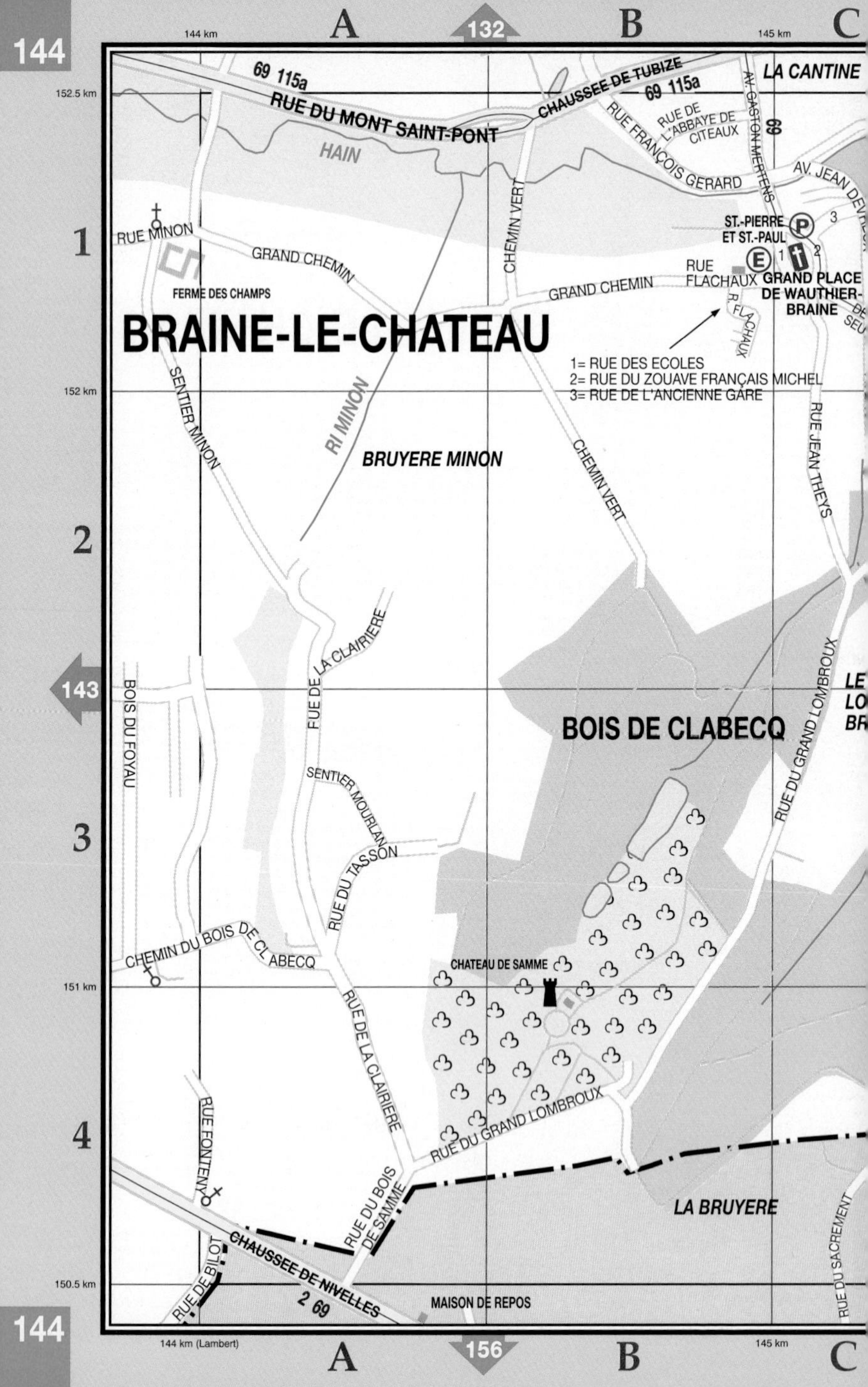

A
B
C
132
144 km
145 km
152.5 km
152 km
151 km
150.5 km
1
2
3
4
143
156
144 km (Lambert)
69 115a
RUE DU MONT SAINT-PONT
CHAUSSEE DE TUBIZE
LA CANTINE
HAIN
RUE DE L'ABBAYE DE CITEAUX
RUE FRANÇOIS GERARD
AV. GASTON MERTENS
AV. JEAN DEVREUX
ST.-PIERRE ET ST.-PAUL
GRAND PLACE DE WAUTHIER-BRAINE
RUE FLACHAUX
R. FLACHAUX
RUE MINON
GRAND CHEMIN
CHEMIN VERT
FERME DES CHAMPS
BRAINE-LE-CHATEAU
1= RUE DES ECOLES
2= RUE DU ZOUAVE FRANÇAIS MICHEL
3= RUE DE L'ANCIENNE GARE
SENTIER MINON
RI MINON
BRUYERE MINON
RUE JEAN THEYS
BOIS DU FOYAU
FUE DE LA CLAIRIERE
BOIS DE CLABECQ
RUE DU GRAND LOMBROUX
SENTIER MOURLAN
RUE DU TASSON
CHEMIN DU BOIS DE CLABECQ
CHATEAU DE SAMME
RUE DE LA CLAIRIERE
RUE FONTENY
RUE DU BOIS DE SAMME
LA BRUYERE
RUE DU SACREMENT
CHAUSSEE DE NIVELLES
2 69
RUE DE BILOT
MAISON DE REPOS

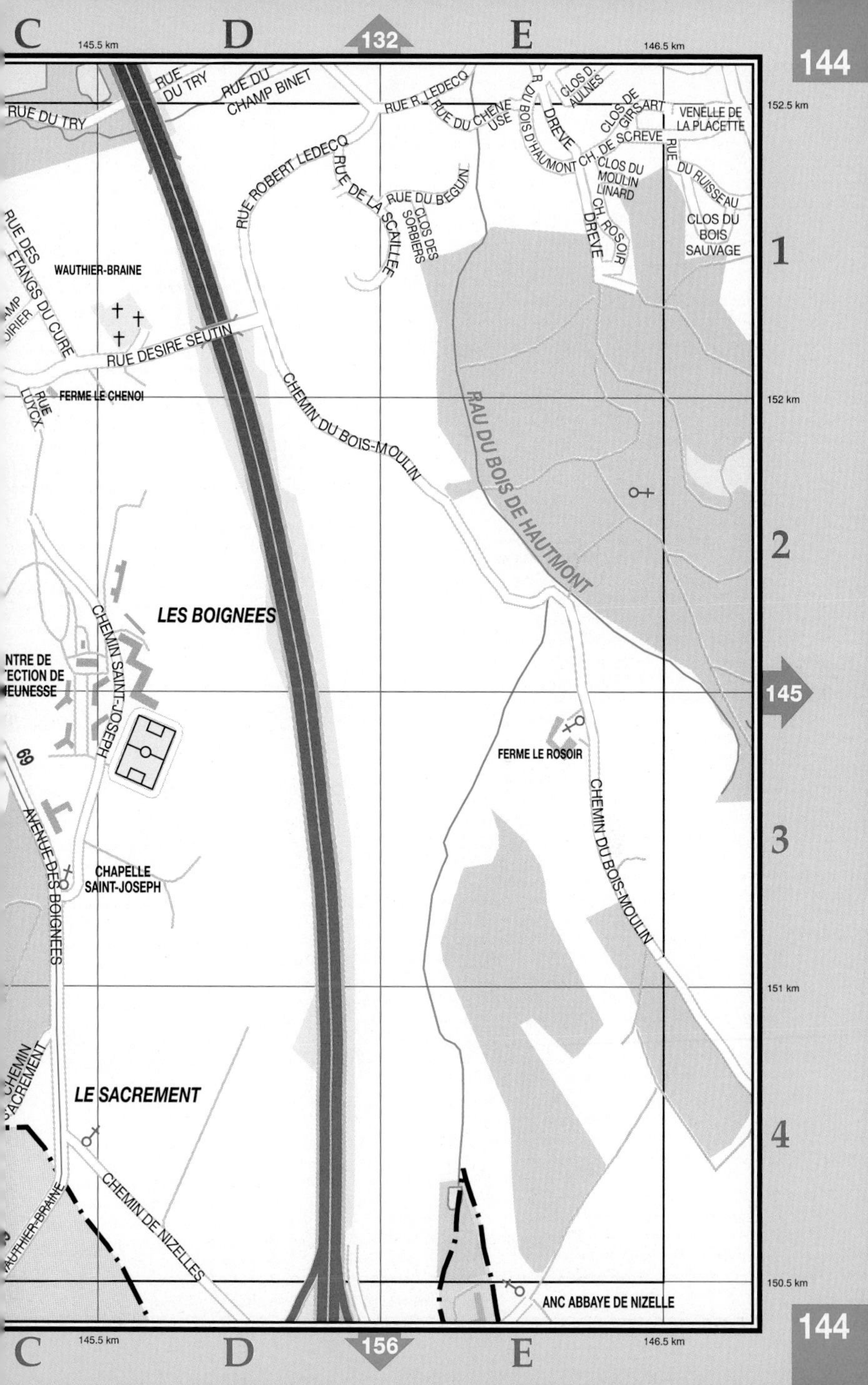
C
D
E
145.5 km
146.5 km
132
156
145
152.5 km
152 km
151 km
150.5 km
1
2
3
4
RUE DU TRY
RUE DU CHAMP BINET
RUE R. LEDECQ
RUE DU CHENE USE
R. DU BOIS D'HAUMONT
CLOS D. AULNES
DREVE
CLOS DE GIRSART
CH. DE SCREVE
VENELLE DE LA PLACETTE
RUE DU RUISSEAU
CLOS DU MOULIN LINARD
CH. ROSOIR
DREVE
CLOS DU BOIS SAUVAGE
RUE ROBERT LEDECQ
RUE DE LA SCAILLEE
RUE DU BEGUIN
CLOS DES SORBIERS
RUE DES ETANGS DU CURE
WAUTHIER-BRAINE
RUE DESIRE SEUTIN
RUE LUYCX
FERME LE CHENOI
CHEMIN DU BOIS-MOULIN
RAU DU BOIS DE HAUTMONT
LES BOIGNEES
CHEMIN SAINT-JOSEPH
69
AVENUE DES BOIGNEES
CHAPELLE SAINT-JOSEPH
FERME LE ROSOIR
CHEMIN DU BOIS-MOULIN
LE SACREMENT
CHEMIN DE NIZELLES
ANC ABBAYE DE NIZELLE

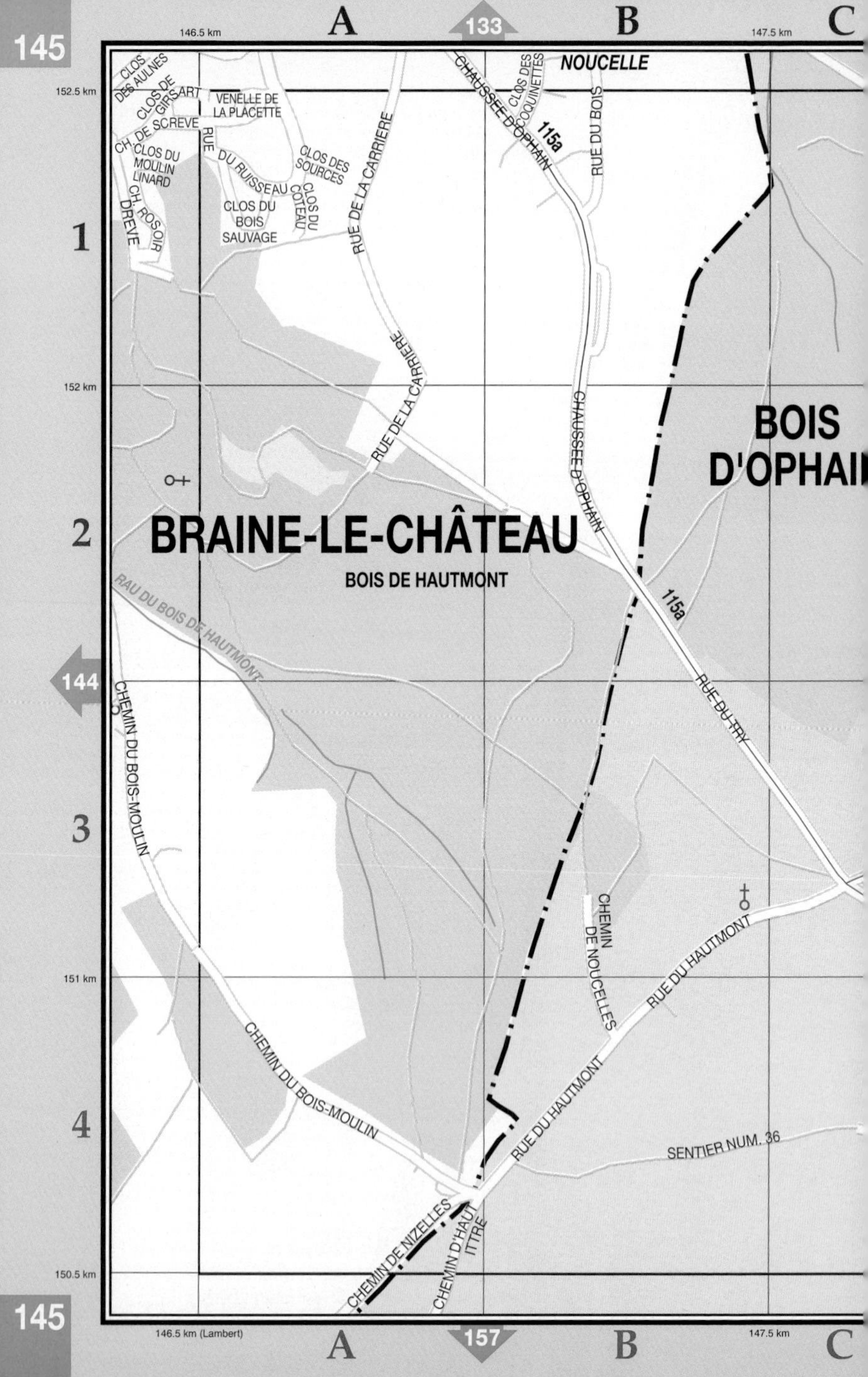
A
133
B
C
146.5 km
147.5 km
152.5 km
152 km
151 km
150.5 km
1
2
3
4
NOUCELLE
CLOS DES AULNES
CLOS DE GIRSART
VENELLE DE LA PLACETTE
CH. DE SCREVE
CH. CLOS DU MOULIN LINARD
RUE DU RUISSEAU
CLOS DES SOURCES
CLOS DU COTEAU
CLOS DU BOIS SAUVAGE
CH. ROSOIR
DREVE
RUE DE LA CARRIERE
CHAUSSEE D'OPHAIN
CLOS DES COQUINETTES
RUE DU BOIS
115a
BOIS D'OPHAI
BRAINE-LE-CHÂTEAU
BOIS DE HAUTMONT
RAU DU BOIS DE HAUTMONT
144
CHEMIN DU BOIS-MOULIN
RUE DU TRY
CHEMIN DE NOUCELLES
RUE DU HAUTMONT
SENTIER NUM. 36
CHEMIN DE NIZELLES
CHEMIN D'HAUT ITTRE
146.5 km (Lambert)
157
147.5 km

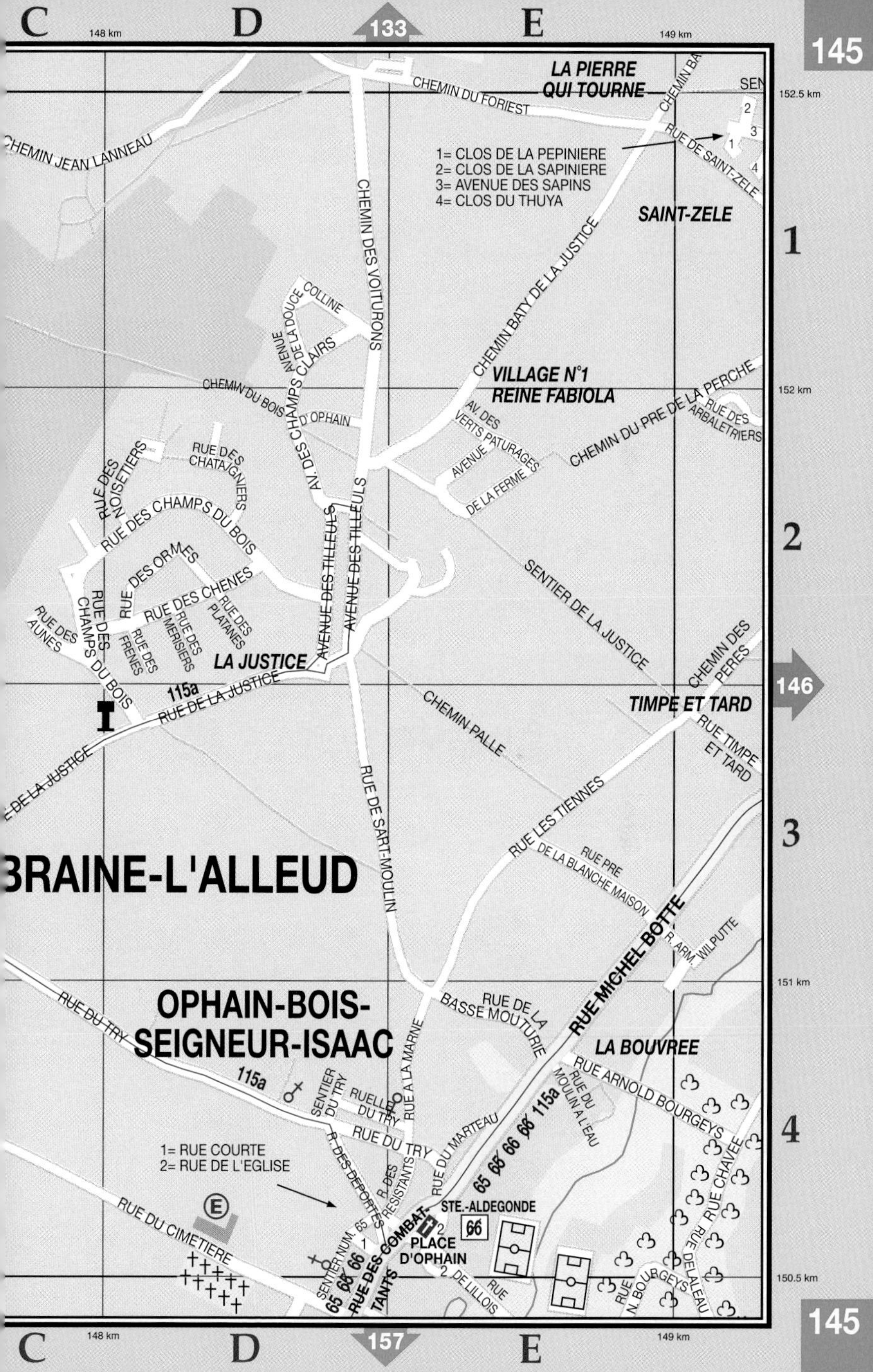
C
D
E
148 km
149 km
133
LA PIERRE
QUI TOURNE
CHEMIN DU FORIEST
CHEMIN JEAN LANNEAU
RUE DE SAINT-ZELE
1= CLOS DE LA PEPINIERE
2= CLOS DE LA SAPINIERE
3= AVENUE DES SAPINS
4= CLOS DU THUYA
SAINT-ZELE
CHEMIN DES VOITURONS
CHEMIN BATY DE LA JUSTICE
COLLINE
AVENUE DE LA DOUCE
RUE DES CHAMPS CLAIRS
VILLAGE N°1
REINE FABIOLA
CHEMIN DU BOIS D'OPHAIN
CHEMIN DU PRE DE LA PERCHE
RUE DES ARBALETRIERS
AV. DES VERTS PATURAGES
AVENUE DE LA FERME
AV. DES CHAMPS CLAIRS
RUE DES CHATAIGNIERS
RUE DES NOISETIERS
RUE DES CHAMPS DU BOIS
AVENUE DES TILLEULS
RUE DES ORMES
RUE DES CHENES
RUE DES PLATANES
RUE DES MERISIERS
RUE DES FRENES
RUE DES AUNES
RUE DES CHAMPS DU BOIS
SENTIER DE LA JUSTICE
LA JUSTICE
115a
RUE DE LA JUSTICE
CHEMIN DES PERES
TIMPE ET TARD
146
RUE TIMPE ET TARD
CHEMIN PALLE
RUE DE SART-MOULIN
RUE LES TIENNES
RUE PRE DE LA BLANCHE MAISON
BRAINE-L'ALLEUD
RUE MICHEL BOTTE
R. ARM. WILPUTTE
RUE DE LA BASSE MOUTURIE
OPHAIN-BOIS-
SEIGNEUR-ISAAC
RUE DU TRY
LA BOUVREE
RUE ARNOLD BOURGEYS
RUE DU MOULIN A L'EAU
RUE A LA MARNE
SENTIER DU TRY
RUELLE DU TRY
RUE DU MARTEAU
65 66 115a
RUE DU TRY
RUE CHAVEE
1= RUE COURTE
2= RUE DE L'EGLISE
R. DES DEPORTES
R. DES RESISTANTS
RUE DU CIMETIERE
STE.-ALDEGONDE
66
PLACE D'OPHAIN
SENTIER NUM. 65
RUE DES COMBATTANTS
65 66
RUE DE LILLOIS
RUE N. BOURGEYS
RUE DELALEAU
1
2
3
4
152.5 km
152 km
151 km
150.5 km
157

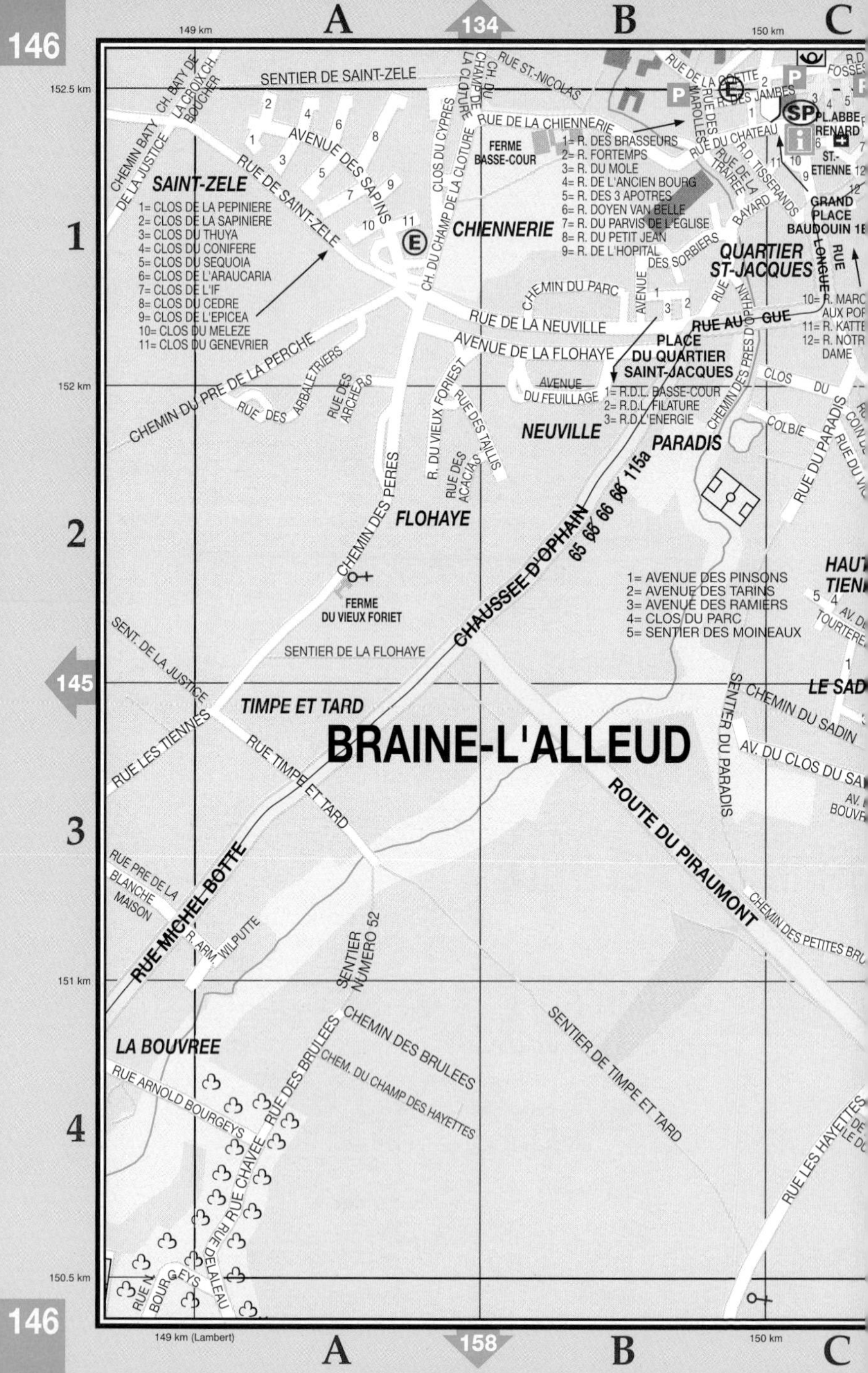
A
B
C
134
149 km
150 km
152.5 km
152 km
151 km
150.5 km
1
2
3
4
145
SENTIER DE SAINT-ZELE
SAINT-ZELE
1= CLOS DE LA PEPINIERE
2= CLOS DE LA SAPINIERE
3= CLOS DU THUYA
4= CLOS DU CONIFERE
5= CLOS DU SEQUOIA
6= CLOS DE L'ARAUCARIA
7= CLOS DE L'IF
8= CLOS DU CEDRE
9= CLOS DE L'EPICEA
10= CLOS DU MELEZE
11= CLOS DU GENEVRIER
AVENUE DES SAPINS
RUE DE SAINT-ZELE
CHEMIN BATY DE LA JUSTICE
CH. BATY DE LA CROIX CH. BOUCHER
RUE ST.-NICOLAS
RUE DE LA CHIENNERIE
FERME BASSE-COUR
CHIENNERIE
1= R. DES BRASSEURS
2= R. FORTEMPS
3= R. DU MOLE
4= R. DE L'ANCIEN BOURG
5= R. DES 3 APOTRES
6= R. DOYEN VAN BELLE
7= R. DU PARVIS DE L'EGLISE
8= R. DU PETIT JEAN
9= R. DE L'HOPITAL
DES SORBIERS
QUARTIER ST-JACQUES
GRAND PLACE BAUDOUIN 1E
PL.ABBE RENARD
ST.-ETIENNE
RUE DU CHATEAU
R. DES JAMBES
RUE DES MAROLLES
RUE DE LA TRAIREE
R.D. TISSERANDS
BAYARD
RUE LONGUE
10= R. MARC AUX POR
11= R. KATTE
12= R. NOTR DAME
CHEMIN DU PARC
RUE DE LA NEUVILLE
RUE AU GUE
AVENUE DE LA FLOHAYE
PLACE DU QUARTIER SAINT-JACQUES
1= R.D.L. BASSE-COUR
2= R.D.L. FILATURE
3= R.D.L. L'ENERGIE
AVENUE DU FEUILLAGE
NEUVILLE
PARADIS
CHEMIN DES PRES D'OPHAIN
CLOS DU
COLBIE
RUE DU PARADIS
CLOS DU CYPRES
CH. DU CHAMP DE LA CLOTURE
CH. DU CHAMP DE LA CLOTURE
CHEMIN DU PRE DE LA PERCHE
RUE DES ARBALETRIERS
RUE DES ARCHERS
R. DU VIEUX FORIEST
RUE DES TAILLIS
RUE DES ACACIAS
CHEMIN DES PERES
FLOHAYE
CHAUSSEE D'OPHAIN
65 65 66 66 115a
1= AVENUE DES PINSONS
2= AVENUE DES TARINS
3= AVENUE DES RAMIERS
4= CLOS DU PARC
5= SENTIER DES MOINEAUX
FERME DU VIEUX FORIET
SENTIER DE LA FLOHAYE
SENT. DE LA JUSTICE
TIMPE ET TARD
BRAINE-L'ALLEUD
RUE LES TIENNES
RUE TIMPE ET TARD
SENTIER DU PARADIS
CHEMIN DU SADIN
AV. DU CLOS DU SA
LE SAD
ROUTE DU PIRAUMONT
RUE PRE DE LA BLANCHE MAISON
RUE MICHEL BOTTE
R. ARM. WILPUTTE
SENTIER NUMERO 52
CHEMIN DES PETITES BRU
CHEMIN DES BRULEES
CHEM. DU CHAMP DES HAYETTES
SENTIER DE TIMPE ET TARD
LA BOUVREE
RUE ARNOLD BOURGEYS
RUE DES BRULEES
RUE CHAVEE
RUE DELALEAU
RUE N. BOURGEYS
RUE LES HAYETTES
158
149 km (Lambert)

C
D
E
134
150.5 km
151.5 km
152.5 km
152 km
151 km
150.5 km
1
2
3
4
147
158
PL. OUISTREHAM
RIVA-BELLA
1= AV. DE VAUDEMONT
2= AV. D'EPINOY
3= AV. DE SOUBISE
4= AV. DE MARSAN
PL. STE-ANNE
R. D. CROIX DU FEU
AV. ALBERT 1ER
AV. RAYMOND BRASSINE
AVENUE DE GUEMENEE
AV. DE CANTECROY
AVENUE DE LA PAIX
AVENUE HENRI DE WITTHEM
AV. GENEVIEVE DE BRABANT
BOULEVARD DE L'EUROPE
AVENUE DE ROHAN
RUE DE LA CROIX
SENT. DE LA BONNE FOSSE
AVENUE DE LA BONNE FOSSE
COLO-HUGUES
PETITE RUE DE L'ART
RUE DES ALLIES
RUE DE CAMBRAI
RUE DE L'ABBAYE
R. DES HIRONDELLES
AV. CHARLES DE LORRAINE
CLOS DE BEL VOIR
COLO HUGUES
AVENUE BEATRICE DE CUSANCE
RUE DU BATISSEAU
AV. PRINCE D'ORANGE
AV. DE L'ARMISTICE
AVENUE BRITANNIQUE
R. DE LA FOSSE AU SABLE
AVENUE ALBERT 1ER
RUE DU HAINAUT
RUE ERNEST LAURENT
AVENUE ABBESSE DE REMIREMONT
PLACE SAINT-SEBASTIEN
SENTIER DE LA BRUYERE DE CAMBRAI
RUE SAINT-SEBASTIEN
AVENUE ALPHONSE ALLARD
STADE GASTON REIFF
RUE DES CHARDONNETS
RUE DES MESANGES BLEUES
RUE DES FAUVETTES
PARC COMMUNAL
RUE LONGUE
R. DES HAUTS TIERS
AVENUE DE L'EMPEREUR
AVENUE DE LA GARDE IMPERIALE
AVENUE DE LA GRANDE ARMEE
TROIS LIONS
BOULEVARD PIRE LEFEVRE DESNOUETTES
AV. MILHAUD
AVENUE DU 112EME
AVENUE DU DERNIER CARRE
SQUARE GENERAL DROUET D'ERLON
SQUARE D'HOUGOUMONT
RUE DE LA SOLIDARITE
AVENUE GEN. KELLERMAN
RUE MARIE TETE DE BOIS
AV. PRINCE JEROME BONAPARTE
AVENUE GERMINAL
RUE DES BERGES DU RUISSEAU
CHEMIN DU LONG CHENEAU
CLOS SAINTE-RITA
DREVE DU PETIT PERE DENIS
R. DE LA FRATERNITE
RUE DE LA SOLIDARITE
AVENUE DE L'EGALITE
AVENUE DES PETUNIAS
AVENUE DES GERANIUMS
CLOS DU VAL DE L'ECOSSAIS
DREVE DU PETIT PERE MICHEL
CHEMIN DES TALUS
AV. DE LA LIBERTE
AV. DES ROSES
AV. DE LA FIDELITE
PLACE DES PAYS-BAS
AV. DU PORTUGAL
AV. D'ESPAGNE
AVENUE D'AUTRICHE
BOULEVARD
AVENUE DU JAPAN
20
BRAINE-L'ALLEUD
CHAUSSEE DE NIVELLES
CHEMIN DU FONDS SAINT-GEORGES
AVENUE DE SUEDE
AVENUE DE NORVEGE
RUE DE BELGIQUE
RUE DE FRANCE
PLACE DU LUXEMBOURG
RUE D'IRLANDE
CH. DE LA MAISON DU ROI
CHEMIN DE LA MAISON A TOUT VENT
ROUTE DU PIRAU-MONT
CHEMIN DE VIEUX GENAPPE
SQUARE D'ALLEMAGNE
BOULEVARD D'ANGLETERRE
AVENUE DE FINLANDE
R0
65
75
558
66
115a

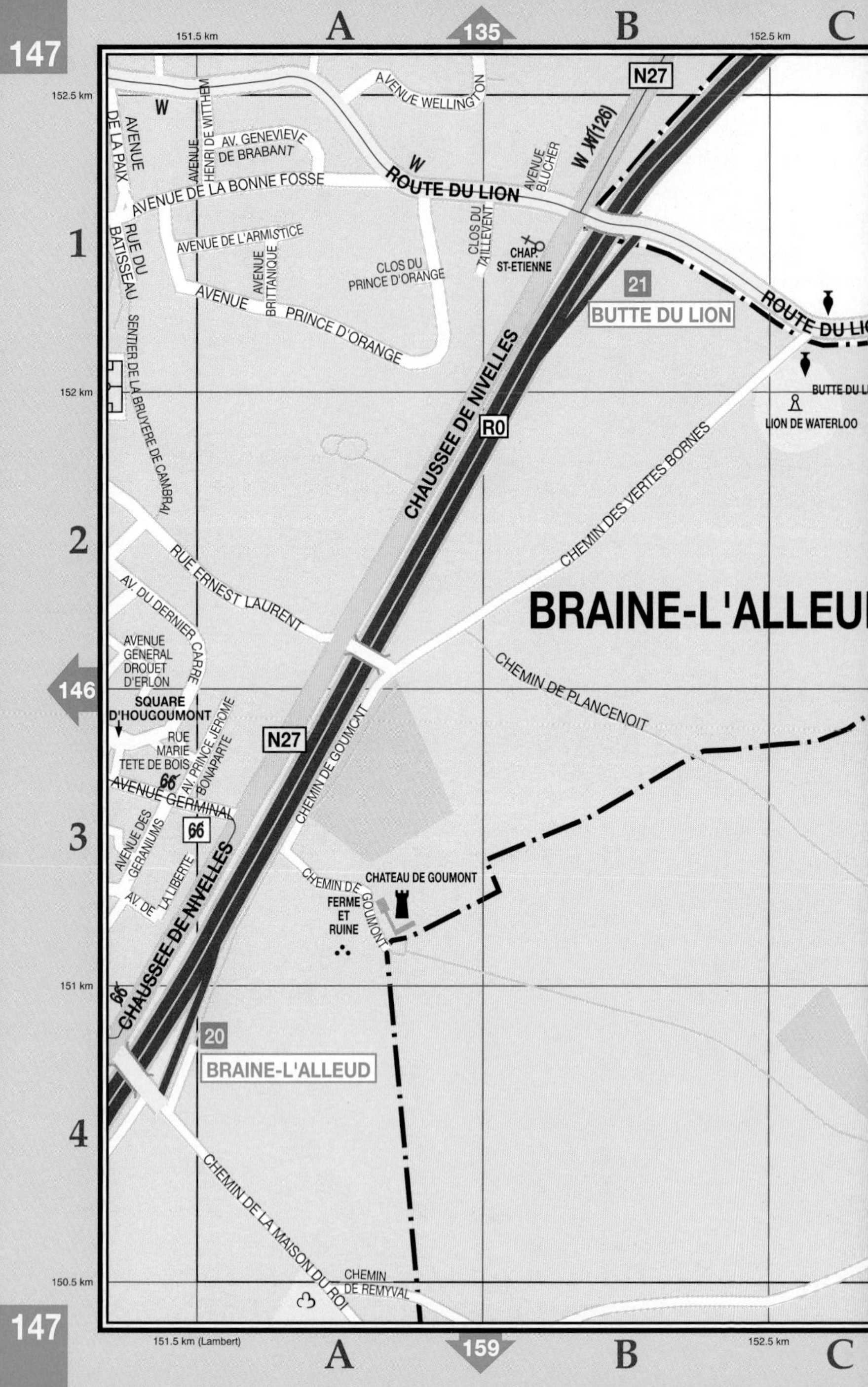

A
B
C
135
151.5 km
152.5 km
152.5 km
152 km
151 km
150.5 km
1
2
3
4
146
N27
W
W
W W (126)
AVENUE WELLINGTON
AVENUE DE LA PAIX
AVENUE HENRI DE WITTHEM
AV. GENEVIEVE DE BRABANT
ROUTE DU LION
AVENUE BLUCHER
AVENUE DE LA BONNE FOSSE
RUE DU BATISSEAU
AVENUE DE L'ARMISTICE
CLOS DU TAILLEVENT
CHAP. ST-ETIENNE
AVENUE BRITTANIQUE
CLOS DU PRINCE D'ORANGE
AVENUE PRINCE D'ORANGE
21
BUTTE DU LION
ROUTE DU LI
SENTIER DE LA BRUYERE DE CAMBRAI
CHAUSSEE DE NIVELLES
R0
BUTTE DU LI
LION DE WATERLOO
CHEMIN DES VERTES BORNES
RUE ERNEST LAURENT
BRAINE-L'ALLEU
AV. DU DERNIER CARRE
AVENUE GENERAL DROUET D'ERLON
CHEMIN DE PLANCENOIT
SQUARE D'HOUGOUMONT
RUE MARIE TETE DE BOIS
AV. PRINCE JEROME BONAPARTE
N27
CHEMIN DE GOUMONT
66
AVENUE GERMINAL
66
AVENUE DES GERANIUMS
AV. DE LA LIBERTE
CHEMIN DE GOUMONT
CHATEAU DE GOUMONT
FERME ET RUINE
CHAUSSEE DE NIVELLES
66
20
BRAINE-L'ALLEUD
CHEMIN DE LA MAISON DU ROI
CHEMIN DE REMYVAL
151.5 km (Lambert)
152.5 km
159
A
B
C

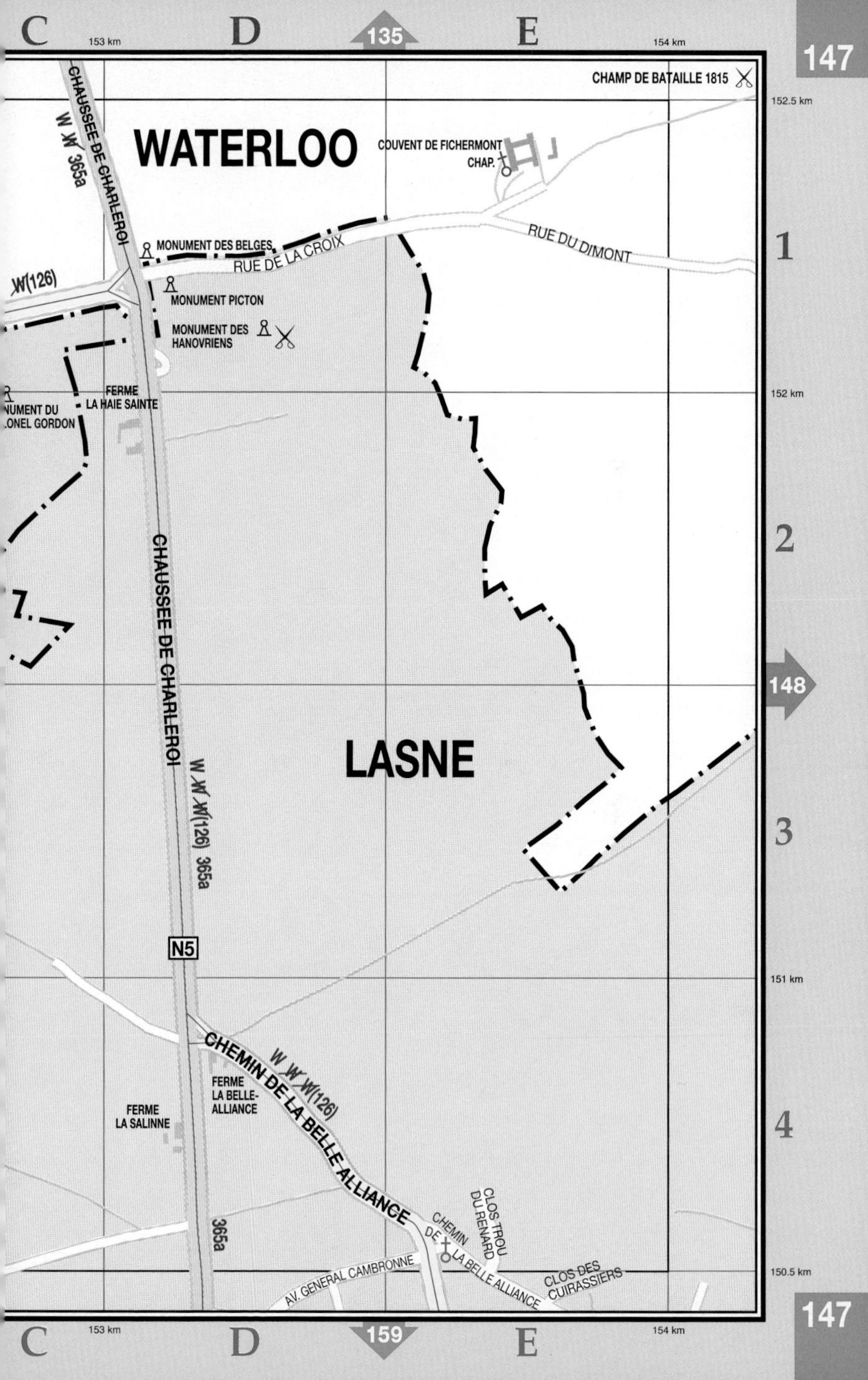
C
D
E
153 km
154 km
135
159
148
147
1
2
3
4
152.5 km
152 km
151 km
150.5 km
CHAMP DE BATAILLE 1815
WATERLOO
LASNE
COUVENT DE FICHERMONT
CHAP.
CHAUSSEE DE CHARLEROI
365a
(126)
MONUMENT DES BELGES
RUE DE LA CROIX
RUE DU DIMONT
MONUMENT PICTON
MONUMENT DES HANOVRIENS
FERME LA HAIE SAINTE
NUMENT DU
LONEL GORDON
N5
CHEMIN DE LA BELLE ALLIANCE
FERME LA BELLE-ALLIANCE
FERME LA SALINNE
CHEMIN DE LA BELLE ALLIANCE
CLOS TROU DU RENARD
AV. GENERAL CAMBRONNE
CLOS DES CUIRASSIERS

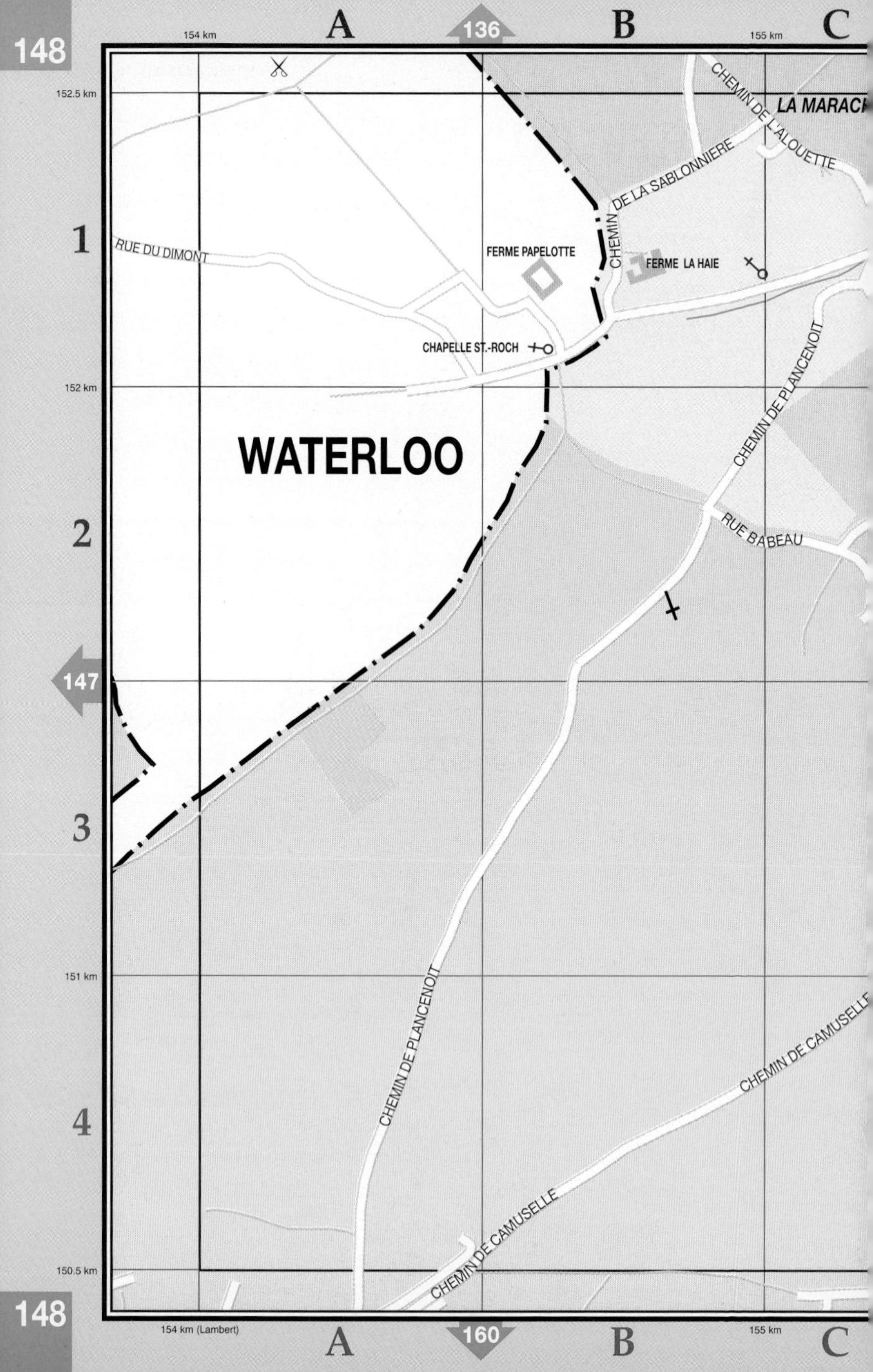
A
136
B
C
154 km
155 km
152.5 km
LA MARACH
CHEMIN DE L'ALOUETTE
CHEMIN DE LA SABLONNIERE
1
RUE DU DIMONT
FERME PAPELOTTE
FERME LA HAIE
CHAPELLE ST.-ROCH
152 km
WATERLOO
CHEMIN DE PLANCENOIT
2
RUE BABEAU
147
3
151 km
CHEMIN DE CAMUSELLE
CHEMIN DE PLANCENOIT
4
CHEMIN DE CAMUSELLE
CHEMIN DE CAMUSELLE
150.5 km
154 km (Lambert)
155 km
A
160
B
C

C
D
E
155.5 km
156.5 km
136
152.5 km
152 km
151 km
150.5 km
1
2
3
4
149
160
RUE DE GENLEAU
ROUTE DE LA MARACHE
LE SMOHAIN
RUE CLOQUEAU
BOIS PARIS
RUE BOIS-LIONNET
RUE CLOQUEAU
RUE BOIS PARIS
RUE BOIS PARIS
FICHERMONT
BOIS LIONNET
RUE DE FICHERMONT
RUE BOIS-ELOI
RUE BABEAU
CHEMIN DU COLOMBIER
CLOS DE FICHERMONT
RUE BOIS-ELOI
RUE BOIS PARIS
RUE DE FICHERMONT
BOIS ELOI
RUE DE FICHERMONT
RUE DE PAYOT
CHEMIN DE CAMUSELLE
LASNE
TIENNE A TOUT VENT
TIENNE DU PEUTHY
RUE DE PAYOT
FERME HANNOTELET
PAYOT
RUE D'ANOGRUNE
CLOS DU PETIT MAYEUR
W (126)
AV. DE L'ARGOAT
RUE D'HUBERMONT

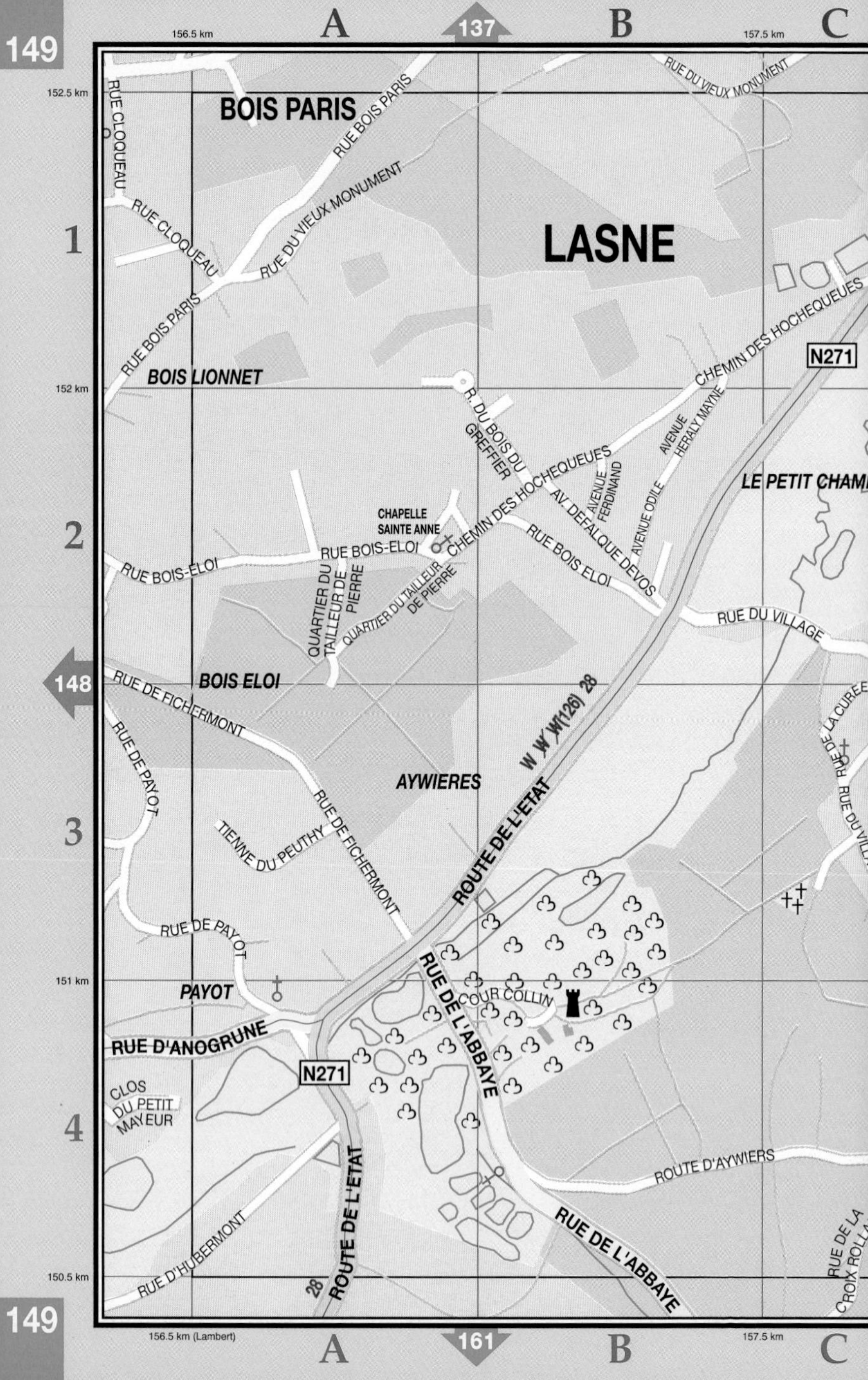
A
137
B
C
156.5 km
157.5 km
152.5 km
152 km
151 km
150.5 km
1
2
3
4
148
BOIS PARIS
LASNE
BOIS LIONNET
LE PETIT CHAMP
BOIS ELOI
AYWIERES
PAYOT
RUE CLOQUEAU
RUE BOIS PARIS
RUE DU VIEUX MONUMENT
CHEMIN DES HOCHEQUEUES
N271
R. DU BOIS DU GREFFIER
AVENUE HERALY MAYNE
AVENUE FERDINAND
AVENUE ODILE
AV. DEFALQUE DEVOS
CHAPELLE SAINTE ANNE
RUE BOIS-ELOI
RUE BOIS ELOI
QUARTIER DU TAILLEUR DE PIERRE
RUE DU VILLAGE
RUE DE FICHERMONT
RUE DE PAYOT
RUE DE LA CUREE
W W W(126) 28
ROUTE DE L'ETAT
TIENNE DU PEUTHY
RUE DU VILL
RUE DE L'ABBAYE
COUR COLLIN
RUE D'ANOGRUNE
CLOS DU PETIT MAYEUR
ROUTE D'AYWIERS
RUE D'HUBERMONT
28
RUE DE LA CROIX ROLLA
156.5 km (Lambert)
161

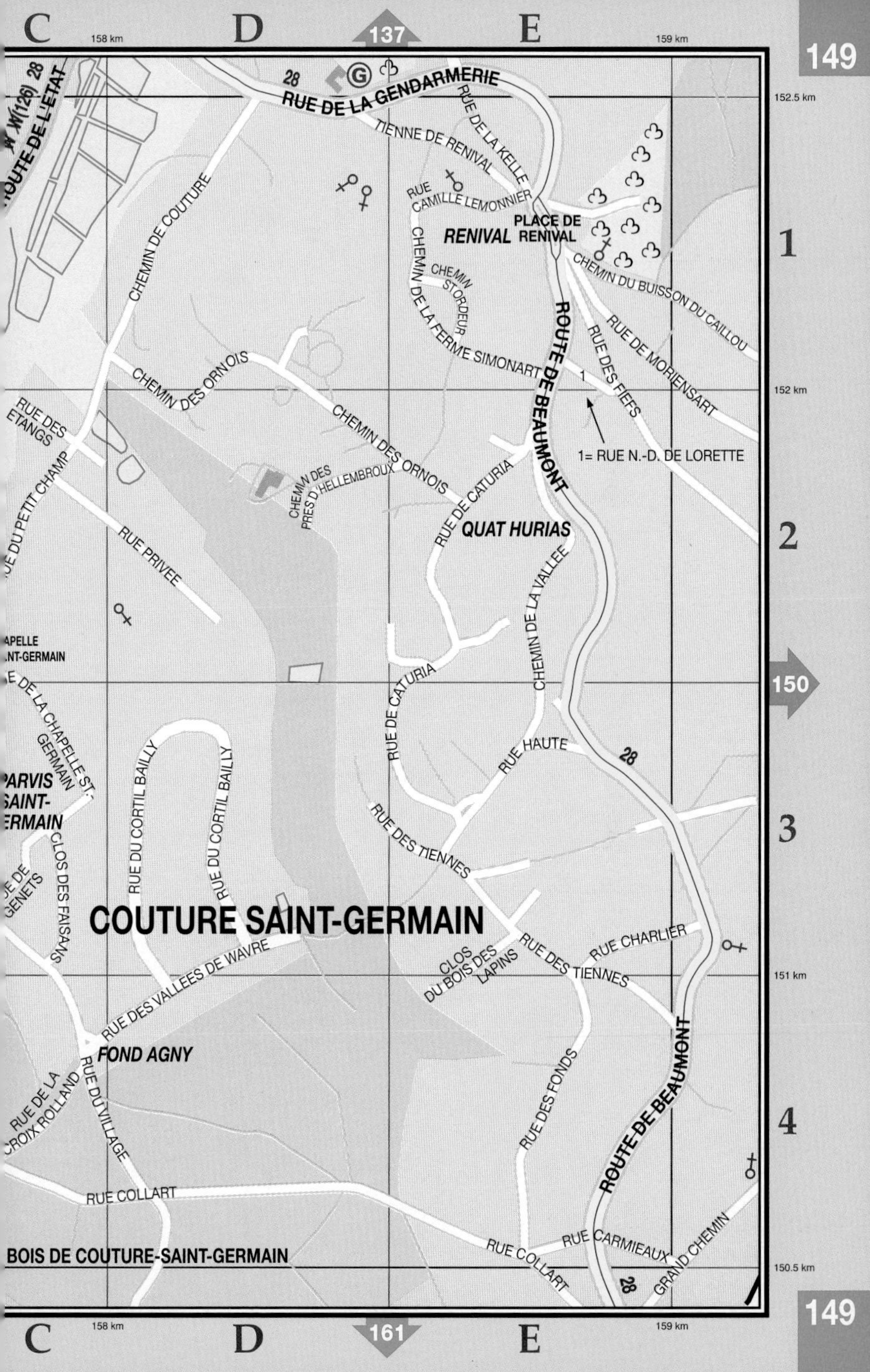

C
D
E
158 km
159 km
137
152.5 km
152 km
151 km
150.5 km
1
2
3
4
150
161
RUE DE LA GENDARMERIE
28
ROUTE DE L'ETAT
TIENNE DE RENIVAL
RUE DE LA KELLE
RUE CAMILLE LEMONNIER
PLACE DE RENIVAL
RENIVAL
CHEMIN DE COUTURE
CHEMIN ST ORDEUR
CHEMIN DE LA FERME SIMONART
CHEMIN DU BUISSON DU CAILLOU
RUE DE MORIENSART
RUE DES FIEFS
ROUTE DE BEAUMONT
1= RUE N.-D. DE LORETTE
CHEMIN DES ORNOIS
RUE DES ETANGS
RUE DU PETIT CHAMP
CHEMIN DES PRES D'HELLEMBROUX
RUE DE CATURIA
QUAT HURIAS
RUE PRIVEE
CHEMIN DE LA VALLEE
RUE HAUTE
RUE DE LA CHAPELLE ST. GERMAIN
PARVIS SAINT-GERMAIN
RUE DU CORTIL BAILLY
RUE DES TIENNES
CLOS DES FAISANS
COUTURE SAINT-GERMAIN
RUE CHARLIER
CLOS DU BOIS DES LAPINS
RUE DES VALLEES DE WAVRE
FOND AGNY
RUE DES FONDS
RUE DE LA CROIX ROLLAND
RUE DU VILLAGE
RUE COLLART
RUE CARMIEAUX
GRAND CHEMIN
BOIS DE COUTURE-SAINT-GERMAIN

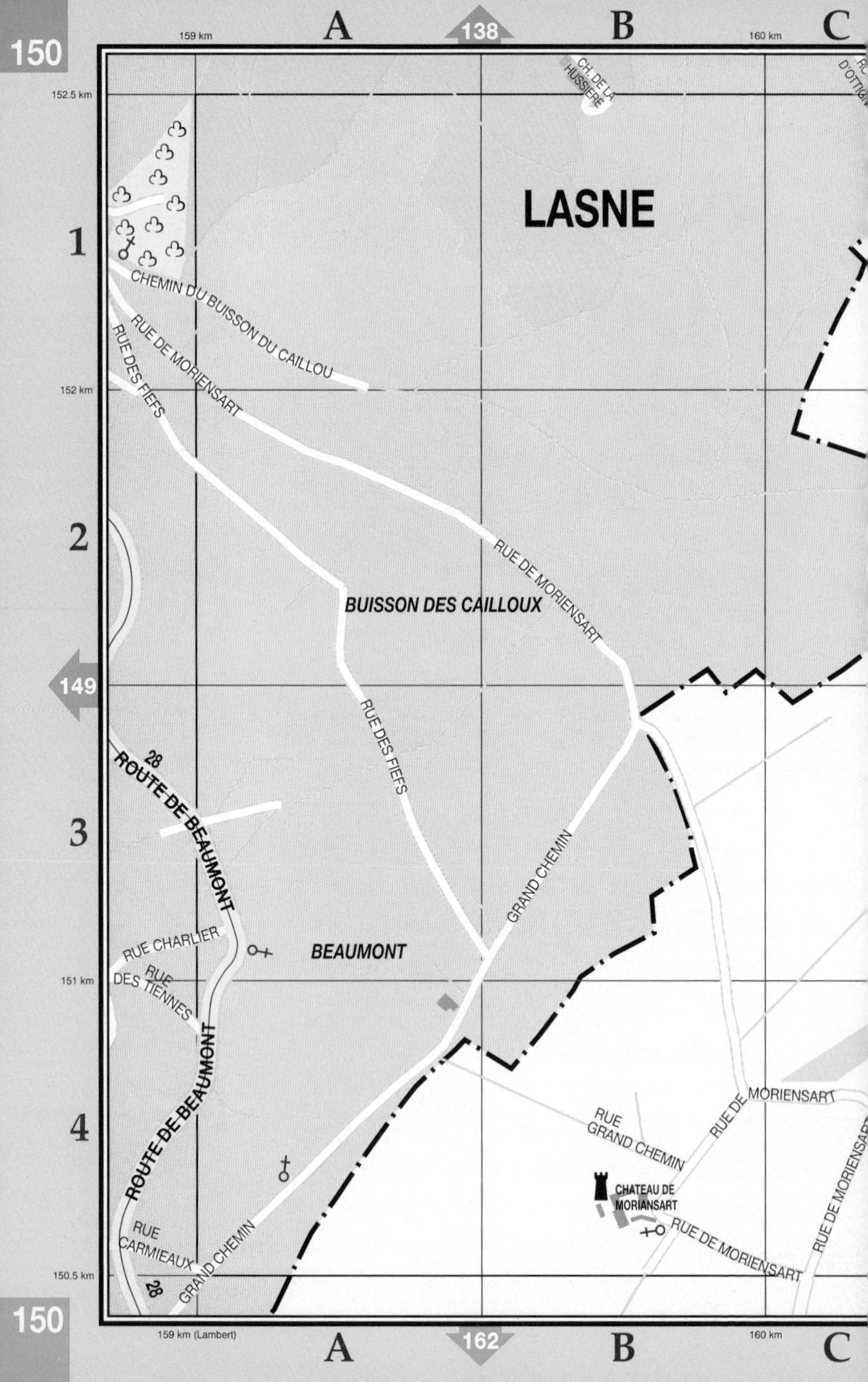
A
B
C
138
159 km
160 km
152.5 km
CH. DE LA HUSSIÈRE
LASNE
1
CHEMIN DU BUISSON DU CAILLOU
RUE DE MORIENSART
RUE DES FIEFS
152 km
2
RUE DE MORIENSART
BUISSON DES CAILLOUX
149
RUE DES FIEFS
28
ROUTE DE BEAUMONT
3
GRAND CHEMIN
RUE CHARLIER
BEAUMONT
RUE DES TIENNES
151 km
ROUTE DE BEAUMONT
4
RUE DE MORIENSART
RUE GRAND CHEMIN
CHATEAU DE MORIANSART
RUE DE MORIENSART
RUE CARMIEAUX
GRAND CHEMIN
150.5 km
28
159 km (Lambert)
162
160 km

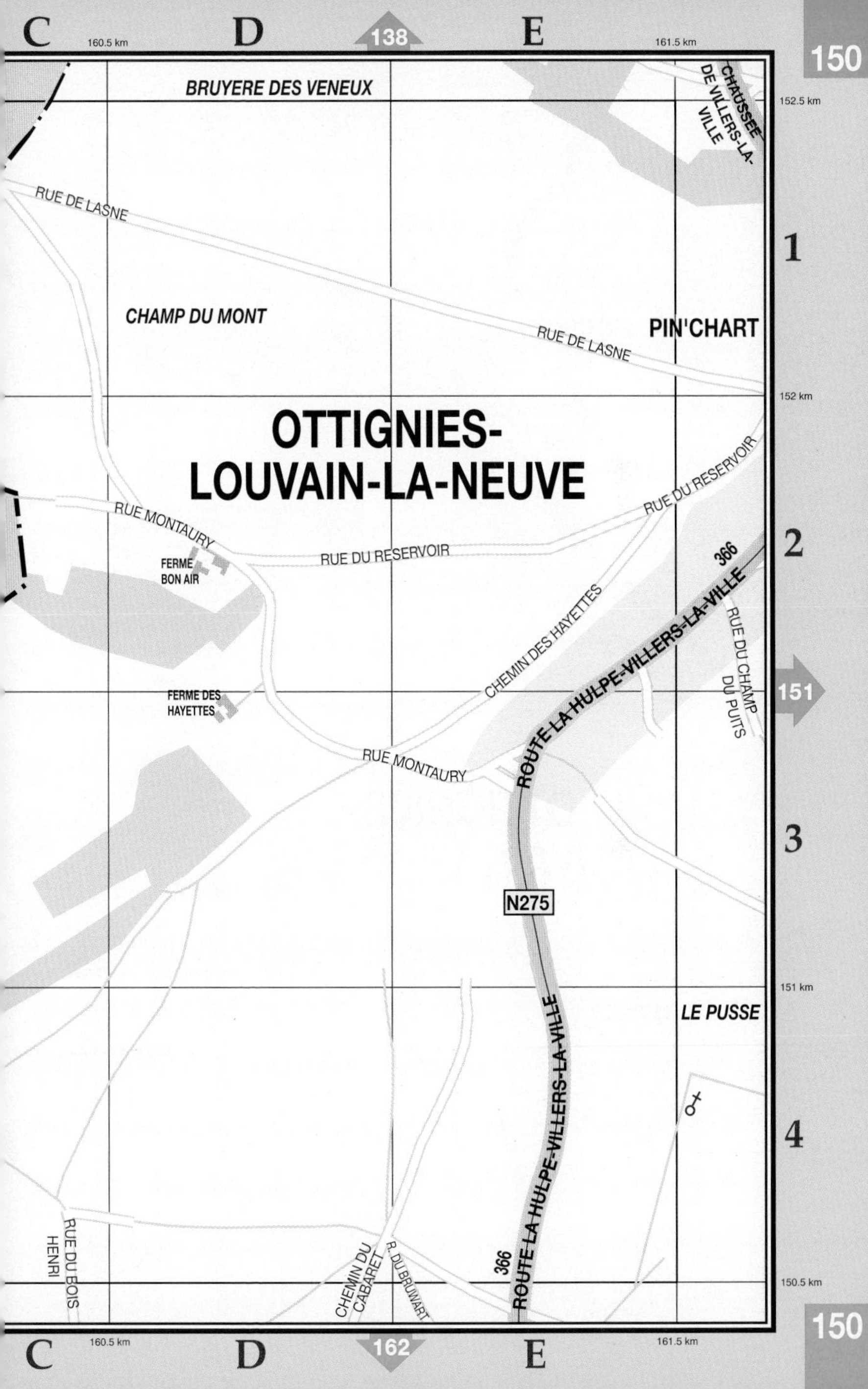
C
D
E
138
160.5 km
161.5 km
BRUYERE DES VENEUX
CHAUSSEE DE VILLERS-LA-VILLE
152.5 km
RUE DE LASNE
1
CHAMP DU MONT
PIN'CHART
RUE DE LASNE
152 km
OTTIGNIES-
LOUVAIN-LA-NEUVE
RUE DU RESERVOIR
RUE MONTAURY
2
366
FERME BON AIR
RUE DU RESERVOIR
CHEMIN DES HAYETTES
ROUTE LA HULPE-VILLERS-LA-VILLE
RUE DU CHAMP DU PUITS
151
FERME DES HAYETTES
RUE MONTAURY
3
N275
151 km
LE PUSSE
ROUTE LA HULPE-VILLERS-LA-VILLE
4
RUE DU BOIS HENRI
CHEMIN DU CABARET
R. DU BRUWART
366
150.5 km
160.5 km
161.5 km
162
C
D
E

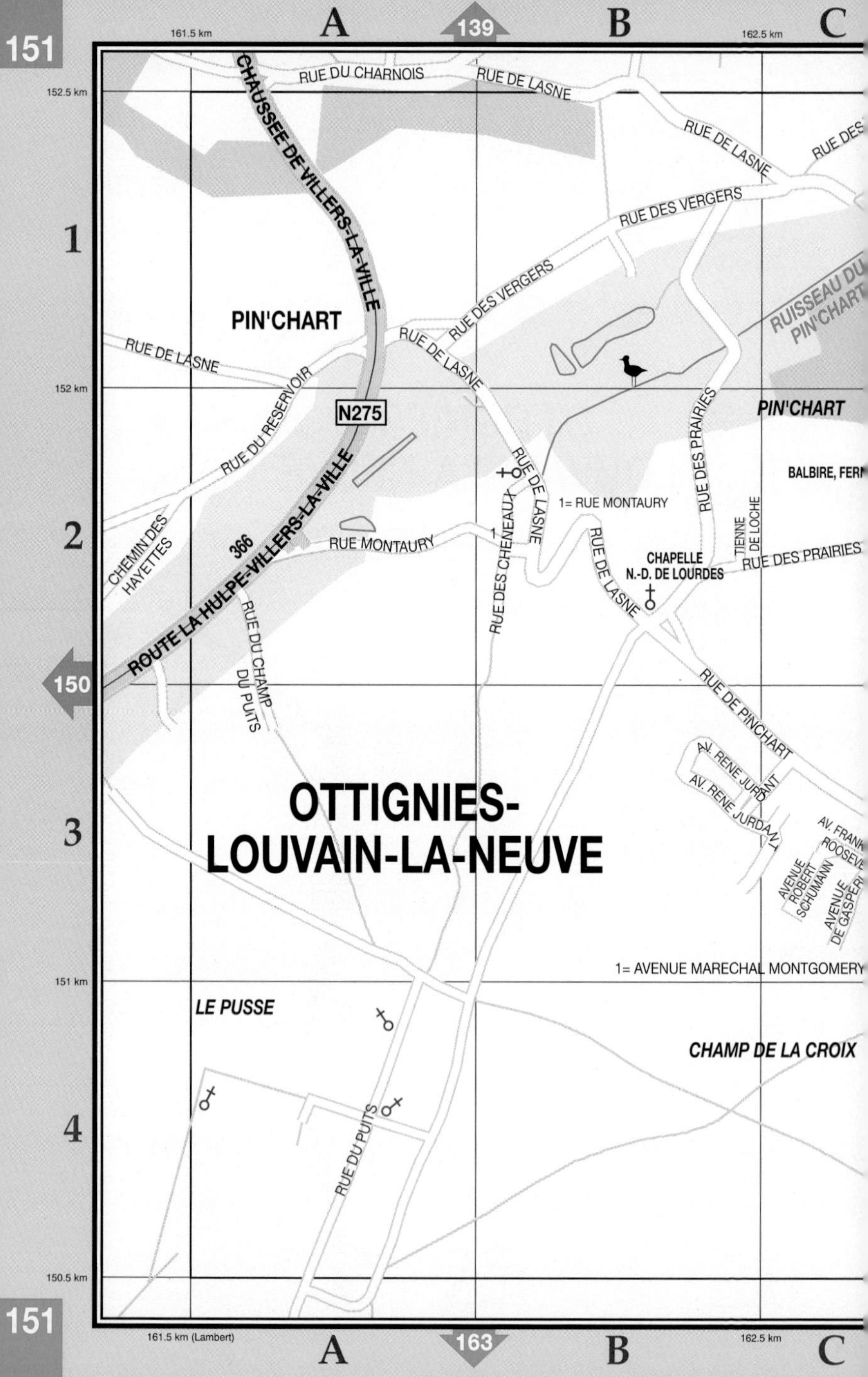
A
B
C
139
161.5 km
162.5 km
152.5 km
152 km
151 km
150.5 km
1
2
3
4
150
RUE DU CHARNOIS
RUE DE LASNE
CHAUSSEE DE VILLERS-LA-VILLE
RUE DES VERGERS
RUISSEAU DU PIN'CHART
PIN'CHART
RUE DU RESERVOIR
N275
ROUTE LA HULPE-VILLERS-LA-VILLE
366
CHEMIN DES HAYETTES
RUE MONTAURY
RUE DES CHENEAUX
1= RUE MONTAURY
RUE DES PRAIRIES
TIENNE DE LOCHE
BALBIRE, FERI
CHAPELLE N.-D. DE LOURDES
RUE DU CHAMP DU PUITS
RUE DE PINCHART
AV. RENE JURDANT
AV. FRANK ROOSEVE
AVENUE ROBERT SCHUMANN
AVENUE DE GASPERI
OTTIGNIES-
LOUVAIN-LA-NEUVE
1= AVENUE MARECHAL MONTGOMERY
LE PUSSE
CHAMP DE LA CROIX
RUE DU PUITS
161.5 km (Lambert)
163

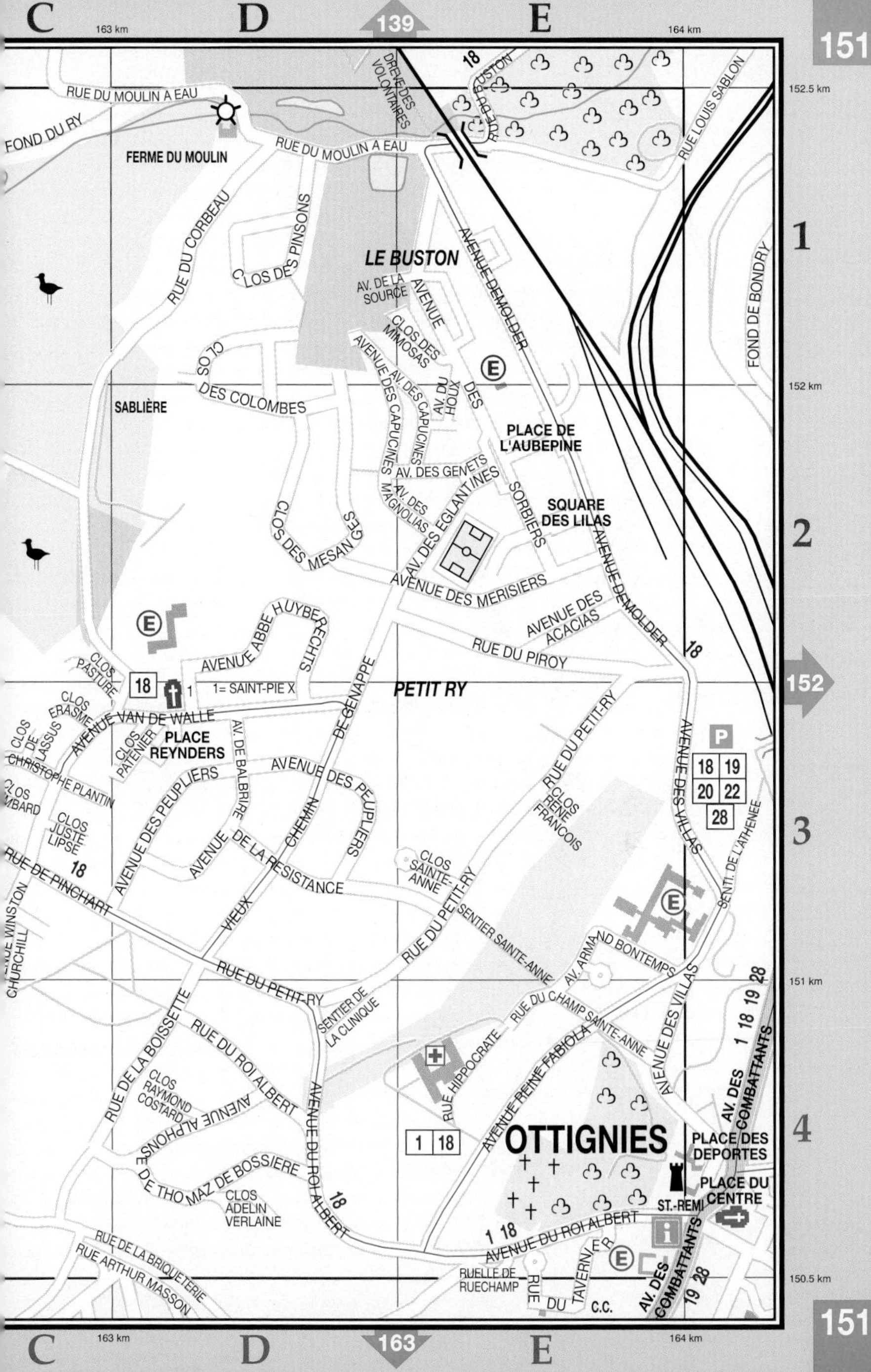
C
D
E
163 km
164 km
139
152.5 km
152 km
151 km
150.5 km
1
2
3
4
152
163
RUE DU MOULIN A EAU
FOND DU RY
FERME DU MOULIN
DREVE DES VOLONTAIRES
RUE DU BUSTON
RUE LOUIS SABLON
RUE DU CORBEAU
CLOS DES PINSONS
LE BUSTON
AV. DE LA SOURCE
AVENUE
CLOS DES MIMOSAS
AVENUE DEMOLDER
FOND DE BONDRY
CLOS DES COLOMBES
SABLIÈRE
AVENUE DES CAPUCINES
AV. DES CAPUCINES
AV. DU HOUX
DES SORBIERS
PLACE DE L'AUBEPINE
AV. DES GENETS
AV. DES MAGNOLIAS
AV. DES EGLANTINES
SQUARE DES LILAS
CLOS DES MESANGES
AVENUE DES MERISIERS
AVENUE DES ACACIAS
AVENUE ABBE HUYBERECHTS
RUE DU PIROY
CLOS PASTURE
18
1= SAINT-PIE X
PETIT RY
CHEMIN DE GENAPPE
CLOS ERASME
AVENUE VAN DE WALLE
CLOS DE LASSUS
CLOS PATENIER
PLACE REYNDERS
AV. DE BALBRIRE
RUE DU PETIT-RY
AVENUE DES VILLAS
P
18 19
20 22
28
CLOS CHRISTOPHE PLANTIN
AVENUE DES PEUPLIERS
CLOS RENE FRANCOIS
CLOS JUSTE LIPSE
AVENUE DE LA RESISTANCE
CLOS SAINTE-ANNE
SENTIER DE L'ATHENEE
RUE DE PINCHART
VIEUX
SENTIER SAINTE-ANNE
AV. ARMAND BONTEMPS
AVENUE WINSTON CHURCHILL
RUE DU PETIT-RY
SENTIER DE LA CLINIQUE
RUE DU CHAMP SAINTE-ANNE
1 18 19 28
RUE DE LA BOISSETTE
RUE DU ROI ALBERT
RUE HIPPOCRATE
AVENUE REINE FABIOLA
CLOS RAYMOND COSTARD
AVENUE ALPHONSE DE THOMAZ DE BOSSIERE
AVENUE DU ROI ALBERT
1 18
AV. DES COMBATTANTS
OTTIGNIES
PLACE DES DEPORTES
PLACE DU CENTRE
ST.-REMI
CLOS ADELIN VERLAINE
AVENUE DU ROI ALBERT
RUE DE LA BRIQUETERIE
RUE ARTHUR MASSON
RUELLE DE RUECHAMP
RUE DU TAVERNIER
C.C.
AV. DES COMBATTANTS
19 28

164 km
A
140
B
165 km
C
152.5 km
152 km
151 km
150.5 km
1
2
3
4
151
164 km (Lambert)
164
LIMELETTE
OTTIGNIES
BLANC RY
TIERNA
LE STIMONT
RENIVAUX
N238
N238a
N237
N239
AV. ALBERT PREMIER
AVENUE ALBERT PREMIER
AV. DE MASAYA
AVENUE DES DROITS DE L'HOMME
RUE LOUIS SABLON
CLOS PAUL PLAN
AVENUE J. ET M. TOURNAY
AVENUE DU ONZIEME ZOUAVE
AVENUE GENERAL BOUSQUET
CLOS CAMILLE SCHMIT
ST.-GERY
CLOS GRETRY
AV. JACQUES GEORGIN
FOND DE BONDRY
CLOS CESAR FRANCK
CLOS EUGENE YSAYE
CLOS A. SAX
SENT. DU SENECON
RUE DE LA BALSAMINE
CLOS HENRI VIEUXTEMPS
R.DE L'ARMOISE
CH. DE LA RENOUEE
AVENUE BOURGAUX
1= RUE DU CONGO
2= AV. DES CERISIERS
3= RUE DE LA PEPINIERE
4= RUE XAVIER CHARLES
CLOS DE LA RIVIERE
AVENUE DEMOLDER
AVENUE DES VILLAS
SENTIER DE LA GARE
SENTI. DE L'ATHENEE
PL. D. L. GARE
RUE DU CHEMIN DE FER
AV. DE VESZPREM
SENTIER MAURICE CAREME
RUE DU BLANC-RY
SENTIER GAYOLET
RUE DE LA VALLEE
AVENUE DU CHENE
RUE DES FUSILLES
RUE DU BOIS CLAUDE
RUE DU RUHAUX
RUE DE LA VALLEE
RUE DU BOIS PAPA
RUE DU RUISSEAU
FONTAINE
AVENUE PAUL DELVAUX
COMBATTANTS
AV. DES
CHAUSSEE DE LA CROIX
RUE DE LA FONTAINE
RUE DU VIADU
CHAUSSEE DE LA CROIX
RUE DU TIERNAT
RUE ROBERTI
AV. DU TIENNE
DE LA PAIX
SENTIER ROBERTI
RUE DE LA CHAPELLE
RUE LUCAS
RUE DES 2 PONTS
PLACE DES DEPORTES
AV. REINE ASTRID
PLACE DU CENTRE
ST.-REMI
BOULEVARD MARTIN
RUE DU MOULIN
CLOS FRANCK C.
RUE DU MONUMENT
RUE MONTAGNE DU STIMONT
RUE DE RENIVAUX
RUE DES HAIES
CLOS BEL HORIZON
RUE DU BAULOY

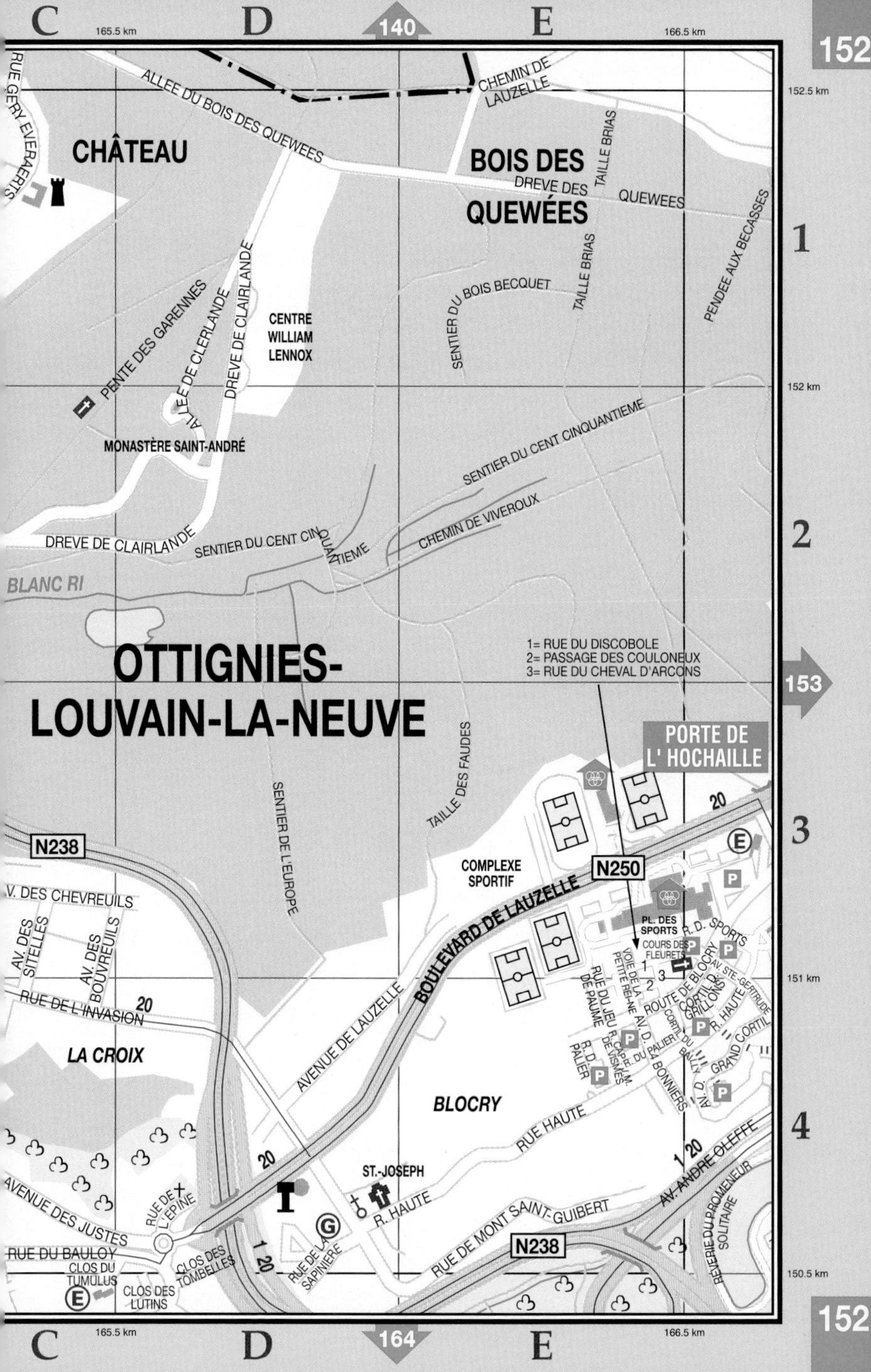
C
D
E
165.5 km
166.5 km
140
152.5 km
152 km
151 km
150.5 km
1
2
3
4
153
164
RUE GERY EVERAERTS
ALLEE DU BOIS DES QUEWEES
CHEMIN DE LAUZELLE
CHÂTEAU
BOIS DES QUEWÉES
DREVE DES QUEWEES
TAILLE BRIAS
PENDEE AUX BECASSES
SENTIER DU BOIS BECQUET
CENTRE WILLIAM LENNOX
PENTE DES GARENNES
ALLEE DE CLERLANDE
DREVE DE CLAIRLANDE
MONASTÈRE SAINT-ANDRÉ
SENTIER DU CENT CINQUANTIEME
CHEMIN DE VIVEROUX
DREVE DE CLAIRLANDE
SENTIER DU CENT CINQUANTIEME
BLANC RI
OTTIGNIES-
LOUVAIN-LA-NEUVE
1= RUE DU DISCOBOLE
2= PASSAGE DES COULONEUX
3= RUE DU CHEVAL D'ARCONS
PORTE DE L' HOCHAILLE
SENTIER DE L'EUROPE
TAILLE DES FAUDES
N238
N250
20
COMPLEXE SPORTIF
BOULEVARD DE LAUZELLE
PL. DES SPORTS
R. D. SPORTS
COURS DES FLEURETS
AV. DES CHEVREUILS
AV. DES SITELLES
AV. DES BOUVREUILS
RUE DE L'INVASION
LA CROIX
AVENUE DE LAUZELLE
VOIE DE LA PETITE REINE
RUE DU JEU DE PAUME
ROUTE DE BLOCRY
CORTIL D. GRILLONS
AV. STE-GERTRUDE
R. HAUTE
GRAND CORTIL
R. D. PALIER
R. DU PALIER
CORTIL DU BAILLY
AV. D. BONNIERS
AV. D.
BLOCRY
RUE HAUTE
ST.-JOSEPH
AV. ANDRE OLEFFE
REVERIE DU PROMENEUR SOLITAIRE
AVENUE DES JUSTES
RUE DE L'EPINE
RUE DU BAULOY
CLOS DU TUMULUS
CLOS DES TOMBELLES
CLOS DES LUTINS
RUE DE LA SAPINIERE
R. HAUTE
RUE DE MONT SAINT-GUIBERT
1/20

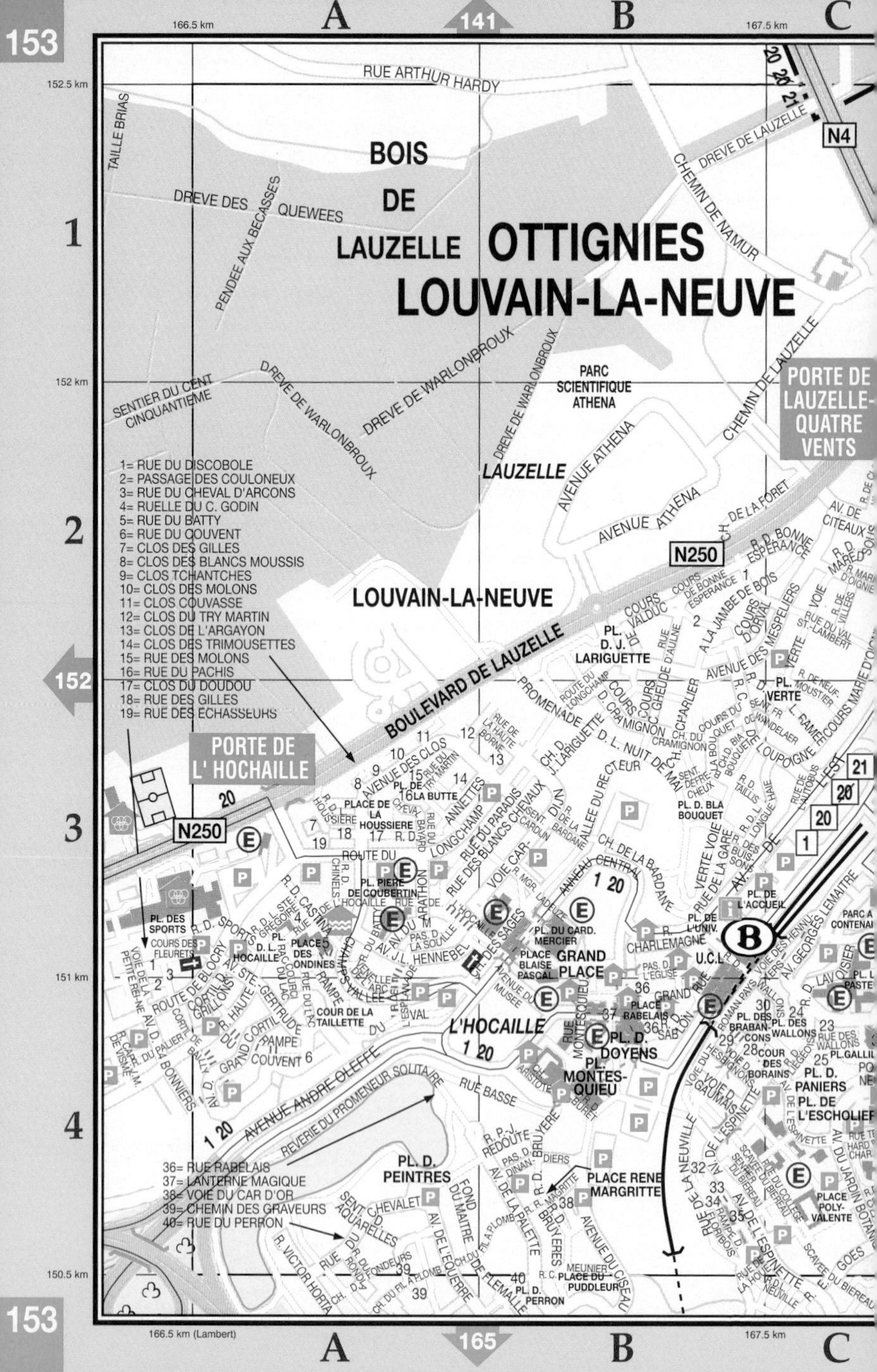
A
B
C
141
165
152
166.5 km
167.5 km
152.5 km
152 km
151 km
150.5 km
166.5 km (Lambert)
1
2
3
4
BOIS DE LAUZELLE
OTTIGNIES LOUVAIN-LA-NEUVE
LOUVAIN-LA-NEUVE
LAUZELLE
L'HOCAILLE
PARC SCIENTIFIQUE ATHENA
PORTE DE LAUZELLE-QUATRE VENTS
PORTE DE L' HOCHAILLE
RUE ARTHUR HARDY
TAILLE BRIAS
DREVE DES QUEWEES
PENDEE AUX BECASSES
DREVE DE LAUZELLE
CHEMIN DE NAMUR
CHEMIN DE LAUZELLE
DREVE DE WARLONBROUX
SENTIER DU CENT CINQUANTIEME
AVENUE ATHENA
BOULEVARD DE LAUZELLE
N250
N4
1= RUE DU DISCOBOLE
2= PASSAGE DES COULONEUX
3= RUE DU CHEVAL D'ARCONS
4= RUELLE DU C. GODIN
5= RUE DU BATTY
6= RUE DU COUVENT
7= CLOS DES GILLES
8= CLOS DES BLANCS MOUSSIS
9= CLOS TCHANTCHES
10= CLOS DES MOLONS
11= CLOS COUVASSE
12= CLOS DU TRY MARTIN
13= CLOS DE L'ARGAYON
14= CLOS DES TRIMOUSETTES
15= RUE DES MOLONS
16= RUE DU PACHIS
17= CLOS DU DOUDOU
18= RUE DES GILLES
19= RUE DES ECHASSEURS
PL. D. J. LARIGUETTE
PROMENADE D. L. NUIT DE MAI
ALLEE DU RECTEUR
ANNEAU CENTRAL
CH. DE LA BARDANE
AVENUE DES MESPELIERS
PL. VERTE
PL. D. BLA BOUQUET
PL. DE L'ACCUEIL
PL. DE L'UNIV.
CHARLEMAGNE
U.C.L.
GRAND PLACE
PL. DU CARD. MERCIER
PLACE BLAISE PASCAL
PLACE RABELAIS
PL. D. DOYENS
PL. MONTESQUIEU
PL. DES SPORTS
COURS DES FLEURETS
PL. D. L. HOCAILLE
PLACE DES ONDINES
PL. PIERE DE COUBERTIN
PLACE DE LA HOUSSIERE
PL. DE LA BUTTE
COUR DE LA TAILLETTE
AVENUE ANDRE OLEFFE
REVERIE DU PROMENEUR SOLITAIRE
RUE BASSE
PL. D. PEINTRES
PLACE RENE MARGRITTE
PLACE DU PUDDLEUR
PL. D. PERRON
PL. DES BRABANCONS
PL. DES WALLONS
COUR DES BORAINS
PL. D. PANIERS
PL. DE L'ESCHOLIER
PLACE POLYVALENTE
RUE DE LA NEUVILLE
AV. DE L'ESPINETTE
AV. GEORGES LEMAITRE
AV. DU JARDIN BOTANIQUE
ROUTE DE BLOCRY
AV. STE.-GERTRUDE
VOIE DE LA PETITE REINE
AV. D. 4 BONNIERS
RUE DU BLANC RY
AVENUE DU CISEAU
AV. DE LA PALETTE
AV. DE L'EQUERRE
FOND DU MAITRE
R. VICTOR HORTA
36= RUE RABELAIS
37= LANTERNE MAGIQUE
38= VOIE DU CAR D'OR
39= CHEMIN DES GRAVEURS
40= RUE DU PERRON

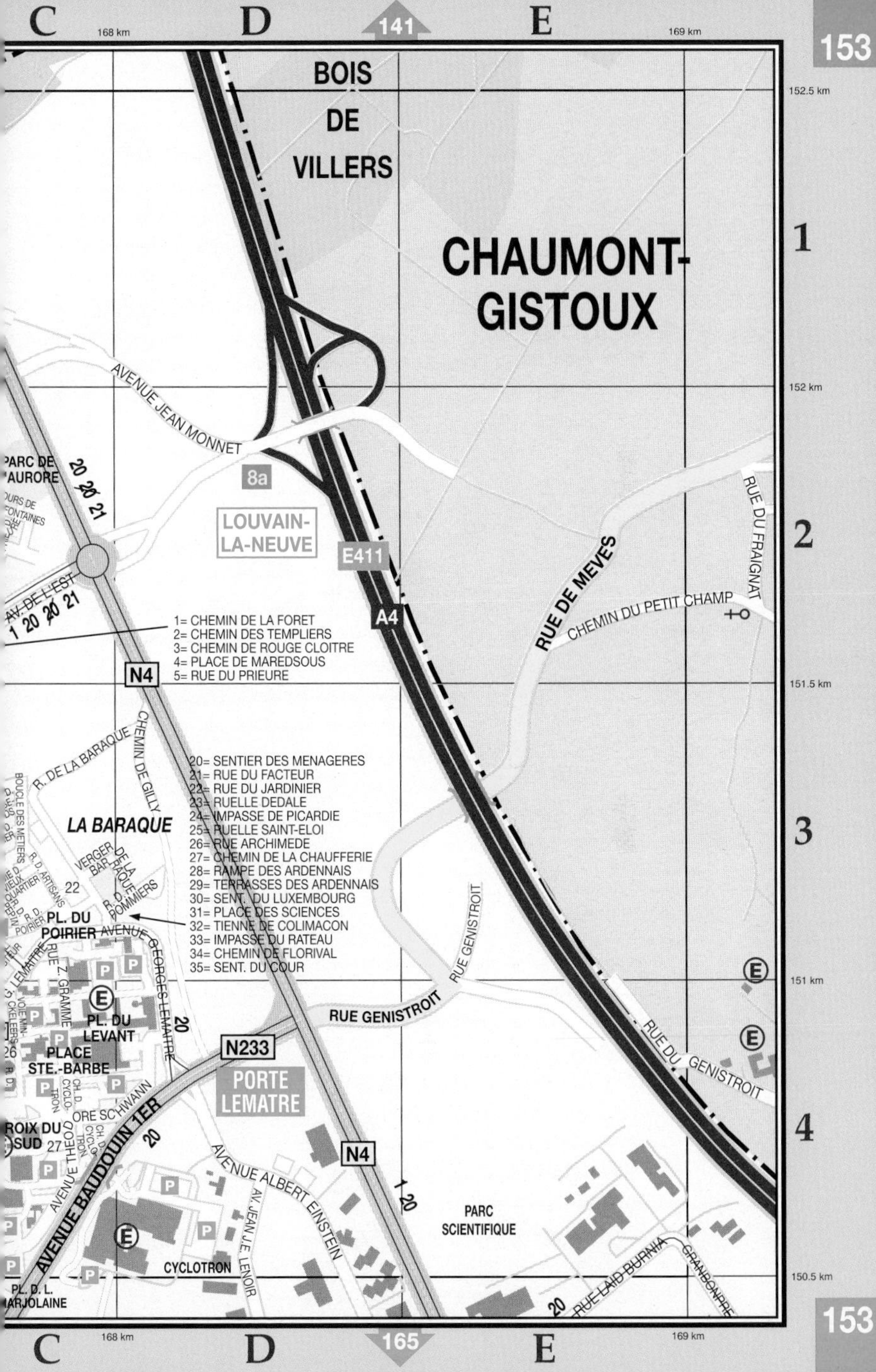
C
D
E
141
168 km
169 km
152.5 km
152 km
151.5 km
151 km
150.5 km
1
2
3
4
BOIS DE VILLERS
CHAUMONT-GISTOUX
AVENUE JEAN MONNET
8a
LOUVAIN-LA-NEUVE
E411
A4
N4
N233
PARC DE L'AURORE
AV. DE L'EST
RUE DE MEVES
CHEMIN DU PETIT CHAMP
RUE DU FRAIGNAT
1= CHEMIN DE LA FORET
2= CHEMIN DES TEMPLIERS
3= CHEMIN DE ROUGE CLOITRE
4= PLACE DE MAREDSOUS
5= RUE DU PRIEURE
R. DE LA BARAQUE
CHEMIN DE GILLY
LA BARAQUE
20= SENTIER DES MENAGERES
21= RUE DU FACTEUR
22= RUE DU JARDINIER
23= RUELLE DEDALE
24= IMPASSE DE PICARDIE
25= RUELLE SAINT-ELOI
26= RUE ARCHIMEDE
27= CHEMIN DE LA CHAUFFERIE
28= RAMPE DES ARDENNAIS
29= TERRASSES DES ARDENNAIS
30= SENT. DU LUXEMBOURG
31= PLACE DES SCIENCES
32= TIENNE DE COLIMACON
33= IMPASSE DU RATEAU
34= CHEMIN DE FLORIVAL
35= SENT. DU COUR
BOUCLE DES METIERS
VERGER
PL. DU POIRIER
AVENUE GEORGES LEMAITRE
RUE Z. GRAMME
PL. DU LEVANT
PLACE STE.-BARBE
RUE GENISTROIT
RUE DU GENISTROIT
PORTE LEMATRE
AVENUE BAUDOUIN 1ER
AVENUE THEODORE SCHWANN
ROIX DU SUD
AVENUE ALBERT EINSTEIN
AV. JEAN J.E. LENOIR
CYCLOTRON
PARC SCIENTIFIQUE
RUE LAID BURNIA
GRANBONPRE
PL. D. L. MARJOLAINE
165

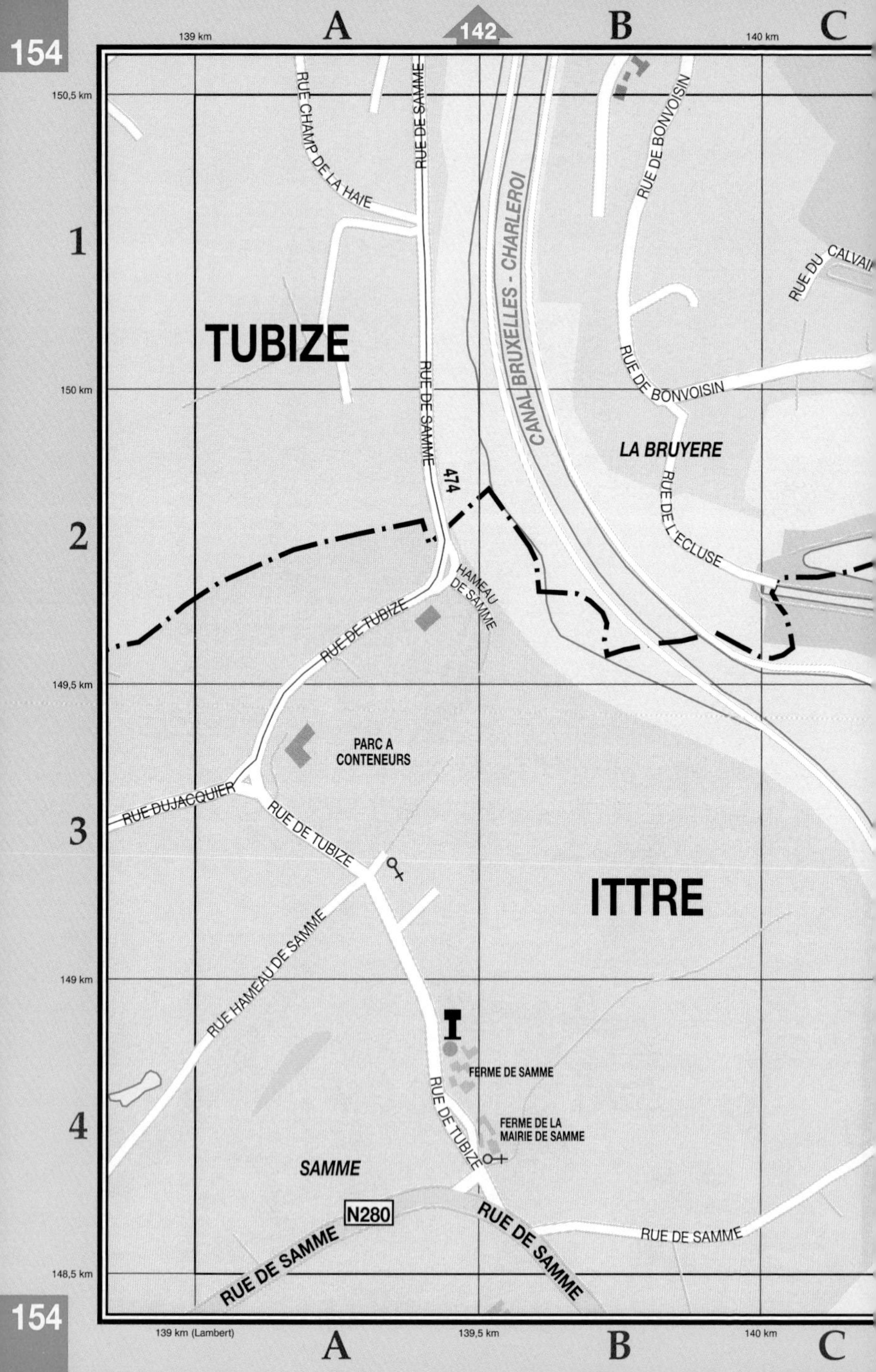

A
B
C
142
139 km
140 km
150,5 km
150 km
149,5 km
149 km
148,5 km
1
2
3
4
TUBIZE
ITTRE
LA BRUYERE
SAMME
RUE CHAMP DE LA HAIE
RUE DE SAMME
CANAL BRUXELLES - CHARLEROI
RUE DE BONVOISIN
RUE DU CALVAI
474
HAMEAU DE SAMME
RUE DE TUBIZE
RUE DE L'ECLUSE
PARC A CONTENEURS
RUE DUJACQUIER
RUE HAMEAU DE SAMME
FERME DE SAMME
FERME DE LA MAIRIE DE SAMME
N280
139 km (Lambert)
139,5 km

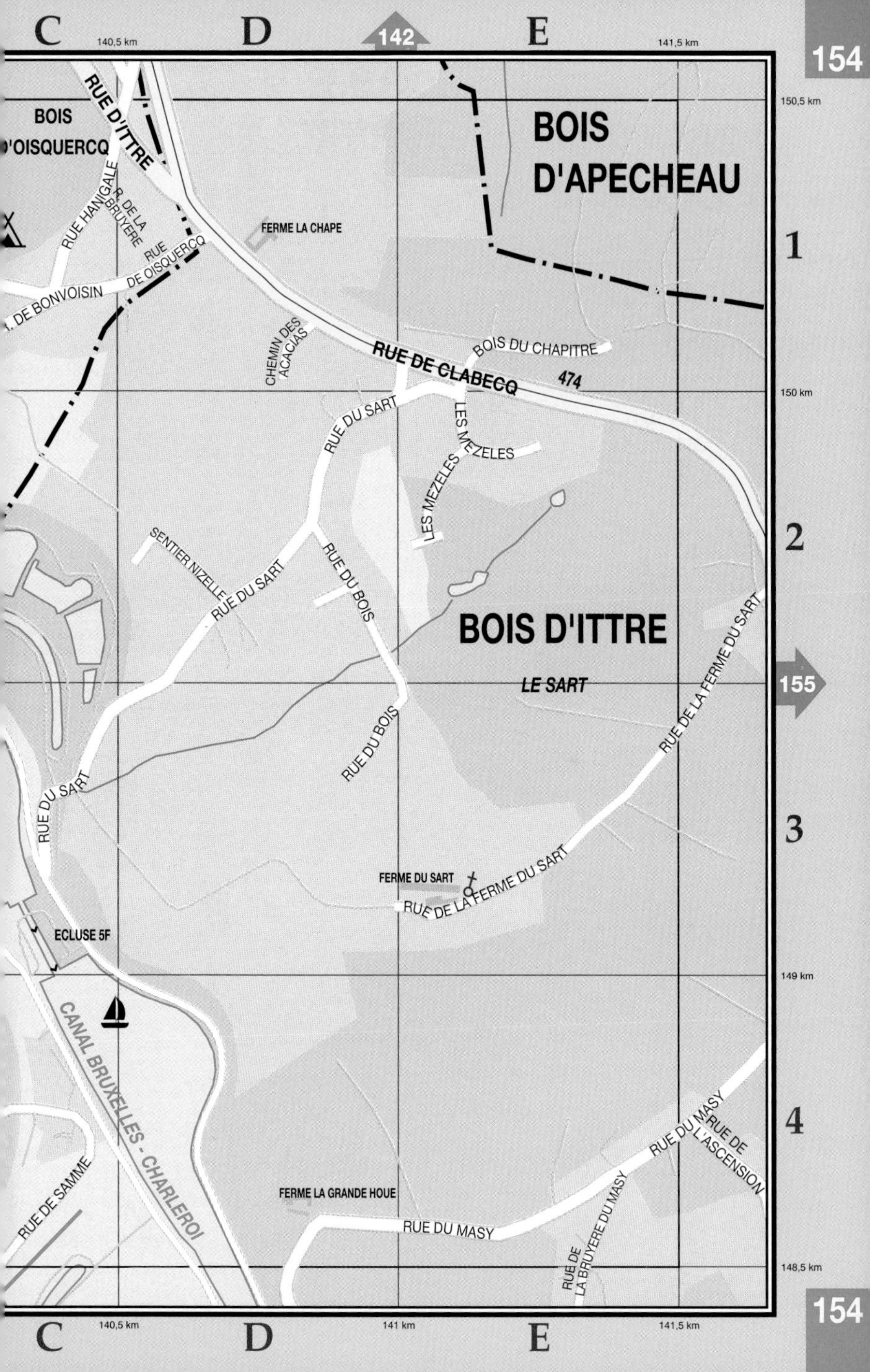
C
D
142
E
140,5 km
141,5 km
150,5 km
BOIS D'OISQUERCQ
RUE D'ITTRE
BOIS D'APECHEAU
RUE HANIGALE
R. DE LA BRUYERE
FERME LA CHAPE
RUE DE OISQUERCQ
R. DE BONVOISIN
1
CHEMIN DES ACACIAS
BOIS DU CHAPITRE
RUE DE CLABECQ
474
150 km
RUE DU SART
LES MEZELES
LES MEZELES
2
SENTIER NIZELLE
RUE DU BOIS
RUE DU SART
BOIS D'ITTRE
LE SART
155
RUE DE LA FERME DU SART
RUE DU BOIS
RUE DU SART
3
FERME DU SART
RUE DE LA FERME DU SART
ECLUSE 5F
149 km
CANAL BRUXELLES - CHARLEROI
4
RUE DU MASY
RUE DE L'ASCENSION
RUE DE SAMME
FERME LA GRANDE HOUE
RUE DE LA BRUYERE DU MASY
RUE DU MASY
148,5 km
C
D
E
140,5 km
141 km
141,5 km

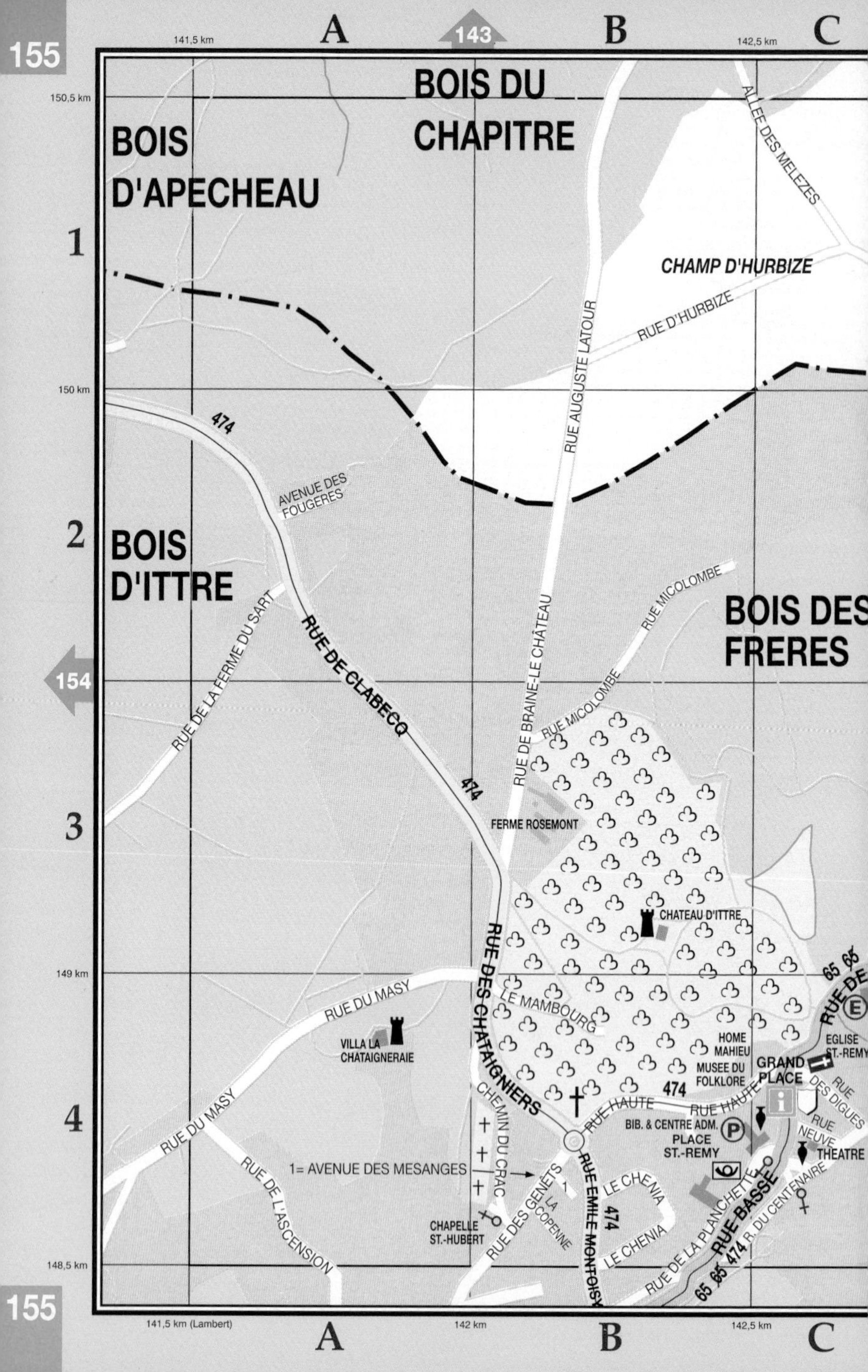

141,5 km
A
143
B
142,5 km
C
150,5 km
BOIS DU
CHAPITRE
BOIS
D'APECHEAU
ALLEE DES MELEZES
1
CHAMP D'HURBIZE
RUE D'HURBIZE
RUE AUGUSTE LATOUR
150 km
474
AVENUE DES
FOUGERES
2
BOIS
D'ITTRE
RUE MICOLOMBE
BOIS DES
FRERES
RUE DE BRAINE-LE CHÂTEAU
RUE DE LA FERME DU SART
RUE DE CLABECQ
154
RUE MICOLOMBE
474
3
FERME ROSEMONT
CHATEAU D'ITTRE
RUE DES CHATAIGNIERS
149 km
65 65
RUE DE
E
RUE DU MASY
LE MAMBOURG
VILLA LA
CHATAIGNERAIE
HOME
MAHIEU
EGLISE
ST.-REMY
MUSEE DU
FOLKLORE
GRAND
PLACE
474
RUE DES DIGUES
RUE HAUTE
RUE HAUTE
4
RUE DU MASY
CHEMIN DU CRAC
BIB. & CENTRE ADM.
PLACE
ST.-REMY
RUE
NEUVE
THEATRE
RUE DE L'ASCENSION
1= AVENUE DES MESANGES
RUE DES GENETS
LA
COPENNE
RUE EMILE MONTOISY
LE CHENIA
474
LE CHENIA
RUE DE LA PLANCHETTE
RUE BASSE
R. DU CENTENAIRE
CHAPELLE
ST.-HUBERT
148,5 km
65 65 474
141,5 km (Lambert)
142 km
142,5 km
A
B
C

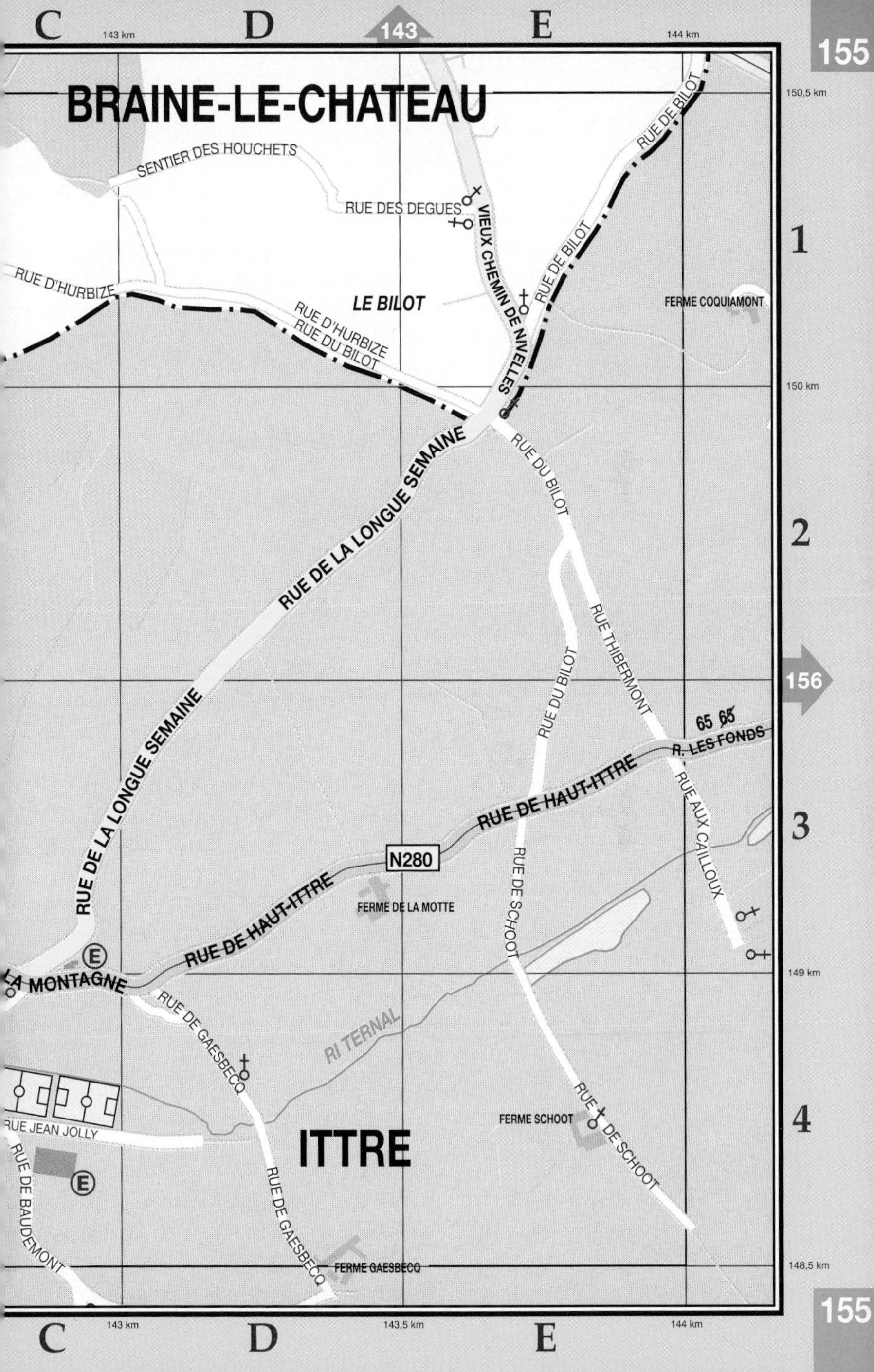
C
D
E
143 km
143
144 km
150,5 km
BRAINE-LE-CHATEAU
SENTIER DES HOUCHETS
RUE DE BILOT
RUE DES DEGUES
VIEUX CHEMIN DE NIVELLES
1
RUE D'HURBIZE
LE BILOT
RUE DE BILOT
FERME COQUIAMONT
RUE D'HURBIZE
RUE DU BILOT
150 km
RUE DE LA LONGUE SEMAINE
RUE DU BILOT
2
RUE DE LA LONGUE SEMAINE
RUE THIBERMONT
RUE DU BILOT
156
RUE DE LA LONGUE SEMAINE
65 65
R. LES FONDS
RUE DE HAUT-ITTRE
RUE AUX CAILLOUX
3
N280
RUE DE SCHOOT
RUE DE HAUT-ITTRE
FERME DE LA MOTTE
LA MONTAGNE
149 km
RUE DE GAESBECQ
RI TERNAL
RUE DE SCHOOT
FERME SCHOOT
4
RUE JEAN JOLLY
ITTRE
RUE DE BAUDEMONT
RUE DE GAESBECQ
FERME GAESBECQ
148,5 km
143 km
143,5 km
144 km
C
D
E

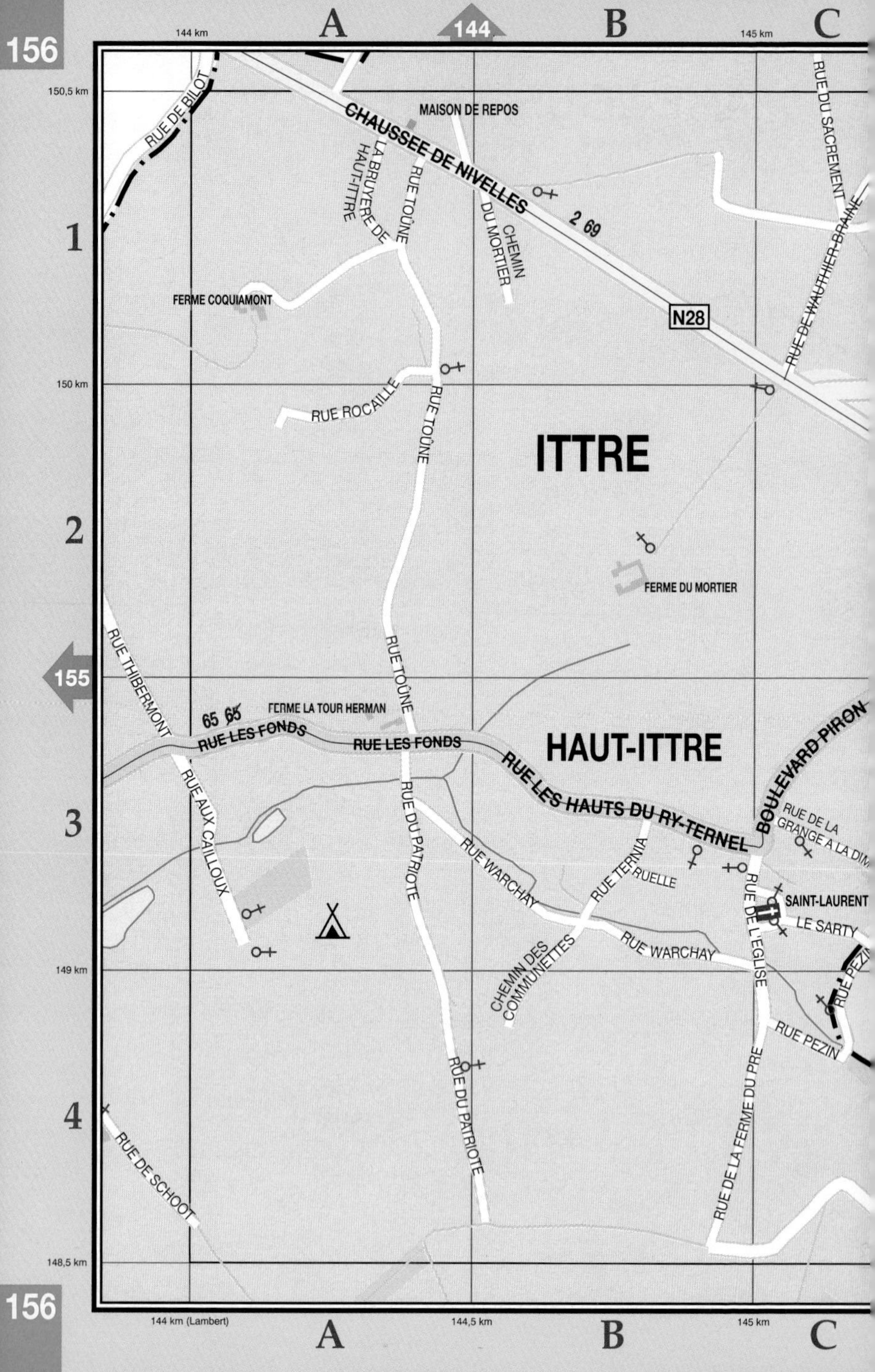
A
144
B
C
144 km
145 km
150,5 km
150 km
149 km
148,5 km
1
2
3
4
155
RUE DE BILOT
CHAUSSEE DE NIVELLES
MAISON DE REPOS
LA BRUYERE DE HAUT-ITTRE
RUE TOÛNE
CHEMIN DU MORTIER
2 69
RUE DU SACREMENT
RUE DE WAUTHIER-BRAINE
N28
FERME COQUIAMONT
RUE ROCAILLE
ITTRE
FERME DU MORTIER
RUE THIBERMONT
65 65
FERME LA TOUR HERMAN
RUE LES FONDS
HAUT-ITTRE
BOULEVARD PIRON
RUE LES HAUTS DU RY-TERNEL
RUE DE LA GRANGE A LA DIM
RUE AUX CAILLOUX
RUE DU PATRIOTE
RUE WARCHAY
RUE TERNIA
RUELLE
SAINT-LAURENT
LE SARTY
RUE DE L'EGLISE
CHEMIN DES COMMUNETTES
RUE PEZIN
RUE DE SCHOOT
RUE DE LA FERME DU PRE
144 km (Lambert)
144,5 km

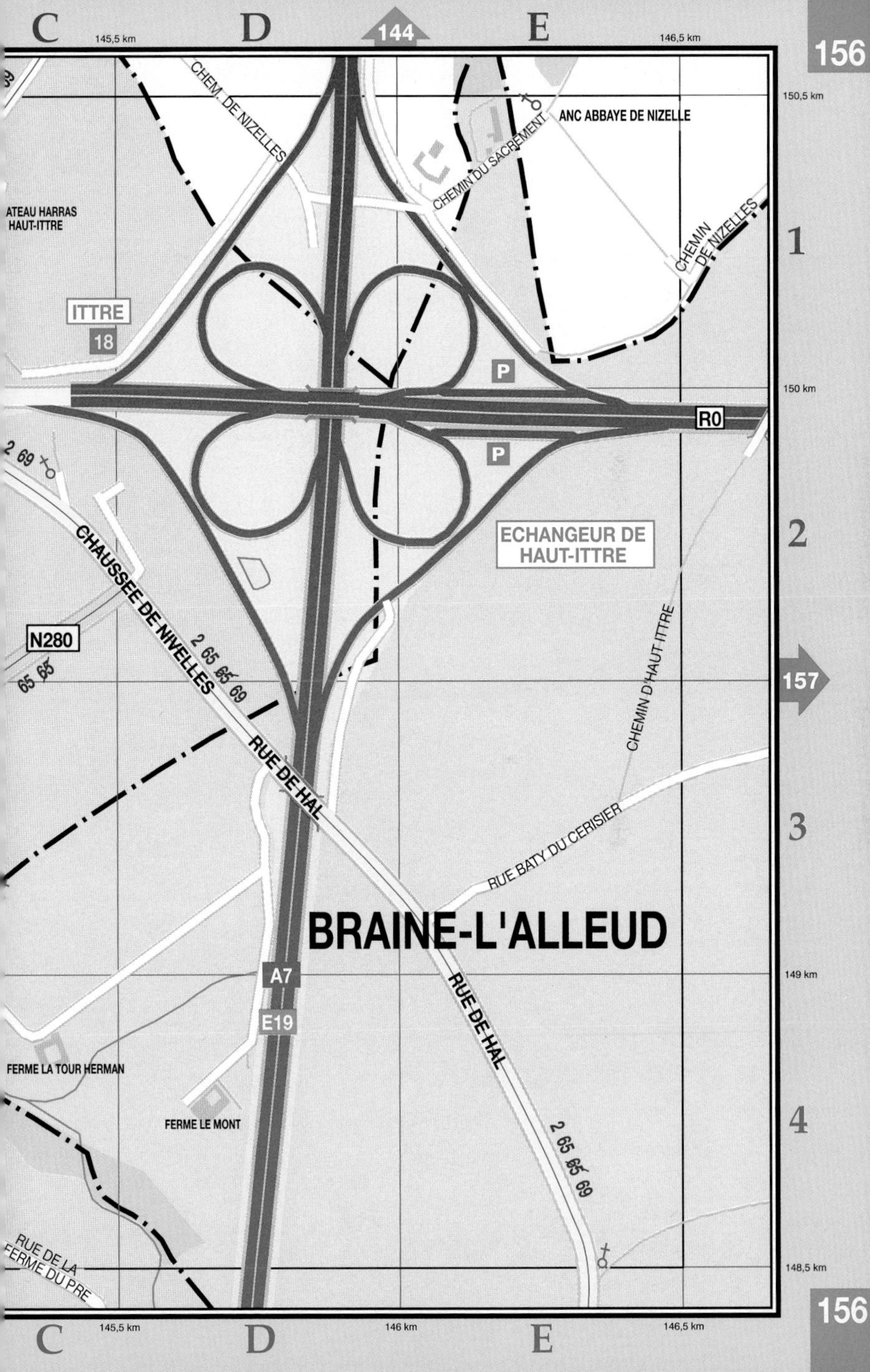
C
D
E
144
145,5 km
146,5 km
150,5 km
150 km
149 km
148,5 km
146 km
1
2
3
4
157
CHEM. DE NIZELLES
ANC ABBAYE DE NIZELLE
CHEMIN DU SACREMENT
CHEMIN DE NIZELLES
ATEAU HARRAS
HAUT-ITTRE
ITTRE
18
P
R0
ECHANGEUR DE
HAUT-ITTRE
N280
CHAUSSEE DE NIVELLES
RUE DE HAL
CHEMIN D'HAUT ITTRE
RUE BATY DU CERISIER
BRAINE-L'ALLEUD
A7
E19
FERME LA TOUR HERMAN
FERME LE MONT
RUE DE LA
FERME DU PRE

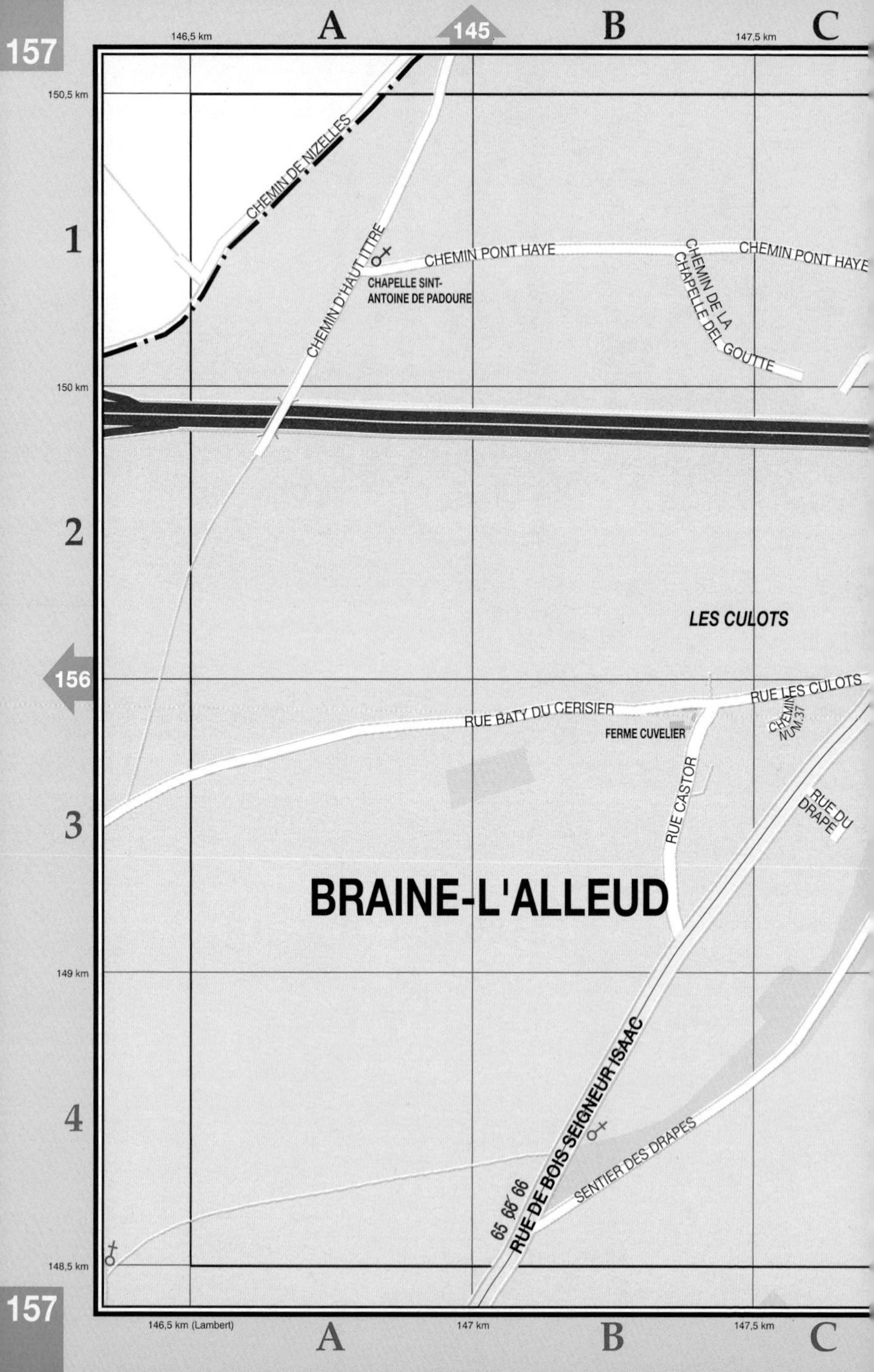
A
B
C
145
146,5 km
147,5 km
150,5 km
150 km
149 km
148,5 km
1
2
3
4
156
CHEMIN DE NIZELLES
CHEMIN D'HAUT ITTRE
CHEMIN PONT HAYE
CHAPELLE SINT-
ANTOINE DE PADOURE
CHEMIN DE LA
CHAPELLE DEL GOUTTE
LES CULOTS
RUE LES CULOTS
RUE BATY DU CERISIER
FERME CUVELIER
CHEMIN NUM.37
RUE CASTOR
RUE DU DRAPE
BRAINE-L'ALLEUD
RUE DE BOIS SEIGNEUR ISAAC
65 65 66
SENTIER DES DRAPES
146,5 km (Lambert)
147 km
147,5 km
A
B
C

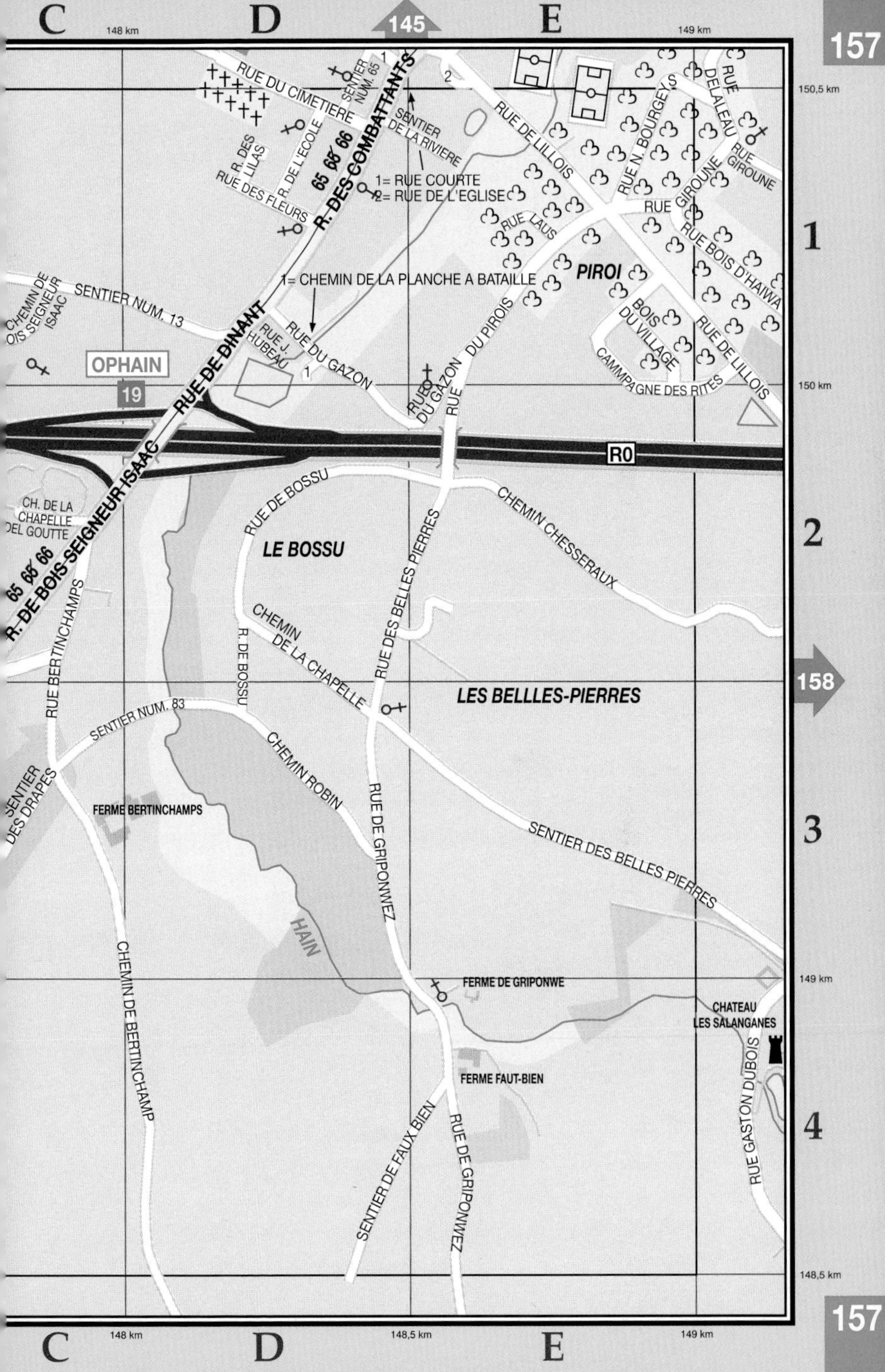
C
D
E
148 km
149 km
145
150,5 km
150 km
149 km
148,5 km
1
2
3
4
158
RUE DU CIMETIERE
SENTIER NUM. 65
R. DES COMBATTANTS
65 66 66
SENTIER DE LA RIVIERE
R. DES LILAS
R. DE L'ECOLE
RUE DES FLEURS
1= RUE COURTE
2= RUE DE L'EGLISE
RUE DE LILLOIS
RUE N. BOURGEYS
RUE DELALEAU
RUE GIROUNE
RUE LAUS
RUE BOIS D'HAIWA
PIROI
1= CHEMIN DE LA PLANCHE A BATAILLE
CHEMIN DE BOIS SEIGNEUR ISAAC
SENTIER NUM. 13
OPHAIN
19
RUE DE DINANT
RUE J. HUBEAU
RUE DU GAZON
RUE DU GAZON
RUE DU PIROIS
BOIS DU VILLAGE
CAMPAGNE DES RITES
R0
R. DE BOIS SEIGNEUR ISAAC
CH. DE LA CHAPELLE DEL GOUTTE
RUE DE BOSSU
CHEMIN CHESSERAUX
LE BOSSU
RUE DES BELLES PIERRES
RUE BERTINCHAMPS
R. DE BOSSU
CHEMIN DE LA CHAPELLE
LES BELLLES-PIERRES
SENTIER NUM. 83
SENTIER DES DRAPES
CHEMIN ROBIN
FERME BERTINCHAMPS
RUE DE GRIPONWEZ
SENTIER DES BELLES PIERRES
HAIN
CHEMIN DE BERTINCHAMP
FERME DE GRIPONWE
CHATEAU LES SALANGANES
FERME FAUT-BIEN
RUE GASTON DUBOIS
SENTIER DE FAUX BIEN
RUE DE GRIPONWEZ
148,5 km

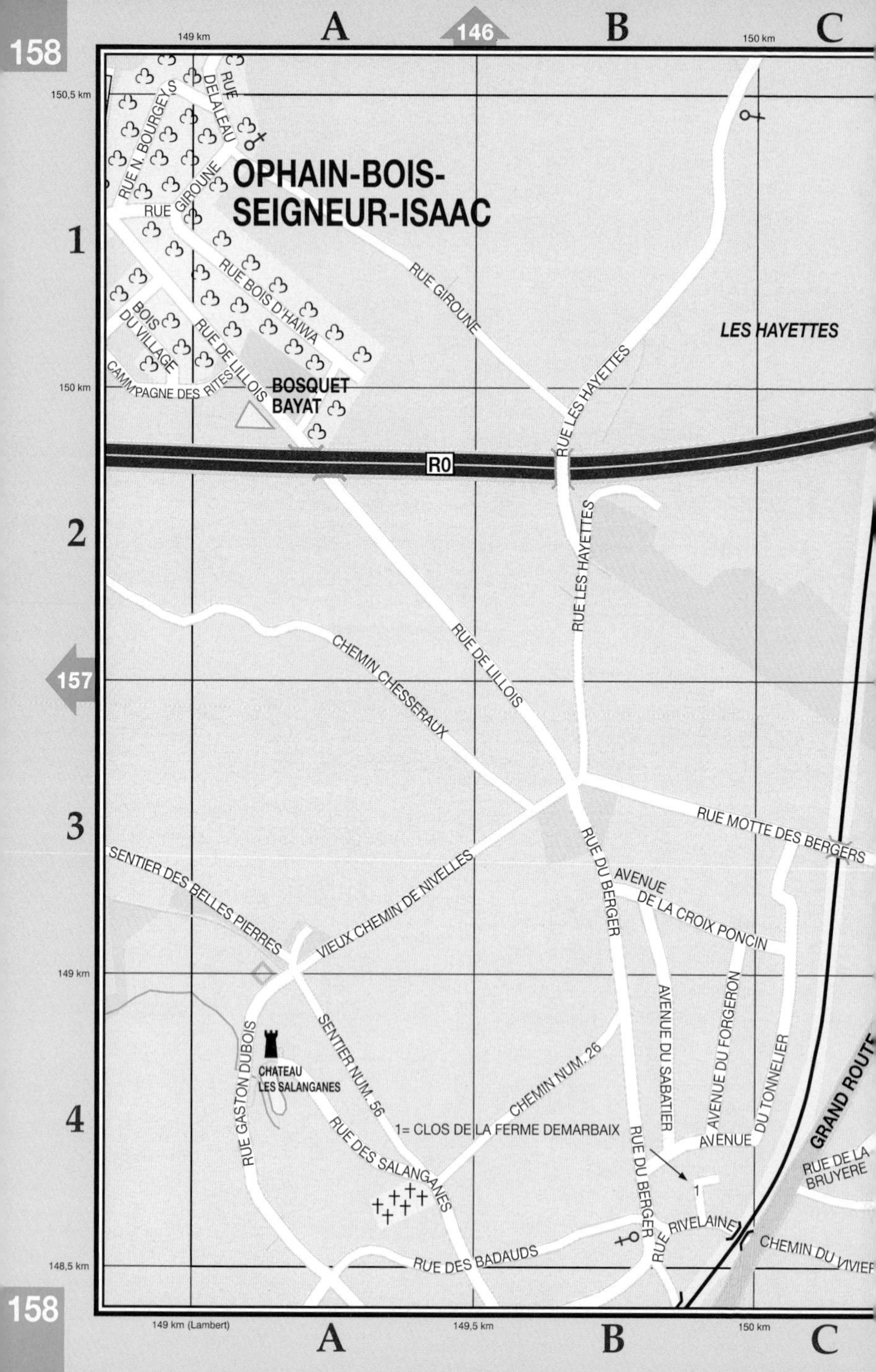

A
146
B
C
149 km
150 km
150,5 km
150 km
149 km
148,5 km
1
2
3
4
157
OPHAIN-BOIS-
SEIGNEUR-ISAAC
RUE DELALEAU
RUE N. BOURGEY S
RUE GIROUNE
RUE BOIS D'HAIWA
BOIS DU VILLAGE
RUE DE LILLOIS
CAMPAGNE DES RITES
BOSQUET
BAYAT
RUE GIROUNE
LES HAYETTES
RUE LES HAYETTES
R0
RUE LES HAYETTES
CHEMIN CHESSERAUX
RUE DE LILLOIS
RUE MOTTE DES BERGERS
SENTIER DES BELLES PIERRES
VIEUX CHEMIN DE NIVELLES
RUE DU BERGER
AVENUE
DE LA CROIX PONCIN
AVENUE DU SABATIER
AVENUE DU FORGERON
AVENUE
DU TONNELIER
GRAND ROUTE
RUE GASTON DUBOIS
CHATEAU
LES SALANGANES
SENTIER NUM. 56
CHEMIN NUM. 26
1= CLOS DE LA FERME DEMARBAIX
RUE DU BERGER
RUE DES SALANGANES
RUE DE LA
BRUYERE
1
RUE RIVELAINE
CHEMIN DU VIVIER
RUE DES BADAUDS
149 km (Lambert)
149,5 km
150 km
A
B
C

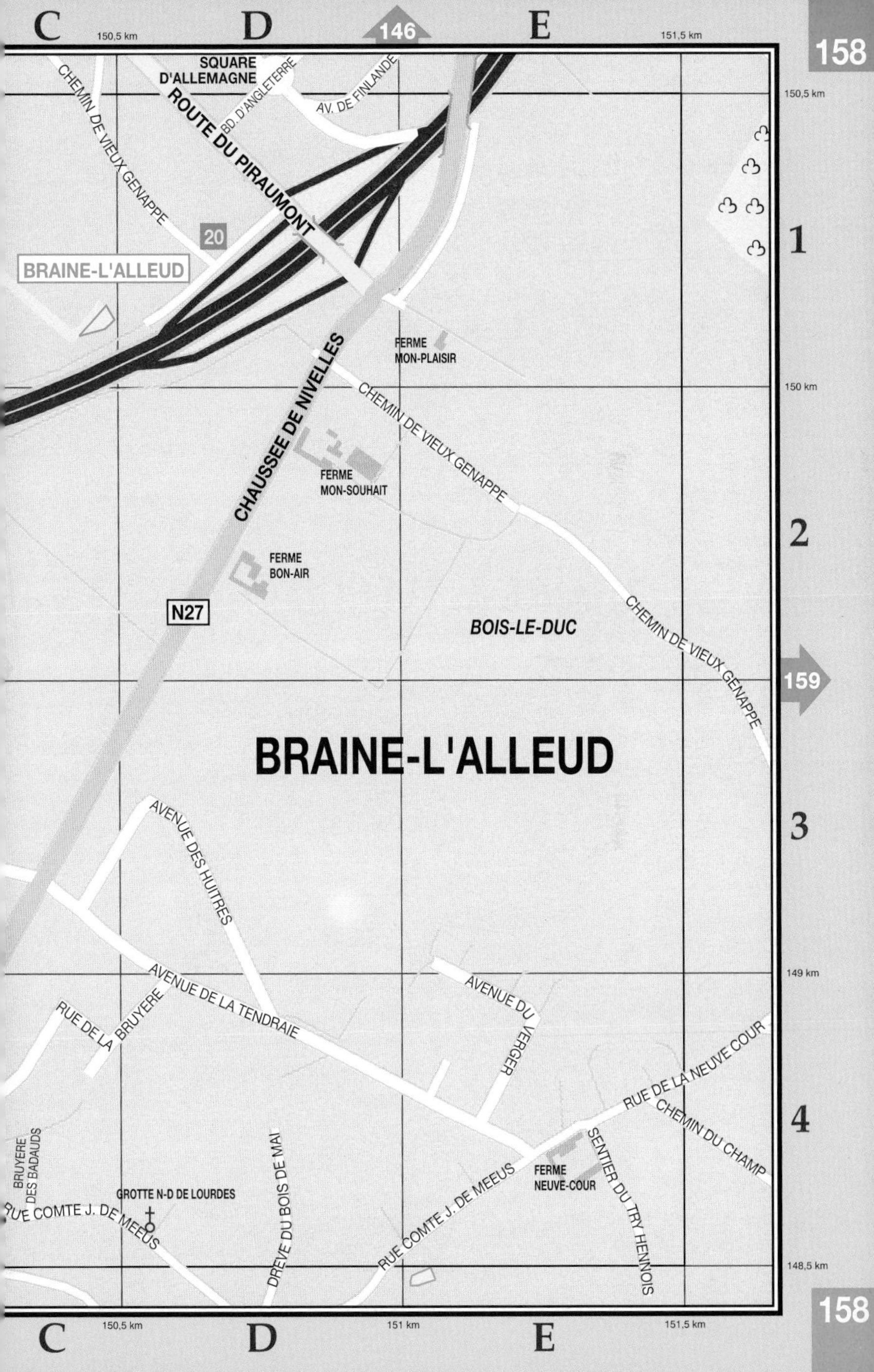
C
150,5 km
D
146
E
151,5 km
150,5 km
SQUARE D'ALLEMAGNE
BD. D'ANGLETERRE
AV. DE FINLANDE
ROUTE DU PIRAUMONT
CHEMIN DE VIEUX GENAPPE
20
BRAINE-L'ALLEUD
1
CHAUSSEE DE NIVELLES
FERME MON-PLAISIR
150 km
CHEMIN DE VIEUX GENAPPE
FERME MON-SOUHAIT
2
FERME BON-AIR
N27
BOIS-LE-DUC
CHEMIN DE VIEUX GENAPPE
159
BRAINE-L'ALLEUD
3
AVENUE DES HUITRES
AVENUE DU VERGER
149 km
AVENUE DE LA TENDRAIE
RUE DE LA BRUYERE
RUE DE LA NEUVE COUR
CHEMIN DU CHAMP
4
BRUYERE DES BADAUDS
DREVE DU BOIS DE MAI
SENTIER DU TRY HENNOIS
FERME NEUVE-COUR
RUE COMTE J. DE MEEUS
GROTTE N-D DE LOURDES
RUE COMTE J. DE MEEUS
148,5 km
C
150,5 km
D
151 km
E
151,5 km

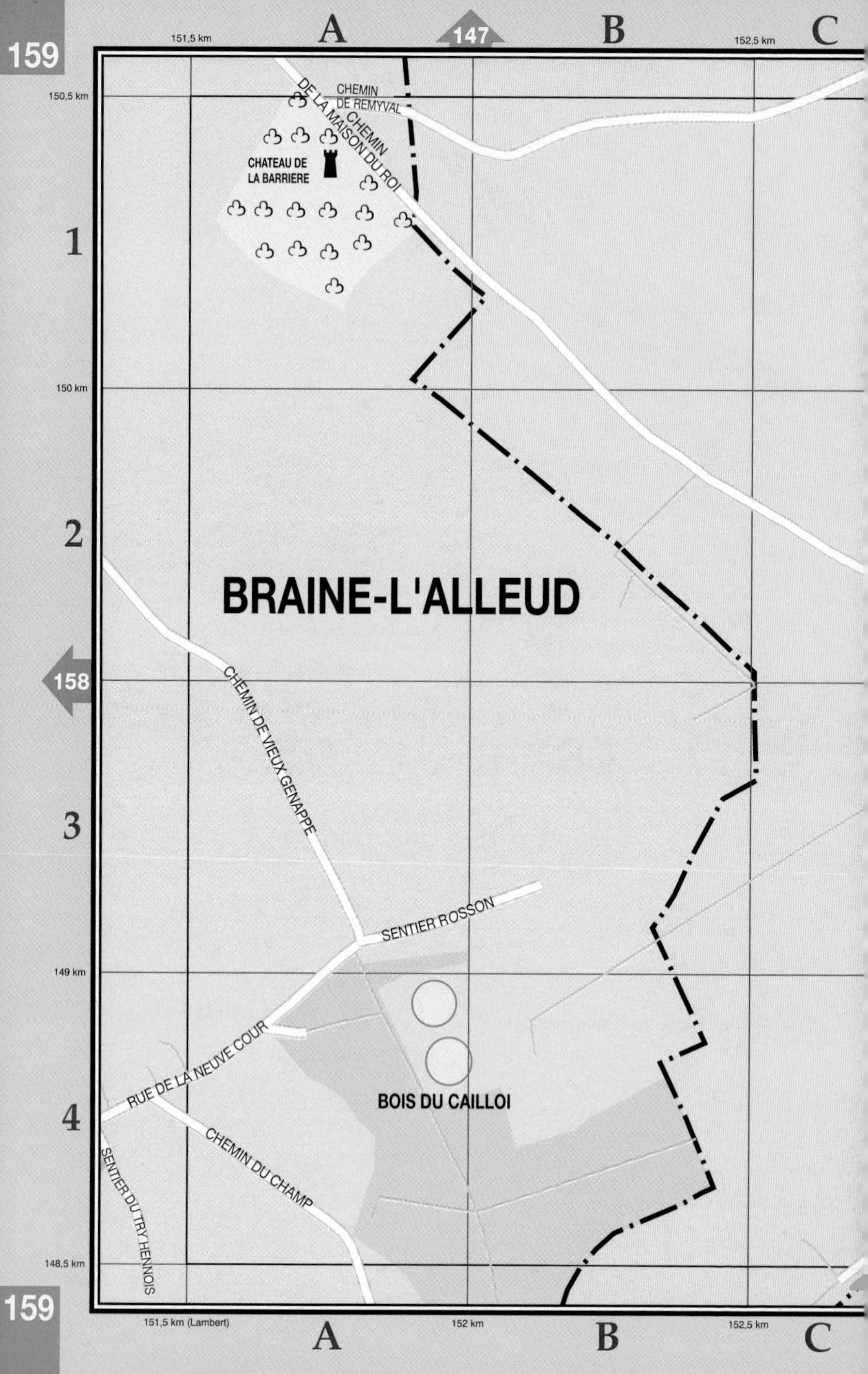
A
B
C
147
151,5 km
152,5 km
150,5 km
150 km
149 km
148,5 km
1
2
3
4
158
CHEMIN
DE REMYVAL
CHEMIN
DE LA MAISON DU ROI
CHATEAU DE
LA BARRIERE
BRAINE-L'ALLEUD
CHEMIN DE VIEUX GENAPPE
SENTIER ROSSON
RUE DE LA NEUVE COUR
CHEMIN DU CHAMP
SENTIER DU TRY HENNOIS
BOIS DU CAILLOI
151,5 km (Lambert)
152 km
152,5 km
A
B
C

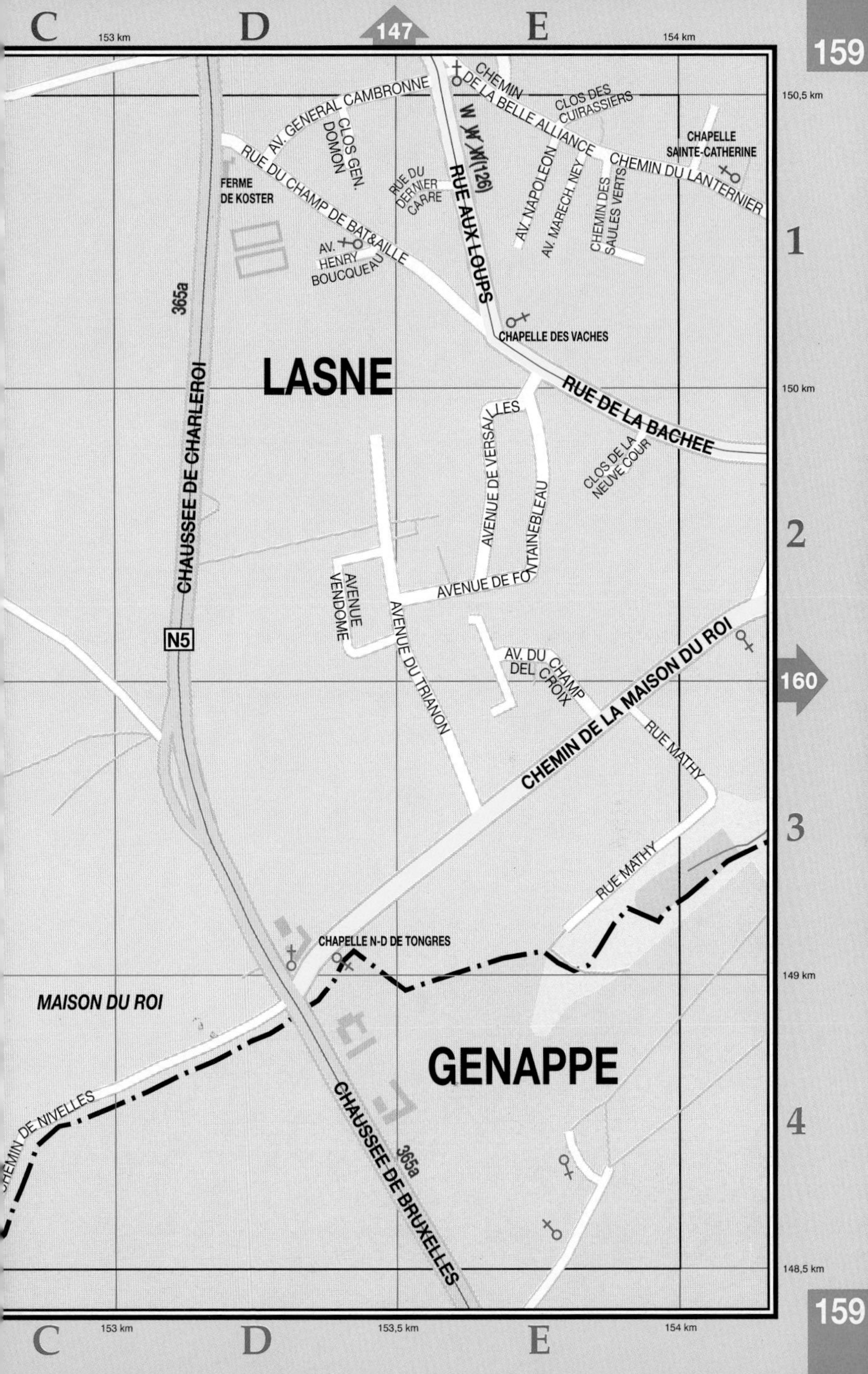
C
D
E
147
153 km
154 km
150,5 km
150 km
149 km
148,5 km
153,5 km
1
2
3
4
160
LASNE
GENAPPE
MAISON DU ROI
AV. GENERAL CAMBRONNE
CLOS GEN. DOMON
CHEMIN DE LA BELLE ALLIANCE
CLOS DES CUIRASSIERS
CHAPELLE SAINTE-CATHERINE
CHEMIN DU LANTERNIER
RUE DU CHAMP DE BATAILLE
FERME DE KOSTER
RUE DU DERNIER CARRE
RUE AUX LOUPS
AV. NAPOLEON
AV. MARECH. NEY
CHEMIN DES SAULES VERTS
AV. HENRY BOUCQUEAU
CHAPELLE DES VACHES
365a
CHAUSSEE DE CHARLEROI
N5
RUE DE LA BACHEE
AVENUE DE VERSAILLES
AVENUE DE FONTAINEBLEAU
CLOS DE LA NEUVE COUR
AVENUE VENDOME
AVENUE DU TRIANON
AV. DU CHAMP DEL CROIX
CHEMIN DE LA MAISON DU ROI
RUE MATHY
CHAPELLE N-D DE TONGRES
CHEMIN DE NIVELLES
CHAUSSEE DE BRUXELLES

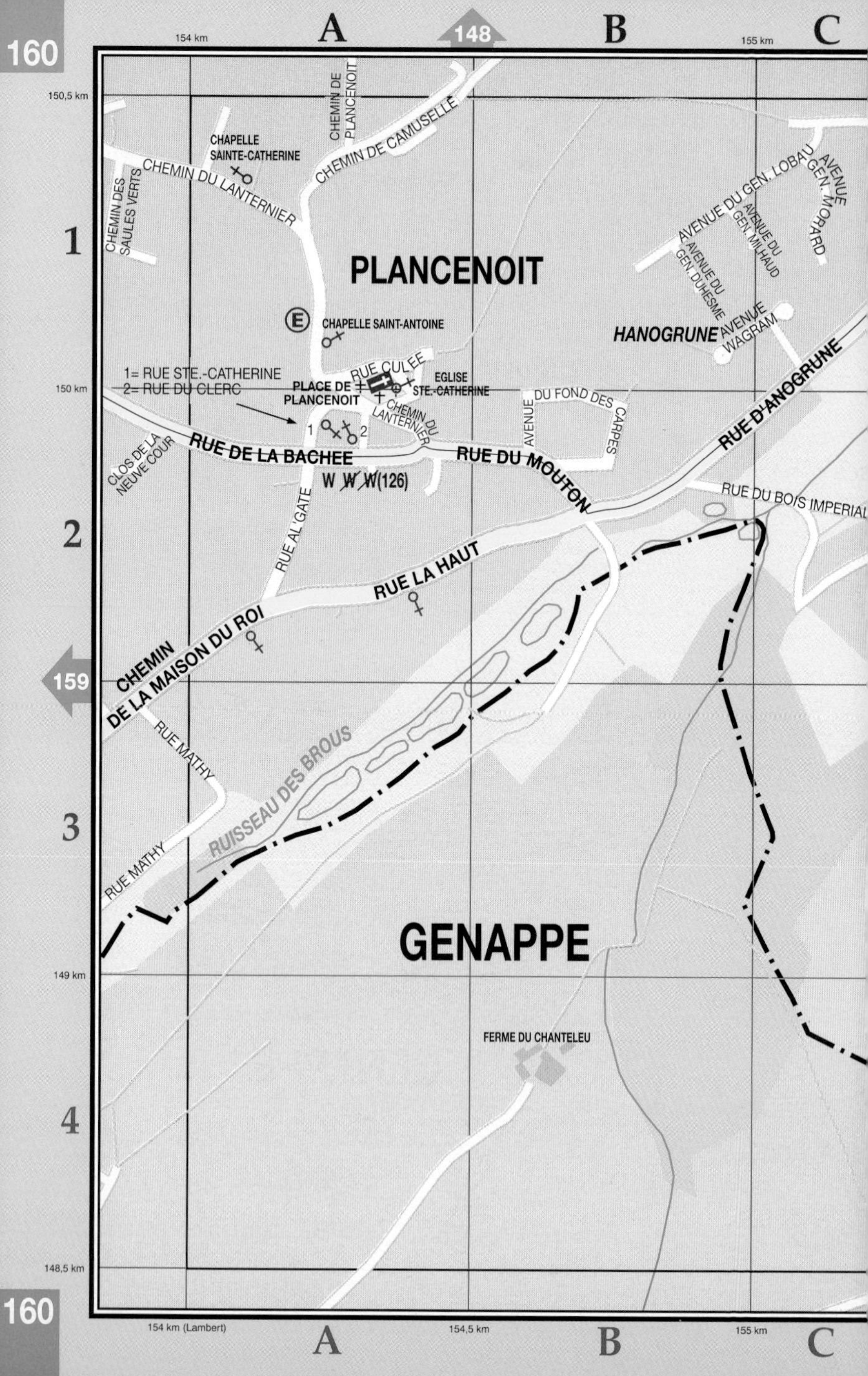
A
148
B
C
154 km
155 km
150,5 km
1
2
3
4
150 km
149 km
148,5 km
159
CHEMIN DE PLANCENOIT
CHEMIN DE CAMUSELLE
CHAPELLE SAINTE-CATHERINE
CHEMIN DU LANTERNIER
CHEMIN DES SAULES VERTS
PLANCENOIT
CHAPELLE SAINT-ANTOINE
1= RUE STE.-CATHERINE
2= RUE DU CLERC
RUE CULEE
PLACE DE PLANCENOIT
EGLISE STE.-CATHERINE
CHEMIN DU LANTERNIER
CLOS DE LA NEUVE COUR
RUE DE LA BACHEE
RUE DU MOUTON
W W W(126)
AVENUE DU FOND DES CARPES
AVENUE DU GEN. LOBAU
AVENUE GEN. MORARD
AVENUE DU GEN. MILHAUD
AVENUE DU GEN. DUHESME
AVENUE WAGRAM
HANOGRUNE
RUE D'ANOGRUNE
RUE DU BOIS IMPERIAL
RUE AL'GATE
RUE LA HAUT
CHEMIN DE LA MAISON DU ROI
RUE MATHY
RUISSEAU DES BROUS
GENAPPE
FERME DU CHANTELEU
154 km (Lambert)
154,5 km
155 km
A
B
C

C
D
E
155,5 km
156,5 km
148
150,5 km
150 km
149 km
148,5 km
1
2
3
4
161
L'ARGOAT
AV. DES PELERINS
RUE D'ANOGRUNE
W W W(126)
RUE DE LA VIRERE
ETANG DE MARANSART LASNE
RUE D'HUBERMONT
FERME HUBERMONT
RUE DE LA CLAUDINE
RUE DU BOIS IMPERIAL
MARANSART
ROUTE DE L'ETAT
VALLEE A LA DAME
NOTRE-DAME
RUE A FOSSANT
N271
BOIS IMPERIAL
CLOS DU BOIS DU CAPITAINE
LASNE
28
FERME LE CROISSANT
156 km

156,5 km
A
149
B
157,5 km
C
150,5 km
R. D'HUBERMONT
28
ROUTE DE L'ETAT
RUE DE L'ABBAYE
RUE DE LA CROIX ROLLAND
PETIT MARANSART
1
RUE DE LA CLAUDINE
N271
GRAND RUE DU DOUBLE ECOT
E
RUE A L'EAU
MARANSART
R. DU CHENE DE DIEU
RUE D'ALAUMONT
RUE MILHOUX
VALLEE A LA DAME
NOTRE-DAME
150 km
1= CLOS RENE VAN ACHTER
1
RUE A FOSSANT
RUE DE COLINET
2
RUE ST.-ROCH
RUE DES MASSENNEREES
28
CLOS DU COLINET
R. DU CHAMP BINETTE
RUE DU MONT CORNET
160
RUE DE COLINET
28
ROUTE DE L'ETAT
LASNE
RUE DE L'EMPIR
R. DE LA HUT
3
CHEMIN DES FILS
SAUVAGEMONT
149 km
CHEMIN ST.-GARDE DIEU
4
RUE DU POTEAU
RUE DE LA HUTTE
RUE DU POTEAU
RUE DE LA HUTTE
148,5 km
156,5 km (Lambert)
A
157 km
B
157,5 km
C

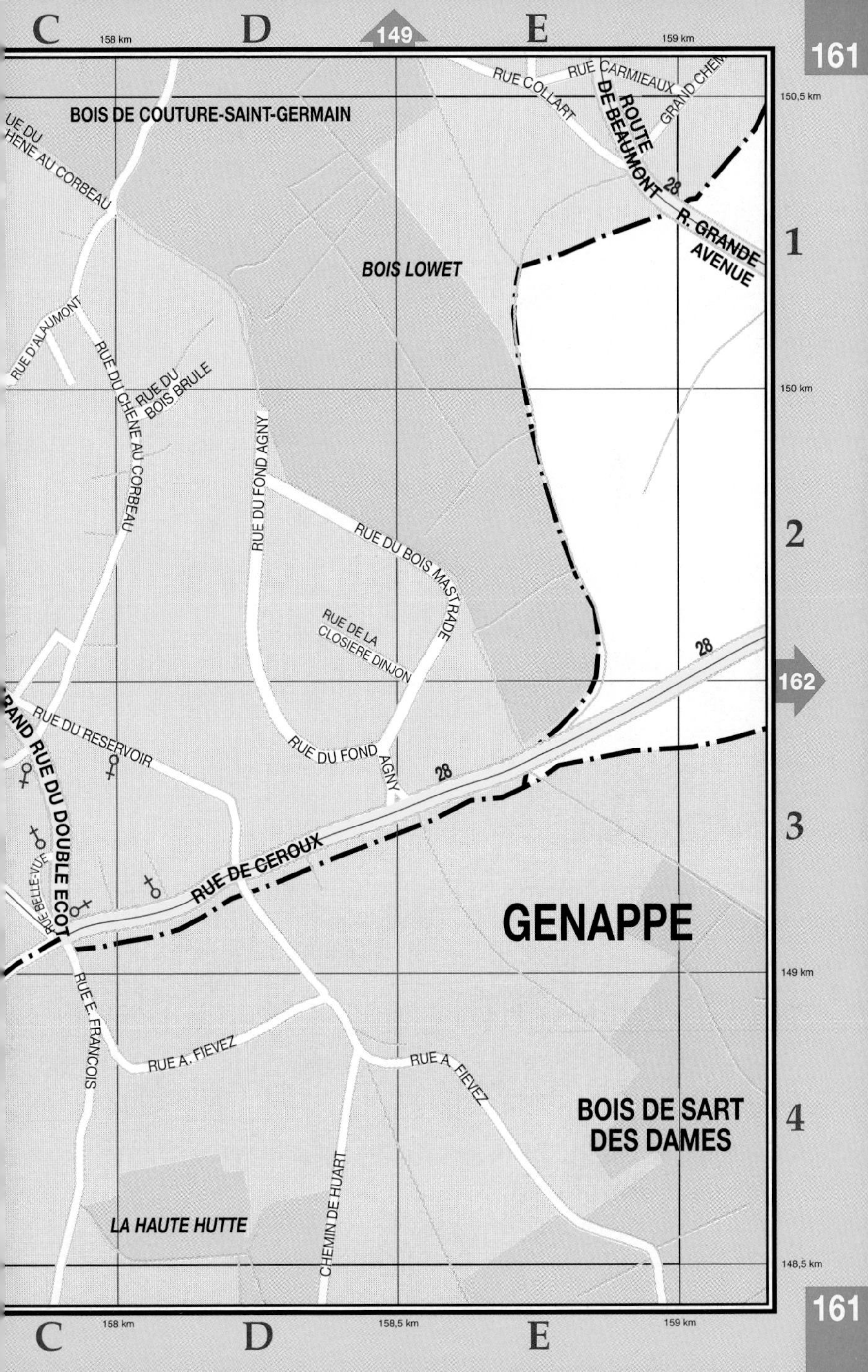
C
D
E
158 km
159 km
149
150,5 km
150 km
149 km
148,5 km
1
2
3
4
162
BOIS DE COUTURE-SAINT-GERMAIN
RUE DU CHENE AU CORBEAU
RUE COLLART
RUE CARMIEAUX
GRAND CHEMIN
ROUTE DE BEAUMONT
28
R. GRANDE AVENUE
BOIS LOWET
RUE D'ALAUMONT
RUE DU CHENE AU CORBEAU
RUE DU BOIS BRULE
RUE DU FOND AGNY
RUE DU BOIS MASTRADE
RUE DE LA CLOSIERE DINJON
GRAND RUE DU DOUBLE ECOT
RUE DU RESERVOIR
RUE DU FOND AGNY
RUE DE CEROUX
RUE BELLE-VUE
GENAPPE
RUE E. FRANCOIS
RUE A. FIEVEZ
RUE A. FIEVEZ
BOIS DE SART DES DAMES
CHEMIN DE HUART
LA HAUTE HUTTE
158 km
158,5 km
159 km
C
D
E

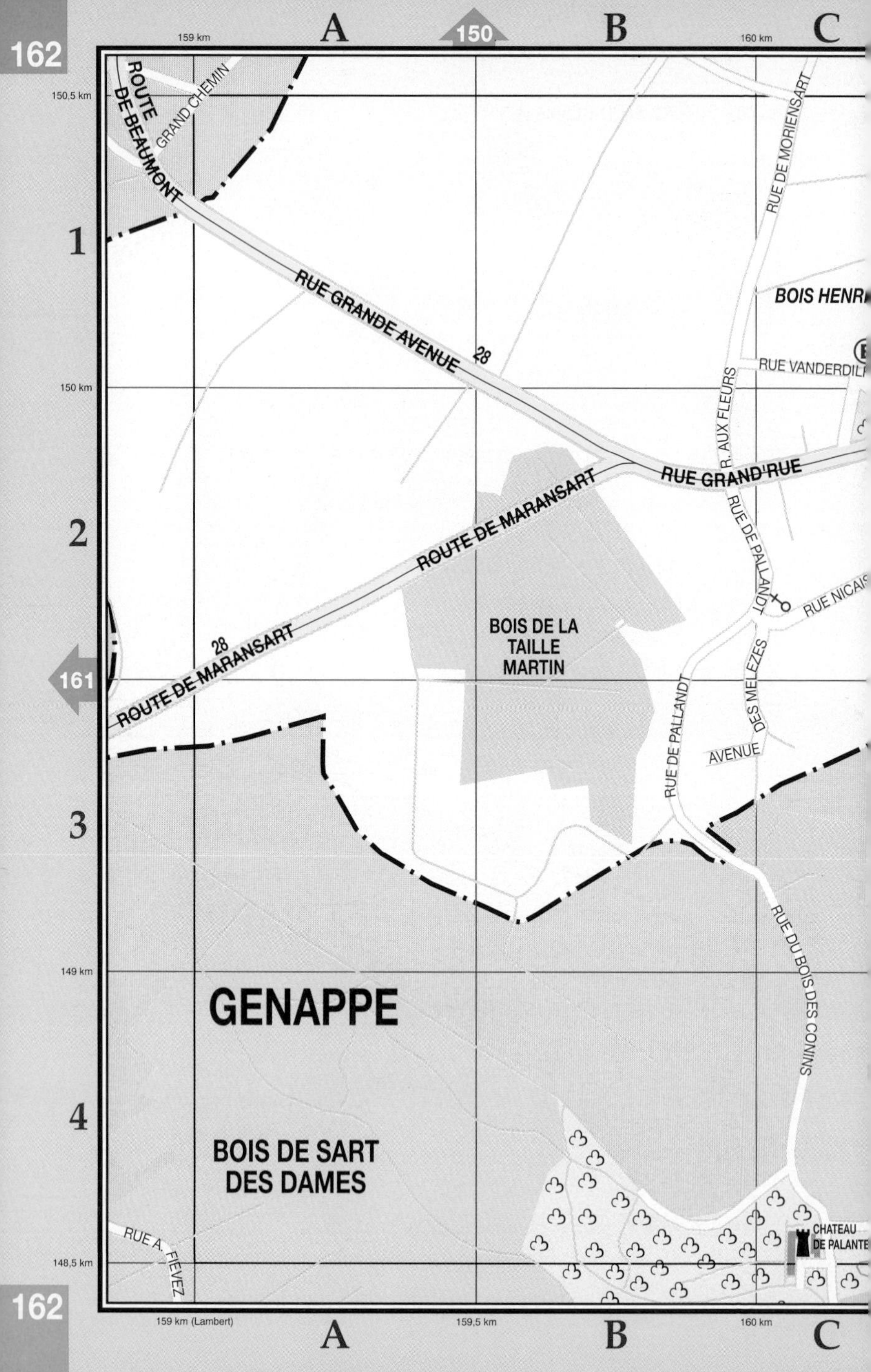

A
B
C
150
159 km
160 km
150,5 km
150 km
149 km
148,5 km
1
2
3
4
161
ROUTE DE BEAUMONT
GRAND CHEMIN
RUE DE MORIENSART
BOIS HENR
RUE GRANDE AVENUE
28
RUE VANDERDIL
R. AUX FLEURS
RUE GRAND'RUE
ROUTE DE MARANSART
RUE DE PALLANDT
RUE NICAIS
BOIS DE LA TAILLE MARTIN
DES MELEZES
AVENUE
RUE DE PALLANDT
RUE DU BOIS DES CONINS
GENAPPE
BOIS DE SART DES DAMES
RUE A. FIEVEZ
CHATEAU DE PALANTE
159 km (Lambert)
159,5 km

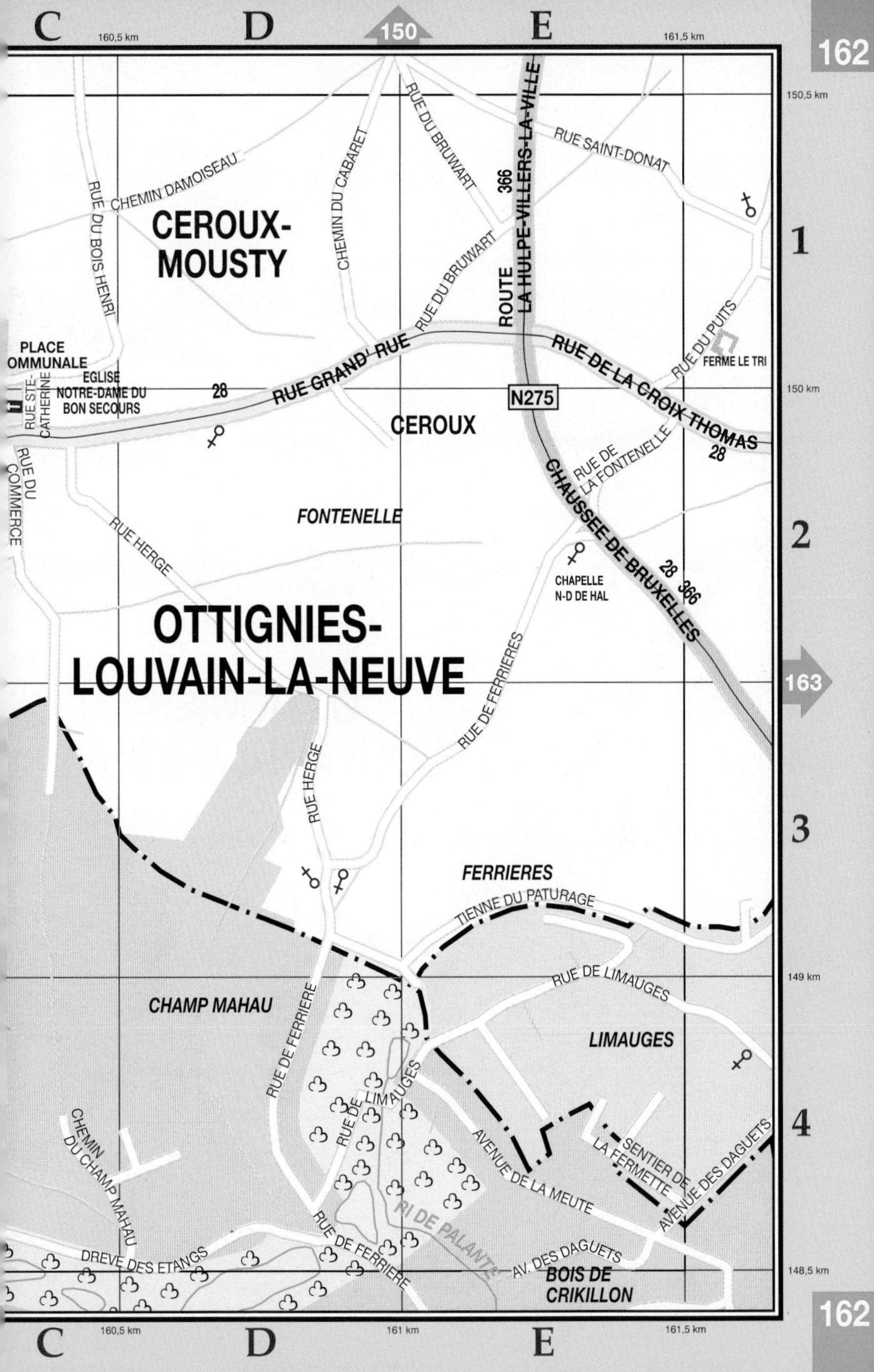
C
D
E
160,5 km
161,5 km
150
150,5 km
150 km
149 km
148,5 km
1
2
3
4
163
CEROUX-
MOUSTY
CEROUX
FONTENELLE
OTTIGNIES-
LOUVAIN-LA-NEUVE
FERRIERES
CHAMP MAHAU
LIMAUGES
BOIS DE
CRIKILLON
CHEMIN DAMOISEAU
RUE DU BOIS HENRI
CHEMIN DU CABARET
RUE DU BRUWART
ROUTE LA HULPE-VILLERS-LA-VILLE
366
RUE SAINT-DONAT
RUE DU PUITS
FERME LE TRI
RUE GRAND' RUE
RUE DE LA CROIX THOMAS
28
N275
PLACE
OMMUNALE
EGLISE
NOTRE-DAME DU
BON SECOURS
RUE STE-
CATHERINE
RUE DU
COMMERCE
RUE DE
LA FONTENELLE
CHAUSSEE DE BRUXELLES
28 366
CHAPELLE
N-D DE HAL
RUE HERGE
RUE DE FERRIERES
TIENNE DU PATURAGE
RUE DE LIMAUGES
RUE DE FERRIERE
SENTIER DE
LA FERMETTE
AVENUE DES DAGUETS
AVENUE DE LA MEUTE
CHEMIN
DU CHAMP MAHAU
DREVE DES ETANGS
RI DE PALANTE
AV. DES DAGUETS
160,5 km
161 km
161,5 km

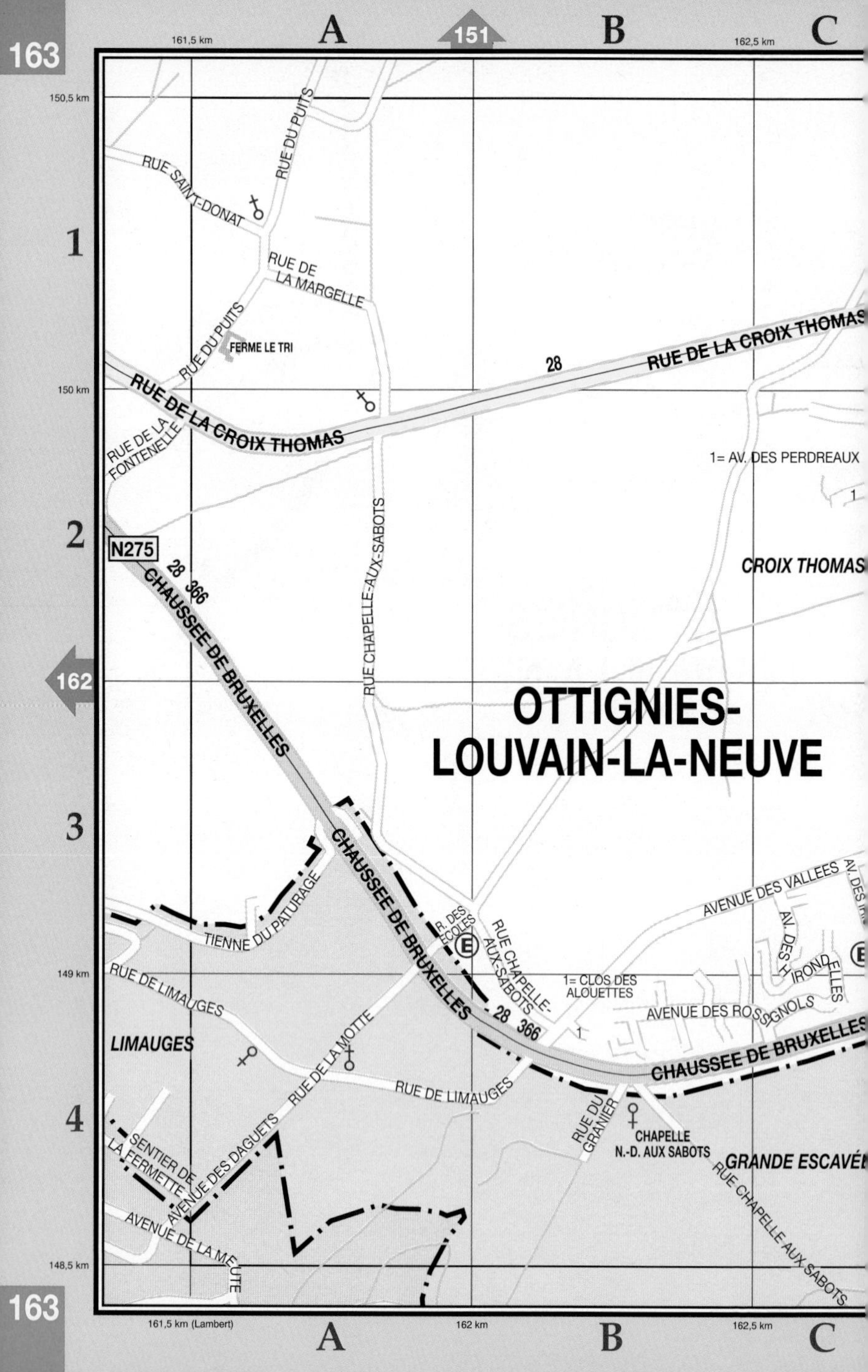

161,5 km
A
151
B
162,5 km
C
150,5 km
150 km
149 km
148,5 km
1
2
3
4
162
RUE DU PUITS
RUE SAINT-DONAT
RUE DE LA MARGELLE
FERME LE TRI
RUE DE LA CROIX THOMAS
28
RUE DE LA FONTENELLE
1= AV. DES PERDREAUX
1
N275
28
366
CHAUSSEE DE BRUXELLES
RUE CHAPELLE-AUX-SABOTS
CROIX THOMAS
OTTIGNIES-
LOUVAIN-LA-NEUVE
RUE DU PATURAGE
TIENNE DU PATURAGE
R. DES ECOLES
RUE CHAPELLE-AUX-SABOTS
AVENUE DES VALLEES
AV. DES HIRONDELLES
1= CLOS DES ALOUETTES
AVENUE DES ROSSIGNOLS
RUE DE LIMAUGES
LIMAUGES
RUE DE LA MOTTE
RUE DE LIMAUGES
RUE DU GRANIER
CHAPELLE
N.-D. AUX SABOTS
GRANDE ESCAVÉE
RUE CHAPELLE AUX SABOTS
SENTIER DE LA FERMETTE
AVENUE DES DAGUETS
AVENUE DE LA MEUTE
161,5 km (Lambert)
162 km
162,5 km

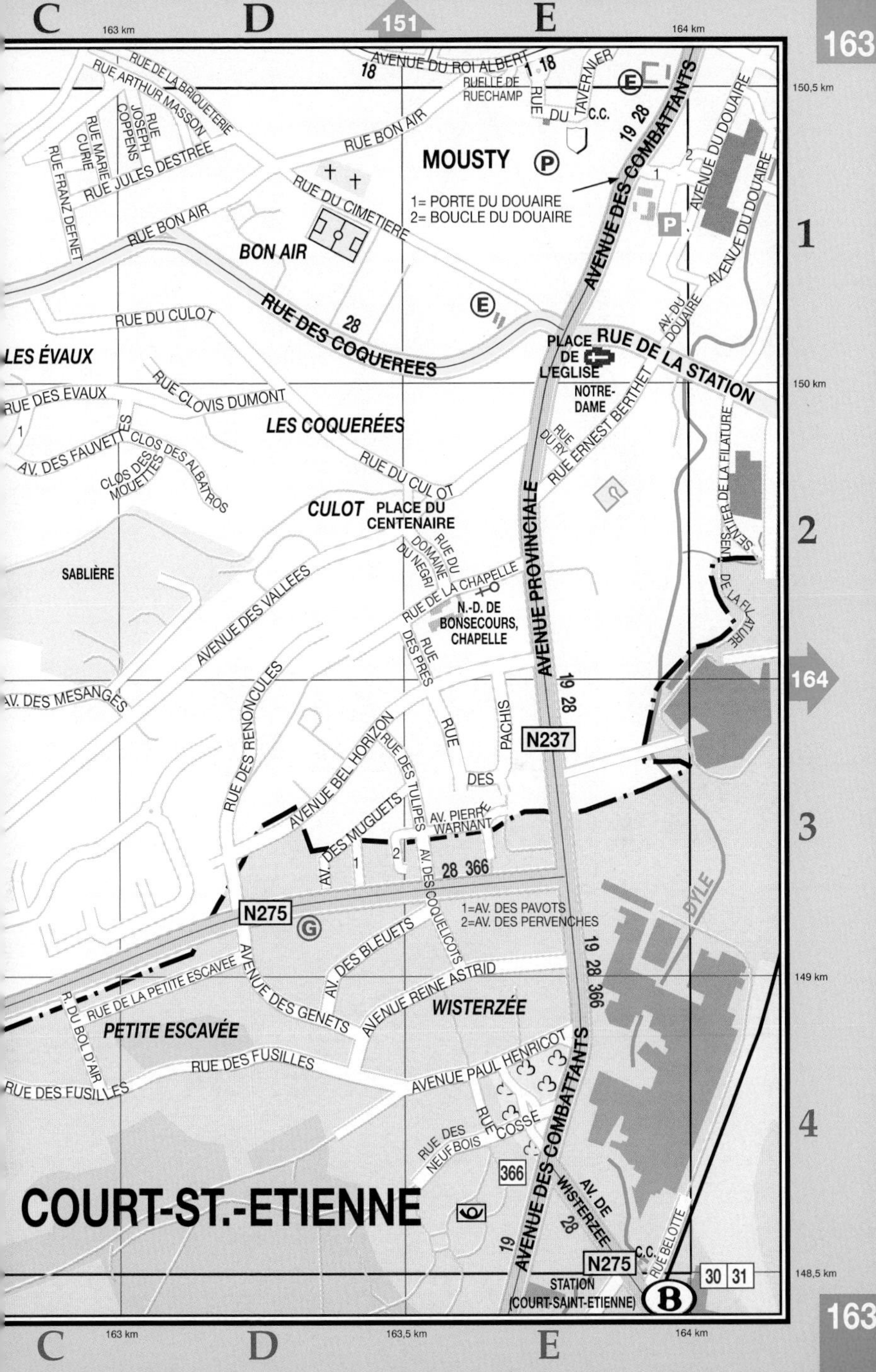
C
D
151
E
163 km
164 km
150,5 km
150 km
149 km
148,5 km
163,5 km
1
2
3
4
164
MOUSTY
BON AIR
LES ÉVAUX
LES COQUERÉES
CULOT
SABLIÈRE
WISTERZÉE
PETITE ESCAVÉE
COURT-ST.-ETIENNE
1= PORTE DU DOUAIRE
2= BOUCLE DU DOUAIRE
1=AV. DES PAVOTS
2=AV. DES PERVENCHES
AVENUE DU ROI ALBERT
RUE DE LA BRIQUETERIE
RUE ARTHUR MASSON
RUE JOSEPH COPPENS
RUE MARIE CURIE
RUE FRANZ DEFNET
RUE JULES DESTRÉE
RUE BON AIR
RUE DU CIMETIERE
RUELLE DE RUECHAMP
RUE DU TAVERNIER
C.C.
AVENUE DES COMBATTANTS
AVENUE DU DOUAIRE
AV. DU DOUAIRE
RUE DES COQUEREES
RUE DU CULOT
PLACE DE L'EGLISE
NOTRE-DAME
RUE DE LA STATION
RUE DES EVAUX
RUE CLOVIS DUMONT
AV. DES FAUVETTES
CLOS DES MOUETTES
CLOS DES ALBATROS
RUE DU RY
RUE ERNEST BERTHET
SENTIER DE LA FILATURE
PLACE DU CENTENAIRE
RUE DU DOMAINE DU NEGRI
RUE DE LA CHAPELLE
N.-D. DE BONSECOURS, CHAPELLE
AVENUE PROVINCIALE
AVENUE DES VALLEES
RUE DES PRES
AV. DES MESANGES
RUE DES RENONCULES
AVENUE BEL HORIZON
RUE DES TULIPES
RUE DES PACHIS
N237
19 28
AV. PIERRE WARNANT
AV. DES MUGUETS
AV. DES COQUELICOTS
28 366
N275
AV. DES BLEUETS
RUE DE LA PETITE ESCAVEE
R. DU BOL D'AIR
AVENUE DES GENETS
AVENUE REINE ASTRID
DYLE
19 28 366
RUE DES FUSILLES
AVENUE PAUL HENRICOT
RUE COSSE
RUE DES NEUF BOIS
366
AV. DE WISTERZEE
RUE BELOTTE
STATION (COURT-SAINT-ETIENNE)
30 31

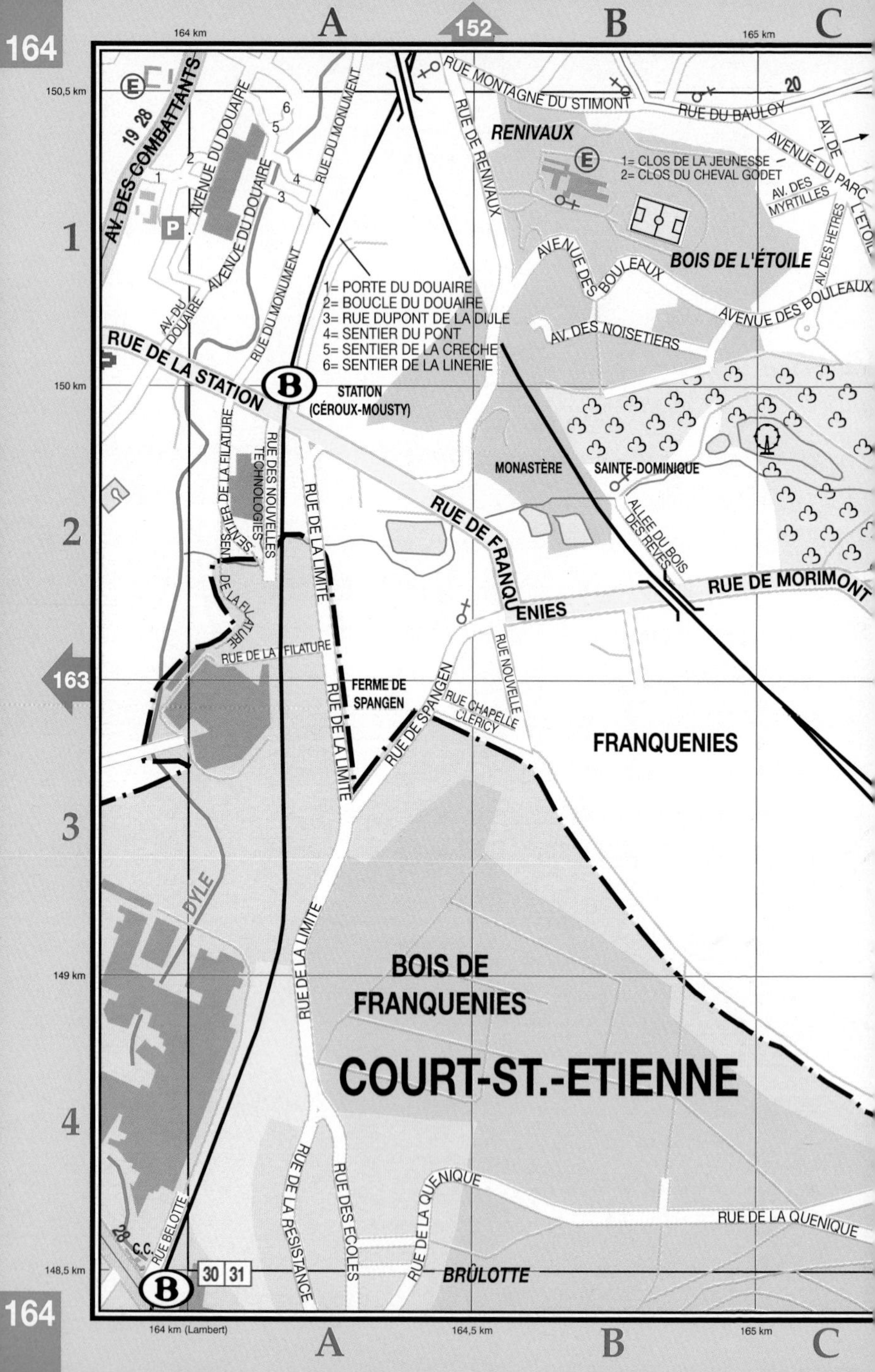
A
152
B
C
164 km
165 km
150,5 km
150 km
149 km
148,5 km
1
2
3
4
163
RUE MONTAGNE DU STIMONT
RUE DU BAULOY
AVENUE DU PARC L'ETOILE
AV. DES COMBATTANTS
AVENUE DU DOUAIRE
RUE DU MONUMENT
RUE DE RENIVAUX
RENIVAUX
1= CLOS DE LA JEUNESSE
2= CLOS DU CHEVAL GODET
AV. DES MYRTILLES
AV. DES HETRES
BOIS DE L'ÉTOILE
AVENUE DES BOULEAUX
AV. DES NOISETIERS
1= PORTE DU DOUAIRE
2= BOUCLE DU DOUAIRE
3= RUE DUPONT DE LA DIJLE
4= SENTIER DU PONT
5= SENTIER DE LA CRECHE
6= SENTIER DE LA LINERIE
AV. DU DOUAIRE
RUE DE LA STATION
STATION (CÉROUX-MOUSTY)
SENTIER DE LA FILATURE
RUE DES NOUVELLES TECHNOLOGIES
MONASTÈRE
SAINTE-DOMINIQUE
ALLEE DU BOIS DES REVES
RUE DE FRANQUENIES
RUE DE MORIMONT
RUE DE LA LIMITE
RUE DE LA FILATURE
FERME DE SPANGEN
RUE DE SPANGEN
RUE CHAPELLE CLERICY
RUE NOUVELLE
FRANQUENIES
DYLE
BOIS DE FRANQUENIES
COURT-ST.-ETIENNE
RUE DE LA RESISTANCE
RUE DES ECOLES
RUE DE LA QUENIQUE
RUE BELOTTE
C.C.
30
31
BRÛLOTTE
164 km (Lambert)
164,5 km
165 km

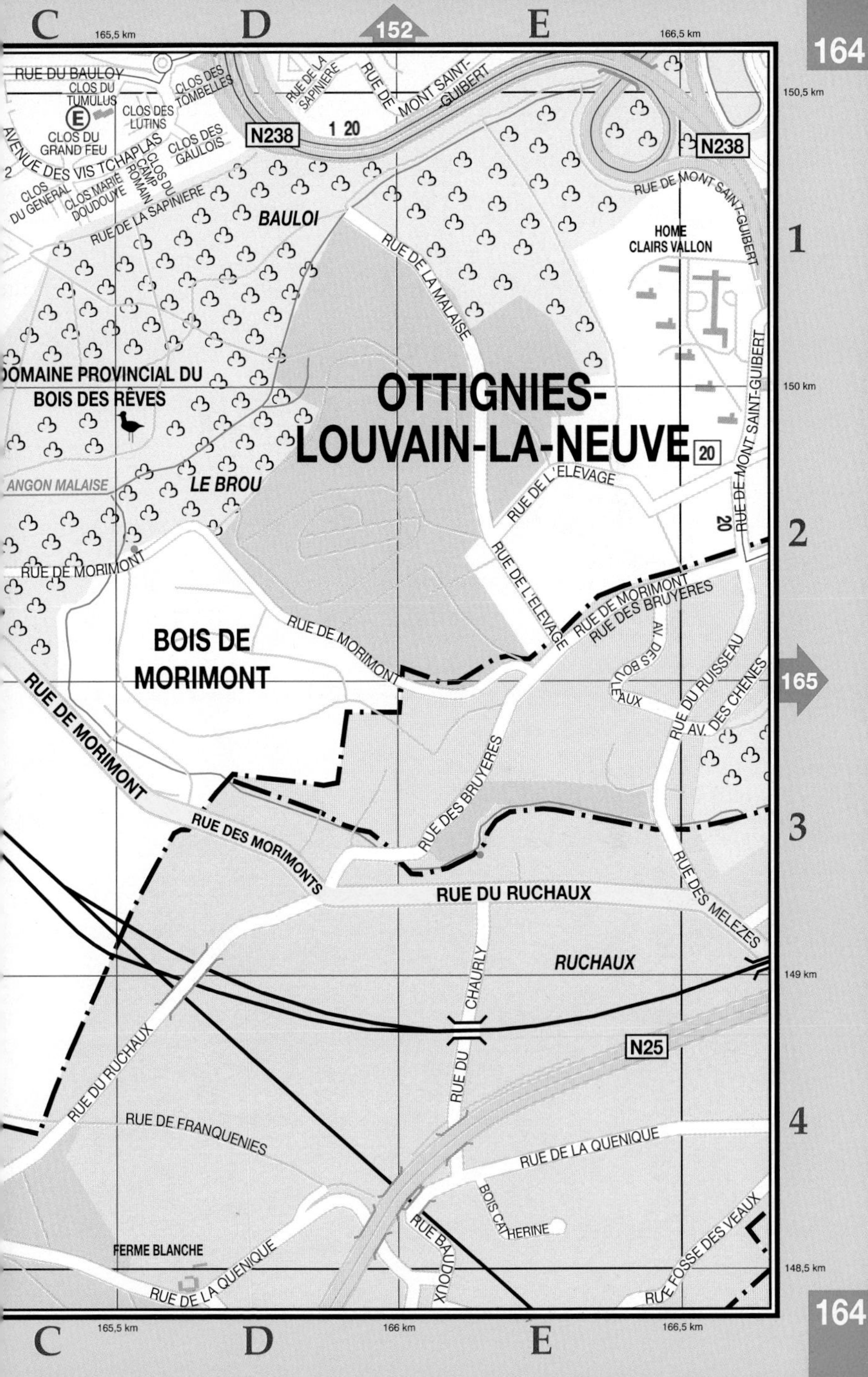
165,5 km
166,5 km
150,5 km
150 km
149 km
148,5 km
166 km
1
2
3
4
165
RUE DU BAULOY
CLOS DU TUMULUS
CLOS DES TOMBELLES
CLOS DES LUTINS
CLOS DU GRAND FEU
CLOS DES GAULOIS
AVENUE DES VIS TCHAPLAS
CLOS DU CAMP ROMAIN
CLOS DU GENERAL
CLOS MARIE DOUDOUYE
RUE DE LA SAPINIERE
RUE DE MONT SAINT-GUIBERT
N238
1 20
BAULOI
RUE DE LA MALAISE
HOME CLAIRS VALLON
DOMAINE PROVINCIAL DU BOIS DES RÊVES
OTTIGNIES-LOUVAIN-LA-NEUVE
20
ANGON MALAISE
LE BROU
RUE DE L'ELEVAGE
RUE DE MORIMONT
RUE DES BRUYERES
BOIS DE MORIMONT
AV. DES BOULEAUX
RUE DU RUISSEAU
AV. DES CHENES
RUE DES MORIMONTS
RUE DU RUCHAUX
RUE DES MELEZES
RUCHAUX
RUE DU CHAURLY
N25
RUE DE FRANQUENIES
RUE DE LA QUENIQUE
BOIS CATHERINE
RUE BAUDOUX
FERME BLANCHE
RUE FOSSE DES VEAUX

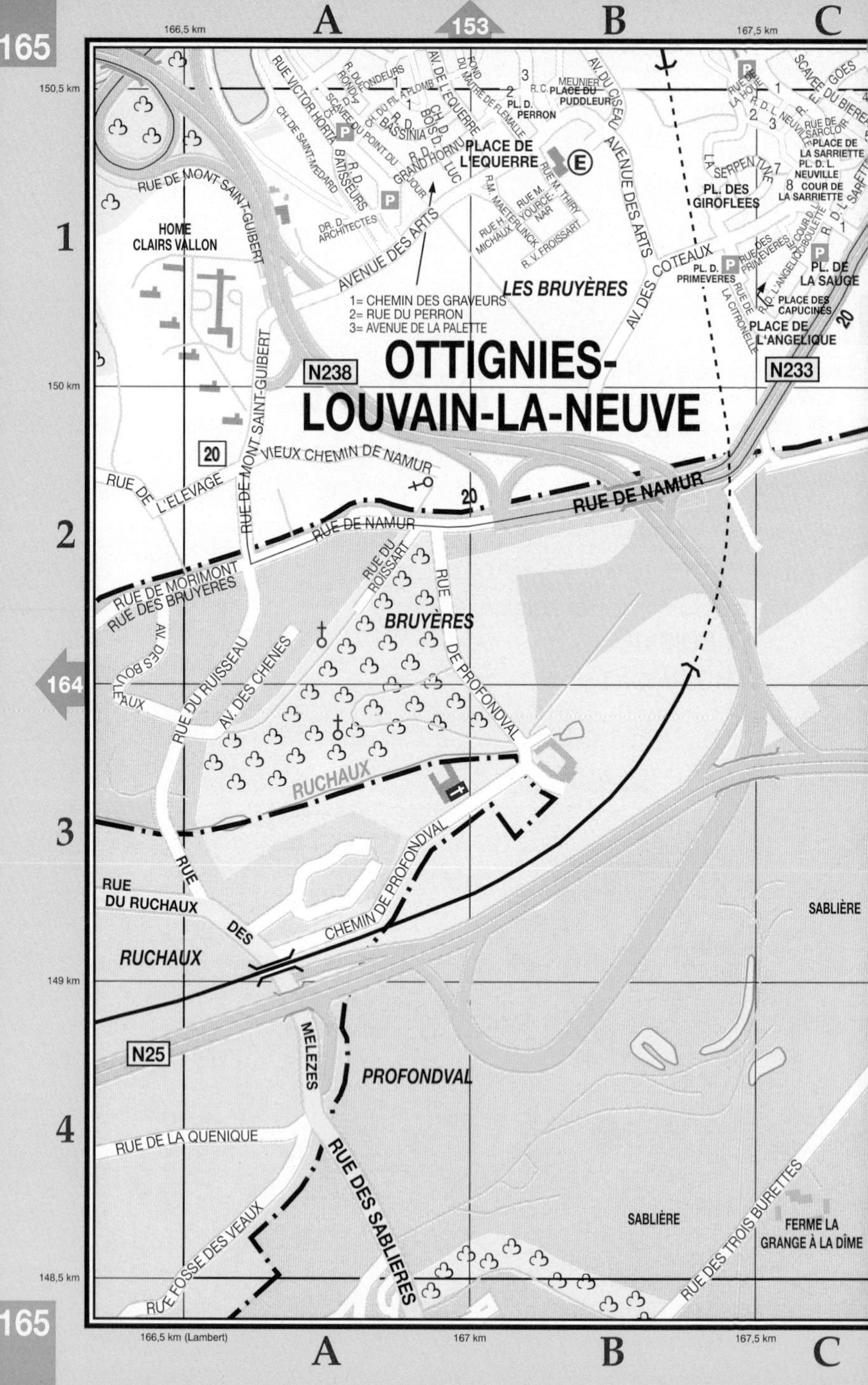
A
B
C
153
164
166,5 km
167,5 km
150,5 km
150 km
149 km
148,5 km
1
2
3
4
OTTIGNIES-
LOUVAIN-LA-NEUVE
LES BRUYÈRES
BRUYÈRES
RUCHAUX
PROFONDVAL
HOME
CLAIRS VALLON
PLACE DE
L'EQUERRE
PL. D.
PERRON
PLACE DU
PUDDLEUR
PL. DES
GIROFLEES
PL. D.
PRIMEVERES
PL. DE
LA SAUGE
PLACE DES
CAPUCINES
PLACE DE
L'ANGELIQUE
PLACE DE
LA SARRIETTE
PL. D. L.
NEUVILLE
COUR DE
LA SARRIETTE
1= CHEMIN DES GRAVEURS
2= RUE DU PERRON
3= AVENUE DE LA PALETTE
AVENUE DES ARTS
AV. DES COTEAUX
AV. DU CISEAU
RUE DE MONT SAINT-GUIBERT
RUE VICTOR HORTA
CH. DE SAINT-MEDARD
RUE DE NAMUR
VIEUX CHEMIN DE NAMUR
RUE DE L'ELEVAGE
RUE DE MORIMONT
RUE DES BRUYERES
AV. DES BOULEAUX
RUE DU RUISSEAU
AV. DES CHENES
RUE DU ROISSART
RUE DE PROFONDVAL
CHEMIN DE PROFONDVAL
RUE DU RUCHAUX
RUE DES MELEZES
RUE DE LA QUENIQUE
RUE DES SABLIERES
RUE FOSSE DES VEAUX
RUE DES TROIS BURETTES
SABLIÈRE
FERME LA
GRANGE À LA DÎME
N238
N233
N25
20
166,5 km (Lambert)
167 km
167,5 km

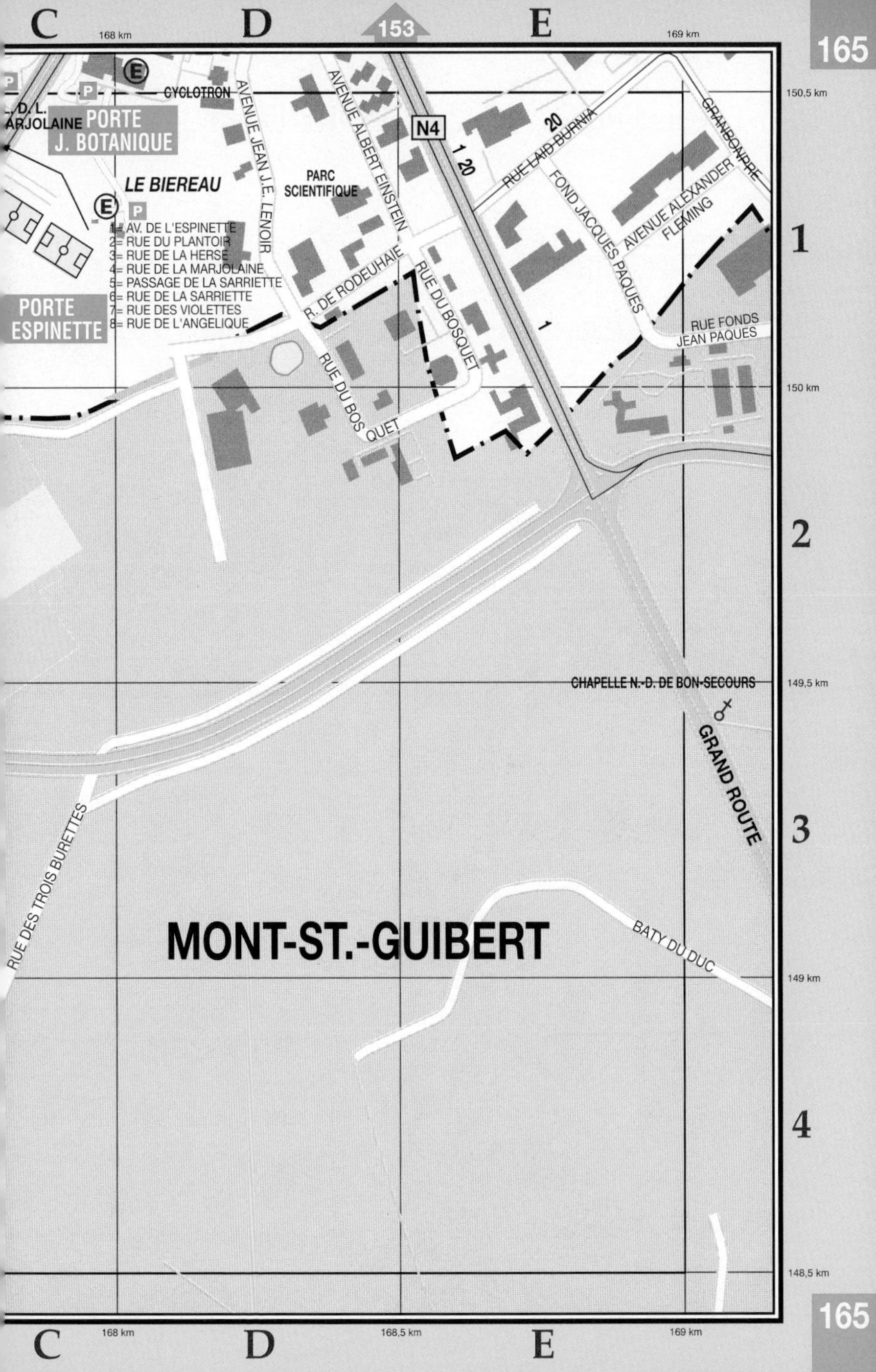
C
D
E
153
168 km
169 km
150,5 km
150 km
149,5 km
149 km
148,5 km
1
2
3
4
CYCLOTRON
PORTE
J. BOTANIQUE
LE BIEREAU
PARC
SCIENTIFIQUE
AVENUE JEAN J.E. LENOIR
AVENUE ALBERT EINSTEIN
N4
RUE LAID BURNIA
GRANDRONPRE
FOND JACQUES PAQUES
AVENUE ALEXANDER
FLEMING
1= AV. DE L'ESPINETTE
2= RUE DU PLANTOIR
3= RUE DE LA HERSE
4= RUE DE LA MARJOLAINE
5= PASSAGE DE LA SARRIETTE
6= RUE DE LA SARRIETTE
7= RUE DES VIOLETTES
8= RUE DE L'ANGELIQUE
PORTE
ESPINETTE
R. DE RODEUHAIE
RUE DU BOSQUET
RUE DU BOSQUET
RUE FONDS
JEAN PAQUES
CHAPELLE N.-D. DE BON-SECOURS
GRAND ROUTE
RUE DES TROIS BURETTES
MONT-ST.-GUIBERT
BATY DU DUC
168 km
168,5 km
169 km
C
D
E

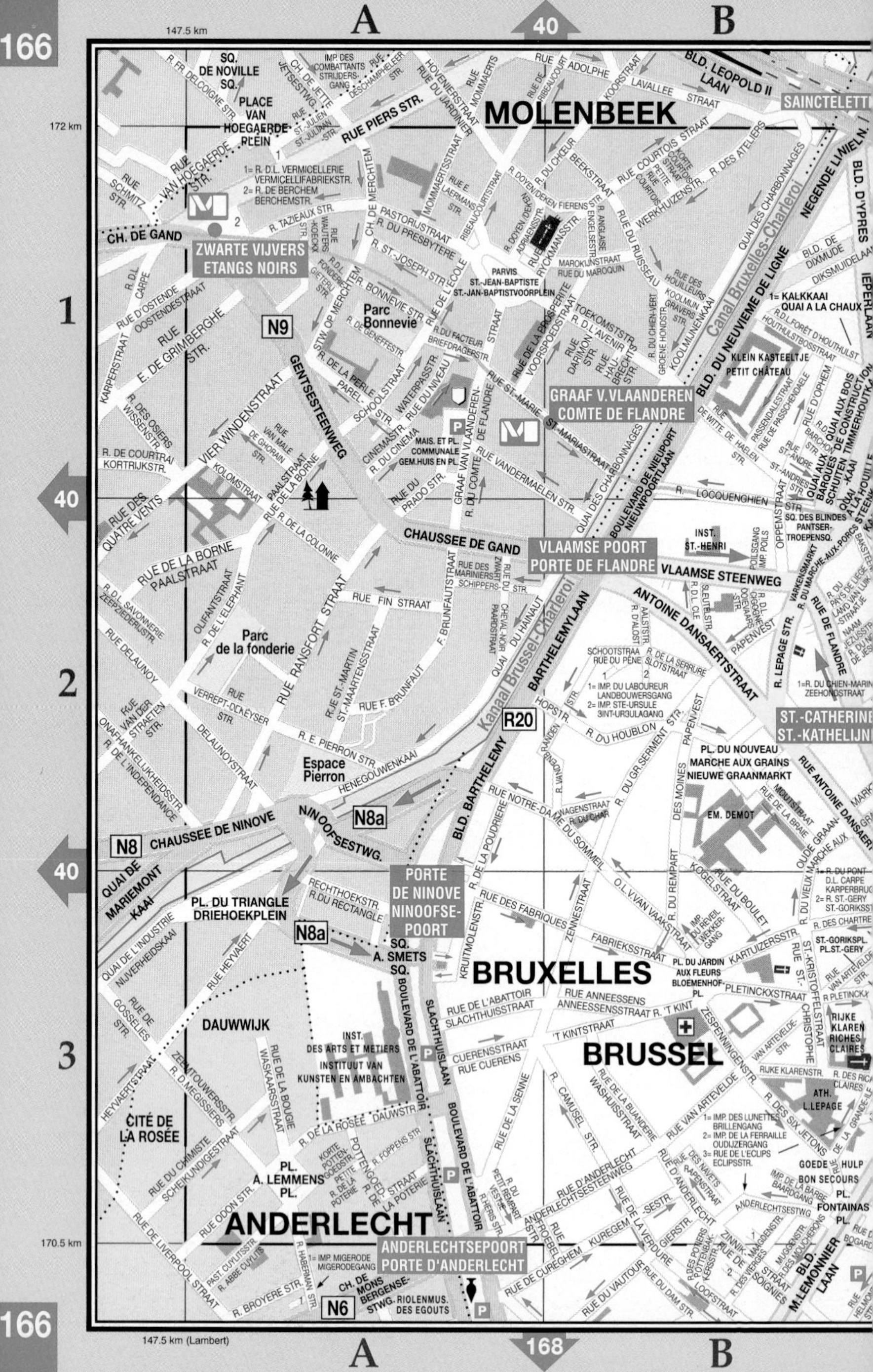
A
B
40
147.5 km
172 km
MOLENBEEK
SQ. DE NOVILLE SQ.
PLACE VAN HOEGAERDE PLEIN
RUE PIERS STR.
1= R. D.L. VERMICELLERIE VERMICELLIFABRIEKSTR.
2= R. DE BERCHEM BERCHEMSTR.
CH. DE GAND
ZWARTE VIJVERS
ETANGS NOIRS
BLD. LEOPOLD II LAAN
SAINCTELETTE
RUE ADOLPHE LAVALLEE STRAAT
RUE MOMMAERTS
MOMMAERTSSTRAAT
PASTORIJSTRAAT
R. DU PRESBYTERE
R. ST.-JOSEPH STR.
PARVIS ST.-JEAN-BAPTISTE
ST.-JAN-BAPTISTVOORPLEIN
MAROKIJNSTRAAT
RUE DU MAROQUIN
BEEKSTRAAT
RUE DU RUISSEAU
WERKHUIZENSTR.
R. DES ATELIERS
QUAI DES CHARBONNAGES
NEGENDE LINIELN.
BLD. D'YPRES
IEPERLAAN
BLD. DE DIXMUDE
DIKSMUIDELAAN
1= KALKKAAI
QUAI A LA CHAUX
1
Parc Bonnevie
N9
GENTSESTEENWEG
RUE DE GRIMBERGHE STR.
RUE D'OSTENDE OOSTENDESTRAAT
KARPERSTRAAT
TOEKOMSTSTR. R. D.L.AVENIR
RUE DE LA PROSPERITE VOORSPOEDSTRAAT
Canal Bruxelles-Charleroi
BLD. DU NEUVIEME DE LIGNE
KLEIN KASTEELTJE
PETIT CHÂTEAU
KOOLMIJNENKAAI
GRAAF V.VLAANDEREN
COMTE DE FLANDRE
MAIS. ET PL. COMMUNALE
GEM.HUIS EN PL.
RUE ST.-MARIE ST.-MARIASTRAAT
RUE VANDERMAELEN STR.
BOULEVARD DE NIEUPORT NIEUWPOORTLAAN
VIER WINDENSTRAAT
R. DE COURTRAI KORTRIJKSTR.
KOLOMSTRAAT
RUE DES QUATRE VENTS
R. DE LA COLONNE
RUE DE LA BORNE PAALSTRAAT
CHAUSSEE DE GAND
VLAAMSE POORT
PORTE DE FLANDRE
VLAAMSE STEENWEG
R. LOCQUENGHIEN
INST. ST.-HENRI
SQ. DES BLINDES PANTSER-TROEPENSQ.
ANTOINE DANSAERTSTRAAT
RUE FIN STRAAT
RUE RANSFORT STRAAT
F. BRUNFAUTSTRAAT
RUE DES MARINIERS SCHIPPERS-STR.
QUAI DU HAINAUT
BARTHELEMYLAAN
Kanaal Brussel-Charleroi
OLIFANTSTRAAT
R. DE L'ELEPHANT
Parc de la fonderie
RUE DELAUNOY
RUE F. BRUNFAUT
2
R. LEPAGE STR.
RUE DE FLANDRE
1=R. DU CHIEN-MARIN ZEEHONDSTRAAT
SCHOOTSTRAA RUE DU PENE
1= IMP. DU LABOUREUR LANDBOUWERSGANG
2= IMP. STE-URSULE SINT-URSULAGANG
HOPSTR.
R. DU HOUBLON
R20
ST.-CATHERINE
ST.-KATHELIJNE
R. E. PIERRON STR.
Espace Pierron
HENEGOUWENKAAI
DELAUNOYSTRAAT
PL. DU NOUVEAU MARCHE AUX GRAINS NIEUWE GRAANMARKT
RUE ANTOINE DANSAERT
EM. DEMOT
RUE NOTRE-DAME DU SOMMEIL
BLD. BARTHELEMY
N8
CHAUSSEE DE NINOVE
NINOOFSESTWG.
N8a
QUAI DE MARIEMONT KAAI
PORTE DE NINOVE
NINOOFSE-POORT
PL. DU TRIANGLE DRIEHOEKPLEIN
RECHTHOEKSTR. R.DU RECTANGLE
O.L.V.VAN VAAKSTRAAT
RUE DES FABRIQUES
FABRIEKSSTRAAT
ZENNESTRAAT
KRUITMOLENSTR.
KARTUIZERSSTR.
PL. DU JARDIN AUX FLEURS BLOEMENHOF-PL.
SQ. A. SMETS SQ.
BRUXELLES
QUAI DE L'INDUSTRIE NIJVERHEIDSKAAI
RUE HEYVAERT
RUE ANNEESSENS ANNEESSENSSTRAAT
R. 'T KINT
'T KINTSTRAAT
PLETINCKXSTRAAT
RUE DE L'ABATTOIR SLACHTHUISSTRAAT
DAUWWIJK
INST. DES ARTS ET METIERS
INSTITUUT VAN KUNSTEN EN AMBACHTEN
BOULEVARD DE L'ABATTOIR
SLACHTHUISLAAN
CUERENSSTRAAT RUE CUERENS
BRUSSEL
RIJKE KLAREN RICHES CLAIRES
3
ATH. L.LEPAGE
CITÉ DE LA ROSÉE
R. DE LA ROSEE DAUWSTR.
RUE DU CHIMISTE SCHEIKUNDIGESTRAAT
PL. A. LEMMENS PL.
RUE DE LA SENNE
RUE VAN ARTEVELDE
RUE D'ANDERLECHT ANDERLECHTSESTEENWEG
1= IMP. DES LUNETTES BRILLENGANG
2= IMP. DE LA FERRAILLE OUDIJZERGANG
3= RUE DE L'ECLIPS ECLIPSSTR.
GOEDE HULP BON SECOURS
PL. FONTAINAS PL.
ANDERLECHT
RUE ODON STR.
RUE DE LIVERPOOL STRAAT
170.5 km
ANDERLECHTSEPOORT
PORTE D'ANDERLECHT
1= IMP. MIGERODE MIGERODEGANG
CH. DE MONS BERGENSE-STWG.
N6
RIOLENMUS. DES EGOUTS
R. BROYERE STR.
RUE DE CUREGHEM KUREGEM
RUE DE LA VERDURE
RUE DU VAUTOUR
BLD. M.LEMONNIER LAAN
147.5 km (Lambert)
168

C
41
D
149.5 km

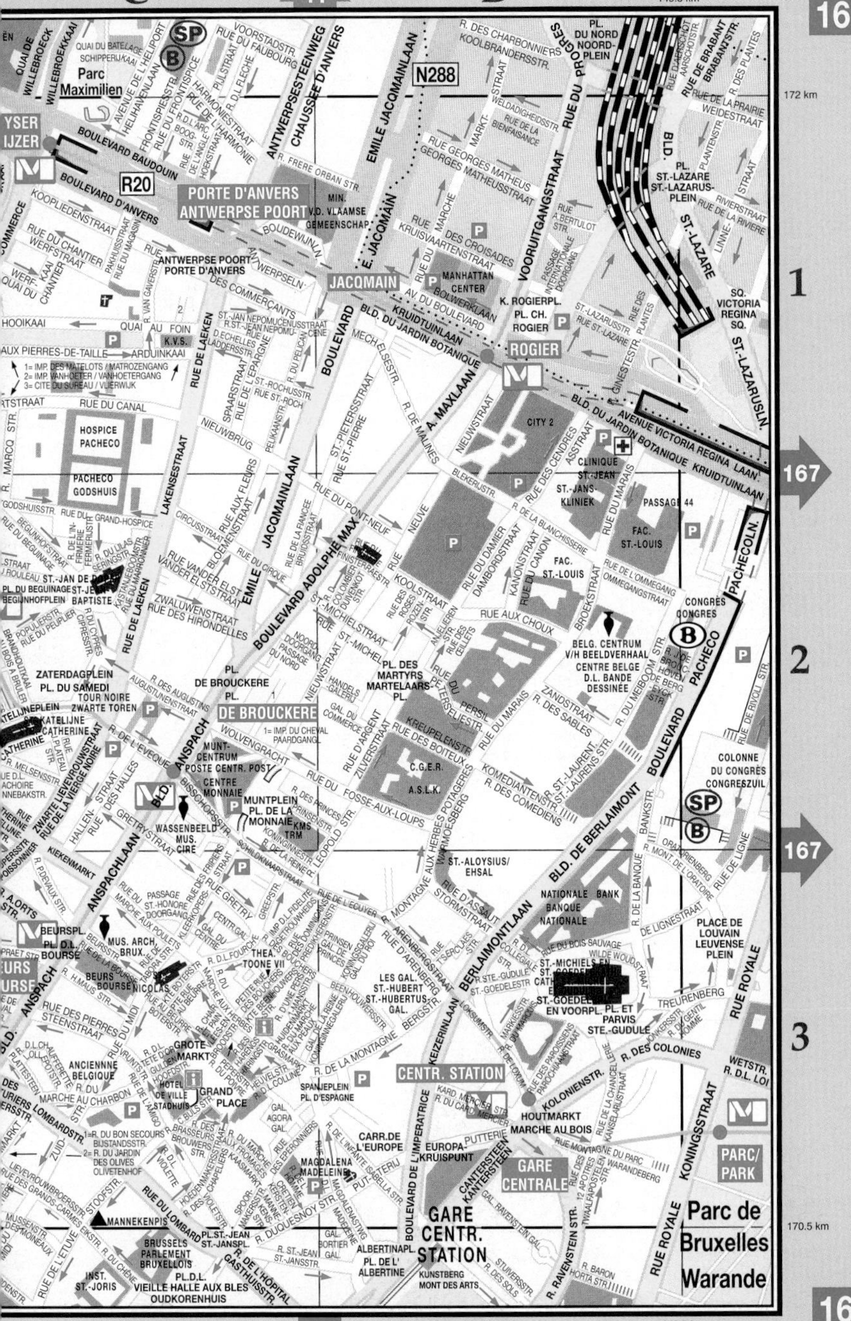

172 km
1
167
2
167
3
170.5 km

149.5 km
C
168
D

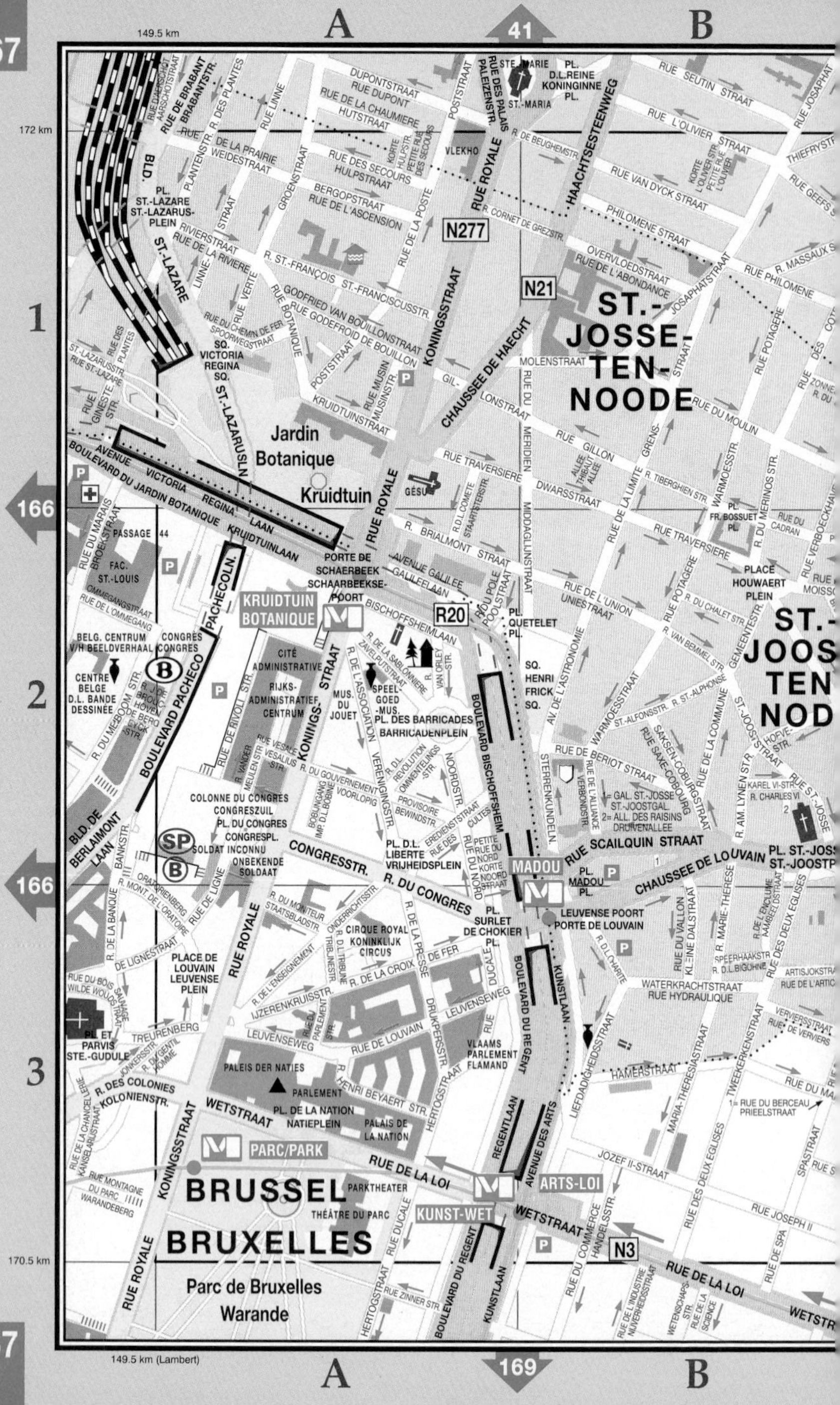

149.5 km

A

41

B

172 km

1

2

3

166

166

170.5 km

RUE DE BRABANT BRABANTSTR.
RUE D'AERSCHOT AARSCHOTSTRAAT
R. DES PLANTES
PLANTENSTR.
RUE LINNE
DUPONTSTRAAT RUE DUPONT
RUE DE LA CHAUMIERE HUTSTRAAT
POSTSTRAAT
RUE DES PALAIS PALEIZENSTR.
STE.-MARIE ST.-MARIA
PL. D.L.REINE KONINGINNE PL.
RUE SEUTIN STRAAT
RUE JOSAPHAT
HAACHTSESTEENWEG
RUE L'OLIVIER STRAAT
THIEFRYSTR.
RUE DE LA PRAIRIE WEIDESTRAAT
RUE DES SECOURS HULPSTRAAT
KORTE HULPSTR. PETITE RUE DES SECOURS
VLEKHO
RUE ROYALE
R. DE BEUGHEMSTR.
RUE VAN DYCK STRAAT
KORTE L'OLIVIER STR. PETITE RUE L'OLIVIER
RUE GEEFS
BLD. ST.-LAZARE
PL. ST.-LAZARE ST.-LAZARUS-PLEIN
GROENSTRAAT
BERGOPSTRAAT RUE DE L'ASCENSION
RUE DE LA POSTE
N277
R. CORNET DE GREZSTR.
PHILOMENE STRAAT
RIVIERSTRAAT RUE DE LA RIVIERE
R. ST.-FRANÇOIS ST.-FRANCISCUSSTR.
KONINGSSTRAAT
N21
OVERVLOEDSTRAAT RUE DE L'ABONDANCE
JOSAPHATSTRAAT
R. MASSAUX
RUE PHILOMENE
RUE VERTE
LINNE-STRAAT
GODFRIED VAN BOUILLONSTRAAT
RUE GODEFROID DE BOUILLON
RUE BOTANIQUE
RUE DU CHEMIN DE FER SPOORWEGSTRAAT
ST.-JOSSE-TEN-NOODE
CHAUSSEE DE HAECHT
RUE POTAGERE
ST.-LAZARUSSTR. RUE ST.-LAZARE
RUE DES PLANTES
SQ. VICTORIA REGINA SQ.
ST.-LAZARUSLN
POSTSTRAAT
RUE MUSIN MUSINSTR.
MOLENSTRAAT
GIL-LONSTRAAT
RUE DU MERIDIEN
RUE DU MOULIN
RUE GINESTE GINESTE-STR.
KRUIDTUINSTRAAT
Jardin Botanique
Kruidtuin
RUE GILLON
ALLEE THIEBAUT ALLEE
GRENS-
AVENUE VICTORIA REGINA LAAN
BOULEVARD DU JARDIN BOTANIQUE
KRUIDTUINLAAN
RUE TRAVERSIERE
GESU
DWARSSTRAAT
R. TIBERGHIEN STR.
WARMOESSTR.
PL. FR. BOSSUET PL.
RUE DU CADRAN
R. DU MERINOS STR.
RUE VERBOECKHAVEN
RUE DU MARAIS BROEKSTRAAT
PASSAGE 44
FAC. ST.-LOUIS
PACHECOLN.
PORTE DE SCHAERBEEK SCHAARBEEKSE-POORT
R. BRIALMONT STRAAT
R.D.L.COMETE STAARTSTERSTR.
MIDDAGLIJNSTRAAT
RUE DE LA LIMITE
RUE TRAVERSIERE
PLACE HOUWAERT PLEIN
RUE DE MOISSON
AVENUE GALILEE GALILEELAAN
RUE DU POLE POOLSTRAAT
RUE DE L'UNION UNIESTRAAT
R. DU CHALET STR.
OMMEGANGSTRAAT RUE DE L'OMMEGANG
KRUIDTUIN BOTANIQUE
BISCHOFFSHEIMLAAN
R20
PL. QUETELET PL.
R. VAN BEMMEL STR.
GEMEENTESTR.
BELG. CENTRUM V/H BEELDVERHAAL
CONGRES CONGRES
BOULEVARD PACHECO
CITÉ ADMINISTRATIVE
R. DE LA SABLONNIERE ZAVELPUTSTRAAT
VAN ORLEY STR.
SQ. HENRI FRICK SQ.
AV. DE L'ASTRONOMIE
CENTRE BELGE D.L. BANDE DESSINÉE
R. DU MEIBOOM STR.
R. J. DE BROUCKERE
RIJKS-ADMINISTRATIEF CENTRUM
KONINGS-STRAAT
RUE DE RIVOLI STR.
MUS. DU JOUET
R. DE L'ASSOCIATION VERENIGINGSSTR.
SPEEL-GOED-MUS.
PL. DES BARRICADES BARRICADENPLEIN
BOULEVARD BISCHOFFSHEIM
ST.-ALFONSSTR. R. ST.-ALPHONSE
WARMOESSTRAAT
SAKSEN-COBURGSTRAAT RUE SAXE-COBOURG
RUE DE LA COMMUNE
ST.-JOOSTSTRAAT
HOFVE-STR.
R. DU MEIBOOM
RUE VANDER MEULEN STR.
RUE VESALE VESALIUS STR.
R. DU GOUVERNEMENT PROVISOIRE VOORLOPIG BEWINDSTR.
R. D.L. REVOLUTION OMWENTELINGSSTR.
NOORDSTR.
RUE DE BERIOT STRAAT
RUE DE L'ALLIANCE VERBONDSTR.
STERRENKUNDELN.
1= GAL. ST.-JOSSE ST.-JOOSTGAL.
2= ALL. DES RAISINS DRUIVENALLEE
R. AM. LYNEN STR.
KAREL VI-STR. R. CHARLES VI
RUE ST.-JOSSE
COLONNE DU CONGRES CONGRESZUIL
PL. DU CONGRES CONGRESPL.
BLD. DE BERLAIMONT LAAN
BANKSTR.
BOBIJNGANG IMP. D.L.BOBINE
ERE DIENSTSTRAAT RUE DES CULTES
PETITE RUE DU NORD KORTE NOORDSTRAAT
RUE DU NORD
RUE SCAILQUIN STRAAT
PL. ST.-JOSSE ST.-JOOSTPL.
SOLDAT INCONNU ONBEKENDE SOLDAAT
CONGRESSTR.
R. DU CONGRES
PL. D.L. LIBERTE VRIJHEIDSPLEIN
MADOU
PL. MADOU PL.
CHAUSSEE DE LOUVAIN
ORATORIENBERG R. MONT. DE L'ORATOIRE
R. DE LA BANQUE
RUE DE LIGNE
R. DU MONITEUR STAATSBLADSTR.
ONDERRICHTSSTR.
R. DE LA PRESSE
PL. SURLET DE CHOKIER PL.
LEUVENSE POORT PORTE DE LOUVAIN
RUE DU VALLON
KLEINE DALSTRAAT
R. MARIE-THERESE
R. DE L'ENCLUME AAMBEELDSTRAAT
RUE DES DEUX EGLISES
CIRQUE ROYAL KONINKLIJK CIRCUS
R. D.L. TRIBUNE TRIBUNESTR.
DE LIGNESTRAAT
PLACE DE LOUVAIN LEUVENSE PLEIN
RUE ROYALE
R. DE L'ENSEIGNEMENT
R. DE LA CROIX DE FER
DUCALE
BOULEVARD DU REGENT
KUNSTLAAN
R. D.L. CHARITE
SPEERHAAKSTR. R. D.L.BIGUHNE
ARTISJOKSTRAAT RUE DE L'ARTICHAUT
WATERKRACHTSTRAAT RUE HYDRAULIQUE
RUE DU BOIS SAUVAGE WILDE WOUDSTRAAT
IJZERENKRUISSTR.
RUE D. PARLEMENT STR.
LEUVENSEWEG
RUE
VERVIERSSTRAAT RUE DE VERVIERS
PL. ET PARVIS STE.-GUDULE
TREURENBERG
JONKERSSTR. R. DU GENTILHOMME
LEUVENSEWEG
RUE DE LOUVAIN
DRUKPERSSTR.
VLAAMS PARLEMENT FLAMAND
LIEFDADIGHEIDSSTRAAT
MARIA-THERESIASTRAAT
TWEEKERKENSTRAAT
HAMERSTRAAT
RUE DU MARTEAU
PALEIS DER NATIES
PARLEMENT
R. HENRI BEYAERT STR.
HERTOGSTRAAT
R. DES COLONIES KOLONIENSTR.
WETSTRAAT
PL. DE LA NATION NATIEPLEIN
PALAIS DE LA NATION
REGENTLAAN
AVENUE DES ARTS
1= RUE DU BERCEAU PRIEELSTRAAT
RUE DE LA CHANCELLERIE KANSELARIJSTRAAT
PARC/PARK
RUE DE LA LOI
JOZEF II-STRAAT
MARIA-THERESIASTRAAT
SPASTRAAT
RUE DU MONTAGNE DU PARC WARANDEBERG
KONINGSSTRAAT
BRUSSEL
PARKTHEATER
ARTS-LOI
RUE DES DEUX EGLISES
THÉATRE DU PARC
KUNST-WET
WETSTRAAT
RUE DU COMMERCE HANDELSSTR.
RUE JOSEPH II
BRUXELLES
RUE DUCALE
N3
RUE ROYALE
Parc de Bruxelles
Warande
HERTOGSTRAAT
RUE ZINNER STR.
BOULEVARD DU REGENT
KUNSTLAAN
RUE DE L'INDUSTRIE NIJVERHEIDSSTRAAT
WETENSCHAPSSTR. RUE DE LA SCIENCE
RUE DE LA LOI
RUE DE SPA
WETSTRAAT

149.5 km (Lambert)

A

169

B

172 km

1

42

2

42

3

170.5 km

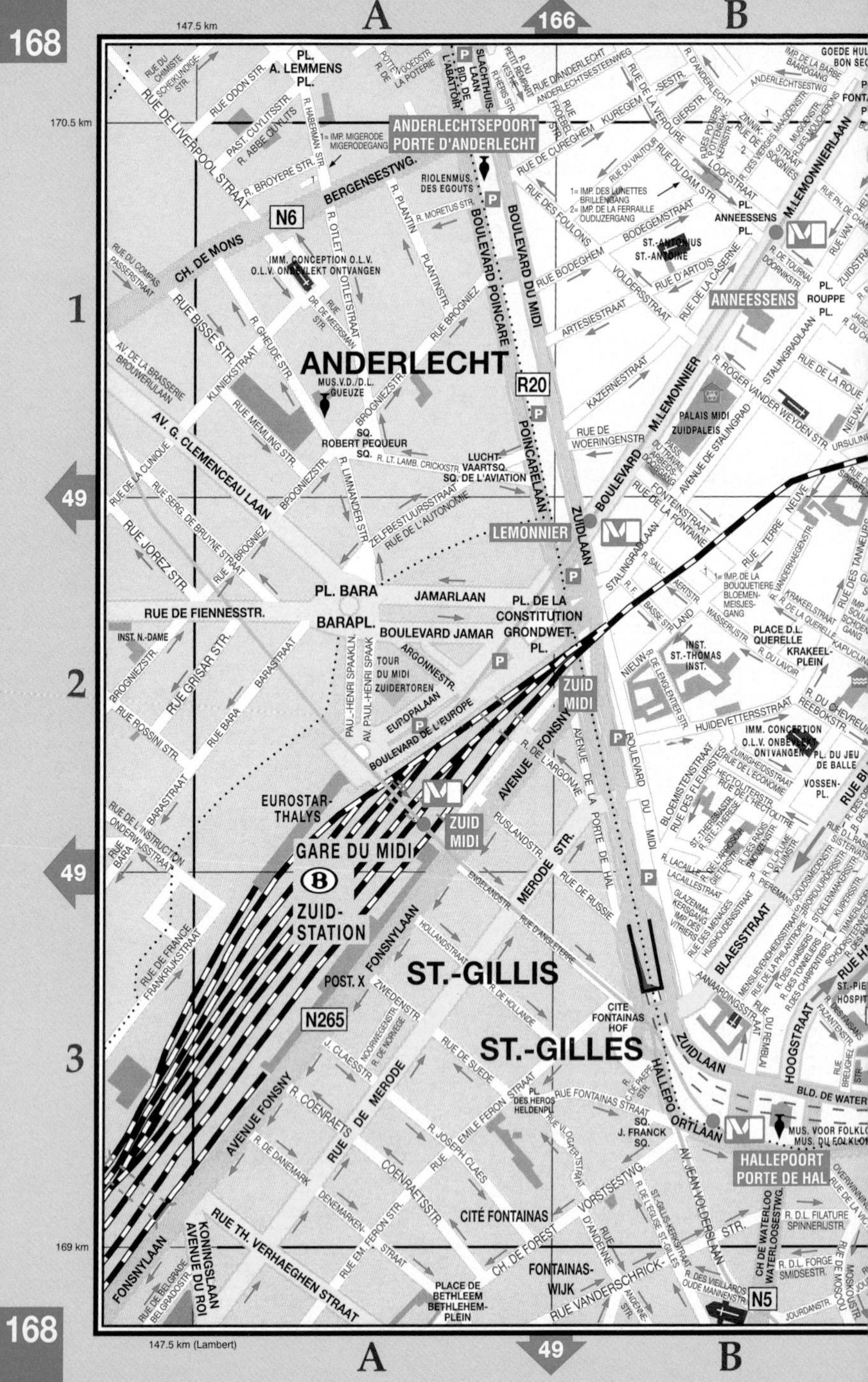
A
B
166
49
49
49
1
2
3
147.5 km
170.5 km
169 km
147.5 km (Lambert)
ANDERLECHT
ST.-GILLIS
ST.-GILLES
ANDERLECHTSEPOORT
PORTE D'ANDERLECHT
GARE DU MIDI
ZUID-
STATION
EUROSTAR-
THALYS
ZUID
MIDI
LEMONNIER
ANNEESSENS
HALLEPOORT
PORTE DE HAL
PL. BARA
BARAPL.
PL. DE LA
CONSTITUTION
GRONDWET-
PL.
BOULEVARD JAMAR
JAMARLAAN
RUE DE FIENNESSTR.
BOULEVARD POINCARE
POINCARELAAN
BOULEVARD DU MIDI
ZUIDLAAN
BOULEVARD M.LEMONNIER
M.LEMONNIERLAAN
AV. G. CLEMENCEAU LAAN
CH. DE MONS
BERGENSESTWG.
RUE DE LIVERPOOL STRAAT
AVENUE FONSNY
FONSNYLAAN
RUE DE MERODE
MERODE STR.
AVENUE DE LA PORTE DE HAL
AV. JEAN VOLDERSLAAN
RUE TH. VERHAEGHEN STRAAT
AVENUE DU ROI
KONINGSLAAN
CITÉ FONTAINAS
FONTAINAS-
WIJK
CITE
FONTAINAS
HOF
PL. DES HEROS
HELDENPL.
SQ. J. FRANCK
SQ.
PL. A. LEMMENS
PL.
PL. ANNEESSENS
PL.
PL. ROUPPE
PL.
SQ. ROBERT PEQUEUR
SQ.
LUCHT-
VAARTSQ.
SQ. DE L'AVIATION
PALAIS MIDI
ZUIDPALEIS
TOUR
DU MIDI
ZUIDERTOREN
RIOLENMUS.
DES EGOUTS
MUS.V.D./D.L.
GUEUZE
IMM. CONCEPTION O.L.V.
O.L.V. ONBEVLEKT ONTVANGEN
ST.-ANTONIUS
ST.-ANTOINE
INST.
ST.-THOMAS
INST.
INST. N.-DAME
POST. X
PLACE D.L.
QUERELLE
KRAKEEL-
PLEIN
PL. DU JEU
DE BALLE
VOSSEN-
PL.
MUS. VOOR FOLKL
MUS. DU FOLKLO
PLACE DE
BETHLEEM
BETHLEHEM-
PLEIN
N6
R20
N265
N5
1= IMP. MIGERODE
MIGERODEGANG
1= IMP. DES LUNETTES
BRILLENGANG
2= IMP. DE LA FERRAILLE
OUDIJZERGANG
1= IMP. DE LA
BOUQUETIERE
BLOEMEN-
MEISJES-
GANG
RUE DE CUREGHEM
KUREGEM
RUE DES FOULONS
RUE BODEGHEM
BODEGEMSTRAAT
VOLDERSSTRAAT
RUE D'ARTOIS
ARTESIESTRAAT
RUE DE LA CASERNE
KAZERNESTRAAT
RUE DE WOERINGENSTR.
RUE DE LA FONTAINE
FONTEINSTRAAT
AVENUE DE STALINGRAD
STALINGRADLAAN
R. ROGER VANDER WEYDEN STR.
RUE TERRE NEUVE
HUIDEVETTERSSTRAAT
BLAESSTRAAT
HOOGSTRAAT
RUE DU REMPART
RUE DE RUSSIE
RUSLANDSTR.
RUE D'ANGLETERRE
ENGELANDSTR.
HOLLANDSTRAAT
R. DE HOLLANDE
ZWEDENSTR.
RUE DE SUEDE
R. COENRAETS
COENRAETSSTR.
R. JOSEPH CLAES
R. EMILE FERON STRAAT
R. DE DANEMARK
DENEMARKEN-
STRAAT
RUE EM. FERON STR.
CH. DE FOREST
VORSTSESTWG.
RUE D'ANDENNE
RUE VANDERSCHRICK-
RUE DE FRANCE
FRANKRIJKSTRAAT
RUE BARA
BARASTRAAT
RUE ROSSINI STR.
BROGNIEZSTR.
RUE GRISAR STR.
RUE JOREZ STR.
RUE BISSE STR.
RUE DU COMPAS
PASSERSTRAAT
AV. DE LA BRASSERIE
BROUWERIJLAAN
KLINIEKSTRAAT
RUE MEMLING STR.
R. GHEUDE STR.
OTLETSTRAAT
R. OTLET
PLANTINSTR.
R. PLANTIN
RUE BROGNIEZ
ZELFBESTUURSSTRAAT
RUE DE L'AUTONOMIE
R. LIMNANDER STR.
ARGONNESTR.
EUROPALAAN
BOULEVARD DE L'EUROPE
PAUL-HENRI SPAAKLN.
AV. PAUL-HENRI SPAAK
RUE ODON STR.
PAST. CUYLITSSTR.
R. ABBE CUYLITS
R. BROYERE STR.
R. HABERMAN STR.
R. MORETUS STR.
SLACHTHUIS-
LAAN
BD. DE
L'ABATTOIR
RUE D'ANDERLECHT
ANDERLECHTSESTEENWEG
RUE DE LA VERDURE
RUE DU DAM STR.
LOOFSTRAAT
R. DE TOURNAI
DOORNIKSTR.
HALLEPO ORTLAAN
BLD. DE WATER
CH DE WATERLOO
WATERLOOSESTWG.
R. D.L. FILATURE
SPINNERIJSTR.
R. D.L. FORGE
SMIDSESTR.
JOURDANSTR.
RUE DE BELGRADE
BELGRADOSTR.
GOEDE HUL
BON SEC
ST.-PIE
HOSPIT

C
D
166
149.5 km
170.5 km
169 km
1
2
3
169
169
50
GARE CENTR. STATION
Parc de Bruxelles Warande
BRUSSEL
BRUXELLES
Jardins d'Egmont
Egmonttuinen
IXELLES
ELSENE
PALAIS ROYAL
KONINKLIJK PALEIS
PALAIS DE JUSTICE
JUSTITIEPALEIS
PORTE DE NAMUR
NAAMSE POORT
LOUISE
LOUIZA
HOTEL DES MONNAIES
MUNTHOF
STATION KAPELLE
MANNEKENPIS
BOULEVARD DE L'EMPEREUR
KEIZERSLAAN
RUE HAUTE
RUE BLAES
HOOGSTRAAT
RUE DE LA REGENCE
REGENTSCHAPSSTRAAT
RUE ROYALE
KONINGSSTRAAT
RUE DE NAMUR
NAAMSESTRAAT
BOULEVARD DE WATERLOO
WATERLOOLAAN
AVENUE DE LA TOISON D'OR
LOUIZALAAN
AV. LOUISE
CHARLEROISESTEENWEG
CH. DE CHARLEROI
ELSENSESTEENWEG
CH. D'IXELLES
PL. DU GRAND-SABLON
GROTE ZAVEL
PLACE LOIX PLEIN
PL. STEPHANIE
STEFANIAPL.
R20
N4
N24
N247
N261

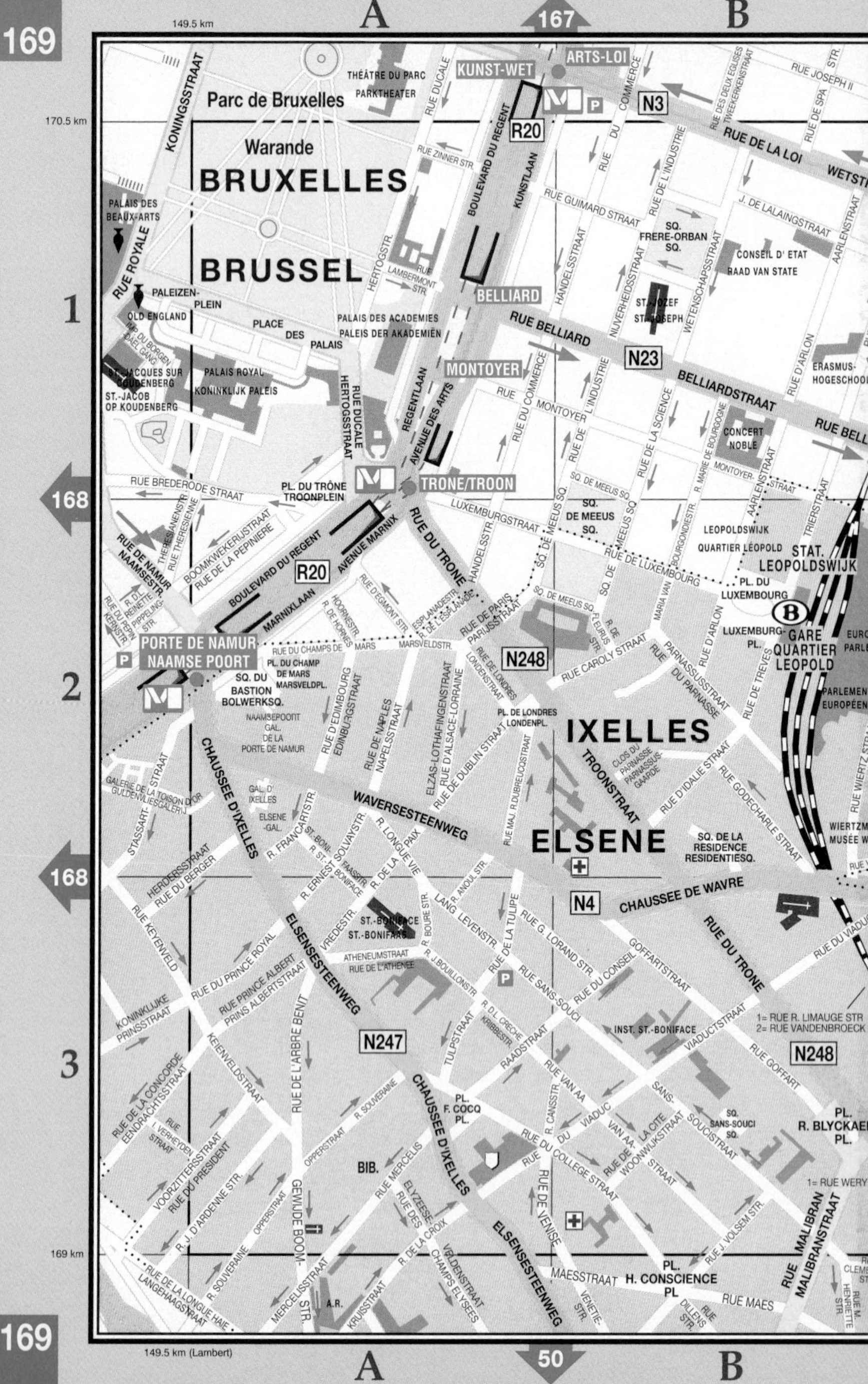
A
B
167
168
168
50
1
2
3
149.5 km
170.5 km
169 km
149.5 km (Lambert)
Parc de Bruxelles
Warande
BRUXELLES
BRUSSEL
IXELLES
ELSENE
THÉATRE DU PARC
PARKTHEATER
KUNST-WET
ARTS-LOI
N3
R20
BELLIARD
MONTOYER
TRONE/TROON
PORTE DE NAMUR
NAAMSE POORT
N23
N248
N4
N247
KONINGSSTRAAT
RUE ROYALE
PALAIS DES BEAUX-ARTS
PALEIZEN-PLEIN
OLD ENGLAND
PLACE DES PALAIS
PALAIS ROYAL
KONINKLIJK PALEIS
ST.-JACQUES SUR COUDENBERG
ST.-JACOB OP KOUDENBERG
PALAIS DES ACADEMIES
PALEIS DER AKADEMIËN
RUE DUCALE
HERTOGSSTRAAT
REGENTLAAN
AVENUE DES ARTS
BOULEVARD DU REGENT
KUNSTLAAN
RUE ZINNER STR.
RUE GUIMARD STRAAT
RUE DE LA LOI
WETSTR
SQ. FRERE-ORBAN SQ.
CONSEIL D' ETAT
RAAD VAN STATE
ST.-JOZEF
ST.-JOSEPH
RUE BELLIARD
BELLIARDSTRAAT
ERASMUS-HOGESCHOOL
CONCERT NOBLE
RUE BREDERODE STRAAT
PL. DU TRÔNE
TROONPLEIN
LUXEMBURGSTRAAT
SQ. DE MEEUS SQ.
RUE DE LUXEMBOURG
LEOPOLDSWIJK
QUARTIER LÉOPOLD
STAT. LEOPOLDSWIJK
PL. DU LUXEMBOURG
LUXEMBURG-PL.
GARE QUARTIER LEOPOLD
PARLEMENT EUROPÉEN
AVENUE MARNIX
MARNIXLAAN
RUE DU TRONE
TROONSTRAAT
RUE DE NAMUR
NAAMSESTR.
RUE DU CHAMPS DE MARS
MARSVELDSTR.
PL. DU CHAMP DE MARS
MARSVELDPL.
SQ. DU BASTION
BOLWERKSQ.
NAAMSEPOORT GAL.
DE LA PORTE DE NAMUR
CHAUSSEE D'IXELLES
ELSENSESTEENWEG
WAVERSESTEENWEG
RUE CAROLY STRAAT
PL. DE LONDRES
LONDENPL.
SQ. DE LA RESIDENCE
RESIDENTIESQ.
CHAUSSEE DE WAVRE
RUE GODECHARLE STRAAT
RUE D'IDALIE STRAAT
WIERTZMUSEUM
MUSÉE WIERTZ
ST.-BONIFACE
ST.-BONIFAAS
RUE DU PRINCE ROYAL
RUE KEYENVELD
RUE DE L'ATHENEE
ATHENEUMSTRAAT
RUE SANS-SOUCI
RUE DU CONSEIL
GOFFARTSTRAAT
INST. ST.-BONIFACE
VIADUCTSTRAAT
RUE GOFFART
1= RUE R. LIMAUGE STR
2= RUE VANDENBROECK S
PL. F. COCQ PL.
RUE DE L'ARBRE BENIT
RUE DU COLLEGE STRAAT
RUE DE VENISE
SQ. SANS-SOUCI SQ.
PL. R. BLYCKAERTS PL.
1= RUE WERY S
BIB.
RUE MERCELIS
MERCELISSTRAAT
RUE MALIBRAN
MALIBRANSTRAAT
PL. H. CONSCIENCE PL.
MAESSTRAAT
RUE MAES
RUE DE LA LONGUE HAIE
LANGEHAAGSTRAAT

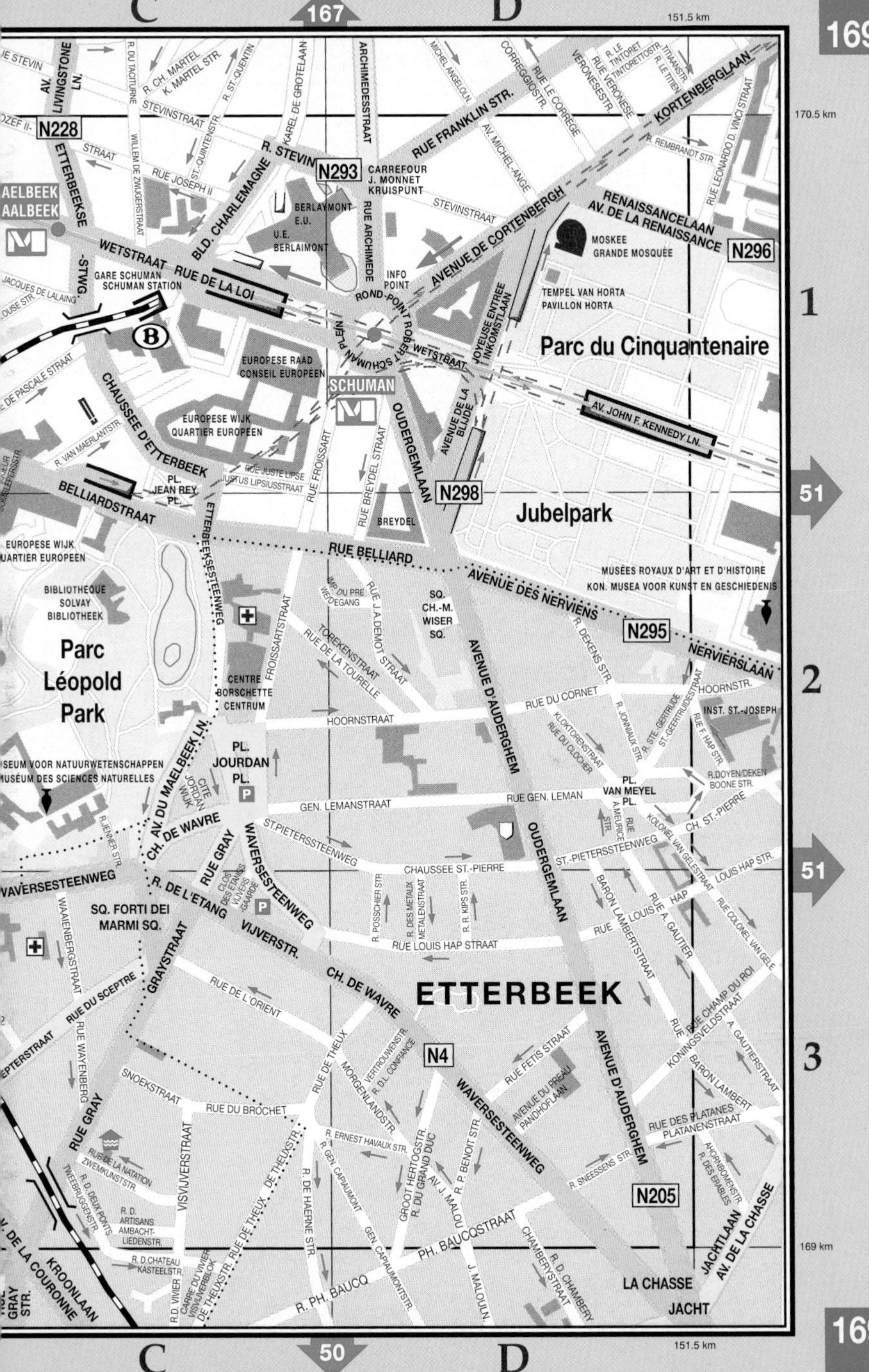
C
167
D
151.5 km
170.5 km
169 km
1
2
3
51
51
50
N228
N293
N296
N298
N295
N4
N205
ETTERBEEK
Parc du Cinquantenaire
Jubelpark
Parc Léopold Park
WETSTRAAT RUE DE LA LOI
CHAUSSEE D'ETTERBEEK
BELLIARDSTRAAT
RUE BELLIARD
AVENUE DES NERVIENS
NERVIERSLAAN
AVENUE DE CORTENBERGH
KORTENBERGLAAN
RENAISSANCELAAN AV. DE LA RENAISSANCE
RUE FRANKLIN STR.
BLD. CHARLEMAGNE
R. STEVIN
CARREFOUR J. MONNET KRUISPUNT
BERLAYMONT E.U.
U.E. BERLAIMONT
GARE SCHUMAN SCHUMAN STATION
ROND-POINT ROBERT SCHUMAN PLEIN
SCHUMAN
EUROPESE RAAD CONSEIL EUROPEEN
EUROPESE WIJK QUARTIER EUROPEEN
MOSKEE GRANDE MOSQUÉE
TEMPEL VAN HORTA PAVILLON HORTA
AV. JOHN F. KENNEDY LN.
MUSÉES ROYAUX D'ART ET D'HISTOIRE
KON. MUSEA VOOR KUNST EN GESCHIEDENIS
OUDERGEMLAAN
AVENUE D'AUDERGHEM
BIBLIOTHEQUE SOLVAY BIBLIOTHEEK
CENTRE BORSCHETTE CENTRUM
PL. JOURDAN PL.
PL. VAN MEYEL PL.
RUE GEN. LEMAN
GEN. LEMANSTRAAT
CHAUSSEE ST.-PIERRE
ST.-PIETERSSTEENWEG
RUE LOUIS HAP STRAAT
CH. DE WAVRE
WAVERSESTEENWEG
SQ. FORTI DEI MARMI SQ.
GRAYSTRAAT
RUE GRAY
RUE DU SCEPTRE
SNOEKSTRAAT
RUE DU BROCHET
PH. BAUCQSTRAAT
R. PH. BAUCQ
LA CHASSE
JACHT
JACHTLAAN AV. DE LA CHASSE
KROONLAAN
AV. DE LA COURONNE
INST. ST.-JOSEPH
SQ. CH.-M. WISER SQ.
BREYDEL
MUSEUM VOOR NATUURWETENSCHAPPEN
MUSÉUM DES SCIENCES NATURELLES

VERKLARING	LEGENDE	LEGEND	ZEICHENERKLÄRUNG	LEYENDA	LEGENDA
Autosnelweg met aansluiting Autobahn mit Anschlußstraße Highway with access road	19 Evere	Autoroute avec accès Autopista con acceso Autostrada con uscita	Watertoren Wasserturm Water tower		Château d'eau Torre de agua Serbatoio di acqua
Hoofdweg Hauptstraße Main road		Route principale Carretera general Strada statale	Windmolen Windmühle Windmill		Moulin à vent Molino Mulino a vento
Secundaire weg Nebenstraße Secondary road		Route secondaire Carretera secundaria Strada secondária	Sporthal Sporthalle Sports hall		Salle omnisports Sala de deportes Sala sportiva
Lokale weg Fahrweg Minor road		Route locale Carretera local Strada locala	Overdekt zwembad Hallenbad Indoor swiming-pool		Piscine couverte Piscina cubierta Piscina coperta
Aardeweg / pad Feldweg / Fußweg Earth-road / path		Chemin de terre / sentier Camino de tierra / sendero Pista di terra / sentiero	Kampeerplaats Camping Camping		Camping Camping Parco di campéggis
Kerk, kapel Kirche, Kapelle Church, chapel		Eglise, chapelle Iglesia, Capilla Chiesa, Cappella	Voetbalveld Fußballfeld Football field		Terrain de football Campo de fútbol Campo di calcio
Rijkswacht Polizeistelle Police headquarters	R G	Gendarmerie Gendarmeria Gendarmeria	Treinstation Bahnhof Railway station	B	Gare voyageurs Estación Stazione
Brandweer Feuerwehr Fire-brigade	B SP	Pompiers Cuerpo de bomberos Pompiere	Metro U-Bahn Underground	MADOU M	Metro Metro Metro politana
Politie Polizei Police	P	Police Policia Polizia	Tramlijn MIVB + halte Straßenbahnlinie MIVB + Haltestelle Tramline MIVB + stop	19	Ligne de tramway STIB + arrêt Linea de tranvía STIB + parada Linea tranviaria STIB + arresto
School Schule School	S E	Ecole Escuela Scuola	Buslijn MIVB + halte Buslinie MIVB + Haltestelle Busroute MIVB + stop	61	Ligne d'autobus STIB + arrêt Línea de autobus STIB + parada Linea de autobus STIB + arresto
Ziekenhuis Krankenhaus Hospital		Hôpital Hospital Ospedale	Buslijn De Lijn / TEC Buslinie De Lijn / TEC Busroute De Lijn / TEC	355 365	Ligne d'autobus De Lijn / TEC Línea de autobus De Lijn / TEC Linea de autobus De Lijn / TEC
Parking Parkplatz Parking	P	Parking Aparcamiento Parcheggio	Eindhalte tram en bus Endstation Tram und Bus Terminal tram and bus	19 61 355 365	Terminus tramway et bus Estación término tranvía + bus Stazione di testa tram + autobus
Gemeentehuis Rathaus Municipal office		Maison communale Ayuntamiento Palazzo di citta	Voetgangersgebied Fußgängerzone Pedestrian area		Zone piétonne Area peatonal Zona pedonale
Postkantoor Postamt Post-office		Bureau de poste Oficina de correos Officio postale	Recreatiezone/ bos Erholungsgebiet/ Wald Recreation area/ wood		Zone de loisirs/ bois Zona de recreación/ bosque Zona di divertimenti/ bosco
Informatiekantoor Information Information office	i	Bureau d'Information Informaciones turisticas Informazione turistica	Militair gebied Militairgebiet Military area	M	Zone militaire Zona militar Zona militare
Museum Museum Museum		Musée Museo Museo	Natuurreservaat Naturschutzgebiet Nature reserve		Réserve naturelle Reserva natural Riserva naturale
Bezienswaardigheid Sehenswürdigkeit Curiosity		Curiosité Curiosidades Curiosita	Park Park Park		Parc Parque Parco
Kasteel Schloss Castle		Château Castillo Castello	Begraafplaats Friedhof Cemetery		Cimetière Cementerio Cimitero

SOMMAIRE - INHOUD - INHALTSVERZEICHNIS SUMMARY - SOMMARIO - INDICE

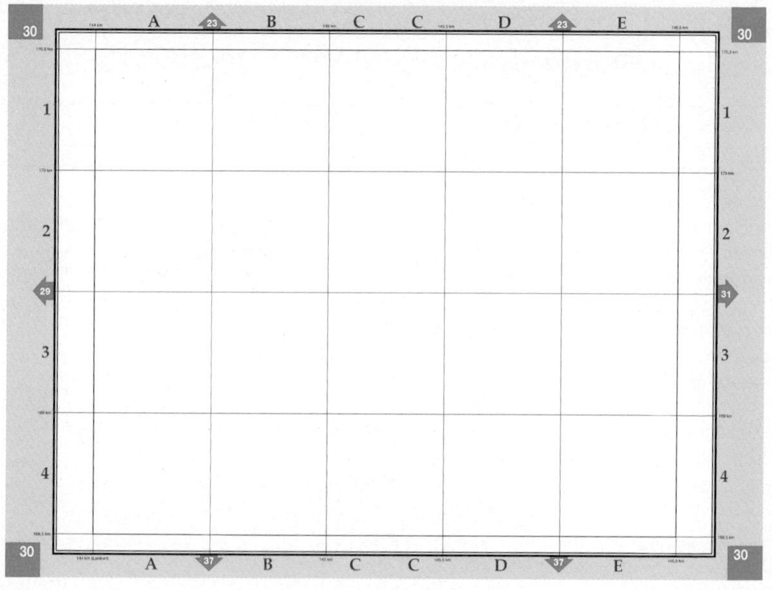

ASSEMBLAGE ET MODE D'UTILISATION DU PLAN

La surface du plan est partagée en 165 feuilles et 4 feuilles pour le centre.
Chaque page est divisée en 20 carrés (voir exemple ci-dessus).
Dans l'index alphabétique le nom de la rue est suivi par la page,la référence du carré, le code postal et l'abréviation de la commune à laquelle la rue appartient. Le centre de Bruxelles est repris sur un plan séparé sur les pages 166 jusqu'à 169. Les rues y référant sont indiquées dans l'index par le mot "Centr.".

SAMENSTELLING VAN HET PLAN EN GEBRUIKSAANWIJZING

De oppervlakte van het plan is verdeeld over 165 bladen en 4 bladen centrum.
Elk blad is verdeeld in 20 vakken (zie voorbeeld hierboven).
In het register wordt de straatnaam gevolgd door de bladzijde, de vakverwijzing, het postnummer en de afkorting van de gemeente waartoe de straat behoort. Een afzonderlijk plan van Brussel Centrum bevindt zich op de bladzijden 166 tot 169. De straten op dit plan worden in de index aangeduid met het woord "Centr.".

INDEX DES NOMS DES RUES
STRAATNAMENREGISTER
STRAßENVERZEICHNIS
INDEX OF STREET NAMES
INDICE DELLE STRADE
INDICE DE CALLES

A

A

AERNAUT (RUE J. - STRAAT) - 52 C1	1200	WSL
AERODROME (RUE DE L') - 24 E3 - 25 A3	1130	BRL
AERONEF (RUE DE L') (1) - 33 D1	1140	EVE
AEROPLANE (AV. DE L') - 52 C2-3	1150	SPW
AERSCHOT (RUE D') - 32 B4 - 41 B1		
NOS 2 à 4	1210	SJN
NOS IMPAIRS - 6 à FIN	1030	SCH
AFFECTATION (CHEMIN DE L') - 100 A-B4	1310	LAH
AFRICAINE (RUE) - 58 E1 - 59 A1		
NOS 1 à 3 - 2 à 2A	1050	IXE
NOS 5 à 37 - 2B à108	1060	SGI
AFRIKAANSESTRAAT - 59 A1	1050	IXE
AFRIKALAAN - 54 E2	3080	TER
AFRIKASTRAAT - 58 E1 - 59 A1	1060	SGI
AGAVENDREEF - 48 A3	1070	AND
AGAVES (DREVE DES) - 48 A3	1070	AND
AGE DE LA PIERRE (CHEMIN DE L') - 98 D-E2	1640	SGR
AGNEAU (AV. DE L') - 77 D3-4	1180	UCK
AGNELLO (AV. PERE) - 51 E4	1150	SPW
AGNELLOLAAN (PATER) - 51 E4	1150	SPW
AGORA (GALERIE - GALERIJ) -		
40 E4 - Centr. 166 C3	1000	BRL
AGRAFE (RUE DE L') - 48 E1-2	1070	AND
AGREMENT (RUE DE L') - 48 D2	1070	AND
AGRICULTURE (RUE DE L') - 32 E2-3 - 33 A2-3	1030	SCH
AGRONOME (RUE DE L') - 48 B1-2	1070	AND
AGRONOOMSTRAAT - 48 B1-2	1070	AND
AHORNBOMENLAAN - 53 B-C1	1970	WEO
AHORNBOMENSTRAAT - 51 A3	1040	ETT
AHORNLAAN - 88 E4 - 98 D1-2 E1-2	1640	SGR
AIEUX (CHEMIN DES) - 126 B2	1330	RIX
AIGLE (AV. DE L') - 60 D-E1	1150	SPW
AIGLON (AV. DE L' - LAAN) - 78 A-B2	1180	UCK
AIGLON (AV. DE L') - 135 A1	1410	WAT
AIGRETTES (RUE DES) - 69 D2	1170	WAB
AIGUE MARINE (RESIDENCE) (9) - 127 D2	1300	LIL
AIGUILLE (RUE DE L') - 48 E2	1070	AND
AILES (RUE DES) - 32 C-D3	1030	SCH
AIRELLES (AV. DES) (1) - 69 B2	1170	WAB
AISANCE (AV. DE L') (4) - 129 C2	1300	WAV
AISNE (RESIDENCE) (4) - 127 D2-3	1300	LIL
AJONCS (AV. DES) - 52 C-D4	1150	SPW
AKENKAAI - 31 E4 - 40 D-E1	1000	BRL
AKKER - 27 B-C4 - 36 B1	1930	NOS
AKKERMUNTSTRAAT - 35 A2	1930	ZAV
AKKERPLEIN - 82 A4 - 91 E1 - 92 A1	3090	OVE
AKKERSTRAAT - 46 A3	1703	SPD
AKKERSTRAAT - 46 A3	1701	ITT
AKKERVOOR - 20 E2	1731	ZEL
AKKERWINDEWEG - 45 A2	1933	STK
AKKOORDSTRAAT - 40 A2-3	1080	SJM
ALAUMONT (RUE D') - 161 C1-2	1380	CSG
ALBANIE (RUE D' - STRAAT) - 58 D-E1	1060	SGI
ALBATROS (AV. DES - LAAN) - 60 E1	1150	SPW
ALBATROS (CLOS DES) - 163 D2	1340	OTT
ALBERT (AV. - LAAN) - 54 A4 B2-3-4 - 63 A1	1970	WEO
ALBERT (AV. - LAAN) - 58 D2-3 E3		
1 à/tot 291 - 2 à/tot 268	1190	VOR
AUTRES NOS/ANDERE NRS	1180	UCK
ALBERT (AV. DU ROI) - 151 D-E4	1340	OTT
ALBERT (AV. DU ROI) - 23 C1-2 D2	1120	BRL
ALBERT (AV. DU ROI) - 29 E4 - 30 A-B4	1082	SAB
ALBERT (AV. PRINCE) - 123 A-B4	1410	WAT
ALBERT (PONT - BRUG) - 23 D4	1020	BRL
ALBERT (RUE - STRAAT) - 32 A2	1020	BRL
ALBERT (RUE DU ROI) - 151 D4	1340	OTT
ALBERT (RUE PRINCE) - 50 B3 - Centr. 169 A3	1050	IXE
ALBERT 1ER (AV.) - 113 D3 E2-3	1332	GEN
ALBERT 1ER (AV.) - 114 A2 B3 C3-4	1330	RIX
ALBERT 1ER (AV.) - 134 D4 - 146 C-D1	1420	BRA
ALBERT PREMIER (AV.) - 140 A4 - 152 A1-2-3	1342	LIM
ALBERT 1ER (PLACE) - 113 E2	1310	LAH
ALBERT 1ER (PLACE) - 123 A-B1	1410	WAT
ALBERT 1ER (PLACE) - 140 A-B2	1300	LIL
ALBERT 1ER (RUE) - 126 E2-3-4 - 138 E1	1330	RIX
ALBERT I (AV. ROI) - 12 E4 - 13 A4 - 22 A1	1780	WEM
ALBERT I (SQUARE - SQUARE) - 49 A2	1070	AND
ALBERT I LAAN - 6 A-B-C4 - 14 D-E1 - 15 A1	1800	VIL
ALBERT I-LAAN (KONING) - 12 E4 - 13 A4 - 22 A1	1780	WEM
ALBERT I-LAAN - 90 D3 E3-4	1560	HOE
ALBERT I-PLEIN (KONING) - 57 A4 - 66 A1	1600	SPL
ALBERT-ELISABETH (AV. - LAAN) - 51 B1-2 C1	1200	WSL
ALBERTINAPLEIN - 50 A1 - Centr. 168 D1	1000	BRL
ALBERTINE (AV.) - 127 A3-4	1330	RIX
ALBERTINE (PETITE AVENUE) - 127 A-B3	1330	RIX
ALBERTINE (PLACE DE L') - 50 A1 - Centr. 168 D1	1000	BRL
ALBERTLAAN - 54 A4 B3-4 - 63 A1	3080	TER
ALBERTLAAN (KONING) - 16 B1-2-3 C3	1830	MAC
ALBERTLAAN (KONING) - 23 C1-2 D2	1120	BRL
ALBERTLAAN (KONING) - 29 E4 - 30 A-B4	1082	SAB
ALBERTSTRAAT (KONING) - 66 A-B2	1600	SPL
ALBERTSTRAAT - 106 E2	1500	HAL
ALBERTSTRAAT (PRINS) - 50 B3 - Centr. 169 A3	1050	IXE
ALBERTYN (AV. - LAAN) - 51 C1	1200	WSL
ALBOOM - 12 E4	1780	WEM
ALCONVAL (RUE D') - 133 C1-2 D1 E2	1420	BRA
ALCYONS (RUE DES - STRAAT) - 30 B3-4	1082	SAB
ALDERSON (RUE P. - STRAAT) - 33 A1	1140	EVE
ALEIDIS VAN BRABANTDREEF - 61 B1	1160	AUD
ALENABORRE - 47 D1	1700	DIL
ALEXANDERSQUARE - 61 C1	1150	SPW
ALEXANDRE (AV.) - 127 B3 C2	1330	RIX
ALEXANDRE (SQUARE) - 61 C1	1150	SPW
ALEXIENS (RUE DES) - 49 E1 - Centr. 168 C1	1000	BRL
ALEYDE DE BRABANT (DREVE) - 61 B1	1160	AUD
ALEZANS (AV. DES) - 53 A3	1150	SPW
ALGARVE (CLOS DE L' - GAARDE) - 33 C4	1140	EVE
AL'GATE (RUE) - 160 A2	1380	PLA
ALGEMEEN STEMRECHTLAAN - 32 D3-4	1030	SCH
ALISIERS (AV. DES) - 77 C4	1180	UCK
ALIZES (AV. DES) (1) - 141 E1	1300	WAV
ALLARD (AV. ALPHONSE) - 146 E4	1420	BRA
ALLARD (RUE - STRAAT) - 41 B1	1030	SCH
ALLARD (RUE ERNEST - STRAAT) -		
49 E2 - 50 A1-2 - Centr. 168 C2 D1-2	1000	BRL
ALLARD (RUE VICTOR - STRAAT) - 67 A-B-C2	1180	UCK
ALLEE VERTE (RUE DE L') - 39 B1	1082	SAB
ALLEIN (SQUARE R. - SQUARE) - 22 A2	1090	JET
ALLEMAGNE (SQUARE D') - 146 D1-2 E2-3-4	1420	BRA
ALLENDE (AV. SALVADOR) - 126 C3-4	1330	RIX
ALLEU (AV. DE L') - 121 E3 - 122 A3	1420	BRA
ALLIANCE (RUE DE L') - 130 B4 - 142 B-C1	1480	CLA
ALLIANCE (RUE DE L') - 41 C3 - Centr. 167 B2	1210	SJN
ALLIES (AV. DES) - 135 C-D1	1410	WAT
ALLIES (RUE DES) - 146 D1	1420	BRA
ALLIES (RUE DES) - 58 B1-2-3	1190	VOR
ALMA (PLACE DE L' - PLEIN) (14) - 43 D3	1200	WSL
ALOST (RUE D') - 40 D3 - Centr. 166 B2	1000	BRL
ALOUETTE (CHEMIN DE L') - 136 B4 - 148 C1	1380	OHA
ALOUETTES (AV. DES) - 127 C-D3	1300	LIL
ALOUETTES (AV. DES) - 130 C-D3	1480	CLA
ALOUETTES (AV. DES) - 3 D3 E3-4	1780	WEM
ALOUETTES (AV. DES) - 44 B2	1950	KRA
ALOUETTES (AV. DES) - 60 D1	1150	SPW
ALOUETTES (AV. DES) - 88 B-C3	1640	SGR
ALOUETTES (CHAMP DES) (7) - 45 B4	1970	WEO
ALOUETTES (CHAMP DES) - 125 D-E1	1332	GEN
ALOUETTES (CLOS DES) (1) - 163 B4	1341	CEM
ALOUETTES (RUE DES) - 57 B1	1070	AND
ALPENKLOKJESHOEK (3) - 57 A3	1070	AND
ALPHONSE XIII (AV. - LAAN) - 68 B-C4	1180	UCK
ALSACE-LORRAINE (RUE D') -		
50 B2 - Centr. 169 A2	1050	IXE
ALSEMBERG (CHAUSSEE D') -		
58 C4 D1-3 E2-3 - 67 B4 C1-2-3-4 - 77 A3 B1-2-3		
NOS 1 à 139 - 2 à 156	1060	SGI
NOS 141 à 369 - 158 à 358	1190	VOR
NOS 373 à 1439 - 360 à 1402	1180	UCK

ALSEMBERG (CHAUSSEE D') -
109 C1 D2-3-4 E4 - 121 E1-2-3 -
122 A2-3-4 - 134 A1 B1-2-3-4 E3-4 1420 BRA
ALSEMBERG (CHAUSSEE D') - 77 A3-4 - 87 A-B1 1630 LIN
ALSEMBERG (SENTIER D') - 132 D1-2-3 1440 WBC
ALSEMBERG (VIEUX CHEMIN D') - 109 C1 1420 BRA
ALSEMBERGSESTEENWEG -
58 C4 D1-3 E2-3 - 67 B4 C1-2-3-4 - 77 A3 B1-2-3
NRS 1-139 - 2-156 1060 SGI
NRS 141-369 - 158-358 1190 VOR
NRS 373-1439 - 360-1402 1180 UCK
ALSEMBERGSESTEENWEG - 77 A3-4 - 87 A-B1 1630 LIN
ALSEMBERGSESTEENWEG - 85 A4 1600 SPL
ALSEMBERGSESTEENWEG - 87 B1-2-3-4 1650 BEE
ALSEMBERGSESTEENWEG - 95 B2 C2-3 1501 BUI
ALSEMBERGSESTEENWEG -
95 D-E4 - 108 A1 B1-2 C-D-E2 1653 DWO
ALSEMBERGSESTEENWEG - 97 B1 C1-2 1652 ALS
ALSEMBLOEMLAAN - 97 A2-3 B3 1652 ALS
ALSPUTWEG - 94 D-E1 1500 HAL
ALTAIR (RESIDENCE) (22) - 127 D3 1300 LIL
ALTITUDE CENT (PLACE DE L') - 58 C3 1190 VOR
ALVERDRIES - 108 B2-3 1653 DWO
AMANDELBOMENLAAN (3) - 39 C2 1080 SJM
AMANDELBOMENLAAN - 22 B1 1020 BRL
AMANDIERS (AV. DES) (3) - 39 C2 1080 SJM
AMANDIERS (AV. DES) - 22 B1 1020 BRL
AMANDIERS (VENELLE DES) (7) - 141 C1 1300 WAV
AMARANTE (AV. DE L') - 23 A-B1 1020 BRL
AMARANTE (COURS) - 52 C3 1150 SPW
AMARANTENHOF - 52 C3 1150 SPW
AMARANTLAAN - 23 A-B1 1020 BRL
AMARYLLIS (RUE DES) (2) - 30 D3 1083 GAN
AMARYLLISSENSTRAAT (2) - 30 D3 1083 GAN
AMAZONE (AV. DE L' - LAAN) - 99 B4 - 111 B-C1 1640 SGR
AMAZONE (RUE DE L' - STRAAT) - 59 A1
1 à/tot 29 - 2 à/tot 20 1050 IXE
AUTRES NOS/ANDERE NRS 1060 SGI
AMAZONENDREEF - 59 C4 - 68 C-D1 1000 BRL
AMAZONENLAAN - 14 B3 1800 VIL
AMAZONES (DREVE DES) - 59 C4 - 68 C-D1 1000 BRL
AMBACHTENGANG
GELEGEN GRASMARKT
TUSSEN NRS 29 EN 31
40 E4 - Centr. 166 C3 1000 BRL
AMBACHTLIEDENSTRAAT - 50 D3 - Centr. 169 C3 1050 IXE
AMBIORIX (AV. - LAAN) - 13 A4 1780 WEM
AMBIORIX (SQUARE - SQUARE) - 41 D-E4 1000 BRL
AMBLEVE (RESIDENCE) (3) - 127 D2 1300 LIL
AMBLEVE (RUE DE L' - STRAAT) - 60 B-C1 1160 AUD
AMELGEM (CHEMIN D' - WEG) - 3 E3-4 1780 WEM
AMELGEMSTRAAT - 3 C3 D2-3 E3 1860 MEI
AMELIE (AV.) - 126 D3 E4 1330 RIX
AMENAGISTES (CHEMIN DES) - 70 C2-3 1160 AUD
AMERICAINE (RUE) - 59 A1-2 B2
NOS 1 à 35A - 2 à 42A 1060 SGI
NOS 49 à FIN - 44 à FIN 1050 IXE
AMERIKAANSESTRAAT - 59 A1-2 B2 1050 IXE
AMERIKALAAN - 90 E2-3 1560 HOE
AMERIKASTRAAT - 59 A1-2 B2
NRS 1 tot 35A - 2 tot 42A 1060 SGI
NRS 49 tot EINDE - 44 tot EINDE 1050 IXE
AMETHISTSTRAAT (5) - 22 A1 1020 BRL
AMETHYSTE (RESIDENCE) (18) - 127 D2 1300 LIL
AMETHYSTE (RUE DE L') (5) - 22 A1 1020 BRL
AMETHYSTE (SENTIER DE L') - 22 A-B1 1020 BRL
AMETISTPAD - 22 A-B1 1020 BRL
AMEYSSTRAAT (JEROME) - 84 C3-4 - 94 C1 1600 SPL
AMFORALAAN - 13 E4 1020 BRL
AMIGO (RUE DE L') - 40 E4 - Centr. 166 C3 1000 BRL
AMITIE (PLACE DE L') - 60 B1 1160 AUD
AMITIE (RUE DE L') - 140 B2 1300 LIL
AMNESTY (SQUARE - SQUARE) - 88 A3 1630 LIN
AMPHORE (AV. DE L') - 13 E4 1020 BRL

ANCIEN BOURG (RUE DE L') (4) - 134 C4 - 146 C1 1420 BRA
ANCIEN DIEWEG - 67 B-C4 1180 UCK
ANCIEN HOTEL DES POSTES (GALERIE DE L')
SITUEE PL. DE LA MONNAIE
40 E3 - Centr. 166 C2 1000 BRL
ANCIEN MIDDELWEG (5) - 24 E2-3 1130 BRL
ANCIEN PRESBYTERE (RUE DE L') - 30 D-E3 1083 GAN
ANCIENNE BARRIERE (AV. DE L)'- 122 A1-2 1420 BRA
ANCIENNE BARRIERE (PLACE DE L') - 21 E3-4 1090 JET
ANCIENNE CURE (RUE DE L') (1) - 58 A4 1190 VOR
ANCIENNE GARE (RUE DE L') (3) - 144 C1 1440 WBC
ANCIENNE GARE (RUE DE L') - 137 C-D4 1380 LAS
ANCIENS COMBATTANTS (AV. DES) -
33 C3-4 - 42 C-D1 1140 EVE
ANCIENS COMBATTANTS (AV. DES) -
34 D-E4 - 35 A4 1950 KRA
ANCIENS ETANGS (RUE DES) - 57 E2-3 - 58 A2 1190 VOR
ANCRE (RUE DE L') - 23 D2-3 1120 BRL
ANDALOUSIE (AV. DE L') - 33 C4 - 42 C1 1140 EVE
ANDALUSIELAAN - 33 C4 - 42 C1 1140 EVE
ANDENNE (RUE D' - STRAAT) -
49 D3-4 - Centr. 168 B3 1060 SGI
ANDERLECHT (PORTE D') -
40 C4 - 49 C1 - Centr. 166 A3 - 168 A1 1000 BRL
ANDERLECHT (RUE D' - STRAAT) - 66 B2-3 C2-3 1620 DRO
ANDERLECHT (RUE D') - 40 C-D4 1000 BRL
ANDERLECHTSEPOORT -
40 C4 - 49 C1 - Centr. 166 A3 - 168 A1 1000 BRL
ANDERLECHTSESTEENWEG - 40 C-D4 1000 BRL
ANDERLECHTSE-WEGGEVOERDENSTR. - 48 D3 1000 BRL
ANDRE (RUE A. - STRAAT) (14) - 52 E1 1150 SPW
ANDRE (RUE A. - STRAAT) (8) - 43 E4 1150 SPW
ANDRE (RUE ANTOINE) - 140 C2-3 D3-4 1300 LIL
ANDRIMONT (AV. D' - LAAN) - 78 B1 1180 UCK
ANDROMEDALAAN - 42 E3 - 43 A3 1200 WSL
ANDROMEDE (AV.) - 42 E3 - 43 A3 1200 WSL
ANDROMEDE (RESIDENCE) (25) - 127 E3 1300 LIL
ANEMONE (RUE DE L') - 59 A3 1180 UCK
ANEMONENGAARDE - 37 D4 1700 DIL
ANEMONENLAAN - 44 A2 1950 KRA
ANEMONENLAAN - 98 D-E4 1640 SGR
ANEMONENSTRAAT - 7 C1-2 1800 VIL
ANEMONENWEG - 68 E2 1000 BRL
ANEMONES (AV. DES) - 127 B3-4 C4 1330 RIX
ANEMONES (AV. DES) - 44 A2 1950 KRA
ANEMONES (CHEMIN DES) - 68 E2 1000 BRL
ANEMONES (CLOS DES) (1) - 110 D-E2 1410 WAT
ANEMONES (RUE DES) - 98 D-E4 1640 SGR
ANEMOONLAAN - 65 D2-3 1600 SPL
ANEMOONSTRAAT - 59 A3 1180 UCK
ANES (CHEMIN DES) - 110 A-B1 1640 SGR
ANGE (AV. DE L') - 123 B1-2 1410 WAT
ANGELIQUE (PLACE DE L') - 165 B1 1340 OTT
ANGELIQUE (RUE DE L') (8) - 165 C1 1340 OTT
ANGELIQUES (RUE DES) (11) - 69 E1 1170 WAB
ANGLAIS (AV. DES) (1) - 135 C2-3 1410 WAT
ANGLAISE (RUE) - 40 D2 - Centr. 166 B1 1080 SJM
ANGLE (RUE DE L') (3) - 40 E2 - Centr. 166 C1 1000 BRL
ANGLE JAUNE (RUE DE L') (7) - 44 A4 1150 SPW
ANGLETERRE (BLD. D') - 146 D4 - 158 D1 1420 BRA
ANGLETERRE (RUE D') -
49 C2-3 D3 - Centr. 168 A2-3 B3 1060 SGI
ANGOUSSART (RUE D') -
115 D2-3 E3-4 - 116 A4 - 128 A-B1 1301 BIE
ANJELIERENLAAN - 10 B3 1730 ASS
ANJELIERENLAAN - 9 A-B3 1820 STE
ANJELIERENSTRAAT - 41 A3 - Centr. 166 D2 1000 BRL
ANJERSTRAAT - 7 C1 1800 VIL
ANJOU (COTEAU D' - GAARDE) - 52 D4 1150 SPW
ANJOU (DREVE D' -DREEF) - 67 A-B1
1 à/tot 35 - 26 à/tot 28 1180 UCK
2 à/tot 24 1190 VOR
ANKERSTRAAT - 23 D2-3 1120 BRL
ANNEAU CENTRAL - 153 A4 1348 LLN

A

ANNECY (AV. D' - LAAN) - 43 E1 1950 KRA
ANNEESSENS (PLACE - PLEIN) -
49 D1 - Centr. 168 B1 1000 BRL
ANNEESSENS (RUE - STRAAT) -
40 D4 - Centr. 166 B3 1000 BRL
ANNEGIJSBOSLAAN - 93 B2-3 3090 OVE
ANNETTES (RUE DES) - 153 A3 1348 LLN
ANOGRUNE (RUE D') -
148 D-E4 - 149 A4 - 160 B-C2 C-D1 1380 MAR
ANOUL (RUE - STRAAT) - 50 B2-3 - Centr. 169 A2-3 1050 IXE
ANSBERG - 95 E1 1654 HUI
ANSPACH (BLD. - LAAN) -
40 D4 E3-4 - Centr. 166 B3 C2-3 1000 BRL
ANTHEUNISSTRAAT (GENTIL) (1) - 94 C4 1500 HAL
ANTILOPE (RUE DE L' - STRAAT) - 77 A-B1 1180 UCK
ANTWERPSELAAN - 4 D4 - 13 D1-3-4 E4 1853 SBE
ANTWERPSELAAN -
40 E2 - 41 A2 - Centr. 166 C-D1 1000 BRL
ANTWERPSEPOORT - 40 E2 - Centr. 166 C1 1000 BRL
ANTWERPSESTEENWEG -
32 A3-4 - 40 E1-2 - 41 A1 1000 BRL
ANVERS (BLD. D') -
40 E2 - 41 A2 - Centr. 166 -D1 1000 BRL
ANVERS (CHAUSSEE D') -
32 A3-4 - 40 E1-2 - 41 A1 1000 BRL
ANVERS (PORTE D') - 40 E2 - Centr. 166 C1 1000 BRL
AOUT (AV. D') - 42 D4 1200 WSL
APPELBLOESEMGAARDE - 61 A4 1160 AUD
APPELBOOMSTRAAT - 47 D-E3 1070 AND
APPELBOOMSTRAAT - 64 A-B-C-D3 1602 VLE
APPELMANSLAAN (DR. JAN) - 38 C-D4 - 47 D1 1700 DIL
APPLICATION (RUE DE L') - 60 E3 1160 AUD
APRILLAAN - 42 C4 D3-4 1200 WSL
AQUADUCTSTRAAT - 59 A1
NRS. 1 tot 65 - 2 tot 54B 1060 SGI
NRS. 67 tot EINDE - 56 tot EINDE 1050 IXE
AQUARELLES (SENTIER DES) - 153 A4 1348 LLN
AQUEDUC (ALLEE DE L') - 135 B1 1410 WAT
AQUEDUC (RUE DE L') - 59 A-B1
NOS 1 à 65 - 2 à 54B 1060 SGI
NOS 67 à FIN - 56 à FIN 1050 IXE
AQUILON (AV. DE L' - LAAN) - 43 B-C3 1200 WSL
AQUILON (AV. DE L') - 129 E4 - 141 E1 1300 WAV
AQUINOT (RUE D') - 137 A3-4 1380 LAS
AQUITAINE (SQUARE DE L') - 117 B3-4 1300 WAV
ARAGON (RUE D' - STRAAT) - 43 B2 1200 WSL
ARAUCARIA (AV. DE L' -LAAN) - 23 B1-2 1020 BRL
ARAUCARIA (CLOS DE L') (6) - 146 A1 1420 BRA
ARBALETE (AV. DE L') - 69 C2-3 D2 1170 WAB
ARBALETE (SQUARE DE L') - 69 C2 1170 WAB
ARBALETRIERS (RUE DES) (1) -
49 E2 - Centr. 168 C2 1000 BRL
ARBALETRIERS (RUE DES) - 146 A1-2 1420 BRA
ARBEIDSDOORGANG
GELEGEN M. DE LEMONNIERLAAN
TUSSEN NRS 150-152
49 D1 - Centr. 168 B1 1000 BRL
ARBEIDSSTRAAT (5) - 32 A4 1000 BRL
ARBEIDSSTRAAT - 57 D2 1070 AND
ARBORETUM - 71 E1-2 3080 TER
ARBORETUMLAAN - 62 E4 - 63 A-B4 3080 TER
ARBORETUMWANDELING -
63 A-B4 - 71 E1 - 72 A-B1 3080 TER
ARBRE (RUE DE L') - 49 E2 - Centr. 168 C2 1000 BRL
ARBRE BALLON (AV. DE L') - 21 D2-3 E2 - 22 A-B2
NOS IMPAIRS 1020 BRL
NOS PAIRS 1090 JET
ARBRE BENIT (RUE DE L') - 50 B3 - Centr. 169 A3
NOS 1 à 129 - NOS PAIRS 1050 IXE
NOS 131 à FIN 1000 BRL
ARBRE DE LA LIBERTE (SENTIER DE L') -
116 D-E4 1300 WAV
ARBRE UNIQUE (RUE DE L') - 33 C2-3 D3-4 1140 EVE
ARBRISSEAU (RUE DE L') - 77 C2 1180 UCK

ARC (RUE DE L') (2) - 40 E2 - Centr. 166 C1 1000 BRL
ARC (VENELLE DE L') - 153 A3-4 1348 LLN
ARCADENPLEIN (2) - 60 B4 1170 WAB
ARCADENSTRAAT (1) - 60 B4 1170 WAB
ARCADES (PLACE DES) (2) - 60 B4 1170 WAB
ARCADES (RUE DES) (1) - 60 B4 1170 WAB
ARCHERES (AV. DES) - 67 E2 1180 UCK
ARCHERS (AV. DES) - 135 B1 1410 WAT
ARCHERS (RUE DES) - 146 A1-2 1420 BRA
ARCHERS (RUE DES) - 31 B4 1081 KOE
ARCHIDUCS (AV. DES) - 60 D4 - 69 D-E1 - 70 A1 1170 WAB
ARCHIDUCS (SQUARE DES) - 60 D4 1170 WAB
ARCHIEFSTRAAT - 69 B2 1170 WAB
ARCHIMEDE (RUE) (26) - 153 C4 1348 LLN
ARCHIMEDE (RUE) - 41 E4 - 50 E1 - Centr. 169 D1 1000 BRL
ARCHIMEDESSTRAAT -
41 E4 - 50 E1 - Centr. 169 D1 1000 BRL
ARCHITECTES (DREVE DES) - 165 A1 1348 LLN
ARCHITECTURE (RUE DE L') - 57 B1 1070 AND
ARCHIVES (RUE DES) - 69 B2-3 C3 1170 WAB
ARDENNAIS (RAMPE DES) (28) - 153 B4 1348 LLN
ARDENNAIS (TERRASSES DES) (29) - 153 B4 1348 LLN
ARDENSE JAGERSPLEIN -
41 E3-4 - 42 A3-4 - Centr. 167 D3 1030 SCH
ARDEVELSTRAAT (ALBRECHT) - 106 C1 1500 HAL
ARDICHAMP (RUE) - 132 D3 1440 WBC
ARDUINKAAI - 40 D-E2 1000 BRL
ARENBERG (RUE D' - STRAAT) -
41 A4 - Centr. 166 D3 1000 BRL
ARENBERGSTRAAT - 119 C1 1500 HAL
ARENDLAAN - 60 D-E1 1150 SPW
ARGAYON (CLOS DE L') (13) - 153 B3 1348 LLN
ARGENT (RUE D') - 41 A3 - Centr. 166 D2 1000 BRL
ARGENTEUIL (AV. D') - 123 C-D4 1410 WAT
ARGENTEUIL (DREVE D') - 123 D-E1 1410 WAT
ARGENTEUIL (SQUARE D') - 124 A1 1410 WAT
ARGENTINE (RUE DE L') - 113 C-D2 E1-2 1310 LAH
ARGILE (RUE D') - 53 A-B2 1950 KRA
ARGILIERE (CLOS DE L') - 42 D2 1140 EVE
ARGILIERE (CLOS DE L') - 53 B2 1950 KRA
ARGOAT (AV. DE L') - 148 C4 - 160 C1 1380 MAR
ARGONNE (RUE DE L' - STRAAT) - 49 C-D2 1060 SGI
ARGOUSSIERS (GALERIE DES) - 43 D3-4 1200 WSL
ARGUS (AV. DES) - 60 D-E2 1160 AUD
ARGUSSENLAAN - 60 D-E2 1160 AUD
ARIANE (AV. - LAAN) - 43 A1-2 B1 1200 WSL
ARISTOTE (CHEMIN) - 153 B4 1348 LLN
ARKENVEST - 106 C-D1 1500 HAL
ARLON (RUE D') - 50 C1-2 - Centr. 169 B1-2
NOS 1 à 31 - 2 à 26 1050 IXE
NOS 33 à 49 - 28 à 78 1000 BRL
AUTRES NUMEROS 1040 ETT
ARMANDINE (SENTIER - PAD) - 87 C1 1630 LIN
ARMATEURS (PLACE ET PONT DES) - 31 E4 1000 BRL
ARMATEURS (QUAI DES) -
31 E4 - 32 A2-3-4 1000 BRL
ARMEE (AV. DE L') - 51 B2-3 C2 1040 ETT
ARMENDIJLAAN - 44 E1-2 - 45 A1-2 B1 1933 STK
ARMET (AV. DE L') - 42 C1 1140 EVE
ARMISTICE (AV. DE L') - 146 E1 - 147 A1 1420 BRA
ARMISTICE (RUE DE L') - 31 B4 - 40 B1 1081 KOE
ARMOISE (RUE DE L') - 152 A1 1348 LLN
ARMURES (AV. DES) - 58 C3 1190 VOR
ARMVELDWEG - 46 C4 - 55 C1-2 D2 1701 ITT
ARONDE (RUE DE L') - 69 C-D3 1170 WAB
ARONSKELKENLAAN - 60 E4 1160 AUD
ARROCHES (ALLEE DES) (1) - 59 C3 1000 BRL
ARROMANCHES (AV. D') - 122 B-C4 1410 WAT
ARROSOIR (RUE DE L') - 49 D2 - Centr. 168 B2 1000 BRL
ARSENAALSTRAAT - 6 E1 1800 VIL
ARTAN (RUE -STRAAT) - 41 E2-3 - Centr. 167 D2-3 1030 SCH
ARTEMIS (AV. - LAAN) - 33 D4 - 42 D1 1140 EVE
ARTESIESTRAAT - 49 C-D1 1000 BRL
ARTICHAUT (RUE DE L') - 41 C4 - Centr. 167 B3 1210 SJN

AVOCAT (AV. DE L') - 122 E2	1410	WAT
AVOCETTE (RUE DE L') - 69 C2	1170	WAB
AVOCETTES (AV. DES) - 121 E1-2 - 122 A2	1420	BRA
AVOINES (AV. DES) - 139 D1	1300	LIL
AVONDPAD (2) - 24 D2	1130	BRL
AVONDZONPASSAGE (5) - 43 D3	1200	WSL
AVRIL (AV. D') - 42 C4 D3-4	1200	WSL
AYWIERS (ROUTE D') - 149 B-C4	1380	CSG
AZALEALAAN - 26 A3-4	1930	ZAV
AZALEALAAN - 41 D-E1	1030	SCH
AZALEAPLEIN - 9 B2	1820	STE
AZALEASTRAAT - 7 C2 D1-2	1800	VIL
AZALEES (AV. DES) - 126 D3	1330	RIX
AZALEES (AV. DES) - 139 E1-2	1300	LIL
AZALEES (AV. DES) - 41 D-E1	1030	SCH
AZAY-LE-RIDEAU (PLACE D') - 137 D4	1380	LAS
AZUR (RUE DE L') - 30 A3-4	1082	SAB
AZUURSTRAAT - 30 A3-4	1082	SAB

B

BAAKVELD (CHEMIN DU - WEG) (4) - 24 D2-3	1130	BRL
BAALHOEK - 13 E3	1853	SBE
BAARDGANG - 40 D4 - Centr. 166 B3	1000	BRL
BABAU (RUE) - 148 B-C2	1380	OHA
BACCHANTENSQUARE (1) - 67 A1	1190	VOR
BACCHANTES (SQUARE DES) (1) - 68 A1	1190	VOR
BACH (AV. J.S. - LAAN) - 30 C2	1083	GAN
BACH (RUE JEAN SEBASTIEN) - 134 B1	1420	BRA
BACHEE (RUE DE LA) - 159 E1-2 - 160 A2	1380	PLA
BADAUDS (RUE DES) - 158 A-B4	1420	BRA
BADEN- POWELL (AV. - LN.) - 43 A4 - 52 A1	1200	WSL
BAECK (AV. J. - LAAN) - 39 E3 - 40 A3-4	1080	SJM
BAECK (RUE A. - STRAAT) - 22 A4 - 30 E1 - 31 A1	1090	JET
BAECK (RUE J.-B. - STRAAT) - 67 A2	1190	VOR
BAESBERG - 118 B3	1502	LEM
BAESSTRAAT (FRANS) - 66 A3-4	1600	SPL
BAESSTRAAT - 36 D2	1930	NOS
BAETENSSTRAAT (VICTOR) - 106 C1	1500	HAL
BAEYENSSTRAAT (HENDRIK) - 75 C2	1600	SPL
BAEYENSSTRAAT (PETRUS) - 29 D-E4 - 38 D1	1702	GRB
BAIE (AV. EUG. - LAAN) - 57 B1	1070	AND
BAILLI (RUE DU) - 131 A-B4 - 143 B1	1440	BRC
BAILLI (RUE DU) - 50 B4 - 59 A-B1		
NOS 1 à 31 - 2 à 36	1000	BRL
NOS 33 à FIN - 38 à FIN	1050	IXE
BAILLI-LOUISE (GAL. - GAL.) - 59 B1	1050	IXE
BAILLON (RUE A. - STRAAT) - 66 E1 - 67 A1	1190	VOR
BAILLOY (SENTIER DU) - 126 B2	1330	RIX
BAKENGAT - 102 A3	3090	OVE
BAKKERSSTRAAT - 5 B-C1	1850	GRI
BAKSTEENKAAI - 40 D-E3	1000	BRL
BALANCE (AV. DE LA) - 123 D4 - 135 C1	1410	WAT
BALANCE (CLOS DE LA) (2) - 42 E2-3	1200	WSL
BALBRIRE (AV. DE) - 151 D3	1342	LIM
BALE (AV. DE) - 33 D1-2	1140	EVE
BALEAU (AV. DU) - 139 C3	1300	LIL
BALEAU (RUE DU) - 139 B-C3	1342	LIM
BALEAUX (SENTIER DES) - 139 C-D2	1300	LIL
BALIS (PL. T. - PL.) - 60 D2	1160	AUD
BALIS (RUE A. - STRAAT) - 62 A1	1150	SPW
BALJUWSTRAAT - 50 B4 - 59 A-B1		
NRS 1 tot 31 - 2 tot 36	1000	BRL
NRS 33 en 38 tot EINDE	1050	IXE
BALKANS (RUE DES) - 58 D4	1180	UCK
BALKANSTRAAT - 58 D4	1180	UCK
BALLADE (CLOS DE LA - GAARDE) - 42 C1-2	1140	EVE
BALLAND (RUE) - 142 A1	1480	TUB
BALLEGEER (RUE J. - STRAAT) - 77 C-D3	1180	UCK
BALLESTRAAT (RENE) - 74 E3	1600	SPL
BALLIEU (SENTIER) - 133 E1 - 134 A1	1420	BRA
BALLINGS (AV. J. P. - LAAN) (2) - 21 E3 - 22 A3	1090	JET
BALLINGS (RUE J. - STRAAT) - 33 B2	1140	EVE
BALLINGSTRAAT - 73 C3-4 D4 - 83 D1-2	3090	OVE
BALLOIS (RUE DU) - 126 A3-4 B2-3	1330	RIX
BALSAMIENSTRAAT - 23 C-D2	1120	BRL
BALSAMINE (RUE DE LA) - 152 B1	1348	LLN
BALSAMINE (RUE DE LA) - 23 C-D2	1120	BRL
BALTHAZARSTRAAT - 106 E2-3	1500	HAL
BALZAC (AV.) - 129 E2-3	1300	WAV
BAMBOESTRAAT - 67 A1-2		
ONEVEN NRS	1180	UCK
EVEN NRS	1190	VOR
BAMBOS - 87 D2-3	1630	LIN
BAMBOU (RUE DU) - 67 A1-2		
NOS IMPAIRS	1180	UCK
NOS PAIRS	1190	VOR
BAN-EIK (AV. DU - LAAN) - 45 B4 - 54 B1	1970	WEC
BANIERENSTRAAT - 52 A-B2		
ONEVEN NRS	1200	WSL
EVEN NRS	1150	SPW
BANKEN (CLOS L. - GAARDE) (4) - 30 C2-3	1083	GAN
BANKSTRAAT - 41 A3-4 - Centr. 166 D2-3	1000	BRL
BANKVELD - 87 D1-2	1630	LIN
BANMOLENDREEF - 97 B4	1652	ALS
BANNIERES (RUE DES) - 52 A-B2		
NOS IMPAIRS	1200	WSL
NOS PAIRS	1150	SPW
BANNING (RUE EM. - STRAAT) - 59 D2-3 E2	1050	IXE
BANQUE (RUE DE LA) - 41 A3-4 - Centr. 166 D2-3	1000	BRL
BARA (CHAUSSEE) - 122 C-D-E4 - 134 B1	1420	BRA
BARA (CHAUSSEE) -		
122 E4 - 123 A4 - 134 B1 - 135 B1	1410	WAT
BARA (PLACE - PLAATS) -		
49 C2 - Centr. 168 A2		
NOS/NRS 19-20-21	1060	SGI
AUTRES NOS/ANDERE NRS	1070	AND
BARA (RUE - STRAAT) - 49 B2-3 C2	1070	AND
BARAKLAAN - 102 D-E4 - 114 E1	3090	OVE
BARAQUE (RUE DE LA) - 153 C-D3	1348	LLN
BARAQUE (VERGER DE LA) - 153 C-D3	1348	LLN
BARAQUES (CHEMIN DES) - 124 A4	1380	OHA
BARBE (IMPASSE DE LA) - 40 D4 - Centr. 166 B3	1000	BRL
BARBEAU (AV. DU) - 60 C4	1160	AUD
BARBEELLAAN - 60 C4	1160	AUD
BARBET (RUELLE) - 131 E3-4	1440	BRC
BARBIER (RUE) (24) - 129 A-B1	1300	WAV
BARBIZONLAAN - 81 B1-2	3090	OVE
BARCELONASTRAAT - 58 A4	1190	VOR
BARCELONE (RUE DE) - 58 A4	1190	VOR
BARCHON (RUE DE - STRAAT) -		
40 D2 - Centr. 166 B1	1000	BRL
BARDANE (CHEMIN DE LA) - 153 B3	1348	LLN
BARDANE (RUE DE LA) - 153 B3 C2	1348	LLN
BARDANES (AV. DES) - 30 B3	1082	SAB
BAREELSTRAAT - 34 C4 - 43 C1	1932	SSW
BARIVAUX (CLOS DU) - 139 E2	1300	LIL
BARON (RUE TH. - STRAAT) - 60 C2	1160	AUD
BARQUES (QUAI AUX) -		
40 D2-3 - Centr. 166 B1-2	1000	BRL
BARRA (CARREFOUR) - 129 B2	1300	WAV
BARRICADENPLEIN - 41 B3 - Centr. 167 A2	1000	BRL
BARRICADES (PLACE DES) -		
41 B3 - Centr. 167 A2	1000	BRL
BARRIERE DU POINT DU JOUR		
(CHEMIN DE LA) - 104 B4	1300	WAV
BARRIERE MOYE (RUE) - 129 B3-4	1300	WAV
BARTHELEMY (BLD. - LAAN) -		
40 C3 D2 - Centr. 166 A2 B1	1000	BRL
BARY (RUE GASTON) - 101 E3-4	1310	LAH
BARY (RUE J.) - 130 C-D3	1480	CLA
BAS RANSBECK (CHEMIN DE) -		
124 C-D-E3 - 125 A3-4	1380	OHA
BASCULE (RUE DE LA - STRAAT) - 59 B3	1180	UCK

B

BASILIEKLAAN - 30 C-D-E4 - 39 C1		
NRS 1 tot 127 - 4 tot 110	1082	SAB
ANDERE NRS	1081	KOE
BASILIEKSTRAAT - 106 D1	1500	HAL
BASILIQUE (AV. DE LA) - 30 C-D-E4 - 39 C1		
NOS 1 à 127 - 4 à 110	1082	SAB
AUTRES NOS	1081	KOE
BASSE (PLACE) - 22 A1	1020	BRL
BASSE (RUE FREDERIC - STRAAT) -		
49 D2 - Centr. 168 B2	1000	BRL
BASSE (RUE) - 109 B1	1640	SGR
BASSE (RUE) - 153 A-B4	1348	LLN
BASSE (RUE) - 155 B-C4	1460	IRE
BASSE (RUE) - 67 E4	1180	UCK
BASSE-COUR (RUE DE LA) (1) - 146 B1	1420	BRA
BASSE MOUTURIE (RUE DE LA) - 145 E4	1421	OPH
BASSEM (RUE J. - STRAAT) - 61 A3-4	1160	AUD
BASSET (SENTIER DU) - 22 E1	1020	BRL
BASSETTE (RUE DE LA) - 126 B3-4	1330	RIX
BASSIN COLLECTEUR (PETITE RUE DU) -		
24 D4 - 33 D1	1130	BRL
BASSIN COLLECTEUR (RUE DU) - 24 D4	1130	BRL
BASSINIA (RUE DU) - 165 A1	1348	LLN
BASSINS (RUE DES) - 49 A2-3	1070	AND
BASTELEUSSTRAAT (PETER) - 75 D-E1	1600	SPL
BASTENAKENPLEIN - 30 E4 - 39 E1	1081	KOE
BASTIEN (AV. A. - LAAN) - 60 D3	1160	AUD
BASTIN (AV. GEN. - LAAN) -51 E1 - 52 A1	1200	WSL
BASTION (SQUARE DU) - 50 B2 - Centr. 169 A2	1050	IXE
BASTOGNE (PLACE DE) - 30 E4 - 39 E1	1081	KOE
BATAVES (RUE DES) - 51 B2	1040	ETT
BATAVIASTRAAT - 16 E2 - 17 A2-3	1820	MEL
BATAVIERENSTRAAT - 51 B2	1040	ETT
BATEAU (RUE DU) - 40 B4 - 49 B1	1080	SJM
BATELAGE (QUAI DU) (1) - 40 E1	1000	BRL
BATELIERS (RUE DES) - 57 C2	1070	AND
BATENBORG - 95 E2 - 96 A2	1653	DWO
BATISSEAU (RUE DU) - 146 E1	1420	BRA
BATISSEURS (RUE DES) - 165 A1-2	1348	LLN
BATTICELAAN - 34 B4	1932	SSW
BATTY (RUE DU) (5) - 153 A3	1348	LLN
BATTY (RUE DU) - 137 B-C2	1380	OHA
BATY DE LA CROIX CHARLES BOUCHER		
(CHEMIN) - 133 E4 - 134 A4 - 145 E1	1420	BRA
BATY DE LA JUSTICE (CHEMIN) - 145 D2 E1-2	1420	BRA
BATY DU CERISIER (RUE) - 156 E3 - 157 A-B3	1420	BRA
BATY DU DUC - 165 D4 E3-4	1435	MSG
BATY GIGOT (RUE) - 134 C-D-E2	1420	BRA
BATY SCOLASSE (CHEMIN LE) -		
134 D-E1 - 135 A1	1420	BRA
BAUCQ (RUE PH. - STRAAT) - 50 D4 E3-4	1040	ETT
BAUDELAIRE (AV.) - 129 E2	1300	WAV
BAUDEMONT (RUE DE) - 155 C4	1460	IRE
BAUDET (RUE DU) - 50 A2 - Centr. 168 D2	1000	BRL
BAUDINE (RUE NICOLAS) - 142 D3-4 E2-3	1440	BRC
BAUDOUIN (AV.) - 127 B2-3	1330	RIX
BAUDOUIN (AV. PRINCE) - 111 A-B4	1410	WAT
BAUDOUIN (AV. PRINCE) - 12 E4	1780	WEM
BAUDOUIN (AV. PRINCE) - 61 D-E1	1150	SPW
BAUDOUIN (BLD.) -		
40 E2 - 41 A2 - Centr. 166 C-D1	1000	BRL
BAUDOUIN (PLACE DU ROI) (8) - 30 B4	1082	SAB
BAUDOUIN (RUE PRINCE) - 30 E3 - 31 A2-3		
NOS 2 à 80	1090	JET
AUTRES NOS	1083	GAN
BAUDOUIN (RUE ROI) - 143 B-C1	1440	BRC
BAUDOUIN 1ER (AV.) - 153 C-D4 - 165 C1	1348	LLN
BAUDOUIN 1ER (GRAND PLACE) - 146 C1	1420	BRA
BAUDOUX (RUE J. - STRAAT) - 22 A2-3 B3	1090	JET
BAUDOUX (RUE) - 164 E4	1490	CSE
BAUDUIN (RUE ACHILLE) - 140 B-C2 B3	1300	LIL
BAULOY (RUE DU) - 152 B-C4 - 164 B-C1	1340	OTT
BAUNEWEG (C.) - 76 E4 - 86 D-E1	1650	BEE
BAUS (RUE JOZEF - STRAAT) - 53 E2-3	1970	WEO
BAUWENBERG - 44 D2	1970	WEO
BAUWENS (RUE J.-B. - STRAAT) - 33 B-C2	1140	EVE
BAYARD (RUE) - 146 B-C1	1420	BRA
BAYET (AV. ADR. - LAAN) - 22 B2-3	1020	BRL
BAZAR (RUE DU) - 126 B4	1330	RIX
BAZAR (SENTIER DU) - 126 B4	1330	RIX
BAZELLAAN - 33 D1-2	1140	EVE
BEATITUDE (AV. DE LA) - 42 C-D1	1140	EVE
BEATITUDES (AV. DES) - 12 D4	1780	WEM
BEAU CHAMP (AV. DU) - 127 C2 D2-3	1300	LIL
BEAUCHAMP (AV. DU) - 127 C2	1330	RIX
BEAU CHENE (CHEMIN DU) - 99 C-D3	1640	SGR
BEAU-CHENE (RUE) - 136 E4	1380	LAS
BEAUFAULX (RUE DU) - 122 D-E3	1410	WAT
BEAUFAUX (PLACE POLYDORE) - 117 D4	1300	WAV
BEAU FEUILLAGE (AV. DU) - 53 B3-4 C4	1950	KRA
BEAU FLETRE (CHEMIN DU) - 99 C3	1640	SGR
BEAULIEUSTRAAT - 15 E2-3 - 16 A3	1830	MAC
BEAUMONT (ROUTE DE) -		
149 E1-2-3-4 - 150 A3-4 - 161 E1	1380	LAS
BEAU RIVAGE (AV. DU) - 114 B2-3	1332	GEN
BEAU SEJOUR (AV. DU) - 132 A2-3-4 B4	1440	WBC
BEAU SEJOUR (AV.) - 111 B3	1410	WAT
BEAU SEJOUR (AV.) - 59 B-C4 - 68 B1	1180	UCK
BEAU SEJOUR (CLOS) - 111 A2-3	1410	WAT
BEAU SITE (AV. DU) - 109 B2 C1-2	1420	BRA
BEAU SITE (AV.) - 113 D1	1310	LAH
BEAU SITE (PLACE DU) - 127 B-C2	1330	RIX
BEAU SITE (RUE DU) - 50 B4	1000	BRL
BEAU SITE CINQUIEME AVENUE (5) - 127 B2	1330	RIX
BEAU SITE DEUZIEME AVENUE (2) - 127 B-C2	1330	RIX
BEAU SITE PREMIERE AVENUE (1) - 127 B-C2	1330	RIX
BEAU SITE QUATRIEME AVENUE (4) - 127 B1-2	1330	RIX
BEAU SITE TROIZIEME AVENUE (3) - 127 B2	1330	RIX
BEAUTE (PLACE DE LA) (3) - 48 D2	1070	AND
BEAU VALLON (AV. DU) - 122 C-D2	1410	WAT
BEAUVEGNIES (SENTIER) - 131 C2	1440	BRC
BEAUVOISIN (AV.) - 123 C4	1410	WAT
BECASSE (AV. DE LA) - 44 D1-2	1970	WEO
BECASSE (LAYON DE LA) - 140 E2 - 141 A2-3	1300	LIL
BECASSE (SENTIER DE LA) - 111 A2	1410	WAT
BECASSES (AV. DES) (1) - 53 C4	1950	KRA
BECASSES (AV. DES) - 111 A2	1410	WAT
BECASSES (AV. DES) - 88 C3	1640	SGR
BECASSES (PENDEE AUX) - 153 A1	1348	LLN
BECASSES (VAL DES) - 61 D1	1150	SPW
BECASSINES (AV. DES) - 60 E2	1160	AUD
BECHET (AV. ALBERT - LAAN) - 62 C1 D1-2	1950	KRA
BECKER (RUE LT. J. - STRAAT) (3) - 51 A4	1040	ETT
BECKERS (RUE - STRAAT) - 51 A4	1040	ETT
BECQUE (AV. DES FRERES) - 30 A3-4 B4	1082	SAB
BECQUELAAN (GEBR.) - 30 A3-4 B4	1082	SAB
BECQUEVORT (PLACE RAYMOND) - 114 C3	1332	GEN
BEDEVAARTWEG - 86 E4	1650	BEE
BEDEVAARTWEG - 87 A4 - 97 A1	1652	ALS
BEDRIJFSREGELAARSWEG - 70 C2-3	1160	AUD
BEECKMAN (RUE - STRAAT) - 67 C1-2	1180	UCK
BEECKMAN DE CRAYLOO		
(RUE - STRAAT) (1) - 48 C1	1070	AND
BEECKMANS (RUE FR. - STRAAT) - 30 D3	1083	GAN
BEEKGAARDE - 30 C4	1082	SAB
BEEKSTRAAT - 40 D2 - Centr. 166 B1	1080	SJM
BEEKSTRAAT - 44 E3-4 - 53 D-E1	1970	WEO
BEEKSTRAAT - 45 C1-2	1933	STK
BEEKSTRAAT - 98 A2	1640	SGR
BEEKWEG - 5 B1	1850	GRI
BEELDEKENSGATWEG - 63 E2-3-4	3080	DUI
BEELDHOUWERSLAAN - 67 E2-3 - 68 A3	1180	UCK
BEELDHOUWKUNSTLAAN - 47 E1	1700	DIL
BEEMD - 95 D1-2	1654	HUI
BEEMD - 97 B4	1640	SGR
BEEMDGRACHT (RUE DU - STRAAT) - 24 D-E1	1130	BRL
BEEMDGRASLAAN - 78 A2-3	1180	UCK
BEEMDSTRAAT - 76 C-D1	1601	RUI

B

BEENHOUWERSSTRAAT -		
40 E4 - 41 A4 - Centr. 166 C-D3	1000	BRL
BEERNAERT (RUE A. - STRAAT) - 69 E4 - 79 E1	1170	WAB
BEERSBRUGSTRAAT - 55 C4 D3-4 E3-4	1602	VLE
BEERSEL (AV. DE - LAAN) -		
77 A2 B1-2		
1 à/tot 125 - 6 à/tot 134	1180	UCK
BEERSEL (AV. DE - LAAN) - 77 A2	1620	DRO
BEERSELSESTRAAT - 85 E2-3 - 86 A2-3	1651	LOT
BEERSELSESTRAAT - 95 B-C2	1500	HAL
BEERTSESTRAAT - 106 A1-2 B-C1-2	1500	HAL
BEESTENMARKT (14) - 106 D1	1500	HAL
BEETHOVEN (AV. - LAAN) - 30 E1	1083	GAN
BEEVAARTWEG - 64 C1-2 D2	1602	VLE
BEFFROI (RUE DU) - 41 E4 - 42 A4	1000	BRL
BEGAULT (CLOS LIEUT.-COL. LOUIS) (3) - 68 E1	1050	IXE
BEGAULTGAARDE (LUIT.-KOL. LOUIS) (3) - 68 E1	1050	IXE
BEGEERTENLAAN - 42 C-D1	1140	EVE
BEGIJNBOSSTRAAT - 96 B-C-D3	1653	DWO
BEGIJNENBORRESTRAAT - 37 C-D4 - 46 C1	1700	DIL
BEGIJNENBOSWEG - 96 D4 - 108 D1	1652	ALS
BEGIJNENSTRAAT - 39 C-D-E2	1080	SJM
BEGIJNHOF - 93 A1	3090	OVE
BEGIJNHOFPLEIN - 40 E3 - Centr. 166 C2	1000	BRL
BEGIJNHOFSTRAAT - 40 E3 - Centr. 166 C2	1000	BRL
BEGIJNHOFSTRAAT - 43 D-E1	1950	KRA
BEGONIAGAARDE - 16 B-C1	1830	MAC
BEGONIALAAN - 14 B1-2	1853	SBE
BEGONIALAAN - 71 E4	3090	OVE
BEGONIALAAN - 9 A3	1820	STE
BEGONIALAAN - 91 B3	1560	HOE
BEGONIALAAN - 95 B3	1502	LEM
BEGONIAPLEIN - 9 C2	1820	MEL
BEGONIAS (AV. DES - LAAN) - 44 A1-2	1950	KRA
BEGONIAS (RUE DES) - 60 B-C4	1170	WAB
BEGONIAS (RUE DES) - 98 A3	1640	SGR
BEGONIASTRAAT - 60 B-C4	1170	WAB
BEGONIASTRAAT - 65 E1	1600	SPL
BEGONIASTRAAT - 7 C-D2	1800	VIL
BEGONIASTRAAT - 98 A3	1640	SGR
BEGUIN (RUE DU) - 144 E1	1440	WBC
BEGUINAGE (COURTE RUE DU) (6) - 129 A1	1300	WAV
BEGUINAGE (PLACE DU) - 40 E3 - Centr. 166 C2	1000	BRL
BEGUINAGE (RUE DU) (5) - 129 A-B1	1300	WAV
BEGUINAGE (RUE DU) - 40 E3 - Centr. 166 C2	1000	BRL
BEGUINAGE (RUE DU) - 43 D-E1	1950	KRA
BEGUINES (RUE DES) - 39 C-D-E2	1080	SJM
BEGUINES (RUELLE DES) - 137 C4	1380	LAS
BEGUINETTES (RUE DES) - 69 D2-3 E2	1170	WAB
BEHEERSTRAAT (1) - 30 C3	1082	SAB
BEHETSSTRAAT - 18 C2	1820	STE
BEIAARDLAAN - 4 A1	1860	MEI
BEIAARDLAAN - 5 B1	1850	GRI
BEIZEGEMSESTRAAT - 23 C-D1	1120	BRL
BEKAERT (RUE FR. - STRAAT) (1) - 70 A1	1160	AUD
BEKAERT (RUE FR. - STRAAT) (7) - 61 A4	1160	AUD
BEKAERT (RUE TH. - STRAAT) - 48 C-D4	1070	AND
BEKERSVELDSTRAAT - 64 B3-4	1602	VLE
BEKESTRAAT - 73 B2-3 C3	3090	OVE
BEKKERZEELSTRAAT - 19 D4 - 28 C-D1	1700	SUK
BEKKERZEELWEG - 29 A2-3	1702	GRB
BEL-AIR (AV.) - 123 B-C4	1410	WAT
BEL-AIR (AV.) - 126 E4 - 138 E1-2	1330	RIX
BEL-AIR (AV.) - 143 C2	1440	BRC
BEL-AIR (AV.) - 59 A4 B3-4	1180	UCK
BEL AIR (AV.) - 44 C4 - 53 C1-2	1970	WEO
BEL HORIZON (AV.) - 113 D1	1310	LAH
BEL HORIZON (AV.) - 114 B2-3	1332	GEN
BEL HORIZON (AV.) - 128 D-E2	1301	BIE
BEL HORIZON (AV.) - 163 D-E3	1490	CSE
BEL HORIZON (AV.) - 163 D3 E2-3	1341	CEM
BEL HORIZON (AV.) - 98 E2 - 99 A2	1640	SGR
BEL HORIZON (CLOS) - 152 B4 - 164 A-B1	1340	OTT
BEL HORIZON (CLOS) - 57 A1	1200	WSL
BEL VOIR (CLOS DE) - 146 D-E1	1420	BRA
BELETTE (AV. DE LA) - 53 E3-4 - 54 A3-4	1970	WEO
BELETTE (LAYON DE LA) - 140 E2 - 141 A2	1300	LIL
BELETTES (AV. DES) - 77 D3-4	1180	UCK
BELFORTSTRAAT - 41 E4 - 42 A4	1000	BRL
BELGICA (BLD. - LAAN) - 31 C3-4	1080	SJM
BELGICASTRAAT - 34 E1	1930	ZAV
BELGIELAAN - 6 B-C4	1800	VIL
BELGIELAAN - 83 A3 B2	3090	OVE
BELGIEPLEIN - 13 C4 - 22 C1	1020	BRL
BELGIQUE (PLACE DE LA) - 13 C4 - 22 C1	1020	BRL
BELGIQUE (RUE DE) - 146 C-D4	1420	BRA
BELGISCHE ONAFHANKELIJKHEIDS-		
LAAN - 30 E4 - 31 A4 - 39 E1	1081	KOE
BELGRADE (RUE DE) - 49 B4		
NOS 1 à 77 - 2 à 98	1190	VOR
NOS 79 à FIN - 100 à FIN	1060	SGI
BELGRADOSTRAAT - 49 B4		
NRS 1 tot 77 - 2 tot 98	1190	VOR
ANDERE NRS	1060	SGI
BELIEN (RUE G. - STRAAT) (3) - 21 E3	1090	JET
BELIER (AV. DU) (14) - 42 D-E3	1200	WSL
BELIER (AV. DU) - 135 C-D1	1410	WAT
BELINE (CHEMIN DE) - 135 A2	1420	BRA
BELING - 108 B-C2	1653	DWO
BELLE ALLIANCE (CHEMIN DE LA) -		
147 D-E4 - 159 E1	1380	PLA
BELLE ALLIANCE		
(AV. DE LA - LAAN) - 68 C1	1000	BRL
BELLE AU BOIS DORMANT		
(RUE DE LA) - 39 C3-4	1080	SJM
BELLE DAME (SENTIER) - 127 A2-3	1330	RIX
BELLE ETOILE (AV.) (3) - 113 B2	1310	LAH
BELLEMANSHEIDE (RUE) - 98 A3-4 B3-4	1640	SGR
BELLE PROVINCE (AV. DE LA) - 134 C3-4	1420	BRA
BELLES PIERRES (RUE DES) - 157 D2-3 E2	1420	BRA
BELLES PIERRES (SENTIER DES) -		
157 D-E3 - 158 A3	1420	BRA
BELLESTRAAT - 65 A-B4 - 50 B1	1600	SPL
BELLE VOIE (AV. DE LA) - 117 B-C4	1300	WAV
BELLE VOIE - 139 D-E4 - 140 A4	1342	LIM
BELLE VUE (AV.) - 111 B3 C-D4	1410	WAT
BELLE VUE (AV.) - 113 C-D1	1310	LAH
BELLE VUE (RUE DE - STRAAT) - 59 C2		
NOS IMPAIRS/ONPARE NRS		
+ 22 à/tot EINDE/FIN	1000	BRL
2 à/tot 20	1050	IXE
BELLE-VUE (PETITE RUE DE) - 114 B3-4	1332	GEN
BELLE-VUE (RUE DE) - 114 A4 B3-4	1332	GEN
BELLE-VUE (RUE) - 161 C3	1380	CSG
BELLE-VUE (SQUARE) - 140 A1	1300	LIL
BELLIARD (RUE - STRAAT) -		
50 B-C1 D1-2 E2	1040	ETT
BELLOY (AV. DU) - 117 D4 - 129 D1	1300	WAV
BELLOY (CHEMIN DU) - 126 A-B2	1332	GEN
BELOEIL (AV. DE- LAAN) - 68 C4	1180	UCK
BELOTTE (RUE) - 163 E4	1490	CSE
BELSACKLAAN (E.) - 95 D2-3	1654	HUI
BELSTRAAT (FRANS EN JOZEF) - 6 C2	1850	GRI
BELVEDERE (RUE DU - STRAAT) - 50 C4 - 59 C1	1050	IXE
BEMEL (RUE DU - STRAAT) -		
51 D3-4 E3-4 - 52 A3	1150	SPW
BEMPT (AV. DU -LAAN) - 66 E2	1190	VOR
BEMPT (RUE DU - STRAAT) - 66 D-E4	1620	DRO
BENAETS (RUE J. - STRAAT) - 68 A-B4	1180	UCK
BENEDENSTRAAT - 10 C4 - 19 C1	1730	ASS
BENEDEN VRIJLEGEM - 1 A1-2	1730	ASS
BENELUXLAAN - 15 B-C1	1800	VIL
BENES (AV. ED. - LAAN) - 30 D4 - 39 D1	1080	SJM
BENGALIS (RUE DES) (1) - 69 D2	1170	WAB
BENNETT (COURS G. - WARANDE) - 69 A1	1050	IXE
BENOIT (AV. G. - LAAN) - 69 D2-3	1170	WAB
BENOIT (AV. P. - LAAN) - 12 B2	1780	WEM
BENOIT (PLACE PETER - PLEIN) - 23 E1	1120	BRL

B

BEUKENHOUTSTRAAT - 25 B2 1830 MAC
BEUKENLAAN - 108 A-B1 1653 DWO
BEUKENLAAN - 63 B3-4 C4 3080 TER
BEUKENLAAN - 66 A4 1600 SPL
BEUKENLAAN - 88 D-E4 1640 SGR
BEUKENLAAN - 91 E2-3 1560 HOE
BEUKENLANDSCHAP - 86 C-D2 1650 BEE
BEUKENOOTJESSTRAAT - 23 E2-3 - 24 A1-2 1120 BRL
BEUKENPLEIN - 87 E4 - 97 D1 1652 ALS
BEUKENSTRAAT - 76 E2 1620 DRO
BEUKENSTRAAT - 87 A-B1 1630 LIN
BEUKENWEG - 71 B-C1 3080 TER
BEUKENWEG - 93 C1 3090 OVE
BEUMER (RUE DYNA) - 126 B3 1330 RIX
BEURRE (PETITE RUE AU) - 40 E4 - Centr. 166 C3 1000 BRL
BEURRE (RUE AU) - 40 E4 - Centr. 166 C3 1000 BRL
BEURSPLEIN - 40 E4 - Centr. 166 C3 1000 BRL
BEURSSTRAAT - 40 E4 - Centr. 166 C3 1000 BRL
BEVERBEEMD - 85 B3 1600 SPL
BEVERGAARDE (2) - 53 E3 1970 WEO
BEVERKOUTER - 94 A4 1500 HAL
BEVERLINDESTRAAT - 13 C-D2 1853 SBE
BEVERSTRAAT - 13 D1-2 1853 SBE
BEVRIJDERSSQUARE - 31 C4 1080 SJM
BEVRIJDINGSGAARDE (2) - 44 A4 1150 SPW
BEVRIJDINGSLAAN - 34 B-C4 1932 SSW
BEVRIJDINGSLAAN - 88 B4 C3-4 1640 SGR
BEVRIJDINGSSTRAAT - 76 A2-3 1601 RUI
BEYAERT (RUE HENRI - STRAAT) -
41 B4 - Centr. 167 A3 1000 BRL
BEYSEGHEM (RUE DE) - 23 C-D1 1120 BRL
BEYST (AV. P. - LAAN) - 48 A3 1070 AND
BEZEMBERG - 37 D4 - 46 D1 1700 DIL
BEZEMBINDER (AV. - LAAN) - 97 D4 1640 SGR
BEZEMSTRAAT - 65 B-C2 D1-2 E1 1600 SPL
BIARRITZ (SQUARE DE - SQUARE) - 59 C1 1050 IXE
BIA BOUQUET (CHEMIN DU) - 153 B-C3 1348 LLN
BIA BOUQUET (COURS DU) - 153 B-C3 1348 LLN
BIA BOUQUET (PLACE DU) - 153 B3 1348 LLN
BICHE (AV. DE LA) - 114 B2-3 C3 1332 GEN
BICHE (AV. DE LA) - 121 E1 1640 SGR
BICHES (AV. DES) (1) - 77 D3 1180 UCK
BICHES (AV. DES) - 53 C3 1950 KRA
BICHES (LAIE AUX) - 141 A3 1300 LIL
BIDDAER (RUE P. - STRAAT) - 48 D3-4 1070 AND
BIEBUYCK (RUE GEN. - STRAAT) - 23 D2-3 E3 1120 BRL
BIEN-ETRE (RUE DU) (2) - 39 D4 1070 AND
BIEN-FAIRE (RUE DU - STRAAT) - 69 B1 1170 WAB
BIENFAISANCE (RUE DE LA) -
41 A2 - Centr. 166 D1 1210 SJN
BIENFAITEURS (PLACE DES) -
41 E2 - Centr. 167 D2 1030 SCH
BIENVENUE (RUE DE LA) - 57 C-D3 1070 AND
BIEREAU (SCAVEE DU) - 153 B-C4 1348 LLN
BIEREAU (SENTIER DU) - 153 B4 - 165 D2 E1-2 1348 LLN
BIERENBERG - 98 C3 1640 SGR
BIERGES (CHEMIN DE) - 116 B-C-D-E3 1300 WAV
BIERGES (RUE DE) - 115 D1-2 1331 ROS
BIERNAUX (RUE G. - STRAAT) - 31 A1 1090 JET
BIERNAUX (RUE) - 128 C2 1301 BIE
BIESBEEKSTRAAT - 46 A3 1703 SPD
BIESBOSLAAN - 11 E1 - 12 A1 1785 HAM
BIESBOSLAAN - 12 A1 1780 WEM
BIESDREEF - 45 A2 1933 STK
BIESLOOKSTRAAT - 13 B4 1020 BRL
BIESMANSLAAN (A.) - 91 B2 C1-2 1560 HOE
BIESMANSSTRAAT (J.) - 91 A-B1 1560 HOE
BIESMUITERLAAN - 82 E2-3 - 83 A3 3090 OVE
BIESPUTSTRAAT - 51 A-B2 1040 ETT
BIESTEBROECK (QUAI DE) -
48 D4 E2-3-4 - 57 C1-2 D1 1070 AND
BIESTEBROECK (RUE DE) - 48 E3 1070 AND
BIESTEBROEKKAAI - 48 D4 E2-3-4 - 57 C1-2 D1 1070 AND
BIESTEBROEKSTRAAT - 48 E3 1070 AND

BIETENSTRAAT - 56 B1-2 C1 1070 AND
BIEZENLAAN - 45 A1-2 B2
NRS 1 tot 39 - 2 tot 4 1180 UCK
45 tot EINDE - 52 tot EINDE 1190 VOR
BIEZEPUT - 95 A2-3 B2 1501 BUI
BIEZEWEIDE - 106 D3-4 E2-3 1500 HAL
BIEZEWEIDE - 76 D-E4 1650 BEE
BIFURCATION (RUE DE LA) - 60 B3-4 C3-4 1170 WAB
BIGARREAUX (RUE DES) - 77 B-C2 1180 UCK
BIGORNE (RUE DE LA) - 41 C4 - Centr. 167 B3 1210 SJN
BIJENKORFSTRAAT - 32 C4 - 41 C1 1030 SCH
BIJENLAAN - 68 E2
NRS 1 tot 13 - 2 tot 8 1000 BRL
15 tot EINDE - 12 tot EINDE 1050 IXE
BIJLDREEF - 71 C-D3 3080 TER
BIJLKENSVELDSTRAAT - 54 C-D3 3080 TER
BIJSTANDSSTRAAT (1) - 40 D-E4 1000 BRL
BILANDE (TIENNE DE) - 116 E1-2-3 - 117 A1-2-3 1300 WAV
BILDSTRAAT - 75 B1-2 C2 1600 SPL
BILKENSVELD - 95 A1 1500 HAL
BILLASTSTRAAT - 18 C4 1820 STE
BILOT (RUE DE) - 144 A4 - 155 E1 1440 BRC
BILOT (RUE DU) - 155 D1 E1-2-3 1460 IRE
BINJE (RUE FRANS - STRAAT) -
41 E1-2 - Centr. 167 D1-2 1030 SCH
BINNENWEG (1) - 24 E2 1130 BRL
BIOT (RUE G. - STRAAT) - 59 D1-2 1050 IXE
BIPLAN (RUE DU) (2) - 24 C4 - 33 C1
NO 187 1140 EVE
AUTRES NOS 1130 BRL
BIRMINGHAM (RUE DE - STRAAT) -
40 A-B4 - 48 E1-2
NRS/NOS 1-113 - 2-94 1080 SJM
AUTRES NOS/ANDERE NRS 1070 AND
BIRSTALL (PROMENADE DE) - 127 A3-4 1330 RIX
BISCHOFFSHEIM (BLD. - LAAN) -
41 B3 - Centr. 167 A2 1000 BRL
BISDOM - 83 C4 - 93 C1 3090 OVE
BISSCHOFFSHEIM (PLACE - PLEIN) - 69 E3 1170 WAB
BISSCHOPSSTRAAT - 40 E3 - Centr. 166 C2 1000 BRL
BISSE (RUE - STRAAT) - 49 B-C1 1070 AND
BIVAKSTRAAT - 39 E4 1070 AND
BIVOUAC (RUE DU) - 39 E4 1070 AND
BLAES (RUE - STRAAT) -
17 D2-3 E1-2 - Centr. 168 B2-3 C1-2 1000 BRL
BLAESENBERGSTRAAT - 6 C2-3 1800 VIL
BLAESENBERGWEG - 6 C4 - 15 C1 1800 VIL
BLAIREAUX (ALLEE DES) - 68 D2 1000 BRL
BLAIRONSTRAAT (E.) - 16 C4 - 25 C1 1831 DIE
BLAIVIE (AV. E. - LAAN) - 53 B-C2 1950 KRA
BLANC CAILLOU (CHEMIN DU) - 133 D-E3 1420 BRA
BLANC-RY (RUE DU) - 152 B2-3 C1-2 1340 OTT
BLANC TRY (RUE DU) - 128 A1-2 B2 1301 BIE
BLANCS CHEVAUX (RUE DES) - 153 A-B3 1348 LLN
BLANCS MOUSSIS (CLOS DES) (8) - 153 A3 1348 LLN
BLANCHE (RUE - STRAAT) - 50 A4
NRS/NOS 1-13 - 2-12 1000 BRL
NRS/NOS 15 - 14-16 1050 IXE
AUTRES NOS/ANDERE NRS 1060 SGI
BLANCHISSERIE (RUE DE LA) -
41 A2-3 - Centr. 166 D1-2 1000 BRL
BLANCHISSERIE (RUELLE DE LA) (28) -
129 A1-2 B1 1300 WAV
BLANGUGUE (RUE) - 131 D2-3 1440 BRC
BLANKEDELLE (CHEM. DE - WEG) -
70 C2 D2-3-4 E4 1160 AUD
BLANKEDELLE (CHEM. DE - WEG) -
70 D3-4 E4 - 71 A4 1170 WAB
BLANKEDELLE (CLOS DU - GAARDE) - 70 B-C1 1160 AUD
BLANKENHEIMLAAN - 34 A4 1932 SSW
BLARENVELD - 86 B3-4 C2-3 1650 BEE
BLAUWBORSTJESLAAN (5) - 60 D1
NRS 1 tot 9B - 2 tot 38 1150 SPW
NRS 11 tot 15 - 40 1160 AUD

B

Straat / Rue	Code	Gemeente
BLAUWDREVEKEN - 52 C3	1150	SPW
BLAUWE BOSBESSENLAAN - 62 C1 D1-2	1950	KRA
BLAUWE HEMELSTRAAT (9) - 44 A4	1150	SPW
BLAUWEREGENLAAN - 32 E4	1030	SCH
BLAUWE VOGELLAAN - 51 C-D4	1150	SPW
BLAUWET (RUE H. - STRAAT) - 30 B4		
BLE (AV. DU CHAMP DE) - 3 D3-4 E3	1780	WEM
BLE D'OR (RUE DU) - 39 C1	1082	SAB
BLEKERIJDREEF - 54 E4 - 63 E1	3080	TER
BLEKERIJSTRAAT - 118 C-D3	1502	LEM
BLEKERIJSTRAAT - 37 B4	1700	SMB
BLEKERIJSTRAAT - 41 A2-3 - Centr. 166 D1-2	1000	BRL
BLEKERSSTRAAT - 83 C3	3090	OVE
BLES (AV. DES) - 127 D4 - 139 D1	1300	LIL
BLES D'OR (AV. DES) - 111 A4 - 122 E1	1410	WAT
BLEUE (VENELLE) - 52 C3	1150	SPW
BLEUET (AV. DU) - 52 C1-2	1200	WSL
BLEUET (RUE DU) (17) - 42 E3 - 43 A3	1200	WSL
BLEUETS (AV. DES) - 101 E1	1310	LAH
BLEUETS (AV. DES) - 163 D3-4	1490	CSE
BLEUETS (AV. DES) - 3 D-E4	1780	WEM
BLEUETS (AV. DES) - 98 E4 - 99 A4	1640	SGR
BLEUETS (CLOS DES) (6) - 110 E3	1410	WAT
BLEUETS (RUE DES) - 127 A-B4 - 138 E1 - 139 A1	1330	RIX
BLEUETS (RUE DES) - 135 A4	1420	BRA
BLEUETS (RUE DES) - 139 E2	1300	LIL
BLEUKENSTRAAT - 107 B1-2	1501	BUI
BLIJDE INKOMSTLAAN - 50 E1 - Centr. 169 D1	1040	ETT
BLIJDE INKOMSTLAAN - 92 A2-3	1560	HOE
BLIJDE INKOMSTSTRAAT - 16 B-C3	1830	MAC
BLIJDSCHAPSSTRAAT - 48 D3	1070	AND
BLINDES (SQUARE DES) - 40 D2-3 - Centr. 166 B1-2	1000	BRL
BLOCK (PL. CDT. J. DE) - 12 E4	1780	WEM
BLOCKMANS (RUE - STRAAT) - 53 A1-2	1150	SPW
BLOCKMANSSTRAAT - 18 C3	1820	STE
BLOCKX (RUE J. - STRAAT) - 32 D2-3 E2	1030	SCH
BLOCKXSTRAAT (JAN) - 7 A1	1800	VIL
BLOCRY (ROUTE DE) - 152 E4 - 153 A3-4	1348	LLN
BLOEISTRAAT - 47 E4	1070	AND
BLOEMENDAL - 38 C3	1700	DIL
BLOEMENDAL - 87 C3-4	1650	BEE
BLOEMENDAL - 87 C4	1652	ALS
BLOEMENDALLAAN - 14 A-B3	1853	SBE
BLOEMENDALLAAN - 67 A-B2	1190	UCK
BLOEMENDREEFLAAN - 4 B3-4 C3	1780	WEM
BLOEMENDREEFLAAN - 4 C3	1860	MEI
BLOEMENERF - 87 E4	1652	ALS
BLOEMENERF - 88 A4	1640	SGR
BLOEMENGAARDE (3) - 42 B1	1030	SCH
BLOEMENGAARDE - 53 B1-2	1950	KRA
BLOEMENHOF - 13 E1	1853	SBE
BLOEMENHOFLAAN - 88 C4 - 98 C-D1	1640	SGR
BLOEMENHOFPLEIN - 40 D4 - Centr. 166 B3	1000	BRL
BLOEMENLAAN - 29 A2-3	1702	GRB
BLOEMENLAAN - 45 A2	1933	STK
BLOEMENLAAN - 52 B4 - 61 C1	1150	SPW
BLOEMENLAAN - 53 B1	1970	WEO
BLOEMENLAAN - 53 B1-2	1950	KRA
BLOEMENLAAN - 7 D2	1800	PEU
BLOEMENMEISJESGANG (1) - 49 D2 - Centr. 168 B2	1000	BRL
BLOEMENOORD (1) - 30 A-B4	1082	SAB
BLOEMENOORD - 8 C4 - 17 C1	1820	MEL
BLOEMENPLEIN - 7 C1-2	1800	VIL
BLOEMENSTRAAT - 105 C1	3040	OTB
BLOEMENSTRAAT - 40 E2-3 - Centr. 166 C1-2	1000	BRL
BLOEMENVELD (1) - 54 B1	1970	WEO
BLOEMENVELD - 35 A1-2 B2	1930	ZAV
BLOEMHOF - 87 C-D1	1630	LIN
BLOEMHOFWEG - 86 D-E3	1650	BEE
BLOEMISTENSTRAAT - 20 E1	1731	REL
BLOEMISTENSTRAAT - 49 D2 - Centr. 168 B2	1000	BRL
BLOEMKWEKERSSTRAAT (2) - 30 B4 - 39 A1	1082	SAB

Straat / Rue	Code	Gemeente
BLOEMTUILSTRAAT - 57 B1	1070	AND
BLOEMTUINENLAAN - 42 A-B1	1030	SCH
BLOEMWEIDELAAN - 44 B3-4	1950	KRA
BLOKBOS - 85 E3	1651	LOT
BLOKVELDGATWEG - 80 E4 - 90 C-D-E1	1560	HOE
BLOMMAERTSTRAAT (J.B.) - 81 B3	1560	HOE
BLONDIAUSTRAAT (E.) - 7 A-B2	1800	VIL
BLÜCHER (AV. - LAAN) - 78 B2-3-4	1180	UCK
BLUCHER (AV.) - 123 C1	1410	WAT
BLUCHER (AV.) - 147 B1	1420	BRA
BLUCHER (VOIE GENERAL) - 141 B-C3	1300	WAV
BLUETS (RUE DES) - 42 E3 - 43 A3	1200	WSL
BLUETS (RUE DES) - 44 A-B3	1950	KRA
BLUTSDELLE - 97 A-B2	1652	ALS
BLYCKAERTS (PLACE R. - PLEIN) - 50 C3 - Centr. 169 B3	1050	IXE
BOBIJNGANG - 41 B3 - Centr. 167 A2	1000	BRL
BOBINE (IMPASSE DE LA) - 41 B3 - Centr. 167 A2	1000	BRL
BOCAGE (CLOS DU) - 113 D4 E3	1332	GEN
BOCAGE (CLOS DU) - 122 C4	1410	WAT
BOCKSTAEL (BLD. EM.- LAAN) - 22 D3-4 E4 - 31 D2-3 E1-2	1020	BRL
BOCKSTAEL (PLACE EMILE - PLEIN) - 31 D-E1	1020	BRL
BOCQ (RUE DU - STRAAT) - 60 B1	1160	AUD
BODEGEMSTRAAT - 37 A1 B1-2 C2-3	1700	SMB
BODEGEMSTRAAT - 37 C3 D3-4 - 46 D1	1700	DIL
BODEGEMSTRAAT - 46 D-E1	1701	ITT
BODEGEMSTRAAT - 49 D1 - Centr. 168 B1	1000	BRL
BODEGHEM (RUE) - 49 D1 - Centr. 168 B1	1000	BRL
BODENBROECK (RUE - STRAAT) - 49 E1 - 50 A1 - Centr. 168 C-D1	1000	BRL
BODRISSART (RUE) - 122 C2 D2-3	1410	WAT
BODUOGNAT (RUE) - 41 D4 - Centr. 167 C3	1000	BRL
BODUOGNATUSSTRAAT - 41 D4 - Centr. 167 C3	1000	BRL
BOECHOUTLAAN - 4 C-D4 - 13 C1-2 D1-2-4 E3	1853	SBE
BOECHOUTLAAN - 22 C2 D1-2	1020	BRL
BOECHTSTRAAT - 4 B1	1860	MEI
BOEKENDAEL (CHEMIN) - 131 C1 D1-2 E2	1440	BRC
BOEKWEITVELD (2) - 45 B4	1970	WEO
BOEKWEYKOEKSTRAAT - 18 B2	1820	STE
BOENDAALDREEF - 68 E3-4 - 69 A3-4 - 78 E1 - 79 A1	1180	UCK
BOENDAEL (DREVE DE) - 68 E3-4 - 69 A3-4 - 78 E1 - 79 A1	1180	UCK
BOERDERIJSTRAAT - 30 D3-4		
NRS 1 tot 31 - 2 tot 32	1082	SAB
ANDERE NRS	1083	GAN
BOEREBOOMLAAN (LEON) - 36 A1	1930	NOS
BOERENBRUGWEG - 59 C4	1000	BRL
BOERENSTRAAT - 51 A2-3	1040	ETT
BOERGONDIESTRAAT - 58 B3-4	1190	VOR
BOERKOZENSTRAAT (2) - 48 C2	1070	AND
BOERS (RUE DES) - 51 A2-3	1040	ETT
BOESBERGSTRAAT - 45 A-B1	1933	STK
BOESDAAL (AV. - LAAN) - 88 D-E2	1640	SGR
BOESDAAL - 87 E2-3	1630	LIN
BOESDAALVELDWEG - 97 E1 - 98 A1	1652	ALS
BOETENDAEL (AV. DE - LAAN) - 67 D1-2	1180	UCK
BOETENDAEL (RUE DE- STRAAT) - 58 D3-4	1180	UCK
BŒUFS (IMPASSE DES) SITUEE RUE DE LA FOURCHE ENTRE NOS 21-25 40 E4 - Centr. 166 C3	1000	BRL
BOGAARDENSTRAAT - 40 D4 - 49 D-E1 - Centr. 166 B3	1000	BRL
BOGAERD (RUE KAREL - STRAAT) - 22 E4 - 31 E1	1020	BRL
BOGARDS (RUE DES) - 40 D4 - 49 D-E1 - Centr. 166 B3	1000	BRL
BOGEMANS (RUE J. - STRAAT) - 12 E3-4 - 13 A4	1780	WEM
BOGHEMANS (RUE - STRAAT) - 31 A1-2	1090	JET
BOHY (AV.) - 129 C1	1300	WAV
BOIGNEES (AV. DES) - 144 C1-2-3-4	1440	WBC
BOILEAU (AV. - LAAN) - 51 C3	1040	ETT
BOIS (CHEMIN AU - WEG) - 53 D1-2-3	1970	WEO

BOIS (GRANDE RUE AU) -
41 E2-3 - Centr. 167 D2-3 1030 SCH
BOIS (RUE AU) - 30 C1 1083 GAN
BOIS (RUE AU) - 43 E1-2 - 44 A2 1950 KRA
BOIS (RUE AU) - 52 C3 D3-4 E4 - 61 E1 - 62 A1
NOS 1 à 7 1200 WSL
NOS 11 à FIN - NOS PAIRS 1150 SPW
BOIS (RUE AU) - 76 E3 - 77 A3 1620 DRO
BOIS (RUE AU) - 97 D3-4 - 109 D1 1640 SGR
BOIS (RUE DU) - 128 B2 1301 BIE
BOIS (RUE DU) - 133 A-B4 - 145 B1 1440 WBC
BOIS (RUE DU) - 142 C-D4 1480 TUB
BOIS (RUE DU) - 154 D2-3 E2-3 1460 IRE
BOIS (RUE DU) - 21 C4 1090 JET
BOIS (SENTIER DU) - 122 D1 1410 WAT
BOIS (SENTIER DU) - 87 D2-3 1630 LIN
BOIS (SQUARE DU) - 59 C3 1000 BRL
BOIS (VENELLE AU) - 52 C3 1150 SPW
BOIS A BRULER (QUAI AU) -
40 D2-3 E3 - Centr. 166 B1-2 C2 1000 BRL
BOIS BECQUET (AV.) - 129 D3 1300 WAV
BOIS BECQUET (SENTIER DU) - 152 E1 1340 OTT
BOIS BRULE (RUE DU) - 161 D1-2 1380 CSG
BOIS CATHERINE - 164 E4 1490 CSE
BOIS CLAUDE (RUE DU) - 152 B-C3 1340 OTT
BOIS COLETTE (SENTE DU) (2) - 129 D2-3 1300 WAV
BOIS D'APECHAU (RUE DU) -
142 E3-4 - 143 A1-2-3 1440 BRC
BOIS D'AYWIERS (CLOS DU) - 138 D2 E1 1380 LAS
BOIS D'AYWIERS (SENTIER DU) - 138 D1 1330 RIX
BOIS DE BEUMONT (RUE DU) - 116 A-B41 1301 BIE
BOIS DE CHAPELLE (AV. DU) -
126 A4 - 138 A-B-C1 1380 LAS
BOIS DE CLABECQ (CHEMIN DU) -
143 E3 - 144 A3 1440 BRC
BOIS DE CONSTRUCTION (QUAI AUX) -
40 D2 - Centr. 166 B1 1000 BRL
BOIS DE HAL (CHEMIN DU) - 132 E1 - 133 A-B2 1420 BRA
BOIS DE LA CAMBRE
(AV. DU) - 60 A4 - 68 E1 - 69 A1
NOS 1 à 41 - 2 à 40 1170 WAB
NOS 43 à FIN - 42 à FIN 1050 IXE
BOIS DE LA PIERRE (VENELLE DU) - 141 B1 1300 LIL
BOIS DE LAURENSART (CHAUSSEE DU) -
105 D4 - 117 D1-2 1300 WAV
BOIS DE LINTHOUT (RUE DU) - 42 D4 - 51 D1 1200 WSL
BOIS DE MAI (DREVE DU) - 158 D4 1428 LIW
BOIS DE SAMME (RUE DU) - 144 A4 1440 BRC
BOIS DE SAPINS (AV. DU) - 43 C4 - 52 C1 1200 WSL
BOIS DE SARAS (VENELLE DU) - 141 D-E3 1300 WAV
BOIS DE VILLERS (VENELLE DU) - 141 D-E3 1300 WAV
BOIS DES AULNES (DREVE DU) - 123 D3-4 1410 WAT
BOIS DES CARMES (RUE DU) - 139 C1- 140 A2 1300 LIL
BOIS DES COLLINES (AV. DU) - 109 C-D3 1420 BRA
BOIS DES DAMES (CHEMIN DU) - 113 B-C3 1310 LAH
BOIS DES ILES (RUE) - 30 A-B2 1082 SAB
BOIS DES LAPINS (CLOS DU) - 149 E3-4 1380 LAS
BOIS DES PAUVRES (RUELLE DU) - 137 A4 1380 LAS
BOIS DES QUEWEES (AL. DU) - 140 C-D4 - 152 D1 1342 LIM
BOIS DES REVES (ALLEE DU) - 164 B2 C2-3 1340 OTT
BOIS DES WNINS (RUE DU) - 162 B3 C3-4 1470 GEP
BOIS D'HAIWA (RUE) - 157 E1 - 158 A1 1421 OPH
BOIS D'HAUMONT (RUE DU) - 132 E4 - 144 E1 1440 WBC
BOIS D'HENNESSY (AV. DU) -
102 A4 - 113 E1 - 114 A1 1310 LAH
BOIS D'HOUTHULST (AV. DU) - 44 E4 - 45 A4 1970 WEO
BOIS D'OPHAIN (CHEMIN DU) - 145 D1-2 1420 BRA
BOIS D'OPPEM (CHEMIN DU) (1) - 53 C2 D3 1950 KRA
BOIS DU BAILLOIS (SENTIER DU) - 126 A-B3 1330 RIX
BOIS DU BOSQUET (RUE) - 115 B-C-D1 1331 ROS
BOIS DU CAPITAINE (CLOS DU) - 160 C2 1380 PLA
BOIS DU CHAPITRE - 154 E1 1460 IRE
BOIS DU DIMANCHE (AV. DU) - 61 C1 1150 SPW
BOIS DU FOYAU - 143 E2-3 1440 BRC
BOIS DU GREFFIER (RUE DU) - 149 A1-2 B2 1380 LAS
BOIS DU LUC (CHEMIN DU) - 165 A1 1348 LLN
BOIS DU VICAIRE (CHEMIN DU) - 120 E1 - 121 A1 1420 BRA
BOIS DU VILLAGE - 157 E1-2 1420 BRA
BOIS-ELOI (RUE) - 148 D-E2 - 149 A-B2 1380 LAS
BOIS HENRI (RUE DU) - 150 C4 - 162 C1 1341 CEM
BOIS HERON (AV. DU) - 126 D-E2 1330 RIX
BOIS-HEROS - 136 C2-3 D3-4 1380 LAS
BOIS-HEROS - 136 C2-3 D3-4 1380 OHA
BOIS IMPERIAL (RUE DU) - 160 B-C2 D1-2 E1 1380 MAR
BOIS JACOB (AV.) - 113 B1 1310 LAH
BOIS JEAN (AV. DU) - 43 E4 1200 WSL
BOIS L'ABBE (RUE DU) - 140 B2-3 1300 LIL
BOIS LA-HAUT (AVENU DU) - 126 E4 1330 RIX
BOIS LE DUC (CHEMIN DE) - 146 C4 1420 BRA
BOIS-LIONNET (RUE) - 136 E4 - 148 E1-2 1380 LAS
BOIS MAGONETTE (CHEMIN DU) - 124 D1-2 E3 1380 OHA
BOIS MASTRADE (RUE DU) - 161 D2-3 E2-3 1380 MAR
BOIS MICHOT (SENTIER DU) - 139 B-C3 1342 LIM
BOIS MICHOT (SENTIER DU) - 139 B3 C2 1300 LIL
BOIS MOUE (SENTIER DU) (2) - 126 C4 1330 RIX
BOIS-MOULIN (CHEMIN DU) -
144 D1-2 E2-3 - 145 A3-4 1440 WBC
BOIS NUM.47 (SENTIER DU) - 123 B1 1410 WAT
BOIS PAPA (RUE DU) - 152 C3 1340 OTT
BOIS PARIS (RUE) - 137 A-B4 - 148 E1-2 - 149 A1 1380 LAS
BOIS PIRART - 113 D-E4 1332 GEN
BOIS PLANTE (CLOS DU) - 51 E4 1150 SPW
BOIS ROYAL (AV.) (1) - 113 B2 1310 LAH
BOIS SAINT-ROCH (SENTIER) - 138 A2 1380 LAS
BOIS SAINTE CATHERINE (AV. DU) -
126 B4 - 138 B-C1 1380 LAS
BOIS SAUVAGE (CLOS DU) - 145 A1 1440 WBC
BOIS SAUVAGE (RUE DU) - 41 A4 - Centr. 166 D3 1000 BRL
BOIS SEIGNEUR ISAAC (CHEMIN DE) - 157 C1-2 1421 OPH
BOIS SEIGNEUR ISAAC (RUE DE) -
157 B3-4 C2-3 D2 1421 OPH
BOIS SOHET (AV.) - 129 D3 1300 WAV
BOIS SOLEIL (AV. DU) - 53 B2 C2-3 D3 1950 KRA
BOIS WILMET (RUE DU) -
127 E2-3 - 128 A2-3-4 B4 1300 LIL
BOISACQ (COURTE RUE) (1) - 128 B3 1301 BIE
BOISACQ (RUE ROBERT) - 126 E2 1330 RIX
BOISSETTE (RUE DE LA) - 151 C4 D3-4 1340 OTT
BOITEUX (CHEMIN DU) - 124 C4 - 136 C1-2 1380 OHA
BOITEUX (RUE DES) - 41 A3 - Centr. 166 D2 1000 BRL
BOITSFORT (AV. DE) - 68 D3 E2-3 1000 BRL
BOITSFORT (CHAUSSEE DE) -
69 A1-2 B2-3
NOS 1 à 53 - 2 à 96 1050 IXE
NOS 103 à 121 1000 BRL
NOS 123 à FIN - 98 à FIN 1170 WAB
BOL D'AIR (RUE DU) - 163 C4 1490 CSE
BOLDERIKLAAN - 43 A3 1200 WSL
BOLETENWEG - 68 D1-2 1000 BRL
BOLETS (CHEMIN DES) - 68 D1-2 1000 BRL
BOLIVAR (BLD. SIMON - LAAN) -
40 E1 - 41 A1 1000 BRL
BOLLANDISTENSTRAAT - 51 B2-3 C3 1040 ETT
BOLLANDISTES (RUE DES) - 51 B2-3 C3 1040 ETT
BOLLE (RUE) - 142 B4 1480 TUB
BOLLEBEEKSTRAAT - 1 D-E4 - 2 A4 - 11 A1 1730 MOL
BOLLEN (RUE J. - STRAAT) - 31 D-E1 1020 BRL
BOLLINCKX (RUE - STRAAT) - 57 C2 D2-3-4
NOS/NRS 1-217 - 2-254 1070 AND
AUTRES NOS/ANDERE NRS 1190 VOR
BOLS (AV. P. - LAAN) - 31 C1 D1-2 1020 BRL
BOLSSTRAAT (PAST. J.) - 97 C2-3 1652 ALS
BOLWERKLAAN - 41 A2 - Centr. 166 D1 1210 SJN
BOLWERKSQUARE - 50 B2 - Centr. 169 A2 1050 IXE
BOLWERKSTRAAT - 7 A-B2 1800 VIL
BOMMAERT (AV. - LAAN) - 53 B1 1950 KRA
BON ACCUEIL (RUE DU) (8) - 30 D3 1082 SAB
BON AIR (AV.) - 111 B2-3 1410 WAT

BON AIR (AV.) - 113 C1 D1-2 1310 LAH
BON AIR (AV.) - 114 B3 1332 GEN
BON AIR (AV.) - 88 B2 C1-2 D1 1640 SGR
BON-AIR (CHEMIN DU) - 125 C-D2 1380 OHA
BON AIR (RUE) - 163 C-D-E1 1341 CEM
BON BATEAU (RUE DU) - 129 B-C2 1300 WAV
BON DIEU (SENTIER DU) - 122 C3 1410 WAT
BON DIEU DE GIBLOUX (CHEMIN DU) - 123 A-B4 1410 WAT
BON PASTEUR (RUE DU) - 33 B1 1140 EVE
BON PASTEUR (RUE DU) - 39 C2 1080 SJM
BON SECOURS (RUE DU) (1) - 40 D-E4 1000 BRL
BONNE-ESPERANCE (COURS DE) - 153 B-C2 1348 LLN
BONNE-ESPERANCE (RUE DE) - 153 B2 1348 LLN
BONNE FOSSE (AV. DE LA) - 146 E1 - 147 A1 1420 BRA
BONNE FOSSE (SENTIER DE LA) - 146 D1 1420 BRA
BONNE-ODEUR (DREVE DE) -
70 A-B4 - 80 B1 C1-2 D2
NOS 2 à 4 1170 WAB
NOS 16 à 54 1160 AUD
BONNE REINE (RUE DE LA) - 51 E1 1200 WSL
BONNES MERES (RUE DES) - 66 E1 1190 VOR
BONAPARTE (AV. - LAAN) - 78 B1-2 1180 UCK
BONAPARTE (AV. PRINCE JEROME) -
146 E3 - 147 A3 1420 BRA
BONAVENTURE (RUE - STRAAT) - 21 E4 - 22 A-B4 1090 JET
BONDGENOTENSTRAAT - 58 B1-2-3 1190 VOR
BONDRY (FOND DE) - 152 A1-2 1342 LIM
BONEHILL (RUE ED. - STRAAT) - 40 A3-4 1080 SJM
BONEKRUIDLAAN - 23 B-C1 1020 BRL
BONHEUR (DREVE DU) - 53 A1 1150 SPW
BONHEUR (RUE DU) - 47 D2 1070 AND
BONNEELS (RUE - STRAAT) -
41 D3-4 - Centr. 167 C2-3 1210 SJN
BONNETIERS (SQUARE DES) - 117 C-D4 1300 WAV
BONNEVIE (RUE - STRAAT) - 40 C2 - Centr. 166 A1 1080 SJM
BONNIER (CHEMIN DU) - 125 A-B2 1380 OHA
BONNIERS (DREVE DES) -
79 D-E4 - 80 A3-4 1170 WAB
BONNIERS (DREVE DES) -
79 D4 - 80 D-E3 - 89 A2 B-C-D1 1640 SGR
BONS ENFANTS (RUE DES) (2) - 23 E2 1120 BRL
BONTE (RUE DE LA) - 50 A3-4 - Centr. 168 D3
NOS 1 à 5 - 2 à 4A 1000 BRL
NOS 7 à FIN - 6 à FIN 1060 SGI
BONTEMPS (AV. ARMAND) - 151 E3 1340 OTT
BONVOISIN (RUE DE) - 142 B4 - 154 B1-2 C-D1 1480 TUB
BOOGLAAN - 91 E2 - 92 A2 1560 HOE
BOOGSCHUTTERINNENLAAN - 67 E2 1180 UCK
BOOGSCHUTTERSERF - 74 E4 1600 SPL
BOOGSCHUTTERSSTRAAT - 31 B4 1081 KOE
BOOGSTRAAT (2) - 40 E2 - Centr. 166 C1 1000 BRL
BOOMGAARDENDREEF - 73 D4 3090 OVE
BOOMGAARDLAAN - 86 C3 1650 BEE
BOOMGAARDLAAN - 88 D-E3 1640 SGR
BOOMGAARDLAAN - 91 E2 - 92 A2 1560 HOE
BOOMGAARDOORD (1) - 44 C2 1950 KRA
BOOMGAARDPAD - 23 E2 1120 BRL
BOOMGAARDSTRAAT - 108 C1-2 1653 DWO
BOOMGAARDSTRAAT - 12 E3 1780 WEM
BOOMGAARDSTRAAT - 44 C2-3 1950 KRA
BOOMGAARDSTRAAT - 61 A3 1160 AUD
BOOMGAARDSTRAAT - 66 E3 1620 DRO
BOOMGAARDWEG - 97 E3-4 1640 SGR
BOOMKLEVERSLAAN - 52 D-E2 1150 SPW
BOOMKLEVERSPAD - 59 D4 1000 BRL
BOOMKWEKERIJLAAN - 98 A1-2 1640 SGR
BOOMKWEKERIJSTRAAT -
50 A2 B1-2 - Centr. 168 D2 - 169 A1-2 1000 BRL
BOOMKWEKERIJSTRAAT - 76 A2 B1-2 1601 RUI
BOOMSTRAAT - 49 E2 - Centr. 168 C2 1000 BRL
BOOMVALKENLAAN - 60 D4 1170 WAB
BOON (AV. D. - LAAN) - 61 A4 - 70 A1 1160 AUD
BOON (RUE JACQUES - STRAAT) - 57 B-C2 1070 AND
BOONDAALSESQUARE - 60 A4 1050 IXE
BOONDAALSESTEENWEG -
50 C4 - 59 C1 D1-2 E2-3 - 60 A3-4 1050 IXE
BOONDAEL (CHAUSSEE DE) -
50 C4 - 59 C1 D1-2 E2-3 - 60 A3-4 1050 IXE
BOONDAEL (SQUARE DE) - 60 A4 1050 IXE
BOONE (RUE DOYEN) - 51 A2 1040 ETT
BOONESTRAAT (DEKEN) - 51 A2 1040 ETT
BOONLAAN (JAN) - 94 C-D3 1500 HAL
BOONSTRAAT - 97 C3 1652 ALS
BORAINS (COUR DES) - 153 C4 1348 LLN
BORCHTVOETWEG (6) - 6 C2 1800 VIL
BORDEAUX (RUE DE - STRAAT) - 49 E4 1060 SGI
BORDET (AV. J. - LAAN) - 33 D2-3 E3-4
NO/NR 1 1130 BRL
AUTRES NOS/ANDERE NRS 1140 EVE
BORDIAU (RUE - STRAAT) - 41 E4 1000 BRL
BORDUURDERSSTRAAT -
49 D2-3 - Centr. 168 B2-3 1000 BRL
BOREALE (AV.) - 127 D2-3 1300 LIL
BORGENDAALGANG - 50 A1 - Centr. 168 D1 1000 BRL
BORGENDAEL (CHEMIN DU) - 117 A4 - 129 A1 1300 WAV
BORGENDAEL (IMPASSE DU) -
50 A1 - Centr. 168 D1 1000 BRL
BORGHTSTRAAT - 6 D2 1800 VIL
BORGTSTRAAT - 5 E1-2 - 6 A2 1850 GRI
BORGVAL (RUE DE - STRAAT) -
40 E4 - Centr. 166 C3 1000 BRL
BORHEIDESTRAAT - 105 B1 3040 OTB
BORICAR (LE) - 136 E1 1380 OHA
BORLE (AV. J. - LAAN) - 61 B4 1160 AUD
BORNE (RUE DE LA) - 40 B-C3 1080 SJM
BORREKENSVELD - 13 D-E2 1853 SBE
BORRENS (RUE - STRAAT) - 59 D1 1050 IXE
BORRESTRAAT - 105 A-B1 3040 OTB
BORRESTRAAT - 34 D3 1932 SSW
BORRESTRAAT - 47 A-B4 - 56 A1 1700 DIL
BORRESTRAAT - 64 B-C1 1602 VLE
BORRESTRAAT - 93 B-C4 3090 OVE
BORREVELDLAAN - 26 B2-3 1930 ZAV
BORREWEG - 107 A-B4 1500 HAL
BORREWEG - 77 C1 D1-2 1180 UCK
BORREWEG - 93 C-D-E4 3090 OVE
BORTIER (GALERIE - GALERIJ) - 41 A-B4 1000 BRL
BOS VAN HOUTHULSTLAAN - 44 E4 - 45 A4 1970 WEO
BOS VAN OPPEMWEG (1) - 53 C2 D3 1950 KRA
BOSBESSENLAAN (1) - 69 B2 1170 WAB
BOSBESSENLAAN - 114 D1 3090 OVE
BOSBESSENWEG - 70 E3 - 71 A3 1160 AUD
BOSCH (PLACE ALPHONSE) (SABLON) - 129 B1 1300 WAV
BOSCH - 3 E3-4 - 4 A3-4 1780 WEM
BOSDALLAAN - 53 C3-4 - 62 C1 1950 KRA
BOSDALOORD - 53 C4 1950 KRA
BOSDELLESTRAAT - 36 C-D-E4 1933 STK
BOSDREEF - 61 E1 1150 SPW
BOSDUIFLAAN - 4 C3 1860 MEI
BOSDUIFLAAN - 69 E1 1170 WAB
BOSDUIFSTRAAT - 24 A1 1120 BRL
BOSDUIVENLAAN - 53 B4 C3-4 1950 KRA
BOSDUIVENWEG - 72 C2 3080 TER
BOSHYACINTENVOETPAD - 69 B-C4 1170 WAB
BOSJESLAAN - 88 B4 1640 SGR
BOSKANTLAAN - 59 B-C4 1000 BRL
BOSKANTWEG - 16 C2 D3 1830 MAC
BOSLAAN - 102 D4 E3 - 114 D1-2 3090 OVE
BOSLAAN - 118 B3 C3-4 1502 LEM
BOSLAAN - 28 D3 1700 SUK
BOSMANSSTRAAT (A.) - 95 D4 - 107 D1 1501 BUI
BOSMANSSTRAAT (J. B.) - 85 A3 B2 1600 SPL
BOSNIE (RUE DE -STRAAT) - 49 C4 - 58 C1 1060 SGI
BOSNIMFENLAAN - 69 D1-2 E2 1170 WAB
BOSPAD - 87 D2-3 1630 LIN
BOSPLEINLAAN - 68 C-D1 1000 BRL
BOSQUET (AV. DU) - 113 E3 1332 GEN
BOSQUET (AV.) - 102 A3 1310 LAH

B

Straat	Code	Gemeente
BOSQUET (CHEMIN DU) -		
124 C4 - 136 B1-2-3-4 C1 - 148 B1	1380	OHA
BOSQUET (CLOS DU) - 122 C-D2	1410	WAT
BOSQUET (RUE - STRAAT) -		
49 E3 - 50 A3 - Centr. 168 C-D3	1060	SGI
BOSQUET (RUE DU) - 153 D1-2 E2 - 165 D1	1348	LLN
BOSQUET (RUE DU) - 165 D1	1435	MSG
BOSQUET DEL VAU (CHEMIN DU) -		
122 C4 - 134 C-D1	1420	BRA
BOSRANDPLEIN - 61 E1	1150	SPW
BOSRANKSTRAAT - 35 A2	1930	ZAV
BOSRECHTERSTRAAT - 60 C4	1170	WAB
BOSSAERT (AV. EM. - LAAN) - 30 E4 - 31 A4	1081	KOE
BOSSAERTS (RUE FRANÇOIS - STRAAT) -		
41 E2 - Centr. 167 D2	1030	SCH
BOSSQUARE - 59 C3	1000	BRL
BOSSTRAAT (1) - 25 C3	1831	DIE
BOSSTRAAT - 21 C4	1090	JET
BOSSTRAAT - 21 C4 - 30 C1	1083	GAN
BOSSTRAAT - 26 B2	1930	ZAV
BOSSTRAAT - 29 B-C3	1702	GRB
BOSSTRAAT - 42 A2 - 43 E1-2	1950	KRA
BOSSTRAAT - 52 C3 D3-4 E4 - 61 E1 - 62 A1		
NRS 1 TOT 7	1200	WSL
ANDERE NRS	1150	SPW
BOSSTRAAT - 59 B1-2	1050	IXE
BOSSTRAAT - 76 E3 - 77 A3	1620	DRO
BOSSTRAAT - 97 D3-4 - 109 D1	1640	SGR
BOSSU (RUE DE) - 157 D2-3 E2	1421	OPH
BOSSU (RUE P. - STRAAT) (1) - 51 C-D3	1150	SPW
BOSSUET (PLACE FR. - PLEIN) -		
41 C2-3 - Centr. 167 B1-2	1210	SJN
BOSUILSTRAAT - 69 E1	1170	WAB
BOSVELD - 19 C1	1730	ASS
BOSVELDBAAN - 84 A-B-C1	1600	SPL
BOSVELDWEG - 68 A-B1	1180	UCK
BOSVOORDESTEENWEG - 69 A1-2 B2-3		
NRS 1 tot 53 - 2 tot 96	1050	IXE
NRS 103 tot 121	1000	BRL
ANDERE NRS	1170	WAB
BOSVOORDSELAAN - 68 D3 E2-3	1000	BRL
BOSWARANDE - 52 C3	1150	SPW
BOSWEG (GENERAAL) - 82 E2	3090	OVE
BOSWEG - 14 D2-3	1800	VIL
BOSWEG - 3 E2 - 4 A2-3	1860	MEI
BOSWEG - 46 A1-2	1703	SPD
BOSWEG - 53 D1-2-3	1970	WEO
BOSWEIDELAAN - 99 B3-4	1640	SGR
BOTANIQUE (AV. DU JARDIN) - 4 B3	1780	WEM
BOTANIQUE (RUE) - 41 B2 - Centr. 167 A1	1210	SJN
BOTERBERG - 19 C2-3 D2	1730	BEK
BOTERBERG - 77 A4	1630	LIN
BOTERBERGWEG - 87 A1	1650	BEE
BOTERBLOEMBINNENHOF - 52 C1-2	1200	WSL
BOTERBLOEMENLAAN - 53 C1-2	1970	WEO
BOTERBLOEMENSTRAAT - 60 E4 - 69 E1	1170	WAB
BOTERBLOEMLAAN - 45 A1-2 B1	1933	STK
BOTERBLOEMSTRAAT - 5 E1-2 - 6 A1	1850	GRI
BOTERHAM - 107 B4	1500	HAL
BOTERMANSDELLE (CHEMIN DU - WEG) -		
88 E3-4 - 89 A-B4	1640	SGR
BOTERMELKSTRAAT - 118 C3-4 D4	1502	LEM
BOTERSTRAAT - 40 E4 - Centr. 166 C3	1000	BRL
BOTTE (RUE MICHEL) - 145 E3-4 - 146 A3	1421	OPH
BOUCHERS (PETITE RUE DES) -		
40 E4 - Centr. 166 C3	1000	BRL
BOUCHERS (RUE DES) -		
40 E4 - 41 A4 - Centr. 166 C-D3	1000	BRL
BOUCHIER (PLAINE DU) - 117 B3	1300	WAV
BOUCHOUT (AV. DE - LAAN) - 4 B3-4	1780	WEM
BOUCHOUT (AV. DE) - 22 C2 D1-2	1020	BRL
BOUCHOUTLAAN - 4 B1	1860	MEI
BOUCLE (VENELLE EN) (3) - 52 C3	1150	SPW
BOUCLETTES (SENTIER A) - 131 E3 - 132 A3	1440	BRC

Straat	Code	Gemeente
BOUCQUEAU (AV. HENRY) - 159 D1	1380	PLA
BOUDEWIJNLAAN -		
40 E2 - 41 A2 - Centr. 166 C-D1	1000	BRL
BOUDEWIJNLAAN - 47 B2	1700	DIL
BOUDEWIJNLAAN (KONING) - 106 D2-3	1500	HAL
BOUDEWIJNLAAN (KONING) - 15 A1	1800	VIL
BOUDEWIJNLAAN (KONING) - 16 A4	1830	MAC
BOUDEWIJNLAAN (PRINS) - 107 D2-3 E2-3	1653	DWO
BOUDEWIJNLAAN (PRINS) - 12 E4	1780	WEM
BOUDEWIJNLAAN (PRINS) - 61 D-E1	1150	SPW
BOUDEWIJNPLEIN (KONING) (8) - 30 B4	1082	SAB
BOUDEWIJNSTRAAT (PRINS) - 30 E3 - 31 A2-3		
NRS 2 tot 80	1090	JET
ANDERE NRS	1083	GAN
BOUGAINVILLEASTRAAT - 39 C3	1080	SJM
BOUGAINVILLEES (RUE DES) - 39 C3	1080	SJM
BOUGIE (RUE DE LA) - 40 C4 - Centr. 166 A3	1070	AND
BOUILLIOT (RUE E. - STRAAT) - 58 E2-3 - 59 A3	1050	IXE
BOUILLON (RUE J. - STRAAT) -		
50 B3 - Centr. 169 A3	1050	IXE
BOULARMONT (RUE) - 132 D4 - 144 D1	1440	WBC
BOULEAUX (AV. DES) - 101 E4	1310	LAH
BOULEAUX (AV. DES) - 12 D2	1780	WEM
BOULEAUX (AV. DES) - 164 B-C1	1340	OTT
BOULEAUX (AV. DES) - 164 E2 - 165 A2-3	1435	MSG
BOULEAUX (AV. DES) - 53 A2-3	1950	KRA
BOULEAUX (AV. DES) - 69 C1	1170	WAB
BOULEAUX (AV.S DES) - 109 C-D3	1420	BRA
BOULEAUX (CLOS DES) - 43 B3	1200	WSL
BOULEAUX (CLOS DES) - 44 D-E4	1970	WEO
BOULEAUX (SENTIER DES) - 79 B3-4 C4 - 89 C1	1180	UCK
BOULEAUX (VENELLE AUX) - 129 C4	1300	WAV
BOULENGER (AV. H. - LAAN) - 68 B-C4	1180	UCK
BOULENGERLAAN (HIPPOLYTE) - 63 A1-2 B2	3080	TER
BOULET (RUE DU) - 40 D3-4 - Centr. 166 B2-3	1000	BRL
BOULEVARD (AV. DU) - 41 A2 - Centr. 166 D1	1210	SJN
BOULOGNE-BILLANCOURT (AV.) -		
126 D-E4 - 138 E1 - 139 A1	1330	RIX
BOUQUET (RUE DU) - 57 B1	1070	AND
BOUQUET (SQUARE B. - SQUARE) - 66 E2	1190	VOR
BOUQUETIERE (IMPASSE DE LA) (1)		
49 D2 - Centr. 168 B2	1000	BRL
BOURDON (CLOS) - 134 D2	1420	BRA
BOURDON (RUE DU) -		
77 B1-2-3-4 C2-3-4	1180	UCK
BOURE (RUE - STRAAT) - 50 B3 - Centr. 169 A3	1050	IXE
BOURG (RUE COLONEL) - 42 B3 C3 D2-3 E2		
NOS 1 à105 - 2 à 116	1030	SCH
AUTRES NOS	1140	EVE
BOURGAUX (AV.) - 152 A1-2	1342	LIM
BOURGEOIS (AV. AUG. - LAAN) (9) - 47 E3	1070	AND
BOURGEOIS (CHEMIN DE) - 139 B-C1	1300	LIL
BOURGET (AV. DU - LAAN) - 33 D1-2		
NOS/NRS 1 - 3	1140	EVE
AUTRES NOS/ANDERE NRS	1130	BRL
BOURGEYS (RUE ARNOLD) - 145 E4 - 146 A4	1421	OPH
BOURGEYS (RUE N.) - 145 E4 - 157 E1 - 158 A1	1421	OPH
BOURGHYS (AV. HENRY) - 110 E2 - 111 A-B2	1410	WAT
BOURGMESTRE (RUE DU) - 59 D2	1050	IXE
BOURGOGNE (RUE DE) - 58 B3-4	1190	VOR
BOURGSTRAAT (KOLONEL) -		
42 B-C-D3 D-E2		
NRS 1 tot 105 - 2 tot 116	1030	SCH
ANDERE NRS	1140	EVE
BOURSE (AV. DE LA) - 139 E1 - 140 A1-2	1300	LIL
BOURSE (PLACE DE LA) - 40 E4 - Centr. 166 C3	1000	BRL
BOURSE (RUE DE LA) - 40 E4 - Centr. 166 C3	1000	BRL
BOURVIL (CHEMIN - WEG) (23) - 21 E2	1090	JET
BOUSQUET (AV. GENERAL) - 152 A-B1	1342	LIM
BOUTON D'OR (CLOS DU) - 52 C1-2	1200	WSL
BOUTON D'OR (RUE DU) - 134 E3-4	1420	BRA
BOUTONS D'OR (AV. DES) - 53 C1-2	1970	WEO
BOUVAL (CLOS DU) - 116 A2	1301	BIE
BOUVIER (RUE DU - STRAAT) - 31 D4 - 40 D1	1080	SJM

Straat	Code	
BOUVIER (RUE EGIDE - STRAAT) (4) - 61 B-C4	1160	AUD
BOUVIER (SQUARE BAR. A. - SQUARE) - 49 E4	1060	SGI
BOUVIER-WASHER (RUE - STRAAT) - 44 B3-4	1950	KRA
BOUVREUIL (AV. DU) - 146 C3	1420	BRA
BOUVREUILS (AV. DES) (1) - 130 C-D3	1480	CLA
BOUVREUILS (AV. DES) - 115 D3 E3-4 - 116 A3-4	1301	BIE
BOUVREUILS (AV. DES) - 152 C3-4 D3	1340	OTT
BOUVREUILS (PLACE DES) (4) - 60 D1	1150	SPW
BOUWERSTRAAT - 49 A2	1070	AND
BOUWGEZELLENERF - 42 D2	1140	EVE
BOUWKUNSTLAAN - 38 D4 - 47 D1	1700	DIL
BOUWKUNSTSTRAAT - 57 B1	1070	AND
BOVENBERG - 52 B3	1150	SPW
BOVENHEIDE - 95 E1 - 96 A1	1651	LOT
BOVEN VRIJLEGEM - 1 A1	1730	MOL
BOVIE (RUE FELIX - STRAAT) -		
50 D4 - 59 C-D1	1050	IXE
BOXER (SENTIER DU - WEG) - 22 E1	1020	BRL
BRAAMBESSENLAAN - 97 B2	1652	ALS
BRAAMBESSENSTRAAT - 37 E1	1700	DIL
BRAAMBEZIENLAAN (1) - 77 C4	1180	UCK
BRAAMBEZIENLAAN - 77 B-C4	1630	LIN
BRAAMBOS - 9 C3	1820	STE
BRAAMBOSJESLAAN - 23 B-C2	1020	BRL
BRAAMBOSSTRAAT - 59 C2		
NR 2	1000	BRL
ANDERE NRS	1050	IXE
BRAAMSTRUIKENLAAN - 78 D1	1180	UCK
BRAAMSTRUIKENVOETPAD - 61 C-D3-4	1160	AUD
BRABANCON (VAL) - 22 D3-4	1780	WEM
BRABANÇONNE (AV. DE LA - LAAN) -		
41 E3-4 - Centr. 167 D3		
NOS/NRS 1-117 - 2-10 E4	1000	BRL
AUTRES NOS/ANDERE NRS	1030	SCH
BRABANCONS (PLACE DES) - 153 B4	1348	LLN
BRABANDTLAAN - 81 D2-3 E1-2	3090	OVE
BRABANT (AV. DUC HENRI DE) - 129 D1-2	1300	WAV
BRABANT (RUE DE - STRAAT) -		
32 B4 - 41 A2 B1-2 -		
Centr. 166 D1 - 167 A1		
NOS/NRS 1-29 - 2-112	1210	SJN
AUTRES NOS/ANDERE NRS	1030	SCH
BRABANTS DAL - 12 D3-4	1780	WEM
BRABANTSEBAAN -		
74 A3-4 - 84 A1-2-3-4 - 94 A1 B1-2	1600	SPL
BRABANTSE PRINSENLAAN - 60 C-D4	1170	WAB
BRACHET (AV. ALB. - LAAN) - 22 B2		
NOS/NRS 1-63 - 2-68	1020	BRL
AUTRES NOS/ANDERE NRS	1090	JET
BRACKE (RUE A. - STRAAT) - 34 E4 - 43 D-E1	1950	KRA
BRACONNIERS (CLOS DES) (1) - 111 C2-3	1410	WAT
BRACOPS (BLD. J. - LAAN) -		
47 E2-3-4 - 48 A1-2	1070	AND
BRADU (SENTIER DE) - 138 E1	1330	RIX
BRAEMT (RUE - STRAAT) - 41 C-D3	1210	SJN
BRAFFORT (RUE BATONNIER) - 51 B1-2 C2		
NOS 2 à 64	1200	WSL
AUTRES NOS	1040	ETT
BRAFFORTLAAN (STAFH.) - 83 B4 - 93 B1	3090	OVE
BRAFFORTSTRAAT (STAFHOUDER) -		
51 B1-2 C2		
NRS 2 tot 64	1200	WSL
ANDERE NRS	1040	ETT
BRAIBANT (RUE - STRAAT) - 30 E2 - 31 A2	1083	GAN
BRAIE (RUE DE LA) - 40 D3 - Centr. 166 B2	1000	BRL
BRAILLE (AV. LOUIS - LAAN) - 4 A4	1780	WEM
BRAILLE (RUE L. - STRAAT) (9) - 39 A1	1082	SAB
BRAINE L'ALLEUD (ANCIEN CHAUSSEE DE) -		
97 C4 - 109 C1	1640	SGR
BRAINE L'ALLEUD (CHAUSSEE DE) -		
97 B-C4 - 109 C1	1640	SGR
BRAINE-LE CHATEAU (RUE DE) - 155 B2-3	1460	IRE
BRALIONSTRAAT (EDUARD) - 94 C3	1500	HAL
BRAND (RUE JOSEPH - STRAAT) - 32 D4	1030	SCH

Straat	Code	
BRAND WHITLOCK (BLD. -LAAN) - 51 C1-2		
NOS/NRS 1-5 2-12	1150	SPW
AUTRES NOS/ANDERE NRS	1200	WSL
BRANDENBURGLAAN - 18 C1	1820	STE
BRANDHOUTKAAI -		
40 D2-3 E3 - Centr. 166 B1-2 C2	1000	BRL
BRANDSTOFFENSTRAAT - 58 A3	1190	VOR
BRANLY (RUE ED. - STRAAT) - 58 C-D3	1190	VOR
BRASEMLAAN - 60 C3	1160	AUD
BRASSERIE (AV. DE LA) - 49 B1	1070	AND
BRASSERIE (RUE DE LA) - 50 C-D4	1050	IXE
BRASSERIE (RUE DE LA) - 76 E1 - 77 A1	1620	DRO
BRASSERIE (RUE DE LA) - 77 A3 B4 - 87 B-C1	1630	LIN
BRASSERIES (RUE DES) (16) - 129 B1	1300	WAV
BRASSERIES (RUE DES) - 115 A3	1330	RIX
BRASSEURS (RUE DES) (1) - 134 B4 - 146 B1	1420	BRA
BRASSEURS (RUE DES) - 40 E4 - Centr. 166 C3	1000	BRL
BRASSINE (AV. - LAAN) - 99 A2 B2-3 C3-4 D4	1640	SGR
BRASSINE (AV. CH. - LAAN) - 60 B-C2	1160	AUD
BRASSINE (AV. RAYMOND) - 134 D4 - 146 D1	1420	BRA
BRASSINELAAN - 99 D-E4 - 111 D1	1560	HOE
BRAVEKINDERENSTRAAT (2) - 23 E2	1120	BRL
BRAVES (RUE DES) - 40 B1	1081	KOE
BRAVES (SQ. DES) - 77 C4	1630	LIN
BRAVOURE (RUE DE LA) (2) - 31 C1	1090	JET
BRAZILIELAAN - 68 E2		
NRS 1 tot 15A - 2 tot 14	1000	BRL
NRS 17-19	1050	IXE
BREART (RUE ANT. - STRAAT) - 58 D-E1		
NOS/NRS 1-169 - 2-27 E4	1060	SGI
AUTRES NOS/ANDERE NRS	1190	VOR
BREBIS (RUE DES) - 60 A4		
NOS IMPAIRS	1170	WAB
NOS PAIRS	1050	IXE
BREDEGRACHT - 86 B-C2	1650	BEE
BREDERODE (RUE - STRAAT) -		
50 A1 B1-2 - Centr. 168 D1 - 169 A1-2	1000	BRL
BREDESTRAAT - 92 D-E4	3090	OVE
BREEDVELD - 29 C4	1702	GRB
BREEDVELD - 81 D2-3-4 E4	1651	LOT
BREEMPUT - 64 E2 - 65 A2	1600	SPL
BREEMPUTHOF - 6 B3-4 C4	1800	VIL
BREEMPUTSTRAAT - 6 B4 C3	1800	VIL
BREEMSTRAAT - 9 A-B1	1820	PER
BREERIJKE - 92 C-D4 - 102 B1	3090	OVE
BREESCH (RUE - STRAAT) - 31 D1	1020	BRL
BREKER - 10 E4 - 19 E1	1730	MOL
BREKER - 11 A4	1731	ZEL
BREL (AV. J. - LAAN) - 43 B3-4	1200	WSL
BREL (AV. JACQUES) - 134 E3	1420	BRA
BREMBERG - 27 A4	1930	NOS
BREME (AV. DE LA) - 60 C3	1160	AUD
BREMER (PL.COL.) - 41 E2 - Centr. 167 D2	1030	SCH
BREMERPLEIN (KOL.) - 41 E2 - Centr. 167 D2	1030	SCH
BREMGAARDE - 44 A3	1950	KRA
BREMHOF - 87 D1	1630	LIN
BREMLAAN - 102 A2 B3	3090	OVE
BREMLAAN - 54 A3-4	1970	WEO
BREMLAAN - 68 D-E2	1000	BRL
BREMLAAN - 97 B3	1652	ALS
BREMMENWEG - 99 C2 B3	1640	SGR
BREMMENWEG - 99 C2 D1-2	1560	HOE
BREMS (RUE J. B. - STRAAT) - 33 A3	1030	SCH
BREMSTRAAT - 118 A1	1502	LEM
BREMSTRAAT - 29 B4	1702	GRB
BREMVELD - 19 E2	1731	ZEL
BREMWEG - 23 B-C1	1120	BRL
BRENTASTRAAT - 15 D2	1800	VIL
BRESIL (AV. DU) - 68 E2		
NOS 1 à 15A - 2 à 14	1000	BRL
NOS 17-19	1050	IXE
BRESIL (RUE DU) - 101 D4	1310	LAH
BRETAGNE (RUE DE - STRAAT) - 43 A2	1200	WSL
BREUGELWEG - 20 B4 - 29 B1	1702	GRB

B

B

BREUGHEL (RUE - STRAAT) -
49 D3 - Centr. 168 B3 1000 BRL
BREUGHEL DE OUDE SQ. - 49 E2 - Centr. 168 C2 1000 BRL
BREUGHEL L'ANCIEN (SQ.) - 49 E2 - Centr. 168 C2 1000 BRL
BREUGHELDREEF - 82 A1-2 B2 3090 OVE
BREUGHELPARK - 20 D3-4 1731 ZEL
BREUGHELSTRAAT (2) - 6 C3-4 1800 VIL
BREUGHELSTRAAT - 9 A4 1820 STE
BREYDEL (RUE - STRAAT) -
50 E1-2 - Centr. 169 D1-2 1040 ETT
BREYDELSTRAAT (JAN) - 8 A2 1800 PEU
BRIALMONT (RUE - STRAAT) -
41 B2-3 - Centr. 167 A1-2 1210 SJN
BRIAND (BLD. AR. - LAAN) - 48 C4 1070 AND
BRIAS (TAILLE) - 152 E1 - 153 A-B1 1340 OTT
BRICHAUT (RUE - STRAAT) - 32 B-C4 - 41 C1 1030 SCH
BRICOUT (AV. EM. - LAAN) - 34 E4 - 43 E1 1950 KRA
BRIDE (AV. DE LA) - 129 D3 1300 WAV
BRIEFDRAGERSTRAAT - 40 C2 - Centr. 166 A1 1080 SJM
BRIESLAAN - 23 A1 1020 BRL
BRIGADIERSDREEF - 100 A-B1 1560 HOE
BRIGITTINNENSTRAAT - 49 D-E1 1000 BRL
BRIGITTINNES (PETITE RUE DES) -
49 E1 - Centr. 168 C1 1000 BRL
BRIGITTINNES (RUE DES) - 49 D-E1 1000 BRL
BRILJANTSTRAAT - 60 B3-4 1170 WAB
BRILLANT (RUE DU) - 60 B3-4 1170 WAB
BRILLAT-SAVARIN (AV. - LAAN) - 59 E3 1050 IXE
BRILLENGANG (1) - 60 D4 - Centr. 166 B3 1000 BRL
BRIQUES (QUAI AUX) - 60 D-E3 1000 BRL
BRIQUETERIE (AV. DE LA) - 117 D4 - 129 D1 1300 WAV
BRIQUETERIE (RUE DE LA) - 134 D-E4 1420 BRA
BRIQUETERIE (RUE DE LA) - 151 C-D4 - 163 D1 1340 OTT
BRIQUETERIE (RUE DE LA) - 31 E2 1020 BRL
BRIQUETERIES (AV. DES) - 43 B2 1200 WSL
BRIQUETIERS (CLOS DES) - 42 D-E2 1140 EVE
BRIRE (CHEMIN DE LA) - 137 D-E1 1380 LAS
BRISE (AV. DE LA) - 109 C-D3 1420 BRA
BRISE (AV. DE LA) - 23 A1 1020 BRL
BRISE (DREVE DE LA - DREEF) - 69 D3 1170 WAB
BRISON (RUE MARC) - 140 A-B1 1300 LIL
BRITSE SOLDAATLAAN - 56 E3 1070 AND
BRITSE TWEEDELEGERLAAN -
57 E3-4 - 58 A2-3 - 66 E1 1190 VOR
BRITSIERS (AV. - LAAN) - 32 E3 1030 SCH
BRITTANIQUE (AV.) - 147 A1 1420 BRA
BRIXTONLAAN - 36 A3 1930 NOS
BRIXTONLAAN - 36 A3 1930 ZAV
BROCARD (DREVE DU) - 123 D3 1410 WAT
BROCHET (RUE DU) - 50 D3 - Centr. 169 C3
NOS IMPAIRS - 2 à 72 1050 IXE
NOS 74 à FIN 1040 ETT
BROCTIAUX (CHEMIN) - 121 D3 - 133 B-C1 1420 BRA
BROCTIAUX (SENTIER) - 121 C-D4 - 133 C1 1420 BRA
BRODEURS (RUE DES) -
49 D2-3 - Centr. 168 B2-3 1000 BRL
BROECK (RUE DU) - 30 A-B4 1070 AND
BROEDERLIJKHEIDSTRAAT - 91 D-E4 1560 HOE
BROEDERSCHAPSSTRAAT - 41 B1 1030 SCH
BROEDERSVOETWEG - 90 C-D-E1 1560 HOE
BROEK (RUE DU - STRAAT) - 30 A4 - 39 A1 1082 SAB
BROEK (SENTIER DU - WEG) - 30 A-B4 1082 SAB
BROEK - 106 E4 - 107 A4 - 118 E1 1500 HAL
BROEKAERT (RUE V.) - 22 A4 1090 JET
BROEKBORRE - 106 E1-2 1500 HAL
BROEKHOVEN - 27 E4 3070 KOR
BROEKOOI - 20 A1-2 B1 1731 ZEL
BROEKSTRAAT - 10 C-D-E2 1730 MOL
BROEKSTRAAT - 15 E1 1800 VIL
BROEKSTRAAT - 16 A4 - 25 A-B1 1831 DIE
BROEKSTRAAT - 34 D3 1932 SSW
BROEKSTRAAT - 41 A2-3 - Centr. 166 D1-2 1000 BRL
BROEKSTRAAT - 47 B1 C1-2 D-E2 1700 DIL
BROEKSTRAAT - 48 B-C-D2 1070 AND
BROEKSTRAAT - 63 B-C1 3080 TER
BROEKSTRAAT -11 A2 1730 MOL
BROEKWEG - 1 E3-4 1785 BRU
BROEKWEG - 76 C1-2-3 D1-2 1601 RUI
BROENSDELLE - 83 D3 3090 OVE
BROEREN (RUE J. - STRAAT) - 48 D2 1070 AND
BROGNIEZ (RUE - STRAAT) - 49 B2 C1-2 1070 AND
BRONLAAN - 28 D2-3 1700 SUK
BRONSSTRAAT - 48 E2-3 1070 AND
BRONSTRAAT (1) - 20 C4 1731 ZEL
BRONSTRAAT - 47 B-C2 1700 DIL
BRONSTRAAT - 49 E3-4 - 50 A4 - Centr. 168 C3 1060 SGI
BRONSTRAAT - 76 B2 1601 RUI
BRONSTRAAT - 97 C2 D2-3 1652 ALS
BRONSTRAATJE - 98 A4 1640 SGR
BRONWEG - 107 E2 1653 DWO
BRONWEG - 67 E2 1180 UCK
BRONWEG - 98 A-B3 1640 SGR
BRONZE (RUE) - 48 E2-3 1070 AND
BROODCOORENS (RUE) - 113 D2-3 1310 LAH
BROUNSSTRAAT (H.) - 16 A2-3 B2 1830 MAC
BROUSTIN (AV. - LAAN) - 31 A3-4 B3
NOS/NRS 1-41 - 2-46 1090 JET
AUTRES NOS/ANDERE NRS 1083 GAN
BROUWERIJGANG - 118 B1 1502 LEM
BROUWERIJLAAN - 49 B1 1070 AND
BROUWERIJSTRAAT - 106 D3-4 1502 LEM
BROUWERIJSTRAAT - 108 C2 1653 DWO
BROUWERIJSTRAAT - 14 A1-2 1853 SBE
BROUWERIJSTRAAT - 50 C-D4 1050 IXE
BROUWERIJSTRAAT - 76 E1 - 77 A1 1620 DRO
BROUWERIJSTRAAT - 77 A3 B4 - 87 B-C1 1630 LIN
BROUWERSSTRAAT - 40 E4 - Centr. 166 C3 1000 BRL
BROYERE (RUE - STRAAT) - 49 C1 - Centr. 168 A1 1070 AND
BRUANT (RUE DU) (17) - 69 E1 1170 WAB
BRUCK (RUE MAJ. - STRAAT) - 69 D3 1170 WAB
BRUEGHEL (AV. - LAAN) - 54 A1 1970 WEO
BRUEKAUTERSTRAAT - 28 A4 B3-4 C3 1700 SMB
BRUEL (RUE DU) - 15 D3-4 1130 BRL
BRUGES (RUE DE) - 39 D1-2 1080 SJM
BRUGGESTRAAT - 39 D1-2 1080 SJM
BRUGGEVELDSTRAAT - 19 A3-4 1700 SUK
BRUGMANN (AV. - LAAN) -
58 D4 E2-3-4 - 67 C2 D1-2
NOS/NRS 1-55 - 2-34 1060 SGI
NOS/NRS 59-191 - 36-176 1190 VOR
NOS/NRS 193-237 - 178-226A 1050 IXE
AUTRES NOS/ANDERE NRS 1180 UCK
BRUGMANN (PLACE G. - PLEIN) - 58 E3 - 59 A3 1050 IXE
BRUGSTRAAT - 26 A3 1930 ZAV
BRUGSTRAAT - 37 B4 1703 SPD
BRUGSTRAAT - 76 A-B2 1601 RUI
BRUGSTRAAT - 90 E3 - 91 A2-3 1560 HOE
BRUIDSSTRAAT - 40 E3 - 41 A3 - Centr. 166 C-D2 1000 BRL
BRUINELIEVEHEERSTRAAT - 37 C2 D1-2 1700 SMB
BRUINEPUTSTRAAT - 96 C4 - 108 C1 1653 DWO
BRUINEPUTWEG - 96 E3 1652 ALS
BRUINSTRAAT - 48 D2 1070 AND
BRULEES (CHEMIN DES) - 146 A4 1421 OPH
BRULEES (RUE DES) - 146 A4 1421 OPH
BRULES (DREVE DES) - 61 E1-2 1150 SPW
BRUMAGNE (RUE ESCADRON) - 139 C-D4 1342 LIM
BRUNARD (AV. - LAAN) - 59 A4 - 68 A1 1180 UCK
BRUNARD (RUE - STRAAT) - 31 A2 1090 JET
BRUNE (RUE) - 48 D2 1070 AND
BRUNEL (RUE O. - STRAAT) (1) - 32 A3 1020 BRL
BRUNFAUT (RUE F. - STRAAT) -
40 C3 - Centr. 166 A2 1080 SJM
BRUSSEGEMKERKSTRAAT - 2 C2-3 1785 BRU
BRUSSEGEMPLEIN - 2 C2 1785 BRU
BRUSSELBAAN -
64 E4 - 65 A4 B3 C2-3 D2 E1-2 -
66 A1 - 74 E1-2-3 1600 SPL
BRUSSELMANS (AV. J. - LAAN) (3) - 33 C2 1140 EVE

BRUSSELMANSSTRAAT (J.B.) - 47 C-D1 1700 DIL
BRUSSELSE STEENWEG - 20 A-B2 C2-3 D3-4 E4 1731 ZEL
BRUSSELSESTEENWEG - 10 A-B4 - 19 C-D-E1-2 1730 ASS
BRUSSELSESTEENWEG - 15 D1-2 1800 VIL
BRUSSELSESTEENWEG -
2 A1 B1-2 C2-3 D3 E3-4 - 3 A4 1785 BRU
BRUSSELSESTEENWEG - 4 A-B1 1861 WOL
BRUSSELSESTEENWEG - 5 A1 B1-2-3-4 1850 GRI
BRUSSELSESTEENWEG - 57 E4 - 58 A3-4 B1-2 C2 1190 VOR
BRUSSELSESTEENWEG - 6 D3-4 E3-4 1800 VIL
BRUSSELSESTEENWEG - 62 C-D-E2 1950 KRA
BRUSSELSESTEENWEG - 62 E2 - 63 A1-2 B-C1 3080 TER
BRUSSELSESTEENWEG - 71 C-D4 - 81 E1 3090 OVE
BRUSSELSESTEENWEG -
80 D3 E3-4 - 90 E1 - 91 A-B1 1560 HOE
BRUSSELSESTEENWEG -
82 A1-2 B2 C-D3 E4 - 83 A4 3090 OVE
BRUSSELSESTEENWEG - 94 D3-4 E1-2-3 1500 HAL
BRUSSELSESTEENWEG - 97 B2-3 C3-4 1652 ALS
BRUSSELSTRAAT - 28 A-B-C1 D1-2 1700 SUK
BRUSSELSTRAAT - 28 E2 - 29 A2-3 B-C-D3 E3-4 1702 GRB
BRUSSELWEG - 37 B2 C2-3 1700 SMB
BRUSSELWEG - 87 B4 - 97 B1 1652 ALS
BRUULSTRAAT - 15 D3-4 1130 BRL
BRUWART (RUE DU) - 150 D-E4 - 162 E1 1341 CEM
BRUXELLES (CHAUSSEE DE) -
101 A1-2 B3-4 - 113 B1 C1-2 1310 LAH
BRUXELLES (CHAUSSEE DE) -
104 A2 B3-4 C4 - 116 C1 D1-2-3 E3 -
117 A3-4 B4 1300 WAV
BRUXELLES (CHAUSSEE DE) -
111 A1 B2-3-4 - 123 B1-2-3-4 - 135 B1-2 C2-3 1410 WAT
BRUXELLES (CHAUSSEE DE) -
12 C3 D3-4 - 21 D-E1 1780 WEM
BRUXELLES (CHAUSSEE DE) - 159 D3 1470 GEP
BRUXELLES (CHAUSSEE DE) - 162 E2 - 163 A2-3 1340 OTT
BRUXELLES (CHAUSSEE DE) - 163 A3 B-C4 1341 CEM
BRUXELLES (CHAUSSEE DE) -
163 A3-4 B-C4 D-E3 1490 CSE
BRUXELLES (CHAUSSEE DE) -
57 E4 - 58 A3-4 B1-2 C2 1190 VOR
BRUXELLES (CHAUSSEE DE) - 62 C-D-E2 1950 KRA
BRUXELLES (RUE DE) - 129 B1 1300 WAV
BRUYERE (AV. DE LA) - 109 A3 1640 SGR
BRUYERE (CHEMIN DE LA) - 133 D1 1420 BRA
BRUYERE (IMP. DE LA) - 113 E4 1332 GEN
BRUYERE (RUE DE LA) - 113 D3 E3-4 - 125 E1 1332 GEN
BRUYERE (RUE DE LA) - 122 B2-3 1410 WAT
BRUYERE (RUE DE LA) - 126 A-B4 1380 LAS
BRUYERE (RUE DE LA) - 154 C-D1 1480 TUB
BRUYERE (RUE DE LA) - 158 C-D4 1420 BRA
BRUYERE (RUE DE LA) - 32 E2 1030 SCH
BRUYERE D'ALCONVAL (CHEMIN DE LA) -
133 B1-2 C2 1420 BRA
BRUYERE DE CAMBRAI (SENTIER DE LA) -
146 E1-2 1420 BRA
BRUYERE DES BADAUDS - 158 C4 1428 LIW
BRUYERE DU LOUP (AV.) - 113 B2 1310 LAH
BRUYERE DU MASY (RUE DE LA) - 154 E4 1460 IRE
BRUYERE SAINT-JEAN (RUE) - 122 C-D1 1410 WAT
BRUYERE SAINT-JOB (AV.) - 117 D-E4 - 129 E1 1300 WAV
BRUYERE SAINTE-ANNE - 129 C4 - 141 C1 1300 WAV
BRUYERES (AV. DES) - 53 B4 1950 KRA
BRUYERES (CHEMIN DES) - 115 D-E4 1301 BIE
BRUYERES (DREVE DES) - 62 C1 1950 KRA
BRUYERES (DREVE DES) - 87 C1-2 1630 LIN
BRUYERES (RUE DES) - 153 B4 1348 LLN
BRUYERES (RUE DES) - 164 D3 1490 CSE
BRUYERES (RUE DES) - 164 D3 1435 MSG
BRUYERES (SENTIER DES) - 131 E1 1440 BRC
BRUYLANTS (RUE - STRAAT) - 51 B3 1040 ETT
BRUYN (RUE - STRAAT) - 14 E2-3-4 - 15 A2 1120 BRL
BRUYNDONCKX (RUE J. - STRAAT) - 12 B-C3 1780 WEM
BRUYNEELSTRAAT - 18 C1-2 D1 1820 STE

BRUYNSTRAAT - 6 A4 - 15 A1 1800 VIL
BUANDERIE (RUE DE LA) - 40 D4 - Centr. 166 B3 1000 BRL
BUCHERONS (RUE DES) -71 C4 1160 AUD
BUCHET (SENTIER DU) - 128 B-C4 1300 LIL
BUCHOLTZ (RUE P. - STRAAT) - 59 B2 1050 IXE
BUDA (CHAUSSEE DE - STEENWEG) - 15 C-D3 1130 BRL
BUDASTEENWEG - 15 D-E3 - 16 A4 1830 MAC
BUDASTEENWEG - 15 D-E3 - 16 A4 1831 DIE
BUEDTS (RUE JOSEPH - STRAAT) - 51 A4 1040 ETT
BUELENSLAAN (LOUIS) - 63 B2 3080 TER
BUFFON (RUE - STRAAT) - 48 C1-2 1070 AND
BUFKENSSTRAAT - 37 B-C3 1700 SMB
BUGRANE (AV. DE LA) - 14 B4 - 23 B-C1 1020 BRL
BUIS (RUE DE) - 69 E3-4 1170 WAB
BUISSETSTRAAT (XAVIER) - 7 A2-3 1800 VIL
BUISSON (RUE DU) - 59 C2
NO 2 1000 BRL
NOS 4 à FIN 1050 IXE
BUISSON DU CAILLOU (CHEMIN DU) -
149 E1 - 150 A1 1380 LAS
BUISSONNETS (AV. DES) - 23 B-C2 1020 BRL
BUISSONS (AV. DES) - 88 B4 C3-4 1640 SGR
BUISSONS (RUE DES) - 153 B3 1348 LLN
BUIZERDSTRAAT - 69 D2-3 1170 WAB
BUKSBOOMSTRAAT - 69 E3-4 1170 WAB
BULENS (IMPASSE - GANG)
SITUEE/GELEGEN RUE
RANSFORT-STRAAT 43-45
40 C3 - Centr. 166 A2 1000 BRL
BULINS (RUE - STRAAT) - 31 C3 1090 JET
BULS (RUE CH. - STRAAT) -
40 E4 - Centr. 166 C3 1000 BRL
BUNDERDREEF - 38 C3 1700 DIL
BUNDERSDREEF -
79 D-E4 - 80 A3-4 1170 WAB
BUNDERSDREEF -
79 D4 - 88 D-E3 - 89 A2 B-C-D1 1640 SGR
BUNTINCKX (RUE M. - STRAAT) - 60 D2 1160 AUD
BUNUEL (CHEMIN LUIS - WEG) (10) - 21 D2 1090 JET
BUNZINGENVOETPAD - 70 D4 - 80 C-D1 1170 WAB
BURBURE (AV. DE - LAAN) - 44 B4 C3-4 1970 WEO
BURCHTGAARDE - 52 D4 1150 IXE
BURCHTSTRAAT - 36 C4 1933 STK
BURET (RUE DU) - 153 B4 1348 LLN
BURGEMEESTERSSTRAAT - 59 B2 1050 IXE
BURGEMEESTERSTRAAT - 75 E1 1600 SPL
BURGERS (AV. J. - LAAN) - 67 D1 1180 UCK
BURGERSSTRAAT - 57 B-C2 1070 AND
BURGGRACHTSTRAAT - 36 B1 1930 NOS
BURGLAAN - 81 E2 - 82 A2 3090 OVE
BURGONDES (DREVE DES) (5) - 117 B3 1300 WAV
BURVENICH (AV. A. - LAAN) - 13 A4 - 22 A1 1780 WEM
BUSARD (RUE DU) - 69 D2-3 1170 WAB
BUSSELENBERG (RUE DU - STRAAT) - 48 C4 1070 AND
BUSTON (RUE DU) - 139 E4 - 151 E1 1342 LIM
BUTS (RUE M. - STRAAT) - 51 D-E2 1150 SPW
BUTTE (PLACE DE LA) - 153 A3 1348 LLN
BUURTSPOORWEGLAAN - 9 C-D3 1820 STE
BUYCK (RUE R. - STRAAT) - 57 C1 1070 AND
BUYL (AV. AD. - LAAN) - 59 D2-3 E3-4 1050 IXE
BUYSDELLE (AV. - LAAN) - 77 E4 - 78 A4 1180 UCK
BUYSSE (RUE C. - STRAAT) - 48 D2 1070 AND
BYRON (AV. LORD) - 135 B-C3 1410 WAT

C

CABARET (CHEMIN DU) - 150 D-E4 - 162 D1 1341 CEM
CABIAU (RUE) - 143 D1-2 1440 BRC
CABRIS (RUE DES) - 77 D4 1180 UCK
CACTUS (AV. DES - LAAN) - 52 C4 1150 SPW

Rue	Code	Commune
CADEAUX (IMPASSE DES)		
SITUEE RUE DU MARCHE AUX		
HERBES ENTRE NOS 6-8		
40 E4 - Centr. 166 C3	1000	BRL
CADRAN (RUE DU) - 41 C-D3	1210	SJN
CADRE NOIR (AV. DU) - 121 E2	1420	BRA
CAFMEYER (RUE - STRAAT) - 53 E1	1970	WEO
CAIL EN HALOTSTRAAT - 40 C3 - Centr. 166 A2	1080	SJM
CAIL ET HALOT (RUE) - 40 C3 - Centr. 166 A2	1080	SJM
CAILLES (AV. DES) - 69 D1	1170	WAB
CAILLOUX (RUE AUX) - 155 E3 - 156 A3	1460	IRE
CAILLOUX (RUE DES) - 126 B3 C2-3	1330	RIX
CAILLOUX (VENELLE AUX) - 141 B-C2	1300	WAV
CALABRE (AV. DE) - 43 A-B2	1200	WSL
CALABRIELAAN - 43 A-B2	1200	WSL
CALENBERGGAARDE - 25 B3	1831	DIE
CALENBERGSTRAAT - 25 B2-3	1831	DIE
CALEVOET (RUE DE - STRAAT) - 77 B2	1180	UCK
CALLEBAUTSTRAAT (ALBERT) - 75 A2 B1	1600	SPL
CALLENBERG - 65 A1-2	1600	SPL
CALLIOPE (RUE - STRAAT) (1) - 39 E2	1080	SJM
CALLOENSSTRAAT (JAAK) - 74 C1-2 D1-2	1600	SPL
CALONGETTE (IMPASSE) (14) - 129 B1	1300	WAV
CALUS (RUE) - 123 B4 - 135 B1	1410	WAT
CALVAIRE (RUE DU) (3) - 117 D3-4	1300	WAV
CALVAIRE (RUE DU) - 154 C1	1480	TUB
CALVIN (RUE - STRAAT) - 41 E3 - Centr. 167 D3	1000	BRL
CALYPSO (AV. - LAAN) - 60 C-D4	1170	WAB
CAMBIER (AV. E. -LAAN.) - 42 A1-2 B2	1030	SCH
CAMBRAI (RUE DE) - 146 D1	1420	BRA
CAMBRE (BLD. DE LA) - 59 C-D3		
NOS 1 à 3 - 2 à 4	1050	IXE
NOS 17 à FIN - 6 à FIN	1000	BRL
CAMBRE (RUE DE LA) - 51 C-D-E2 - 52 A2		
NOS IMPAIRS	1150	SPW
NOS PAIRS	1200	WSL
CAMBRONNE (AV. GENERAL) - 147 E4 - 159 D1	1380	PLA
CAMELIAS (AV. DES) - 51 D4	1150	SPW
CAMMAERT (RUE CH. - STRAAT) - 23 E1	1120	BRL
CAMMAERTSSTRAAT - 36 C4 - 45 C1	1933	STK
CAMP (PETITE RUE DU) - 24 D2	1130	BRL
CAMP (RUE DU) - 24 D2	1130	BRL
CAMP ROMAIN (CLOS DU) - 164 D1	1340	OTT
CAMP ROMAIN - 117 B2	1300	WAV
CAMPAGNE DES RITES - 157 E1-2 - 158 A1-2	1421	OPH
CAMPANILE (DEDALE DU -		
DOOLGANG) (8) - 43 D4	1200	WSL
CAMPANILE (PLACE DU - PLEIN) (9) - 43 D4	1200	WSL
CAMPANILE (RUE DU - STRAAT) (11) - 43 D4	1200	WSL
CAMPANULES (AV. DES) - 69 B2	1170	WAB
CAMPANULES (CLOS DES) - 110 D-E2	1410	WAT
CAMPANULES (RUE DES) (1) - 39 E1 - 40 A1	1080	SJM
CAMPENHOUT (RUE ARMAND -		
STRAAT) - 59 A-B1	1050	IXE
CAMPINE (RUE DE LA) - 40 A-B3	1080	SJM
CAMPINESTRAAT (FERD.) - 16 C3 D3-4 - 25 D-E1	1831	DIE
CAMPIONLEI (FERNAND) - 7 A2	1800	VIL
CAMUSEL (RUE - STRAAT) - 40 C-D4	1000	BRL
CAMUSELLE (CHEMIN DE) -		
148 A-B4 C3-4 D2-3 E2 - 160 A1	1380	PLA
CANADA (RUE DU - STRAAT) - 49 C4 - 58 C1	1190	VOR
CANAL (DIGUE DU) -		
15 C3-4 - 23 E3 - 24 A2-3 B1-2	1130	BRL
CANAL (DIGUE DU) -		
48 D4 E2-3-4 - 49 A3 - 57 C-D1	1070	AND
CANAL (QUAI DU) - 118 A4 - 130 A1-2-3	1480	TUB
CANAL (RUE DU) - 142 A3 B3-4 C4	1480	TUB
CANAL (RUE DU) - 40 D-E2	1000	BRL
CANARD SAUVAGE (AV. DU) - 111 A2	1410	WAT
CANARDS (AV. DES) (1) - 102 A4	1310	LAH
CANARDS (AV. DES) - 98 D-E4	1640	SGR
CANARIS (AV. DES) - 60 D2	1160	AUD
CANDRIES (AV. ED. - LAAN) - 39 C-D2	1080	SJM
CANNAS (RUE DES - STRAAT) - 60 E4 - 69 E1	1170	WAB
CANON (RUE DU) - 41 A3 - Centr. 166 D2	1000	BRL
CANOTIERS (SENTIER DES) - 68 D1-2	1000	BRL
CANS (RUE - STRAAT) - 50 B-C3	1050	IXE
CANTECLAER VOORPLEIN - 77 E3	1180	UCK
CANTECLEERSTRAAT - 29 A2	1702	GRB
CANTECROY (AV. DE) - 134 E4	1420	BRA
CANTERSTEEN - 41 A4 - Centr. 166 D3	1000	BRL
CANTILENE (RUE DE LA - STRAAT) - 39 B4	1070	AND
CANTINE (SENTIER DE LA) - 132 B4	1440	WBC
CANTONNIER (SCAVEE DU) (1) - 140 B3 C2	1300	LIL
CAPART (AV. - LAAN) - 22 A3-4	1090	JET
CAPART (PLACE J. - PLEIN) - 52 D2	1150	SPW
CAPIAUMONT (RUE GEN. - STRAAT) -		
50 D3 E3-4 - Centr. 169 C-D3	1040	ETT
CAPORAL (AV. DU) - 69 B4	1180	UCK
CAPORAL (DREVE DU) - 69 A4 - 78 D-E1 - 79 A1	1180	UCK
CAPOUILLET (AV.) - 122 D1-2	1410	WAT
CAPOUILLET (CARRE - BLOK) - 60 A3	1050	IXE
CAPOUILLET (PLACE) - 122 D2	1410	WAT
CAPOUILLET (RUE - STRAAT) -		
49 E4 - 50 A3-4 - Centr. 168 D3	1060	SGI
CAPRICE (RUE DU) - 39 A4	1080	SJM
CAPRICORNE (AV. DU) - 123 D4	1410	WAT
CAPRICORNE (AV. DU) - 42 D3 E2-3	1200	WSL
CAPRONNIER (RUE - STRAAT) - 32 C2	1030	SCH
CAPUCIENENLAAN - 44 A2-3	1950	KRA
CAPUCINES (AV. DES) - 151 D1-2 E1	1342	CEM
CAPUCINES (AV. DES) - 32 E4	1030	SCH
CAPUCINES (AV. DES) - 44 A2-3	1950	KRA
CAPUCINES (PLACE DES) - 165 C1	1348	LLN
CAPUCINS (RUE DES) - 49 D-E2	1000	BRL
CAR D'OR (VOIE DU) (38) - 153 B4	1348	LLN
CARABINIERS (PLACE DES) - 42 B3	1030	SCH
CARABINIERS (RUE DES) (25) - 129 A1	1300	WAV
CARAMAND (SENTIER) - 143 D3	1440	BRC
CARANDA (CLOS DE LA) - 122 B3	1410	WAT
CARAUTE (RUE DE) - 121 E2 - 122 A-B2	1410	WAT
CARAUTE (RUE DE) - 121 E2 - 122 A2	1420	BRA
CARAVELLE (RUE DE LA) (3) - 48 A1	1070	AND
CARBURANTS (RUE DES) - 58 A3	1190	VOR
CARDAMINES (AV. DES) - 56 E3 - 57 A3	1070	AND
CARDIJN (SENTIER) - 153 B3	1348	LLN
CARDIJN (SQUARE CARDINAL) -		
22 E4 - 23 A4 - 31 E1 - 32 A1	1020	BRL
CARDIJN (VOIE) - 153 B3	1348	LLN
CARDIJNLAAN (KARD.) - 28 E4 - 37 E1	1700	DIL
CARDIJNLAAN (MONSEIGNEUR) - 45 D1	1933	STK
CARDIJNPLANTSOEN (KARDINAAL) -		
22 E4 - 23 A4 - 31 E1 - 32 A1	1020	BRL
CARDIJNPLEIN (KARDINAAL) - 6 C3	1800	VIL
CARDIJNSTRAAT (J. B.) - 84 C2-3	1600	SPL
CARDIJNSTRAAT (KARDINAAL) (3) -		
94 D4 - 106 D1	1500	HAL
CARDINAL (RUE DU) - 41 D3-4 - Centr. 167 C2-3		
NOS 1 à 29	1210	SJN
NOS 31 à FIN - NOS PAIRS	1000	BRL
CARELSSTRAAT (EMIEL) - 93 B1	3090	OVE
CAREME (BLD. M. - LAAN) - 57 A1-2	1070	AND
CAREME (RUE MAURICE) - 134 D1	1420	BRA
CAREME (SENTIER MAURICE) - 152 A-B3	1340	OTT
CARENE (CLOS DE LA) (1) - 42 D2-3 E2-3	1200	WSL
CARINAGAARDE (1) - 42 D2-3 E2-3	1200	WSL
CARLI (RUE - STRAAT) - 24 A4 - 32 E1 - 33 A1	1140	EVE
CARLOO (DREVE DE - DREEF) - 78 C1	1180	UCK
CARMEL (DREVE DU) - 124 B2 C1-2	1410	WAT
CARMELITES (RUE DES) - 58 D4	1180	UCK
CARMES (PLACE DES) - 129 A1	1300	WAV
CARMES (RUE DES) - 139 D-E1	1300	LIL
CARMIEAUX (RUE) - 149 E4 - 150 A4	1380	CSG
CAROLY (RUE - STRAAT) - 50 B-C2	1050	IXE
CARON (RUE H. - STRAAT) - 48 C1	1070	AND
CARONSTRAAT (H.) - 91 B1-2	1560	HOE
CARPE (RUE DE LA) - 40 B2	1080	SJM
CARPENTIER (RUE EM. - STRAAT) - 48 E2 - 49 A2	1070	AND

Rue	Code	Commune
CARPU (SENTIER DU) - 126 B2 C1	1330	RIX
CARRE GOMAND - 137 B2	1380	OHA
CARRE WITTOUCK - 66 A3	1600	SPL
CARREFOUR (RUE DU) - 51 E1	1200	WSL
CARRIERE (CHEMIN DE LA) - 103 C4 - 115 B-C1	1331	ROS
CARRIERE (CHEMIN DE LA) - 122 A4 - 134 A1	1420	BRA
CARRIERE (RUE DE LA) - 128 E3	1301	BIE
CARRIERE (RUE DE LA) - 133 A4 - 145 A1-2	1440	WBC
CARRIERE (RUE DE LA) - 142 B-C1	1480	CLA
CARRIERE (RUE DE LA) - 30 E4	1081	KOE
CARRIERE (SCAVEE DE LA) - 140 A-B1	1300	LIL
CARRIERE FLAMAND (SENTIER DE LA) -		
133 E1-2	1420	BRA
CARROUSSEL (RUE DU) - 41 D3 - Centr. 167 C2	1000	BRL
CARSOEL (AV. J. ET P.) - 67 E3-4 - 68 A-B4	1180	UCK
CARSOELLAAN (J. EN P.) - 67 E3-4 - 68 A-B4	1180	UCK
CARTON DE WIART (AV. - LAAN) - 31 B-C3	1090	JET
CASALTA (AV. - LAAN) - 68 D2-3	1180	UCK
CASERNE (RUE DE LA) - 48 D1 - Centr. 168 B1	1000	BRL
CASERNES (AV. DES) - 50 E4 - 51 A4 - 60 A1	1040	ETT
CASSIMANS (CARRE - BLOK) (1) - 58 D4	1180	UCK
CASSIOPEAGAARDE (10) - 42 D3	1200	WSL
CASSIOPEALAAN (11) - 42 D3	1200	WSL
CASSIOPEE (AV.) (11) - 42 D3	1200	WSL
CASSIOPEE (CLOS) (10) - 42 D3	1200	WSL
CASSIOPEE (RESIDENCE) (20) - 127 D2	1300	LIL
CASSO (TIENNE) - 117 A2-3	1300	WAV
CASTAIGNE (RUE EUGENE) - 113 C2 D1-2	1310	LAH
CASTEGIER (RUE DU) (2) - 134 B-C4	1420	BRA
CASTEL (AV. DU) - 109 B2-3	1420	BRA
CASTEL (AV. DU) - 51 C-D1	1200	WSL
CASTEL (RUE DU) - 76 E2	1620	DRO
CASTEL-FLEURI (SQUARE DU - SQUARE) - 69 D3	1170	WAB
CASTIAUX (RUE) - 143 D-E4	1440	BRC
CASTINA (RUE DU) - 153 A3	1348	LLN
CASTOR (CLOS DU) (2) - 53 E3	1970	WEO
CASTOR (RUE) - 157 B3	1421	OPH
CASTRUM (SENTIER DU - PAD) - 24 D1	1130	BRL
CATAMOREAU (CHEMIN DE) -		
135 D2-3 E3 - 136 A3	1410	WAT
CATTLEYALAAN - 51 C4 - 60 C1		
NRS 63-65	1160	AUD
ANDERE NRS	1150	SPW
CATTLEYAS (AV. DES) - 51 C4 - 60 C1		
NOS 63-65	1160	AUD
AUTRES NOS	1150	SPW
CATTOIR (RUE E. - STRAAT) - 59 E2	1050	IXE
CATTY (CHEMIN DU) - 124 E2-3	1380	OHA
CATTYS (RUE DES) - 143 B3	1440	BRC
CATURIA (RUE DE) - 149 E2-3	1380	LAS
CAUDAELPUT (SENTIER DU - WEG) - 70 C4 D3-4	1170	WAB
CAULE (RUE) - 129 B3	1300	WAV
CAUTER - 67 B4	1180	UCK
CAVALERIE (AV. DE LA) - 59 E1 - 60 A1	1040	ETT
CAVALERIE LEGERE (VENELLE DE LA) (3) -		
141 C4	1300	WAV
CAVALIERS (AV. DES) - 99 A4	1640	SGR
CAVALIERS (CHEMIN DES) - 3 D4 E3-4 - 12 D1	1780	WEM
CAVATINE (RUE DE LA - STRAAT) - 39 C3-4		
NOS/NRS 1-11 - 2-16	1070	AND
ANDERE NRS/AUTRES NOS	1080	SJM
CAVE DE PAUDURE (SENTIER) - 133 D1	1420	BRA
CAVELL (RUE E. - STRAAT) - 59 A3-4 - 68 A1-2	1180	UCK
CAYERSHUIS (RUE - STRAAT) - 42 E4 - 52 A1	1200	WSL
CEDERLAAN - 88 D-E4 - 98 C-D-E1	1640	SGR
CEDERLAAN - 9 C2	1820	STE
CEDERSSTRAAT - 60 B-C4	1170	WAB
CEDRE (CLOS DU) (8) - 146 A1	1420	BRA
CEDRES (AV. DES - LAAN) (2) - 53 E1	1970	WEO
CEDRES (AV. DES) - 122 D1	1410	WAT
CEDRES (AV. DES) - 88 D-E4 - 98 C-D-E1	1640	SGR
CEDRES (RUE DES) - 60 B-C4	1170	WAB
CELERI (RUE DU) - 49 D4	1060	SGI
CELIDEE (RUE DE LA - STRAAT) - 39 E2 - 40 A2	1080	SJM
CELLEBROERSSTRAAT - 49 E1 - Centr. 168 C1	1000	BRL
CELTES (AV. DES) - 51 A-B2	1040	ETT
CENDRES (RUE DES) - 41 A2-3 - Centr. 166 D1-2	1000	BRL
CENS (RUE DU) - 30 E3	1083	GAN
CENSE (BLD. DE LA) - 122 E3-4 - 123 A2-3	1410	WAT
CENSE (CHEMIN DE LA) - 121 E1	1420	BRA
CENSE (TIENNE DE LA) - 117 A-B2	1300	WAV
CENSE AUX CLOCHETONS (CHEMIN DE LA) -		
116 D2-3	1300	WAV
CENSE DE FLANDRE (RUE) (8) - 129 A1	1300	WAV
CENT CINQUANTIEME (SENTIER DU) - 152 D-E2	1340	OTT
112EME (AV. DU) - 135 C2	1410	WAT
112EME (AV. DU) - 146 E2-3	1420	BRA
CENTAURE (AV. DU) - 123 D4	1410	WAT
CENTAURE (AV. DU) - 42 D3	1200	WSL
CENTAURE (CLOS DU) (3) - 42 D3	1200	WSL
CENTAUREE (RUE DE LA) - 45 B4	1970	WEO
CENTAURUSGAARDE (3) - 42 D3	1200	WSL
CENTAURUSLAAN - 42 D3	1200	WSL
CENTENAIRE (BLD. DU) - 22 B1 D2 E1	1020	BRL
CENTENAIRE (ESCALIER DE LA) (2) - 87 C1	1630	LIN
CENTENAIRE (PLACE DU) - 163 E2	1341	CEM
CENTENAIRE (PLACE DU) - 22 C1	1020	BRL
CENTENAIRE (RUE DU) - 155 B-C4	1460	IRE
CENTENAIRE (SQUARE DU) - 30 E2 - 31 A2	1083	GAN
CENTRALE (AV.) - 62 C1-2 D1	1950	KRA
CENTRE (AV. DU) - 125 E1	1332	GEN
CENTRE (GAL. DU) - 40 E4 - Centr. 166 C3	1000	BRL
CENTRE (PLACE DU) - 152 A4	1340	OTT
CENTREMONT (AV. DE) (14) - 129 C2	1300	WAV
CENTRE SPORTIF (AV. DU) - 117 B-C4	1300	WAV
CENTRUMGALERIJ - 40 E4 - Centr. 166 C3	1000	BRL
CEPAGE (TIENNE DU) - 117 A3	1300	WAV
CEPES (AV. DES) - 69 A1	1050	IXE
CERBERE (CHEMIN DU) (3) - 59 C3-4	1000	BRL
CERES (AV. DE - LAAN) - 59 C-D3	1000	BRL
CERF (AV. DU) - 121 E1	1640	SGR
CERF (PETITE RUE DU) - 57 D2	1070	AND
CERF (PONT DU) - 52 C2	1150	SPW
CERF (RUE DU) - 113 E2 - 114 A-B2 C2-3	1332	GEN
CERF (RUE DU) - 113 E2 - 114 A2	1310	LAH
CERF (RUE DU) - 57 D-E2		
NOS IMPAIRS	1070	AND
NOS PAIRS	1190	VOR
CERFS (AV. DES) - 53 B2-3 C3	1950	KRA
CERFS (LAIE AUX) - 141 A3	1300	LIL
CERF-VOLANT (AV. DU) - 69 C2	1170	WAB
CERISAIE (SQUARE DE LA) - 69 D2	1170	WAB
CERISES (CHAUSSEE DES) - 117 A-B2	1300	WAV
CERISES (COIN DES) - 23 D1	1120	BRL
CERISES (SQUARE DES) - 77 C3	1180	UCK
CERISIER (RUE DU) - 38 E1	1082	SAB
CERISIER D'HAINE (RUE) - 115 E2 - 116 A2	1301	BIE
CERISIERS (AV. DES) - 122 C4	1420	BRA
CERISIERS (AV. DES) - 127 B4	1330	RIX
CERISIERS (AV. DES) - 130 B-C4	1480	CLA
CERISIERS (AV. DES) (2) - 152 A2	1342	LIM
CERISIERS (AV. DES) - 42 B-C-D4		
NOS 1 à 85 - 2 à 82	1030	SCH
AUTRES NOS	1200	WSL
CERISIERS (AV. DES) - 98 C1	1640	SGR
CERISIERS (CLOS DES) (5) - 110 D-E3	1410	WAT
CEROUX (RUE DE) - 161 C-D-E3	1380	CSG
CERVANTES (RUE - STRAAT) - 58 C2 D3	1190	VOR
CESAR (AV. JUL. - LAAN) - 51 D-E3	1150	SPW
CESAR (AV. MAURICE - LAAN) - 44 C4 - 53 B1	1970	WEO
CEUPENSRIJ - 1 A1	1730	MOL
CEUPPENSLAAN (J) - 54 E3	3080	TER
CEUSTERS (AV. L. - LAAN) - 52 A2	1150	SPW
CHABLIS (CHEMIN DES) (2) - 69 A-B1	1170	WAB
CHAIR ET PAIN (RUE) - 40 E4 - Centr. 166 C3	1000	BRL
CHAISIERS (RUE DES) - 49 D2-3 - Centr. 168 B2-3	1000	BRL
CHALET (RUE DU - STRAAT) -		
41 C3 - Centr. 167 B2	1210	SJN

Rue	Code	Commune
CHALETS (AV. DES) - 78 D2 E1-2	1180	UCK
CHALETS (RUE DES) - 30 A3	1082	SAB
CHALON (RUE R. - STRAAT) - 59 A2	1050	IXE
CHALTIN (RUE COL. - STRAAT) - 67 D3-4	1180	UCK
CHAMBERY (RUE DE - STRAAT) -		
50 E3-4 - Centr. 169 D3	1040	ETT
CHAMBON (CLOS W. - GAARDE) (5) - 30 D3	1083	GAN
CHAMOIS (RUE DU) - 77 A1	1180	UCK
CHAMP (CHEMIN DU) - 158 E4 - 159 A4	1420	BRA
CHAMP BINET (RUE DU) - 132 D4	1440	WBC
CHAMP BINETTE (RUE DU) - 161 C2	1380	CSG
CHAMP D'ABEICHE (CLOS DU) - 122 A4	1420	BRA
CHAMP D'AL VAU - 125 D2	1380	OHA
CHAMP DE BATAILLE (RUE DU) - 159 D-E1	1380	PLA
CHAMP DE COURSE (AV. DU) - 68 E2	1000	BRL
CHAMP DE COURSES (AV. DU) - 129 A3-4 B4	1301	BIE
CHAMP DE LA BLOQUERIE (RUE DU) -		
134 E2 - 135 A2	1420	BRA
CHAMP DE LA CLOTURE (CHEMIN DU) -		
134 A-B4 - 146 A-B1	1420	BRA
CHAMP DE LA COURONNE (RUE DU) -		
22 D4 - 31 D-E1	1020	BRL
CHAMP DE LA HAIE (RUE) - 142 A4 - 154 A1	1480	TUB
CHAMP DE LA VALLEE - 124 D1-2 E1	1380	OHA
CHAMP DE L'EGLISE (CHEMIN DU) -		
97 B4 - 109 A-B1	1640	SGR
CHAMP DE L'EGLISE (RUE DU) - 31 E1-2 - 32 A1	1020	BRL
CHAMP DE L'EPINE (CHEMIN DU) - 134 A3-4	1420	BRA
CHAMP DE MAI (AV. DU) - 122 E2 - 123 A2	1410	WAT
CHAMP DE MARS (PLACE DU) -		
50 B2 - Centr. 169 A2	1050	IXE
CHAMP DEL CROIX (AV. DU) - 159 E2-3	1380	PLA
CHAMP DES HAYETTES (CHEMIN DU) - 146 A4	1421	OPH
CHAMP DES MONTS (AV. DU) - 129 C2	1300	WAV
CHAMP DES MOTTES (AV.) - 113 B1-2 C2	1310	LAH
CHAMP DES PETRALES - 113 E3 - 114 A3	1332	GEN
CHAMP DES VIGNES (RUE DU) - 137 C-D3	1380	LAS
CHAMP DU CYGNE - 125 D-E1	1332	GEN
CHAMP DU PEUPLIER (AV.) (2) - 113 B2	1310	LAH
CHAMP DU PUITS (RUE DU) - 151 A2-3	1340	OTT
CHAMP DU ROI (RUE) -		
50 E3 - 51 A2-3 - Centr. 169 D3	1040	ETT
CHAMP DU ROUSSART - 123 D4	1410	WAT
CHAMP L'ABBE (RUE DU) - 114 B3	1332	GEN
CHAMP MAHAU (CHEMIN DU) - 162 C-D4	1470	GEP
CHAMP POIRIER (RUE) - 144 C1	1440	BRC
CHAMP SAINTE-ANNE (RUE DU) - 151 E4	1340	OTT
CHAMPAGNE (DREVE DE - DREEF) - 67 A1	1190	VOR
CHAMPEL (AV. - LAAN) - 88 C4	1640	SGR
CHAMPELSSTRAAT - 104 A1-2	3090	OVE
CHAMPETRE (RUE) - 127 D4 - 139 E1	1300	LIL
CHAMPION (RUE DU) - 48 B2-3	1070	AND
CHAMPIONNAT (AV. DU) - 22 C1-2	1020	BRL
CHAMPLES (RUE DE) - 116 A3 B3-4 - 128 B1	1301	BIE
CHAMPS (AV. DES) - 109 C2 D3	1420	BRA
CHAMPS (AV. DES) - 51 A4	1040	ETT
CHAMPS (CHEMIN DES) - 125 A1-2-3	1380	OHA
CHAMPS (IMPASSE DES) (1) - 129 C2	1300	WAV
CHAMPS (LA CLE DES) - 44 D4	1970	WEO
CHAMPS (RUE DES) - 129 B-C2	1300	WAV
CHAMPS (RUE DES) - 33 C3 D2-3	1140	EVE
CHAMPS (RUE DES) - 51 A4	1040	ETT
CHAMPS (RUELLE DES) - 129 C1-2	1300	WAV
CHAMPS CLAIRS (AV. DES) - 145 D1-2	1420	BRA
CHAMPS D'OSSEGHEM (RUE) - 39 D2	1080	SJM
CHAMPS DE MARS (RUE DU) -		
50 B2 - Centr. 169 A2		
NOS IMPAIRS - 34 à FIN	1050	IXE
NOS 2 à 32A	1000	BRL
CHAMPS DE REPOS (AV.) (3) - 33 C1	1140	EVE
CHAMPS DU BOIS (RUE DES) - 145 C2 D2-3	1421	OPH
CHAMPS ELYSEES (RUE DES) -		
50 B3-4 C4 - Centr. 169 A3	1050	IXE
CHAMPS RODANGE (RUE) - 122 B2 C1-2-3	1410	WAT
CHAMPS VALLEE - 153 A-B3	1348	LLN
CHANCELLERIE (RUE DE LA) -		
41 A4 - Centr. 166 D3	1000	BRL
CHANDELIERS (RUE DES) -		
49 E1-2 - Centr. 168 C1-2	1000	BRL
CHANT D'ALOUETTE (PLACE DU) (3) - 40 A3	1080	SJM
CHANT D'OISEAU (AV. DU) - 51 D4 - 60 C2 D1		
NOS 1 à 129 - 2 à 124	1150	SPW
AUTRES NOS	1160	AUD
CHANT D'OISEAUX (AV.) - 101 E1-2	1310	LAH
CHANT D'OISEAUX (RUE) - 56 D-E4 - 57 A3-4	1070	AND
CHANT DES GRENOUILLES (IMPASSE DU)		
SITUEE CHAUS. DE BRUXELLES - 58 A4	1190	VOR
CHANT DES OISEAUX (AV. DU) - 130 C3-4	1480	CLA
CHANTECLER (AV.) - 134 C-D3	1420	BRA
CHANTECLER (PARVIS) - 77 D3	1180	UCK
CHANTEMERLE (AV. - LAAN) - 77 E4	1180	UCK
CHANTERELLE (RUE DE LA) - 31 D-E2	1020	BRL
CHANTERELLES (CLOS DES) - 69 A1	1050	IXE
CHANTIER (QUAI DU) - 40 E2 - Centr. 166 C1	1000	BRL
CHANTIER (RUE DU) - 40 E2 - Centr. 166 C1	1000	BRL
CHANTILLY (RUE DE - STRAAT) - 60 A4	1170	WAB
CHANTRAINEPLANTSOEN (JOSEPH) - 27 D3-4	3070	KOR
CHAPEAU (RUE DU) - 49 B1-2	1070	AND
CHAPELAIN (RUE DU) - 48 D2	1070	AND
CHAPELET (IMPASSE DU)		
SITUEE RUE DU MARCHE		
AUX HERBES ENTRE NOS 76-78		
40 E4 - Centr. 166 C3	1000	BRL
CHAPELIE (RUE J. - STRAAT) - 59 B3	1050	IXE
CHAPELIERS (RUE DES) - 40 E4 - Centr. 166 C3	1000	BRL
CHAPELLE (AV. DE LA) - 43 B-C4 - 52 B1	1200	WSL
CHAPELLE (AV. DE LA) - 43 E1-2-3 - 44 A3	1950	KRA
CHAPELLE (CHEMIN DE LA) - 157 D2-3	1421	OPH
CHAPELLE (CLOS DE LA) (16) - 43 C4	1200	WSL
CHAPELLE (DREVE DE LA) - 80 B3-4 C3 D2-3	1170	WAB
CHAPELLE (PLACE DE LA) - 43 E1	1950	KRA
CHAPELLE (PLACE DE LA) - 49 E1 - Centr. 168 C1	1000	BRL
CHAPELLE (RUE DE LA) - 126 B3-4	1330	RIX
CHAPELLE (RUE DE LA) - 152 B-C4	1340	OTT
CHAPELLE (RUE DE LA) - 49 E1 - Centr. 168 C1	1000	BRL
CHAPELLE AUX CHAMPS (AV.) - 43 C3-4 D4	1200	WSL
CHAPELLE-AUX-CHAMPS (CLOS) - 43 D3-4	1200	WSL
CHAPELLE AUX PRES (RUE DE LA) - 115 A2	1332	GEN
CHAPELLE AUX PRES (SENTIER DE LA) - 115 A2	1332	GEN
CHAPELLE AUX SABOTS (RUE) - 163 B-C4	1490	CSE
CHAPELLE-AUX-SABOTS (RUE) - 163 A2-3	1341	CEM
CHAPELLE CLERICY (RUE) - 164 A-B3	1340	OTT
CHAPELLE DAVID (RUE) - 122 B-C2	1410	WAT
CHAPELLE DEL GOUTTE (CHEMIN DE LA) -		
157 B1 C1-2	1421	OPH
CHAPELLE MUSICALE (CHEMIN DE LA) -		
111 D4 - 123 D1	1410	WAT
CHAPELLE NOTRE-DAME (RUE DE LA) - 163 D2	1341	CEM
CHAPELLE ROBERT (CHEMIN DE LA) -		
138 B-C3 D2-3 E2	1380	LAS
CHAPELLE ROBERT (SENTIER) - 126 D4 E3	1330	RIX
CHAPELLE ROBIJNS (AV.) - 129 E3-4	1300	WAV
CHAPELLE ROYALE (RUE DE LA) (1) - 123 A-B1	1410	WAT
CHAPELLE SAINTE-ELISABETH (RUE) (15) -		
129 B1	1300	WAV
CHAPELLE ST.-GERMAIN (RUE DE LA) - 149 C3	1380	LAS
CHAPITRE (RUE DU) - 143 C-D3	1440	BRC
CHAPITRE (RUE DU) - 48 D2-3	1070	AND
CHAPLIN (RUE CHARLIE - STRAAT) (18) - 21 E3	1090	JET
CHAR (RUE DU) - 40 D3 - Centr. 166 B2	1000	BRL
CHARANÇONS (AV. DES) - 69 B3	1170	WAB
CHARBO (AV. - LAAN) -		
41 E3 - 42 A3 - Centr. 167 D3	1030	SCH
CHARBONNAGES (QUAI DES) -		
40 D2-3 - Centr. 166 B1-2	1080	SJM
CHARBONNIERS (RUE DES) - 41 A1	1210	SJN
CHARCOT (RUE COM. - STRAAT) - 48 D1	1070	AND
CHARDONNERETS (AV. DES) (1) - 60 E1	1150	SPW

Rue	Code	Commune
CHARDONNERETS (AV. DES) - 130 D3	1480	CLA
CHARDONNERETS (SENTE DES) (11) - 129 C2-3	1300	WAV
CHARDONNETS (RUE DES) - 146 D2	1420	BRA
CHARDONS (RUE DES) - 42 A2	1030	SCH
CHARIOTS (RUE DES) - 115 A2-3	1330	RIX
CHARITE (RUE DE LA) - 41 C3-4 - Centr. 167 B2-3	1210	SJN
CHARLANET (VENELLE) (9) - 141 B1 C1-2 D1-2	1300	WAV
CHARLEMAGNE (BLD.) -		
41 D4 - 50 D1 - Centr. 167 C3 - 169 C1	1000	BRL
CHARLEMAGNE (RUE) - 153 B3	1348	LLN
CHARLENT (RUE M. - STRAAT) - 60 C2	1160	AUD
CHARLEROI (CHAUSSEE DE) -		
50 A3-4 - 58 E1 - 59 A1 - Centr. 168 D3		
NO 2	1000	BRL
AUTRES NOS	1060	SGI
CHARLEROI (CHAUSSEE DE) -		
135 C3-4 - 147 C-D1	1410	WAT
CHARLEROI (CHAUSSEE DE) -		
147 D1-2-3-4 - 159 D1-2-3	1380	PLA
CHARLEROISESTEENWEG -		
50 A3-4 - 58 E1 - 59 A1 - Centr. 168 D3		
NR 2	1000	BRL
ANDERE NRS	1060	SGI
CHARLES (AV. PRINCE) - 123 C3-4	1410	WAT
CHARLES (PLACE JEAN) - 122 C3	1410	WAT
CHARLES (RUE XAVIER) (4) - 152 A2	1342	LIM
CHARLES (SQUARE PRINCE) - 22 E4 - 31 E1	1020	BRL
CHARLES-ALBERT (AV. - LAAN) - 69 E2 - 70 A2	1170	WAB
CHARLES MARTEL (RUE) - 41 D4 - Centr. 167 C3	1000	BRL
CHARLES QUINT (AV.) - 30 A-B-C-D-E3		
NOS 121 à 153 - 371 à FIN - 406 à FIN	1082	SAB
AUTRES NOS	1083	GAN
CHARLES-QUINT (AV.) - 129 D2-3	1300	WAV
CHARLES QUINT (RUE) -		
41 D3 E3-4 - Centr. 167 C2 D3	1000	BRL
CHARLES VI (RUE) - 41 C3 - Centr. 167 B2	1210	SJN
CHARLIER (AV. J. - LAAN) (4) - 70 C1	1160	AUD
CHARLIER (RUE) - 149 E3 - 150 A3	1380	LAS
CHARLIER A LA JAMBE DE BOIS (CHEMIN) -		
153 B2	1348	LLN
CHARLIERLAAN (J.B.) - 90 E2 - 91 A-B2	1560	HOE
CHARLOTTE (AV. DE		
L'IMPERATRICE) - 22 B-C1	1020	BRL
CHARLOTTELAAN (KEIZERIN) - 22 B-C1	1020	BRL
CHARME (RUE DU) - 58 B2	1190	VOR
CHARMES (CLOS DES) (9) - 52 C3	1150	SPW
CHARMILLE (AV. DE LA) - 43 A3	1200	WSL
CHARNOIS (CLOS DU) - 139 C4	1342	LIM
CHARNOIS (RUE DU) - 139 A-B-C4	1342	LIM
CHARPENTIERS (RUE DES) -		
49 D2-3 - Centr. 168 B2-3	1000	BRL
CHARRETTE (RUE DE LA) (16) - 42 E3	1200	WSL
CHARROI (RUE DU) - 57 E1 - 58 A1-2		
NOS 52-53-65	1070	AND
AUTRES NOS	1190	VOR
CHARRON (ROUTE DU) - 134 E4 - 135 A-B4	1420	BRA
CHARRONS (CHEMIN DES) - 141 C1-2 D1-2	1300	WAV
CHARRONS (SENTIER DES) - 139 D-E1	1300	LIL
CHARTE (DREVE DE LA) - 30 E1 - 31 A1		
NOS 107 à 109	1090	JET
AUTRES NOS	1083	GAN
CHARTRES (AV. DE - LAAN) - 52 D4	1150	SPW
CHARTREUX (RUE DES) - 40 D-E4	1000	BRL
CHASSE (AV. DE LA) - 51 A2-3-4	1040	ETT
CHASSE (AV. DE LA) - 98 A1	1640	SGR
CHASSE (LAIE DE LA) - 141 A3-4	1300	LIL
CHASSE ROYALE (RUE DE LA) - 60 B2	1160	AUD
CHASSEUR (RUE DU) - 49 D1 - Centr. 168 B1	1000	BRL
CHASSEURS (AV. DES) - 111 B2 C2-3 D3	1410	WAT
CHASSEURS (AV. DES) - 62 C1-2 D1	1950	KRA
CHASSEURS (CHEMIN DES) - 12 E1-2 - 13 A1	1780	WEM
CHASSEURS (CHEMIN DES) - 125 B3 C3-4	1380	OHA
CHASSEURS (CLOS DES) - 61 E1	1150	SPW
CHASSEURS (DREVE DES) - 110 D-E2 - 111 A-B2	1410	WAT
CHASSEURS A CHEVAL (VOIE DES) - 141 C3-4	1300	WAV
CHASSEURS ARDENNAIS (PLACE DES) -		
41 E3-4 - 42 A3-4 - Centr. 167 D3	1030	SCH
CHATAIGNERIE (AV. DE LA) - 126 E1 - 127 A1	1330	RIX
CHATAIGNERS (DREVE DES) - 111 B-C2	1410	WAT
CHATAIGNES (AV. DES) - 53 C4 - 62 C1	1950	KRA
CHATAIGNES (RUE DES) - 58 A-B3	1190	VOR
CHATAIGNIERS (AV. DES) (12) - 52 C4	1150	SPW
CHATAIGNIERS (AV. DES) - 139 A4	1342	LIM
CHATAIGNIERS (AV. DES) - 98 D-E1	1640	SGR
CHATAIGNIERS (RUE DES) - 145 D2	1421	OPH
CHATAIGNIERS (RUE DES) - 155 B3-4	1460	IRE
CHATAIGNIERS (VENELLE DES) (4) - 141 C1	1300	WAV
CHAT BOTTE (PLACE DU) - 77 D3	1180	UCK
CHATEAU (AV. DU) - 127 A2	1330	RIX
CHATEAU (AV. DU) - 30 D-E4 - 39 E1		
NOS IMPAIRS	1080	SJM
NOS PAIRS	1081	KOE
CHATEAU (CHEMIN DU) (2) - 44 A-B1	1950	KRA
CHATEAU (DREVE DU) - 123 E1 - 124 A1	1410	WAT
CHATEAU (DREVE DU) - 127 A1-2	1332	GEN
CHATEAU (DREVE DU) - 30 E1-2	1083	GAN
CHATEAU (RUE DU) - 130 B3-4	1480	CLA
CHATEAU (RUE DU) - 146 B-C1	1420	BRA
CHATEAU (RUE DU) - 24 A4 - 32 E1 - 33 A1	1140	EVE
CHATEAU (RUE DU) - 50 D4	1050	IXE
CHATEAU (RUE DU) - 77 C4 - 87 C1	1630	LIN
CHATEAU BEYAERD (RUE DU) - 23 D1-2	1120	BRL
CHATEAU D'EAU (CLOS DU) (3) - 135 B2	1410	WAT
CHATEAU D'EAU (RUE DU) - 116 B4 - 128 B1	1301	BIE
CHATEAU D'EAU (RUE DU) - 121 E1-2-3 - 122 A3	1420	BRA
CHATEAU D'EAU (RUE DU) - 67 C3-4 D4	1180	UCK
CHATEAU D'OR (RUE DU) - 77 B-C1	1180	UCK
CHATEAU DE LA BAWETTE (CHAUSSEE DU) -		
116 D-E2 - 117 A1-2	1300	WAV
CHATEAU DE WALZIN (AV.) - 58 D-E4 - 67 D-E1	1180	UCK
CHATEAU KIEFFELT (RUE DU) (15) - 43 C4	1200	WSL
CHATEAU ROCK (AV. DU) - 122 D1	1410	WAT
CHATELAIN (PLACE DU) - 59 A1	1050	IXE
CHATELAIN (RUE DU) - 59 A-B1		
NOS 1 à 19 - 2 à 8B	1000	BRL
NOS 25 à FIN - 10 à FIN	1050	IXE
CHATS (CLOS DES) (8) - 52 C3	1150	SPW
CHATS (RUE DES) - 29 E4 - 38 E1	1082	SAB
CHAUBRIRE (CHEMIN DE)- 137 C1-2 D1	1380	OHA
CHAUDOIR (DREVE L. - DREEF) - 60 E2	1160	AUD
CHAUDRON (AV. J. - LAAN) - 61 A-B4	1160	AUD
CHAUDRON (MONTAGNE AU) - 52 D2	1150	SPW
CHAUDRON (RUE DU) - 47 D4 - 56 B2-3 C1-2	1070	AND
CHAUFFERETTE (RUE DE LA) -		
40 E4 - Centr. 166 C3	1000	BRL
CHAUFFERIE (CHEMIN DE LA) (27) - 153 C4	1348	LLN
CHAUMIERE (AV. DE LA) - 88 D-E3	1640	SGR
CHAUMIERE (RUE DE LA) - 41 B1-2	1030	SCH
CHAUMONTEL (RUE - STRAAT) - 32 E1 - 33 A1	1030	SCH
CHAURLY (RUE DU) - 164 E3-4	1490	CSE
CHAUWERES (VENELLES DES) - 141 D-E3	1300	WAV
CHAUX (QUAI A LA) - 40 D2 - Centr. 166 B1	1000	BRL
CHAVEE (RUE) - 146 A4	1421	OPH
CHAZAL (AV. - LAAN) -		
41 E2-3 - 42 A1-2 - Centr. 167 D2-3	1030	SCH
CHEMIN 23 - 121 D4 - 133 D1	1428	LIW
CHEMIN CREUX (AV. DU) - 109 B1 C1-2	1420	BRA
CHEMIN CREUX (CLOS DU) - 33 A4	1030	SCH
CHEMIN DE FER (RUE DU) - 129 A1-2	1300	WAV
CHEMIN DE FER (RUE DU) - 152 A3-4	1340	OTT
CHEMIN DE FER (RUE DU) - 41 B2 - Centr. 167 A1	1210	SJN
CHEMIN N°67 - 157 C3	1421	OPH
CHENAIE (AV. DE LA) - 137 E1	1380	OHA
CHENAIE (AV. DE LA) - 67 E4 - 77 E1-2 - 78 A2	1180	UCK
CHENE (AV. DU) - 152 B3	1340	OTT
CHENE (RUE DU) - 102 A1-2	1310	LAH
CHENE (RUE DU) -		
40 E4 - 49 E1 - Centr. 166 C3 - 168 C1	1000	BRL

C

Rue	Code	Commune
CHENE A LA CROIX - 113 D3	1332	GEN
CHENE AU CORBEAU (RUE DU) - 161 C1-2-3 D2	1380	CSG
CHENE AUX RENARDS (CHEMIN DU) -		
125 D3-4 E2-3 - 137 C-D1	1380	OHA
CHENE DE DIEU (RUE DU) - 161 C1	1380	CSG
CHENE USE (RUE DU) - 132 E4 - 144 E1	1440	WBC
CHENEAUX (RUE DES) - 151 B1-2	1340	OTT
CHENES (AV. DES) - 129 A4 - 141 A-B1	1301	BIE
CHENES (AV. DES) - 164 E3 - 165 A2-3	1435	MSG
CHENES (AV. DES) - 68 C3 D3-4	1180	UCK
CHENES (AV. DES) - 88 E4 - 98 D-E1	1640	SGR
CHENES (CHEMIN DES) - 61 C3 D2-3	1160	AUD
CHENES (CLOS DES) (1) - 69 C4	1170	WAB
CHENES (RUE DES) - 145 C-D2	1421	OPH
CHENES DU TRAM (ALLEE DES) - 137 C-D4	1380	OHA
CHENOY (CLOS DU) - 132 E4	1440	WBC
CHEREMONT (AV. DE) - 129 D1-2	1300	WAV
CHESNAU (AV. DU) - 122 C4	1410	WAT
CHESSERAUX (CHEMIN) - 157 E2 - 158 A2-3 B3	1421	OPH
CHEVAL (IMPASSE DU) (1) - 40 E3 - Centr. 166 C2	1000	BRL
CHEVAL BAYARD (RUE DU) - 153 A3	1348	LLN
CHEVAL D'ARCONS (RUE DU) (3) - 152 E3	1348	LLN
CHEVAL D'ARGENT (CLOS DU) - 60 A4	1050	IXE
CHEVAL DE BOIS (CHEMIN DU) - 136 E4	1380	LAS
CHEVAL GODET (CLOS DU) (2) - 164 C1	1340	OTT
CHEVAL-NOIR (RUE DU) - 40 C3 - Centr. 166 A2	1080	SJM
CHEVALERIE (AV. DE LA) - 51 A1-2		
NOS IMPAIRS	1040	ETT
NOS PAIRS	1000	BRL
CHEVALET (RUE DU) - 153 A4 - 165 A1	1348	LLN
CHEVALIERS (RUE DES) - 50 A2 - Centr. 168 D2	1050	IXE
CHEVALIERS D'ESCALDA (AV. DES) - 141 E3	1325	CHG
CHEVALIERS DE MALTE (AV. DES) - 135 B1-2	1410	WAT
CHEVAUCHEE (AV. DE LA) (3) - 42 C1	1140	EVE
CHEVAUCHEE (AV. DE) - 121 E2	1420	BRA
CHEVAUX (RUE DES) - 98 B-C3	1640	SGR
CHEVREFEUILLE (AV. DU) - 52 C2	1200	SLW
CHEVRETTES (LAIE AUX) - 141 A3	1300	LIL
CHEVREUIL (ALLEE DU) - 111 C2	1410	WAT
CHEVREUIL (RUE DU) - 134 C-D2	1420	BRA
CHEVREUIL (RUE DU) - 49 D2 - Centr. 168 B2	1000	BRL
CHEVREUILS (AV. DES) - 152 C-D3	1340	OTT
CHEVREUILS (DREVE DES) - 88 C3	1640	SGR
CHEVREUILS (LAIE AUX) - 141 A-B1	1300	LIL
CHEVROLETSTRAAT (P.) - 85 D1	1651	LOT
CHIEN DE BERGER (SENTIER DU) (1) - 13 E4	1020	BRL
CHIEN-MARIN (RUE DU) (1) - 40 D-E3	1000	BRL
CHIEN-VERT (RUE DU) - 40 D2 - Centr. 166 B1	1080	SJM
CHIENNERIE (RUE DE LA) - 146 A-B1	1420	BRA
CHILI (AV. DU - LAAN) - 69 A2	1000	BRL
CHIMISTE (RUE DU) - 60 B-C2	1070	AND
CHINELS (RUE DES) - 153 A3	1348	LLN
CHŒUR (RUE DU) - 40 C2 D1-2 - Centr. 166 A-B1	1080	SJM
CHOME (RUE HENRI - STRAAT) - 42 B2	1030	SCH
CHOME-WYNS (RUE - STRAAT) - 49 A2	1070	AND
CHOPIN (RUE - STRAAT) - 48 B4	1070	AND
CHOPIN (RUE) - 134 B1	1420	BRA
CHOPINLAAN (F.) - 107 A3	1500	HAL
CHORISTES (SENTIER DES) - 126 B-C3	1330	RIX
CHOUETTES (AV. DES) (4) - 130 C2-3 D2	1480	CLA
CHOUX (RUE AUX) - 41 A3 - Centr. 166 D2	1000	BRL
CHRISTIAENS (RUE RENE - STRAAT) - 70 B-C1	1160	AUD
CHRISTINE (RUE) - 49 E2 - Centr. 168 C2	1000	BRL
CHRISTOPHE (ENSEMBLE J.) - 30 C4	1082	SAB
CHRYSANTENLAAN - 98 C2	1640	SGR
CHRYSANTENSTRAAT (3) - 7 C2	1800	VIL
CHRYSANTENSTRAAT - 16 B1	1830	MAC
CHRYSANTENSTRAAT - 22 E4 - 31 E1	1020	BRL
CHRYSANTHEMES (AV. DES) - 98 C2	1640	SGR
CHRYSANTHEMES (RUE DES) - 22 E4 - 31 E1	1020	BRL
CHRYSTANTENLAAN - 26 C3-4	1930	ZAV
CHURCHILL (AV. W. - LAAN) - 58 E4 - 59 A-B4	1180	UCK
CHURCHILL (AV. WINSTON) - 127 A4 B3-4	1330	RIX
CHURCHILL (AV. WINSTON) - 151 C3-4	1340	OTT
CHURCHILL (ROND POINT W. - ROND PUNT) -		
58 E4	1180	UCK
CIBLE (RUE DE LA) - 41 D-E3		
NOS 1 à 7 - 2 à 40	1210	SJN
AUTRES NOS	1030	SCH
CIBOULETTE (COUR DE LA) - 153 C4 - 165 C1	1348	LLN
CIBOULETTE (RUE DE LA) - 13 B4	1020	BRL
CICEROLAAN - 33 D-E4 - 42 E1	1140	EVE
CICERON (AV.) - 33 D-E4 - 42 E1	1140	EVE
CICINDELLES (SQUARE DES) (2) - 69 B-C3	1170	WAB
CIEL BLEU (RUE DU) (9) - 44 A4	1150	SPW
CIGALE (RUE DE LA) - 69 D-E3	1170	WAB
CIGALES (ALLEE DES) (3) - 135 C1-2	1410	WAT
CIGARETTE (SENTIER) - 132 D3-4	1440	WBC
CIGOGNE (AV. DE LA) - 127 C2-3 D3-4	1300	LIL
CIGOGNE (RUE DE LA) - 40 D3 - Centr. 166 B2	1000	BRL
CIGOGNES (AV. DES) - 44 C-D1	1970	WEO
CIJNSSTRAAT - 30 E3	1083	GAN
CIMETIERE (ALLEE DU) - 23 E1 - 24 A1	1120	BRL
CIMETIERE (AV. DU) - 30 D2	1083	GAN
CIMETIERE (AV. DU) - 44 C1-2	1950	KRA
CIMETIERE (RUE DU) - 128 C2-3 D3	1301	BIE
CIMETIERE (RUE DU) - 143 C2-3	1440	BRC
CIMETIERE (RUE DU) - 145 C-D4 - 157 D1	1421	OPH
CIMETIERE (RUE DU) - 163 D-E1	1341	CEM
CIMETIERE (RUE DU) - 44 D-E2	1970	WEO
CIMETIERE (SENTIER DU) - 114 E4 - 126 E1	1330	RIX
CIMETIERE DE BRUXELLES		
(AV. DU) - 33 D4 - 42 D1	1140	EVE
CINEMA (RUE DU -STRAAT) -		
40 C2 - Centr. 166 A1	1080	SJM
CINERAIRES (SENTIER DES) - 59 D3-4	1000	BRL
CINQ ARBRES (AV. DES) (4) - 113 B2	1310	LAH
CINQ BONNIERS (AV. DES) - 52 A2	1150	SPW
CINQUANTENAIRE (CLOS DU) - 51 B1-2	1040	ETT
CINQUANTENAIRE (MONT DU) - 51 A2	1040	ETT
CINQUANTENAIRE (GAL. DU- GAL.) - 51 B2	1040	ETT
CINQUIEME AVENUE - 113 D4	1330	RIX
CIPRESSTRAAT - 40 E3 - Centr. 166 C2	1000	BRL
CIRCULAIRE (AV.) - 68 A3	1180	UCK
CIRCUSSTRAAT - 40 E3 - Centr. 166 C2	1000	BRL
CIRQUE (RUE DU) - 40 E3 - Centr. 166 C2	1000	BRL
CISEAU (AV. DU) - 153 B4 - 165 B1	1348	LLN
CITADELLE (RUE DE LA) - 69 E4	1170	WAB
CITADELSTRAAT - 69 E4	1170	WAB
CITE (RUE DE LA) - 50 C3 - Centr. 169 B3	1050	IXE
CITE (SQUARE DE LA) - 128 B4	1300	LIL
CITE JARDIN (ROND-POINT DE LA) - 22 B3	1090	JET
CITE JOYEUSE (RUE DE LA) (2) - 39 C2	1080	SJM
CITE MODELE (AV. DE LA) - 21 E2-3 - 22 A1	1020	BRL
CITE MODELE (PLACE DE LA) - 22 A1	1020	BRL
CITE MODELE (SQUARE DE LA) - 22 A1	1020	BRL
CITE MODERNE (RUE DE LA) - 30 D3-4	1082	SAB
CITE OUVRIERE DE LINTHOUT -		
40 D4 - Centr. 166 B3	1030	BRL
CITEAUX (AV. DE) - 153 C2	1348	LLN
CITOYENS (RUE DES) - 57 B-C2	1070	AND
CITRINELLES (AV. DES) - 60 E2	1160	AUD
CITROENBOMENDOORGANG - 22 A-B1	1020	BRL
CITROENBOMENDREEF (8) - 22 A-B1	1020	BRL
CITROENBOMENLAAN - 22 B1-2	1020	BRL
CITROENBOMENOPRIT - 22 A-B1	1020	BRL
CITROENKRUIDSTRAAT (2) - 14 D4	1120	BRL
CITRONELLE (RUE DE LA) - 165 B1	1348	LLN
CITRONNIERS (ALLEE DES) (8) - 22 A-B1	1020	BRL
CITRONNIERS (AV. DES) - 22 B1-2	1120	BRL
CITRONNIERS (PASSAGE DES) - 22 A-B1	1120	BRL
CITRONNIERS (RAMPE DES) - 22 A-B1	1120	BRL
CLABECQ (CHEMIN DE) - 131 A4	1440	BRC
CLABECQ (RUE DE) - 142 C1-3	1480	CLA
CLABECQ (RUE DE) -		
142 C2-3-4 D4 - 154 D1 E1-2 - 155 A2-3 B3	1460	IRE
CLAES (AV. E. - LAAN) - 60 E4	1160	AUD
CLAES (RUE CAPORAL) - 32 E3-4	1030	SCH

Rue	Code	Commune
CLAES (RUE JOSEPH - STRAAT) -		
49 C3 - Centr. 168 A3	1060	SGI
CLAESLAAN - 18 C3-4	1820	STE
CLAESLAAN (E.) - 91 B-C1	1560	HOE
CLAESLAAN (ERNEST) - 102 C3	3090	OVE
CLAESLAAN (ERNEST) - 62 E1	3080	TER
CLAESPLEIN - 118 B2	1502	LEM
CLAESSENS (RUE - STRAAT) - 31 E3 - 32 A2	1020	BRL
CLAESSTRAAT (KORPORAAL) - 32 E3-4	1030	SCH
CLAETERBOSCH (AV.) - 47 E4	1070	AND
CLAIR PRE (AV. DU) - 123 B3	1410	WAT
CLAIRE (AV.) - 111 B4 - 123 B1	1410	WAT
CLAIREAU (AV. DE LA - LAAN) (1) - 43 D4	1200	WSL
CLAIRIERE (AV. DE LA) - 102 A4	1310	LAH
CLAIRIERE (AV. DE LA) - 68 C-D1	1000	BRL
CLAIRIERE (CLOS DE LA) - 123 E3-4	1410	WAT
CLAIRIERE (RUE DE LA) - 144 A2-3-4	1440	BRC
CLAIRLANDE (DREVE DE) - 152 C2 D1-2	1348	LLN
CLAIRVAUX (RUE DE) - 153 C2	1348	LLN
CLARISSES (IMPASSE DES) (30) - 129 B1	1300	WAV
CLAUDEL (AV. PAUL) - 129 E2	1300	WAV
CLAUDINE (RUE DE LA) - 160 E1	1380	PLA
CLAUDINE (RUE DE LA) - 160 E1	1380	MAR
CLAUS (RUE EM. - STRAAT) - 59 B-C3		
NOS/NRS 1-11 - 2-12	1000	BRL
NOS/NRS 13-59B - 14-54	1050	IXE
AUTRES NOS/ANDERE NRS	1180	UCK
CLAUSWHEYDE (SENTIER LE) - 121 C3-4	1420	BRA
CLAYS (AV. - LAAN) -		
41 D2 E2-3 - Centr. 167 C1 D2-3	1030	SCH
CLE (RUE DE LA) - 40 D3 - Centr. 166 B2	1000	BRL
CLE DES CHAMPS - 124 C4 D3-4 E3	1380	OHA
CLEMATISSENSTRAAT (1) - 30 D3	1083	GAN
CLEMATITES (RUE DES) (1) - 30 D3	1083	GAN
CLEMENCEAU (AV. G. - LAAN) - 49 B1 C2	1070	AND
CLEMENTINALAAN - 58 C1		
NRS 1 tot 27 - 2 tot EINDE	1190	VOR
NRS 29 tot EINDE	1060	SGI
CLEMENTINASQUARE - 22 D-E4	1020	BRL
CLEMENTINASTRAAT (PRINSES) - 31 E1-2 - 32 A1	1020	BRL
CLEMENTINE (AV.) - 58 C1		
NOS 1 à 27 - 2 à FIN	1190	VOR
NOS 29 à FIN	1060	SGI
CLEMENTINE (RUE - STRAAT) - 50 C4	1050	IXE
CLEMENTINE (RUE PRINCESSE) - 31 E1-2 - 32 A1	1020	BRL
CLEMENTINE (SQUARE) - 22 D-E4	1020	BRL
CLERC (RUE DU) (2) - 160 A2	1380	PLA
CLERLANDE (ALLEE DE) - 152 D1-2	1340	OTT
CLERX (RUE DR. H. - STRAAT) - 77 B2	1180	UCK
CLESSE (AV. L. - LAAN) - 60 D3	1160	AUD
CLESSE (RUE A. - STRAAT) - 31 D2-3	1020	BRL
CLINIQUE (RUE DE LA) - 49 B1-2 C1	1070	AND
CLINIQUE (SENTIER DE LA) - 151 D4 - 163 D1	1340	OTT
CLIQUET (ROND-POINT RENE) -		
50 A2 - Centr. 168 D2	1000	BRL
CLIQUETPLEIN (RENE) -50 A2 - Centr. 168 D2	1000	BRL
CLOCHER (RUE DU) - 50 E2 - Centr. 169 D2	1040	ETT
CLOETENS (RUE FR. - STRAAT) - 44 A2-3	1950	KRA
CLOISIERE (AV. DE LA) - 122 E2-3	1410	WAT
CLOITRE (ALLEE DU) - 59 C2	1000	BRL
CLOITRE (RUE DU) - 22 C-D3	1020	BRL
CLOQUEAU (RUE) - 136 E4 - 148 E1 - 149 A1	1380	LAS
CLOQUET (RUE) - 134 B-C4	1420	BRA
CLOS (AV. DES) - 153 A3	1348	LLN
CLOS (AV. DES) - 42 B1	1030	SCH
CLOS (AV. DU) - 129 C1-2	1300	WAV
CLOS BAYARD (RUE DU) - 130 C4	1480	CLA
CLOS DU SADIN (AV. DU) - 146 B-C3	1420	BRA
CLOS FLEURI (AV. DU) - 113 C2	1310	LAH
CLOS ROYAL (AV. DU) - 127 C3	1330	RIX
CLOSIERE (RUE DE LA) - 137 C4	1380	LAS
CLOSIERE (RUE DE LA) - 140 B2	1300	LIL
CLOSIERE DINJON (RUE DE LA) - 161 D2 E3	1380	CSG
CLOVIS (BLD. - LAAN) - 41 D3-4 - Centr. 167 C2-3	1000	BRL
CLUSE (AV. DE LA) (3) - 43 C4	1200	WSL
CLUYSENAER (RUE A. - STRAAT) - 58 C-D1	1060	SGI
COCCINELLES (ALLEE DES) (2) - 135 C2	1410	WAT
COCCINELLES (AV. DES) - 69 B2-3		
NOS 95 à 99	1000	BRL
AUTRES NOS	1170	WAB
COCHONS (CHEMIN DES) - 110 C2-3-4 - 122 C1	1410	WAT
COCKER (SENTIER DU - WEG) - 22 E1	1020	BRL
COCKX (RUE J. - STRAAT) - 60 C3	1160	AUD
COCQ (PLACE FERNAND - PLEIN) -		
50 B3 - Centr. 169 A3	1050	IXE
COENEN (RUE H.J. - STRAAT) - 70 B2	1160	AUD
COENEN (RUE L. - STRAAT) - 49 D4	1060	SGI
COENENSTRAAT (J. B.) - 18 B-C2	1820	STE
COENRAETS (RUE - STRAAT) -		
49 C3-4 - Centr. 168 A3	1060	SGI
COEVOETSTRAAT (FREDERIK) - 65 D4 - 75 D-E1	1600	SPL
COFFY (IMPASSE DU - GANG)		
SITUEE/GELEGEN		
RUE DES EPERONNIERS		
SPOORMAKERSSTRAAT		
NOS/NRS 19-21		
40 E4 - Centr. 166 C3	1000	BRL
COGGE (RUE DE L'ECLUSIER) (2) - 32 A3	1000	BRL
COGGESTRAAT (SLUISMEESTER) (2) - 32 A3	1000	BRL
COGHEN (AV.-LAAN) - 58 C-D4 - 67 C-D1	1180	UCK
COGHEN (SQUARE - SQUARE) - 67 C1	1180	UCK
COGNASSIER (AV. DU) - 38 E1 - 39 A1-2	1082	SAB
COIN DE TERRE (RUE DU) - 146 C2	1420	BRA
COIN DE TERRE (RUE DU) - 31 C3	1090	JET
COINS DE TERRE (VENELLE AUX) (4) - 52 C3	1150	SPW
COLBIE (CLOS DU) - 146 B1 C2	1420	BRA
COLEAU (RUE) - 135 A3 B2-3 C2	1410	WAT
COLETTE (RUE DE LA) - 153 E4	1325	CHG
COLIBRI (PLACE DU) - 69 D-E1	1170	WAB
COLIBRIS (RUE DES) - 130 D2	1480	CLA
COLIGNON (PLACE - PLEIN) - 32 C3-4	1030	SCH
COLIMACON (TIENNE DE) (32) - 153 B4 - 165 C1	1348	LLN
COLIN (AV. J. - LAAN) - 60 C-D3	1160	AUD
COLINET (CLOS DU) - 161 B2	1380	CSG
COLINET (RUE DE) - 161 A2 B2-3 C3	1380	CSG
COLIPAIN (DREVE DE) -		
120 E3-4 - 121 A2-3 B1-2 - 132 D-E1	1420	BRA
COLLART (RUE M. - STRAAT) - 76 E2-3 - 77 A2	1620	DRO
COLLART (RUE) - 149 C-D-E4 - 161 E1	1380	CSG
COLLE (AV. JULES) - 111 A4 - 123 A1	1410	WAT
COLLECTEUR (RUE DU) - 48 E2 - 49 A2	1070	AND
COLLEGE (RUE DU - STRAAT) -		
50 B3 C3-4 - Centr. 169 A-B3	1050	IXE
COLLEGE (RUE DU) - 153 B-C4	1348	LLN
COLLEGE SAINT-MICHEL (RUE DU) - 51 C2-3 D3	1150	SPW
COLLEGIALE (RUE DE LA - STRAAT) -		
41 A4 - Centr. 166 D3	1000	BRL
COLLIN (COUR) - 149 A-B4	1380	CSG
COLLIN (RUE ALPHONSE) - 126 E2 - 127 A2-3	1330	RIX
COLLINE (AV. DE LA) - 98 A1	1640	SGR
COLLINE (RUE DE LA) - 130 A4	1480	TUB
COLLINE (RUE DE LA) - 40 E4 - Centr. 166 C3	1000	BRL
COLLINE DU GLAIN - 114 C4 - 126 C1	1330	RIX
COLLINES (CHAUSSEE DES) -		
105 A-B4 - 116 B2-3 C1-2 D-E1 - 117A1	1300	WAV
COLLINES (CHAUSSEE DES) - 116 B2-3	1301	BIE
COLLON (AV. J. R. - LAAN) - 51 E2 - 52 A2	1200	WSL
COLO-HUGUES (RUE) - 146 C1	1420	BRA
COLOMALAAN - 74 E2 - 75 A3	1600	SPL
COLOMBES (AV. DES) (5) - 130 D2-3	1480	CLA
COLOMBES (CLOS DES) - 151 D1-2	1342	LIM
COLOMBIALAAN - 69 A3	1000	BRL
COLOMBIE (AV. DE LA) - 69 A3	1000	BRL
COLOMBIER (CHEMIN DU) - 148 E2	1380	LAS
COLOMBIER (RUE DU) - 41 A3 - Centr. 166 D2	1000	BRL
COLOMBOPHILES (RUE DES) - 57 B2-3 C2	1070	AND
COLON (RUE ADELIN) - 117 B4	1300	WAV
COLONELLE (RUE DE LA) - 134 C3	1420	BRA

Rue	Code	Commune
COLONIALE (AV.) - 69 B2 C1-2	1170	WAB
COLONIES (RUE DES) - 41 A4 - Centr. 166 D3	1000	BRL
COLONNE (RUE DE LA) - 40 C3 - Centr. 166 A2	1080	SJM
COL-VERT (AV. DU) - 60 B4	1170	WAB
COLYNS (RUE J.-B. - STRAAT) - 59 A3	1050	IXE
COLZAS (ALLEE DES) - 60 D2	1160	AUD
COMBATTANTS (AV. DES) - 114 B-C4 - 126 A-B1	1332	GEN
COMBATTANTS (AV. DES) - 135 C1-2	1410	WAT
COMBATTANTS (AV. DES) - 152 A3-4 - 163 E1	1348	LLN
COMBATTANTS (AV. DES) - 163 E3-4	1490	CSE
COMBATTANTS (IMPASSE DES) (1) - 41 C1	1081	KOE
COMBATTANTS (RUE DES) - 113 D2 E1-2	1310	LAH
COMBATTANTS (RUE DES) - 128 B1-2 C-D-E2	1301	BIE
COMBATTANTS (RUE DES) - 142 C-D1	1480	CLA
COMBATTANTS (RUE DES) - 145 D-E4 - 157 D4	1420	BRA
COMBATTANTS (RUE DES) - 30 B-C4	1082	SAB
COMBATTANTS (SQUARE DES) - 31 E1-2	1020	BRL
COMBAZ (RUE G. - STRAAT) - 49 C4 - 58 C1	1060	SGI
COMEDIENS (RUE DES) - 41 A3 - Centr. 166 D2	1000	BRL
COMETE (RUE DE LA) - 41 B2-3 - Centr. 167 A1-2	1210	SJN
COMETE DE HALLEY (AV. DE LA) (26) - 127 D3	1300	LIL
COMHAIRE (AV. R. - LAAN) - 39 B-C1	1082	SAB
COMMANDERIE (CHEMIN DE LA) -		
103 E2-3 - 104 A2	1300	WAV
COMMANDERIE (CLOS DE LA) - 135 A2	1410	WAT
COMMERÇANTS (RUE DES) (1) - 143 C1	1440	BRC
COMMERÇANTS (RUE DES) -		
40 E2 - Centr. 166 C1	1000	BRL
COMMERCE (AV. DU) - 134 A-B2	1420	BRA
COMMERCE (GAL. DU) - 41 A3 - Centr. 166 D2	1000	BRL
COMMERCE (QUAI DU) - 40 D-E2	1000	BRL
COMMERCE (RUE DU) (22) - 129 B1	1300	WAV
COMMERCE (RUE DU) - 162 C2	1341	CEM
COMMERCE (RUE DU) -		
50 B1-2 C1 - Centr. 169 A1-2 B1		
NOS 1 à 67 - 2 à 66	1000	BRL
NOS 69 à 113 - 68 à 114	1040	ETT
NOS 115 à FIN - 116 à FIN	1000	BRL
COMMERE (RUELLE) - 138 A3	1380	OHA
COMMONES (RUE DES) - 128 A-B2	1301	BIE
COMMUNALE (PLACE) - 126 A1	1332	GEN
COMMUNALE (PLACE) - 137 B1	1380	OHA
COMMUNALE (PLACE) - 162 C1-2	1341	CEM
COMMUNALE (PLACE) - 40 C2 - Centr. 166 A1	1080	SJM
COMMUNALE (RUE) - 30 E1-2 - 31 A1	1083	GAN
COMMUNAUTES (AV. DES) - 42 E1-2 - 43 A2		
NOS 3-4-5	1140	EVE
NOS 101-103	1200	WSL
COMMUNE (RUE DE LA) - 41 C3 - Centr. 167 B2	1210	SJN
COMMUNETTES (CHEMIN DES) - 156 B3-4	1461	HIT
COMMUNS PRES (SENT. DES) - 131 B4 - 143 B1	1440	BRC
COMPAGNONS (RUE DES) - 42 B2	1030	SCH
COMPAGNONS BATISSEURS (CLOS DES) - 42 D2	1140	EVE
COMPAS (RUE DU) - 153 C4	1348	LLN
COMPAS (RUE DU) - 49 B1	1070	AND
COMPETITION (RUE DE LA) - 48 B2-3	1070	AND
COMPTOIR (RUE DU) (2) - 30 E4	1081	KOE
COMTE (AV. DU) - 141 E2	1325	CHG
COMTE (DREVE DU) - 69 B4 - 79 B1 C1-2-3 D3-4	1170	WAB
COMTE (DREVE DU) - 79 D4 - 89 D1	1640	SGR
COMTE DE FLANDRE (DREVE DU) -		
70 B3-4 C2-3 - 80 B1-2	1170	WAB
COMTE DE FLANDRE (RUE DU) -		
40 C2-3 - Centr. 166 A1-2	1080	SJM
COMTE DE JETTE (AV. DU) - 22 B-C4	1090	JET
COMTE DE NAMUR (AV.) - 129 D1	1300	WAV
COMTES (DREVE DES) - 110 A2-3 B-C2	1640	SGR
COMTES DE ROBIANO (RUE DES) -		
131 B-C4 - 143 C1	1440	BRC
COMTESSE DE FLANDRE (RUE DE LA) - 31 E2	1020	BRL
CONCILIATION (RUE DE LA) - 48 E2	1070	AND
CONCORDE (RUE DE LA) - 50 A-B3		
1 à 57 - 2 à 66	1050	IXE
59 à FIN - 68 à FIN	1000	BRL
CONCOURS (RUE DU) (1) - 69 D-E3	1170	WAB
CONDOR (AV. DU - LAAN) - 39 C-D3	1080	SJM
CONFEDERES (RUE DES) - 41 E4 - 42 A4	1000	BRL
CONFIANCE (RUE DE LA) - 50 E3 - Centr. 169 D3	1040	ETT
CONFORT (PLACE DU) - 57 B2	1070	AND
CONGO (AV. DU) - 59 D3		
NOS 1 à 5A - 2 à 8	1050	IXE
NOS 7 à FIN - 14 à FIN	1000	BRL
CONGO (RUE DU) (1) - 152 A-B2	1342	LIM
CONGRES (PLACE DU - PLEIN) -		
41 B3 - Centr. 167 A2	1000	BRL
CONGRES (RUE DU - STRAAT) -		
41 B3-4 - Centr. 167 A2-3	1000	BRL
CONICHE (RUE) - 134 C2	1420	BRA
CONIFERE (CLOS DU) (4) - 146 A1	1420	BRA
CONINGHAM		
(AV. AIR-MARSHAL - LAAN) - 68 E1		
NOS/NRS 1-5 - 2-FIN/EINDE	1000	BRL
NO/NR 7	1050	IXE
CONNEMARA (CHEMIN DE - WEG) - 33 C4	1140	EVE
CONSCIENCE (AV. H. - LAAN) - 12 B3	1780	WEM
CONSCIENCE (AV. H. - LAAN) - 33 B2-3-4	1140	EVE
CONSCIENCE (PLACE H. - PLEIN) - 50 C4	1050	IXE
CONSCIENCELAAN (HENDRIK) - 82 D-E3	3090	OVE
CONSCIENCEPAD (HENDRIK) - 108 A2-3-4 B2	1653	DWO
CONSCIENCESTRAAT (HENDRIK) - 5 B2	1850	GRI
CONSCIENCESTRAAT (HENDRIK) - 7 A1	1800	VIL
CONSCIENCESTRAAT (HENDRIK) - 65 D4 - 75 D1	1600	SPL
CONSCIENCESTRAAT (HENDRIK) - 86 C4	1650	BEE
CONSCIENCESTRAAT (HENDRIK) - 86 C4	1651	LOT
CONSCIENCESTRAAT (HENDRIK) - 86 C4	1652	ALS
CONSCIENCESTRAAT (HENDRIK) - 94 C4 D3	1500	HAL
CONSEIL (PLACE DU) - 49 B2	1070	AND
CONSEIL (RUE DU) - 50 B-C3	1050	IXE
CONSOLATION (RUE DE LA) - 41 C-D2	1030	SCH
CONSTELLATION (PLACE DE LA) - 127 D2	1300	LIL
CONSTELLATIONS (AV. DES) - 135 D1	1410	WAT
CONSTELLATIONS (AV. DES) - 42 D3	1200	WSL
CONSTITUTION (AV. DE LA) - 31 A3-4		
NOS 46 à FIN	1090	JET
AUTRES NOS	1083	GAN
CONSTITUTION (PLACE DE LA) - 49 C-D2	1060	SGI
CONSTITUTION (RUE DE LA) - 41 B-C1	1030	SCH
CONSTRUCTEUR (RUE DU) - 49 A1-2	1070	AND
COOPERATEURS (PLACE DES) (4) - 30 C3	1082	SAB
COOPMAN (RUE T. - STRAAT) - 33 A3	1030	SCH
COOREMANSSTRAAT (PASTOOR A.) -		
29 E2-3 - 30 A2-3	1702	GRB
COOSEMANS (RUE J. - STRAAT) -		
41 E2-3 - 42 A2 - Centr. 167 D2-3	1030	SCH
COOSEMANSSTRAAT (JEF) (2) - 63 A-B2	3080	TER
COPERNIC (RUE) - 68 A2 B2-3-4	1180	UCK
COPERNICUSSTRAAT - 68 A2 B2-3-4	1180	UCK
COPPENS (CLOS E. - OORD) - 44 B3-4	1950	KRA
COPPENS (RUE - STRAAT) -		
49 E2 - 50 A2 - Centr. 168 C-D2	1000	BRL
COPPENS (RUE JOSEPH) - 163 D1	1340	OTT
COPPENS (RUE JOSEPH) - 163 D1	1341	CEM
COPPENS (RUE W. - STRAAT) - 69 D3	1170	WAB
COPPENSSTRAAT (CH.) - 91 B2-3	1560	HOE
COPPENSSTRAAT (T.) - 20 B4 C-D3 - 29 B1	1731	ZEL
COPPIJN (AV. MARCEL) - 102 A3-4	1310	LAH
COPPIJNLAAN (MARCEL) - 102 A-B4	3090	OVE
COQ (IMPASSE DU)		
SITUEE RUE SAINT-PIERRE		
ENTRE NOS 59-61		
41 A2 - Centr. 166 D1	1000	BRL
COQ (RUE DU) - 124 A-B3	1380	OHA
COQ (RUE DU) - 124 A2 B2-3	1410	WAT
COQ (RUE DU) - 67 C3-4	1180	UCK
COQUELICOTS (AV. DES) (1) - 43 E1 - 44 A1	1950	KRA
COQUELICOTS (AV. DES) - 110 E2	1410	WAT
COQUELICOTS (AV. DES) - 134 E4	1420	BRA
COQUELICOTS (AV. DES) - 163 E3	1490	CSE

C

Street	Code	Commune
COQUELICOTS (AV. DES) - 163 E3	1341	CEM
COQUELICOTS (AV. DES) - 44 C4 - 53 C1	1970	WEO
COQUELICOTS (CHEMIN DES) - 87 D1	1630	LIN
COQUELICOTS (CLOS DES) - 98 B4	1640	SGR
COQUELICOTS (RUE DES) - 139 E2	1300	LIL
COQUELICOTS (RUE DES) - 51 A3	1040	ETT
COQUEREES (RUE DES) - 163 D-E1	1341	CEM
COQUILHAT (RUE CAM. - STRAAT) (1) - 51 A4	1040	ETT
COQUINETTES (CLOS DES) - 133 B4 - 145 B1	1440	WBC
COR DE CHASSE (AV. DU) - 110 E1 - 111 A1	1640	SGR
COR DE CHASSE (AV. DU) - 69 B2-3	1170	WAB
CORAIL (RUE DU) - 48 A1	1070	AND
CORBEAU (RUE DU) - 151 C2-3 D1	1342	LIM
CORBEAU (RUE DU) - 32 E2 - 33 A2	1030	SCH
CORDERIE (RUE DE LA) (2) - 129 B2	1300	WAV
CORDIALITE (RUE DE LA) (1) - 39 D4	1070	AND
CORDIALITE (RUE DE LA) (1) - 39 D4 E3	1080	SJM
CORDIER (AV. DR. ED. - LAAN) - 60 C-D2	1160	AUD
CORDIER (AV. GENERAL) - 126 E2 - 127 A2	1330	RIX
CORDONNIER (IMPASSE DU) (20) - 129 B1	1300	WAV
COREE (SQUARE DE) - 51 E3-4	1150	SPW
CORHAY (RUE L. - STRAAT) - 39 D1	1080	SJM
CORMIERS (AV. DES) - 114 C-D3	1332	GEN
CORMORANS (AV. DES) - 60 E1	1150	SPW
CORNALINE (SENTIER DE LA) (6) - 22 A1	1020	BRL
CORNEILLE (RUE - STRAAT) - 48 A1	1070	AND
CORNEILLES (CHEMIN DES) - 44 B1	1950	KRA
CORNELIS (RUE) - 112 D3-4	1310	LAH
CORNELISSTRAAT (PIETER) - 76 B1	1601	RUI
CORNELLEKENSSTRAAT - 9 C3 D3-4	1820	STE
CORNET (RUE DU) - 50 D-E2 - 51 A2	1040	ETT
CORNET DE GREZ (RUE - STRAAT) - 41 B-C2		
NOS PAIRS/EVEN NRS	1210	SJN
NOS IMPAIRS/ONEVEN NRS	1030	SCH
CORNICHE (AV. DE LA) - 109 A3 B2-3 C2	1420	BRA
CORNICHE VERTE - 53 A3-4 B4	1150	IXE
CORPS DE CHASSE (AV. DU) - 111 A1	1410	WAT
CORREGGIOSTRAAT - 42 C4 - 51 C1	1000	BRL
CORTENBACH (RUE DE) - 24 D2	1130	BRL
CORTENBACH (SENTIER DU) (1) - 24 D2	1130	BRL
CORTENBERGH (AV. DE) -		
41 E4 - 42 A4 - 50 E1 - Centr. 169 D1		
NOS 1 à 29 - 2 à 46	1040	ETT
NOS 31 à FIN - 48 à FIN	1000	BRL
CORTENBROECKLOS (1) - 55 C3-4	1602	VLE
CORTIL BAILLY (RUE DU) - 149 D3-4	1380	CSG
CORTIL DES GRILLONS - 152 E4 - 153 A3-4	1348	LLN
CORTIL DU BAILLY - 152 E4	1348	LLN
CORTIL JEROME (SENTIER) - 126 E1 - 127 A1	1332	GEN
CORVETTE (RUE DE LA) (1) - 48 A1	1070	AND
COSMONAUTE (AV. DU) (4) - 52 C2	1150	SPW
COSSE (RUE) - 163 E4	1490	CSE
COSTARD (CLOS RAYMOND) - 151 D4	1340	OTT
COSTARD (CLOS RAYMOND) - 151 D4	1341	CEM
COSYN (RUE A. - STRAAT) - 32 A1	1020	BRL
COTEAU (AV. DU) - 122 A1 B1-2	1410	WAT
COTEAU (CLOS DU) - 145 A1	1440	WBC
COTEAUX (AV. DES) - 165 B1	1348	LLN
COTEAUX (RUE DES) -		
32 D4 - 41 C2 D1-2 - Centr. 167 B-C1		
NOS 1 à 41 - 2 à 38	1210	SJN
NOS 43 à FIN - 40 à FIN	1030	SCH
COTEAUX (TIENNE DES) - 117 A-B2	1300	WAV
COTTAGES (AV. DES) - 39 C1	1082	SAB
COTTAGES (RUE DES) - 58 C-D4	1180	UCK
COTTON (AV. DU SERGEANT) - 135 A3-4 B3	1410	WAT
COUCOU (RUE DU) - 69 E1	1170	WAB
COUCOU (SENTIER DU) - 126 B2	1330	RIX
COUCOU (SENTIER DU) - 132 A-B4	1440	BRC
COUCOU (SENTIER DU) - 87 B1	1630	LIN
COUDENBERG - 50 A1 - Centr. 168 D1	1000	BRL
COUDRIERS (AV. DES) - 22 E1	1020	BRL
COUDYSER (RUE G. - STRAAT) (7) - 47 E2	1070	AND
COULANT D'EAU (RUELLE DU) (1) - 129 A2-3 B2-3	1300	WAV
COULBAUT (AV. R. - LAAN) - 61 A-B3	1160	AUD
COULOIR (RUE DU) - 50 C4	1050	IXE
COULONEUX (PASSAGE DES) (2) - 152 E4	1348	LLN
COUNTRYLAAN - 43 B1	1932	SSW
COUR (SENTIER DU) (35) - 153 B4	1348	LLN
COUR AU BOIS (RUE) - 132 B3-4	1440	BRC
COUR BOISACQ (RUE) - 128 B-C-D3	1301	BIE
COUR D'ESPAGNE (CHEMIN DE LA) (3) - 24 D2	1130	BRL
COURBE (CHEMIN) - 97 E4	1640	SGR
COURBE (RUE) - 44 E4 - 45 A4 - 53 E1	1970	WEO
COURLIS (RUE DES) - 69 D2	1170	WAB
COURONNE (AV. DE LA) -		
50 C3 D3-4 - 59 D1 E1-2 -		
60 A2-3 - Centr. 169 B-C3	1050	IXE
COURONNE (RUE DE LA) (5) - 129 B3	1301	BIE
COURONNEMENT (AV. DU) - 51 C-D1	1200	WSL
COUROUBLE (RUE L. - STRAAT) - 32 D2-3	1030	SCH
COURSES (AV. DES) - 59 D3		
NOS 1 à 9 - 2 à 26C	1050	IXE
AUTRES NOS	1000	BRL
COURSIERS (ALLEE DES) - 68 D2-3	1000	BRL
COURT (RUE ANT. - STRAAT) - 40 B2	1081	KOE
COURTE (RUE) (1) - 145 D4 - 157 D1	1421	OPH
COURTE (RUE) - 30 B4	1082	SAB
COURTE DE LA STATION (RUE) (3) - 143 D1	1440	BRC
COURTE LINKEBEEK (RUE) - 77 A3	1620	DRO
COURTENS (AV. FR. - LAAN) - 42 B1		
NOS / NRS 142-144	1140	EVE
AUTRES NOS / ANDERE NRS	1030	SCH
COURTENSDREEF (FRANS) - 82 C1-2	3090	OVE
COURTILLIERES (AV. DES) - 69 B3	1170	WAB
COURTOIS (PETITE RUE) (1) -		
40 D2 - Centr. 166 B1	1080	SJM
COURTOIS (RUE - STRAAT) - 40 D1-2	1080	SJM
COURTOISIE (RUE DE LA) (5) - 39 C4	1070	AND
COURTRAI (RUE DE) - 40 B2	1080	SJM
COUTEAUX (RUE F. - STRAAT) - 31 B1	1090	JET
COUTURE (CHEMIN DE) -		
137 D4 - 149 C1-2 D1	1380	LAS
COUVASSE (CLOS) (11) - 153 A3	1348	LLN
COUVENT (AV. DU) - 53 E1 - 54 A1	1970	WEO
COUVENT (CHEMIN DU) - 97 D2-3	1640	SGR
COUVENT (RAMPE DU) - 153 A4	1348	LLN
COUVENT (RUE DU) (6) - 153 A4 B3	1348	LLN
COUVENT (RUE DU) - 123 B1	1410	WAT
COUVENT (RUE DU) - 125 E2 - 126 A1-2	1332	GEN
COUVENT (RUE DU) - 138 A3	1380	LAS
COUVENT (RUE DU) - 50 B4	1050	IXE
COYAUTES (CHEMIN DES) - 140 C2	1300	LIL
CRABBE (RUE A. - STRAAT) - 52 B-C2	1200	WSL
CRABBEGAT (CHEMIN DU - WEG) - 67 D2 E2-3	1180	UCK
CRAC (CHEMIN DU) - 155 B4	1460	IRE
CRAETVELD (RUE DU) - 14 E4 - 22 D-E1	1120	BRL
CRAMIGNON (CHEMIN DU) - 153 B3	1348	LLN
CRAMIGNON (COURS DU) - 153 B2-3	1348	LLN
CRAPAVOS (RUE DES) (1) - 97 E4 - 98 A4	1640	SGR
CRAPPESTRAAT (C.) - 19 D-E4	1730	BEK
CRAPS (RUE F. - STRAAT) - 47 E2-3	1070	AND
CRECHE (RUE DE LA) - 50 B3 - Centr. 169 A3	1050	IXE
CRECHE (SENTIER DE LA) (5) - 164 A1	1340	OTT
CRENAUX (AV. DES) - 43 C4	1200	WSL
CREPUSCULE (AV. DU) - 99 A3 B4	1640	SGR
CREPUSCULE (CHEMIN DU) - 59 C3	1000	BRL
CREPUSCULE (SENTE DU) - 129 C1	1300	WAV
CREQUILLON (SENTIER DU) - 122 A4 - 134 A1	1420	BRA
CRESPEL (RUE CAPITAINE) -		
50 A2-3 - Centr. 168 D2-3	1050	IXE
CRESPELSTRAAT (KAPITEIN) -		
50 A2-3 - Centr. 168 D2-3	1050	IXE
CRESSON (RUE DU) - 13 B4	1020	BRL
CRETE (CHEMIN DE LA) - 43 E3	1200	WSL
CREUSE (RUE) - 32 C4	1030	SCH
CRICKETSPELWEG - 59 C4	1000	BRL
CRICKX (RUE - STRAAT) - 49 C4	1060	SGI

Rue	Code	Commune
CRICKX (RUE LT. LAMB. - STRAAT) -		
49 C1 - Centr. 168 A1	1070	AND
CRINIERE (AV. DE LA) - 121 E2	1420	BRA
CRIQUETS (AV. DES) - 69 B2-3	1170	WAB
CRISNAIRES (CHEMIN DES) - 140 E1-2	1300	LIL
CROCK (AV. G. - LAAN) - 60 E4	1160	AUD
CROCKAERTSTRAAT (I.) - 20 B1-2	1731	ZEL
CROCQ (AV. J. J. - LAAN) - 22 B3-4		
NOS IMPAIRS/ONEVEN NRS	1020	BRL
NOS PAIRS/EVEN NRS	1090	JET
CROCQ (RUE - STRAAT) - 42 E4	1200	WSL
CROCUS (AV. DES - LAAN) - 53 C2-3	1970	WEO
CROCUS (AV. DES) - 48 C1	1070	AND
CROCUS (AV. DES) - 53 C3	1950	KRA
CROCUS (AV. DES) - 98 E4	1640	SGR
CROCUS (SENTIER DES) (2) - 127 C3	1300	LIL
CROCUSSENLAAN - 53 C3	1950	KRA
CROCUSSENSTRAAT - 7 C2	1800	VIL
CROGNARDS (VENELLE DES) (15) - 141 C4	1300	WAV
CROISADES (RUE DES) - 41 A2 - Centr. 166 D1	1210	SJN
CROISEE (AV. DE LA) - 129 D3	1300	WAV
CROISSANT (RUE DU) - 49 B4 - 58 B-C1		
NOS 1 à 9 - 2 à 22	1060	SGI
NOS 11 à FIN - 24 à FIN	1190	VOR
CROIX (CHAMP DE LA) - 43 D-E1	1950	KRA
CROIX (CHAUSSEE DE LA) - 152 A3-4	1340	OTT
CROIX (RUE DE LA) - 146 D1	1420	BRA
CROIX (RUE DE LA) - 147 D-E1	1410	WAT
CROIX (RUE DE LA) - 50 B3-4 - Centr. 169 A3		
NOS IMPAIRS - 2 à 74	1050	IXE
NO 76	1000	BRL
CROIX CH. BOUCHER (SENTIER DE LA) -		
134 A-B4	1420	BRA
CROIX DE BOURGOGNE (AV. DE LA) -		
135 A2 B1-2	1410	WAT
CROIX DE BOURGOGNE (AV.) (3) - 113 C3	1310	LAH
CROIX DE GUERRE (AV. DES) -		
23 D2-3 E2 - 24 A1-2	1120	BRL
CROIX DE L'YSER (AV. DES) - 23 E1-2	1120	BRL
CROIX DE LORRAINE (AV.) - 101 E2-3	1310	LAH
CROIX DE PIERRE (RUE DE LA) -		
49 E3-4 - Centr. 168 C3	1060	SGI
CROIX DU FEU (AV. DES) - 110 E2-3	1410	WAT
CROIX DU FEU (AV. DES) - 23 A1-2 B1-2 C2-3 D3	1020	BRL
CROIX DU FEU (RUE DES) - 129 B-C1	1300	WAV
CROIX DU FEU (RUE DES) - 134 C4 - 146 C1	1420	BRA
CROIX DU SUD (AV. DE LA) - 135 D-E1	1410	WAT
CROIX DU SUD (AV. DE LA) - 42 D-E3	1200	WSL
CROIX DU SUD (RUE DE LA) - 153 C4	1348	LLN
CROIX PONCIN (AV. DE LA) - 158 B-C3	1428	LIW
CROIX ROLLAND (RUE DE LA) -		
149 C4 - 161 B-C1	1380	CSG
CROIX ROUGE (AV. DE LA) - 13 E4 - 22 E1 - 23 A1	1020	BRL
CROIX ROUGE (AV. DE LA) - 134 E3-4	1420	BRA
CROIX ROUGE (PLACE DE LA) (1) - 47 D2	1070	AND
CROIX ROUGE (SQUARE DE LA) - 59 C2	1050	IXE
CROIX THOMAS (RUE DE LA) -		
162 E1-2 - 163 A2 B-C1	1341	CEM
CROKAERT (AV. - LAAN) - 53 A4 - 61 E1 - 62 A1	1150	SPW
CROLLE (RUE) - 125 B4 - 137 B1	1380	OHA
CROQUET (CHEMIN DU - WEG) (9) - 59 C4	1000	BRL
CROY (RUE ALBERT) - 126 C2 D-E1	1330	RIX
CROYDON (AV. DE - LAAN) - 33 D2		
NO/NR 5	1130	BRL
AUTRES NOS/ANDERE NRS	1140	EVE
CRYPTELAAN (1) - 29 E2 - 30 A2	1702	GRB
CUBISME (RUE DU) - 40 B1-2	1081	KOE
CUEILLETTE (RUE DE LA) - 77 C2-3	1180	UCK
CUERENS (RUE - STRAAT) - 40 C4 - Centr. 166 A3	1000	BRL
CUILLIERE (RUE DE LA) - 97 D-E2	1640	SGR
CUIRASSIERS (CLOS DES) - 159 E1	1380	PLA
CUIRASSIERS (VOIE DES) - 141 C3	1300	WAV
CUISINIER (RUE DU) -		
121 D3-4 E1-2-3 - 133 D1 E1-2	1420	BRA
CUISSEZ (RUE LEON - STRAAT) - 59 D1	1050	IXE
CULEE (RUE) - 135 A-B1	1410	WAT
CULEE (RUE) - 160 A1	1380	OHA
CULLIGANLAAN - 25 D3-4	1831	DIE
CULOT (CHAUSSEE DU) - 117 D2	1300	WAV
CULOT (RUE DU) - 137 E3-4 - 138 A2-3	1380	LAS
CULOT (RUE DU) - 163 C1 D1-2 E2	1341	CEM
CULOT (RUE DU) - 98 B2-3	1640	SGR
CULOTS (RUE LES) - 157 B3 C2-3	1421	OPH
CULTES (RUE DES) - 41 B3 - Centr. 167 A2	1000	BRL
CULTIVATEURS (RUE DES) - 51 A3-4	1040	ETT
CULTURE (AV. DE LA) - 98 A1	1640	SGR
CURE (PLACE DE LA) - 129 B1	1300	WAV
CURE (RUE DE LA) (13) - 129 B1	1300	WAV
CURE (RUE DU) - 115 A2	1330	RIX
CURE (RUE DU) - 57 E4 - 58 A4	1190	VOR
CURE (RUELLE DU) - 138 A2	1380	LAS
CUREE (RUE DE LA) - 149 C3	1380	CSG
CUREGHEM (RUE DE) -		
40 D4 - 49 C-D1 - Centr. 166 B3	1000	BRL
CURES (CHEMIN DES) (1) - 44 A-B1	1950	KRA
CURIE (AV. P. - LAAN) - 59 E4 - 60 A4	1050	IXE
CURIE (AV. PIERRE - LAAN) - 4 B4	1780	WEM
CURIE (RUE MARIE) - 163 C1	1341	CEM
CURIE (RUE MARIE) - 163 C1	1340	OTT
CUSANCE (AV. BEATRICE DE) - 146 E1-2	1420	BRA
CUVE (IMPASSE DE LA)		
SITUEE RUE MARCHE AUX		
FROMAGES ENTRE NOS 10-12		
40 E4 - Centr. 166 C3	1000	BRL
CUVE (RUE DE LA) - 50 C-D4	1050	IXE
CUYLITS (RUE ABBE) -		
40 C4 - 49 C1 - Centr. 166 A3 - 66 A1	1070	AND
CUYLITS (RUE J. - STRAAT) - 58 E3-4	1180	UCK
CUYLITSSTRAAT (PRIESTER) -		
40 C4 - 49 C1 - Centr. 166 A3 - 168 A1	1070	AND
CUYPERS (RUE ABBE) - 51 B2	1040	ETT
CUYPERSSTRAAT (PRIESTER) - 51 B2	1040	ETT
CYCLAMENLAAN - 43 E3	1950	KRA
CYCLAMENS (AV. DES) - 134 E3	1420	BRA
CYCLAMENS (AV. DES) - 43 E3	1950	KRA
CYCLAMENS (RUE DES - STRAAT) (12) - 69 E1	1170	WAB
CYCLISTES (AV. DES) - 52 E2 - 53 A2	1150	SPW
CYCLONE (RUE DU) - 127 A2-3	1330	RIX
CYCLOTRON (CHEMIN DU) - 153 C4	1348	LLN
CYGNE (CHEMIN DU) - 115 D2-3	1301	BIE
CYGNE (RESIDENCE) (21) - 127 D3	1300	LIL
CYGNES (AV. DES) - 98 D4 - 110 C-D1	1640	SGR
CYGNES (RUE DES) - 50 C4	1050	IXE
CYGNES SAUVAGES (AV. DES) - 44 D1	1970	WEO
CYPRES (CLOS DU) - 146 A1	1420	BRA
CYPRES (RUE DU) - 40 E3 - Centr. 166 C2	1000	BRL
CYPRES (VENELLE AUX) - 129 C3-4	1300	WAV
CYPRESSENLAAN - 62 E4 - 63 A3-4 B4	3080	TER
CYTISES (AV. DES) - 78 C-D2	1180	UCK
CYTISES (CLOS DES) - 110 D-E3	1410	WAT

D

Rue	Code	Commune
DACHELENBERGSTRAAT - 76 E3-4	1650	BEE
DADELANE (CHEMIN DE) - 137 B-C3	1380	LAS
DAGERAADDREEF - 35 E3-4 - 36 A4	1933	STK
DAGERAADLAAN - 62 C2	1950	KRA
DAGERAADLAAN - 97 D1	1652	ALS
DAGERAADLAAN - 99 A-B4	1640	SGR
DAGERAADPLEIN - 92 D1	3090	OVE
DAGERAADSPLEIN (3) - 47 D2	1070	AND
DAGERAADSTRAAT (1) - 59 C2	1000	BRL
DAGERAADSTRAAT - 65 A-B3	1600	SPL
DAGUETS (AV. DES) - 162 E4	1470	GEP

DAGUETS (AV. DES) - 163 A4	1490	CSE
DAGUETS (LAIE AUX) - 141 A2	1300	LIL
DAGWANDSTRAAT - 36 D4 - 45 D1	1933	STK
DAHLIA (RUE DU - STRAAT) - 32 D-E2	1030	SCH
DAHLIALAAN - 71 D-E4	3090	OVE
DAHLIALAAN - 9 B3	1820	STE
DAHLIAS (CLOS DES - GAARDE) - 44 A3	1950	KRA
DAHLIAS (RUE DES) - 98 B3-4	1640	SGR
DAHLIASTRAAT - 7 C2	1800	VIL
DAHLIASTRAAT - 76 A3	1601	RUI
DAHLIASTRAAT - 98 B3-4	1640	SGR
DAILLY (AV. - LAAN) - 41 D1-2 E2-3	1030	SCH
DAILLY (PLACE - PLEIN) - 41 E3 - Centr. 167 D3	1030	SCH
DAIM (AV. DU) - 69 E1	1170	WAB
DAIMS (AV. DES) - 53 C3	1950	KRA
DAIMS (LAIE AUX) - 141 A-B3	1300	LIL
DALECHAMP (AV. R. - LAAN) - 42 D3-4	1200	WSL
DALLAAN - 102 B-C4	3090	OVE
DALLAAN - 45 A1-2 B1	1933	STK
DALLAAN - 98 B1	1640	SGR
DALOENSDELLE - 93 A2-3 B2	3090	OVE
DALSTRAAT - 59 C1-2		
NRS 1 tot 29 - 2 tot 42B	1050	IXE
ANDERE NRS	1000	BRL
DAM (RUE DU - STRAAT) - 49 D1 - Centr. 168 B1	1000	BRL
DAMBORDSTRAAT - 41 A3 - Centr. 166 D2	1000	BRL
DAMBRESTRAAT (JEAN) - 75 E1-2 - 76 A2	1600	SPL
DAME (AV. DE LA) - 141 E2-3	1325	CHG
DAMES BLANCHES (AV. DES) -		
53 A-B4 - 61 E1 - 62 A-B1	1150	SPW
DAMES BLANCHES (AV. DES) - 53 B4	1950	KRA
DAMES BLANCHES (DREVE DES) - 61 B1-2	1160	AUD
DAMES NOBLES (PLACE DES) - 57 E4	1190	VOR
DAMESRUSTDREEF		
70 C2-3 D1-2	1160	AUD
70 C4 - 80 B2-3 C1-2	1170	WAB
DAMHERTENLAAN - 53 C3	1950	KRA
DAMHERTLAAN - 69 E1	1170	WAB
DAMIAANLAAN (PATER) - 51 D2-3 E2-3	1150	SPW
DAMIAANLAAN (PATER) - 65 E3	1600	SPL
DAMIAANSTRAAT (PATER) - 25 B3	1830	MAC
DAMIAANSTRAAT (PATER) - 33 B3	1140	EVE
DAMIEN (AV. PERE) - 51 D2-3 E2-3	1150	SPW
DAMIEN (RUE PERE) - 33 B3	1140	EVE
DAMIER (RUE DU) - 41 A3 - Centr. 166 D2	1000	BRL
DAMOISEAU (CHEMIN) - 162 C1	1341	CEM
DAMSTRAAT - 50 C4	1050	IXE
DANCO (PLACE EM. - PLEIN) - 67 C2-3	1180	UCK
DANDOY (CLOS - GAARDE) - 68 A-B1	1180	UCK
DANDOY (PLACE - PLEIN) - 51 A3-4	1040	ETT
DANEMARK (RUE DE) - 49 C3-4 - Centr. 168 A3	1060	SGI
D'ANETHAN (RUE - STRAAT) - 32 C2-3	1030	SCH
DANHIEUXSTRAAT (GEBROEDERS) -		
83 A4 - 93 A1	3090	OVE
DANIELLE (RUE - STRAAT) - 98 A3	1640	SGR
DANISLAAN - 86 E1-2	1650	BEE
DANSAERT (RUE ANTOINE - STRAAT) -		
40 D3-4 E4 - Centr. 166 B2-3 C3	1000	BRL
DANSAERTLAAN (ROBERT) - 28 E4 - 29 A4	1700	DIL
DANSAERTLAAN (ROBERT) - 29 A-B-C-D-E4	1702	GRB
DANSE (RUE A. - STRAAT) - 67 B1-2	1180	UCK
DANSETTE (RUE - STRAAT) - 31 C1	1090	JET
DANTE (RUE - STRAAT) - 48 E3 - 49 A3	1070	AND
DAPPERENLAAN - 52 A1	1200	WSL
DAPPERENSQUARE - 77 C4	1630	LIN
DAPPERENSTRAAT - 40 B1	1081	KOE
DAPPERHEIDSPLEIN - 48 D2-3	1070	AND
DAPPERHEIDSTRAAT (2) - 31 C1	1090	JET
D'ARCONATISTRAAT - 38 A-B4 - 47 A1	1700	DIL
D'ARDENNE (RUE JEAN - STRAAT) -		
50 A3-4 B3 - Centr. 168 D3 - 169 A3	1050	IXE
D'AREZZO (PLACE G.) - 59 A3	1180	UCK
DARIMON (RUE - STRAAT) - 40 D2 - Centr. 166 B1	1080	SJM
DARING (AV. DU - LAAN) - 39 E2	1080	SJM

DARWIN (RUE - STRAAT) - 58 E2-3		
NOS/NRS 1-17 - 2-18	1190	VOR
AUTRES NOS/ANDERE NRS	1050	IXE
DASHONDWEG - 22 E1	1020	BRL
DASSENDREEF - 68 D2	1000	BRL
D'AUBREMESTRAAT - 7 A-B2	1800	VIL
DAUDET (AV.) - 129 E2-3	1300	WAV
D'AUMALE (RUE - STRAAT) - 48 D2	1070	AND
DAUMERIE (AV. COLONEL) - 61 C1		
NOS IMPAIRS	1150	SPW
NOS PAIRS	1160	AUD
DAUMERIE (RUE L. - STRAAT) - 24 A1	1120	BRL
DAUMERIELAAN (KOLONEL) - 61 C1		
ONEVEN NRS	1150	SPW
EVEN NRS	1160	AUD
DAUPHIN (CLOS DU) (6) - 42 D-E3	1200	WSL
DAUPHINELLES (AV. DES) (7) - 57 A3	1070	AND
DAUPHINS (AV. DES) - 122 E4 - 123 A3-4	1410	WAT
DAUPHINS (RUE DES) - 39 D3	1080	SJM
DAUTZENBERG (RUE - STRAAT) - 50 B-C4 - 59 B1		
NOS/NRS 1-59 - 2-66	1050	IXE
AUTRES NOS/ANDERE NRS	1000	BRL
DAUW-DEFOSSEZLAAN - 65 E1	1600	SPL
DAUWLAAN - 99 A3-4	1640	SGR
DAUWSTRAAT - 40 C4 - Centr. 166 A3	1070	AND
DAVID (AV. LOUIS) - 135 A-B3	1410	WAT
DAVID (AV.) - 129 C1	1300	WAV
DA VINCI (RUE LEONARDO - STRAAT) -		
42 A4 - 51 A1	1000	BRL
DAYSTRAAT (F.) - 95 C4 - 107 C1	1501	BUI
DEAN (SQUARE JAMES - PLEIN) (11) - 21 E2	1090	JET
DEBACKERSTRAAT (W.) - 6 E4 - 15 E1	1800	VIL
DE BAERDEMAEKERSTRAAT (EDOUARD) -		
66 A-B4	1601	RUI
DEBAISIEUX (RUE TH. - STRAAT) - 22 C3-4		
NOS/NRS 1-169 - 2-140	1090	JET
AUTRES NOS/ANDERE NRS	1020	BRL
DE BARONAIGESTRAAT - 8 E1	1820	PER
DE BAST (RUE ALB. - STRAAT) (3) - 30 D3	1083	GAN
DEBATTY (AV. LEON - LAAN) - 39 E4 - 48 E1	1070	AND
DE BAVAYLEI - 7 B1-2	1800	VIL
DE BEAUFFORTSTRAAT - 4 B1	1860	MEI
DE BEAULIEU (AV. - LAAN) - 60 C-D3	1160	AUD
DEBECKER (AV. J. F. - LAAN) - 43 B-C-D4 - 52 C1	1200	WSL
DEBECKER (RUE J. - STRAAT) - 40 B1	1081	KOE
DE BECO (AV. EM. - LAAN) - 59 D1-2 E2	1050	IXE
DE BEJAR (AV. - LAAN) - 15 B2-3	1120	BRL
DEBELDER (RUE F. - STRAAT) - 51 E1	1200	WSL
DE BERGEN - 38 E2-3	1700	DIL
DE BERIOT (RUE - STRAAT) -		
41 C3 - Centr. 167 B2	1210	SJN
DE BERLAIMONT (BLD. - LAAN) -		
41 A3-4 - Centr. 166 D2-3	1000	BRL
DE BEUGHEM (RUE - STRAAT) - 41 B1-2 C1-2	1030	SCH
DE BIOLLEY (AV. - LAAN) - 52 E4 - 61 E1	1150	SPW
DE BIST - 75 D3-4 - 85 D1	1651	LOT
DE BLOCKSTRAAT - 16 A-B2	1830	MAC
DE BLUTSLAAN (EMILE) - 29 C4	1702	GRB
DE BOECK (AV. A. - LAAN) - 12 B-C2	1780	WEM
DE BOECK (RUE - STRAAT) - 31 C2	1090	JET
DE BOECK (RUE AUGUSTE - STRAAT) - 33 A-B3	1140	EVE
DEBOECKLAAN (RENE) - 106 C2	1500	HAL
DE BOECKSTRAAT (A.) - 7 A1	1800	VIL
DEBOECKSTRAAT (LEOPOLD) - 106 E2	1500	HAL
DEBOECKSTRAAT (PETRUS) - 66 A3	1600	SPL
DE BOISSCHOTLAAN (BARON) - 35 C-D2	1930	ZAV
DE BOLOGNE (AV. J. - LAAN) - 23 A1	1020	BRL
DE BONDTSTRAAT (L.) - 20 C3-4	1731	ZEL
DE BONNE (RUE - STRAAT) - 40 A-B4	1080	SJM
DE BORNIVAL (AV. - LAAN) (3) - 43 E4	1150	SPW
DE BOURGOGNE (CHEM. A. - WEG) - 89 B2 C2-3	1640	SGR
DE BRAECKELEER (RUE HENRI - STRAAT) -		
51 B1	1040	ETT
DE BRAEKELEERSTRAAT (H.) - 6 C3	1800	VIL

D

Straat	Code	Gemeente
DE BRANDT (RUE AD. - STRAAT) - 33 B3	1140	EVE
DE BRAUWERESTRAAT (NOLET) - 6 E2	1800	VIL
DE BREUKELEER - 19 E1-2 D2	1730	ASS
DE BREUKER (RUE P. - STRAAT) - 31 B2	1090	JET
DE BROQUEVILLE (AV. - LAAN) - 51 C2 D1-2 E1		
NOS/NRS 1-9 - 2-12	1150	SPW
AUTRES NOS/ANDERE NRS	1200	WSL
DE BROUCHOVEN DE BERGEYCK		
(RUE JEAN - STRAAT) - 41 A3 - Centr. 166 D2	1000	BRL
DE BROUCKERE (AV. H. - LAAN) -		
60 E2-3 - 61 A2	1160	AUD
DE BROUCKERE (AV. L. - LAAN) - 30 E2	1083	GAN
DE BROUCKERE (PLACE - PLAATS) -		
40 E3 - Centr. 166 C2	1000	BRL
DE BROYER (RUE - STRAAT) - 67 C2	1180	UCK
DEBROYERSTRAAT (ALBERT) - 66 A-B1	1600	SPL
DE BRUESTRAAT (JOS) - 36 C4	1933	STK
DE BRUYN (RUE - STRAAT) (1) - 41 C-D4	1210	SJN
DE BRUYNE (RUE SERG. - STRAAT) - 49 B1-2 C2	1070	AND
DE BUCK (RUE CH. - STRAAT) - 51 C3	1040	ETT
DE BUE (RUE X. - STRAAT) - 67 C2	1180	UCK
DE BURBURE (AV. OSCAR - LAAN) - 44 B4 C3	1950	KRA
DE BURLET (SQUARE JULES - PLEIN) - 51 B1	1040	ETT
DE BURTINSTRAAT - 13 E2	1853	SBE
DEBUSSCHERSTRAAT (E.) - 85 D-E3	1651	LOT
DEBUSSCHERSTRAAT (JOZEF) - 106 E3-4	1500	HAL
DE BUSLEYDEN (AV. -LAAN) - 23 A-B1	1020	BRL
DEBUSSY (RUE CL. - STRAAT) - 48 B4 - 57 B1	1070	AND
DEBUSSY (RUE) - 134 B1	1420	BRA
DE CASTONIER (AV. - LAAN) - 88 C2 D1-2 E2	1640	SGR
DE CASTRO (RUE BARON- STRAAT) - 51 C4	1040	ETT
DECATSTRAAT - 92 B1	3090	OVE
DECEMBERSTRAAT - 42 D4	1200	WSL
DECEMBRE (RUE DE) -42 D4	1200	WSL
DE CEUNINCK (AV. GEN. - LAAN) - 22 B2	1020	BRL
DECEUSTER (RUE DENIS) - 126 C1-2	1330	RIX
DE CEUSTERSSTRAAT - 25 B-C2	1831	DIE
DE CHAMPAGNE (RUE PHILIPPE - STRAAT) -		
49 D-E1	1000	BRL
DECHAMPS (RUE JOSEPH) - 140 C2	1300	WAV
DE CHANGY (AV. BAUDOUIN) - 138 A1-2	1380	LAS
DE CHARDIN (RUE TEILHARD) - 153 C4	1348	LLN
DE CIPLET (RUE - STRAAT) - 32 A2	1020	BRL
DECKERSEHOEKWEG - 72 E1 - 73 A2	3080	DUI
DE CLERCQ (RUE C. - STRAAT) - 31 B2 C2-3	1090	JET
DECLERCQ (RUE RENE - STRAAT) - 52 A2	1150	SPW
DE CLERMONT-TONNERRE (AV.) - 127 A2	1330	RIX
DE CLETY (RUE CL. - STRAAT) - 57 B-C1	1070	AND
DE COCK (RUE AUG. - STRAAT) - 30 D2-3	1083	GAN
DE COCK (RUE J. B. - STRAAT) - 40 A-B3	1080	SJM
DE COCK (RUE P. - STRAAT) - 52 B2	1150	SPW
DE COCKPLEIN - 25 B1-2	1831	DIE
DE COENELAAN (MARCEL) - 28 E4 - 29A4 - 37 E1	1700	DIL
DE CONINCKLAAN (G.) - 25 C2	1831	DIE
DE CONINCKSTRAAT (ARTHUR) - 27 D3	3070	KOR
DE COSTER (AV. AL. - LAAN) - 48 B3	1070	AND
DECOSTER (RUE CH. - STRAAT) - 50 B4	1050	IXE
DECOSTER (RUE CHARLES) - 134 C1-2	1420	BRA
DECOSTER (RUE P. - STRAAT) - 58 B1-2	1190	VOR
DE COSTERLAAN (KAREL) - 54 E3	3080	TER
DE COUBERTIN (PLACE PIERE) - 153 A-B3	1348	LLN
DE COURTEREAULAAN - 18 C1	1820	STE
DE CRAEN (RUE J.-F. - STRAAT) - 33 A1	1140	EVE
DE CRAENE (AV. B. - LAAN) - 12 B3-4	1780	WEM
DE CRAENE (RUE A. - STRAAT) - 33 A3-4	1030	SCH
DE CRAEYER (RUE - STRAAT) - 59 B-C2	1000	BRL
DECREE (RUE - STRAAT) - 21 E4 - 22 A4	1090	JET
DE CROIX D'HEUCHINLAAN - 18 C1	1820	STE
DE CROIXLAAN - 9 D2-3 E3	1910	BER
DECROLY (AV. DR. - LAAN) - 67 B2	1180	UCK
DECROLY (SQ. DR.-SQ.) - 39 C3	1080	SJM
DECUYPER (AV.) - 139 B-C2	1300	LIL
DE CUYPER (CLOS TH. - GAARDE) - 43 C2	1200	WSL
DE CUYPER (RUE F. - STRAAT) - 48 C4 - 57 C1	1070	AND
DE CUYPER (RUE TH. - STRAAT) - 43 A3 B2-3 C2	1200	WSL
DE CUYPERSTRAAT (RENE) - 28 C-D3 E4	1700	SMB
DEDALE (RUELLE) (23) - 153 C4	1348	LLN
DE DECKERSTRAAT (A.) - 20 D3	1731	ZEL
DE DEKEN (RUE PERE) - 51 B2-3	1040	ETT
DE DEKENSTRAAT (PATER) - 51 B2-3	1040	ETT
DE DEKT - 86 E3-4	1650	BEE
DE DIXMUDESTRAAT (JACQUES) -		
91 A-B4 - 101 B1	1560	HOE
DEDOBBELEERSTRAAT (JOZEF) - 74 C3-4 D3-4	1600	SPL
DE ELST - 84 A4	1600	SPL
DEESSE POMONE (AV.) - 122 C-D4	1420	BRA
DEFACQZ (RUE - STRAAT) - 50 A-B4 - 59 A1		
NOS/NRS 1 - 2-24	1000	BRL
NOS/NRS 5-55 - 26-70	1050	IXE
AUTRES NOS/ANDERE NRS	1060	SGI
DEFALQUE DEVOS (AV.) - 149 B2	1380	LAS
DE FERRARIS (CLOS COMTE) (2) - 52 D2	1150	SPW
DE FERRARISGAARDE (GRAAF) (2) - 52 D2	1150	SPW
DE FIENNES (RUE - STRAAT) - 49 B-C2	1070	AND
DE FIERLANT (AV. PAUL) - 139 E2-3 - 140 A2	1300	LIL
DE FIERLANT (RUE - STRAAT) - 49 B4 - 58 B1	1190	VOR
DE FIERLANTSTRAAT - 45 B3	1933	STK
DE FLOERE - 107 C4 - 119 C1	1500	HAL
DEFNET (RUE FRANZ) - 163 C1	1341	CEM
DEFNET (RUE G. - STRAAT) - 49 C4 - 58 C1	1060	SGI
DE FOESTRAETS (AV. - LAAN) - 78 A-B2 C1-2	1180	UCK
DE FORMANOIR (RUE - STRAAT) - 48 D2-3	1070	AND
DE FRE (AV. - LAAN) - 67 D-E2 - 68 A2 B1-2 C1	1180	UCK
DE FRE (SQUARE - SQUARE) - 67 E1-2	1180	UCK
DEFRECHEUX (RUE NIC. - STRAAT) - 32 D2	1030	SCH
DEFRECHEUX (SENTIER) - 153 B3	1348	LLN
DE GAMOND (RUE - STRAAT) - 67 B1-2-3	1180	UCK
DE GANCKSTRAAT (W.) - 10 E2-3	1730	KOB
DE GANCKSTRAAT (W.) - 11 A2-3	1730	MOL
DEGAS (RUE EDG. - STRAAT) - 33 C2-3	1140	EVE
DE GAULLE (AV. GEN. - LAAN) - 50 C4 - 59 C1-2	1050	IXE
DE GAULLE (RUE GENERAL) - 101 D4 - 113 D1	1310	LAH
DEGELAENSTRAAT (JOZEF) - 95 A3-4 B4	1501	BUI
DE GENEFFE (RUE - STRAAT) -		
40 C2 - Centr. 166 A1	1080	SJM
DE GERLACHE (RUE - STRAAT) - 50 D-E4	1040	ETT
DEGEYNDTGAARDE (PR.) - 25 B-C1	1831	DIE
DE GHELDERODE (AV. MICHEL- LAAN) (9) - 57 A3	1070	AND
DE GHELDERODE (AV. - LAAN) - 12 B3	1780	WEM
DE GOMREE (AV. - LAAN) - 52 D4	1150	SPW
DEGORGE (RUE EUG. - STRAAT) - 40 A2-3	1080	SJM
DEGOUVE DE NUNCQUES		
(RUE W. - STRAAT) - 42 C4	1030	SCH
DE GREEF (AV. G. - LAAN) - 22 C4	1090	JET
DEGREEF (RUE F. - STRAAT) - 32 C4	1030	SCH
DE GREEF (RUE J. - STRAAT) - 30 E2	1083	GAN
DE GREEF (SQUARE J.B. - SQUARE) - 60 C2	1160	AUD
DE GREEFLAAN (J.B.) - 20 A-B3	1731	ZEL
DE GREEFSTRAAT (FRANS) - 96 D-E3 - 97 A3	1652	ALS
DEGREEFSTRAAT (W.) - 81 A-B4	1560	HOE
DE GREEFSTRAAT - 25 C-D2	1830	MAC
DE GRIJSE (RUE E. - STRAAT) - 22 A2-3	1090	JET
DE GRIMBERGHE (AV. ROGER) - 126 D1-2	1330	RIX
DE GRIMBERGHE (RUE EDM. - STRAAT) -		
40 B-C2	1080	SJM
DE GRIMBERGHELAAN (HERMAN) - 5 C1-2 D2	1850	GRI
DE GRIMBERGHESTRAAT (ROGER) - 6 D-E2	1800	VIL
DE GROESBEECKLAAN - 18 C1-2	1820	STE
DE GRONCKEL (RUE CH. - STRAAT) (5) - 39 B2	1080	SJM
DEGROOFF (PLACE J. B. - STRAAT) - 51 C-D1	1200	WSL
DEGROUX (RUE CHARLES - STRAAT) - 51 B1	1040	ETT
DEGRYSE (AV. G. - LAAN) - 60 E4	1160	AUD
DEGUES (RUE DES) - 155 D-E1	1440	BRC
DE GUISE (SQUARE - PLEIN) - 52 E4	1150	SPW
DE GUNST (RUE L. - STRAAT) - 40 A3	1080	SJM
DE HAAK - 21 B4 - 30 B1	1731	ZEL
DE HAERNE (RUE - STRAAT) -		
50 D3-4 E4 - Centr. 169 C3	1040	ETT

DEHAN (RUE) - 125 E1 - 126 A2 1332 GEN
DE HAVESKERCKE (AV. - LAAN) - 67 A1-2 1190 VOR
DE HEETVELDELAAN - 38 B4 C3-4 1700 DIL
DE HELFTWINNING - 36 E1 3070 KOR
DEHEM (RUE ARTHUR - STRAAT) (4) - 57 C2 1070 AND
DE HENE - 12 E4 1780 WEM
DE HENNIN (RUE - STRAAT) - 50 B-C4 1050 IXE
DE HERTOGHLAAN (A.) - 19 E1 1730 ASS
DE HEYN (AV. J. - LAAN) - 21 E2 - 22 A2 B2-3 1090 JET
DE HINNISDAEL (AV. - LAAN) - 53 A1 1150 SPW
DE HORNELAAN (PRINSEN) - 82 A3 3090 OVE
DE HORNES (RUE) - 50 B2 - Centr. 169 A2 1000 BRL
DEHOUX (AV. L. - LAAN) - 60 D-E3 1160 AUD
DE HULDENBERG (RUE - STRAAT) - 67 B3 1180 UCK
DEJAER (AV. P. - LAAN) - 58 D1 1060 SGI
DE JAMBLINNE DE MEUX (PLACE - PLEIN) - 42 A4 1030 SCH
DEJASE (AV. DR. - LAAN) - 32 E3 1030 SCH
DEJONCKER (RUE - STRAAT) -
49 E3 - 50 A3 - Centr. 168 C-D3 1060 SGI
DE JONGE (AV. M. - LAAN) - 30 E1 1083 GAN
DE JONGHE (RUE D. - STRAAT) - 53 A1 1150 SPW
DEKAISE (RUE LEON) - 139 C-D4 1342 LIM
DE KEERSMAEKER (RUE - STRAAT) - 31 B2 1090 JET
DE KEERSMAEKERLAAN - 2 E4 - 11 E1 1785 HAM
DE KEERSMAEKERSTRAAT (J.) - 20 B2-3 C3 1731 ZEL
DE KEERSMAKER (AV. H. - LAAN) - 12 B-C1 1780 WEM
DEKELVER (RUE G. - STRAAT) - 60 C-D3 1160 AUD
DEKENIJSTRAAT - 67 C1-2 1180 UCK
DEKENS (RUE - STRAAT) - 50 E2 - Centr. 169 D2 1040 ETT
DEKENSTRAAT - 106 D1 1500 HAL
DE KERCKHOVE D'EXAERDESTRAAT
(OCT.) - 95 A3-4 B2-3 1501 BUI
DE KERCKHOVESTRAAT (J.) - 18 C4 D2-3-4 1820 STE
DE KEUSTER (RUE F. - STRAAT) - 53 A2 1150 SPW
DE KEYN (RUE - STRAAT) - 41 D3 - Centr. 167 C2 1210 SJN
DEKEYSER (AV. M. - LAAN) - 22 A-B2 1090 JET
DE KEYSER (CLOS BOURG.) - 67 E4 - 77 E1 1180 UCK
DE KEYSERGAARDE (BURG.) - 67 E4 - 77 E1 1180 UCK
DEKEYSERSTRAAT (ALFONS) - 82 D3 3090 OVE
DEKEYSERSTRAAT (J.B.) - 93 A1 3090 OVE
DE KEYZER (RUE J. B. - STRAAT) - 44 C3 D3-4 E4 1970 WEO
DE KEYZER (RUE JOZEF - STRAAT) - 53 D1 1970 WEO
DEKINDERSTRAAT (J.) - 29 E1 - 30 A1 1731 ZEL
DEKKERSDELLE - 86 E1 1650 BEE
DEKLEERMAEKERSTRAAT (W.) -
81 B4 C3-4 - 91 B1 1560 HOE
DE KLEERMAKERSTRAAT - 25 D-E1 1831 DIE
DE KLEETLAAN - 25 C-D3 1831 DIE
DEKNOOP (RUE ED. - STRAAT) - 33 A3 B2-3 1140 EVE
DE KONINCK (RUE - STRAAT) - 39 D-E2 1080 SJM
DE KOSTER (IMPASSE - GANG)
SITUEE/GELEGEN
CHAUSSEE DE GAND/GENTSESTEENWEG
NOS/NRS 76-78
40 B-C2 1000 BRL
DEKOSTER (RUE ED. - STRAAT) -
24 C4 - 33 B-C1 1140 EVE
DEKOSTERLAAN (H.) - 29 E1 - 30 A1 1731 ZEL
DE KOSTERLAAN (K.) - 94 C-D3 1500 HAL
DELACROIX (RUE LEON - STRAAT) - 40 A4
NOS/NRS 2 A/TOT 8 1080 SJM
ANDERE NRS/AUTRES NOS 1070 AND
DELACROIX (RUE P. - STRAAT) - 52 B3 1150 SPW
DELADRIERE (RUE LEON) - 139 C2 1300 LIL
DE LA FONTAINE (ALLEE J. - LAAN) - 77 D-E3 1180 UCK
DE LA HOESE (AV. J. - LAAN) - 39 E1 1080 SJM
DE LALAING (RUE JACQUES - STRAAT) - 50 C-D1 1040 ETT
DELALEAU (RUE) - 146 A4 - 158 A1 1421 OPH
DE LANNOYLAAN - 18 B-C1 1820 STE
DE LANNOYSTRAAT - 118 B1-2 1502 LEM
DE LANTSHEERE (RUE LEON - STRAAT) - 51 B1 1040 ETT
DELATHOUWER (RUE G. - STRAAT) (1) -31 C1 1090 JET
DE LATOUR (RUE ALBERT - STRAAT) -
41 D2 - Centr. 167 C1 1030 SCH

DE LAUBESPIN (RUE - STRAAT) - 22 C-D3 1020 BRL
DELAUNOY (RUE - STRAAT) - 40 B-C3 1080 SJM
DE LAVELEYE (RUE BARON - STRAAT) - 31 C2 1090 JET
DELBAR (RUE TH.) - 123 A-B1 1410 WAT
DELBOVE (RUE L. - STRAAT) - 59 E4 - 60 A4 1050 IXE
DELCOIGNE (RUE FRANÇOIS - STRAAT) -
40 B-C1 1081 KOE
DELCORDESTRAAT (J.) - 91 A1-2 1560 HOE
DELCOURT (RUE EDM. - STRAAT) - 48 D2 1070 AND
DELEERS (RUE H. - STRAAT) - 57 C1 1070 AND
DE LEEUWSTRAAT (J.) - 7 D4 1830 MAC
DE LENGLENTIER (RUE - STRAAT) -
49 D2 - Centr. 168 B2 1000 BRL
DE L'EPEE (RUE ABBE) - 51 D1 1200 WSL
DE L'EPEESTRAAT (PRIESTER) - 51 D1 1200 WSL
DELESTRESTRAAT (PASTOOR DANIEL JULES) -
5 B3 1850 GRI
DE LEVIS MIREPOIX (AV. - LAAN) - 31 B2-3 C2 1090 JET
DELFORGE (CLOS P. - GAARDE) (1) - 60 E3 1160 AUD
DELHAIZE (RUE J. - STRAAT) - 40 A2 1080 SJM
DELHAIZE (RUE LEON) - 140 A4 1342 LIM
DELHASSE (RUE F. - STRAAT) - 58 E2 1060 SGI
DELHAYE (RUE J. - STRAAT) - 60 C2 1160 AUD
DELHAYE (SQUARE F. - SQUARE) -
41 D3 - Centr. 167 C2 1210 SJN
DELHOVE (RUE L. - STRAAT) - 30 E3 1083 GAN
DE LIEDEKERKE (RUE - STRAAT) - 41 C-D3 1210 SJN
DE LIGNE (AV. PRINCE) - 68 B4 C3-4 1180 UCK
DE LIGNE (RUE - STRAAT) -
41 A4 B3-4 - Centr. 166 D3 - 167 A2-3 1000 BRL
DE LIGNELAAN (PRINS) - 43 D2 - 68 C3-4 1180 UCK
DE LIMBURG STIRUM (AV. - LAAN) -
12 D3 E3-4 - 13 A4 - 22 A1 1780 WEM
DE LIMBURG STIRUMLAAN - 75 A2 1600 SPL
DELINCE (RUE F. - STRAAT) - 70 B2 1160 AUD
DE LINDE (PLACE - PLEIN) - 48 C2-3 1070 AND
DELIVRANCE (RUE DE LA) - 47 B3 1070 AND
DELIVRANCE (SQUARE DE LA) - 58 C-D2 1190 VOR
DELLA FAILLE (AV.) - 138 A1 1380 LAS
DELLEPUT - 95 A3 1501 BUI
DELLEUR (AV. - LAAN) - 69 C3-4 D3-4 1170 WAB
DE LOCHT (RUE - STRAAT) - 32 B-C4 1030 SCH
DE LOMBAERDE (RUE G. - STRAAT) - 42 E1-2 1140 EVE
DE LONGUEVILLE (AV. GEN. - LAAN) - 51 D3-4 1150 SPW
DE LORRAINE (AV. PAUL) - 135 B1-2 1410 WAT
DE LOUPOIGNE (RUE CHARLES) - 153 B2-3 C3 1348 LLN
DELPIERRE (RUE CLEMENT) -
112 C4 D3-4 - 124 C1 1310 LAH
DELPORTE (PLACE ANTOINE - PLEIN) - 58 D1 1060 SGI
DELPORTE (RUE AUG. - STRAAT) - 59 D-E1 1050 IXE
DELSTANCHE (RUE M. - STRAAT) - 59 A2-3 1050 IXE
DELTA (RUE DU - STRAAT) - 58 A3 1190 VOR
DELVA (RUE EM. - STRAAT) - 22 D4 - 31 D1 1020 BRL
DELVAL (RUE) - 142 A3 1480 TUB
DELVAUX (AV. AR. - LAAN) - 67 C2-3 D2 1180 UCK
DELVAUX (AV. PAUL) - 152 A3-4 1340 OTT
DELWART (RUE - STRAAT) - 57 A1-2 1070 AND
DEMAEGHTLAAN (AUGUST) -
94 C-D4 - 106 C1-2 1500 HAL
DE MAILLE DE LA TOUR LANDRYLAAN - 18 C1 1820 STE
DE MAN D'ATTENRODESTRAAT (BARON) -
91 B2 1560 HOE
DEMANET (CHEMIN) (1) - 126 C4 1330 RIX
DEMANET (CHEMIN) (1) - 138 C1 1380 LAS
DEMANET (RUE G. - STRAAT) - 14 A4 - 23 A1 1020 BRL
DEMANY (PONT F. - BRUG) - 51 B3 1040 ETT
DEMARET (RUE) - 139 C1 D1-2 1300 LIL
DE MARSELAERSTRAAT - 8 E1 1820 PER
DE MEER (RUE CH. - STRAAT) - 31 C2 D2-3 1020 BRL
DE MEERSMAN (AV. EV. - LAAN) (1) - 39 C1 1082 SAB
DE MEERSMAN (RUE DR. - STR.) -
49 C1 - Centr. 168 A1 1070 AND
DE MEESTER (AV. RAYMOND -LAAN) - 51 E1 1200 WSL
DE MEEUS (RUE COMTE J.) - 158 C-D-E4 1428 LIW

D

DE MEEUS (SQUARE - SQUARE) -
50 B1-2 C1-2 - Centr. 169 A1-2 B1-2
NOS/NRS 1-7 - 23-FIN/EINDE 1000 BRL
NOS/NRS 8-22B 1050 IXE
DE MEEUSSTRAAT (GRAAF J.) - 71 D4 3090 OVE
DEMENAGEURS (RUE DES) -
40 C2 - Centr. 166 A1 1080 SJM
DE MENTOCKPLEIN (OTTO) - 14 A2 1853 SBE
DE MERODE (AV.) - 126 C-D-E2 1330 RIX
DE MERODE (AV.) - 127 C-D2 1300 LIL
DE MERODE (RUE - STRAAT) -
49 B4 C2-3-4 D2 - 58 B1
NOS/NRS 1-48 E2 - 2-53 C4 1060 SGI
AUTRES NOS/ANDERE NRS 1190 VOR
DE MERODE (SQUARE-PR. J. - PLEIN) - 51 B2 1040 ETT
DE MERODESTRAAT - 5 B2 C2-3 1850 GRI
DE MERTEN (AV. P. - LAAN) - 31 A-B3 1090 JET
DEMESMAEKER (RUE L. - STRAAT) - 30 C2 1083 GAN
DEMESMAEKERSTRAAT (V.) -
94 A3-4 - 106 A1-2 B1 1500 HAL
DEMESSEMAEKER (RUE P. J. - STRAAT) (2) -
40 A2-3 1080 SJM
DEMETS (QUAI FERNAND - KAAI) -
40 A4 - 48 E2 - 49 A1-2 1070 AND
DEMEUR (AV. AD. - LAAN) - 58 D1 1060 SGI
DE MEURERS (AV. J. - LAAN) - 53 A4 1150 SPW
DEMEURSLAAN - 85 C3-4 - 95 C1 1654 HUI
DEMEY (AV. G. - LAAN) - 60 D-E4 - 70 A1 1160 AUD
DE MEYER (RUE - STRAAT) - 31 C-D2 1020 BRL
DEMI-CERCLE (RUE DU) (1) - 14 D4 - 23 D1 1120 BRL
DEMI-HEURE (DREVE DE LA) - 62 A2 1150 SPW
DEMI-LUNE (PLACE DE LA) (10) - 44 A4 1150 SPW
DEMINEURS (AV. DES) - 31 B1 1090 JET
DEMOCRATIE (RUE DE LA - STRAAT) - 48 D3 1070 AND
DE MOERKERKE (RUE - STRAAT) - 32 B-C3 1030 SCH
DE MOL (RUE H. - STRAAT) - 12 E4 - 21 E1 1780 WEM
DE MOL (RUE WILLEM - STRAAT) - 32 A4 - 41 A1 1000 BRL
DEMOLDER (AV. E. - LAAN) - 32 D2-3 E2 1030 SCH
DEMOLDER (AV.) - 151 E1-2 - 152 A2 1342 LIM
DEMOLSTRAAT (FRANS) - 66 A1 1600 SPL
DEMONSTRAAT (AD.) - 25 B2-3 1831 DIE
DE MOOR (PLACE - PLEIN) - 31 C3 1020 BRL
DE MOOR (RUE - STRAAT) - 31 C3 D2-3 1020 BRL
DE MORANVILLE (RUE - STRAAT) - 31 B3 1090 JET
DEMOSTHENE (RUE) - 48 C2 D1 1070 AND
DEMOSTHENESSTRAAT - 48 C2 D1 1070 AND
DE MOT (AV. E. - LAAN) - 59 C-D3 1000 BRL
DEMOT (RUE J.A. - STRAAT) -
50 E2 - Centr. 169 D2 1040 ETT
DE MUNCKLAAN (E.) - 35 D2 1930 ZAV
DE MUNTER (RUE A. - STRAAT) - 48 C2 1070 AND
DEMUNTER (AV. BOURG. ETIENNE) - 21 E2-3 1090 JET
DEMUNTERLAAN (BURG. ETIENNE) - 21 E2-3 1090 JET
DE MUNTERSTRAAT (PASTOOR) - 1 B1-2 1730 MOL
DEMUYLDER (RUE G. - STRAAT) - 60 C-D2 1160 AUD
DE NACHTEGAAL - 56 A3 1600 SPL
DENAES (RUE F. - STRAAT) - 87 C1 1630 LIN
DENAEYERSTRAAT (M.) - 20 D4 1731 ZEL
DENAYER (AV. - LAAN) - 67 A1 1190 VOR
DENAYER (RUE - STRAAT) - 34 D4 - 43 D1 1950 KRA
DE NAYER (RUE SYLVAIN - STRAAT) - 39 E4 1070 AND
DENAYERSTRAAT (J.B.) - 91 C-D3 1560 HOE
DENAYERSTRAAT (PIERRE-JOS) - 107 A4 1500 HAL
DENAYERSTRAAT - 91 B1 1560 HOE
DENDERMONDESTRAAT (2) - 20 C3 1731 ZEL
DENDERMONDESTRAAT - 30 C-D3
ONEVEN NUMMERS 1082 SAB
EVEN NUMMERS 1083 GAN
DEN DOORN (AV. - LAAN) - 68 A4 1180 UCK
DEN DRAAIER - 86 E2 - 87 A2 1650 BEE
DE NECK (RUE - STRAAT) - 31 B4 1081 KOE
DENEMARKENSTRAAT - 49 C3-4 - Centr. 168 A3 1060 SGI
DE NEUFFORGEPLEIN (1) - 16 C1 1830 MAC
DE NEUFFORGESTRAAT - 16 B-C1 1830 MAC
DE NEUTER (RUE A. - STRAAT) - 39 C1 1082 SAB
DENEYERPLEIN (ALBERT) - 86 D3 1650 BEE
DENEYERSTRAAT (FR.) - 97 B2-3 C3 1652 ALS
DENEYERSTRAAT (JOZEF) - 96 D-E4 - 108 E1 1652 ALS
DEN HAECKSTRAAT - 7 A1 1800 VIL
DEN HUYSMAN - 75 A2-3 1600 SPL
DENIE (RUE A. - STRAAT) - 39 A1 1082 SAB
DE NIEUWENHOVE (RUE - STRAAT) - 67 C2 1180 UCK
DENIS (RUE EUGENE - STRAAT) - 70 B2 1160 AUD
DENIS (RUE H. - STRAAT) - 59 B2 1050 IXE
DENIS (SENTIER) - 126 B3-4 1330 RIX
DENIS (SQUARE O. - SQUARE) - 57 E4 - 58 A4 1190 VOR
DENNEBOSLAAN - 114 D-E1 3090 OVE
DENNEBOSLAAN - 78 B-C4 D3-4 1180 UCK
DENNEBOSSTRAAT - 79 E1 - 80 A1 1170 WAB
DENNENBOSLAAN - 43 C4 - 52 C1 1200 WSL
DENNENBOSLAAN - 68 D1 E1-2 1000 BRL
DENNENLAAN - 108 A4 1653 DWO
DENNENLAAN - 3 E1 - 4 A1 1860 MEI
DENNENLAAN - 35 B4 1933 STK
DENNENLAAN - 47 B1 1700 DIL
DENNENLAAN - 53 A4 - 62 A1 1150 SPW
DENNENLAAN - 62 D1 1950 KRA
DENNENLAAN - 63 B3 3080 TER
DENNENLAAN - 66 A4 1600 SPL
DENNENLAAN - 9 B3 C2-3 1820 STE
DENNENOORD - 53 B2 1950 KRA
DENYS (RUE J.B.FR. - STRAAT) - 34 A4 1070 AND
DENYSTRAAT (ALBERT) -
76 B4 - 85 D-E2 - 86 A-B1 1651 LOT
DE PADUWA (PLACE J. - PLAATS) - 42 D1 1140 EVE
DEPAEPE (RUE CESAR - STRAAT) (1) -
49 D3 - Centr. 168 B3 1060 SGI
DEPAGE (AV. A. - LAAN) - 59 D-E4 1000 BRL
DEPAGE (RUE M. - STRAAT) - 59 A3-4 1180 UCK
DEPAIRE (AV. J. B. - LAAN) - 22 A-B-C2
NOS/NRS 1-63 - 2-196 1020 BRL
AUTRES NOS/ANDERE NRS 1090 JET
DE PASCALE (RUE - STRAAT) - 50 C-D1 1040 ETT
DEPAUW (RUE FL. - STRAAT) - 57 B1 1070 AND
DEPAUWSTRAAT (JOZEF) - 74 E3-4 - 75 A3-4 1600 SPL
DEPAUWSTRAAT (ORTAR) - 63 B2-3 3080 TER
DE PERCKE (RUE - STRAAT) - 78 A-B4 1180 UCK
DEPORTATION (RUE DE LA) - 130 A-B3 1480 TUB
DEPORTES (AV.S DES) - 129 B1 1300 WAV
DEPORTES (PLACE DES) - 152 A4 - 163 E1 1340 OTT
DEPORTES (RUE DES) - 113 D1-2 E1-2 1310 LAH
DEPORTES (RUE DES) - 118 A4 - 130 A1 B2-3 1480 TUB
DEPORTES (RUE DES) - 125 E1 - 126 A1 1332 GEN
DEPORTES (RUE DES) - 145 D4 1421 OPH
DEPORTES (RUE DES) - 52 B2 1200 WSL
DEPORTES ANDERLECHTOIS (RUE DES) - 48 D3 1070 AND
DE POTTER (RUE - STRAAT) - 32 B4 1030 SCH
DE PRAETERE (RUE - STRAAT) - 59 B-C3
NOS/NRS 1-43 - 6-44 1050 IXE
NOS/NRS 2-4 1000 BRL
AUTRES NOS/ANDERE NRS 1180 UCK
DE PROOSTSTRAAT (E.) - 9 C4 - 18 C1 1820 STE
DE PUYSSELAER (RUE P. - STRAAT) - 67 B4 C3 1180 UCK
DE QUIRINILAAN - 91 C1 1560 HOE
DERACHE (AV. MEDECIN-GEN.) - 59 E3-4 1050 IXE
DERACHELAAN (GEN. - GENEESHEER) - 59 E3-4 1050 IXE
DERAECK (RUE J. - STRAAT) - 52 A-B2 1150 SPW
DE RAEDEMAEKER (AV. K.& H. - LAAN) (4) - 12 C2 1780 WEM
DERAEDT (RUE CONSTANT) (17) - 129 B1 1300 WAV
DERAEDT (RUE HENRI - STRAAT) (3) -
61 B4 - 70 C1 1160 AUD
DERBY (ALLEE DU - DREEF) - 68 D-E1 1000 BRL
DERBY (AV. DU - LAAN) - 68 E1-2 - 69 A2
NOS/NRS 11-17-17A 1000 BRL
AUTRES NOS/ANDERE NRS 1050 IXE
DE REINELAAN - 25 B1 1831 DIE
DE RENESSESTRAAT (RENE) - 66 A1-2 1600 SPL
DEREUME (RUE EDOUARD) - 126 D-E1 1330 RIX

DE RIBAUCOURT (RUE - STRAAT) -		
31 D4 - 40 D1 E2	1080	SJM
DE RIBAUCOURTDREEF - 9 C1-2	1820	STE
DE RIBAUCOURTPLEIN - 9 A1	1820	PER
DE RIDDER (AV. J. - LAAN) - 12 D-E4 - 21 D1	1780	WEM
DERIDDERSTRAAT (J.B.) - 91 B2-3	1560	HOE
DE RIVIEREN (DREVE - DREEF) - 30 E1-2 - 31 A1		
NOS/NRS 1-241 - 2-172	1083	GAN
AUTRES NOS/ANDERE NRS	1090	JET
DERNIER CARRE (AV. DU) - 146 E2-3 - 147 A2	1420	BRA
DERNIER CARRE (RUE DU) - 159 E1	1380	PLA
DERNIER REPOS (AV. DU) - 52 A1	1200	WSL
DE ROBIANO (RUE - STRAAT) - 41 C1	1030	SCH
DE ROBIANOSTRAAT - 54 E2	3080	TER
DEROMSTRAAT - 73 B1 C1-2	3080	DUI
DE ROO (RUE A. - STRAAT) - 32 E4	1030	SCH
DEROOVER (RUE EM. - STRAAT) - 30 E4	1081	KOE
DE ROOVERE (AV. - LAAN) - 40 A3-4	1080	SJM
DEROOVERLAAN (E.) - 95 B-C3	1501	BUI
DERSCHEIDLAAN (JEAN-MARIE) - 45 C1	1933	STK
DE RUDDER (RUE - STRAAT) - 39 E2 - 40 A2	1080	SJM
DERUYDTS (CARRE - BLOK)		
SITUE/GELEGEN		
RUE SOUVERAINE/OPPERSTRAAT		
43 D4	1050	IXE
DERUYVERSTRAAT (GASTON) - 65 D-E2 - 66 A2	1600	SPL
DE SAEDELEERSTRAAT (V.) - 6 C3-4 - 17 A1	1800	VIL
DESAEGHER (RUE HENRI - STRAAT) - 40 B3	1080	SJM
DE SAINT-EXUPERY (AV. - LAAN) (1) - 52 C-D2	1150	SPW
DE SALMLAAN (PRINS) - 102 A-B3	3090	OVE
DE SALMLAAN - 18 C1	1820	STE
DE SAULNIER (RUE A. - STRAAT) - 39 D2	1080	SJM
DESCAMPSLAAN (L.) - 95 C3	1501	BUI
DESCHAMPHELEER (RUE - STRAAT) (3) -40 C1		
NOS IMPAIRS/ONEVEN NRS	1080	SJM
NOS PAIRS/EVEN NRS	1081	KOE
DESCHAMPSSTRAAT (JEAN) - 6 C2	1850	GRI
DESCHANEL (AV. P. - LAAN) - 32 D4 - 41 D1-2-3		
NOS/NRS 267-273	1210	SJN
AUTRES NOS/ANDERE NRS	1030	SCH
DESCHUYFFELEER (DREVE J. - DREEF) -		
12 C1-2	1780	WEM
DE SELLIERS DE MORANVILLE		
(AV. - LAAN) - 30 A4 B3-4	1082	SAB
DE SELLIERSSTRAAT - 26 B3-4	1930	ZAV
DE SELYS-LONGCHAMPS (CARREFOUR -		
KRUISPUNT) - 59 C2-3	1000	BRL
DESENFANS (AV. A. - LAAN) - 32 E3	1030	SCH
DESENFANS (RUE ALBERT) - 134 C-D1	1420	BRA
DE SEVIGNE (RUE - STRAAT) - 39 A-B4 - 48 A1	1070	AND
DES GREES DU LOU (SQ. E. - SQ) - 66 D1	1190	VOR
DESIRS (AV. DES) - 42 C-D1	1140	EVE
DESLOOVER (RUE ABBE V.) - 31 A1	1090	JET
DESLOOVERSTRAAT (PRIESTER V.) - 31 A1	1090	JET
DESMARE (RUE M. - STRAAT) - 32 A1	1020	BRL
DESMEDT (RUE FR. - STRAAT) - 53 A1	1150	SPW
DESMEDTSTRAAT - 26 A2-3 B2	1930	ZAV
DE SMEDTSTRAAT (AUG.) - 29 E4	1702	GRB
DE SMET (PLACE HENRI - PLEIN) - 39 E4	1070	AND
DESMET (RUE D. - STRAAT) - 33 A4	1030	SCH
DE SMET (RUE E. - STRAAT) - 21 E3 - 22 A3	1090	JET
DE SMET (RUE L. - STRAAT) (10) - 39 A1	1082	SAB
DESMET (RUE JOSEPH) - 114 A3-4 B3	1332	GEN
DE SMET DE NAYER (BLD. - LAAN) -		
22 C3-4 D3 - 31 A2-3 B1-2-3 C1		
NOS/NRS 1-423 - 2-496	1090	JET
AUTRES NOS/ANDERE NRS	1020	BRL
DESMETH (RUE J.-B. - STRAAT) - 33 B2	1140	EVE
DESNOUETTES (BLD. PIRE LEFEVRE) - 146 E2-3	1420	BRA
DES OMBIAUX (RUE MAUR. - STRAAT) - 32 D1-2	1030	SCH
D'ESPINOSALAAN - 4 C2	1860	MEI
DE SPOELBERCHPLEIN - 16 C1-2	1830	MAC
DE SPOELBERGHSTRAAT (G.) (3) - 16 C1-2	1830	MAC
DESPRETLAAN (MAUR.) - 36 A4	1933	STK
DESSUS (RUE DU) - 133 A-B4	1440	WBC
DESSUS (RUE DU) - 133 D-E1	1420	BRA
DESSY (SQUARE) - 126 E2	1330	RIX
DE STASSART (RUE - STRAAT) -		
50 A2-3 - Centr. 168 D2-3	1050	IXE
DESTELHEIDESTRAAT - 108 E2-3 - 109 A3	1653	DWO
DE STOLBERGLAAN - 63 C2	3080	TER
DESTOUVELLES (RUE - STRAAT) - 31 A3-4 B3-4		
NOS/NRS 1-81 - 2-60	1030	SCH
AUTRES NOS/ANDERE NRS	1000	BRL
DESTREE (RUE J. - STRAAT) - 33 A3	1030	SCH
DESTREE (RUE JULES) - 134 C2	1420	BRA
DESTREE (RUE JULES) - 163 C-D1	1340	OTT
DESTREE (RUE JULES) - 163 C-D1	1341	CEM
DESTRIER (AV. DU) - 42 C1-2	1140	EVE
DESTRYCKERLAAN (PH.) - 76 B-C1	1601	RUI
DE SWAEF (RUE L. - STRAAT) - 39 D-E4	1070	AND
DE THEUX (RUE - STRAAT) -		
50 D3-4 - Centr. 169 C3		
1-63 - NOS PAIRS/EVEN NRS	1040	ETT
NOS/NRS 63 A FIN/TOT EINDE	1050	IXE
DE THIBAULT (AV. ED. - LAAN) - 51 A-B3	1040	ETT
DE THIENNES (AV. CH. - LAAN) - 52 A-B1	1200	WSL
DE THIRIMONTLAAN - 38 B3-4	1700	DIL
DE THOMAZ DE BOSSIERE (AV. ALPHONSE) -		
151 D4	1340	OTT
DE THOMAZ DE BOSSIERE (AV. ALPHONSE) -		
151 D4	1341	CEM
DE THY (RUE - STRAAT) - 49 C-D4	1060	SGI
DETIENNE (RUE A. - STRAAT) - 32 E2-3	1030	SCH
DE TIERE (RUE NESTOR - STRAAT) - 32 E2-3	1030	SCH
DE TOLLENAERE (AV. CH. - LAAN) - 48 A4	1070	AND
DE TOLLENAERE (ROND POINT PIERRE -		
PLEIN) - 48 B3	1070	AND
DETRESTRAAT (AUGUST) - 75 E1-2	1600	SPL
DETRESTRAAT (HENRI) - 75 D-E2	1600	SPL
DETROCH (AV. G. - LAAN) - 61 A3-4	1160	AUD
DE TROCHSTRAAT (JAN) - 46 A1-2	1703	SPD
DE TROOZ (AV. JULES - LAAN) - 52 A2-3	1150	SPW
DE TROOZ (SQUARE JULES - SQUARE) - 32 A2-3	1000	BRL
DE TYRAS (AV. - LAAN) - 14 E2 - 15 A2 B2-3	1120	BRL
DEUVERESSENWEG - 108 D4 E3-4	1653	DWO
DEUX AUBEPINES (CLOS DES) (4) - 14 D4	1120	BRL
DEUX CHAUSSEES (RUE DES) - 61 B3	1160	AUD
DEUX DIMES (AV. DES) (3) - 129 C2	1300	WAV
DEUX EGLISES (RUE DES) -		
41 C3-4 - Centr. 167 B2-3		
NOS/NRS 1-55 - 2-54	1000	BRL
AUTRES NOS/ANDERE NRS	1210	SJN
DEUX FERMES (CHEMIN DES) -		
103 C-D4 - 115 C-D1	1331	ROS
DEUX GARES (RUE DES) - 49 A-B3	1070	AND
DEUX MAISONS (CHEMIN DES) -		
42 E2 - 43 A2-3-4	1200	WSL
DEUX MAISONS (RUE DES) - 42 D1	1140	EVE
DEUX MONTAGNES (AV. DES) - 69 D4 - 79 D1	1170	WAB
DEUX MONTAGNES (CHEMIN DES) -		
78 E3 - 79 A2-3 B1-2 D1		
DEUX MONTAGNES (DREVE DES) -		
78 E3 - 79 A2-3 B1-2 C1	1180	UCK
DEUX MOUTIERS (DREVE DES) - 61 B2-3	1160	AUD
DEUX PONTS (RUE DES) - 152 A3-4	1340	OTT
DEUX PONTS (RUE DES) -		
50 D3-4 - Centr. 169 C3	1050	IXE
DEUX SAULES (CLOS DES) (5) - 14 D4	1120	BRL
DEUX TILLEULS (AV. DES) - 51 B1-2 C1-2	1200	WSL
DEUX TILLEULS (CLOS DES) (6) - 14 D4	1120	BRL
DEUX TOURS (RUE DES) - 41 D3 - Centr. 167 C2	1210	SJN
DEUX TRIAGES (DREVE DES) - 78 E1-2 - 79 A1	1180	UCK
DEUXIEME ARMEE BRITANNIQUE		
(BLD. DE LA) - 57 E3-4 - 58 A2-3 - 66 E1	1190	VOR
DEUXIEME AVENUE - 113 D3-4	1332	GEN
DEUXIEME REGIMENT DE LANCIERS		
(AV. DU) - 60 A1	1040	ETT

DEVALCKSTRAAT (C.) - 94 D2	1500	HAL
DEVAUX (RUE PAUL - STRAAT) -		
40 E3-4 - Centr. 166 C2-3	1000	BRL
DEVELOPPEMENT (RUE DU) - 48 E4 - 57 D1	1070	AND
DE VERGNIES (RUE - STRAAT) - 50 C4	1050	IXE
DEVEZE (SQUARE A. - SQUARE) - 59 E3	1050	IXE
DEVIENNE (AV. MARCEL - LAAN) -		
43 D4 - 52 D1	1200	WSL
DEVIGNE (RUE PAUL - STRAAT) -		
41 E1-2 - 42 A2 - Centr. 167 D1-2	1030	SCH
DE VILLALOBAR (AV. MARQUIS) - 52 B4 - 61 B1	1150	SPW
DE VILLALOBARLAAN (MARKIES) - 52 B4 - 61 B1	1150	SPW
DE VILLEGAS (AV. - LAAN) - 30 D3	1083	GAN
DE VILLEGAS DE CLERCAMPSTRAAT -		
13 D-E2 - 14 A2	1853	SBE
DEVILLERS (RUE R. - STRAAT) - 62 A1	1150	SPW
DEVILLERSSTRAAT - 95 D3	1654	HUI
DEVILLESTRAAT (ISIDORE) - 107 B4 - 119 B1	1500	HAL
DE VILLIERSLAAN (GH.) - 39 A4	1700	DIL
DE VIRONLAAN (BARON ROBERT) - 38 C-D4	1700	DIL
DEVIS (AV. P. - STRAAT) - 61 A3	1160	AUD
DE VISMES (RUE CAPITAINE J.M.) -		
152 E4 - 153 A4	1348	LLN
DEVISSTRAAT (J.B.) - 91 A2	1560	HOE
DEVLEMINCKLAAN (JAN-BAPTIST) - 35 B1-2 C2	1930	ZAV
DEVLEMINCKLAAN - 94 D3-4	1500	HAL
DE VLEMINCKSTRAAT (JOZEF) - 13 D1 E1-2	1853	SBE
DEVOERLAAN - 14 B-C-D1	1800	VIL
DEVOIR (RUE DU) - 48 D2	1070	AND
DEVOS (RUE J. - STRAAT) - 58 B1	1190	VOR
DE VOS (RUE P.-H. - STRAAT) - 39 A4 - 48 A1	1070	AND
DEVOSSTRAAT (P.H.) - 39 A4 - 48 A1	1700	DIL
DEVOUES (RUE DES) - 143 D2-3	1440	BRC
DEVREESE (RUE GODEFROID -		
STRAAT) - 41 D1 E1-2	1030	SCH
DEVREUX (AV. JEAN) - 144 B-C1	1440	WBC
DEVRIERE (RUE - STRAAT) - 22 E4	1020	BRL
DEVROYE (RUE PERE EUDORE) - 51 C-D3		
NOS 1 à 61 - 2 à 14	1040	ETT
AUTRES NOS	1150	SPW
DEVROYESTRAAT (PATER EUDORE) - 51 C-D3		
NRS 1 tot 61 - 2 tot 14	1040	ETT
ANDERE NRS	1150	SPW
DE WAET (RUE P. - STRAAT) - 12 E3	1780	WEM
DE WAHA (AV. - LAAN) - 61 A2	1160	AUD
DE WALZINPLEIN (BARON BRUGMAN) -		
54 B-C1	1933	STK
DE WAND (RUE - STRAAT) - 14 A4 - 23 A1	1020	BRL
DEWANDELAER (SENTIER FR.) - 153 B-C3	1348	LLN
DEWANDELAERSTRAAT - 36 D-E2	1930	NOS
DEWANDELEER (CARRE - BLOK) (1) - 68 A2	1180	UCK
DE WANDELEERSTRAAT (E.) - 16 B3	1830	MAC
DEWANDRE (PLACE - PLEIN) - 62 A1	1150	SPW
DE WANSIN (RUE - STRAAT) - 68 A4 - 78 A1	1180	UCK
DE WANTLAAN - 35 D4 - 44 D1	1933	STK
DE WARANDE - 16 A2	1830	MAC
DE WAUTIER (RUE - STRAAT) - 31 E2 - 32 A2	1020	BRL
DE WAVRANS (AV. - LAAN) - 52 D2	1150	SPW
DEWILDESTRAAT (P.) - 85 D3-4 E3	1651	LOT
DE WINDESTRAAT (JOZEF) - 38 B2 C2-3	1700	DIL
DEWINTER (RUE ANTONIUS - STRAAT) - 70 B1	1160	AUD
DEWIT (RUE RENE) - 123 A2 B1	1410	WAT
DE WITTE (RUE A. - STRAAT) - 59 C1	1050	IXE
DE WITTE DE HAELEN (RUE - STRAAT) -		
40 D2 - Centr. 166 B1	1000	BRL
DE WITTHEM (AV. - LAAN) (4) - 43 E4 - 44 A4	1150	SPW
DEWOLFS (RUE P. - STRAAT) - 69 D3-4	1170	WAB
DE WYNANTS (RUE - STRAAT) -		
49 E2-3 - Centr. 168 C2-3	1000	BRL
DEZANGRE (AV. ARTHUR - LAAN) - 44 B-C1	1950	KRA
DE ZWIJGERLAAN (WILLEM) - 4 C-D2	1860	MEI
DHANIS (RUE BARON - STRAAT) - 51 A-B4	1040	ETT
D'HANNETAIRE (RUE - STRAAT) - 24 E1	1130	BRL
D'HOEVESTRAAT - 20 E2	1731	ZEL

D'HONDT (IMPASSE - GANG)		
SITUEE/GELEGEN		
RUE VANDERSTRAETEN-STRAAT		
40 B3	1080	SJM
D'HONDTSTRAAT (JOSEPH) - 36 B1	1930	NOS
D'HOOGVORST (RUE - STRAAT) - 32 B4	1030	SCH
D'HOOGVORSTLAAN - 4 D1	1860	MEI
D'HUART (AV. BARON A. - LAAN) - 53 A2	1150	SPW
D'HUART (AV. BARON A. - LAAN) -		
53 B2-3-4 - 62 B1 C1-2	1950	KRA
D'HUART (RUE - STRAAT) - 58 A4	1190	VOR
DIABLE (RAVIN DU) (4) - 59 C3-4	1000	BRL
DIABLOTINS (CLOS DES) (3) - 33 E4	1140	EVE
DIAMANT (AV. DU - LAAN) - 42 A3 B3-4	1030	SCH
DIAMANT (RESIDENCE) (10) - 127 E2	1300	LIL
DIAMANTSTRAAT - 5 C2-3	1850	GRI
DIANALAAN - 29 A-B3	1702	GRB
DIANALAAN - 59 C3-4 - 68 C-D1	1000	BRL
DIANE (AV. DE) - 59 C3-4 - 68 C-D1	1000	BRL
DICHTERSGAARDE (2) - 42 B1	1030	SCH
DICHTKUNSTLAAN - 39 B4	1070	AND
DIDERICH (RUE A. - STRAAT) - 58 D1-2		
NOS/NRS 1-75 - 2-52	1060	SGI
NOS/NRS 77-FIN/EINDE	1190	VOR
DIDEROT (AV. DIDIER) - 129 E2	1300	WAV
DIEGEMSTRAAT - 15 D3	1800	VIL
DIEGEMSTRAAT - 16 B2-3	1830	MAC
DIEGEMSTRAAT - 25 E2 - 26 A2-3	1930	ZAV
DIEGEMVOETWEG - 33 C1	1140	EVE
DIELEGEMDREEF - 21 E3	1090	JET
DIELEGEMSESTEENWEG - 21 E4 - 22 A4	1090	JET
DIELEGHEM (CHAUSSEE DE) - 21 E4 - 22 A4	1090	JET
DIELEGHEM (DREVE DE) - 21 E3	1090	JET
DIEPEKANTEN - 6 A-B2	1850	GRI
DIEPENBEEMD - 76 D3 E4	1650	BEE
DIEPENDELLE (CHEMIN DE - WEG) -		
70 A-B-C3 D2-3 E2	1170	WAB
DIEPESTRAAT - 10 E4 - 19 E1	1730	KOB
DIEPESTRAAT - 109 B1	1640	SGR
DIEPESTRAAT - 12 D-E4	1780	WEM
DIEPESTRAAT - 21 E2	1020	BRL
DIEPESTRAAT - 53 D2 E2-3	1970	WEO
DIEPESTRAAT - 67 E4	1180	UCK
DIEPESTRAAT - 91 E1	3090	OVE
DIEPESTRAAT - 97 A3-4 B4 - 108 E1	1652	ALS
DIERENRIEMSTRAAT - 58 D3	1190	VOR
DIERICKX (AV. CH. - LAAN) - 60 E4	1160	AUD
DIESBEEKSTRAAT - 95 D-E4	1654	HUI
DIESDELLELAAN - 68 D1-2-3		
NRS 1-19 - 65-EINDE - 55 - 4	1000	BRL
NRS 57 tot 63	1180	UCK
DIETRICH (AV. HENRI - LAAN) - 51 C2		
NOS/NRS 1-19 - 10 - 20	1200	WSL
NOS/NRS 21-39	1040	ETT
DIETRICH (RUE MARLENE - STRAAT) (16) - 21 E2	1090	JET
DIEUDONNESTRAAT (DR. J.P.) (1) - 93 A1	3090	OVE
DIEWEG - 54 B2-3	1970	WEO
DIEWEG - 67 B-C4 D3-4 E3 - 68 A3	1180	UCK
DIFFERDANGE (CLOS DE) - 111 A3	1410	WAT
DIGITALES (CLOS DES) - 123 B3	1410	WAT
DIGITALES (RUE DES) (2) - 60 E4	1170	WAB
DIGNITE (RUE DE LA) (4) - 47 D2	1070	AND
DIGUE (RUE DE LA) - 50 C4	1050	IXE
DIGUES (RUE DES) - 155 C4	1460	IRE
DIJCK - 12 C-D4	1780	WEM
DIJKSTRAAT - 106 D1	1500	HAL
DIJKSTRAAT - 18 C1-3 D1-2	1820	STE
DIJKSTRAAT - 9 D3-4 E4	1910	BER
DIJKVELDWEG - 18 C-D2	1820	STE
DIJLESTRAAT - 31 E4 - 40 E1	1000	BRL
DIKKE-BEUKLAAN - 21 D2-3 E2 - 22 A-B2		
ONEVEN NRS	1020	BRL
EVEN NRS	1090	JET
DIKKE-EIKWEG - 63 A4 - 71 E1 - 72 A1	3080	TER

Straat / Rue	Code	Gem.
DIKKELINDELAAN - 22 C-D-E2	1020	BRL
DIKKEMEERWEG - 86 E4 - 96 E1-4 - 108 D1	1652	ALS
DIKKEMEERWEG - 96 E2-3 - 108 C1-2 D1	1653	DWO
DIKSMUIDELAAN - 40 D-E2	1000	BRL
DILBEEK (RUE DE - STRAAT) - 38 E1 - 39 A1	1082	SAB
DILBEEK (RUE DE - STRAAT) - 39 D3 E3-4		
NOS/NRS 1-3 - 2-8	1070	AND
AUTRES NOS/ANDERE NRS	1080	SJM
DILIGENCE (AV. DE LA) - 127D- E4 - 139 D-E1	1300	LIL
DILIGENCE (SQUARE DE LA) (3) - 30 E1	1083	GAN
DILLEN (SQ. JEF - SQ.) - 48 D2	1070	AND
DILLENS (PLACE JULIEN - PLEIN) -		
49 E3 - Centr. 168 C3	1060	SGI
DILLENS (RUE - STRAAT) - 50 C4	1050	IXE
DILLIE (RUE ALB. - STRAAT) - 40 B1	1081	KOE
DILSSTRAAT (J.) - 16 A-B4	1831	DIE
DIMONT (RUE DU) - 147 E1 - 148 A1	1410	WAT
DINANDIERS (PASSAGE DES) - 153 B4	1348	LLN
DINANT (PLACE DE - PLEIN) -		
49 E1 - Centr. 168 C1	1000	BRL
DINANT (RUE DE - STRAAT) -		
49 E1 - Centr. 168 C1	1000	BRL
DINANT (RUE DE) - 157 D1-2	1421	OPH
DIONGRE (RUE J. - STRAAT) - 39 D2	1080	SJM
DIRECTOIRE (AV. DU - LAAN) - 78 A1	1180	UCK
DIRIGEABLE (AV. DU) - 69 E2-3	1170	WAB
DISBEEKWEG - 95 C-D4 - 107 C1	1501	BUI
DISCAILLES (RUE E. - STRAAT) - 32 C-D4	1030	SCH
DISCOBOLE (RUE DU) (1) - 152 E3	1348	LLN
DISQUE (RUE DU) - 22 B1-2	1020	BRL
DISSELSTRAAT - 32 A1	1020	BRL
DISTELSSTRAAT - 42 A2	1030	SCH
DISTELVINKLAAN (1) - 60 E1	1150	SPW
DISTELWEG - 95 C4 - 107 C1	1501	BUI
DIT LE BOIS (CHEMIN) - 133 D4 E3-4	1420	BRA
DIVOORT (AV. J. - LAAN) - 77 C2-3 D2	1180	UCK
DIX ARPENTS (AV. DES) - 43 B-C2	1200	WSL
DIX METRES (DREVE DES) - 110 E4 - 111 A-B4	1410	WAT
DIXMUDE (BLD. DE) - 40 D-E2	1000	BRL
DIX-SEPT AVRIL (RUE DU) - 42 D2	1140	EVE
DOBBELENBERG (RUE DU - STRAAT) -		
15 D3 E3-4	1130	BRL
DOBBELENBERGSTRAAT - 15 D3	1830	MAC
DOBRALAAN - 114 B1	3090	OVE
DOCTEUR (RUE DU) - 60 D-E3	1160	AUD
DODEWEG - 107 B4	1500	HAL
DODONEE (RUE - STRAAT) - 59 B3-4	1180	UCK
DOEL - 20 B2-3	1731	ZEL
DOGGEWEG - 26 A3-4	1930	ZAV
DOICEAU (AV. DE) - 117 D-E4	1300	WAV
DOIGNON (RUE DU) - 134 B-C2	1420	BRA
DOIGNON (SENTIER DU) - 134 C2	1420	BRA
DOKTERSSTRAAT - 60 D-E3	1160	AUD
DOLEZ (AV. J. - LAAN) -		
68 A4 - 77 E3-4 - 78 A1-2-3-4	1180	UCK
DOLFIJNENSTRAAT - 39 D3	1080	SJM
DOLFIJNGAARDE (6) - 42 D-E3	1200	SLW
DOLIMONT (RUE) - 115 D-E1-2	1301	BIE
DOLLE KERVELLAAN (9) - 45 B4 - 54 B1	1970	WEO
DOMAINE (AV. DU) - 128 B-C1	1300	LIL
DOMAINE (AV. DU) - 58 B3-4 - 67 B1	1190	VOR
DOMAINE DU NEGRI (RUE DU) - 163 E2	1340	OTT
DOMAINE FUJI - 53 D3-4	1970	WEO
DOMAINE U.C.L. - 43 D3	1200	WSL
DOMBERG - 11 A2-3 B3-4 C4	1730	KOB
DOMEIN FUJI - 53 D3-4	1970	WEO
DOMEINLAAN - 66 D4-5-6	1190	VOR
DOMINICAINES (AV. DES) - 53 B-C4	1950	KRA
DOMINICAINS (RUE DES) -		
40 E4 - 41 A4 - Centr. 166 C-D3	1000	BRL
DOMINICANESSENLAAN - 53 B-C4	1950	KRA
DOMON (CLOS GENERAL) - 159 D1	1380	PLA
DOM. - SAVIOLAAN (H.) - 28 E4 - 37 E1	1700	DIL
DOMSTRAAT - 56 A-B4 - 64 E1 - 65 A1	1602	VLE
DON-BOSCOLAAN (H.) - 37 E1	1700	DIL
DON BOSCO (AV. - LAAN) - 52 A2-3	1150	SPW
DONDERBERG - 23 C1-2	1120	BRL
DONDERVELDSTRAAT - 86 B-C4	1651	LOT
DONDERVELDWEG - 96 C1-2	1653	DWO
DONJON (RUE DU) - 24 D1-2 E2	1130	BRL
DONKERSTRAAT - 52 A1-2		
NRS 2 TOT 56	1200	WSL
ANDERE NRS	1150	SPW
DONKERSTRAAT - 76 E4 - 77 A4 - 86 E1	1650	BEE
DONS (RUE FR. - STRAAT) - 59 E4	1050	IXE
DOOIERZWAMMENGAARDE - 69 A1	1050	IXE
DOOLEGT (RUE DU - STRAAT) - 33 A1	1140	EVE
DOORHAKKINGSDREEF - 61 D3-4	1160	AUD
DOORNBAAN - 5 A2	1850	GRI
DOORNDAL - 61 E1	1150	SPW
DOORNENLAAN - 45 A-B4	1970	WEO
DOORNEVELD - 45 A1	1933	STK
DOORNIKSTRAAT - 49 D1 - Centr. 168 B1	1000	BRL
DOORNLARENHOOFDSTRAAT - 97 E3	1640	SGR
DOORNSTRAAT - 47 A-B2	1700	DIL
DOORNSTRAAT - 47 A2	1701	ITT
DOORNVELD - 20 B-C-D2	1731	ZEL
DOPERE (RUE L. - STRAAT) - 31 A2	1090	JET
D'ORBAIX (AV. - LAAN) - 78 C1	1180	UCK
DOREKENSVELD - 107 A1	1501	BUI
DOREKENSVELD - 21 C1	1780	WEM
DOREKESVELD - 13 E1	1853	SBE
DOREN - 1 A3 B2-3 C2	1731	ZEL
DORENT - 66 C3-4	1620	DRO
DORENT - 66 C4	1600	SPL
D'ORJO DE MARCHOVELETTE		
(AV. CH.-LAAN) (2) - 60 B3	1160	AUD
DORP - 1 C1	1730	MOL
DORP - 45 C1	1930	ZAV
DORP - 64 C-D1	1602	VLE
DORPELINGENSTRAAT - 61 A2-3	1160	AUD
DORPSLAAN - 95 A4	1501	BUI
DORPSPLEIN - 16 B1	1830	MAC
DORPSPLEIN - 37 A1	1700	SMB
DORPSSTRAAT - 11 E4	1731	REL
DORPSSTRAAT - 16 B1	1830	MAC
DORPSSTRAAT - 47 A2	1701	ITT
DORPSSTRAAT - 48 D2-3	1070	AND
DORPSSTRAAT - 97 D2-3	1640	SGR
DORPSTRAAT - 2 B2 C2-3 D3	1785	BRU
DORSERSHOF - 34 D3	1932	SSW
DORSVLEGELSTRAAT - 46 A3	1703	SPD
DOSSIN DE ST.-GEORGES		
(AV. GEN. - LAAN) - 59 E4	1050	IXE
DOTTERBLOEM - 37 D2	1700	DIL
DOUAIRE (AV. DU) - 140 B1	1300	LIL
DOUAIRE (AV. DU) - 163 E1 - 164 A1	1340	OTT
DOUAIRE (BOUCLE DU) (2) - 164 A1	1340	OTT
DOUAIRE (CITE DU) - 142 A4 - 154 A1	1480	TUB
DOUAIRE (PORTE DU) (1) - 163 E1 - 164 A1	1340	OTT
DOUAIRE (SENTIER DU) (1) - 128 B4	1300	LIL
DOUBLE ECOT (GRAND RUE DU) - 161 B1 C1-2-3	1380	CSG
DOUCE COLLINE (AV. DE LA) - 145 D1	1420	BRA
DOUDOU (CLOS DU) (17) - 153 A3-4	1348	LLN
DOUDOUYE (CLOS MARIE) - 164 C-D1	1340	OTT
DOULCERON (RUE ALF. - STRAAT) (4) -30 D3	1083	GAN
D'OULTREMONT (RUE - STRAAT) - 51 A-B1	1040	ETT
DOUVRES (RUE DE) - 48 E2-3	1070	AND
DOUZE APOTRES (RUE DES) -		
41 A4 - Centr. 166 D3	1000	BRL
DOVERSTRAAT - 48 E2-3	1070	AND
DOYEN (RUE NIC. - STRAAT) - 40 A4	1080	SJM
DOYENNE (RUE DU) - 67 C1-2	1180	UCK
DOYENS (PLACE DES) - 153 B4	1348	LLN
DOYLIJKSTRAAT - 46 A4 - 55 A-B1	1701	ITT
DRAAIBERG - 28 D1-2 E1	1700	SUK
DRABE (RUE DU) - 132 A4	1440	BRC
DRAGON (CLOS DU) (9) - 42 D3	1200	WSL

D

Straat / Rue	Postcode	Gemeente
DRAGON (RUE DU) - 98 C3 D2-3-4	1640	SGR
DRAGONDERSTRAAT - 98 C3 D2-3-4	1640	SGR
DRAGONS (VENELLE DES) (2) - 141 C3	1300	WAV
DRAKEHOF (9) - 42 D3	1200	WSL
DRAPE (RUE DU) - 157 C3	1421	OPH
DRAPEAU (RUE DU) - 48 D2	1070	AND
DRAPES (SENTIER DES) - 157 B4 C3-4	1421	OPH
DRAPIERS (RUE DES) - 117 C4 - 129 C1	1300	WAV
DRAPIERS (RUE DES) - 50 A2-3 - Centr. 168 D2-3	1050	IXE
DRAPS-DOM (RUE - STRAAT) - 22 E4	1020	BRL
DRAPSSTRAAT (HENDRIK) - 13 E2	1853	SBE
DRASOP - 107 C1-2 D2-3	1501	BUI
DRAVERSHOEKJE - 45 A2	1970	WEO
DRAVERSLAAN - 38 A1	1700	DIL
DREEF (ESSENBEEK) - 107 B4	1502	LEM
DREEF - 106 B4 - 118 B1	1502	LEM
DREEF - 75 C4 - 85 D1	1651	LOT
DREEF - 83 B4 C3-4 D3 E2-3 - 93 B1	3090	OVE
DREEF - 97 D3	1640	SGR
DREEFLAAN - 46 E2 - 47 A1-2	1701	ITT
DREEFPAD - 57 B3-4 C4	1070	AND
DREEFSTRAAT - 9 E1	1910	BER
DREEF VAN EIGENBRAKEL - 120 C-D4	1500	HAL
DREEFWEG (1) - 18 C2	1820	STE
DRENKPLAATSSTRAAT - 6 E1	1800	VIL
DRESSAERTLAAN - 6 B3	1850	GRI
DRESTSTRAAT - 25 D1	1831	DIE
DREVE - 124 C4	1380	OHA
DREVE - 132 E4 - 144 E1	1440	WBC
DREVE - 97 D3	1640	SGR
DREVE LONGUE - 110 C4 - 122 C1	1640	SGR
DREVE (SENTIER DE LA) - 57 B3-4 C4	1070	AND
DRIE AARDBEZIENSTRAAT - 35 B-C3	1930	ZAV
DRIEBOMENSTRAAT - 67 B-C3	1180	UCK
DRIE BORRENWEG - 70 C1-2 D1-2	1160	AUD
DRIEBRUGGENSTRAAT - 60 C2	1160	AUD
DRIEBUNDERWEG - 53 D-E2	1970	WEO
DRIE FONTEINENSTRAAT - 66 C1	1620	DRO
DRIEGATENSTRAAT - 24 A2	1120	BRL
DRIEHOEKPLEIN - 40 C3-4 - Centr. 166 A2-3	1080	SJM
DRIEHUIZEN - 11 A3	1730	KOB
DRIE KASTANJELAARSTRAAT - 5 D1	1850	GRI
DRIEKASTELENSTRAAT - 8 A3 B2-3 C2	1800	PEU
DRIE KLEURENGAARDE (3) - 52 D2	1150	SPW
DRIE KLEURENWEG - 61 C2-3 D2	1160	AUD
DRIEKONINGENSTRAAT - 77 A2	1180	UCK
DRIEKONINGENSTRAAT - 77 A2	1620	DRO
DRIE LINDENSTRAAT - 25 B3	1831	DIE
DRIE LINDENSTRAAT - 69 D2-3	1170	WAB
DRIE PATRIJZENSTRAAT - 53 E2	1970	WEO
DRIEPIKKEL - 106 D-E4 - 118 D1	1500	HAL
DRIEPIKKEL - 20 D2	1731	ZEL
DRIE WILGENSTRAAT - 27 E1	3070	KOR
DRIES (RUE - STRAAT) - 42 E4 - 43 A4	1200	WSL
DRIES (RUE - STRAAT) - 69 A2 B1-2	1170	WAB
DRIES (RUE DU - STRAAT) - 57 E4 - 66 E1	1190	VOR
DRIES - 12 D2	1780	WEM
DRIES - 120 B1-2-3 C1	1500	HAL
DRIESBOS (RUE - STRAAT) - 98 B2 C1-2	1640	SGR
DRIESHOF - 53 E1	1970	WEO
DRIESPLEIN - 27 A4	1930	ZAV
DRIESSTRAAT - 8 D-E1 - 9 A1	1820	PER
DRIEVULDIGHEIDSVOORPLEIN - 59 A1		
NRS 1 tot 10A	1050	IXE
NR 11	1060	SGI
DRIJFSTRAAT - 5 C3-4	1850	GRI
DRIJPIKKELSTRAAT - 13 A1-2 B1	1853	SBE
DRIJPIKKELSTRAAT - 4 B-C4	1853	SBE
DRIJVERSWEG - 59 D4 - 68 D1	1000	BRL
DRINKELING - 4 B-C2	1785	BRU
DROGENBERG - 82 D3 E4 - 92 D-E1	3090	OVE
DROGENBOS (CHAUSSEE DE) - 77 A1-2 B1	1180	UCK
DROGENBOS (CHAUSSEE DE) - 77 A2	1620	DRO
DROGENBOSSESTEENWEG - 77 A1-2 B1	1180	UCK
DROGENBOSSESTEENWEG - 77 A2	1620	DRO
DROGENBOSSTRAAT - 66 A-B3	1600	SPL
DROGE VIJVERDREEF - 63 B4 - 72 B1-2	3080	TER
DROIT (PLACE DU) - 48 D2	1070	AND
DROIT TIENNE (CHEMIN DU) - 100 D-E3 - 101 A3	1310	LAH
DROITS DE L'HOMME (AV. DES) - 152 A3 B2-3	1342	LIM
DROITS DE L'HOMME (AV.) - 57 B2	1070	AND
DROME (CHAUSSEE DE LA) (9) - 117 B4	1300	WAV
DRONKENMANSDREEF - 71 E3	3090	OVE
DRONKENMANSDREEF - 71 E3 - 72 A-B3 C2-3 D-E2 - 73 A2	3080	TER
DROOGWEIDESTRAAT - 87 D4 - 97 D1	1652	ALS
DROOMLAAN - 43 D4	1200	WSL
DROOTBEEK (RUE DU - STRAAT) - 31 D-E2	1020	BRL
DROSSAARDGAARDE - 67 E4 - 68 A4	1180	UCK
DROSSART (CLOS DU) - 67 E4 - 68 A4	1180	UCK
DROUART (AV. A. - LAAN) - 60 C2-3	1160	AUD
DROUET D'ERLON (SQUARE GENERAL) - 146 E2-3	1420	BRA
DRUEZ (RUE J. - STRAAT) - 30 E2-3	1083	GAN
DRUIFHYACINTENPLEIN - 69 E1	1170	WAB
DRUIVENALLEE (2) - 41 C3 - Centr. 167 B2	1210	SJN
DRUIVENLAAN - 102 B-C2	3090	OVE
DRUIVENLAAN - 90 E1 - 91 A1	1560	HOE
DRUKKERIJSTRAAT (1) - 49 B4		
ONEVEN NRS	1190	VOR
EVEN NRS	1060	SGI
DRUKPERSSTRAAT - 41 B4 - Centr. 167 A3	1000	BRL
DRYADES (AV. DES) - 123 E3-4	1410	WAT
DRYADES (AV. DES) - 69 D1-2 E2	1170	WAB
DRYBUNDERSTRAAT - 2 B3 C3-4	1785	BRU
DRYEPONDT(RUE DR. - STRAAT) - 51 A4	1040	ETT
DUBLIN (RUE DE - STRAAT) - 50 B2 - Centr. 169 A2	1050	IXE
DUBOIS (AV. - LAAN) - 89 C1	1640	SGR
DUBOIS (AV. GENERAL) - 126 B4 - 138 B1	1380	OHA
DUBOIS (RUE A. - STRAAT) - 39 E3	1080	SJM
DUBOIS (RUE CHARLES) - 140 A-B-C4	1342	LIM
DUBOIS (RUE FRANCOIS) - 101 E4 - 113 E1	1310	LAH
DUBOIS (RUE GASTON) - 158 A3-4	428	LIW
DUBOIS THORN (RUE - STRAAT) - 40 A2-3	1080	SJM
DUBOISLAAN - 89 E2 - 90 A-B-C2	1560	HOE
DUBOST (AV. BARON) - 126 E4	1330	RIX
DUBREUCQ (RUE MAJ. R. - STRAAT) - 50 B2 - Centr. 169 A2	1050	IXE
DUBRUCQ (AV. J. - LAAN) -31 B4 C3-4 D3	1080	SJM
DUC (DREVE DU) - 69 C-D3	1170	WAB
DUC (RUE DU) - 51 C-D2		
NOS 117 à FIN	1200	WSL
AUTRES NOS	1150	SPW
DUC DE CORSWAREM-LOOZ (AV.) (1) - 129 E1	1300	WAV
DUCAL (CHEMIN) - 54 A4	1970	WEO
DUCALE (RUE) - 41 B4 - 50 B1 - Centr. 167 A3 - 169 A1	1000	BRL
DUCHEHOF (MAURITS) - 7 B1	1800	VIL
DUCHENE (PLACE A. - PLEIN) (6) - 70 B1	1160	AUD
DUCHESSE (RUE DE LA) - 51 C2		
NOS IMPAIRS	1150	SPW
NOS 2 à 32	1040	ETT
NO 34	1200	WSL
DUCHESSE DE BRABANT (PLACE DE LA) - 40 B3-4	1080	SJM
DUCHESSE DE LORRAINE (AV.) (2) - 129 D1	1300	WAV
DUCHESTRAAT (MARIUS) - 6 D-E1	1800	VIL
DUCPETIAUX (AV. - LAAN) - 58 D1-2 E1		
NOS/NRS 1-157 - 2-148	1060	SGI
AUTRES NOS/ANDERE NRS	1190	VOR
DUCS (AV. DES) - 53 C2 D2-3	1970	WEO
DUCS (RUE DES) - 53 B-C2	1950	KRA
DUCS DE BRABANT (AV. DES) (1) - 113 C2	1310	LAH
DUDINSART (DREVE) - 121 E1 - 122 A-B-C1	1410	WAT
DUDINSART (DREVE) - 121 E1 - 122 A1	1420	BRA
DUEZSTRAAT (E.) - 106 E4 - 107 A4	1502	LEM
DUHESME (AV. DU GEN.) - 160 B1	1380	PLA

E

E

Straat	Code	Gemeente
EEKHOORNLAAN - 53 E2-3	1970	WEO
EEKHOORNLAAN - 63 D2	3080	TER
EEKHOORNLAAN - 88 A4	1640	SGR
EEKHOORNTJESLAAN - 53 C3-4	1950	KRA
EEKHOORNWEG - 77 D2-3	1180	UCK
EEKHORENTJESBRODENLAAN - 69 A1	1050	IXE
EEKHOUD (AV. G. - LN.) - 32 E1-2	1030	SCH
EEKHOUT - 93 C1-2	3090	OVE
EENBOOMSTRAAT - 33 C2-3 D3-4	1140	EVE
EENDEKKERLAAN - 52 D3	1150	SPW
EENDENLAAN - 101 E3 - 102 A3-4	3090	OVE
EENDENLAAN - 98 D-E4	1640	SGR
EENDRACHTLAAN - 91 E2	1560	HOE
EENDRACHTSSTRAAT - 50 A-B3		
NRS 1 tot 57 - 2 tot 66	1050	IXE
ANDERE NRS	1000	BRL
EENENBOOMLAAN - 34 B3-4	1932	SSW
EENENS (RUE GEN. - STRAAT) - 32 C-D3	1030	SCH
EENHOORNGAARDE (5) - 42 D3	1200	WSL
EENHOORNLAAN (4) - 42 D3	1200	WSL
EENMANSSTRAATJE - 40 E4 - Centr. 166 C3	1000	BRL
EERLIJKHEIDSSTRAAT (1) - 60 A3-4	1050	IXE
EEUWFEESTLAAN - 22 C1 D1-2	1020	BRL
EEUWFEESTLAAN - 4 C-D1	1860	MEI
EEUWFEESTPLEIN - 22 C1	1020	BRL
EEUWFEESTPLEIN - 92 E1	3090	OVE
EEUWFEESTSQUARE - 30 E2 - 31 A2	1083	GAN
EEUWIGHEIDSLAAN (5) - 48 E2	1070	AND
EEUWLAAN - 6 A2	1850	GRI
EEUWSTRAAT - 71 D4	3090	OVE
EGALITE (AV. DE L') - 146 E3	1420	BRA
EGALITE (RUE DE L') - 51 A4	1040	ETT
EGELANTIERENLAAN - 51 D4 - 60 D1	1150	SPW
EGELDREEF - 48 A4	1070	AND
EGELLAAN - 77 D3	1180	UCK
EGELSTRAAT - 37 D2	1700	DIL
EGGERGAT - 77 A3	1620	DRO
EGGERICKX (RUE J. G. - STRAAT) - 51 D2	1150	SPW
EGGERICKXSTRAAT (W.) - 91 B2	1560	HOE
EGGESTRAAT - 69 E2	1170	WAB
EGIDIUSLAAN - 92 D1	3090	OVE
EGLANTIERS (AV. DES) - 78 B3 C2-3 D2	1180	UCK
EGLANTIERS (CHEMIN DES) - 134 C1	1420	BRA
EGLANTIERS (CHEMIN DES) - 44 A-B4	1950	KRA
EGLANTIERSTRAAT - 118 B1	1502	LEM
EGLANTINES (AV. DES) - 123 B-C3	1410	WAT
EGLANTINES (AV. DES) - 151 E2	1342	LIM
EGLANTINES (AV. DES) - 4 C3	1780	WEM
EGLANTINES (AV. DES) - 51 D4 - 60 D1	1150	SPW
EGLANTINES (AV. DES) - 53 C1-2	1970	WEO
EGLISE (ALLEE DE L')		
SITUEE CHAUS. DE BRUXELLES NO 43		
57 E4	1190	VOR
EGLISE (PASSAGE DE L') - 153 B3-4	1348	LLN
EGLISE (PETITE RUE DE L') (2) - 52 A-B2	1150	SPW
EGLISE (PLACE DE L') - 163 E1	1341	CEM
EGLISE (PLACE DE L') - 39 B1	1082	SAB
EGLISE (RUE DE L') (2) - 145 E4 - 157 E1	1421	OPH
EGLISE (RUE DE L') (3) - 30 B4 - 39 B1	1082	SAB
EGLISE (RUE DE L') (3) - 87 C1	1630	LIN
EGLISE (RUE DE L') (6) - 12 C2	1780	WEM
EGLISE (RUE DE L') - 113 E2	1310	LAH
EGLISE (RUE DE L') - 122 C-D3	1410	WAT
EGLISE (RUE DE L') - 126 E1 - 127 A1-2 B2	1330	RIX
EGLISE (RUE DE L') - 128 B1 C1-2	1301	BIE
EGLISE (RUE DE L') - 137 D4	1380	LAS
EGLISE (RUE DE L') - 156 B3 C3-4	1461	HIT
EGLISE (RUE DE L') - 52 E1 - 53 A1	1150	SPW
EGLISE (RUE DE L') - 76 E1	1620	DRO
EGLISE (RUE DE L') - 97 D-E3	1640	SGR
EGLISE (RUE DU) (7) - 146 C1	1420	BRA
EGLISE (SENTIER DE L') - 122 C3	1410	WAT
EGLISE SAINT-ANDRE (RUE DE L') - 115 C-D1	1331	ROS
EGLISE SAINT-ETIENNE (RUE DE L') - 137 B1-2	1380	OHA
EGLISE SAINT-GILLES (RUE DE L') -		
49 D3-4 - Centr. 168 B3	1060	SGI
EGLISE SAINT-JULIEN (AV. DE L') (1) - 60 B-C2	1160	AUD
EGLISE SAINT-LAMBERT (RUE DE L') (1) - 52 B1	1200	WSL
EGLISE SAINT-MARTIN (RUE DE L') - 30 D-E2	1083	GAN
EGLISE SAINT-PIERRE (RUE DE L') - 31 A-B1	1090	JET
EGLISE SAINTE-ANNE (RUE DE L') - 40 B-C1	1081	KOE
EGMOND EN HOORNLAAN (GR.) - 83 A-B4	3090	OVE
EGMONT (RUE D' - STRAAT) -		
52 B2 - Centr. 169 A2	1000	BRL
EGSTRAAT - 46 A3	1703	SPD
EGYPTENARENSTRAAT - 59 E3	1050	IXE
EGYPTIENS (RUE DES) - 59 E3	1050	IXE
EIDER (RUE DE L') (2) - 69 D3	1170	WAB
EIDERGANSSTRAAT (2) - 69 D3	1170	WAB
EIERPLANTENSTRAAT (2) - 48 A1	1070	AND
EIFFEL (AV.) - 104 E4 - 116 E1	1300	WAV
EIGENBRAKELSE STEENWEG - 97 B-C4 - 109 C1	1640	SGR
EIGENHUIS (RUE - STRAAT) - 69 E4	1170	WAB
EIKDELLE - 97 A1-2	1652	ALS
EIKELENBERGSTRAAT - 38 D-E3	1700	DIL
EIKELSTRAAT - 58 A-B2	1190	VOR
EIKENBERGSTRAAT - 51 A4	1040	ETT
EIKENBOS (RUE - STRAAT) - 98 A4 - 110 A-B1	1640	SGR
EIKENBOS - 97 B3	1652	ALS
EIKENBOSLAAN - 67 E4 - 77 E1-2 - 78 A2	1180	UCK
EIKENDALLAAN - 14 B-C3	1800	VIL
EIKENDALPAD - 70 D4 - 80 A2-3 B2-3 C2 D1-2	1170	WAB
EIKENDREEF - 120 B2-3-4 - 132 A-B1	1500	HAL
EIKENHOF - 35 C4	1933	STK
EIKENHOUW - 108 B2-3	1653	DWO
EIKENLAAN - 107 A1	1500	HAL
EIKENLAAN - 37 C3	1700	SMB
EIKENLAAN - 37 D3	1700	DIL
EIKENLAAN - 68 C3 D3-4	1180	UCK
EIKENLAAN - 8 E2-3	1820	MEL
EIKENLAAN - 81 B1 C2-3	3090	OVE
EIKENLAAN - 88 E4 - 98 D-E1	1640	SGR
EIKENWEG - 61 C3 D2-3	1160	AUD
EIKESTRAAT - 63 B3-4	3080	TER
EIKHOVE (1) - 69 C4	1170	WAB
EIKLAAN - 75 E1 - 66 A4	1600	SPL
EIKSTRAAT - 19 E1	1730	KOB
EIKSTRAAT - 40 E4 - 49 E1 - Centr. 166 C3 - 66 C1	1000	BRL
EIKSTRAAT - 7 B2	1800	VIL
EIKVELDSTRAAT - 95 D2-3	1654	HUI
EILAND SINT-HELENASTRAAT - 57 E1	1070	AND
EILANDENHOUTSTRAAT - 30 A-B2	1082	SAB
EINSTEIN (AV. ALBERT) - 153 D4 - 165 D-E1	1348	LLN
EINSTEIN (AV.) - 116 C-D2	1300	WAV
EISENHOWER (AV. GEN. - LAAN) - 41 D-E1 - 42 A1	1030	SCH
EIZINGENDORP - 95 A3	1501	BUI
EIZINGENSTRAAT - 106 E1	1500	HAL
EKELMANS (RUE J. - STRAAT) - 70 A-B1	1160	AUD
EKSELBOS (AV. D' - LAAN)- 88 D1-2 E2	1640	SGR
EKSTERSTRAAT - 14 C1	1800	VIL
EKSTERSTRAAT - 28 A1	1703	SPD
ELAN (RUE DE L') - 69 B2	1170	WAB
ELANDSTRAAT - 69 B2	1170	WAB
ELBEEKSTRAAT - 94 B-C4 - 106 A-B1	1500	HAL
ELBERS (RUE F. - STRAAT) - 39 A-B-C2		
NOS/NRS 61-73 - 109 - 111	1082	SAB
AUTRES NOS/ANDERE NRS	1080	SJM
ELCERLYCLAAN - 82 D4	3090	OVE
ELECTRICITE (RUE DE L') - 49 A2-3	1070	AND
ELEGASTLAAN - 82 E4 - 92 E1	3090	OVE
ELEGEMSTRAAT - 38 B1 C1-2	1700	DIL
ELEGIE (RUE DE L' - STRAAT) - 39 E3	1080	SJM
ELEKTRICITEITSSTRAAT - 49 A2-3	1070	AND
ELEONORE (AV. - LAAN) - 51 C4 - 60 C-D1	1150	SPW
ELEPHANT (RUE DE L') - 40 B3 C2-3	1080	SJM
ELEVAGE (RUE DE L') - 164 E2 - 165A2	1340	OTT
ELF NOVEMBERLAAN - 51 A-B3	1040	ETT
ELFBUNDERSLAAN - 87 B2-3-4 C4	1650	BEE

Street	Postcode	Commune
ELFBUNDERSLAAN - 87 C4	1652	ALS
ELISABETH (AV. - LAAN) - 54 B3 C3-4	1970	WEO
ELISABETH (AV. PRINCESSE) - 32 D1-2-3	1030	SCH
ELISABETH (AV. REINE) - 123 C3 D4	1410	WAT
ELISABETH (AV. REINE) - 127 A2-3 B3	1330	RIX
ELISABETH (AV. REINE) - 13 A-B4	1780	WEM
ELISABETH (PLACE PRINCESSE) - 32 D1	1030	SCH
ELISABETH (RUE REINE) - 130 A4	1480	CLA
ELISABETHLAAN (KONINGIN) - 39 A3	1700	DIL
ELISABETHLAAN (KONINGIN) (1) - 106 D2	1500	HAL
ELISABETHLAAN (KONINGIN) - 13 A-B4	1780	WEM
ELISABETHLAAN (PRINSES) - 32 D1-2-3	1030	SCH
ELISABETHLAAN - 27 E3	3070	KOR
ELISABETHLAAN - 54 B3 C3-4	3080	TER
ELISABETHPARKSTRAAT - 31 B4 - 40 B1	1081	KOE
ELISABETHPLEIN (PRINSES) - 32 D1	1030	SCH
ELISE (RUE) - 59 D3 E2-3	1050	IXE
ELIZASTRAAT - 59 D3 E2-3	1050	IXE
ELLEBORES (RUE DES) - 60 D-E4	1170	WAB
ELLEBOUDT (AV. H. - LAAN) - 67 D1	1180	UCK
ELOY (RUE - STRAAT) - 49 A-B2	1070	AND
ELSEMHEIDELAAN - 108 E1 - 109 A1	1652	ALS
ELSENBORN (RUE D') - 125 E2	1332	GEN
ELSENEGALERIJ - 50 B2 - Centr. 169 A2	1050	IXE
ELSENSESTEENWEG -		
50 B2-3-4 C4 - Centr. 169 A2-3	1050	IXE
ELSGATVELD - 88 A-B3	1630	LIN
ELSKAMP (RUE - STRAAT) - 48 B2-3	1070	AND
ELST - 77 A2	1620	DRO
ELSWEG - 64 C4 D3-4	1600	SPL
ELYZEESE VELDENSTRAAT -		
50 B3-4 C4 - Centr. 169 A3	1050	IXE
ELZAS-LOTHARINGENSTRAAT -		
50 B2 - Centr. 169 A2	1050	IXE
ELZEBOOMLAAN - 67 B1-2	1180	UCK
ELZENDREEF - 38 D3	1700	DIL
ELZENGAARDE (1) - 114 E2	3090	OVE
ELZENLAAN - 63 B3-4	3080	TER
ELZENLAAN - 9 C2	1820	STE
ELZENSTRAAT - 29 B3-4	1702	GRB
EMANCIPATION (RUE DE L') - 57 B2	1070	AND
EMBARCADERE (SENTIER DE L') - 68 D1 E1-2	1000	BRL
EMERAUDE (AV. DE L') - 42 A-B3	1030	SCH
EMERAUDE (AV. DE L') - 97 B-C4 - 109 B-C1	1640	SGR
EMERAUDE (RESIDENCE) (11) - 127 E2	1300	LIL
EMERILLONS (RUE DES) - 69 D2	1170	WAB
EMMANUELLAAN - 15 D3 E2-3	1830	MAC
EMMERECHTSPLEIN (LUITENANT LOUIS) - 14 A2	1853	SBE
EMPAIN (AV. GEN. BARON - LAAN) -		
52 A-B4 - 61 A-B-C1	1150	SPW
EMPEREUR (AV. DE L') - 146 E2	1420	BRA
EMPEREUR (BLD. DE L') -		
49 E1 - 50 A1 - Centr. 168 C-D1	1000	BRL
EMPEREUR (VENELLE DE L') (11) - 141 C4	1300	WAV
EMPIRE (RUE DE L') - 161 C3	1380	CSG
EMULATION (RUE DE L') - 48 E1	1070	AND
ENCLOS (CHEMIN DE L') - 139 E3 - 140 A3-4 B3	1300	LIL
ENCLUME (RUE DE L') - 41 C3-4 - Centr. 167 B2-3	1210	SJN
ENDYMION (CHEMIN - WEG) - 68 C-D1	1000	BRL
ENDYMIONS (SENTIER DES) - 69 B-C4	1170	WAB
ENERGIE (RUE DE L') (3) - 146 B1	1420	BRA
ENERGIE (RUE DE L') - 57 B-C2	1070	AND
ENFANTS NOYES (DREVE DES) -		
69 B4 - 78 E1 - 79 A-B1	1180	UCK
ENGELAND (RUE - STRAAT) -		
67 B4 - 77 B1 C1-2 D2-3 E3	1180	UCK
ENGELANDLAAN - 15 B-C1	1800	VIL
ENGELANDSTRAAT - 49 C2-3 - Centr. 168 A2-3	1060	SGI
ENGELENBERGSTRAAT - 40 C1		
NR 39 - EVEN NUMMERS	1081	KOE
ANDERE ONEVEN NRS	1080	SJM
ENGELSELAAN - 90 E2-3 - 91 A2	1560	HOE
ENGELSESTRAAT - 40 D2 - Centr. 166 B1	1080	SJM
ENGELWORTELSTRAAT (11) - 69 E1	1170	WAB
ENGHIEN (RUE D') - 40 A4	1080	SJM
ENGLEBERT (AV.) - 115 A1-2	1331	ROS
ENGOULEVENT (RUE DE L') (3) - 69 D3	1170	WAB
ENNEPETALPLEIN - 6 C4	1800	VIL
ENSEIGNEMENT (RUE DE L') -		
41 B3-4 - Centr. 167 A2-3	1000	BRL
ENSOR (RUE JAMES - STRAAT) - 48 E1-2	1070	AND
ENSORDREEF - 82 C1	3090	OVE
ENSORLAAN (JAMES) - 6 C4	1800	VIL
ENTHOUSIASME (RUE DE L') - 47 D2	1070	AND
ENTR'AIDE (RUE DE L') (6) - 30 D3	1082	SAB
ENTREPOT (RUE DE L') - 31 E3	1020	BRL
EOLIENNE (CLOS DE L') - 123 E4	1410	WAT
EOLIENNES (AV. DES) - 43 C2	1200	WSL
EPARGNE (RUE DE L') - 40 E2 - Centr. 166 C1	1000	BRL
EPEAUTRE (CHAMP DE L') (1) - 45 A4	1970	WEO
EPEE (RUE DE L') - 49 E2 - Centr. 168 C2	1000	BRL
EPELAAR - 108 A2-3 B2	1653	DWO
EPERON (AV. DE L') - 129 D3	1300	WAV
EPERONNIERS (IMPASSE DES)		
SITUEE RUE DES EPERONNIERS		
ENTRE NOS 27-31		
40 E4 - Centr. 166 C3	1000	BRL
EPERONNIERS (RUE DES) - 40 E4 - Centr. 166 C3	1000	BRL
EPERONS D'OR (AV. DES) - 59 C1	1050	IXE
EPERVIER (AV. DE L') - 99 A3-4	1640	SGR
EPERVIERS (AV. DES) - 51 D4 - 60 C-D1	1150	SPW
EPICEA (CLOS DE L') (9) - 146 A1	1420	BRA
EPICEAS (RUE DES) - 69 C1	1170	WAB
EPICEAS (VENELLE AUX) (19) - 129 D4	1300	WAV
EPICEASTRAAT - 69 C1	1170	WAB
EPINE (RUE DE L') - 152 D4	1340	OTT
EPINETTES (VAL DES) - 61 E1	1150	SPW
EPINOY (AV. D') (2) - 146 D1	1420	BRA
EQUATEUR (AV. DE L') - 68 A3 B3-4	1180	UCK
EQUERRE (AV. DE L') - 153 A4	1348	LLN
EQUERRE (PLACE DE L') - 165 B1	1348	LLN
EQUERRE (RUE DE L') - 33 C1	1140	EVE
EQUINOXE (AV. DE L') - 128 B-C4	1300	WAV
EQUINOXE (AV. DE L') - 42 D-E4	1200	WSL
EQUIPAGES (ALLEE DES) (3) - 68 D1	1000	BRL
EQUIPAGES (DREVE DES) - 79 E1	1170	WAB
EQUITE (RUE DE L') - 31 B2	1090	JET
ERABLES (AV. DES) (4) - 114 D3	1332	GEN
ERABLES (AV. DES) - 111 B3 C4	1410	WAT
ERABLES (AV. DES) - 121 E3 - 122 A3	1420	BRA
ERABLES (AV. DES) - 53 B-C1	1970	WEO
ERABLES (AV. DES) - 88 E4 - 98 D1-2 E1-2	1640	SGR
ERABLES (CLOS DES) (2) - 53 B1	1950	KRA
ERABLES (RUE DES) - 51 A3	1040	ETT
ERASME (AV.) - 4 A3-4	1780	WEM
ERASME (CLOS) - 151 C3	1340	OTT
ERASME (RUE) - 48 B-C-D2	1070	AND
ERASMUSLAAN - 4 A3-4	1780	WEM
ERASMUSSTRAAT - 48 B-C-D2	1070	AND
EREDIENSTSTRAAT - 41 B3 - Centr. 167 A2	1000	BRL
ERF DE KEIZER - 97 B1	1652	ALS
ERFPRINSLAAN - 42 C4 - 51 C-D1	1200	WSL
ERF TENBROEK - 97 B4	1652	ALS
ERICA (AV. DES - LAAN) - 88 C1-2 D2	1640	SGR
ERMITAGE (AV. DE L') - 109 B2-3	1420	BRA
ERMITAGE (AV. DE L') - 98 B2	1640	SGR
ERMITAGE (RUE DE L') - 128 E2 - 129 A1	1301	BIE
ERMITAGE (RUE DE L') - 143 C3-4	1440	BRC
ERMITAGE (RUE DE L') - 50 B-C4	1050	IXE
ERMITAGE (SENTIER DE L') - 143 C2-3	1440	BRC
ERMITE (CHEMIN DE L') - 122 A3-4	1420	BRA
ERMITE (CLOS DE L') - 122 A4	1420	BRA
ERMITE (DREVE DE L') - 121 E1 - 122 A-B-C1	1640	SGR
ERMITE (RUE DE L') - 122 A4 - 133 E1 - 134 A1	1420	BRA
ERNESTINE (AV. - LAAN) - 59 D3	1050	IXE
ERNOTTE (RUE L. - STRAAT) - 69 A1-2 B1		
NOS IMPAIRS/ONEVEN NRS	1050	IXE
NOS PAIRS/EVEN NRS	1170	WAB

ERPSESTRAAT - 27 A-B4 C3-4 1930 NOS
ERPSESTRAAT - 27 E2-3 3070 KOR
ERRERA (AV. L. - LAAN) - 58 E4 - 67 E1 1180 UCK
ESCADRON (RUE DE L') - 51 B3 1040 ETT
ESCAILLE (RUE DE L') (10) - 129 B1 1300 WAV
ESCALIER (RUE DE L') - 49 E1 - Centr. 168 C1 1000 BRL
ESCARBILLES (RUE AUX) - 131 E3 - 132 A2-3 1440 BRC
ESCAUT (RUE DE L') - 31 D3-4 1080 SJM
ESCAVEE (RUE DE L') - 122 B3 1410 WAT
ESCHOLIER (PLACE DE L') - 153 C4 1348 LLN
ESCRIME (AV. DE L') - 52 E2 - 53 A2 1150 SPW
ESCRIME (RUE DE L') - 58 C2-3 1190 VOR
ESCRIMEURS (RUE DES) - 49 E2 - Centr. 168 C2 1000 BRL
ESDOORNENHOF (2) - 53 B1 1950 KRA
ESDOORNENLAAN - 81 C1 D1-2 E1 3090 OVE
ESDOORNLAAN - 5 E3-4 - 6 A4 1850 GRI
ESDOORNLAAN - 66 A4 1600 SPL
ESDOORNLAAN - 9 C2 1820 STE
ESKADRONSTRAAT - 51 B3 1040 ETT
ESLAAN - 23 B1-2 C1 1020 BRL
ESMOREITLAAN - 82 E4 - 92 D1 3090 OVE
ESPACE VERT (RUE DE L') - 24 D-E2 1130 BRL
ESPAGNE (AV. D') - 146 C3-4 1420 BRA
ESPAGNE (PLACE D') -
40 E4 - 41 A4 - Centr. 166 C-D3 1000 BRL
ESPAGNE (RUE D') - 58 E1 1060 SGI
ESPERANCE (RUE DE L') - 40 D1 1080 SJM
ESPINETTE (AV. DE L') (1) - 165 C1 1348 LLN
ESPINETTE (AV. DE L') - 153 B4 1348 LLN
ESPINETTE (CHEMIN DE L') - 98 E3 1640 SGR
ESPINETTE CENTRALE (AV. DE L') - 88 C-D-E3 1640 SGR
ESPINIAT (RUE DE L') - 124 A-B4 - 136 B1 1380 OHA
ESPLANADE (AV. DE L') - 44 C4 - 53 C1-2 1970 WEO
ESPLANADE (CLOS DE L') - 53 C1 1970 WEO
ESPLANADE (RUE DE L' - STRAAT) -
50 B2 - Centr. 169 A2
NOS IMPAIRS/ONEVEN NRS 1050 IXE
NOS PAIRS/EVEN NRS 1000 BRL
ESPLANADE (RUE DE L') - 153 A3 1348 LLN
ESPLANADE - 13 D4 1020 BRL
ESPRITS (RUE AUX) - 131 E1-2 - 132 A2 1440 BRC
ESSARTS (CLOS DES) - 122 C2 1410 WAT
ESSARTS (CLOS DES) - 53 A3 1150 SPW
ESSEGHEM (RUE - STRAAT) - 31 C1-2 1090 JET
ESSELAAR - 87 E2 1630 LIN
ESSELVELD (RUE - STRAAT) - 44 B1-2 1950 KRA
ESSELVELD - 108 D3-4 1653 DWO
ESSENLAAN - 53 A-B3 1950 KRA
ESSTRAAT - 34 C4 1932 SSW
EST (AV. DE L') - 153 B3 C2-3 1348 LLN
EST (RUE DE L') - 41 C1 - 25 D1 1030 SCH
EST (RUE DE L') - 42 C1 1140 EVE
ESTERHERTSTRAAT (D') - 9 D1 1910 BER
ESTREE (AV. DE L') - 134 C3 1420 BRA
ETANG (AV. DE L') - 129 C2-3 1300 WAV
ETANG (RUE DE L') - 113 D-E1 1310 LAH
ETANG (RUE DE L') - 122 B3 1410 WAT
ETANG (RUE DE L') - 50 D3 - Centr. 169 C3 1040 ETT
ETANG DECELLIER (AV.) - 113 C1-2 1310 LAH
ETANGS (AV. DES) - 109 B2-3 C2 1420 BRA
ETANGS (AV. DES) - 12 C4 D3-4 - 21 C1 1780 WEM
ETANGS (CHEMIN DES) - 61 C-D4 - 70 D1 1160 AUD
ETANGS (CHEMIN DES) - 98 B2 1640 SGR
ETANGS (CLOS DES) (1) -
50 D2-3 - Centr. 169 C2-3 1040 ETT
ETANGS (DREVE DES) - 115 B3-4 - 127 A1-2 B1 1330 RIX
ETANGS (DREVE DES) - 162 C-D4 1470 GEP
ETANGS (DREVE DES) - 87 B1-2 C1 1630 LIN
ETANGS (RUE DES) - 149 C2 1380 LAS
ETANGS DU CURE (RUE DES) - 144 C1 1440 WBC
ETANGS NOIRS (RUE DES) - 40 A-B2 1080 SJM
ETAT (ROUTE DE L') -
137 C4 - 149 A3-4 B2-3 C1-2 -
160 E3-4 - 161 A1-2-3 1380 LAS

ETE (AV. DE L') - 123 A2-3 B2 1410 WAT
ETE (RUE DE L') (4) - 128 C4 1300 LIL
ETE (RUE DE L') - 59 E2-3 - 60 A3 1050 IXE
ETENDARD (RUE DE L') - 41 E4 1000 BRL
ETERNITE (AV. DE L') (5) - 48 E2 1070 AND
ETOILE (AV. DE L') - 164 C-D1 1340 OTT
ETOILE (ROND POINT DE L') - 59 D3 1050 IXE
ETOILE (RUE DE L') - 127 D-E2 - 128 A1-2 B1 1301 BIE
ETOILE (RUE DE L') - 66 E4 - 67 A3-4 1180 UCK
ETOILE (RUE DE L') - 66 E4 - 76 E1 1620 DRO
ETOILE POLAIRE (AV. DE L') - 135 D-E1 1410 WAT
ETOILE POLAIRE (RUE DE L') - 30 A4 1082 SAB
ETOILES (CHAMP DES) (3) - 45 B4 1970 WEO
ETOURNEAU (RUE DE L') - 69 E1 1170 WAB
ETOURNEAUX (AV. DES) - 126 D1 1330 RIX
ETOURNEAUX (RUE DES) - 116 A2-3 1301 BIE
ETRIER (ALLEE DE L') - 68 D2 1180 UCK
ETRIER (AV. DE L') - 129 D3 1300 WAV
ETRIERS (AV. DES) - 53 A2-3 1150 SPW
ETTERBEEK (CHAUSSEE D') -
50 D1-2 - Centr. 169 C1-2
NOS 1 à 15 1000 BRL
NOS 25 à FIN - NOS PAIRS 1040 ETT
ETTERBEEKSESTEENWEG -
50 D1-2 - Centr. 169 C1-2
NRS 1 tot 15 1000 BRL
NRS 25 tot EINDE - EVEN NRS 1040 ETT
ETUDIANTS (RUE DES) - 49 D-E4 1060 SGI
ETUVE (RUE DE L') -
40 E4 - 49 E1 - Centr. 166 C3 - 66 C1 1000 BRL
EUROPADORPSTRAAT - 39 A1 1082 SAB
EUROPAKRUISPUNT - 41 A4 - Centr. 166 D3 1000 BRL
EUROPALAAN - 106 B3-4 1502 LEM
EUROPALAAN - 34 A-B4 1932 SSW
EUROPALAAN - 44 D4 - 53 D1 1970 WEO
EUROPALAAN - 49 C2 - Centr. 168 A2 1060 SGI
EUROPALAAN - 74 E4 - 75 A4 - 84 E1 - 85 A1-2 1600 SPL
EUROPALAAN - 92 A2 1560 HOE
EUROPAPLEIN - 6 C4 - 15 C1 1800 VIL
EUROPAPLEIN - 51 C-D4 1150 SPW
EUROPE (AV. DE L') - 127 A3-4 - 139 A1 1330 RIX
EUROPE (AV. DE L') - 44 D4 - 53 D1 1970 WEO
EUROPE (BLD. D') - 49 C2 - Centr. 168 A2 1060 SGI
EUROPE (BLD. DE L') - 129 A2-3 1300 WAV
EUROPE (BLD. DE L') - 134 D4 - 146 E1 1420 BRA
EUROPE (BLD. DE L') -
128 D4 E3-4 - 129 A3-4 - 140 B2-3 C1-2 1301 BIE
EUROPE (BLD. DE L') - 140 B2-3 1300 LIL
EUROPE (CARREF. DE L') - 41 A4 - Centr. 166 D3 1000 BRL
EUROPE (PLACE DE L') - 140 A4 1342 LIM
EUROPE (RUE DE L') - 140 A4 1342 LIM
EUROPE (SENTIER DE L') - 152 D2-3 1340 OTT
EUROPE (SQUARE DE L') - 51 C-D4 1150 SPW
EUTERPE (RUE - STRAAT) - 39 E2 1080 SJM
EVAUX (RUE DES) - 163 C-D2 1340 OTT
EVENAARSTRAAT - 68 A3 B3-4 1180 UCK
EVENEPOEL (RUE H. - STRAAT) - 42 B2-3 C2 1030 SCH
EVENINGLAAN - 42 D-E4 1200 WSL
EVENTAIL (RUE DE L') - 49 E2 - Centr. 168 C2 1000 BRL
EVEQUE (RUE DE L') - 40 E3 - Centr. 166 C2 1000 BRL
EVERAERTS (RUE GERY) - 140 B3 C2-3-4 1300 LIL
EVERAERTS (RUE GERY) - 140 C3 - 152 C1 1342 LIM
EVERARD (AV. - LAAN) - 58 C3 1190 VOR
EVERE (RUE D') - 33 D-E3 1140 EVE
EVERS (RUE - STRAAT) (2) - 49 E3 - Centr. 168 C3 1000 BRL
EVERSESTRAAT - 33 D-E3 1140 EVE
EVERSESTRAAT - 34 A-B3 C3-4 1932 SSW
EVERSLAAN - 36 E2 3078 EVG
EVERZWIJNENSTRAAT - 69 C3 1170 WAB
EVERZWIJNTJESSTRAAT - 69 C3 1170 WAB
EVOLUTION (RUE DE L') (3) - 30 C3 1082 SAB
EVRARDLAAN (PASTOOR) - 12 A-B3 1731 REL
EXCELSIORLAAN - 25 D4 E3-4 1930 ZAV
EXCURSION (AV. DE L') - 43 D4 1200 WSL

FERON (RUE EM. - STRAAT) - 49 C3-4 D3 - Centr. 168 A-B3	1060	SGI
FERRAILLE (IMP. DE LA) (2) - 49 D1 - Centr. 168 B1	1000	BRL
FERRESTRAAT (G.) - 16 A-B2	1830	MAC
FERRIERE (RUE DE) - 162 D3-4	1470	GEP
FERRIERES (RUE DE) - 162 D3 E2-3	1341	CEM
FETIS (RUE - STRAAT) - 50 E3 - Centr. 169 D3	1040	ETT
FETISSTRAAT - 7 A1	1800	VIL
FEU (RUE DU) - 58 A2	1190	VOR
FEUILLAGE (AV. DU) - 146 B1-2	1420	BRA
FEUILLAGE (AV. DU) - 78 D1	1180	UCK
FEUILLIEN (AV. H. - LAAN) - 30 D1	1083	GAN
FEVRIER (AV. DE) - 42 C-D3	1200	WSL
FIANCEE (RUE DE LA) - 40 E3 - 41 A3 - Centr. 166 C-D2	1000	BRL
FICHERMONT (CLOS DE) - 148 E2	1380	LAS
FICHERMONT (RUE DE) - 148 C1-2 D2 E2-3 - 149 A3	1380	LAS
FIDELES (RUE DES) - 67 C2	1180	UCK
FIDELITE (AV. DE LA) - 146 E3	1420	BRA
FIDELITE (IMPASSE DE LA) - 40 E4 - Centr. 166 C3	1000	BRL
FIEF (AV. DU) - 121 E2-3	1420	BRA
FIEFS (RUE DES) - 149 E1-2 - 150 A2-3 B3	1380	LAS
FIEFS (SENTIER DES) - 131 D-E4	1440	BRC
FIERENS (RUE DOYEN) - 40 C-D2	1080	SJM
FIERENSSTRAAT (DEKEN) - 40 C-D2	1080	SJM
FIERS (RUE E. - STRAAT) - 32 D4	1030	SCH
FIEVEZ (RUE A.) - 161 C-D-E4	1470	GEP
FIJTLAAN (JAN) - 82 C2	3090	OVE
FIL A PLOMB (CHEMIN DU) - 153 A4	1348	LLN
FILATURE (RUE DE LA) (2) - 146 B1	1420	BRA
FILATURE (RUE DE LA) - 164 A2	1490	CSE
FILATURE (RUE DE LA) - 49 D3 - Centr. 168 B3	1060	SGI
FILATURE (SENTIER DE LA) - 163 E2 - 164 A2	1340	OTT
FILATURE (SENTIER DE LA) - 164 A2	1490	CSE
FILIPS DE GOEDESTRAAT - 41 C-D4	1000	BRL
FILLEUL (RUE DU) (1) - 58 D2	1190	VOR
FILS (CHEMIN DES) - 161 B3-4	1380	CSG
FIN (RUE - STRAAT) - 40 C3 - Centr. 166 A2	1080	SJM
FINANCIALAAN - 102 D1 E1-2	3090	OVE
FINEAU (RUE - STRAAT) - 31 D1	1020	BRL
FINISTERE (RUE DU) - 41 A3 - Centr. 166 D2	1000	BRL
FINISTERRAESTRAAT - 41 A3 - Centr. 166 D2	1000	BRL
FINLANDE (AV. DE) - 146 E4 - 158 D1	1420	BRA
FISCHERLAAN (LEON) - 4 C3	1860	MEI
FIVE (RUE GEN. - STRAAT) - 51 A-B4	1040	ETT
FLACHAUX (RUE) - 144 B-C1	1440	BRC
FLAGEY (PLACE EUGENE - PLEIN) - 50 C4	1050	IXE
FLAMAND (RUE PIERRE) - 122 D-E4 - 134 C2-3-4 D1-2	1420	BRA
FLAMANDS (CHEMIN DES) - 115 E2 - 116 A2	1301	BIE
FLAMANDS (RUE DES) - 31 A2	1090	JET
FLAMINGOHOF - 83 D2	3090	OVE
FLANDRE (PORTE DE) - 40 D3 - Centr. 166 B2	1000	BRL
FLANDRE (RUE DE) (7) - 129 A-B1	1300	WAV
FLANDRE (RUE DE) - 40 D3 - Centr. 166 B2	1000	BRL
FLEAU D'ARMES (AV. DU) - 42 C1	1140	EVE
FLECHE (RUE DE LA) - 40 E1-2	1000	BRL
FLEISCHMAN (AV. DES FRERES) - 135 A3	1410	WAT
FLEMING (AV. A. - LAAN) - 4 A3	1780	WEM
FLEMING (AV. ALEXANDER) - 165 E1	1348	LLN
FLEMING (AV.) - 104 E4 - 116 E1 - 117 A1	1300	WAV
FLERON (AV. DE - LAAN) - 66 E1	1190	VOR
FLESSINGUE (RUE DE) - 31 C4	1080	SJM
FLETRY (CHEMIN DU) - 127 D1-2	1300	LIL
FLETTESTRAAT - 47 A1-2 B1	1700	DIL
FLEUR (RUE) - 66 E4	1620	DRO
FLEUR D'ORANGER (RUE DE LA) (12) - 44 A4	1150	SPW
FLEUR DE BLE (AV. DE LA) - 43 E4	1200	WSL
FLEUR DE BLE (PLACE DE LA) - 43 E4	1200	WSL
FLEURBEEKGANG - 86 E1	1650	BEE
FLEURBEEKSTRAAT - 66 E4	1620	DRO
FLEURETS (COURS DES) - 152 E3 - 153 A3	1348	LLN

FLEURI (CLOS) (1) - 30 A-B4	1082	SA
FLEURI (CLOS) - 88 C4 - 98 C-D1	1640	SG
FLEURISTES (RUE DES) (2) - 30 B4 - 39 A1	1082	SA
FLEURISTES (RUE DES) - 49 D2 - Centr. 168 B2	1000	BF
FLEURS (AV. DES) - 52 B4 - 61 C1	1150	SP
FLEURS (AV. DES) - 53 B1	1970	WE
FLEURS (AV. DES) - 53 B1-2	1950	KR
FLEURS (CHAMP DES) (1) - 54 B1	1970	WE
FLEURS (CLOS DES) (3) - 42 B1	1030	SC
FLEURS (CLOS DES) - 53 B1-2	1950	KR
FLEURS (RUE AUX) - 112 E4 - 113 A4 - 125 A1	1380	OH
FLEURS (RUE AUX) - 162 B1-2	1341	CE
FLEURS (RUE AUX) - 40 E2-3 - Centr. 166 C1-2	1000	BR
FLEURS (RUE DES) - 126 D1	1330	RI
FLEURS (RUE DES) - 157 D1	1421	OP
FLEURUS (RUE DE - STRAAT) - 50 C2 - Centr. 169 B2	1050	IX
FLEURUSSTRAAT (ALFONS) - 74 B3 C2-3 D-E3	1600	SP
FLINS (ALLEE DE - DREEF) - 49 A1-2	1070	AN
FLODORP (RUE DE - STRAAT) - 24 D2	1130	BR
FLOHAYE (AV. DE LA) - 146 A-B1	1420	BR
FLOHAYE (SENTIER DE LA) - 146 A2	1420	BR
FLORAISON (RUE DE LA) - 47 E4	1070	AN
FLORALAAN - 59 C3-4 D3-4 - 68 D1	1000	BR
FLORALAAN - 95 A4 - 107 A1	1501	BL
FLORALIENSTRAAT - 43 A-B4 - 52 B1	1200	WS
FLORALIES (RUE DES) - 43 A-B4 - 52 B1	1200	WS
FLORE (AV. DE) - 59 C3-4 D3-4 - 68 D1	1000	BR
FLOREAL (AV. DE - LAAN) - 58 D4 - 67 C-D1	1180	UC
FLOREAL (AV.) - 122 E3	1410	WA
FLORENCE (RUE DE - STRAAT) - 50 A4		
NOS/NRS 1-13 - 2-6	1000	BR
NOS/NRS 19-57 - 20-68	1050	IX
NOS/NRS 59-FIN/EINDE	1060	SG
FLORIBOIS (RAMPE DE) - 153 B4	1348	LL
FLORIDA (AV.) - 110 E3-4	1410	WA
FLORIDALAAN - 59 B4 - 68 B1-2	1180	UC
FLORIDE (AV. DE LA) - 59 B4 - 68 B1-2	1180	UC
FLORIS (RUE - STRAAT) - 32 C3	1030	SC
FLORIVAL (CHEMIN DE) (34) - 153 B4	1348	LL
FLORIVALSTRAAT - 105 B-C1	3040	OT
FLOXENSTRAAT - 60 E4 - 69 E1	1170	WA
FLUTE ENCHANTEE (RUE DE LA) - 39 B-C3	1080	SJ
FLUWIJN - 37 D2	1700	DI
FLUXENBERGWEG - 3 C1	1860	ME
FOCH (AV. MARECHAL) - 126 E2-3	1330	RI
FOCH (AV. MARECHAL) - 32 C3	1030	SC
FOCHLAAN (MAARSCHALK) - 32 C3	1030	SC
FOIN (QUAI AU) - 40 E2 - Centr. 166 C1	1000	BR
FOKKERSDREEF - 45 C4	1933	ST
FOLIANT (CLOS - GAARDE) (2) - 43 C4	1200	WS
FOLIE (AV. FR. - LAAN) - 67 E3-4 - 68 A4	1180	UC
FOLLE CHANSON (AV. DE LA) - 59 D3	1050	IX
FOLLET (AV. DR. H. - LAAN) - 12 C2-3	1780	WE
FOND AGNY (RUE DU) - 161 D2-3	1380	CS
FOND COLLARD (RUE DU) - 115 D2	1301	BI
FOND CORON (CHEMIN DU) - 124 E1-2	1380	OH
FOND DE LA VIGNE (AV. DU) - 115 A4 - 127 A1	1330	RI
FOND DES AILS (CHEMIN DU) - 111 E2 - 112 A-B-C-D2	1310	LA
FOND DES AILS (DREVE DU) - 111 D1 E2	1410	WA
FOND DES CARPES (AV. DU) - 160 B2	1380	PL
FOND DES CLOCHES (AV.) - 129 D2-3	1300	WA
FOND DES MAYS (RUE DU) - 129 B2-3	1300	WA
FOND DU DIABLE (AV.) - 101 E2	1310	LA
FOND DU GRAIVE (AV.) (2) - 113 C3	1310	LA
FOND DU RY - 151 C1	1342	LI
FOND DU TRY - 139 B3-4	1340	OT
FOND JEAN ROSY (AV. DU) - 126 C2	1330	RI
FOND MARIE MONSEU (AV. DU) - 127 B2-3-4	1330	RI
FOND NOEL (CHEMIN) - 141 D-E2	1300	WA
FOND'ROY (AV.) - 78 C1-2 D2-3	1180	UC
FOND SAINT-GEORGES (CHEMIN DU) - 146 C4	1420	BR
FOND TASNIER - 114 A2-3	1332	GE

OND THIRION (RUE) - 122 C-D3	1410	WAT
OND VANDENBOSCH (RUE) - 123 B3-4	1410	WAT
ONDATION (RUE DE LA) (7) - 30 D3	1082	SAB
ONDERIE (RUE DE LA) - 40 C2 - Centr. 166 A1	1080	SJM
ONDEURS (CHEMIN DES) - 153 A4	1348	LLN
ONDS (RUE DES) - 131 E3-4	1440	BRC
ONDS (RUE DES) - 149 E3-4	1380	CSG
ONDS DES CHEVAUX (RUE) - 115 D3	1301	BIE
ONDS GOUVART (RUE) - 132 E2-3	1440	WBC
ONDS JEAN PAQUES (RUE) - 165 E1	1435	MSG
ONSNY (AV. - LAAN) - 49 B3-4 C2-3 D2	1060	SGI
ONSON (RUE - STRAAT) - 33 B-C1	1140	EVE
ONTAINAS (CITE - HOF) - 49 D3 - Centr. 168 B3	1060	SGI
ONTAINAS (PL. - PL.) - 40 D4 - Centr. 166 B3	1000	BRL
ONTAINAS (RUE - STRAAT) (2) -		
49 D3 - Centr. 168 B3	1060	SGI
ONTAINE (CLOS DE LA) - 125 D4 E3-4	1380	OHA
ONTAINE (RUE DE LA) - 126 A1	1332	GEN
ONTAINE (RUE DE LA) - 133 E1	1420	BRA
ONTAINE (RUE DE LA) - 152 B3-4	1340	OTT
ONTAINE (RUE DE LA) - 31 C-D1	1000	BRL
ONTAINE (RUE DE LA) - 97 D3	1640	SGR
ONTAINE (SENTIER DE LA) - 133 E1	1420	BRA
ONTAINE (SENTIER LA) - 126 B2	1330	RIX
ONTAINE AU CHENE - 113 C-D4	1332	GEN
ONTAINE D'AMOUR (RUE) - 41 D-E1	1030	SCH
ONTAINE DEL TURC (CHEMIN) - 140 D2-3	1300	LIL
ONTAINE DES DUCS (CLOS) - 101 D2	1310	LAH
ONTAINE DES MONTS (SENTIER) - 131 B1	1440	BRC
ONTAINEBLEAU (AV. DE) - 159 E2	1380	PLA
ONTAINEBLEU (AV. DE) - 111 C4 - 123 C1	1410	WAT
ONTAINE-FONTENY - 126 A-B1	1332	GEN
ONTAINES (CHAMP DES) -		
127 E4 - 128 A-B4 - 139 E1	1300	LIL
ONTAINES (COURTE RUE DES) (26) - 129 B1	1301	BIE
ONTAINES (RUE DES) - 129 A1-2	1300	WAV
ONTAINES (SENTIER DES) - 128 C2-3 D3	1301	BIE
ONTEINSTRAAT - 118 A-B2	1502	LEM
ONTEINSTRAAT - 49 D1-2 - Centr. 168 B1-2	1000	BRL
ONTEINSTRAAT - 97 D3	1640	SGR
ONTENELLE (RUE DE LA) - 162 E2	1341	CEM
ONTENY (RUE) - 143 E4 - 144 A4	1440	BRC
OOTBALL (AV. DU) (1) - 22 C2	1020	BRL
OOTBALL (AV. DU) - 52 D3	1150	SPW
OPPENS (RUE - STRAAT) - 40 C4 - Centr. 166 A3	1070	AND
ORCE AERIENNE (AV. DE LA) - 51 A4 - 60 A1	1040	ETT
ORELWEG - 77 A1	1180	UCK
ORENDIJS - 92 B3	1560	HOE
OREST (CHAUSSEE DE) -		
49 C3-4 D3 - Centr. 168 A-B3		
NOS 45 à 223 - 2 à 258	1060	SGI
NOS 225 à FIN - 280 à FIN	1190	VOR
ORESTIER (RUE DU) - 122 B2	1410	WAT
ORESTIERE (AV. DE LA) -		
69 D-E4 - 79 E1-2 - 80 A2	1170	WAB
ORESTIERE (RUE) - 59 B1-2	1050	IXE
ORET (AV. DE LA) - 53 B1	1970	WEO
ORET (AV. DE LA) - 53 B1-2	1950	KRA
ORET (AV. DE LA) - 69 A2-3		
NOS 1 à 89 - 2 à 148	1050	IXE
NOS 101 à FIN - 150 à FIN	1000	BRL
ORET (CHEMIN DE LA) (1) - 153 B2	1348	LLN
ORET (CHEMIN DE LA) - 112 C3	1310	LAH
ORET (CHEMIN DE LA) - 77 E3-4	1180	UCK
ORET (CLOS DE LA) - 61 E1	1150	SPW
ORET (SENTIER DE LA) - 123 C1	1410	WAT
ORET (SENTIER DE LA) - 88 A2	1630	LIN
ORET D'HOUTHULST (RUE DE LA) -		
40 D2 - Centr. 166 B1	1000	BRL
ORET DE SOIGNES (AV. DE LA) - 88 C-D-E4	1640	SGR
ORET DE SOIGNES (AV. DE LA) -		
97 C4 D3-4 E3 - 98 A2-3 B1-2 C1	1640	SGR
ORET DE SOIGNES (CHEMIN DE LA) -		
79 D2-3 E2 - 80 A2	1170	WAB
FORET DE SOIGNES (DREVE DE LA) (1) - 122 C2	1410	WAT
FORET NOIRE (PL. DE LA) - 31 C2	1140	EVE
FORGE (RUE DE LA) - 138 A3	1380	LAS
FORGE (RUE DE LA) - 49 D4	1060	SGI
FORGERON (AV. DU) - 158 B3-4	1428	LIW
FORGERON (CHEMIN DU) - 141 C2 D1-2	1300	WAV
FORGERON (CHEMIN DU) - 33 A4	1030	SCH
FORGES (RUE DES) - 130 A2-3	1480	CLA
FORIEST (CHEMIN DU) -		
133 C2-3 D3-4 E4 - 145 E1	1420	BRA
FORMANOIR (RUE DU - STRAAT) - 48 D2-3	1070	AND
FORSYTHIAS (CHEMIN DES) - 127 A1	1332	GEN
FORT (RUE DU - STRAAT) - 49 D4 - 58 D1	1060	SGI
FORT DE BONCELLES (RUE DU) - 51 B3	1040	ETT
FORT JACO (AV. DU - LAAN) - 78 C-D1	1180	UCK
FORT JACO (DREVE DE - DREEF) - 68 E4 - 78 D1	1180	UCK
FORT VAN BONCELLESSTRAAT - 51 B3	1040	ETT
FORTEMPS (RUE) (2) - 134 B4 - 146 B1	1420	BRA
FORTI DEI MARMI (SQUARE - SQUARE) -		
50 D3 - Centr. 169 C3	1040	ETT
FORTIFICATIONS (RUE DES) - 49 D4	1060	SGI
FORTIN (AV. - LAAN) - 41 E2 - Centr. 167 D2	1030	SCH
FORTON (AV. ARMAND - LAAN) - 43 E1 - 44 A1	1950	KRA
FORTUNE (RUE LAMBERT) - 117 B4 - 129 A-B1	1300	WAV
FORUM (AV. DU - LAAN) -		
13 E4 - 14 A4 - 22 E1 - 23 A1	1020	BRL
FORY (DREVE DU) - 115 A-B3	1331	ROS
FORY (RUE DU) (1) - 115 B2-3	1331	ROS
FOSSANT (RUE A) - 160 E1-2 - 161 A2	1380	MAR
FOSSE (RUE DU) - 58 C4	1180	UCK
FOSSE AU SABLE (RUE DE LA) - 146 C1	1420	BRA
FOSSE AUX VEAUX - 165 A4	1435	MSG
FOSSE DES VEAUX (RUE) - 164 E4 - 165 A4	1490	CSE
FOSSE-AUX-LOUPS (RUE DU) -		
40 E3 - 41 A3 - Centr. 166 C-D2	1000	BRL
FOSSES (RUE DES) - 134 C4	1420	BRA
FOSSES DES MOINES (SENTIER DES) -		
122 C-D1	1410	WAT
FOSSOUL (AV. CAPITAINE) - 48 A3	1070	AND
FOSSOULLAAN (KAPITEIN) - 48 A3	1070	AND
FOUCART (AV. R. - LAAN) - 33 A3-4	1030	SCH
FOUGERES (AV. DES) - 129 B4	1301	BIE
FOUGERES (AV. DES) - 155 A2	1460	IRE
FOUGERES (AV. DES) - 52 C4	1150	SPW
FOUGERES (AV. DES) - 53 D3	1970	WEO
FOUGERES (AV. DES) - 53 D3-4	1950	KRA
FOUGERES (CLOS DES) - 124 A3	1410	WAT
FOUGERES (SENTIER DES) - 70 D3 E3-4	1160	AUD
FOULONS (RUE DES) - 49 C-D1	1000	BRL
FOUR (RUE DU) - 133 E2 - 134 A2	1420	BRA
FOUR A BRIQUES (AV. DU) - 117 D4 - 129 D1	1300	WAV
FOUR A BRIQUES (AV. DU) - 33 D4	1140	EVE
FOURCHE (RUE DE LA) - 40 E4 - Centr. 166 C3	1000	BRL
FOURCON (CHEMIN DU) - 133 E2-3 - 134 A3-4	1420	BRA
FOURCON (SENTIER DU) - 133 E2	1420	BRA
FOUREZ (RUE LEON - STRAAT) - 31 B4 - 40 B1	1081	KOE
FOURMOIS (RUE - STRAAT) - 59 A1	1050	IXE
FOURNET (AV. LEON) - 140 B4	1342	LIM
FOURRAGERE (RUE DE LA - STRAAT) - 67 C2	1180	UCK
FOYER SCHAERBEEKOIS (RUE DU) - 32 E2-3	1030	SCH
FRAEYMAN (RUE R. - STRAAT) (1) - 52 B3	1150	SPW
FRAICHEUR (RUE DE LA) - 39 E2-3	1080	SJM
FRAIGNAT (RUE DU) - 153 E2	1325	CHG
FRAIKIN (RUE - STRAAT) - 32 C3	1030	SCH
FRAISES (RUE DES) - 57 B3	1070	AND
FRAITE (CHEMIN DE LA) - 124 B3-4 C3	1380	OHA
FRAITEUR (AV. A. - LAAN) - 60 A2-3	1050	IXE
FRAMBOISIER (RUE DU) - 68 B-C1	1180	UCK
FRAMBOISIERS (CHEMIN DES) - 89 E2-3	1640	SGR
FRAMBOOS (3) - 37 E1	1700	DIL
FRAMBOZENSTRUIKSTRAAT - 68 B-C1	1180	UCK
FRAMBROZENSTRUIKWEG - 89 E2-3	1640	SGR
FRAMEE (TIENNE DE LA) (3) - 117 B3	1300	WAV
FRANÇAIS (TIENNE DES) - 140 E1 - 141 A1	1300	LIL

F

FRANCART (RUE - STRAAT) -
  50 B2 - Centr. 169 A2 1050 IXE
FRANCE (BLD. DE) - 146 D3-4 - 158 D-E1 1420 BRA
FRANCE (RUE A. - STR.) - 32 D1 E1-2 1030 SCH
FRANCE (RUE DE) - 49 B3 C2-3
  NOS 1 à 85 - 2 à FIN 1060 SGI
  NOS 87 à FIN 1070 AND
FRANCHISES (RUE DES) - 30 E2-3 1083 GAN
FRANCINE (AV. - LAAN) - 88 B4 1640 SGR
FRANCIS (RUE JOSEPH) - 128 C2 1301 BIE
FRANCISCAINS (AV. DES) - 51 E4 - 60 E1 1150 SPW
FRANCISCAINS (PARVIS DES) - 51 D-E4 1150 SPW
FRANCISKANENLAAN - 51 E4 - 60 E1 1150 SPW
FRANCISKANENVOORPLEIN - 51 D-E4 1150 SPW
FRANCK (CLOS CESAR) - 152 A1 1342 LIM
FRANCK (RUE C. - STRAAT) - 59 E2 - 60 A2-3 1050 IXE
FRANCK (RUE CESAR) - 134 B1 1428 LIW
FRANCK (SQ. J. - SQ.) - 49 D3 - Centr. 168 B3 1060 SGI
FRANCOIS (CLOS RENE) - 151 E3 1342 LIM
FRANCOIS (RUE E.) - 161 C3-4 1470 GEP
FRANCOISE (AV.) - 126 E2-3 1330 RIX
FRANCOISSTRAAT (C.) - 16 B1-2 C1-2 1830 MAC
FRANCS (CHAUSSEE DES) - 117 A3 1300 WAV
FRANCS (RUE DES) - 51 A-B2 1040 ETT
FRANCUS (DREVE - DREEF) - 89 B-C4 - 99 A-B1 1640 SGR
FRANKENSTRAAT - 51 A-B2 1040 ETT
FRANKLIN (AV.) - 116 C1 1300 WAV
FRANKLIN (RUE - STRAAT) -
  41 E4 - 42 A4 - 50 E1 - Centr. 169 D1 1000 BRL
FRANKRIJKLAAN - 6 B-C4 - 15 B-C1 1800 VIL
FRANKRIJKLAAN - 83 A-B2 3090 OVE
FRANKRIJKSTRAAT - 49 B3 C2-3
  NRS 1 tot 85 - EVEN NRS 1060 SGI
  ANDERE ONEVEN NRS 1070 AND
FRANKVELD - 77 A2-3 1620 DRO
FRANQUENIES (RUE DE) - 164 A-B2 1340 OTT
FRANQUENIES (RUE DE) - 164 C-D4 1490 CSE
FRANQUI (RUE J. - STRAAT) (2) - 58 C1 1190 VOR
FRANS LYCEUMSTRAAT - 67 E4 1180 UCK
FRANS-GASTHUISLAAN - 30 D-E4
  ONEVEN NRS 1081 KOE
  NRS 2 tot 16 1083 GAN
  NRS 18 tot EINDE 1082 SAB
FRANSMAN (RUE - STRAAT) - 31 D1 1020 BRL
FRATERNELLE (SQUARE DE LA -
  SQUARE) (11) - 47 D2 1070 AND
FRATERNITE (RUE DE LA) - 146 D-E3 1420 BRA
FRATERNITE (RUE DE LA) - 41 B1 1030 SCH
FREDERIC (RUE LEON - STRAAT) - 42 A-B3 1030 SCH
FREESIADREEF - 32 E4 - 33 A4 1030 SCH
FREGATE (SQUARE DE LA) (14) - 69 E1 1170 WAB
FREGATVOGELSQUARE (14) - 69 E1 1170 WAB
FREMINEUR (RUE - STRAAT) - 69 C1 1170 WAB
FRENAIE (ALLEE DE LA) - 129 E4 1300 WAV
FRENE (AV. DU) - 139 E2 - 140 A2 1300 LIL
FRENE (AV. DU) - 23 B1-2 C1 1020 BRL
FRENERAIE (VOIE DE LA) - 141 E2-3 1300 WAV
FRENES (AV. DES) - 122 D-E1 1410 WAT
FRENES (AV. DES) - 53 A-B3 1950 KRA
FRENES (RUE DES) - 145 D2 1421 OPH
FRERE ORBAN (RUE - STRAAT) -
  40 E2 - 41 A2 - Centr. 166 C-D1 1000 BRL
FRERE-ORBAN (SQUARE - SQUARE) -
  40 E2 - 41 A2 - Centr. 166 C-D1 1000 BRL
FRESIAS (ALLEE DES) - 32 E4 - 33 A4 1030 SCH
FRESIAWEG - 7 C2 1800 VIL
FRETBOS - 29 A3-4 1702 GRB
FRETLAAN - 77 E3 1180 WAB
FRICK (SQUARE HENRI - SQUARE) - 41 B-C3 1210 SJN
FRIESLAND - 29 B1-2 C1 1702 GRB
FRIESLANDWEG - 31 C2 1140 EVE
FRIOUL (AV. DU) - 33 C4 - 42 B-C1 1140 EVE
FRIPIERS (RUE DES) - 40 E3-4 - Centr. 166 C2-3 1000 BRL
FRIQUET (RUE DU) - 69 E1 1170 WAB

FRISE (CHEMIN DE LA) - 31 C2 1140 EV
FRISHEIDSTRAAT - 39 E2-3 1080 SJ
FRISON (SQUARE E. - SQUARE) - 48 D4 1070 AN
FRISSEN (AV. TH. - LAAN) - 60 C1 1160 AU
FRIULILAAN - 33 C4 - 42 B-C1 1140 EV
FROEBEL (RUE - STRAAT) - 40 C-D4 - 49 C-D1 1000 BR
FROETENWEG - 97 C3 1652 AL
FROIDMONT (AV. DE) - 129 C-D3 1300 WA
FROIDMONT (RUE DE) (6) - 127 A2-3 B2 1330 RI
FROIDURE (CLOS DE L'ABBE) - 67 B4 1180 UC
FROIDUREGAARDE (PRIESTER) - 67 B4 1180 UC
FROISSART (RUE - STRAAT) -
  50 C2 D-E1 - Centr. 169 B2 C-D1 1040 ET
FROISSART (RUE V.) - 165 B1 1341 CE
FROMENT (RUE DU) - 47 B4 1070 AN
FROMONT (DREVE - DREEF) - 88 E4 - 89 A-B-C4 1640 SG
FRONDAISON (AV. DE LA) (1) - 117 D-E4 1300 WA
FRONT (AV. DU) - 51 B3 1040 ET
FRONTISPICE (RUE DU) - 40 E1-2 1000 BR
FRONTISPIESSTRAAT - 40 E1-2 1000 BR
FRONTLAAN - 51 B3 1040 ET
FRUCTIDOR (AV.) - 122 E3 - 123 A2 1410 WA
FRUITS (RUE DES) - 48 A2-3 B2 1070 AN
FRUITSTRAAT - 48 A2-3 B2 1070 AN
FUCHSIAS (CLOS DES - GAARDE) (3) - 66 E2 1190 VO
FUCHSIAS (RUE DES - STRAAT) - 39 E1 - 40 A1 1080 SJ
FUERISONPLAATS - 18 C2 1820 ST
FULTON (RUE - STRAAT) - 42 A4 1000 BR
FUNKIAS (RUE DES) - 60 E4 1170 WA
FUNKIASTRAAT - 60 E4 1170 WA
FURET (AV. DU) - 77 E3 1180 UC
FUSAIN (AV. DU) - 23 B1-2 1020 BR
FUSEE (RUE DE LA) - 33 D-E1 1130 BR
FUSILLES (RUE DES) - 152 A-B3 1340 OT
FUSILLES (RUE DES) - 163 C-D4 1490 CS
FUSS (RUE GUSTAVE - STRAAT) -
  41 D2-3 - Centr. 167 C1-2 1030 SC
FUSTENDREEF - 67 A1 1190 VO
FUTAIE (CLOS DE LA) - 122 C2 1410 WA
FUTAIE (VAL DE LA) - 69 A3 1000 BR
FUTAIE (VENELLE DE LA) - 129 B4 1301 BI
FUTAILLES (DREVE DES) - 67 A1 1190 VO
FUTENSTRAAT - 69 C2 1170 WA

G

GAAILAAN - 69 E1 1170 WA
GAARDENLAAN - 42 B1 1030 SC
GAASBEEKSESTEENWEG -
  85 A1-2-3-4 - 94 A1 B1-2 C2-3 1500 HA
GAASBEEKSTRAAT - 55 D3 E2-3 1701 IT
GABIN (PLACE JEAN - PLEIN) (17) - 21 E2 1090 JE
GABRIELLE (RUE - STRAAT) - 59 A3-4 1180 UC
GABRIELLE (RUE - STRAAT) - 98 A-B3 1640 SG
GACHARD (RUE - STRAAT) - 50 C4 - 59 B-C1
  NOS/NRS 1-67 - 2-88 1050 IX
  AUTRES NOS/ANDERE NRS 1000 BR
GAESBECQ (RUE DE) - 155 D4 1460 IR
GAFFELSTRAAT - 46 A3 1703 SP
GAI SOLEIL (AV.) - 122 D2 1410 WA
GAILLEMARDE (CHEMIN DE) -
  112 D-E3 - 113 A-B3 1310 LA
GAILLIARD (RUE FR. - STRAAT) - 49 C-D4 1060 SG
GAITE (RUE DE LA) - 48 D3 1070 AN
GALAXIE (AV. DE LA) - 127 D2 E2-3 1300 LI
GALAXIE (AV. DE LA) - 135 D-E1 1410 WA
GALGELAAN - 33 E4 - 34 A4 - 42 E1 - 43 A1
  NRS 2 TOT 8 - 10B 1200 WS
  ANDERE NRS 1140 EV
GALGENDRIES - 87 D2 1630 LI

ALGENVELD - 53 E3 - 54 A3 1970 WEO
ALGSTRAAT - 74 E4- 75 A3-4 B2-3 C1-2 D1 1600 SPL
ALGSTRAAT - 87 D4 - 97 C-D1 1652 ALS
ALILEE (AV. - LAAN) - 41 B3 - Centr. 167 A2 1210 SJN
ALILEE (AV.) - 116 C1-2 1300 LIL
ALLAIT (RUE - STRAAT) - 32 B4 C3-4 1030 SCH
ALLEMAERTSTRAAT (DR. EMILE) - 94 C4 1500 HAL
ALLIERSLAAN - 51 A-B2 1040 ETT
ALLILEE (PLACE) - 153 C4 1348 LLN
ALLISCHE OPRIT - 13 A-B4 - 22 A-B1 1020 BRL
ALLOIS (CLOS DES) - 135 C2 1410 WAT
ALMARTSTRAAT (PASTOOR) - 8 C3 1820 MEL
ALOPIN (AV. ALEXANDRE - LAAN) - 51 A3-4 1040 ETT
AMBIER (RUE V. - STRAAT) - 67 B3 C2-3 1180 UCK
AND (CHAUSSEE DE) -
30 A2-3 B3-4 C4 - 39 C-D1 E1-2 -
40 A-B2 C2-3 D3
NOS 1-195 - 343-665 - 2-772 1080 SJM
NOS 197 à 341 1081 KOE
AUTRES NOS 1082 SAB
ANDHILAAN (AV.-MAHATMA - LAAN) - 40 A1-2 B1 1080 SJM
ANGSTRAAT - 50 C4 1050 IXE
ANSHOREN (RUE DE - STRAAT) - 30 D3-4 1082 SAB
ANSHOREN (RUE DE - STRAAT) - 40 B1 1081 KOE
ANZENBOS - 10 E1-2 - 11 A1-2 1730 KOB
ANZENDRIES - 8 E2 1820 PER
ANZENLAAN - 98 D-E4 - 110 D-E1 1640 SGR
ANZENWEIDESTRAAT - 15 D-E4 - 24 D1-2 E1 1130 BRL
ANZEVELDWEG - 55 B-C2 1602 VLE
ANZEWEG - 1 A1-2 1730 MOL
ARDE (DREVE DU) - 110 C-D-E4 1410 WAT
ARDE IMPERIALE (AV. DE LA) - 146 E2 1420 BRA
ARDENIAS (RUE DES) (13) - 69 E1 1170 WAB
ARDENIASTRAAT (13) - 69 E1 1170 WAB
ARDON (AV. DU) - 60 C3-4 1160 AUD
ARE (AV. DE LA) - 140 B2-3 1300 LIL
ARE (MONTAGNE DE LA) (2) - 52 B2 1150 SPW
ARE (PLACE DE LA) (1) - 52 B2 1150 SPW
ARE (PLACE DE LA) - 122 E1 1410 WAT
ARE (PLACE DE LA) - 127 A2 1330 RIX
ARE (PLACE DE LA) - 134 C4 1420 BRA
ARE (PLACE DE LA) - 152 A3 1342 LIM
ARE (PLACE DE LA) - 30 A2 1082 SAB
ARE (RUE DE LA) - 126 E2 - 127 A2 1330 RIX
ARE (RUE DE LA) - 133 E2-3 1420 BRA
ARE (RUE DE LA) - 153 B3 1348 LLN
ARE (RUE DE LA) - 51 A3 B2-3 1040 ETT
ARE (SENTIER DE LA) - 152 A3 1342 LIM
ARE DE BASSE WAVRE (RUELLE DE LA) -
117 C-D3 1300 WAV
ARE DU WITLOOF - (RUE DE LA) - 24 E2-3 1130 BRL
AREBAAN - 74 D-E4 1600 SPL
ARENNES (PENTE DES) - 152 C-D2 1340 OTT
ARENNES (RUE DES) - 69 D-E2 1170 WAB
ARIBALDI (RUE - STRAAT) - 58 D1 1060 SGI
ARMILLES (CHEMIN DES) - 124 C-D1 1380 OHA
ARNAALKREEFTENLAAN (1) - 69 B3 1170 WAB
ARNILLES (CHEMIN DES) - 112 C4 - 124 C1 1310 LAH
ARNIR (RUE G. - STRAAT) - 32 D2 1030 SCH
ARONNE (CHAUSSEE DE LA) (8) - 117 B3-4 1300 WAV
ASPAR (SENTIER) - 135 A2 1410 WAT
ASPARD (VENELLE) - 129 C-D4 - 141 D1 1300 WAV
ASPELDOORNLAAN - 74 D1-2 E1 1600 SPL
ASPELDOORNLAAN - 97 C1 1652 ALS
ASPERI (AV. DE) - 151 C3 1340 OTT
ASPERI (AV. DE) - 151 C3 1341 CEM
ASSEE (RUE P. - STRAAT) - 31 C-D4 1080 SJM
ASSTRAAT - 22 C-D4 1020 BRL
ASTENDELLE (CHEMIN DU - WEG) - 33 A1 1140 EVE
ASTHUISSTRAAT - 118 B2 1502 LEM
ASTHUISSTRAAT - 49 E1 - Centr. 168 C1 1000 BRL
ATTI DE GAMOND (RUE - STRAAT) - 67 B1-2-3 1180 UCK
AUCHERET (PLACE - PLEIN) - 32 A4 1030 SCH
AUCHERET (RUE - STRAAT) -32 A4 B3-4 - 41 A1 1030 SCH

GAUGUIN (RUE PAUL - STRAAT) - 51 C2 1140 EVE
GAULOIS (AV. DES) - 51 A-B2 1040 ETT
GAULOIS (CHAUSSEE DES) - 117 B3-4 1300 WAV
GAULOIS (CLOS DES) - 164 D1 1340 OTT
GAULOISE (RAMPE) - 13 A-B4 - 22 B1 1020 BRL
GAUMAIS (VOIE DES) - 153 B4 1348 LLN
GAUTIER (RUE A. - STRAAT) -
50 E2-3 - 51 A2 - Centr. 169 D2-3 1040 ETT
GAVOTTE (RUE DE LA - STRAAT) - 39 A4 1080 SJM
GAY (RUE FR. - STRAAT) - 51 D-E2 - 52 A2 1150 SPW
GAYOLET (SENTIER) - 152 B2-3 1340 OTT
GAYSTRAAT - 63 B2 3080 TER
GAZ (RUE DU) - 123 B2 1410 WAT
GAZ (RUE DU) - 22 C-D4 1020 BRL
GAZELLE (AV. DE LA - LAAN) - 77 D2-3 1180 UCK
GAZON (RUE DU) - 157 D1-2 E1-2 1421 OPH
GAZOUILLIS (RUE DU) - 39 B4
NOS 1 à 15 - 2 à 16 1070 AND
AUTRES NOS 1080 SJM
GEAI (AV. DU) - 69 E1 1170 WAB
GEBLADERTELAAN - 78 D1 1180 UCK
GEBROKENHOFSTRAAT (2) -
49 E2 - Centr. 168 C2 1000 BRL
GEBURENSTRAAT - 44 C3 1970 WEO
GEDACHTENISSQUARE - 59 C1 1050 IXE
GEDACHTENISSTRAAT - 48 D1-2 1070 AND
GEEFS (RUE - STRAAT) - 41 C2 - Centr. 167 B1 1030 SCH
GEELVINKENLAAN - 60 E2 1160 AUD
GEER - 108 B3 1653 DWO
GEERAERTSLAAN (MAURITS) - 36 B4 1933 STK
GEERENSTRAAT - 8 D4 - 17 C-D1 1820 MEL
GEESTDRIFTSTRAAT - 47 D2 1070 AND
GEEVAERT (CHEMIN - WEG) - 98 A2-3 1640 SGR
GEHUCHTSTRAAT - 98 A-B-C4 1640 SGR
GEITENBLADLAAN - 52 C2 1200 WSL
GEITJESSTRAAT - 77 D4 1180 UCK
GEKWEELSTRAAT - 39 B4
NRS 1 TOT 15 - 2 TOT 16 1070 AND
ANDERE NRS 1080 SJM
GELAARSDE-KATPLEIN - 77 D3 1180 UCK
GELDERSSTRAAT (FR.) - 6 E1-2 1800 VIL
GELE HOEKSTRAAT (7) - 44 A4 1150 SPW
GELEYTSBEEK (RUE - STRAAT) - 67 D-E4 - 77 D1 1180 UCK
GELIJKHEIDSTRAAT - 51 A4 1040 ETT
GELINOTTE (RUE DE LA) - 69 E1 1170 WAB
GELOVIGENSTRAAT - 67 C2 1180 UCK
GELUKKIGE GRIJSHEIDSTRAAT (1) - 39 B2 1080 SJM
GELUKSDREEF - 53 A1 1150 SPW
GELUKSSTRAAT - 47 D2 1070 AND
GELUKZALIGHEIDSLAAN - 42 C-D1 1140 EVE
GEMEAUX (AV. DES) (8) - 42 D3 1200 WSL
GEMEAUX (AV. DES) - 123 D4 - 135 D1 1410 WAT
GEMEENSCHAPPENLAAN - 42 E1-2 - 43 A2
NRS 3 - 4 - 5 1140 EVE
NRS 101 - 103 1200 WSL
GEMEENTEHUISLAAN - 97 D-E3 1640 SGR
GEMEENTEHUISSTRAAT (1) - 108 B-C2 1653 DWO
GEMEENTELIJK GODSHUISSTRAAT - 69 D3 E2-3 1170 WAB
GEMEENTELOS - 19 C3-4 1730 BEK
GEMEENTEPLEIN - 13 E2-3 1853 SBE
GEMEENTEPLEIN - 38 C4 1700 DIL
GEMEENTEPLEIN - 40 C2 - Centr. 166 A1 1080 SJM
GEMEENTEPLEIN - 64 C1 1602 VLE
GEMEENTEPLEIN - 87 C1 1630 LIN
GEMEENTEPLEIN - 91 B2 1560 HOE
GEMEENTEPLEIN - 95 A4 1501 BUI
GEMEENTEPLEIN VAN OUDERGEM - 61 A3 1160 AUD
GEMEENTESTRAAT - 30 E1-2 - 31 A1 1083 GAN
GEMEENTESTRAAT - 41 C3 - Centr. 167 B2 1210 SJN
GEMEENTESTRAAT - 63 B1 3080 TER
GEMEENVELDSTRAAT - 97 B4 C3-4 1652 ALS
GEMENEBEEMDENSTRAAT - 23 D2 E2-3 1120 BRL
GEMOEDSRUSTLAAN - 42 C1 1140 EVE
GEMSLAAN - 72 B-C-D4 - 82 D1 3090 OVE

G

G

Street	Postal code	Locality
GEMSSTRAAT - 77 A1	1180	UCK
GENARD (RUE HECTOR - STRAAT) (3) - 57 C2	1070	AND
GENDARMENDREEF - 68 D3-4 - 78 D1	1180	UCK
GENDARMERIE (RUE DE LA) - 137 D-E4 - 149 D-E1	1380	LAS
GENDARMERIESTRAAT - 6 D-E2	1800	VIL
GENDARMES (DREVE DES) - 68 D3-4 - 78 D1	1180	UCK
GENDEBIEN (RUE - STRAAT) - 32 A-B4	1030	SCH
GENEESHEERSTRAAT - 91 C2-3	1560	HOE
GENERAL (CLOS DU) - 164 C-D1	1340	OTT
GENES (RUE DE) (3) - 49 B4	1190	VOR
GENESSE (RUE H.J. - STRAAT) - 57 D1-2 E2	1070	AND
GENET (CLOS DU) - 44 A3	1950	KRA
GENETS (AV. DES) - 114 A-B3	1332	GEN
GENETS (AV. DES) - 151 D-E2	1342	LIM
GENETS (AV. DES) - 163 D3-4	1490	CSE
GENETS (AV. DES) - 54 A3-4	1970	WEO
GENETS (AV. DES) - 68 D-E2	1000	BRL
GENETS (AV. DES) - 88 B1 C1-2	1640	SGR
GENETS (CHEMIN DES) - 23 B-C1	1120	BRL
GENETS (CHEMIN DES) - 99 C2 B3	1640	SGR
GENETS (CLOS DES) (2) - 110 D2	1410	WAT
GENETS (RUE DES) (1) - 134 C2	1420	BRA
GENETS (RUE DES) - 139 E1-2	1300	LIL
GENETS (RUE DES) - 149 C3	1380	LAS
GENETS (RUE DES) - 155 B4	1460	IRE
GENETS (SENTIER DES) - 131 E2 - 132 A2	1440	BRC
GENEVE (RUE DE - STRAAT) - 42 B1 C1-2		
NOS/NRS 470-480 - 492-560	1030	SCH
AUTRES NOS/ANDERE NRS	1140	EVE
GENEVIEVE DE BRABANT (AV.) - 147 A1	1420	BRA
GENEVRIER (CLOS DU) (11) - 146 A1	1420	BRA
GENEVRIERS (RUE DES) - 13 B4 - 22 B1	1020	BRL
GENICOT (AV. J. - LAAN) - 61 A2	1160	AUD
GENISTROIT (RUE DU) - 153 E3	1325	CHG
GENISTROIT (RUE) - 153 E3-4 D3	1348	LLN
GENLEAU (RUE DE) - 136 D-E4 - 137 A-B-C4	1380	LAS
GENOT (RUE J. - STRAAT) - 39 C-D1		
NOS IMPAIRS/ONPARE NRS		
NOS/NRS 28 à FIN/tot EINDE	1080	SJM
NOS/NRS 6-22	1082	SAB
GENSTBERG - 97 B1-2	1652	ALS
GENTIANENSTRAAT (5) - 60 E4	1170	WAB
GENTIANES (RUE DES) (5) - 60 E4	1170	WAB
GENTIL HOMME (RUE DU) - 41 A4 - Centr. 166 D3	1000	BRL
GENTSESTEENWEG - 30 A2-3 B3-4 C4 - 39 C-D1 E1-2 - 40 A-B2 C2-3 D3		
NRS 1-195 - 343-665 - 2-772	1080	SJM
NRS 197-341	1081	KOE
ANDERE NRS	1082	SAB
GENTSESTRAAT - 13 C3 D2	1853	SBE
GENTSTRAAT - 85 D-E4	1651	LOT
GENUASTRAAT (3) - 49 B4	1190	VOR
GENVAL (ROUTE DE) - 125 A4 B3-4 C3 D2-3	1380	OHA
GENVAL (RUE DE) - 113 D2-3	1310	LAH
GENVAL (RUE DE) - 114 E2 - 115 A1-2	1331	ROS
GENVAL (RUE DE) - 115 D1-2 E1-2	1301	BIE
GEOMETRE (RUE DU) - 39 D3	1080	SJM
GEORGE DIT MARCHAL (RUE - STRAAT) - 40 B1	1081	KOE
GEORGETTE (AV.) - 139 B-C2	1300	LIL
GEORGIN (AV. J. - LAAN) - 42 C2 D2-3	1030	SCH
GEORGIN (AV. JACQUES) - 152 A1	1342	LIM
GEPLANTE BOSGAARDE - 51 E4	1150	SPW
GERAARDSBERGSESTRAAT - 46 A2	1703	SPD
GERANCE (RUE DE LA) (1) - 30 C3	1082	SAB
GERANIUMLAAN - 51 D4	1150	SPW
GERANIUMS (AV. DES) - 146 E3	1420	BRA
GERANIUMS (AV. DES) - 51 D4	1150	SPW
GERANIUMSTRAAT (5) - 7 C2	1800	VIL
GERARD (AV. ISIDORE - LAAN) - 61 C2	1160	AUD
GERARD (RUE - STRAAT) - 51 A-B1	1040	ETT
GERARD (RUE FR. - STRAAT) - 48 D3-4	1070	AND
GERARD (RUE FRANÇOIS) - 132 B4 - 144 B1	1440	WBC

Street	Postal code	Locality
GERARD (VOIE MARECHAL) (6) - 141 C4	1300	WA
GERECHTIGHEIDSSTRAAT - 31 B2	1090	JE
GERECHTSPLEIN - 49 E1 - 50 A1 - Centr. 168 C-D1	1000	BR
GERECHTSSTRAAT - 48 E2	1070	AN
GERFAUTS (AV. DES) - 60 D4	1170	WA
GERGEL (RUE - STRAAT) - 44 C4 D3-4	1970	WE
GERIJSTRAAT - 57 E1 - 58 A1-2		
NRS 52 - 53 - 65	1070	AN
ANDERE NRS	1190	VO
GERMIAT (CLOS RAYMOND) - 140 A4 - 152 B1	1342	LI
GERMINAL (AV.) - 146 E3 - 147 A3	1420	BR
GERMINAL (CLOS) - 122 E3	1410	WA
GERMOIR (RUE DU) (1) - 50 D4	1050	IX
GERSIS (RUE E. - STRAAT) - 52 E1-2	1150	SP
GERUSTHEIDSPLEIN - 51 D4	1150	SP
GERUSTHEIDSSTRAAT - 57 B3	1070	AN
GERUZET (RUE P. - STRAAT) - 70 B1-2	1160	AU
GESCHENKENGANG GELEGEN GRASMARKT TUSSEN NRS 6-8 40 E4 - Centr. 166 C3	1000	BR
GESLACHTENDREEF - 30 E1	1083	GA
GESPANHOEK - 68 D1	1000	BR
GESPSTRAAT - 48 E1-2	1070	AN
GETROUWHEIDSGANG - 40 E4 - Centr. 166 C3	1000	BR
GETS (CITE - WIJK) SITUEE/GELEGEN RUE SAINT-GUIDON/SINT-GUIDOSTRAAT 48 C-D3	1070	AN
GEURSTRAAT - 48 D1-2	1070	AN
GEUZENPLEIN - 42 A4	1000	BR
GEVAERT (AV.) - 114 A4 B3-4 C3 - 126 A1	1332	GE
GEVAERT (RUE AUGUST - STRAAT) - 49 B2	1070	AN
GEWIJDE BOOMSTRAAT - 50 B3-4 - Centr. 169 A3		
NRS 1 tot 129 - EVEN NRS	1050	IX
NRS 131 tot EINDE	1000	BR
GEYNSTBOS - 95 C4	1501	B
GEYSKENS (AV. IS. - LAAN) - 60 E2	1160	AU
GEZELLE (PLACE GUIDO - PLAATS) - 30 E2	1083	GA
GEZELLE (RUE G. - STRAAT) - 12 C3	1780	WE
GEZELLE (RUE G. - STRAAT) - 33 A2	1030	SC
GEZELLELAAN (GUIDO) - 102 B2 C3	3090	OV
GEZELLELAAN (GUIDO) - 35 E4 - 36 A4	1933	ST
GEZELLESTRAAT (GUIDO) - 29 D3-4	1702	GR
GEZELLESTRAAT (GUIDO) - 7 A1	1800	V
GEZELLESTRAAT (GUIDO) - 85 D4	1651	LO
GEZELLESTRAAT (GUIDO) - 85 D4 - 95 C1-2 D1	1654	HI
GEZELLESTRAAT (GUIDO) - 94 D3	1500	HA
GEZELLENSTRAAT - 42 B2	1030	SC
GEZONDHEIDSSTRAAT - 47 D2	1070	AN
GHESQUIEREWEG (REMI) - 106 E1 - 107 A1	1500	HA
GHEUDE (COURS CHARLES) - 153 B2	1348	LL
GHEUDE (RUE - STRAAT) - 49 C1 - Centr. 168 A1	1070	AN
GHEUDE (RUE L.) - 132 E3 - 133 A3	1440	WB
GHIJSSTRAAT (EUGENE) - 66 A-B2	1600	SP
GHYSBRECHT (IMPASSE - GANG) SITUEE/GELEGEN RUE FIN/FINSTRAAT NOS/NRS 34-36 40 C3 - Centr. 166 A2	1080	SJ
GIBECIERE (CLOS DE LA) - 111 C3	1410	WA
GIBERNE (CLOS DE LA) - 135 B3	1410	WA
GIBET (AV. DU) - 33 E4 - 34 A4 - 42 E1 - 43 A1		
NOS 2 à 8 - 10B	1200	WS
AUTRES NOS	1140	EV
GIBONSTRAAT (GUSTAVE) - 65 E2 - 66 A1	1600	SP
GIELE (AV. - LAAN) - 31 B3	1090	JE
GIERSTRAAT - 40 D4 - 49 D1 - Centr. 166 B3 - 66 B1	1000	BR
GIERVALKENLAAN - 79 D2	1170	WA
GIETERIJSTRAAT - 118 A-B2	1501	BU
GIETERIJSTRAAT - 40 C2 - Centr. 166 A1	1080	SJ
GIETERIJSTRAAT - 66 C4 - 76 B1	1601	RU
GIETERSTRAAT - 49 D2-3 - Centr. 168 B2-3	1000	BR

Street	Code	Commune
GIJSELBOSSTRAAT - 97 B2	1652	ALS
GILBERT (AV. G. - LAAN) - 59 E4 - 60 A4	1050	IXE
GILDENPLEIN - 8 E4 - 9 A4	1820	STE
GILDENSTRAAT - 41 C-D4		
ONEVEN NRS - NR 4-EINDE	1000	BRL
NR 2	1210	SJN
GILISQUET (AV. CH. - LAAN) - 33 A-B4 - 42 A1	1030	SCH
GILKIN (RUE IWAN - STRAAT) - 32 D2	1030	SCH
GILLARDLAAN (L.) - 30 A1-2 B1	1731	ZEL
GILLE (AV. NORBERT - LAAN) - 39 E4 - 48 E1	1070	AND
GILLE (SQUARE V. - SQUARE) - 60 A4	1050	IXE
GILLEBERTUS (RUE - STRAAT) - 31 A1	1090	JET
GILLEKENSSTRAAT - 15 D-E1	1800	VIL
GILLES (CLOS DES) (7) - 153 A3	1348	LLN
GILLES (RUE DES) (18) - 153 A3	1348	LLN
GILLON (RUE - STRAAT) - 41 B-C2	1210	SJN
GILLY (CHEMIN DE) - 153 D3	1348	LLN
GILLYNSSTRAAT - 8 C4 - 17 C-D1	1820	MEL
GILSON (AV. MAITRE PAUL) (1) - 66 D3	1190	VOR
GILSON (AV. PAUL - LAAN) - 66 D3-4	1620	DRO
GILSON (PLACE A. - PLEIN) - 69 D3	1170	WAB
GILSON (RUE G. - STRAAT) - 22 B4 C3-4		
NOS/NRS 1-145 - 2-156	1090	JET
AUTRES NOS/ANDERE NRS	1020	BRL
GILSONLAAN (MEESTER PAUL) (1) - 66 D3	1190	VOR
GILSONLAAN (PAUL) - 66 C4 - 76 C1	1601	RUI
GILSONSTRAAT (KAREL) - 76 B-C1	1601	RUI
GILSOUL (AV. VICTOR - LAAN) - 51 D-E1	1200	WSL
GILSOUL (CLOS VICTOR- GAARDE) - 51 D1	1200	WSL
GINESTE (RUE - STRAAT) -		
41 A2 - Centr. 166 D1	1210	SJN
GINSTLAAN - 88 B1 C1-2	1640	SGR
GIRAUD (AV. ALB. - LAAN) - 32 D2	1030	SCH
GIROFLEE (IMPASSE DE LA)		
SITUEE RUE DE LA FOURCHE		
ENTRE NOS 44-46		
40 E4 - Centr. 166 C3	1000	BRL
GIROFLEES (PLACE DES) - 165 B1	1348	LLN
GIROLLES (CLOS DES) - 123 E4	1410	WAT
GIRON (RUE A. - STRAAT) - 50 D4 - 59 D1	1050	IXE
GIRONDE (CHAUSSEE DE LA) (6) - 117 B3-4	1300	WAV
GIROUNE (RUE) - 157 E1 - 158 A1 B1-2	1421	OPH
GIRSART (CLOS DE) - 144 E1 - 145 A1	1440	WBC
GISTSTRAAT - 50 C-D4	1050	IXE
GLACIERE (RUE DE LA) - 58 E1-2	1060	SGI
GLADIOLENLAAN - 65 D2 E1	1600	SPL
GLADIOLENSTRAAT - 91 A3	1560	HOE
GLADIOLENSTRAAT - 98 A-B3	1640	SGR
GLAIEULS (RUE DES) - 58 D4	1180	UCK
GLAIEULS (RUE DES) - 98 A-B3	1640	SGR
GLAISIERE (SENTIER DE LA) (2) - 24 E2	1130	BRL
GLANDS (RUE DES) - 58 A-B2	1190	VOR
GLASBLAZERIJLAAN - 66 E1-2	1190	VOR
GLASGOW (RUE DE - STRAAT) - 48 E1	1070	AND
GLAZENMAKERSGANG - 49 D3 - Centr. 168 B3	1000	BRL
GLIBERT (AV. CURE) - 126 E2	1330	RIX
GLIBERT (RUE - STRAAT) - 32 A4	1000	BRL
GLIMWORMENLAAN - 69 B2	1170	WAB
GLIMWORMENWEG - 68 D1	1000	BRL
GLOBE (AV. DU - LAAN) - 58 A4 - 67 A-B1		
NOS/NRS 1-225 - 2-78	1190	VOR
NOS/NRS 229-249 - 80 - 82	1180	UCK
GLOIRES NATIONALES (AV. DES) -		
30 E3 - 31 A-B4		
NOS 1 à 16	1081	KOE
AUTRES NOS	1083	GAN
GLOXINIAS (RUE DES) - 60 E4	1170	WAB
GLOXINIASTRAAT - 60 E4	1170	WAB
GLYCIENENLAAN - 44 A2-3	1950	KRA
GLYCINES (AV. DES) - 32 E4	1030	SCH
GLYCINES (AV. DES) - 44 A2-3	1950	KRA
GOBELET D'OR (AV. DU) - 43 C4	1200	WSL
GOBERT (AV. H. - LAAN) - 61 A2	1160	AUD
GOBERT (AV. R. - LAAN) - 68 B-C1	1180	UCK
GODAUX (AV. E. - LN.) - 51 C3-4		
NOS/NRS 1-21A - 2-40	1150	SPW
AUTRES NOS/ANDERE NRS	1040	ETT
GODEAUSTRAAT (L.) - 95 B-C3	1501	BUI
GODECHARLE (RUE - STRAAT) -		
50 C2 - Centr. 169 B2	1050	IXE
GODEFROID 1ER (AV. DUC) - 129 E1	1300	WAV
GODEFROID DE BOUILLON (RUE) -		
41 B2 - Centr. 167 A1	1210	SJN
GODETIALAAN - 29 B4	1702	GRB
GODFRIED VAN BOUILLONSTRAAT -		
41 B2 - Centr. 167 A1	1210	SJN
GODIN (RUELLE DU C.) (4) - 153 A3	1348	LLN
GODSHUIZENLAAN - 77 C-D-E4	1180	UCK
GODSHUIZENWEG - 77 E4	1180	UCK
GODSVRUCHTSTRAAT - 61 B3	1160	AUD
GOEDE BEJEGENINGSTRAAT (8) - 30 D3	1082	SAB
GOEDE HERDERSTRAAT - 33 B1	1140	EVE
GOEDE HERDERSTRAAT - 39 C2	1080	SJM
GOEDE KONINGINSTRAAT - 51 E1	1200	WSL
GOEDE LUCHTLAAN - 88 B2 C1-2 D1	1640	SGR
GOEDE LUCHTWIJK - 20 B-C2	1731	ZEL
GOEDE MOEDERSSTRAAT - 66 E1	1190	VOR
GOEDEFROY (AV. P. - LAAN) (2) - 30 E2	1083	GAN
GOEDERENSTRAAT - 49 A3	1070	AND
GOEDHEIDSSTRAAT - 50 A3-4 - Centr. 168 D3		
NRS 1 tot 5 - 2 tot 4A	1000	BRL
ANDERE NRS	1060	SGI
GOEDTSBERGE - 20 C4	1731	ZEL
GOELANDS (AV. DES) - 60 E1	1150	SPW
GOEMAERE (AV. DES FRERES) - 61 B4	1160	AUD
GOEMAERELAAN (GEBROEDERS) - 61 B4	1160	AUD
GOES (RUE EMILE) - 153 C4 - 165 C1	1348	LLN
GOETTE (RUE DE LA) - 134 B-C4	1420	BRA
GOEVERNEMENTSWEG - 53 A3 B3-4 - 62 B1	1150	SPW
GOEVERNEMENTSWEG - 53 B3-4 - 62 B1	1950	KRA
GOFFART (RUE - STRAAT) - 50 C3 - Centr. 169 B3	1050	IXE
GOFFIN (AV. JOSSE - LAAN) - 30 B-C-D4	1082	SAB
GOFFIN (PLACE JOSSE) - 130 B3	1480	CLA
GOLDSCHMIDT (SQUARE - SQUARE) - 59 E3-4	1050	IXE
GOLF (AV. DU - LAAN) - 33 C1	1140	EVE
GOLF (AV. DU - LAAN) - 99 A3 B3-4 C4	1640	SGR
GOLINVAUX (SQUARE G. - SQUARE) (2) - 70 A1	1160	AUD
GOMAND (RUE A. - STRAAT) (4) - 31 C1-2	1090	JET
GOOSSENS (PLACE H. - PLEIN) - 67 C-D2	1180	UCK
GOOSSENS (RUE - STRAAT) - 32 C3-4 D3-4	1030	SCH
GOOSSENS (RUE LUCIEN) - 140 A2	1300	LIL
GOOSSENSSTRAAT (FELIX) - 27 A-B4	1930	NOS
GOOTSTRAAT - 40 E4 - Centr. 166 C3	1000	BRL
GORDAALLAAN - 54 E3	3080	TER
GORGES BLEUES (AV. DES) (5) - 60 D1		
NOS 1 à 9B - 2 à 38	1150	SPW
NOS 11 à 15 - 40	1160	AUD
GORISLAAN (JOZEF) - 18 C3-4 - 27 B2 C1-2	1820	STE
GORSSTRAAT (17) - 69 E1	1170	WAB
GOS (RUE JOSEPH) - 146 C1	1420	BRA
GOSSART (RUE E. - STRAAT) - 59 B4	1180	UCK
GOSSELIES (RUE DE - STRAAT) - 40 B4	1080	SJM
GOSSETLAAN (ALFONS) - 29 C-D-E2	1702	GRB
GOSSIAUX (AV. J.-J. - LAAN) - 60 C3	1160	AUD
GOUDBLOEMSTRAAT - 7 A3	1800	VIL
GOUDDALLAAN (2) - 51 E1-2-3 - 52 A3	1200	WSL
GOUDEN BEKERLAAN - 43 C4	1200	WSL
GOUDEN EILANDENLAAN - 43 A4	1200	WSL
GOUDENREGENLAAN - 78 C-D2	1180	UCK
GOUDKASTEELLAAN - 95 D3	1654	HUI
GOUDMERELLAAN - 88 B1	1640	SGR
GOUDSMEDENSTRAAT - 49 D2-3 - Centr. 168 B2-3	1000	BRL
GOUDSTRAAT - 16 B1	1830	MAC
GOUDVINKENLAAN - 106 E2-3 - 107 A2-3	1500	HAL
GOUDVINKENPLEIN (4) - 60 D1	1150	SPW
GOUJONS (RUE DES) - 48 E3-4 - 49 A2-3	1070	AND
GOUMONT (CHEMIN DE) - 147 A2-3	1420	BRA
GOUNOD (AV. - LAAN) - 48 C3-4	1070	AND

G

G

Street	Code	Commune
GOUPIL (LAIE DU) - 140 E2 - 141 A 2-3	1300	LIL
GOUTSTOUWERSSTRAAT - 85 E4	1651	LOT
GOUTTIER (RUE) - 122 D2	1410	WAT
GOUTTIERE (RUE DE LA) - 40 E4 - Centr. 166 C3	1000	BRL
GOUVART (RUE HENRI) - 132 D-E3	1440	WBC
GOUVERNEMENT PROVISOIRE (RUE DU) - 41 B3 - Centr. 167 A2	1000	BRL
GOUVERNEMENTALE (ROUTE) - 53 A3 B3-4 - 62 B1	1150	SPW
GOUVERNEMENTALE (ROUTE) - 53 B3-4 - 62 B1	1950	KRA
GOVAERT (PLACE F. - PLEIN) - 61 A2	1160	AUD
GRAAF VAN VLAANDERENDREEF - 70 B3-4 C2-3 - 80 B1-2	1170	WAB
GRAAF VAN VLAANDERENSTRAAT - 40 C2-3 - Centr. 166 A1-2	1080	SJM
GRAAFDREEF - 79 D4 - 89 D1	1640	SGR
GRAAFDREEF - 89 E1-2 - 90 A2	1560	HOE
GRAAFSCHAP JETTELAAN - 22 B-C4	1090	JET
GRAANKAAI - 94 E4 - 106 D-E1	1500	HAL
GRACHTSTRAAT - 58 C4	1180	UCK
GRACHTWEIDELAAN - 81 E4	3090	OVE
GRAFF (PLACE LT. J. - PLEIN) - 12 E3	1780	WEM
GRAIGNETTE (CHEMIN DE LA) - 134 A1-2-3	1420	BRA
GRAINDOR (BLD. J. - LAAN) - 39 E4 - 40 A4 - 48 E1 - 49 A1	1070	AND
GRAMINEES (CHEMIN DES) - 68 E2	1000	BRL
GRAMME (AV. ZENOBE - LAAN) - 23 D-E4 - 32 E1	1030	SCH
GRAMME (AV. ZENOBE - LAAN) - 4 A3	1780	WEM
GRAMME (AV. ZENOBE) - 104 B-C4	1300	WAV
GRAMME (RUE ZENOBE) - 153 E3	1348	LLN
GRANAATSQUARE - 22 A1	1020	BRL
GRANAATSTRAAT - 22 A1	1020	BRL
GRANBONPRE - 153 E4 - 165 E1	1348	LLN
GRAND'AIR (AV.) - 88 B3-4 - 98 B1	1640	SGR
GRAND-AIR (RUE DU) - 30 D3-4	1082	SAB
GRAND-BIGARD (RUE DE) - 29 E4 - 30 A4 - 39 A-B-C1	1082	SAB
GRAND-BIGARD (RUE) - 66 B3	1620	DRO
GRAND BOIS (AV. DU) - 122 E2	1410	WAT
GRAND BOIS (CHEMIN DU) - 125 B2-3	1380	OHA
GRAND BON DIEU DE PITIE (VENELLE DU) - 129 D-E4	1300	WAV
GRAND BON-DIEU DU TOUR (VENELLE DU) - 129 E4 - 141 E1	1300	WAV
GRAND-CERF (RUE DU) - 49 E2 - 50 A2 - Centr. 168C-D2	1000	BRL
GRANDCHAMP (AV.) - 52 D2-3 E1-2	1150	SPW
GRAND CHEMIN (RUE) - 150 B4	1341	CEM
GRAND CHEMIN - 143 E1 - 144 A-B1	1440	BRC
GRAND CHEMIN - 150 A4 B3 - 161 E1	1380	CSG
GRAND CLOSIN (LE) - 124 B4 - 136 B1	1380	OHA
GRAND CORTIL (AV. DU) - 153 A4	1348	LLN
GRAND CORTIL (RUE DU) - 115 C2	1331	ROS
GRAND CORTIL (RUE DU) - 129 B2-3	1300	WAV
GRAND DUC (RUE DU) - 50 E3-4 - Centr. 169 D3	1040	ETT
GRAND FEU (CLOS DU) - 164 C1	1340	OTT
GRAND FORESTIER (AV. DU) - 70 A1-2		
NOS 1 à 5	1170	WAB
AUTRES NOS	1160	AUD
GRAND GALOP (CHEMIN DU) - 124 E3 - 125 A2	1380	OHA
GRAND HALLEUX (RUE DE - STRAAT) (7) - 30 B4	1082	SAB
GRAND HORNU (RUE DU) - 165 A1	1348	LLN
GRAND-HOSPICE (RUE DU) - 40 D-E3	1000	BRL
GRAND LOMBROUX (RUE DU) - 144 A4 B3-4 C2-3	1440	BRC
GRAND PLACE - 143 C1	1440	BRC
GRAND PLACE - 153 B3-4	1348	LLN
GRAND PLACE - 155 C4	1460	IRE
GRAND PLACE - 40 E4 - Centr. 166 C3	1000	BRL
GRAND PLACE DE WAUTHIER-BRAINE - 144 C1	1440	BRC
GRAND-PRE (RUE DU) - 39 C2	1082	SAB
GRAND PRIEUR (CHEMIN DU) (1) - 114 C2-3	1332	GEN
GRAND ROUTE - 158 C3-4	1428	LIW
GRAND ROUTE - 165 D-E2	1435	MSG
GRAND ROUTE - 66 D4 - 76 D1 E1-2 - 77 A2-3	1620	DRC
GRAND ROUTE - 77 A4 - 87 A1	1630	LIN
GRAND'ROUTE - 77 A3		
NOS 1 à 7 - 2 à 6	1180	UCK
GRAND RUE - 153 B3	1348	LLN
GRAND' RUE (RUE) - 162 B-C-D2 D-E1	1341	CEM
GRAND-SABLON (PLACE DU) - 49 E1 - Centr. 168 C1	1000	BRL
GRAND-SERMENT (RUE DU) - 40 D3 - Centr. 166 B2	1000	BRL
GRAND VENEUR (RUE DU) - 69 E3	1170	WAB
GRAND VIVIER (TIENNE DU) - 117 C3 D2-3	1300	WAV
GRANDE ARMEE (AV. DE LA) - 146 D-E2	1420	BRA
GRANDE AVENUE (RUE) - 161 E1 - 162 A1 B2	1341	CEM
GRANDE BOUCHE (AV. DE LA) - 109 C2	1420	BRA
GRANDE BRUYERE (RUE DE LA) - 126 C1-2	1330	RIX
GRANDE BRUYERE (RUE DE LA) - 143 C-D3	1440	BRC
GRANDE CEINTURE (BLD. DE) - 39 B-C4 - 48 B1	1070	AND
GRANDE ESPINETTE (CHAUSSEE DE LA) - 98 C4 D-E3 - 99 A3	1640	SGR
GRANDE HAIE (RUE DE LA) - 51 A2 B2-3	1040	ETT
GRANDE-ILE (RUE DE LA) - 40 D4 - Centr. 166 B3	1000	BRL
GRANDE JONCTION (AV. DE LA) - 109 A-B3	1420	BRA
GRANDSART (RUE DE) - 139 C2-3	1300	LIL
GRANDS-CARMES (RUE DES) - 40 E4 - 49 E1 - Centr. 166 C3 - 66 C1	1000	BRL
GRANDS CLOS (ALLEE DES) - 125 D-3	1380	OHA
GRANDS PRIX (AV. DES) - 52 E4 - 53 A2-3-4	1150	SPW
GRANDS PRIX (AV. DES) - 53 A2	1950	KRA
GRANGE (RUE DE LA) - 135 D2	1410	WAT
GRANGE A LA DIME (RUE DE LA) - 156 C3	1461	HIT
GRANGE AUX DIMES (DREVE) - 52 B2	1200	WSL
GRANGE DES CHAMPS (RUE DE LA) - 122 C4 - 134 B2 C1-2	1420	BRA
GRANIER (RUE DU) - 163 B4	1490	CSE
GRAPPE (DREVE DE LA) - 58 A4	1190	VOR
GRASDELLE (SENTIER DE - PAD) - 88 E1 - 89 A-B-C1	1180	UCK
GRASDREEF - 62 A3-4 B2-3	3080	TER
GRASDREEF - 62 B2	1150	SPW
GRASMARKT - 40 E4 - Centr. 166 C3	1000	BRL
GRASMUSDREEF - 87 C1-2 D2	1630	LIN
GRASMUSLAAN - 99 A2-3 B2	1640	SGR
GRASMUSSENLAAN - 44 A2	1950	KRA
GRASMUSSENPLEIN - 101 E3	3090	OVE
GRASMUSSTRAAT - 67 C-D3	1180	UCK
GRASPERKENWEG - 68 E2-3	1000	BRL
GRASPERKLAAN - 52 E3	1150	SPW
GRASPERKWEG - 71 E2 - 72 A1-2	3080	TER
GRASPLANTENWEG - 68 E2	1000	BRL
GRATES (RUE - STRAAT) - 60 B4 - 69 B1	1170	WAB
GRATRY (RUE GEN. - STRAAT) - 42 B4	1030	SCH
GRAUX (AV. CH.) - 88 C3	1640	SGR
GRAUX (PLACE CH. - PLEIN) - 59 B2-3	1050	IXE
GRAUXLAAN (K.) - 88 C3	1640	SGR
GRAVELINES (RUE DE) - 41 D-E4	1000	BRL
GRAVENDREEF - 110 A2-3 B-C2	1640	SGR
GRAVENDREEF -69 B4 - 79 B1 C1-2-3 D3-4	1170	WAB
GRAVENHOFLAAN - 108 A-B1	1653	DWO
GRAVEURS (CHEMIN DES) (1) - 165 A1	1342	LIM
GRAVEURS (CHEMIN DES) (39) - 153 A4	1348	LLN
GRAVIER (RUE DU) (3) - 129 A1	1300	WAV
GRAVIN VAN VLAANDERENSTRAAT - 31 E2	1020	BRL
GRAY (RUE - STRAAT) - 50 C4 D2-3-4		
NOS/NRS 1 à 83A - 2 à 120B	1040	ETT
AUTRES NOS/ANDERE NRS	1050	IXE
GREBES (RUE DES) - 69 C2	1170	WAB
GREEPSTRAAT - 40 E4 - Centr. 166 C3	1000	BRL
GREES DU LOU (PLACE DES) - 142 A3	1480	TUB
GREFFE (RUE DU) - 48 D2	1070	AND
GREINDLAAN (BARON J.) - 20 D3-4	1731	ZEL

GRENADIERS (AV. DES - LAAN) -
59 E4 - 60 A4 - 69 A1 1050 IXE
GRENADIERS (AV. DES) - 126 D4 - 138 D1 1330 RIX
GRENAT (RUE DU) - 22 A1 1020 BRL
GRENAT (SQUARE DU) - 22 A1 1020 BRL
GRENOUILLETTE (RUE DE LA) - 24 D3-4 1130 BRL
GRENSSTRAAT - 25 D4 1831 DIE
GRENSSTRAAT - 25 E2 - 26 A2 1930 ZAV
GRENSSTRAAT - 41 C2-3 - Centr. 167 B1-2 1210 SJN
GRENSSTRAAT - 44 A3-4 1950 KRA
GRENSSTRAAT - 44 A4 - 53 A1 1150 SPW
GRENSSTRAAT - 54 B2 C3-4 1970 WEO
GRENSSTRAAT - 75 D-E3 1651 LOT
GRENSSTRAAT - 8 A1 1800 PEU
GRENSWEG - 95 D3-4 1654 HUI
GRETRY (CLOS) - 152 A1 1342 LIM
GRETRY (RUE - STRAAT) -
40 E3-4 - Centr. 166 C2-3 1000 BRL
GREVELINGENSTRAAT - 41 D-E4 1000 BRL
GREYSON (RUE VICT. - STRAAT) - 59 D1 1050 IXE
GRIBAUMONT (AV. LOUIS - LAAN) - 51 D1-2
NOS/NRS 1-73 - 2-50 1150 SPW
AUTRES NOS/ANDERE NRS 1200 WSL
GRIFFIESTRAAT - 48 D2 1070 AND
GRIJZE STENENPLEIN - 61 B1 1150 SPW
GRIL (IMPASSE DU)
SITUEE RUE DE FLANDRE
67 D3 1000 BRL
GRILLON (RUE DU) - 98 B3 1640 SGR
GRILLONS (ALLEE DES) - 135 C1-2 1410 WAT
GRILSTRAAT - 39 A4 1080 SJM
GRIMBEERTSTRAAT - 28 E2 - 29 A2 1702 GRB
GRIMBERGSESTEENWEG - 14 A1-2 1853 SBE
GRIMBERGSESTEENWEG - 5 A-B4 1850 GRI
GRIMBERGSESTEENWEG - 6 B-C3 D2-3 1800 VIL
GRIMOHAYE (RUE DE) - 139 D-E2 - 140 A2 1300 LIL
GRIOTTES (RUE DES) - 77 C2-3 1180 UCK
GRIPONWEZ (RUE DE) - 157 D3-4 E4 1421 OPH
GRIPONWEZ (RUE DE) - 157 D3-4 E4 1428 LIW
GRIS MOULIN (AV. DU) - 113 B1-2 C2 1310 LAH
GRISAR (RUE - STRAAT) - 49 B-C2 1070 AND
GRITTE (RUE) - 121 D3-4 E4 1420 BRA
GRIVES (AV. DES) - 110 E2 - 111 A2 1410 WAT
GRIVES (AV. DES) - 122 A2 1420 BRA
GRIVES (AV. DES) - 44 A3 B2 1950 KRA
GRIVES (RUE DES) - 57 B-C3 1070 AND
GROEBBE (3) - 53 E3 - 54 A3 1970 WEO
GROELSTVELD (AV. - LAAN) - 67 C4 - 77 C1 1180 UCK
GROENDAL - 4 D1 1860 MEI
GROENDALLAAN - 14 B3-4 1800 VIL
GROENDREEF - 31 E4 - 32 A3-4 - 40 E1 1000 BRL
GROENDREEFSTRAAT - 39 B1 1082 SAB
GROENE CORNICHE - 53 A3-4 B4 1150 SPW
GROENE GRACHTSTRAAT - 7 E1 - 8 A1 1800 VIL
GROENE HONDSTRAAT - 40 D2 - Centr. 166 B1 1080 SJM
GROENE JAGERSLAAN - 68 B-C2 1180 UCK
GROENE JAGERSVELD - 68 C-D2
NRS 3 tot 85 1000 BRL
NRS 86 tot EINDE 1180 UCK
GROENE JAGERSWIJK - 68 C2 1180 UCK
GROENEJAGERSSTRAAT - 108 E2-3 1653 DWO
GROENENBERG - 43 C-D4 1200 WSL
GROENENBERGSTRAAT - 55 A3-4 - 64 A1 1602 VLE
GROENENDAALLAAN - 102 B3-4 3090 OVE
GROENENDAALSELAAN - 68 D2-3 1000 BRL
GROENENDAALSESTEENWEG -
90 D-E2 - 91 A-B2 1560 HOE
GROENENDAEL (AV. DE) - 68 D2-3 1000 BRL
GROENENDAEL (PETITE DREVE DE) - 78 D2-3 E2 1180 UCK
GROENE SPECHTSTRAAT - 69 E1 1170 WAB
GROENE SPECHTWEG - 79 B-C4 1180 UCK
GROENE SPECHTWEG - 79 C3-4 1170 WAB
GROENEWEG - 73 D4 - 82 E2 - 83 A2 B-C-D1 3090 OVE
GROENE ZONESTRAAT - 24 D-E2 1130 BRL

GROENHOF - 54 B1 1970 WEO
GROENINCKX-DE MAY
(BLD. M. - LAAN) - 48 B1-2 1070 AND
GROENINGELAAN - 45 B1 1933 STK
GROENINGESTRAAT - 94 B4 C3-4 1500 HAL
GROENINGHE (RUE DE - STRAAT) - 40 B2 1080 SJM
GROENKRAAGLAAN - 60 B4 1170 WAB
GROENLAAN - 91 E3 - 92 A3 1560 HOE
GROENLAAN - 97 E1-2 1652 ALS
GROENLAAN - 97 E2 - 98 A2 1640 SGR
GROENSPECHTLAAN - 88 B1 1640 SGR
GROENSTRAAT - 25 A-B3 1831 DIE
GROENSTRAAT - 26 A-B-C3 1930 ZAV
GROENSTRAAT - 29 B-C2 1702 GRB
GROENSTRAAT - 32 B4 - 41 B2 - Centr. 167 A1
NRS 1 tot 73 - 2 tot 80 1210 SJN
ANDERE NRS 1030 SCH
GROENSTRAAT - 44 A3-4 1950 KRA
GROENSTRAAT - 55 E4 - 56 A4 1602 VLE
GROENSTRAAT - 7 A1-2 B1 1800 VIL
GROENSTRAAT - 95 A3 B3-4 C4 1501 BUI
GROENTEBOERSTRAAT - 39 A1-2 1082 SAB
GROENVELD - 26 A2 B3 1930 ZAV
GROENVELDLAAN - 4 D1 1860 MEI
GROENVELDLAAN - 9 A4 1820 STE
GROENVINKSTRAAT - 22 E4 1020 BRL
GROENWEG - 24 A1 1120 BRL
GROESELENBERG (RUE - STRAAT) -
67 E2 - 68 A2 1180 UCK
GRONDELSSTRAAT - 48 E3-4 - 49 A2-3 1070 AND
GRONDWETLAAN - 31 A3-4
NRS 46 tot EINDE 1090 JET
ANDERE NRS 1083 GAN
GRONDWETPLEIN - 49 C-D2 1060 SGI
GRONDWETSTRAAT - 41 B-C1 1030 SCH
GROOT BIJGAARDENSTRAAT - 66 A2 B3 1600 SPL
GROOT BIJGAARDENSTRAAT - 66 B3 1620 DRO
GROOT BIJGAARDENSTRAAT - 66 B3-4 - 76 B1 1601 RUI
GROOT-BIJGAARDENSTRAAT -
29 E4 - 30 A4 - 39 A-B-C1 1082 SAB
GROOTBOSSTRAAT - 97 A1-2-3 B1 1652 ALS
GROOT EILANDSTRAAT - 40 D4 - Centr. 166 B3 1000 BRL
GROOTGODSHUISSTRAAT - 40 D-E3 1000 BRL
GROOTHEIDEWEG - 108 D4 - 120 C-D1 1653 DWO
GROOT HERTOGSTRAAT -
50 E3-4 - Centr. 169 D3 1040 ETT
GROOT-MOLENVELDLAAN - 6 B3 1850 GRI
GROOTSERMENTSTRAAT - 40 D3 - Centr. 166 B2 1000 BRL
GROOT TENBROEKSTRAAT - 28 C1-2 1700 SUK
GROOTVELD (5) - 52 C2 1200 WSL
GROOTVELDERF - 97 B2 1652 ALS
GROOTVELDLAAN - 45 E3 3080 TER
GROOTVELDLAAN - 52 D2-3 E1-2 1150 SPW
GROOTVELDSTRAAT - 9 E1-2-3 1910 BER
GROOTVELDSTRAAT - 97 B-C2 1652 ALS
GROSEILLES (IMPASSE DES) -
49 E2 - Centr. 168 C2 1000 BRL
GROSJEAN (AV. LEON- LAAN) - 42 D2 1140 EVE
GROS TIENNE (CHEMIN DU) - 113 B4 1310 LAH
GROS TIENNE (CHEMIN DU) -
113 B-C4 - 125 C1 D1-2 1380 OHA
GROS TIENNE (RUE DU) - 125 D1 E1-2 1332 GEN
GROS TILLEUL (AV. DU) - 22 C-D-E2 1020 BRL
GROSSE-TOUR (RUE DE LA) -
50 A3 - Centr. 168 D3
NOS IMPAIRS 1000 BRL
NOS PAIRS 1050 IXE
GROTE BAAN - 66 D4 - 76 D1 E1-2 - 77 A2-3 1620 DRO
GROTE BAAN - 77 A3
1 tot 7 - 2 tot 6 1180 UCK
GROTE BAAN - 77 A4 - 86 D3-4 E2-3 - 87 A1-2 1650 BEE
GROTE BAAN - 77 A4 - 87 A1 1630 LIN
GROTE BAAN - 86 D4 1652 ALS
GROTE BOSSTRAAT - 41 E2-3 - Centr. 167 D2-3 1030 SCH

G

GROTE DAALSTRAAT - 35 B1-2 1930 ZAV
GROTE GEESTSTRAAT - 45 A-B3 1933 STK
GROTE GRUBBE - 105 D1 3040 OTB
GROTE HAAGSTRAAT - 51 A2 B2-3 1040 ETT
GROTE HERTSTRAAT - 96 C2 D3 1653 DWO
GROTEHERTSTRAAT -
49 E2 - 50 A2 - Centr. 168 C-D2 1000 BRL
GROTE HOEVE - 27 E4 3070 KOR
GROTE KAPELLAAN - 87 C4 - 97 B-C1 1652 ALS
GROTE KLOOSTERSTRAAT - 34 E2 - 35 A2-3 1932 SSW
GROTE MARKT - 106 D1 1500 HAL
GROTE MARKT - 40 E4 - Centr. 166 C3 1000 BRL
GROTE MARKT - 6 E2 1800 VIL
GROTE OPPEMWEG - 53 E2 - 54 A2-3 B3-4 1970 WEO
GROTE PRIJZENLAAN - 52 E4 - 53 A2-3-4 1150 SPW
GROTE PRIJZENLAAN - 53 A2 1950 KRA
GROTE-RINGLAAN - 39 B-C4 - 48 B1 1070 AND
GROTE SIJPESTRAAT - 37 A-B2 1700 SMB
GROTE VAARTDREEF - 63 E2 3080 TER
GROTE WEIDE - 106 B1 1500 HAL
GROTE WINKELLAAN - 14 A2-3 B2-3 1853 SBE
GROTE ZAVEL - 49 E1 - Centr. 168 C1 1000 BRL
GROTPLEIN - 31 C2 1090 JET
GROTSTRAAT - 58 A1 1020 BRL
GROTSTRAAT - 83 C-D-E4 - 93 B-C-D1 3090 OVE
GROTTE (PLACE DE LA) - 31 C2 1090 JET
GROTTE (RUE DE LA) - 113 D-E2 1310 LAH
GROTTE (RUE DE LA) - 32 A1 1020 BRL
GROUCHY (VOIE MARECHAL) - 141 C3-4 1300 WAV
GRUMEAU (AV. A. - LAAN) - 98 E2 - 99 A2 1640 SGR
GRUNER (RUE M. - STRAAT) - 39 E1-2 1080 SJM
GRUNNE (AV. DE - LAAN) - 53 C-D-E2 1970 WEO
GRUYER (RUE DU) - 60 C4 1170 WAB
GRYSON (AV. EMILE - LAAN) - 57 B3 1070 AND
GUE (RUE AU) - 146 B-C1 1420 BRA
GUEMENEE (AV. DE) - 134 E4 - 146 E1 1420 BRA
GUERET (AV. DU) - 127 C2-3 D2 1300 LIL
GUEUX (PLACE DES) - 42 A4 1000 BRL
GUFFENS (RUE G. - STRAAT) - 33 A3-4 1030 SCH
GUI (AV. DU) - 78 A2-3 B3-4 1180 UCK
GUIDON (RUE F. - STRAAT) - 39 C-D1
NOS/NRS 1-31 - 2-26 1080 SJM
AUTRES NOS/ANDERE NRS 1082 SAB
GUILDES (RUE DES) - 41 C-D4
NOS IMPAIRS - 4 à FIN 1000 BRL
NO 2 1210 SJN
GUILLAUME (AV. FR. - LAAN) - 42 D-E1 1140 EVE
GUIMARD (RUE - STRAAT) - 50 B-C1 1040 ETT
GUINEAGAARDE - 53 A3 1150 SPW
GUINEES (CLOS DES) - 53 A3 1150 SPW
GUISE (SQUARE DE - SQUARE) - 52 E4
GULDEN BODEM (RUE DU - STRAAT) -
39 E3 - 40 A3 1080 SJM
GULDENBODEMSTRAAT - 97 B3 1652 ALS
GULDENDAL - 5 C2 1850 GRI
GULDENDALLAAN - 51 E2-3 - 52 A3 1150 SPW
GULDENDELLE - 27 B-C4 1930 NOS
GULDENDELLESTRAAT - 27 E3 3070 KOR
GULDENHOOFDSTRAAT - 40 E4 - Centr. 166 C3 1000 BRL
GULDENKASTEELLAAN - 46 D-E1 1701 ITT
GULDEN KASTEELSTRAAT - 77 B-C1 1180 UCK
GULDENKOORNSTRAAT - 39 C1 1082 SAB
GULDEN KOUTER - 20 D2 1731 REL
GULDEN SPORENLAAN - 59 C1 1050 IXE
GULDENSCHAAPSTRAAT - 6 E2 - 7 A1 1800 VIL
GULDENSPORENLAAN - 91 B4 1560 HOE
GULDENVLIESGALERIJ - 50 A2 - Centr. 168 D2 1050 IXE
GULDENVLIESLAAN -
49 E3 - 50 A2-3 - Centr. 168 C3 D2-3
NRS 1 tot 45A 1050 IXE
NRS 46 tot 50 1000 BRL
NRS 51 tot EINDE 1060 SGI
GULLEDELLE - 42 E2 - 43 A2 1200 WSL
GUNSSTRAAT (LOUIS) - 72 A4 - 81 E1 - 82 A1 3090 OVE
GURICKXSTRAAT - 25 C2 1831 DIE
GUSTAAFLAAN - 88 B-C4 - 98 B-C1 1640 SGF
GUSTAVE (AV.) - 88 B-C4 - 98 B-C1 1640 SGF
GUTENBERG (SQUARE - SQUARE) -
41 D4 - Centr. 167 C3 1000 BRL
GUYOT (RUE L. - STRAAT) - 12 E4 - 21 E1 1780 WEM
GYMNASE (CHEMIN DU) - 59 C4 1000 BRL
GYMNASIUMWEG - 59 C4 1000 BRL

H

HAACHTSESTEENWEG -
24 D4 E3-4 - 32 C4 D3-4 E3 -
33 A2-3 B2 C1-2 D1 - 41 B2 C1-2 - Centr. 167 A-B1
NRS 1-81 - 2-84 1210 SJN
NRS 83-749 - 86-742 1030 SCH
NRS 817-1169 - 910-1280 1140 EVE
NRS 1177-EINDE - 1440-EINDE 1130 BRL
HAACHTSESTEENWEG -
16 B4 C3-4 D3 E2 - 25 A-B1 1830 MAC
HAACHTSESTEENWEG -
16 E2 - 17 A-B-C2 D1-2 E1 1820 MEL
HAACHTSESTEENWEG - 9 A4 B3-4 C3 D2-3 1820 STE
HAACHTSESTEENWEG - 9 D2 E1-2 1910 BEF
HAAGBEUK - 1 B1-2 1730 MOL
HAAGBEUKENDREEF - 62 B4 - 71 C2-3-4 3080 TEF
HAAGBEUKENGAARDE (9) - 52 C3 1150 SPW
HAAGBEUKENLAAN - 43 A3 1200 WSL
HAAGDOORNENLAAN - 43 E1 1950 KRA
HAAGDOORNLAAN - 12 D1-2 E1-2 1780 WEM
HAAGDOORNWEG - 68 D2-3 1000 BRL
HAAGLAAN - 82 B3 3090 OVE
HAAGWINDELAAN - 81 E4 - 82 A4 3090 OVE
HAAGWINDENLAAN - 23 B-C1 1020 BRL
HAAKSTRAAT - 108 A3-4 B3-4 1653 DWO
HAANSTRAAT - 67 C3-4 1180 UCK
HAASSTRAAT - 47 E4 - 56 E1 1070 AND
HABERMAN (RUE - STRAAT) -
40 C4 - 49 C1 - Centr. 166 A3 - 168 A1 1070 AND
HAECHT (ANCIENNE - CHAUSSEE DE) - 25 A2 1130 BRL
HAECHT (CHAUSSEE DE) -
24 D4 E3-4 - 32 C4 D3-4 E3 -
33 A2-3 B2 C1-2 D1 - 41 B2 C1-2 - Centr. 167 A-B1
NOS 1 à 81 - 2 à 84 1210 SJN
NOS 83 à 749 - 86 à 742 1030 SCH
NOS 817 à 1169 - 910 à 1280 1140 EVE
NOS 1177 à FIN - 1440 à FIN 1130 BRL
HAECK (RUE - STRAAT) - 31 B-C4 1080 SJM
HAEKEN STAEKENDREEF - 90 B3 C2-3 D2 1560 HOE
HAGAARD - 92 D1-2-3 E3 3090 OVE
HAGAARDBOSWEG - 92 C3 D2-3 E1-2 3090 OVE
HAGEBEUK - 2 B2 1785 BRU
HAGEDISSENWEG - 59 C3 1000 BRL
HAGEDOORNLAAN - 78 B-C4 D3-4 - 88 B1 1180 UCK
HAGEDOORNLAAN - 88 E4 1640 SGR
HAGEDOORNLAAN - 97 C1 1652 ALS
HAGEDOORNPAD (5) - 61 C4 1160 AUD
HAIE (RUE DE LA) - 128 B3-4 1301 BIE
HAIES (RUE DES) - 152 B4 - 164 B1 1340 OTT
HAIN (AV. DU) - 130 B4 - 142 B-C1 1480 TUB
HAIN (RUE DU) - 134 B2-3 1420 BRA
HAINAUT (AV. R. - LAAN) - 61 B3 1160 AUD
HAINAUT (QUAI DU) - 40 C-D3 1080 SJM
HAINAUT (RUE A. - STRAAT) - 31 C3 1090 JET
HAINAUT (RUE DU) - 146 D1 1420 BRA
HAKBOSSTRAAT - 79 E1 - 80 A1 1170 WAB
HAKHOUTLAAN - 60 B4 - 69 B1 1170 WAB
HAKKENEIDREEF - 42 C1 1140 EVE
HAL (CHAUSSEE DE) - 97 B-C4 - 109 A-B1 1640 SGR
HAL (PORTE DE) - 49 D2 - Centr. 168 B2 1000 BRL

HAL (RUE DE) - 131 C1-2-3 D3-4	1440	BRC
HAL (RUE DE) - 156 D3 E3-4	1421	OPH
HAL (RUE DE) - 57 E4 - 66 D-E1	1190	VOR
HALDERBOSSTRAAT - 108 C3-4 D3- 120 C1	1653	DWO
HALDORP - 87 E2-3	1630	LIN
HALF UURDREEF - 62 A2	1150	SPW
HALFUURDREEF - 62 A2-3-4 - 71 A1 B1-2-3	3080	TER
HALLALI (CHEMIN DE L' - WEG) - 68 D1	1000	BRL
HALLAUX (CHEMIN) - 128 E1 - 129 A1	1300	WAV
HALLEBARDE (AV. DE LA) (6) - 42 C1	1140	EVE
HALLEMANS (IMPASSE - GANG)		
SITUEE/GELEGEN		
RUE DE CHEVAL NOIR/		
ZWART PAARDSTRAAT		
40 C3 - Centr. 166 A2	1080	SJM
HALLENSTRAAT - 40 E3 - Centr. 166 C2	1000	BRL
HALLEPOORT - 49 D2-3 - Centr. 168 B2-3	1000	BRL
HALLEPOORTLAAN - 49 D2-3 - Centr. 168 B2-3	1060	SGI
HALLERBOSSTRAAT - 119 C-D-E1 - 120 A1-2 B2	1500	HAL
HALLES (RUE DES) - 40 E3 - Centr. 166 C2	1000	BRL
HALLESTRAAT - 57 E4 - 66 D-E1	1190	VOR
HALLEWEG - 106 E2-3 - 107 A3-4 B4	1500	HAL
HALLEWEG - 107 E1-2 - 108 A1	1653	DWO
HALLEWEG - 55 D2-3 E2-3	1701	ITT
HALLEWEG - 84 E2-3 D3-4 - 94 D1	1600	SPL
HALLIER (AV. DU) - 22 D1-2 E1	1020	BRL
HALS (RUE FR. - STRAAT) - 48 A4 - 57 A-B1	1070	AND
HALS (SQUARE FR. - SQUARE) - 48 A4 - 57 A1	1070	AND
HALSDREEF - 82 B1	3090	OVE
HALSENDALLAAN - 97 A-B3	1652	ALS
HALSLAAN (FRANS) - 8 E4 - 9 A4	1820	STE
HALVE CIRKELSTRAAT (1) - 14 D4 - 23 D1	1120	BRL
HALVE MAANPLEIN (10) - 44 A4	1150	SPW
HALVE MAANSTRAAT - 49 B4 - 58 B-C1		
NRS 1 tot 9 - 2 tot 22	1060	SGI
ANDERE NRS	1190	VOR
HAM (RUE DU - STRAAT) - 68 B-C4 - 78 C1	1180	UCK
HAMDREEF - 18 C2	1820	STE
HAMEAU (CHEMIN DU) - 116 E3-4	1300	WAV
HAMEAU (RUE DU) - 98 A-B-C4	1640	SGR
HAMEAU (SENTIER DU) -		
116 E4 - 128 D-E1 - 129 A2	1300	WAV
HAMEAU DE SAMME (RUE) - 154 A2-3-4 B2	1460	VIR
HAMERSTRAAT - 41 C-D4		
ONEVEN NRS - 52 tot EINDE	1000	BRL
NRS 2 tot 48	1210	SJN
HAMME (RUE DE - STRAAT) - 11 E2 - 12 A2-3	1780	WEM
HAMMESEHOEK - 11 E2 - 12 A2-3	1731	ZEL
HAMMESTRAAT - 11 A-B2	1730	KOB
HAMMEVELD - 2 E4 - 11 E1 - 12 A1	1785	HAM
HAMOIR (AV. - LAAN) - 68 B2-3 C3	1180	UCK
HAMOIR (AV. HUART - LAAN) -32 D1-2 E1-2	1030	SCH
HAMSTER (CLOS DU - GAARDE) (1) - 53 E3	1970	WEO
HAMWEG - 15 D3-4	1130	BRL
HANCART (RUE - STRAAT) (1) - 32 C4	1030	SCH
HANDBOOGHOF - 106 D1	1500	HAL
HANDELBERGLAAN (FELIX) - 107 A1	1501	BUI
HANDELSGALERIJ - 41 A3 - Centr. 166 D2	1000	BRL
HANDELSKAAI - 40 D2-3 - Centr. 166 B1-2	1000	BRL
HANDELSKANTOORSTRAAT (2) - 30 E4	1081	KOE
HANDELSSTRAAT -		
41 C4 - 50 B1-2 C1 - Centr. 167 B3 - 169 A1-2 B1		
NRS 1 tot 67 - 2 tot 66	1000	BRL
NRS 69 tot 113 - 68 tot 114	1040	ETT
ANDERE NRS	1000	BRL
HANDELSSTRAAT - 26 B-C3	1930	ZAV
HANDSTRAAT - 98 D2-3 E2-3	1640	SGR
HANEGANG		
GELEGEN SINT-PIETERS-		
STRAAT TUSSEN NRS 59-61		
41 A2 - Centr. 166 D1	1000	BRL
HANEKAMMETJESLAAN - 56 D3-4 E3	1070	AND
HANENBOSWEG - 96 B4 - 108 B1	1653	DWO
HANEVELDLAAN - 14 A-B1	1850	GRI

HANGAARWEG - 78 E3 - 79 A3-4	1180	UCK
HANGAR (CHEMIN DU) - 78 E3 - 79 A3 -4	1180	UCK
HANGEIKWEG - 97 D-E4	1640	SGR
HANIGALE (RUE) - 154 C-D1	1480	TUB
HANKAR (RUE P. - STRAAT) - 67 C-D3	1180	UCK
HANKAR (SQUARE BARON R. - SQUARE) - 60 C2	1160	AUD
HANNEKENBOSLAAN - 93 B2-3 C2	3090	OVE
HANNETONS (AV. DES) - 60 C-D4 - 69 D1	1170	WAB
HANNETONS (AV. DES) - 88 A4	1640	SGR
HANNONSART (ROUTE D') - 125 A4	1380	OHA
HANS (RUE JULES) - 134 C4	1420	BRA
HANSE (CLOS J. - HOF) - 60 D4 - 69 D1	1170	WAB
HANSE (SQUARE J. - SQUARE) - 43 D3	1200	WSL
HANSEN-SOULIE (AV. - LAAN) - 51 B3-4	1040	ETT
HANSOULSTRAAT (CONST.) - 16 B2	1830	MAC
HANSSENS (AV. J. - LAAN) - 31 C4	1080	SJM
HANSSENS (RUE - STRAAT) -		
49 E2 - Centr. 168 C2	1000	BRL
HANSSENSLAAN (BENOIT) - 7 A3 B2-3	1800	VIL
HAP (RUE F. - STRAAT) -		
50 E2 - Centr. 169 D2 - 33 A2	1040	ETT
HAP (RUE LOUIS - STRAAT) - 50 D-E3 - 51 A2-3	1040	ETT
HAP-LEMAITRE (RUE P. - STRAAT) - 50 E4 - 59 E1	1040	ETT
HAQUENEE (MAIL DE LA) - 42 C1	1140	EVE
HARAS (AV. DU) - 52 E4 - 53 A4	1150	SPW
HARAS (CHEMIN DU) - 68 D-E2	1000	BRL
HARAS (CLOS DU) - 141 A-B1	1301	BIE
HARAS (DREVE DU) - 79 A-B4 - 89 B-C1	1180	UCK
HARBALORIFALAAN - 92 D1	3090	OVE
HARD (RUE - STRAAT) - 53 D2	1970	WEO
HARDUIN-MANSART (AV. JULES) - 123 A3-4	1410	WAT
HARDY (PASSAGE OLIVER - DOORGANG) (21) -		
21 E2	1090	JET
HARDY (RUE ARTHUR) - 140 C2 D2-3 E3-4	1300	LIL
HARDY (RUE ARTHUR) - 140 E4 - 141 A-B4	1342	LIM
HARENBERG - 24 D2-3	1130	BRL
HARENGS (RUE DES) - 40 E4 - Centr. 166 C3	1000	BRL
HARENHEIDESTRAAT - 24 D2 E2-3	1130	BRL
HARENHEYDE (RUE DU) - 24 D2 E2-3	1130	BRL
HARENHEYDELAAN - 34 B4	1932	SSW
HARENSE STEENWEG - 6 E4 - 7 A3 - 15 D1-2-3 E1	1800	VIL
HARENWEG (1) - 33 C1	1140	EVE
HARINGSTRAAT - 40 E4 - Centr. 166 C3	1000	BRL
HARMONIE (RUE DE L' - STRAAT) - 40 E1-2	1000	BRL
HARNOIS (AV. DU) (5) - 42 C1	1140	EVE
HARTELIJKHEIDSSTRAAT (1) - 39 D4	1070	AND
HASART (SENTIER DU) - 143 B2-3 C2	1440	BRC
HASSARD (CLOS DU) - 135 B1	1410	WAT
HASSELHEIDESTRAAT - 105 A2-3 B2-3	3040	OTB
HASSENBERGSTRAAT - 83 C3-4 D3	3090	OVE
HAUBRECHTS (RUE - STRAAT) -		
40 D2 - Centr. 166 B1	1080	SJM
HAULOTTE (RUE ALFRED) - 139 A-B3	1342	LIM
HAUT (CHAMP DU) - 140 C3 D2-3 E3-4	1300	LIL
HAUT-CHAMP (AV. DU) - 39 C1	1082	SAB
HAUTFENNE (RUE ADELIN) - 126 E1 - 127 A1	1330	RIX
HAUT-ITTRE (RUE DE) - 155 D3-4 E3	1460	IRE
HAUT ITTRE (CHEMIN D') -		
145 A4 - 156 E2-3 - 157 A1-2	1421	OPH
HAUTMONT (RUE DU) - 145 A4 B3-4 C3	1421	OPH
HAUT-PONT (CARRE DU) - 59 A2	1050	IXE
HAUT PONT (AV. DU) (1) - 58 E2		
NOS 1 à 11 - 2 à 14	1060	SGI
NOS 13 à FIN - 16 à FIN	1050	IXE
HAUT TIENNE (SENTIER DU) - 143 D-E4	1440	BRC
HAUTE (RUE) - 126 C2-3	1330	RIX
HAUTE (RUE) - 129 A-B1	1300	WAV
HAUTE (RUE) - 149 E3	1380	LAS
HAUTE (RUE) - 152 D-E4 - 153 A4	1348	LLN
HAUTE (RUE) - 155 B-C4	1460	IRE
HAUTE (RUE) -		
49 D2-3 E1-2 - Centr. 168 B2-3 C1-2	1000	BRL
HAUTE BORNE (AV. DE LA) - 142 C3-4	1480	CLA
HAUTE BORNE (RUE DE LA) - 134 D-E4	1420	BRA

HAUTE BORNE (RUE DE LA) - 153 B3	1348	LLN
HAUTE BRIRE (CLOS DE LA) (1) - 137 D1	1380	OHA
HAUTS TAILLIS (AV. DES) - 138 D-E1	1330	RIX
HAUTS TIENNES (RUE DES) - 146 C2	1420	BRA
HAUWAERTS (SQUARE P. - SQUARE) - 33 B2	1140	EVE
HAUWAERTSTRAAT (JOZEF) - 86 B4	1651	LOT
HAUWAERTSTRAAT (JOZEF) - 96 B1 C1-2	1653	DWO
HAVAUX (RUE ERNEST - STRAAT) -		
50 D3 - 51 A2 - Centr. 169 C3	1040	ETT
HAVENLAAN - 31 E3-4 - 32 A2-3 - 40 D-E1		
ONEVEN NRS - 88 TOT EINDE	1000	BRL
NRS 2 TOT 82	1080	SJM
HAVENSTRAAT - 6 E3-4	1800	VIL
HAVERVELD - 34 D2	1932	SSW
HAYES (CHEMIN DES) - 137 B3-4	1380	OHA
HAYES (CHEMIN DES) - 137 B3-4	1380	LAS
HAYETTE (SENTIER DE L') - 137 C1	1380	OHA
HAYETTE (SENTIER DE L') - 137 C1	1380	LAS
HAYETTES (CHEMIN DES) - 150 D3 E3-4	1340	OTT
HAYETTES (RUE LES) - 146 B-C4 - 158 B1-2-3	1421	OPH
HAZARD (RUE J. - STRAAT) - 59 B3-4	1180	UCK
HAZELAARLAAN - 13 E3	1853	SBE
HAZELAARSLAAN - 22 E1	1020	BRL
HAZELAARSLAAN - 69 B1 C1-2	1170	WAB
HAZELAARSTRAAT - 29 C3	1702	GRB
HAZELHOENSTRAAT - 69 E1	1170	WAB
HAZELMUIZENPAD (4) - 68 D1-2	1000	BRL
HAZELNOTELARENWEG - 53 B2	1950	KRA
HAZELNOTENLAAN - 9 B2 C1-2	1820	STE
HAZENBERG (CHEMIN DU - WEG) - 99 A1-2 B1	1640	SGR
HAZENBERG - 107 C4	1500	HAL
HAZENDALVOETWEG - 90 E1-2	1560	HOE
HAZENDELLE (CHEMIN DU - WEG) -		
89 B-C4 - 99 B1 C1-2	1640	SGR
HAZENDREEF - 101 B-C1	1560	HOE
HAZENDREEF - 91 A4	1560	HOE
HAZENLAAN - 35 C2	1930	ZAV
HAZENLAAN - 53 C1-2	1970	WEO
HAZENLAAN - 63 C-D2	3080	TER
HAZENPAD - 87 D3-4	1652	ALS
HAZENPAD - 9 C3	1820	MEL
HAZENSTRAAT - 13 C1-2	1853	SBE
HAZENSTRAAT - 36 E2	3078	EVG
HAZENWEG - 72 B1-2	3080	TER
HAZEPAD - 29 B3	1702	GRB
HAZEVELD - 67 D2	1600	SPL
HEBRON (AV. - LAAN) - 43 E2 - 44 A-B2	1950	KRA
HECTOLITERSTRAAT - 49 D2 - Centr. 168 B2	1000	BRL
HECTOLITRE (RUE DE L') - 49 D2 - Centr. 168 B2	1000	BRL
HEEMBEEK (QUAI DE) - 23 D3-4 E3	1120	BRL
HEEMBEEK (RUE DE) - 23 C3 D1-2-3		
NO 2	1020	BRL
AUTRES NOS	1120	BRL
HEEMBEEKKAAI - 23 D3-4 E3	1120	BRL
HEEMBEEKSESTRAAT - 23 C3 D1-2-3		
NR 2	1020	BRL
ANDERE NRS	1120	BRL
HEEMBEEKSTRAAT - 14 C4	1800	VIL
HEERLIJKHEIDSSTRAAT - 24 E1-2	1130	BRL
HEERWEG - 106 B4 - 118 B1	1502	LEM
HEERWEG - 86 E2-3-4	1650	BEE
HEESTERKEN - 96 D3-4	1653	DWO
HEESTERSTRAAT - 77 C2	1180	UCK
HEESTERWEG - 73 D3	3090	OVE
HEGER (AV. P. - LAAN) - 59 D-E4 - 60 B3	1000	BRL
HEGER-BORDET (RUE - STRAAT) (1) - 49 D-E3	1000	BRL
HEIBERG - 91 E1	3090	OVE
HEIBLOK - 37 D2	1700	DIL
HEIDE - 21 E1 - 22 A1	1780	WEM
HEIDEBLOEM - 107 E3	1653	DWO
HEIDEBLOEMSTRAAT - 65 E2	1600	SPL
HEIDEBROEK - 109 A2	1652	ALS
HEIDEDREEF - 87 C1-2	1630	LIN
HEIDEKEN (RUE - STRAAT) - 31 A2	1083	GAN
HEIDEKEN - 107 C3-4	1500	HAL
HEIDEKRUIDDREEF - 62 C1	1950	KRA
HEIDEKRUIDLAAN - 53 B4	1950	KRA
HEIDELAAN - 109 A3	1640	SGR
HEIDEPLEIN - 9 C2	1820	MEL
HEIDESTRAAT - 26 B-C2	1930	ZAV
HEIDESTRAAT - 3 A4 B3-4	1785	HAM
HEIDESTRAAT - 32 E2	1030	SCH
HEIDEVELD - 85 C3-4 D2-3 - 95 B1	1654	HU
HEIENDALLAAN - 108 D-E2	1653	DWO
HEIERVELD - 10 C2-3-4	1730	ASS
HEILIG HARTLAAN - 10 A3-4 B4	1730	ASS
HEILIG HARTLAAN - 22 B4 - 31 B1	1090	JET
HEILIG HARTPLEIN - 52 A1	1200	WSL
HEILIG HARTSQUARE - 61 B4	1160	AUD
HEILIG KRUISDREEF - 8 B-C4	1820	MEL
HEILIG KRUISPLEIN (1) - 50 C4 - 59 C1	1050	IXE
HEILIG VERBONDPLEIN - 78 B3	1180	UCK
HEILIGE DOMINICUSLAAN - 53 B3	1950	KRA
HEILIGE FAMILIEPLEIN - 43 A3	1200	WSL
HEILIGE GEESTSTRAAT - 49 E1 - Centr. 168 C1	1000	BRL
HEILIGE GEESTSTRAAT - 64 A1-2	1602	VLE
HEILIGE THERESIALAAN (1) - 47 E1	1700	DIL
HEILIGENBORRE - 79 E1	1170	WAB
HEILZAAMHEIDSLAAN (5) - 47 D2	1070	AND
HEIRBAAN - 7 D4 - 16 C1-2-3 D1	1830	MAC
HEIRBAAN - 3 B1-2 C-D1	1860	MEI
HEIRBAUT (RUE L. - STRAAT) (7) - 30 D3	1083	GAN
HEIZELSTRAAT - 22 C-D2	1020	BRL
HELDENLAAN - 53 E1	1970	WEO
HELDENLAAN - 70 B1-2	1160	AUD
HELDENMOEDSTRAAT - 31 B1-2	1090	JET
HELDENPLEIN - 26 B4	1930	ZAV
HELDENPLEIN - 49 C-D3	1060	SG
HELDENPLEIN - 6 E2 - 7 A2	1800	VIL
HELDENSQUARE - 67 D2	1180	UCK
HELDENSTRAAT - 118 B2-3	1502	LEM
HELDER CAMARALAAN - 3 E1 - 4 A1	1860	MEI
HELENALAAN - 30 C4	1082	SAB
HELENE (AV.) - 30 C4	1082	SAB
HELHONDWEG (3) - 59 C3-4	1000	BRL
HELIANTHE (AV. DE L') - 77 D2	1180	UCK
HELICE (AV. DE L') - 52 D-E3	1150	SPW
HELIHAVENLAAN - 31 E4 - 32 A4 - 40 E1-2	1000	BRL
HELIOTROPENLAAN - 32 E4	1030	SCH
HELIOTROPES (AV. DES) - 32 E4	1030	SCH
HELIPORT (AV. DE L') - 31 E4 - 32 A4 - 40 E1-2	1000	BRL
HELLEBAARDLAAN (6) - 42 C1	1140	EVE
HELLEBAUT (RUE E. - STRAAT) - 48 B-C2	1070	AND
HELLEBEEKSTRAAT - 14 B1	1853	SBE
HELLEBEEKSTRAAT - 5 B4	1850	GRI
HELLEGATSTRAAT - 6 A3	1850	GRI
HELLEKOUTERWEG - 83 D2	3090	OVE
HELLENENSTRAAT - 59 E3	1050	IXE
HELLENES (RUE DES) - 59 E3	1050	IXE
HELLESTRAAT - 74 E1-2	1600	SPL
HELLESTRAAT - 85 B1-2 C1	1651	LOT
HELLEVELT (AV. - LAAN) - 67 D4	1180	UCK
HELLINCKX (RUE A.& M. - STRAAT) - 30 D-E3	1083	GAN
HELLINCKX (RUE FR. - STRAAT) - 40 B1-2	1081	KOE
HELLINGSTRAAT - 6 E1-2	1800	VIL
HELLINGSTRAAT - 61 A3	1160	AUD
HELMET (CHAUSSEE DE) - 32 D3 E2-3 - 33 A2	1030	SCH
HELMET (PLACE DE) - 32 E2	1030	SCH
HELMETSEPLEIN - 32 E2	1030	SCH
HELMETSESTEENWEG - 32 D3 E2-3 - 33 A2	1030	SCH
HEMELRIJKSTRAAT - 64 A3-4 - 74 A12-3	1600	SPL
HEMELSTRAAT - 76 A3-4	1601	RUI
HEMERIJCKXLAAN (DOKTER) - 5 B2-3	1850	GRI
HENDRICKX (CLOS J. - GAARDE) (3) - 30 C2	1083	GAN
HENDRICKX (DREVE - DREEF) - 80 B3 C2-3 D2	1170	WAB
HENDRICKX (RUE PROF. - STRAAT) - 48 D4	1070	AND
HENDRIK I LEI - 7 A1	1800	VIL
HENEGOUWENKAAI - 40 C2 D3 - Centr. 166 A1 B2	1080	SJM

Street	Postcode	Commune
HENGSTENBERG - 81 E2 - 82 A1-2-3 B4 - 92 B1	3090	OVE
HENGSTSTRAAT - 76 A-B3	1601	RUI
HENISDAL - 85 A1	1600	SPL
HENNEAULAAN (HECTOR) -		
25 D4 - 26 A-C4 - 34 D-E1 - 35 A-B-C1	1930	ZAV
HENNEBEL (AV. J.L.) - 153 A3-4	1348	LLN
HENNEBICQ (RUE A. - STRAAT) - 49 C4 - 58 C1		
NOS/NRS 7-47 - 2-50	1060	SGI
AUTRES NOS/ANDERE NRS	1190	VOR
HENNEKENMOLEN - 11 B1-2 C2	1730	KOB
HENNUYERS (VOIE DES) - 153 B-C3	1348	LLN
HENRARD (AV. X. - LAAN) - 51 E4	1150	SPW
HENRARD (RUE ED. - STRAAT) (1) - 60 C1	1160	AUD
HENRI (AV. G. - LAAN) - 42 D-E4 - 51 B-C-E1	1200	WSL
HENRICOT (AV. PAUL) - 163 E4	1490	CSE
HENRIETTESQUARE (MARIE) - 106 D2	1500	HAL
HENROTTE (RUE - STRAAT) - 53 A1-2	1150	SPW
HENRY (RUE GEN. - STRAAT) - 51 A3-4	1040	ETT
HENRY (RUE R. - STRAAT) - 48 B3	1070	AND
HENSMANSSTRAAT (GEORGES) - 65 E4	1600	SPL
HEPBURN (RUE AUDREY - STRAAT) (13) - 21 E2	1090	JET
HERBATTE (CHAUSSEE DE L') - 117 B4 C3-4	1300	WAV
HERBES (DREVE AUX) - 62 B2	1150	SPW
HERBES SAUVAGES (CARRE DES) (8) - 44 A4	1150	SPW
HERBETTE (BLD. M. - LAAN) - 48 D1	1070	AND
HERDEBEEKSTRAAT -		
46 C1-2-3 D4 - 55 C1 D1-2-3	1701	ITT
HERDERINLAAN (10) - 30 D3-4	1082	SAB
HERDERSHONDWEG (1) - 13 E4	1020	BRL
HERDERSLIEDGAARDE (4) - 42 C1	1140	EVE
HERDERSLIEDSTRAAT - 39 C4		
NRS 11 TOT 35 - 2 TOT 30	1080	SJM
NRS 37 TOT 99 - 32 TOT 100	1070	AND
ANDERE NRS	1080	SJM
HERDERSSTAFLAAN - 60 D3-4 E4	1160	AUD
HERDERSSTAFSTRAAT - 60 D-E4	1170	WAB
HERDERSSTRAAT -		
50 A2-3 B2 - Centr. 168 D2-3 - 67 A2	1050	IXE
HERDERSTASJE - 37 D1-2	1700	DIL
HERDERSTRAAT - 75 C2	1600	SPL
HERDERVELD - 9 C1	1910	BER
HERDEWEG - 56 B4 - 65 C-D-E1	1602	VLE
HEREN VAN WITTHEMLAAN - 86 C3	1650	BEE
HERENDAL - 52 E1-2 - 53 A2	1150	SPW
HERFSTLAAN - 75 C2-3	1600	SPL
HERFSTSTRAAT - 59 E2 - 60 A2	1050	IXE
HERGE (AV.) - 129 E1-2	1301	BIE
HERGE (RUE) - 162 C2 D2-3	1341	CEM
HERINCKX (AV. DU BOURG. J.) - 58 E4 - 67 D-E1	1180	UCK
HERINCKX (AV. G. - LAAN) - 67 B3-4 C4	1180	UCK
HERINCKXLAAN (BURG. J.) - 58 E4 - 67 D-E1	1180	UCK
HERIS (RUE - STRAAT) - 40 C4 - Centr. 166 A3	1000	BRL
HERISEMWEG - 96 D-E4 - 97 A3 C2	1652	ALS
HERISSON (ALLEE DU) - 48 A4	1070	AND
HERISSON (AV. DU) - 77 D3	1180	UCK
HERKOLIERS (RUE - STRAAT) - 40 B-C1	1081	KOE
HERLAERSTRAAT - 6 E3 - 7 A3	1800	VIL
HERLEVINGSLAAN - 33 B-C1	1140	EVE
HERLIN (AV. ANTOINETTE) - 101 D4 - 113 D1	1310	LAH
HERMAN (RUE - STRAAT) - 32 D4	1030	SCH
HERMAN (RUE CHARLES) - 131 D4 - 143 E1	1440	BRC
HERMANT (AV. JEAN) - 127 A2	1330	RIX
HERMELIJNLAAN - 37 D2	1700	DIL
HERMELIJNLAAN - 45 B-C3	1933	STK
HERMELIJNLAAN - 54 A3	1970	WEO
HERMELIJNLAAN - 69 C3	1170	WAB
HERMESLAAN - 25 C-D4 - 34 B1	1831	DIE
HERMESSTRAAT - 36 A-B2	1930	NOS
HERMINE (AV. DE L') - 54 A3	1970	WEO
HERMINE (AV. DE L') - 69 C3	1170	WAB
HERNALSTEEN (RUE RAYMOND - STRAAT) -		
53 D-E1	1970	WEO
HEROISME (RUE DE L') - 31 B1-2	1090	JET
HERON (AV. DU) (2) - 12 D2	1780	WEM
HERON (AV. DU) - 122 A1	1640	SGR
HERON (RUE DU) - 69 E1	1170	WAB
HERONNIERE (AV. DE LA) - 60 C-D4		
NO 102 - 104	1160	AUD
AUTRES NOS	1170	WAB
HEROS (AV. DES) - 53 E1	1970	WEO
HEROS (AV. DES) - 70 B1-2	1160	AUD
HEROS (PLACE DES) - 49 C-D3	1060	SGI
HEROS (SQUARE DES) - 67 D2	1180	UCK
HERPAIN (RUE DES FRERES) - 132 D3-4 E3	1440	WBC
HERREWEGHE (RUE - STRAAT) - 31 B3	1090	JET
HERRMANN-DEBROUX (AV. - LAAN) -		
61 A3-4 B3-4	1160	AUD
HERSE (RUE DE LA) (3) - 165 C1	1348	LLN
HERSE (RUE DE LA) - 69 E2	1170	WAB
HERTBEMPTLAAN - 28 A4 - 37 A1	1700	SMB
HERTBLOCKLAAN - 9 B3	1820	STE
HERTBRUGGE - 52 C2	1150	SPW
HERTEDREEF - 63 C3-4	3080	TER
HERTEJONGLAAN - 121 E1	1640	SGR
HERTENBERGSTRAAT - 63 C2-3	3080	TER
HERTENLAAN - 121 E1	1640	SGR
HERTENLAAN - 53 B2-3 C3	1950	KRA
HERTENLAAN - 80 D-E3	1560	HOE
HERTOGENDAL - 60 C-D2 E2-3	1160	AUD
HERTOGENDAL - 81 D2	3090	OVE
HERTOGENDREEF - 69 C-D3	1170	WAB
HERTOGENLAAN - 53 C2 D2-3	1970	WEO
HERTOGENSTRAAT - 53 B-C2	1950	KRA
HERTOGENVOETWEG - 6 A-B1	1850	GRI
HERTOGENWANDELING (1) - 18 C1	1820	STE
HERTOGENWEG - 54 A4 - 63 A-B1	3080	TER
HERTOGIN VAN BRABANTPLEIN - 40 B3-4	1080	SJM
HERTOGINNEDAL - 61 A-B2	1160	AUD
HERTOGINSTRAAT - 51 C2		
ONEVEN NRS	1150	SPW
NRS 2 TOT 32	1040	ETT
NR 34	1200	WSL
HERTOGSTRAAT -		
41 B4 - 50 B1 - Centr. 167 A3 - 67 A1	1000	BRL
HERTOGSTRAAT - 51 C-D2		
NRS 117 tot EINDE	1200	WSL
ANDERE NRS	1150	SPW
HERTOGSWEGEL - 33 B2-3	1140	EVE
HERTOGWEG - 54 A4	1970	WEO
HERTSTRAAT - 57 D-E2		
ONEVEN NRS	1070	AND
EVEN NRS	1190	VOR
HERTSTRAAT - 93 B2 C2-34	3090	OVE
HERTZSTRAAT (ARMAND) - 7 C2-3	1800	VIL
HERVORMINGSLAAN - 30 D-E2	1083	GAN
HERVORMINGSSTRAAT - 58 E2 - 59 A2	1050	IXE
HERZIENINGSLAAN - 49 B2-3	1070	AND
HESBIGNONS (VOIE DES) - 153 B4	1348	LLN
HESPERIDENLAAN - 78 B2	1180	UCK
HESPERIDES (AV. DES) - 78 B2	1180	UCK
HESS DE LILEZ (AV. - LAAN) - 77 A4	1630	LIN
HESS DE LILEZSTRAAT - 77 A4	1650	BEE
HET DREVEKEN (1) - 52 D4	1150	SPW
HET VEROOST - 21 B-C4 - 30 C1	1083	GAN
HETRAIE (CLOS DE LA) - 122 B1	1410	WAT
HETRES (AV. DES) - 129 A-B4 - 141 B1	1301	BIE
HETRES (AV. DES) - 164 C1	1340	OTT
HETRES (AV. DES) - 88 D-E4	1640	SGR
HETRES (DREVE DES) - 127 B2	1330	RIX
HETRES (RUE DES) - 76 E2	1620	DRO
HETRES (RUE DES) - 87 A-B1	1630	LIN
HETRES POURPRES (AV. DES) - 22 E1	1020	BRL
HETRES ROUGES (AV. DES) - 44 C4 - 53 B1-2 C1	1970	WEO
HETRES ROUGES (AV. DES) - 53 B2	1950	KRA
HEUKEN (CHEMIN DE - WEG) - 98 D-E2	1640	SGR
HEURES CLAIRES (AV. DES) - 122 C2 D1-2	1410	WAT
HEURKSTRAAT - 92 E3 - 93 A2-3	3090	OVE
HEUSBLOK - 4 C2	1860	MEI

Straat	Code	Gem.
HEUVELDAL - 13 E4	1853	SBE
HEUVELLAAN - 47 B1	1700	DIL
HEUVELLAAN - 98 A1	1640	SGR
HEUVELPARK - 106 E4	1500	HAL
HEUVELSTRAAT - 40 E4 - Centr. 166 C3	1000	BRL
HEUVELSTRAAT - 83 A4 - 92 E1 - 93 A1	3090	OVE
HEYDENBERG (AV. - LAAN) - 42 D3-4	1200	WSL
HEYDRIESSTRAAT - 75 B-C1	1600	SPL
HEYGEMSTRAAT - 37 A1 B1-2	1700	SMB
HEYLENBLOK - 98 A4	1640	SGR
HEYLENS (RUE - STRAAT) - 39 B2	1082	SAB
HEYMANS (RUE ABBE J.) - 43 A3-4	1200	WSL
HEYMANS (RUE H. - STRAAT) - 30 C4	1082	SAB
HEYMANS (RUE J. - STRAAT) - 22 C-D4	1020	BRL
HEYMANSDRIES - 98 A4 - 110 A-B1	1640	SGR
HEYMANSSTRAAT (PRIESTER J.) - 43 A3-4	1200	WSL
HEYMBOSCH (AV. DU - LAAN) -		
21 E2 - 22 A2-3 B3	1090	JET
HEYMBOSCH (CHEMIN DU - WEGEL) - 22 A2	1090	JET
HEYRBAUTLAAN (Z.E.H. A.) -		
29 A4 - 37 E1 - 38 A1	1700	DIL
HEYSEL (RUE DU) - 22 C-D2	1020	BRL
HEYSELLAAN - 14 B-C4	1800	VIL
HEYVAERT (RUE - STRAAT) - 40 B-C4 - 49 B1		
NS 1-195 - 2-52 - 110-142	1080	SJM
AUTRES NOS/ANDERE NRS	1070	AND
HIBOUX (RUE DES) - 52 E1	1150	SPW
HIEL (RUE EM. - STRAAT) - 32 C4	1030	SCH
HILAIRE (AV. PERE) - 51 E4	1150	SPW
HILARIUSLAAN (PATER) - 51 E4	1150	SPW
HINCKAERT (AV. JEAN) - 125 B3	1380	OHA
HINCKAERTPLEIN - 18 C2	1820	STE
HINCKAERTSTRAAT - 9 E2	1910	BER
HINDELAAN - 72 B-C4	3090	OVE
HINDENLAAN (1) - 77 D3	1180	UCK
HINDENLAAN - 121 E1	1640	SGR
HINDENLAAN - 53 C3	1950	KRA
HINDERNISLAAN - 53 A3	1180	UCK
HIPPELENBERG - 94 A3	1500	HAL
HIPPOCAMPES (RUE DES) - 39 D3	1080	SJM
HIPPOCRATE (AV.) - 43 C2 D2-3 E3	1200	WSL
HIPPOCRATE (RUE) - 151 E4	1340	OTT
HIPPOCRATESLAAN - 43 C2 D2-3 E3	1200	WSL
HIPPODROME (AV. DE L') - 68 E3-4 - 69 A3-4	1180	UCK
HIPPODROME (AV. DE L') - 45 A2-3 B3-4	1970	WEO
HIPPODROME (AV. DE L') - 59 C1-2 D2	1050	IXE
HIPPODROOMLAAN -		
44 E1-2 - 45 A2 B3-4 - 54 B1	1933	STK
HIPPOLYTE (RUE) - 133 E1	1420	BRA
HIRONDELLES (AV. DES) - 111 B4	1410	WAT
HIRONDELLES (AV. DES) - 163 C3-4	1341	CEM
HIRONDELLES (AV. DES) - 3 D4 E3-4	1780	WEM
HIRONDELLES (AV. DES) - 44 B1-2	1950	KRA
HIRONDELLES (AV. DES) - 98 C-D4 - 110 C1	1640	SGR
HIRONDELLES (CHAMP DES) (4) - 45 B4	1970	WEO
HIRONDELLES (RUE DES) - 146 D1	1420	BRA
HIRONDELLES (RUE DES) - 40 E3 - Centr. 166 C2	1000	BRL
HIRONDELLES (SENTIER DES) - 115 E1-2	1301	BIE
HITCHCOCK (CHEMIN A. - WEG) (24) - 21 E2	1090	JET
HIVER (AV. DE L') - 123 A3	1410	WAT
HIVER (RUE DE L') (1) - 128 B4	1300	LIL
HOBBEMA (RUE - STRAAT) - 42 A4 - 51 A1	1000	BRL
HOBEREAUX (AV. DES) - 60 D4	1170	WAB
HOCAILLE (PLACE DE LA) - 153 A3	1348	LLN
HOCAILLE (RUE DE L') - 153 A-B3	1348	LLN
HOCHE (AV. - LAAN) - 78 A-B1	1180	UCK
HOCHEQUEUES (CHEMIN DES) - 149 A2 B1-2 C1	1380	LAS
HOCKEY (AV. DU - LAAN) - 52 C3-4 D4	1150	SPW
HOCKEYLAAN - 34 B4 - 43 B1	1932	SSW
HOCKEYLAAN - 47 B2	1700	DIL
HODDEVELD - 26 C4	1930	ZAV
HOEDEMAEKERS (SQUARE SERVAAS -		
SQUARE) - 33 B2-3	1140	EVE
HOEDENMAKERSSTRAAT - 40 E4 - Centr. 166 C3	1000	BRL

Straat	Code	Gem.
HOEDSTRAAT - 49 B1-2	1070	AND
HOEF (AV. DU - LAAN) - 68 A1	1180	UCK
HOEFIJZERLAAN - 92 A3	1560	HOE
HOEFIJZERSTRAAT - 44 D4	1970	WEO
HOEFIJZERWEG - 78 E2-3 - 79 A1-2-3 B1	1180	UCK
HOEFSTRAAT (4) - 118 B2	1502	LEM
HOEILAART (CHEMIN DE) - 101 D1-2 E2-3	1310	LAH
HOEILAARTSESTEENWEG - 102 A-B1 C-D2	3090	OVE
HOEILAARTSESTEENWEG - 91 E4	3090	OVE
HOEILAARTSEWEG - 101 D1	1560	HOE
HOEILAARTSEWEG - 91 C4	1560	HOE
HOEK (RUE DU - STRAAT) - 87 B1	1630	LIN
HOEKJE GRONDSTRAAT - 31 C3	1090	JET
HOEKPLEIN - 26 A3	1930	ZAV
HOEKSTRAAT (3) - 40 E2 - Centr. 166 C1	1000	BRL
HOEKSTRAAT - 92 C3-4	3090	OVE
HOEKSTRAAT - 98 B2-3	1640	SGR
HOENSVELD - 21 A4 - 30 A1	1731	ZEL
HOEVELAAN - 91 E2	1560	HOE
HOEVELAAN - 92 A2	1560	HOE
HOEVESTRAAT - 105 B1	3040	OTB
HOEVESTRAAT - 41 C-D3	1210	SJN
HOEVESTRAAT - 82 B2-3	3090	OVE
HOEVESTRAAT - 98 A1-2	1640	SGR
HOEVEWEG - 86 C4 - 96 C1	1652	ALS
HOF TE BEVERLAAN - 13 B1-2 C1	1853	SBE
HOF TE BOLLEBEEKLAAN - 10 B-C-D1	1730	MOL
HOF TE HAMMELAAN - 2 E4 - 11 E1	1785	HAM
HOF TE HELDERINGENBAAN - 108 E3	1653	DWO
HOF TEN BERG (AV. - LAAN) - 43 B-C2	1200	WSL
HOF TEN BERG (CLOS - GAARDE) - 43 C2	1200	WSL
HOF TEN BERG - 43 C2	1200	WSL
HOF-TEN-BERG - 98 B3-4	1640	SGR
HOF-TEN-BERGLAAN - 43 B1	1932	SSW
HOF TEN BLEUTE (SQUARE - SQUARE) - 77 A3	1630	LIN
HOF TEN BLOOTEN - 107 C-D1	1501	BUI
HOF TEN BOESDAALLAAN - 88 A4	1640	SGR
HOF-TEN-BOESDAALLAAN - 87 E4 - 88 A4	1652	ALS
HOF TEN HORENLAAN - 67 E2	1180	UCK
HOF-TEN-HOUT - 97 E4 - 98 A4 - 109 E1 - 110 A1-2	1640	SGR
HOF TER MOTTEN - 86 C4	1650	BEE
HOF TER MULLENSTRAAT -		
46 E3-4 - 47 A3-4 - 55 E1	1700	DIL
HOF TER MUSSCHEN (DREVE - DREEF) -		
43 C-D2	1200	WSL
HOF TER PUTTENLAAN - 38 D3-4	1700	DIL
HOF TER SPRIETSTRAAT - 5 A2	1850	GRI
HOF TER VLEEST (ALLEE - DREEF) - 57 A4	1070	AND
HOF TER WEERDESTRAAT - 5 A1-2	1850	GRI
HOF TERHOLST - 102 C3-4 D4	3090	OVE
HOF VAN SPANJEWEG (3) - 24 D2	1130	BRL
HOFBERGSTRAAT - 50 A1 - Centr. 168 D1	1000	BRL
HOFFELIJKHEIDSSTRAAT (5) - 39 C4	1070	AND
HOFFELIJKHEIDSTRAAT (1) - 39 E3	1080	SJM
HOFKENSSTRAAT - 54 A4 - 63 A1	1970	WEO
HOFKENSSTRAAT - 63 A-B1	3080	TER
HOFSTRAAT - 27 E3-4	3070	KOR
HOFVELD - 87 A-B1	1630	LIN
HOGE BEEKKANT - 5 A-B1	1850	GRI
HOGEBERMWEG - 119 C1-2	1502	LEM
HOGEBOMENDAAL - 69 A3	1000	BRL
HOGEBOSSENSTRAAT - 64 A3-4	1600	SPL
HOGEBOSSENSTRAAT - 64 A3-4	1602	VLE
HOGEBRUGGEBLOK (1) - 58 E2	1050	IXE
HOGEBRUGGELAAN - 59 A2		
NRS 1 tot 11 - 2 tot 14	1060	SGI
ANDERE NRS	1050	IXE
HOGE HEIDE - 91 C2-3	1560	HOE
HOGEKOUTER - 75 A-B3	1600	SPL
HOGELEEST(RUE - STRAAT) - 23 C2 D1	1120	BRL
HOGENBOS (RUE - STRAAT) - 39 B1-2 C2		
NOS/NRS 1 - 109 - 2-38	1082	SAB
NOS/NRS 111 à FIN/tot EINDE	1080	SJM
98 à FIN/tot EINDE	1080	SJM

H

HOULETTE (AV. DE LA) - 60 D3-4 E4
NOS IMPAIRS - NOS 76 à78 1160 AUD
HOULETTE (RUE DE LA) - 60 D-E4
NOS 2 à 74 1170 WAB
HOUSSAYE (AV. HENRI) - 135 A-B-C3 1410 WAT
HOUSSIERE (PLACE DE LA) - 153 A3 1348 LLN
HOUSSIERE (RUE DE LA) - 153 A3 1348 LLN
HOUTDUIVENWEG - 88 C3 1640 SGR
HOUTEMSESTEENWEG - 7 B-C-D1 1800 VIL
HOUTHAKKERSSTRAAT - 71 C-D4 3090 OVE
HOUTHAKKERSSTRAAT - 71 C4 1160 AUD
HOUTHULSTBOSSTRAAT - 40 D2 - Centr. 166 B1 1000 BRL
HOUTMARKT - 41 A4 - Centr. 166 D3 1000 BRL
HOUTMEYERS (RUE J. - STRAAT) - 33 B3 1140 EVE
HOUTSNIPLAAN - 44 D1-2 1970 WEO
HOUTSTRAAT - 5 E3 - 6 A3 1850 GRI
HOUTVELD - 119 B3-4 C1-2-3 1500 HAL
HOUTVELDLAAN - 97 C1 1652 ALS
HOUTVESTERSTRAAT - 92 D1 3090 OVE
HOUTWEG - 24 C4 - 33 C1
NOS IMPAIRS/ONEVEN NRS 1130 BRL
NOS PAIRS/EVEN NRS 1140 EVE
HOUTWEG - 97 C4 1652 ALS
HOUWAERT (PLACE HENRI - PLEIN) -
41 C3 - Centr. 167 B2 1210 SJN
HOUWENBERGLAAN - 82 B3 3090 OVE
HOUX (AV. DU) - 151 D1-2 1342 LIM
HOUX (AV. DU) - 69 E1-2 - 70 A1 1170 WAB
HOUYOUX (AV. L. - LAAN) - 60 C-D3 1160 AUD
HOUYOUX (RUE DU - STRAAT) - 60 B1 1160 AUD
HOUZEAU (AV. - LAAN) - 68 A2 1180 UCK
HOUZEAU DE LEHAIE (RUE - STRAAT) - 40 C1
NOS/NRS 1-41 - 2-38 1080 SJM
AUTRES NOS/ANDERE NRS 1081 KOE
HOVENIERSSTRAAT - 13 E1 - 14 A1-2 1853 SBE
HOVENIERSSTRAAT - 7 B2 C1-2 1800 VIL
HOVENIERSTRAAT - 40 C1-2
NRS 41 tot 101 - 28 tot 78 1080 SJM
NRS 80 tot 106 1081 KOE
HOVINGEN - 94 B2 1500 HAL
HUART (CHEMIN DE) - 161 D4 1470 GEP
HUBAUT (PLACE) - 114 C3 1332 GEN
HUBEAU (RUE J.) - 157 D1 1421 OPH
HUBERMONT (RUE D') - 148 E4 - 149 A4 - 160 E1 1380 MAR
HUBERT (RUE E. - STRAAT) - 22 C3
NOS IMPAIRS/ONEVEN NRS 1020 BRL
NOS PAIRS/EVEN NRS 1090 JET
HUBERTI (RUE G. - STRAAT) - 32 E1-2 1030 SCH
HUBERTILAAN (EDOUARD) - 62 E2 - 63 A2 3080 TER
HUBIN (RUE) - 140 E1 - 141 A1 1300 LIL
HUENS (RUE AVIATEUR) - 126 E1-2 1330 RIX
HUET (RUE DR. - STRAAT) - 48 A-B3 1070 AND
HUGO (AV. VICTOR) - 129 E2 1300 WAV
HUGO (AV. VICTOR) - 135 B4 1420 BRA
HUGO (RUE VICTOR - STRAAT) - 42 A3-4 B4 1030 SCH
HUGO (RUE VICTOR) - 135 C2 D2 E1-2 1410 WAT
HUIDENMARKT - 40 E4 - Centr. 166 C3 1000 BRL
HUIDEVETTERIJSTRAAT - 40 B1 1081 KOE
HUIDEVETTERSSTRAAT -
49 D1-2 - Centr. 168 B1-2 1000 BRL
HUILERIES (AV. DES) - 66 E1 1190 VOR
HUINEGEM - 10 A1 1730 ASS
HUINHOVENSTRAAT - 8 C1 1820 PER
HUINHOVENSTRAAT - 8 C1 1800 PEU
HUISDAL - 11 D-E4 1731 REL
HUISHOUDENSSTRAAT - 49 D3 - Centr. 168 B3 1000 BRL
HUIT BONNIERS (AV. DES) - 129 D2-3 1300 WAV
HUIT HEURES (RUE) - 57 C2 1070 AND
HUITRES (AV. DES) - 158 C3 D3-4 1428 LIW
HUITRES (IMPASSE AUX)
SITUEE RUE DE LA
CHAUFFERETTE NO 20
40 E4 - Centr. 166 C3 1000 BRL
HUITRES (QUAI AUX) - 129 B1 1300 WAV
HULDENBERGSTRAAT - 73 C-D1 3080 DUI
HULDERGEM (AV. - LAAN) - 14 B4 - 23 B-C1 1020 BRL
HULET (AV.) - 125 E1 - 126 A1 1332 GEN
HULLEBROECKLAAN (EMIEL) - 35 C1 1930 ZAV
HULOTTE (RUE DE LA) - 69 E1 1170 WAB
HULPSTRAAT - 41 B2 - Centr. 167 A1 1210 SJN
HULSTLAAN - 69 E1-2 - 70 A1 1170 WAB
HULSTSTRAAT - 73 A2 B-C1 3080 DUI
HUMANITE (BLD. DE L') -
57 C-D4 - 66 C1-2-3-4 D3 1620 DRO
HUMANITE (BLD. DE L') - 57 C4 D-E2 - 66 C1
NOS 55 - 2 - 22 - 114 - 116 1070 AND
NOS 415 - 102-106 - 216-350 1190 VOR
HUMANITEITSLAAN - 57 C-D4 - 66 C1-2-3-4 D3 1620 DRO
HUMANITEITSLAAN -
57 C4 D2 E1-2 - 66 C1-2 D2-3
NRS 55 - 2 - 22 - 114 - 116 1070 AND
NRS 415 - 102-106 - 216-350 1190 VOR
HUMANITEITSLAAN - 66 C4 - 76 C1 1601 RUI
HUMBEEKSESTEENWEG - 6 C1-2 1850 GRI
HUMELGEMPAD - 18 C1 1820 STE
HUMELGEMSEWEG - 9 E4 1910 KAM
HUNDERENVELD (AV. - LAAN) - 29 E3-4 - 30 A3 1082 SAB
HURBIZE (RUE D') - 155 B-C-D1 E1-2 1440 BRC
HUSSARDS (VENELLE DES) (9) - 141 C4 1300 WAV
HUSSIERE (CHEMIN DE LA) - 138 B3-4 - 150 B1 1380 LAS
HUTSTRAAT - 41 B1-2 1030 SCH
HUTTE (RUE DE LA) - 161 B4 C3-4 1470 GEP
HUTTE (RUE DE LA) - 161 C3 1380 MAR
HUTTE (RUE DE LA) - 161 C3 1380 CSG
HUTTEWEG - 98 E3 1640 SGR
HUY (CHAUSSEE DE) - 129 B2-3 C3-4 D-E4 1300 WAV
HUYBERECHTS (AV. ABBE) - 151 D2-3 1340 OTT
HUYBREGHTS (RUE H. - STRAAT) - 31 A1 1090 JET
HUYGENS (RUE - STRAAT) - 39 E3 1080 SJM
HUYGENS (RUE GEORGES - STRAAT) - 61 B-C4 1160 AUD
HUYNENSTRAAT (G.) - 90 E3 - 91 A4 1560 HOE
HUYSEGOMSSTRAAT (PETRUS) - 65 B3 C3-4 1600 SPL
HUYSMANS (AV. AR. - LAAN) -
59 E3-4 - 68 E1 - 69 A1 1050 IXE
HUYSMANSLAAN (J.) -
75 E4 - 76 A3-4 - 85 D1-2 E3 1651 LOT
HYACINTENLAAN - 32 E4 - 41 E1 - Centr. 167 D1 1030 SCH
HYACINTENLAAN - 90 E3 1560 HOE
HYDRAULIQUE (RUE) - 41 C4 - Centr. 167 B3 1210 SJN
HYELAAN (RAYMOND) - 81 E2 - 82 A2 3090 OVE
HYGIENE (RUE DE L' - STRAAT) - 47 D-E2 1070 AND
HYMANS (AV. PAUL - LAAN) -
43 A-B4 - 51 E1 - 52 A1 1200 WSL
HYMANS (RUE L. - STRAAT) - 59 A3 1050 IXE
HYMANS (RUE PAUL - STRAAT) - 42 B2 1030 SCH

I

IBIS (RUE DES) - 69 D2-3 1170 WAB
IBISSENSTRAAT - 69 D2-3 1170 WAB
IDALIE (RUE D' - STRAAT) - 50 C2 - Centr. 169 B2 1050 IXE
IDEAALLAAN - 43 D3 E3-4
NRS 39 tot EINDE 1150 SPW
NRS 5 tot 37 - EVEN NRS 1200 WSL
IDEAL (AV. DE L') - 43 D3 E3-4
NOS 39 à FIN 1150 SPW
NOS 5 à 37 - NOS PAIRS 1200 WSL
IDIERS (RUE E. - STRAAT) - 61 A3 1160 AUD
IDYLLE (RUE DE L' - STRAAT) - 39 B-C3 1080 SJM
IENA (AV. D') - 123 B-C2 1410 WAT
IEPERLAAN - 40 D2 - Centr. 166 B1 1000 BRL
IERLANDSTRAAT - 49 E4 - 58 E1 1060 SGI
IF (CLOS DE L') (7) - 146 A1 1420 BRA
IFS (VENELLE AUX) (18) - 129 C-D4 1300 WAV

J

Rue	Code	Commune
JACINTHES (AV. DES) -		
32 E4 - 41 E1 - Centr. 167 D1	1030	SCH
JACMAINSTRAAT (JEAN) - 94 C2-3 D3-4	1500	HAL
JACOBS (AV. VICTOR - LAAN) - 50 D-E4	1040	ETT
JACOBS (PLACE J.) - 123 A1	1410	WAT
JACOBS (PLACE JEAN - PLEIN) -		
49 E3 - Centr. 168 C3	1000	BRL
JACOBS (RUE DR. - STRAAT) - 48 C3	1070	AND
JACOBS (RUE H. - STRAAT) - 33 A2-3	1030	SCH
JACOBS (RUE P. V. - STRAAT) -		
31 C-D4 - 40 C1	1080	SJM
JACOBS FONTAINE (RUE - STRAAT) -31 C-D1		
NOS/NRS 1-77 - 2-100	1020	BRL
AUTRESNOS/ANDERE NRS	1090	JET
JACOBSLAAN (F.) - 30 A1-2	1731	ZEL
JACOBSSTRAAT (J. B.) - 16 B4	1831	DIE
JACQMAIN (BOULEV. EM. - LAAN) -		
32 A4 - 40 E2-3 - 41 A1-2 - Centr. 166 C1-2		
NOS/NRS 1-149 - 2-FIN/EINDE	1000	BRL
NOS/NRS 151-175	1210	SJN
AUTRES NOS/ANDERE NRS	1030	SCH
JACQUELINE (AV.) - 126 E3	1330	EIX
JACQUES (BLD. GEN. - LAAN) -		
59 C2-3 E1-2 - 60 A1		
NOS/NRS 1-263G - 2-212	1050	IXE
NOS/NRS 265-FIN/EINDE	1160	AUD
NOS/NRS 222-FIN/EINDE	1040	ETT
JACQUES (RUE PIERRE) (1) - 123 B4	1410	WAT
JACQUESSTRAAT (BARON) (12) - 106 C1	1500	HAL
JACQUET (RUE J. - STRAAT) - 32 C3	1030	SCH
JACQUET (RUE J. - STRAAT) - 40 B2	1081	KOE
JACQUET (SQUARE L. - SQUARE) - 58 E2	1050	IXE
JADE (SENTIER DU - PAD) (4) - 22 A1	1020	BRL
JADOT (RUE) - 140 D1-2	1300	LIL
JAGERIJDREEF - 68 D1	1000	BRL
JAGERSDAL - 65 B3 C2	1600	SPL
JAGERSDREEF - 72 C1-2	3080	TER
JAGERSGAARDE - 61 E1	1150	SPW
JAGERSLAAN - 62 C1-2 D1	1950	KRA
JAGERSSTRAAT - 45 B2 C1-2	1933	STK
JAGERSSTRAAT - 49 D1 - Centr. 168 B1	1000	BRL
JAGERSSTRAAT - 83 D2-3	3090	OVE
JAGERSVELD - 69 D3	1170	WAB
JAGERSWEG - 12 E1-2 - 13 A1	1780	WEM
JAMAR (BLD. - LAAN) - 49 C2 - Centr. 168 A2	1060	SGI
JAMBES (RUE DES) - 134 C4 - 146 B1	1420	BRA
JAMBONSTRAAT (A.) - 94 D2-3	1500	HAL
JAN RUUSBROECSTRAAT - 76 B1	1601	RUI
JAN VAN BOENDALELAAN - 62 E1	3080	TER
JAN VAN RUUSBROECKLAAN - 53 E4 - 62 E1	3080	TER
JANLAAN (HERTOG) - 30 E3 - 31 A3	1083	GAN
JANSBOSLAAN - 43 E4	1200	WSL
JANSEN (AV.. B. - LAAN) - 60 E2-3	1160	AUD
JANSEN (RUE JACQUES - STRAAT) -		
41 E2-3 - Centr. 167 D2-3	1030	SCH
JANSON (AV. P. - LAAN) - 48 C-D3	1070	AND
JANSON (PLACE PAUL - PLEIN) - 58 E1 - 59 A1	1060	SGI
JANSON (RUE P. - STRAAT) - 14 A-B4	1020	BRL
JANSON (RUE P.E. - STRAAT) - 50 A-B4		
NOS/NRS 1 à 3A - 2 à 20	1000	BRL
AUTRES NOS/ANDERE NRS	1050	IXE
JANSSEN (RUE J.-B. - STRAAT) - 39 E2 - 40 A2	1080	SJM
JANSSENS (RUE FR. - STRAAT) (1) - 48 D3	1070	AND
JANUARILAAN - 42 D3-4	1200	WSL
JANVIER (AV. DE) - 42 D3-4	1200	WSL
JAPAN (AV. DU) - 146 E4	1420	BRA
JAPANSE TORENSTRAAT (5) - 23 C1	1120	BRL
JARDIN AUX FLEURS (PLACE DU) -		
40 D4 - Centr. 166 B3	1000	BRL
JARDIN BOTANIQUE (AV. DU) - 153 C-D4	1348	LLN
JARDIN BOTANIQUE (BLD. DU) -		
41 A2 B2-3 - Centr. 166 D1 - 167 A1-2	1000	BRL
JARDIN DES OLIVES (RUE DU) (2) - 40 D-E4	1000	BRL
JARDIN DU ROI - 59 C2	1000	BRL

Rue	Code	Commune
JARDIN ROMPU (RUE DU) (2) -		
49 E2 - Centr. 168 C2	1000	BR
JARDINAGE (RUE DU) - 39 B2	1082	SA
JARDINETS (AV. DES) - 69 B1	1170	WA
JARDINIER (RUE DU) (22) - 153 C3	1348	LL
JARDINIER (RUE DU) - 134 B2-3	1420	BR
JARDINIER (RUE DU) - 40 C1-2		
NOS 41 à 101 - 28 à 78	1080	SJ
NOS 80 à 106	1081	KO
JARDINS (AV. DES) - 42 A-B1	1030	SC
JARDINS (RUE DES) - 139 B1-2 C2	1300	LI
JARDINS DE JETTE (PLACE DES) - 21 D2	1090	JE
JASMIJNENPLEIN - 9 C-D2	1820	ME
JASMIJNLAAN - 65 D3	1600	SP
JASMIN (AV. LOUIS - LAAN) - 52 C2 D2-3	1150	SP
JASMIN (RUE LOUIS - STRAAT) - 52 C2	1200	WS
JASPAR (AV. HENRI - LAAN) - 49 D-E3	1060	SG
JASSANS (AV. DE) - 139 D-E4 - 140 A4	1342	LIM
JASSOGNE (AV.) - 122 D2-3	1410	WA
JAUMOTTE (IMPASSE CHARLES) - 140 B1	1300	LI
JAUMOTTE (RUE CHARLES) - 128 B-C4 - 140 B1-2	1300	LI
JAURES (AV. J. - LAAN) - 32 E1	1030	SC
JAVELINE (TIENNE DE LA) (4) - 117 B3	1300	WA
JAVELOT (RUE DU) - 13 D-E4	1020	BRL
JEAN (AV. DUC) - 30 E3 - 31 A3	1083	GA
JEAN 1ER (AV. DUC) - 129 D-E1	1300	WA
JEAN DE LUXEMBOURG (AV.) - 127 B-C3	1330	RI
JEAN XXIII (AV.) - 126 D3-4	1330	RI
JEAN-PHILIPPE (RUE) - 124 E1 - 125 A1	1380	OH
JEANNE (AV. DUCHESSE) - 129 D2	1300	WA
JEANNE (AV.) - 114 E4	1330	RI
JEANNE (AV.) - 59 D3		
NOS 1 à 33 - 2 à 60	1050	IXE
NO 35	1000	BRL
JECTA (CLOS - GAARDE) - 22 A3	1090	JET
JEFFERYS (PLACE) - 126 E1	1330	RIX
JEHAN (AV. CHEVALIER) - 117 D4 - 129 E1-2 D2	1300	WA
JENATZY (RUE - STRAAT) - 32 C4	1030	SCH
JENEVERBOMENSTRAAT - 13 B4 - 22 B1	1020	BRL
JENNART (RUE - STRAAT) - 40 C1	1080	SJM
JENNER (RUE - STRAAT) - 50 C-D2		
NOS/NRS 1-7 - 2-10	1050	IXE
AUTRES NOS/ANDERE NRS	1000	BRL
JENNEVAL (RUE - STRAAT) - 41 E4	1000	BRL
JERICHO (AV. DE) - 121 D-E1	1420	BRA
JERUSALEM (RUE DE - STRAAT) - 32 D4	1030	SCH
JESPERS (AV. OSCAR - LAAN) -		
43 B1 C1-2	1200	WSL
JETSE TUINENPLEIN - 21 D2	1090	JET
JETSELAAN - 31 A2-3 B3-4		
NRS 1 tot 73 - 2 tot 116	1081	KOE
NRS 75 tot 233 - 118 tot 376	1090	JET
ANDERE NRS	1083	GAN
JETSESTEENWEG - 31 A2-3 B3-4 C4 - 40 C1		
NRS 91 tot 211 - 108 tot 412	1081	KOE
NRS 219 tot 287	1080	SJM
NRS 231-EINDE - 414-EINDE	1090	JET
JETSESTRAAT - 13 E3-4	1853	SBE
JETTE (AV. DE) - 31 A2-3 B3-4		
NOS 1 à 73 - 2 à 116	1081	KOE
NOS 75 à 233 - 118 à 376	1090	JET
AUTRES NOS	1083	GAN
JETTE (CHAUSSEE DE) - 31 A2-3 B3-4 C4 - 40 C1		
NOS 91 à 211 - 108 à 412	1081	KOE
NOS 219 à 287	1080	SJM
NOS 321 à FIN - 414 à FIN	1090	JET
JEU DE BALLE (PLACE DU) - 137 C4	1380	LAS
JEU DE BALLE (PLACE DU) - 49 D2 - Centr. 168 B2	1000	BRL
JEU DE CRIQUET (ALLEE DU) - 59 C4	1000	BRL
JEU DE PAUME (AV. DU) - 52 D2	1150	SPW
JEU DE PAUME (RUE DU) - 152 E3-4	1348	LLN
JEUGDLAAN - 42 B1	1030	SCH
JEUNESSE (AV. DE LA) - 42 B1	1030	SCH
JEUNESSE (CLOS DE LA) (1) - 164 C1	1340	OTT

Street	Postcode	Commune
JEUNIAU (RUE A. - STRAAT) - 60 C3	1160	WAB
JEUX (VENELLE AUX) - 52 C3	1150	SPW
JEZUS EIKLAAN - 62 E4 - 63 A3-4 B2	3080	TER
JEZUS-EIKSESTEENWEG - 81 B4 C3-4 - 91 B1	1560	HOE
JOCKEY (CHEMIN DU) - 129 B3	1301	BIE
JOCKEYLAAN - 53 A2-3	1150	SPW
JOCKEYS (AV. DES) - 53 A2-3	1150	SPW
JOFFRE (AV. MARECHAL) - 58 B-C3		
NOS 1 à 139 - 2 à 130	1190	VOR
NOS 141 à 153 - 132	1180	UCK
JOFFRELAAN (MAARSCHALK) - 58 B-C3		
NRS 1 tot 139 - 2 tot 130	1190	VOR
NRS 141 tot 153 - 132	1180	UCK
JOHANNALAAN - 59 D3		
NRS 1 tot 33 - 2 TOT 60	1050	IXE
NR 35	1000	BRL
JOLE (AV. - LAAN) - 61 B4	1160	AUD
JOLI (VAL) - 12 E3	1780	WEM
JOLI MAI (AV. DU) - 114 B-C3	1332	GEN
JOLI-BOIS (AV. DE) - 61 E1	1150	SPW
JOLIE (RUE) - 115 B2	1331	ROS
JOLLY (RUE - STRAAT) - 32 A4	1030	SCH
JOLLY (RUE JEAN) - 155 C-D4	1460	IRE
JOLY (SQUARE DR. J. - PLEIN) - 50 E4	1040	ETT
JOLYSTRAAT (J.) - 91 B2	1560	HOE
JONAS (RUE A. - STRAAT) (3) - 39 D4	1070	AND
JONC (AV. DU) - 67 A1-2 B2		
NOS 1 à 39 - 2 à 4	1180	UCK
NOS 45 à FIN - 52 à FIN	1190	VOR
JONCHAIE (RUE DE LA) - 51 A-B2	1040	ETT
JONCTION (AV. DE LA) - 58 D-E2		
NOS 1 à 29A - 2 à 16	1060	SGI
NOS 31 à FIN - 18 à FIN	1190	VOR
JONES (RUE ROBERTS - STRAAT) - 67 E1 - 68 A1	1180	UCK
JONET (AV. - LAAN) - 88 C-D3	1640	SGR
JONGEN (AV. J. - LAAN) - 67 B-C2	1180	UCK
JONKERBOSSTRAAT - 37 E3-4 - 46 E1	1700	DIL
JONKERSSTRAAT - 41 A4 - Centr. 166 D3	1000	BRL
JONNART (AV. ALBERT- LAAN) - 51 B-C1	1200	WSL
JONNIAUX (RUE - STRAAT) - 50 E2 - Centr. 169 D2	1040	ETT
JONQUILLES (AV. DES) - 127 B-C4	1300	LIL
JONQUILLES (AV. DES) - 130 C2-3	1480	CLA
JONQUILLES (RUE DES) - 30 E3	1083	GAN
JOODSE MARTELARENSQUARE - 49 A2-3	1070	AND
JOORS (CITE - GANG) SITUEE/GELEGEN RUE DU GEOMETRE/LANDMETERSTRAAT 39 D3	1080	SJM
JOPPART (RUE JOSEPH) - 117 B4	1300	WAV
JORDAENS (RUE J. - STRAAT) - 59 B2	1000	BRL
JORDAENSDREEF - 82 B2	3090	OVE
JORDAENSSTRAAT - 6 C3-4	1800	VIL
JORDAENSSTRAAT - 8 E4	1820	STE
JORDENS (SQ. CH. - SQ.) - 49 C4	1060	SGI
JOREZ (RUE - STRAAT) - 49 B1-2 C2	1070	AND
JOSAPHAT (RUE - STRAAT) - 32 D4 - 41 C1-2 D1		
NOS/NRS 1-33 - 2-40	1210	SJN
AUTRES NOS/ANDERE NRS	1030	SCH
JOSEE (AV. J. - LAAN) - 48 A1	1070	AND
JOSEPH II (RUE) - 41 C-D4 - 50 D1 - Centr. 169 C1	1000	BRL
JOSEPHINE (DREVE) - 100 B4 - 112 B1 C1-2 D2	1310	LAH
JOSEPHINE - CHARLOTTE (PLACE PRINCESSE) - 44 A-B2	1950	KRA
JOSEPHINE -CHARLOTTE PLEIN (PRINSES) - 44 A-B2	1950	KRA
JOSEPHINE CHARLOTTE (AV. PRINCESSE) - 12 E3-4	1780	WEM
JOSEPHINE CHARLOTTE (AV.) - 127 B2-3	1330	RIX
JOSEPHINE CHARLOTTELAAN (PRINSES) - 12 E3-4	1780	WEM
JOSEPHINE-CHARLOTTE (AV. PRINCESSE) - 111 A4	1410	WAT
JOSEPHINE-CHARLOTTE (SQUARE - PLEIN) - 51 D1-2	1200	WSL

Street	Postcode	Commune
JOSEPHINEDREEF - 99 E2 - 100 A2-3 B4	1560	HOE
JOSET (AV. C. - LAAN) - 51 A-B3	1040	ETT
JOTTRAND (AV. - LAAN) - 41 D3 - Centr. 167 C2	1210	SJN
JOUBERT (RUE CAPITAIN) - 51 B4 - 60 B1	1040	ETT
JOUBERTSTRAAT (KAPITEIN) - 51 B4 - 60 B1	1040	ETT
JOURDAN (CITE - WIJK) - 50 D2 - Centr. 169 C2	1040	ETT
JOURDAN (PLACE - PLEIN) - 50 D2 - Centr. 169 C2	1040	ETT
JOURDAN (RUE - STRAAT) - 49 D4 E3-4 - 50 A3 - Centr. 168 D3	1060	SGI
JOURET (RUE L. - STRAAT) - 59 A2	1050	IXE
JOUREZ (AV. LEON) - 134 C4	1420	BRA
JOYEUSE ENTREE (AV. DE LA) - 51 B1	1040	ETT
JOZEF II-STRAAT - 41 C-D4 - 50 D1 - Centr. 169 C1	1000	BRL
JUBELBERG - 51 A2	1040	ETT
JUBELFEESTLAAN - 31 C4 D3-4 - 40 C1	1080	SJM
JUBELGAARDE - 51 B1-2	1040	ETT
JUBELLAAN - 106 D3 E3-4	1500	HAL
JUBELPLEIN - 106 E3	1500	HAL
JUBILE (BLD. DU) - 31 C4 D3-4 - 40 C1	1080	SJM
JUILLET (AV. DE) - 42 C-D4	1200	WSL
JULIETTE (AV. - LAAN) - 68 B2	1180	UCK
JULILAAN - 42 C-D4	1200	WSL
JUPITER (AV. - LAAN) - 58 C2-3 D2	1190	VOR
JUPITER (AV.) - 123 D-E3	1410	WAT
JUPITER (RESIDENCE) (27) - 127 D3	1300	LIL
JURDANT (AV. RENE) - 151 B-C3	1340	OTT
JURDANT (RUE RENE) - 128 C3-4	1301	BIE
JUSTES (AV. DES) - 152 C4	1340	OTT
JUSTICE (CHEMIN DE LA) - 127 D3 E2-3 - 128 A2	1300	LIL
JUSTICE (PLACE DE LA) - 49 E1 - 50 A1 - Centr. 168 C-D1	1000	BRL
JUSTICE (RUE DE LA) - 145 C3 D2-3	1421	OPH
JUSTICE (RUE DE LA) - 48 E2	1070	AND
JUSTICE (SENTIER DE LA) - 145 E2 - 146 A3	1420	BRA
JUSTICE (SENTIER DE LA) - 145 E2 - 146 A3	1421	OPH
JUSTICE BROQUET (AV.) - 113 C2-3	1310	LAH

K

Street	Postcode	Commune
KAALHEIDE - 73 D3-4	3090	OVE
KAALHEIDE - 73 D4 - 83 D1 E1-2	3040	OTB
KAARLIJKSTRAAT - 3 D1 E1-2-3	1860	MEI
KAASDAVERSWEG - 9 E1-2	1910	BER
KAASMANDELLE (CHEMIN DU - WEG) - 89 A3 B3-4 C4	1640	SGR
KAASMARKT - 12 C2-3	1780	WEM
KAASMARKT - 40 E4 - Centr. 166 C3	1000	BRL
KAATSSPELLAAN - 52 D2	1150	IXE
KABOUTERSTRAAT - 66 E2-3	1190	VOR
KALANDERLAAN - 69 B2	1170	WAB
KALE (RUE - STRAAT) - 53 E1	1970	WEO
KALENBERGSTRAAT - 47 B1-2	1700	DIL
KALFSBORREWEG - 92 E2	3090	OVE
KALKKAAI - 40 D2 - Centr. 166 B1	1000	BRL
KALVARIEBERG - 83 B4	3090	OVE
KAM - 12 C-D3	1780	WEM
KAMEELSTRAAT - 37 A2	1700	SMB
KAMELIALAAN - 51 D4	1150	SPW
KAMERDELLE (AV. - LAAN) - 67 D2 E2-3	1180	UCK
KAMERIJKBOS - 107 D-E1	1653	DWO
KAMERIJKBOS - 107 D1-2	1501	BUI
KAMERIJKDELLE - 107 D1-2 E2	1501	BUI
KAMERIJKLAAN - 38 B3-4 C3	1700	DIL
KAMPENDAAL - 108 D4 - 120 D1-2	1653	DWO
KAMPIOENSCHAPSLAAN - 22 C1-2	1020	BRL
KAMPIOENSTRAAT - 48 B2-3	1070	AND
KAMPSTRAAT - 24 D2	1130	BRL
KAMSTRAAT - 64 B1-2 C2-3	1602	VLE
KANAALDIJK - 15 C3-4 - 23 E3 - 24 A2-3 B1-2	1120	BRL
KANAALDIJK - 48 D4 E2-3-4 - 49 A3 - 57 C-D1	1070	AND

K

KANADALAAN - 9 C2-3 D2 1820 STE
KANARIELAAN - 60 D2 1160 AUD
KANARIESTRAAT - 21 A1 1731 REL
KANDELAARSSTRAAT - 49 E1-2 - Centr. 168 C1-2 1000 BRL
KANDRIESSTRAAT - 9 E4 - 18 D1-2 E1 1820 STE
KANOERSPAD - 68 D1-2 1000 BRL
KANONSTRAAT - 41 A3 - Centr. 166 D2 1000 BRL
KANSELARIJSTRAAT - 41 A4 - Centr. 166 D3 1000 BRL
KANTELENLAAN - 43 C4 1200 WSL
KANTERSTEEN - 41 A4 - Centr. 166 D3 1000 BRL
KANUNNIKSTEEN - 102 A3 3090 OVE
KAPELAANSPLEIN - 97 C3 1652 ALS
KAPELAANSSTRAAT - 48 D2 1070 AND
KAPELBINNENHOF (16) - 43 C4 1200 WSL
KAPELDREEF - 80 B3-4 C3 D2-3 1170 WAB
KAPELLAAN - 43 B-C4 - 52 B1 1200 WSL
KAPELLELAAN - 43 E1-2-3 - 44 A3 1950 KRA
KAPELLEMARKT - 49 E1 - Centr. 168 C1 1000 BRL
KAPELLEPLEIN - 43 E1 1950 KRA
KAPELLEROND - 85 E2-3 1651 LOT
KAPELLESTRAAT - 49 E1 - Centr. 168 C1 1000 BRL
KAPELLESTRAAT - 55 C4 - 64 C-D1 1602 VLE
KAPELLESTRAAT - 63 B1-2 3080 TER
KAPELLEVELD - 28 A1-2 1700 SUK
KAPELSTRAAT - 47 C-D-E1 1700 DIL
KAPELSTRAAT - 9 B4 1820 STE
KAPELSTRAAT - 9 E3 1910 BER
KAPELSTRAAT - 91 D1-2 1560 HOE
KAPELWEG - 107 B3-4 1500 HAL
KAPELWEG - 63 C3-4 D3 3080 TER
KAPITTEL - 108 A4 - 120 A1 1500 HAL
KAPITTELSTRAAT - 48 D2-3 1070 AND
KAPUCIJNBLOEMENLAAN - 32 E4 1030 SCH
KAPUCIJNENDREEF -
63 C-D4 - 71 E3 - 72 A2 B1-2 C1 3080 TER
KAPUCIJNENDREEF - 71 D3-4 E3 3090 OVE
KAPUCIJNENPOORTDREEF - 63 D1-2 E2 3080 TER
KAPUCIJNENSTRAAT - 49 D-E2 1000 BRL
KAPUCIJNENSTRAAT - 73 B1-2 3080 DUI
KARABINIERSPLEIN - 42 B3 1030 SCH
KARBLOK - 63 B2 3080 TER
KARDAAN - 83 A4 3090 OVE
KARDINAALSSTRAAT - 41 D3-4 - Centr. 167 C2-3
NRS 1 tot 29 1210 SJN
NRS 31 tot EINDE - EVEN NRS 1000 BRL
KAREELBAKKERIJSTRAAT - 14 A-B3 1853 SBE
KAREELOVEN - 75 A2-3 1600 SPL
KAREELOVENLAAN - 33 D4 1140 EVE
KAREELSTRAATJE - 97 B4 1652 ALS
KAREELVELD - 94 A4 1500 HAL
KAREELVELDLAAN - 108 D2-3 1653 DWO
KAREKIETLAAN - 88 A4 - 97 E1 - 98 A1 1640 SGR
KAREL DE GROTELAAN -
41 D4 - 50 D1 - Centr. 167 C3 - 169 C1 1000 BRL
KAREL MARTELSTRAAT - 41 D4 - Centr. 167 C3 1000 BRL
KAREL VAN LORREINENLAAN - 53 E4 - 62 E1 3080 TER
KAREL VI-STRAAT - 41 C3 - Centr. 167 B2 1210 SJN
KARELLAAN (KEIZER) - 30 A-B-C-D-E3
NRS 121 tot 153 - 371 tot EINDE - 406 tot EINDE 1082 SAB
ANDERE NRS 1083 GAN
KARELLAAN (PRINS) - 82 B2-3 C3 3090 OVE
KARELSQUARE (PRINS) - 22 E4 - 31 E1 1020 BRL
KARELSTRAAT (KEIZER) -
41 D3 E3-4 - Centr. 167 C2 D3 1000 BRL
KARENBERG - 108 C-D4 1653 DWO
KARENBERG - 34 D-E2 1932 SSW
KARENBERG - 75 A-B1 1600 SPL
KARENVELD - 87 C-D2 1630 LIN
KARMELIETENSTRAAT -
50 A1-2 - Centr. 168 D1-2 1000 BRL
KARMELIETENSTRAAT - 58 D4 1180 UCK
KARPATTEN - 86 D3 1650 BEE
KARPERBRUG (1) - 40 D-E4 1000 BRL
KARPERSTRAAT - 40 B2 1080 SJM
KARRENBERG - 69 E2 1170 WAB
KARRENBERGSTRAAT - 90 E1-2 1560 HOE
KARRESTRAAT (16) - 42 E3 1200 WSL
KARREVELD (AV. DU - LAAN) - 39 E1-2
NOS/NRS 1-81 - 2-50 1080 SJM
AUTRES NOS/ANDERE NRS 1081 KOE
KARREVELD (RUE - STRAAT) - 66 E4 1620 DRO
KARTUIZERSSTRAAT - 40 D-E4 1000 BRL
KARVEELSTRAAT (3) - 48 A1 1070 AND
KASAIBINNENHOF (1) - 54 E2 3080 TER
KASTANJEBOMENLAAN (12) - 52 C4 1150 SPW
KASTANJEBOOMLAAN - 88 B-C1 1640 SGR
KASTANJEBOOMSTRAAT - 40 E3 - Centr. 166 C2 1000 BRL
KASTANJEBOSLAAN - 98 D-E1 1640 SGR
KASTANJEDREEF - 119 E4 - 132 A1 B2 1500 HAL
KASTANJEDREEF - 37 C3 1700 SMB
KASTANJEDREEF - 54 C4 - 63 C1 3080 TER
KASTANJEDREEF - 72 B-C4 - 82 C-D1 3090 OVE
KASTANJEDREEF - 74 E3 1600 SPL
KASTANJELAAN - 107 B1 C1-2 1502 LEM
KASTANJELAAN - 9 B-C3 1820 STE
KASTANJESLAAN - 53 C4 - 62 C1 1950 KRA
KASTANJESTRAAT - 58 A-B3 1190 VOR
KASTEEL BEYAERDSTRAAT - 23 D1-2 1120 BRL
KASTEEL DE WALZINLAAN - 58 D-E4 - 67 D-E1 1180 UCK
KASTEEL KIEFFELTSTRAAT (15) - 42 C4 1200 WSL
KASTEELBRAKELSESTEENWEG -
118 D-E4 - 119 A4-B4 - 131 B-C1 1502 LEM
KASTEELDREEF - 30 E1-2 1083 GAN
KASTEELDREEF - 90 B-C2 1560 HOE
KASTEELGAARDE - 34 D3 1932 SSW
KASTEELHOEKSTRAAT - 9 A1 1820 PER
KASTEELHOF - 24 E1 1130 BRL
KASTEELLAAN - 29 A2 B2-3 1702 GRB
KASTEELLAAN - 30 D-E4 - 39 E1
ONEVEN NRS 1080 SJM
EVEN NRS 1081 KOE
KASTEELLAAN - 97 D1-2 E2 1652 ALS
KASTEELSTRAAT (3) - 63 C1 3080 TER
KASTEELSTRAAT - 1 B-C1 1730 MOL
KASTEELSTRAAT - 107 A-B4 - 119 B-C1 1500 HAL
KASTEELSTRAAT - 14 A2-3-4 1853 SBE
KASTEELSTRAAT - 2 E3-4 - 3 A3-4 1785 BRU
KASTEELSTRAAT - 24 A4 - 32 E1 - 33 A1 1140 EVE
KASTEELSTRAAT - 38 B-C4 1700 DIL
KASTEELSTRAAT - 50 D4 1050 IXE
KASTEELSTRAAT - 6 E3 - 7 A3 1800 VIL
KASTEELSTRAAT - 65 B2-3 1600 SPL
KASTEELSTRAAT - 72 B4 - 82 A1-2 B2 3090 OVE
KASTEELSTRAAT - 76 E2 1620 DRO
KASTEELSTRAAT - 77 C4 - 87 C1 1630 LIN
KASTEELSTRAAT - 86 C2-3 D3-4 1650 BEE
KASTEELSTRAAT - 86 D4 1652 ALS
KASTEELSTRAAT - 91 A2 1560 HOE
KASTEELTJESLAAN - 78 D2 E1-2 1180 UCK
KASTEELWEG (2) - 44 A-B1 1950 KRA
KASTEELWEG - 130 C1 1502 LEM
KASTEELWEG - 18 C2 1820 STE
KASTEELWEG - 3 A3 1785 BRU
KASTELEINSPLEIN - 59 A1 1050 IXE
KASTELEINSSTRAAT - 59 A-B1
NRS 1 tot 19 - 2 tot 8b 1000 BRL
ANDERE NRS 1050 IXE
KASTERLINDEN (RUE - STRAAT) - 39 A2 B1-2
NOS/NRS 1-141 - 2-200 1082 SAB
NO/NR 352 1080 SJM
KASTERLINDENSTRAAT - 38 E2-3 - 39 A2 1700 DIL
KATANGA (RUE DU - STRAAT) - 66 D-E1 1190 VOR
KATARINALAAN - 102 B2 3090 OVE
KATJESLAAN - 82 A-B3 3090 OVE
KATTEBROEKSTRAAT - 38 C-D2 E1-2 1700 DIL
KATTEKOP (RUE) (11) - 146 B-C1 1420 BRA
KATTENBERG - 69 E4 - 79 D-E1 1170 WAB
KATTENBERG -19 A1 1730 ASS

Straat	Code	Gemeente
KATTENBOSERF - 94 B2	1500	HAL
KATTENGAARDE (8) - 52 C3	1150	SPW
KATTENSTRAAT - 28 D4 - 37 D1	1700	SMB
KATTENSTRAAT - 28 D4 - 37 D1	1700	DIL
KATTEPUT (RUE - STRAAT) - 30 D4	1082	SAB
KATTESTRAAT - 29 E4 - 38 E1	1082	SAB
KAUDENAARDE (RUE - STRAAT) - 47 E2	1070	AND
KAUDENAARDEDREEF - 47 D1	1700	DIL
KAUDENAARDESTRAAT - 47 C-D1 E1-2	1700	DIL
KAUWBERG - 67 E4	1180	UCK
KAUWENBERGSTRAAT - 28 A3	1700	SMB
KAUWENLAAN - 37 D1-2 E2	1700	DIL
KAZERNENLAAN - 50 E4 - 51 A4 - 60 A1	1040	ETT
KAZERNESTRAAT - 118 B1-2 C1-2	1502	LEM
KAZERNESTRAAT - 49 D1 - Centr. 168 B1	1000	BRL
KAZERNESTRAAT - 6 E1	1800	VIL
KEELBEEK (CHEMIN DU - WEG) - 24 E1-2	1130	BRL
KEELBEEK (RUE DU - STRAAT) - 24 E1 - 25 A1	1130	BRL
KEELSTRAAT - 14 B2 C1-2	1800	VIL
KEERKRINGENLAAN - 58 A-B3	1190	VOR
KEERSMAKERSTRAATJE - 73 C-D1	3080	TER
KEERSTRAAT - 107 B3-4 C4 - 119 C1	1500	HAL
KEESDAL - 10 B4	1730	ASS
KEFVOETSTRAAT - 38 D1-2 E1-2	1700	DIL
KEIBERG - 12 B2	1780	WEM
KEIBERGSTRAAT - 26 A3 B3-4	1930	ZAV
KEIENSTRAAT - 102 D2	3090	OVE
KEIENVELD - 20 C2-3 - 21 A2	1731	ZEL
KEIENVELD - 29 C4	1702	GRB
KEIENVELDLAAN - 97 C1	1652	ALS
KEIENVELDSTRAAT - 50 A-B3	1050	IXE
KEISTRAAT - 9 A-B4 C3-4	1820	STE
KEIZERINLAAN - 18 C1-2	1820	STE
KEIZERINLAAN - 4 C-D1	1860	MEI
KEIZERINLAAN -		
41 A4 - 50 A1 - Centr. 166 D3 - 168 D1	1000	BRL
KEIZERINNEDREEF - 54 D4 E3-4 - 63 C-D1	3080	TER
KEIZERLAAN - 81 D2-3 E2	3090	OVE
KEIZERSLAAN - 49 E1 - 50 A1 - Centr. 168 C-D1	1000	BRL
KEIZERSTRAAT - 81 C4	1560	HOE
KELCHTERMANS (RUE J. - STRAAT) -		
39 C4 - 48 C1	1070	AND
KELDERGAT - 120 B2 C3-4 - 132 C1	1500	HAL
KELLE (PETITE RUE) - 52 B3	1200	WSL
KELLE (RUE - STRAAT) - 52 B-C3		
NOS/NRS 2-84	1200	WSL
AUTRES NOS/ANDERE NRS	1150	SPW
KELLE (RUE DE LA) - 137 E4 - 149 E1	1380	LAS
KELLENBORRE - 91 D2-3	1560	HOE
KELLER (RUE A. - STRAAT) - 60 B-C2	1160	AUD
KELLERMAN (AV. GEN.) - 146 E3	1420	BRA
KELLEVELDSTRAAT - 86 D2	1650	BEE
KELLEVELDWEG - 91 D2-3	1560	HOE
KELTENLAAN - 51 A-B2	1040	ETT
KEMMELBERGLAAN - 58 D1		
NRS tot 22	1190	VOR
NRS 23 tot EINDE	1060	SGI
KEMPENSTRAAT - 40 A-B3	1080	SJM
KENNEDY (AV. JOHN F. - LAAN) -		
50 E1 - 51 A1-2 - Centr. 169 D1	1000	BRL
KENNEDY (AV. JOHN) - 126 D2-3-4	1330	RIX
KENNEDY (AV. JOHN) - 131 D-E3	1440	BRC
KENNEDYLAAN (J. F.) - 25 C4	1831	DIE
KENNEDYLAAN (J.F.) - 6 B-C4	1800	VIL
KENNEDYLAAN - 35 C4 - 44 C1	1933	STK
KENNEDYPLEIN (J. F.) - 35 D2	1930	ZAV
KENNIS (RUE G. - STRAAT) - 32 E3	1030	SCH
KENNISSTRAAT - 57 B-C2	1070	AND
KENT (RUE DU - STRAAT) - 33 C4	1140	EVE
KEPERENBERGSTRAAT - 46 D-E3 - 47 A2-3	1700	DIL
KEPERENBERGSTRAAT - 47 A2-3	1701	ITT
KEPPENSSTRAAT (J.F.) - 7 C4	1830	MAC
KERCKX (RUE - STRAAT) - 50 C-D4	1050	IXE
KERKBERG - 37 A1	1700	SMB
KERKBERGSTRAAT - 44 C3 D2-3	1970	WEO
KERKDREEF - 9 A1	1820	PER
KERKEBLOKSTRAAT - 5 C1	1850	GRI
KERKEDELLE - 52 B1	1200	WSL
KERKEVELD - 44 A1	1950	KRA
KERKEVELDSTRAAT - 31 E1-2 - 32 A1	1020	BRL
KERKEVELDSTRAAT - 38 A4	1700	DIL
KERKEVELDWEG - 34 C-D3	1932	SSW
KERKEVELDWEG - 97 B4 - 109 B1	1640	SGR
KERKEWEG - 92 D4 E3-4	3090	OVE
KERKGANG		
GELEGEN BRUSSELSESTWG NR 43		
57 E4	1190	VOR
KERKHOF VAN BRUSSELLAAN - 39 B1	1140	EVE
KERKHOFDREEF - 16 B-C1	1830	MAC
KERKHOFDREEF - 23 E1 - 24 A1	1120	BRL
KERKHOFLAAN - 107 A-B1	1501	BUI
KERKHOFLAAN - 26 C4 D3-4	1930	ZAV
KERKHOFLAAN - 30 D2	1083	GAN
KERKHOFLAAN - 44 C1-2	1950	KRA
KERKHOFLAAN - 87 B-C4	1652	ALS
KERKHOFSTRAAT - 44 D-E2	1970	WEO
KERKHOFSTRAAT - 75 B1-2	1600	SPL
KERKHOFSTRAAT - 86 A3-4 B4	1651	LOT
KERKLAAN - 15 E1 - 16 A-B1	1830	MAC
KERKLAAN - 20 B-C3 D3-4	1731	ZEL
KERKPLEIN - 26 B4	1930	ZAV
KERKPLEIN - 39 B1	1082	SAB
KERKPLEIN - 5 C1	1850	GRI
KERKPLEIN - 76 B-C1	1601	RUI
KERKSTRAAT (2) - 105 B1	3040	OTB
KERKSTRAAT (3) - 30 B4 - 39 B1	1082	SAB
KERKSTRAAT (3) - 87 C1	1630	LIN
KERKSTRAAT (6) - 12 C2	1780	WEM
KERKSTRAAT - 104 A1	3090	OVE
KERKSTRAAT - 108 B2 C2-3 D3	1653	DWO
KERKSTRAAT - 17 C1	1820	MEL
KERKSTRAAT - 19 A4 - 28 A1	1700	SUK
KERKSTRAAT - 26 A-B4	1930	ZAV
KERKSTRAAT - 46 E1-2 - 47 A2	1701	ITT
KERKSTRAAT - 52 E1 - 53 A1	1150	SPW
KERKSTRAAT - 63 C1	3080	TER
KERKSTRAAT - 7 E2	1800	PEU
KERKSTRAAT - 76 B1	1601	RUI
KERKSTRAAT - 76 E1	1620	DRO
KERKSTRAAT - 91 B2	1560	HOE
KERKSTRAAT - 95 A3-4	1501	BUI
KERKSTRAAT - 97 D-E3	1640	SGR
KERKTORENSTRAAT - 25 B1-2	1830	MAC
KERKVELD (CHAUSSEE) - 87 C-D1	1630	LIN
KERKVELDSTRAAT - 86 D1-2 E1 - 87 A1	1650	BEE
KERKVELDWEG - 87 C-D1	1630	LIN
KERKWEG - 20 B3-4	1731	ZEL
KERKWEG - 20 B4 - 29 B1	1702	GRB
KERKWEGSTRAAT - 47 A3 B2-3	1700	DIL
KERKWEG VAN TENBROEK - 108 E2 - 109 A2	1652	ALS
KERNSTRAAT - 50 A2 - Centr. 168 D2	1000	BRL
KERRENBERGWEG - 90 D1-2	1560	HOE
KERSBEEK (AV. - LAAN) -		
58 A4 - 66 E1-2 - 67 A1-2-3		
NOS/NRS 1-277 - 2-280	1190	VOR
AUTRES NOS/ANDERE NRS	1180	UCK
KERSEBOOMGAARDSQUARE - 69 D2	1170	WAB
KERSEBOOMSTRAAT - 38 E1	1082	SAB
KERSELAARSTRAAT - 38 E1-2 - 39 A2	1700	DIL
KERSELARENBERGSTRAAT - 42 D-E4 - 51 D-E1	1200	WSL
KERSELARENLAAN - 42 B-C-D4		
NRS 1 tot 85 - 2 tot 82	1030	SCH
ANDERE NRS	1200	WSL
KERSELARENLAAN - 87 B3 C2-3	1650	BEE
KERSELARENSTRAAT - 92 D1	3090	OVE
KERSENBERGSTRAAT - 36 A-B1	1930	NOS
KERSENBOMENLAAN - 81 D1	3090	OVE
KERSENBOOMLAAN - 98 C1	1640	SGR

Straat	Postcode	Gemeente
KERSENHOEK - 23 D1	1120	BRL
KERSENSTRAAT - 96 A2 B2-3 C3	1653	DWO
KERSENTIJDSTRAAT (11) - 44 A4	1150	SPW
KERSGATSTRAAT - 1 D3 E2-3	1785	BRU
KERSTENMANNEKENSSTRAAT -		
40 E4 - Centr. 166 C3	1000	BRL
KERSTROZENSTRAAT - 60 D-E4	1170	WAB
KESSELS (RUE - STRAAT) - 32 D4 - 41 D1	1030	SCH
KESTERBEEKBOS - 107 D-E3	1501	BUI
KESTERBEEKLAAN - 86 A4 - 95 E1 - 96 A1	1651	LOT
KETELBERG - 52 D2	1150	SPW
KETELDELLEWEG - 89 D4 - 99 D-E1	1560	HOE
KETELHEIDE - 72 E2-3-4 - 73 A4 - 83 A1	3090	OVE
KETELHEIDESTRAAT - 37 E2-3-4 - 38 A4	1700	DIL
KETELS (RUE - STRAAT) - 31 E1-2	1020	BRL
KETELSTRAAT - 47 D4 - 56 B2-3 C1-2	1070	AND
KEUREDREEF - 30 E1 - 31 A1		
NRS 107-109	1090	JET
ANDERE NRS	1083	GAN
KEVERSLAAN - 68 E1		
ONEVEN NRS - NRS 2 tot 24	1000	BRL
NR 26	1050	IXE
KEYEN (AV. G. - LAAN) - 60 D2	1160	AUD
KEYENBEMPT (RUE - STRAAT) -		
67 A4 - 76 E1 - 77 A1	1180	UCK
KEYENVELD (RUE) - 50 A-B3	1050	IXE
KEYM (PLACE E. - PLEIN) -		
41 D2-3 - Centr. 167 C1-2	1170	WAB
KEZEWEIDE - 1 A-B1	1730	MOL
KIEKENMARKT - 40 E3-4 - Centr. 166 C2-3	1000	BRL
KIEKENSSTRAAT - 56 D1	1070	AND
KIEVITENLAAN - 29 B-C4	1702	GRB
KIEVITENLAAN - 44 B2-3	1950	KRA
KIEVITENPAD (8) - 59 C4	1000	BRL
KIEVITLAAN - 14 D1-2	1800	VIL
KIEVITLAAN - 44 D1 E2	1970	WEO
KIEVITLAAN - 45 B-C3	1933	STK
KIMWEG - 43 E3	1200	WSL
KINDERGELUK (RUE - STRAAT) - 39 E3	1080	SJM
KINDERMANS (RUE - STRAAT) - 59 B1		
NOS IMPAIRS/ONEVEN NRS	1050	IXE
NOS PAIRS/EVEN NRS	1000	BRL
KINDERPARADIJS - 51 C4	1040	ETT
KINDVRIENDELIJK HUISSTRAAT (2) - 39 C2	1080	SJM
KINET (RUE - STRAAT) - 48 D2	1070	AND
KING (AV. MARTIN LUTHER) - 127 A2	1330	RIX
KINNEBAKSTRAAT (1) - 40 D-E3	1000	BRL
KINNEN (RUE FERD. - STRAAT) - 44 B4 - 53 A-B1	1950	KRA
KINNEN (RUE FERD. - STRAAT) - 44 B4 - 53 B1	1970	WEO
KINSENDAEL (RUE - STRAAT) - 77 C-D1	1180	UCK
KIPPEKENSSTRAAT (1) - 67 C4	1180	UCK
KIPS (RUE R. - STRAAT) - 50 E3 - Centr. 169 D3	1040	ETT
KISTEVELDLAAN - 63 D-E2	3080	TER
KIVUBINNENHOF (2) - 54 E2	3080	TER
KLABEEKSESTEENWEG - 118 A3-4 B3	1502	LEM
KLAKKEDELLE (RUE - STRAAT) - 43 C4	1200	WSL
KLAPROOS - 37 D1-2	1700	DIL
KLAPROOSERF - 98 B4	1640	SGR
KLAPROOSSTRAAT - 19 E2 - 20 A2	1731	ZEL
KLAPROOSSTRAAT - 65 D3 E2	1600	SPL
KLAPROZENHOF - 44 E1 - 45 A1	1933	STK
KLAPROZENLAAN (1) - 43 E1 - 44 A1	1950	KRA
KLAPROZENLAAN - 106 D-E3	1500	HAL
KLAPROZENLAAN - 9 B3	1820	STE
KLAPROZENSTRAAT - 5 E1-2 - 6 A1-2	1853	SBE
KLAPROZENWEG - 87 D1	1630	LIN
KLARASTRAAT (2) - 63 C1	3080	TER
KLARISSENBOS - 86 A3	1651	LOT
KLATERBOSLAAN - 47 E4	1070	AND
KLAUWAARTSLAAN - 13 E3-4	1853	SBE
KLAUWAARTSLAAN - 59 C1-2	1050	IXE
KLAUWAERTS (AV. DES) - 59 C1-2	1050	IXE
KLAUWIERLAAN - 107 A1-2	1500	HAL
KLAVERBLOEMLAAN - 45 A1-2	1933	STK
KLAVERENWEG - 97 A4	1652	ALS
KLAVERGAARDE - 60 D-E2	1160	AUD
KLAVERSTRAAT - 57 A-B2	1070	AND
KLAVERWEG - 82 B3	3090	OVE
KLAVERZURINGSTRAAT - 60 E4	1170	WAB
KLEEMPUTPAD (2) - 24 E2	1130	BRL
KLEEMSTRAAT - 107 B-C4	1500	HAL
KLEERKOPERSSTRAAT -		
40 E3-4 - Centr. 166 C2-3	1000	BRL
KLEERTSTRAAT - 87 B-C4 - 97 C-D1	1652	ALS
KLEETBOSLAAN - 87 B-C3	1650	BEE
KLEIGROEVE-ERF - 42 D2	1140	BRL
KLEIN-BERCHEMSTRAAT - 30 D4		
NRS 1 - 61 tot 65	1081	KOE
NRS 67 tot 73 - 37 tot 42	1082	SAB
KLEIN-BIJGAARDENSTRAAT - 65 E3	1600	SPL
KLEIN DAL (6) - 43 D3	1200	WSL
KLEINDAL (RUE - STRAAT) - 77 C-E4 - 87 D-E1	1630	LIN
KLEINDAL (SENTIER - PAD) - 87 D-E1	1630	LIN
KLEIN EILAND - 48 E4 - 49 A3-4	1070	AND
KLEIN HOEFBLAD - 37 D2	1700	DIL
KLEIN HOOGVELD - 14 D1 E1-2	1800	VIL
KLEIN NEDERSTRAAT - 55 D-E4 - 64 E1	1602	VLE
KLEIN NORMANDIE - 43 E1 - 44 A1	1950	KRA
KLEIN VUURGATSTRAAT - 81 B3-4	1560	HOE
KLEIN ZWITSERLANDGAARDE (1) - 33 C4	1140	EVE
KLEIN ZWITSERLANDPLEIN - 59 E2-3	1050	IXE
KLEINE ANNA-MAGNANISTRAAT (12) - 21 E2	1090	JET
KLEINE BERGSTRAAT - 34 D4	1950	KRA
KLEINE BOSSTRAAT - 34 C-D3	1932	SSW
KLEINE BRUGSTRAAT - 76 A2-3	1601	RUI
KLEINE DAALSTRAAT - 26 B4 - 35 A1 B1-2	1930	ZAV
KLEINE DACHELENBERGSTRAAT - 76 E3-4	1650	BEE
KLEINE DALSTRAAT - 41 C3-4 - Centr. 167 B2-3	1210	SJN
KLEINE EVERSEWEG - 33 E4 - 34 A3-4	1932	SSW
KLEINE FLOSSENWEG -		
62 B3 C3-4 D4 - 71 D1-2 E2	3080	TER
KLEINE GASTHUISSTRAAT - 52 E1	1150	SPW
KLEINE GEESTSTRAAT - 45 A2 B1-2 C1	1933	STK
KLEINE GROENENDAALSE DREEF - 78 D-E2	1180	UCK
KLEINE HERTWEG - 96 C2-3	1653	DWO
KLEINE HULPSTRAAT - 41 B2 - Centr. 167 A1		
2 tot 4	1210	SJN
ANDERE NUMMERS	1030	SCH
KLEINE HUTLAAN - 78 D4 - 88 C-D1	1180	UCK
KLEINE HUTVOETPAD - 78 E4 - 88 E1	1180	UCK
KLEINEKAPELLAAN - 47 E1-2	1700	DIL
KLEINE KERKSTRAAT (2) - 52 A-B2	1150	SPW
KLEINE KERKSTRAAT - 34 D3	1932	SSW
KLEINE KERKSTRAAT - 6 C2	1850	GRI
KLEINEKLEPPERSTRAAT	1860	MEI
KLEINE KLOOSTERSTRAAT - 34 E2 - 35 A2-3	1932	SSW
KLEINE LANGEHEIDESTRAAT - 105 D1	3040	OTB
KLEINE MAARSCHALKDREEF - 68 D4	1180	UCK
KLEINE MOLENSTRAAT (2) - 6 C2	1850	GRI
KLEINE MOLENSTRAAT - 6 E2 - 7 A2	1800	VIL
KLEINENBERG - 43 C2	1200	WSL
KLEINENBERGSTRAAT - 34 D3-4 - 43 C1-2 D1	1932	SSW
KLEINE PARKLAAN - 114 B-C1	3090	OVE
KLEINE ROMEINSE STEENWEG - 14 A4 - 23 A1	1020	BRL
KLEINE SCHOOLSTRAAT - 105 B1-2	3040	OTB
KLEINE SCHREINWEG - 64 C1	1602	VLE
KLEINE SINT-ANNASTRAAT - 21 D4	1090	JET
KLEINE SNIKBERGSTRAAT - 46 B-C1	1701	ITT
KLEINE TOMMESTRAAT - 105 E2	3040	OTB
KLEINE VAARTDREEF - 63 E1-2	3080	TER
KLEINE VELDOVENWEG (5) - 6 C2	1800	VIL
KLEINE VERBINDINGSWEG - 109 A3	1640	SGR
KLEINE VOS - 28 D4 - 37 E1	1700	DIL
KLEINE WIJNGAARDSTRAAT - 60 D-E3 - 61 A3	1160	AUD
KLEINE WINKELLAAN - 14 B1-2	1853	SBE
KLEINE ZAVEL - 50 A2 - Centr. 168 D2	1000	BRL
KLEINE ZELLIKSEWEG - 20 D-E1	1731	REL
KLEINHEIDE - 119 D1	1500	HAL

KLEINSTEENSTRAAT - 7 D2	1800	VIL
KLEINVELD - 73 C1-2	3080	DUI
KLEINVELDHOF - 27 C4 - 36 C1	1930	NOS
KLEINVELDWEG - 46 C3-4	1701	ITT
KLEINVELDWEG - 83 A3-4 B3	3090	OVE
KLEISTRAAT - 19 D-E4	1730	BEK
KLEIVELD - 46 A3	1703	SPD
KLEIVELD - 87 D1-2	1630	LIN
KLESPER (RUE DU - STRAAT) - 24 D1	1130	BRL
KLEURENPRACHTLAAN - 52 A-B1	1200	WSL
KLEUTERSBAAN - 95 A4	1501	BUI
KLEUVERBOS - 13 E1	1853	SBE
KLIMOPLAAN - 29 A3	1702	GRB
KLIMOPSTRAAT - 39 E2-3 - 40 A2-3	1080	SJM
KLINIEKSTRAAT - 49 B1-2 C1	1070	AND
KLINKAERT (2) - 94 D4	1500	HAL
KLIPVELD (RUE - STRAAT) - 67 C-D3	1180	UCK
KLISSENLAAN - 30 B3	1082	SAB
KLOKBLOEMENSTRAAT (1) - 39 E1 - 40 A1	1080	SJM
KLOKJESBLOEMSTRAAT - 20 C3	1731	ZEL
KLOKJESLAAN - 69 B2	1170	WAB
KLOKTORENSTRAAT - 50 E2 - Centr. 169 D2	1040	ETT
KLOOSTERBEEK - 1 B1	1730	MOL
KLOOSTERBERGSTRAAT - 65 E1	1600	SPL
KLOOSTERDREEF - 59 C2	1000	BRL
KLOOSTERDREEF - 72 C1-2 D1	3080	TER
KLOOSTERGANG (15) - 106 D1	1500	HAL
KLOOSTERLAAN - 53 E1 - 54 A1	1970	WEO
KLOOSTERSTRAAT (1) - 35 C1	1930	ZAV
KLOOSTERSTRAAT - 14 A2	1853	SBE
KLOOSTERSTRAAT - 20 E4	1731	ZEL
KLOOSTERSTRAAT - 22 C-D3	1020	BRL
KLOOSTERSTRAAT - 28 E3 - 29 A3-4 B4	1702	GRB
KLOOSTERSTRAAT - 38 B1-2-3 C3	1700	DIL
KLOOSTERSTRAAT - 50 B4	1050	IXE
KLOOSTERSTRAAT - 82 D4 - 92 D1	3090	OVE
KLOOSTERSTRAAT - 85 E4	1651	LOT
KLOOSTERWEG - 90 B2	1560	HOE
KLOOSTERWEG - 97 C-D3	1652	ALS
KLOOSTERWEG - 97 D2-3	1640	SGR
KLOOSTERWEIDE - 19 A-B-C-D4	1700	SUK
KLUISBOS - 95 B-C4 - 107 B1	1501	BUI
KLUISLAAN - 98 B2	1640	SGR
KLUISSTRAAT - 106 E1	1500	HAL
KLUISSTRAAT - 50 B-C4	1050	IXE
KLUISWEG - 9 C2	1820	STE
KLUITSTRAAT - 69 C2	1170	WAB
KLUIZE MARIALAAN (3) - 43 C4	1200	WSL
KLUIZENBOSSTRAAT - 38 A3-4	1700	DIL
KLUTSSTRAAT - 86 C-D4 - 96 D1	1652	ALS
KLUYSENSTRAAT - 2 D-E4	1785	BRU
KNAPEN (RUE - STRAAT) - 42 C4	1030	SCH
KNAPZAKSTRAAT - 42 A4	1000	BRL
KNIJF (RUE DU - STRAAT) (4) - 23 C1	1120	BRL
KNOTWILGENKANT - 37 E1 - 38 A1	1700	DIL
KNOTWILGENLAAN - 6 A4	1850	GRI
KOBBEGEMSTRAAT - 11 D-E4	1731	ZEL
KOEDAALSTRAAT - 81 C3-4 - 91 C-D1	1560	HOE
KOEDALSTRAAT - 80 E3 - 81 A2-3 B-C2	3090	OVE
KOEIVIJVER (RUE DE - STRAAT) - 47 B4 - 56 A-B1	1070	AND
KOEIVIJVERSTRAAT - 46 E3	1701	ITT
KOEIVIJVERSTRAAT - 46 E3-4 - 47 A-B4	1700	DIL
KOEKELBERG (AV. DE - LAAN) - 39 C-D1	1082	SAB
KOEKOEKPAD - 87 B1	1630	LIN
KOEKOEKSBLOEM - 37 D2	1700	DIL
KOEKOEKSLAAN - 6 B1	1850	GRI
KOEKOEKSTRAAT - 14 B-C2	1800	VIL
KOEKOEKSTRAAT - 69 E1	1170	WAB
KOEKOEKSWEIDE - 8 E1-2 - 9 A2	1820	PER
KOEPOORTSTRAAT - 7 A2-3	1800	VIL
KOESTRAAT - 73 A3 B3-4	3090	OVE
KOGELSTRAAT - 40 D3-4 - Centr. 166 B2-3	1000	BRL
KOKERLAAN - 82 B3	3090	OVE
KOKERSDELLE - 98 C3-4	1640	SGR

KOKSTRAAT - 82 E3	3090	OVE
KOLDAMSTRAAT - 91 C1-2	1560	HOE
KOLENBRANDERSLAAN - 91 E2	1560	HOE
KOLENMARKT - 40 D-E4	1000	BRL
KOLIBRIPLEIN - 69 D-E1	1170	WAB
KOLLEBLOEMENLAAN - 44 C4 - 53 C1	1970	WEO
KOLLEBLOEMENSTRAAT - 51 A3	1040	ETT
KOLOMSTRAAT - 40 C3 - Centr. 166 A2	1080	SJM
KOLONIALE LAAN - 69 B2 C1-2	1170	WAB
KOLONIALE VETERANENSQUARE - 48 E1	1070	AND
KOLONIENSTRAAT - 41 A4 - Centr. 166 D3	1000	BRL
KOLVENIERSSTRAAT - 6 E1	1800	VIL
KOMATSULAAN - 15 A1	1800	VIL
KOMEDIANTENSTRAAT - 41 A3 - Centr. 166 D2	1000	BRL
KOMFORTPLEIN - 57 B2	1070	AND
KOMMENSTRAAT - 49 A2-3	1070	AND
KONDELVELDSTRAAT - 86 B4	1651	LOT
KONGOLAAN - 68 D3		
NRS 1 tot 5A - 2 tot 8	1050	IXE
NRS 7 tot EINDE - 14 tot EINDE	1000	BRL
KONIJNENBERG - 29 A-B3	1702	GRB
KONIJNENBERG - 52 B2	1200	WSL
KONIJNENBERGGAARDE (1) - 52 B2	1200	WSL
KONIJNENERF - 94 B2	1500	HAL
KONIJNENHOLVOETWEG - 90 D1 E1-2	1560	HOE
KONIJNENLAAN - 63 C-D2	3080	TER
KONIJNENSTRAAT - 35 B1 C1-2 D2	1930	ZAV
KONIJNENSTRAAT - 36 E2	3078	EVG
KONIJNENSTRAAT - 56 D-E1	1070	AND
KONIJNENVOETWEG (1) - 33 A2	1140	EVE
KONIJNENWARANDESTRAAT - 69 D-E2	1170	WAB
KONIJNENWEG - 72 C2	3080	TER
KONIJNESTRAAT - 55 B-C4 - 64 A1	1602	VLE
KONING OVERWINNAARPLEIN - 51 B3	1040	ETT
KONING-SOLDAATLAAN - 48 B4 C3-4	1070	AND
KONING VAN SPANJESTRAAT - 75 D-E1	1600	SPL
KONINGINNEGALERIJ -		
40 E4 - 41 A4 - Centr. 166 C-D3	1000	BRL
KONINGINNELAAN - 32 A2-3 B3-4		
NRS 1 tot 173 - 2 tot 148	1030	SCH
NRS 175 tot 47 D4 - 150 tot 204	1000	BRL
ANDERE NRS	1020	BRL
KONINGINNEOORD - 53 D2	1970	WEO
KONINGINNEPLEIN - 41 B-C1	1030	SCH
KONINGINNESTRAAT - 40 E3-4 - Centr. 166 C2-3	1000	BRL
KONINGINNEVOETPAD - 88 E3 - 89 A2 B1-2 C1	1640	SGR
KONINGSCHAPSSTRAAT - 31 E1-2	1020	BRL
KONINGSGALERIJ - 41 A4 - Centr. 166 D3	1000	BRL
KONINGSLAAN - 49 B3-4 C3-4 - 58 C1		
NRS 1 tot 79 - 2 tot 106	1060	SGI
ANDERE NRS	1190	VOR
KONINGSLOSESTEENWEG - 14 A-B2	1853	SBE
KONINGSLOSTEENWEG - 6 B-C4 - 15 A-B1	1800	VIL
KONINGSPLEIN - 50 A1 - Centr. 168 D1	1000	BRL
KONINGSPLEIN - 97 E4	1640	SGR
KONINGSSTRAAT -		
41 A4 B2-3-4 - 50 A1 -		
Centr. 166 D3 - 167 A1-2-3 - 168 D1		
NRS 1-26 E4 - 2-234	1000	BRL
NRS 151-251 - 236-324	1210	SJN
ANDERE NRS	1030	SCH
KONINGSTRAATJE - 53 D-E2	1970	WEO
KONINGSTUIN - 59 C2	1000	BRL
KONINGSVELDSTRAAT -		
50 E3 - 51 A2-3 - Centr. 169 D3	1040	ETT
KONINKJESLAAN - 44 A-B3	1950	KRA
KONINKLIJK ATHENEUMSTRAAT (1) - 43 B-C3	1200	WSL
KONINKLIJK PARKLAAN -		
22 E3-4 - 23 A2-3-4 - 32 A1	1020	BRL
KONINKLIJKE JACHTSTRAAT - 60 B2	1160	AUD
KONINKLIJKE KASTEELDREEF - 4 B1	1860	MEI
KONINKLIJKE PRINSSTRAAT - 50 A-B3	1050	IXE
KONINKLIJKE SINTE-MARIASTRAAT -		
32 C4 - 41 B-C1	1030	SCH

KONINKLIJKE WANDELING -
62 D-E4 - 63 D4 - 71 E1-2 - 72 A-B2 C1-2 D1-2 3080 TER
KONKEL (RUE - STRAAT) - 52 B-C-D2
NOS/NRS 88-FIN/EINDE 1200 WSL
AUTRES NOS/ANDERE NRS 1150 SPW
KONKELERF - 74 E2 1600 SPL
KOOLBRANDERSSTRAAT - 41 A1 1210 SJN
KOOLMEES - 37 E1-2 1700 DIL
KOOLMEZENSTRAAT - 6 B1 1850 GRI
KOOLMIJNENKAAI - 40 D2-3 - Centr. 166 B1-2 1080 SJM
KOOLMIJNGRAVERSSTRAAT -
40 D2 - Centr. 166 B1 1080 SJM
KOOLSTRAAT - 41 A3 - Centr. 166 D2 1000 BRL
KOOLTERSTRAAT - 1 E3 1785 BRU
KOOLWITJE - 37 D1 1700 DIL
KOOPLIEDENSTRAAT - 40 E2 - Centr. 166 C1 1000 BRL
KOORSTRAAT - 40 C2 D1-2 - Centr. 166 A-B1 1080 SJM
KOPHEIWEG - 94 B2-3 1500 HAL
KORAALSTRAAT - 48 A1 1070 AND
KORAALSTRAAT - 5 B-C3 1850 GRI
KORDIALESTRAAT - 82 B4 - 92 C1 3090 OVE
KOREASQUARE - 51 E3-4 1150 SPW
KORENARENSTRAAT - 82 C2-3 D-E3 - 83 A3-4 3090 OVE
KORENBEEK (RUE DU - STRAAT) - 39 C2 D1-2 1080 SJM
KORENBLOEMENLAAN - 9 B3 1820 STE
KORENBLOEMENSTRAAT - 44 A-B3 1950 KRA
KORENBLOEMLAAN - 3 D4 1780 WEM
KORENBLOEMLAAN - 43 E4 1200 WSL
KORENBLOEMLAAN - 44 E1 - 45 A1 1933 STK
KORENBLOEMLAAN - 98 E4 - 111 A1 1640 SGR
KORENBLOEMPLEIN - 43 E4 1200 WSL
KORENBLOEMSTRAAT (17) - 42 E3 - 43 A3 1200 WSL
KORENBLOEMSTRAAT - 16 C2 1830 MAC
KORENBLOEMSTRAAT - 5 E1 1850 GRI
KORENBLOEMSTRAAT - 65 E2-3 1600 SPL
KORENBLOEMWEG - 95 C3 1500 HAL
KORENVELD - 34 D2 1932 SSW
KORENVELDLAAN - 3 D3-4 E3 1780 WEM
KORENVELDLAAN - 37 C2-3 1700 SMB
KORNALIJNPAD (6) - 22 A1 1020 BRL
KORNIJKVELD - 94 E4 - 95 A4 1501 BUI
KORPORAALDREEF - 69 A4 - 78 D-E1 - 79 A1 1180 WAB
KORPORAALLAAN - 69 B4 1180 UCK
KORTE BEENHOUWERSSTRAAT -
40 E4 - Centr. 166 C3 1000 BRL
KORTE BOTERSTRAAT - 40 E4 - Centr. 166 C3 1000 BRL
KORTE BRIGITTINENSTRAAT - 49 D-E1 1000 BRL
KORTE COURTOISSTRAAT (1) -
40 D2 - Centr. 166 B1 1080 SJM
KORTE GROENWEG - 15 A4 - 24 A1 1120 BRL
KORTE HERTSTRAAT - 57 D2
ONEVEN NRS 1070 AND
EVEN NRS 1190 VOR
KORTE HULPSTRAAT - 41 B2 - Centr. 167 A1 1030 SCH
KORTE KAMPSTRAAT - 24 D2 1130 BRL
KORTE KELLESTRAAT - 52 B3 1200 WSL
KORTE LINKEBEEKSTRAAT - 77 A3 1620 DRO
KORTE L'OLIVIERSTRAAT - 41 C2 - Centr. 167 B1 1030 SCH
KORTE MALIBRANSTRAAT - 50 C4 1050 IXE
KORTEMANSSTRAAT - 19 E3-4 1730 BEK
KORTEMANSSTRAAT - 20 A3 B2 1731 ZEL
KORTEMANSSTRAAT - 28 E1 1702 GRB
KORTE METROLOGIELAAN (2) - 25 A1 1130 BRL
KORTE MINIMENSTRAAT - 49 E1 - Centr. 168 C1 1000 BRL
KORTE MOLENSTRAAT (2) - 57 C1-2 1070 AND
KORTENBACHPAD (1) - 24 D2 1130 BRL
KORTENBACHSTRAAT - 24 D2 1130 BRL
KORTENBERGLAAN -
41 E4 - 42 A4 - 50 E1 - Centr. 169 D1
NRS 1 tot 29 - 2 tot 46 1040 ETT
ANDERE NRS 1000 BRL
KORTENBOSSTRAAT - 46 D4 - 55 D1 1701 ITT
KORTE NOORDSTRAAT - 41 B3 - Centr. 167 A2 1000 BRL
KORTE POTTENGOEDSTRAAT -
40 C4 - Centr. 166 A3 1070 AND
KORTE SPAARBEKKENSTRAAT - 24 D4 - 33 D1 1130 BRL
KORTE STRAAT - 36 B1 1930 NOS
KORTE STRAAT - 95 B-C3 1501 BUI
KORTESTRAAT - 30 B4 1082 SAB
KORTESTRAAT - 6 E1 1800 VIL
KORTESTRAAT - 66 C4 1601 RUI
KORTESTRAAT - 81 B-C3 1560 HOE
KORTESTRAAT - 95 C1 1654 HUI
KORTEVELD - 83 A3 B3-4 3090 OVE
KORTE VEST - 106 C-D1 1500 HAL
KORTE VIOLETSTRAAT
GELEGEN VIOLETSTR. - 40 E4 - Centr. 166 C3 1000 BRL
KORTE WOLVENSTRAAT - 57 B-C1 1070 AND
KORTRIJKSTRAAT - 40 B2 1080 SJM
KORTVONDELWEG - 65 D-E1 1600 SPL
KORVETSTRAAT (1) - 48 A1 1070 AND
KOSMONAUTLAAN (4) - 52 C2 1150 SPW
KOSTERSTRAAT - 25 B2-3-4 C4 1831 DIE
KOUDE DELLEWEG -
90 D4 E3-4 - 100 B2 C1-2 D1 1560 HOE
KOUDENBERG - 50 A1 - Centr. 168 D1 1000 BRL
KOUDENBERGLAAN - 97 B3 1652 ALS
KOUTER (AV. DU - LAAN) - 60 D-E2 - 61 A2 1160 AUD
KOUTER - 1 B1-2 C1 1730 MOL
KOUTER - 106 D-E4 1500 HAL
KOUTERGATSTRAAT - 37 A4 - 46 B1 1703 SPD
KOUTERLAAN - 26 C4 - 35 C1-2 1930 ZAV
KOUTERSTRAAT - 83 A4 B3-4 C-D3 3090 OVE
KOUTERVELDSTRAAT - 25 D4 E3 1831 DIE
KOUTERWEG - 26 C4 - 35 C1 1930 ZAV
KOUTERWEG - 37 E1 1700 DIL
KRAAIENBOS - 8 E2 1820 PER
KRAAIENBROEKSTRAAT - 38 B1-2 1700 DIL
KRAAIENWEG - 44 B1 1950 KRA
KRAAINEM (AV. DE - LAAN) - 44 A3 1950 KRA
KRAAINEM (AV. DE) - 43 E3-4 1200 WSL
KRAAINEMSELAAN - 43 E3-4 1200 WSL
KRAAKBESSENLAAN - 97 A-B2 1652 ALS
KRAAKBESSENPAD (5) - 68 E1 1000 BRL
KRAAKBEZIENLAAN - 78 B3-4 1180 UCK
KRAANSTRAAT - 37 A3-4 B3-4 - 46 A1 1703 SPD
KRAATVELDSTRAAT - 14 E4 - 23 D-E1 1120 BRL
KRABBENBERG - 82 A3 3090 OVE
KRABBOSSTRAAT - 107 D3 E2-3 - 108 A1-2 1653 DWO
KRABOS - 107 C4 D3-4 - 119 C1 1501 BUI
KRAINS (RUE HUBERT - STRAAT) - 33 A4 1030 SCH
KRAKEELPLEIN - 49 D2 - Centr. 168 B2 1000 BRL
KRAKEELSTRAAT - 49 D2 - Centr. 168 B2 1000 BRL
KRANENBERG - 21 A-B4 - 30 B1 1731 ZEL
KRAUWENBERG - 108 D2-3 1653 DWO
KRECHTENBROEK (AV. - LAAN) - 88 A4 - 98 A-B1 1640 SGR
KREKELENBERG - 119 A3 1502 LEM
KREKELENBERG - 69 D-E3 1170 WAB
KREKELENDRIES (1) - 87 C1-2 1630 LIN
KREKELENDRIES - 24 C3-4 1130 BRL
KREKELENDRIES - 28 A1-2 1700 SUK
KREKELENHOEKSTRAAT - 8 D1 1820 PER
KREKELLAAN - 108 B2 1653 DWO
KREKELSTRAAT - 98 B3 1640 SGR
KREKELSTRAAT - 63 D-E3 1170 WAB
KREPERLAAN (LEON) - 66 A1 1600 SPL
KREUPELBOSLAAN - 22 D1-2 E1 1020 BRL
KREUPELENSTRAAT - 41 A3 - Centr. 166 D2 1000 BRL
KREUPELHOUTGAARDE - 53 B4 1150 SPW
KREUPELSTRAAT - 37 B4 - 46 A-B1 1703 SPD
KRIBBESTRAAT - 50 B3 - Centr. 169 A3 1050 IXE
KRIEKEBOMENSTRAAT - 60 A-B4 - 69 A1
NRS 25 tot EINDE - 26 tot EINDE 1170 WAB
ANDERE NRS 1050 IXE
KRIEKENPUT (RUE DU - STRAAT) - 77 C-D-E3 1180 UCK
KRIJGSKUNDESTRAAT (1) - 60 B1 1160 AUD
KRINGS (RUE A. - STRAAT) - 60 D2 1160 AUD
KRISTINASTRAAT - 49 E2 - Centr. 168 C2 1000 BRL

KROENDAALPLEIN - 83 B4	3090	OVE
KROGSTRAAT - 3 D-E1 - 4 A-B1	1860	MEI
KROKUSLAAN - 35 D4 - 44 D1	1933	STK
KROKUSLAAN - 9 D3	1910	BER
KROKUSSENLAAN - 48 C1	1070	AND
KROKUSSENLAAN - 9 B2	1820	STE
KROKUSSENLAAN - 98 E4	1640	SGR
KROKUSSTRAAT - 118 A-B1	1502	LEM
KROMMEDELLE - 97 A-B2	1652	ALS
KROMMESTRAAT - 44 E4 - 45 A4 - 53 E1	1970	WEO
KROMMESTRAAT - 97 E4	1640	SGR
KROMMEWEG - 26 D-E4	1930	ZAV
KROMMEWEG - 91 D-E1	3090	OVE
KROMSTRAAT - 107 A2 B3	1500	HAL
KRONINGLAAN - 51 C-D1	1200	WSL
KROONDALLAAN - 107 D-E4	1501	BUI
KROONDALLAAN - 107 E4 - 108 A3-4	1653	DWO
KROONLAAN -		
50 C3 D3-4 - 59 D1 E1-2 -		
60 A2-3 - Centr. 169 B-C3	1050	IXE
KROONLAAN - 92 A2	1560	HOE
KROONVELDSTRAAT - 22 D4 - 31 D-E1	1020	BRL
KROONWEG - 47 A-B4	1700	DIL
KRUIDENDAL - 35 A2 B1-2	1930	ZAV
KRUIDTUINLAAN - 4 A1	1860	MEI
KRUIDTUINLAAN - 4 B3	1780	WEM
KRUIDTUINLAAN -		
41 A2 B2-3 - Centr. 166 D1 - 167 A1-2	1000	BRL
KRUIDTUINSTRAAT - 41 B2 - Centr. 167 A1	1210	SJN
KRUIPIN - 10 C4 D3-4 E3	1730	ASS
KRUIPWEG - 23 D1-2	1120	BRL
KRUISBERG - 23 E1	1120	BRL
KRUISBES (2) - 37 E1	1700	DIL
KRUISBLOKWEG - 3 D1	1860	MEI
KRUISBOOG SQUARE - 69 C2	1170	WAB
KRUISBOOGLAAN - 69 C2-3 D2	1170	WAB
KRUISBOOGSCHUTTERSSTRAAT (1) -		
49 E2 - Centr. 168 C2	1000	BRL
KRUISBOOGSCHUTTERSSTRAAT - 7 A2	1800	VIL
KRUISDAGENLAAN - 51 B-C1	1200	WSL
KRUISDREEF - 97 C-D3	1652	ALS
KRUISKOUTER - 10 A-B-C4 - 19 A1	1730	MOL
KRUISKRUIDLAAN - 81 E4	3090	OVE
KRUISPUNTSTRAAT - 51 E1	1200	WSL
KRUISSTRAAT - 107 A3-4	1500	HAL
KRUISSTRAAT - 50 B3-4 - Centr. 169 A3		
ONEVEN NRS - NRS 2 tot 74	1050	IXE
NR 76	1000	BRL
KRUISSTRAAT - 92 D3 E2	3090	OVE
KRUISTOCHTENDREEF -		
90 C4 - 100 C-D1	1560	HOE
KRUISVAARTENSTRAAT -		
41 A2 - Centr. 166 D1	1210	SJN
KRUISVELD - 43 D-E1	1950	KRA
KRUITMOLENSTRAAT -		
40 C3-4 - Centr. 166 A2-3	1000	BRL
KUBISMESTRAAT - 40 B1-2	1081	KOE
KUBORN (RUE DR. - STRAAT) - 49 A-B3	1070	AND
KUFFERATH (AV. ED. - LAAN) - 22 C2-3	1020	BRL
KUHNEN (RUE WILLEM - STRAAT) - 32 E3	1030	SCH
KUIKEN (RUE - STRAAT) - 66 E4 - 76 E1	1620	DRO
KUIPERSSTRAAT - 49 E2 - Centr. 168 C2	1000	BRL
KUIPERWEG - 46 A1	1703	SPD
KUIPGANG		
GELEGEN KAASMARKT		
TUSSEN NRS 10 EN 12		
40 E4 - Centr. 166 C3	1000	BRL
KUIPSTRAAT - 50 C-D4	1050	IXE
KULTUURLAAN - 92 A2-3	1560	HOE
KUMPSTRAAT (JOZEF) - 91 E4 - 92 A3-4	3090	OVE
KUMPSTRAAT (JOZEF) - 92 A1-2-3 B2-3	1560	HOE
KUNSTBERG - 50 A1 - Centr. 168 D1	1000	BRL
KUNSTENAARSGAARDE (4) - 42 B1	1030	SCH
KUNSTENAARSSTRAAT - 22 E4 - 31 E1	1020	BRL
KUNSTLAAN - 41 B-C4 - 50 B1 - Centr. 169 A1		
NRS 1 tot 19	1210	SJN
NRS 19A tot 25	1000	BRL
NRS 26 tot 45	1040	ETT
NRS 46 tot EINDE	1000	BRL
KUNSTLAAN - 91 E3 - 92 A3	1560	HOE
KUREGEMSESTRAAT - 15 E4 - 24 E1	1000	BRL
KUREGEMSTRAAT - 24 E1 - 25 A1	1831	DIE
KURSAALSTRAAT - 6 E2	1800	VIL
KURTH (RUE G. - STRAAT) - 33 A-B3	1140	EVE
KUTSEGEMSTRAAT - 9 E2	1910	BER
KWAADBUNDERWEG - 28 A1	1700	SUK
KWADELINDEKENS (CHEMIN - WEG) - 97 D3-4	1640	SGR
KWADEPLAS (RUE - STRAAT) - 97 D-E4 - 109 E1	1640	SGR
KWADEWEGENSTRAAT - 55 A3-4 B4 - 64 B1	1602	VLE
KWAKENBIENNE (RUE) - 115 B2 C1-2	1331	ROS
KWAKKELSTRAAT - 14 D1-2-3	1800	VIL
KWARTELLAAN - 63 D-E2	3080	TER
KWARTELLAAN - 69 D1	1170	WAB
KWATRECHTSTRAAT - 41 B1	1030	SCH
KWEEPEREBOOMLAAN - 38 E1	1700	DIL
KWEEPEREBOOMLAAN - 38 E1 - 39 A1-2	1082	SAB
KWEKELAARSTRAAT - 2 B3 C2-3	1785	BRU
KWEKERIJDREEF - 89 D1-2 E1	1640	SGR
KWEKERIJDREEF - 89 E1	1560	HOE
KWEKERIJSTRAAT - 7 C-D4 - 16 D1	1830	MAC
KWEKERIJWEG - 63 B-C4	3080	TER
KWELM - 94 B2	1500	HAL
KWETTERWEIDE - 96 C2-3 D3	1653	DWO
KWIKSTAART (5) - 37 E2	1700	DIL
KWIKSTAARTENPAD - 59 D4	1000	BRL
KWIKSTAARTJESSTRAAT - 69 C-D3	1170	WAB
KWIKSTAARTLAAN - 107 A2-3	1500	HAL
KWIKSTAARTLAAN - 60 E1-2	1150	SPW
KWIKSTAARTSTRAAT - 14 D2	1800	VIL

L

L

LA BRISE (DREVE DE - DREEF) - 69 D3	1170	WAB
LA BRUYERE DE HAUT-ITTRE - 156 A1	1461	HIT
LA CLOSIERE - 113 D4 - 125 E1	1332	GEN
LA COPENNE - 155 B4	1460	IRE
LA FRATERNELLE		
(SQ. DE - SQ.) (11) - 47 D2	1070	AND
LA GRANDE BUISSIERE - 136 E1 - 137 A1	1380	OHA
LA HAUT (RUE) - 160 A-B2	1380	PLA
LA HULPE (CHAUSSEE DE) -		
68 C-D-E3 - 69 A-B3 C3-4 D-E4 -		
79 E1 - 80 A1-2-3 B3		
NOS 1 à 61 - 2 à 6	1180	UCK
NOS 8 à 28 - 110 à 132	1000	BRL
NOS 169 à FIN - 150 à FIN	1170	WAB
LA HULPE (CHAUSSEE DE) - 102 A4 - 114 A1	1310	LAH
LA HULPE (RUE DE) -		
114 E2-3 - 115 A3 B2 C1-2 D1	1331	ROS
LA HULPE-VILLERS-LA-VILLE (ROUTE) -		
150 E2-3-4 - 151 A2 - 162 E1	1340	OTT
LA LOUVE (DREVE DE) - 69 E2-3 - 70 A2-3	1170	WAB
LA VAU (RUE) - 122 C4 - 134 B-C1	1420	BRA
LA VENELLE (1) - 52 D4	1150	SPW
LAAGPLEIN - 22 A1	1020	BRL
LAAKLINDE - 85 C1-2 D2	1651	LOT
LAANBRUGSTRAAT (1) - 32 A-B3	1000	BRL
LAARBEEKLAAN - 20 D4 E3-4	1731	ZEL
LAARBEEKLAAN - 21 C4 D3-4 E3	1090	JET
LAARHEIDESTRAAT - 86 B4	1651	LOT
LAARHEIDESTRAAT - 86 B4 C3-4 D3-2	1650	BEE
LAATSTE RUSTLAAN - 52 A1	1200	WSL
LABARRE (RUE ANT. - STRAAT) - 59 C-D1	1050	IXE
LABARRE (RUE J.-B. - STRAAT) - 67 C2	1180	UCK

Straat	Postcode	Gemeente
LABBE (AV.) - 114 B1	1310	LAH
LABBEEKSTRAAT - 94 B2	1500	HAL
LABBELAAN - 102 B4 - 114 B1	3090	OVE
LABEUR (RUE DU) - 57 D2	1070	AND
LABOUREUR (IMP. DU) (1) - 40 D3 - Centr. 166 B2	1000	BRL
LABRADOR (RUE DU - STRAAT) - 13 E4	1020	BRL
LAC (AV. DU) - 114 C2 D2-3	1332	GEN
LAC (RACCOURCI DU) - 153 A3	1348	LLN
LAC (RUE DU) - 153 A3-4	1348	LLN
LAC (RUE DU) - 59 C1		
NOS 1 à 35 - 2 à 20	1050	IXE
NOS 35A à FIN - 22 à FIN	1000	BRL
LACAILLE (RUE - STRAAT) -		
49 D2-3 - Centr. 168 B2-3	1000	BRL
LACHOUQUE (AV. DU COMMANDANT) - 135 B-C3	1410	WAT
LACOMBLE (AV. ADOLPHE - LAAN) - 42 B3-4	1030	SCH
LACOMBLE (AV. ED. - LAAN) - 51 C3-4		
NOS/NRS 2-6	1150	SPW
AUTRES NOS/ANDERE NRS	1040	ETT
LACROIX (RUE A. - STRAAT) - 31 A2	1083	GAN
LACROIXSTRAAT (G.) - 16 A3-4	1830	MAC
LADDERSSTRAAT - 40 E2 - Centr. 166 C1	1000	BRL
LADEUZE (RUE MGR.) - 153 B3	1348	LLN
LAEKEBEEKLAAN - 76 A-B2	1601	RUI
LAEKEN (AV. DE) - 31 A2-3	1090	JET
LAEKEN (RUE DE) -		
40 D3 E2-3 - Centr. 166 B2 C1-2	1000	BRL
LAEKENVELD (RUE DU - STRAAT) - 31 C-D4	1080	SJM
LAEKENVELD - 13 A4	1780	WEM
LAENNECK (AV. L. - LAAN) - 22 B-C2	1020	BRL
LAERBEEK (AV. DU) - 21 C4 D3-4 E3	1090	JET
LAEREMANS (AV. BARON - LAAN) - 12 C4	1780	WEM
LAERMANS (RUE E. - STR.) -		
40 C2 - Centr. 166 A1	1080	SJM
LAFFINEUR (RUE EDMOND) - 140 B2	1300	LIL
LAFONTAINE (AV. H. - LAAN) - 43 C1-2	1200	WSL
LAGAELAAN (JUL.) - 36 A-B4	1933	STK
LAGESTEENWEG - 5 B-C1	1850	GRI
LAGEY (RUE J. - STRAAT) - 47 E2-3	1070	AND
LAGRANGE (SQUARE CH. - SQUARE) - 68 A3	1180	UCK
LAHAYE (RUE J. - STRAAT) - 31 B-C1	1090	JET
LAID BURNIA (RUE) - 153 E4	1348	LLN
LAINE (SQUARE - SQUARE) - 58 B-C2	1190	VOR
LAINES (RUE AUX) -		
49 D3 E2-3 - Centr. 168 B3 C2-3	1000	BRL
LAITERIE (AV. DE LA) - 59 C-D4 - 68 C1	1000	BRL
LAITERIE (RUE DE LA) - 39 D3-4		
NOS 1-119 - 2-118	1070	AND
NOS 121-FIN - 122-FIN	1080	SJM
LAKENBERG - 85 E4 - 86 A4	1651	LOT
LAKENSELAAN - 31 A2-3	1090	JET
LAKENSESTRAAT - 13 E3 - 14 A3-4	1853	SBE
LAKENSESTRAAT -		
40 D3 E2-3 - Centr. 166 B2 C1-2	1000	BRL
LAKENWEVERSSTRAAT -		
50 A2-3 - Centr. 168 D2-3	1050	IXE
LAMA (RUE DU - STRAAT) - 48 A1	1180	UCK
LAMARTINE (CLOS) - 135 B-C4	1420	BRA
LAMARTINE (RUE - STRAAT) - 48 A1	1070	AND
LAMBEAU (AV. L. - LAAN) - 42 C-D4 - 51 C1	1200	WSL
LAMBEAUX (AV. JEF - LAAN) - 58 D1	1060	SGI
LAMBEAUXLAAN (JEF) - 83 C-D2	3090	OVE
LAMBERMONT (BLD. - LAAN) -		
32 C1-2 D2-3 E3-4 - 41 E1 -		
42 A1 - Centr. 167 D1	1030	SCH
LAMBERMONT (RAMPE - OPRIT) - 32 C-D1	1000	BRL
LAMBERMONT (RUE - STRAAT) -		
50 B1 - Centr. 169 A1	1000	BRL
LAMBERMONT (RUE) - 126 B3	1330	RIX
LAMBERT (BLD. THEO - LAAN) - 48 B-C4	1070	AND
LAMBERT (RUE BARON - STRAAT) -		
50 E2-3 - Centr. 169 D2-3 - 33 A2	1040	ETT
LAMBERTMONT (AV.) - 139 B-C-D4	1342	LIM
LAMBERTSTRAAT (WILLEM) - 26 A-B4	1930	ZAV

Straat	Postcode	Gemeente
LAMBIN (AV. L.F. - LAAN) - 61 A-B4	1160	AUD
LAMBIOTTE (RUE AUGUSTE - STRAAT) -		
41 E2 - 42 A2-3 - Centr. 167 D2	1030	SCH
LAMBOTTE (RUE DR. E. - STRAAT) -		
32 E2-3 - 33 A2	1030	SCH
LAMBOTTE (RUE J. - STRAAT) - 61 E1 - 62 A1	1150	SPW
LAMBRECHTS (AV. E. - LAAN) - 12 E3	1780	WEM
LAMBRECHTSLAAN - 47 B2 C1-2	1700	DIL
LAMBRECHTSSTRAAT - 17 D1	1820	MEL
LAMBRETTESTRAAT - 7 C4	1830	MAC
LAMBROEKSTRAAT - 25 E3 - 26 A3	1930	ZAV
LAMBYHAYE (RUE) - 139 A3	1342	LIM
LAMEISBOSSTRAAT - 86 D3	1650	BEE
LAMEY (RUE L. - STRAAT) - 60 D2	1160	AUD
LAMIER BLANC (AV. DU) - 45 A-B4	1970	WEO
LAMLAAN - 77 D3-4	1180	UCK
LAMMERENDRIES - 60 E4		
ONEVEN NRS	1160	AUD
EVEN NRS	1170	WAB
LAMPSTRAAT - 94 A-B3	1500	HAL
LAMSORENWEG - 68 E2-3	1000	BRL
LANCASTER (AV. A. - LAAN) - 68 A3-4 B3	1180	UCK
LANCE (AV. DE LA) (1) - 42 C1	1140	EVE
LANCELOETLAAN - 82 D-E4	3090	OVE
LANCEY (CLOS DE) - 135 C3	1410	WAT
LANCIERS (VENELLE DES) (4) - 141 C4	1300	WAV
LANCSWEERT (RUE P. - STRAAT) - 52 A2	1150	SPW
LANDBOUWERSGANG (1) - 40 D3 - Centr. 166 B2	1000	BRL
LANDBOUWERSSTRAAT - 51 A3-4	1040	ETT
LANDBOUWLAAN - 81 E4 - 82 A4 - 91 E1 - 92 A1	3090	OVE
LANDBOUWSTRAAT - 26 B3-4 C3	1930	ZAV
LANDBOUWSTRAAT - 32 E2-3 - 33 A2-3	1030	SCH
LANDERIJENSTRAAT - 20 E2-3	1731	ZEL
LANDHUISJESTRAAT - 58 C-D4	1180	UCK
LANDHUIZENLAAN - 13 E1 - 14 A1	1850	GRI
LANDHUIZENLAAN - 39 C1	1082	SAB
LANDHUIZENLAAN - 5 A4	1850	GRI
LANDHUIZENWEG - 76 E3	1650	BEE
LANDMETERSTRAAT - 39 D3	1080	SJM
LANDRAIN (RUE FRANS - STRAAT) - 44 B C4	1970	WEO
LANDSCHAPLAAN (9) - 43 E4	1200	WSL
LANDSCHAPPENLAAN - 78 D4 - 88 D1	1180	UCK
LANDSCHAPSCHILDERSTRAAT - 60 C-D2	1160	AUD
LANDSCHAPSGAARDE (6) - 43 E4	1150	SPW
LANDSROEMLAAN - 30 E3 - 31 A3-4 B4		
NRS 1 tot 16	1081	KOE
ANDERE NRS	1083	GAN
LANDUYT (RUE) - 131 D3-4 E3 - 132 A2	1440	BRC
LAND VAN LUIKSTRAATJE - 40 D3 - Centr. 166 B2	1000	BRL
LANDVOOGDDREEF - 68 C-D4	1180	UCK
LANEAU (PLACE - PLEIN) - 31 A-B1	1090	JET
LANEAU (RUE - STRAAT) - 31 C2 D1-2	1020	BRL
LANESTRAAT - 93 D3 E3-4 - 104 A1	3090	OVE
LANFRAY (RUE - STRAAT) - 59 C1	1050	IXE
LANGBLOK - 85 E3	1651	LOT
LANGBUNDERDREEF (2) - 23 B1	1020	BRL
LANGE DELLE - 53 E3-4 - 54 A3	1970	WEO
LANGE DREEF - 110 C4 - 122 C1	1640	SGR
LANGE EIKHOEKJE - 44 E3	1970	WEO
LANGE EIKSTRAAT - 44 D-E3 - 45 A3	1970	WEO
LANGEHAAG - 20 E4	1731	ZEL
LANGEHAAGSTRAAT -		
50 A3-4 B4 - Centr. 168 D3		
ONEVEN NRS - NRS 2 tot 10 - 64 tot EINDE	1000	BRL
NRS 12 tot 9 C2	1050	IXE
LANGE HAAGSTRAAT - 28 E4 - 37 D1-2 E1	1700	DIL
LANGE HAAGSTRAAT - 87 D1 E1-2 - 88 A2	1630	LIN
LANGEHEIDESTRAAT - 105 D1-2 E1	3040	OTB
LANGE LAYE - 98 A-B4	1640	SGR
LANGELEZSTRAAT (ERNEST) -		
104 E3 - 105 A1-2-3	3040	OTB
LANGE MOLENSTRAAT - 6 E2	1800	VIL
LANGE STAARTDREEF - 100 B1-2 C2-3	1560	HOE
LANGE STAARTDREEF - 79 E2-3-4	1170	WAB

LANGE STAARTDREEF -		
79 E4 - 80 A4 - 90 A1-2-3 B4	1560	HOE
LANGESTRAAT - 10 E3-4 - 19 D-E1	1730	KOB
LANGESTRAAT - 53 A1-2	1150	SPW
LANGESTRAAT - 53 A1-2	1950	KRA
LANGESTRAAT - 66 D3 E4 - 76 E1	1620	DRO
LANGESTRAAT - 86 C1-2	1650	BEE
LANGEVELD (RUE - STRAAT) - 68 A-B-C1	1180	UCK
LANGE VELDSTRAAT - 28 C-D4 - 37 B-C1	1700	SMB
LANGE WAGENSTRAAT - 34 C2-3-4	1932	SSW
LANGEWEG - 102 A3 B2-3 C2	3090	OVE
LANGEWEIDE - 10 B3	1730	MOL
LANG LEVENSTRAAT - 50 B2-3 - Centr. 169 A2-3	1050	IXE
LANGUEDOC (ALLEES DU -		
WANDELWEGEN) - 33 C2-3	1140	EVE
LANIS (RUE LIBERT) - 131 D4 - 143 D1	1440	BRC
LANNEAU (CHEMIN JEAN) - 133 C-D4 - 145 C-D1	1420	BRA
LANNOY (RUE - STRAAT) - 59 C1	1050	SPW
LANNOYE (RUE AUGUSTE) - 114 C3-4	1332	GEN
LANSLAAN (1) - 42 C1	1140	EVE
LANSRODE (DREVE DE - DREEF) - 98 E1 - 99 A1	1640	SGR
LANTERNE MAGIQUE (37) - 153 B4	1348	LLN
LANTERNIER (CHEMIN DU) - 159 E1 - 160 A1-2	1380	PLA
LAPERON (LAIE DU) - 140 E3 - 141 A3-4	1300	LIL
LAPINS (RUE DES) - 56 D-E1	1070	AND
LARCIER (SQUARE RENE) - 130 B4	1480	CLA
LARIELLESTRAAT - 94 E3	1500	HAL
LARIGUETTE (CHEMIN DE JEAN) - 153 B3	1348	LLN
LARIGUETTE (PLACE DE JEAN) - 153 B-C2	1348	LLN
LARIKKENWEG - 97 A-B2	1652	ALS
LARIKSENDREEF - 62 D1	1950	KRA
LARIKSENSTRAAT - 59 A-B2	1050	IXE
LARMOYER (RUE) - 116 B4 - 128 B1	1301	BIE
LAROUSSE (SQUARE - SQUARE) - 58 E2	1190	VOR
LAROYSTRAAT (JEAN) - 94 E3-4	1501	BUI
LARTIGUE (AV. GEN. - LAAN) - 42 C-D4	1200	WSL
LAS CASES (CLOS) - 135 A3	1410	WAT
LASKOUTER - 23 C-D1	1120	BRL
LASKOUTER - 23 C-D1	1800	VIL
LASNE (CHAUS. DE LA) - 104 D3-4 E1-2-3	1300	WAV
LASNE (CHAUSSEE DE) - 126 B3-4	1330	RIX
LASNE (RUE DE LA) - 126 A4 - 137 D3-4 E1-2	1380	LAS
LASNE (RUE DE) -		
139 B4 - 150 C-D-E1 - 151 A1 B2	1340	OTT
LASSUS (CLOS DE) - 151 C3	1340	OTT
LATERALE (AV.) - 68 B3-4 C3	1180	UCK
LATERALE (RUE) - 143 D-E1	1440	BRC
LATIJNENSQUARE - 59 E3	1050	IXE
LATINIS (AV. G. - LAAN) - 32 E3-4 - 33 A4 - 42 A1	1030	SCH
LATINS (SQUARE DES) - 59 E3	1050	IXE
LATOUR (RUE AUGUSTE) -		
143 B4 C1-2-3 - 155 B1-2	1440	BRC
LATTEPOORTDREEF - 63 E1	3080	TER
LAUBESPIN (RUE DE - STRAAT) - 22 C-D3	1020	BRL
LAUDE (RUE ERN. - STRAAT) - 32 D4	1030	SCH
LAUDINNESTRAAT - 64 C1-2-3	1602	VLE
LAUDY (AV. J. - LAAN) - 51 E2	1200	WSL
LAUMANS (RUE J. - STRAAT) - 22 C4	1020	BRL
LAURALAAN - 30 C-D4 - 39 D1	1082	SAB
LAURE (AV.) - 30 C-D4 - 39 D1	1082	SAB
LAUREL (PASSAGE STAN - DOORGANG) (19) -		
21 E2	1090	JET
LAURENT (RUE ERNEST) -		
146 C-D1 E1-2 - 147 A2	1420	BRA
LAURENT (SENTIER) (1) - 128 C4 D3	1301	BIE
LAURIERGAARDE - 62 A1	1150	SPW
LAURIER-KERSENLAAN - 53 B-C2	1950	KRA
LAURIERLAAN - 53 A4 - 62 A-B1	1150	SPW
LAURIERPLEIN - 66 A4	1600	SPL
LAURIERS (AV. DES) - 53 A4 - 62 A-B1	1150	SPW
LAURIERS (CLOS DES) - 62 A1	1150	SPW
LAURIERS (RUE DES - STRAAT) - 69 B1	1170	WAB
LAURIERS (VENELLE DES) (17) - 129 C4	1300	WAV
LAURIERS ROSES (CLOS DES) (1) - 33 E4	1140	EVE

LAURIERS-CERISES (AV. DES) - 53 B-C2	1950	KRA
LAUS (RUE) - 157 E1	1421	OPH
LAUSANNE (RUE DE - STRAAT) - 49 E4	1060	SGI
LAUTERS (RUE P. - STRAAT) - 59 B-C3		
NOS/NRS 1-11 - 2 - 2A	1000	BRL
AUTRES NOS/ANDERE NRS	1050	IXE
LAUWERS (RUE P. - STRAAT) - 21 D-E1	1780	WEM
LAUWERS (RUE) - 101 D3-4 E3	1310	LAH
LAUWERSSTRAAT (KAREL) (3) - 6 C2	1850	GRI
LAUWERSSTRAAT (R.) - 91 C-D2	1560	HOE
LAUZELLE (BLD. DE) - 152 D4 E3-4	1340	OTT
LAUZELLE (CHEMIN DE) - 153 B2 C1	1342	LIM
LAUZELLE (DREVE DE) - 153 B-C1	1342	LIM
LAUZELLE-QUATRE VENTS (PORTE DE) - 153 C2	1348	LLN
LAUZELLE-VALLON (PORTE DE) - 153 B2	1348	LLN
LAVALLEE (RUE ADOLPHE - STRAAT) - 40 C-D1	1080	SJM
LAVANDE (RUE DE LA) (4) - 22 B1	1020	BRL
LAVENDELSTRAAT (4) - 22 B1	1020	BRL
LAVIANNE (SENTIER) (2) - 143 C1	1440	BRC
LAVIGERIE (RUE CARDINAL) - 51 B4 - 60 B1	1040	ETT
LAVIGERIESTRAAT (KARDINAAL) - 51 B4 - 60 B1	1040	ETT
LAVOIR (RUE DU) - 49 D2 - Centr. 168 B2	1000	BRL
LAVOISIER (AV.) - 116 C-D1	1300	WAV
LAVOISIER (RUE DE) - 153 C3	1348	LLN
LAZARD (CHEMIN) - 108 E4 - 120 E1 - 121 A1 B2	1420	BRA
L'BUSE (RUELLE A) - 128 E3-4	1300	LIL
LEBEAU (RUE - STRAAT) -		
49 E1 - 50 A1 - Centr. 168 C-D1	1000	BRL
LEBON (AV. GABRIEL-EM. - LAAN) - 60 B1 C1-2		
NOS/NRS 1-143 - 2-152	1160	AUD
AUTRES NOS/ANDERE NRS	1150	SPW
LE BON (AV. PHILIPPE) - 129 C2	1300	WAV
LEBRUN (RUE JULES - STRAAT) - 42 B-C2	1030	SCH
LECHARLIER (AV. F. - LAAN) - 31 B2-3 C3	1090	JET
LECHAT (RUE CH. - STRAAT) - 60 D2	1160	AUD
LECHATSQUARE - 37 E1	1700	DIL
LE CHENIA - 155 B4	1460	IRE
LECLERCQ (AV. GEORGES- LAAN) - 30 E2	1083	GAN
LECLERCQ (RUE G.J. - STRAAT) - 60 C2	1160	AUD
LECLERCQ (RUE GEORGES - STRAAT) - 58 A1-2	1190	VOR
LECOINTE (AV. G. - LAAN) - 67 E3-4	1180	UCK
LECOMTE (RUE E. - STRAAT) - 58 D4	1180	UCK
LE CORREGE (RUE) -		
41 E4 - 50 E1 - Centr. 169 D1	1000	BRL
LEDECQ (RUE ROBERT) -		
132 E4 - 133 A4 - 144 D-E1	1440	WBC
LEDEGANCK (RUE - STRAAT) - 22 C4		
NOS/NRS 1-13 - 2	1090	JET
AUTRES NOS/ANDERE NRS	1020	BRL
LEDELLAAN (DOLF) - 83 D2	3090	OVE
LEDOUX (PROMENADE JACQUES -		
WANDELING) (20) - 21 E2	1090	JET
LEDUC (RUE PAUL - STRAAT) -42 B1-2 C1	1030	SCH
LEEKAERTS (RUE - STRAAT) - 33 B2	1140	EVE
LEEMANS (AV. J.-F. - LAAN) - 70 A-B2		
NOS/NRS 2-4	1170	WAB
AUTRES NOS/ANDERE NRS	1160	AUD
LEEMANS (BLD. JOSSE - LAAN) -		
56 D2 E2-3 - 57 A3	1070	AND
LEEMANS (PLACE A. - PLEIN) - 59 B2	1050	IXE
LEEMANS (RUE DR. CH. - STRAAT) (10) -		
30 B4 - 39 B1	1082	SAB
LEEMANSSTRAAT (MATHIJS) - 20 D-E1	1731	REL
LEEMVELDSTRAAT -		
93 D3-4 E4 - 103 B3 C2-3 D1-2 E1	3090	OVE
LEENWEG - 91 B3	1560	HOE
LEERLOOIERIJSTRAAT - 26 A2	1930	ZAV
LEESTBEEKSTRAAT - 13 A3	1853	SBE
LEEUWENSTRAAT (9) - 106 C-D1	1500	HAL
LEEUWERIKENDREEF - 72 A3-4	3090	OVE
LEEUWERIKENLAAN - 107 A3	1500	HAL
LEEUWERIKENLAAN - 14 B-C1	1800	VIL
LEEUWERIKENLAAN - 20 C3	1731	ZEL
LEEUWERIKENLAAN - 29 C4	1702	GRB

LEEUWERIKENLAAN - 3 D3 E3-4	1780	WEM
LEEUWERIKENLAAN - 44 B2	1950	KRA
LEEUWERIKENLAAN - 45 C1	1933	STK
LEEUWERIKENLAAN - 60 D1	1150	SPW
LEEUWERIKENLAAN - 87 B4	1652	ALS
LEEUWERIKENLAAN - 87 B4 C3-4	1650	BEE
LEEUWERIKENLAAN - 88 B-C3	1640	SGR
LEEUWERIKENSTRAAT - 57 B1	1070	AND
LEEUWERIKENSTRAAT - 6 B1	1850	GRI
LEEUWERIKENVELD (7) - 45 B4	1970	WEO
LEEUWERIKSLIEDSPLAATS (3) - 40 A3	1080	SJM
LEEUWERIKSTRAAT - 65 C3 D2-3	1600	SPL
LEEUWOPRIT - 23 D-E4	1020	BRL
LEEUWSTRAAT - 23 E4	1020	BRL
LEFEVER (AV. G. - LAAN) - 60 C2	1160	AUD
LEFEVRE (RUE DIEUDONNE - STRAAT) - 31 D-E3	1020	BRL
LEFEVRE (RUE VICTOR - STRAAT) -		
42 A-B4 - 51 A-B1	1030	SCH
LEFRANCQ (RUE - STRAAT) - 41 B-C1	1030	SCH
LEGER (RUE F. - STRAAT) - 33 C-D2	1140	EVE
LEGERE EAU (RUE DE LA) - 134 D3 E2-3 - 135 A2	1420	BRA
LEGERLAAN - 51 B2-3 C2	1040	ETT
LEGRAIN (AV. DES FRERES) - 51 C-D4 - 60 D1	1150	SPW
LEGRAINLAAN (GEBROEDERS) -		
51 C-D4 - 60 D1	1150	SPW
LEGRAND (AV. L. - LN.) - 59 B-C3		
NRS/NOS 1-25 - 2-22	1000	BRL
NOS/NRS 27-69 - 24-82	1050	IXE
AUTRES NOS/ANDERE NRS	1180	UCK
LEGRAND (AV.) - 127 A1	1330	RIX
LEGRELLE (RUE CHARLES - STRAAT) - 51 B-C3	1040	ETT
LEGRELLE (RUE S. - STRAAT) - 31 A1-2	1090	JET
LEGREVE (RUE CONSTANT) - 128 B4 - 140 B1	1300	LIL
LEGREVE (RUE ELIE) - 139 C2-3	1300	LIL
LEHMANLAAN (FERNAND) - 4 C1	1860	MEI
LEHON (PLACE - PLEIN) - 32 C4	1030	SCH
LEIDE - 106 D1	1500	HAL
LEIESTRAAT - 31 B-C4	1080	SJM
LEJEUNE (RUE J. - STRAAT) - 59 A3 B2		
NOS/NRS 1-9 E2 - 2-64	1050	IXE
AUTRES NOS/ANDERE NRS	1180	UCK
LEKEU (RUE G. - STRAAT) - 48 B-C4	1070	AND
LELIEGAARDE - 20 D-E3	1731	ZEL
LELIENLAAN - 44 A-B3	1950	KRA
LELIESTRAAT - 29 A4 - 38 A-B1	1702	GRB
LELIEVRE (RUE FLORIAN) - 113 E1	1310	LAH
LELLEBAAN - 9 E2-3	1910	BER
LELLEVELDBAAN - 9 E2-3	1910	BER
LE LORRAIN (RUE - STRAAT) - 31 D4 - 40 D-E1	1080	SJM
LEMAIRE (AV. J. - LAAN) - 39 D2	1080	SJM
LEMAIRE (PARC - PARK) - 48 A-B4	1070	AND
LEMAIRE (RUE CH. - STRAAT) - 61 A4	1160	AUD
LEMAITRE (AV. GEORGES) - 153 C3	1348	LLN
LEMAITRE (PORTE) - 153 D4	1348	LLN
LE MAMBOURG - 155 B4	1460	IRE
LEMAN (RUE GEN. - STRAAT) -		
50 D3 - 51 A3 - Centr. 169 C3	1040	ETT
LEMANLAAN (GEN.) - 15 D3	1830	MAC
LEMANSTRAAT (GENERAAL) - 65 E4 - 75 E1	1600	SPL
LEMANSTRAAT (GENERAAL) - 91 B4	1560	HOE
LE MARINEL (AV. L.) - 51 A-B4	1040	ETT
LE MARINELLAAN - 51 A-B4	1040	ETT
LEMMEKENSTRAAT - 9 E3-4	1910	BER
LEMMENS (PLACE A. - PLEIN) -		
40 C4 - Centr. 166 A3	1070	AND
LEMMENSSTRAAT - 9 B4 - 18 B1	1820	STE
LEMOINE (AV. DR. - LAAN) - 47 E4 - 48 A4	1070	AND
LEMONNIER (BLD. M. - LAAN) -		
40 D4 - 49 D1-2 - Centr. 166 B3 -168 B1-2	1000	BRL
LEMONNIER (PLACE CAMILLE) - 113 E1	1310	LAH
LEMONNIER (RUE C. - STRAAT) - 59 A2-3		
NOS/NRS 1-117 - 2-80	1050	IXE
AUTRES NOS/ANDERE NRS	1180	UCK
LEMONNIER (RUE CAMILLE) - 149 E1	1380	LAS
LENAERTS (RUE A. - STRAAT) -		
35 B4 - 44 B1-2 C2-3	1950	KRA
LENAERTS (RUE A. - STRAAT) - 44 C3	1970	WEO
LENNEKE MARELAAN (4) - 43 C-D4	1200	WSL
LENNEKE MARELAAN - 43 D1-2	1932	SSW
LENNIK (ROUTE DE) - 56 D3 E2-3 - 57 A-B2	1070	AND
LENNIKSEBAAN - 55 A3 B2-3 C2-3 E3 - 56 A-B3	1602	VLE
LENNIKSEBAAN - 55 C-D2 E2-3	1701	ITT
LENNIKSEBAAN - 56 D3 E2-3 - 57 A-B2	1070	AND
LENNIKSESTEENWEG - 94 A2-3 B-C3	1500	HAL
LENNIKSEWEG - 47 A4 - 56 A1 - 55 E1-2	1700	DIL
LENNIKSEWEG - 55 C-D2	1701	ITT
LENOIR (AV. JEAN J.E.) - 153 D4 - 165 D-E1	1348	LLN
LENOIR (RUE F. - STRAAT) - 31 B1-2 C2	1090	JET
LE NOTRE (AV. ANDRE) - 123 A3-4	1410	WAT
LENS (RUE - STRAAT) - 50 B4 - 59 B1		
NOS IMPAIRS/ONEVEN NRS	1000	BRL
NOS PAIRS/EVEN NRS	1050	IXE
LENTEKLOKJESLAAN - 14 B4 - 23 B1	1020	BRL
LENTELAAN - 106 E3	1500	HAL
LENTELAAN - 75 D3	1600	SPL
LENTERIK - 6 D4 - 15 D1	1800	VIL
LENTESTRAAT - 29 B2	1702	GRB
LENTESTRAAT - 59 E2	1050	IXE
LEON (RUE FR. - STRAAT) - 33 B1	1140	EVE
LEON XIII (RUE) - 23 E1-2 - 24 A1	1120	BRL
LEOPOLD (AV.) - 127 B-C2	1330	RIX
LEOPOLD (PETITE AVENUE) - 127 B2-3	1330	RIX
LEOPOLD (RUE - STRAAT) -		
40 E3-4 - 41 A3-4 - Centr. 166 C2-3 D2	1000	BRL
LEOPOLD (SQUARE PRINCE) - 22 C-D4	1020	BRL
LEOPOLD I (RUE - STRAAT) - 31 A-B2 C1-2 D-E1		
NOS/NRS 1-33 D4 - 2-282	1020	BRL
AUTRES NOS/ANDERE NRS	1090	JET
LEOPOLD I-LAAN - 90 D-E3	1560	HOE
LEOPOLD II (BLD. - LAAN) - 31 B4 - 40 B-C-D1		
NOS/NRS 1-233 - 2-212	1080	SJM
AUTRES NOS/ANDERE NRS	1081	KOE
LEOPOLD II (SQUARE - SQUARE) - 51 D2-3	1150	SPW
LEOPOLD II-LAAN - 80 C4 D2 3-4 - 90 C1	1560	HOE
LEOPOLD III (AV. - LAAN) -		
33 B3-4 C2-3 D1 E1 - 42 B1	1140	EVE
LEOPOLD III (AV. - LAAN) - 45 A4 - 54 A1 B1-2	1970	WEO
LEOPOLD III (AV. ROI) - 12 E4	1780	WEM
LEOPOLD III (AV.) - 111 A-B4	1410	WAT
LEOPOLD III (BLD. - LAAN) - 42 B1-2	1030	SCH
LEOPOLD III-LAAN (KONING) - 12 E4	1780	WEM
LEOPOLD III-LAAN - 26 A1	1930	ZAV
LEOPOLDSQUARE (PRINS) - 22 C-D4	1020	BRL
LEOPOLDSTADPLEIN - 50 D-E4	1040	ETT
LEOPOLDSTRAAT - 106 E3	1500	HAL
LEOPOLDSTRAAT - 7 A2-3	1800	VIL
LEOPOLDVILLE (SQUARE DE) - 50 D-E4	1040	ETT
LEOSTRAAT (J.) - 21 A2	1731	ZEL
LEPAGE (AV. HENRI) - 116 E4 - 117 A4	1300	WAV
LEPAGE (RUE - STRAAT) - 40 D3 - Centr. 166 B2	1000	BRL
LEPAGE (RUE J. B. - STRAAT) - 52 E1 - 53 A1	1150	SPW
LEPELSTRAAT - 97 D-E2	1640	SGR
LE POINT DU JOUR - 128 A-B1	1301	BIE
LEPOUTRE (AV. L. - LAAN) - 59 A2-3	1050	IXE
LEPPERSTRAAT - 2 B4 - 11 A1-2 B1	1730	KOB
LEPREUX (RUE OM. - STRAAT) - 30 E4	1081	KOE
LEQUEUT (RUE) - 131 B-C3	1440	BRC
LEQUIME (AV. - LAAN) - 88 C2-3 D-E2	1640	SGR
LE ROUX (RUE ABBE P.) - 31 A1	1090	JET
LE ROUXSTRAAT (PRIESTER P.) - 31 A1	1090	JET
LE ROY (CHEMIN DU BARON) - 138 A2	1380	LAS
LEROY (PLACE ED. - PLAATS) - 39 D2	1080	SJM
LEROY (RUE G. - STRAAT) - 32 E1-2	1030	SCH
LEROY (SENTIER) - 128 D3	1301	BIE
LE SARTY - 156 C3	1461	HIT
LES COLIR - 143 B2 C1-2 D1	1440	BRC
LES CULLUS (RUE) - 143 A4 B3	1440	BRC
LES FONDS (RUE) - 155 E3 - 156 A-B3	1460	IRE

LES HAUTS DU RY-TERNEL (RUE) - 156 B-C3	1461	HIT
LES MEZELES - 154 E1-2	1460	IRE
LESAGESTRAAT - 9 C3	1820	STE
LESBROUSSART (RUE - STRAAT) - 50 B-C4		
NOS/NRS 1-121 - 2-126	1050	IXE
NO/NR 128	1000	BRL
LESNINO (RUE FR. - STRAAT) - 31 E2	1020	BRL
LESSE (AV. DE LA - LAAN) - 43 D4	1200	WSL
LESSE (RESIDENCE) (7) - 127 D2	1300	LIL
LESSENSTRAAT - 40 A-B3	1080	SJM
LESSINES (RUE DE) - 40 A-B3	1080	SJM
LESSIRE (RUE P.E. - STRAAT) - 70 B1	1160	AUD
LE TEMERAIRE (AV. CHARLES) (1) - 129 D2-3	1300	WAV
LE TINTORET (RUE) - 41 E4 - 42 A4	1000	BRL
LE TITIEN (RUE) - 41 E4 - 42 A4	1000	BRL
LETROYE (RUE FLORIMOND) - 129 B1	1300	WAV
LEUNENSSTRAAT (CAMILLE) - 65 C4 - 75 C-D1	1600	SPL
LEURQUIN (SQUARE) - 129 B1	1300	WAV
LEUVENBAAN - 18 C3	1820	STE
LEUVENSEBAAN - 105 B1-2-3	3040	OTB
LEUVENSEDREEF - 54 D4 E3-4	3080	TER
LEUVENSEPLEIN - 41 B4 - Centr. 167 A3	1000	BRL
LEUVENSEPOORT - 41 C4 - Centr. 167 B3	1000	BRL
LEUVENSESTEENWEG -		
34 A4 - 41 C3-4 D-E3 - 42 A2-3 B-C2 D-E1 -		
43 A1 - Centr. 167 B2-3 C2 D3		
NRS 1 tot 261 - 2 tot 214	1210	SJN
NRS 216 tot 368	1000	BRL
NRS 263 tot 701A - 370 tot 782	1030	SCH
NRS 703 tot 987 - 862 tot 1130A	1140	EVE
NRS 1105 tot EINDE - 1154 tot EINDE	1200	WSL
LEUVENSESTEENWEG -		
34 A-B-C4 D3-4 E3 - 35 A3 B-C2	1932	SSW
LEUVENSESTEENWEG - 7 D3-4 E4 - 16 E1	1830	MAC
LEUVENSESTEENWEG - 27 C-D4 - 36 A1-2 B-C1	1930	ZAV
LEUVENSESTEENWEG - 27 D-E4	3070	KOR
LEUVENSESTEENWEG - 35 B-C-D-E2	1930	NOD
LEUVENSESTEENWEG - 54 C4	1970	WEO
LEUVENSESTEENWEG - 54 C4 D3-4 E3 - 63 D1	3080	TER
LEUVENSESTEENWEG - 7 B-C2 D3	1800	VIL
LEUVENSESTRAAT - 6 E2 - 7 A-B2	1800	VIL
LEUVENSEWEG - 41 B4 - Centr. 167 A3	1000	BRL
LEVALLOIS-PERET (RUE DE - STRAAT) - 39 C-D3	1080	SJM
LE VALLON (6) - 43 D3	1200	WSL
LEVANT (PLACE DU) - 153 C4	1348	LLN
LEVANT (RUE DU - STRAAT) - 59 C2	1050	IXE
LE VAU (AV. LOUIS) - 123 A-B3	1410	WAT
LEVEAU (RUE G.) - 130 B3	1480	CLA
LEVIE (SQUARE - PLEIN) - 42 C4	1200	WSL
LEVISSTRAAT - 7 C2-3	1800	VIL
LEVOLDLAAN - 38 B3 C3-4	1700	DIL
LEVRIER (SENTIER DU) (2) - 13 E4	1020	BRL
LEVROMONT (CHEMIN DE) - 136 D3-4	1380	OHA
LEVURE (RUE DE LA) - 50 C-D4	1050	IXE
LEYBEEK (RUE DU - STRAAT) - 52 B3-4	1150	SPW
LEYBURGSTRAAT - 86 A4 - 96 A1	1651	LOT
LEYBURGSTRAAT - 96 A-B1	1653	DWO
LEYNIERSDREEF - 10 A4 - 19 A1	1730	ASS
LEYS (RUE - STRAAT) - 51 A1	1000	BRL
LEZARDS (CHEMIN DES) - 59 C3	1000	BRL
LIAISON (RUE DE LA) - 51 E1	1200	WSL
LIBELLENDREEF - 69 B3-4	1170	WAB
LIBELLULES (AV. DES) - 122 B-C1	1410	WAT
LIBELLULES (DREVE DES) - 69 B3-4	1170	WAB
LIBERATEURS (SQUARE DES) - 31 C4	1080	SJM
LIBERATION (AV. DE LA) - 88 B4 C3-4 - 98 B1	1640	SGR
LIBERATION (CLOS DE LA) (2) - 43 E4	1150	SPW
LIBERATION (RUE DE LA) - 131 D4 - 143 C-D1	1440	BRC
LIBERT (RUE FRANCOIS) - 123 A1 B2	1410	WAT
LIBERTE (AV. DE LA) - 146 E3	1420	BRA
LIBERTE (AV. DE LA) - 31 B4 - 39 E1 - 40 A-B1		
NOS 1 A 81 - 2 A 50 - 208 A 218	1081	KOE
AUTRES NOS	1080	SJM
LIBERTE (PLACE DE LA) - 41 B3 - Centr. 167 A2	1000	BRL
LIBERTE (ROND POINT DE LA) - 30 D2	1083	GAN
LIBERTE (RUE DE LA) - 66 E3-4	1620	DRO
LIBERTONSQUARE (G.) - 54 E2-3	3080	TER
LIBRE ACADEMIE (AV. DE LA) - 47 E4 - 48 A4	1070	AND
LIBRE EXAMEN (RUE DU) - 48 E2	1070	AND
LICORNE (AV. DE LA) (4) - 42 D3	1200	WSL
LICORNE (CLOS DE LA) (5) - 42 D3	1200	WSL
LIEBRECHT (AV. H. - LAAN) - 21 E2-3 - 22 A3	1090	JET
LIED VAN SOTTERNIEENLAAN - 59 D3	1050	IXE
LIEDEKERKE (RUE DE - STRAAT) - 41 C-D3	1210	SJN
LIEDEL (RUE LIEUTENANT) - 48 C3-4	1070	AND
LIEDELSTRAAT (LUITENANT) - 48 C3-4	1070	AND
LIEDTS (PLACE - PLEIN) - 32 B4	1030	SCH
LIEDTS (RUE - STRAAT) - 32 B4	1030	SCH
LIEFDADIGHEIDSSTRAAT -		
41 C4 - 50 C1 - Centr. 167 B3 - 169 B1	1210	SJN
LIEFKENSSTRAAT - 82 B3-4	3090	OVE
LIEGE (RUE DE) - 58 A4	1190	VOR
LIEGEOIS (RUE DES) - 153 C4	1348	LLN
LIEGEOIS (RUE DES) - 50 D4	1050	IXE
LIEKENSSTRAAT (J.) - 95 A-B3	1501	BUI
LIERBAAN - 5 C1	1850	GRI
LIERPUT - 11 A2 B1-2-3-4 C3-4	1730	KOB
LIERRE (RUE DU) - 39 E2-3 - 40 A2-3	1080	SJM
LIETART (RUE M. - STRAAT) - 51 C3	1150	SPW
LIEVEHEERSBEESTJESLAAN - 69 B2-3		
NRS 95 tot 99	1000	BRL
ANDERE NRS	1170	WAB
LIEVEVROUWBROERSSTRAAT -		
40 E4 - 49 E1 - Centr. 166 C3 - 168 C1	1000	BRL
LIEVRE (RUE DU) - 47 E4 - 56 E1	1070	AND
LIEVRES (AV. DES) - 53 C1-2	1970	WEO
LIGNAGES (DREVE DES) - 30 E1	1083	GAN
LIGUSTERSLAAN - 53 B2	1950	KRA
LIJSTERBESBOMENVOETWEG - 68 E3	1180	UCK
LIJSTERBESSENBOMENLAAN - 43 E1 - 44 A1	1950	KRA
LIJSTERBESSENBOMENLAAN - 78 C-D4 - 88 C1	1180	UCK
LIJSTERBESSENLAAN - 71 D4 - 81 D1	3090	OVE
LIJSTERBESSENLAAN - 98 E2	1640	SGR
LIJSTERHOF - 35 C2	1930	ZAV
LIJSTERLAAN - 107 A2	1500	HAL
LIJSTERSLAAN - 44 A3 B2	1950	KRA
LIJSTERSLAAN - 85 A3-4	1600	SPL
LIJSTERSSTRAAT - 57 B-C3	1070	AND
LIJSTERSTRAAT - 14 D1	1800	VIL
LIJSTERWEG - 71 D1-2	3080	TER
LILAS (AV. DES - LAAN) - 45 A4	1970	WEO
LILAS (AV. DES) - 101 D-E2	1310	LAH
LILAS (AV. DES) - 111 A-B3	1410	WAT
LILAS (AV. DES) - 139 E2	1300	LIL
LILAS (CLOS DES) - 125 D2	1380	OHA
LILAS (RUE DES) - 114 D4 - 126 D1	1330	RIX
LILAS (RUE DES) - 157 D1	1420	BRA
LILAS (RUE DU) - 40 E3 - Centr. 166 C2	1000	BRL
LILAS (SENTIER DES) (12) - 61 C4	1160	AUD
LILAS (SQUARE DES) - 151 E2	1342	LIM
LILAS BLANCS (CLOS DES) - 114 C4	1332	GEN
LILLAS (AV. DES) - 88 A-B4 - 98 A-B1	1640	SGR
LILLOIS (RUE DE) -		
145 E4 - 157 E1 - 158 A1-2 B2-3	1421	OPH
LIMA (AV. DE - LAAN) - 22 B1	1020	BRL
LIMAL (RUE DE) - 127 A3-4 B4	1330	RIX
LIMALSART (RUE DE) - 114 D3 E3-4	1330	RIX
LIMAUGE (RUE - STRAAT) (1) -		
50 C3 - Centr. 169 B3	1050	IXE
LIMAUGES (RUE DE) - 162 D-E4	1470	GEP
LIMAUGES (RUE DE) - 162 E3-4 - 163 A4	1490	CSE
LIMBOSWEG - 4 B1	1860	MEI
LIMBOURG (AV. - LAAN) - 48 C-D3	1070	AND
LIMESENRIEU (CLOS DU) - 122 B4	1410	WAT
LIMITE (RUE DE LA) - 129 A1	1300	WAV
LIMITE (RUE DE LA) - 164 A2	1340	OTT
LIMITE (RUE DE LA) - 164 A2-3-4	1490	CSE
LIMITE (RUE DE LA) - 41 C2-3 - Centr. 167 B1-2	1210	SJN

Street	Code	Commune
LIMITE (RUE DE LA) - 44 A3-4	1950	KRA
LIMITE (RUE DE LA) - 44 A4 - 53 A1	1150	SPW
LIMITE (RUE DE LA) - 54 B2 C3-4	1970	WEO
LIMNANDER (RUE - STRAAT) -		
49 C1-2 - Centr. 168 A1-2	1070	AND
LINAIGRETTES (SQUARE DES) (2) - 56 E3 - 57 A3	1070	AND
LINCOLN (RUE - STRAAT) - 59 B3-4		
NOS/NRS 2-4	1050	IXE
AUTRES NOS/ANDERE NRS	1180	UCK
LINDAAL - 73 C-D3-4 E4	3090	OVE
LINDAALHOF - 73 C3	3090	OVE
LINDEBOOMSTRAAT - 63 B2-3 C2	3080	TER
LINDEGAARDE - 16 B3	1830	MAC
LINDEKEN - 86 E3-4	1650	BEE
LINDEKENS (RUE M. - STRAAT) - 51 E2 - 52 A2	1150	SPW
LINDEKENSPLEIN - 97 A3	1652	ALS
LINDEKENSWEG - 87 E4 - 97 E1-2	1652	ALS
LINDEKENSWEG - 88 A4	1640	SGR
LINDELAAN - 10 A3-4	1730	ASS
LINDELAAN - 13 E3-4	1853	SBE
LINDELAAN - 55 C4 - 64 C1	1602	VLE
LINDENBERG - 28 C-D2	1700	SUK
LINDENBERG - 52 A1	1200	WSL
LINDENBERGLAAN - 36 C4	1933	STK
LINDENDREEF - 119 E3-4	1500	HAL
LINDENDREEF - 3 E4 - 12 E1	1780	WEM
LINDENDREEF - 37 D2	1700	SMB
LINDENDREEF - 37 D2	1700	DIL
LINDENDRIES - 10 A3 B3-4 C4	1730	ASS
LINDENHOEKJE - 53 C2	1970	WEO
LINDENLAAN - 106 E1 - 107 A1	1500	HAL
LINDENLAAN - 29 C4	1702	GRB
LINDENLAAN - 77 B3 C-D4	1180	UCK
LINDENLAAN - 8 E2-3	1820	MEL
LINDENLAAN - 98 D1-2 E1-2 - 99 A1	1640	SGR
LINDENPLEIN - 16 C3	1830	MAC
LINDENSTRAAT - 26 A4 B3-4	1930	ZAV
LINDENSTRAAT - 7 D-E2 - 8 A2	1800	PEU
LINDESTRAAT - 11 C2 D1-2 E1	1785	HAM
LINDESTRAAT - 12 A1	1780	WEM
LINDESTRAAT - 3 A-B4	1785	HAM
LINDESTRAAT - 33 A1-2-3-4 B4		
ONEVEN NRS	1140	EVE
EVEN NRS	1030	SCH
LINDESTRAAT - 97 D3 E3-4	1640	SGR
LINDEVELD - 21 E3	1090	JET
LINDEVELDSTRAAT - 27 B-C4	1930	NOS
LINDTSTRAAT (J.) - 80 E4 - 81 A3 B4	1560	HOE
LINERIE (SENTIER DE LA) (6) - 164 A1	1340	OTT
LINIERE (RUE DE LA) (2) - 49 D-E3	1060	SGI
LINIERS (RUE DES) - 129 C1	1300	WAV
LINKEBEEK (DREVE DE) - 88 A-B3	1630	LIN
LINKEBEEK (DREVE DE) - 88 B3 C3-4 D4	1640	SGR
LINKEBEEK (RUE DE - STRAAT) - 77 A-B3	1180	UCK
LINKEBEEKSEDREEF - 88 A-B3	1630	LIN
LINKEBEEKSEDREEF - 88 B3 C3-4 D4	1640	SGR
LINKEBEEKSTRAAT - 87 B2	1650	BEE
LINNE (RUE - STRAAT) - 41 B1-2		
NOS/NRS 35-99 - 28-114	1210	SJN
AUTRES NOS/ANDERE NRS	1030	SCH
LINOTTES (AV. DES) - 60 E2	1160	AUD
LINTBAAN - 5 C-D1	1850	GRI
LINTHOUT (PASSAGE - DOORGANG) - 51 B1	1200	WSL
LINTHOUT (RUE DE - STRAAT) - 42 A-B4 - 51 B1		
NOS/NRS 1-93 - 2-102	1030	SCH
NOS/NRS 93 A-FIN/EINDE	1200	WSL
NOS/NRS 116-FIN/EINDE	1040	ETT
LINTHOUTBOSSTRAAT - 42 D4 - 51 D1	1200	WSL
LINTHOUTSE WERKMANSWOONWIJK -		
40 D4 - Centr. 166 B3	1030	BRL
LINTHOUTSTRAAT - 97 B1-2	1652	ALS
LINTHOUTWEG - 2 B1	1785	BRU
LINX (CLOS DU. - BINNENHOF) - 42 E2	1200	WSL
LION (RAMPE DU) - 23 D-E4	1020	BRL

Street	Code	Commune
LION (ROUTE DU) - 134 E4 - 146 E1 - 147 A1-2	1420	BRA
LION (ROUTE DU) - 147 B1	1410	WAT
LION (RUE DU) - 23 E4	1020	BRL
LIPPENS (RUE LT. - STRAAT) (2) - 51 A4	1040	ETT
LIPPENSLAAN - 76 E4	1650	BEE
LIPSE (CLOS JUSTE) - 151 C3	1340	OTT
LIPSE (RUE JUSTE) - 50 D1 - Centr. 169 C1	1040	ETT
LIPSIUSPLEIN (JUSTUS) - 93 A1	3090	OVE
LIPSIUSSTRAAT (JUSTUS) - 50 D1 - Centr. 169 C1	1040	ETT
LIPSIUSSTRAAT (JUSTUS) - 94 C3-4	1500	HAL
LIS (AV. DES) - 44 A-B3	1950	KRA
LISALA (RUE DE - STRAAT) - 66 E2	1190	VOR
LISBLOEMENSTRAAT - 58 D4	1180	UCK
LISBONNE (RUE DE) - 49 D4	1060	SGI
LISERONS (AV. DES) - 23 B-C1	1020	BRL
LISIERE (AV. DE LA) - 59 B-C4	1000	BRL
LISIERE (CLOS DE LA) - 114 A-B3	1332	GEN
LISKENSSTRAAT - 54 B4 - 63 B1	3080	TER
LISON (SQUARE - SQUARE) (2) - 66 E2	1190	VOR
LISSABONSTRAAT - 49 D4	1060	SGI
LIVERPOOL (RUE DE - STRAAT) - 40 B4 - 49 B-C1		
NOS/NRS 1-59 - 2-58	1080	SJM
AUTRES NOS/ANDERE NRS	1070	AND
LIVINGSTONE (AV. - LAAN) -		
41 D4 - 50 D1 - Centr. 167 C3 - 169 C1	1000	BRL
LIVINGSTONELAAN - 54 E2	3080	TER
LIVORNOSTRAAT - 50 A-B4 - 59 B1		
NRS 1 tot 15 - 2 tot 4	1060	SGI
NRS 23 tot 119A - 131 tot EINDE	1050	IXE
NRS 121 tot 129 - 6 tot EINDE	1000	BRL
LIVOURNE (RUE DE) - 50 A-B4 - 59 B1		
NOS 1 à 15 - 2 à 4	1060	SGI
NOS 23 à 119A - 131 à FIN	1050	IXE
NOS 121 à 129 - 6 à FIN	1000	BRL
LLOYD GEORGE (AV. - LAAN) - 59 C-D3	1000	BRL
LOBAU (AV. DU GEN.) - 160 B-C1	1380	PLA
LOBBEWEG - 2 E3	1785	BRU
LOBBOS - 86 D3	1650	BEE
LOBELITAS (RUE DES - STRAAT)(3) - 60 E4	1170	WAB
LOCHE (TIENNE DE) - 151 B2	1340	OTT
LOCQUENGHIEN (RUE - STRAAT) -		
40 D2-3 - Centr. 166 B1-2	1000	BRL
LODAAL (CLOS DU - GAARDE) (3) - 23 C1	1020	BRL
LOENSDELLEWEG - 93 A1-2	3090	OVE
LOGIS (PLACE DU - PLEIN) - 69 E1	1170	WAB
LOI (RUE DE LA) - 41 B-C4 - 50 C-D1		
NOS 1 A 13 - 2 A 24	1000	BRL
NOS 15 A FIN - 26 A FIN	1040	ETT
LOIRE (CHAUSSEE DE LA) (7) - 117 B3	1300	WAV
LOISIRS (AV. DES) - 33 B-C4	1140	EVE
LOISIRS (PLAINE DES) - 57 C2	1070	AND
LOIX (PLACE - PLEIN) - 49 E3-4 - Centr. 168 C3	1060	SGI
LOKAARD - 108 B2	1653	DWO
LOKAARTLAAN - 54 E2	3080	TER
LOKSUMSTRAAT - 41 A4 - Centr. 166 D3	1000	BRL
LOKVOGELSTRAAT - 31 D-E2	1020	BRL
L'OLIVIER (PETITE RUE) - 41 C2 - Centr. 167 B1	1030	SCH
L'OLIVIER (RUE - STRAAT) - 41 C1-2	1030	SCH
LOLLEPOTSTRAAT - 40 E4 - Centr. 166 C3	1000	BRL
LOMBAERT (RUE J. - STRAAT) (1) - 60 B2 C2-3	1160	AUD
LOMBARD (CLOS) - 151 C3	1340	OTT
LOMBARD (RUE DU - STRAAT) -		
40 E4 - 49 E1 - Centr. 166 C3 - 168 C1	1000	BRL
LOMBARDIE (RUE DE) - 58 D-E1	1060	SGI
LOMBARDIJESTRAAT - 58 D-E1	1060	SGI
LOMBARDSIJDESTRAAT - 23 C-D2	1120	BRL
LOMBARTZYDE (RUE DE) - 23 C-D2	1120	BRL
LOMMERBERG - 51 E4	1150	SPW
LOMMERLAAN - 51 D2	1200	WSL
LOMMERWEG - 59 C3-4	1000	BRL
LO-MOLEN - 18 B-C2	1820	STE
LONCIN (RUE DE - STRAAT) - 58 D1	1060	SGI
LONDENPLEIN - 50 B2 - Centr. 169 A2	1050	IXE
LONDENSTRAAT - 50 B2 - Centr. 169 A2	1050	IXE

Street	Postcode	Commune
LONDRES (PLACE DE) - 50 B2 - Centr. 169 A2	1050	IXE
LONDRES (RUE DE) - 50 B2 - Centr. 169 A2	1050	IXE
LONG (CHEMIN) - 102 A4 - 114 A-B1	1310	LAH
LONG BONNIER (DREVE DU) (2) - 23 B1	1020	BRL
LONGCHAMP (AV. DU) - 135 C-D2	1410	WAT
LONGCHAMP (CHAUSSEE DU) - 117 E2-3	1300	WAV
LONGCHAMP (ROUTE DU) - 153 A3 B2-3	1340	OTT
LONGCHAMP (ROUTE DU) - 153 A3 B2-3	1342	LIM
LONGCHAMP (RUE) - 134 E2 - 135 A1-2	1420	BRA
LONG CHAMP (SENTIER - PAD) (5) - 59 C4	1000	BRL
LONGCHAMP-BOUVREE (SENTIER) - 133 B1-2	1420	BRA
LONG CHENE (CLOS DU) - 44 E3	1970	WEO
LONG CHENE (RUE DU) - 44 D-E3 - 45 A3	1970	WEO
LONG CHENEAU (CHEMIN DU) - 146 D2-3 E3	1420	BRA
LONG FOND (CHEMIN DU) -		
100 D3 E3-4 - 101 A4	1310	LAH
LONGICORNES (RUE DES) - 69 B3	1170	WAB
LONGIN (RUE P. - STRAAT) - 48 A-B4	1070	AND
LONGINSTRAAT (JAN) - 20 E2-3 - 21 A2-3	1731	ZEL
LONGTIN (RUE H. - STRAAT) - 31 B3-4	1090	JET
LONG TOUR (CHEMIN DU) - 133 B2	1420	BRA
LONGUE (RUE) - 102 A3-4	1310	LAH
LONGUE (RUE) - 146 C1-2 D2-3 E3	1420	BRA
LONGUE (RUE) - 53 A1-2	1150	SPW
LONGUE (RUE) - 53 A1-2	1950	KRA
LONGUE (RUE) - 66 D3 E4 - 76 E1	1620	DRO
LONGUE HAIE (RUE DE LA) - 153 B-C3	1348	LLN
LONGUE HAIE (RUE DE LA) -		
50 A3-4 B4 - Centr. 168 D3		
NOS IMPAIRS - 2 à 10 - 64 à FIN	1000	BRL
NOS 12 à 62A	1050	IXE
LONGUE HAIE (RUE DE LA) - 87 D1 E1-2 - 88 A2	1630	LIN
LONGUE QUEUE (DREVE DE LA) - 79 E2-3-4	1170	WAB
LONGUE SEMAINE (RUE DE LA) -		
155 C3-4 D2-3 E2	1460	IRE
LONGUE SEMAINE (RUE DE LA) - 155 E2	1461	HIT
LONGUE VIE (RUE DE) - 47 E4 - 56 E1	1050	IXE
LOOFLAAN - 67 D1	1180	UCK
LOOFSTRAAT - 34 E2	1932	SSW
LOOFSTRAAT -		
40 D4 - 49 D1 - Centr. 166 B3 - 168 B1	1000	BRL
LOOPBRUGLAAN - 22 D1	1020	BRL
LOOSSENS (RUE J. - STRAAT) - 31 C1	1090	JET
LOPEZE (AV. THOMAS) - 139 E2-3	1300	LIL
LORAND (RUE GEORGES - STRAAT) - 50 B-C3	1050	IXE
LORETTE (AV.) - 124 B4	1380	OHA
LORGE (SQUARE J. - SQUARE) - 22 B4	1090	JET
LORIESTRAAT (FRANS) - 106 E3	1500	HAL
LORIETTE (PLACE DE LA) - 117 A4 - 129 A1	1300	WAV
LORIOT (AV. DU) - 60 D1-2		
NOS 1 à 27 - 2 à 28	1150	SPW
NOS 29 à FIN - 30 à FIN	1160	AUD
LORIOT (AV. DU) - 88 B1	1640	SGR
LORIOT (RUE DU) - 69 E1	1170	WAB
LORIOTS (AV. DES) (3) - 130 D3	1480	CLA
LORKENDREEF - 119 E2-3-4 - 120 A1	1500	HAL
LORKENLAAN - 9 C1-2	1820	STE
LORRAINE (AV. DE) -		
68 D3 E3-4 - 78 E1-2-3-4 - 79 A4	1180	UCK
LORRAINE (AV. CHARLES DE) - 146 D-E1	1420	BRA
LORRAINE (DREVE DE) - 89 A1	1180	UCK
LORREINENDREEF - 89 A1	1180	UCK
LORREINENDREEF - 89 C4 - 99 C1-2-3 D4	1560	HOE
LORREINENLAAN -		
68 D3 E3-4 - 78 E1-2-3-4 - 79 A4	1180	UCK
LOSSEBAAN - 46 B-C3	1701	ITT
LOSSEWEG - 97 A-B4 - 109 A1	1652	ALS
LOSTRAAT - 25 D-E1	1831	DIE
LOSTRAAT - 46 A4	1703	SPD
LOSWEG - 82 E3-4 - 83 A3	3090	OVE
LOSWEGSTRAAT - 105 E2	3040	OTB
LOTHAIRE (AV. COMM.) - 51 B-C4	1040	ETT
LOTHAIRELAAN (KOMM.) - 51 B-C4	1040	ETT
LOTHARINGENLAAN - 61 B1-2 C2	1150	SPW
LOTHIER (AV. DE) - 61 B1-2 C2	1150	SPW
LOTISSEMENT LES BRUYERES - 142 C4	1480	CLA
LOTSESTEENWEG - 86 A-B4 - 96 A1	1651	LOT
LOTSESTEENWEG - 96 A2 B2-3-4 - 108 B1-2	1653	DWO
LOTSESTRAAT - 86 B-C-D2	1650	BEE
LOTSTRAAT - 75 A3 B3-4 - 85 B1	1600	SPL
LOTUS (PLACE DU - PLEIN) - 13 B4	1020	BRL
LOTZ (RUE GEN. - STRAAT) - 59 A3 -4	1180	UCK
LOUCHETTE (CHEMIN DE LA) - 137 C3	1380	LAS
LOUISASQUARE - 52 C3-4 D4	1150	SPW
LOUISE (AV.) - 52 B2 C2-3	1050	IXE
LOUISE (GAL.) - 50 A3 - Centr. 168 D3	1050	IXE
LOUISE (PL.) -		
49 E2-3 - 50 A2-3 - Centr. 168 C2-3 D2-3	1060	SGI
LOUIZAGALERIJ - 50 A3 - Centr. 168 D3	1050	IXE
LOUIZALAAN -		
50 A3-4 B4 - Centr. 168 D3 - 59 B1-2 C2-3	1050	IXE
LOUIZALAAN - 95 C-D4	1501	BUI
LOUIZAPLANTSOEN - 52 C3-4 D4	1150	SPW
LOUIZAPLEIN -		
49 E2-3 - 50 A2-3 - Centr. 168 C2-3 D2-3	1060	SGI
LOUIZAPOORTGALERIJ - 50 A3 - Centr. 168 D3	1050	IXE
LOUPS (DREVE DES) - 70 E4 - 80 E1 - 81 A-B1	1160	AUD
LOUPS (PETITE RUE DES) - 57 B-C1	1070	AND
LOUPS (RUE AUX) - 129 A-B4 - 141 B1	1301	BIE
LOUPS (RUE AUX) - 147 E4 - 159 E1	1380	PLA
LOUPS (RUE DES) - 57 C1-2	1070	AND
LOUTRIER (RUE DU) - 60 C4 - 69 B-C1	1170	WAB
LOUVAIN (CHAUSSEE DE) -		
34 A4 - 41 C3-4 D-E3 - 42 A2-3 B-C2 D1-2 E1 -		
43 A1 - Centr. 167 B2-3 C2 D3		
NOS 1 à 261 - 2 à 214	1210	SJN
NOS 216 à 368	1000	BRL
NOS 263 à 701A - 370 à 782	1030	SCH
NOS 703 à 987 - 862 à 126 D2	1140	EVE
NOS 1105 à FIN - 1154 à FIN	1200	WSL
LOUVAIN (CHAUSSEE DE) -		
112 E4 - 113 A4 - 124 A4 B3 C1-2-3 D-E1	1380	OHA
LOUVAIN (CHAUSSEE DE) -		
117 C4 D3-4 E3 - 129 B1-2 C1	1300	WAV
LOUVAIN (CHAUSSEE DE) -		
124 A4 - 135 C-D3 D-E2 E1	1410	WAT
LOUVAIN (CHAUSSEE DE) - 54 C4	1970	WEO
LOUVAIN (PLACE DE) - 41 B4 - Centr. 167 A3	1000	BRL
LOUVAIN (PORTE DE) - 41 C4 - Centr. 167 B3	1000	BRL
LOUVAIN (RUE DE) - 41 B4 - Centr. 167 A3	1000	BRL
LOUVE (DREVE DE LA) - 69 E2-3 - 70 A2-3	1170	WAB
LOUVRANGE (CHEMIN DE) - 129 B2 C3-4 - 141 C1	1300	WAV
LOVELDSTRAAT - 46 A3	1703	SPD
LOVERDAL - 9 E2	1910	BER
LOWEIDESTRAAT (1) - 47 C1	1700	DIL
LOWET (RUE VIC. - STRAAT) - 30 D2	1083	GAN
LOXUM (RUE DE) - 41 A4 - Centr. 166 D3	1000	BRL
LOYAUTE (RUE DE LA) - 31 C1	1090	JET
LOZENBERG - 34 E3 - 35 A3	1932	SSW
LUCANES (AV. DES) - 69 B-C3	1170	WAB
LUCAS (RUE) - 152 A4	1340	OTT
LUCHTHAVENLAAN - 7 C-D4 - 16 E1-2	1830	MAC
LUCHTHAVENLAAN - 7 B2-3 C3-4	1800	VIL
LUCHTLAAN - 38 B1	1700	DIL
LUCHTMACHTLAAN - 51 A4 - 60 A1	1040	ETT
LUCHTSCHIPLAAN - 69 E2-3	1170	WAB
LUCHTSCHIPSTRAAT (1) - 33 D1	1140	EVE
LUCHTVAARTLAAN - 52 D2 E2-3	1150	SPW
LUCHTVAARTSQUARE - 49 C1 - Centr. 168 A1	1070	AND
LUCIOLES (AV. DES) - 122 B1-2	1410	WAT
LUCIOLES (AV. DES) - 69 B2	1170	WAB
LUCIOLES (CHEMIN DES) - 59 C4	1000	BRL
LUIAARDWEG - 5 A-B1	1850	GRI
LUIKENAARSSTRAAT - 50 D4	1050	IXE
LUIKSTRAAT - 58 A4	1190	VOR
LUITBERG - 13 E3 - 14 A3-4	1853	SBE
LUIZENMOLEN (AV. DU - LAAN) - 47 E2-3-4 - 56 E1	1070	AND
LULLY (SQUARE) - 134 B1	1420	BRA

L

Straat	Code	Gemeente
LUMBEEKSTRAAT - 19 A4 - 28 A1	1700	SUK
LUMIERE (CLOS DES FRERES) (22) - 21 E3	1090	JET
LUMIERE (RUE AUG. - STRAAT) - 66 E1-2	1190	VOR
LUMIERE (RUE L. - STRAAT) - 66 E2	1190	VOR
LUMIEREGAARDE (GEBROEDERS) (22) - 19 E3	1090	JET
LUNETTES (IMPASSE DES) (1) -		
41 D4 - Centr. 166 B3	1000	BRL
LUPINENSTRAAT (7) - 60 E4	1170	WAB
LUPINENSTRAAT - 98 A2	1640	SGR
LUPINS (RUE DES) (7) - 60 E4	1170	WAB
LUPINS (RUE DES) - 98 A2	1640	SGR
LUSAMBO (RUE DE - STRAAT) - 66 D2-3 E2	1190	VOR
LUSSTEEG (3) - 52 C3	1150	SPW
LUSTHOFSTRAAT - 28 D4	1700	SMB
LUSTHUIZENLAAN - 38 B4	1700	DIL
LUSTHUIZENSTRAAT - 20 B2-3	1731	ZEL
LUSTHUIZENSTRAAT - 30 A3	1082	SAB
LUSTPLEIN - 57 C2	1070	AND
LUTENS (AV. YVAN - LAAN) - 52 D4 - 61 D1	1150	SPW
LUTGARDISSTRAAT - 8 E1	1820	PER
LUTHER (RUE - STRAAT) - 41 E3 - Centr. 167 D3	1000	BRL
LUTHER KING (PLACE MARTIN - PLEIN) -		
48 A4 - 57 A1	1070	AND
LUTINS (CLOS DES) - 164 D1	1340	OTT
LUTINS (RUE DES) - 66 E2-3	1190	VOR
LUTTREBRUG (AV. DU - LAAN) - 58 A1-2	1190	VOR
LUXEMBOURG (AV. MARECHAL DE) (1) - 129 D1	1300	WAV
LUXEMBOURG (PLACE DU) - 146 D4	1420	BRA
LUXEMBOURG (PLACE DU) -		
50 C2 - Centr. 169 B2	1050	IXE
LUXEMBOURG (RUE DE) -		
50 B1-2 C2 - Centr. 169 A1-2 B2		
NOS 1 à 25 - NOS PAIRS	1000	BRL
NOS 27 à FIN	1050	IXE
LUXEMBOURG (SENTIER DU) (30) - 153 B4	1348	LLN
LUXEMBURGLAAN - 6 C4	1800	VIL
LUXEMBURGLAAN - 83 A-B3	3090	OVE
LUXEMBURGPLEIN - 50 C2 - Centr. 169 B2	1050	IXE
LUXEMBURGSTRAAT -		
50 B1-2 C2 - Centr. 169 A1-2 B2		
NRS 1 TOT 25 - EVEN NRS	1000	BRL
NRS 27 TOT EINDE	1050	IXE
LUXOR (PARC - PARK) - 61 A1	1160	AUD
LUYCX (RUE RAYMOND) - 130 A3-4	1480	CLA
LUYCX (RUE) - 144 C1-2	1440	BRC
LUYPAERTSTRAAT (LEOPOLD) - 6 B-C2	1850	GRI
LUZERNE (RUE DE LA - STRAAT) - 42 A2	1030	SCH
LYCEE (RUE DU) - 49 D4 - 58 D1	1060	SGI
LYCEE FRANCAIS (AV. DU) - 77 D1	1180	UCK
LYCEUMSTRAAT - 49 D4 - 58 D1	1060	SGI
LYNEN (RUE AM. - STRAAT) -		
41 C3 - Centr. 167 B2	1210	SJN
LYNX (CLOS DU) - 42 E2	1200	WSL
LYNXBINNENHOF - 42 E2	1200	WSL
LYR (AV. R. - LAAN) - 78 B4	1180	UCK
LYRE (RESIDENCE) (19) - 127 D3	1300	LIL
LYS (RUE DE LA) - 31 B-C4	1080	SJM

M

Straat	Code	Gemeente
MA CAMPAGNE (CLOS) - 122 D3-4	1410	WAT
MA CAMPAGNE (RUE) - 122 D3 E3-4	1410	WAT
MA CAMPAGNE - 58 E1		
MAAGDENSTRAAT -		
40 D4 - 49 D1 - Centr. 166 B3 -168 B1	1000	BRL
MAAIERSSTRAAT - 51 A3-4	1040	ETT
MAAISTRAAT - 36 E1	3070	KOR
MAALBEEK (AV. DU - LAAN) - 12 C-D3	1780	WEM
MAALBEEK (RUE DU - STRAAT) - 35 A4	1950	KRA
MAALBEEK - 20 E1	1731	REL
MAALBEEKLAAN - 4 C2-3 D3	1860	MEI
MAALBEEKLAAN - 50 D2 - Centr. 169 C2		
NRS 3 tot 21	1000	BRL
NRS 23 tot EINDE - EVEN NRS	1040	ETT
MAALBEEKSTRAAT - 29 D4 - 38 D-E1	1700	DIL
MAALBEEKWEG - 26 A4	1930	ZAV
MAALDERSGAARDE - 44 D4 - 53 E1	1970	WEO
MAANDAGMARKT (6) - 106 D1	1500	HAL
MAARSCHALKLAAN - 68 C-D4 E3-4 - 69 A3	1180	UCK
MAARTLAAN - 42 C3-4 D4		
NRS 1 tot 43 - EVEN NRS	1200	WSL
ANDERE NRS	1030	SCH
MAAS (SQUARE M. ET R. - SQUARE) -		
77 C4 - 87 C1	1630	LIN
MAASDAL - 118 E2-3	1502	LEM
MAASDAL - 119 A2 B1-2	1500	HAL
MAASDALWEG - 119 A-B2	1500	HAL
MAASDELLELAAN - 63 B3-4	3080	DUI
MAASDELLEWEG - 63 A3-4 B3	3080	DUI
MAASSTRAAT - 31 C4	1080	SJM
MAASTRICHTLAAN - 6 B4 - 15 B1	1800	VIL
MABILLE (AV. DES FRERES) - 127 D4	1300	LIL
MABILLE (RUE V. - STRAAT) - 31 E1	1020	BRL
MAC ARTHUR (RUE GEN. - STRAAT) - 58 E3-4	1180	UCK
MACAU (AV. G. - LN.) - 59 C-D1	1050	IXE
MACHELENSESTRAAT - 16 A4	1831	DIE
MACHELENSTRAAT - 6 E4 - 7 A4	1800	VIL
MACHELSESTEENWEG - 16 E2 - 17 A-B2	1820	MEL
MACHERLISE (SENTIER) - 131 B1-2 C2	1440	BRC
MACHOIRE (RUE DE LA) (1) - 40 D-E3	1000	BRL
MACHTENS (BLD. ED. - LAAN) -		
39 C-D-E3 - 40 A3	1080	SJM
MACHTENS (SQUARE ED. - SQUARE) - 39 D3	1080	SJM
MADELEINE (RUE DE LA) -		
40 E4 - 41 A4 - 50 A1 -		
Centr. 166 C-D3 - 168 D1	1000	BRL
MADELIEFJESHOEK (8) - 56 E3 - 57 A3	1070	AND
MADELIEFJESHOF - 45 A1-2	1933	STK
MADELIEFJESLAAN - 53 C1 D1-2	1970	WEO
MADELIEFJESLAAN - 65 E1-2	1600	SPL
MADELIEFJESLAAN - 98 E4 - 110 E1	1640	SGR
MADELIEFJESSTRAAT - 41 D1	1030	SCH
MADELIEFJESSTRAAT - 5 E1 - 6 A1-2	1850	GRI
MADELIN (AV. LOUIS) - 135 A-B3	1410	WAT
MADELON (SQUARE DE LA - SQUARE) (1) -		
66 E2	1190	VOR
MADONES (DREVE DES) - 61 B-C2	1160	AUD
MADONNADREEF - 61 B-C2	1160	AUD
MADOU (PLACE - PLEIN) -		
41 C3-4 - Centr. 167 B2-3	1210	SJN
MADOUX (AV. ALFR. - LAAN) - 52 C-D4	1150	SPW
MADOUX (AV. CH. - LAAN) - 60 B1	1160	AUD
MADRID (AV. DE - LAAN) -		
13 D4 - 22 D1 E1-2 - 23 A2	1020	BRL
MADRIGAL (RUE DU - STRAAT) - 39 A4	1080	SJM
MADRILLE (IMPASSE - GANG)		
SITUEE/GELEGEN		
RUE DU MARCHE AU CHARBON/KOLENMARKT		
40 D-E4	1000	BRL
MADYOL (RUE - STRAAT) - 52 B1	1200	WSL
MAELBEEK (AV. DU) - 50 D2 - Centr. 169 C2		
NOS 3 à 21	1000	BRL
NOS 23 à FIN - NOS PAIRS	1040	ETT
MAERCKAERT (AV. G. - LAAN) - 43 D4 - 52 D1	1200	WSL
MAES (RUE - STRAAT) - 50 C4	1050	IXE
MAES (RUE ARTHUR - STRAAT) - 24 E4 - 25 A3	1130	BRL
MAES (RUE H. - STRAAT) - 48 B2	1070	AND
MAESSCHALK (RUE OSC. - STRAAT) (6) -30 C3	1083	GAN
MAETERLINCK (AV. M. - LAAN) - 32 E1-2	1030	SCH
MAETERLINCK (AV. MAURICE) - 129 E3	1300	WAV
MAETERLINCK (RUE M.) - 165 B1	1348	LLN
MAGASIN (RUE DU) - 40 E2 - Centr. 166 C1	1000	BRL
MAGDALENASTEENWEG -		
40 E4 - 41 A4 - 50 A1 - Centr. 166 C-D3 - 168 D1	1000	BRL

Rue	Code	Commune
MAGISTRAT (RUE DU) - 39 B1		
NOS 1 à 7 - 2 à 22	1000	BRL
NOS 17 à FIN - 24 à FIN	1050	IXE
MAGNANERIE (RUE DE LA) - 66 E3 - 67 A3	1180	UCK
MAGNANI (PETITE - RUE ANNA) (12) - 21 E2	1090	JET
MAGNOLIALAAN - 13 B4 - 22 B1	1020	BRL
MAGNOLIALAAN - 9 B2-3	1820	STE
MAGNOLIAS (AV. DES) - 13 B4 - 22 B1	1020	BRL
MAGNOLIAS (AV. DES) - 141 B1	1301	BIE
MAGNOLIAS (AV. DES) - 151 D2	1342	LIM
MAGNOLIAS (DREVE DES) - 114 C-D3	1332	GEN
MAGNOLIAS (DREVE DES) - 62 D1	1950	KRA
MAGNOLIASDREEF - 62 D1	1950	KRA
MAGRITTE (RUE RENE - STRAAT) - 33 C-D2	1140	EVE
MAGRITTE (RUE RENE) - 153 B4	1348	LLN
MAHIERMONT (PETITE RUE) - 125 E2	1332	GEN
MAHIERMONT (RUE) - 125 E1-2 - 126 A2	1332	GEN
MAHILLON (AV. LEON - LAAN) - 42 A3	1030	SCH
MAI (AV. DE) - 42 C-D-E4	1200	WSL
MAI (PLACE DE) - 42 E4	1200	WSL
MAIEURS (PLACE DES) - 52 A2	1150	SPW
MAIL (RUE DU) - 59 A1-2	1050	IXE
MAIL - 30 C2	1083	GAN
MAIN (RUE DE LA) - 98 D2-3 E2-3	1640	SGR
MAINMORTE (VENELLE DE LA) - 129 C3	1300	WAV
MAISON A TOUT VENT (CHEMIN DE LA) - 146 E4	1420	BRA
MAISON COMMUNALE (AV. DE LA) - 97 D-E3	1640	SGR
MAISON DU ROI (CHEMIN DE LA) - 146 E4 - 147 A4 - 159 A1	1420	BRA
MAISON DU ROI (CHEMIN DE LA) - 159 D3 E2-3 - 160 A2	1380	PLA
MAISON ROUGE (PLACE DE LA) - 31 E2	1020	BRL
MAITRE DE FLEMALLE (FOND DU) - 153 A4 - 165 A-B1	1348	LLN
MALAISE (RUE DE) - 102 E4 - 103 A4 - 115 A1	1331	ROS
MALAISE (RUE DE LA) - 164 D-E1	134O	OTT
MALCORPS (RUE GUILLAUME) - 128 C2 D3	1301	BIE
MALDERUSSTRAAT (JOANNES) - 74 D-E3	1600	SPL
MALHEIDEWEG - 118 C-D2	1502	LEM
MALHERBE (AV. FR. - LAAN) - 48 E1-2	1070	AND
MALIBRAN (PETITE RUE) - 50 C4	1050	IXE
MALIBRAN (RUE - STRAAT) - 50 C3-4 - Centr. 169 B3	1050	IXE
MALIEPLEIN - 30 C2	1083	GAN
MALIESTRAAT - 59 A1-2	1050	IXE
MALINES (CHAUSSEE DE) - 53 C4 D3-4 - 62 C1-2	1950	KRA
MALINES (CHAUSSEE DE) - 53 D3	1970	WEO
MALINES (RUE DE) - 41 A2 - Centr. 166 D1	1000	BRL
MALIS (RUE CH. - STRAAT) - 39 D-E2	1080	SJM
MALIVES (AV. DES) - 68 C3	1000	BRL
MALLE-POSTE (RUE DE LA) (1) - 69 B1	1170	WAB
MALMAISON (AV. DE) - 111 B-C4 - 123 C1	1410	WAT
MALOLAAN - 38 B4	1700	DIL
MALOU (AV. J. - LAAN) - 50 E3-4 - Centr. 169 D3	1040	ETT
MALOUE (CHEMIN DE LA) - 135 A-B2	1410	WAT
MALOUE (CLOS DE LA) - 135 A2	1410	WAT
MALOUINIERES (CLOS DES - GAARDE) - 52 D-E3	1150	SPW
MALOUSTRAAT (VICTOR) - 74 C4 - 84 C1 B1-2 C2	1600	SPL
MALOUX (RUE DE LA) - 135 A2	1420	BRA
MALPERTUUSBERG - 82 D4 - 92 C1	3090	OVE
MALPLAQUEE (RUE DE LA) (3) - 121 E3 - 122 A3	1420	BRA
MALUSTRAAT (P.) - 91 C2	1560	HOE
MALUWENLAAN (1) - 68 E3	1000	BRL
MAMOUR (RUE) - 134 C-D1	1420	BRA
MANANDISES (SENTIER DES) - 126 C-D1	1330	RIX
MANCHESTER (RUE DE -STRAAT) - 40 B4	1080	SJM
MANDENMAKERSSTRAAT - 10 E3 - 11 A3	1730	KOB
MANEGE (RUE DU) - 128 E3	1301	BIE
MANEGE (SQUARE DU) (1) - 53 A3	1150	SPW
MANETTE (AV. DE LA) - 121 D-E2	1420	BRA
MANETTES (RUE AUX) - 142 E1	1440	BRC
MANG (TIENNE DU) (1) - 117 B3	1300	WAV
MANHATTAN (AV. DE) - 125 B3	1380	OHA
MANIL (RUE DU) - 128 E4 - 129 A3-4	1300	LIL
MANKE VOSSTRAAT - 3 D1	1860	MEI
MANNE (RUE J. - STRAAT) - 48 C-D1	1070	AND
MANOIR (AV. DU) - 111 A-B1	1640	SGR
MANOIR (AV. DU) - 111 B1 C-D2	1410	WAT
MANOIR (AV. DU) - 67 D-E2	1180	UCK
MANOIR (CLOS DU) - 52 D4	1150	SPW
MANOIR D'ANJOU (AV. DU - LAAN) - 52 D-E4	1150	SPW
MANON (SQUARE - SQUARE) - 66 E2	1190	VOR
MANTELINE (RUE DE LA) - 126 A1-2	1332	GEN
MANTES (AV. DES) (1) - 69 B3	1170	WAB
MANUEL (CLOS - GAARDE) - 51 D4	1150	SPW
MAQUIS (RUE DU - STRAAT) - 42 D-E2	1140	EVE
MARACHE (ROUTE DE LA) - 136 C-D4 E3-4 - 137 A2-3 B2 - 148 C1	1380	OHA
MARAICHER (RUE DU) - 39 A1-2	1082	SAB
MARAICHERS (RUE) (2) - 48 C2	1070	AND
MARAIS (RUE DU) - 41 A2-3 - Centr. 166 D1-2	1000	BRL
MARATHON (AV. DE - LAAN) - 22 B1 C1-2	1020	BRL
MARATHON (AV. DU) - 153 A3	1348	LLN
MARAUDEURS (SENTIER DES) - 79 C1-2 D2	1170	WAB
MARBOTIN (RUE A. - STRAAT) - 32 E3 - 33 A3	1030	SCH
MARBRERIE (AV. DE LA) - 132 E4 - 133 A4	1440	WBC
MARCASSINS (RUE DES) - 69 C3	1170	WAB
MARCELIS (RUE LOUIS - STRAAT) - 44 C-D3	1970	WEO
MARCETTE (RUE A. - STRAAT) - 50 E4	1040	ETT
MARCHAL (AV. FELIX - LAAN) - 41 E3 - 42 A3 - Centr. 167 D3	1030	SCH
MARCHAL (AV. GEORGES) - 126 E2	1330	RIX
MARCHAND (RUE PIERRE - STRAAT) - 54 A3-4 B4	1970	WEO
MARCHANDISES (RUE DES) - 49 A3	1070	AND
MARCHANDSTRAAT (VICTOR) - 91 D1	3090	OVE
MARCHANDSTRAAT (VICTOR) - 91 D1-2	1560	HOE
MARCHANT (RUE P. - STRAAT) - 48 E3	1070	AND
MARCHE (RUE DU) - 41 A1-2	1210	SJN
MARCHE AU BOIS - 41 A4 - Centr. 166 D3	1000	BRL
MARCHE AU CHARBON (RUE DU) - 40 D-E4	1000	BRL
MARCHE AUX FROMAGES (RUE DU) - 40 E4 - Centr. 166 C3	1000	BRL
MARCHE AUX HERBES (RUE DU) - 40 E4 - Centr. 166 C3	1000	BRL
MARCHE AUX PEAUX (RUE DU) - 40 E4 - Centr. 166 C3	1000	BRL
MARCHE AUX PORCS (RUE) (10) - 146 C1	1420	BRA
MARCHE AUX POULETS (RUE DU) - 40 E3-4 - Centr. 166 C2-3	1000	BRL
MARCHE-AUX-PORCS (RUE DU) - 40 D3 - Centr. 166 B2	1000	BRL
MARCONI (AV. G. - LAAN) - 4 B3-4	1780	WEM
MARCONI (RUE - STRAAT) - 58 D-E2	1190	VOR
MARCOUX (RUE A.) - 130 A4	1480	TUB
MARCQ (RUE - STRAAT) - 40 E2-3 - Centr. 166 C1-2	1000	BRL
MARCX (RUE L. - STRAAT) (2) - 60 C1	1160	AUD
MARE AUX LOUPS (CLOS DE LA) - 138 E1 - 139 A1	1330	RIX
MARECHAL (AV. DU) - 68 C-D4 E3-4 - 69 A3	1180	UCK
MARECHAL (AV. JULIEN) - 142 B1	1480	CLA
MARECHAL (PETITE DREVE DE) - 68 D4	1180	UCK
MARECHAUX (CHEMIN DES) - 141 A1	1300	LIL
MAREDSOUS (PLACE DE) (4) - 153 C2	1348	LLN
MAREDSOUS (RUE DE) - 153 C2	1348	LLN
MARENGO (AV.) - 123 B-C2	1410	WAT
MARETAKLAAN - 78 A2-3 B3-4	1180	UCK
MAREYDE (RUE - STRAAT) - 52 C3 D3-4	1150	SPW
MARGARETASQUARE - 41 E4	1000	BRL
MARGARETHA VAN OOSTENRIJKPLEIN - 30 C2	1083	GAN
MARGELLE (RUE DE LA) - 163 A1-2	1341	CEM
MARGOT (CHEMIN DU) - 125 D-E2	1380	OHA
MARGRITTE (PLACE RENE) - 153 B4	1348	LLN
MARGUERITE (SENTIER) - 126 E1	1332	GEN
MARGUERITE (SQUARE) - 41 E4	1000	BRL
MARGUERITE D'AUTRICHE (PLACE) - 30 C2	1083	GAN
MARGUERITES (AV. DES) - 53 C1 D1-2	1970	WEO
MARGUERITES (CLOS DES) (8) - 56 E3 - 57 A3	1070	AND

Street	Code	Commune
MARGUERITTE (DREVE) - 122 C-D2	1410	WAT
MARIA (VAL) - 14 D-E4 - 23 D1	1120	BRL
MARIA CHRISTINALAAN - 102 B-C3	3090	OVE
MARIA-CHRISTINASTRAAT - 31 E1-2 - 32 A2	1020	BRL
MARIADALLAAN - 35 C1	1930	ZAV
MARIA HEMELVAARTLAAN - 43 D3-4	1200	WSL
MARIA HENDRIKASTRAAT -		
50 C3-4 - Centr. 169 B3	1050	IXE
MARIA-HENDRIKALAAN (KONINGIN) - 58 C1-2	1190	VOR
MARIA-JOANNALAAN -		
98 E4 - 99 A4 - 110 E1 - 111 A1	1640	SGR
MARIA-LOUISALAAN - 88 C4 - 98 C1	1640	SGR
MARIA-LOUIZASQUARE - 41 D4 - Centr. 167 C3	1000	BRL
MARIA-THERESIA-OORD (1) - 44 C3	1970	WEO
MARIA-THERESIASTRAAT -		
41 C3-4 - Centr. 167 B2-3		
NRS 1 tot 35 - 2 tot 32	1000	BRL
ANDERE NRS	1210	SJN
MARIA VAN BOURGONDIESTRAAT -		
50 C1-2 - Centr. 169 B1-2		
NRS 1 tot 13A - 2 tot 16	1050	IXE
ANDERE NRS	1000	BRL
MARIA VAN HONGARIJELAAN - 30 B2 C2-3 D3		
NRS 78 tot 80	1082	SAB
ANDERE NRS	1083	GAN
MARIANNE (RUE - STRAAT) - 58 D3 E4	1180	UCK
MARICHAL (RUE H. - STR) - 59 E1	1050	IXE
MARICOLLENDREEF - 39 A1-2	1082	SAB
MARICOLLES (DREVE DES) - 39 A1-2	1082	SAB
MARIE-ANTOINETTE (AV.) - 123 A4 B3	1410	WAT
MARIE-CHRISTINE (AV.) - 127 B3	1330	RIX
MARIE-CHRISTINE (RUE) - 31 E1-2 - 32 A2	1020	BRL
MARIE-CLOTILDE (AV. - LAAN) - 69 B1	1170	WAB
MARIE DE BOURGOGNE (RUE) -		
50 C1-2 - Centr. 169 B1-2		
NOS 1 à 13A - 2 à 16	1050	IXE
AUTRES NOS	1000	BRL
MARIE DE HONGRIE (AV.) - 129 D1-2	1300	WAV
MARIE DE HONGRIE (AV.) - 30 B2 C2-3 D3		
NOS 78 à 80	1082	SAB
AUTRES NOS	1083	GAN
MARIE HENRIETTE (RUE) -		
50 C3-4 - Centr. 169 B3	1050	IXE
MARIE-HENRIETTE (AV. REINE) - 58 C1-2	1190	VOR
MARIE-HENRIETTE (AV.) - 126 E3	1330	RIX
MARIE-HENRIETTELAAN - 38 E3-4 - 39 A3	1700	DIL
MARIE HENRIETTESQUARE (2) - 106 D2	1502	LEM
MARIE-JEAN (AV.) - 114 D-E4	1330	RIX
MARIE-JEANNE (AV.) -		
98 E4 - 99 A4 - 110 E1 - 111 A1	1640	SGR
MARIE-JOSE (AV. - LAAN) - 42 C-D4 - 51 C1	1200	WSL
MARIE-JOSE (PLACE - PLEIN) - 68 E1	1050	IXE
MARIE-JOSE (SQUARE - PLEIN) - 42 D4	1200	WSL
MARIE-JOSE WIJK - 6 E4	1800	VIL
MARIE-JOSEE (AV.) - 138 D1	1330	RIX
MARIE LA MISERABLE (AV.) (4) - 43 C-D4	1200	WSL
MARIE-LOUISE (AV.) - 111 B4 - 123 B1	1410	WAT
MARIE-LOUISE (AV.) - 88 C4 - 98 C1	1640	SGR
MARIE-LOUISE (SQUARE) - 41 D4 - Centr. 167 C3	1000	BRL
MARIE-LOUISELAAN - 38 E4 - 39 A4	1700	DIL
MARIE-LOUISESTRAAT - 19 D2	1730	BEK
MARIEMONT (QUAI DE - KAAI) - 40 A4 B3-4	1080	SJM
MARIENBORRE - 14 D4 - 23 D1	1120	BRL
MARIENDAAL - 14 D-E4 - 23 D1	1120	BRL
MARIENSTEEN - 14 D4 - 23 D1	1120	BRL
MARIE TETE DE BOIS (RUE) - 146 E3	1420	BRA
MARIE-THERESE (CLOS) (1) - 44 C3	1970	WEO
MARIE-THERESE (RUE) - 135 C1	1410	WAT
MARIE-THERESE (RUE) - 41 C3-4 - Centr. 167 B2-3		
NOS 1 à 35 - 2 à 32	1000	BRL
AUTRES NOS	1210	SJN
MARINIERS (AV. DES) - 135 C2-3	1410	WAT
MARINIERS (RUE DES) - 40 C3 - Centr. 166 A2	1080	SJM
MARINUS (CLOS ALBERT - GAARDE) - 43 A4	1200	WSL
MARISSAL (DREVE COM. R.) - 87 D1	1630	LIN
MARISSALDREEF (KOM. R.) - 87 D1	1630	LIN
MARIVAUX (AV.) - 129 D2-3 E3	1300	WAV
MARJOLAINE (PLACE DE LA) - 153 C4 - 165 C1	1348	LLN
MARJOLAINE (RUE DE LA) (4) - 165 C1	1348	LLN
MARJOLAINE (RUE DE LA) - 23 E2	1120	BRL
MARJOLEINSTRAAT - 23 E2	1120	BRL
MARKELBACH (RUE ALEX. - STRAAT) - 41 D-E2	1030	SCH
MARKGRAAFLAAN - 81 D-E2	3090	OVE
MARKIESLAAN - 81 D2-3	3090	OVE
MARKIESSTRAAT - 41 A4 - Centr. 166 D3	1000	BRL
MARKT (1) - 63 C1	3080	TER
MARKT - 12 C-D2	1780	WEM
MARKTPLEIN - 38 C4 - 47 C1	1700	DIL
MARKTSTRAAT - 26 B-C4	1930	ZAV
MARKTSTRAAT - 41 A1-2	1210	SJN
MARKTSTRAAT - 6 E2	1800	VIL
MARLOW (SQUARE G. - SQUARE) - 67 C-D2	1180	UCK
MARLY (AV. DU - LAAN) - 15 B4 - 24 B1	1120	BRL
MARLY (PETITE RUE DU) - 24 A-B1	1120	BRL
MARLYSTRAATJE - 24 A-B1	1120	BRL
MARMOTLAAN - 53 E3 - 54 A2-3	1970	WEO
MARMOTTE (AV. DE LA) - 53 E3 - 54 A2-3	1970	WEO
MARMOTTE (DREVE DE LA) - 124 B4	1380	OHA
MARNE (RUE A LA) - 145 E4	1421	OPH
MARNE (RUE DE LA - STRAAT) - 33 A-B1	1140	EVE
MARNE (RUE DE LA - STRAAT) - 41 B-C1	1030	SCH
MARNIERES (ROUTE DES) -		
124 B3-4 C-D-E4 - 125 A4	1380	OHA
MARNIX (AV. - LAAN) - 50 B2 - Centr. 169 A2		
NOS/NRS 1-7A	1050	IXE
NOS/NRS 12-FIN/EINDE	1000	BRL
MARNIXLAAN - 82 A2 B1-2 C-D1	3090	OVE
MAROKIJNSTRAAT - 40 C-D2	1080	SJM
MAROLLES (RUE DES) - 134 B4 - 146 B1	1420	BRA
MARONNIERS (AV. DES) - 88 B-C1	1640	SGR
MARONNIERS (VEN. DES) - 129 B-C4 - 141 C1	1301	BIE
MAROQUIN (RUE DU) - 40 C-D2	1080	SJM
MAROSDELLE - 98 A1-2	1640	SGR
MARQUIS (RUE DU) - 41 A4 - Centr. 166 D3	1000	BRL
MARRONNIER (RUE DU) - 40 E3 - Centr. 166 C2	1000	BRL
MARRONNIERS (CHEMIN DES) - 139 B4	1342	LIM
MARRONNIERS (DREVE DES) - 111 B2	1410	WAT
MARS (AV. DE) - 42 C3-4 D4		
NOS 1-43 - NOS PAIRS	1200	WSL
AUTRES NOS	1030	SCH
MARSAN (AV. DE) (4) - 146 E1	1420	BRA
MARSCHOUW (AV. PHILIBERT) - 129 C1 D2	1300	WAV
MARSVELDPLEIN - 50 B2 - Centr. 169 A2	1050	IXE
MARSVELDSTRAAT - 50 B2 - Centr. 169 A2		
ONEVEN NRS - 34 tot EINDE	1050	IXE
2 tot 32A	1000	BRL
MARTEAU (RUE DU) - 145 E4	1421	OPH
MARTEAU (RUE DU) - 41 C-D4		
NOS IMPAIRS - 52 à FIN	1000	BRL
NOS 2 à 48	1210	SJN
MARTELAARSPLEIN - 41 B2 - Centr. 167 A1	1000	BRL
MARTELARENSTRAAT - 7 D2 E1-2 - 8 A1-2	1800	PEU
MARTERGAARDE (4) - 53 E3	1970	WEO
MARTIN (BLD.) - 152 A4	1340	OTT
MARTIN (RUE FIRMIN - STRAAT) - 70 B2	1160	AUD
MARTIN (RUE G. J. - STRAAT) - 51 D2		
NOS/NRS 1-29 - 2-30	1150	SPW
AUTRES NOS/ANDERE NRS	1200	WSL
MARTIN (RUE NESTOR - STRAAT) - 30 B2		
NOS IMPAIRS	1082	SAB
NOS PAIRS	1083	GAN
MARTIN V (JARDIN) (12) - 43 D3	1200	WSL
MARTIN V (RUE) (13) - 43 D3	1200	WSL
MARTIN-PECHEUR (AV. DU) - 44 D1	1970	WEO
MARTIN-PECHEUR (AV. DU) - 60. B-C4	1170	WAB
MARTIN-PECHEURS (AV.) - 88 A4	1640	SGR
MARTINEAU (SENTIER DU) - 140 A2 B1	1300	LIL
MARTINETS (AV. DES) - 60 E2	1160	AUD

MARTINUS V-STRAAT (13) - 43 D3 1200 WSL
MARTINUS V-TUIN (12) - 43 D3 1200 WSL
MARTRE (CLOS DE LA) (4) - 53 E3 1970 WEO
MARTYRS (PLACE DES) - 114 C3 1332 GEN
MARTYRS (PLACE DES) - 143 C1 1440 BRC
MARTYRS (PLACE DES) - 41 A3 - Centr. 166 D2 1000 BRL
MARTYRS JUIFS (SQUARE DES) - 49 A2-3 1070 AND
MASAYA (AV. DE) - 152 A-B2 1342 LIM
MASCAU (RUE) - 113 E4 - 125 E1 - 126 A1 1332 GEN
MASCRE (RUE LOUIS - STRAAT) - 48 E1-2 1070 AND
MASKERBLOEMENWEG - 59 C-D4 1000 BRL
MASOIN (AV. ERN. - LAAN) -22 B3-4 C3
NOS/NRS 89-FIN/EINDE -
NOS PAIRS/EVEN NRS 1020 BRL
AUTRES NOS/ANDERE NRS 1090 JET
MASSART (RUE JEAN - STRAAT) - 51 B3 1040 ETT
MASSAUX (RUE - STRAAT) - 41 C2 - Centr. 167 B1 1030 SCH
MASSENA (SQUARE) - 78 A-B2 1180 UCK
MASSENET (AV. - LAAN) - 58 B-C2 1190 VOR
MASSENNEREES (RUE DES) - 161 A-B2 1380 MAR
MASSENNEREES (RUE DES) - 161 A-B2 1380 CSG
MASSON (AV. ARTHUR) - 129 E1-2 1300 WAV
MASSON (RUE ARTHUR) - 151 C-D4 - 163 C-D1 1341 CEM
MASUI (PLACE - PLEIN) - 32 B3
NOS/NRS 1-12 1030 SCH
AUTRES NOS/ANDERE NRS 1000 BRL
MASUI (RUE - STRAAT) - 32 A3-4 B3
NOS/NRS 1-115 - 2-118 1000 BRL
AUTRES NOS/ANDERE NRS 1030 SCH
MASUI PROLONGEE (RUE) - 32 B2-3 1000 BRL
MASY (RUE DU) - 154 D-E4 - 155 A3-4 B4 1460 IRE
MATELOTS (IMPASSE DES) (1) -
40 E2 - Centr. 166 C1 1000 BRL
MATERIAALSTRAAT - 49 A1-2 1070 AND
MATERIALENKAAI - 31 E4 - 40 D-E1 1000 BRL
MATERIAUX (QUAI DES) - 31 E4 - 40 D-E1 1000 BRL
MATERIAUX (RUE DES) - 49 A1-2 1070 AND
MATHEI (RUE EMILE) (1) - 140 A4 1342 LIM
MATHEUS (RUE GEORGES - STRAAT) -
41 A2 - Centr. 166 D1 1210 SJN
MATHEYS (RUE L. - STRAAT) - 30 E2-3 1083 GAN
MATHIAS (RUE) - 131 B2-3 C1-2 1440 BRC
MATHIEU (IMPASSE JOSEPH) - 140 A1 1300 LIL
MATHIEU (RUE AD. - STRAAT) - 59 D-E1 1050 IXE
MATHIEU (RUE JOSEPH) - 139 E1 - 140 A1 1300 LIL
MATHY (RUE JOSEPH) - 139 D1-2 1300 LIL
MATHY (RUE) - 159 E3 - 160 A3 1380 PLA
MATIGHEIDSLAAN (2) - 47 D-E2 1070 AND
MATISSE (AV. H. - LAAN) - 33 C1-2 1140 EVE
MATROZENGANG (1) - 40 E2 - Centr. 166 C1 1000 BRL
MATSTRAAT (W.) - 91 C2-3 1560 HOE
MATTAGNE (AV. AUGUSTE) - 117 B4 - 129 B1 1300 WAV
MATTHEUSENS (RUE P. - STRAAT) - 33 A2 1140 EVE
MATTHIJS (RUE P. - STRAAT) - 58 A-B4 1190 VOR
MATTOT (RUE) - 122 D1-2-3 1410 WAT
MAUBEL (RUE H. - STRAAT) - 58 C4 1190 VOR
MAUBEUGELAAN - 6 B-C4 1800 VIL
MAUPASSANT (AV.) - 129 E3-4 1300 WAV
MAURICE (AV. - LAAN) - 59 D3 1050 IXE
MAUS (RUE HENRI - STRAAT) -
40 E4 - Centr. 166 C3 1000 BRL
MAUVES (AV. DES) (1) - 68 E3 1000 BRL
MAX (AV. EMILE - LAAN) - 42 A3-4 B3 1030 SCH
MAX (BLD. AD.-LAAN) -
40 E3 - 41 A2-3 - Centr. 166 C2 D1-2 1000 BRL
MAXIMILIEN (RUE - STRAAT) - 59 E2 1050 IXE
MAYELLE (RUE - STRAAT) - 31 C2 1090 JET
MAYNE (AV. HERALY) - 149 B1-2 1380 LAS
MAZERINE (CLOS DE LA) - 113 D-E3 1332 GEN
MAZERINE (RUE DE LA) - 113 E2 1310 LAH
MAZZA (AV. R. - LAAN) - 30 E1 1083 GAN
MECANIQUE (RUE DE LA) (1) - 57 B-C1 1070 AND
MECHELSESTEENWEG - 27 B2-3-4 - 36 B1-2-3 1930 NOS
MECHELSESTEENWEG - 36 C3-4 - 45 B2-3 C1-2 1933 STK
MECHELSESTEENWEG -
45 A4 B4-3 - 53 D2-3 E1-2 - 54 A1 1970 WEO
MECHELSESTEENWEG - 53 C4 D3-4 - 42 C1-2 1950 KRA
MECHELSESTEENWEG - 6 E1 - 7 A1 1800 VIL
MECHELSESTRAAT - 41 A2 - Centr. 166 D1 1000 BRL
MECHELSESTRAAT - 6 E1-2 1800 VIL
MECHELSGATSTRAAT - 84 A-B4 C3-4 1600 SPL
MEDAETS (RUE - STRAAT) - 51 E2 1150 SPW
MEDEDINGINGSTRAAT - 48 B2-3 1070 AND
MEDEKENSSTRAAT - 45 B3 1933 STK
MEDIALAAN - 15 B1 1800 VIL
MEDICIS (CLOS - GAARDE) - 69 A1 1050 IXE
MEDORI (RUE - STRAAT) - 22 E3-4 1020 BRL
MEELBESSENLAAN - 77 C4 1180 UCK
MEERLAAN - 114 B-C2 D2-3 E2-3 3090 OVE
MEERPLEIN - 48 C3 1070 AND
MEERSTEEN - 75 A-B-C4 1600 SPL
MEERSTRAAT - 59 C1
NRS 1 tot 35 - 2 tot 20 1050 IXE
ANDERE NRS 1000 BRL
MEERT (CARRE - BLOK) (2) - 58 D4 1180 UCK
MEERT (IMPASSE - GANG) (2) -
40 D2-3 E3 - Centr. 166 B1-2 C2 1000 BRL
MEERT (RUE C. - STRAAT) - 32 E1 - 33 A1-2 1030 SCH
MEERWEG - 75 E2-3 - 76 A2 1600 SPL
MEERWEG - 76 A1-2 B1 1601 RUI
MEEUWENGAARDE (1) - 42 B1 1030 SCH
MEEUWENLAAN (6) - 60 D1 1150 SPW
MEEUWENLAAN - 121 E1 - 122 A-B1 1640 SGR
MEEUWENLAAN - 14 B-C2 1800 VIL
MEEUWENLAAN - 44 D1 1970 WEO
MEEUWENLAAN - 83 D-E2 3090 OVE
MEGISSIERS (RUE DES) - 40 B-C4 1070 AND
MEHAUDENSSTRAAT (JOSE) - 65 E3-4 1600 SPL
MEIBLOEMENPAD - 80 A2 B1-2 C1 1170 WAB
MEIBLOEMSTRAAT - 24 A1 1120 BRL
MEIBLOEMSTRAAT - 65 E1-2 1600 SPL
MEIBOOM (RUE DU - STRAAT) -
41 A3 - Centr. 166 D2 1000 BRL
MEIBOOM - 94 D4 1500 HAL
MEIBOOMLAAN - 38 C1-2 1700 DIL
MEIBOOMSTRAAT - 20 E4 1731 ZEL
MEIBOOMSTRAAT - 97 A4 - 109 A1 1652 ALS
MEIDEKENSWEG - 63 E3-4 - 72 E1 3080 DUI
MEIDOORNLAAN - 4 C3 1860 MEI
MEIDOORNLAAN - 9 B2-3 C2 1820 STE
MEIDOORNLAAN - 97 C1 1652 ALS
MEIDOORNSTRAAT - 19 E2 1731 ZEL
MEIERSPLEIN - 52 A2 1150 SPW
MEIGEMHEIDESTRAAT - 86 D4 - 96 D1 1652 ALS
MEIKEVERLAAN - 88 A4 1640 SGR
MEIKEVERSLAAN - 60 C-D4 - 69 D1 1170 WAB
MEIKLOKJESLAAN - 44 A4 1950 KRA
MEIKLOKJESLAAN - 44 A4 - 53 A1 1150 SPW
MEILAAN - 42 C-D-E4 1200 WSL
MEIPLEIN - 42 E4 1200 WSL
MEIR (ROND POINT DU) - 48 C3 1070 AND
MEISER (PLACE GEN. - PLEIN) - 40 B4 1030 SCH
MEISESELAAN - 13 E4 - 22 E1 - 23 A1 1020 BRL
MEISESTRAAT - 13 D-E2 - 14 A2 1853 SBE
MEISNIEDEGAARDE - 68 E2 - 69 A2 1050 IXE
MEIVELD - 12 A3 1731 REL
MEKINGENWEG - 74 D-E4 - 84 C2 D1 1600 SPL
MELARD (RUE FERNAND - STRAAT) - 52 A1 1200 WSL
MELATI (SENTIER - PAD) (2) - 60 D3 1160 AUD
MELBA (AV. N. - LAAN) - 48 B3-4 1070 AND
MELCKMANS (AV. G. - LAAN) - 57 B2 C1-2 1070 AND
MELDENDREEF (1) - 59 C3 1000 BRL
MELEZE (CLOS DU) (10) - 146 A1 1420 BRA
MELEZES (ALLEE DES) - 143 B4 - 155 B-C1 1440 BRC
MELEZES (AV. DES) - 122 D1 1410 WAT
MELEZES (AV. DES) - 165 B2 1341 CEM
MELEZES (DREVE DES) - 62 D1 1950 KRA
MELEZES (RUE DES) - 115 D2 E3 1301 BIE

M

Straat	Code	Gemeente
MELEZES (RUE DES) - 164 E3 - 165 A3-4	1490	CSE
MELEZES (RUE DES) - 59 A-B2	1050	IXE
MELILOTS (RUE DES) - 45 B4	1970	WEO
MELISSES (RUE DES) (2) - 14 D4	1120	BRL
MELKERIJLAAN - 59 C-D4 - 68 C1	1000	BRL
MELKERIJSTRAAT - 106 D1-2 E2	1500	HAL
MELKERIJSTRAAT - 39 D3-4		
NRS 1 tot 119 - 2 tot 118	1070	AND
ANDERE NRS	1080	SJM
MELKRIEK (RUE DU - STRAAT) - 67 A4 - 77 A-B1	1180	UCK
MELKSTRAAT - 16 A-B-C3	1830	MAC
MELLERY (RUE - STRAAT) - 23 A4 - 32 A1	1020	BRL
MELODIE (RUE DE LA - STRAAT) - 40 A3	1080	SJM
MELOENSTRAAT - 58 B2	1190	VOR
MELON (RUE DU) - 58 B2	1190	VOR
MELOPEE (RUE DE LA - STRAAT) - 39 E2-3	1080	SJM
MELOTTESTRAAT (C.) - 90 E3 - 91 A3	1560	HOE
MELPOMENE (RUE - STRAAT) - 39 E2	1080	SJM
MELSBROEKSESTRAAT - 8 A2	1800	PEU
MELSBROEKSTRAAT - 27 B3	1930	NOS
MELSENS (RUE - STRAAT) - 40 E3 - Centr. 166 C2	1000	BRL
MEMLING (RUE - STRAAT) - 49 C1 - Centr. 168 A1	1070	AND
MEMLINGDREEF - 72 B4 - 82 A-B1	3090	OVE
MEMLINGSTRAAT - 6 C3-4	1800	VIL
MENAGERES (SENTIER DES) (20) - 153 C3	1348	LLN
MENAGES (RUE DES) - 49 D3 - Centr. 168 B3	1000	BRL
MENAPIENS (RUE DES) - 51 B2	1040	ETT
MENAPIERSSTRAAT - 51 B2	1040	ETT
MENENSTRAAT - 40 B2	1080	SJM
MENESTRELENLAAN - 39 C4 D3-4		
NRS 1 tot 63 - 12 tot 72	1070	AND
MENESTRELS (AV. DES) - 39 C4 D3-4		
NOS 1 à 63 - 12 à 72	1070	AND
AUTRES NOS	1080	SJM
MENETRIER (AV. DU) (5) - 129 C2	1300	WAV
MENIL (RUE DU) - 134 D3-4 E3	1420	BRA
MENIL (RUE DU) - 135 A2-3 B2	1410	WAT
MENIL (SENTIER DU) - 134 E3 - 135 A3	1420	BRA
MENIN (RUE DE) - 40 B2	1080	SJM
MENISBERG - 95 E1-2-3	1654	HUI
MENNEKENS (PLACE J. - PLAATS) - 39 E2	1080	SJM
MENSENRECHTENLAAN - 57 B2	1070	AND
MENSLIEVENDHEIDSSTRAAT -		
49 D3 - Centr. 168 B3	1000	BRL
MENUET (RUE DU - STRAAT) - 39 B3-4	1080	SJM
MENUISIER (RUE DU) - 51 D-E1	1200	WSL
MERBRAINE (RUE) - 134 E4	1420	BRA
MERCATOR (AV. G. - LAAN) - 4 B-C4	1780	WEM
MERCATOR (AV.) - 116 C1 D2-3 E3	1300	WAV
MERCATOR (RUE - STRAAT) - 48 B-C2	1070	AND
MERCATORSTRAAT (1) - 14 C3	1800	VIL
MERCELIS (RUE - STRAAT) - 50 B3-4 - Centr. 169 A3		
NOS/NRS 1-87 - 2-68	1050	IXE
AUTRES NOS/ANDERE NRS	1000	BRL
MERCHTEM (CHAUSSEE DE) - 12 B1 C1-2 D2	1780	WEM
MERCHTEM (CHAUS. DE) - 40 C2 - Centr. 166 A1	1080	SJM
MERCIER (AV. DU CPT.) - 135 B3-4	1410	WAT
MERCIER (PLACE CARDINAL) - 126 B2-3	1330	RIX
MERCIER (PLACE CARDINAL) - 129 B1	1300	WAV
MERCIER (PLACE CARDINAL) - 134 C4	1420	BRA
MERCIER (PLACE CARDINAL) - 31 B1	1090	JET
MERCIER (PLACE DU CARDINAL) - 153 A4 B3	1348	LLN
MERCIER (RUE DU CARDINAL) -		
41 A4 - Centr. 166 D3	1000	BRL
MERCIERPLEIN (KARDINAAL) - 106 E2	1500	HAL
MERCIERPLEIN (KARDINAAL) - 31 B1	1090	JET
MERCIERS (RUE DES) - 129 C1	1300	WAV
MERCIERSTRAAT (KARDINAAL) -		
41 A4 - Centr. 166 D3	1000	BRL
MERCKAERT (RUE J. - STRAAT) - 42 B1	1030	SCH
MERCURE (AV. DE) - 68 A3-4	1180	UCK
MERCURIUSLAAN - 68 A3-4	1180	UCK
MERCURIUSSTRAAT - 36 A2-3 B2	1930	NOS
MEREAULT (DREVE DU) - 123 D3 E3-4	1410	WAT
MEREAUX (RUE J. - STRAAT) - 70 C1	1160	AUD
MERELLAAN - 107 A2-3	1500	HAL
MERELLAAN - 4 C2-3 D2	1860	MEI
MERELLAAN - 60 D-E1	1150	SPW
MERELLAAN - 98 C-D4 - 110 C1	1640	SGR
MERELSPAD - 70 B4 - 80 B1-2-3	1170	WAB
MERELSTRAAT - 20 D3-4	1731	ZEL
MERELWEG - 12 E2	1780	WEM
MERELZANGLAAN - 46 D1-2	1701	ITT
MERGELPUTSTRAAT - 6 C2 D2-3	1800	VIL
MERIDIEN (RUE DU) -		
41 B2-3 C2-3 - Centr. 167 A1-2 B1-2	1210	SJN
MERINOS (RUE DU - STRAAT) -		
41 C2-3 - Centr. 167 B1-2	1210	SJN
MERISES (SQUARE DES) - 77 C3	1180	UCK
MERISIERS (AV. DES) - 114 C2-3	1332	GEN
MERISIERS (AV. DES) - 122 D1	1410	WAT
MERISIERS (AV. DES) - 151 D-E2	1342	LIM
MERISIERS (RUE DES) - 145 D2	1421	OPH
MERISIERS (RUE DES) - 60 B4 - 69 A1		
NOS 25 A FIN - 26 A FIN	1170	WAB
AUTRES NOS	1050	IXE
MERISIERS (VENELLE DES) - 129 C4	1301	BIE
MERJAY (AV. GEN.) - 60 E4 - 61 A4	1160	AUD
MERJAY (RUE FR. - STRAAT) - 58 E2-3 - 59 A2		
NOS/NRS 1-213 - 2-196	1050	IXE
AUTRES NOS/ANDERE NRS	1180	UCK
MERJAYLAAN (GEN.) - 60 E4 - 61 A4	1160	AUD
MERLE (AV. DU) - 98 C-D4 - 110 C1	1640	SGR
MERLES (AV. DES) - 111 C4	1410	WAT
MERLES (AV. DES) - 60 D-E1	1150	SPW
MERLES (SENTIER DES) - 70 B4 - 80 B1-2-3	1170	WAB
MERLO (RUE DU - STRAAT) - 67 A3 B2-3	1180	UCK
MERMOZ (CLOS J.- GAARDE) - 52 D2	1150	SPW
MERRILL (AV. STUART - LAAN) - 52 A1-2	1190	VOR
MERTENS (AV. GASTON) - 132 B4 - 144 B-C1	1440	WBC
MERTENS (RUE EM.- STRAAT) (2) - 52 C3	1150	SPW
MERTENS (RUE J. - STRAAT) (4) - 30 B4	1082	SAB
MERTENS (RUE K. - STRAAT) - 30 C2	1083	GAN
MERTENSSTRAAT (JOZEF) -		
19 E4 - 20 A4 - 28 E1- 29 A1 B2-3	1702	GRB
MERTENSSTRAAT (V.) - 91 B1	1560	HOE
MERTENSSTRAAT (V.) - 95 B2-3	1501	BUI
MESANGES (AV. DES) (1) - 155 B4	1460	IRE
MESANGES (AV. DES) - 111 C4	1410	WAT
MESANGES (AV. DES) - 117 A-B4 - 129 A1	1300	WAV
MESANGES (AV. DES) - 130 C1-2-3	1480	CLA
MESANGES (AV. DES) - 163 C-D3	1341	CEM
MESANGES (AV. DES) - 60 E2	1160	AUD
MESANGES (AV. DES) - 98 C4 - 110 D1	1640	SGR
MESANGES (CHEMIN DES) - 44 B1	1950	KRA
MESANGES (CLOS DES) - 151 D1-2	1342	LIM
MESANGES (CLOS DES) - 60 E1-2	1160	AUD
MESANGES (CLOS DES) - 87 B1-2	1630	LIN
MESANGES (DREVE DES) -		
70 D-E4 - 71 A-B3	1160	AUD
MESANGES (DREVE DES) - 80 C2 D1-2	1170	WAB
MESANGES (PETITE DREVE DES) -		
71 A3 B3-4 - 81 B1	1160	AUD
MESANGES (SENTIER DES) - 59 D4	1000	BRL
MESANGES BLEUES (RUE DES) - 146 D2	1420	BRA
MESENS (AV. EDM. - LAAN) - 51 C3-4	1040	ETT
MESPELIERS (AV. DES) - 153 B-C2	1348	LLN
MESSAGER DE BRUXELLES - 125 A4	1380	OHA
MESSE (CHEMIN DE) - 139 C-D2	1300	LIL
MESSE (RUE DE) - 126 C3 D2-3	1330	RIX
MESSES (CHEMIN DES) - 136 C-D-E1	1380	OHA
MESSIDOR (AV. DE - LAAN) - 58 C-D-E4	1180	UCK
MESSIDOR (AV.) - 122 E3	1410	WAT
METAALSTRAAT - 49 E4	1060	SGI
METAIRIE (AV. DE LA) - 109 C1-2	1420	BRA
METAIRIE (RUE DE LA) - 30 D3-4		
NOS 1 à 31 - 2 à 32	1082	SAB
AUTRES NOS	1083	GAN

Straat	Code	Gem.
METAL (RUE DU) - 49 E4	1060	SGI
METALENSTRAAT - 50 E3 - Centr. 169 D3	1040	ETT
METAUX (RUE DES) - 50 E3 - Centr. 169 D3	1040	ETT
METIERS (BOUCLE DES) - 153 C3	1348	LLN
METIERS (IMPASSE DES)		
SITUEE RUE DU MARCHE AUX		
HERBES ENTRE NOS 29-31		
40 E4 - Centr. 166 C3	1000	BRL
METROLOGIE (AV. DE LA - LAAN) (1) -25 A1	1130	BRL
METROLOGIE (PETITE AV. DE LA) (2) - 25 A1	1130	BRL
METSIJSDREEF - 82 B-C-D1	3090	OVE
METSYS (RUE - STRAAT) - 32 D3	1030	SCH
METSYSSTRAAT (QUINTEN) - 6 C4	1800	VIL
METTEWIE (BLD. L. - LAAN) -		
30 E4 - 39 C2-3-4 D1-2 E1		
NOS/NRS 1-7 - 10-30	1081	KOE
NOS/NRS 9-495 - 32-332	1080	SJM
AUTRES NOS/ANDERE NRS	1070	AND
MEUDON (RUE DE - STRAAT) - 24 A1 B1-2	1120	BRL
MEUDON (SQUARE DE - PLEIN) - 42 D4 - 51 D1	1200	WSL
MEUNIER (AV. DU) - 109 B3 C2-3	1420	BRA
MEUNIER (CHEMIN DU) - 127 A3-4	1330	RIX
MEUNIER (CHEMIN DU) - 138 B3 C3-4 D4	1380	LAS
MEUNIER (CLOS DU) - 44 D4 - 53 E1	1970	WEO
MEUNIER (PLACE CONST.- PLAATS) - 58 D3	1190	VOR
MEUNIER (RUE ALBERT- STRAAT) - 61 B4	1160	AUD
MEUNIER (RUE CONSTANTIN) - 153 B4	1348	LLN
MEUNIER (RUE DU) - 129 A-B2	1300	WAV
MEUNIER (RUE J.-B. - STRAAT) - 58 E3	1050	IXE
MEUNIER (RUE JEAN LE) - 133 A1-2	1420	BRA
MEUNIER (SENTIER DU) - 126 E3 - 127 A3	1330	RIX
MEUNIERLAAN (CONSTANT) - 83 D2-3	3090	OVE
MEUNIERS (AV. DES) - 60 C-D3	1160	AUD
MEURICE (RUE A.-STR.) - 50 E2 - Centr. 169 D2	1040	ETT
MEURISSES (SENTIER DES) - 131 A-B3	1440	BRC
MEUSE (AV. DE LA) - 127 C-D2	1300	LIL
MEUSE (RUE DE LA) - 31 C4	1080	SJM
MEUTE (AV. DE LA) - 162 E4 - 163 A4	1470	GEP
MEUTE (CHEMIN DE LA) (1) - 59 D4	1000	BRL
MEUTE (DREVE DE LA) -		
100 A4 B3-4 D2 C3 E1 - 101 A1 - 112 A1	1310	LAH
MEUTE (DREVE DE LA) - 111 B3 C2 D1-2 E1	1410	WAT
MEUTE (PETITE DREVE DE LA) - 100 B4 C3	1310	LAH
MEUTEDREEF - 100 A-B4 - 112 A1	1560	HOE
MEUWIS (RUE HENRI- STRAAT) - 30 E2	1083	GAN
MEVES (RUE DE) - 153 E2-3	1325	CHG
MEXICO (RUE DE - STRAAT - 40 D1	1080	SJM
MEYERBEER (RUE - STRAAT) - 58 C-D3		
NOS/NRS 1-85 - 2-108	1190	VOR
AUTRES NOS/ANDERE NRS	1180	UCK
MEYERS-HENNEAU (RUE - STRAAT) - 31 E2	1020	BRL
MEYLEMEERSCH (RUE) - 56 D3-4	1070	AND
MEYSKENS (RUE IS. - STRAAT) - 12 E3-4 - 21 E1	1780	WEM
MEYSSE (ANCIENNE CHAUSSEE DE) - 13 D4	1020	BRL
MEYSSE (AV. DE) - 13 E4 - 22 E1 - 23 A1	1020	BRL
MEYSSENIERS (CLOS DES) - 68 E2 - 69 A2	1050	IXE
MEZENDREEF - 70 D-E4 - 71 A-B3	1160	AUD
MEZENDREEF - 80 C2 D1-2	1170	WAB
MEZENDREEFJE - 71 A3 B3-4 - 81 B1	1160	AUD
MEZENGAARDE - 60 E1-2	1160	AUD
MEZENHOF - 13 D-E2	1853	SBE
MEZENHOF - 45 B-C1	1933	STK
MEZENHOF - 87 B1-2	1630	LIN
MEZENLAAN (1) - 107 A2-3	1500	HAL
MEZENLAAN - 101 E3 - 102 A3	3090	OVE
MEZENLAAN - 14 C-D2	1800	VIL
MEZENLAAN - 60 E2	1160	AUD
MEZENLAAN - 98 C4 - 110 D1	1640	SGR
MEZENOORD - 8 E2	1820	PER
MEZENPAD - 59 D4	1000	BRL
MEZENWEG - 44 B1	1950	KRA
MICARA (AV. CARDINAL) - 61 B-C2	1160	AUD
MICARALAAN (KARDINAAL) - 61 B-C2	1160	AUD
MICHAUX (RUE H.) - 165 B1	1341	CEM
MICHAUX (SQUARE HENRI - SQUARE) - 59 B2	1050	IXE
MICHEL (RUE GEN. - STRAAT) - 23 D-E3	1120	BRL
MICHEL ANGELOLAAN - 42 A4 - 51 A1	1000	BRL
MICHEL-ANGE (AV.) - 42 A4 - 51 A1	1000	BRL
MICHELSTRAAT (JOZEF) - 94 D4	1500	HAL
MICHIELS (AV. CH. - LAAN) - 67 B-C1		
NOS/NRS 170-178	1170	WAB
AUTRES NOS/ANDERE NRS	1160	AUD
MICHIELS (RUE ED. - STRAAT) - 67 A3-4	1180	UCK
MICHIELS (RUE P. - STRAAT) - 31 B2	1090	JET
MICHIELSLAAN (1) - 45 C4 - 54 C1	1933	STK
MICHIELSSTRAAT (DEKEN) - 94 C3-4 D3	1500	HAL
MICHIELSSTRAAT (J.B.) - 91 A2 B2-3	1560	HOE
MICHIELSSTRAAT (PIETER) - 76 B1-2	1601	RUI
MICHIELSSTRAAT - 25 B-C2	1831	DIE
MICHIELSSTRAAT - 26 D4 - 35 D1	1930	ZAV
MICHOT (AV. OC. - LAAN) - 98 B1	1640	SGR
MICOLOMBE (RUE) - 155 B2-3	1460	IRE
MIDDAGLIJNSTRAAT -		
41 B2-3 C2-3 - Centr. 167 A1-2 B1-2	1210	SJN
MIDDELBOURG (RUE) -69 D3-4 E4	1170	WAB
MIDDELBURGPLEIN - 6 B4	1800	VIL
MIDDELBURGSTRAAT - 69 D3-4 E4	1170	WAB
MIDDELWEG (ANCIEN - OUDE) - 24 E2-3	1130	BRL
MIDDELWEG - 24 E2-3	1130	BRL
MIDDENDREEF - 71 E1-2-3	3080	TER
MIDDENHUTLAAN - 88 C-D-E3	1640	SGR
MIDDENLAAN - 106 D-E3	1500	HAL
MIDDENLAAN - 46 B-C2	1701	ITT
MIDDENLAAN - 62 C1-2 D1	1950	KRA
MIDDENSPRIETSTRAAT - 5 A1-2	1850	GRI
MIDDENSTRAAT - 11 A3	1730	KOB
MIDDENSTRAAT - 47 B1	1700	DIL
MIDI (BLD. DU) -		
49 C1 D1-2-3 - Centr. 168 A1 B1-2-3	1000	BRL
MIDI (RUE DU) - 40 E4 - 49 D-E1 - Centr. 166 C3	1000	BRL
MIERENBERG - 94 A4	1500	HAL
MIERENDONKSTRAAT - 5 A-B1	1850	GRI
MIESSE (SQUARE JULES ET EDMOND -		
SQUARE) - 49 A2	1070	AND
MIGERODE (IMPASSE - GANG) (1) -		
49 C1 - Centr. 168 A1	1000	BRL
MIGNON (RUE LEON - STRAAT) -		
41 E3 - Centr. 167 D3	1030	SCH
MIJLENMEERSSTRAAT - 56 D3-4	1070	AND
MILCAMPS (AV. - LAAN) - 42 A2-3-4	1030	SCH
MILHAUD (AV. DU GEN.) - 160 B1	1380	PLA
MILHAUD (AV.) - 146 E2	1420	BRA
MILHOUX (RUE) - 161 B2 C1	1380	MAR
MILHOUX (RUE) - 161 B2 C1	1380	CSG
MILLAIRSTRAAT (VICTOR) - 84 E2 - 85 A2	1600	SPL
MILLE METRES (AV. DES) - 52 E3 - 53 A2	1150	SPW
MILLEFEUILLE (RUE DU) (3) - 14 D4	1120	BRL
MILLEPERTUIS (AV. DES) - 56 E3 - 57 A3-4	1070	AND
MILO (ROND POINT JEAN) - 126 A2	1332	GEN
MIMASTRAAT - 7 B2	1800	VIL
MIMOSALAAN - 9 A4	1820	STE
MIMOSAS (AV. DES - LAAN) - 51 C4 - 60 C1	1150	SPW
MIMOSAS (AV. DES - LAAN) - 53 B2	1950	KRA
MIMOSAS (CLOS DES - OORD) - 53 B2	1950	KRA
MIMOSAS (CLOS DES) - 151 D1	1342	LIM
MIMOSAS (RUE DES - STRAAT) -		
32 E4 - 41 E1 - 42 A1 - Centr. 167 D1	1030	SCH
MIMOSASTRAAT - 118 A-B1	1502	LEM
MIMULES (CHEMIN DES) - 59 C-D4	1000	BRL
MINCKELEERS (VOIE) - 153 C4	1348	LLN
MINDERBROEDERSSTRAAT (11) - 106 C1	1500	HAL
MINERAUX (AV. DES) - 127 D-E2	1300	LIL
MINERVALAAN - 58 B4	1190	VOR
MINERVALEI (3) - 51 D3	1150	SPW
MINERVASTRAAT - 34 D1	1930	ZAV
MINERVE (ALLEE DE LA) (3) - 51 D3	1150	SPW
MINERVE (AV.) - 123 D4 E3-4	1410	WAT
MINERVE (AV.) - 58 B4	1190	VOR

MINIMENSTRAAT - 49 E1-2 - Centr. 168 C1-2 1000 BRL
MINIMES (PETITE RUE DES) -
49 E1 - Centr. 168 C1 1000 BRL
MINIMES (RUE DES) - 49 E1-2 - Centr. 168 C1-2 1000 BRL
MINISTERSTRAAT - 69 D3 1170 WAB
MINISTRE (RUE DU) - 69 D3 1170 WAB
MINNEBRONSTRAAT - 41 D-E1 1030 SCH
MINNEMOLENSTRAAT (3) - 6 C3-4 1800 VIL
MINNEZANGERSLAAN - 39 D3 1080 SJM
MINON (RUE) - 143 D-E1 1440 BRC
MINON (SENTIER) - 143 E1-2 - 144 A2 1440 BRC
MINOTAURE (ALLEE DU) (2) - 59 C-D3 1000 BRL
MINOTAURUSWEG (2) - 59 C-D3 1000 BRL
MINUIT (AV. P.) - 125 B3 1380 OHA
MIRABEAU (AV.) - 129 E2 1300 WAV
MIRABELLENSQUARE - 77 C2-3 1180 UCK
MIRABELLES (SQUARE DES) - 77 C2-3 1180 UCK
MIRAMAR (AV. DE - LAAN) - 13 C-D4 - 22 C-D1 1020 BRL
MIROIR (RUE DU) -
49 D1-2 E2 - Centr. 168 B1-2 C2 1000 BRL
MIRTENLAAN - 39 C1-2 D1 1080 SJM
MISPEL (1) - 37 E1 1700 DIL
MISPELAARSTRAAT - 60 C3-4
ONEVEN NRS 1160 AUD
EVEN NRS 1170 WAB
MISPELARENLAAN - 9 B2 1820 STE
MISSIONARISSENLAAN - 39 D3-4
NRS 1 tot 51 - 2 tot 58 1070 AND
ANDERE NRS 1080 SJM
MISSIONNAIRES (AV. DES) - 39 D3-4
NOS 1 à 51 - 2 à 58 1070 AND
AUTRES NOS 1080 SJM
MISTRAL (AV. DU - LAAN) - 43 B3 1200 WSL
MISTRAL (AV. DU) (2) - 129 E4 - 141 E1 1300 WAV
MODE VLIEBERGH (RUE - STRAAT) - 31 D1 1020 BRL
MODELWIJKLAAN - 21 E2 - 22 A1-2 1020 BRL
MODELWIJKPLEIN - 22 A1 1020 BRL
MODELWIJKSQUARE -22 A1 1020 BRL
MODERNE-SCHOOLSTRAAT - 49 A-B2 1070 AND
MODERNE WIJKSTRAAT - 30 D3-4 1082 SAB
MODESTIE (RUE DE LA) (10) - 47 E3 1070 AND
MOENS (RUE CHARLES - STRAAT) - 30 E2 1083 GAN
MOENSBERG - 77 B3-4 C4 1180 UCK
MOENSSTRAAT (J.) - 7 B-C4 - 16 B1 1830 MAC
MOERBEZIEBOMENLAAN - 60 A4 1170 WAB
MOEREMANSLAAN (HENRI) - 38 C3-4 D-E4 1700 DIL
MOERENHOUTSTRAAT (ALFONS) - 92 E1-2-3 3090 OVE
MOERLAANSTRAAT - 103 E1 - 104 A1 3090 OVE
MOERMAN (RUE P. - STRAAT) - 48 B-C2 1070 AND
MOERSTRAAT - 28 D-E1 1700 SUK
MOESHOVENIERSTRAAT - 65 D2 1600 SPL
MOESTUINSTEEG (4) - 52 C3 1150 SPW
MOHRFELD (RUE F. - STRAAT) - 22 A4 1090 JET
MOINEAUX (RUE DES) -
40 E4 - 49 E1 - Centr. 166 C3 - 168 C1 1000 BRL
MOINEAUX (SENTIER DES) (5) - 146 C2 1420 BRA
MOINES (AV. DES) - 109 B-C2 1420 BRA
MOINES (CHEMIN DES) - 98 B2-3 C2 1640 SGR
MOINES (RUE DES) (5) - 49 B4 1190 VOR
MOINES (SENTIER DES) - 109 B4 - 121 B-C1 1420 BRA
MOISSON (AV. DE LA) - 98 A1-2 1640 SGR
MOISSONNEURS (CHEMIN DES) -
116 E4 - 117 A4 - 129 A1 1300 WAV
MOISSONNEURS (RUE DES) - 51 A3-4 1040 ETT
MOISSONS (RUE DES) - 41 C-D3 1210 SJN
MOLE (PLACE DU) - 134 C4 1420 BRA
MOLE (RUE DU) (3) - 134 C4 - 146 C1 1420 BRA
MOLENBEEK (RUE DE) - 31 E2-3 - 32 A2 1020 BRL
MOLENBEEKDAL - 20 C-D4 - 29 D-E1 1731 ZEL
MOLENBEEKSESTRAAT - 31 E2-3 - 32 A2 1020 BRL
MOLENBEEKSTRAAT - 108 C-D2 1653 DWO
MOLENBEEKSTRAAT - 29 D4 1702 GRB
MOLENBERG - 28 E2-3 1702 GRB
MOLENBERGDREEF - 35 B1 1930 ZAV
MOLENBERGLAAN - 54 E3 3080 TER
MOLENBERGLAAN - 97 D2 1652 ALS
MOLENBERGSTRAAT -
37 E4 - 38 A4 - 46 D-E1 - 47 A-B1 1700 DIL
MOLENBERGSTRAAT - 37 E4 - 46 D-E1 1701 ITT
MOLENBLOK (RUE DU - STRAAT) - 23 D2 1120 BRL
MOLENBORRE - 106 D1 1500 HAL
MOLENBOS - 20 E4 1731 ZEL
MOLENBOSVOETWEG - 90 C-D2 1560 HOE
MOLENDAL - 47 A1 1700 DIL
MOLENDREEF - 92 E1 - 93 A1 3090 OVE
MOLENERF - 94 B2 1500 HAL
MOLENHOF - 77 B4 1630 LIN
MOLENKOUTER - 28 D2 1700 SUK
MOLENKOUTER - 4 D1 1860 MEI
MOLENSTEEN (RUE - STRAAT) - 77 A-B2 1180 UCK
MOLENSTRAAT - 16 A-B3 1830 MAC
MOLENSTRAAT - 34 E4 - 35 A-B-C4 1950 KRA
MOLENSTRAAT - 35 A-B-C4 - 44 C1 1933 STK
MOLENSTRAAT - 41 B-C2 D2-3 1210 SJN
MOLENSTRAAT - 77 B4 1630 LIN
MOLENSTRAAT - 85 C3 D2-3 1651 LOT
MOLENSTRAAT - 91 D-E2 - 92 A2 1560 HOE
MOLENVELD - 108 C2-3-4 1653 DWO
MOLENVELT (RUE - STRAAT) - 67 A4 1180 UCK
MOLENWEG - 12 A-B2 1780 WEM
MOLENWEG - 20 B2-3 1731 ZEL
MOLENWEG - 27 C4 1930 NOS
MOLENWEG - 37 A3 1700 SMB
MOLENWEG - 44 E2-3 1970 WEO
MOLENWEG - 80 A1 B2 C2-3 1170 WAB
MOLENWEG - 73 B-C1 3080 DUI
MOLENWEG - 80 C3 D3-4 E4 1560 HOE
MOLENWEG - 98 B-C4 - 110 B1 1640 SGR
MOLIERE (AV. - LAAN) - 58 C-D-E3 - 59 A-B3
NOS/NRS 1-29 - 43-187 - 2-126 1190 VOR
NOS/NRS 189-307 - 128-250 1050 IXE
NOS/NRS 31 - 33 - 41 -
NOS/NRS 307A-357 - 252 302 1180 UCK
AUTRES NOS/ANDERE NRS 1050 IXE
MOLIERE (AV.) - 129 D-E3 1300 WAV
MOLIGNEE (RUE DE LA - STRAAT) - 60 B-C1 1160 AUD
MOLITOR (RUE GEN. - STRAAT) - 51 A4 1040 ETT
MOLLEKENSSTRAAT - 38 B-C3 1700 DIL
MOLLEKOUTER - 28 E3 1702 GRB
MOLLEMSEWEG - 1 A2-3 B2 1730 MOL
MOLLEMSTRAAT - 1 C-D-E1- 2 A1 1785 BRU
MOLLEMSTRAAT - 64 E3 - 65 A3 1600 SPL
MOLLENBERG - 83 A4 3090 OVE
MOLLENWEG - 68 D1-2 1000 BRL
MOLONS (CLOS DES) (10) - 153 A3 1348 LLN
MOLONS (RUE DES) (15) - 153 A3 1348 LLN
MOMMAERTS (AV. LEON. - LAAN) - 42 C-D2 1140 EVE
MOMMAERTS (RUE - STRAAT) - 40 C1-2 1080 SJM
MOMMAERTSLAAN (J. E.) - 25 C2-3 1831 DIE
MOMMAERTSTRAAT - 93 D1 E1-2 3090 OVE
MONACO (PETITE RUE DE) - 58 A4 1190 VOR
MONACOSTRAATJE - 58 A4 1190 VOR
MONASTERE (RUE DU) - 59 C2
NOS 5 à FIN - NOS PAIRS 1000 BRL
NO 3 1050 IXE
MONITEUR (RUE DU) - 41 B4 - Centr. 167 A3 1000 BRL
MONNAIE (PLACE DE LA) - 40 E3 - Centr. 166 C2 1000 BRL
MONNAIE (RUE DE LA) (6) - 129 B3 1301 BIE
MONNET (AV. J. - LAAN) - 43 A2 1200 WSL
MONNET (AV. JEAN) - 153 C1 D1-2 1348 LLN
MONNET (CARREFOUR J. -
KRUISPUNT) - 50 E1 - Centr. 169 D1 1000 BRL
MONNET (PARC J. - PARK) - 30 A3 1082 SAB
MONNIKENSTRAAT (5) - 49 B4 1190 VOR
MONNIKSKAPSTRAAT (4) - 60 E4 1170 WAB
MONNIKSWEG - 98 B2-3 C2 1640 SGR
MONNOYER (QUAI LEON - KAAI) - 23 C-D4 E3-4 1000 BRL
MONOPLAN (AV. DU) - 52 D3 1150 SPW

MON PLAISIR (AV. - LAAN) - 32 C2 D1-2
NOS IMPAIRS/ONEVEN NRS 1030 SCH
NOS PAIRS/EVEN NRS 1020 BRL
MONROE (CLOS MARILYN - GAARDE) - 21 D2 1090 JET
MONROSE (RUE - STRAAT) -
41 D2 - Centr. 167 C1 1030 SCH
MONS (CHAUSSEE DE) -
48 C4 D3-4 E2-3 - 49 A2 B-C1 -
57 A3-4 B1-2-3 C1 - 66 A1 - Centr. 168 A1 1070 AND
MONSEIGNEUR (AV.) - 114 E3-4 - 126 E1 1330 RIX
MONT (CHEMIN DU) - 124 C4 1380 OHA
MONT-BLANC (RUE DU) - 49 E4 1060 SGI
MONT CORNET (RUE DU) - 161 B2-3 C3 1380 CSG
MONT DES ARTS - 50 A1 - Centr. 168 D1 1000 BRL
MONT DU CHENE (RUE) - 51 A4 1040 ETT
MONT DU CINQUANTENAIRE - 51 A2 1040 ETT
MONT-JEAN (CHAUSSEE DE) - 135 A4 1410 WAT
MONT KEMMEL (AV. DU) - 58 D1
NOS 1 à 22 1190 VOR
NOS 23 à FIN 1060 SGI
MONT LASSY (RUE DU) - 124 B-C4 - 136 B1 1380 OHA
MONT MARCURE (AV. DU) - 121 D1-2 E1-2 1420 BRA
MONT OLIVET (RUE) - 143 C1 1440 BRC
MONT SAINT-ALBAN (RUE DU) - 22 D-E4 1020 BRL
MONT SAINT-GUIBERT (RUE DE) -
152 D4 - 164D-E1 - 165 A1-2 1348 LLN
MONT SAINT-JEAN (CHAUSSEE DE) -
134 E4 - 135 A-B4 C3 1420 BRA
MONT SAINT-LAMBERT (2) - 52 C2 1200 WSL
MONT SAINT-PONT (RUE DU) -
131 D-E4 - 132 A4 - 144 A-B1 1440 BRC
MONT-SAINT-JEAN (ROUTE DE) -
70 E4 - 71 A2-3-4 - 80 E1-2 1170 WAB
MONTAGNE (RUE DE LA) - 115 A2-3 1331 ROS
MONTAGNE (RUE DE LA) - 155 C3-4 D4 1460 IRE
MONTAGNE (RUE DE LA) -
40 E4 - 41 A4 - Centr. 166 -D3 1000 BRL
MONTAGNE (RUE DE LA) - 44 D3 1970 WEO
MONTAGNE AUX ANGES (RUE) - 40 C1
NO 39 - NOS PAIRS 1081 KOE
AUTRES NOS IMPAIRS 1080 SJM
MONTAGNE AUX HERBES-
POTAGERES (RUE) - 41 A3-4 - Centr. 166 D2-3 1000 BRL
MONTAGNE D'AISEMONT - 129 B1 1300 WAV
MONTAGNE DE L'EGLISE (RUE) - 44 C3 D2-3 1970 WEO
MONTAGNE DE L'ORATOIRE (RUE) -
41 A3-4 B4 - Centr. 166 D2-3 - 167 A3 1000 BRL
MONTAGNE DE LA COUR (RUE) -
50 A1 - Centr. 168 D1 1000 BRL
MONTAGNE DES CERISIERS (RUE) -
42 D-E4 - 51 D-E1 1200 WSL
MONTAGNE DES LAPINS (CLOS) (1) - 52 B-C2 1200 WSL
MONTAGNE DU GODRU (AV.) - 129 C2 1300 WAV
MONTAGNE DU PARC (RUE) -
41 A4 - Centr. 166 D3 1000 BRL
MONTAGNE DU STIMONT (RUE) -
152 A-B4 - 164 A-B1 1340 OTT
MONTALD (AV. CONSTANT - LAAN) - 51 E1 1200 WSL
MONTALEMBERT (AV. DE) - 126 D3 E2 1330 RIX
MONTANA (AV. - LAAN) - 68 C-D3 1180 UCK
MONTAND (PASSAGE YVES - DOORGANG) (15) -
21 E2 1090 JET
MONTAURY (RUE) - 150 C2 D2-3 E3 - 151 A2 1340 OTT
MONTE-CARLO (AV. DE - LN.) - 58 A4 1190 VOR
MONTEGNIE (RUE COLONEL) - 113 C4 D3-4 1332 GEN
MONTENEGRO (RUE DU - STRAAT) -
49 C4 - 58 B-C1
NOS/NRS 3-59 - 2-68 A 1060 SGI
AUTRES NOS/ANDERE NRS 1190 VOR
MONTESQUIEU (AV.) - 129 E1-2 1300 WAV
MONTESQUIEU (PLACE) - 153 B4 1348 LLN
MONTESQUIEU (RUE) - 153 B4 1348 LLN
MONTGOLFIER (AV. - LAAN) - 52 C2-3 D3 1150 SPW
MONTGOMERY (AV. MARECHAL) - 151 C3 1340 OTT
MONTGOMERY (AV. MARECHAL) - 151 C3 1341 CEM
MONTGOMERY (SQUARE MARECHAL) - 51 C2 1150 SPW
MONTGOMERYPLEIN (MAARSCHALK) - 51 C2 1150 SPW
MONTIGNYLAAN (JULES) (1) - 63 A2 3080 TER
MONTJOIE (AV. - LAAN) - 58 E4 - 59 A-B4 1180 UCK
MONTOISY (RUE EMILE) - 155 B4 1460 IRE
MONTOYER (RUE - STRAAT) - 50 B-C1
NOS/NRS 1-67 - NOS PAIRS/EVEN NRS 1000 BRL
NOS/NRS 69-FIN/EINDE 1050 IXE
MONTS (SENTIER DES) - 131 B3-4 1440 BRC
MONTSERRAT (RUE DE - STRAAT) -
49 E2-3 - Centr. 168 C2-3 1000 BRL
MONUMENT (RUE DU) - 152 A4 - 164 A1 1340 OTT
MOOI-BOSLAAN - 61 E1 1150 SPW
MOOILOVERLAAN - 53 B3-4 C4 1950 KRA
MOONENS (RUE - STRAAT) - 42 E4 - 43 A4 1200 WSL
MOORSELSTEENWEG - 45 D-E1 1933 STK
MOORSELSTRAAT - 3 B1 1860 MEI
MOORSELSTRAAT - 45 E1 3080 TER
MOORSLEDE (RUE DE - STRAAT) -31 E1-2 1020 BRL
MOORTEBEEK (RUE DE - STRAAT) - 39 A4 1080 SJM
MOORTEBEEKSTRAAT - 38 C2 E3-4 - 39 A4 1700 DIL
MORARD (AV. GEN.) - 160 C1 1380 PLA
MOREAU (AV. V. - LAAN) (3) - 70 A1 1160 AUD
MOREAU (RUE GEORGES - STRAAT) - 49 A3 B2-3 1070 AND
MOREELS (RUE H.F. - STRAAT) (2) - 61 B4 1160 AUD
MORETUS (RUE - STRAAT) - 49 C1 - Centr. 168 A1 1070 AND
MORGENLANDSTRAAT - 50 D-E3 1040 ETT
MORGENSTONDWEG - 59 D3-4 - 68 D1 1000 BRL
MORICHAR (PLACE LOUIS - PLEIN) - 49 D-E4 1060 SGI
MORIENSART (RUE DE) - 127 B4 - 139 B1 C1-2 1300 LIL
MORIENSART (RUE DE) - 149 E1 - 150 A2 B2-3 1380 LAS
MORIENSART (RUE DE) - 150 B-C4 - 162 B-C1 1341 CEM
MORILLENDREEF - 80 A2-3 1170 WAB
MORILLENPAD (7) - 59 C4 1000 BRL
MORILLES (DREVE DES) - 80 A2-3 1170 WAB
MORILLES (SENTIER DES) (7) - 59 C4 1000 BRL
MORIMONT (RUE DE) - 164 B2 C-D-E2-3 1348 LLN
MORIMONT (RUE) - 140 B-C-D2 C-D3 1300 LIL
MORIMONTS (RUE DES) - 164 D3 1490 CSE
MORINENSTRAAT (2) - 51 C2 1040 ETT
MORINS (RUE DES) (2) - 51 C2 1040 ETT
MORIS (RUE - STRAAT) - 58 E1 1060 SGI
MORJAU (RUE J. - STRAAT) - 48 C2 1070 AND
MORO (AV. ALDO) - 126 C3-4 1330 RIX
MORSAINT (SENTE DE) - 117 D3 E4 1300 WAV
MORSE (AV. SAMUEL - LAAN) - 4 B4 1780 WEM
MORTIER (CHEMIN DU) - 156 B1 1461 HIT
MOSCIKI (AV. - LAAN) - 59 B4 - 68 B1 1180 UCK
MOSCOU (RUE DE) - 49 D3-4 - Centr. 168 B3 1060 SGI
MOSKOUSTRAAT - 49 D3-4 - Centr. 168 B3 1060 SGI
MOSRAY (RUE FELICIEN) - 139 D1-2 1300 LIL
MOSSELMANS (RUE J.-B. - STRAAT) - 33 A-B3 1140 EVE
MOSTINCK (AV. - LAAN) - 51 E3-4 1150 SPW
MOTTARD (RUE G. - STRAAT) - 30 E2 1083 GAN
MOTTE (RUE DE LA) - 163 A3-4 1490 CSE
MOTTE - 12 B-C4 1780 WEM
MOTTE DES BERGERS (RUE) - 158 B-C3 1421 OPH
MOUCHERONS (RUE DES) -
40 D4 - 49 D1 - Centr. 166 B3 - 168 B1 1000 BRL
MOUETTES (AV. DES) (6) - 60 D1 1150 SPW
MOUETTES (AV. DES) - 121 E1 - 122 A-B1 1640 SGR
MOUETTES (AV. DES) - 44 D1 1970 WEO
MOUETTES (CLOS DES) (1) - 42 B1 1030 SCH
MOUETTES (CLOS DES) - 163 C-D2 1340 OTT
MOUETTES (CLOS DES) - 163 C-D2 1341 CEM
MOUFLONLAAN - 72 B-C4 - 82 C-D1 3090 OVE
MOUFLONS (LAYON AUX) - 140 E2 1300 LIL
MOULIN (CHEMIN DU) - 137 C2 D1-2 E1 1380 OHA
MOULIN (CHEMIN DU) - 44 E2-3 1970 WEO
MOULIN (CHEMIN DU) - 80 A1 B2 C2-3 1170 WAB
MOULIN (CHEMIN DU) - 98 B-C4 - 110 B1 1640 SGR
MOULIN (CLOS DU) - 77 B4 1630 LIN
MOULIN (DREVE DU) - 122 E1 - 123 A1 1410 WAT

Street	Code	Commune
MOULIN (PETITE RUE DU) (2) - 57 C1-2	1070	AND
MOULIN (RUE DU) - 112 B3-4 C3	1310	LAH
MOULIN (RUE DU) - 126 A-B-C2	1330	RIX
MOULIN (RUE DU) - 129 A2	1300	WAV
MOULIN (RUE DU) - 152 A4	1342	LIM
MOULIN (RUE DU) - 34 E4 - 35 A-B-C4	1950	KRA
MOULIN (RUE DU) - 41 B-C2 D2-3	1210	SJN
MOULIN (RUE DU) - 77 B4	1630	LIN
MOULIN (VIEILLE RUE DU) - 78 A-B-C1	1180	UCK
MOULIN A EAU (RUE DE) - 140 C1-2	1300	LIL
MOULIN A EAU (RUE DU) - 139 C4 - 151 C-D-E1	1340	OTT
MOULIN A EAU (RUE DU) - 145 E4	1421	OPH
MOULIN A PAPIER (RUE DU) - 61 A4 - 70 A1	1160	AUD
MOULIN A VENT (RUE DU) - 129 A1	1300	WAV
MOULIN A VENT (RUE DU) - 33 A2	1140	EVE
MOULIN A VENT (RUE DU) - 53 E2 - 54 A-B2	1970	WEO
MOULIN LINARD (CLOS DU) - 144 E1	1440	WBC
MOULIN ROSE (CHEMIN DU) - 77 C-D4	1180	UCK
MOUNIER (AV. EM. - LAAN) - 43 D2-3 E3-4	1200	WSL
MOURLAN (SENTIER) - 144 A3	1440	BRC
MOURON (CLOS DU) - 51 D4	1150	SPW
MOURON (RUE DU) - 45 A4 - 54 B1	1970	WEO
MOUSIN (RUE A. - STRAAT) - 61 E1 - 62 A1	1150	SPW
MOUSINSTRAAT (A.) - 91 C2	1560	HOE
MOUSSERONS (CLOS DES) - 69 A1	1050	IXE
MOUTERIJSTRAAT (1) - 50 D4	1050	IXE
MOUTON (RUE DU) - 160 A-B2	1380	PLA
MOUTONS (ALLEE DES) - 14 B-C4 - 23 C1	1020	BRL
MOUTONS (CHEMIN DES) - 21 C-D2	1090	JET
MOUTONS (RUE DES) (1) - 67 C4	1180	UCK
MOUTSTRAAT - 40 D3 - Centr. 166 B2	1000	BRL
MOYENS (RUE J. B. - STRAAT) - 21 E2-3	1090	JET
MOYSONSTRAAT (J.) - 16 C1	1830	MAC
MOZART (AV. W.A. - LAAN) - 57 C4	1620	DRO
MOZART (AV. - LAAN) - 58 C4		
NOS/NRS 3 - 2-10 - 92	1180	UCK
AUTRES NOS/ANDERE NRS	1190	VOR
MOZART (RUE) - 134 B1	1420	BRA
MOZARTLAAN - 82 E4	3090	OVE
MUGGENSTRAAT -		
40 D4 - 49 D1 - Centr. 166 B3 - 168 B1	1000	BRL
MUGUET (RUE DU) - 24 A1	1120	BRL
MUGUETS (AV. DES) - 109 B-C2	1420	BRA
MUGUETS (AV. DES) - 163 D-E3	1341	CEM
MUGUETS (AV. DES) - 163 D3	1490	CSE
MUGUETS (AV. DES) - 44 A4	1950	KRA
MUGUETS (AV. DES) - 51 E4	1150	SPW
MUGUETS (SENTIER DES) (1) - 127 C3	1300	LIL
MUGUETS (SENTIER DES) - 80 A2 B1-2 C1	1170	WAB
MULDERSLAAN - 60 C-D3	1160	AUD
MULDERSTRAAT - 98 A4	1640	SGR
MULIE (AV. GILBERT - LAAN) - 43 A3-4	1200	WSL
MULSLAAN - 18 C2-3	1820	STE
MULSTRAAT (JAN) - 13 D-E2	1853	SBE
MULWEG - 19 C3	1730	BEK
MUNSTERSTRAAT - 59 C2		
NRS 5 tot EINDE -EVEN NRS	1000	BRL
NR 3	1050	IXE
MUNT - 40 E3 - Centr. 166 C2	1000	BRL
MUNTHOFSTRAAT - 49 D4 E3-4	1060	SGI
MUNTWEIDE - 2 C2	1785	BRU
MURAES (SENTIER) - 143 C-D3	1440	BRC
MURES (AV. DES) (1) - 77 C4	1180	UCK
MURES (AV. DES) - 77 B-C4	1630	LIN
MURIERS (AV. DES) - 60 A4	1170	WAB
MURIERS (CLOS DES) (2) - 135 B2	1410	WAT
MURIKGAARDE - 51 D4	1150	SPW
MURILLO (RUE - STRAAT) - 51 A1	1000	BRL
MUS (RUE FR. - STRAAT) - 31 C3	1080	SJM
MUSCARDINS (SENTIER DES) (4) - 68 D1-2	1000	BRL
MUSCARIS (PLACE DES) - 69 E1	1170	WAB
MUSEE (AV. DU) - 153 B3-4 - 165 A1	1348	LLN
MUSEE (AV. DU) - 54 C3-4	1970	WEO
MUSEE (PLACE DU) - 50 A1 - Centr. 168 D1	1000	BRL
MUSEE (RUE DU) - 126 A4 - 138 A1	1380	LAS
MUSEE (RUE DU) - 50 A1 - Centr. 168 D1	1000	BRL
MUSES (AV. DES) - 78 A-B4	1180	UCK
MUSEUMLAAN - 54 C3-4	1970	WEO
MUSEUMLAAN - 54 C3-4 D2-3 E2	3080	TER
MUSEUMPLEIN - 50 A1 - Centr. 168 D1	1000	BRL
MUSEUMSTRAAT - 50 A1 - Centr. 168 D1	1000	BRL
MUSIN (RUE - STRAAT) - 41 B2 - Centr. 167 A1	1210	SJN
MUSSEBEEKLAAN - 46 A2 B2-3	1701	ITT
MUSSENBERG - 118 C-D4 - 130 C1	1502	LEM
MUSSENSTRAAT -		
40 E4 - 49 E1 - Centr. 166 C3 - 168 C1	1000	BRL
MUTSAARD (AV. - LAAN) - 14 A4 - 23 A1	1020	BRL
MUTSAARDWEG - 18 C-D2	1820	STE
MUTSAERTPLAATS - 13 E4	1853	SBE
MUTSAERTSTRAAT - 14 B4	1800	VIL
MUTUALITE (RUE DE LA) - 58 D3-4		
NOS 1 à 57 - 2 à 34	1190	VOR
NOS 57A à fin - 46 à fin	1180	UCK
MUURSTRAAT - 45 A4 - 54 B1	1970	WEO
MUZENLAAN - 78 A-B4	1180	UCK
MYOSOTIS (RUE DES) - 67 A4	1180	UCK
MYOSOTIS (SENTIER DES) - 68 E3	1000	BRL
MYRTES (AV. DES) - 39 C1-2 D1	1080	SJM
MYRTILLES (AV. DES) - 164 C1	1340	OTT
MYRTILLES (AV. DES) - 62 C1 D1-2	1950	KRA
MYRTILLES (AV. DES) - 78 B3-4	1180	UCK
MYRTILLES (CHEMIN DES) - 78 E1 - 79 A1	1160	AUD
MYRTILLES (SENTIER DES) (5) - 68 E1	1000	BRL
MYSTERE (RUE DU) - 58 B3-4	1190	VOR
MYSTERIESTRAAT - 58 B3-4	1190	VOR

N

Street	Code	Commune
NAALDSTRAAT - 48 E2	1070	AND
NAAM JEZUSSTRAAT - 40 D3 - Centr. 166 B2	1000	BRL
NAAMSEPOORT - 50 A-B2	1000	BRL
NAAMSEPOORTGALERIJ - 50 B2 - Centr. 169 A2	1050	IXE
NAAMSESTRAAT - 50 A1-2 - Centr. 168 D1-2	1000	BRL
NACHTEGAALLAAN - 108 B2	1653	DWO
NACHTEGAALLAAN - 122 A1	1640	SGR
NACHTEGAALLAAN - 17 C1-2	1820	MEL
NACHTEGAALLAAN - 20 D3 E3-4	1731	ZEL
NACHTEGAALLAAN - 55 D2	1701	ITT
NACHTEGAALSTRAAT - 105 E2	3040	OTB
NACHTEGAALSTRAAT - 6 C-D2	1800	VIL
NACHTEGAALSTRAAT - 95 A4 - 107 A-B-C1	1501	BUI
NACHTEGAALSWEG - 23 E1	1120	BRL
NACHTEGALENHOF - 45 B1-2	1933	STK
NACHTEGALENLAAN - 4 A1	1860	MEI
NACHTEGALENLAAN - 44 A1-2 B2	1950	KRA
NACHTEGALENLAAN - 44 E4 - 45 A4 - 54 A1	1970	WEO
NACHTVLINDER - 28 D4 - 37 D1	1700	DIL
NACHTVLINDERSLAAN - 59 E4 - 68 E1		
NRS 1 tot 29 - 26 tot 34	1000	BRL
NRS 35 - 36	1050	IXE
NACHTZWALUWSTRAAT (3) - 69 D3	1170	WAB
NAESSENS DE LONCIN (AV. GEN.) - 114 E4	1330	RIX
NAIADES (AV. DES) - 69 C1-2 D1	1170	WAB
NAMENSTRAAT - 27 A3-4 B4 - 36 B1	1930	NOS
NAMUR (CHAUSSEE DE) - 129 B2-3-4	1300	WAV
NAMUR (CHAUS. DE) - 129 B4 - 141 B1-2-3-4 C4	1301	BIE
NAMUR (CHEMIN DE) - 141 B3-4 - 153 B-C1	1340	OTT
NAMUR (PORTE DE) - 50 A-B2	1000	BRL
NAMUR (RUE DE) - 129 B2	1300	WAV
NAMUR (RUE DE) - 165 A1-2	1348	LLN
NAMUR (RUE DE) - 165 A2	1435	MSG
NAMUR (RUE DE) - 50 A1-2 - Centr. 168 D1-2	1000	BRL
NAMUR (VIEUX CHEMIN DE) - 165 A2	1340	OTT
NANCY (RUE DE - STRAAT) (3) - 49 D-E2	1000	BRL

NANSEN (RUE FR. - STRAAT) - 57 A-B1	1070	AND
NANTIERLAAN (LEOPOLD) - 36 A-B4	1933	STK
NAPELSSTRAAT - 50 B2 - Centr. 169 A2	1050	IXE
NAPLES (RUE DE) - 50 B2 - Centr. 169 A2	1050	IXE
NAPOLEON (AV. - LAAN) - 78 C2-3	1180	UCK
NAPOLEON (AV.) - 123 B1	1410	WAT
NAPOLEON (AV.) - 134 D4	1420	BRA
NAPOLEON (AV.) - 159 E1	1380	PLA
NAPSTRAAT - 42 A4	1000	BRL
NARCISBLOEMENLAAN - 78 C3-4 D4	1180	UCK
NARCISSENLAAN - 22 E2-3	1020	BRL
NARCISSENLAAN - 71 E3	3090	OVE
NARCISSENLAAN - 74 C3	3090	OVE
NARCISSENLAAN - 95 B3	1501	BUI
NARCISSENLAAN - 98 B1	1640	SGR
NARCISSES (AV. DES) - 22 E2-3	1020	BRL
NARCISSES (AV. DES) - 78 C3-4 D4	1180	UCK
NARCISSES (AV. DES) - 98 B1	1640	SGR
NASSAULAAN - 5 C2	1850	GRI
NATATION (RUE DE LA) - 50 D3 - Centr. 169 C3	1050	IXE
NATIENSQUARE - 69 A-B3	1000	BRL
NATIEPLEIN - 41 B4 - Centr. 167 A3	1000	BRL
NATION (PLACE DE LA) - 41 B4 - Centr. 167 A3	1000	BRL
NATIONALE MAATSCHAPPIJLAAN - 57 B-C2	1070	AND
NATIONS (SQUARE DES) - 69 A-B3	1000	BRL
NATIONS UNIES (AV. DES) - 110 E2-3	1410	WAT
NAVET (RUE A.) - 130 A2-3	1480	TUB
NAVETS (RUE DES) - 40 D4 - Centr. 166 B3	1000	BRL
NAVETSTRAAT - 86 E2 - 87 A2	1650	BEE
NAVEZ (RUE F. J. - STRAAT) - 32 C2-3		
NOS IMPAIRS/ONEVEN NRS	1030	SCH
NOS/NRS 2-54	1030	SCH
NOS/NRS 60-FIN/EINDE	1000	BRL
NAVIGATION (RUE DE LA) (2) - 31 E3	1020	BRL
NAYADENLAAN - 69 C1-2 D1	1170	WAB
NEDERDELLELAAN - 92 E3	3090	OVE
NEDERHEM - 94 E4 - 106 E1	1500	HAL
NEDERLANDLAAN - 6 C4 - 15 C1	1800	VIL
NEDERLANDLAAN - 83 A2-3	3090	OVE
NEDERSTRAAT - 55 D4 - 64 D1-2 E1	1600	SPL
NEDERVELD - 75 A2	1600	SPL
NEEFS (RUE HEN. - STRAAT) - 53 E2-3	1970	WEO
NEEP (RUE DU - STRAAT) - 40 B1-2	1081	KOE
NEERHOF (AV. - LAAN) - 3 D3-4 - 12 D1	1780	WEM
NEERHOFSTRAAT - 25 B1	1831	DIE
NEERHOFSTRAAT - 47 B-C2	1700	DIL
NEERHOFSTRAAT - 6 E2	1800	VIL
NEERKAMSTRAAT - 1 C1	1730	ASS
NEERLEEST - 23 B1	1020	BRL
NEERPEDE (RUE DE - STRAAT) -		
47 D-E4 - 48 A3-4 B3	1070	AND
NEERPOORTENSTRAAT - 105 A1-2 B2-3	3040	OTB
NEERSTALLE (CHAUSSEE DE) -		
57 E4 - 66 E1-2-3 - 67 A3		
NOS 1 à 387A - 2 à 364	1190	VOR
AUTRES NOS	1180	UCK
NEERSTALLESTEENWEG - 66 E2-3 - 67 A3		
NRS 395 tot EINDE - 366 tot EINDE	1180	UCK
NEERSTALSE STEENWEG - 57 E4 - 66 E1-2		
NRS 1 tot 387A - 2 tot 364	1190	VOR
NEERSTRAAT - 28 A-B4 - 37 C1	1700	SMB
NEERVELD (RUE - STRAAT) - 43 B4 C3-4	1200	WSL
NEERVELDLAAN - 47 C2	1700	DIL
NEERVELDSTRAAT - 37 A4	1703	SPD
NEFLIERS (CLOS DES) - 101 E2	1310	LAH
NEFLIERS (RUE DES) - 60 C3-4		
NOS IMPAIRS	1160	AUD
NOS PAIRS	1170	WAB
NEGEN PROVINCIESLAAN - 30 C1	1083	GAN
NEGENDE LINIELAAN - 40 D2 - Centr. 166 B1	1000	BRL
NEKKEDELLE - 73 C-D-E2	3090	OVE
NEKKERLAAN - 4 C2 D2-3	1860	MEI
NEKKERSDEL - 86 E1-2	1650	BEE
NEKKERSGAT (AV. - LAAN)- 67 A-B4	1180	UCK
NELEMOLENSTRAAT - 38 C2	1700	DIL
NENS (RUE GOUV. - STRAAT) - 48 E2 - 49 A2	1070	AND
NENUPHARS (AV. DES) - 49 A2	1160	AUD
NENUPHARS (CHEMIN DES) - 68 D2	1000	BRL
NENUPHARS (CLOS DES) - 44 D-E4	1970	WEO
NEPE - 108 B3	1653	DWO
NEPTUNE (AV.) - 123 E3-4	1410	WAT
NEPTUNE (AV.) - 58 B3-4 C3-4	1190	VOR
NEPTUNE (RESIDENCE) (28) - 127 E3	1300	LIL
NEPTUNUSLAAN - 58 B3-4 C3-4	1190	VOR
NEREM - 85 B-C1	1651	LOT
NERINCKXLAAN (KAREL) - 106 E1 - 107 A1	1500	HAL
NERINCXSTRAAT (ED.) - 106 E2 - 107 A2	1500	HAL
NERING - 86 B2-3 C2	1650	BEE
NERVIENS (AV. DES) - 50 E2 - 51 A2	1040	ETT
NERVIENS (CHAUSSEE DES) - 117 A-B3	1300	WAV
NERVIERS (AV. DES - LAAN) -		
12 E4 - 13 A4 - 21 E1	1780	WEM
NERVIERSLAAN - 50 E2 - 51 A2	1040	ETT
NESTELINGSTRAAT - 39 A3-4	1080	SJM
NESTSTRAAT - 59 C1	1050	IXE
NETELENWEG - 80 B-C4	1560	HOE
NEUBERGER (CLOS ED. - GAARDE) (1) - 30 C2	1083	GAN
NEUF BOIS (RUE DES) - 163 E4	1490	CSE
NEUF PROVINCES (AV. DES) - 30 C1-2	1083	GAN
NEUFCHATEL (RUE DE) - 49 E4 - 50 A4 - 59 A1	1060	SGI
NEUFMOUSTIER (RUE DE) - 153 C3	1348	LLN
NEUGIS (AV. DES) (2) - 114 C3	1332	GEN
NEURAY (RUE F. - STRAAT) - 59 A2	1050	IXE
NEUVE (RUE) - 155 C4	1460	IRE
NEUVE (RUE) -		
40 E3 - 41 A2-3 - Centr. 166 C2 D1-2	1000	BRL
NEUVE (RUE) - 76 E2-3	1620	DRO
NEUVE (RUE) - 98 A3-4	1640	SGR
NEUVE COUR (CLOS DE LA) - 159 E2	1380	PLA
NEUVE COUR (RUE DE LA) - 158 E4 - 159 A3-4	1420	BRA
NEUVIEME DE LIGNE (BLD. DU) -		
40 D2 - Centr. 166 B1	1000	BRL
NEUVILLE (PLACE DE LA) - 165 C1	1348	LLN
NEUVILLE (RUE DE LA) - 146 A-B1	1420	BRA
NEUVILLE (RUE DE LA) - 153 B4 - 165 B1	1348	LLN
NEVELAINES (AV. DES) - 113 C2-3	1310	LAH
NEWTON (AV.) - 104 C4 - 116 C1	1300	WAV
NEWTON (RUE - STRAAT) - 42 A4	1000	BRL
NEY (AV. MARECH.) - 159 E1	1380	PLA
NEY (AV. MARECHAL) - 123 B-C1	1410	WAT
NEY (AV. MARECHAL) - 134 D4	1420	BRA
NEY (AV. MARECHAL) - 78 A-B-C3	1180	UCK
NEY (VOIE DU MARECHAL) (8) - 141 C4	1300	WAV
NEYBERGH (AV. DU		
BOURGMESTRE JEAN) (8) - 21 D2	1090	JET
NEYBERGH (AV. RICHARD - LAAN) - 31 D1-2	1020	BRL
NEYBERGHLAAN (BURGEM. JEAN) (8) - 21 D2	1090	JET
NEYLAAN (MAARSCHALK) - 78 A-B-C3	1180	UCK
NICAGE (RUE DU) - 134 E4	1420	BRA
NICAGE (SENTIER DU) - 135 A4	1420	BRA
NICAISE (RUE) - 165 B-C2	1341	CEM
NICODEME (AV.) - 126 C1-2	1330	RIX
NICODEME (RUE L. - STRAAT) - 47 E2-3	1070	AND
NICOLAY (RUE - STRAAT) - 40 E1 - 41 A1	1000	BRL
NID (RUE DU) - 59 C1	1050	IXE
NIDERAND (CHEMIN DE) - 142 D4	1460	IRE
NIELLE (AV. DE LA) - 43 A3	1200	WSL
NIELLON (RUE - STRAAT) - 31 D3	1020	BRL
NIEMEGEERS (RUE LOUIS - STRAAT) -		
34 E4 - 43 E1	1950	KRA
NIEUPORT (BLD. DE) -		
40 D2 - Centr. 166 B1	1000	BRL
NIEUWBRUG - 40 A3 E2-3	1000	BRL
NIEUWBRUGSTRAAT - 15 E2 - 16 A2	1830	MAC
NIEUWBURGSTRAAT - 49 E4 - 50 A4 - 59 A1	1060	SGI
NIEUWE GENSTESTEENWEG - 30 A2	1702	GRB
NIEUWE GRAANMARKT - 40 D3 - Centr. 166 B2	1000	BRL
NIEUWELAAN - 114 D2 E1-2	3090	OVE

NIEUWELAAN - 13 D4 E3-4 1853 SBE
NIEUWELAAN - 2 C1-2 D1 1785 BRU
NIEUWELAAN - 4 B1 C1-2-3-4 1860 MEI
NIEUWELAAN - 50 D-E4 - 59 E1 - 60 A1 1040 ETT
NIEUWELAAN - 53 C2 1970 WEO
NIEUWENBOS - 29 A3-4 B3-4 1702 GRB
NIEUWENBOSSTRAAT - 37 D3-4 1700 DIL
NIEUWENHOVENLAAN - 74 E3 - 75 A2 1600 SPL
NIEUWENHUYS (AV.) - 102 A3 1310 LAH
NIEUWE SCHAPENWEG - 6 A2-3 B1-2 1850 GRI
NIEUWE STALLESTRAAT - 66 C4 1601 RUI
NIEUWE WOLSEMLAAN - 28 A4 - 37 A1 1700 SMB
NIEUWE ZAVENTEMSESTEENWEG - 25 D1 E1-2 1831 DIE
NIEUWLAAN - 46 B-C2 1701 ITT
NIEUWLAAN - 91 E3 - 92 A3 1560 HOE
NIEUWLAND - 49 D1-2 E1 - Centr. 168 B1-2 C1 1000 BRL
NIEUWLAND - 81 E4 - 82 A4 - 92 A1 3090 OVE
NIEUWPOORTLAAN - 40 D2 - Centr. 166 B1 1000 BRL
NIEUWRODELAAN - 98 B1-2 1640 SGR
NIEUWSTRAAT - 106 D1 1500 HAL
NIEUWSTRAAT - 16 B-C1 1830 MAC
NIEUWSTRAAT -
  40 E3 - 41 A2-3 - Centr. 166 C2 D1-2 1000 BRL
NIEUWSTRAAT - 45 C1 1933 STK
NIEUWSTRAAT - 63 C1 3080 TER
NIEUWSTRAAT - 7 E2 1800 PEU
NIEUWSTRAAT - 76 E2-3 1620 DRO
NIEUWSTRAAT - 9 B-C4 - 18 B1 1820 STE
NIEUWSTRAAT - 98 A3-4 1640 SGR
NIGELLE (RUE DE LA - STRAAT) - 45 B4 - 54 B1 1970 WEO
NIGELLENSTRAAT (8) - 60 E4 1170 WAB
NIGELLES (RUE DES) (8) - 60 E4 1170 WAB
NIHOULLAAN (H.) (1) - 95 C3 1501 BUI
NIJSBERGLAAN - 97 D1-2 E2 1652 ALS
NIJVELSEBAAN - 93 A-B3 C2-3 D1-2 E1 3090 OVE
NIJVELSEDREEF - 51 D4 - 60 C-D1
  ONEVEN NRS - NRS 2-176 1150 SPW
  NRS 178 tot EINDE 1160 AUD
NIJVELSESTEENWEG -
  106 E2-3-4 - 107 A4 -
  119 A1 B1-2-3-4 C4 - 131 C1 1500 HAL
NIJVELSTRAAT - 34 D-E1 1930 ZAV
NIJVERHEIDSKAAI - 40 B4 C3-4 - 49 A1-2
  NRS 1 tot 3A 1000 BRL
  NRS 5 tot 153 1080 SJM
  NRS 155 tot EINDE 1070 AND
NIJVERHEIDSLAAN - 14 A2 B1-2 1853 SBE
NIJVERHEIDSSTRAAT - 106 E1-2 1500 HAL
NIJVERHEIDSSTRAAT - 7 A4 - 15 E1 - 16 A1 1830 MAC
NIJVERHEIDSSTRAAT - 26 B3 1930 ZAV
NIJVERHEIDSSTRAAT - 50 C1 - Centr. 169 B1
  NRS 1 tot 15 - 2 tot 18 1000 BRL
  NRS 21 tot EINDE - 22 tot EINDE 1040 ETT
NIJVERHEIDSSTRAAT - 7 B1-2 1800 VIL
NIKKENBERG - 94 B-C4 1500 HAL
NILLEVELDSTRAAT - 91 B4 C3 - 101 B1 1560 HOE
NIMFENLAAN - 69 D1 1170 WAB
NINOOFSEPLEIN EN POORT -
  40 C3-4 - Centr. 166 A2-3 1000 BRL
NINOOFSESTEENWEG -
  39 A-B-C-D4 E3-4 - 40 A4 B-C3
  NRS 1-279 - 2-280 1080 SJM
  NRS 281-739 - 282-788 1070 AND
  NRS 975-EINDE - 996-EINDE 1080 SJM
NINOOFSESTEENWEG -
  38 D-E4 - 39 A4 1700 DIL
NINOOFSESTEENWEG - 46 A1-2 1703 SPD
NINOOFSESTEENWEG - 46 B-C-D-E1 - 47 A1 1701 ITT
NINOOFSESTEENWEG - 94 A3 B3-4 C4 1500 HAL
NINOVE (CHAUSSEE DE) -
  39 A-B-C-D4 E3-4 - 40 A4 B-C3
  NOS 1-279 - 2-280 1080 SJM
  NOS 281-739 - 282-788 1070 AND
  NOS 975-FIN - 996-FIN 1080 SJM
NINOVE (PORTE ET PLACE DE) -
  40 C3-4 - Centr. 166 A2-3 1000 BRL
NIPPONE (AV.) - 60 C3 1160 AUD
NIPPONLAAN - 60 C3 1160 AUD
NISARD (RUE - STRAAT) - 69 E3 1170 WAB
NIVEAU (RUE DU) - 40 C2 - Centr. 166 A1 1080 SJM
NIVELLES (ANC. ROUTE DE) - 97 B4 - 109 A-B1 1640 SGR
NIVELLES (AV. DE) - 127 B-C4 1300 LIL
NIVELLES (CHAUSSEE DE) -
  135 B4 C3-4 - 146 E3-4 -
  147 A2-3-4 B1 - 158 D1-2 E1 1420 BRA
NIVELLES (CHAUSSEE DE) - 135 C3 1410 WAT
NIVELLES (CHAUSSEE DE) -
  144 A4 - 156 A-B1 C1-2 D2-3 1461 HIT
NIVELLES (CHEMIN DE) - 159 B-C-D3 1380 PLA
NIVELLES (DREVE DE) - 51 D4 - 60 C-D1
  NOS IMPAIRS - NOS 2 à 176 1150 SPW
  NOS 178 à FIN 1160 AUD
NIVELLES (RUE DE) - 126 B-C-D4 1330 RIX
NIVELLES (RUE DE) - 129 A1-2 1300 WAV
NIVELLES (RUE DE) -
  131 D4 - 143 D1-2-3 E3-4 - 144 A4 1440 BRC
NIVEOLE (AV. DE LA) - 14 B4 - 23 B1 1020 BRL
NIZELLE (SENTIER) - 154 D2 1460 IRE
NIZELLES (CHEMIN DE) - 144 C-D4 - 156 D1 1440 BRC
NIZELLES (CHEMIN DE) - 145 A4 - 157 A1 1421 OPH
NOBEL (AV.) - 104 B4 1300 WAV
NOBELSTRAAT - 28 E2 - 29 A2 1702 GRB
NOCES (CHEMIN DES) - 123 B2-3-4 - 135 A1-2 1410 WAT
NOEL (RUE) - 122 B4 C3 1410 WAT
NOENDELLE - 24 D2 1130 BRL
NOGENT (RUE H. - STRAAT) - 39 E2 1080 SAB
NOIR BONHOMME (SENTIER DU) (2) - 123 B4 1410 WAT
NOIRE EPINE (CHAUSSEE DE LA) - 105 B4 1300 WAV
NOISETIERS (ALLEE DES) - 53 B2 1950 KRA
NOISETIERS (AV. DES) - 164 B-C1 1340 OTT
NOISETIERS (AV. DES) - 69 B1 C1-2 1170 WAB
NOISETIERS (RUE DES) - 145 D2 1421 OPH
NOISETIERS (VENELLE DES) (5) - 141 C1 1300 WAV
NOM DE JESUS (RUE DU) - 40 D3 - Centr. 166 B2 1000 BRL
NONNEMANSTRAAT (VICTOR) - 74 E1-2-3 1600 SPL
NOODBEEKSTRAAT - 4 E1 - 5 A1 1850 GRI
NOODLOTTIGE ROTSSTRAAT - 51 D-E1 1200 WSL
NOORDDOORGANG - 40 E3 - Centr. 166 C2 1000 BRL
NOORDDREEF - 72 C-D1 3080 TER
NOORDERLAAN - 20 E4 1731 ZEL
NOORDKRIEKENSTRAAT - 77 C2-3 1180 UCK
NOORDKUSTLAAN - 29 E2 1702 GRB
NOORDLAAN - 92 A-B2 1560 HOE
NOORDPLEIN - 41 A1 1210 SJN
NOORDSTRAAT - 41 B3-4 - Centr. 167 A2-3 1000 BRL
NOORDSTRAAT - 7 D-E3 1830 MAC
NOORWEGENSTRAAT - 49 C3 - Centr. 168 A3 1060 SGI
NORD (PASSAGE DU) - 40 E3 - Centr. 166 C2 1000 BRL
NORD (PETITE RUE DU) - 41 B3 - Centr. 167 A2 1000 BRL
NORD (PLACE DU) - 41 A1 1210 SJN
NORD (RUE DU) - 41 B3-4 - Centr. 167 A2-3 1000 BRL
NORD (RUELLE DU) (2) - 129 B2 1300 WAV
NORGA (RUE G. - STRAAT) - 33 B1 1140 EVE
NORMANDE (AV.) - 114 C-D3 1332 GEN
NORMANDIE (AV. DE) - 122 B-C4 1410 WAT
NORMANDIE (RUE DE - STRAAT) - 40 A-B1
  NOS IMPAIRS/ONEVEN NRS 1080 SJM
  NOS PAIRS/EVEN NRS 1081 KOE
NORMANDYLAAN - 45 B1 1933 STK
NORVEGE (AV. DE) - 146 D4 1420 BRA
NORVEGE (RUE DE) - 49 C3 - Centr. 168 A3 1060 SGI
NOSSEGEMSTRAAT (1) - 26 C4 1930 ZAV
NOTARISSTRAAT - 59 A1-2 1050 IXE
NOTE (RUE J. - STRAAT) - 57 B1 1070 AND
NOTELAARSSTRAAT -
  41 E3-4 - 42 A4 - 51 A1 - Centr. 167 D3
  ONEVEN NRS 1000 BRL
  EVEN NRS 1030 BRL

Street	Code	Area
NOTELAARSTRAAT - 19 D3-4	1730	BEK
NOTELARENDREEF - 9 D2-3 E2	1910	BER
NOTELARENLAAN - 66 A4	1600	SPL
NOTELARENSTRAAT - 73 D-E3	3090	OVE
NOTHOMB (RUE - STRAAT) - 50 E4	1040	ETT
NOTKERHOF - 27 B4	1930	NOS
NOTRE-DAME (AV.) - 139 E2 - 140 A2	1300	LIL
NOTRE-DAME (AV.) - 33 A3 B2-3	1140	EVE
NOTRE-DAME (PARVIS) - 31 E1 - 32 A1	1020	BRL
NOTRE-DAME (PARVIS) - 88 D-E4	1640	SGR
NOTRE-DAME (RUE) (12) - 146 C1	1420	BRA
NOTRE-DAME (RUE) - 142 A4	1480	TUB
NOTRE-DAME (RUE) - 43 C4 - 52 C1	1200	WSL
NOTRE-DAME-AU-BOIS (RUE) - 143 B1-2 C2	1440	BRC
NOTRE-DAME DE BASSE WAVRE (AV.) (1) - 117 C3	1300	WAV
NOTRE-DAME DE FATIMA (AV.) (9) - 30 D3	1082	SAB
NOTRE DAME DE GRACE (RUE) - 49 E2 - Centr. 168 C2	1000	BRL
NOTRE-DAME DE LORETTE (RUE) (1) - 149 E1-2	1380	LAS
NOTRE-DAME DE LOURDES (AV.) - 31 C2	1090	JET
NOTRE-DAME DES CHAMPS (VEN.) - 141 D-E1	1300	WAV
NOTRE-DAME DU SOMMEIL (RUE) - 40 C3 D3-4 - Centr. 166 A2 B2-3	1000	BRL
NOTRE SEIGNEUR (RUE DU) - 76 E1	1620	DRO
NOTRE-SEIGNEUR (RUE) - 49 E1-2 - Centr. 168 C1-2	1000	BRL
NOUCELLES (CHEMIN DE) - 145 B3-4	1421	OPH
NOUCELLES (PLACE DE) - 133 A4	1440	WBC
NOUVEAU MARCHE AUX GRAINS (PLACE DU) - 40 D3 - Centr. 166 B2	1000	BRL
NOUVEAU RHODE (AV. DU) - 98 B1-2	1640	SGR
NOUVELLE (AV.) - 115 A2-3	1331	ROS
NOUVELLE (AV.) - 50 D-E4 - 59 E1 - 60 A1	1040	ETT
NOUVELLE (AV.) - 53 C2	1970	WEO
NOUVELLE (RUE) - 164 B2	1340	OTT
NOUVELLES TECHNOLOGIES (RUE DES) - 164 A2	1340	OTT
NOVATEURS (ALLEE DES) - 48 A4	1070	AND
NOVILLE (SQUARE DE - SQUARE) - 40 C1	1081	KOE
NOWELEI (J.B.) - 6 E2 - 7 A2	1800	VIL
NOYER (RUE DU) - 41 E3-4 - 42 A4 - 51 A1 - Centr. 167 D3		
NOS IMPAIRS	1000	BRL
NOS PAIRS	1030	SCH
NOYERS (VENELLE DES) (6) - 141 C1	1300	WAV
NUIT DE MAI (PROMENADE DE LA) - 153 B2	1348	LLN
NUIT ET JOUR (RUELLE) (19) - 129 B1	1300	WAV
NYMPHES (AV. DES) - 123 A3-4	1410	WAT
NYMPHES (AV. DES) - 69 D1	1170	WAB
NYS (RUE A. - STRAAT) - 48 A4	1070	AND

O

Street	Code	Area
OASEBINNENHOF - 33 B4 - 42 B1	1140	EVE
OASELAAN - 102 B-C2	3090	OVE
OASIS (CLOS DE L') - 33 B4 - 42 B1	1140	EVE
OBBEEKLOS - 64 B2-3	1602	VLE
OBBEEKSTRAAT - 64 A2-3 B2	1602	VLE
OBBERG - 12 C3-4 - 21 B-C1	1780	WEM
OBBERGEN - 21 A2 B1-2	1731	REL
OBECQ (RUE) - 123 C4 - 135 B-C1	1410	WAT
OBSERVATOIRE (AV. DE L') - 67 A3 B2-3 C1-2	1180	UCK
OBSTACLES (AV. DES) - 53 A3	1150	SPW
OBUS (RUE DE L' - STRAAT) - 39 D4 - 48 D1	1070	AND
OCTOBRE (RUE D') - 42 D-E4	1200	WSL
OCTOGONE (PLACE DE L') - 69 C2	1170	WAB
OCTROI (VENELLE DE L') - 129 B-C3	1300	WAV
ODEGHIEN (RUE D') - 121 A2-3 B3-4 - 133 B1-2	1420	BRA
ODILE (AV.) - 149 B2	1380	LAS
ODON (RUE - STRAAT) - 40 C4 - 49 B-C1 - Centr. 166 A3	1070	AND
ODRIMONT (CHEMIN D') - 125 C4 - 137 C1	1380	OHA
ŒILLETS (RUE DES) - 41 A3 - Centr. 166 D2	1000	BRL
OESTERSGANG GELEGEN LOLLEPOTSTRAAT NR. 20 40 E4 - Centr. 166 C3	1000	BRL
OEVERBEEMD - 76 A-B3	1601	RUI
OEVERSTRAAT - 43 C3-4	1200	WSL
OFFENBERG (ROND POINT J. - PLEIN) - 22 E2	1020	BRL
OGENTROOSTLAAN - 81 E4 - 91 E1	3090	OVE
OHAIN (ROUTE D') - 125 D2 E1	1332	GEN
OHAIN (ROUTE D') - 137 C2-3-4	1380	LAS
OHAIN (VALLON D' - DAL) - 78 C1	1180	UCK
OIES (AV. DES) - 98 D-E4 - 110 D-E1	1640	SGR
OIGNIES (COURS MARIE D') - 153 C2	1348	LLN
OIGNIES (RUE MARIE D') - 153 C2 B3	1348	LLN
OISEAU BLEU (AV. DE L') - 51 C-D4	1150	SPW
OISELET (RUE DE L') - 39 A3-4	1080	SJM
OISELEURS (CHEMIN DES) - 68 C-D2		
NOS IMPAIRS	1000	BRL
NOS PAIRS	1180	UCK
OISQUERCO (RUE D') - 142 A1-2-3 B3	1480	TUB
OISQUERCQ (RUE DE) - 154 D1	1460	IRE
OISQUERCQ (RUE DE) - 154 D1	1480	TUB
OKTOBERSTRAAT - 42 D-E4	1200	WSL
OLEANDERGAARD (1) - 33 E4	1140	EVE
OLEFFE (AV. ANDRE) - 152 E4 - 153A4	1348	LLN
OLEFFE (AV. AUG. - LAAN) - 60 D3	1160	AUD
OLIEBRONSTRAAT - 97 D3	1640	SGR
OLIESLAGERIJLAAN - 66 E1	1190	VOR
OLIESLAGERS (AV. J. - LN) - 52 D2	1150	SPW
OLIESLAGERSLAAN (JAN) - 7 B3	1800	VIL
OLIESTRAAT - 105 C1	3040	OTB
OLIFANTSTRAAT - 40 B3 C2-3	1080	SJM
OLIVES (RUELLES AUX) (2) - 117 C4	1300	WAV
OLIVETENHOF (2) - 40 D-E4	1000	BRL
OLIVIER (AV. V. - LAAN) - 48 D4	1070	AND
OLIVIER (CLOS LAUR. - GAARDE) (9) - 21 D2	1090	JET
OLIVIER (RUE ED. - STRAAT) - 60 A-B4	1170	WAB
OLMENDREEF - 37 D3	1700	DIL
OLMENDREEF - 63 E1	3080	TER
OLMENGAARDE - 114 E2	3090	OVE
OLMENLAAN - 65 E4	1600	SPL
OLMENLAAN - 9 C2	1820	STE
OLMENOORD - 53 C-D2	1970	WEO
OLMENSTRAAT - 26 A-B2	1930	ZAV
OLMENSTRAAT - 63 C2	3080	TER
OLMENWEG - 62 C4 - 71 B1	3080	TER
OLMESTRAAT - 1 D1	1785	BRU
OLMKRUIDLAAN - 23 C2		
NRS 1 tot 15 - 2 tot 16	1020	BRL
NRS 21 tot EINDE - 22 tot EINDE	1120	BRL
OLMPJESLAAN - 58 D-E4	1180	UCK
OLMSTRAAT - 51 A-B1		
ONEVEN NRS	1040	ETT
EVEN NRS	1030	SCH
OLMSTRAAT - 7 B1-2	1800	VIL
OLYMPIADELAAN - 14 B3	1800	VIL
OLYMPIADENLAAN - 33 B3-4 C3	1140	EVE
OLYMPIADES (AV. DES) - 33 B3-4 C3	1140	EVE
OLYMPIQUE (DREVE) - 56 D2 E1	1070	AND
OLYMPISCHE DREEF - 56 D2 E1	1070	AND
OMBRAGES (AV. DES) - 51 D2	1200	WSL
OMBRE (CHEMIN DE L') - 59 C3-4	1000	BRL
OMBRES (MONTAGNE AUX) - 51 E4	1150	SPW
OMMEGANG (RUE DE L' - STRAAT) - 41 A3 - Centr. 166 D2	1000	BRL
OMWENTELINGSSTRAAT - 41 B3 - Centr. 167 A2	1000	BRL
ONAFHANKELIJKHEIDSSTRAAT - 40 A2 B2-3 C3	1080	SJM
ONDERLINGE HULPLAAN (6) - 30 D3	1082	SAB
ONDERLINGEBIJSTANDSTRAAT - 58 D3-4		
NRS 1 tot 57 - 2 tot 34	1190	VOR
NRS 57A tot EINDE - 46 tot EINDE	1180	UCK

ONDERRICHTSSTRAAT - 41 B3-4 - Centr. 167 A2-3 1000 BRL
ONDERRICHTSTRAAT - 11 E4 - 12 A4 1731 REL
ONDERWIJSSTRAAT (5) - 94 D4 1500 HAL
ONDERWIJSSTRAAT - 26 B3-4 1930 ZAV
ONDERWIJSSTRAAT - 49 A2 B2-3 C3
NRS 157 - 154-160 1060 SGI
ANDERE NRS 1070 AND
ONDINES (PLACE DES) - 153 A3 1348 LLN
ONGENA (RUE - STRAAT) - 31 B-C4 1090 JET
ONS-HEERSTRAAT - 49 E1-2 - Centr. 168 C1-2 1000 BRL
ONTARIO (RUE DE L') - 110 E3-4 1410 WAT
ONTHAALSQUARE - 33 A3 1140 EVE
ONTMIJNERSLAAN - 31 B1 1090 JET
ONTVANGERSWEG - 18 C2 1820 STE
ONTVOOGDINGSSTRAAT - 57 B2 1070 AND
ONTWIKKELINGSSTRAAT - 48 E4 - 57 D1 1070 AND
ONTWIKKELINGSTRAAT (3) - 30 C3 1082 SAB
ONYX (RESIDENCE) (12) - 127 E2 1300 LIL
ONYX (RUE DE L' - STRAAT) - 22 A1 1020 BRL
ONYX (SQUARE DE L' - SQUARE) (3) - 22 A1 1020 BRL
ONZE-LIEVE-HEERWEG - 4 A1 1860 MEI
ONZE-LIEVE-VROUWLAAN - 33 A3 B2-3 1140 EVE
ONZE-LIEVE-VROUWSTRAAT - 43 C4 - 52 C1 1200 WSL
ONZE-LIEVE-VROUWSTRAAT - 5 C1 1850 GRI
ONZE-LIEVE-VROUWSTRAAT - 97 C1-2 1652 ALS
ONZE-LIEVE-VROUW VAN
GRATIESTRAAT - 49 E2 - Centr. 168 C2 1000 BRL
ONZE-LIEVE-VROUW VAN
VAAKSTRAAT - 40 C3 D3-4 - Centr. 166 A2 B2-3 1000 BRL
ONZE-LIEVE-VROUW VAN FATIMALAAN (9) -
30 D3 1082 SAB
ONZE-LIEVE-VROUW VAN LOURDESLAAN -
31 C2 1090 JET
ONZE-LIEVE-VROUW-VOORPLEIN - 31 E1 - 32 A1 1020 BRL
ONZE-LIEVE-VROUW-VOORPLEIN - 88 D-E4 1640 SGR
ONZE LIEVE VROUWWEG - 94 B4 1500 HAL
ONZE-LIEVE-VROUWWEG - 55 B-C4 1600 SPL
ONZE-LIEVE-VROUWWEG - 71 C1-2-3-4 3080 TER
ONZE NOVEMBRE (AV. DU) - 51 A-B3 1040 ETT
ONZIEME ZOUAVE (AV. DU) - 152 A-B1 1342 LIM
OOGSTLAAN - 98 A1-2 1640 SGR
OOGSTSTRAAT - 41 C-D3 1210 SJN
OOIENSTRAAT - 60 A4
ONEVEN NRS 1170 WAB
EVEN NRS 1050 IXE
OOIEVAARSLAAN - 44 C-D1 1970 WEO
OOIEVAARSSTRAAT - 40 D3 - Centr. 166 B2 1000 BRL
OOIEVAARSTRAAT - 14 C-D2 1800 VIL
OORBEEKSTRAAT - 27 E4 3070 KOR
OORLOGSKRUISENLAAN - 23 D2-3 E2 - 24 A1-2 1120 BRL
OOSTENDESTRAAT - 40 B-C2 1080 SJM
OOSTHOEKSTRAAT - 28 A3 1700 SMB
OOSTSTRAAT - 41 C-D1 1030 SCH
OOSTSTRAAT - 42 C1 1140 EVE
OPAALLAAN - 42 A4 B3-4 1030 SCH
OPALE (AV. DE L') - 42 A4 B3-4 1030 SCH
OPALE (RESIDENCE) (13) - 127 E2 1301 BIE
OPBERG - 44 E4 1970 WEO
OPEN VELDSTRAAT - 20 D3 1731 ZEL
OPENLUCHTLAAN - 88 B3-4 - 98 B1 1640 SGR
OPENLUCHTSTRAAT - 30 D3-4 1082 SAB
OPENLUCHTVELD - 46 E2 - 47 A2 1701 ITT
OPENLUCHTVELDLAAN - 37 D4 1700 DIL
OPENLUCHTWANDELGANG (7) - 52 C3 1150 SPW
OPENVELD (RUE - STRAAT) - 30 B4 C3-4 1082 SAB
OPENVELDLAAN - 29 A3 1702 GRB
OPHAALBRUGSTRAAT - 51 D1 1200 WSL
OPHAIN (CHAUSSEE D') - 133 A4 - 145 B1-2 1440 WBC
OPHAIN (CHAUSSEE D') - 146 A2-3 B1-2 1420 BRA
OPHAIN (PLACE D') - 145 E4 1420 BRA
OPHEM (AV. D') - 53 A-B1 1950 KRA
OPHEM (AV. D') - 53 A1 1150 SPW
OPHEM (RUE D') - 40 D2-3 - Centr. 166 B1-2 1000 BRL
OPLINKEBEEK (SENTIER - PAD) - 77 D4 1630 LIN
OPPEM (AV. D' - LAAN) - 53 B-C-D1 1970 WEO
OPPEM (GRAND CHEMIN D') -
53 E2 - 54 A2-3 B3-4 1970 WEO
OPPEMKERKSTRAAT - 3 D1 1860 MEI
OPPEMLAAN - 53 A-B1 1950 KRA
OPPEMLAAN - 53 A1 1150 SPW
OPPEMSTRAAT - 40 D2-3 - Centr. 166 B1-2 1000 BRL
OPPEMSTRAAT - 54 B4 - 63 B1 3080 TER
OPPERJACHTMEESTERSTRAAT - 69 E3 1170 WAB
OPPERSELEBAAN - 2 C3-4 1785 BRU
OPPERSTRAAT - 50 A4 B3-4
NRS 1 tot 105 - 2 tot 108 1050 IXE
NRS 107 tot EINDE - 110 tot EINDE 1000 BRL
OPPERVELDLAAN - 14 C-D1 1800 VIL
OPRECHTHEIDSSTRAAT - 48 D2 1070 AND
OPSOMERDREEF (BARON) - 82 C2 D1 3090 OVE
OPSTALWEG - 68 C2 1180 UCK
OPTIMISME (AV. DE L' - LAAN) - 42 C-D1 1140 EVE
OPVOEDINGSSTRAAT (1) - 30 E2 1083 GAN
OPZICHTERSTRAAT - 31 C4 - 40 C-D1 1080 SJM
ORANGE (AV. PRINCE D') - 123 C1 1410 WAT
ORANGE (AV. PRINCE D') - 146 E1 - 147 A1 1420 BRA
ORANGE (CLOS DU PRINCE D') - 147 A1 1420 BRA
ORANGERIE (AV. DE L') - 123 A4 1410 WAT
ORANGERIE (CHAUS. DE L') - 116 E3 - 117 A-B3 1300 WAV
ORANGERS (AV. DES) - 52 C4 1150 SPW
ORANJEBLOESEMSTRAAT (12) - 44 A4 1150 SPW
ORANJELAAN - 52 C4 1150 SPW
ORANJERIELAAN - 38 C-D3 1700 DIL
ORANJETIP - 37 D1 1700 DIL
ORATORIENBERG -
41 A3-4 B4 - Centr. 166 D2-3 - 167 A3 1000 BRL
ORBAN (AV. - LAAN) - 52 D3 E2-3 - 53 A2 1150 SPW
ORBAN (RUE A. - STRAAT) - 49 B4 - 58 B1 1190 VOR
ORCHIDEEENGAARDE - 51 D4 1150 SPW
ORCHIDEEENLAAN - 9 A4 B3-4 1820 STE
ORCHIDEEENSTRAAT - 48 E2 1070 AND
ORCHIDEES (AV. DES) - 110 D2-3 E3 1410 WAT
ORCHIDEES (CLOS DES) - 51 D4 1150 SPW
ORCHIDEES (RUE DES) - 48 E2 1070 AND
ORDESTRAAT - 60 A4 1050 IXE
ORDRE (RUE DE L') - 60 A4 1050 IXE
OREE (AV. DE L') - 109 C-D3 1420 BRA
OREE (AV. DE L') - 59 D-E4 - 68 D1
NOS 1 à 23 - NOS PAIRS 1000 BRL
NO 25A 1050 IXE
OREE (AV. DE L') - 99 A-B4 1640 SGR
OREE (PLACE DE L') - 61 E1 1150 SPW
ORFEVRES (RUE DES) - 49 D2-3 - Centr. 168 B2-3 1000 BRL
ORIENT (RUE DE L') - 50 D-E3 1040 ETT
ORIFLAMMENSQUARE (2) - 30 E1 1083 GAN
ORIFLAMMES (SQUARE DES) (2) - 30 E1 1083 GAN
ORION (AV. - LAAN) - 42 D3 1200 WSL
ORION (RESIDENCE) (23) - 127 D3 1300 LIL
ORLEANS (CLOS D' - GAARDE) - 52 D4 - 61 D1 1150 SPW
ORME (RUE DE L') - 51 A-B1
NOS IMPAIRS 1040 ETT
NOS PAIRS 1030 SCH
ORMEAUX (AV. DES) - 58 D-E4 1180 UCK
ORMES (CLOS DES) - 53 C-D2 1970 WEO
ORMES (RUE DES) - 145 D2 1421 OPH
ORNOIS (CHEMIN DES) - 149 D1-2 E2 1380 LAS
ORPHELINAT (RUE DE L') - 39 D4 - 48 D1 1070 AND
ORPINS (ALLEE DES) (5) - 56 E3 1070 AND
ORTELIUS (RUE - STRAAT) - 41 D4 - Centr. 167 C3 1000 BRL
ORTOLAANSTRAAT - 20 E2 1731 ZEL
ORTOLANENLAAN- 69 C-D2 1170 WAB
ORTOLANENWEG - 69 B1-2 C2 1170 WAB
ORTOLANES (AV. DES) - 69 C-D2 1170 WAB
ORTOLANS (CHEMIN DES) - 69 B1-2 C2 1170 WAB
ORTS (RUE AUGUSTE - STRAAT) -
40 E4 - Centr. 166 C3 1000 BRL
ORVAL (COURS D') - 153 B2 1348 LLN
OSERALES (DREVE DES) - 89 C1-2 D-E2 1640 SGR

O

P

P

Rue	Code	Commune
PACIFICATION (RUE DE LA) -		
41 C3-4 D4 - Centr. 167 B2-3 C3		
NOS 1 à 43 - 2 à 36	1210	SJN
AUTRES NOS	1000	BRL
PACIFIQUE (RUE DU) - 58 E3 - 59 A3	1180	UCK
PADDENSTRAAT (1) - 97 E4 - 98 A4	1640	SGR
PADDOCK (AV. DU - LAAN) - 53 A3-4	1150	SPW
PADDOCK (CLOS DU) (1) - 121 E2	1420	BRA
PADDOCKLAAN - 28 E4 - 29 A4	1700	DIL
PADENBORRE - 96 A1-2	1653	DWO
PADOUE (RUE DE) (4) - 49 B4	1190	VOR
PADUASTRAAT (4) - 49 B4	1190	VOR
PADVINDERSDAL - 107 E2	1653	DWO
PAEPEDELLE (AV. DU) - 60 C1	1160	AUD
PAEPSEM (BLD.) - 57 D-E1	1070	AND
PAEPSEM (RUE) - 57 E2	1070	AND
PAGE (RUE DU) - 59 A1-2	1050	IXE
PAGODENLAAN - 23 A-B1 C2-3	1020	BRL
PAGODES (AV. DES) - 23 A-B1 C2-3	1020	BRL
PAILLE (RUE DE LA) -		
49 E1 - 50 A1 - Centr. 168 C-D1	1000	BRL
PAIX (AV. DE LA) - 127 A2	1330	RIX
PAIX (AV. DE LA) - 134 E4 - 146 E1	1420	BRA
PAIX (AV. DE LA) - 152 B4	1340	OTT
PAIX (AV. DE LA) - 30 E4	1081	KOE
PAIX (AV. DE LA) - 98 E4 - 99 A3	1640	SGR
PAIX (PLACE DE LA) - 33 B1	1140	EVE
PAIX (PLACE DE LA) - 44 A1	1950	KRA
PAIX (RUE DE LA) - 130 A3	1480	TUB
PAIX (RUE DE LA) - 135 C2	1410	WAT
PAIX (RUE DE LA) - 50 B2-3 - Centr. 169 A2-3	1050	IXE
PAKHUISSTRAAT - 40 E2 - Centr. 166 C1	1000	BRL
PALAIS (PLACE DES) - 50 A-B1	1000	BRL
PALAIS (RUE DES) - 32 A2-3 B3-4 - 41 B1		
NOS 1 à 199 - 2 à 312	1030	SCH
NOS 245 à FIN - 314 à FIN	1000	BRL
PALAIS OUTRE-PONTS (RUE DES) - 32 A1-2	1020	BRL
PALEAU (RUE) - 122 B4 - 134 B1	1420	BRA
PALEAU (RUE) - 122 B4 - 134 B1	1410	WAT
PALEIZENLAAN - 54 C4	3080	TER
PALEIZENPLEIN - 50 A-B1	1000	BRL
PALEIZENSTRAAT - 32 A2-3 B3-4 - 41 B1		
NRS 1 tot 199 - 2 tot 312	1030	SCH
NRS 245 tot EINDE - 314 tot EINDE	1000	BRL
PALEIZENSTRAAT OVER DE BRUGGEN - 32 A1-2	1020	BRL
PALESTRE (AV. DE LA - LAAN) - 43 E3	1200	WSL
PALETTE (AV. DE LA) (3) - 165 B1	1348	LLN
PALFYN (AV. J. - LAAN) - 22 B2		
NOS/NRS 6-94	1020	BRL
AUTRES NOS/ANDERE NRS	1090	JET
PALFYN (SQ. J. - SQ.) - 22 B2	1020	BRL
PALIER (RUE DU) - 152 E4 - 165 B1	1348	LLN
PALIO (VENELLE AU - STEEG) (5) - 52 C3	1150	SPW
PALISSADEPAD - 89 E4	1560	HOE
PALLANDT (RUE DE) - 165 B2-3 C2	1341	CEM
PALLE (CHEMIN) - 145 D2 E3	1421	OPH
PALLIETERVELDESTRAAT - 95 B1-2	1500	HAL
PALMBOOMSTRAAT - 51 C4 - 60 C1	1150	SPW
PALMENLAAN - 66 A4	1600	SPL
PALMERSTON (AV. - LAAN) - 41 D4 - Centr. 167 C3	1000	BRL
PALMIERS (RUE DES) - 51 C4 - 60 C1	1150	SPW
PALOKE (RUE - STRAAT) - 38 E3 - 39 A3-4	1080	SJM
PALOKESTRAAT - 38 E3 - 39 A3	1700	DIL
PALOMBES (AV. DES) - 53 A4	1150	SPW
PALOMBES (CLOS DES) - 123 E3	1410	WAT
PAMPOEL (RUE - STRAAT) - 30 D3	1083	GAN
PANDHOFLAAN - 50 E3 - Centr. 169 D3	1040	EVE
PANGAERT (RUE - STRAAT) - 30 E3	1083	GAN
PANIERS (PLACE DES) - 153 C4	1348	LLN
PANNENHUIS (ROND POINT DU - PLEIN) - 31 C1	1090	JET
PANNENHUIS (RUE - STRAAT) - 31 C2-3		
NOS IMPAIRS/ONEVEN NRS	1090	JET
NOS PAIRS/EVEN NRS	1020	BRL
PANORAMA (AV. DU - LAAN) - 68 D1-2	1000	BRL
PANORAMA (AV. DU) - 129 C-D1	1300	WAV
PANORAMA (RUE DU - STRAAT) - 13 B4	1780	WEM
PANORAMA (RUE DU) - 114 E2 - 115 A2	1331	ROS
PANORAMA (SENTIER DU) - 114 E2	1331	ROS
PANORAMALAAN - 107 A3	1500	HAL
PANORAMALAAN - 36 A4	1933	STK
PANORAMALAAN - 54 E2	3080	TER
PANORAMALAAN - 86 E3	1650	BEE
PANORAMALAAN - 91 B1	1560	HOE
PANORAMASTRAAT - 108 E2	1650	BEE
PANTHEON (AV. DU - LAAN) -		
30 E4 - 31 A-B4 - 40 B1		
NOS/NRS 1-107	1081	KOE
AUTRES NOS/ANDERE NRS	1083	GAN
PANTSERTROEPENSQUARE -		
40 D2-3 - Centr. 166 B1-2	1000	BRL
PAOLA (AV. DE LA PRINCESSE) - 67 B2-3 C2-3	1180	UCK
PAOLA (AV. PRINCESSE) - 123 C4	1410	WAT
PAOLA (AV.) - 127 B3-4	1330	RIX
PAOLALAAN (PRINSES) - 106 D2	1500	HAL
PAOLALAAN (PRINSES) - 67 B2-3 C2-3	11810	UCK
PAONS (RUE DES) - 60 D-E2	1160	AUD
PAPAARD - 86 B-C2	1650	BEE
PAPAVERLAAN (1) - 53 C2	1970	WEO
PAPAVERSTRAAT - 42 A2	1030	SCH
PAPEDELLELAAN - 60 C1	1160	AUD
PAPEGAAISTRAAT (1) - 14 C1	1800	VIL
PAPENHOUTLAAN - 23 B1-2	1030	BRL
PAPENKASTEEL (RUE - STRAAT) -		
67 C4 - 77 C-D1	1180	UCK
PAPENROTWEG - 108 E1 - 109 A1	1652	ALS
PAPENVEST - 40 D3 - Centr. 166 B2	1000	BRL
PAPENWEG - 64 B3-4 C3	1602	VLE
PAPESTRAAT - 94 A3	1500	HAL
PAPIERFABRIEKSSTRAAT - 26 A4	1930	ZAV
PAPIERMOLENSTRAAT - 61 A4 - 70 A1	1160	AUD
PAPILLON (RUE DU) - 98 B-C3	1640	SGR
PAPILLONS (AV. DES) - 122 C1	1410	WAT
PAPILLONS (AV. DES) - 130 D2-3	1480	CLA
PAPILLONS (CHAMP DES) (8) - 45 B4	1970	WEO
PAPILLONS (RUE DES) - 47 D3-4	1070	AND
PAPYREE (RUE DE LA) - 134 A3-4 B3	1420	BRA
PAQUERETTES (AV. DES) - 122 D1 E1-2	1410	WAT
PAQUERETTES (AV. DES) - 126 D-E2	1330	RIX
PAQUERETTES (AV. DES) - 98 E4 - 110 E1	1640	SGR
PAQUERETTES (RUE DES) - 134 D3-4 E4	1420	BRA
PAQUERETTES (RUE DES) - 41 D1	1030	SCH
PAQUES (FOND JACQUES) - 165 E1	1348	LLN
PAQUOT (RUE J. - STRAAT) - 50 D4 - 59 D1	1050	IXE
PARADE (ALLEE DE LA - WANDELDREEF) - 42 C1	1140	EVE
PARADIJSSTRAAT - 50 A1 - Centr. 168 D1	1000	BRL
PARADIJSVOGELLAAN (3) - 60 D1-2		
NRS 1 tot 103 - 2 tot 78	1160	AUD
NRS 115-EINDE - 90-EINDE	1150	SPW
PARADIS (CHEMIN DU) - 136 E4 - 137 A4	1380	LAS
PARADIS (CLOS DU) - 141 B1-2	1300	LIL
PARADIS (RUE DU) - 146 C1-2	1420	BRA
PARADIS (RUE DU) - 153 A-B3	1348	LLN
PARADIS (RUE DU) - 50 A1 - Centr. 168 D1	1000	BRL
PARADIS (SENTIER DU) - 146 B2-3 C2	1420	BRA
PARADIS DES ENFANTS - 51 C4	1040	ETT
PARADISIERS (AV. DES) (3) - 60 D1-2		
NOS 1 à 103 - 2 à 78	1160	AUD
NOS 115 à FIN - 90 à FIN	1150	SPW
PARC (AV. DU) - 102 A4 - 114 A-B1	1310	LAH
PARC (AV. DU) - 12 D1-2	1780	WEM
PARC (AV. DU) - 129 C2	1300	WAV
PARC (AV. DU) - 164 B-C1	1340	OTT
PARC (AV. DU) - 58 C-D1		
NOS 1 à 89 - 2 à 118	1060	SGI
NOS 91 à FIN - 118 à FIN	1190	VOR
PARC (CHEMIN DU) - 146 B1	1420	BRA
PARC (CLOS DU) (4) - 146 C2	1420	BRA
PARC (PETITE AVENUE DU) - 114 B1	1310	LAH

Straat / Rue	Code	Gemeente
PARC (RUE DU) - 130 B-C4	1480	CLA
PARC DE WOLUWE (AV. DU) - 61 A1	1160	AUD
PARC ELISABETH (RUE DU) - 31 B4 - 40 B1	1081	SJM
PARC INDUSTRIEL (RUE DU) -		
132 D4 E3-4 - 133 A-B3	1440	WBC
PARC ROYAL (AV. DU) - 22 E3-4 - 23 A2-3-4 - 32 A1	1020	BRL
PARELHOENLAAN - 122 A1	1640	SGR
PARELHOENSTRAAT - 69 D2	1170	WAB
PARELSTRAAT - 40 C2 - Centr. 166 A1	1080	SJM
PARENTE (RUE CHARLES - STRAAT) -		
PARFUMS (RUE DES) - 48 D1-2	1070	AND
PARIJSSTRAAT - 33 B1-2	1140	EVE
PARIJSSTRAAT - 50 B2 - Centr. 169 A2		
ONEVEN NRS - NRS 2 tot 12	1050	IXE
NRS 14 tot EINDE	1000	BRL
PARIJSSTRAAT - 56 B4 - 64 E1 - 65 A1-2 B1	1602	VLE
PARIS (RUE DE) - 33 B1-2	1140	EVE
PARIS (RUE DE) - 50 B2 - Centr. 169 A2		
NOS IMPAIRS - 2 à 12	1050	IXE
NOS 14 à FIN	1000	BRL
PARISELLE (SENTIER DE LA) - 143 D3	1440	BRC
PARK VAN WOLUWELAAN - 60 E2 - 61 A1-2	1160	AUD
PARKGAARDE - 16 C2	1830	MAC
PARKIETENSTRAAT - 6 B1	1850	GRI
PARKLAAN - 106 D1	1500	HAL
PARKLAAN - 108 A-B1	1653	DWO
PARKLAAN - 114 C-D-E2	3090	OVE
PARKLAAN - 12 D1-2	1780	WEM
PARKLAAN - 26 B4 - 35 B1	1930	ZAV
PARKLAAN - 3 E1 - 4 A1-2	1860	MEI
PARKLAAN - 38 B4	1700	DIL
PARKLAAN - 54 C-D3	3080	TER
PARKLAAN - 58 C-D1		
NRS 1 tot 89 - 2 tot 118	1060	SGI
ANDERE NRS	1190	VOR
PARKLAAN - 91 E3 - 92 A2-3	1560	HOE
PARKPLEIN - 75 E1	1600	SPL
PARKSTRAAT - 16 B-C2	1830	MAC
PARKSTRAAT - 7 A3-4	1800	VIL
PARLEMENT (GALERIE DU)		
SITUEE RUE DE LA CROIX DU FER		
41 B4 - Centr. 167 A3	1000	BRL
PARLEMENT (RUE DU) - 41 B4 - Centr. 167 A3	1000	BRL
PARLEMENTSGALERIJ		
GELEGEN IJZERENKRUISSTRAAT		
41 B4 - Centr. 167 A3	1000	BRL
PARLEMENTSSTRAAT - 41 B4 - Centr. 167 A3	1000	BRL
PARMASTRAAT - 49 D-E4	1060	SGI
PARME (RUE DE) - 49 D-E4	1060	SGI
PARMENTIER (AV. EDM. - LAAN) - 52 B3-4 C-D3	1150	SPW
PARMENTIER (CHEMIN) - 112 C1-2 D1	1310	LAH
PARMENTIER (RUE HILAIRE) - 132 C2-3 D1-2-3-4	1440	WBC
PARNASSE (CLOS DU) - 50 C2 - Centr. 169 B2	1050	IXE
PARNASSE (RUE DU) - 50 C2 - Centr. 169 B2	1050	IXE
PARNASSUSGAARDE - 50 C2 - Centr. 169 B2	1050	IXE
PARNASSUSSTRAAT - 50 C2 - Centr. 169 B2	1050	IXE
PAROCHIAANSSTRAAT - 41 A4 - Centr. 166 D3	1000	BRL
PAROCHIESTRAAT - 24 D-E3 - 25 A2	1130	BRL
PAROISSE (RUE DE LA) - 24 D-E3 - 25 A2	1130	BRL
PAROISSIENS (RUE DES) - 41 A4 - Centr. 166 D3	1000	BRL
PARUCK (RUE DU - STRAAT) - 39 E1 - 40 A1-2	1080	SJM
PARVAIS (SENTIER) - 131 A2 B2-3	1440	BRC
PAS (RUE CH. - STRAAT) - 70 B2	1160	AUD
PASCAL (AV.) - 104 D3-4 E4 - 116 D1	1300	WAV
PASCAL (PLACE BLAISE) - 153 B3	1348	LLN
PASSAGE INTERNATIONAL -		
41 A2 - Centr. 166 D1	1210	SJN
PASSCHENDAELE (RUE DE) -		
40 D2 - Centr. 166 B1	1000	BRL
PASSENDALESTRAAT - 40 D2 - Centr. 166 B1	1000	BRL
PASSEREAUX (AV. DES) - 60 D2		
NOS IMPAIRS - NOS 32 à FIN	1160	AUD
NOS 2 à 26	1150	SPW
PASSERELLE (AV. DE LA) - 22 D1	1020	BRL
PASSERELLE PROLONGEE		
(AV. DE LA) - 22 E2	1020	BRL
PASSERSTRAAT - 49 B1	1070	AND
PASSICHE (SENTIER) - 126 B2	1330	RIX
PASSIEBLOEMENSTRAAT - 60 E4 - 69 E1	1170	WAB
PASSIEWEG - 17 B1	1820	MEL
PASSIEWEG - 8 A3 B3-4 - 9 A1	1820	PER
PASSIEWIJK - 8 B4	1820	PER
PASSIFLORES (RUE DES) - 60 E4 - 69 E1	1170	WAB
PASTEUR (AV. LOUIS - LAAN) - 4 B4	1780	WEM
PASTEUR (AV.) - 116 D2	1300	WAV
PASTEUR (CHEMIN L.) - 153 C3	1348	LLN
PASTEUR (PLACE LOUIS) - 153 C3	1348	LLN
PASTEUR (RUE - STRAAT) - 49 B2	1070	AND
PASTOORKENSWEG (1) - 44 A-B1	1950	KRA
PASTOORPAD - 90 B2 C3	1560	HOE
PASTOORSSTRAAT - 57 E4 - 58 A4	1190	VOR
PASTORALE (RUE DE LA) - 39 C4		
NOS 11 à 35 - 2 à 30	1080	SJM
NOS 37 à 99 - 32 à 100	1070	AND
NOS 101 à FIN - 102 à FIN	1080	SJM
PASTORIESTRAAT - 7 E2	1800	PEU
PASTORIESTRAAT - 85 E3	1651	LOT
PASTORIEWEG - 37 A1	1700	SMB
PASTORIJDREEF - 74 E3	1600	SPL
PASTORIJPAD (1) - 87 C1	1630	LIN
PASTORIJSTRAAT (1) - 105 B1	3040	OTB
PASTORIJSTRAAT (3) - 12 C2-3	1780	WEM
PASTORIJSTRAAT - 14 A2	1853	SBE
PASTORIJSTRAAT - 40 C2 - Centr. 166 A1	1080	SJM
PASTOURELLE (CLOS DE LA) (4) - 42 C1	1140	EVE
PASTUR (AV. J. - LAAN) - 78 A-B2 C1	1180	UCK
PASTUR (RUE JACQUES) - 122 D2	1410	WAT
PASTURE (CLOS) - 151 C2	1340	OTT
PATCH (RUE DU) - 126 E1	1330	RIX
PATENIER (CLOS) - 151 C-D3	1340	OTT
PATERNOSTERGANG		
GELEGEN GRASMARKT		
TUSSEN NRS 76-78		
40 E4 - Centr. 166 C3	1000	BRL
PATERSDREEF - 72 C-D1	3080	TER
PATHE (RUE E. - STRAAT) - 66 C2	1620	DRO
PATIAUX (PLACE) - 122 C2	1410	WAT
PATIAUX (RUE) - 122 B-C3	1410	WAT
PATIAUX (SENTIER) - 122 C3	1410	WAT
PATINAGE (RUE DU) - 58 A3	1190	VOR
PATINEURS (CHEMIN DES) - 59 C4 - 68 C-D1	1000	BRL
PATRIE (PLACE DE LA) - 42 A2	1030	SCH
PATRIJZENDAL - 61 D1	1150	SPW
PATRIJZENLAAN - 101 E3 - 102 A3	3090	OVE
PATRIJZENLAAN - 107 A1	1501	BUI
PATRIJZENLAAN - 111 A1	1640	SGR
PATRIJZENLAAN - 35 B1	1930	ZAV
PATRIJZENLAAN - 53 C3	1950	KRA
PATRIJZENLAAN - 63 C-D2	3080	TER
PATRIJZENLAAN - 85 A3-4 B3-4	1600	SPL
PATRIJZENLAAN - 91 E3	1560	HOE
PATRIJZENSTRAAT - 14 C1	1800	VIL
PATRIJZENSTRAAT - 36 E2-3	3078	EVG
PATRIJZENSTRAAT - 51 A3-4	1040	ETT
PATRIJZENWEG - 108 D1	1652	ALS
PATRIOTE (RUE DU) - 156 A3-4 B4	1461	HIT
PATRIOTES (RUE DES) - 41 E4 - 42 A4	1000	BRL
PATRIOTTENSTRAAT - 41 E4 - 42 A4	1000	BRL
PATRONAATSTRAAT - 35 A4	1950	KRA
PATRONAGE (RUE DU) - 35 A4	1950	KRA
PATTIJN (PLACE G. - PLEIN) - 22 A2	1090	JET
PATTON (RUE GEN. - STRAAT) - 59 B-C3	1050	IXE
PATURAGE (RUE DU) - 23 D1-2	1120	BRL
PATURAGE (TIENNE DU) - 162 E3 - 163 A3	1490	CSE
PATURAGE (TIENNE DU) - 162 E3 - 163 A3	1341	CEM
PATURINS (AV. DES) - 78 A2-3	1180	UCK
PAUDURE (RUE DE) - 133 A-B2	1420	BRA
PAULALAAN - 52 D3-4	1150	SPW

P

PAULE (AV.) - 101 D4 E3-4 1310 LAH
PAULE (AV.) - 52 D3-4 1150 SPW
PAULSEN (BLD. F. - LAAN) - 48 C-D1 1070 AND
PAULSEN (SQUARE C. - SQUARE) - 48 A2 1070 AND
PAULUSSTRAAT (J. B.) - 25 B3-4 1831 DIE
PAUVRE DIABLE (CHEMIN DU) - 116 E3 1300 WAV
PAUWELS (AV. H. - LAAN) - 51 E1 1200 WSL
PAUWELS (CARRE - BLOK) (2) - 58 C4 1180 UCK
PAUWELS (RUE M. - STRAAT) - 39 A1 1082 SAB
PAUWENSTRAAT - 60 D-E2 1160 AUD
PAUWSTRAAT - 14 C2-3 D2-3 1800 VIL
PAVEURS (AV. DES) - 122 C-D3 1410 WAT
PAVEZ (RUE J. - STRAAT) - 48 D2 1070 AND
PAVIASTRAAT - 41 E3-4 - Centr. 167 D3 1000 BRL
PAVIE (RUE DE) - 41 E3-4 - Centr. 167 D3 1000 BRL
PAVILJOENSTRAAT - 32 B-C3
ONEVEN NRS - NRS 6-EINDE 1030 SCH
NRS 2 tot 4 1000 BRL
PAVILLON (RUE DU) - 32 B-C3
NOS IMPAIRS - NOS 6-FIN 1030 SCH
NOS 2 à 4 1000 BRL
PAVOTS (AV. DES) (1) - 163 D-E3 1341 CEM
PAVOTS (AV. DES) (1) - 163 D3 1490 CSE
PAVOTS (AV. DES) (1) - 53 C2 1970 WEO
PAVOTS (RUE DES) - 42 A2 1030 SCH
PAYAU (RUELLE) (4) - 117 D4 1300 WAV
PAYOT (RUE DE) - 148 E2-3 - 149 A3-4 1380 LAS
PAYSAGES (AV. DES) - 78 D4 - 88 D1 1180 UCK
PAYSAGISTES (RUE DES) - 60 C-D2 1160 AUD
PAYS-BAS (PLACE DES) - 146 C3 1420 BRA
PAYS DE LIEGE (RUE DU) - 40 D3 - Centr. 166 B2 1000 BRL
PEAGE (AV. DU) - 43 A1 1200 WSL
PECHERE (RUE) - 137 A3-4 1380 LAS
PECHERIE (RUE DE LA) - 67 E4 - 68 A4 1180 UCK
PECHERIES (RUE DES) - 60 C4 D3-4
NOS 1 à 97 - 2 1170 WAB
AUTRES NOS 1160 AUD
PECHERS (RUE DES) - 23 E2 1120 BRL
PECHERS (VENELLE DES) (10) - 141 C1 1300 WAV
PECHEURS (RUE DES) - 67 E4 - 68 A4 1180 UCK
PECHEURS (SENTIER DES) - 98 B2 C2-3 D-E3 1640 SGR
PECHY DU RECEVOIR (AV.) (4) - 113 C3 1310 LAH
PEDE (SQUARE DE LA - SQUARE) - 48 B4 1070 AND
PEDESTRAAT - 55 B2-3-4 C4 - 64 C1 1600 SPL
PEERCOURINIESTRAAT - 63 B2 3080 TER
PEEREBOOM (AV. JOS. - LAAN) - 30 D1 1083 GAN
PEETERS (AV. FR. - LAAN) - 53 A2-3 1150 SPW
PEETERS (CARRE- BLOK) - 67 B-C3 1180 UCK
PEETERSSTRAAT (CORN.) - 16 B2 1830 MAC
PEETERSSTRAAT (FRANS) - 45 C1-2 D2-3-4 E4 1933 STK
PEETERSSTRAAT - 9 A4 1820 STE
PEGASE (AV.) (12) - 42 D3 1200 WSL
PEGASUSLAAN (12) - 42 D3 1200 WSL
PEINTRES (PLACE DES) - 153 A4 1348 LLN
PELERIN (AV. DU) - 127 B3-4 1330 RIX
PELERINS (AV. DES) - 160 C-D1 1380 PLA
PELGRIMLAAN - 37 E1 1700 DIL
PELGRIMS DE BIGARDLAAN (R.) -
29 C2 D1-2 1702 GRB
PELGRIMSLAAN (R.) - 29 E1 1731 ZEL
PELICAN (RUE DU) -
40 E2 - 41 A2 - Centr. 166 C-D1 1000 BRL
PELIKAANHOF - 83 D2 3090 OVE
PELIKAANSTRAAT -
40 E2 - 41 A2 - Centr. 166 C-D1 1000 BRL
PELLETIER (RUE FREDERIC - STRAAT) - 42 B4 1030 SCH
PELOPONNESE (RUE DU) - 33 C4 1140 EVE
PELOPONNESOSSTRAAT - 33 C4 1140 EVE
PELOUSE (AV. DE LA) - 52 E3 1150 SPW
PELOUSES (CHEMIN DES) - 68 E2-3 1000 BRL
PENDU (CHEMIN DU) - 133 E3 1420 BRA
PENDU (TIENNE DU) - 117 B2-3 1300 WAV
PENE (RUE DU) - 40 D3 - Centr. 166 B2 1000 BRL
PENELOPE (AV. - LAAN) - 58 B-C4 1190 VOR
PENICHES (QUAI DES) - 31 E4 - 40 D-E1 1000 BRL
PENNAROYLAAN - 15 A1 1800 VIL
PENNON (AV. DU) - 42 C1 1140 EVE
PENSEES (RUE DES) - 33 A4 - 42 A1 1030 SCH
PENSEESTRAAT - 33 A4 - 42 A1 1030 SCH
PENSIONAATLAAN - 8 B3 C3-4 1820 MEL
PENTATHLON (AV. DU - LAAN) - 33 B4 - 42 B1 1140 EVE
PENTE (RUE DE LA) - 61 A3 1160 AUD
PEPERMANS (RUE FR. - STRAAT) - 33 B2 1140 EVE
PEPERSTRAAT - 40 E4 - Centr. 166 C3 1000 BRL
PEPERSTRAAT - 6 E2 1800 VIL
PEPERSTRAAT - 63 B-C1 3080 TER
PEPIN (RUE DU) - 50 A2 - Centr. 168 D2 1000 BRL
PEPIN (RUELLE DU) - 153 E3 1348 LLN
PEPINGENSESTEENWEG -
74 E4 - 84 A3 B2-3 C2 D1-2 E1 1600 SPL
PEPINIERE (AV. DE LA) - 98 A1-2 1640 SGR
PEPINIERE (CLOS DE LA) (1) - 146 A1 1420 BRA
PEPINIERE (DREVE DE LA) - 89 D1-2 E1 1640 SGR
PEPINIERE (RUE DE LA) (3) - 152 A2 1342 LIM
PEPINIERE (RUE DE LA) -
50 A2 B1-2 - Centr. 168 D2 - 169 A1-2 1000 BRL
PEQUE (CHEMIN DU) - 136 E1-2 - 137 A-B2 1380 OHA
PEQUEUR (SQUARE ROBERT - SQUARE) -
49 C1 - Centr. 168 A1 1070 AND
PERCE-NEIGE (AV. DES) (3) - 127 C3-4 1300 LIL
PERCE-NEIGE (AV. DES) - 98 E4 1640 SGR
PERCE-NEIGE (CHEMIN DE LA) (2) - 13 B4 - 22 B1 1020 BRL
PERCEE (DREVE DE LA) - 61 D3-4 1160 AUD
PERCHE (PLACE DE LA) - 127 B2 1330 RIX
PERCHE (RUE DE LA) - 24 B-C4 1140 EVE
PERCHE (RUE DE LA) - 49 C-D4 - 58 D1 1060 SGI
PERDREAUX (AV. DES) (1) - 163 C-D2 1341 CEM
PERDREAUX (VAL DES) - 61 D1 1150 SPW
PERDRIX (AV. DES) - 111 A1 1640 SGR
PERDRIX (AV. DES) - 111 A1-2 1410 WAT
PERDRIX (AV. DES) - 125 E4 - 137 E1 1380 OHA
PERDRIX (AV. DES) - 53 C3 1950 KRA
PERDRIX (RUE DES) - 51 A3-4 1040 ETT
PERDRIX (SENTIER DES) - 128 A-B2 1301 BIE
PEREBOOMSTRAAT - 64 D3-4 E4 1602 VLE
PERELMAN (RUE BARON - STRAAT) - 68 A4 1180 UCK
PERES (CHEMIN DES) - 146 A1-2-3 1420 BRA
PERES BLANCS (RUE DES) - 51 B4 - 60 B1 1040 ETT
PERET (RUE L. - STRAAT) - 22 C4 1090 JET
PERGERE (RUE) - 134 E2-3 - 135 A3 1420 BRA
PERGOLA (CLOS DE LA) - 113 E2-3 1332 GEN
PERINNES (SENTIER) - 132 A2 1440 BRC
PERK (RUE - STRAAT) - 54 B1-2 1970 WEO
PERK (RUE DE - STRAAT) - 78 A4 - 87 E1-2 - 88 A1 1630 LIN
PERKSE STEENWEG - 17 D1 1820 MEL
PERKSE STEENWEG - 8 D4 E2-3-4 1820 MEL
PERKSESTRAAT - 7 B-C-D2 1800 VIL
PERKSTRAAT - 45 B3-4 - 54 B1 1933 STK
PERKVELD - 45 A4 1970 WEO
PERLE (RUE DE LA) - 40 C2 - Centr. 166 A1 1080 SJM
PERMEKE (AV. CONST. - LAAN) - 33 C2-3 1140 EVE
PERMEKEDREEF - 72 C4 - 82 C1 3090 OVE
PERMEKESTRAAT - 6 B-C3 1800 VIL
PEROU (AV. DU) - 69 A2 B2-3 1000 BRL
PERPETSTRAAT - 18 C3-4 1820 STE
PERRON (PLACE DU) - 165 B1 1348 LLN
PERRON (RUE DU) (2) - 165 B1 1348 LLN
PERRON (RUE DU) (40) - 153 B4 1348 LLN
PERRONSTRAAT - 27 B4 1930 NOS
PERSEVERANCE (AV. DE LA) - 57 B2 1070 AND
PERSIL (RUE DU) - 41 A3 - Centr. 166 D2 1000 BRL
PERSONAATHOFLAAN - 37 C2-3 1700 SMB
PERSPECTIEFLAAN - 43 E4 - 52 E1 - 53 A1 1150 SPW
PERSPECTIVE (AV. DE LA) -
43 E4 - 52 E1 - 53 A1 1150 SPW
PERULAAN - 69 A-B2-3 1000 BRL
PERVENCHES (AV. DES) (2) - 163 D3 1490 CSE
PERVENCHES (AV. DES) (2) - 163 D3 1341 CEM

P

PINEDE (AV. DE LA) - 78 B-C4 1180 UCK
PINNEBEEK (DREVE DU - DREEF) -
69 E3 - 70 A2-3 1170 WAB
PINOY (PLACE E. - PLEIN) - 60 E4 1160 AUD
PINS (AV. DES) - 62 D1 1950 KRA
PINS (CHEMIN DES) - 78 D4 1180 UCK
PINS (DREVE DES) - 109 C2-3-4 D2 1420 BRA
PINS (SENTIER DES) - 70 C2-3 D1-2 1170 WAB
PINS NOIRS (AV. DES) - 62 B1 1950 KRA
PINS NOIRS (AV. DES) -62 B1 1150 SPW
PINSON (CLOS DU) - 69 C2 1170 WAB
PINSON (RUE DU) - 69 C2-3 D3 1170 WAB
PINSONS (AV. DES) (1) - 146 C2-3 1420 BRA
PINSONS (AV. DES) (2) - 60 D1 1150 SPW
PINSONS (AV. DES) - 111 B-C4 1410 WAT
PINSONS (AV. DES) - 44 B1 1950 KRA
PINSONS (AV. DES) - 98 A4 - 110 A1 1640 SGR
PINSONS (CLOS DES) (1) - 53 E1 - 54 A1 1970 WEO
PINSONS (CLOS DES) - 151 D1 1342 LIM
PINSONS (DREVE DES) - 130 D3 1480 CLA
PINSONS (SENTE DES) (13) - 129 C2 1300 WAV
PINSONS (SENTIER DES) - 59 C4 1000 BRL
PINTADE (AV. DE LA) - 122 A1 1640 SGR
PINTADE (RUE DE LA) - 69 D2 1170 WAB
PIOENENLAAN - 106 D3 1500 HAL
PIOENENSTRAAT - 22 B1 1020 BRL
PIOENENSTRAAT - 7 C1 1800 VIL
PIOENENSTRAAT - 98 A-B3 1640 SGR
PIPPELINGSTRAAT - 50 A2 - Centr. 168 D2 1000 BRL
PIPPENZIJPE (RUE DU - STRAAT) - 48 A1-2 1070 AND
PIRAUMONT (ROUTE DU) -
146 A2 B2-3 C3-4 D4 - 158 D1 1420 BRA
PIRE (AV. DU REVEREND PERE) - 126 C3-4 1330 RIX
PIRE (AV. LT.-GEN. - LAAN) - 53 A2 1150 SPW
PIRE (RUE DU REVEREND PERE) - 40 A1 1080 SJM
PIRE (RUE F. - STRAAT) - 31 B2 1090 JET
PIRELAAN (PATER) - 4 A1 1860 MEI
PIRENNE (AV. H. - LAAN) - 67 D1 1180 UCK
PIRENNE (RUE HENRI) - 134 D1 1420 BRA
PIRESTRAAT (EERWAARDE - PATER) - 40 A1 1080 SJM
PIRET (AV. CAPITAINE) - 51 E2 1150 SPW
PIRET (AV. RENE - LAAN) (5) - 51 A-B4 1040 ETT
PIRETLAAN (KAPITEIN) - 51 E2 1150 SPW
PIRIAT (AV. DU) - 129 C1 1300 WAV
PIRIAT (SENTE DU) - 129 C1 1300 WAV
PIRMEZ (AV. EUD. - LAAN) - 50 E4 1040 ETT
PIROIS (RUE DU) - 157 E1-2 1421 OPH
PIROIT (CHEMIN DU) - 136 B3-4 C-D4 1380 OHA
PIRON (AV. BRIGADE - LAAN) - 39 E2-3 1080 SJM
PIRON (BLD.) - 156 C2-3 D2 1461 HIT
PIROY (RUE DU) - 151 D-E2 1342 LIM
PIRROY (CHEMIN DU) - 140 D-E1 1300 LIL
PITANTIEHOF - 36 E1 3070 KOR
PITTORESQUE (DREVE) - 78 B4 - 88 B-C-D1 1640 SGR
PITTORESQUE (DREVE) - 78 B4 - 88 B-C-D1
NOS IMPAIRS - NOS 4 à 16 1180 UCK
PIVOINES (RUE DES) - 22 B1 1020 BRL
PIVOINES (RUE DES) - 98 A-B3 1640 SGR
PLACE COMMUNALE - 87 C1 1630 LIN
PLACE COMMUNALE D'AUDERGHEM - 61 A3 1160 AUD
PLACESTRAAT (HENDRIK) - 28 E3-4 - 29 A2 1702 GRB
PLACETTE (VENELLE DE LA) - 133 A4 - 145 A1 1440 BRC
PLAGNIAU (CHEMIN DU) - 115 C3-4 D3 - 127 C1-2 1330 RIX
PLAGNIAU (CHEMIN DU) - 115 D2-3 1301 BIE
PLAGNIAU (RUE DU) - 114 E4 - 115 A4 1330 RIX
PLAGNIAU (SENTIER DU) - 115 B3-4 1330 RIX
PLAINE (BLD. DE LA) - 60 A1-2-3 1050 IXE
PLAINE D'AVIATION (RUE) - 33 B-C1 1140 EVE
PLAINE DE JEUX (AV. DE LA) - 43 E2 1950 KRA
PLAINE DES SPORTS (RUE) - 53 D1 1970 WEO
PLAN (CLOS PAUL) - 140 B4 - 152 B1 1342 LIM
PLANCENOIT (CHEMIN DE) - 147 A2 B2-3 1420 BRA
PLANCENOIT (CHEMIN DE) -
148 A3 B2-3 C1-2 - 160 A1 1380 OHA
PLANCENOIT (CHEMIN DE) - 148 A4 - 160 A1 1380 PL
PLANCENOIT (PLACE DE) - 160 A1-2 1380 PL
PLANCHE A BATAILLE (CHEMIN DE LA) (1) -
157 D1 1421 OP
PLANCHE AU PECHEUR (RUE DE LA) - 134 B3 1420 BR
PLANCHETTE (AV. DE LA) (15) - 129 C2 1300 WA
PLANCHETTE (RUE DE LA) - 155 B-C4 1460 IR
PLANEUR (RUE DU) - 33 D1 1130 BR
PLANKENSTRAAT - 46 A2 1703 SP
PLANKENSTRAAT - 46 B2 C-D3 1701 IT
PLANKVOETWEG - 56 B4 1600 SP
PLANTENSTRAAT - 41 A2 B1 - Centr. 166 D1
NRS 67 tot 111 - 54 tot 102 1210 SJ
NRS 113 tot EINDE - 104 tot EINDE 1030 SC
PLANTES (RUE DES) -
41 A2 B1-2 - Centr. 166 D1 - 167 A1
NOS 67 à 111 - 54 à 102 1210 SJ
NOS 113 à FIN - 104 à FIN 1030 SC
PLANTIN (AV. CHRISTOPHE) - 151 C-D3 1340 OT
PLANTIN (RUE - STRAAT) - 49 C1 - Centr. 168 A1 1070 AN
PLANTOIR (RUE DU) (2) - 165 B-C1 1348 LL
PLASKY (AV. EUGENE - LAAN) - 42 A3-4 B2 1030 SC
PLASKY (SQUARE EUG. - SQUARE) - 42 A3 1030 SC
PLASMAN (RUE M.) - 143 C-D1 1440 BR
PLATAANLAAN - 20 E3 - 21 A3 1731 ZE
PLATANENDREEF - 119 E4 - 120 A3-4 B2 - 131 E1 1500 HA
PLATANENLAAN (1) - 12 D2 1780 WEM
PLATANENLAAN - 106 E1 - 107 A1 1500 HA
PLATANENLAAN - 5 C-D2 1850 GF
PLATANENLAAN - 66 A4 - 75 E1 1600 SP
PLATANENLAAN - 8 E2-3 1820 ME
PLATANENLAAN - 8 E2-3 1820 PE
PLATANENSTRAAT - 26 B2 1930 ZA
PLATANENSTRAAT - 50 E3 - 51 A3 - Centr. 169 D3 1040 ET
PLATANENSTRAAT - 7 B1 1800 VI
PLATANENWIJK (11) - 52 C3 1150 SPV
PLATANES (AV. DES) (1) - 12 D2 1780 WEM
PLATANES (AV. DES) - 130 B3-4 C3 1480 CL
PLATANES (CARRE DES) (11) - 52 C3 1150 SPV
PLATANES (RUE DES) - 145 D2 1421 OPH
PLATANES (RUE DES) -
50 E3 - 51 A3 - Centr. 169 D3 1040 ET
PLATANES (VENELLE DES) (8) -
129 D4 - 141 C-D1 1300 WA
PLATEAU (RUE J. - STRAAT) -
40 E3 - Centr. 166 C2 1000 BR
PLATOLAAN - 33 E4 - 42 E1 1140 EV
PLATON (AV.) - 33 E4 - 42 E1 1140 EV
PLAT-QUERTIN (RUE DU) - 142 C3 1480 CL
PLATTEBORZELAAN (JUL.) - 36 B4 1933 ST
PLATTESTEEN - 107 D4 - 119 D1 1500 HA
PLATTESTEEN - 40 E4 - Centr. 166 C3 1000 BR
PLEBEIENS (RUE DES) - 57 B2 1070 AN
PLEBEJERSSTRAAT - 57 B2 1070 AN
PLEIADES (AV. DES) - 127 D3 E2-3 1300 LI
PLEIADES (AV. DES) - 42 D2-3 E2 1200 WS
PLEIN CIEL (COURSIVE) (7) - 52 C3 1150 SPW
PLEINHOEKJE - 53 C1 1970 WE
PLEINLAAN - 44 C4 - 53 C1-2 1970 WE
PLEINLAAN - 60 A1-2-3 1050 IX
PLEINSTRAAT - 29 D3 1702 GR
PLEINSTRAAT - 29 E2 - 30 A1 1731 ZE
PLEISTERPLAATSSTRAAT - 60 A4 - 69 A1 1170 WA
PLEISTERSTRAAT - 60 A4 1050 IX
PLEJADENLAAN - 42 D2-3 E2 1200 WS
PLETINCKX (RUE - STRAAT) -
40 D4 - Centr. 166 B3 1000 BR
PLICHTSTRAAT - 48 D2 1070 AN
PLISNIER (AV. CH. - LAAN) - 48 C-D2 1070 AN
PLISNIER (AV. CHARLES) - 129 C1 1300 WA
PLISSART (AV. NESTOR - LAAN) - 51 C-D3
NOS/NRS 63 - 2-30 1040 ET
AUTRES NOS/ANDERE NRS 1150 SPW
PLOEGSTRAAT - 46 A3 1703 SP

Straat / Rue	Code	Gemeente
PLUIMSTRAAT - 49 D2-3 - Centr. 168 B2-3	1000	BRL
PLUKSTRAAT - 77 C2-3	1180	UCK
PLUME (RUE DE LA) - 49 D2-3 - Centr. 168 B2-3	1000	BRL
PLUNDERAARSVOETPAD - 79 C1-2 D2	1170	WAB
PLUTON (RESIDENCE) (30) - 127 E3	1300	LIL
PLUVIERLAAN - 44 E1	1933	STK
PLUVIERS (RUE DES) - 69 D2	1170	WAB
PLUVIERSTRAAT - 69 D2	1170	WAB
POEDTS (RUE M. - STRAAT) - 70 B2	1160	AUD
POEL - 19 A1 B1-2 C2	1730	BEK
POELAERT (PLACE - PLEIN) -		
49 E2 - Centr. 168 C2	1000	BRL
POELS (AV. G. - LAAN) - 60 E4	1160	AUD
POELS (RUE FELIX - STRAAT) - 52 A2	1150	SPW
POELSTRAAT - 105 D3 E2-3	3040	OTB
POELSTRAAT - 6 D2-3	1800	VIL
POELWEG - 102 D2	3090	OVE
POENAARDLAAN - 82 A-B3	3090	OVE
POESIE (AV. DE LA) - 39 B4	1070	AND
POETE (VIEUX CHEMIN DU) - 128 B4 C-D3	1301	BIE
POETES (ALLEE DES) - 142 C3	1480	CLA
POETES (CLOS DES) (2) - 42 B1	1030	SCH
POGGE (PLACE - PLEIN) - 32 C-D4	1030	SCH
POILS (IMPASSE - GANG) - 40 D3 - Centr. 166 B2	1000	BRL
POILU (RUE DU) - 128 D2	1301	BIE
POINCARE (BLD. - LAAN) -		
49 C1-2 - Centr. 168 A1-2		
NOS/NRS 1-77	1070	AND
NOS/NRS 78-FIN/EINDE	1060	SGI
POINÇON (RUE DU) - 49 E1 - Centr. 168 C1	1000	BRL
POINT DU JOUR (SCAVEE DU) - 153 A4 - 165 B1	1348	LLN
POIRIER (PLACE DU) - 153 C3	1348	LLN
POIRIER (RUE DU) - 153 C3	1348	LLN
POIRIERS (VENELLE DES) (20) - 129 C4 - 141 C1	1300	WAV
POIS DE SENTEUR (AV. DU) - 23 B-C2		
NOS 1 à 59 - 2 à 70	1020	BRL
AUTRES NOS	1120	BRL
POISSONNIERS (RUE DES) -		
40 E3-4 - Centr. 166 C2-3	1000	BRL
POIVRE (RUE DU) - 40 E4 - Centr. 166 C3	1000	BRL
POLDERS (RUE DES - STRAAT) - 66 E3 - 67 A3	1180	UCK
POLDERSTRAAT - 37 A1	1700	SMB
POLDERVOETWEG (1) - 5 A1	1850	GRI
POLE (RUE DU) - 41 B3 - Centr. 167 A2	1210	SJN
POLENSTRAAT - 58 E1	1060	SGI
POLITIEKE GEVANGENENLAAN - 52 A-B3	1150	SPW
POLO (AV. DU - LAAN) - 52 D3	1150	SPW
POLOGNE (RUE DE) - 58 E1	1060	SGI
POLYVALENTE (PLACE) - 153 C4	1348	LLN
POMMIER (RUE DU) - 47 D-E3	1070	AND
POMMIERS (CLOS DES) - 101 E2	1310	LAH
POMMIERS (CLOS DES) - 122 C4	1420	BRA
POMMIERS (CLOS DES) - 124 C4	1380	OHA
POMMIERS (RUE DES) - 153 C-D3	1348	LLN
POMMIERS (VENELLE DES) (2) - 141 C1	1300	WAV
POMMIERS FLEURIS (CLOS DES) - 61 A4	1160	AUD
POMPSTRAAT - 105 B1	3040	OTB
PONEY (CLOS DU) - 121 E2	1420	BRA
PONT (RUE DU) - 126 A4	1380	LAS
PONT (SENTIER DU) (4) - 164 A1	1340	OTT
PONTBEEK - 20 C2 D2-3 E3-4 - 21 A4 - 30 A-B-C1	1731	ZEL
PONTBEEKSTRAAT - 30 A2	1702	GRB
PONT DE GLAIN (SENTIER DU) -		
114 C-D4 - 126 D1	1330	RIX
PONT DE L'AVENUE (RUE DU) (1) - 32 A-B3	1000	BRL
PONT DE LA CARPE (RUE DU) (1) - 40 D-E4	1000	BRL
PONT DE LA DIJLE (RUE DU) (3) - 164 A1	1340	OTT
PONT DE LA LASNE (RUE DU) - 115 D1	1330	RIX
PONT DE LUTTRE (AV. DU) - 58 A1-2	1190	VOR
PONT DE PIERRE (FOND DU) - 100 C3-4 - 112 D1	1310	LAH
PONT DES AMOURS - 117 B4 - 129 A1	1300	WAV
PONT DES DIAP (AV. DU) - 134 C2	1420	BRA
PONT DU CHRIST (RUE DU) - 129 A1	1300	WAV
PONT DU TRY - 117 C4	1300	WAV
PONT HAYE (CHEMIN) - 157 A-B-C1	1421	OPH
PONTHIER (RUE COMMANDANT) - 51 A-B4	1040	ETT
PONTHIERSTRAAT (KOMMANDANT) - 51 A-B4	1040	ETT
PONT-LEVIS (RUE DU) - 51 D1	1200	WSL
PONT-NEUF (RUE DU) -		
40 E2-3 - 41 A3 - Centr. 166 C1-2 - 64 D2	1000	BRL
PONT NEUF - 129 B1-2	1300	WAV
PONT NEUF - 153 C4	1348	LLN
PONT RUSTIQUE (CHEMIN DU) - 59 C4	1000	BRL
PONT-SAINT-JEAN (RUE DU) - 129 A2	1300	WAV
PONTONIERSTRAAT - 52 B-C2	1200	WSL
PONTONNIER (RUE DU) - 52 B-C2	1200	WSL
POOLSTERSTRAAT - 30 A4	1082	SAB
POOLSTRAAT - 41 B3 - Centr. 167 A2	1210	SJN
POOTSTRAAT (EUG.) - 36 B1-2	1930	NOS
POOTSTRAAT - 6 E2	1800	VIL
POPERINGE (AV. DE) - 139 A1	1330	RIX
POPLIMONT (AV. D. - LAAN) - 31 A2-3		
NOS IMPAIRS/ONEVEN NRS	1083	GAN
NOS PAIRS/EVEN NRS	1090	JET
POPLIS (CLOS DES) - 114 A3	1332	GEN
POPPEGANG		
GELEGEN KAASMARKT TUSSEN NRS 19-21		
40 E4 - Centr. 166 C3	1000	BRL
POPULIERENDALLAAN - 5 D-E4 - 6 A3-4	1850	GRI
POPULIERENDREEF - 12 D2	1780	WEM
POPULIERENHOF - 43 B2-3	1200	WSL
POPULIERENLAAN - 37 E3 - 38 A2	1700	DIL
POPULIERENLAAN - 63 B4	3080	TER
POPULIERENLAAN - 66 A4	1600	SPL
POPULIERENLAAN - 9 B-C3	1820	STE
POPULIERENOORD (5) - 30 B4	1082	SAB
POPULIERENSTRAAT - 26 A-B2	1930	ZAV
POPULIERSTRAAT - 40 E3 - Centr. 166 C2	1000	BRL
POPULIERSTRAAT - 7 B1	1800	VIL
PORSELEIN (RUE - STRAAT) - 48 C-D2	1070	AND
PORSELEINSTRAAT - 94 E3	1501	BUI
PORT (AV. DU) - 31 E3-4 - 32 A2-3 - 40 D-E1		
NOS IMPAIRS - 88 à FIN	1000	BRL
NOS 2 à 82	1080	SJM
PORTAELS (RUE - STRAAT) - 32 C2-3	1030	SCH
PORTAELSPLEIN - 6 E2	1800	VIL
PORTAELSSTRAAT - 6 E2	1800	VIL
PORTE DE HAL (AV. DE LA) -		
49 D2-3 - Centr. 168 B2-3	1060	SGI
PORTE DE NAMUR (GAL. DE LA) -		
50 B2 - Centr. 169 A2	1050	IXE
PORTE LOUISE (GALERIE DE LA) -		
50 A3 - Centr. 168 D3	1050	IXE
PORTE ROUGE (RUE DE LA) -		
49 E2 - Centr. 168 C2	1000	BRL
PORTUGAL (AV. DU) - 146 C-D3	1420	BRA
PORTUGAL (RUE DU - STRAAT) - 58 E1	1060	SGI
POSSCHIER (RUE - STRAAT) -		
50 E3 - Centr. 169 D3	1040	ETT
POSSOZPLEIN (JOSEPH) - 106 D1	1500	HAL
POSTALLEE		
GELEGEN POSTSTRAAT TUSSEN NRS 15-17		
22 B1	1210	SJN
POSTE (ALLEE DE LA)		
SITUEE RUE DE LA POSTE ENTRE NOS 15-17		
22 B1	1210	SJN
POSTE (RUE DE LA) - 32 C4 - 41 B1-2 C1		
NOS 1 à 85 - 2 à 78	1210	SJN
NOS 87 à FIN - 80 à FIN	1030	SCH
POSTELEINWEG (5) - 22 B1	1020	BRL
POSTES (CHEMIN DES) - 122 C1-2-3-4	1410	WAT
POSTILJONSTRAAT - 67 C2	1180	UCK
POSTILLON (RUE DU) - 67 C2	1180	UCK
POSTILLON (SENTIER DU) (1) - 117 A4	1300	WAV
POSTKOETSSQUARE (3) - 30 E1	1083	GAN
POSTSTRAAT - 106 C1	1500	HAL
POSTSTRAAT - 13 E2 - 14 A2	1853	SBE
POSTSTRAAT - 15 A1	1800	VIL

P

POSTSTRAAT - 32 C4 - 41 B1-2 C1		
NRS 1 tot 85 - 2 tot 78	1210	SJN
ANDERE NRS	1030	SCH
POSTSTRAAT - 6 A4	1800	VIL
POSTWAGENSTRAAT (1) - 69 B1	1170	WAB
POSTWEG - 55 D-E4 - 56 A4 B3 - 64 A1-2 B-C1	1602	VLE
POSTWEG - 93 C4 - 103 C-D1	3090	OVE
POTAARDE (RUE - STRAAT) - 29 E4 - 38 E1	1082	SAB
POTAARDE - 4 D3-4 E4 - 13 E1 - 14 A1	1850	GRI
POTAARDEDREEF - 61 E4 - 70 E1-2	3080	TER
POTAARDEGAARDE - 53 B2	1950	KRA
POTAARDELAAN - 95 C4	1501	BUI
POTAARDENBERGSTRAAT - 39 B4 - 48 B1 C1-2		
NRS 1 tot 315 - 2 tot 314	1070	AND
ANDERE NRS	1080	SJM
POTAARDESTRAAT - 28 A2-3	1700	SMB
POTAARDESTRAAT - 46 A2-3	1703	SPD
POTAARDESTRAAT - 53 A-B2	1950	KRA
POTAERDEGAT (RUE - STRAAT) - 39 D1-2	1080	SJM
POTAERDENBERG (RUE DU) - 39 B4 - 48 B1 C1-2		
NOS 1 à 315 - 2 à 314	1070	AND
AUTRES NOS	1080	SJM
POTAGERE (RUE) - 41 C2-3 - Centr. 167 B1-2		
NOS 1 à 179 - 2 à 158	1210	SJN
NOS 181 à FIN - 160 à FIN	1030	SCH
POTBEEKSTRAAT - 104 E1	3040	OTB
POTEAU (RUE DU) - 161 B4 C3-4	1380	CSG
POTERIE (PETITE RUE DE LA) -		
40 C4 - Centr. 166 A3	1070	AND
POTERIE (RUE DE LA) - 40 C4 - Centr. 166 A3	1070	AND
POTESTRAAT - 63 C1	3080	TER
POTIER (RUE DU) - 153 C3	1348	LLN
POTIERS (RUE DES) -		
40 D4 - 49 D1 - Centr. 166 B3 - 66 B1	1000	BRL
POTTENBAKKERSSTRAAT -		
40 D4 - 49 D1 - Centr. 166 B3 - B1	1000	BRL
POTTENGOEDSTRAAT - 40 C4 - Centr. 166 A3	1070	AND
POTTEREE (RUE DE LA) - 142 E1-2	1440	BRC
POUDRIERE (RUE DE LA) -		
40 C3-4 - Centr. 166 A2-3	1000	BRL
POUILLOTS (CHEMIN DES) - 59 C4	1000	BRL
POULE D'EAU (AV. DE LA) - 44 D1	1970	WEO
POULES D'EAU (AV. DES) - 110 C-D1	1640	SGR
POULET (RUE) - 132 A4	1440	BRC
POULETS (RUE DES) - 56 D1	1070	AND
POULIE (PLACE MARIE) - 113 D3	1310	LAH
POUPEE (IMPASSE DE LA)		
SITUEE RUE DU MARCHE AUX		
FROMAGES ENTRE NOS 19-21		
40 E4 - Centr. 166 C3	1000	BRL
POURPIER (CHEMIN DU) (5) - 22 B1	1020	BRL
POUSSINS (RUE DES) (1) - 67 C4	1180	UCK
POVERSTRAAT - 11 E4 - 20 E1-2	1731	REL
POVERSTRAAT - 2 E3 - 3 A-B-C3	1785	BRU
POVERSTRAAT - 37 A1-2-3	1700	SMB
POVERSTRAAT - 46 D3-4 - 55 D1-2	1701	ITT
PRAAGSTRAAT - 49 D4	1060	SGI
PRADO (RUE DU - STRAAT) -		
40 C2-3 - Centr. 166 A1-2	1080	SJM
PRAGUE (RUE DE) - 49 D4	1060	SGI
PRAIRIE (RUE DE LA) - 41 B2 - Centr. 167 A1	1210	SJN
PRAIRIES (RUE DES) - 151 B1-2 C2	1340	OTT
PRAYE (CHEMIN DE LA) - 133 B2-3 C-D3	1420	BRA
PRAYE (SENTIER DE LA) - 133 B-C3	1420	BRA
PRE (IMPASSE DU)		
SITUEE RUE DEMOT NO 27		
50 E2 - Centr. 169 D2	1040	ETT
PRE (RUE DU) - 110 B1	1640	SGR
PRE AU BOIS (AV.) - 99 B3-4	1640	SGR
PRE AUX OIES (RUE DU) - 15 D-E4 - 24 D1-2 E1	1130	BRL
PRE AUX OISEAUX (RUE DU) - 25 A2	1130	BRL
PRE DE LA BLANCHE MAISON (RUE) - 145 E3	1421	OPH
PRE DE LA PERCHE (CHEMIN DU) -		
145 E2 - 146 A1	1420	BRA

PRE DE WILDRE (RUELLE DU) (12) - 129 B1	1300	WA
PRE DES AGNEAUX (AV.) - 60 E4		
NOS IMPAIRS	1160	AU
NOS PAIRS	1170	WA
PRE DES GRAISSES (SENTIER DU) - 117 D-E3	1300	WA
PRE DES QUERELLES - 129 A2	1300	WA
PRE FLEURI (AV. DU) - 44 B3-4	1950	KR
PRE JOLI (VENELLE DU) (16) - 129 C3-4	1300	WA
PRE QUINZE (AV.) - 101 D-E2	1310	LA
PREAS (VENELLE DES) - 141 D3-4	1300	WA
PREAU (AV. DU) - 50 E3 - Centr. 169 D3	1040	ET
PRECKHER (RUE J. - STRAAT) - 58 A1	1190	VO
PREDIKHERENSTRAAT -		
40 E4 - 41 A4 - Centr. 166 C-D3	1000	BR
PREKELINDEN (AV. - LAAN) - 42 C4 - 51 C1-2	1200	WS
PREMIER FOND (SENTIER DU) - 141 A1	1300	LI
PREMIERE AVENUE - 113 D3	1332	GE
PRES (RUE DES) - 140 B2	1300	LI
PRES (RUE DES) - 163 D-E2	1341	CE
PRES (RUE DES) - 66 E3-4	1620	DR
PRES COMMUNS (RUE DES) - 23 D2 E2-3	1120	SA
PRES D'HELLEMBROUX (CHEMIN DES) -		
149 D-E2	1380	LA
PRES D'OPHAIN (CHEMIN DES) - 146 B1-2	1420	BR
PRES DEL COUR (SENTIER DES) - 131 C-D4	1440	BR
PRESBYTERE (RUE DU) (1) - 140 B2	1300	LI
PRESBYTERE (RUE DU) (3) - 12 C2-3	1780	WE
PRESBYTERE (RUE DU) - 40 C2 - Centr. 166 A1	1080	SJ
PRESBYTERE (SENTIER DU) (1) - 87 C1	1630	LI
PRESER (RUE P. - STRAAT) (11) - 39 B1	1082	SA
PRESIDENT (RUE DU) - 50 A-B3		
NOS 1 à 69 - 2 à 76	1050	IXE
NOS 71 à FIN - 78 à FIN	1000	BRL
PRESSE (RUE DE LA) - 41 B4 - Centr. 167 A3	1000	BRL
PRESSOIR (DREVE DU) - 67 A1	1190	VO
PRETERSBLOK - 95 E4 - 107 E1	1653	DW
PRETOIRE (RUE DU) - 48 D2	1070	AN
PRETRES (RUE DES) - 49 E3 - Centr. 168 C3	1000	BRL
PREUMONTPAD - 89 - 99 C-D1	1560	HOE
PREUX (SENTIER DU) - 140 C2-3	1300	LIL
PREVINAIRE (RUE - STRAAT) - 49 A3	1070	AN
PREVOST-DELAUNAY (SQUARE) - 42 A1	1030	SC
PREVOT (RUE DU) - 59 A-B2	1050	IXE
PREVOYANCE (RUE DE LA) -		
49 E3 - Centr. 168 C3	1000	BRL
PRIEELDREEF - 38 D3	1700	DIL
PRIEELSTRAAT (1) - 41 C-D4	1000	BRL
PRIEMSTRAAT - 49 E1 - Centr. 168 C1	1000	BRL
PRIESTERLINDESTRAAT - 5 D-E1	1850	GR
PRIESTERSSTRAAT - 49 E3 - Centr. 168 C3	1000	BRL
PRIEURE (AV. DU) -		
109 E4 - 110 A4 - 121 E1 - 122 A-B1	1640	SGR
PRIEURE (CHEMIN DU) - 153 C2	1348	LLN
PRIEURE (DREVE DU) - 61 B2	1160	AUD
PRIEURE (RUE DU) (5) - 153 C2	1348	LLN
PRIEURE DE NOTRE-DAME (AV.) - 113 C3	1310	LAH
PRIJSKAMPSTRAAT (1) - 69 D-E3	1170	WAB
PRIMEURS (RUE DES) - 58 A2	1190	VOR
PRIMEVERE (RUE DE) - 59 A3	1180	UCK
PRIMEVERES (AV. DES) - 98 E4 - 110 E1	1640	SGR
PRIMEVERES (CHEMIN DES) - 68 D2 E2-3	1000	BRL
PRIMEVERES (CLOS DES) (1) - 127 B-C4	1300	LIL
PRIMEVERES (PLACE DES) - 165 B-C1	1348	LLN
PRIMEVERES (RUE DES) - 165 B1	1348	LLN
PRIMEVERES (SQUARE DES) - 113 E3 - 114 A3	1332	GEN
PRINCE (CHEMIN DU) - 115 B-C1	1331	ROS
PRINCE (DREVE DU) - 71 A4 B3-4 - 81 A1	1160	AUD
PRINCE (VAL DU) - 53 B2-3 C3	1950	KRA
PRINCE CAVALIER (SENTIER DU) -		
128 E4 - 140 E1	1300	LIL
PRINCE D'ORANGE (AV. DU) - 78 A2-3 B-C-D3	1180	UCK
PRINCE DE LIEGE (AV.) - 127 B3	1330	RIX
PRINCE DE LIEGE (BLD.) - 39 C4 - 48 C1	1070	AND
PRINCE HERITIER (AV. DU) - 42 C4 - 51 C-D1	1200	WSL

P

Q

Q

Rue	Code	Commune
QUATRE LIVRES (IMPASSE DES) SITUEE RUE DE NAMUR ENTRE NOS 73-75 50 A1-2 - Centr. 168 D1-2	1000	BRL
4 MAI (AV. DU) - 125 B3	1380	OHA
QUATRE NOEUDS (VENELLE AUX) (6) - 52 C3	1150	SPW
4 SAISONS (AV. DES) - 123 A3-4	1410	WAT
QUATRE SAISONS (CLOS DES) - 42 E4	1200	WSL
QUATRE SAPINS (VOIE DES) - 129 E4 - 141 E1	1300	WAV
QUATRE VENTS (AV. DES) - 12 A-B1	1780	WEM
QUATRE VENTS (CLOS DES) - 114 A3	1332	GEN
QUATRE VENTS (RUE DES) - 40 A3-4 B2-3 C2	1080	SJM
QUATRE-VINGTS HETRES (AV. DES) (1) - 30 D1	1083	GAN
QUATRECHT (RUE DE) - 41 B1	1030	SCH
QUATRIEME AVENUE - 113 D4	1332	GEN
QUEBEC (AV. DU) - 127 A4	1330	RIX
QUEBEC (CLOS DU) - 110 E3	1410	WAT
QUENIQUE (RUE DE LA) - 164 A-B-C-D-E4 - 165 A4	1490	CSE
QUERELLE (PLACE DE LA) - 49 D2 - Centr. 168 B2	1000	BRL
QUERELLE (RUE DE LA) - 49 D2 - Centr. 168 B2	1000	BRL
QUERELLS (RUE DES) - 129 A2	1300	WAV
QUETELET (PLACE - PLEIN) - 41 B-C3	1210	SJN
QUETELET (RUE A.) - 153 C4	1348	LLN
QUETSTROEYELLAAN (HENRI) - 106 D2	1502	LEM
QUEUE DU PIGEON (CLOS DE LA) - 101 D2	1310	LAH
QUEWEES (DREVE DES) - 152 E1	1342	LIM
QUIETUDE (AV. DE LA) - 42 C1	1140	EVE
QUIETUDE (SQUARE DE LA) - 51 D4	1150	SPW
QUIMBIN (RUELLE) - 137 A1 B1-2	1380	OHA
QUINAUX (RUE - STRAAT) - 32 C3	1030	SCH
QUINKENSTRAAT - 26 C3	1930	ZAV
QUINTUSSTRAAT (ARTHUR) - 65 D4 - 75 E1	1600	SPL
QUITMANNPLEIN (KAREL) - 26 B3	1930	ZAV
QUIVREUXSTRAAT (J.) - 7 C4	1830	MAC

R

Rue	Code	Commune
RAADSPLEIN - 49 B2	1070	AND
RAADSTRAAT - 50 B-C3	1050	IXE
RAAFSTRAAT - 32 E2 - 33 A2	1030	SCH
RAAPEIKWEG - 100 A4	1560	HOE
RABELAIS (AV.) - 129 E3	1300	WAV
RABELAIS (PLACE) (36) - 153 B4	1348	LLN
RABELAIS (RUE - STRAAT) - 48 A1-2	1070	AND
RABELAIS (RUE) - 153 B3-4	1348	LLN
RACINE (AV.) - 129 E3	1300	WAV
RACINES (RUE AUX) - 142 E2 - 143 A1-2 B1	1440	BRC
RACING (AV. DU - LN.) - 68 C4	1180	UCK
RADIATORENSTRAAT - 6 D1	1800	VIL
RADIJZENSTRAAT - 49 D2 - Centr. 168 B2	1000	BRL
RADIS (RUE DES) - 49 D2 - Centr. 168 B2	1000	BRL
RADIUM (RUE DU - STRAAT) - 41 E3 - 42 A3 - Centr. 167 D3	1030	SCH
RADOUX (RUE DES) - 131 E4 - 132 A3-4	1440	BRC
RADPLEIN - 57 C1	1070	AND
RADSTRAAT - 49 D1 - Centr. 168 B1	1000	BRL
RAEDEMAEKERSSTRAAT (P.) - 16 A2-3 B3	1830	MAC
RAEYMAEKERS (RUE G. - STRAAT) - 33 A2-3	1030	SCH
RAILWAY (RUE DU - STRAAT) - 61 A2	1160	AUD
RAISINS (ALLEE DES) (2) - 41 C3 - Centr. 167 B2	1210	SJN
RAKETLAAN - 52 D3	1150	SPW
RAKETSTRAAT - 25 B4 - 33 D-E1 - 34 A-B1	1130	BRL
RAMAEKERS (RUE CH. -STRAAT) - 22 D4	1020	BRL
RAMBOUILLET (CLOS DE) - 110 E3 - 111 A3	1410	WAT
RAMEE (AV. DE LA) - 111 A2	1410	WAT
RAMEE (AV. DE LA) - 143 C3	1440	BRC
RAMEE (AV. DE LA) - 67 D1	1180	UCK
RAMEE (CHEMIN DE LA) - 112 E4	1380	OHA
RAMEE (DREVE DE LA) - 112 A-B-C-D2 E3	1310	LAH
RAMEE (RUE DE LA) - 112 E3-4	1310	LAH
RAMEE (RUE DE LA) - 153 B2 C3	1348	LL
RAMEE (VENELLE DE LA) - 129 C4	1301	BI
RAMEISTRAAT - 102 D-E2 - 103 A-B1	3090	OV
RAMEURS (RUE DES) (4) - 32 A3-4	1000	BR
RAMEURS (SENTIER DES) (6) - 68 E2	1000	BR
RAMIER (AV. DU) - 69 E1	1170	WA
RAMIER (RUE DU) - 24 A1	1120	BR
RAMIERS (AV. DES) (3) - 146 C3	1420	BR
RAMIERS (AV. DES) - 126 D1	1330	RI
RAMIERS (AV. DES) - 53 B4 C3-4	1950	KR
RAMIERS (CHEMIN DES) - 88 C3	1640	SG
RAMIERS (RUE DES) - 116 B2-3-4	1301	BI
RAMLAAN (14) - 42 D-E3	1200	WS
RAMONEURS (RUE DES) - 49 D3 - Centr. 168 B3	1000	BR
RAMPELBERGSTRAAT (H.) - 16 A-B2	1830	MA
RAMPELBERGSTRAAT (J. B.) - 75 D-E3	1600	SP
RAMPELBERGSTRAAT (J. B.) - 75 E3	1601	RU
RAMSKAPELLE (RUE DE - STRAAT) - 51 B4	1040	ET
RANKLAAN - 102 C2	3090	OV
RANSBECK (CHEMIN DE) - 124 A4 - 136 A1	1410	WA
RANSBECK (PLACE DE) - 124 B-C4	1380	OH
RANSBEEK (RUE DE - STRAAT) - 15 B3-4 - 24 A-B1	1120	BRL
RANSBERG - 95 E1 - 96 A1	1651	LO
RANSBIENNE (AV. DE LA) - 115 A2	1331	RO
RANSFORT (RUE - STRAAT) - 40 C3 - Centr. 166 A2	1080	SJ
RANSON (RUE - STRAAT) (1) - 24 C3-4	1130	BRL
RAPENSTRAAT - 40 D4 - Centr. 166 B3	1000	BRL
RAPHAEL (RUE - STRAAT) - 49 B1-2	1070	AN
RAQUETTE (AV. DE LA) - 52 D3	1150	SP
RASIERE (RUE DE LA) - 49 D2-3 - Centr. 168 B2-3	1000	BRL
RASKIN (RUE M. - STRAAT) - 48 C1	1070	AND
RASSEL - 12 A-B-C2	1780	WE
RASSELHOEK - 12 A-B2	1780	WE
RASSELSTRAAT - 11 E4 - 12 A3	1731	REL
RASSON (RUE - STRAAT) - 42 A4	1030	SC
RASTELBOS - 108 C2-3 D3	1653	DW
RATEAU (IMPASSE DU) (33) - 153 B4	1348	LL
RATELBERGSTRAAT - 91 E1	3090	OVE
RATTENDAAL - 65 A-B2	1600	SPL
RAUSCENT (RUE JOSEPHINE) - 127 D4 - 139 D1 E1-2 - 140 A2	1300	LIL
RAUTER (RUE V. - STRAAT) - 48 D3-4 E3	1070	AND
RAVAARTSTRAAT - 8 A2-3 B1-2 C1	1800	PEL
RAVEL (SQUARE) - 134 B-C1	1420	BR
RAVENLAAN - 14 B-C2	1800	VIL
RAVENSTEIN (GALERIE - GALERIJ) - 41 A4 - 50 A1 - Centr. 166 D3 - 168 D1	1000	BRL
RAVENSTEIN (RUE - STRAAT) - 41 A4 - 50 A1 - Centr. 166 D3 - 168 D1	1000	BRL
RAVENSTEINDREEF - 62 C2-3 D3-4 - 71 E1	3080	TE
RAVET (SENTIER) - 128 D3 E2	1301	BIE
RAVOTTERIJSTRAAT (5) - 30 C3	1082	SA
RAYE (RUE J. - STRAAT) - 32 D-E3	1030	SC
RAYMOND (RUE J. E. - STRAAT) - 60 C1	1160	AU
RECHERCHE (ALLEE DE LA) - 56 D3	1070	AN
RECHTHOEKSTRAAT - 40 C3-4 - Centr. 166 A2-3	1080	SJ
RECHTSCHAPENHEIDSSTRAAT - 31 C1	1090	JE
RECHTSPLEIN - 48 D2	1070	AN
RECHTSZAALSTRAAT - 48 D2	1070	AN
RECTANGLE (RUE DU) - 40 C3-4 - Centr. 166 A2-3	1080	SJ
RECTEUR (ALLEE DU) - 153 B3	1348	LL
REDERSKAAI - 31 E4 - 32 A3-4	1000	BRL
REDERSPLEIN EN -BRUG - 31 E4	1000	BRL
REDOUTE (RUE PIERRE-JOSEPH) - 153 B4	1348	LLN
REEBOKJESLAAN - 77 D-E3	1180	UCK
REEBOKKENDREEF - 88 C3	1640	SGR
REEBOKLAAN - 63 C2 D2-3	3080	TER
REEBOKSTRAAT - 49 D2 - Centr. 168 B2	1000	BRL
REEBOKWEG - 71 E4 - 81 E1	3090	OVE
REEBORREDELLE - 92 C1	3090	OVE
REEKSTRAAT - 11 E4 - 12 A3-4 B3	1731	REL
REEWEG - 63 C4 - 72 B1	3080	TER

REFORME (AV. DE LA) - 30 D-E2	1083	GAN
REFORME (RUE DE LA) - 58 E2 - 59 A2	1050	IXE
REGARD (RUE E. - STRAAT) - 58 C4	1180	UCK
REGATES (RUE DES) (3) - 32 A3	1000	BRL
REGATTASTRAAT (3) - 32 A3	1000	BRL
REGENBOOGSTRAAT - 91 D4	1560	HOE
REGENCE (RUE DE LA)		
49 E2 - 50 A1-2 - Centr. 168 C2 D1-2	1000	BRL
REGENMEUTERLAAN - 92 E3-4	3090	OVE
REGENT (BLD. DU - LAAN) -		
41 B-C4 - 50 B1-2 - Centr. 169 A1-2	1000	BRL
REGENTSCHAPSSTRAAT -		
49 E2 - 50 A1-2 - Centr. 168 C2 D1-2	1000	BRL
REGIMENTSBERG - 25 B2	1831	DIE
REIBERG - 95 D3-4	1654	HUI
REIFF (RUE GASTON) - 134 E2	1420	BRA
REIGERBOSLAAN - 60 C-D4		
NRS 102 - 104	1160	AUD
ANDERE NRS	1170	WAB
REIGERLAAN - 122 A1	1640	SGR
REIGERLAAN - 44 D-E1	1933	STK
REIGERSLAAN (2) - 12 D2	1780	WEM
REIGERSLAAN - 14 B-C1	1800	VIL
REIGERSTRAAT - 6 B-C2	1850	GRI
REIGERSTRAAT - 69 E1	1170	WAB
REIGERSVLIET (RUE DU - STRAAT) - 59 E1	1040	ETT
REINAERT DE VOS (AV. - LAAN) - 77 D3-4	1180	UCK
REINAERTSTRAAT - 28 E2 - 29 A2	1702	GRB
REINAERTWEG - 106 E4	1500	HAL
REINE (AV. DE LA) - 101 E2-3 - 102 A1	1310	LAH
REINE (AV. DE LA) - 32 A2-3 B3-4		
NOS 1 à 173 - 2 à 148	1030	SCH
NOS 175 à 47 D4 - 150 à 204	1000	BRL
237 à FIN - 206 à FIN		
REINE (CLOS DE LA) - 123 C3-4	1410	WAT
REINE (CLOS DE LA) - 53 D2	1970	WEO
REINE (GAL. DE LA) -		
40 E4 - 41 A4 - Centr. 166 C-D3	1000	BRL
REINE (PLACE DE LA) - 41 B-C1	1030	SCH
REINE (RUE DE LA) - 126 B3	1330	RIX
REINE (RUE DE LA) - 40 E3-4 - Centr. 166 C2-3	1000	BRL
REINE (SENTIER DE LA) - 88 E3 - 89 A2 B1-2 C1	1640	SGR
REINE DES PRES (AV. DE LA) - 23 C2		
NOS 1 à 15 - 2 à 16	1020	BRL
NOS 21 à FIN - 20 à FIN	1120	BRL
REINETTE (RUE DE LA) - 50 A2 - Centr. 168 D2	1000	BRL
REISDORFF (AV. A. - LAAN) - 67 A-B4	1180	UCK
REKERSSTRAAT - 64 D2	1602	VLE
RELAI (CHEMIN DU) - 141 E3-4	1325	CHG
RELAIS (CLOS DU) - 117 A3-4	1300	WAV
RELAIS (RUE DU) - 60 A4 - 69 A1		
NOS IMPAIRS - 2 à 14	1050	IXE
NOS 16 à FIN	1170	WAB
RELAIS DES DAMES (DREVE DU) -	1160	AUD
70 C2-3-4 D1-2 - 80 B2-3 C1-2	1170	WAB
RELAIS SACRE (RUE DU) - 40 B-C1	1081	KOE
RELEGEMSESTRAAT - 18 E2-3	1731	ZEL
REMBLAI (RUE DU) - 49 D3 - Centr. 168 B3	1000	BRL
REMBRANDDREEF - 82 B1	3090	OVE
REMBRANDT (RUE - STRAAT) -		
50 E1 - 51 A1 - Centr. 169 D1	1000	BRL
REMBUCHER (DREVE DU) - 79 E1	1170	WAB
REMEKER (RUE P. - STRAAT) - 12 E2	1780	WEM
REMIREMONT (AV. ABBESSE DE) - 146 D1	1420	BRA
REMORQUEUR (RUE DU) -		
50 C2 D1-2 - Centr. 169 B2 C1-2	1000	BRL
REMPART DES MOINES (RUE DU) -		
40 D3 - Centr. 166 B2	1000	BRL
REMY (RUE G. - STRAAT) - 30 D3	1082	SAB
REMYVAL (CHEMIN DE) - 159 A1	1420	BRA
RENAISSANCE (AV. DE LA - LAAN) -		
50 E1 - 51 A1 - Centr. 169 D1	1000	BRL
RENAN (AV. ERN. - LAAN) - 32 D3-4 E3	1030	SCH
RENARD (AV. ANDRE) - 138 E1	1330	RIX
RENARD (AV. M. - LAAN) - 48 A-B4 - 56 E1 - 57 A1	1070	AND
RENARD (CLOS DU) - 110 E2	1410	WAT
RENARD (DREVE DU) - 61 C2-3	1160	AUD
RENARD (PLACE ABBE) - 146 C1	1420	BRA
RENARD (RUE A. - STRAAT) - 59 A2-3		
NOS/NRS 1-81 - 2-64	1050	IXE
AUTRES NOS/ANDERE NRS	1180	UCK
RENARD ARGENTE (AV. DU) - 53 E2-3	1970	WEO
RENARDIERE (AV. DE LA) - 125 E3-4 - 126 A3	1380	OHA
RENARDS (DREVE DES) - 68 D-E4 - 78 C-D1	1180	UCK
RENARDS (DREVE DES) - 88 A4 B3-4	1640	SGR
RENARDS (RUE DES) (1) - 49 D-E2	1000	BRL
RENBAANLAAN - 37 E1 - 38 A1	1700	DIL
RENBAANLAAN - 45 A2-3 B3-4	1970	WEO
RENBAANLAAN - 59 C1-2 D2	1050	IXE
RENBAANLAAN - 68 E2	1000	BRL
RENBAANLAAN - 68 E3-4 - 69 A3-4	1180	UCK
RENCY (RUE G. - STRAAT) - 42 C4	1200	WSL
RENDEZ-VOUS DE CHASSE (1) - 59 D4 - 68 D1	1000	BRL
RENIERS (RUE R. - STRAAT) - 22 A4	1090	JET
RENIPONT (CLOS DE) (2) - 137 D1	1380	OHA
RENIPONT (ROUTE DE) -		
125 B-C-D-E4 - 137 B-C-D-E1	1380	OHA
RENIPONT (RUE DE) - 126 A2	1332	GEN
RENISART (CLOS DU) - 128 B2-3	1301	BIE
RENIVAL (PLACE DE) - 149 E1	1380	LAS
RENIVAL (TIENNE DE) - 149 D-E1	1380	LAS
RENIVAUX (RUE DE) - 152 A4 - 164 B1	1340	OTT
RENKIN (RUE - STRAAT) - 32 C3-4	1030	SCH
RENOIR (RUE AUG. - STRAAT) - 33 C-D3	1140	EVE
RENONCULES (AV. DES) - 127 C3-4	1300	LIL
RENONCULES (CLOS DES) - 123 B3	1410	WAT
RENONCULES (RUE DES) - 163 D2-3	1341	CEM
RENONCULES (RUE DES) - 60 E4 - 69 E1	1170	WAB
RENOUEE (CHEMIN DE LA) - 152 B1	1340	OTT
RENOUVEAU (AV. DU) - 33 B-C1	1140	EVE
RENPAARDENDREEF - 68 D2-3	1000	BRL
REPER-VREVEN (RUE - STRAAT) - 22 C-D2	1020	BRL
REPOS (PLACE DU) (4) - 48 D2	1070	AND
REPOS (RUE DU) - 67 D3-4 E4	1180	UCK
REPUBLIEK ARGENTINIESQUARE - 68 B2-3	1180	UCK
REPUBLIQUE ARGENTINE		
(SQUARE DE LA) - 68 B2-3	1180	UCK
REQUETTE (AV. C. -LAAN) - 39 C-D2	1080	SJM
RERUM NOVARUMLAAN - 28 E4 - 37 E1	1700	DIL
RESEARCHDREEF - 56 D3	1070	AND
RESEDALAAN - 9 D-E3	1910	BER
RESEDAS (RUE DES - STRAAT) - 57 C1	1070	AND
RESERVAATLAAN - 88 C-D-E2	1640	SGR
RESERVE (AV. DE LA) - 88 C-D-E2	1640	SGR
RESERVE (VENELLE DE LA) - 129 B-C4	1301	BIE
RESERVOIR (CHEMIN DU) - 68 E3-4 - 78 E1	1180	UCK
RESERVOIR (RUE DU) (1) - 129 A1	1300	WAV
RESERVOIR (RUE DU) - 126 C3-4 D4 - 138 D1	1330	RIX
RESERVOIR (RUE DU) - 150 D-E2 - 151 A1-2	1340	OTT
RESERVOIR (RUE DU) - 161 C-D3	1380	CSG
RESIDENCE (SQUARE DE LA) -		
50 C2 - Centr. 169 B2	1050	IXE
RESIDENTIESQUARE - 50 C2 - Centr. 169 B2	1050	IXE
RESISTANCE (AV. DE LA) - 127 C2	1330	RIX
RESISTANCE (AV. DE LA) - 127 C2	1300	LIL
RESISTANCE (AV. DE LA) - 151 D-E3	1340	OTT
RESISTANCE (PLACE DE LA) - 48 D-E2	1070	AND
RESISTANCE (RUE DE LA) (3) - 31 C1	1090	JET
RESISTANCE (RUE DE LA) - 164 A4	1490	CSE
RESISTANCE (RUE DE LA) - 33 A-B3	1140	EVE
RESISTANCE (SQUARE DE LA) - 127 C2	1330	RIX
RESISTANTS (RUE DES) - 145 D-E4	1421	OPH
RESTELEURS - 106 D4	1500	HAL
RESTSTRAAT - 118 A-B-C4	1502	LEM
RETORICASTRAAT - 49 D4	1060	SGI
REUCHAMP (RUELLE DE) - 151 E4	1340	OTT
REUTENBEEK - 93 A3-4 B4 - 103 B1-2 C2-3	3090	OVE
REUZENSTRAAT - 64 B-C2	1602	VLE

REVE (AV. DU) - 43 D4 1200 WSL
REVEIL (IMPASSE DU) - 40 D4 - Centr. 166 B3 1000 BRL
REVISION (BLD. DE LA) - 49 B2-3 1070 AND
REVOLUTION (RUE DE LA) - 41 B3 - Centr. 167 A2 1000 BRL
REY (PLACE JEAN - PLEIN) -
50 D1-2 - Centr. 169 C1-2 1040 ETT
REY (SQUARE H. - SQUARE) - 48 D1 1070 AND
REYERS (BLD. AUGUSTE -
LAAN) - 42 B2-3-4 C4 1030 SCH
REYNDERS (PLACE) - 151 D3 1342 LIM
RHETORIQUE (RUE DE LA) - 49 D4 1060 SGI
RHODE (SENTIER DE) - 110 E4 1410 WAT
RHODODENDRONS (AV. DES - LAAN) (1) -
53 C2-3 1950 KRA
RHODODENDRONS (DREVE DES - DREEF) -
69 B-C4
NOS/NRS 24-26 1180 UCK
AUTRES NOS/ANDERE NRS 1170 WAB
RHONE (CHAUSSEE DU) - 117 B4 1300 WAV
RICHELLE (DREVE) - 123 B2 C3 D3-4 E4 1410 WAT
RICHES CLAIRES (RUE DES) - 40 D-E4 1000 BRL
RICHIR (RUE H. - STRAAT) - 33 A-B4 1030 SCH
RIDDER KONINGLAAN - 51 D1 1200 WSL
RIDDERHOFLAAN - 111 A-B1 1640 SGR
RIDDERSCHAPSLAAN - 51 A1-2
ONEVEN NRS 1040 ETT
EVEN NRS 1000 BRL
RIDDERSDAL - 81 D2 3090 OVE
RIDDERSHOFSTEDELAAN - 67 D-E2 1180 UCK
RIDDERSPOORLAAN (7) - 57 A3 1070 AND
RIDDERSPOORLAAN - 45 A-B1 1933 STK
RIDDERSSTRAAT - 50 A2 - Centr. 168 D2 1050 IXE
RIDDERSSTRAAT - 7 A2 1800 VIL
RIDDERSTRAAT - 26 A-B4 1930 ZAV
RIDDERVAANLAAN - 42 C1 1140 EVE
RIDDERZWAMMENGAARDE - 69 A1 1050 IXE
RIETHUISEN (AV. V. - LAAN) - 30 E3 - 31 A3 1083 GAN
RIETHUTLAAN - 88 D-E3 1640 SGR
RIETLAAN - 29 B-C4 1702 GRB
RIETPLEIN - 82 E3 3090 OVE
RIETSTRAAT - 77 C1-2 1180 UCK
RIGA (SQUARE FR. - SQUARE) - 32 E2 1030 SCH
RIGAUXPLEIN - 82 C1 3090 OVE
RIJBAANLAAN - 68 E2 1000 BRL
RIJKE KLARENSTRAAT - 40 D-E4 1000 BRL
RIJKENDALSTRAAT - 13 E3 - 14 A3 B2 1853 SBE
RIJKENHOEKSTRAAT - 5 C1 1850 GRI
RIJKUNSTDREEF - 63 B-C1 D1-2 E2 3080 TER
RIJMELGEM - 34 E2 1932 SSW
RIJSCHOOLPLEIN (1) - 53 A3 1150 SPW
RIJSTVOGELSTRAAT (1) - 69 D2 1170 WAB
RIJSVELDWEG - 65 D-E1 1600 SPL
RIJTUIGENDREEF (3) - 68 D1 1000 BRL
RIKIR (SENTIER) - 128 C-D3 1301 BIE
RILROHEIDESTRAAT - 108 C-D4 1653 DWO
RINGDUIVENLAAN - 53 A4 1150 SPW
RINGELBERGLAAN - 114 D-E1 3090 OVE
RINGLAAN - 14 A1-2 B2 1853 SBE
RINGLAAN - 19 C2 D1-2 1730 ASS
RINGLAAN - 63 D2 C3 3080 TER
RINGLAAN - 68 A3 1180 UCK
RINGMUSSTRAAT - 69 E1 1170 WAB
RINGSTEEKSTRAAT - 41 D3 - Centr. 167 C2 1000 BRL
RINGSTRAAT - 16 B4 C3-4 1830 MAC
RINSDELLE (PLACE DU - PLEIN) - 51 A3 1040 ETT
RIPONT (AV. DE) - 114 D-E4 1330 RIX
RITLAAN (3) - 42 C1 1140 EVE
RITTWEGER (RUE - STRAAT) - 67 C3 1180 UCK
RITTWEGER (RUE - STRAAT) - 98 A2 1640 SGR
RITTWEGERLAAN - 15 E2-3-4 1830 MAC
RIVAGE (COURTE RUE DU) (6) - 117 D4 1300 WAV
RIVAGE (RUE DU) - 117 D4 1300 WAV
RIVAGE (RUELLE DU) (5) - 117 D4 1300 WAV
RIVE (RUE DE LA) -43 C3 -4 1200 WSL

RIVELAINE (AV. DE LA) - 123 A2 1410 WAT
RIVELAINE (RUE) - 158 B-C4 1420 BRA
RIVIERE (CLOS DE LA) - 152 A-B2 1342 LIM
RIVIERE (RUE DE LA) - 41 B2 - Centr. 167 A1 1210 SJN
RIVIERE (SENTIER DE LA) - 157 D-E1 1421 OPH
RIVIERSTRAAT - 41 B2 - Centr. 167 A1 1210 SJN
RIVIERSTRAAT - 7 A-B2 1800 VIL
RIVOLI (CLOS) (1) - 123 C2 1410 WAT
RIVOLI (RUE DE - STRAAT) - 41 B3 - Centr. 167 A2 1000 BRL
RIXENSART (CHAUSSEE DE) - 126 A-B4 1380 LAS
RIXENSART (ROUTE DE) - 127 C2 D3-4 1300 LIL
RIXENSART (RUE DE) - 114 C4 1332 GEN
ROBBRECHTS (RUE F. - STRAAT) - 12 C2 D1-2 E1 1780 WEM
ROBBRECHTS (RUE F. - STRAAT) - 3 E4 - 4 A4 1780 WEM
ROBERTI (RUE) - 152 B-C4 1340 OTT
ROBERTI (SENTIER) - 152 A-B4 1340 OTT
ROBIE (RUE J. - STRAAT) - 58 D1 1060 SGI
ROBIJNDREEF - 22 A1 1020 BRL
ROBIJNLAAN - 82 A2 3090 OVE
ROBIN (CHEMIN) - 157 D3 1421 OPH
ROBINIER (AV. DU) (22) - 129 B4 1301 BIE
ROBINIERS (AV. DES) - 22 D-E3 1020 BRL
ROCAILLE (RUE) - 156 A1-2 1461 HIT
ROCAILLES (CLOS DES) (1) - 135 B2 1410 WAT
ROCHE (RUE DE LA) - 128 B2 C3 1301 BIE
ROCHE FATALE (RUE DE LA) - 51 D-E1 1200 WSL
ROCHE FOUCAULD (AV. DE LA) -
114 E4 - 115 A4 - 127 A1 1330 RIX
ROCHEFORT (PLACE DE - PLEIN) - 58 C1 1190 VOR
RODE (RUE DE - STRAAT) - 87 D3-4 E2-3 1630 LIN
RODE AMERIKAANSE EIKENDREEF -
119 D-E3 - 120 A4 - 132 B-C1 1500 HAL
RODEBEEKSTRAAT - 84 D1-2 1600 SPL
RODE BEUKENDREEF - 36 C1 1930 NOS
RODE BEUKENLAAN - 44 C4 - 53 B1-2 C1 1970 WEO
RODE BEUKENLAAN - 53 B2 1950 KRA
RODE KRUISLAAN - 13 E4 - 22 E1 - 23 A1 1020 BRL
RODE KRUISLAAN - 26 A-B3 1930 ZAV
RODE KRUISPLEIN (1) - 47 D2 1070 AND
RODE KRUISSQUARE - 59 C2 1050 IXE
RODE KRUISSTRAAT - 106 D3 1500 HAL
RODE KRUISSTRAAT - 91 B2 1560 HOE
RODENBACH (AV. G. - LAAN) - 32 D-E1 1030 SCH
RODENBACH (RUE - STRAAT) - 32 D2-3 1190 VOR
RODENBACH (RUE A. - STRAAT) - 12 B-C3 1780 WEM
RODENBACH (RUE GEORGES) - 134 C1-2 1420 BRA
RODENBACHLAAN (ALBRECHT) - 5 B1 1850 GRI
RODENBERG - 28 E1-2 - 29 A1 1702 GRB
RODENBERGSTRAAT - 60 D3 1160 AUD
RODENEMPLEIN - 106 D4 1500 HAL
RODENEMWEG - 106 D2-3-4 1500 HAL
RODEPOORTSTRAAT - 14 A2 1853 SBE
RODEPOORTSTRAAT - 61 E2 - Centr. 168 C2 1000 BRL
RODE STENENSTRAAT - 69 B2 1170 WAB
RODESTRAAT - 67 D2 1180 UCK
RODESTRAAT - 97 C-D3 1652 ALS
RODEUHAIE (RUE DE) - 165 D1 1348 LLN
RODIN (AV. AUG. - LAAN) - 50 D4 - 59 D1 1050 IXE
RODODENDRONLAAN - 96 B4 1653 DWO
RODTS (RUE J. - STRAAT) - 76 E1 1620 DRO
ROEIERSPAD (6) - 68 E2 1000 BRL
ROEIERSSTRAAT (4) - 32 A3-4 1000 BRL
ROEKELOOSBORRE - 102 A3 3090 OVE
ROEKENSLAAN - 17 C1 1820 MEL
ROEKHOUT - 29 C-D1 1702 GRB
ROELANDSHEIDE - 73 A1 3080 DUI
ROELANDSVELDSTRAAT - 38 B4 - 47 B1 1700 DIL
ROELANDTS (RUE - STRAAT) - 41 C-D2 1030 SCH
ROELANTS (AV. M. - LAAN) - 12 B3 1780 WEM
ROELANTSLAAN (MAUR.) - 36 A4 1933 STK
ROELANTSSTRAAT - 16 B2 1830 MAC
ROEMENIESTRAAT - 49 E4 - 58 E1 1060 SGI
ROESBUNDER - 98 A4 1640 SGR
ROETAERT (RUE DU - STRAAT) - 67 A2-3 B3 1180 UCK

R

Street	Code	Commune
ROFESSART (CHEMIN DE) - 127 B4 - 139 B1-2	1300	LIL
ROFESSART (RUE DE) - 139 C1 D2	1300	LIL
ROFFIAEN (RUE FR. - STRAAT) - 59 D-E2	1050	IXE
ROGATIONS (AV. DES) - 51 B-C1	1200	WSL
ROGGEBLOEMLAAN - 54 C1-2	1200	WSL
ROGGEMANSKAAI (FELIX) - 94 E3 - 95 A1-2	1501	BUI
ROGGEVELD - 34 D2	1932	SSW
ROGIER (AV. - LAAN) - 41 C1 D1-2 E2 - 42 A-B2	1030	SCH
ROGIER (PLACE CH.) - 41 A2 - Centr. 166 D1	1210	SJN
ROGIER (RUE - STRAAT) - 41 B-C1		
NOS/NRS 1-25 - 2-30	1000	BRL
AUTRES NOS/ANDERE NRS	1030	SCH
ROGIERPLEIN (KAREL) - 41 A2 - Centr. 166 D1	1210	SJN
ROGISSART (RUE DU) - 130 C4 - 142 C1	1480	CLA
ROHAN (AV. DE) - 146 D-E1	1420	BRA
ROI (AV. DU) - 49 B3-4 C3-4 - 58 C1		
NOS 1 à 79 - 2 à 106	1060	SGI
NOS 81 à FIN - 108 à FIN	1190	VOR
ROI (GAL. DU) - 41 A4 - Centr. 166 D3	1000	BRL
ROI (PETITE RUE DU) - 53 D-E2	1970	WEO
ROI (RUE DU) - 126 B4	1330	RIX
ROI CHEVALIER (AV. DU) - 51 D1	1200	WSL
ROI JARDIN (RUE DU) - 142 A4	1480	CLA
ROI SOLDAT (AV. DU) - 48 B4 C3-4	1070	AND
ROI SOLEIL (AV. DU) - 122 E3 - 123 A-B3	1410	WAT
ROI VAINQUEUR (PLACE DU) - 51 B3	1040	ETT
ROISSART (RUE DU) - 165 A2-3	1435	MSG
ROITELET (RUE DU) - 60 B4	1170	WAB
ROITELETS (AV. DES) - 44 A-B3	1950	KRA
ROITELETS (SENTIER DES) - 115 E2	1301	BIE
ROKLOOSTERDREEF - 61 B3	1160	AUD
ROKLOOSTERSTRAAT - 61 B-C3	1160	AUD
ROLAND (RUE A. - STRAAT) - 33 A4	1030	SCH
ROLIN (BLD. H.) - 123 B2	1410	WAT
ROLIN (PROMENADE HIPPOLYTE -		
PROMENADE) (4) - 51 A-B4	1040	ETT
ROLLAND (AV. R. - LAAN) - 48 A4	1070	AND
ROLLANTSTRAAT (1) - 36 C4 - 45 C1	1933	STK
ROLLEBAAN - 97 E2-3	1640	SGR
ROLLEBEEK (RUE DE - STRAAT) -		
49 E1 - Centr. 168 C1	1000	BRL
ROLLEBEEKSTRAAT - 86 B3 C3-4	1650	BEE
ROLLESTRAAT - 46 C4 D3-4	1701	ITT
ROLLEWAGENSTRAAT - 7 D1-2-3 E1	1800	VIL
ROLSTRAAT - 40 E3 - Centr. 166 C2	1000	BRL
ROM (RUE L. - STRAAT) - 61 E1	1150	SPW
ROMAINE (CHAUSSEE) -		
13 A-B-C-D-E4 - 14 A-B4 - 21 E1-2 - 22 A1		
NOS 321 à 817	1020	BRL
NOS 748 à 1038	1070	AND
ROMAINE (CHAUSSEE) - 13 A-B4 - 21 E2 - 22 A1	1780	WEM
ROMAINE (PETITE CHAUSSEE) - 14 A4 - 23 A1	1020	BRL
ROMAINE (RAMPE) - 22 A1	1020	BRL
ROMAN PAYS (VOIE DU) - 153 B4	1348	LLN
ROMARIN (RUE DU) (1) - 13 B4	1020	BRL
ROMBAUT (RUE) - 122 A2-3	1410	WAT
ROMBAUT (RUE) - 122 A2-3 B4	1420	BRA
ROMBAUX (SQUARE EG. - SQUARE) - 48 B3	1070	AND
ROME (RUE DE - STRAAT) - 49 D4	1060	SGI
ROMEINSE BAAN - 20 C2	1731	ZEL
ROMEINSEBAAN - 2 C-D-E2 - 3 A-B2	1785	BRU
ROMEINSEOPRIT - 22 A1	1020	BRL
ROMEINSESTEENWEG - 14 B4 C3-4 D2-3 E2	1800	VIL
ROMEINSE STEENWEG -		
13 A-B-C-D-E4 - 14 A-B4 - 21 E1-2 - 22 A1		
NRS 321 tot 817	1020	BRL
NRS 748 tot 1038	1070	AND
ROMEINSE STEENWEG - 13 A-B4 - 21 E2 - 22 A1	1780	WEM
ROMEINSE STEENWEG - 13 B-C-D-E4 - 14 A4	1853	SBE
ROMEINSE VILLADREEF - 48 D3	1070	AND
ROMMELAERE (AV. - LAAN) - 22 A2 B2-3 C3		
NOS/NRS 1-145 - 2-4D	1020	BRL
AUTRES NOS/ANDERE NRS	1090	JET
RONCES (AV. DES) - 78 D1	1180	UCK

Street	Code	Commune
RONCES (SENTIER DES) - 61 C3-4 D3-4	1160	AUD
RONCIER (VENELLE DU) (11) - 141 C1	1300	WAV
ROND-BOIS (VENELLE DU) - 141 D2-3 E3	1300	WAV
ROND POINT (AV. DU) - 126 E2	1330	RIX
ROND-POINT DE LA LIBERTE (SQ.) - 117 A4	1300	WAV
RONDE (CHEMIN DE - WEG) - 52 B4	1150	SPW
RONDE (PLACE) - 22 A1	1020	BRL
RONDEBOSSTRAAT - 37 E4 - 46 E1	1700	ITT
RONDENBOSLAAN - 97 B-C2	1652	ALS
RONDE WEG - 17 B1	1800	VIL
RONDIA (RUE DU) - 153 A4	1348	LLN
RONDPLEIN - 22 A1	1020	BRL
RONKEL - 12 D4 - 21 D1	1780	WEM
RONSARD (RUE - STRAAT) - 48 A-B1	1070	AND
RONSMANS (CITE - WIJK) - 49 E2 - Centr. 168 C2	1000	BRL
ROOBAERT (RUE A. - STRAAT) - 30 C1-2	1083	GAN
ROODBORSTJESLAAN (1) - 98 A1	1640	SGR
ROODBORSTJESLAAN - 4 C-D3	1860	MEI
ROODBORSTJESLAAN - 44 B2	1950	KRA
ROODBORSTJESSTRAAT - 79 E1	1170	WAB
ROODBORSTJESWEG - 69 E4 - 70 A-B4 - 79 E1	1170	WAB
ROODEBEEK (AV. DE - LAAN) - 42 A-B4 C3-4	1030	SCH
ROODEBEEK (CHAUSSEE DE - STEENWEG) -		
42 C-D3 E3-4 - 43 A-B4	1200	WSL
ROODENBERG (RUE) - 60 D3	1160	AUD
ROODHUISPLEIN - 31 E2	1020	BRL
ROOD KRUISSTRAAT - 106 D3	1500	HAL
ROOFKEVERSLAAN - 69 B3	1170	WAB
ROOILANDGAARDE - 53 A3	1150	SPW
ROOMSTRAAT - 46 A-B C4	1701	ITT
ROOS (RUE MAX) - 32 C-D2	1030	SCH
ROOSE (AV. CHANOINE) - 48 A3	1070	AND
ROOSELAAN (KANUNNIK) - 48 A3	1070	AND
ROOSELAERSSTRAAT (EDOUARD) -		
74 E3 - 75 A3	1600	SPL
ROOSENDAEL (RUE - STRAAT) - 58 B-C4 - 67 B1		
NOS/NRS 1-235 - 2-230	1190	VOR
AUTRES NOS/ANDERE NRS	1180	UCK
ROOSENS (AV. GEORGES) - 130 C4 D3-4	1480	CLA
ROOSEVELT (AV. F. - LAAN) -		
59 D3-4 E4 - 68 E1-2 - 69 A2-3	1050	IXE
ROOSEVELT (AV. FRANKLIN) -		
114 C4 - 126 C1-2 D2	1330	RIX
ROOSEVELT (AV. FRANKLIN) - 151 C3-4	1341	CEM
ROOSEVELT (RUE TH. - STRAAT) - 42 A-B4	1030	SCH
ROOSEVELTLAAN (FRANKLIN) - 6 E1 - 7 A1-2	1800	VIL
ROOST - 10 C4	1730	BEK
ROOSTBAAN - 4 D-E1	1850	GRI
ROOSTERGANG		
GELEGEN VLAAMSESTEENWEG		
TUSSEN NRS 98-100		
40 D3 - Centr. 166 B2	1000	BRL
ROOSTSTRAAT - 4 D1	1860	MEI
ROPS (RUE FELICIEN - STRAAT) - 48 B-C4 - 57 B1	1070	AND
ROPSY CHAUDRON (RUE - STRAAT) -		
40 A4 - 49 A-B1	1070	AND
ROSACEES (CLOS DES) (4) - 39 C2	1080	SJM
ROSART (RUE G. - STRAAT) - 62 A1	1150	SPW
ROSE DES VENTS (AV. DE LA) - 123 E4	1410	WAT
ROSE FRANCE (AV.) - 114 D4	1330	RIX
ROSEAU (RUE DU) - 77 C1-2	1180	UCK
ROSEE (AV. DE LA) - 99 A3-4	1640	SGR
ROSEE (RUE DE LA) - 40 C4 - Centr. 166 A3	1070	AND
ROSELAAN (PR.) - 54 B1	1933	STK
ROSERAIE (AV. DE LA) - 114 D4	1330	RIX
ROSERAIE (AV. DE LA) - 123 E4	1410	WAT
ROSERAIE (RUE DE LA) (7) - 39 A-B1	1082	SAB
ROSES (AV. DES) - 139 B-C3	1342	LIM
ROSES (AV. DES) - 142 B1	1480	CLA
ROSES (AV. DES) - 146 E3	1420	BRA
ROSES (AV. DES) - 98 E2 - 99 A3	1640	SGR
ROSES (CHEMIN DES) (2) - 67 C3	1180	UCK
ROSES (RUE DES) - 41 A3 - Centr. 166 D2	1000	BRL
ROSIER BOIS (RUE) - 115 B1-2	1331	ROS

R

Straat	Postcode	Gemeente
ROSIERES (CHEMIN DE) - 127 D3-4	1300	LIL
ROSIERES (RUE DE) - 114 C-D3 E2-3	1330	RIX
ROSIERES (RUE DE) - 115 E2 - 116 A2-3	1301	BIE
ROSMARIJNSTRAAT (1) - 13 B4	1020	BRL
ROSOIR (CHEMIN) - 144 E1	1440	BRC
ROSSEELSLAAN (H.) - 20 D3	1731	ZEL
ROSSIGNOL (AV. DU) - 122 A1	1640	SGR
ROSSIGNOL (CHEMIN DU) - 134 A-B4	1420	BRA
ROSSIGNOL (CHEMIN DU) - 23 E1	1120	BRL
ROSSIGNOL (RUE DU) (1) - 134 B-C4	1420	BRA
ROSSIGNOL (SENTIER DU) - 134 B4	1420	BRA
ROSSIGNOLS (AV. DES) - 102 A4	1310	LAH
ROSSIGNOLS (AV. DES) - 111 C4	1410	WAT
ROSSIGNOLS (AV. DES) - 163 B-C4	1341	CEM
ROSSIGNOLS (AV. DES) - 44 A1-2 B2	1950	KRA
ROSSIGNOLS (AV. DES) - 44 E4 - 45 A4 - 54 A1	1970	WEO
ROSSIGNOLS (SENTIER DES) - 126 E1-2	1332	GEN
ROSSINI (RUE - STRAAT) - 49 C2 - Centr. 168 A2	1070	AND
ROSSOM (SENTIER) - 159 A-B3	1420	BRA
ROSTAND (RUE EDM. - STRAAT) - 39 D4	1070	AND
ROTIERS (RUE EM. - STRAAT) - 70 B1	1160	AUD
ROTON (CHEMIN DU) - 121 C1-2 D-E2	1420	BRA
ROTSELAARLAAN - 54 E2-3	3080	TER
ROTTERDAM (RUE DE - STRAAT) - 31 C3 D2	1080	SJM
ROTWEG - 93 C1 D1-2-3	3090	OVE
ROUE (PLACE DE LA) - 57 C1	1070	AND
ROUE (RUE DE LA) - 49 D1 - Centr. 168 B1	1000	BRL
ROUEN BOVIE (RUE - STRAAT) - 41 D3 - Centr. 167 C2	1210	SJN
ROUGE (RUE) - 67 D2	1180	UCK
ROUGE CLOITRE (CLOS DU) - 101 E1 - 102 A1	1310	LAH
ROUGE CLOITRE (DREVE DU) - 61 B3	1160	AUD
ROUGE CLOITRE (RUE DU) - 91 E4	3090	OVE
ROUGE CLOITRE (RUE DU) - 92 A4 - 101 E1-2	1310	LAH
ROUGE-CLOITRE (CHEMIN DE) (3) - 153 C2	1348	LLN
ROUGE-CLOITRE (RUE DU) - 61 B-C3	1160	AUD
ROUGE-GORGE (CHEMIN DU) - 69 E4 - 70 A-B4 - 79 E1	1170	WAB
ROUGE-GORGE (RUE DU) - 79 E1	1170	WAB
ROUGES GORGES (AV. DES) - 44 B2	1950	KRA
ROUGES-GORGES (AV. DES) (1) - 98 A1	1640	SGR
ROULEAU (RUE DU) - 40 E3 - Centr. 166 C2	1000	BRL
ROULIER (IMPASSE DU) SITUEE RUE DE FLANDRE ENTRE NOS 176-180 40 D-E3	1000	BRL
ROUMANIE (RUE DE) - 49 E4 - 58 E1	1060	SGI
ROUPPE (PLACE - PLEIN) - 49 D1 - Centr. 168 B1	1000	BRL
ROUPPE (RUE - STRAAT) - 49 D1 - Centr. 168 B1	1000	BRL
ROUSSART (CHEMIN DU) - 134 E2 - 135 A2	1420	BRA
ROUSSART (RUE DU) - 123 B-C-D4 - 135 B1	1410	WAT
ROUSSEAU (AV. V. - LAAN) - 58 A4 B3-4 C3 - 67 A1	1190	VOR
ROUSSEROLLES (AV. DES) - 88 A4 - 97 E1 - 98 A1	1640	SGR
ROUSSETTES (CHEMIN DES) - 135 A3-4	1420	BRA
ROUSSETTES (CHEMIN DES) - 135 A3-4	1410	WAT
ROUX (RUE DR. - STRAAT) - 48 B4 - 57 B1	1070	AND
ROWIESSTRAAT (A.) - 91 B3	1560	HOE
ROYAL (PLACE) - 97 E4	1640	SGR
ROYALE (AV.) - 127 B-C2	1330	RIX
ROYALE (PLACE) - 50 A1 - Centr. 168 D1	1000	BRL
ROYALE (RUE) - 41 A4 B2-3-4 - 50 A1 - Centr. 166 D3 - 167 A1-2-3 168 D1		
NOS 1 à 26 E4 - 2 à 234	1000	BRL
NOS 151 à 251 - 236 à 324	1210	SJN
NOS 253 à FIN - 326 à FIN	1030	SCH
ROYALE SAINTE-MARIE (RUE) - 32 C4 - 41 B-C1	1030	SCH
ROYAUTE (RUE DE LA) - 31 E1-2	1020	BRL
ROZE HOEVENLAAN - 67 E1	1180	UCK
ROZELAARLAAN - 90 E3	1560	HOE
ROZELAARSTRAAT - 10 A3	1730	ASS
ROZE MOLENWEG - 77 C-D4	1180	UCK
ROZENDAAL - 49 E1 - Centr. 168 C1	1000	BRL
ROZENDALSTRAAT - 63 C1-2	3080	TER
ROZENDOORNDREEF - 38 B4	1700	DIL
ROZENGAARDE (4) - 39 C2	1080	SJM
ROZENGAARDESTRAAT (7) - 39 A-B1	1082	SAB
ROZENLAAN (1) - 29 C4	1702	GRB
ROZENLAAN - 1 A-B1	1730	MOL
ROZENLAAN - 14 B2	1853	SBE
ROZENLAAN - 17 A2	1820	MEL
ROZENLAAN - 38 E4 - 47 E1	1700	DIL
ROZENLAAN - 71 E3-4	3090	OVE
ROZENLAAN - 9 D-E3	1910	BER
ROZENLAAN - 95 B3	1501	BUI
ROZENLAAN - 98 E2 - 99 A3	1640	SGR
ROZENPLEIN - 9 C3	1820	MEL
ROZENSTRAAT (4) - 7 C2	1800	VIL
ROZENSTRAAT - 16 A3 B2-3	1830	MAC
ROZENSTRAAT - 41 A3 - Centr. 166 D2	1000	BRL
ROZENSTRAAT - 65 D2	1600	SPL
ROZENSTRAAT - 86 E2	1650	BEE
ROZENWEG (2) - 67 C3	1180	UCK
ROZENWEG - 30 A2	1731	ZEL
ROZENWEIDE (CHEMIN - WEG) - 97 E2-3	1640	SGR
ROZIERENSESTEENWEG - 102 D2-3 E3-4	3090	OVE
RUANDA (RUE DU - STRAAT) - 51 A3	1040	ETT
RUBENS (AV. P.P. - LAAN) - 12 C4	1780	WEM
RUBENS (RUE - STRAAT) - 32 B-C4	1030	SCH
RUBENSDREEF - 82 B2	3090	OVE
RUBENSLAAN - 8 E4 - 9 A4	1820	STE
RUBENSPLEIN - 92 A2	1560	HOE
RUBENSSTRAAT - 6 B3 C3	1800	VIL
RUBIS (ALLEE DU) - 22 A1	1020	BRL
RUBIS (RESIDENCE) (14) - 127 E2	1300	LIL
RUCHAUX (RUE DU) - 164 C4 D3-4 E3	1490	CSE
RUCHE (RUE DE LA) - 32 C4 - 41 C1	1030	SCH
RUE GAUCHE (SENTIER DE LA) - 128 D3	1301	BIE
RUEKEVELDDREEF - 94 B2	1500	HAL
RUELENS (PLACE O. - PLEIN) - 30 C4	1082	SAB
RUELLE - 156 B3	1461	HIT
RUHAUX (RUE DU) - 152 B3	1340	OTT
RUHL (RUE J. - STRAAT) - 49 A-B1	1070	AND
RUHLPLEIN - 82 C1	3090	OVE
RUHONDO (SENTIER DE) - 139 A1	1330	RIX
RUIMINGSKAAI - 40 E1	1000	BRL
RUISBROECK (CHAUSSEE DE) - 66 C3 E2-3		
NOS 1 à 209 - 110	1190	VOR
NOS 18 à 74	1180	UCK
RUISBROECK (CHAUSSEE DE) - 66 D3-4	1620	DRO
RUISBROECKWEG (JOHANNES) - 90 B-C2	1560	HOE
RUISBROEKSE STEENWEG - 66 C3 E2-3		
NRS 1 tot 209 - 110	1190	VOR
NRS 18 tot 74	1180	UCK
RUISBROEKSESTEENWEG - 66 D3-4	1620	DRO
RUISBROEKSESTEENWEG - 75 E1 - 76 A1	1600	SPL
RUISBROEKSESTEENWEG - 76 A-B1	1601	RUI
RUISBROEKSTRAAT - 50 A1 - Centr. 168 D1	1000	BRL
RUISELAAR - 86 B4	1651	LOT
RUISSEAU (AV. DU) (9) - 129 C2	1300	WAV
RUISSEAU (RUE DU) - 133 A4 - 145 A1	1440	BRC
RUISSEAU (RUE DU) - 152 B3-4	1340	OTT
RUISSEAU (RUE DU) - 164 E3 - 165 A2-3	1435	MSG
RUISSEAU (RUE DU) - 40 D2 - Centr. 166 B1	1080	SJM
RUISSEAU (RUE DU) - 44 E3-4 - 53 D-E1	1970	WEO
RUISSEAU (RUE DU) - 98 A2	1640	SGR
RUISSEAU DU GODRU (AV. DU) - 129 C1-2-3	1300	WAV
RUISSELET (CHEMIN DU) - 137 C-D4	1380	LAS
RUISSELET (CLOS DU) - 30 C4	1082	SAB
RUITERIJLAAN - 59 E1 - 60 A1	1040	ETT
RUITERSLAAN - 99 A4	1640	SGR
RUITERWEG - 3 D4 E3-4 - 12 D1	1780	WEM
RULLENS (AV. J. P. - LAAN) - 52 A1	1200	WSL
RUPEL (RUE DU - STRAAT) - 23 D-E4	1000	BRL
RUQUOY (AV. GEN.) - 134 D4	1420	BRA
RUQUOY (RUE GEN. - STRAAT) - 39 E4	1070	AND
RUSATIRA (AV. DE - LAAN) - 30 B2	1083	GAN

R

RUSLANDSTRAAT - 49 C2-3 D3 - Centr. 168 A2-3 B3 1060 SGI
RUSSIE (RUE DE) - 49 C2-3 D3 - Centr. 168 A2-3 B3 1060 SGI
RUSTLAAN - 29 A2-3 1702 GRB
RUSTOORDDREEF - 26 B4 1930 ZAV
RUSTPLAATS - 48 D2 1070 AND
RUSTPLAATSLAAN (3) - 33 C1 1140 EVE
RUSTPLEIN (4) - 48 D2 1070 AND
RUSTSTRAAT - 67 D3-4 E4 1180 UCK
RUTHSTRAAT - 9 D4 - 18 D1-2 1820 STE
RUTTEN (AV. J. - LAAN) - 53 A4 1150 SPW
RUTTING - 46 E2 1701 ITT
RUWEBAUT (TIENNE) - 116 E2 - 117 A2 1300 WAV
RUWKRUIDLAAN - 45 B4 1970 WEO
RUYSBROEK (RUE DE) - 50 A1 - Centr. 168 D1 1000 BRL
RUYSDAEL (RUE - STRAAT) - 49 B1-2 1070 AND
RUYTINX (RUE FR. - STRAAT) - 69 E1-2 1170 WAB
RY (CHEMIN DU) - 116 C1 D2-3 1300 WAV
RY (RUE DU) - 163 E2 1341 CEM
RY-BEAU-RY (ROUTE DU) - 126 A2-3-4 1380 OHA
RYCKMANS (AV. A. - LAAN) - 68 C-D4 1180 UCK
RYCKMANS (RUE HELENE -STR) - 40 C-D2 1080 SJM
RYCKMANSSTRAAT (GRAAF ANDRE) - 34 B4 - 43 B1 1932 SSW
RYSTRAAT - 76 B1 1600 SPL

S

SABIN (AV.) - 105 B3 1300 WAV
SABLE (MONTAGNE DE) - 61 A3 1160 AUD
SABLES (CHEMIN DES) - 109 A1 B2 1640 SGR
SABLES (RUE DES) - 41 A3 - Centr. 166 D2 1000 BRL
SABLES (RUE DES) - 53 E2 - 54 A2 1970 WEO
SABLES (RUE DES) - 77 C4 - 87 C1 1630 LIN
SABLES (SENTIER DES) - 78 E3-4 1180 UCK
SABLIERE (AV. DE LA) - 139 C-D2 1300 LIL
SABLIERE (AV. DE LA) - 61 A2-3 1160 AUD
SABLIERE (RUE DE LA) - 114 C3 1332 GEN
SABLIERE (RUE DE LA) - 136 B1 1380 OHA
SABLIERES (RUE DES) - 165 A4 1435 MSG
SABLON (RUE DU) - 153 B4 1348 LLN
SABLON (RUE LOUIS) - 140 A4 - 151 E1 - 152 A1 1342 LIM
SABLONNIERE (CHEMIN DE LA) - 148 B-C1 1380 OHA
SABLONNIERE (RUE DE LA) - 41 B3 - Centr. 167 A2 1000 BRL
SABLONS (RUE DES) - 49 E1 - 50 A1-2 - Centr. 168 C1 D1-2 1000 BRL
SABLONWEG (FRANS) - 119 B-C2 1500 HAL
SABOTIER (AV. DU) - 158 B3-4 1428 LIW
SABRETACHE (CLOS DE LA) - 135 A-B3 1410 WAT
SACKWEG - 46 E2-3 - 47 A2-3 1700 DIL
SACKWEG - 46 E2-3 1701 ITT
SACRE CŒUR (AV. DU) - 22 B4 - 31 B1 1090 JET
SACRE-CŒUR (PLACE DU) - 52 A1 1200 WSL
SACRE-CŒUR (SQUARE DU) - 61 B4 1160 AUD
SACREMENT (CHEMIN DU) - 144 C4 1440 BRC
SACREMENT (CHEMIN DU) - 156 E1 1421 OPH
SACREMENT (RUE DU) - 144 C4 - 156 C1 1461 HIT
SADIN (CHEMIN DU) - 146 B-C3 1420 BRA
SAFFETIAU (RUE DU) - 128 B-C2 1301 BIE
SAFFIERLAAN - 109 B-C1 1640 SGR
SAFFIERSTRAAT - 42 A-B3 1030 SCH
SAGES (CHEMIN DES) - 153 A4 1348 LLN
SAGITTAIRE (AV. DU) (13) - 42 D3 1200 WSL
SAGITTAIRE (AV. DU) - 135 C1 1410 WAT
SAINCTELETTE (PLACE - PLEIN) - 40 D1-2
NOS/NRS 1-21 1000 BRL
AUTRES NOS/ANDERE NRS 1080 SJM
SAINCTELETTE (SQUARE - SQUARE) - 40 D1-2 1000 BRL
SAINFOINS (AV. DES) - 56 D3-4 E3 1070 AND
SAINT-ALPHONSE (RUE) - 41 C3 - Centr. 167 B2 1210 SJN
SAINT-ANDRE (RUE) - 40 D2 - Centr. 166 B1 1000 BRL
SAINT-ANNA (ROND PUNT) - 98 C2 1640 SGR
SAINT-ANTOINE (AV.) - 34 E4 - 43 E1 1950 KRA
SAINT-ANTOINE (PLACE) - 49 B4 1190 VOR
SAINT-ANTOINE (PLACE) - 50 E4 1040 ETT
SAINT-AUGUSTIN (AV.) - 58 C3 1190 VOR
SAINT-BERNARD (RUE) - 49 E4 - 50 A4 - 58 E1 1060 SGI
SAINT-BONIFACE (RUE) - 50 B2-3 - Centr. 169 A2-3 1050 IXE
SAINT-CHRISTOPHE (RUE) - 40 D4 - Centr. 166 B3 1000 BRL
SAINT-CORNEILLE (DREVE) - 111 E1-2-3 1310 LAH
SAINT-DENIS (PLACE) - 57 E4 1190 VOR
SAINT-DENIS (RUE) - 57 E3-4 - 58 A1-2-3 1190 VOR
SAINT-DOMINIQUE (AV.) - 53 B3 1950 KRA
SAINT-DONAT (RUE) - 150 E4 - 162 E1 - 163 A1 1341 CEM
SAINT-ELOI (RUELLE) (25) - 153 C4 1348 LLN
SAINT-ESPRIT (RUE DU) - 49 E1 - Centr. 168 C1 1000 BRL
SAINT-FRANÇOIS (RUE) - 41 B2 - Centr. 167 A1 1210 SJN
SAINT-GARDE DIEU (CHEMIN) - 161 B4 1380 LAS
SAINT-GEORGES (AV.) - 44 A1 1950 KRA
SAINT-GEORGES (CLOS) - 44 C4 1970 WEO
SAINT-GEORGES (CLOS) - 61 C1 1150 SPW
SAINT-GEORGES (RUE) - 59 B2-3 C2 1050 IXE
SAINT-GERMAIN (RUE) - 122 C-D3 1410 WAT
SAINT-GERY (PLACE) - 40 D-E4 1000 BRL
SAINT-GERY (RUE) (2) - 40 D-E4 1000 BRL
SAINT-GHISLAIN (RUE) - 49 D-E2 1000 BRL
SAINT-GILLES (BARRIERE DE) - 49 D4 - 58 D1 1060 SGI
SAINT-GILLES (PARVIS) - 49 D4 1060 SGI
SAINT-GUIDON (COURS) - 48 C-D3 1070 AND
SAINT-GUIDON (RUE) - 48 D3 1070 AND
SAINT-HENRI (PARVIS) - 51 C1
NOS 1 à 57 - 2 à 54 1200 WSL
SAINT-HENRI (RUE) (1) - 51 C1
NOS 59 à FIN - 56 à FIN 1200 WSL
SAINT-HONORE (PASSAGE) - 40 E4 - Centr. 166 C3 1000 BRL
SAINT-HUBERT (AV.) - 45 A3-4 B3 1970 WEO
SAINT-HUBERT (DREVE) - 79 A4 B3-4 C-D3 - 88 E1 - 89 A1
NOS 1 - 2 1170 WAB
NOS 15 - 17 1180 UCK
SAINT-HUBERT (GALERIES ROYALES) - 41 A4 - Centr. 166 D3 1000 BRL
SAINT-HUBERT (RUE) - 51 C-D3 1150 SPW
SAINT-JACQUES (IMPASSE) - 50 A1 - Centr. 168 D1 1000 BRL
SAINT-JEAN (AV.) - 52 C4 - 61 C1 1150 SPW
SAINT-JEAN (PLACE) - 40 E4 - 49 E1 - Centr. 166 C3 - 66 C1 1000 BRL
SAINT-JEAN (RUE) - 130 B-C-D-E3 1480 CLA
SAINT-JEAN (RUE) - 49 E1 - 50 A1 - Centr. 168 C-D1 1000 BRL
SAINT-JEAN NEPOMUCENE (RUE) - 40 E2 - 41 A2 - Centr. 166 C-D1 1000 BRL
SAINT-JEAN-BAPTISTE (PARVIS) - 40 C2 - Centr. 166 A1 1080 SJM
SAINT-JOB (AV. DE) - 68 D3 1000 BRL
SAINT-JOB (AV.) - 117 D4 1300 WAV
SAINT-JOB (CHAUSSEE DE) - 67 D-E4 - 68 A-B4 - 77 B-C-D1 1180 UCK
SAINT-JOB (MONTAGNE DE) - 68 B4 - 78 B1 1180 UCK
SAINT-JOB (PARC) - 117 C4 1300 WAV
SAINT-JOB (PLACE DE) - 68 B4 1180 UCK
SAINT-JOSEPH (CHEMIN) - 144 C2-3 D2-3 1440 BRC
SAINT-JOSEPH (RUE) - 40 C2 - Centr. 166 A1 1080 SJM
SAINT-JOSEPH (RUE) - 42 D1-2 1140 EVE
SAINT-JOSSE (GALERIE) (1) - 41 C3 - Centr. 167 B2 1210 SJN
SAINT-JOSSE (PLACE) - 41 C3 - Centr. 167 B2 1210 SJN
SAINT-JOSSE (RUE) - 41 C3 - Centr. 167 B2 1210 SJN

SAINT-JULIEN (RUE) (2) - 40 C1-2
NOS IMPAIRS 1081 KOE
NOS PAIRS 1080 SJM
SAINT-LAMBERT (MONT) (2) - 52 C2 1200 WSL
SAINT-LAMBERT (PLACE) - 22 D2 1020 BRL
SAINT-LAMBERT (PLACE) - 52 B1 1200 WSL
SAINT-LAMBERT (RUE) - 43 B4 - 52 B1 1200 WSL
SAINT-LANDRY (DREVE) - 15 B2 1120 BRL
SAINT-LANDRY (FONT) - 15 A-B2 1120 BRL
SAINT-LAURENT (RUE) - 146 C1-2 1420 BRA
SAINT-LAURENT (RUE) - 41 A3 - Centr. 166 D2 1000 BRL
SAINT-LAZARE (BLD.) - 41 A-B2 1210 SJN
SAINT-LAZARE (COUR) (1) - 40 A3 1080 SJM
SAINT-LAZARE (PLACE) - 41 A-B2 1210 SJN
SAINT-LAZARE (RUE) - 41 A2 - Centr. 166 D1 1210 SJN
SAINT-MARTIN (CLOS) - 30 E3 1083 GAN
SAINT-MARTIN (RUE) - 40 C3 - Centr. 166 A2 1080 SJM
SAINT-MEDARD (CHEMIN DE) - 165 A1 1348 LLN
SAINT-MICHEL (BOULV.) - 51 B3 C2-3
NOS 1 à 9 - 2 à 20 1150 SPW
AUTRES NOS 1040 ETT
SAINT-MICHEL (COURS) - 51 B3 1040 ETT
SAINT-MICHEL (DREVE) - 43 E1 1950 KRA
SAINT-MICHEL (DREVE) - 88 E3 - 89 A-B3 C-D2 1640 SGR
SAINT-MICHEL (RUE) -
40 E3 - 41 A3 - Centr. 166 C-D2 1000 BRL
SAINT-NICOLAS (IMPASSE)
SITUEE RUE DU MARCHE AUX
HERBES ENTRE NOS 10-14
40 E4 - Centr. 166 C3 1000 BRL
SAINT-NICOLAS (PLACE) - 23 E2 1120 BRL
SAINT-NICOLAS (RUE) - 113 E2 1310 LAH
SAINT-NICOLAS (RUE) - 134 A4 - 146 B1 1420 BRA
SAINT-NICOLAS (RUE) - 23 D-E2 1120 BRL
SAINT-NORBERT (RUE) - 22 C4 1090 JET
SAINT-PANCRACE (AV.) - 44 A1-2 1950 KRA
SAINT-PAUL (CHEMIN) (2) - 52 D4 1150 SPW
SAINT-PIE X - 151 D2-3 1342 LIM
SAINT-PIERRE (CHAUSSEE) -
50 D2 E2-3 - 51 A-B2 - Centr. 169 C2 D2-3 1040 ETT
SAINT-PIERRE (PARVIS) - 44 C-D3 1970 WEO
SAINT-PIERRE (PARVIS) - 52 A2 1150 SPW
SAINT-PIERRE (PARVIS) - 67 C2 1180 UCK
SAINT-PIERRE (PLACE) (1) - 51 A2 1040 ETT
SAINT-PIERRE (RUE) - 128 D2-3 1301 BIE
SAINT-PIERRE (RUE) - 41 A2-3 - Centr. 166 D1-2 1000 BRL
SAINT-QUENTIN (RUE - STRAAT) -
41 D4 - 50 D1 - Centr. 167 C3 - 169 C1 1000 BRL
SAINT-REMY (PLACE) - 155 B4 1460 IRE
SAINT-ROCH (CLOS) (1) - 44 C4 1970 WEO
SAINT-ROCH (CLOS) - 135 A-B1 1410 WAT
SAINT-ROCH (PLACE) (5) - 12 C2 1780 WEM
SAINT-ROCH (RUE) - 117 B4 1300 WAV
SAINT-ROCH (RUE) - 126 B-C3 1330 GEN
SAINT-ROCH (RUE) - 131 B3-4 C3-4 1440 BRC
SAINT-ROCH (RUE) - 161 A2 1380 LAS
SAINT-ROCH (RUE) - 44 E2 - Centr. 166 C1 1000 BRL
SAINT-ROCH (TIENNE) - 113 C-D2 1310 LAH
SAINT-ROCH (TIENNE) - 138 A2-3 1380 LAS
SAINT-SAENS (RUE) - 134 B1 1420 BRA
SAINT-SEBASTIEN (IMPASSE)
SITUEE RUE DE LA MONTAGNE
ENTRE NOS 52-54
40 E4 - 41 A4 - Centr. 166 C-D3 1000 BRL
SAINT-SEBASTIEN (PLACE) - 146 E1 1420 BRA
SAINT-SEBASTIEN (RUE) - 117 B4 1300 WAV
SAINT-SEBASTIEN (RUE) - 146 C1 D1-2 1420 BRA
SAINT-SEBASTIEN (RUE) - 77 C4 - 87 B-C1 1630 LIN
SAINT-TROJAN (CLOS) (1) - 53 B1 1950 KRA
SAINT-VERON (RUE) - 130 E3 - 131 A2-3 B1-2 1440 BRC
SAINT-VINCENT (PLACE) - 24 B4 - 33 B1 1140 EVE
SAINT-VINCENT (RUE) - 24 B4 - 33 B-C1 1140 EVE
SAINT-VINCENT DE PAUL (RUE) - 31 B1 1090 JET
SAINT-ZELE (RUE DE) - 145 E1 - 146 A1 1420 BRA
SAINT-ZELE (SENTIER DE) - 133 E4 - 134 A4 1420 BRA
SAINTE-ADRESSE (PLACE DE - PLEIN) (2) - 48 D2 1070 AND
SAINTE-ALIX (AV.) - 52 E4 - 53 A4 - 62 A1 1150 SPW
SAINTE-ALIX (PARVIS) - 53 A4 1150 SPW
SAINTE-ALLIANCE (PL DE LA) - 78 B3 1180 UCK
SAINTE-ANNE (AV.) - 61 B2-3 1160 AUD
SAINTE-ANNE (AV.) - 98 C1 D2 1640 SGR
SAINTE-ANNE (CARREFOUR) - 61 B2 1160 AUD
SAINTE-ANNE (CHEMIN) - 113 C-D4 - 125 D1 1332 GEN
SAINTE-ANNE (CLOS) - 113 D4 - 125 D1 1332 GEN
SAINTE-ANNE (CLOS) - 151 D-E3 1340 OTT
SAINTE-ANNE (DREVE) - 22 E3-4 1020 BRL
SAINTE-ANNE (IMPASSE) - 128 E1 - 129 A1 1300 WAV
SAINTE-ANNE (PETITE RUE) - 21 D4 1090 JET
SAINTE-ANNE (PLACE) - 134 C4 1420 BRA
SAINTE-ANNE (RUE) -
116 C-D-E4 - 128 E1 - 129 A1 1300 WAV
SAINTE-ANNE (RUE) - 134 C4 - 146 C1 1420 BRA
SAINTE-ANNE (RUE) - 135 B1 C1-2 D2 1410 WAT
SAINTE-ANNE (RUE) - 50 A1 - Centr. 168 D1 1000 BRL
SAINTE-ANNE (SENTIER) - 113 C4 1332 GEN
SAINTE-ANNE (SENTIER) - 131 E3 1440 BRC
SAINTE-ANNE (SENTIER) - 151 E3 1340 OTT
SAINTE-BARBE (PLACE) - 153 C4 1348 LLN
SAINTE-CATHERINE (PLACE) - 40 D-E3 1000 BRL
SAINTE-CATHERINE (RUE) (1) - 160 A2 1380 PLA
SAINTE-CATHERINE (RUE) - 162 C1-2 1341 CEM
SAINTE-CATHERINE (RUE) - 40 D-E3 1000 BRL
SAINTE-CECILE (PARVIS) - 30 C2 1083 GAN
SAINTE-CORNEILLE - 111 E1 1410 WAT
SAINTE-CROIX (PLACE) (1) - 50 C4 - 59 C1 1050 IXE
SAINTE-CROIX (RUE) - 131 B3-4 C3 1440 BRC
SAINTE-ELISABETH (RUE) - 24 D-E2 1130 BRL
SAINTE FAMILLE (PLACE DE LA) - 43 A3 1200 WSL
SAINTE-GERTRUDE (AV.) - 153 A3 1348 LLN
SAINTE-GERTRUDE (DREVE) -
109 D-E3 - 110 A-B3 C4 1640 SGR
SAINTE-GERTRUDE (RUE) -
50 E2 - 51 A2 - Centr. 169 D2 1040 ETT
SAINTE-GERTRUDE (RUE) - 122 A-B2 1410 WAT
SAINTE-GREGOIRE (RUE DE LA) - 153 A3 1348 LLN
SAINTE-GUDULE (PARVIS) - 41 A4 - Centr. 166 D3 1000 BRL
SAINTE-GUDULE (PLACE) - 41 A4 - Centr. 166 D3 1000 BRL
SAINTE-GUDULE (RUE) - 41 A4 - Centr. 166 D3 1000 BRL
SAINTE-MARIE (RUE) - 40 C-D2 1080 SJM
SAINTE-PETRONILLE (IMPASSE)
SITUEE RUE DU MARCHE AUX
HERBES ENTRE NOS 66-68
40 E4 - Centr. 166 C3 1000 BRL
SAINTE-REINE (RUE) - 129 B-C2 1300 WAV
SAINTE-RITA (CLOS) - 146 D2-3 1420 BRA
SAINTE-ROLANDE (CLOS) - 134 C3 1420 BRA
SAINTE-THERESE (RUE) - 49 D2 - Centr. 168 B2 1000 BRL
SAINTE-URSULE (IMPASSE) (2) -
40 D3 - Centr. 166 B2 1000 BRL
SAINTS-PIERRE ET PAUL (RUE) - 23 E1 1120 BRL
SAIO (AV. DE - LAAN) (1) - 48 C4 1070 AND
SAISONS (AV. DES) - 59 E2-3 1050 IXE
SAISONS (RUE DES) (4) - 140 B1 1300 LIL
SAKSEN-COBURGSTRAAT - 41 C3 - Centr. 167 B2 1210 SJN
SALANGANENGAARDE - 61 D1 1150 SPW
SALANGANES (CLOS DES) - 61 D1 1150 SPW
SALANGANES (RUE DES) - 158 A4 1428 LIW
SALIESTRAAT (3) - 13 B4 - 22 B1 1020 BRL
SALIGE (RUE DE LA) (3) - 13 B4 - 22 B1 1020 BRL
SALISSES (RUE DES) - 142 A4 1480 CLA
SALLAERT (RUE - STRAAT) -
49 D2 - Centr. 168 B2 1000 BRL
SALMON (RUE) - 114 C3-4 1332 GEN
SALOME (AV. - LAAN) - 52 E3-4 1150 SPW
SALU (RUE ERN. - STRAAT) - 22 C3-4
NOS/NRS 12-16 1090 JET
AUTRES NOS/ANDERE NRS 1020 BRL
SALUBRITE (AV. DE LA) (5) - 47 D2 1070 AND

S

SALVIAPLEIN - 9 B3 1820 STE
SALVIAS (RUE DES - STRAAT) - 60 E4 1170 WAB
SAMARITAINE (RUE DE LA) -
49 E1-2 - Centr. 168 C1-2 1000 BRL
SAMARITANESSESTRAAT -
49 E1-2 - Centr. 168 C1-2 1000 BRL
SAMBERSTRAAT - 31 D3 1080 SJM
SAMBON (RUE CHARLES) (21) - 129 B1 1300 WAV
SAMBRE (RESIDENCE) (5) - 127 D2 1300 LIL
SAMBRE (RUE DE LA) - 31 D3 1080 SJM
SAMBREE (RUE) - 128 D3 1301 BIE
SAMEDI (PLACE DU) - 40 E3 - Centr. 166 C2 1000 BRL
SAMENWERKERSPLEIN (4) - 30 C3 1082 SAB
SAMME (RUE DE) - 142 A3-4 - 154 A1-2 1480 TUB
SAMME (RUE DE) - 154 A-B-C4 1460 VIR
SANATORIALAAN - 95 C4 1501 BUI
SANATORIUM (CHEMIN DU) - 111 E2 - 112 A-B2 1310 LAH
SANATORIUMSTRAAT - 86 C4 1650 BEE
SANATORIUMSTRAAT - 86 D-E4 1652 ALS
SANATORIUMSTRAAT - 96 E1 - 97 A-B1 1652 ALS
SANDER (RUE P. - STRAAT) - 32 E1 1030 SCH
SANGLIERS (LAIE AUX) - 140 E2-3 1300 LIL
SANGLIERS (RUE DES) - 69 C3 1170 WAB
SANSONNET (RUE DU) - 22 C2 1020 BRL
SANSONNETS (AV. DES) - 111 C3-4 D4 1410 WAT
SANSONNETS (AV. DES) - 130 D3 1480 CLA
SANSONNETS (SENTE DES) (8) - 129 C2 1300 WAV
SANS-SOUCI (RUE - STRAAT) - 50 B-C3 1050 IXE
SANS-SOUCI (SQUARE - SQUARE) -
50 C3 - Centr. 169 B3 1050 IXE
SANTE (RUE DE LA) - 47 D2 1070 AND
SANTOS DUMONT (CLOS A. - GAARDE) - 52 D2 1150 SPW
SAONE (CHAUSSEE DE LA) (10) - 117 B3-4 1300 WAV
SAPHIR (AV. DU) - 109 B-C1 1640 SGR
SAPHIR (AV. DU) - 109 C1 1420 BRA
SAPHIR (RESIDENCE) (15) - 127 E2-3 1300 LIL
SAPHIR (RUE DU) - 42 A-B3 1030 SCH
SAPINIERE (AV. DE LA) - 115 B1 1331 ROS
SAPINIERE (AV. DE LA) - 68 D1 E1-2 1000 BRL
SAPINIERE (AV. DE LA) - 78 B-C4 D3-4 1180 UCK
SAPINIERE (CLOS DE LA) (2) - 146 A1 1420 BRA
SAPINIERE (RUE DE LA) - 152 D4 - 164 C-D1 1348 LLN
SAPINIERE (RUE DE LA) - 79 E1- 80 A1 1170 WAB
SAPINS (AV. DES) - 146 A1 1420 BRA
SAPINS (AV. DES) - 53 A4 - 62 A1 1150 SPW
SAPINS (CHEMIN DES) -
115 D3 E4 1301 BIE
SAPINS (CLOS DES) - 53 B2 1950 KRA
SAPINS (DREVE DES) - 115 A4 1330 RIX
SAPONAIRES (CLOS DES) (4) - 56 E3 - 57 A3 1070 AND
SARCELLE (RUE DE LA) (15) - 69 E1 1170 WAB
SARCELLES (AV.S DES) - 110 E2 - 111 A2 1410 WAT
SARCLOIR (RUE DU) - 165 C1 1348 LLN
SARMENT (TIENNE DU) - 117 A3 1300 WAV
SARRASIN (CHAMP DU) (2) - 45 B4 1970 WEO
SARRIETTE (AV. DE LA) - 23 B-C1 1020 BRL
SARRIETTE (COUR DE LA) - 165 C1 1348 LLN
SARRIETTE (PASSAGE DE LA) (5) - 165 C1 1348 LLN
SARRIETTE (PLACE DE LA) - 165 C1 1348 LLN
SARRIETTE (RUE DE LA) (6) - 165 C1 1348 LLN
SART (RUE DU) - 154 C3 D2-3 E1 1460 IRE
SART (VENELLE DU) - 141 D-E3 1300 WAV
SARTAGE (AV. DU) - 114 B3 1332 GEN
SART-MOULIN (RUE DE) - 145 D2-3 E3-4 1421 OPH
SASHOEK - 85 D2 1651 LOT
SASSTRAAT - 43 C2 1200 WSL
SASWEG - 8 C1-2 1800 PEU
SATURNE (AV. DE - LAAN) - 68 A2-3 1180 UCK
SATURNE (RESIDENCE) (29) - 127 E3 1300 LIL
SAUGE (PLACE DE LA) - 165 C1 1348 LLN
SAUGE (RUE DE LA) - 13 B4 - 22 B1 1020 BRL
SAULE (RUE DU) - 31 A1
NOS 25 à FIN 1083 GAN
AUTRES NOS 1090 JET
SAULES (AV. DES) - 123 A1 1410 WAT
SAULES (CLOS DES) - 133 A2-3 1420 BRA
SAULES (CLOS DES) - 44 A1 1950 KRA
SAULES (DREVE DES) (1) - 23 B1 1020 BRL
SAULES VERTS (CHEMIN DES) - 159 E1 1380 PLA
SAUSSALLES (RUE DES) - 128 D-E2 1301 BIE
SAUSSOIS (RUE DES) - 146 C2-3-4 1420 BRA
SAUVAGINE (AV. DE LA) - 60 B4 1170 WAB
SAVARIN (AV. BR. - LAAN) - 59 E3 1050 IXE
SAVIOWIJK - 38 A1 1700 DIL
SAVOIE (RUE DE - STRAAT) - 58 D-E1 1060 SGI
SAVOIR (RUE DU) - 57 B-C2 1070 AND
SAVOIR (RUE L. - STRAAT) (1) - 70 B2 1160 AUD
SAVONNERIE (RUE DE LA) - 40 B3 1080 SJM
SAX (CLOS ADOLPH) - 152 A1 1340 OTT
SAXE-COBOURG (RUE) - 41 C3 - Centr. 167 B2 1210 SJN
SAXIFRAGES (RUE DES) (9) - 60 E4 - 69 E1 1170 WAB
SCABIEUSES (RUE DES) (1) - 60 E4 1170 WAB
SCABIOSASTRAAT (1) - 60 E4 1170 WAB
SCAILLEE (RUE DE LA) - 144 D-E1 1440 BRC
SCAILQUIN (RUE - STRAAT) -
41 C3 - Centr. 167 B2 1210 SJN
SCAILTEUX (RUELLE DES) (4) - 129 B2 1300 WAV
SCAMPART (RUE LEON - STRAAT) - 51 A3 1040 ETT
SCARABEES (AV. DES) - 68 E1
NOS IMPAIRS - 2 à 24 1000 BRL
NO 26 1050 IXE
SCARRON (RUE - STRAAT) - 50 C4 1050 IXE
SCAVEE (RUE DE LA) - 140 B-C3 1300 LIL
SCEPTRE (RUE DU) - 50 C-D3
NOS 1 à 89 - 2 à 88 1050 IXE
AUTRES NOS 1040 ETT
SCHAARBEEKLEI - 6 E4 - 7 A3-4 - 15 D2-3 E1 1800 VIL
SCHAARBEEKSE HAARDSTRAAT - 32 E3 1030 SCH
SCHAARBEEKSEPOORT - 41 B3 - Centr. 167 A2 1000 BRL
SCHAATSERSWEG - 59 C4 - 68 C-D1 1000 BRL
SCHAATSSTRAAT - 58 A3 1190 VOR
SCHACHTSTRAAT (F.) - 29 E1 1731 ZEL
SCHAERBEEK (PORTE DE) - 41 B3 - Centr. 167 A2 1000 BRL
SCHALIESTRAAT - 64 C1 1602 VLE
SCHALLEBIJTERSLAAN - 69 B-C3 1170 WAB
SCHALLER (AV. CHARLES -
LAAN) - 61 B4 - 70 B1 C1-2 1160 AUD
SCHAMPAERT (RUE) - 132 D4 1440 BRC
SCHAPENBAAN - 20 E2 - 21 A2 1731 ZEL
SCHAPENBAAN - 4 B3 C2-3 1860 MEI
SCHAPENSTRAAT (1) - 67 C4 1180 UCK
SCHAPENSTRAAT - 45 E3 3080 TER
SCHAPENWEG - 14 B-C4 - 23 C1 1020 BRL
SCHAPENWEG - 14 B-C4 - 23 C1 1800 VIL
SCHAPENWEG - 21 C-D2 1090 JET
SCHAPENWEG - 45 C1 D1-2 1933 STK
SCHAPENWEG - 73 B-C4 - 83 B1 3090 OVE
SCHAPULIERSTRAAT - 7 A2 1800 VIL
SCHATTENS (AV. ADOLPHE) - 123 A2 1410 WAT
SCHAVEI (RUE - STRAAT) - 87 D2 1630 LIN
SCHAVEI - 82 E4 - 83 A4 - 93 A1 3090 OVE
SCHAVEYSLAAN - 87 B-C3 1650 BEE
SCHEEPSWERFKAAI - 94 D4 E3 1500 HAL
SCHEEWEG - 87 C1 1630 LIN
SCHEIKUNDIGESTRAAT - 40 B-C4 1070 AND
SCHEITLER (AV. ARM. - LAAN) - 60 D-E1 1150 SPW
SCHELDESTRAAT - 31 D3-4 1080 SJM
SCHEMERINGLAAN - 82 C-D4 - 92 D1 3090 OVE
SCHEMERINGSWEG - 35 E3-4 - 36 A3 1933 STK
SCHEMERINGSWEG - 59 C3 1000 BRL
SCHEMERLAAN - 99 A3 B4 1640 SGR
SCHEPDAALSTRAAT - 37 A1 1700 SMB
SCHEPENENSTRAAT - 59 D1-2 1050 IXE
SCHEPENIJLAAN - 67 D2 1180 UCK
SCHEPERS (RUE) - 134 C4 1420 BRA
SCHEPERSLAAN - 93 B2 3090 OVE
SCHERDEMAALSTRAAT - 47 D3-4 E3 1070 AND
SCHERDEMAEL (RUE DE) - 47 D3-4 E3 1070 AND

Straat	Code	Gemeente
SCHERENDELLE - 82 B4	3090	OVE
SCHERMERSHOEK - 1 B1	1730	MOL
SCHERMERSSTRAAT - 49 E2 - Centr. 168 C2	1000	BRL
SCHERMLAAN - 52 E2 - 35 A2	1150	SPW
SCHERMSTRAAT - 58 C2-3	1190	VOR
SCHETSSTRAAT - 16 B4 - 25 B1	1831	DIE
SCHEUT (AV. DE - LAAN) - 39 D4 - 48 D-E1	1070	AND
SCHEUTBOSCH (AV. DU - LAAN) - 39 C3-4	1080	SJM
SCHEUTBOSCH (RUE DU - STRAAT) - 39 C3	1080	SJM
SCHEUTVELD (RUE - STRAAT) - 48 E2	1070	AND
SCHEVESTRAAT - 35 D2	1930	ZAV
SCHIETBAANSTRAAT (1) - 49 C4	1060	SGI
SCHIETSCHIJFSTRAAT - 41 D-E3		
NRS 1 tot 7 - 2 tot 40	1210	SJN
ANDERE NRS	1030	SCH
SCHIJFELBERG - 28 B-C3	1700	SUK
SCHIJFSTRAAT - 22 B1-2	1020	BRL
SCHILDEKEN - 98 A4	1640	SGR
SCHILDERACHTIGEDREEF - 78 B4 - 88 B-C-D1		
ONEVEN NRS - NRS 4 tot 16	1180	UCK
ANDERE NRS	1640	SGR
SCHILDERKUNSTLAAN - 47 D-E1	1700	DIL
SCHILDKNAAPLAAN - 99 B-C4 - 111 B-C1	1640	SGR
SCHILDKNAAPSTRAAT -		
40 E3-4 - 41 A4 - Centr. 166 C2-3 D3	1000	BRL
SCHILDKNECHT (RUE GUST. - STRAAT) -		
31 D-E2	1020	BRL
SCHILDLAAN - 42 C1	1140	EVE
SCHIMPSTRAAT - 91 D4 - 101 D1	1560	HOE
SCHIPHOL (AV. DE - LAAN) - 33 D2	1140	EVE
SCHIPPERIJKAAI (1) - 40 E1	1000	BRL
SCHIPPERSSTRAAT - 40 C3 - Centr. 166 A2	1080	SJM
SCHIPPERSSTRAAT - 57 C2	1070	AND
SCHIPSTRAAT - 40 B4 - 49 B1	1080	SJM
SCHLOSSER (RUE P. - STRAAT) - 57 B1	1070	AND
SCHMIDT (BLD. LOUIS - LAAN) -		
51 B3-4 C3-4 - 59 D1 - 60 B1	1040	ETT
SCHMIT (CLOS CAMILLE) - 152 B1	1342	LIM
SCHMITZ (RUE - STRAAT) - 40 B1-2		
NOS/NRS 1-3	1080	SJM
AUTRES NOS/ANDERE NRS	1081	KOE
SCHOCKAERTSTRAAT (L. ALEXANDER) -		
65 D-E2 - 66 A2	1600	SPL
SCHOENENGANG - 49 D2 - Centr. 168 B2	1000	BRL
SCHOEWEVER - 7 B1	1800	VIL
SCHOLIERENSTRAAT - 60 E3	1160	AUD
SCHOLIERENWEG (2) - 68 D1	1000	BRL
SCHOLLE (RUE DE LA - STRAAT) - 56 E1	1070	AND
SCHOLS (RUE J. - STRAAT) - 40 A2	1080	SJM
SCHONE BEUKWEG - 99 C3	1640	SGR
SCHONE BEUKWEG - 99 C3 D2-3	1560	HOE
SCHONE EIKWEG - 99 C-D3	1640	SGR
SCHONE EIKWEG - 99 D2-3 C2	1560	HOE
SCHONE HORIZONTLAAN - 45 A2	1933	STK
SCHONE LUCHTLAAN - 44 C4 - 53 C1-2	1970	WEO
SCHOOFS (AV. H. - LAAN) - 60 B1	160	AUD
SCHOOLGAT (RUE - STRAAT) - 69 A1	1050	IXE
SCHOOLGATWEG - 95 B2	1501	BUI
SCHOOLSTRAAT - 102 C2	3090	OVE
SCHOOLSTRAAT - 105 B1-2	3040	OTB
SCHOOLSTRAAT - 12 C2	1780	WEM
SCHOOLSTRAAT - 13 E2	1853	SBE
SCHOOLSTRAAT - 38 B4 - 47 B1	1700	DIL
SCHOOLSTRAAT - 40 C2 - Centr. 166 A1	1080	SJM
SCHOOLSTRAAT - 76 A-B2	1601	RUI
SCHOOLSTRAAT - 86 D-E2	1650	BEE
SCHOOLSTRAAT - 98 C3-4	1640	SGR
SCHOON DAL - 12 E3	1780	WEM
SCHOONEJANS (RUE P. - STRAAT) - 61 A-B4	1160	AUD
SCHOON HORIZONLAAN - 98 E2 - 99 A2	1640	SGR
SCHOONHEIDSPLEIN (3) - 48 D2	1070	AND
SCHOONSLAAPSTERSTRAAT - 39 C3-4	1180	UCK
SCHOONVERBLIJFLAAN - 59 B-C4 - 68 B1	1180	UCK
SCHOONZICHTGAARDE - 43 A4	1200	WSL
SCHOORSTEENVEGERSSTRAAT -		
49 D3 - Centr. 168 B3	1000	BRL
SCHOOT (RUE DE) - 155 E3-4 - 156 A4	1460	IRE
SCHOOTSTRAAT - 40 D3 - Centr. 166 B2	1000	BRL
SCHOTLANDSTRAAT - 49 D4 E3	1060	SGI
SCHOUWENDAAL - 88 A2-3	1630	LIN
SCHOVELINGSBOS - 82 A2-3	3090	OVE
SCHRANSDREEF - 72 B4 - 82 A1	3090	OVE
SCHRANSDREEF - 72 C-D 2	3080	TER
SCHRANSSTRAAT - 6 B3	1850	GRI
SCHREMSTRAAT - 64 C1	1602	VLE
SCHRIJNWERKERSSTRAAT - 51 D-E1	1200	WSL
SCHROEFLAAN - 52 D-E3	1150	SPW
SCHROONSSTRAAT (P.) - 16 A3-4	1830	MAC
SCHUDDEVELD (IMPASSE - GANG)		
SITUEE/GELEGEN		
PETITE RUE DES BOUCHERS		
KORTE BEENHOUWERSSTR. -		
40 E4 - Centr. 166 C3	1000	BRL
SCHUERMANS (RUE J.- STRAAT) - 21 E3 - 22 A3	1090	JET
SCHUIFELAARSTRAAT - 7 E2	1800	PEU
SCHUITENKAAI - 40 D2-3 - Centr. 166 B1-2	1000	BRL
SCHUMAN (ROND-POINT ROBERT -		
PLEIN) - 50 E1 - Centr. 169 D1	1040	ETT
SCHUMANLAAN (ROBERT) - 34 A4	1932	SSW
SCHUMANLAAN - 106 A3 B3-4 C4	1502	LEM
SCHUMANN (AV. ROBERT) - 151 C3	1340	OTT
SCHUMANN (AV. ROBERT) - 151 C3	1341	CEM
SCHUTSTRAAT - 19 E3-4 D4	1730	BEK
SCHUTTERLAAN (13) - 42 D3	1200	WSL
SCHUTTERSHOF - 36 E2	3078	EVG
SCHUTTERSHOF - 5 C1	1850	GRI
SCHUTTERSHOF - 81 C-D2	3090	OVE
SCHUTTERSLAAN - 36 E2-3	3078	EVG
SCHUTTERSLAAN - 36 E2-3	1933	STK
SCHUURSTRAAT - 46 A3	1703	SPD
SCHWANN (AV. THEODORE) - 153 C4	1348	LLN
SCHWEITZER (AV. DR. - LAAN) - 22 A1	1020	BRL
SCHWEITZER (AV. DR. A. - LAAN) - 22 A1	1780	WEM
SCHWEITZER (AV. DR.) - 138 E1	1330	RIX
SCHWEITZER (PLACE DR. A. - PLEIN) - 30 B4	1082	SAB
SCHWEITZERSTRAAT (DR. ALBERT) - 25 A-B3	1831	DIE
SCIENCE (RUE DE LA) - 50 C1 - Centr. 169 B1		
NOS 1 à 9 - 2 à 12	1000	BRL
AUTRES NOS	1040	ETT
SCIENCES (PLACE DES) (31) - 153 C4	1348	LLN
SCILLASTRAAT - 60 E4 - 69 E1	1170	WAB
SCILLES (RUE DES) - 60 E4 - 69 E1	1170	WAB
SCOLASSE (RUE) - 134 B2 C1-2 D1	1420	BRA
SCOLLASSE (SENTIER) - 134 C1-2-3	1420	BRA
SCOTT (AV. SIR WALTER) - 135 B3-4	1410	WAT
SCOTT (RUE ROB.- STRAAT) - 67 C2-3	1180	UCK
SCREVE (CHEMIN DE) - 144 E1 - 145 A1	1440	BRC
SEBASTOPOL (RUE DE- STRAAT) - 48 E2	1070	AND
SEBRECHTS (AV. FR. - LAAN) - 30 D4	1080	SJM
SECHERON (SENTIER LE) - 133 E1 - 134 A1	1420	BRA
SECONDE REINE (RUE DE LA) - 58 D3-4	1180	UCK
SECOURS (PETITE RUE DES) -		
41 B2 - Centr. 167 A1		
NOS 1 - 2 à 4	1210	SJN
AUTRES NOS	1030	SCH
SECOURS (RUE DES) - 41 B2 - Centr. 167 A1	1210	SJN
SECRETIN (AV. L. - LAAN) - 31 B-C1	1090	JET
SECURITE (RUE DE LA) - 40 B-C1	1081	KOE
SEGERS (RUE P.- STRAAT) - 50 E4	1040	ETT
SEGHERS (AV. - LAAN) - 31 A4 - 40 A1		
NOS/NRS 1-1F - 2-34	1080	SJM
NOS/NRS 3-115 - 38-188	1081	KOE
SEIGLE (AV. DU) - 139 D1	1300	LIL
SEIGNEUR (RUE DU) - 122 B3-4	1410	WAT
SEIGNEURIE (RUE DE LA) - 24 E1-2	1130	BRL
SEIGNEURIE DE SPONTIN (AV.) - 129 E1	1300	WAV
SEIGNEURIE DE WALHAIN (AV.) - 129 E1	1300	WAV
SEIGNEURS (VAL DES) - 52 E1-2 - 53 A2	1150	SPW

Street	Postcode	Code
SEINE (CHAUSSEE DE LA) - 117 B3	1300	WAV
SEL (RUE DU) - 49 A2-3	1070	AND
SELDERIJSTRAAT - 49 D4	1060	SGI
SELLAERSTRAAT - 17 C1-2 D1	1820	MEL
SELLEKAERTSSTRAAT (JULES) - 45 C1	1933	STK
SEMAILLIERE (RUE DE LA) - 134 E4	1420	BRA
SEMAL (RUE EMILE) - 112 C3-4 D3	1310	LAH
SEMENCE (RUE DE LA) - 39 E3		
NOS 1 à 3	1070	AND
AUTRES NOS	1080	SJM
SEMET (RUE V.- STRAAT) - 60 A4	1050	IXE
SEMOIS (RESIDENCE) (8) - 127 D2	1300	LIL
SEMOY (AV. DE LA - LAAN) - 43 C-E4	1200	WSL
SENCIESTRAAT (MONSEIGNEUR) - 94 D4	1500	HAL
SENECHAL (DREVE DU) - 68 C-D4	1180	UCK
SENECON (SENTIER DU) - 152 B1-2	1340	OTT
SENNE (RUE DE LA) -		
40 C4 D3-4 - Centr. 166 A3 B2-3	1000	BRL
SENTIER NUMERO 52 - 146 A3-4	1421	OPH
SENTIER N°136 - 133 D1	1420	BRA
SENTIER N°137 - 133 D1	1420	BRA
SENTIER N°42 - 114 A3-4	1332	GEN
SENTIER N°45 - 114 A-B4	1332	GEN
SENTIER N°66 - 158 A3-4 B4	1428	LIW
SENTIER N°83 - 157 C-D3	1421	OPH
SEPT BONNIERS (AV. DES) - 126 E2	1330	RIX
SEPT BONNIERS (AV. DES) - 58 B-C4 - 67 B1		
NOS 1 à 53 - 2 à 108	1180	UCK
NOS 55 à FIN - 110 à FIN	1190	VOR
SEPT ETOILES (RUE DES) - 30 A4	1082	SAB
7 FONTAINES (CHEMIN DES) - 109 C2	1420	BRA
SEPTEMBERLAAN - 42 D4	1200	WSL
SEPTEMBRE (AV. DE) - 42 D4	1200	WSL
SEQUOIA (CLOS DU) (5) - 146 A1	1420	BRA
SEQUOYAS (AV. DES - LAAN) - 53 B2	1950	KRA
SERBIE (RUE DE) - 49 B-C4		
NOS 1 à 37 - 2 à 36	1060	SGI
AUTRES NOS	1190	VOR
SERENADE (RUE DE LA - STRAAT) - 39 A4	1080	SJM
SERGIJSELS (RUE EMILE - STRAAT) - 40 B-C1	1081	KOE
SERINGAS (AV. DES) - 22 E2-3 - 23 A3	1020	BRL
SERINGAS (CLOS DES) - 129 A3 B2-3	1301	BIE
SERINGAS (RUE DES) - 44 A4	1950	KRA
SERINGENDREEF - 26 A2	1930	ZAV
SERINGENLAAN - 88 A-B4 - 98 A-B1	1640	SGR
SERINGENPAD (12) - 61 C4	1160	AUD
SERINGENSTRAAT - 44 A4	1950	KRA
SERINGENSTRAAT - 65 E2	1600	SPL
SERINGENSTRAAT - 7 C1-2	1800	VIL
SERINGSTRAAT - 40 E3 - Centr. 166 C2	1000	BRL
SERINS (SENTE DES) (10) - 129 C2	1300	WAV
SERKEYN (RUE J. B.- STRAAT) - 31 B4 C3-4	1090	JET
SERMENT (RUE DU) - 134 C4 - 146 C1	1420	BRA
SERMENT (RUE DU) - 48 D2	1070	AND
SERMON (AV. J. - LAAN) - 31 A3		
NOS 1 à 63 - 2 à 72	1083	GAN
AUTRES NOS	1090	JET
SERMONSTRAAT (FR.) - 85 C-D1	1651	LOT
SERMONSTRAAT (JULES) - 74 E3-4	1600	SPL
SEROUX (IMPASSE) - 142 E1	1440	BRC
SERPENTIN (RUE DU) - 50 C4	1050	IXE
SERPENTINE (LA) - 153 B4	1348	LLN
SERPOLET (CHEMIN DU) - 68 E2	1000	BRL
SERPOLET (RUE DU) - 39 C-D3	1080	SJM
SERRE (RUE DE LA - STRAAT) - 39 B2	1082	SAB
SERRURE (RUE DE LA) - 40 D3 - Centr. 166 B2	1000	BRL
SERSTE (CARRE - BLOK) (3) - 58 D4	1180	UCK
SERVAIS-KINET (RUE ALB. & M.-LOUISE -		
STRAAT) - 42 D4 - 51 D1	1200	WSL
SERVAISLAAN - 106 D2	1500	HAL
SERVANDONI (RUE- STRAAT) - 24 D-E1	1130	BRL
SERVIESTRAAT - 49 B-C4		
NRS 1 tot 37 - 2 tot 36	1060	SGI
ANDERE NRS	1190	VOR
SERVRANCKXPLEIN (BURGEMEESTER		
WILLEM) - 34 D3	1932	SSW
SERVRANCKXSTRAAT (V.) - 25 B-C3	1831	DIE
SETTER (SENTIER DU - WEG) - 13 E4	1020	BRL
SEUCHA (CHEMIN DU) - 127 D4 - 139 C-D1	1300	LIL
SEUTIN (AV. BARON) - 122 C-D4	1410	WAT
SEUTIN (RUE DESIRE) - 144 C-D1	1440	BRC
SEUTIN (RUE- STRAAT) - 41 C1	1030	SCH
SEVERIN (RUE F.- STRAAT) - 32 E1-2 - 33 A1	1030	SCH
SEVERINE (PLACE - PLEIN) (6) - 47 E2	1070	AND
SEXTANT (RUE DU - STRAAT) - 29 E4 - 39 A1	1082	SAB
S'GRAVENMOLENSTRAAT - 4 E1 - 5 A-B1	1850	GRI
SHAKESPAERE (BLD. - LAAN) - 48 A-B1	1070	AND
'S HEEREN HUYS (AV.) -68 E2-3	1000	BRL
'S HEERENHUISLAAN - 68 E2-3	1000	BRL
'S HERENSTRAAT - 76 E1	1620	DRO
SIBELIUS (AV. JEAN - LAAN) - 47 E3 - 48 A3	1070	AND
SICAMBRES (RUE DES) -51 B3	1040	ETT
SIGNORET (PASSAGE SIMONE -		
DOORGANG) (14) - 21 E2	1090	JET
SIJSJESGAARDE (2) - 30 D1	1083	GAN
SIJSJESLAAN - 44 A-B2	1950	KRA
SIJSJESLAAN - 45 B-C1	1933	STK
SIJSJESPLEIN - 69 E1	1170	WAB
SIJZENPLEIN - 101 E3	3090	OVE
SIKAMBRENSTRAAT - 51 B3	1040	ETT
SIKKELGANG		
GELEGEN VLAAMSE STEENWEG		
40 D3 - Centr. 166 B2	1000	BRL
SIKKELSTRAAT - 46 A3	1703	SPD
SILENCE (AV. DU) - 77 B2	1180	UCK
SILENENSTRAAT - 60 D-E4	1170	WAB
SILENES (RUE DES) - 60 D-E4	1170	WAB
SILEX (CHEMIN DES) - 69 D4	1170	WAB
SILFENLAAN - 69 D1	1170	WAB
SILLON (RUE DU) - 48 A2-3		
NOS 1 à 119 - 2 à 146	1070	AND
SIMMEBEEKWEG - 107 B2-3 C3	1502	LEM
SIMOENS (RUE CAM.- STRAAT) - 32 C-D3	1030	SCH
SIMONART (SENTIER) (2) - 129 A1	1301	BIE
SIMONAU (RUE- STRAAT) - 68 E1-2 - 69 A1	1050	IXE
SIMONIS (PLACE EUGENE - PLEIN) - 31 B4	1081	KOE
SIMONIS (RUE - STRAAT) - 59 A1		
NOS/NRS 1-21 - 2-14A	1060	SGI
AUTRES NOS/ANDERE NRS	1050	IXE
SIMONNE (AV. - LAAN) - 98 B-C1	1640	SGR
SIMONS (RUE H.- STRAAT) - 70 C1	1160	AUD
SIMONS (RUE- STRAAT) - 40 E1 - 41 A1	1000	BRL
SIMPSON (RUE G.- STRAAT) - 30 E3 - 31 A3	1083	GAN
SINCERITE (RUE DE LA) - 48 D2	1070	AND
SINGEL - 13 E1-2	1853	SBE
SINGEL - 76 D3-4	1650	BEE
SINNEBLOK - 95 B1	1654	HUI
SINT-AGATHA-BERCHEMSE LAAN - 30 E4	1081	KOE
SINT-ALBAANSBERGSTRAAT - 22 D-E4	1020	BRL
SINT-ALENALAAN - 38 C4	1700	DIL
SINT-ALEXIUSSTRAAT - 4 E4 - 5 A-B4	1850	GRI
SINT-ALFONSSTRAAT - 41 C3 - Centr. 167 B2	1210	SJN
SINT-AMANDSPLEIN - 14 A2	1853	SBE
SINT-AMANDSSTRAAT - 14 A2-3-4	1853	SBE
SINT-AMBROSIUSLAAN - 38 C3-4	1700	DIL
SINT-ANDRIESSTRAAT - 40 D2 - Centr. 166 B1	1000	BRL
SINT-ANNA KRUISPUNT - 61 B2	1160	AUD
SINT-ANNADAL - 14 A4	1853	SBE
SINT-ANNADREEF - 22 E3-4	1020	BRL
SINT-ANNAKERKSTRAAT - 40 B-C1	1081	KOE
SINT-ANNALAAN - 14 A3-4 B1-2-3	1853	SBE
SINT-ANNALAAN - 14 B2-3	1800	VIL
SINT-ANNALAAN - 5 B4	1853	SBE
SINT-ANNALAAN - 61 B2-3	1160	AUD
SINT-ANNALAAN - 98 D1-2	1640	SGR
SINT-ANNASTRAAT - 106 E1	1500	HAL
SINT-ANNASTRAAT - 4 C1-2 D1	1860	MEI
SINT-ANNASTRAAT - 46 C1-2-3 D3	1701	ITT

S

SINT-ANNASTRAAT - 50 A1 - Centr. 168 D1 1000 BRL
SINT-ANNASTRAAT - 55 D3-4 1602 VLE
SINT-ANNASTRAAT - 8 E1 1820 PER
SINT-ANNASTRAAT - 82 C4 D3-4 - 92 B-C1 3090 OVE
SINT-ANNASTRAAT - 91 C3 1560 HOE
SINT-ANTONIUSLAAN - 34 E4 - 43 E1 1950 KRA
SINT-ANTONIUSLAAN - 38 E3-4 1700 DIL
SINT-ANTOONPLEIN - 49 B4 1190 VOR
SINT-ANTOONPLEIN - 50 E4 1040 ETT
SINT-AUGUSTINUSLAAN - 58 C3 1190 VOR
SINT-BAVOSTRAAT - 20 C3 1731 ZEL
SINT-BERNARDUSSTRAAT - 49 E4 - 50 A4 - 58 E1 1060 SGI
SINT-BONIFAASSTRAAT -
50 B2-3 - Centr. 169 A2-3 1050 IXE
SINT-CECILIAVOORPLEIN - 30 C2 1083 GAN
SINT-CORNELIUSDREEF -
80 A4 - 90 A1-2-3-4 - 99 E1-2-3-4 - 100 A1 1560 HOE
SINT-DENIJSPLEIN - 57 E4 1190 VOR
SINT-DENIJSSTRAAT - 57 E3-4 - 58 A1-2-3 1190 VOR
SINT-DONATUSLAAN - 6 B2-3 1850 GRI
SINT-ELISABETHSTRAAT - 24 D-E2 1130 BRL
SINT-ELOOISTRAAT - 28 A4 1700 DIL
SINT-FRANCISCUSSTRAAT - 41 B2 - Centr. 167 A1 1210 SJN
SINT-GEERTRUIDESTRAAT -
50 E2 - 51 A2 - Centr. 169 D2 1040 ETT
SINT-GEORGIUSGAARDE - 61 C1 1150 SPW
SINT-GERTRUDISDREEF - 109 D-E3 - 110 A-B3 C4 1640 SGR
SINT-GERTRUDISSTRAAT - 16 A-B1 1830 MAC
SINT-GILLIS (BAREEL VAN) - 49 D4 - 58 D1 1060 SGI
SINT-GILLIS-KERKSTRAAT -
49 D3-4 - Centr. 168 B3 1060 SGI
SINT-GILLIS-VOORPLEIN - 49 D4 1060 SGI
SINT-GISLEINSTRAAT - 49 D-E2 1000 BRL
SINT-GODARDUSSTRAAT - 19 C3 D3-4 1730 BEK
SINT-GOEDELEPLEIN - 41 A4 - Centr. 166 D3 1000 BRL
SINT-GOEDELESTRAAT - 41 A4 - Centr. 166 D3 1000 BRL
SINT-GORIKSPLEIN - 40 D-E4 1000 BRL
SINT-GORIKSSTRAAT (2) - 40 D-E4 1000 BRL
SINT-GORIKSSTRAAT - 10 E3 - 11 A2-3 1730 KOB
SINT-GRAVENVELD - 45 C-D1 1933 STK
SINT-GUDULADREEF - 2 E4 - 11 E1 1785 HAM
SINT-GUIDOCORSO - 48 D3 1070 AND
SINT-GUIDOSTRAAT - 48 C-D3 1070 AND
SINT-HENDRIKSSTRAAT (1) - 51 C1
NRS 59-EINDE - 56-EINDE 1200 WSL
SINT-HENDRIKSVOORPLEIN - 51 C1
NRS 1 tot 57 - 2 tot 54 1200 WSL
SINT-HONOREDOORGANG - 40 E4 - Centr. 166 C3 1000 BRL
SINT-HUBERTUSDREEF - 81 B1-2 3090 OVE
SINT-HUBERTUSDREEF -
79 A4 B3-4 C-D3 - 88 E1 - 89 A1
NRS 1 - 2 1170 WAB
NRS 15 - 17 1180 UCK
SINT-HUBERTUSGALERIJEN
(KONINKLIJKE) - 41 A4 - Centr. 166 D3 1000 BRL
SINT-HUBERTUSLAAN - 45 A3-4 B3 1970 WEO
SINT-HUIBRECHTSSTRAAT - 51 C-D3 1150 SPW
SINT-JACOBSGANG - 50 A1 - Centr. 168 D1 1000 BRL
SINT-JAN-BAPTISTVOORPLEIN -
40 C2 - Centr. 166 A1 1080 SJM
SINT-JANNEKENSSTRAAT - 9 A1 1820 PER
SINT-JAN NEPOMUCENUSSTRAAT -
40 E2 - 41 A2 - Centr. 166 C-D1 1000 BRL
SINT-JANSBERGDREEF - 80 D2 3090 OVE
SINT-JANSBERGLAAN -
90 B4 C2-3 D3 - 99 E4 - 100 A2-3-4 B1 - 111 E1 1560 HOE
SINT-JANSBERGSESTEENWEG -
62 B3-4 - 71 A2 B1 3080 TER
SINT-JANSDREEF - 62 D4 - 71 B2-3 C2 D1 3080 TER
SINT-JANSKRUIDLAAN - 56 E3 - 57 A3-4 1070 AND
SINT-JANSLAAN - 52 C4 - 61 C1 1150 SPW
SINT-JANSPLEIN -
40 E4 - 49 E1 - Centr. 166 C3 168 C1 1000 BRL
SINT-JANSSTRAAT - 11 E4 1731 REL
SINT-JANSSTRAAT -
49 E1 - 50 A1 - Centr. 168 C-D1 1000 BRL
SINT-JANSTRAAT - 63 B2 3080 TER
SINT-JANSVELDSTRAAT - 96 E1 - 97 A1 1652 ALS
SINT-JANSWEG - 95 D2 1654 HUI
SINT-JOBSELAAN - 68 D3 1000 BRL
SINT-JOBSESTEENWEG -
67 D-E4 - 68 A-B4 - 77 B-C-D1 1180 UCK
SINT-JOBSPLEIN - 68 B4 1180 UCK
SINT-JOOSTGALERIJ (1) - 41 C3 - Centr. 167 B2 1210 SJN
SINT-JOOSTPLEIN - 41 C3 - Centr. 167 B2 1210 SJN
SINT-JOOSTSTRAAT - 41 C3 - Centr. 167 B2 1210 SJN
SINT-JORISLAAN - 44 A1 1950 KRA
SINT-JORISOORD - 44 C4 1970 WEO
SINT-JORISSTRAAT - 59 B2-3 C2 1050 IXE
SINT-JOZEFLAAN - 95 A4 1501 BUI
SINT-JOZEFSTRAAT - 40 C2 - Centr. 166 A1 1080 SJM
SINT-JOZEFSTRAAT - 6 D2 1800 VIL
SINT-JOZEFSTRAAT -42 D1-2 1140 EVE
SINT-JULIAANSKERKLAAN (1) - 60 B-C2 1160 AUD
SINT-JULIAANSTRAAT (2) - 40 C1-2
ONEVEN NRS 1081 KOE
EVEN NRS 1080 SJM
SINT-KATARINASTRAAT - 25 C-D2 1831 DIE
SINT-KATELIJNEPLEIN - 40 D-E3 1000 BRL
SINT-KATELIJNESTRAAT - 40 D-E3 1000 BRL
SINT-KATHARINAVEST - 94 D4 - 106 C-D1 1500 HAL
SINT-KORNELIUSSTRAAT - 25 B1-2 1831 DIE
SINT-KRISTOFFELSTRAAT -
40 D4 - Centr. 166 B3 1000 BRL
SINT-LAMBERTUSBERG (2) - 52 C2 1200 WSL
SINT-LAMBERTUSKERKSTRAAT (1) - 52 B1 1200 WSL
SINT-LAMBERTUSPLEIN - 22 D2 1020 BRL
SINT-LAMBERTUSPLEIN - 52 B1 1200 WSL
SINT-LAMBERTUSSTRAAT - 36 B1 1930 NOS
SINT-LAMBERTUSSTRAAT - 43 B4 - 52 B1 1200 WSL
SINT-LAMBERTUSSTRAAT - 9 D1-2 E2 1910 BER
SINT-LAMBRECHTS-WOLUWELAAN - 51 C-D2 1200 WSL
SINT-LAUREINSBORREWEG - 108 C-D-E2 1653 DWO
SINT-LAURENSSTRAAT - 41 A3 - Centr. 166 D2 1000 BRL
SINT-LAZARUSHOF (1) - 40 A3 1080 SJM
SINT-LAZARUSLAAN - 41 A-B2 1210 SJN
SINT-LAZARUSPLEIN - 41 A-B2 1210 SJN
SINT-LAZARUSSTRAAT - 41 A2 - Centr. 166 D1 1210 SJN
SINT-LENDRIKSBRON - 15 A-B2 1120 BRL
SINT-LENDRIKSDREEF - 15 B2 1120 BRL
SINT-LEONARDUSLAAN - 95 C3 D2-3 1654 HUI
SINT-MAARTENSSTRAAT - 40 C3 - Centr. 166 A2 1080 SJM
SINT-MARIASTRAAT - 40 C-D2 1080 SJM
SINT-MARTINUSGAARDE - 30 E3 1083 GAN
SINT-MARTINUSKERKSTRAAT - 30 D2-3 E2 1083 GAN
SINT-MARTINUSLAAN - 8 A2-3 B1 1800 PEU
SINT-MARTINUSSTRAAT - 28 A4 - 37 A1 1700 SMB
SINT-MARTINUSWEG - 26 E4 - 35 E1-2 1930 ZAV
SINT-MICHIELSDREEF - 43 E1 1950 KRA
SINT-MICHIELSDREEF - 88 E3 - 89 A-B3 C-D2 1640 SGR
SINT-MICHIELSKOLLEGESTRAAT - 51 C2-3 D3 1150 SPW
SINT-MICHIELSLAAN - 51 B3 C2-3
NRS 1 tot 9 - 2 tot 20 1150 SPW
ANDERE NRS 1040 ETT
SINT-MICHIELSTRAAT -
40 E3 - 41 A3 - Centr. 166 C-D2 1000 BRL
SINT-MICHIELSWARANDE - 51 B3 1040 ETT
SINT-NIKLAASSTRAAT - 23 D-E2 1120 BRL
SINT-NIKLAASSTRAAT - 28 A4 1700 SMB
SINT-NIKOLAASGANG
GELEGEN GRASMARKT
TUSSEN NRS 10-14
40 E4 - Centr. 166 C3 1000 BRL
SINT-NIKOLAASPLEIN - 23 E2 1120 BRL
SINT-NORBERTUSSTRAAT - 22 C4 1090 JET
SINT-PANCRATIUSLAAN - 44 A1-2 1950 KRA
SINT-PANCRATIUSLAAN - 45 D1-2 1933 STK
SINT-PAULUSWEG (2) - 52 D4 1150 SPW

Straat	Postcode	Gemeente
SINT-PETRONILLAGANG GELEGEN GRASMARKT TUSSEN NRS 66-68 40 E4 - Centr. 166 C3	1000	BRL
SINT-PIETER EN -PAUWELSSTRAAT - 23 E1	1120	BRL
SINT-PIETERS-LEEUWSESTEENWEG - 84 A3-4	1500	HAL
SINT-PIETERSKERKSTRAAT - 31 A-B1	1090	JET
SINT-PIETERSPLEIN (1) - 52 A2	1040	ETT
SINT-PIETERSPLEIN - 44 C-D3	1970	WEO
SINT-PIETERSSTEENWEG - 50 D2 E2-3 - 51 A-B2 - Centr. 169 C2 D2-3	1040	ETT
SINT-PIETERSSTRAAT - 41 A2-3 - Centr. 166 D1-2	1000	BRL
SINT-PIETERSVOORPLEIN - 52 A2	1150	SPW
SINT-PIETERSVOORPLEIN - 67 C2	1180	UCK
SINT-PIETERSWEG - 107 C-D1	1501	BUI
SINT-QUINTENSSTRAAT - 41 D4 - 50 D1 - Centr. 167 C3 - 169 C1	1000	BRL
SINT-QUIRINUSLAAN - 20 C-D3	1731	ZEL
SINT-ROCHUSOORD (1) - 44 C4	1970	WEO
SINT-ROCHUSPLEIN (5) - 12 C2	1780	WEM
SINT-ROCHUSSTRAAT - 106 D-E2	1500	HAL
SINT-ROCHUSSTRAAT - 40 E2 - Centr. 166 C1	1000	BRL
SINT-ROMBOUTSWEG - 18 C2	1820	STE
SINT-SEBASTIAANSGANG GELEGEN BERGSTRAAT TUSSEN NRS 52-54 40 E4 - 41 A4 - Centr. 166 C-D3	1000	BRL
SINT-SEBASTIAANSSTRAAT - 74 E3 - 75 A3-4	1600	SPL
SINT-SEBASTIAANSTRAAT - 77 C4 - 87 B-C1	1630	LIN
SINT-SERVAASSTRAAT - 5 C1 D1-2	1850	GRI
SINT-STEFAANSSTRAAT - 34 D2-3 E2	1932	SSW
SINT-STEVENS-WOLUWEWEG - 33 D2	1140	EVE
SINT-STEVENS-WOLUWESTRAAT 25 A3-4 B4	1130	BRL
SINT-STEVENSSTRAAT - 66 A1	1600	SPL
SINT-THERESIASTRAAT - 49 D2 - Centr. 168 B2	1000	BRL
SINT-TROJANOORD (1) - 53 B1	1950	KRA
SINT-URSULAGANG (2) - 40 D3 - Centr. 166 B2	1000	BRL
SINT-VEERLEDREEF - 9 A3-4 B3	1820	STE
SINT-VEROONSTRAAT - 130 E3 - 131 A2-3 B1-2	1502	LEM
SINT-VINCENTIUS A PAULOSTRAAT - 31 B1	1090	JET
SINT-VINCENTIUSPLAATS - 24 B4 - 33 B1	1140	EVE
SINT-VINCENTIUSSTRAAT - 24 B4 - 33 B-C1	1140	EVE
SINT-WIVINADREEF - 28 D-E3	1702	GRB
SINTE-ALEIDISLAAN - 52 E4 - 53 A4 - 62 A1	1150	SPW
SINTE-ALEIDISVOORPLEIN - 53 A4	1150	SPW
SINTER-GOEDELEVOORPLEIN - 41 A4 - Centr. 166 D3	1000	BRL
SIPHON (RUE DU) - 22 D4	1020	BRL
SIPPELBERG (AV. DE - LAAN) - 40 A1	1080	SJM
SIPPELBERG (CLOS DU - GAARDE) - 30 E3	1083	GAN
SIRIUS (CLOS - GAARDE) (7) - 42 E3	1200	WSL
SISTERVATSTRAAT - 49 D2-3 - Centr. 168 B2-3	1000	BRL
SITE (AV. DU) - 43 E4	1200	WSL
SITE (CLOS DU) (6) - 43 E4	1150	SPW
SITELLES (AV. DES) - 152 C-D3	1340	OTT
SITELLES (SENTE DES) (7) - 129 C2	1300	WAV
SITTELLES (AV. DES) - 52 D-E2	1150	SPW
SITTELLES (SENTIER DES) - 59 D4	1000	BRL
SIX-AUNES (RUE DES) - 49 E2-3 - Centr. 168 C2-3	1000	BRL
SIX JETONS (RUE DES) - 40 D4 - Centr. 166 B3	1000	BRL
SIX JEUNES HOMMES (RUE DES) - 50 A2 - Centr. 168 D2	1000	BRL
SIX JOURNAUX (CHEMIN DES) - 139 C4	1342	LIM
'S JONGHERS (PLACE ERNEST - PLEIN) - 57 B2	1070	AND
SKEPTERSTRAAT - 50 C-D3 NRS 1 tot 89 - 2 tot 88	1050	IXE
ANDERE NRS	1040	ETT
SLACHTHUISLAAN - 40 C4 - Centr. 166 A3	1000	BRL
SLACHTHUISSTRAAT (13) - 106 C1	1500	HAL
SLACHTHUISSTRAAT - 40 C4 - Centr. 166 A3	1000	BRL
SLACHTHUISSTRAAT - 6 D1-2 E1	1800	VIL
SLEECKX (AV. - LAAN) - 32 D2	1030	SCH
SLEEDOORNLAAN - 12 D1-2	1780	WEM
SLEGERS (AV. A. J. - LAAN) (4) - 51 D2 E1 - 52 A1	1200	WSL
SLEGERS (CLOS A.J. - GAARDE) (4) - 51 E1-2	1200	WSL
SLEKKEWEG - 95 D4	1654	HUI
SLESBROEKSTRAAT - 65 C4 D3-4	1600	SPL
SLEUTELBLOEMENWEG - 68 D2 E2-3	1000	BRL
SLEUTELBLOEMLAAN - 44 E1 - 45 A1	1933	STK
SLEUTELBLOEMLAAN - 98 E4 - 110 E1	1640	SGR
SLEUTELBLOEMSTRAAT - 19 E2 - 20 A2	1731	ZEL
SLEUTELBLOEMSTRAAT - 5 E1	1850	GRI
SLEUTELBLOEMSTRAAT - 59 A3	1180	UCK
SLEUTELPLAS (RUE DU - STRAAT) - 39 A4 NOS/NRS 25-65	1080	SJM
SLEUTELPLASSTRAAT - 38 E4 - 39 A4	1700	DIL
SLEUTELSTRAAT - 40 D3 - Centr. 166 B2	1000	BRL
SLEUTELSTRAAT - 5 C1	1850	GRI
SLINGERWEG - 94 D-E4	1500	HAL
SLOESVELDSTRAAT - 91 D3-4 E2-3	1560	HOE
SLOORDELLE - 60 D2	1160	AUD
SLOTLAAN - 51 C-D1	1200	WSL
SLOTSTRAAT - 40 D3 - Centr. 166 B2	1000	BRL
SLUIPDELLEWEG - 61 D3-4 E3	3080	TER
SLUISSTRAAT - 6 E4	1800	VIL
SMAL (AV. M. - LAAN) - 30 C-D2	1083	GAN
SMARAGDLAAN - 42 A-B3	1030	SCH
SMARAGDLAAN - 97 B-C4 - 109 B-C1	1640	SGR
SMARAGDSTRAAT - 5 B2-3 C3	1850	GRI
SMEERHOUT - 107 B2	1500	HAL
SMEKENS (RUE A.- STRAAT) - 42 C3-4	1030	SCH
SMELLEKENSTRAAT - 69 D2	1170	WAB
SMETS (AV. J. - LAAN) - 60 C2	1160	AUD
SMETS (RUE HEN. - STRAAT) - 44 C3	1970	WEO
SMETS (SQUARE AUGUSTE - SQUARE) - 40 C4 - Centr. 166 A3	1080	SJM
SMETSLAAN - 102 A2 B3-4	3090	OVE
SMIDSELAAN - 28 A4	1700	SMB
SMIDSESTRAAT - 1 C2	1730	MOL
SMIDSESTRAAT - 49 D4	1060	SGI
SMIDSESTRAAT - 64 A1-2 B1	1602	VLE
SMIDSTRAAT - 34 D3	1932	SSW
SMIDSWEG - 33 A4	1030	SCH
SMISKENSVELD - 11 E4 - 20 E1 - 21 A1-2	1731	REL
SMISSENBOSSTRAAT - 37 D2-3-4	1700	DIL
SMITS (RUE EUGENE- STRAAT) - 41 D2 - Centr. 167 C1	1030	SCH
SMITS (RUE J. - STRAAT) - 48 C-D1	1070	AND
SMITSSTRAAT (JACOB) - 6 C4 D3-4	1800	VIL
SMOHAIN (CLOS DU) (3) - 137 D1	1380	OHA
SMOHAIN (RUE DU) - 137 D1	1380	OHA
SMOLDERSSTRAAT (FRANS) - 34 E2-3	1932	SSW
SMOUTMOLEN - 98 C3-4	1640	SGR
SNAKKAERTSTRAAT - 37 E3	1700	DIL
SNAKKAERTSTRAAT - 38 A3	1700	DIL
SNEESSENS (RUE JOSEPH) - 127 C4 - 139 C1	1300	LIL
SNEESSENS (RUE- STRAAT) - 50 E3 - Centr. 169 D3	1040	ETT
SNEEUWKLOKJESLAAN - 98 E4	1640	SGR
SNEEUWKLOKJESWEG (2) - 13 B4 - 22 B1	1020	BRL
SNEEUWKLOKJESWEG - 9 A3	1820	STE
SNELBORRE - 108 C2	1653	DWO
SNEPPENDREEF - 38 C-D4	1700	DIL
SNEPPENDREEF - 89 D3-4 E3 - 99 C1	1560	HOE
SNEPPENLAAN - 63 D2-3	3080	TER
SNEPPENLAAN - 88 C3	1640	SGR
SNIEDERS (RUE A.- STRAAT) - 32 E1	1030	SCH
SNIJBOS - 29 A4	1702	GRB
SNIJDERSDREEF - 82 B-C1	3090	OVE
SNIKBERGSTRAAT - 46 B-C1	1701	ITT
SNIKBERGSTRAAT - 46 B1	1703	SPD
SNIKBERGSTRAAT - 46 C-D1	1700	DIL
SNIPPENDAL - 61 D1	1150	SPW
SNIPPENLAAN (1) - 53 C4	1950	KRA

SNOEKSTRAAT - 50 D3 - Centr. 169 C3		
ONEVEN NRS - 2 tot 72	1050	IXE
NRS 74 tot EINDE	1040	ETT
SOBIESKI (AV. J. - LAAN) - 22 D3-4	1020	BRL
SOBRYSTRAAT (L.) - 7 A-B1	1800	VIL
SOCIETE NATIONALE (AV. DE LA) - 57 B-C2	1070	AND
SOCQUET (RUE L.- STRAAT) - 42 B2	1030	SCH
SOENSSTRAAT (VICTOR) - 13 D3 E2	1853	SBE
SOETEMANSLAAN (LEON) - 54 E2-3	3080	TER
SOETENS (RUE R.- STRAAT) - 22 A3-4	1090	JET
SOETKIN (DREVE - DREEF) - 47 E3-4	1070	AND
SOHIE (RUE A.- STRAAT) - 33 B1	1140	EVE
SOHIESTRAAT (EDGARD) - 91 C1	1560	HOE
SOHIESTRAAT (FELIX) - 91 B1-2	1560	HOE
SOIERIE (RUE DE LA) - 66 C-D-E1	1190	VOR
SOIGNIES (RUE DE) -		
40 D4 - 49 D1 - Centr. 166 B3 - 168 B1	1000	BRL
SOIR (SENTIER DU) (2) - 24 D2	1130	BRL
SOL (RUE DU) (7) - 129 B3	1301	BIE
SOLARIUM (RUE DU - STRAAT) - 23 D2	1120	BRL
SOLBOSCH (SQUARE DU - SQUARE) - 59 E4	1050	IXE
SOLDANELLES (CLOS DES) (3) - 57 A3	1070	AND
SOLDAT BRITANNIQUE (AV. DU) - 56 E3	1070	AND
SOLDATENSTRAAT (9) - 30 B4 - 39 B1	1082	SAB
SOLDATS (RUE DES) (9) - 30 B4 - 39 B1	1082	SAB
SOLEIL (AV. DU) - 98 E3 - 99 A3	1640	SGR
SOLEIL (CHAMP DU) (6) - 45 B4	1970	WEO
SOLEIL (CLOS DU) - 51 E2	1150	SPW
SOLEIL (RUE DU) - 41 C2 - Centr. 167 B1		
NOS 1 à 21 - 2 à 26	1210	SJN
NOS 23 - 25 - 27	1030	SCH
SOLEIL COUCHANT(PASSAGE DU) (5) - 43 D3	1200	WSL
SOLEIL LEVANT (RUE DU) - 122 D4	1420	BRA
SOLHEIDE - 83 A4	3090	OVE
SOLHEIDELAAN - 91 B1	1560	HOE
SOLHEIDESTRAAT - 108 B1-2 C-D1	1653	DWO
SOLIDARITE (RUE DE LA) - 146 E2-3	1420	BRA
SOLIDARITE (RUE DE LA) - 57 B2	1070	AND
SOLIDARITEITSSTRAAT - 57 B2	1070	AND
SOLLENBEEMD (4) - 106 D1	1500	HAL
SOLLENBEEMD - 95 D1-2	1654	HUI
SOLLENBERG - 95 D-E1	1654	HUI
SOLLENBERG - 95 E1	1651	LOT
SOLLENERF - 95 E1	1654	HUI
SOLLEVELD (RUE - STRAAT) -		
42 E4 - 43 A4 - 52 A1	1200	WSL
SOLLEVELD - 28 A4	1700	SMB
SOLS (RUE DES) -		
41 A4 - 50 A1 - Centr. 166 D3 - 168 D1	1000	BRL
SOLVAY (AV. A. - LAAN) - 69 D3-4	1170	WAB
SOLVAY (AV. ERNEST) -		
101 B-C-D-E4 - 102 A4	1310	LAH
SOLVAY (AV.) - 116 D-E1	1300	WAV
SOLVAY (DREVE A. - DREEF) - 61 B1	1150	SPW
SOLVAY (PLACE - PLEIN) - 41 A1	1030	SCH
SOLVAY (RUE ERNEST - STRAAT) -		
50 B2-3 - Centr. 169 A2-3	1050	IXE
SOMBRE (RUE) - 40 A1-2		
NOS 2 à 56	1200	WSL
AUTRES NOS	1150	SPW
SONATINE (RUE DE LA - STRAAT) - 39 A4	1080	SJM
SONNET (RUE DU - STRAAT) - 39 E2	1080	SJM
SOPHORAS (AV. DES - LAAN) - 77 C4	1180	UCK
SORBEBOOMPLEIN - 30 E1	1083	GAN
SORBIERS (AV. DES) - 101 E2 - 102 A2	1310	LAH
SORBIERS (AV. DES) - 117 D4 - 129 D1	1300	WAV
SORBIERS (AV. DES) - 123 A1-2	1410	WAT
SORBIERS (AV. DES) - 126 E1-2	1330	RIX
SORBIERS (AV. DES) - 130 B4	1480	CLA
SORBIERS (AV. DES) - 146 B1	1420	BRA
SORBIERS (AV. DES) - 151 E1-2	1342	LIM
SORBIERS (AV. DES) - 43 E1 - 44 A1	1950	KRA
SORBIERS (AV. DES) - 78 C-D4 - 88 C1	1180	UCK
SORBIERS (AV. DES) - 98 E2	1640	SGR
SORBIERS (CLOS DES) - 144 E1	1440	BRC
SORBIERS (PLACE DES) - 30 E1	1083	GAN
SORBIERS (SENTIER DES) - 68 E3	1180	UCK
SORBIERS (SQUARE DES) - 117 D4 - 129 D1	1300	WAV
SORENSEN (RUE SERG. - STRAAT) (5) -		
30 D3 E2-3	1083	GAN
SOUBISE (AV. DE) (3) - 146 D-E1	1420	BRA
SOUFFRAANSTRAAT - 83 C3	3090	OVE
SOUILLE (PASSAGE DE LA) - 153 A3-4	1348	LLN
SOULIERS (IMPASSE AUX) -		
49 D2 - Centr. 168 B2	1000	BRL
SOURCE (AV. DE LA) - 151 D-E1	1348	LLN
SOURCE (CHEMIN DE LA) - 114 D-E4	1330	RIX
SOURCE (CHEMIN DE LA) - 67 E2	1180	UCK
SOURCE (CHEMIN DE LA) - 98 A-B3	1640	SGR
SOURCE (RUE DE LA) (18) - 129 B1	1300	WAV
SOURCE (RUE DE LA) -		
49 E3-4 - 50 A4 - Centr. 168 C3	1060	SGI
SOURCE (RUE DE LA) - 98 A4	1640	SGR
SOURCE D'HUILE (RUE) - 97 D3	1640	SGR
SOURCES (AV. DES) - 109 A-B3	1420	BRA
SOURCES (CLOS DES) - 145 A1	1440	BRC
SOUVENIR (RUE DU) - 48 D1-2	1070	AND
SOUVENIR (SQUARE DU) - 59 C1	1050	IXE
SOUVERAIN (BLD. DU) -		
52 A-B4 - 61 A1-2-3-4 - 69 E2-3 - 70 A1-2		
NOS 1 à 25 - 2 à 142	1170	WAB
NOS 47 à 259 - 144 à 404	1160	AUD
NOS 275 - 406 à 412	1150	SPW
SOUVERAIN (ROND POINT) - 61 A2	1160	AUD
SOUVERAIN (RUE DU) - 129 B3	1301	BIE
SOUVERAIN (SQUARE DU) - 61 A2	1160	AUD
SOUVERAINE (RUE) - 50 A4 B3-4		
NOS 1 à 105 - 2 à 108	1050	IXE
NOS 107 à FIN - 110 à FIN	1000	BRL
SOYER (AV.) - 113 D2-3 E2	1310	LAH
SPA (RUE DE - STRAAT) -		
41 C4 - 50 C1 - Centr. 167 B3 - 169 B1		
NOS IMPAIRS/ONEVEN NRS	1000	BRL
NOS 2-56	1000	BRL
NOS 68-FIN/EINDE	1210	SJN
SPAAK (AV. PAUL-HENRI - LAAN) -		
49 C2 - Centr. 168 A2	1060	SGI
SPAAK (ESPLANADE P. H. - VOORPLEIN) -		
52 A2	1150	SPW
SPAAK (RUE PAUL - STRAAT) - 50 B4		
NOS IMPAIRS/ONEVEN NRS	1000	BRL
NOS PAIRS/EVEN NRS	1050	IXE
SPAANDERBOER (AV. - LAAN) - 97 D4	1640	SGR
SPAANS HUISDREEF - 54 D-E4 - 63 C-D1	3080	TER
SPAANSE LINDEBAAN - 5 B3-4 C2-3 D2	1850	GRI
SPAANSEWEG - 65 D-E4	1600	SPL
SPAANSHOF - 5 C3-4	1850	GRI
SPAARBEKKENSTRAAT - 24 D4	1130	BRL
SPAARSTRAAT - 40 E2 - Centr. 166 C1	1000	BRL
SPAARZAAMHEIDSSTRAAT - 26 B2	1930	ZAV
SPADESTRAAT - 46 A3	1703	SPD
SPALTLAAN - 92 C-D1	3090	OVE
SPANGEN (RUE DE) - 164 A2 B3	1340	OTT
SPANIENHOF - 97 E2 - 98 A2	1640	SGR
SPANJEBERGSTRAAT - 38 C4 - 47 C1	1700	DIL
SPANJEPLEIN -		
40 E4 - 41 A4 - Centr. 166 C-D3	1000	BRL
SPANJESTRAAT - 58 E1	1060	SGI
SPARREBOSSTRAAT - 80 E4 - 90 E1	1560	HOE
SPARRENHOF - 35 B4	1933	STK
SPARRENLAAN - 5 C2-3 D3-4	1850	GRI
SPARRENLAAN - 71 C4 - 81 C-D1	3090	OVE
SPARRENLAAN - 9 B2	1820	STE
SPECHTENSTRAAT - 34 D2	1932	SSW
SPECHTLAAN - 4 C-D3	1860	MEI
SPEECKAERT (AV. ED. - LAAN) - 42 D3-4 E4	1200	WSL
SPEELBERG - 92 E3-4 - 93 A2-3	3090	OVE
SPEELBERGHOF - 92 E3	3090	OVE

Straat	Code	Gem.
SPEELBROEK - 5 B1-2	1850	GRI
SPEELPLEINLAAN - 43 E2	1950	KRA
SPEELTUINDREVEKEN - 52 C3	1150	SPW
SPEERHAAKSTRAAT - 41 C4 - Centr. 167 B3	1210	SJN
SPEERSTRAAT - 13 D-E4	1020	BRL
SPELTVELD (1) - 45 A4	1970	WEO
SPERWERLAAN - 14 C-D2	1800	VIL
SPERWERLAAN - 51 D4 - 60 C-D1	1150	SPW
SPERWERLAAN - 99 A3-4	1640	SGR
SPIEGELHOFVOETWEG - 5 A1-2 B1	1850	GRI
SPIEGELSTRAAT -		
49 D1-2 E2 - Centr. 168 B1-2 C2	1000	BRL
SPIEGELSTRAAT - 6 E1-2	1800	VIL
SPILDOORN - 30 A1	1731	ZEL
SPINNERIJSTRAAT - 49 D3 - Centr. 168 B3	1060	SGI
SPIRAALBUISSTRAAT - 50 C4	1050	IXE
SPIRAALLAAN - 43 D-E4	1200	WSL
SPIRALE (AV. DE LA) - 43 D-E4	1200	WSL
SPIREASTRAAT - 69 E1	1170	WAB
SPIREES (RUE DES) - 69 E1	1170	WAB
SPITAELSLAAN (DR.) -		
118 B-C3 D2-3 E3 - 119 A3-4	1502	LEM
SPITHERTLAAN - 82 D1	3090	OVE
SPOORMAKERSGANG		
GELEGEN SPOORMAKERSSTRAAT		
TUSSEN NRS 27-31		
40 E4 - Centr. 166 C3	1000	BRL
SPOORMAKERSSTRAAT -		
40 E4 - Centr. 166 C3	1000	BRL
SPOORWEGBAAN - 19 B-C-D1	1730	BEK
SPOORWEGSTRAAT - 26 B-C4	1930	ZAV
SPOORWEGSTRAAT - 41 B2 - Centr. 167 A1	1210	SJN
SPOORWEGSTRAAT - 66 B4 - 76 B1	1601	RUI
SPOORWEGSTRAAT - 85 E4 - 95 E1	1651	LOT
SPORTLAAN - 114 D1	3090	OVE
SPORTLAAN - 22 B1-2	1020	BRL
SPORTLAAN - 38 B4	1700	DIL
SPORTLAAN - 66 A2	1600	SPL
SPORTPLEINSTRAAT - 53 D1	1970	WEO
SPORTS (AV. DES) - 22 B1-2	1020	BRL
SPORTS (PLACE DES) - 152 E3	1348	LLN
SPORTS (RUE DES) - 152 E3	1348	LLN
SPORTSTRAAT - 26 B2	1930	ZAV
SPREEUWENHOEK - 8 E1-2	1820	PER
SPREEUWENLAAN - 35 C1-2	1930	ZAV
SPREEUWSTRAAT - 22 C2	1020	BRL
SPREEUWSTRAAT - 69 E1	1170	WAB
SPRIETMOLENSTRAAT - 4 D3-4	1850	GRI
SPRINGAELSTRAAT (J.) - 85 D-E3	1651	LOT
SPRINKHANENLAAN - 69 B2-3	1170	WAB
SPRUYT (RUE - STRAAT) - 31 C3	1090	JET
SPUYMOLENSTRAAT - 6 D1-2 E1	1800	VIL
STAARTMOLENSLAAN - 43 C2	1200	WSL
STAARTSTERSTRAAT -		
41 B2-3 - Centr. 167 A1-2	1210	SJN
STAATSBLADSTRAAT -		
41 B4 - Centr. 167 A3	1000	BRL
STACQUET (RUE HENRI - STRAAT)		
41 E1-2 - Centr. 167 D1-2	1030	SCH
STADE (AV. DU) - 52 B-C1	1200	WSL
STADE (RUE DU) - 58 B2	1190	VOR
STADIONLAAN - 52 B-C1	1200	WSL
STADIONSTRAAT - 16 B2 C2-3	1830	MAC
STADIONSTRAAT - 58 B2	1190	VOR
STADT (DREVE DU) - 117 A2-3 B2	1300	WAV
STAKAARDSTRAAT - 73 D2	3090	OVE
STALINGRAD (AV. DE - LAAN)		
49 D1-2 - Centr. 168 B1-2	1000	BRL
STALKRUIDLAAN - 14 B4 - 23 B-C1	1020	BRL
STALLAERT (RUE J. - STRAAT) - 59 A3		
NOS/NRS 1-73A - 2-30	1050	IXE
AUTRES NOS/ANDERE NRS	1180	UCK
STALLAERTPLEIN (PASTOOR ISIDOOR) -		
1 D-E4	1730	MOL
STALLE (RUE DE - STRAAT) -		
66 E3 - 67 A-B3 C2-3	1180	UCK
STAMPIAUX (RUE DU) - 165 E3-4	1435	MSG
STANDAARDSTRAAT - 41 E4	1000	BRL
STANLEY (RUE - STRAAT) - 59 B3	1180	UCK
STANLEYLAAN - 54 E2	3080	TER
STAPELHUISSTRAAT - 31 E3	1020	BRL
STAPHYLINS (AV. DES) - 69 B3	1170	WAB
STAS (RUE JEAN - STRAAT) -		
49 E3 - 50 A3 - Centr. 168 C- D3	1060	SGI
STASSART (AV. G. - LAAN) - 48 B4 - 57 B1	1070	AND
STATICES (CHEMIN DES) - 68 E2-3	1000	BRL
STATIEPLEIN - 34 D4	1950	KRA
STATIEWEG - 15 E2-3	1830	MAC
STATION (PLACE DE LA - PLEIN) - 57 D4	1190	VOR
STATION (PLACE DE LA) (1) - 98 A-B2	1640	SGR
STATION (PLACE DE LA) - 34 D4	1950	KRA
STATION (RUE DE LA - STRAAT) - 52 B2		
NOS/NRS 111-155	1150	SPW
STATION (RUE DE LA - STRAAT) - 57 E4	1190	VOR
STATION (RUE DE LA) - 114 C3-4	1332	GEN
STATION (RUE DE LA) - 122 E1-2 - 123 A1	1410	WAT
STATION (RUE DE LA) - 140 A2-3-4 B2-3	1300	LIL
STATION (RUE DE LA) - 143 C-D1	1440	BRC
STATION (RUE DE LA) - 163 E1 - 164 A1-2	1341	CEM
STATION (RUE DE LA) - 77 B-C4	1630	LIN
STATION (RUE DE LA) - 97 D-E2 - 98 A2	1640	SGR
STATION DE WOLUWE (RUE DE LA) - 52 B2-3		
NOS 1 à 109 - NOS PAIRS	1200	WSL
STATIONLEI - 7 A2-3	1800	VIL
STATIONPLEIN - 7 A3	1800	VIL
STATIONSBERG (2) - 52 B2	1150	SPW
STATIONSLAAN - 17 C2	1820	MEL
STATIONSPLEIN - 30 A2	1082	SAB
STATIONSPLEIN (1) - 98 A-B2	1640	SGR
STATIONSPLEIN (1) -52 B2	1150	SPW
STATIONSPLEIN - 106 D1	1500	HAL
STATIONSPLEIN - 92 E1 - 93 A1	3090	OVE
STATIONSSTRAAT - 10 A3-4	1730	ASS
STATIONSSTRAAT - 118 B2	1502	LEM
STATIONSSTRAAT - 25 B-C2	1831	DIE
STATIONSSTRAAT - 26 B4 - 35 B1	1930	ZAV
STATIONSSTRAAT -		
28 E3-4 - 37 E1-2 - 38 A2-3-4 B3-4	1700	DIL
STATIONSSTRAAT - 29 D2-3 E3	1702	GRB
STATIONSSTRAAT - 76 B-C1	1601	RUI
STATIONSSTRAAT - 77 B-C4	1630	LIN
STATIONSSTRAAT - 85 C1 D1-2	1651	LOT
STATIONSSTRAAT - 93 A1	3090	OVE
STATIONSSTRAAT - 97 D-E2 - 98 A2	1640	SGR
STATIONSSTRAAT VAN WOLUWE - 52 B2-3		
NRS 1 tot 109 - EVEN NRS	1200	WSL
STATIONSTRAAT - 101 C-D1	1560	HOE
STATIONSTRAAT - 51 A3 B2-3	1040	ETT
STATUAIRES (AV. DES) - 67 E2-3 - 68 A3	1180	UCK
STEAMERS (QUAI DES) - 31 E3-4 - 32 A2	1000	BRL
STECK (CHEMIN DU) - 132 D2-3 E1	1440	BRC
STECQ (CHEMIN DU) - 132 D2 E1	1420	BRA
STEDEBOUWSTRAAT - 30 E3	1083	GAN
STEEKSPELSTRAAT - 58 C3	1190	VOR
STEENBAKKERIJENLAAN - 43 B2	1200	WSL
STEENBAKKERIJSTRAAT - 31 E2	1020	BRL
STEENBAKKERIJSTRAAT - 65 E1	1600	SPL
STEENBAKKERSERF - 42 D-E2	1140	EVE
STEENBAKKERSWEG - 92 A3-4 B4	3090	OVE
STEENBERGSTRAAT - 37 A2-3 B3-4	1700	SMB
STEENBERGSTRAAT - 56 A4	1602	VLE
STEENBERGSTRAAT - 81 B4 - 91 B1	1560	HOE
STEENBEUKSTRAAT - 58 B2	1190	VOR
STEENBLOKWEG - 108 D1	1653	DWO
STEENBOKLAAN - 42 D3 E2-3	1200	WSL
STEENBORRE - 95 B3	1501	BUI
STEENBOS - 97 C1	1652	ALS
STEENBREEKSTRAAT (9) - 60 E4 - 69 E1	1170	WAB

STEENBRUGGEDREEF - 91 C4 D3 1560 HOE
STEENGROEFSTRAAT - 118 A2 1502 LEM
STEENGROEFSTRAAT - 30 E4 1081 KOE
STEENKAAI - 6 E3-4 1800 VIL
STEENKOOLKAAI - 40 D2-3 - Centr. 166 B1-2 1000 BRL
STEENO (RUE EM. - STRAAT) - 61 A2 1160 AUD
STEENOKKERZEELSTRAAT - 26 B3 C3-4 1930 ZAV
STEENPOEL - 47 A1-2 1701 ITT
STEENPUT - 108 E1-2 1653 DWO
STEENPUT - 45 B3 1933 STK
STEENROTSSTRAAT - 86 D4 1652 ALS
STEENS (PLACE LOUIS - PLEIN) - 22 D2 1020 BRL
STEENS (RUE - STRAAT) - 49 D4 - 58 D1 1060 SGI
STEENSSTRAAT (FELIX) - 94 C4 1500 HAL
STEENSTRAAT - 119 B1-2 1500 HAL
STEENSTRAAT - 14 B4 C3-4 D3 1800 VIL
STEENSTRAAT - 40 E4 - Centr. 166 C3 1000 BRL
STEENTIJDPAD - 98 D-E2 1640 SGR
STEENVELT (RUE - STRAAT) - 77 A2 1180 UCK
STEENVOORDE - 98 C3-4 1640 SGR
STEENWAGENSTRAAT - 17 B1-2 C1 1820 MEL
STEENWEG NAAR ALSEMBERG - 95 C3 1654 HUI
STEENWEG NAAR EIGENBRAKEL - 97 C4 1652 ALS
STEENWEG NAAR GROTE HUT -
98 C4 D-E3 - 99 A3 1640 SGR
STEENWEG NAAR HALLE - 109 A1-2 1652 ALS
STEENWEG NAAR HALLE - 97 B-C4 - 109 A-B1 1640 SGR
STEENWEG NAAR KOBBEGEM - 1 E4 - 10 E1 1730 MOL
STEENWEG OP ASSE - 1 E3-4 - 2 A3 B2-3 C2 1785 BRU
STEENWEG OP BRUSSEL -
12 C3 D3-4 - 21 D-E1 1780 WEM
STEENWEG OP GENT -
30 A2-3 B3-4 C4 - 39 C-D1 E1-2 -
40 A-B2 C2-3 D3
NRS 1-195 - 343-665 - 2-772 1080 SJM
NRS 197-341 1081 KOE
ANDERE NRS 1082 SAB
STEENWEG OP KORTENBERG -
18 C3 D3-4 E4 - 27 E1 1820 STE
STEENWEG OP MECHELEN - 9 A3-4 1820 STE
STEENWEG OP MERCHTEM -
12 B1 C1-2 D2 1780 WEM
STEENWEG OP MERCHTEM -
40 C2 - Centr. 166 A1 1080 SJM
STEENWEG OP SINT-JANSBERG -
69 A4 - 70 E4 - 71 A4 - 79 A1 - 80 E1-2 1170 WAB
STEENWEG OP TERVUREN -
18 C4 - 27 C1-2 1820 STE
STEENWEG OP UKKEL -
76 E4 - 77 A3-4 - 86 D1-2 E1 1650 BEE
STEENZWALUWENLAAN - 60 E2 1160 AUD
STEERTVELD - 95 D3 1654 HUI
STEEVOORTSTRAAT - 7 C-D2 1800 VIL
STEFANIAPLEIN - 50 A3 - Centr. 168 D3
ONEVEN NRS 1000 BRL
EVEN NRS 1050 IXE
STEFANIASTRAAT - 31 E1 - 32 A1 1020 BRL
STEHOUX (RUE DE) - 142 A3 1480 TUB
STEIGERPAD - 60 A4 - 68 D1 E2 1000 BRL
STEKELBAARSSTRAAT - 5 A1 1850 GRI
STEKELBREMLAAN - 52 C-D4 1150 SPW
STELLAIRES (AV. DES) - 56 E3 1070 AND
STENEN KRUISSTRAAT -
49 E3-4 - Centr. 168 C3 1060 SGI
STENGELTJESWEG (10) - 52 C3 1150 SPW
STENUIT (RUE VICTOR) - 139 B-C3 1342 LIM
STEPHANIE (PLACE) - 50 A3 - Centr. 168 D3
NOS IMPAIRS 1000 BRL
NOS PAIRS 1050 IXE
STEPHANIE (RUE) - 31 E1 - 32 A1 1020 BRL
STEPHENSON (PLACE - PLEIN) - 32 C3 1030 SCH
STEPHENSON (RUE - STRAAT) - 32 B-C3
NOS IMPAIRS/ONEVEN NRS 1030 SCH
NOS PAIRS/EVEN NRS 1000 BRL

S

STEPMAN (RUE - STRAAT) - 40 B1 1081 KOE
STEPPE (RUE - STRAAT) - 31 C2 1090 JET
STERCKMANS (AV. M. - LAAN) - 51 E2 1200 WSL
STERCKX (RUE - STRAAT) - 49 D4 - 58 D1 1060 SGI
STERCKX (RUE F. - STRAAT) - 22 C3 D2-3 1020 BRL
STERCKXSTRAAT - 9 C-D4 - 18 B-C1 1820 STE
STERDREEF - 72 C-D1 3080 TER
STERREBEEKLAAN - 45 E3 3080 TER
STERREBEEKSESTEENWEG - 36 E2 3070 KOR
STERREBEEKSTRAAT -
26 C4 - 35 C1 D1-2-3 1933 STK
STERREBEELDENLAAN - 42 D3 1200 WSL
STERREBEELDLAAN - 92 D1 3090 OVE
STERREMUURLAAN - 56 E3 1070 AND
STERRENKUNDELAAN -
41 C3 - Centr. 167 B2 1210 SJN
STERRENKUNDIGENSTRAAT - 68 C2 1180 UCK
STERRENLAAN - 38 B1 1700 DIL
STERRENLAAN - 92 A2-3 1560 HOE
STERRENLAAN - 97 E1 1652 ALS
STERRENVELD (3) - 45 B4 1970 WEO
STERREPLEIN - 59 D3 1050 IXE
STERRESTRAAT - 118 A1 1502 LEM
STERREWACHTLAAN - 68 A3 B2-3 C1-2 1180 UCK
STERREWEGEL - 35 E4 - 36 A4 1933 STK
STERSTRAAT - 66 E4 - 67 A3-4 1180 UCK
STERSTRAAT - 66 E4 - 76 E1 1620 DRO
STEURS (SQUARE ARM. - SQUARE) -
41 D3 - Centr. 167 C2 1210 SJN
STEVENS (AV. R. - LAAN) - 70 A-B1 1160 AUD
STEVENS (CARRE - BLOK) (1) - 58 C4 1180 UCK
STEVENS (RUE AL. - STRAAT) - 22 D4 1020 BRL
STEVENS (RUE JOSEPH - STRAAT) -
49 E1 - Centr. 168 C1 1000 BRL
STEVENS-DELANNOY (RUE - STRAAT) -
22 D2-3 1020 BRL
STEVENS DE WAELPLEIN (3) - 118 B2 1500 HAL
STEVENSHOF - 103 E1 3090 OVE
STEVENSVELD - 10 A-B4 1730 ASS
STEVIN (RUE - STRAAT) - 41 C-D4 - 50 D-E1 1000 BRL
STEYAERT (AV. HECTOR) - 113 D-E3 1332 GEN
STEYLS (RUE - STRAAT) - 31 C-D1 1020 BRL
STICHELBERG - 29 C4 1702 GRB
STICHELGATSTRAAT - 29 C4 1702 GRB
STICHELGATSTRAAT - 38 B-C1 1700 DIL
STICHTINGSTRAAT (7) - 30 D3 1082 SAB
STIENON (AV. - LAAN) - 22 B2-3 C2
NOS./NRS 1-95 - NOS PAIRS/EVEN NRS 1020 BRL
NOS/NRS 97-FIN/EINDE 1090 JET
STIERNET (RUE HUBERT - STRAAT) - 32 A1-2 1020 BRL
STIJGBEUGELLAAN - 53 A2-3 1150 SPW
STIJGBEUGELWEG - 68 D2 1000 BRL
STIJNS (RUE R. - STRAAT) - 39 E2 1080 SJM
STILLE OCEAANSTRAAT - 58 E3 - 59 A3 1180 UCK
STILLELAAN - 77 B2 1180 UCK
STOBBAERTS (AV.-JAN - LAAN) -
41 E1-2 - 42 A1 - Centr. 167 D1-2 1030 SCH
STOBBAERTSDREEF - 82 B1-2 3090 OVE
STOCKEL (CHAUSSEE DE) -
52 B1-2 C1-2 D-E1
NOS 1 à 263 - 2 à 294 1200 WSL
AUTRES NOS 1150 SPW
STOCKEL (RUE DE) - 44 A1-2 B1 1950 KRA
STOCKOY (CHEMIN DU) (1) - 141 B3 1300 WAV
STOCQ (RUE G. - STRAAT) - 59 C-D1 1050 IXE
STOELENMAKERSSTRAAT -
49 D2-3 - Centr. 168 B2-3 1000 BRL
STOETERIJDREEF - 79 A-B4 - 89 B-C1 1180 UCK
STOETERIJLAAN - 52 E4 - 53 A4 1150 SPW
STOETERIJWEG - 68 D-E2 1000 BRL
STOFFE (COURTE RUE DU) (23) - 129 B1 1300 WAV
STOKERIJSTRAAT (1) - 118 B1 1502 LEM
STOKERIJSTRAAT - 27 A4 - 36 A1 1930 NOS
STOKERIJSTRAAT - 65 E2 1600 SPL

Street	Postcode	Commune
STOKKELSESTEENWEG -		
52 B1-2 C1-2 D-E1		
NRS 1 tot 263 - 2 tot 294	1200	WSL
ANDERE NRS	1150	SPW
STOKKELSTRAAT - 44 A1-2 B1	1950	KRA
STOKKEMSTRAAT - 83 D3 E3-4	3090	OVE
STOOFSTRAAT (7) - 106 D1	1500	HAL
STOOFSTRAAT -		
41 D4 - 50 D1 - Centr. 167 C3 - 169 C1	1000	BRL
STOOFSTRAAT - 86 D-E3	1650	BEE
STOOMBOTENKAAI - 31 E3-4 - 32 A2-3	1000	BRL
STOOMSLEPERSSTRAAT -		
50 C2 D1-2 - Centr. 169 B2 C1-2	1000	BRL
STOPPELAERE (RUE P. - STRAAT) - 48 A2	1070	AND
STORDEUR (CHEMIN) - 149 E1	1380	LAS
STORMENWEG - 79 A1-2-3	1160	AUD
STORMHELMLAAN - 42 C1	1140	EVE
STORMKLOKSTRAAT - 41 E4	1000	BRL
STORMSTRAAT - 41 A4 - Centr. 166 D3	1000	BRL
STORMVOGELLAAN - 97 E1 - 98 A1	1640	SGR
STOUFF (RUE J.B.) - 126 A1-2	1332	GEN
STRAATSBURGSTRAAT - 33 D1	1130	BRL
STRASBOURG (RUE DE) - 33 D1	1130	BRL
STRATEGIE (RUE DE LA) (1) - 60 B1	1160	AUD
STRAUVEN (AV. H. - LN) - 60 D2-3	1160	AUD
STRAUWEN (RUE P. - STRAAT) - 22 D4	1020	BRL
STREEKBAAN - 14 C1-2-3 D3	1800	VIL
STREUVELS (AV. S. - LAAN) - 12 B2 C2-3	1780	WEM
STREUVELS (CLOS STIJN) - 53 E2	1970	WEO
STREUVELS (RUE STIJN - STRAAT) - 33 A2	1030	SCH
STREUVELSLAAN (S.) - 91 C1	1560	HOE
STREUVELSLAAN (STIJN) - 102 B-C2	3090	OVE
STREUVELSLAAN (STIJN) - 35 E4 - 36 A4	1933	STK
STREUVELSLAAN (STIJN) - 53 E4 - 62 D-E1	3080	TER
STREUVELSLAAN (STIJN) - 66 A2	1600	SPL
STREUVELSOORD (STIJN) - 53 E2	1970	WEO
STREUVELSSTRAAT (STIJN) - 25 A-B3	1831	DIE
STRIJDERSGANG (1) - 40 C1	1081	KOE
STRIJDERSSQUARE - 31 E1-2	1020	BRL
STRIJDERSSTRAAT - 30 B-C4	1082	SAB
STRIJDERSSTRAAT - 90 E3	1560	HOE
STRIJDLANDSTRAAT - 1 C1	1785	BRU
STRIJDROSLAAN - 42 C1-2	1140	EVE
STRIJDVLEGELLAAN - 42 C1	1140	EVE
STRINS (CHEMIN DES) - 125 B4	1380	OHA
STRIQUET (RUE DU) - 115 B2	1331	ROS
STROBLOEMENLAAN (1) - 56 E3	1070	AND
STROMBEEK-BEVERSELAAN -		
4 B1 C1-2-3 D3	1860	MEI
STROMBEEKLINDE - 14 A2-3-4	1853	SBE
STROMBEEKSESTEENWEG - 14 B2-3 C-D3	1800	VIL
STROOBANT (AV. P. - LAAN) - 67 D2-3 E3	1180	UCK
STROOBANT (RUE FR. - STRAAT) -		
58 E2 - 59 A2	1050	IXE
STROOBANTS (RUE - STRAAT) - 33 A-B1	1140	EVE
STROOISTRAAT - 3 C-D1	1860	MEI
STROPPENWEG - 94 E2-3	1500	HAL
STROSTRAAT - 49 E1 - 50 A1 - Centr. 168 C-D1	1000	BRL
STRUIKENLAAN - 88 B4 C3-4	1640	SGR
STRUISVOGELSTRAAT - 69 D-E1	1170	WAB
STRUIWISLAAN - 93 B2-3	3090	OVE
STRUWEELGAARD - 38 D3	1700	DIL
STRUYKBEKEN (CHEMIN DU - WEG) - 52 C1	1200	WSL
STUCKENS (RUE ED. - STRAAT) -33 A2 B1-2	1140	EVE
STUDENTENSTRAAT - 49 D-E4	1060	SGI
STUIVENBERGSTRAAT - 22 C3	1020	BRL
STUIVERSSTRAAT -		
40 D4 - 49 D1 - Centr. 166 B3 - 168 B1	1000	BRL
STUYVENBERG (RUE - STRAAT) - 52 E1	1150	SPW
STUYVENBERG - 22 C3	1150	SPW
STUYVENBERGH (RUE) - 22 C3	1020	BRL
SUCRERIE (CHEMIN DE LA) - 128 C-D-E1	1301	BIE
SUEDE (AV. DE) - 146 D-E4	1420	BRA
SUEDE (RUE DE) - 49 C3 - Centr. 168 A3	1060	SGI
SUFFRAGE UNIVERSEL (AV. DU) - 32 D3-4	1030	BRL
SUIKERBERGSTRAAT - 37 B3-4 C3	1700	SMB
SUIKERKAAI - 106 C-D2	1500	HAL
SUISSE (RUE DE) - 49 E3 - Centr. 168 C3	1060	SGI
SUKKELWEG - 67 D-E1	1180	UCK
SUM - 95 A3	1501	BUI
SUMATRA (AV. DE - LAAN) - 68 A1-2	1180	UCK
SURDIAC (SQUARE - SQUARE) - 57 D4	1190	VOR
SUREAU (CITE DU) (3) -		
40 D2-3 E2-3 - Centr. 166 B1-2 C1-2	1000	BRL
SUREAU (CLOS DU) - 38 E1	1082	SAB
SURLET DE CHOKIER (PLACE - PLEIN) -		
41 B4 - Centr. 167 A3	1000	BRL
SUYSLAAN (DR.) - 102 A-B2	3090	OVE
SUZANNE (AV.) - 114 D-E4	1330	RIX
SWALUSSTRAAT (TOBIE) - 85 A3-4 - 95 A1	1600	SPL
SWARTENBROUCK (AV. J. - LAAN) -		
21 E2 - 22 A2-3	1090	JET
SWARTSSTRAAT (THEODOOR) - 27 D3-4	3070	KOR
SWEVERS (RUE A. - STRAAT) - 60 D3	1160	AUD
SYLPHES (AV. DES) - 69 D1	1170	WAB
SYLVE (CLOS DE LA) - 135 C3	1410	WAT
SYLVIANE (AV. - LAAN) - 88 B4	1640	SGR
SYMBOLE (RUE DU) - 57 B2	1070	AND
SYMPATHIE (RUE DE LA - STRAAT) - 57 C1	1070	AND

T

Street	Postcode	Commune
TAAIBOOMSTRAAT - 29 A-B2	1702	GRB
TABAKBERG - 63 B2	3080	TER
TABELLION (RUE DU) - 59 A1-2	1050	IXE
TABORA (RUE DE - STRAAT) -		
40 E4 - Centr. 166 C3	1000	BRL
TACHTIG BEUKENLAAN (1) - 30 D1	1083	GAN
TACITURNE (RUE DU) -		
41 D4 - 50 D1 - Centr. 167 C3 - 169 C1	1000	BRL
TACQUET (RUE - STRAAT) (1) - 32 A1	1020	BRL
TAGETES (AV. DES - LAAN) - 22 D-E2	1020	BRL
TAHON (AV. VICTOR - LAAN) - 61 C2-3	1160	AUD
TAHOUX (SENTIER) -		
120 E4 - 121 A4 - 133 A-B1	1420	BRA
TAILLETTE (COUR DE LA) - 153 A4 B3	1348	LLN
TAILLETTE (RUE DE LA) - 126 C2	1330	RIX
TAILLEUR DE PIERRE (QUARTIER DU) - 149 A2	1380	OHA
TAILLEVENT (CLOS DU) - 147 A-B1	1420	BRA
TAILLIS (AV. DES) - 135 B2	1410	WAT
TAILLIS (AV. DES) - 60 B4 - 69 B1	1170	WAB
TAILLIS (CLOS DU) - 53 B4	1150	SPW
TAILLIS (RUE DES) - 146 A1-2 B2	1420	BRA
TAILLIS (RUE DU) - 153 B3	1348	LLN
TALINGLAAN - 44 D-E1	1933	STK
TALINGSTRAAT (15) - 69 E1	1170	WAB
TALUS (CHEMIN DES) - 146 D3-4 E4	1420	BRA
TAMARIS (AV. DES) - 39 D2-3	1080	SJM
TAMARISKENLAAN - 39 D2-3	1080	SJM
TAMBOERDREEF - 69 E3 - 70 A3-4 B-C-D-E4	1170	WAB
TAMBOUR (DREVE DU) -		
69 E3 - 70 A3-4 B-C-D-E4	1170	WAB
TAMINES (RUE DE - STRAAT) - 58 D-E1	1060	SGI
TANCARVILLE (AV. DE) - 122 B-C4	1410	WAT
TANCHE (AV. DE LA) - 60 C3-4	1160	AUD
TANGANIKA (RUE DU - STRAAT) - 66 D3	1620	DRO
TANGEDALLAAN - 6 B3	1850	GRI
TANGEMOLENLAAN - 6 B2	1850	GRI
TANGEMOLENWEG - 6 C2-3	1800	VIL
TANGESTRAAT - 5 D2	1850	GRI
TANGEWEG - 6 C3	1800	VIL
TANNERIE (RUE DE LA) - 40 B1	1081	KOE
TANNERIES (IMPASSE DES) (29) - 129 A2	1300	WAV
TANNERIES (QUAI DES) - 129 A-B2	1300	WAV

TANNEURS (RUE DES) -		
49 D1-2 - Centr. 168 B1-2	1000	BRL
TARANTELLASTRAAT - 39 B4		
NRS 1 tot 25 - 2 tot 20	1070	AND
NRS 27 tot EINDE - 22 tot EINDE	1080	SJM
TARANTELLE (RUE DE LA) - 39 B4		
NOS 1 à 25 - 2 à 20	1070	AND
NOS 27 à FIN - 22 à FIN	1080	SJM
TARIN (PLACE DU) - 69 E1	1170	WAB
TARINS (AV. DES) (2) - 146 C2-3	1420	BRA
TARINS (AV. DES) - 115 E3-4	1301	BIE
TARINS (AV. DES) - 130 C3 D2-3	1480	TUB
TARINS (AV. DES) - 44 A-B2	1950	KRA
TARINS (CLOS DES) (2) - 30 D1	1083	GAN
TARWELAAN - 81 E4 - 82 A4	3090	OVE
TARWESTRAAT - 47 B4	1070	AND
TARWEVELDLAAN - 37 C2	1700	SMB
TASNIERIE (RUE DE LA) - 114 B2-3	1332	GEN
TASSON (RUE DU) - 144 A3	1440	BRC
TASSON-SNEL (RUE - STRAAT) - 59 A1	1060	SGI
TASTEVIN (DREVE DU - DREEF) - 67 A1	1190	VOR
TAUPES (CHEMIN DES) - 68 D2-3	1000	BRL
TAVERNIER (RUE DU) - 151 E4 - 163 D-E1	1340	OTT
TAXANDRES (CHAUSSEE DES) - 117 A3	1300	WAV
TAXANDRES (RUE DES) - 51 B2	1040	ETT
TAXUS (DREVE DES - DREEF) (2) - 53 D1	1970	WEO
TAYETTE (CHEMIN DE LA) - 138 A-B2	1380	LAS
TAYMANSLAAN (BURG.) - 82 A2-3 B2	3090	OVE
TAYMANSSTRAAT (PATER ISIDOOR) -		
83 A2-3-4	3090	OVE
TAYMANSSTRAAT - 45 C-D1	1933	STK
TAZIEAUX (RUE - STRAAT) -		
40 C2 - Centr. 166 A1	1080	SJM
TCHANTCHES (CLOS) (9) - 153 A3	1348	LLN
'T CORTENBOSCH (CHEMIN - WEG) -		
67 D4 - 77 D1	1180	UCK
TECHNOLOGIE (RUE DE LA - STRAAT) -		
30 A-B2	1082	SAB
TEDESCO (AV. - LAAN) - 60 D2	1160	AUD
TEELTLAAN - 98 A1	1640	SGR
TEICHMANN (PONT DE - BRUG) - 32 C2	1000	BRL
TEINTURERIE (RUE DE LA) - 66 E1	1190	VOR
TEINTURIERS (RUE DES) -		
40 E4 - Centr. 166 C3	1000	BRL
TEIRLINCK (RUE IS. - STRAAT) - 40 B3	1080	SJM
TEIRLINCKLAAN (H.) - 91 B1	1560	HOE
TEIRLINCKPLEIN (HERMAN) - 86 D2	1650	BEE
TEKKERSTRAAT - 105 E2	3040	OTB
TELEMACHUSLAAN - 58 B4	1190	VOR
TELEMAQUE (AV.) - 58 B4	1190	VOR
TELL (RUE G.) - 49 C-D4	1060	SGI
TELLSTRAAT (W.) - 49 C-D4	1060	SGI
TEMMERMANSTRAAT (A.) - 30 A-B2	1731	ZEL
TEMPELSTRAAT - 49 E2 - Centr. 168 C2	1000	BRL
TEMPERANCE (AV. DE LA) (2) - 47 D-E2	1070	AND
TEMPETES (CHEMIN DES) - 71 A3-4 - 81 A1	1160	AUD
TEMPLE (CHEMIN DU) - 104 B3-4	1300	WAV
TEMPLE (RUE DU) - 49 E2 - Centr. 168 C2	1000	BRL
TEMPLIERS (CHEMIN DES) (2) - 153 B2	1348	LLN
TEMPLIERS (CLOS DES) - 135 A2	1410	WAT
TEMPLIERS (RUE DES) - 115 D1 E2 - 116 B2	1301	BIE
TEMPS DES CERISES (RUE DU) (11) - 44 A4	1150	SPW
TEMSELAAN - 13 D3-4	1853	SBE
TEMSESTEENWEG - 13 D2-3	1853	SBE
TENAERTSLAAN - 25 C2	1831	DIE
TENBOSCH (RUE DE) - 59 A2 B1-2		
NOS 1 à 21 - 2 à 34	1000	BRL
NOS 23 à FIN - 38 à FIN	1050	IXE
TENBOSLAAN - 91 D2-3-4 E4	1560	HOE
TENBOSSENDREEF - 89 C1-2 D-E2	1640	SGR
TENBOSSTRAAT - 59 A2 B1-2		
NRS 1 tot 21 - 2 tot 34	1000	BRL
NRS 23 tot EINDE - 38 tot EINDE	1050	IXE
TENBROECK (CHEMIN DE) - 109 B2	1420	BRA
TENBROEK (RUE - STRAAT) - 109 B1-2	1640	SGR
TEN BROEKLAAN - 114 B-C1	3090	OVE
TENBROEKSTRAAT -		
28 A3-4 B1-3 C1-2-3	1700	SUK
TENDERIE (AV. DE LA) - 129 C3	1300	WAV
TENDERIE (AV. DE LA) - 69 B2 C2-3	1170	WAB
TENDEUR (AV. DU) (12) - 129 C2-3	1300	WAV
TENDRAIE (AV. DE LA) - 158 C3 D3-4 E4	1428	LIW
TEN HOREN (AV. - LAAN) - 67 E2	1180	UCK
TENIERS (AV. D. - LAAN) - 21 C1	1780	WEM
TENIERS (CHEMIN D. - WEG) - 12 C4 - 21 C1	1780	WEM
TENIERS (RUE - STRAAT) - 32 D4	1030	SCH
TENIERSDREEF - 72 B4 - 82 B1	3090	OVE
TENIERSSTRAAT - 6 C3-4 D3	1800	VIL
TENNIS (AV. DU - LAAN) - 52 D2-3	1150	SPW
TENNIS (DREVE DU - DREEF) - 12 C3	1780	WEM
TENNIS (SENTIER DU) - 128 B1	1301	BIE
TENNISLAAN - 34 B4 - 43 B1	1932	SSW
TENNISLAAN - 38 B4 - 47 B1	1700	DIL
TENOTS - 93 A2	3090	OVE
TENREUKEN - 70 A1-2	1170	WAB
TENRODESTRAAT - 92 D3-4	3090	OVE
TENTOONSTELLINGSLAAN -		
21 E2-3-4 - 30 E1	1090	JET
TEN TRAPPENSTRAAT -		
91 E2-4 - 92 A2-3-4	1560	HOE
TERARKEN (RUE - STR.) -		
50 A1 - Centr. 168 D1	1000	BRL
TER BORCHT - 75 A2	1600	SPL
TERCOIGNE (AV. DE - LN.) - 60 C3-4	1170	WAB
TERDEKDELLEWEG - 93 E4 - 103 E1	3090	OVE
TER DELLESTRAAT - 91 B3	1560	HOE
TERDELT (PLACE - PLEIN) - 32 E3 - 33 A3	1030	SCH
TER ELST (RUE - STRAAT) - 24 E1	1130	BRL
TEREYCKEN (AV. - LAAN) - 43 E3 - 44 A3	1950	KRA
TERHEIDENBOSLAAN - 1 B4 - 10 B1	1730	MOL
TER HEIDESTRAAT - 91 B2-3	1560	HOE
TERHEYDE (RUE - STRAAT) - 97 E4 - 98 A4	1640	SGR
TERHOLSTDREEF - 102 A-B-C4	3090	OVE
TERHULPENSTEENWEG -		
92 E3-4 - 93 A3 B1-2 - 102 A-B4 C2-3 D1-2 E1	3090	OVE
TERHULPSESTEENWEG -		
68 C-D-E3 - 69 A-B3 C3-4 D-E4 -		
79 E1 - 80 A1-2-3 B3		
NRS 1 tot 61 - 2 tot 6	1180	UCK
NRS 8 tot 28 - 110tot 132	1000	BRL
NRS 169 tot EINDE - 150 tot EINDE	1170	WAB
TERHULPSESTEENWEG -		
80 B3-4 - 90 B1 C1-2 D2-3 E3-4	1560	HOE
TERHULPSESTEENWEG - 101 A1	1560	HOE
TERJANSDELLE - 91 D3	1560	HOE
TERKAMERENBOSLAAN -		
60 A4 - 68 E1 - 69 A1		
NRS 1 tot 41 - 2 tot 40	1170	WAB
ANDERE NRS	1050	IXE
TERKAMERENDALSQUARE - 59 D2	1050	IXE
TERKAMERENLAAN - 59 C-D3		
NRS 1 TOT 3 - 2 TOT 4	1050	IXE
NRS 17-EINDE - 6-EINDE	1000	BRL
TER KAMERENSTRAAT - 51 C-D-E2 - 52 A2		
ONEVEN NRS	1150	SPW
EVEN NRS	1200	WSL
TERKLUIZENDREEF - 121 E1 - 122 A-B-C1	1640	SGR
TERLAAK - 85 D3-4 E4	1651	LOT
TERLAENENSTRAAT - 105 A-B1	3040	OTB
TERLINDEN (AV.) - 102 A3	1310	LAH
TERLINDEN (RUE FELIX - STRAAT) - 50 E4	1040	ETT
TERLINDENLAAN - 102 A3 B4	3090	OVE
TERLONGVAI (VENELLE DE) - 129 C3-4 D4	1300	WAV
TER MEEREN (AV. - LAAN) - 45 A-B4	1970	WEO
TER MERENLAAN - 35 C1	1930	ZAV
TERMEULEN (RUE - STRAAT) -		
97 E2 - 98 A2-3	1640	SGR
TERMEULENSTRAAT - 87 D-E4	1652	ALS

Straat	Code	Gem.
TERMEULENWEG - 97 E1-2	1652	ALS
TERMOLENHOFLAAN - 20 C3-4	1731	ZEL
TERMONDE (RUE DE) - 30 C-D3		
NOS IMPAIRS	1082	SAB
NOS PAIRS	1083	GAN
TERMONIASTRAAT (J.) - 30 A1	1731	ZEL
TERNIA (RUE) - 156 B3	1461	HIT
TER PLAST (RUE DE - STRAAT) - 22 D4	1020	BRL
TERRE NEUVE (RUE) -		
49 D1-2 E1 - Centr. 168 B1-2 C1	1000	BRL
TERRESTLAAN - 82 A-B2	3090	OVE
TERRIENNE (RUE DE LA) - 128 B-C3	1301	BIE
TERSCHURENDREEF - 63 D-E4	3080	DUI
TERSPAUTLOSWEG - 92 C1	3090	OVE
TERSPOUTLAND - 92 C1	3090	OVE
TER TOMMENDREEF - 6 B2-3	1850	GRI
TERUGDRIFTDREEF - 79 E1	1170	WAB
TERVAETE (RUE DE) - 51 B3-4	1040	ETT
TERVARENTHOF - 82 B-C2	3090	OVE
TERVATESTRAAT - 51 B3-4	1040	ETT
TERVUEREN (AV. DE) -		
51 B-C2 D2-3 E3 - 52 A3-4 B3-4 C4 -		
61 C1-2 D1-2 E2 - 62 A-B2		
NOS 1 à 113 - 2 à 114	1040	ETT
NOS 137 à 455 - 116 à 454	1150	SPW
NOS 457 à 463 - 458 à 460	1160	AUD
TERVUEREN (CHAUSSEE DE) -		
61 A-B-C3 D2-3 E2 - 62 A-B2	1160	AUD
TERVUEREN (PORTE DE) - 51 B2	1040	ETT
TERVUREN (CHAUSSEE DE) -		
123 B4 C1-2-3-4 D1	1410	WAT
TERVURENLAAN -		
51 B-C2 D2-3 E3 - 52 A3-4 B3-4 C4 -		
61 C1-2 D1-2 E2 - 62 A-B2		
NRS 1-113 - 2-114	1040	ETT
NRS 137-455 - 116-454	1150	SPW
NRS 457-463 - 458-460	1160	AUD
TERVURENLAAN -		
54 B-C4 - 62 C2-3 D2-3 E2 - 63 A1-2 B-C1	3080	TER
TERVURENSESTEENWEG - 63 E2	3080	DUI
TERVUURSEPOORT - 51 B2	1040	ETT
TERVUURSESTEENWEG -		
61 A-B-C3 D2-3 E2 - 62 A-B2	1160	AUD
TERVUURSESTEENWEG - 61 E2 - 62 A-B2	3080	TER
TERVUURSESTEENWEG - 8 E1 - 9 A1	1820	PER
TERVUURSESTEENWEG - 9 A1-2	1820	MEL
TERVUURSESTEENWEG - 9 A2-3	1820	STE
TERWAGNE (AV. DOCTEUR) - 113 C2	1310	LAH
TERWENBERGLAAN - 45 B2 C2-3	1933	STK
TER WILGEN - 34 D2-3	1932	SSW
TETE DE BŒUF (IMPASSE DE LA)		
SITUEE RUE DU MARCHE		
AUX PEAUX ENTRE NOS 17-19		
40 E4 - Centr. 166 C3	1000	BRL
TETE D'EPINE (RUE) - 97 E3	1640	SGR
TETE D'OR (RUE DE LA) -		
40 E4 - Centr. 166 C3	1000	BRL
TEXAS (RUE DU - STRAAT) -		
57 E4 - 58 A3-4	1190	VOR
THABORSTRAAT - 38 E2	1700	DIL
THAELSTRAAT - 6 D3	1800	VIL
THEATRE (AV. DU) (3) - 114 D3	1332	GEN
'T HEIKEN - 97 B4	1652	ALS
THENAERTSTRAAT - 17 C1-2	1820	MEL
THEODOR (RUE L. - STRAAT) - 31 A2 B1-2	1090	JET
THERESE (AV.) - 126 D4 - 138 D1	1330	RIX
THERESIANENSTRAAT -		
50 A1-2 - Centr. 168 D1-2	1000	BRL
THERESIASTRAAT - 85 D4 - 95 D1	1654	HUI
THERESIAWIJK - 85 D4 - 95 D1	1654	HUI
THERESIENNE (RUE) -		
50 A1-2 - Centr. 168 D1-2	1000	BRL
THERMIDOR (AV.) - 122 E3	1410	WAT
THEUNCKENSSTRAAT (10) - 106 C1	1500	HAL
THEUNIS (RUE PIERRE - STRAAT) -		
32 E3-4 - 33 A3	1030	SCH
THEUNISSEN (AV. ED. - LAAN) - 77 A3-4	1630	LIN
THEVENET (AV. L. - LAAN) - 67 E3-4	1180	UCK
THEVENETLAAN (LOUIS) - 106 D2	1500	HAL
THEYS (AV. EMILE) - 122 E1	1410	WAT
THEYS (RUE JEAN) - 144 C1-2	1440	BRC
THIBAUT (ALLEE - ALLEE) -		
41 C2 - Centr. 167 B1	1210	SJN
THIBAUTSTRAAT - 94 D4	1500	HAL
THIBERMONT (RUE) - 155 E2-3	1460	IRE
THIEFFRY (RUE AVIATEUR) - 51 B3-4	1040	ETT
THIEFFRYSTRAAT (VLIEGER) - 51 B3-4	1040	ETT
THIEFRY (RUE - STRAAT) - 41 C1-2 D1	1030	SCH
THIELEMANS (AV. CH. - LAAN) - 51 E2 - 52 A2	1150	SPW
THIERNESSE (RUE - STRAAT) - 48 C1	1070	AND
THIRIAR (AV. - LAAN) - 22 B2		
NOS/NRS 1-63 - 2-56	1020	BRL
NO/NR 58	1090	JET
THIRRYSTRAAT (F.) - 20 D3-4	1731	ZEL
THIRY (AV. MARCEL - LAAN) - 43 A-B1 C2-3	1200	WSL
THIRY (RUE M.) - 165 B1	1340	OTT
THIRY (RUE MARCEL) - 134 C-D1	1420	BRA
'T HOF TE OVERBEKE - 39 A1	1082	SAB
'T HOF TEN BERG (CLOS) - 22 B4	1090	JET
'T HOF TEN BERG - 22 B4	1090	JET
'T HOFVELD - 29 D3	1702	GRB
THOMAES (RUE - STRAAT) - 31 A1-2 B1-2	1090	JET
THOMAS (AV. PH. - LAAN) - 32 A-B4	1030	SCH
THOMSON (AV. - LAAN) - 60 B4	1170	WAB
THOREAU (RUE ROB. - STRAAT) - 30 B4	1150	SPW
THUBENSTRAAT - 17 C1	1820	MEL
THUJASTRAAT -		
60 B-C4 - 69 B-C1	1170	WAB
THUMAS (RUE J. - STRAAT) - 34 E4	1950	KRA
THUMASPLEIN (HENDRIK) - 34 D3	1932	SSW
THUYA (CLOS DU) (3) - 146 A1	1420	BRA
THUYAS (DREVE DES - DREEF) (1) - 41 D1	1970	WEO
THUYAS (RUE DES) -		
60 B-C4 - 69 B-C1	1170	WAB
THUYAS (VENELLE AUX) - 129 C-D4	1300	WAV
THUYASLAAN - 62 E4 - 63 A4	3080	TER
THYM (AV. DU) - 39 C2	1080	SJM
THYS (RUE GEN. - STRAAT) - 60 A2-3	1050	IXE
THYS (RUE L. - STRAAT) - 52 B2	1150	SPW
THYS-VAN HAM (RUE - STRAAT) - 31 D1	1020	BRL
THYSSEN (AV. M. - LAAN) - 4 A4 B3	1780	WEM
TIBEERTSTRAAT - 28 E1-2 - 29 A1-2	1702	GRB
TIBERGHIEN (RUE - STRAAT) -		
41 C2 - Centr. 167 B1	1210	SJN
TIBOUT (CHEMIN DE) - 33 A1	1140	EVE
TIBOUTSWEG - 33 A1	1140	EVE
TICHELENBERG - 18 D4	1820	STE
TIEBACKX (RUE J. - STRAAT) (1) - 21 E3	1090	JET
TIEBOUTSTRAAT (J.) - 30 A2 B1-2	1731	ZEL
TIELEMANS (RUE - STRAAT) - 31 D1-2 E2	1020	BRL
TIENDAGWANDLAAN - 43 B-C2	1200	WSL
TIENDENSCHUURDREEF - 52 B2	1200	WSL
TIENDESCHUURVELD - 34 B-C3	1932	SSW
TIENDEWEG - 9 E4 - 18 E1	1910	NED
TIENNE (AV. DU) - 152 A-B4	1340	OTT
TIENNES (RUE DES) - 149 D3 E3-4 - 150 A4	1380	LAS
TIENNES (RUE LES) - 145 E3-4 - 146 A3	1420	BRA
TIERNAT (RUE DU) - 152 A-B4	1340	OTT
TIGELLES (CHEMIN DES) (10) - 52 C3	1150	SPW
TIJLOZENSTRAAT - 30 E3	1083	GAN
TIJMLAAN - 39 C2	1080	SJM
TILLENS (CARRE - BLOK) - 67 C1	1180	UCK
TILLEUL (CHAMP DU) - 21 E3	1090	JET
TILLEUL (CHAUSSEE DU) - 117 B3 C3	1300	WAV
TILLEUL (CHEMIN DU) - 103 C3-4	1331	ROS
TILLEUL (CHEMIN DU) - 124 A3-4	1380	OHA
TILLEUL (RUE DU) - 113 E3-4 - 114 A4	1332	GEN
TILLEUL (RUE DU) - 117 C-D4	1300	WAV

Street	Code	Commune
TILLEUL (RUE DU) - 33 A1-2-3-4 B4		
NOS IMPAIRS	1140	EVE
NOS PAIRS	1030	SCH
TILLEUL (RUE DU) - 97 D3 E3-4	1640	SGR
TILLEULS (ALLEE DES) - 3 E4 - 12 E1	1780	WEM
TILLEULS (AV. DES) - 122 E1 - 123 A2	1410	WAT
TILLEULS (AV. DES) - 145 D2	1421	OPH
TILLEULS (AV. DES) - 77 B3 C3-4 D4	1180	UCK
TILLEULS (AV. DES) - 98 D1-2 E1-2 - 99 A1	1640	SGR
TILLEULS (CLOS DES) - 53 C2	1970	WEO
TILLMANS (RUE M. - STRAAT) - 48 B2	1070	AND
TILMONT (RUE - STRAAT) - 31 B2	1090	JET
TILQUIN (AV. MARCEL) - 126 E2 - 127 A2	1330	RIX
TIMMERHOUTKAAI - 40 D2 - Centr. 166 B1	1000	BRL
TIMMERLIEDENSTRAAT - 49 D2-3 - Centr. 168 B2-3	1000	BRL
TIMMERMANS (RUE - STRAAT) - 58 C-D2	1190	VOR
TIMMERMANS (RUE G. - STRAAT) - 70 C1	1160	AUD
TIMMERMANS (RUE JEAN-BAPTISTE - STRAAT) - 42 D4 - 51 D1	1200	WSL
TIMMERMANS (RUE P. - STRAAT) - 31 A2	1090	JET
TIMMERMANSLAAN (F.) - 16 C-D4	1831	DIE
TIMMERMANSLAAN (F.) - 91 B-C1	1560	HOE
TIMMERMANSLAAN (FELIX) - 102 B2 C3	3090	OVE
TIMMERMANSLAAN (FELIX) - 35 E4 - 36 A4	1933	STK
TIMMERMANSLAAN (FELIX) - 62 E1	3080	TER
TIMMERMANSSTRAAT (F.) - 20 D3-4 E4	1731	ZEL
TIMMERMANSSTRAAT (FRANS) - 65 E4	1600	SPL
TIMMERMANSSTRAAT - 13 B2 C1-2	1853	SBE
TIMON (RUE DU) - 32 A1	1020	BRL
TIMPE ET TARD (RUE) - 146 A3	1421	OPH
TIMPE ET TARD (SENTIER DE) - 146 A3 B4	1420	BRA
TIMPE ET TARD (SENTIER DE) - 146 A3 B4	1421	OPH
TINEL (RUE ED. - STRAAT) - 48 C4	1070	AND
TINELSTRAAT (E.) - 7 A1	1800	VIL
TINELSTRAAT (EDGARD) - 106 E2	1500	HAL
TINKLAAN - 60 C3-4	1160	AUD
TINTORETTOSTRAAT - 41 E4 - 42 A4	1000	BRL
TIR (RUE DU) (1) - 49 C4	1060	SGI
TIR (RUE DU) - 129 A1	1300	WAV
TIR AUX PIGEONS - 53 A3-4 - 62 A2	1150	SPW
TIRCHER (PLACE M. - PLEIN) - 22 A2	1090	JET
TISSERANDS (RUE DES) - 146 B-C1	1420	BRA
TISSERANDS (RUE DES) - 153 C3	1348	LLN
TISSERANDS (RUE DES) - 40 B1-2	1081	KOE
TISVENHOORT (CHEMIN) - 108 E3-4 - 120 E1	1420	BRA
TITECA (RUE L. - STRAAT) - 52 A3	1150	SPW
TITIAANSTRAAT - 41 E4 - 42 A4	1000	BRL
TITZ (RUE LOUIS - STRAAT) - 51 A2	1040	ETT
TIVOLI (RUE DU - STRAAT) - 31 E2-3 - 32 A3	1020	BRL
'T JAEGERKE - 22 A2	1090	JET
TJIFTJAFSWEG - 59 C4	1000	BRL
'T KINT (RUE - STRAAT) - 40 C-D4	1000	BRL
TOCSIN (RUE DU) - 41 E4	1000	BRL
TOEGANGSWEG - 58 A4	1190	VOR
TOEKOMSTLAAN - 98 A1-2	1640	SGR
TOEKOMSTSTRAAT - 16 B-C2	1830	MAC
TOEKOMSTSTRAAT - 26 A-B2	1930	ZAV
TOEKOMSTSTRAAT - 40 C-D2	1080	SJM
TOEKOMSTSTRAAT - 44 A-B3	1950	KRA
TOEKOMSTSTRAAT - 6 E2 - 7 A2	1800	VIL
TOERISTENLAAN - 52 E2	1150	SPW
TOERISTENLAAN - 98 B1-2	1640	SGR
TOERISTENSTRAAT - 69 B-C1	1170	WAB
TOILIERS (RUE DES) - 117 C4	1300	WAV
TOINON (SQUARE) - 66 E2	1190	VOR
TOISON D'OR (AV. DE LA) - 49 E3 - 50 A2-3 - Centr. 168 C3 D2-3		
NOS 1 à 45A	1050	IXE
NOS 46 à 50	1000	BRL
NOS 51 à FIN	1060	SGI
TOISON D'OR (GALERIE DE LA) - 50 A2 - Centr. 168 D2	1050	IXE
TOLLAAN - 43 A1	1200	WSL
TOLLAAN - 43 A1	1932	SSW
TOLLENAERE (RUE EDM. - STRAAT) - 31 C1-2 D2	1020	BRL
TOLSTOI (AV. - LAAN) - 48 A-B1	1070	AND
TOM & JERRY (CLOS - GAARDE) (7) - 21 D3	1090	JET
TOMBEEK (RUE DE) - 103 D2-3-4	1331	ROS
TOMBELLES (CLOS DES) - 152 D4	1340	OTT
TOMBERG (PLACE DU - PLEIN) - 52 A1	1200	WSL
TOMBERG - 35 C-D1	1930	ZAV
TOMBERG - 51 E1 - 52 A1	1200	WSL
TOMBERGLAAN - 35 D1-2	1930	ZAV
TOMBES (RUELLE DES) - 114 A4 - 126 A1	1332	GEN
TOMBEUR (RUE GEN. - STRAAT) - 51 A2-3	1040	ETT
TOMBEURSTRAAT (JEAN) - 92 E1-2 - 93 A1	3090	OVE
TOMBU (AV. LEON - LAAN) - 51 D1	1200	WSL
TOMMESTRAAT - 105 B1 C1-2 D-E2	3040	OTB
TONDEUR (AV. VALENTIN) - 135 B2 C1-2	1410	WAT
TONGERENSTRAAT - 51 B1-2	1040	ETT
TONGRES (RUE DES) - 51 B1-2	1040	ETT
TONNELIER (AV. DU) - 158 B4 C3-4	1428	LIW
TONNELIERS (RUE DES) - 49 D2-3 - Centr. 168 B2-3	1000	BRL
TONNET (CLOS F. - GAARDE) - 22 A2	1090	JET
TOPAASLAAN - 42 A3	1030	SCH
TOPAASLAAN - 82 A2	3090	OVE
TOPAZE (AV. DE LA) - 42 A3	1030	SCH
TOPAZE (RESIDENCE) (16) - 127 E2	1300	LIL
TOPSTRAAT - 74 C4 D3-4 E3	1600	SPL
TOPWEG (MAIL DU) - 31 B4 - 40 B1	1090	JET
TOPWEG (MALI VAN DE) - 31 B4 - 40 B1	1090	JET
TOREKENSLAAN - 53 C2 D1	1970	WEO
TOREKENSTRAAT - 50 D-E2	1040	ETT
TORENDREEF - 63 C1 D1-2 E2	3080	TER
TORENHOF - 11 A3	1730	KOB
TORENTJESLAAN - 12 D1-2	1780	WEM
TORENVALK - 37 E1	1700	DIL
TORLEYLAAN - 95 D2-3 E3-4	1654	HUI
TORNOOIVELD (AV. - DU - LAAN) (2) - 42 C1-2	1140	EVE
TORREKENSSTRAAT - 18 C2	1820	STE
TORTELDUIVENLAAN - 53 B3-4 C3	1950	KRA
TORTELDUIVENLAAN - 60 D1	1150	SPW
TOULOUSE (RUE DE - STRAAT) - 50 C-D1	1040	ETT
TOUNE (RUE) - 156 A1-2-3	1461	HIT
TOUQUET (AV. DU) - 126 E4 - 127 A3-4	1330	RIX
TOUR DES VAUX (RUE) - 121 E4 - 133 E1	1420	BRA
TOUR JAPONAISE (RUE DE LA) (5) - 23 C1	1120	BRL
TOURAINE (DREVE DE - DREEF) - 67 A-B1	1180	UCK
TOURELLE (RUE DE LA) - 50 D-E2	1040	ETT
TOURELLES (AV. DES) - 12 D2	1780	WEM
TOURELLES (AV. DES) - 53 C2 D1	1970	WEO
TOURISTES (AV. DES) - 52 E2	1150	SPW
TOURISTES (AV. DES) - 98 B1-2	1640	SGR
TOURISTES (RUE DES) - 69 B-C1	1170	WAB
TOURNAI (RUE DE) - 49 D1 - Centr. 168 B1	1000	BRL
TOURNAY (AV. JOSEPH ET MARIE) - 152 A-B1	1342	LIM
TOURNEPPE (CHEMIN DE) - 120 E1-2	1420	BRA
TOURNESOLS (AV. DES) - 98 C2	1640	SGR
TOURNESOLS (RUE DES) (4) - 39 D4	1070	AND
TOURNEU (AV. DU) - 122 C4	1410	WAT
TOURNOI (RUE DU) - 58 C3	1190	VOR
TOURTELLES (CHEMIN DES) - 128 A-B2	1301	BIE
TOURTERELLES (AV. DES) (2) - 130 C-D3	1480	CLA
TOURTERELLES (AV. DES) - 126 D1	1330	RIX
TOURTERELLES (AV. DES) - 146 C2	1420	BRA
TOURTERELLES (AV. DES) - 53 B3-4 C3	1950	KRA
TOURTERELLES (AV. DES) - 60 D1	1150	SPW
TOUSSAINT (RUE E. - STRAAT) - 22 A4 - 31 A1-2		
NOS 1 à 57	1083	GAN
AUTRES NOS/ANDERE NRS	1090	JET

T

TROUCHEAUSTRAAT (J. B.) - 75 C1	1600	SPL
TRUFFAUT (CHEMIN FRANÇOIS - WEG) (5) - 21 D2	1090	JET
TRUITE (CHEMIN DE LA) - 77 A1	1180	UCK
TRY (CHEMIN DU) - 140 C3-4 D3	1300	WAV
TRY (RUE DU) - 132 D4 - 144 C1	1440	WBC
TRY (RUE DU) - 145 B2-3 C3 D-E4	1421	OPH
TRY (RUELLE DU) - 145 D-E4	1421	OPH
TRY (SENTIER DU) - 132 D4	1440	WBC
TRY (SENTIER DU) - 145 D4	1421	OPH
TRY (TIENNE DU) - 117 A2-3	1300	WAV
TRY-BARA (RUE DU) - 125 A4 - 137 A-B1	1380	OHA
TRY DE CHAMPLES - 115 E2	1301	BIE
TRY HENNOIS (SENTIER DU) - 158 E4	1420	BRA
TRY MARTIN (CLOS DU) (12) - 153 A3	1348	LLN
TRY MARTIN (RUE DU) - 153 A3	1348	LLN
'T SERCLAES (RUE - STRAAT) - 41 A4 - Centr. 166 D3	1000	BRL
'T SERCLAES (SENTIER) - 135 B1-2	1410	WAT
'T SERCLAESLAAN - 65 C2-3	1600	SPL
TUBEREUSES (RUE DES) (6) - 60 E4	1170	WAB
TUBEROZENSTRAAT (6) - 60 E4	1170	WAB
TUBIZE (CHAUSSEE DE) - 132 B-C-D4 E3 - 133 A3 - 144 B1	1440	BRC
TUBIZE (CHAUSSEE DE) - 133 A3 B-C-D2 E1-2 - 134 A1	1420	BRA
TUBIZE (RUE DE) - 142 D1 E1-2 - 143 A-B-C1	1440	WBC
TUBIZE (RUE DE) - 154 A2-3-4 B4	1460	VIR
TUCHTHUISSTRAAT - 6 E2-3	1800	VIL
TUILERIES (PLACE DES) - 129 B2	1300	WAV
TUINBOUW - 33 C4	1140	EVE
TUINBOUWERSSTRAAT - 32 E4	1020	BRL
TUINBOUWLAAN - 47 C-D1	1700	DIL
TUINBOUWSTRAAT - 39 B2	1082	SAB
TUINDELLE - 82 B4 D3 - 92 C1	3090	OVE
TUINSLAPER - 37 D2	1700	DIL
TUINTJESLAAN - 69 B1	1170	WAB
TUINWIJK - 95 C2-3	1501	BUI
TUINWIJK DE HEUVE - 7 C4	1830	MAC
TUINWIJK ZUUN - 75 D2-3	1600	SPL
TUINWIJKPLEIN - 22 B3	1090	JET
TUINWIJKSTRAAT - 26 A-B2	1930	ZAV
TULIPE (RUE DE LA) - 50 B2-3 - Centr. 169 A2-3	1050	IXE
TULIPES (CLOS DES) - 110 D2-3	1410	WAT
TULIPES (RUE DES) - 163 D-E3	1341	CEM
TULIPES (RUE DES) - 44 A4	1950	KRA
TULIPES (RUE DES) - 98 A3-4 B4	1640	SGR
TULIPIER (RUE DU) - 58 B2	1190	VOR
TULPEBOOMSTRAAT - 58 B2	1190	VOR
TULPENLAAN - 106 E3	1500	HAL
TULPENLAAN - 14 B2	1853	SBE
TULPENLAAN - 38 A-B1	1702	GRB
TULPENLAAN - 71 D3 E3-4	3090	OVE
TULPENLAAN - 90 E3	1560	HOE
TULPENPAD - 9 B3	1820	STE
TULPENPLEIN - 9 C2	1820	STE
TULPENSTRAAT - 44 A4	1950	KRA
TULPENSTRAAT - 65 D2	1600	SPL
TULPENSTRAAT - 7 C2	1800	VIL
TULPENSTRAAT - 86 E2	1650	BEE
TULPENSTRAAT - 98 A3-4 B4	1640	SGR
TULPSTRAAT - 50 B2-3 - Centr. 169 A2-3	1050	IXE
TUMULI (CHEMIN DES - WEG) - 69 B-C4 - 79 C1-2	1170	WAB
TUMULI (CHEMIN DES - WEG) - 69 B4	1180	UCK
TUMULI (DREVE DES - DREEF) - 69 B-C4	1170	WAB
TUMULIWEG - 79 E4 - 80 A4 - 90 A-B1	1560	HOE
TUMULUS (CLOS DU) - 152 C4	1348	LLN
TURCKSINSTRAAT (P.) - 95 C3-4	1501	BUI
TURCKSINSTRAAT - 7 C-D4 - 16 C1	1830	MAC
TURF (ALLEE DU - DREEF) - 68 D2-3	1000	BRL
TURFLAAN - 38 A1	1700	DIL
TURKOOISLAAN - 109 C1	1640	SGR
TURKOOISPAD (1) - 22 A1	1020	BRL
TURKOOISSQUARE - 22 A1	1020	BRL
TURQUOISE (AV. DE LA) - 109 C1	1640	SGR
TURQUOISE (RESIDENCE) (17) - 127 E2-3	1300	LIL
TURQUOISE (SENTIER DE LA) (1) - 22 A1	1020	BRL
TURQUOISE (SQUARE DE LA) - 22 A1	1020	BRL
'T VELLEKE - 44 D4	1970	WEO
'T VOORSTRAAT - 5 A-B4 - 14 B1	1850	GRI
TWAALF BUNDEL - 118 E4 - 130 D1	1502	LEM
TWAALFAPOSTELENSTRAAT - 41 A4 - Centr. 166 D3	1000	BRL
TWEE BARRELENDREEF - 61 E4 - 62 A-B-C-D4	3080	TER
TWEEBERGENDREEF - 78 E3 - 79 A2-3 B1-2 C1	1170	WAB
TWEE BERGENLAAN - 69 D4 - 79 D1	1170	WAB
TWEE BERGENWEG - 78 E3 - 79 A2-3 B1-2 C-D1	1180	UCK
TWEEBRUGGENSTRAAT - 50 D3-4 - Centr. 169 C3	1050	IXE
TWEEDE KONINGINSTRAAT - 58 D3-4	1180	UCK
TWEEDE LANSIERS-REGIMENTLAAN - 60 A1	1040	EVE
TWEEDEKKERSTRAAT (2) - 24 C4 - 33 C1		
NR 187	1140	EVE
ANDERE NRS	1130	BRL
TWEEDOREKENSGAARDE (4) - 14 D4	1120	BRL
TWEE GEBIEDENDREEF - 78 E1-2 - 79 A1	1180	UCK
TWEE HUIZENSTRAAT - 42 D1	1140	EVE
TWEEHUIZENWEG - 42 E2 - 43 A2-3-4	1200	WSL
TWEEKERKENSTRAAT - 41 C3-4 - Centr. 167 B2-3		
NRS 1 tot 55 - 2 tot 54	1000	BRL
NRS 57 tot EINDE - 56 tot EINDE	1210	SJN
TWEEKLOOSTERSDREEF - 61 B2-3	1160	AUD
TWEE LEEUWENWEG - 15 B1	1800	VIL
TWEELINDENDREEF - 5 E3 - 6 A3-4	1850	GRI
TWEELINDENGAARDE (6) - 14 D4	1120	BRL
TWEELINDENLAAN - 51 B1-2 C1-2	1200	WSL
TWEELINGENLAAN (8) - 42 D3	1200	WSL
TWEESTATIONSSTRAAT - 49 A-B3	1070	AND
TWEESTEENWEGENSTRAAT - 61 B3	1160	AUD
TWEE TORENSTRAAT - 41 D3 - Centr. 167 C2	1210	SJN
TWEE WEGENSTRAAT - 8 A2	1800	PEU
TWEEWILGENGAARDE (5) - 14 D4	1120	BRL
TWYENINCK (RUE - STRAAT) - 15 E4 - 24 E1	1130	BRL
TYTGAT (AV. ED. - LAAN) (3) - 51 E1-2	1200	WSL

U

UCCLE (AV. D') - 58 A-B4	1190	VOR
UCCLE (CHAUSSEE D') - 77 A3	1630	LIN
UGEUX (RUE G. - STRAAT) - 77 A1	1180	UCK
UILENSPIEGELDREEF (TIJL) - 47 D3-4 E3-4	1070	AND
UILENSPIEGELLAAN - 95 C4	1501	BUI
UILENSPIEGELPARK - 12 B3-4	1731	REL
UILENSTRAAT - 52 E1	1150	SPW
UITBREIDINGSSTRAAT (1) - 48 D1-2	1070	AND
UITBREIDINGSSTRAAT - 20 E4 - 29 E1	1731	ZEL
UITSTAPLAAN - 43 D4	1200	WSL
UKKELSELAAN - 58 A-B4	1190	VOR
UKKELSESTEENWEG - 77 A3	1630	LIN
ULENS (RUE - STRAAT) - 31 D4 - 40 D1	1080	SJM
ULENSPIEGEL (DREVE TYL) - 47 D3-4 E3-4	1070	AND
ULYSSE (AV. - LAAN) - 58 B4	1190	VOR
UNE PERSONNE (RUE D') - 40 E4 - Centr. 166 C3	1000	BRL
UNIESTRAAT - 41 C3 - Centr. 167 B2	1210	SJN
UNION (RUE DE L') - 41 C3 - Centr. 167 B2	1210	SJN
UNIVERSITE (AV. DE L') - 59 E3	1050	IXE
UNIVERSITE (PLACE DE L') - 153 B3	1348	LLN

URBANISME (RUE DE L') - 30 E3 1083 GAN
URSULINENSTRAAT - 1 B1 1730 MOL
URSULINENSTRAAT - 49 D-E1 1000 BRL
URSULINES (RUE DES) - 49 D-E1 1000 BRL
URUGUAY (AV. DE L' - LN.) - 69 A2-3 1000 BRL
USINE (RUE DE L') - 128 E2 1301 BIE
USINES (IMPASSE DES)
SITUEE RUE DU CHAMP DE
L'EGLISE NO 7
31 E1-2 - 32 A1 1020 BRL
USINES (QUAI DES) - 32 A2 B1-2 C1 1000 BRL
UTRILLO (RUE M. - STRAAT) - 33 C2 1140 EVE
UURPLAATSTRAAT - 41 C-D3 1210 SJN
UWENBERG - 86 C-D2 1650 BEE
UYLENBROEKSTRAAT (FERDINAND) - 85 A-B3 1600 SPL
UYLENBROEKSTRAAT (J.) - 94 D2 E2-3 1500 HAL
UYTROEVER RUE M.L. - STRAAT) (1) - 30 E4 1081 KOE
UYTTENHOVE (RUE R. - STRAAT) - 31 C3 1090 JET

V

VAAL - 10 A3 1730 ASS
VAANDELSTRAAT - 48 D2 1070 AND
VAARTDIJK - 15 C3-4 - 23 E3 - 24 A2-3 B1-2 1130 BRL
VAARTDIJK - 48 D4 E2-3-4 - 49 A3 - 57 C-D1 1070 AND
VAARTDIJK - 75 E3 - 76 A2-3 B1 1601 RUI
VAARTKANT - 57 B4 - 66 B1-2-3 1600 SPL
VAARTSTRAAT - 28 C3-4 1700 SMB
VAARTSTRAAT - 40 D-E2 1000 BRL
VAARTSTRAAT - 6 E2 1800 VIL
VAARTSTRAAT - 76 A2 1601 RUI
VADERLANDSPLEIN - 42 A2 1030 SCH
VAES (CLOS H. - GAARDE) - 53 C4 1950 KRA
VAES (RUE - STRAAT) (2) - 49 B4 1190 VOR
VAGEVUURSTRAAT - 64 D3 E3-4 - 65 A4 1600 SPL
VAILLANCE (PLACE DE LA) - 48 D2-3 1070 AND
VAILLANTS (AV. DES) - 52 A1 1200 WSL
VAL (RAMPE DU) - 153 A3 1348 LLN
VAL (VENELLE DU) - 141 E3 1300 WAV
VAL AU BOIS (AV. DU) - 53 C3-4 - 65 C1 1950 KRA
VAL AU BOIS (CLOS DU) - 53 C4 1950 KRA
VAL D'ARGENT (PROMENADE DU) - 111 E3 1410 WAT
VAL D'ARGENT (PROMENADE DU) -
112 A3 B3-4 C3-4 1310 LAH
VAL DE LA CAMBRE (SQUARE DU) - 59 D2 1050 IXE
VAL DE LA RIVIERE - 126 A-B1 1332 GEN
VAL DE L'ECOSSAIS (CLOS DU) - 146 D3 1420 BRA
VAL DES ROSES (IMPASSE DU) -
49 E1 - Centr. 168 C1 1000 BRL
VAL D'OR (AV. DU) (2) -
51 E1-2-3 - 52 A3
NOS 1 à 113 - 2 à 110 1150 SPW
NOS 115 à FIN - 112 à FIN 1200 WSL
VAL DU HERON (SENTIER) - 126 D2 1330 RIX
VAL FLEURI (AV. DU - LAAN) - 67 A-B2 1180 UCK
VAL FLEURI (DREVE DU) - 126 A1 1332 GEN
VAL SAINT-LAMBERT (RUE DU) - 153 C2 1348 LLN
VAL SAINT-PIERRE (DREVE DU) - 114 B-C4 1332 GEN
VALCQ (CHEMIN DU) - 133 A2-3 1420 BRA
VALCQ (RUE DU) - 132 E2 - 133 A2 1420 BRA
VALCQ (SQUARE DU) - 133 A3 1420 BRA
VALDUC (COURS DE) - 153 B2 1348 LLN
VALDUC (RUE) - 60 C-D2 E2-3 1160 AUD
VALDUCHESSE (AV.) - 61 A-B2 1160 AUD
VALERE-GILLE (SQ. - SQ.) - 59 E4 1050 IXE
VALERIANENSTRAAT (10) - 60 E4 - 69 E1 1170 WAB
VALERIANES (RUE DES) (10) - 60 E4 - 69 E1 1170 WAB
VALKENDAL - 14 A4 1853 SBE
VALKENERS (AV. A. - LAAN) - 52 D1 1160 AUD
VALKENLAAN - 110 A1 1640 SGR
VALKENLAAN - 14 C2 1800 VIL
VALKENWEG - 82 E1-2 - 83 A2 3090 OVE
VALKERIJLAAN - 69 D-E2 1170 WAB
VALKSTRAAT - 49 E2 - Centr. 168 C2 1000 BRL
VALLEE (AV. DE LA) - 122 A1 1410 WAT
VALLEE (CHEMIN DE LA) - 149 E2-3 1380 LAS
VALLEE (RUE DE LA) - 131 B4 C2-3-4 1440 BRC
VALLEE (RUE DE LA) - 133 A2 1420 BRA
VALLEE (RUE DE LA) - 152 B3 1340 OTT
VALLEE (RUE DE LA) - 59 C1-2
NOS 1 à 29 - 2 à 42B 1050 IXE
NOS 31 à FIN - 44 à FIN 1000 BRL
VALLEE (SENTIER DE LA) - 133 A2-3 1420 BRA
VALLEE A LA DAME - 160 E1-2 - 161 A2 1380 MAR
VALLEE BAILLY (RUE DE LA) - 134 D3-4 1420 BRA
VALLEE GOBIER - 125 A4 - 137 A-B1 1380 OHA
VALLEES (AV. DES) - 163 B-C3 D2-3 1341 CEM
VALLEES DE WAVRE (RUE DES) -
149 C4 D3-4 1380 LAS
VALLENBOSSTRAAT - 28 C2-3 1700 SUK
VALLON (AV. DU) - 113 C4 - 125 B3 C1-2 1380 OHA
VALLON (AV. DU) - 98 B1 1640 SGR
VALLON (PETITE RUE DU) - 114 A-B4 1332 GEN
VALLON (RUE DU) - 113 C4 1380 OHA
VALLON (RUE DU) - 114 A-B4 - 126 A1 1332 GEN
VALLON (RUE DU) -
41 C3-4 - Centr. 167 B2-3 1210 SJN
VALLON DES CHENES (SENTIER - DU) -
70 D4 - 80 A2-3 B2 D1 1170 WAB
VALLONS (AV. DES) - 135 B-C1 1410 WAT
VALONGES (CLOS DE) - 122 B4 1410 WAT
VAN AA (RUE - STRAAT) - 50 B-C3 1050 IXE
VAN ACHTER (CLOS RENE) (1) - 161 A2 1380 MAR
VAN AKENSTRAAT - 5 A1 1850 GRI
VAN ANTWERPEN (RUE H. - STRAAT) -
61 A-B4 1160 AUD
VAN AREZZOPLEIN (G.) - 59 A3 1180 UCK
VAN ARTEVELDE (RUE - STRAAT) - 40 D-E4 1000 BRL
VAN ASBROECK (RUE L. - STRAAT) (5) -
70 C1 1160 AUD
VAN ASSCHE (RUE F. - STRAAT) - 33 B1 1140 EVE
VAN ASSCHESTRAAT - 17 C-D2 1820 MEL
VANASSE (CLOS) (3) - 140 C-D3 1300 LIL
VAN BECELAERE (AV. EM. - LAAN) -
69 B1-2 C2-3 1170 WAB
VAN BEESEN (AV. - LN.) - 31 A-B3 1090 JET
VAN BEETHOVEN (AV.) - 115 C1 1331 ROS
VAN BEETHOVEN (RUE L. - STRAAT) - 48 B-C4 1070 AND
VAN BELLE (RUE DOYEN) (6) - 146 C1 1420 BRA
VAN BELLINGENSTRAAT - 36 B1 1930 NOS
VAN BEMMEL (RUE - STRAAT) -
41 C3 - Centr. 167 B2 1210 SJN
VAN BERGEN (RUE - STRAAT) - 40 B1 1081 KOE
VAN BEVER (AV. - LAAN) - 78 D-E2 1180 UCK
VAN BEVER (RUE DAVID - STRAAT) - 52 C3 1150 SPW
VAN BEVER (SQUARE - SQUARE) - 78 D2 1180 UCK
VAN BEVERENSTRAAT (ISIDOOR) -
20 C4 - 29 B1 C1-2-3 1702 GRB
VANBEVERENSTRAAT (LOUIS) - 94 B-C4 1500 HAL
VAN BOECKEL (RUE L. - STRAAT) -
33 B1-2 1140 EVE
VAN BOELAERESTRAAT (T.) - 94 C3 1500 HAL
VAN BOENDALELAAN (JAN) - 63 A1 3080 TER
VAN BORTONNE (RUE - STRAAT) - 31 B1 1090 JET
VAN BOTERDAEL (RUE J. - STRAAT) (1) -
48 C2 1070 AND
VAN BRABANTWEG (GENOVA) - 100 B-C1 D2 1560 HOE
VAN CAMP (RUE J. - STRAAT) - 32 C-D2 1030 SCH
VAN CAMPENHOUT (RUE - STRAAT) -
41 E3-4 - Centr. 167 D3 1000 BRL
VAN CAMPENHOUT (RUE G. - STRAAT) -
12 C1-2 1780 WEM
VAN CAMPENHOUTPLEIN (JULES) - 4 A1 1860 MEI
VAN CAMPLAAN (CAMILLE) - 63 A2 3080 TER

VAN CAPPELLEN (CITE - GANG) SITUEE/GELEGEN RUE SAINTE-MARIE NO 11 SINT-MARIASTRAAT NR 11 40 C2 D2-3 - Centr. 166 A1 B1-2 1080 SJM

VAN CAULAERT (SQUARE G. - SQUARE) - 49 C4 1060 SGI

VAN CAUWENBERGH (RUE EDM. - STRAAT) - 31 C4 1080 SAB

VAN COTTHEMSTRAAT (ALBERT) - 65 E2-3 - 66 A2 1600 SPL

VAN COUDENBERGDREEF - 63 E1 3080 TER

VAN CROMBRUGGHE (AV. - LAAN) - 52 E4 - 53 A4 - 61 E1 1150 SPW

VAN CUTSEM (CARRE - WIJK) - 31 B-C4 SITUEE/GELEGEN RUE ONGENA NO 22 ONGENASTRAAT NR 22 1090 JET

VAN CUTSEM (RUE FR. - STRAAT) - 24 C4 - 33 C1 1140 EVE

VAN DAMMESTRAAT - 90 D2 1560 HOE

VAN DAMSTRAAT (JOZEF) - 34 D3 E2-3 1932 SSW

VANDELEENE (AV. J. - LAAN) - 60 C3 1160 AUD

VANDELOOCKSTRAAT (CAMILLE) - 66 A1 1600 SPL

VANDE MAELE (RUE A. - STRAAT) - 33 B2 1140 EVE

VANDEMAELESTRAAT (FONS) - 94 D4 1500 HAL

VANDEN BERGHE (RUE G. - STRAAT) - 48 C2 1070 AND

VANDEN BERGHESTRAAT (4) - 16 B1-2 1830 MAC

VAN DEN BERGHESTRAAT (JOZEF) - 6 C2 1850 GRI

VANDENBOOGAERDE (RUE - STRAAT) - 31 D4 - 40 C-D1 1080 SJM

VANDEN BOSSCHE (RUE AL. - STRAAT) - 33 B2-3 1140 EVE

VANDENBOSCHSTRAAT (ALFONS) - 76 B2 1601 RUI

VANDENBOSCHSTRAAT (J.B.) - 97 A3 B4 1652 ALS

VANDENBRANDEN (RUE - STRAAT) - 40 C-D3 1000 BRL

VANDENBROECK (RUE - STRAAT) (2) - 50 C-D3 1050 IXE

VANDEN BROECK (RUE J. - STRAAT) - 12 D2-3 1780 WEM

VANDENBROECKSTRAAT - 91 C2 1560 HOE

VANDENBUSSCHE (RUE - STRAAT) - 41 E1-2 - Centr. 167 D1-2 1030 SCH

VANDEN CORPUT (RUE - STRAAT) - 58 D2 1190 VOR

VANDENDRIESCH (RUE J.B. - STRAAT) (12) - 39 B1 1082 SAB

VANDENDRIESSCHE (AV. ROGER - LAAN) - 51 D3 1150 SPW

VANDEN DRIESSCHESTRAAT (V.) - 20 A-B3 1731 ZEL

VANDEN EECKHOUDSTRAAT - 94 D4 1500 HAL

VANDEN EEDENSTRAAT (H.) - 29 C1-2 1702 GRB

VANDEN ELSCHENSTRAAT - 76 A2 1600 SPL

VAN DEN EYNDELAAN (JAN) - 3 E1 - 4 A1 1860 MEI

VANDENHOVEN (RUE - STRAAT) - 52 B1-2 NOS IMPAIRS/ONEVEN NRS NOS/NRS 2-12 1200 WSL AUTRES NOS/ANDERE NRS 1150 SPW

VANDENHOVEN (RUE LAURENT - STRAAT) - 24 B-C4 1140 EVE

VAN DEN PEEREBOOM (RUE AL. - STRAAT) - 40 A2-3-4 B2 1080 SJM

VANDENPEEREBOOMSTRAAT - 94 E4 - 95 A4 - 106 D1-2 E1 1501 BUI

VANDENSCHRIECK (RUE A. - STRAAT) - 31 A-B1 1090 JET

VANDENSCHRIECKSTRAAT - 106 D4 E3-4 1500 HAL

VANDENSTEENSTRAAT - 25 B2 1831 DIE

VAN DEN THOREN (AV. PAUL - LAAN) - 70 B-C2 1160 AUD

VAN DEN WEGHESTRAAT (MEDARD-JULES) (4) - 94 D4 1500 HAL

VANDEPUTSTRAAT - 91 B1-2 1560 HOE

VANDER AA (RUE - STRAAT) - 22 D4 - 31 D1 1020 BRL

VAN DER AASTRAAT - 25 B-C2 1831 DIE

VANDERACHTERSTRAAT - 63 B-C2 3080 TER

VANDERAEY (AV. - LAAN) - 67 C3 D3-4 1180 UCK

VANDER BIEST (AV. P. - LAAN) - 43 E4 - 44 A4 - 53 A1 1150 SPW

VANDER BIEST (CLOS - GAARDE) - (5) - 43 E4 - 44 A4 1150 SPW

VANDERBORGHT (DREVE J. - DREEF) - 70 A-B1 1160 AUD

VANDERBORGHT (RUE - STRAAT) - 31 A2-3-4 B4 NOS/NRS 1-39 - 2-44 1081 KOE AUTRES NOS/ANDERE NRS 1090 JET

VANDER BORGHTSTRAAT - 17 D1-2 1820 MEL

VANDER BRUGGEN (AV. R. - LAAN) - 48 E2 1070 AND

VANDER BRUGGEN (SQ. EMILE - SQ.) - 48 E2 1070 AND

VANDERCAM (RUE J.B.) - 126 A-B1 1332 GEN

VANDERCAMMEN (RUE J.-B. - STRAAT) - 70 B2 1160 AUD

VANDERDILFT (RUE) - 162 B-C1 1341 CEM

VAN DER DILFTLAAN - 75 A2 1600 SPL

VAN DERDUSSEN (RUE - STRAAT) - 40 B2-3 1080 SJM

VANDER ELST (PLACE J. - PLEIN) - 67 B-C2 1180 UCK

VANDER ELST (RUE - STRAAT) - 40 E3 - Centr. 166 C2 1000 BRL

VAN DER ELST (RUE FR. - STRAAT) - 53 A-B2 1950 KRA

VANDERELST (RUE PH. - STRAAT) (1) - 23 E1-2 1120 BRL

VANDERELST (RUE TH. - STRAAT) - 69 B-C1 1170 WAB

VANDEREYCKENLAAN (PASTOOR) - 35 E3-4 - 36 A4 1933 STK

VANDER GOES (AV. HUGO - LAAN) - 61 B-C4 - 70 B-C1 1160 AUD

VANDERGOTEN (RUE A. - STRAAT) - 60 E3 - 61 A2 1160 AUD

VANDERHAEGEN (RUE - STRAAT) - 49 D2 - Centr. 168 B2 1000 BRL

VANDERHEYDENWEG - 89 E1 - 90 A-B1 1560 HOE

VANDERHOEFT (RUE V. - STRAAT) - 33 A4 1030 SCH

VANDERHOEVEN (RUE - STRAAT) - 41 D3 - Centr. 167 C2 1210 SJN

VANDERKELENSTRAAT - 73 E4 - 83 E1 3040 OTB

VANDER KINDERE (PLACE L. - PLEIN) - 58 D3-4 E3-4 1180 UCK

VANDERKINDERE (RUE ALBERT - STRAAT) - 40 B3 1080 SJM

VANDERKINDERE (RUE LEON - STRAAT) - 58 C-D-E3 - 59 A-B3 1180 UCK

VANDERLINDEN (RUE - STRAAT) - 32 B3-4 C3 1030 SCH

VANDERLINDEN (RUE J. - STRAAT) - 68 C2 1180 UCK

VANDERMAELEN (AV. V. - LAAN) - 22 A2 1090 JET

VANDERMAELEN (RUE - STRAAT) - 40 C2 D2-3 - Centr. 166 A1 B1-2 1080 SJM

VANDER ELST (RUE FRANÇOIS - STRAAT) - 53 A-B2 1150 SPW

VAN DER MAELEN (RUE H. - STRAAT) - 40 C2 D2-3 - Centr. 166 A1 B1-2 1150 SPW

VANDER MEEREN (AV. COMM. - LAAN) - 48 B-C1 1070 AND

VANDERMEEREN (RUE - STRAAT) - 40 A4 1080 SJM

VANDERMEERSCH (RUE - STRAAT) - 32 B-C4 1030 SCH

VANDER MEERSCHEN (AV. - LAAN) - 52 E4 - 53 A4 - 61 E1 1150 SPW

VANDERMEULEN (RUE) - 130 A3 1480 TUB

VANDER MEULEN (RUE - STRAAT) - 41 B3 - Centr. 167 A2 1000 BRL

VANDER MOTTENLAAN (IRMA) - 71 D-E4 3090 OVE

VANDERNOOT (RUE - STRAAT) - 31 C4 - 40 C1 1080 SJM

VAN DER NOOT (RUE BARON ROGER - STRAAT) - 78 A1 1180 UCK

VAN DER NOOTSTRAAT - 13 E2 1853 SBE

VANDERPERREN (RUE - STRAAT) - 31 C3-4 1090 JET

VANDERSAENEN (RUE H. - STRAAT) (1) - 60 D3 1160 AUD

VANDERSANDESTRAAT (PASTOOR) - 63 C1-2 3080 TER

VANDERSCHELDENLAAN (FLORENT) - 36 A-B4 1933 STK

VANDERSCHRICK (RUE - STRAAT) - 49 C4 D3-4 1060 SGI

VANDERSMISSEN (AV.. J. - LAAN) - 51 C4 NOS/NRS 1-45 - 2-36 1040 ETT AUTRES NOS/ANDERE NRS 1150 SPW

VANDERSTAPPEN (RUE CH. - STRAAT) - 33 A3-4 1030 SCH

Street	Postcode	Commune
VANDER STAPPENSTRAAT (R.) (2) - 16 C1	1830	MAC
VANDERSTEENENSTRAAT (E.) - 75 C2 D2-3	1600	SPL
VAN DER STEENSTRAAT (JAN) - 67 C3	1600	SPL
VANDERSTICHELEN (RUE - STRAAT) -		
31 C-D4 - 40 D1	1080	SJM
VANDERSTRAETEN (AV. F.- LAAN) -		
58 A4 - 67 A1	1190	VOR
VAN DER STRAETEN (RUE - STRAAT) - 40 B3	1080	SJM
VANDERSTRAETENSTRAAT (JAN) -		
65 D4 E3-4 - 75 C1	1600	SPL
VANDERSWAELMEN (AV. L.- LAAN) - 69 D1-2 E1	1170	WAB
VANDERVAERENSTRAAT (D.) - 91 B-C2	1560	HOE
VANDERVAERENSTRAAT (E.) -		
80 E4 - 81 A4 - 91 A-B1	1560	HOE
VANDERVEKEN (RUE - STRAAT) -30 C1-2 D2	1083	GAN
VANDER VEKEN (RUE J. - STRAAT) -		
12 E2-3 - 13 A3	1780	WEM
VANDERVEKENSTRAAT - 25 B3	1831	DIE
VANDERVELDE (AV. E. - LN.) - 43 C-D-E4	1200	WSL
VANDERVELDE (PLACE EMILE - PLEIN) -		
49 E1 - Centr. 168 C1	1000	BRL
VANDERVELDE (PLACE EMILE) - 123 B4	1410	WAT
VANDERVELDE (RUE EMILE) - 132 D3-4	1440	WBC
VANDERVELDE (RUE L. - STRAAT) - 60 A-B4	1170	WAB
VANDERVELDE (SQUARE EM. - SQUARE) -		
48 E2	1070	AND
VANDERVELDENLAAN - 97 C-D3	1652	ALS
VANDERVLEET (RUE J. - STRAAT) - 31 C2-3	1090	JET
VANDER WEYDEN (RUE ROGER -		
STRAAT) - 49 D1 - Centr. 168 B1	1000	BRL
VANDERWEYDENDREEF - 82 C1-2 D1	3090	OVE
VANDER WEYDENSTRAAT (ROGER) (1) - 6 C3	1800	VIL
VANDER ZIJPEN (RUE L. - STRAAT) - 12 D-E3	1780	WEM
VANDE SANDE (RUE FELIX - STRAAT) - 40 A-B1	1081	KOE
VANDE SANDE (SQUARE FELIX -		
SQUARE) - 31 B4 - 40 B1	1081	KOE
VANDEUREN (RUE J. - STRAAT) - 59 E4 - 60 A4	1050	IXE
VANDEVELDE (RUE FR. - STRAAT) - 70 A-B1	1160	AUD
VANDEVELDE (RUE R. - STRAAT) -		
32 E2 - 33 A2-3	1030	SCH
VANDE VELDELAAN (HENRI) - 63 A1	3080	TER
VAN DE VONDELSTRAAT (J.) - 7 A1	1800	VIL
VAN DE WALLE (AV.) - 151 C-D3	1340	OTT
VANDEWEYER (RUE - STRAAT) - 32 B-C4	1030	SCH
VAN DE WIELE (RUE M. - STRAAT) - 33 A2	1030	SCH
VANDE WOESTEYNE (RUE LEON - STRAAT) -		
70 B1-2	1160	AUD
VAN DE WOESTIJNE (AV. K. - LAAN) - 12 B3	1780	WEM
VAN DE WOESTIJNE (RUE K. - STRAAT) - 48 B2	1070	AND
VAN DIJCKDREEF - 82 B1-2	3090	OVE
VAN DIJCKLAAN - 26 B3	1930	ZAV
VAN DIJCKSTRAAT - 6 C-D3	1800	VIL
VAN DIJCKSTRAAT - 9 A4	1820	STE
VAN DIJK (RUE P.) - 91 E4	3090	OVE
VAN DIJK (RUE PIERRE) - 91 E4 - 92 A4 - 102 A1	1310	LAH
VAN DOORSLAERLAAN (AUGUST) - 3 E3 - 4 A1	1860	MEI
VAN DOORSLAERLAAN (J.) - 12 A3	1731	REL
VAN DORMAEL (RUE A. - STRAAT) -		
77 B4 - 87 C1	1630	LIN
VAN DRIESSCHE (RUE EM. - STRAAT) -		
58 E2 - 59 A2	1050	IXE
VANDROMME (AV. - LAAN) - 60 D2-3	1160	AUD
VAN DROOGENBROECK (RUE -		
STRAAT) - 32 E1-2 - 33 A2	1030	SCH
VAN DYCK (RUE - STRAAT) -		
41 C2 - Centr. 167 B1	1030	SCH
VAN DYCK (RUE R. - STRAAT) - 39 C4 - 48 C1	1070	AND
VAN EEPOEL (RUE H. - STRAAT) - 31 A1	1090	JET
VANEL (CHEMIN CHARLES - WEG) (1) - 21 D2	1090	JET
VAN ELDEREN (AV. ELIE - LAAN) - 61 B4	1160	AUD
VAN ELEWIJCK (RUE E. - STRAAT) - 12 E2-3	1780	WEM
VAN ELEWIJCKSTRAAT (JOZEF) - 13 E3-4	1853	SBE
VAN ELEWYCK (RUE - STRAAT) - 50 C4	1050	IXE
VAN ENGELAND (AV. - LAAN) - 22 A3	1090	JET
VAN ENGELGOMSTRAAT (J. J.) - 6 C-D2	1850	GRI
VAN ERMENGEM (AV. EM. - LAAN) - 22 A-B2		
NOS/NRS 1-77 - 2-76	1020	BRL
AUTRES NOS/ANDERE NRS	1090	JET
VAN ESPENLAAN - 27 B4 - 36 B1	1930	NOS
VAN ESSENDREEF - 79 E4 - 89 E1	1560	HOE
VAN ESSENPAD - 89 E1-2 - 90 A2	1560	HOE
VANETTE (DREVE DE LA) - 123 D-E3	1410	WAT
VANEUKEM (AV. C. - LAAN) - 48 A-B3	1070	AND
VAN EYCK (AV. - LAAN) - 21 C1	1780	WEM
VAN EYCK (RUE - STRAAT) - 59 B-C2		
NOS IMPAIRS/ONEVEN NRS	1050	IXE
NOS PAIRS/EVEN NRS	1000	BRL
VAN EYCKDREEF - 82 C1	3090	OVE
VAN EYCKSTRAAT - 6 B-C3	1800	VIL
VAN FRACHENLAAN - 9 A-B4 - 18 B1 C2	1820	STE
VAN FRAECHEMSTRAAT (F.) - 16 C1	1830	MAC
VAN GAMERENLAAN (BISSCHOP) - 35 C-D2	1930	ZAV
VAN GAVER (RUE - STRAAT) -		
40 E2 - Centr. 166 C1	1000	BRL
VAN GEHUCHTEN (PLACE ARTHUR - PLEIN) -		
22 B-C3		
NOS/NRS 2 - 4	1020	BRL
AUTRES NOS/ANDERE NRS	1090	JET
VAN GELE (RUE COLONEL) -		
50 E2-3 - 51 A2-3 - Centr. 169 D2-3	1040	ETT
VAN GELESTRAAT (KOLONEL) -		
50 E2-3 - 51 A2-3 - Centr. 169 D2-3	1040	ETT
VAN GENEGEN (AV. J. - LAAN) - 52 D3	1150	SPW
VAN GOGH (AV. VINCENT - LAAN) - 33 C2-3	1140	EVE
VAN GOIDTSNOVEN (AV. O. - LAAN) - 58 C3		
NOS/NRS 5-47 - 2-58	1180	UCK
AUTRES NOS/ANDERE NRS	1190	VOR
VAN GOOLEN (AV. J. G. - LAAN) - 51 D-E2	1200	WSL
VAN GORP (AV. L. - LAAN) - 52 C-D4	1150	SPW
VAN GROOTVEN (RUE VIC.) - 139E1-2 - 140 A1-2	1300	LIL
VAN GULICK (RUE - STRAAT) - 32 A2	1020	BRL
VAN GYSELLAAN (J.) - 4 A-B3 C3-4	1780	WEM
VAN HAELEN (AV. J. - LAAN) - 60 E4 - 61 A4	1160	AUD
VAN HAELEN (BLD. G. - LAAN) - 58 A2 B1-2 C1	1190	VOR
VAN HAM (IMPASSE - GANG)		
SITUEE/GELEGEN		
RUE DE LA PERLE NO 11		
PARELSTRAAT NR 11		
40 C2 - Centr. 166 A1	1080	SJM
VAN HAMME (RUE BARON G. - STRAAT) - 67 A3	1180	UCK
VAN HAMME (RUE H. - STRAAT) -33 A1-2 B1-2	1140	EVE
VAN HAMMEE (RUE - STRAAT) -		
41 D2 - Centr. 167 C1	1030	SCH
VAN HAMSTRAAT - 95 B1	1500	HAL
VAN HASSELT (RUE ANDRE - STRAAT) -		
41 D3 - Centr. 167 C2		
NOS/NRS 1-13 - 2-16	1210	SJN
AUTRES NOS/ANDERE NRS	1030	SCH
VAN HELLEMONT (AV. J. - LAAN) - 48 A4	1070	AND
VAN HELMONT (RUE - STRAAT) -		
49 D1 - Centr. 168 B1	1000	BRL
VAN HELMONTSTRAAT - 7 A2-3	1800	VIL
VAN HEMELRIJCK (AV. M. - LAAN) - 39 C3	1080	SJM
VAN HEMELRIJCK (RUE THOMAS - STRAAT) (1) -		
40 B2	1080	SJM
VANHEYLENSTRAAT - 8 C4 - 17 C1	1820	MEL
VAN HOEGAERDE (PLACE - PLEIN) - 40 C1-2	1081	KOE
VAN HOEGAERDE (RUE - STRAAT) - 40 B-C2		
NOS IMPAIRS/ONEVEN NRS	1080	SJM
NOS PAIRS/EVEN NRS	1081	KOE
VANHOETER (IMPASSE - GANG) (2) -		
40 E2 - Centr. 166 C1	1000	BRL
VAN HOORDE (RUE - STRAAT) - 41 D1	1030	SCH
VAN HOORDE (RUE H. - STRAAT) - 33 B1	1140	EVE
VAN HORENBEECK (AV. J. -		
LAAN) - 61 B4 - 70 A2 B1-2	1160	AUD
VANHOUCHESTRAAT (HENDRIK) - 74 E4	1600	SPL
VAN HOUTSTRAAT - 25 B3	1831	DIE

VAN HOVE (RUE - STRAAT) -
41 D2 - Centr. 167 C1 — 1030 SCH
VAN HOVE (RUE J. - STRAAT) - 34 D-E4 - 43 E1 — 1950 KRA
VAN HOVESTRAAT (JOZEF) - 34 D4 — 1932 SSW
VAN HUFFEL (PLACE HENRI- PLEIN) - 40 B1 — 1081 KOE
VAN HUMBEEK (RUE P. - STRAAT) - 40 A3-4 — 1080 SJM
VAN HUYNEGEM (RUE G. - STRAAT) - 31 B1 — 1090 JET
VAN IMMERSEELLAAN - 4 C-D2 — 1860 MEI
VAN INGELGOMSTRAAT - 36 B-C3 — 1930 NOS
VAN KALCK (RUE - STRAAT) - 39 D2-3 E2 — 1080 SJM
VAN KALKEN (AV. FR. - LAAN) -
48 C-D4 - 57 C-D1 — 1070 AND
VAN KEERBERGENSTRAAT (LODEWIJK) -
25 B2 C2-3 — 1830 MAC
VAN KERM (AV.. - LAAN.) - 79 D-E1 — 1170 WAB
VAN KERM (DREVE - DREEF) -
79 C3-4 D2-3 - 89 C1 — 1170 WAB
VAN KIELDONCK (CITE - WIJK)
SITUEE/GELEGEN
RUE DE GLASGOW
GLASGOWSTRAAT
48 E1 — 1070 AND
VAN LAER (AV. MARC-HENRI - LAAN) - 57 B3 — 1070 AND
VAN LAETHEM (RUE G.) - 42 D1-2 — 1140 EVE
VANLAETHEMSTRAAT (A.) - 91 A4 B3 - 101 A1 — 1560 HOE
VAN LAETHEMSTRAAT (W.) - 42 D1-2 — 1140 EVE
VAN LAETSTRAAT (J.) (1) - 95 C1 — 1654 HUI
VAN LEEUW (AV. G.) - 33 C1-2 — 1140 EVE
VAN LEEUWLAAN (W.) - 33 C1-2 — 1140 EVE
VAN LERBERGHE (RUE - STRAAT) -
32 E2 - 33 A2 — 1030 SCH
VANLIER (RUE MARTIN - STRAAT) (3) - 48 C2 — 1070 AND
VAN LIERDE (RUE J. - STRAAT) - 39 C4 - 48 C1 — 1070 AND
VAN LIERDELAAN (J.M.) - 46 E1-2 — 1701 ITT
VAN LINDT (SQUARE A. - SQUARE) - 61 B4 — 1160 AUD
VAN LINT (RUE - STRAAT) - 49 A-B2 — 1070 AND
VAN LISHOUT (RUE J. - STRAAT) - 77 B4 — 1630 LIN
VAN MAERLANT (RUE - STRAAT) - 50 C-D1 — 1040 ETT
VAN MALDER (RUE - STRAAT) - 40 B3 — 1080 SJM
VAN MALDEREN (RUE) - 113 D2 — 1310 LAH
VAN MALDERENLAAN (VICTOR) - 38 B2 C3 — 1700 DIL
VAN MALDERENSTRAAT (C.) - 20 D4 — 1731 ZEL
VAN MALE DE GHORAIN (RUE - STRAAT) -
40 C2 - Centr. 166 A1 — 1080 SJM
VAN MEENEN (PLACE M. - PLEIN) - 58 D1 — 1060 SGI
VAN MEULECOM (RUE FR. - STRAAT) - 40 A2-3
SITUEE/GELEGEN
RUE P.J. DEMESSEMAEKER
P.J. DEMESSEMAEKERSTRAAT
NOS/NRS 32-34 — 1080 SJM
VAN MEYEL (PLACE - PLEIN) -
50 E2 - 51 A2 - Centr. 169 D2 — 1040 ETT
VAN MEYEL (RUE - STRAAT) -
50 E2 - 51 A2 - Centr. 169 D2 — 1080 SJM
VAN MOER (RUE - STRAAT) -.
51 E2 - Centr. 168 C2 — 1000 BRL
VAN MOLDERSSTRAAT (F.) - 16 B1 — 1830 MAC
VAN MUYLDERS (AV. ECHEVIN) (1) - 52 A1-2 — 1200 WSL
VAN MUYLDERS (RUE ED. - STRAAT) (8) -
47 E2 — 1070 AND
VAN MUYLDERSLAAN (SCHEPEN) (1) -
52 A1-2 — 1200 WSL
VANNE (RUE DE LA) - 50 B4
NOS IMPAIRS — 1000 BRL
NOS PAIRS — 1050 IXE
VANNEAU (AV. DU) - 44 D1 E2 — 1970 WEO
VANNEAUX (AV. DES) - 122 A1-2 — 1420 BRA
VANNEAUX (AV. DES) - 130 D3 — 1480 CLA
VANNEAUX (AV. DES) - 44 B2-3 — 1950 KRA
VANNEAUX (SENTIER DES) (8) - 59 C4 — 1000 BRL
VAN NEROM (AV. G. - LAAN) - 70 A-B1 — 1160 AUD
VAN NEROM (RUE H. - STRAAT) - 33 A-B2 — 1140 EVE
VANNEUSE (AV. DE LA) - 53 D-E3 — 1970 WEO
VANNIERS (RUE DES) - 129 B2 — 1300 WAV

VAN NIEUWENBORGH (RUE M. - STRAAT) (11)
39 A1 — 1082 SAB
VAN NIEUWENHUYSE (AV. EDM. - LAAN) -
60 D3 E4 - 61 A4 — 1160 AUD
VANNYPEN (RUE J.B. - STRAAT) - 61 B4 - 70 B1 — 1160 AUD
VAN OBBERGHEN (RUE P. - STRAAT) - 33 A-B2 — 1140 EVE
VAN OBBERGHENSTRAAT (J.) - 16 B1 — 1830 MAC
VAN OOST (RUE - STRAAT) - 32 C3 — 1030 SCH
VAN OPHEM (RUE E. - STRAAT) - 67 A3-4 B4 — 1180 UCK
VANOPHEMSTRAAT (CLEMENT) -
82 D3 E2 - 83 A1-2 — 3090 OVE
VAN OPHEMLAAN (DROSSAARD) - 35 C1-2 D2 — 1930 ZAV
VAN OPSTALSTRAAT - 27 A-B4 — 1930 NOS
VAN ORLEY (RUE - STRAAT) -
41 B3 - Centr. 167 A2 — 1000 BRL
VAN OSS (AV. ANT. - LAAN) - 15 B-C3 — 1120 BRL
VAN OSTADE (RUE - STRAAT) - 51 A1 — 1000 BRL
VAN OVERBEKE (AV. - LAAN) - 30 D1-2 E2-3 — 1083 GAN
VAN OVERSTRAETEN (RUE E. - STRAAT) (8) -
39 A1 — 1082 SAB
VAN PAEPEGHEMSTRAAT (VICTOR) - 66 B2-3 — 1600 SPL
VAN PAGE (RUE J. B. - STRAAT) - 30 E2-3 — 1083 GAN
VAN PARIJSLAAN - 35 C-D1 — 1930 ZAV
VANPE (AV. TH.- LAAN) - 60 E4 - 61 A4
NOS/NRS 18 - 20 — 1170 WAB
AUTES NOS/ANDERE NRS — 1160 AUD
VANPE (RUE J.-B. - STRAAT) - 57 E4 - 58 A4 — 1190 VOR
VANPEE (AV.) - 117 B4 — 1300 WAV
VAN PERCK (RUE W. - STRAAT) - 33 A2 — 1140 EVE
VAN PRAAG (AV. M. - LAAN) - 58 D-E4 - 67 D1 — 1180 UCK
VAN PRAET (AV. J. - LAAN) -
23 A-B2 C2-3-4 D3-4 — 1020 BRL
VAN PRAET (PONT - BRUG) - 23 C4 - 32 C1 — 1000 BRL
VAN PRAET (RUE JULES - STRAAT) -
40 E4 - Centr. 166 C3 — 1000 BRL
VAN REYMENANT (RUE P. - STRAAT) - 47 D2-3 — 1070 AND
VAN ROLLEGHEM (RUE M. - STRAAT) - 22 A2 — 1090 JET
VAN RUUSBROECK (RUE JAN - STRAAT) -
33 D3 — 1140 EVE
VAN RUUSBROECLAAN (JAN) - 88 D3 — 1640 SGR
VAN RUYCHEVELTSTRAAT (8) - 106 C-D1 — 1500 HAL
VANSCHEPDAEL (RUE IDES) - 143 B1-2-3-4 — 1440 BRC
VAN SCHOOR (RUE - STRAAT) - 32 B-C3 — 1030 SCH
VAN SEVER (AV. - LAAN) - 44 E4 - 53 E1 - 54 A1 — 1970 WEO
VAN SIMAEY (SQUARE L. - SQUARE) - 70 A1 — 1160 AUD
VAN SOUST (RUE - STRAAT) (1) -
39 A-B-C-D-E4
NOS/NRS 1-509 - 2-536 — 1070 AND
NOS/NRS 511-617 — 1080 SJM
VAN STEELANTSTRAAT - 8 D-E1 — 1820 PER
VAN SWAE (RUE - STRAAT) - 31 C2 — 1090 JET
VAN VOLLENHOVEN (AV. AMBASS. -
LAAN) - 32 D4 - 41 D1 — 1030 SCH
VAN VOLSEM (RUE JEAN - STRAAT)) -
50 C3-4 - Centr. 169 B3 — 1050 IXE
VAN VOLXEM (AV. - LAAN) -
49 B4 - 58 A1-2-3 B1 — 1190 VOR
VAN VOLXEM (RUE EDMOND) - 132 D-E3 — 1440 WBC
VAN WAEYENBERGH (DREVE DU
RECTEUR) - 32 E4 - 33 A4 — 1030 SCH
VAN WAEYENBERGH (RUE - STRAAT) - 33 B1 — 1140 EVE
VAN WAEYENBERGHDREEF (RECTOR) -
32 E4 - 33 A4 — 1030 SCH
VAN WAMBEKE (RUE - STRAAT) - 39 C4
NOS/NRS 1-27 - 2-32 — 1070 AND
AUTRES NOS/ANDERE NRS — 1080 SJM
VAN WAYENBERGHSTRAAT - 14 A2-3 — 1853 SBE
VAN WEERDEWEG - 5 B1 — 1850 GRI
VAN WINGHEN (RUE - STRAAT) - 57 B2 — 1070 AND
VAN YSENDYCK (RUE - STRAAT) - 32 D3 — 1030 SCH
VAN ZANDE (RUE A. - STRAAT) -
30 D4 - 39 D1
NOS IMPAIRS/ONEVEN NRS - 2-56 — 1080 SJM
AUTRES NOS/ANDERE NRS — 1082 SAB

Straat	Code	
VAN ZUYLEN (RUE H. - STRAAT) - 67 C-D3	1180	UCK
VARENLAAN - 52 C4	1150	SPW
VARENLAAN - 97 A-B2	1652	ALS
VARENSLAAN - 102 D4 - 114 D1	3090	OVE
VARENSLAAN - 53 D3	1970	WEO
VARENSLAAN - 53 D3-4	1950	KRA
VARENSLAAN - 9 C2	1820	PER
VARENSVOETPAD - 70 D3 E3-4	1160	AUD
VARKENSGATWEG - 90 D1	1560	HOE
VARKENSMARKT - 40 D3 - Centr. 166 B2	1000	BRL
VARKENSMARKT - 6 E2	1800	VIL
VASTENAVONDSTRAAT - 107 C-D4 - 119 C1	1500	HAL
VAUCAMPSLAAN - 95 B1 C1-2 D2	1654	HUI
VAUDEMONT (AV. DE) (1) - 146 D1	1420	BRA
VAUDEMONT (AV. PRINCE DE) - 129 D1-2 E1-2	1300	WAV
VAUTIER (RUE - STRAAT) - 50 C-D2		
NOS IMPAIRS/ONEVEN NRS	1000	BRL
NOS PAIRS/EVEN NRS	1050	IXE
VAUTOUR (RUE DU) -		
40 D4 - 49 D1 - Centr. 166 B3 - 168 B1	1000	BRL
V-DAY (AV. - LAAN) - 42 D2	1140	EVE
VECHAUX (CLOS DES) - 140 B1	1300	LIL
VECQUEE (PLACE DE LA - PLEIN) (7) - 43 D4	1200	WSL
VECQUEE (RUE DE LA - STRAAT) (10) - 43 D3	1200	WSL
VEEARTSENSTRAAT - 49 A-B3	1070	AND
VEEBOSLAAN - 35 B-C4	1933	STK
VEERTIG BUNDERDREEF -		
120 C4 D2-3 - 132 A2 B1-2 C1	1500	HAL
VEEWEIDE - 83 D-E3	3090	OVE
VEEWEIDEKAAI - 57 C2-3-4	1070	AND
VEEWEIDESTRAAT - 48 C4 D3-4	1070	AND
VEEWEYDE (QUAI DE) - 57 C2-3-4	1070	AND
VEEWEYDE (RUE DE) - 48 C4 D3-4	1070	AND
VEILIGHEIDSSTRAAT - 40 B-C1	1081	KOE
VEKEMANS (RUE FR. - STRAAT) - 23 E1 - 24 A1	1120	BRL
VELDBLOEMENLAAN - 19 E2	1730	BEK
VELDBLOEMENLAAN - 20 A2	1731	ZEL
VELDEKE - 26 B4	1930	ZAV
VELDEKE - 37 D1-2	1700	DIL
VELDEKEN - 1 E3-4	1730	MOL
VELDEKENSSTRAAT (PAUL) - 56 A3-4	1602	VLE
VELDEKESWEG - 94 B2	1500	HAL
VELDGODENPAD (6) - 59 C4	1000	BRL
VELDKANTSTRAAT - 5 C-D1	1850	GRI
VELDKAPELGAARDE - 43 D3-4	1200	WSL
VELDKAPELLAAN - 43 C3-4 D4	1200	WSL
VELDKERSLAAN - 56 E3 - 57 A3	1070	AND
VELDKERSSTRAAT - 35 B2	1930	ZAV
VELDLAAN - 51 A4	1040	ETT
VELDLAAN - 93 E3-4	3090	OVE
VELDMANSTRAAT (JAN) - 7 D4	1830	MAC
VELDOVENWEG (4) - 6 C3	1800	VIL
VELDSTRAAT - 106 D-E4	1500	HAL
VELDSTRAAT - 11 C2 D2-3 E4	1731	REL
VELDSTRAAT - 14 C4	1800	VIL
VELDSTRAAT - 33 C3 D2-3	1140	EVE
VELDSTRAAT - 51 A4	1040	ETT
VELDSTRAAT - 66 B4	1601	RUI
VELDSTRAAT - 9 D3	1820	STE
VELDSTRAAT - 91 D4	1560	HOE
VELDTIJMWEG - 68 E2	1000	BRL
VELDWEG - 16 B-C4	1831	DIE
VELDWEG - 96 A1	1651	LOT
VELGESTRAAT (J.) - 90 E3	1560	HOE
VELLEMOLEN (CHEMIN DU - WEG) - 43 B4 C3-4	1200	WSL
VELM - 1 C1-2-3 D3-4	1730	MOL
VENDANGES (DREVE DES) - 67 A1	1190	VOR
VENDELMANSSTRAAT (PASTOOR) - 66 A2	1600	SPL
VENDOME (AV.) - 159 D-E2	1380	PLA
VENERIE (ALLEE DE LA) - 68 D1	1000	BRL
VENERIE (CLOS DE LA) - 122 B1	1410	WAT
VENERIE (RUE DE LA) - 68 C-D1	1170	WAB
VENETIESTRAAT -		
50 B3-4 C3-4 - Centr. 169 A-B3	1050	IXE
VENEUR (LAIE DU) - 141 A3	1300	LIL
VENEZUELA (AV. DU - LAAN) - 69 A2		
NOS IMPAIRS/ONEVEN		
NRS - 2-12	1000	BRL
NOS/NRS 14-FIN/EINDE	1050	IXE
VENISE (RUE DE) -		
50 B3-4 C3-4 - Centr. 169 A-B3	1050	IXE
VENIZELOS (AV. - LAAN) - 57 B1	1070	AND
VENUS (AV.) - 135 E1	1410	WAT
VENUSBERG - 103 E1	3090	OVE
VERACHTERT (RUE G.J. - STRAAT) - 70 B-C2	1160	AUD
VERBEECK (AV. TH. - LAAN) - 48 B-C3	1070	AND
VERBEEK (RUE M.) - 123 B1	1410	WAT
VERBEEKSTRAAT (FRANS) -		
91 D-E1 - 92 A-B-C-D-E1	3090	OVE
VERBERTVELD - 13 E3	1853	SBE
VERBEYST (RUE J. B. - STRAAT) - 31 B1	1090	JET
VERBEYTSTRAAT - 13 D-E2 - 14 A3	1853	SBE
VERBIEST (RUE J. - STRAAT) - 39 C-D1	1080	SJM
VERBINDINGSLAAN - 58 D-E2		
NRS 1 tot 29A - 2 tot 16	1060	SGI
ANDERE NRS	1190	VOR
VERBINDINGSSTRAAT - 51 E1	1200	WSL
VERBINDINGSWEG - 6 C-D2	1850	GRI
VERBIST (RUE - STRAAT) - 41 C-D3		
NOS/NRS 1-111 - 2-90	1210	SJN
AUTRES NOS/ANDERE NRS	1030	SCH
VERBOECKHAVEN (RUE - STRAAT) -		
41 C2-3 D2 - Centr. 167 B1-2 C1		
NOS/NRS 1-67 - 2-70	1210	SJN
AUTRES NOS/ANDERE NRS	1030	SCH
VERBOEKHOVEN (PLACE EUG. - STRAAT) -		
32 C-D3	1030	SCH
VERBOMEN (RUE H. - STRAAT) - 54 B2	1970	WEO
VERBONDSTRAAT - 41 C3 - Centr. 167 B2	1210	SJN
VERBOVEN (AV. FR.-B. - LAAN) - 60 E4	1160	AUD
VERBRANDEDREEF - 61 E2-3-4 - 70 E1 - 71 A2	3080	TER
VERBRANDENDREEF - 61 E1-2	1150	SPW
VERBRUGGESTRAAT - 6 D2	1800	VIL
VERCAUTEREN (AV. L. - LAAN) - 60 E3 - 61 A3	1160	AUD
VERDI (AV. - LAAN) - 30 E1	1083	GAN
VERDI (PLACE - PLEIN) - 48 C4	1070	AND
VERDIER (RUE DU) - 22 E4	1020	BRL
VERDIERS (SENTE DES) (6) - 129 C2	1300	WAV
VERDONCK (RUE DENIS - STRAAT) - 39 E4	1070	AND
VERDONCK (RUE FR. - STRAAT) - 33 A1-2	1140	EVE
VERDOODT (AV. J. - LAAN) - 21 D3	1090	JET
VERDRONKEN KINDERENDREEF -		
69 B4 - 78 E1 - 79 A-B1	1180	UCK
VERDUN (RUE DE - STRAAT) -		
15 E4 - 24 C3-4 D2-3 E1-2	1130	BRL
VERDUNNINGSDREEF - 89 C4 - 99 C-D1 E2	1560	HOE
VERDURE (RUE DE LA) -		
40 D4 - 49 D1 - Centr. 166 B3 -168 B1	1000	BRL
VEREECKENSTRAAT - 8 C4 - 17 C1	1820	MEL
VEREMAN (RUE P. - STRAAT) - 30 B4	1082	SAB
VERENIGINGSTRAAT - 41 B3 - Centr. 167 A2	1000	BRL
VER EYCKEN (RUE H. - STRAAT) (1) - 61 B4	1160	AUD
VERGAARBAKWEG - 68 E3-4 - 78 E1	1180	UCK
VERGEET-MIJ-NIETJESPAD - 68 E3	1000	BRL
VERGEET-MIJ-NIETJESSTRAAT - 67 A4	1180	UCK
VERGELSLAAN (HERMAN) - 47 C1	1700	DIL
VERGER (AV. DU) - 158 E3-4	1420	BRA
VERGER (AV. DU) - 88 D-E3	1640	SGR
VERGER (CLOS DU) (1) - 44 C2	1950	KRA
VERGER (CLOS DU) - 116 B4	1301	BIE
VERGER (CLOS DU) - 137 E1	1380	OHA
VERGER (RUE DU) - 12 E3	1780	WEM
VERGER (RUE DU) - 44 C2-3	1950	KRA
VERGER (RUE DU) - 61 A3	1160	AUD
VERGER (RUE DU) - 66 E3	1620	DRO
VERGER (RUE DU) - 97 E3-4	1640	SGR
VERGER (SENTIER DU) - 23 E2	1120	BRL
VERGERS (RUE DES) - 139 C4 - 151 A-B-C1	1340	OTT

Rue / Straat	Code	Com.
VERGOEIENVELD - 93 A2-3	3090	OVE
VERGOTE (RUE - STRAAT) - 42 B4 - 51 B1		
NOS IMPAIRS/ONEVEN NRS	1030	SCH
NOS PAIRS/EVEN NRS	1200	WSL
VERGOTE (SQUARE - PLEIN) - 42 B-C4		
NOS/NRS 1-25A - 2-14	1200	WSL
AUTRES NOS/ANDERE NRS	1030	SCH
VERHAEGEN (AV. CH.) - 34 E4 - 44 A1	1950	KRA
VERHAEGENLAAN (K.) - 34 E4 - 44 A1	1950	KRA
VERHAEGHEN (RUE TH. - STRAAT) -		
49 B3 C3-4 D4	1060	SGI
VERHAEREN (AV. E. - LAAN) - 12 B2-3 C2	1780	WEM
VERHAEREN (AV. E. - LAAN) - 32 D-E2	1030	SCH
VERHAEREN (AV. EMILE) - 129 E3	1300	WAV
VERHAEREN (SQUARE ALBERT - SQUARE) -		
59 D1	1050	IXE
VERHAS (RUE - STRAAT) - 32 C4	1030	SCH
VERHASSELT (RUE A. - STRAAT) - 12 C-D2	1780	WEM
VERHASSELT (RUE J. - STRAAT) - 31 A1	1083	GAN
VERHAVERTSTRAAT (CYPRIAAN) -		
94 C3-4 D4 - 106 D1	1500	HAL
VERHEGGEN (RUE - STRAAT) - 58 D2		
NOS/NRS 1-23 - 2-26	1060	SGI
AUTRES NOS/ANDERE NRS	1190	VOR
VERHEYDEN (RUE - STRAAT) -		
39 E4 - 40 A4 - 48 E1		
NOS/NRS 1-25 - 2-22	1080	SJM
AUTRES NOS/ANDERE NRS	1070	AND
VERHEYDEN (RUE ISIDOOR - STRAAT) -		
50 A-B3	1050	IXE
VERHEYDEN (RUE J. B. - STRAAT) (1) -		
52 E1 - 53 A1	1150	SPW
VERHEYDENSTRAAT - 38 B-C4 - 47 B1	1700	DIL
VERHEYLEWEGHEN (AV. P. - LAAN) - 61 A3	1160	AUD
VERHEYLEWEGHEN (PLACE - PLEIN) -		
42 E4 - 43 A4	1200	WSL
VERHEYLEWEGHEN (RUE - STRAAT) - 43 A4	1200	WSL
VERHOEVEN (RUE - STRAAT) - 31 D3	1020	BRL
VERHOEVENSTRAAT - 9 D4	1820	STE
VERHUIZERSSTRAAT - 40 C2 - Centr. 166 A1	1080	SJM
VERHULST (RUE - STRAAT) - 67 C1-2	1180	UCK
VERIJCK - 3 E4 - 4 A3-4	1780	WEM
VERITE (RUE DE LA) - 48 D2	1070	AND
VERLAATSTRAAT - 50 B4		
ONEVEN NRS	1000	BRL
EVEN NRS	1050	IXE
VERLAINE (AV. PAUL) - 129 E2-3	1300	WAV
VERLAINE (CLOS ADELIN) - 151 D4 - 163 D1	1340	OTT
VERLANDE VIJVERS - 6 A3	1850	GRI
VERLENGDE LOOPBRUGLAAN - 22 E2	1020	BRL
VERLENGDE MASUISTRAAT - 32 B2-3	1000	BRL
VERLENGDE STALLESTRAAT - 66 D-E4	1620	DRO
VERLINDEN (AV. P.) - 127 A1-2	1330	RIX
VERLOSSINGSSQUARE - 58 C-D2	1190	VOR
VERLOSSINGSSTRAAT - 47 B3	1070	AND
VERMAAKSTRAAT - 48 D2	1070	AND
VERMEERDREEF - 82 B1	3090	OVE
VERMEERSCH (RUE J. - STRAAT) - 51 E2	1150	SPW
VERMEYLEN (AV. AUG. - LAAN) - 33 E4	1140	EVE
VERMICELLEFABRIEKSTRAAT (1) -		
40 C2 - Centr. 166 A1	1080	SJM
VERMICELLERIE (RUE DE LA) (1) -		
40 C2 - Centr. 166 A1	1080	SJM
VERMINKTENSTRAAT - 65 E4 - 66 A4	1600	SPL
VERNIEUWERSDREEF - 48 A4	1070	AND
VERONESE (RUE - STRAAT) -		
41 E4 - 50 E1 - Centr. 169 D1	1000	BRL
VERONICAPLEIN - 60 E4	1170	WAB
VERONIQUES (PLACE DES) - 60 E4	1170	WAB
VEROONSKOUTER - 118 A1-2	1502	LEM
VEROONSLINDE (1) - 118 A2	1502	LEM
VERRASSINGSDREEF - 62 D-E4 - 63 A-B4	3080	TER
VERREGAT (CITE DU - WIJK) - 13 B-C4 - 22 B1	1120	BRL
VERREGAT (RUE DU - STRAAT) - 13 B-C4	1020	BRL
VERREPT-DEKEYSER (RUE - STRAAT) -		
40 C3 - Centr. 166 A2	1080	SJM
VERRERIE (RUE DE LA) - 66 E1-2	1190	VOR
VERREWINKEL (RUE DE - STRAAT) - 77 D-E1	1180	UCK
VERRIEST (RUE H. - STRAAT) - 12 B2-3	1780	WEM
VERRIEST (RUE HUGO - STRAAT) - 42 D1-2	1140	EVE
VERRIESTLAAN (HUGO) - 102 B-C3	3090	OVE
VERRIESTLAAN (HUGO) - 29 A3	1702	GRB
VERSAILLES (AV. DE - LAAN) - 23 B-C-D1		
NOS IMPAIRS/ONEVEN NRS	1120	BRL
NOS/NRS 74-FIN/EINDE	1120	BRL
NOS/NRS 2-72	1020	BRL
VERSAILLES (AV. DE) - 123 A-B4	1410	WAT
VERSAILLES (AV. DE) - 159 E1-2	1380	PLA
VERSANT (CLOS DU) - 122 A1-2	1410	WAT
VERSCHELDEN (RUE P. - STRAAT) - 22 C4	1090	JET
VERSE (AV. GISSELEIRE - LAAN) - 39 C1	1082	SAB
VERSE (RUE EM. - STRAAT) - 48 B3	1070	AND
VERSEAU (AV. DU) (15) - 42 E3	1200	WSL
VERSEAU (AV. DU) - 123 D4 - 135 D1	1410	WAT
VERSTRAETEN (RUE A. - STRAAT) - 31 B3	1090	JET
VERSTRAETEN (RUE L. - STRAAT) - 60 B-C2	1160	AUD
VERT (CHEMIN) - 125 E4 - 126 A4	1380	OHA
VERT (CHEMIN) - 144 B1-2	1440	WBC
VERT (CHEMIN) - 24 A1	1120	BRL
VERT (PETIT CHEMIN) - 15 A4 - 24 A1	1120	BRL
VERT BOCAGE (AV. DU) - 110 E2 - 111 A3	1410	WAT
VERT CHASSEUR (AV. DU) - 68 B-C2	1180	UCK
VERT CHASSEUR (CHAMP DU) - 68 C-D2		
NOS 3 à 85	1000	BRL
NOS 86 à FIN	1180	UCK
VERT CHASSEURS (CITE DU) - 68 C2	1180	UCK
VERTAKKINGSSTRAAT - 60 B3-4 C3-4	1170	WAB
VERTE (ALLEE) - 31 E4 - 32 A3-4 - 40 E1	1000	BRL
VERTE (AV.) - 97 E2 - 98 A2	1640	SGR
VERTE (PLACE) - 127 A2	1330	RIX
VERTE (PLACE) - 153 C2	1348	LLN
VERTE (RUE) - 32 B4 - 41 B1-2		
NOS 1 à 73 - 2 à 80	1210	SJN
AUTRES NOS	1030	SCH
VERTE (RUE) - 44 A3-4	1950	KRA
VERTE VOIE (LA) - 103 A4 B-C3	1332	GEN
VERTE VOIE (LA) - 117 A1-2 B2	1300	WAV
VERTE VOIE - 153 B3 C2-3	1348	LLN
VERTES BORNES (CHEMIN DES) -		
147 A2 B1-2 C1	1420	BRA
VERTONGEN (RUE P. - STRAAT) - 12 D2 E2-3	1780	WEM
VERTROUWENSTRAAT - 50 E3 - Centr. 169 D3	1040	ETT
VERTS PATURAGES (AV. DES) - 145 E2	1420	BRA
VERVAECK (RUE FR. - STRAAT) - 30 E2 - 31 A2	1083	GAN
VERVERIJSTRAAT - 66 E1	1190	VOR
VERVERSSTRAAT - 40 E4 - Centr. 166 C3	1000	BRL
VERVIERS (RUE DE - STRAAT) -		
41 C4 - Centr. 167 B3		
NO/NR 1 - NOS PAIRS/EVEN NRS	1210	SJN
NOS/NRS 3 -FIN/EINDE	1000	BRL
VERVLOESEM (RUE - STRAAT) - 43 A4 - 52 A1	1200	WSL
VERVLOET (RUE FR. - STRAAT) - 67 B4 - 77 A-B1	1180	UCK
VERWEE (RUE - STRAAT) - 32 C4	1030	SCH
VERWELKOMINGSSTRAAT - 57 C-D3	1070	AND
VERZETSPLEIN - 48 D-E2	1070	AND
VERZETSSTRAAT (3) - 31 C1	1090	JET
VERZOENINGSSTRAAT - 48 E2	1070	AND
VESALE (AV. A. - LAAN) - 4 A3	1780	WEM
VESALE (AV.) - 104 B-C4	1300	WAV
VESALE (RUE) - 41 B3 - Centr. 167 A2	1000	BRL
VESALIUSSTRAAT - 41 B3 - Centr. 167 A2	1000	BRL
VESDRE (RESIDENCE) (1) - 127 C2	1300	LIL
VESTALENLAAN - 69 D1	1170	WAB
VESTALES (RUE DES) - 69 D1	1170	WAB
VESTE - 34 D3	1932	SSW
VESTEN - 94 D4	1500	HAL
VESTENSTRAAT - 6 E1	1800	VIL
VESTESTRAAT - 63 B1-2	3080	TER

Straat	Code	Gem.
VESTINGSTRAAT - 49 D4	1060	SGI
VESTJE - 40 C4 - Centr. 166 A3	1000	BRL
VESZPREM (AV. DE) - 152 B2-3	1342	LIM
VETERANS COLONIAUX (SQUARE DES) - 48 E1	1070	AND
VETERINAIRES (RUE DES) - 49 A-B3	1070	AND
VETKRUIDWEG (5) - 56 E3	1070	AND
VEUGELEER - 106 D4 - 118 D1 E1-2 - 119 A2	1500	HAL
VEYDT (RUE - STRAAT) - 50 A4		
NOS/NRS 1-27 - 6-34	1060	SGI
AUTRES NOS/ANDERE NRS	1050	IXE
VIADUC (RUE DU) - 152 B-C4	1340	OTT
VIADUC (RUE DU) - 50 B-C3	1050	IXE
VIADUCTSTRAAT - 106 D3	1500	HAL
VIADUCTSTRAAT - 16 A2	1830	MAC
VIADUCTSTRAAT - 50 B-C3	1050	IXE
VICTOIRE (RUE DE LA) -		
49 D3-4 E4 - 58 E1 - Centr. 168 B3	1060	SGI
VICTOR EMMANUEL III (AV. - LAAN) - 68 B-C4	1180	UCK
VICTORIA (AV. - LAAN) - 59 D4 - 68 D-E1	1000	BRL
VICTORIA REGINA (AV. - LAAN) -		
41 A2 B2-3 - Centr. 166 D1 - 167 A1-2	1210	SJN
VICTORIA REGINA (SQUARE - SQUARE) -		
41 B2 - Centr. 167 A1	1210	SJN
VIEILLARDS (RUE DES) - 49 D4	1060	SGI
VIEILLE CARRIERE (SENTIER DE LA) - 133 E1	1420	BRA
VIEILLE FERME DE CAMBRAI		
(SENTIER DE LA) - 135 A4	1420	BRA
VIEILLE HALLE AUX BLES		
(PLACE DE LA) - 49 E1 - Centr. 168 C1	1000	BRL
VIEILLE SOURCE (AV. DE LA) - 135 C2-3	1410	WAT
VIEILLE TAILLE (PLACE DE LA) - 126 E2	1330	RIX
VIEILLESSE HEUREUSE (RUE DE LA) (1) -		
39 B2	1080	SJM
VIER ARMENDREEF - 100 A2-3 C3	1560	HOE
4 AUGUSTUSPLEIN - 51 B3	1040	ETT
VIER BUNDERSSTRAAT - 44 B-C3	1950	KRA
VIER ESSENDREEF - 79 D3-4 E4	1170	WAB
VIERHEEMSKINDERENSTRAAT -		
50 A2 - Centr. 168 D2	1000	BRL
VIERHUIZENSTRAAT - 36 E1	3070	KOR
VIER KNOPENSTEEG (6) - 52 C3	1150	SPW
VIERPONDENGANG		
GELEGEN NAAMSESTRAAT		
TUSSEN NRS 73-75		
50 A1-2 - Centr. 168 D1-2	1000	BRL
VIER SEIZOENENHOF - 42 E4	1200	WSL
4 SEPTEMBERDAGENLAAN -		
41 D3 - Centr. 167 C2	1210	SJN
VIER WINDENSTRAAT - 40 A3-4 B2-3 C2	1080	SJM
VIERWINDEN - 35 D2-3 E3	1933	STK
VIERWINDENLAAN - 12 A-B1	1780	WEM
VIERGE (SENTIER DE LA) - 127 B2	1332	GEN
VIERGE NOIRE (RUE DE LA) -		
40 E3 - Centr. 166 C2	1000	BRL
VIERGES (RUE DES) -		
40 D4 - 49 D1 - Centr. 166 B3 - 168 B1	1000	BRL
VIEUJANT (RUE J. - STRAAT) - 40 A2-3	1080	SJM
VIEUSART (CHEMIN DE) -		
129 D3-4 - 141 D1-2 E3	1300	WAV
VIEUX AMIS (AV. DES) - 135 B1 C2	1410	WAT
VIEUX AMIS (CHEMIN DES) - 137 C1	1380	OHA
VIEUX AMIS (SENTIER DES) - 123 B4 - 135 B1	1410	WAT
VIEUX BELGES (AV. DES) - 109 C3	1420	BRA
VIEUX BRUXELLES (AV. DU) - 22 E1-2	1020	BRL
VIEUX CHAMPETRE (SENTIER DU) - 115 C1	1331	ROS
VIEUX CHEMIN (RUE DU) - 117 D3	1300	WAV
VIEUX CHEMIN - 77 B-C4	1180	UCK
VIEUX CHEMIN - 77 C4	1630	LIN
VIEUX CHEMIN DE GENAPPE - 151 D2-3	1342	LIM
VIEUX CHEMIN DE HAL - 131 C1-2-3-4 D3-4	1440	BRC
VIEUX CHEMIN DE L'HELPE -		
113 E2-3-4 - 114 A2	1332	GEN
VIEUX CHEMIN DE NIVELLES -		
143 C1 D1-2-3-4 E4 - 155 E1-2	1440	BRC

Straat	Code	Gem.
VIEUX CHEMIN DE NIVELLES - 158 A-B3	1428	LIW
VIEUX CHEMIN DE WAVRE -		
125 A4 - 136 C2 D1-2 E1 - 137 A1	1380	OHA
VIEUX CORNET (AV. DU) - 67 E2	1180	UCK
VIEUX FORIEST (RUE DU) - 146 A1-2 B1	1420	BRA
VIEUX FOSSES (RUELLE DES) (9) - 129 B1	1300	WAV
VIEUX GENAPPE (CHEMIN DE) -		
146 C4 - 158 C-D1 E2 - 159 A2-3	1420	BRA
VIEUX MARCHAL (CHEMIN DU) - 115 B2 C1	1331	ROS
VIEUX MARCHE AUX GRAINS (RUE DU) -		
40 D3-4 - Centr. 166 B2-3	1000	BRL
VIEUX MAYEUR (RUE DU) - 130 B4 - 142 B1	1480	CLA
VIEUX MONUMENT (RUE DU) -		
137 B-C4 - 149 A-B1	1380	LAS
VIEUX MOULIN (CLOS DU) - 111 A4 - 123 A1	1410	WAT
VIEUX MOULIN (RUE DU) - 115 B-C2	1331	ROS
VIEUX MOULIN (RUE DU) - 61 A2-3	1160	AUD
VIEUX MOULIN (RUE DU) - 76 E1 - 77 A1	1620	DRO
VIEUX MOUTIER (AV. DU) - 110 A4 - 121 E1	1640	SGR
VIEUX QUARTIER (VOIE DU) - 153 C3	1348	LLN
VIEUXTEMPS (CLOS HENRI) - 152 A1	1342	LIM
VIEUXTEMPS (RUE H. - STRAAT) - 48 C4	1070	AND
VIEUX TILLEUL (SQUARE DU) - 69 A1	1050	IXE
VIFQUIN (RUE - STRAAT) - 41 C1	1030	SCH
VIGNE (RUE DE LA) - 48 A4	1070	AND
VIGNES (AV. DES) - 44 C-D4 - 53 D1	1970	WEO
VIGNES (CHAUSSEE DES) - 117 A-B3	1300	WAV
VIGNES (RUE DES) - 23 A4 - 32 A1	1020	BRL
VIGNETTE (RUE DE LA) - 60 D-E3 - 61 A3	1160	AUD
VIGNOBLE (RUE DU) - 146 C2	1420	BRA
VIGNOBLE (RUE DU) - 58 A3-4 B4	1190	VOR
VIJFBEUKENDREEF - 61 E3 - 62 A3	3080	TER
VIJF BUNDERSLAAN - 52 A2	1150	SPW
VIJFENTWINTIG AUGUSTUSGALERIJEN -		
40 E3 - Centr. 166 C2	1000	BRL
VIJFHOEKSTRAAT - 7 E2 - 8 A2	1800	PEU
VIJFHUIZENWEG - 73 C2	3080	DUI
VIJVERHOF - 35 A4	1950	KRA
VIJVERSDREEF - 87 B1-2 C1	1630	LIN
VIJVERSGAARDE (1) -		
50 D2-3 - Centr. 169 C2-3	1040	ETT
VIJVERSLAAN - 12 C4 D3-4 - 21 C1	1780	WEM
VIJVERSTRAAT - 13 E3 - 14 A2-3	1853	SBE
VIJVERSTRAAT - 26 B4 - 35 B1	1930	ZAV
VIJVERSTRAAT - 50 D3 - Centr. 169 C3	1040	ETT
VIJVERSTRAAT - 83 C4	3090	OVE
VIJVERSTRAAT - 86 D3	1650	BEE
VIJVERSTRAAT - 9 D1-2	1910	BER
VIJVERSWEG - 61 C-D4 - 70 D1	1160	AUD
VIJVERSWEG - 61 E4 - 62 A4	3080	TER
VIJVERSWEG - 98 B2	1640	SGR
VIJVERWEG - 119 A1	1500	HAL
VIJVERWEG - 97 A4 - 109 A1	1652	ALS
VILAIN XIIII (RUE - STRAAT) - 59 B-C1		
NOS/NRS 1-17A - 2-20	1050	IXE
AUTRES NOS/ANDERE NRS	1000	BRL
VILLA HERMOSA (RUE - STRAAT) -		
50 A1 - Centr. 168 D1	1000	BRL
VILLA ROMAINE (ALLEE) - 48 D3	1070	AND
VILLA ROMAINE (CHAUSSEE) - 117 C1-2	1300	WAV
VILLAGE (RUE DU) - 149 B2 C2-3-4 D4	1380	LAS
VILLAGE (RUE DU) - 48 D2-3	1070	AND
VILLAGE (RUE DU) - 97 D2-3	1640	SGR
VILLAGE EUROPEEN (RUE DU) - 39 A1	1082	SAB
VILLAGEOIS (RUE DU) - 61 A2-3	1160	AUD
VILLALAAN - 106 E2 - 107 A2-3	1500	HAL
VILLALAAN - 58 C-D1		
NRS 1 tot 65 - 2 tot 46A	1060	SGI
NRS 65A tot EINDE	1190	VOR
VILLALAAN - 76 B2	1601	RUI
VILLALAAN - 87 D1-2 E2	1630	LIN
VILLARD (RUE H. - STR.) - 41 D1	1030	SCH
VILLAS (AV. DES) - 130 A3	1480	TUB
VILLAS (AV. DES) - 151 E3	1340	OTT

VILLAS (AV. DES) - 58 C-D1
NOS 1 A 65 - 2 A 46A 1060 SGI
NOS 65A A FIN 1190 VOR
VILLAS (AV. DES) - 87 D1-2 E2 1630 LIN
VILLEFRANCHE (AV. DE) -
126 D4 - 138 D1 E1-2 1330 RIX
VILLEQUIER (AV. DE) - 122 C4 1410 WAT
VILLERS (RUE DE - STRAAT) -
49 E1 - Centr. 168 C1 1000 BRL
VILLERS (RUE DE) - 153 C2 1348 LLN
VILLERS-LA-VILLE (CHAUSSEE DE) -
138 E2 - 139 A2-3-4 - 151 A1 1342 LIM
VILLON (AV. FR. - LAAN) - 42 E1 1140 EVE
VILVOORDELAAN - 7 A4 - 16 A-B1 1830 MAC
VILVOORDELAAN - 26 B2-3 1930 ZAV
VILVOORDESTRAAT - 7 D-E2 1800 PEU
VILVOORDSE STEENWEG - 8 C-D-E1 1820 PER
VILVOORDSEHAARDPLEIN - 6 C3 1800 VIL
VILVOORDSELAAN -
15 C4 D3 - 23 D4 E3-4 -
24 A3 B1-2-3 C1 - 32 D1
NRS 1 tot 13 - 2 tot 210 1000 BRL
ANDERE NRS 1130 BRL
VILVOORDSESTEENWEG -
15 B4 C2-3-4 D2 -23 C-D4 E2-3 -
24 A2 B1-2 - 32 A2 B1-2 C1
NRS 1 tot 17 - 2 tot 48 1020 BRL
NRS 21 tot 35 - 50 tot 300 1120 BRL
VILVOORDSESTEENWEG -
5 C1 D1-2 E2 - 6 A2-3 B3 1850 GRI
VILVORDE (AV. DE) -
15 C4 D3 - 23 D4 E3-4 - 24 A3 B1-2-3 C1 - 32 D1
NOS 1 à 13 - 2 à 210 1000 BRL
AUTRES NOS 1130 BRL
VILVORDE (CHAUSSEE DE) -
15 B4 C2-3-4 D2 - 23 C-D4 E2-3 -
24 A2 B1-2 - 32 A2 B1-2 C1
NOS 1 à 17 - 2 à 48 1020 BRL
NOS 21 à 35 - 50 à 300 1120 BRL
VINCOTTE (RUE THOMAS - STRAAT) - 41 D-E3 1030 SCH
VINDICTIVE (RUE DU - STRAAT) - 51 A3 1040 ETT
VINGERHOEDSKRUIDSTRAAT (2) - 60 E4 1170 WAB
VINGT-CINQ AOUT (GALERIES DU) -
40 E3 - Centr. 166 C2 1000 BRL
VINGT-QUATRE HETRES (SENTE DES) -
117 E4 - 129 E1 1300 WAV
VINKENBAAN - 8 E1-2 1820 PER
VINKENBERG - 34 D2 1932 SSW
VINKENLAAN (2) - 60 D1 1150 SPW
VINKENLAAN - 14 D1 1800 VIL
VINKENLAAN - 20 D3 1731 ZEL
VINKENLAAN - 35 C1 1930 ZAV
VINKENLAAN - 4 C-D2 1860 MEI
VINKENLAAN - 44 B1 1950 KRA
VINKENLAAN - 55 E2 1701 ITT
VINKENLAAN - 95 A4 1501 BUI
VINKENLAAN - 98 A4 - 110 A1 1640 SGR
VINKENOORD (1) - 53 E1 - 54 A1 1970 WEO
VINKENPAD - 59 C4 1000 BRL
VINKENSTRAAT - 6 B1-2 1850 GRI
VINKGAARDE - 69 C2 1170 WAB
VINKSTRAAT (JAN-BAPTIST) - 27 C-D3 3070 KOR
VINKSTRAAT - 69 C2-3 D3 1170 WAB
VIOLETSTRAAT -
40 E4 - 49 E1 - Centr. 166 C3 - 168 C1 1000 BRL
VIOLETTE (CLOS DE LA) - 122 E1 - 123 A1 1410 WAT
VIOLETTE (PETITE RUE DE LA)
SITUEE RUE DE LA VIOLETTE
40 E4 - Centr. 166 C3 1000 BRL
VIOLETTE (RUE DE LA)-
40 E4 - 49 E1 - Centr. 166 C3 - 168 C1 1000 BRL
VIOLETTENGAARDE - 37 D4 1700 DIL
VIOLETTES (AV. DES) - 127 C3 1300 WAV
VIOLETTES (AV. DES) - 53 D1 1970 WEO
VIOLETTES (AV. DES) - 99 A2 1640 SGR
VIOLETTES (RUE DES) (7) - 165 C1 1348 LLN
VIOLIERGANG
GELEGEN GREEPSTRAAT
TUSSEN NRS 44-46
40 E4 - Centr. 166 C3 1000 BRL
VIOOLTJESHOF - 44 E1 1933 STK
VIOOLTJESLAAN - 53 D1 1970 WEO
VIOOLTJESLAAN - 99 A2 1640 SGR
VIOOLTJESPLEIN - 9 D2 1820 PER
VIOOLTJESSTRAAT (2) - 7 C1-2 1800 VIL
VIOOLTJESSTRAAT - 76 A-B3 1601 RUI
VIRERE (RUE DE LA) - 160 D1 1380 PLA
VIRERE (RUE DE LA) - 160 D1 1380 MAR
VIRGILE (RUE) - 39 A4 - 48 A1 1070 AND
VIRGILIUSSTRAAT - 39 A4 - 48 A1 1070 AND
VISCONTI (CHEMIN LUIGI - WEG) (4) - 21 D2 1090 JET
VISE (AV. DE - LAAN) - 60 A-B4 1170 WAB
VISITANDINENSTRAAT -
49 E1-2 - Centr. 168 C1-2 1000 BRL
VISITANDINES (RUE DES) -
49 E1-2 - Centr. 168 C1-2 1000 BRL
VISKENSDELLE - 93 A3 3090 OVE
VISSERIJSTRAAT - 60 C4 D3-4
NRS 1 tot 97 - 2 1170 WAB
ANDERE NRS 1160 AUD
VISSERIJSTRAAT - 67 E4 - 68 A4 1180 UCK
VISSERSPAD - 98 B2 C2-3 D-E3 1640 SGR
VISSERSSTRAAT - 6 E2 1800 VIL
VISSERSSTRAAT -67 E4 - 68 A4 1180 UCK
VISSERSWEG - 106 C-D4 1500 HAL
VIS TCHAPAS (AV. DES) - 164 C-D1 1340 OTT
VISVERKOPERSSTRAAT -
40 E3-4 - Centr. 166 C2-3 1000 BRL
VISVIJVERBLOK (2) - 50 D4 1050 IXE
VISVIJVERSTRAAT - 50 D3-4 - Centr. 169 C3 1050 IXE
VITRIERS (IMPASSE DES) -
49 D3 - Centr. 168 B3 1000 BRL
VIVEROUX (CHEMIN DE) - 152 D E2 1340 OTT
VIVIER (CARRE DU) (2) - 50 D4 1050 IXE
VIVIER (CHEMIN DU) - 158 C4 1428 LIW
VIVIER (CLOS DU) - 35 A4 1950 KRA
VIVIER (DREVE DU) - 142 C3-4 1480 TUB
VIVIER (RUE DU) - 50 D3-4 - Centr. 169 C3 1050 IXE
VIVIER D'OIE (AV. DU) - 68 D1-2-3
NOS 1 à 19 - 65 à FIN - 55 - 4 1000 BRL
NOS 57 à 63 1180 UCK
VLAAMSE POORT - 40 D3 - Centr. 166 B2 1000 BRL
VLAAMSE STEENWEG - 40 D3 - Centr. 166 B2 1000 BRL
VLAANDERENLAAN - 37 C-D3 1700 DIL
VLAANDERENLAAN - 37 C3 1700 SMB
VLAANDERENSTRAAT - 6 D-E2 1800 VIL
VLAANDERVELDLAAN - 91 A-B3 1560 HOE
VLAKTEDREEF - 62 E4 - 71 D3-4 E1-2 3080 TER
VLAMINGENSTRAAT - 31 A2 1090 JET
VLASENDAEL (RUE) - 47 B3
NOS 15 à 37 - 18 à 50 1070 AND
VLASFABRIEKSTRAAT (2) - 49 D-E3 1060 SGI
VLASMARKTDREEF -
119 E4 - 120 A-B-C4 - 131 C-D-E1 1500 HAL
VLASVINKENLAAN - 60 E2 1160 AUD
VLAZENDAALSTRAAT - 47 A2-3-4 1701 ITT
VLAZENDAALSTRAAT - 47 B3
NRS 15 tot 37 - 18 tot 50 1070 AND
VLEERMUISSTRAAT - 38 B2-3 1700 DIL
VLEES-EN-BROODSTRAAT -
40 E4 - Centr. 166 C3 1000 BRL
VLEESKERSENSTRAAT - 77 B-C2 1180 UCK
VLEUGELSSTRAAT - 32 C-D3 1030 SCH
VLEUGSTRAAT - 83 A2-3 3090 OVE
VLEURGAT (CHAUSSEE DE) - 50 C4 - 59 B1-2-3 C1
NOS 1 à 95 - 151 à FIN 1050 IXE
NOS 2 à 104 - 222 à FIN 1050 IXE
NOS 107 à 149 - 106 à 220 1000 BRL

VLEURGATSESTEENWEG -		
50 C4 - 59 B1-2-3 C1		
NRS 1 tot 95 - 151 tot EINDE	1050	IXE
NRS 2 tot 104 - 222 tot EINDE	1050	IXE
NRS 107 tot 149 - 106 tot 220	1000	BRL
VLEZENBEEKLAAN - 64 C1 D1-2-3	1602	VLE
VLEZENBEEKLAAN - 64 D2-3 E4 - 74 E1	1600	SPL
VLEZENBEEKSTRAAT - 46 C2-3	1703	SPD
VLIEGENIERSLAAN - 9 D3	1820	PER
VLIEGERLAAN - 69 C2	1170	WAB
VLIEGPLEINSTRAAT - 33 B-C1	1140	EVE
VLIEGTUIGLAAN - 52 C2-3	1150	SPW
VLIEGVELDSTRAAT - 33 B-C1	1140	EVE
VLIEGWEZENLAAN - 20 C3 D2-3	1731	ZEL
VLIERBEEKBERG -		
81 E1-2-3-4 - 82 A2-3-4 - 91 D-E1	3090	OVE
VLIERBOOMLAAN - 5 D2	1850	GRI
VLIERBOOMSTRAAT - 63 B3	3080	TER
VLIERGAARDE - 38 E1	1082	SAB
VLIERKENSSTRAAT - 6 C3-4 D3	1800	VIL
VLIERSTRAAT - 18 B1	1820	STE
VLIERSTRAAT - 35 B2	1930	ZAV
VLIERTJESLAAN - 81 D-E2	3090	OVE
VLIERWIJK (3) -		
40 D2-3 E2-3 - Centr. 166 B1-2 C1-2	1000	BRL
VLIETBRONNEN - 10 D4	1730	BEK
VLIJTSTRAAT - 60 E3	1160	AUD
VLINDERSSTRAAT - 47 D3-4		
NRS 1 tot 334 - 2 tot 290A	1070	AND
VLINDERSTRAAT (1) - 47 B-C3	1700	DIL
VLINDERSTRAAT - 98 B-C3	1640	SGR
VLINDERSVELD (8) - 45 B4	1970	WEO
VLISSINGENSTRAAT - 31 C4	1080	SJM
VLOGAERT (RUE - STRAAT) (3) -		
49 D3 - Centr. 168 B3	1060	SGI
VOERDELAAN - 5 B1 - 6 B4	1800	VIL
VOERMANSGANG		
GELEGEN VLAAMSESTEENWEG		
TUSSEN NRS 176 EN 180		
40 D-E3	1000	BRL
VOETBALLAAN (1) - 22 C2	1020	BRL
VOETBALLAAN - 52 D3	1150	SPW
VOETBALSTRAAT - 26 B2	1930	ZAV
VOETS (SQUARE VICTOR - SQUARE) -		
47 E4 - 48 A4	1070	AND
VOGELEERSTRAAT (R.) - 119 B2-3	1500	HAL
VOGELENZANGSTRAAT - 56 D-E4 - 57 A3-4	1070	AND
VOGELPERS - 106 D2	1500	HAL
VOGELSTRAAT - 75 B-C1	1600	SPL
VOGELVANGERSWEG - 68 C-D2		
ONEVEN NRS	1000	BRL
EVEN NRS	1180	UCK
VOGELVANGSTLAAN - 69 B2 C2-3	1170	WAB
VOGELWEIDESTRAAT - 25 A2	1130	BRL
VOGELZANG - 8 C2-3-4 D3-4	1820	MEL
VOGELZANGLAAN - 60 C2 D1		
NRS 1 tot 129 - 2 tot 124	1150	SPW
ANDERE NRS	1160	AUD
VOGELZANGSTRAAT - 14 C1	1800	VIL
VOGLER (RUE - STRAAT) - 32 C-D4	1030	SCH
VOIRIE (QUAI DE LA) - 40 E1	1000	BRL
VOISINS (RUE DES) - 44 C3	1970	WEO
VOITURONS (CHEMIN DES) -		
133 D4 - 145 D1-2	1420	BRA
VOLCKERICK (SQUARE R. - SQUARE) - 69 C2	1170	WAB
VOLDERS (AV. JEAN - LAAN) -		
49 D3-4 - Centr. 168 B3	1060	SGI
VOLDERS (RUE JEAN) - 134 B-C-D-E3	1420	BRA
VOLDERSSTRAAT -		
40 D4 - 49 D1 - Centr. 166 B3 - 168 B1	1000	BRL
VOLDERSSTRAAT - 106 C3-4	1502	LEM
VOLHARDINGSLAAN - 57 B2	1070	AND
VOLKSSTRAAT - 41 A1	1000	BRL
VOLLICKSTRAAT - 2 C2 D1-2 E1	1785	BRU
VOLONTAIRES (AV. DES) - 51 B-C-D4 - 60 B-C1		
NOS 1 à 103	1160	AUD
NOS 2 à 178	1040	ETT
NOS 147 à FIN - 262 à FIN	1150	SPW
VOLONTAIRES (DREVE DES) - 139 D4	1340	OTT
VOLONTAIRES (RUE DES) (4) - 129 A1	1300	WAV
VOLONTAIRES (RUE DES) -		
113 E4 - 114 A4 - 125 E1	1332	GEN
VOLONTE (RUE DE LA) - 57 B2	1070	AND
VOLPESTRAAT - 106 C-D1	1500	HAL
VOLRAL (RUE F. - STRAAT) - 22 A2	1090	JET
VOLSEM - 75 A2	1600	SPL
VOLSEMSTRAAT - 74 E1	1600	SPL
VOLTA (RUE - STRAAT) - 60 A3-4	1050	IXE
VOLTAIRE (AV. - LN.) - 32 C3 D3-4	1030	SCH
VOLTAIRE (AV.) - 129 D3	1300	WAV
VOLTIGEURS (VENELLE DES) (1) - 141 C3	1300	WAV
VOLUBILIS (DREVE DES) - 69 B1	1170	WAB
VONCK (RUE - STRAAT) -		
41 D2-3 - Centr. 167 C1-2		
NOS/NRS 1-57 - 2-64	1210	SJN
AUTRES NOS/ANDERE NRS	1030	SCH
VONDEL (RUE - STRAAT) - 32 C3-4	1030	SCH
VONDEL - 106 D1	1500	HAL
VON STROHEIM (CHEMIN ERIC - WEG) (2) -		
21 D2	1090	JET
VOORDESTRAAT - 34 D3-4	1932	SSW
VOORHAVENSTRAAT - 23 D-E4	1000	BRL
VOORLOPIG BEWINDSTRAAT -		
41 B3 - Centr. 167 A2	1000	BRL
VOORNLAAN - 60 C3-4	1160	AUD
VOORSPOEDLAAN - 47 B2 C1	1700	DIL
VOORSPOEDSTRAAT - 40 C-D2	1080	SJM
VOORSTADSTRAAT - 40 E1	1000	BRL
VOORSTEHOEVE - 1 A-B1	1730	MOL
VOORSTRAAT - 47 E2	1700	DIL
VOORSTRAAT - 48 A2-3		
NRS 1 tot 119 - 2 tot 146	1070	AND
VOORSTRAAT - 56 B4	1602	VLE
VOORUITGANGSTRAAT - 32 A4 B3-4 - 41 A1-2		
NRS 1 tot 97 - 2 tot 70	1210	SJN
ANDERE NRS	1030	SCH
VOORZIENIGHEIDSGANG		
GELEGEN HOOGSTRAAT		
TUSSEN NRS 13-15		
49 E1 - Centr. 168 C1	1000	BRL
VOORZITTERSSTRAAT - 50 A-B3		
NRS 1 tot 69 - 2 tot 76	1050	IXE
ANDERE NRS	1000	BRL
VOORZORGSSTRAAT - 26 B2	1930	ZAV
VOORZORGSTRAAT - 49 E3 - Centr. 168 C3	1000	BRL
VOOT (RUE - STRAAT) - 52 B1-2	1200	WSL
VORSENZANG		
GELEGEN BRUSSELSESTEENWEG		
58 A4	1190	VOR
VORSTENHUISLAAN - 22 E2-3 - 23 A3	1020	BRL
VORSTENHUISPLEIN - 22 E2	1020	BRL
VORSTERIELAAN - 69 D-E4 - 79 E1-2 - 80 A2	1170	WAB
VORSTERSTRAAT - 92 D1	3090	OVE
VORSTLAAN -		
52 A-B4 - 61 A1-2-3-4 - 69 E2-3 - 70 A1-2		
NRS 1 tot 25 - 2 tot 142	1170	WAB
NRS 47 tot 259 - 144 tot 404	1160	AUD
NRS 275 - 406 tot 412	1150	SPW
VORSTRONDPUNT - 61 A2	1160	AUD
VORSTSESTEENWEG -		
49 C3-4 D3 - 58 C1 - Centr. 168 A-B3		
NRS 45-223 - 2-258	1060	SGI
NRS 225-EINDE - 280-EINDE	1190	VOR
VORSTSESTEENWEG - 66 C4 - 76 C1	1601	RUI
VORSTSQUARE - 61 A2	1160	AUD
VORSTSTRAAT - 103 D2 E1-2 - 104 A1	3090	OVE
VOSBERG - 53 E1 - 54 A1-2	1970	WEO
VOSDELLESTRAAT - 91 A-B3	1560	HOE

VOSDREEF - 61 C2-3 1160 AUD
VOSHOLENWEG - 84 C-D-E3 1600 SPL
VOSKAPELLELAAN - 36 B1 C1-2 D2 1930 NOS
VOSKAPELSTRAAT - 36 C4 D2-3-4 E2 1933 STK
VOSSEBEEKWEG - 93 B1-2 3090 OVE
VOSSEGAT (AV. DU - LAAN) - 67 B2 1180 UCK
VOSSEGAT (CHEMIN DU - WEG) - 67 B-C2 1180 UCK
VOSSEMLAAN - 36 D4 - 45 D1-2 1933 STK
VOSSENDREEF - 68 D-E4 - 78 C-D1 1180 UCK
VOSSENDREEF - 88 A4 B3-4 1640 SGR
VOSSENLAAN - 53 A3 1150 SPW
VOSSENLAAN - 63 C2-3 3080 TER
VOSSENPLEIN - 49 D2 - Centr. 168 B2 1000 BRL
VOSSENSTRAAT (1) - 49 D-E2 1000 BRL
VOSSENSTRAAT - 36 E3 3078 EVG
VOSSEPUTTEN - 18 E3 3071 EKW
VOSSESTRAAT - 82 B3-4 - 92 B1 3090 OVE
VOYAGEUR (RUE DU) - 128 A4 - 140 B1 1301 BIE
VREDELAAN (1) - 35 C2 1930 ZAV
VREDELAAN - 30 E4 1081 KOE
VREDELAAN - 46 B-C1 1701 ITT
VREDELAAN - 76 B-C1 1601 RUI
VREDELAAN - 98 E4 - 99 A3 1640 SGR
VREDEPLEIN - 33 B1 1140 EVE
VREDEPLEIN - 44 A1 1950 KRA
VREDESTRAAT - 16 B-C2 1830 MAC
VREDESTRAAT - 50 B2-3 - Centr. 169 A2-3 1050 IXE
VREDESTRAAT - 7 E2 1800 PEU
VREDESTRAAT - 91 A2 1560 HOE
VRIENDSCHAPSPLEIN - 60 B1 1160 AUD
VRIENDSCHAPSSTRAAT - 82 C3 B-D4 3090 OVE
VRIENDSCHAPSSTRAAT - 91 D3-4 1560 HOE
VRIJ ONDERZOEKSTRAAT - 48 E2 1070 AND
VRIJDAGS (PROMENADE P.-L. -
WANDELING) (2) - 33 E4 1140 EVE
VRIJDOMMENSTRAAT - 30 E2-3 1083 GAN
VRIJE-ACADEMIELAAN - 47 E4 - 48 A4 1070 AND
VRIJETIJDLAAN - 33 B-C4 1140 EVE
VRIJHEIDSDREEF - 26 A2 1930 ZAV
VRIJHEIDSLAAN - 31 B4 - 39 E1 - 40 A-B1
NRS 1-81 - 2-50 - 208-218 1081 KOE
ANDERE NRS 1080 SJM
VRIJHEIDSLAAN - 47 B1 1700 DIL
VRIJHEIDSLAAN - 91 D3 1560 HOE
VRIJHEIDSPLEIN - 41 B3 - Centr. 167 A2 1000 BRL
VRIJHEIDSROTONDE - 30 D2 1083 GAN
VRIJHEIDSTRAAT - 66 E3-4 1620 DRO
VRIJTHOUT - 19 A3 1730 ASS
VRIJWILLIGERSLAAN - 51 B-C-D4 - 60 B-C1
NRS 1 tot 103 1160 AUD
NRS 2 tot 178 1040 ETT
NRS 147 tot EINDE - 262 tot EINDE 1150 SPW
VRIJWILLIGERSLAAN - 63 A1 3080 TER
VROEGEGROENTENSTRAAT - 58 A2 1190 VOR
VROENENBOS - 108 B4 - 120 B1-2 1500 HAL
VROENENBOSSTRAAT - 108 B2-3-4 C2 1653 DWO
VRONENBERGLAAN - 83 A3 3090 OVE
VRONERODELAAN - 78 C1-2 D2-3 1180 UCK
VROONWEG - 6 A3 1850 GRI
VRUCHTBAARHEIDSLAAN - 47 D-E2 1070 AND
VRUNTESTRAAT - 5 B-C1 1850 GRI
VRUNTSTRAAT - 40 E4 - Centr. 166 C3 1000 BRL
VUILBEEKPAD - 79 A4 B3-4 C1-2 D1 1180 UCK
VUURBERG - 25 E2 1831 DIE
VUURGATSTRAAT - 71 D4 - 81 D1 3090 OVE
VUURKRUISENLAAN - 106 C-D1 1500 HAL
VUURKRUISENLAAN - 16 B2-3 C2 1830 MAC
VUURKRUISENLAAN -
23 A1-2 B1-2 C2-3 D3 1020 BRL
VUURKRUISENLAAN - 35 C2 1930 ZAV
VUURKRUISENLAAN - 6 D3 E2-3 1800 VIL
VUURKRUISENPLEIN - 6 D3 1800 VIL
VUURSTEENWEG - 69 D4 1170 WAB
VUURSTRAAT - 58 A2 1190 VOR
VUYLBEEK (SENTIER DU) - 79 A4 B3-4 C1-2 D1 1180 UCK

W

WAAGLAAN - 59 E4 - 68 E1 1050 IXE
WAAIENBERG - 43 C1 1932 SSW
WAAIENBERG - 73 A-B2 3080 DUI
WAAIENBERGSTRAAT - 50 D3 - Centr. 169 C3 1050 IXE
WAAIENBERGSTRAAT - 93 E4 3090 OVE
WAAIERSTRAAT - 49 E2 - Centr. 168 C2 1000 BRL
WAALSESTRAAT - 36 C4 - 45 C1 D1-2 1933 STK
WAAMSE BERG - 97 B-C3 1652 ALS
WAARBEEK - 1 A3-4 B3 - 10 A1 1730 ASS
WAARDIGHEIDSSTRAAT (4) - 47 D2 1070 AND
WAARHEIDSSTRAAT - 48 D2 1070 AND
WACHTTORENSTRAAT - 24 D1-2 E2 1130 BRL
WAEFELAER (RUE F. - STRAAT) - 58 A2 1190 VOR
WAELHEM (RUE - STRAAT) - 32 D3 1030 SCH
WAFELAERTS (RUE HENRI - STRAAT) - 58 E1-2 1060 SGI
WAGEBAK - 81 A4 - 91 A1 1560 HOE
WAGENSTRAAT - 40 D3 - Centr. 166 B2 1000 BRL
WAGENSTRAAT - 67 B3 1180 UCK
WAGNER (CLOS J. - GAARDE) (2) - 30 D2 1083 GAN
WAGON (RUE DU) - 67 B3 1180 UCK
WAGRAM (AV.) - 160 B-C1 1380 PLA
WAGRAM (CLOS DE - GAARDE) - 78 B-C2 1180 UCK
WAGRAM (CLOS) - 123 C2 1410 WAT
WAHIS (BLD. GEN. - LAAN) - 42 A1-2 B2 1030 SCH
WALCKIERS (AV. - LAAN) - 61 B3 1160 AUD
WALCKIERS (RUE - STRAAT) - 32 E1 - 33 A1
NOS IMPAIRS/ONEVEN NRS 1030 SCH
NOS PAIRS/EVEN NRS 1140 EVE
WALCKIERSSTRAAT (PIERRE) - 66 B1 1600 SPL
WALCOURT (RUE DE - STRAAT) - 48 C4 - 57 C1-2 1070 AND
WALENBAAN - 8 C-D1 1820 PER
WALENHOF - 45 C1 1933 STK
WALENPLEIN - 49 D-E1 - Centr. 168 C1 1000 BRL
WALENSTRAAT - 27 C3 D4 1930 NOS
WALENSTRAAT - 27 C3 D4 - 36 D1-2 E2 3070 KOR
WALENSTRAAT - 31 A2 1090 JET
WALENWEG - 27 D4 - 36 D1-2 E2 1930 NOS
WALLENWEG - 19 B4 - 28 A-B1 1700 SUK
WALLER (RUE M. - STRAAT) - 66 D-E1 1190 VOR
WALLONS (PLACE DES) - 153 C4 1348 LLN
WALLONS (PLACE DES) - 49 D-E1 - Centr. 168 C1 1000 BRL
WALLONS (RUE DES) - 153 B3 C4 1348 LLN
WALLONS (RUE DES) - 31 A2 1090 JET
WALRAEVENS (RUE - STRAAT) - 32 B1 C1-2 1020 BRL
WALRAEVENSTRAAT (ADRIAAN) (1) - 6 C2 1850 GRI
WALRAVENBOSSTRAAT - 83 A-B2 C2-3 D2 3090 OVE
WALRAVENSLAAN (L.) - 47 E1 1700 DIL
WALRAVENSSTRAAT (FRANS) - 75 E3-4 - 85 D-E1 1651 LOT
WALSCHAERTS (RUE E. - STRAAT) (1) -
49 C4 - 58 C1 1060 SGI
WAMBEEKSTRAAT - 9 B-C4 - 18 B1 1820 STE
WAMPACH (RUE LT. F. - STRAAT) - 51 D1 1200 WSL
WANDELAARSTRAAT - 63 C2 3080 TER
WANDELINGSTRAAT - 57 B-C1 1070 AND
WANDELINGSTRAAT - 76 B-C2 1601 RUI
WANGERMEE (RUE GEN. - STRAAT) - 51 A3 1040 ETT
WANMOLENLAAN - 53 D-E3 1970 WEO
WANMOLENSTRAAT - 46 A3 1703 SPD
WANNECOUTER (AV.) - 14 A-B4 - 23 A-B1 1020 BRL
WANNECOUTER (CLOS DU) (1) - 14 B4 1020 BRL
WANNEKOUTERGAARDE (1) - 14 B4 1020 BRL
WANNEKOUTERLAAN - 14 A-B4 - 23 A-B1 1020 BRL
WANSART (AV. A. - LAAN) - 67 B3 1180 UCK
WAPENRUSTINGLAAN (5) - 42 C1 1140 EVE
WAPENRUSTINGSLAAN - 58 C3 1190 VOR
WAPENSTILSTANDSTRAAT - 31 B4 - 40 B1 1081 KOE

WAPPERS (PLACE - PLEIN) - 42 A4 - 51 A1		
NOS/NRS 1-11	1030	SCH
AUTRES NOS/ANDERE NRS	1000	BRL
WAPPERS (RUE - STRAAT) - 42 A4 - 51 A1	1000	BRL
WARANDE - 119 B-C1	1500	HAL
WARANDEBERG - 119 B1	1500	HAL
WARANDEBERG - 41 A4 - Centr. 166 D3	1000	BRL
WARANDEBERG - 44 D1-2	1970	WEO
WARANDEBERGLAAN - 44 D1	1933	STK
WARANDELAAN - 14 B3-4 C2-3 D1	1800	VIL
WARANDELAAN - 83 A-B4	3090	OVE
WARANDESTRAAT - 18 C4	1820	STE
WARANDEVELD (RUE - STRAAT) -		
23 C2-3 D2-3	1120	BRL
WARCHAY (RUE) - 156 A-B-C3	1461	HIT
WARCHE (RESIDENCE) (3) - 127 D2	1300	LIL
WARCHE (RUE DU) - 112 D-E3	1310	LAH
WARLAND (AV. O. - LAAN) - 31 B3 C2-3	1090	JET
WARLANDES (IMPASSE DES) - 117 D3	1300	WAV
WARLONBROUX (DREVE DE) - 153 A1-2 B1-2	1340	OTT
WARMOESBERG - 41 A3-4 - Centr. 166 D2-3	1000	BRL
WARMOESSTRAAT -		
41 C2-3 - Centr. 167 B1-2		
NRS 1 tot 179 - 2 tot 158	1210	SJN
ANDERE NRS	1030	SCH
WARMOEZENIERSSTRAAT - 39 A2	1700	DIL
WARNANT (AV. PIERRE) - 163 E3	1341	CEM
WASHINGTON (RUE - STRAAT) - 59 B1-2		
NOS IMPAIRS/ONEVEN NRS	1050	IXE
NOS/NRS 26-FIN/EINDE	1050	IXE
NOS/NRS 2-6	1000	BRL
WASHUISSTRAAT - 40 D4 - Centr. 166 B3	1000	BRL
WASKAARSSTRAAT - 40 C4 - Centr. 166 A3	1070	AND
WASSERIJSTRAAT - 49 D2 - Centr. 168 B2	1000	BRL
WASTINNE (RUE DE LA) - 128 D-E3	1301	BIE
WATERHOENLAAN - 110 C-D1	1640	SGR
WATERHOENLAAN - 4 D3	1860	MEI
WATERHOENLAAN - 44 D1	1970	WEO
WATERKASTEELSTRAAT - 67 C3-4 D4	1180	UCK
WATERKERSSTRAAT - 13 B4	1020	BRL
WATERKRACHTSTRAAT -		
41 C4 - Centr. 167 B3	1210	SJN
WATERLEIDINGSSTRAAT - 59 A-B1		
NRS 67-EINDE - 56-EINDE	1050	IXE
WATERLELIENLAAN - 61 A2	1160	AUD
WATERLELIENWEG - 68 D2	1000	BRL
WATERLELIESOORD - 44 D-E4	1970	WEO
WATERLOO (BLD. DE - LAAN) -		
49 D-E3 - 50 A2-3 - Centr. 168 D2-3	1000	BRL
WATERLOO (CHAUSSEE DE) -		
49 D3-4 - 58 D-E1 - 59 A2 B2-3-4 C4 -		
68 C1-2-3-4 - 78 C1 D1-2-3-4 - 88 D1 -		
Centr. 168 B3		
NOS 1 à 361A - 2 à 408A	1060	SGI
NOS 363 à 671 - 410 à 66 A4	1050	IXE
NOS 673 à FIN - 658 à 874	1180	UCK
NOS 930 à FIN	1180	UCK
NOS 876 à 928	1000	BRL
WATERLOO (CHAUSSEE DE) -		
88 D1-2-3 E3-4 - 98 E1 - 99 A1-2-3-4 - 111 A1	1640	SGR
WATERLOO (GALERIE DE - GALERIJ) - 59 B2	1050	IXE
WATERLOO (SENTIER DE - PAD) -		
78 E2-3-4 - 88 E1	1180	UCK
WATERLOOSESTEENWEG -		
49 D3-4 - 58 D-E1 -		
59 A2 B2-3-4 C4 - 68 C1-2-3-4 -		
78 C1 D1-2-3-4 - 88 D1 - Centr. 168 B3		
NRS 1 tot 361A - 2 tot 408A	1060	SGI
NRS 363 tot 671 - 410 tot -66 A4	1050	IXE
NRS 673 tot EINDE - 658 tot 874	1180	UCK
NRS 930 tot EINDE	1180	UCK
NRS 876 tot 928	1000	BRL
WATERLOOSESTEENWEG -		
88 D1-2-3 E3-4 - 98 E1 - 99 A1-2-3-4 - 111 A1	1640	SGR
WATERMAALSELAAN - 68 D-E1	1000	BRL
WATERMAALSE STEENWEG - 88 D-E3	1160	AUD
WATERMAEL (AV. DE) - 68 D-E1	1000	BRL
WATERMAEL (CHAUSSEE DE) - 60 D-E3	1160	AUD
WATERMANLAAN (15) - 42 E3	1200	WSL
WATERMOLENDREEF - 63 D2 E1-2	3080	TER
WATERMOLENLAAN - 74 E2 - 75 A2	1600	SPL
WATERMOLENPLEIN - 92 E1	3090	OVE
WATERMOLENSTRAAT - 25 B-C1	1831	DIE
WATERMOLENSTRAAT - 85 D4 - 95 E1-2	1654	HUI
WATERMOLENSTRAAT - 9 D2	1910	BER
WATERMOLENSTRAAT - 9 D3	1820	STE
WATERMOLENWEG - 4 E3 D3-4	1850	GRI
WATERPASSTRAAT - 40 C2 - Centr. 166 A1	1080	SJM
WATERPOEL - 96 E3 - 97 A3	1652	ALS
WATERPOELSTRAAT - 96 E2 - 97 A-B3	1652	ALS
WATERPUTWEG - 24 D-E3	1130	BRL
WATERRAAFLAAN - 60 E1	1150	SPW
WATERRANONKELSTRAAT - 24 D3-4	1130	BRL
WATERSNEPPENLAAN - 60 E2	1160	AUD
WATERSTRAAT - 108 C2-3-4	1653	DWO
WATERSTRAAT - 66 E1	1190	VOR
WATERTORENLAAN - 16 C3 D3-4	1831	DIE
WATERTORENLAAN - 16 C3 D3-4	1830	MAC
WATERTORENLAAN - 26 B-C3	1930	ZAV
WATERTORENSTRAAT - 102 D1	3090	OVE
WATERTORENSTRAAT - 65 D2 E3	1600	SPL
WATERTORENSTRAAT - 81 B4	1560	HOE
WATERTORENSTRAAT - 95 C3	1501	BUI
WATERVALSTRAAT - 6 B3	1850	GRI
WATERWILDLAAN - 60 B4	1170	WAB
WATT (RUE J. - STRAAT) - 32 C3	1030	SCH
WATTEEU (RUE - STRAAT) -		
49 E1-2 - Centr. 168 C1-2	1000	BRL
WAUCQUEZLAAN (ANDRE) - 38 E4	1700	DIL
WAUTELETSTRAAT (HUBERT) - 27 B4	1930	NOS
WAUTERBOS - 97 E3 - 98 A3	1640	SGR
WAUTERS (ALLEE - ALLEE)		
SITUEE/GELEGEN		
RUE SAINT-FRANÇOIS NO 38		
SINT-FRANCISCUSSTR. NR 38		
41 B2 - Centr. 167 A1	1210	SJN
WAUTERS (PLACE J. - PLEIN) - 69 E1	1170	WAB
WAUTERS (PLACE MINISTRE) - 57 B2	1070	AND
WAUTERS (RUE A. - STRAAT) - 22 D4	1020	BRL
WAUTERS (RUE EM. - STRAAT) - 22 D2-3	1020	BRL
WAUTERS (RUE J. - STRAAT) - 33 A3	1030	SCH
WAUTERS (RUE JOSEPH) - 129 A-B2 A3	1300	WAV
WAUTERS-KOECKS (PLACE - PLEIN) -		
40 C2 - Centr. 166 A1	1080	SJM
WAUTERS-KOECKX (RUE - STRAAT) -		
40 C2 - Centr. 166 A1	1080	SJM
WAUTERSPLEIN (JOZEF) (1) - 7 C2	1800	VIL
WAUTERSPLEIN (MINISTER) - 57 B2	1070	AND
WAUTERSSTRAAT (J. B.) - 75 C-D2	1600	SPL
WAUTHIER-BRAINE (RUE DE) -		
144 C4 - 156 C1	1461	HIT
WAUTIER (RUE MARIUS) -		
133 E2 - 134 A2-3 B3	1420	BRA
WAUTREQUIN (RUE J.) - 130 B2-3	1480	CLA
WAUWERINGENVELD - 107 E1-2 - 108 A1	1653	DWO
WAUWERMANS (RUE - STRAAT) -		
41 D3 - Centr. 167 C2	1210	SJN
WAVERSESTEENWEG - 91 B3 C2-3-4 D-E4	1560	HOE
WAVERSESTEENWEG -		
93 B1 C1-2 D2-3 E3-4 - 104 A1-2	3090	OVE
WAVERSESTEENWEG -		
50 B2-3 C2-3 D2-3 E3-4 -		
51 A4 - 60 A1 B1-2 C-D2 E2-3 - 61 A3 B3-4 C4 -		
70 C-D1 E1-2 - 71 A2 - Centr. 169 A2-3 B2-3 C2-3 D3		
NRS 1-295 - 2-328	1050	IXE
NRS 297-861 - 330-900	1040	ETT
NRS 999-EINDE - 1002-EINDE	1160	AUD
WAVERSESTRAAT - 105 E2-3	3040	OTB

WAVRE (CHAUSSEE DE) -
50 B2-3 C2-3 D2-3 E3-4 -
51 A4 - 60 A1 B1-2 C-D2 E2-3 - 61 A3 B3-4 C4 -
70 C-D1 E1-2 - 71 A2 - Centr. 169 A2-3 B2-3 C2-3 D3
NOS 1-295 - 2-328 1050 IXE
NOS 297-861 - 330-900 1040 ETT
NOS 999-FIN - 1002-FIN 1160 AUD
WAVRE (CHAUSSEE DE) - 126 C3-4 D4 1330 RIX
WAVRE (RUE DE) - 116 A3 B3-4 C4 1301 BIE
WAXWEILER (AV. - LAAN) - 57 B1-2 1070 AND
WAYENBERG (RUE) - 50 D3 - Centr. 169 C3 1050 IXE
WAYEZ (RUE - STRAAT) - 48 D3 E2-3 1070 AND
WAYEZ (RUE) - 134 B3-4 C4 1420 BRA
WEDIJVERSTRAAT - 48 E1 1070 AND
WEDRENNENLAAN - 68 D3
NRS 1 tot 9 - 2 tot 26C 1050 IXE
ANDERE NRS 1000 BRL
WEDRENNENWEG - 63 C3 D3-4 3080 TER
WEEGSCHAALBINNENHOF (2) - 42 E2-3 1200 WSL
WEEMSTRAAT - 91 C-D-E2 1560 HOE
WEERSTANDERSLAAN - 38 E4 - 47 D-E1 1700 DIL
WEERSTANDERSSTRAAT - 16 B2 1830 MAC
WEERSTANDSLAAN - 35 C2 1930 ZAV
WEERSTANDSPLEIN - 66 A1-2 1600 SPL
WEERSTANDSSTRAAT - 118 B1-2 1500 HAL
WEERSTANDSTRAAT - 31 C1 1140 EVE
WEESHUISSTRAAT - 39 D4 - 48 D1 1070 AND
WEGGEVOERDENLAAN - 47 B-C1 1700 DIL
WEGGEVOERDENSTRAAT - 52 B2 1200 WSL
WEG NAAR NEDEROKKERZEEL - 18 D-E3 1820 STE
WEG NR. 18 - 65 A-B-C4 1600 SPL
WEG NR. 8 - 75 B3 C3-4 1600 SPL
WEIDEGANG - 50 E2 - Centr. 169 D2
GELEGEN DEMOTSTRAAT
NR 27 - 36 D5 1040 ETT
WEIDELAAN - 82 A4 - 91 E1 - 92 C1 3090 OVE
WEIDENSTRAAT - 66 E3-4 1620 DRO
WEIDESTRAAT - 110 B1 1640 SGR
WEIDESTRAAT - 34 D3 1932 SSW
WEIDESTRAAT - 41 B2 - Centr. 167 A1 1210 SJN
WEIDESTRAAT - 47 A-2 1701 ITT
WEIDESTRAAT - 47 A-B2 1700 DIL
WEIDESTRAAT - 86 D-E1 1650 BEE
WEIDEWEG - 62 C4 - 71 C1 3080 TER
WEIGELIAS (DREVE DES - DREEF) - 60 B4 - 69 B1 1170 WAB
WEIHOEK - 36 B2 1933 STK
WEIKANTLAAN - 5 E4 1850 GRI
WEIKANTSTRAAT - 14 C1 1800 VIL
WEILANDSTRAAT - 23 D1-2 1120 BRL
WEILANDSTRAAT - 39 C2 1082 SAB
WEIVELD - 35 E2 1933 STK
WEIVELDLAAN - 35 D2-3 E3 - 36 A-B3 1933 STK
WEKKERGANG - 40 D4 - Centr. 166 B3 1000 BRL
WELDADIGHEIDSSTRAAT - 26 A2 1930 ZAV
WELDADIGHEIDSSTRAAT - 40 A2 - Centr. 166 D1 1210 SJN
WELDOENERSPLEIN - 41 E2 - Centr. 167 D2 1030 SCH
WELDOENERSSTRAAT - 16 B2-3 1830 MAC
WELGELEGENSTRAAT - 50 B4 1000 BRL
WELKOMSTRAAT (1) - 20 C2-3 1731 ZEL
WELKOMSTRAAT - 90 D2 1560 HOE
WELLENS (RUE J. - STRAAT) - 52 A3 1150 SPW
WELLINGTON (AV. - LAAN) - 78 C1-2-3 D3 1180 UCK
WELLINGTON (AV.) - 123 B2 C1 1410 WAT
WELLINGTON (AV.) - 135 A4 - 147 A1 1420 BRA
WELST-KELLE - 108 B3 1653 DWO
WELVAARTLAAN - 91 D-E2 1560 HOE
WELZIJNSTRAAT (2) - 39 D4 1070 AND
WEMAERE (RUE PAUL - STRAAT) - 52 A3 1150 SPW
WEMMEL (CHAUSSEE DE) - 22 A4 - 31 A1-2 1090 JET
WEMMELSE STEENWEG - 22 A4 - 31 A1-2 1090 JET
WEMMELSESTRAAT - 13 E2 - 14 A2 1853 SBE
WENCESLAS (AV. DUC) - 129 D1-2 1300 WAV
WERELDTENTOONSTELLINGSLAAN -
30 E1-2 - 31 A2 1083 GAN

WEREMBERG - 106 E4 - 107 A4 1500 HAL
WERFKAAI - 40 E2 - Centr. 166 C1 1000 BRL
WERFSTRAAT - 40 E2 - Centr. 166 C1 1000 BRL
WERKHUIZENGANG
GELEGEN KERKEVELDSTR. 7
31 E1-2 - 32 A1 1020 BRL
WERKHUIZENKAAI - 32 A2 B1-2 C1 1000 BRL
WERKHUIZENSTRAAT - 40 D2 - Centr. 166 B1 1080 SJM
WERKHUIZENSTRAAT - 6 E1 1800 VIL
WERKMANSSTRAAT - 26 C-D4 1930 ZAV
WERKTUIGKUNDESTRAAT (1) - 57 B-C1 1070 AND
WERKZAAMHEIDSTRAAT - 42 E4 - 43 A4 1200 WSL
WERRIE (PLACE PH. - PLEIN) - 31 C3 1090 JET
WERRIE (RUE H. - STRAAT) - 31 A-B1 1090 JET
WERY (RUE - STRAAT) (1) -
50 C3-4 D4 - Centr. 169 B3 1050 IXE
WESTENWINDSTRAAT - 42 D-E4 1200 WSL
WESTPLAATS - 40 A2 1080 SJM
WESTVAARTDIJK - 6 C1 D1-2 1850 GRI
WESTVAARTDIJK - 6 D2-3 1800 VIL
WETENSCHAPSSTRAAT - 50 C1 - Centr. 169 B1
NRS 1 tot 9 - 2 tot 12 1000 BRL
ANDERE NRS 1040 ETT
WETHOUDERSSTRAAT - 59 B1
NRS 1 tot 7 - 2 tot 22 1000 BRL
NRS 17 tot EINDE - 24 tot EINDE 1050 IXE
WETSTRAAT - 41 B-C4 - 50 C-D1
NRS 1 tot 13 - 2 tot 24 1000 BRL
ANDERE NRS 1040 ETT
WEVERIJSTRAAT - 76 B2 1601 RUI
WEVERSSTRAAT - 40 B1-2 1081 KOE
WEYNBOSLAAN - 26 E4 - 27 A4 1930 NOS
WEZELLAAN - 53 E3-4 - 54 A3-4 1970 WEO
WEZELSLAAN - 77 D3-4 1180 UCK
WEZELWEG (1) - 72 C2 3080 TER
WEZEMBEEK (AV. DE - LAAN) -
28 B4 C3-4 D3 1970 WEO
WEZEMBEEK (AV. DE - LAAN) - 44 A-B4 1950 KRA
WEZEMBEEK (AV. DE) - 43 E4 - 44 A4
NO 1 1200 WSL
NOS 3 à 23 - 20 1150 SPW
WEZEMBEEKSELAAN - 43 E4 - 44 A4
NR 1 1200 WSL
NRS 3 tot 23 - 20 1150 SPW
WEZEMBEEKSTRAAT - 35 C3 1930 ZAV
WEZEMBEEKSTRAAT - 54 A4 - 63 A-B1 3080 TER
WHITE STAR (PLACE DU - PLEIN) - 52 C3 1150 SPW
WIELEMANS (PLACE LEON - PLEIN) - 58 A-B1 1190 VOR
WIELEMANS-CEUPPENS (AV. - LAAN) - 58 B-C1 1190 VOR
WIELEMANSSTRAAT (J.) - 97 A4 1652 ALS
WIELEWAALLAAN - 107 A3 1500 HAL
WIELEWAALLAAN - 6 B1-2 1850 GRI
WIELEWAALLAAN - 60 D1-2
NRS 1 tot 27 - 2 tot 28 1150 SPW
ANDERE NRS 1160 AUD
WIELEWAALSNEST - 8 E2 1820 PER
WIELEWAALSTRAAT - 69 E1 1170 WAB
WIELRIJDERSLAAN - 52 E2 - 53 A2 1150 SPW
WIENER (AV. L. - LAAN) - 60 C4 - 69 C1-2 D2 1170 WAB
WIENER (PLACE L. - PLEIN) - 69 D3 1170 WAB
WIERTZ (RUE - STRAAT) - 50 C2 - Centr. 169 B2
NOS/NRS 1-39 1050 IXE
NOS PAIRS/EVEN NRS 1050 IXE
NOS/NRS 43 -FIN/EINDE 1000 BRL
WIJCKMANSSTRAAT (DR. L.) - 18 B-C2 1820 STE
WIJKHUIZENSTRAAT - 9 D-E4 1820 STE
WIJK KAPELLEVELD - 55 C4 1602 VLE
WIJKPLEIN - 95 C3 1501 BUI
WIJMENHOFSTRAAT - 108 C3 D2 1653 DWO
WIJNBRONDAL - 87 C1 D2 1630 LIN
WIJNDAALSTRAAT - 91 B1 1560 HOE
WIJNGAARD - 106 A4 - 118 A1 1502 LEM
WIJNGAARDENSTRAAT - 23 A4 - 32 A1 1020 BRL
WIJNGAARDLAAN - 44 C-D4 - 53 D1 1970 WEO

Straat	Postcode	Gemeente
WIJNGAARDSTRAAT - 18 D3-4 E3	1820	STE
WIJNGAARDSTRAAT - 34 D-E2	1932	SSW
WIJNGAARDSTRAAT - 48 A4	1070	AND
WIJNGAARDSTRAAT - 58 A3-4 B4	1190	VOR
WIJNGAARDSTRAAT - 63 B1	3080	TER
WIJNHEUVELENSTRAAT -		
32 D4 - 41 C2 D1-2 - Centr. 167 B-C1		
NRS 1 tot 41 - 2 tot 38	1210	SJN
ANDERE NRS	1030	SCH
WIJNLAAN - 102 B2	3090	OVE
WIJNOOGSTDREEF - 67 A1	1190	VOR
WIJNPERSDREEF - 67 A1	1190	VOR
WIJNSTOKSTRAAT - 60 A4 - 69 A1	1050	IXE
WILDE DUIVENWEG - 100 C2 D1-2	1560	HOE
WILDEHOEK (8) - 44 A4	1150	SPW
WILDEJASMIJNENLAAN - 22 E2-3 - 23 A3	1020	BRL
WILDEKERSENSQUARE - 77 C3	1180	UCK
WILDEROSELAARSLAAN - 78 B3 C2-3 D2	1180	UCK
WILDE ROZENLAAN - 20 C-D3	1731	ZEL
WILDE ROZENLAAN - 4 C3	1780	WEM
WILDE ROZENLAAN - 53 C1-2	1970	WEO
WILDE ROZENWEG - 44 A-B4	1950	KRA
WILDE TIJMSTRAAT - 39 C-D3	1080	SJM
WILDE WOUDSTRAAT - 41 A4 - Centr. 166 D3	1000	BRL
WILDE ZWANENLAAN - 44 D1	1970	WEO
WILDE ZWIJNENWEG - 63 D-E1	3080	TER
WILDER (RUE DU - STRAAT) - 39 A-B1	1082	SAB
WILDERKASTEELLAAN - 65 E3	1600	SPL
WILGENBAAN - 5 A2 B2-3	1850	GRI
WILGENDAAL - 20 D-E3	1731	ZEL
WILGENDREEF (1) - 23 B1	1020	BRL
WILGENGAARDE - 29 B4 - 38 B1	1702	GRB
WILGENGAARDE - 44 A1	1950	KRA
WILGENHOFPARK - 74 E4	1600	SPL
WILGENLAAN - 66 A4	1600	SPL
WILGENLAAN - 9 B2-3	1820	STE
WILGENSTRAAT - 26 B2	1930	ZAV
WILGENSTRAAT - 7 C4	1830	MAC
WILGENVELD - 106 A-B-C2	1502	LEM
WILGENWEG - 62 B-C4 - 71 C1	3080	TER
WILGEROOSJESSTRAAT - 35 A2	1930	ZAV
WILGEROOSJESTRAAT - 24 E2 - 25 A2	1130	BRL
WILGSTRAAT - 31 A1		
NRS 25 tot EINDE	1083	GAN
ANDERE NRS	1090	JET
WILLAME (RUE R. - STRAAT) - 60 E3	1160	AUD
WILLAMEKAAI - 94 D-E4 - 106 D1-2 E1	1500	HAL
WILLEBROECK (QUAI DE) -		
31 E4 - 32 A4 - 40 E1-2	1000	BRL
WILLEBROEKKAAI - 31 E4 - 32 A4 - 40 E1-2	1000	BRL
WILLEM (RUE A. - STRAAT) - 70 B1	1160	AUD
WILLEM DE ZWIJGERSTRAAT -		
41 D4 - 50 D1 - Centr. 167 C3 - 169 C1	1000	BRL
WILLEMS (PLACE JOSEPH -PLEIN) - 31 E2	1020	BRL
WILLEMS (RUE - STRAAT) -		
41 C3 D3-4 - Centr. 167 B2 C2-3		
NOS IMPAIRS/ONEVEN NRS	1210	SJN
NOS/NRS 2-56 - 64	1210	SJN
NOS/NRS 58-62	1000	BRL
WILLEMSKOUTER - 108 A2	1653	DWO
WILLEMYNS (RUE A. - STRAAT) - 48 A-B-C2	1070	AND
WILLERIEKENDREEF -		
69 E3 - 70 A-B4 - 80 B1 C1-2 D2		
NRS 2 tot 4	1170	WAB
NRS 16 tot 54	1160	AUD
WILLOXSTRAAT (W.) - 16 B4	1830	MAC
WILMOTTE (RUE M. - STRAAT) - 58 E1	1060	SGI
WILPUTTE (RUE ARMAND) - 145 E3 - 146 A3	1421	OPH
WILSKRACHTSTRAAT - 57 B-C2	1070	AND
WILSON (RUE JOHN WATERLOO -		
STRAAT) - 41 D3-4 - Centr. 167 C2-3	1000	BRL
WILSTRAAT - 57 B2	1070	AND
WIMPELBERG (RUE DU - STRAAT) -		
14 E4 - 23 E1 - 24 A1	1120	BRL
WINDBERG - 3 B4- 12 B1-2 C2	1780	WEM
WINDBREUKWEG (2) - 69 A-B1	1170	WAB
WINDEDREEF - 69 B1	1170	WAB
WINDERICKXPLEIN - 97 C4	1652	ALS
WINDESTRAAT - 19 E2	1731	ZEL
WINDHONDWEG (2) - 13 E4 - 14 A4	1020	BRL
WINDMOLEN - 20 B2-3	1731	ZEL
WINDMOLEN - 98 B4	1640	SGR
WINDMOLENBERG - 52 B1	1210	SJN
WINDMOLENLAAN - 36 B-C4	1933	STK
WINDMOLENPLEIN - 94 B2	1500	HAL
WINDMOLENSTRAAT - 27 E4	3070	KOR
WINDMOLENSTRAAT - 33 A2	1140	EVE
WINDMOLENSTRAAT - 38 E3	1700	DIL
WINDMOLENSTRAAT - 53 E2 - 54 A-B2	1970	WEO
WINDMOLENSTRAAT - 7 C-D2	1800	VIL
WINDMOLENSTRAAT - 86 E1-2	1650	BEE
WINDMOLENSTRAAT - 94 B3	1500	HAL
WINDMUTSLAAN - 46 D-E1	1701	ITT
WINKEGAAR - 108 B2	1653	DWO
WINKEL - 12 D3 E2-3	1780	WEM
WINKELAAR - 107 E3-4	1653	DWO
WINKELBAAN - 1 A1	1730	MOL
WINKELHAAKSTRAAT - 33 C1	1140	EVE
WINKELVELDSTRAAT - 14 B3	1800	VIL
WINKELVELDSTRAAT - 39 A3-4	1700	DIL
WINTERBERG (AV. DE) - 127 A-B4	1330	RIX
WINTERKONINKJE (4) - 37 E2	1700	DIL
WINTERKONINKJESTRAAT - 60 B4	1170	WAB
WINTERLAAN - 75 C-D3	1600	SPL
WINTEROY (RUE - STRAAT) - 30 C-D4	1082	SAB
WINTERPERRE - 96 E2	1653	DWO
WIPSTRAAT - 24 B-C4	1140	EVE
WIPSTRAAT - 49 C-D4 - 58 D1	1060	SGI
WIPSTRAAT - 7 C2-3	1800	VIL
WISER (SQUARE CHARLES-MAURICE -		
SQUARE) - 50 E2 - Centr. 169 D2	1040	ETT
WISSENSTRAAT - 40 B2	1080	SJM
WISTERZEE (AV. DE) - 163 E4	1490	CSE
WITHEM (AV. HENRI DE) - 135 A4 - 147 A1	1420	BRA
WITHERENDREEF - 71 D-E4 - 72 A-B4	3090	OVE
WITHERENSTRAAT - 7 A2	1800	VIL
WITHUISLAAN - 37 E1	1700	DIL
WIT KAPELLEKE - 97 B3	1652	ALS
WITLOOF (RUE DU - STRAAT) - 15 E4 - 24 E1	1130	BRL
WITLOOFSTATIONSTRAAT - 24 E2-3	1130	BRL
WITLOOFSTRAAT - 27 D4	3070	KOR
WITTE ACACIALAAN - 22 D-E3	1020	BRL
WITTE BERGSTRAAT - 49 E4	1060	SGI
WITTE DAMENLAAN - 53 B4	1950	KRA
WITTE DE HAELEN (RUE DE - STRAAT) -		
40 D2 - Centr. 166 B1	1000	BRL
WITTE DOVENETELLAAN - 45 A-B4	1970	WEO
WITTE HOEDSTRAAT - 66 B-C4	1601	RUI
WITTE PATERSSTRAAT - 51 B4 - 60 B1	1040	ETT
WITTE VROUWENDREEF - 61 B1-2	1160	AUD
WITTE VROUWENLAAN -		
53 A-B4 - 61 E1 - 62 A-B1	1150	SPW
WITTEWEG - 97 B-C3	1652	ALS
WITTHEM (AV. DE - LAAN) - 43 E4 - 44 A4	1150	SPW
WITTMANN (RUE EMILE - STRAAT) - 42 A2	1030	SCH
WITTOUCK (RUE L. - STRAAT) - 31 D1-2	1020	BRL
WITTOUCKSTRAAT (FELIX) - 66 A-B1	1600	SPL
WITTOUCKSTRAAT (GEORGES) -		
65 E4 - 75 D-E1	1600	SPL
WITVISSENLAAN - 60 C3	1160	AUD
WOERINGEN (RUE DE - STRAAT) -		
49 D1 - Centr. 168 B1	1000	BRL
WOESTE (AV. CH. - LAAN) -		
31 B1-2 C1-2-3	1090	JET
WOLFERS (AV.) - 102 A4 - 114 A1	1310	LAH
WOLFPOORTSTRAAT - 96 E3-4 - 97 A3	1652	ALS
WOLFROT - 10 B2-3	1730	MOL
WOLLEGRASSQUARE (2) - 56 E3 - 57 A3	1070	AND

Straat		
WOLLENDRIESTORENSTRAAT - 50 A3 - Centr. 168 D3		
ONEVEN NRS	1000	BRL
EVEN NRS	1050	IXE
WOLLES (RUE C. - STRAAT) - 42 B1-2	1030	SCH
WOLSEMSTRAAT - 28 A-B-C-D4 - 37 A1	1700	SMB
WOLSEMSTRAAT - 28 E3-4 - 29 A4	1700	DIL
WOLSTRAAT - 49 D3 E2-3 - Centr. 168 B3 C2-3	1000	BRL
WOLUWE (BLD. DE LA - LAAN) - 34 D4	1950	KRA
WOLUWE (BLD. DE LA) - 43 B4 C2-3-4 - 52 A3 B1-2-3		
NOS 2 à 28	1150	SPW
NOS 71 - 34 à 108	1200	WSL
WOLUWEDAL - 34 D3-4 E2-3 - 43 C2 D1-2	1932	SSW
WOLUWEDAL - 43 B4 C2-3-4 - 52 A3 B1-2-3		
NRS 71 - 34 tot 108	1200	WSL
WOLUWELAAN - 7 B-C4 - 16 A1-2-3-4 B1	1830	MAC
WOLUWELAAN - 16 A4 B1 - 25 A-B1 C1-2	1831	DIE
WOLUWELAAN - 43 B4 C2-3-4 - 52 A3 B1-2-3		
NRS 2 tot 28	1150	SPW
NRS 71 - 34 tot 108	1200	WSL
WOLUWELAAN - 7 C3-4 D1-2-3	1800	VIL
WOLUWE SAINT-ETIENNE (CHEMIN DE) - 33 D2	1140	EVE
WOLUWE SAINT-ETIENNE (RUE DE) - 25 A2-3-4 B4	1130	BRL
WOLUWE-SAINT-LAMBERT (AV. DE) - 51 C-D2	1200	WSL
WOLUWESTRAAT - 16 A2	1830	MAC
WOLUWESTRAAT - 26 A4	1930	ZAV
WOLUWEVELD - 34 D-E2	1932	SSW
WOLUWEWEG - 26 A4 - 35 A1	1930	ZAV
WOLVENBERG (RUE DU - STRAAT) - 67 B3-4 C3	1180	UCK
WOLVENDAEL (AV. - LAAN) - 67 D2-3	1180	UCK
WOLVENDAEL - 2 E1-2	1785	BRU
WOLVENDREEF - 70 E4 - 71 A4 - 81 A-B1	1160	AUD
WOLVENGRACHT - 40 E3 - 41 A3 - Centr. 166 C-D2	1000	BRL
WOLVENS (AV. H. V. - LAAN) - 43 B-C1	1200	WSL
WOLVENSTRAAT - 57 C1-2	1070	AND
WOLVERTEMSESTEENWEG - 5 C1	1850	GRI
WOLVEWEG - 63 C2-3 D3-4	3080	TER
WOLVINDREEF - 69 E2-3 - 70 A2-3	1170	WAB
WOONWIJKSTRAAT - 50 C3 - Centr. 169 B3	1050	IXE
WORTELENBERG - 96 B4 C3-4 - 108 B1	1653	DWO
WOUDLAAN - 53 B1	1970	WEO
WOUDLAAN - 53 B1-2	1950	KRA
WOUDLAAN - 69 A2-3		
NRS 1 tot 89 - 2 tot 148	1050	IXE
NRS 101 tot EINDE - 150 tot EINDE	1000	BRL
WOUDMEESTERDREEF - 71 D-E1	3080	TER
WOUDMEESTERLAAN - 70 A1-3		
NRS 1 tot 5	1170	WAB
ANDERE NRS	1160	AUD
WOUDMEESTERSTRAAT - 92 D1	3090	OVE
WOUDPAD - 88 A2	1630	LIN
WOUDWEG - 77 E3-4	1180	UCK
WOUTERBOS - 87 D2	1630	LIN
WOUTERS (AV. KAP. R. - LAAN) - 12 C4 - 21 C1	1780	WEM
WOUTERS (PLACE R. - PLEIN) - 69 E4	1170	WAB
WOUTERS (RUE A. - STRAAT) - 21 E3	1090	JET
WOUTERSBORRE - 46 B2	1701	ITT
WOUTERSPLEIN - 82 C1	3090	OVE
WOUTERSSTRAAT (J.B.) - 97 A3-4 - 108 E1	1652	ALS
WOUTERSSTRAAT (PASTOOR) - 5 C1	1850	GRI
WULPENHOF - 44 D1	1933	STK
WULPENSTRAAT - 69 D2	1170	WAB
WYBRAN (AV. JOSEPH - LAAN) - 56 B3	1070	AND
WYTSMAN (RUE J. - STRAAT) - 59 D1 E1-2	1050	IXE
WYTSMAN (SENT. J. ET R. - PAD) - 77 D4 - 87 D1	1630	LIN

X

Straat		
XAVIER (RUE BARON DE) - 136 E4	1380	LAS
XHONEUX (RUE M. - STRAAT) - 48 E3	1070	AND

Y

Straat		
YACHTS (QUAI DES) - 32 A2	1000	BRL
YERNAUX (AV. DESIRE) - 117 B4 - 129 B1	1300	WAV
YOURCENARD (AVENUE MARG. - LAAN) - 59 D1	1050	IXE
YOURCENARD (PAS. MARG. - DOORGANG) - 50 A2 - Centr. 168 D2	1000	BRL
YOURCENAR (RUE M.) - 165 B1	1340	OTT
YPRES (BLD. D') - 40 D2 - Centr. 166 B1	1000	BRL
YSAYE (AV. E. - LAAN) - 48 B3-4 C4	1070	AND
YSAYE (CLOS EUGENE) - 152 A1	1340	OTT
YSAYESTRAAT (E.) - 107 A3 B2-3	1500	HAL
YSER (AV. DE L') - 50 E2 - 51 A2	1040	ETT
YSER (PLACE DE L') - 40 E2 - Centr. 166 C1	1000	BRL
YSER (RUE DE L') - 77 A2	1620	DRO
YSER (RUE DE L') - 77 A2		
NOS 29 à FIN - 44 à FIN	1180	UCK
YSEWYN (RUE FR. - STRAAT) - 48 D4	1070	AND
YVAN (AV.) - 114 E4 - 126 E1	1330	RIX
YZERSTRAAT - 90 E4 - 91 A3-4 B3	1560	HOE

Z

Straat		
ZAADSTRAAT - 39 E3		
NRS 1 tot 3	1070	AND
ANDERE NRS	1080	SJM
ZAAISTRAAT - 46 A3	1703	SPD
ZAKSTRAAT - 46 D3 E1-2-3	1701	ITT
ZAKSTRAAT - 46 E2-3	1700	DIL
ZALIGHEDENLAAN - 12 D4	1780	WEM
ZAMAN (AV. - LAAN) - 58 A3-4	1190	VOR
ZAMENHOF (AV. DR. - LAAN) - 48 D4	1070	AND
ZANDBEEK (RUE - STRAAT) - 77 A2-3 B1-2	1180	UCK
ZANDBLAUWTJESLAAN - 91 E1	3090	OVE
ZANDGROEFLAAN - 61 A2-3	1160	AUD
ZANDKEVERSSQUARE (2) - 69 B-C3	1170	WAB
ZANDSTRAAT - 41 A3 - Centr. 166 D2	1000	BRL
ZANDSTRAAT - 7 D3-4 E4	1830	MAC
ZANGRIJELAAN - 14 C2	1800	VIL
ZANGVOGELLAAN - 60 D2		
ONEVEN NRS - 32 TOT EINDE	1160	AUD
ZATERDAGPLEIN - 40 E3 - Centr. 166 C2	1000	BRL
ZAVELBERG - 12 A2	1780	WEM
ZAVELBERG - 61 A3	1160	AUD
ZAVELBERGSTRAAT - 103 D2 E1-2 - 104 A1	3090	OVE
ZAVELBERGWEG - 109 A1 B2	1640	SGR
ZAVELDREEF - 63 D-E1	3080	TER
ZAVELENBERG (CLOS DU - GAARDE) - 30 B3	1082	SAB
ZAVELPAD - 78 E3-4	1180	UCK
ZAVELPUTSTRAAT - 41 B3 - Centr. 167 A2	1000	BRL
ZAVELSTRAAT - 107 B-C4	1500	HAL
ZAVELSTRAAT - 19 C2-3	1730	ASS
ZAVELSTRAAT - 28 B1-2-3	1700	SUK
ZAVELSTRAAT - 35 E3 - 36 A3-4 B4 - 45 B-C1	1933	STK
ZAVELSTRAAT - 49 E1 - 50 A1-2 - Centr. 168 C1 D1-2	1000	BRL
ZAVELSTRAAT - 53 E2 - 54 A2	1970	WEO
ZAVELSTRAAT - 7 C2	1800	VIL

Straat	Postcode	Gemeente
ZAVELSTRAAT - 76 E4 - 86 E1 - 87 A1	1650	BEE
ZAVELSTRAAT - 77 C4 - 87 C1	1630	LIN
ZAVENTEM (CHAUSSEE DE) - 35 A4 - 44 A1	1950	KRA
ZAVENTEM (RUE DE - STRAAT) - 33 D-E4	1140	EVE
ZAVENTEMSEBAAN - 34 B3 C2 D1	1932	SSW
ZAVENTEMSESTEENWEG - 25 B-C1	1831	DIE
ZAVENTEMSESTEENWEG - 35 A4 - 44 A1	1950	KRA
ZEDIGHEIDSSTRAAT (10) - 47 E3	1070	AND
ZEECRABBE (RUE - STRAAT) - 68 A1	1180	UCK
ZEEGODENLAAN - 69 D1	1170	WAB
ZEEHONDSTRAAT (1) - 40 D-E3	1000	BRL
ZEEMEEUWENLAAN - 60 E1	1150	SPW
ZEEMTOUWERSSTRAAT - 40 B-C4	1070	AND
ZEENSTRAAT - 44 E1 - 45 A-B1	1933	STK
ZEEPAARDJESSTRAAT -39 D3	1080	SJM
ZEEPKRUIDHOEK (4) - 56 E3 - 57 A3	1070	AND
ZEEPZIEDERIJSTRAAT - 40 B3	1080	SJM
ZEEVAARTSTRAAT (2) - 31 E3	1020	BRL
ZELFBESTUURSSTRAAT -		
49 C1-2 - Centr. 168 A1-2	1070	AND
ZELLIK (CHAUSSEE DE) - 30 A2-3 B3	1082	SAB
ZELLIKSESTEENWEG - 30 A2-3 B3	1082	SAB
ZELLIKVELD - 64 E3 - 65 A3	1600	SPL
ZENITH (RUE DU - STRAAT) - 29 E4 - 30 A4	1082	SAB
ZENNEBEEMDEN - 76 C4 D3-4 - 86 B1-2 C1	1650	BEE
ZENNEDREEF - 86 D1	1650	BEE
ZENNELAAN - 6 D-E2	1800	VIL
ZENNESTRAAT - 40 C4 D3-4 - Centr. 166 A3 B2-3	1000	BRL
ZENNESTRAAT - 85 D-E2	1651	LOT
ZENNEWEG - 95 A3	1501	BUI
ZEPHYR (RUE DU) - 42 D-E4	1200	WSL
ZESBUNDERSPLEIN - 81 E4 - 82 A4	3090	OVE
ZESELLENSTRAAT - 49 E2-3 - Centr. 168 C2-3	1000	BRL
ZESJONKMANSSTRAAT - 50 A2 - Centr. 168 D2	1000	BRL
ZESPENNINGENSTRAAT - 40 D4 - Centr. 166 B3	1000	BRL
ZEVENBRONNENSTRAAT - 108 D2-3 E3 - 109 A3	1653	DWO
ZEVENBUNDERSLAAN - 58 B-C4 - 67 B1		
NRS 1 tot 53 - 2 tot 108	1180	UCK
ANDERE NRS	1190	VOR
ZEVENGATENLAAN - 97 E1-2	1652	ALS
ZEVENSTERRENSTRAAT - 30 A4	1082	SAB
ZEVENTIEN APRILSTRAAT - 42 D2	1140	EVE
ZEVEN TOMMEN - 26 C-D4 E3-4	1930	ZAV
ZEVEN TOMMEN - 27 A4	1930	NOS
ZEYP (RUE - STRAAT) - 42 E2	1083	GAN
ZEYPESTRAAT - 64 D-E1	1602	VLE
ZIEKENHUISLAAN - 106 B-C1	1500	HAL
ZIJDETEELTSTRAAT - 67 A3	1180	UCK
ZIJDEWEVERIJSTRAAT - 66 C-D-E1	1190	VOR
ZIJLAAN - 68 B3-4 C3	1180	UCK
ZIJP - 4 A-B-C4	1780	WEM
ZIKKELSTRAAT - 53 D4 E3-4	1970	WEO
ZILVERBEEKDREEF - 114 E2	3090	OVE
ZILVEREN PAARDGAARDE - 60 A4	1050	IXE
ZILVERMEEUWLAAN - 6 B1	1850	GRI
ZILVERREIGERSSTRAAT - 69 D2	1170	WAB
ZILVERSTRAAT - 41 A3 - Centr. 166 D2	1000	BRL
ZILVERSTRAAT - 5 C3	1850	GRI
ZILVERVOSLAAN - 53 E2-3	1970	WEO
ZINKSTRAAT - 106 A2-3	1500	HAL
ZINNEBEELDSTRAAT - 57 B2	1070	AND
ZINNER (RUE - STRAAT) - 50 B1 - Centr. 169 A1	1000	BRL
ZINNIAPLEIN - 60 E4	1170	WAB
ZINNIAS (PLACE DES) - 60 E4	1170	WAB
ZINNIKSTRAAT -		
40 D4 - 49 D1 - Centr. 166 B3 - 168 B1	1000	BRL
ZIRCON (SENTIER DU) (2) - 22 A1	1020	BRL
ZIRKOONPAD (2) - 22 A1	1020	BRL
ZITTERBOSWEG - 86 B3	1650	BEE
ZITTERT - 19 C1-2	1730	ASS
ZITTERT - 85 E3 - 86 A3	1651	LOT
ZOBBROEK - 56 A4	1600	SPL
ZODIAQUE (AV. DU) - 123 E4 - 135 D1		
ZODIAQUE (RUE DE LA) - 58 D3	1190	VOR
ZOLA (AV. E. - LAAN) - 32 D1-2	1030	SCH
ZOMERLAAN - 106 E3	1500	HAL
ZOMERLAAN - 75 D2-3	1600	SPL
ZOMERSTRAAT - 59 E2-3 - 60 A3	1050	IXE
ZOMERVIOLIERSTRAAT - 56 D-E2	1070	AND
ZONDAGSBOSLAAN - 61 C1	1150	SPW
ZONIENBOSSTRAAT - 90 E1 -91 A1	1560	HOE
ZONIENBOSWEG - 79 D2-3 E2 - 80 A2	1170	WAB
ZONIENWOUDLAAN -		
88 C-D-E4 - 97 C4 D3-4 E3 - 98 A2-3 B1-2 C1	1640	SGR
ZONIENWOUDLAAN - 97 C4	1652	ALS
ZONLAAN - 38 B-C1	1700	DIL
ZONNEBLOEMENSTRAAT (4) - 39 D4	1070	AND
ZONNEBLOEMLAAN - 120 C1	1653	DWO
ZONNEBLOEMLAAN - 77 D2	1180	UCK
ZONNEBLOEMLAAN - 98 C2	1640	SGR
ZONNEBOSLAAN - 53 B2 C2-3 D3	1950	KRA
ZONNEBOSLAAN - 9 B2-3 C3	1820	STE
ZONNEDALLAAN - 35 C1	1930	ZAV
ZONNEGAARDE - 51 E2	1150	SPW
ZONNEKOUTER - 46 E2	1700	DIL
ZONNEKOUTER - 46 E2	1701	ITT
ZONNELAAN - 102 B2	3090	OVE
ZONNELAAN - 95 C3	1501	BUI
ZONNELAAN - 97 E1	1652	ALS
ZONNELAAN - 98 E3 - 99 A3	1640	SGR
ZONNESTRAAT - 41 C2 - Centr. 167 B1		
NRS 1 tot 21 - 2 tot 26	1210	SJN
NRS 23 - 25 - 27	1030	SCH
ZONNEVELD (6) - 45 B4	1970	WEO
ZONNEWEELDE - 65 A-B3	1600	SPL
ZONNEWEGEL - 35 E4 - 36 A4	1933	STK
ZOOMLAAN - 59 D-E4 - 68 D1		
NRS 1 tot 23 - EVEN NRS	1000	BRL
NR 25A	1050	IXE
ZOOMLAAN - 99 A-B4	1640	SGR
ZORGVLIET - 92 D1-2	3090	OVE
ZOUAVE FRANÇAIS MICHEL (RUE DU) (2) -		
144 C1	1440	WBC
ZOUTSTRAAT - 49 A2-3	1070	AND
ZUEN (RUE DE) - 57 A-B4	1070	AND
ZUIDDREEF - 72 C-D1	3080	TER
ZUIDERKRUISLAAN - 42 D-E3	1200	WSL
ZUIDERLAAN - 21 A4 - 30 A1	1731	ZEL
ZUIDERSTRAAT - 118 A2-3	1502	LEM
ZUIDLAAN -		
49 C1 D1-2-3 - Centr. 168 A1 B1-2-3	1000	BRL
ZUIDLAAN - 91 E2 - 92 A2	1560	HOE
ZUIDSTRAAT - 40 E4 - 49 D-E1 - Centr. 166 C3	1000	BRL
ZUINIGHEIDSSTRAAT - 49 D2 - Centr. 168 B2	1000	BRL
ZUUNBEEKLAAN - 65 E3	1600	SPL
ZUUNDALLAAN - 74 E2 - 75 A2	1600	SPL
ZUUNSTRAAT - 57 A-B4	1070	AND
ZUURBESSENLAAN - 81 C-D1	3090	OVE
ZUURWEIDESTRAAT - 37 E1-2	1700	DIL
ZWAAB (RUE M. - STRAAT) - 31 C4 - 40 C1	1080	SJM
ZWAANSTRAAT (1) - 94 D4 - 106 D1	1500	HAL
ZWAARDSTRAAT - 49 E2 - Centr. 168 C2	1000	BRL
ZWALUWENLAAN - 106 E3 - 107 A3	1500	HAL
ZWALUWENLAAN - 3 D4 E3-4	1780	WEM
ZWALUWENLAAN - 44 B1-2	1950	KRA
ZWALUWENLAAN - 87 B2 C2-3	1650	BEE
ZWALUWENLAAN - 98 C-D4 - 110 C1	1640	SGR
ZWALUWENPLEIN - 101 E3	3090	OVE
ZWALUWENSTRAAT - 14 C1	1800	VIL
ZWALUWENSTRAAT - 40 E3 - Centr. 166 C2	1000	BRL
ZWALUWENVELD (4) - 45 B4	1970	WEO
ZWALUWSTRAAT - 6 B2	1850	GRI
ZWALUWSTRAAT - 69 C-D3	1170	WAB
ZWANENLAAN - 83 D2-3 E2	3090	OVE
ZWANENLAAN - 98 D4 - 110 C1	1640	SGR
ZWANENSTRAAT - 50 C4	1050	IXE
ZWANESTRAAT - 64 A-B1	1602	VLE
ZWARTE DENNENLAAN - 62 B1	1150	SPW

ZWARTE LIEVEVROUWSTRAAT -
40 E3 - Centr. 166 C2 1000 BRL
ZWARTE NOTELAARSDREEF -
119 D-E4 - 120 A4 - 132 A-B1 1500 HAL
ZWARTE PIJNBOMENLAAN - 62 B1 1950 KRA
ZWARTE VIJVERSSTRAAT - 40 A-B2 1080 SJM
ZWARTE WOUDPLEIN - 31 C2 1140 EVE
ZWARTEBEEK (RUE - STR) - 66 E3 - 67 A3 1180 UCK
ZWARTKEELTJESLAAN - 60 D-E2
ONEVEN NRS - NRS 2-110 1160 AUD
NRS 112 tot EINDE 1150 SPW
ZWART PAARDSTRAAT - 40 C3 - Centr. 166 A2 1080 SJM
ZWEDENSTRAAT - 49 C3 - Centr. 168 A3 1060 SGI
ZWEEFVLIEGTUIGSTRAAT - 33 D1 1130 BRL
ZWEMKUNSTSTRAAT - 50 D3 - Centr. 169 C3 1050 IXE
ZWITSERLANDSTRAAT - 49 E3 - Centr. 168 C3 1060 SGI
ZYP - 4 A-B-C4 - 13 B1 1780 WEM

COMMUNES - NUMEROS POSTAUX - ABREVIATIONS
GEMEENTEN - POSTNUMMERS - AFKORTINGEN
GEMEINDEN - POSTNUMMER - ABKÜRZUNGEN
MUNICIPALITIES - POSTAL CODES - ABBREVIATIONS
COMUNI - CODICI POSTALE - ABBREVIAZIONI
MUNICIPIOS - CODIGOS POSTALES - ABREVIATURAS

Alsemberg **(Beersel)**	1652	ALS
Anderlecht	1070	AND
Asse	1730	ASS
Auderghem		
Oudergem	1160	AUD
Beersel	1650	BEE
Bekkerzeel **(Asse)**	1730	BEK
Berchem-Ste-Agathe		
St.-Agatha-Berchem	1082	SAB
Berg **(Kampenhout)**	1910	BER
Bierges **(Wavre)**	1301	BIE
Braine-l'Alleud	1420	BRA
Braine-le-Château	1440	BRC
Brussegem **(Merchtem)**	1785	BRU
Brussel	1000	BRL
Bruxelles	1000	BRL
Buizingen **(Halle)**	1501	BUI
Céroux-Mousty **(Ottignies L.L.N.)**	1341	CEM
Chaumont-Gistoux	1325	CHG
Clabecq **(Tubize)**	1480	CLA
Court-Saint-Etienne	1490	CSE
Couture-Saint-Germain **(Lasne)**	1380	CSG
Diegem **(Machelen)**	1831	DIE
Dilbeek	1700	DIL
Drogenbos	1620	DRO
Duisberg **(Tervuren)**	3080	DUI
Dworp **(Beersel)**	1653	DWO
Elsene		
Ixelles	1050	IXE
Etterbeek	1040	ETT
Everberg **(Kortenberg)**	3078	EVG
Evere	1140	EVE
Forest		
Vorst	1190	VOR
Ganshoren	1083	GAN
Genappe	1470	GEP
Genval **(Rixensart)**	1332	GEN
Grimbergen	1850	GRI
Groot-Bijgaarden **(Dilbeek)**	1702	GRB
Halle	1500	HAL
Ham (Merchtem)	1785	HAM
Haren **(Brussel)**	1130	BRL
Haut-Ittre **(Ittre)**	1461	HIT
Hoeilaart	1560	HOE
Huizingen **(Beersel)**	1654	HUI
Itterbeek **(Dilbeek)**	1701	ITT
Ittre	1460	IRE
Ixelles		
Elsene	1050	IXE
Jette	1090	JET
Kampenhout	1910	KAM
Kobbegem **(Asse)**	1730	KOB
Koekelberg	1081	KOE
Kortenberg	3070	KOR
Kraainem	1950	KRA
La Hulpe	1310	LAH
Laken **(Brussel)**	1020	BRL
Lasne	1380	LAS
Lembeek **(Halle)**	1502	LEM
Lillois-Witterzée **(Braine-l'Alleud)**	1428	LIW
Limal **(Wavre)**	1300	LIL
Limelette **(Ottignies L.L.N.)**	1342	LIM
Linkebeek	1630	LIN
Lot **(Beersel)**	1651	LOT
Louvain-la-Neuve **(Ottignies-L.L.N.)**	1348	LLN
Machelen	1830	MAC
Maransart **(Lasne)**	1380	MAR
Meise	1860	MEI
Melsbroek **(Steenokkerzeel)**	1820	MEL
Molenbeek-Saint-Jean		
Sint-Jans-Molenbeek	1080	SJM
Mollem **(Asse)**	1730	MOL
Mont-Saint-Guibert	1435	MSG
Nederokkerzeel **(Kampenhout)**	1910	NED
Neder-over-Heembeek **(Brussel)**	1120	BRL
Nossegem **(Zaventem)**	1930	NOS
Ohain **(Lasne)**	1380	OHA
Ophain **(Braine-l'Alleud)**	1421	OPH
Ottenburg **(Huldenberg)**	3040	OTB
Ottignies-Louvain-la-Neuve	1340	OTT
Oudergem		
Auderghem	1160	AUD
Overijse	3090	OVE
Perk **(Steenokkerzeel)**	1820	PER
Peutie **(Vilvoorde)**	1800	PEU
Plancenoit **(Lasne)**	1380	PLA
Relegem **(Asse)**	1731	REL
Rhode-Saint-Genèse		
Sint-Genesius Rode	1640	SGR
Rixensart	1330	RIX
Rosières **(Rixensart)**	1331	ROS
Ruisbroek **(Sint-Pieters-Leeuw)**	1601	RUI
Saint-Gillis		
Sint-Gillis	1060	SGI
Saint-Josse-ten-Noode		
Sint-Joost-ten-Node	1210	SJN
Schaarbeek		
Schaerbeek	1030	SCH
Schaerbeek		
Schaarbeek	1030	SCH
Schepdaal **(Dilbeek)**	1703	SPD
Sint-Agatha-Berchem		
Berchem-Sainte-Agathe	1082	SAB
Sint-Genesius-Rode		
Rhode-Saint-Genèse	1640	SGR
Sint-Gillis		
Saint-Gilles	1060	SGI
Sint-Jans-Molenbeek		
Molenbeek-Saint-Jean	1080	SJM
Sint-Joost-ten-Node		
Saint-Josse-ten-Noode	1210	SJN
Sint-Lambrechts-Woluwe		
Woluwe-Saint-Lambert	1200	WSL
Sint-Martens-Bodegem **(Dilbeek)**	1700	SMB
Sint-Pieters-Leeuw	1600	SPL
Sint-Pieters-Woluwe		
Woluwe-Saint-Pierre	1150	SPW
Sint-Stevens-Woluwe **(Zaventem)**	1932	SSW
Sint-Ulriks-Kapelle **(Dilbeek)**	1700	SUK
Steenokkerzeel	1820	STE
Sterrebeek **(Zaventem)**	1933	STK
Strombeek-Bever **(Grimbergen)**	1853	SBE
Tervuren	3080	TER
Tubize	1480	TUB
Uccle		
Ukkel	1180	UCK

Ukkel		
Uccle	1180	UCK
Vilvoorde	1800	VIL
Virginal-Samme **(Ittre)**	1460	VIR
Vlezenbeek **(Sint-Pieters-Leeuw)**	1602	VLE
Vorst		
Forest	1190	VOR
Watermaal-Bosvoorde		
Watermael-Boitsfort	1170	WAB
Watermael-Boitsfort		
Watermaal-Bosvoorde	1170	WAB
Waterloo	1410	WAT
Wautier-Braine **(Braine-le-Château)**	1440	WBR
Wavre	1300	WAV
Wemmel	1780	WEM
Wezembeek-Oppem	1970	WEO
Woluwe-Saint-Lambert		
Sint-Lambrechts-Woluwe	1200	WSL
Woluwe-Saint-Pierre		
Sint-Pieters-Woluwe	1150	SPW
Wolvertem **(Meise)**	1861	WOL
Zaventem	1930	ZAV
Zellik **(Asse)**	1731	ZEL

ADMINISTRATIONS COMMUNALES
GEMEENTEBESTUREN
GEMEINDEVERWALTUNGEN
MUNICIPALITIES
AMMINISTRAZIONE COMUNALE
ADMINISTRACIONES MUNICIPALES

ANDERLECHT - 49B2
pl.du Conseil 1 - 1070
Raadsplein 1 - 1070 T.558 08 00
ASSE - buiten plan
Gemeenteplein 1 - 1730 T.452.87.40
DEELGEMEENTEN
- Bekkerzeel
- Kobbegem
- Mollem
- Zellik

AUDERGHEM / OUDERGEM - 62B3
rue E. Idiers 12 - 1160 T.676 48 02
BEERSEL - 97C1
Alsembergstwg 1046 - 1652 T.382 08 11
DEELGEMEENTEN
- Alsemberg
- Dworp
- Huizingen
- Lot

BERCHEM-STE-AGATHE/ ST-AGATHA-BERCHEM - 30B4
av. du Roi Albert 33 - 1082 T.464 04 11
BRAINE-L'ALLEUD - 146C1
Grand Place Baudouin 1er 3 - 1420 T.386 05 11
ANTENNE DE
- Lillois-Witterzée -
- Ophain-Bois-Seigneur-Isaac - hors plan

BRAINE-LE-CHATEAU - 143D1
rue de la Libération 9 - 1440 T.366 90 93
BRUSSEL / BRUXELLES - 40D4 - Centr. 166C3
Stadhuis, Grote Markt - 1000 T.279 49 51
Hôtel de Ville, Grand'Place T.279 49 51
DILBEEK - 38C4
Gemeenteplein 1 - 1700 T.467 21 11
DEELGEMEENTEN
- Groot-Bijgaarden
- Itterbeek
- Schepdaal
- Sint-Martens-Bodegem
- Sint-Ulriks-Kapelle

DROGENBOS - 76D1-2
Grote Baan 222 - 1620
Grand'Route 222 - 1620 T.377 06 31
ELSENE / IXELLES - 50B3 - Centr. 169A3
Elsensestwg. 168-1050 T.511 90 84
ETTERBEEK - 50E1 - Centr. 169D2
av.d' Auderghem 113-117 - 1040
Oudergemselaan 113-117 T.627 21 11
EVERE - 33B2
sq. Hoedemaekerssq. 10 - 1140 T.247 62 62
FOREST / VORST - 57E4 - 58A4
rue du Curé 2 - 1190 T.370 22 11
GANSHOREN - 30C3
av. Charles-Quint 140 - 1083
Keizer Karellaan 140 - 1083 T.465 12 77
GRIMBERGEN - 5C1-2
Prinsenstraat 3 - 1850 T.260 12 11
DEELGEMEENTEN
- Beigem
- Humbeek
- Strombeek-Bever

HALLE / HAL - 106C-D1
Oudstrijdersplein 18 - 1500 T. 363 22 11
DEELGEMEENTEN
- Buizingen
- Lembeek

HOEILAART - 91B2
Jan Van Ruusbroeckpark - 1560 T.657 90 50
ITTRE - 155B-C4
rue Planchette 2 - 1460 T.067/64 60 63
ANTENNE DE
- Haut-Ittre
- Virginal-Samme

IXELLES / ELSENE - 50B3 - Centr. 169A3
ch. d'Ixelles 168 - 1050 T.511 90 84
JETTE - 31A1
rue H. Werrie 18-20 - 1090
H. Werriestraat 18-20 - 1090 T.423 12 11
KAMPENHOUT - buiten plan
Gemeentehuisstraat 16 - 1910 T.016/65 99 22
DEELGEMEENTEN
- Berg
- Buken
- Nederokkerzeel

KOEKELBERG - 40B1
pl.H. Vanhuffel 6 - pl. - 1081 T.412 14 11
KORTENBERG - buiten plan
Peperstraat 30 - 3070 T.759 66 86
DEELGEMEENTEN
- Erps-Kwerps

- Everberg
- Meerbeek

KRAAINEM - 44A1
av. A. Dezangre 17 - 1950
A. Dezangrelaan 17 - 1950 T.721 09 44

LA HULPE - 113D2
rue des Combattants 59 - 1310 T.652 05 78

LASNE - 137B1
pl. Communale 2 - 1380 Ohain T.633 34 74
ANTENNE DE
- Couture-Saint-Germain
- Lasne Chapelle-St.-Lambert
- Maransart
- Ohain
- Plancenoit

LINKEBEEK - 77C4 -87C1
place Communale 2 - 1630
Gemeentepl. 2- 1630 T.380 62 15

MACHELEN - 16A1-2
Woluwestraat 1 - 1830 T.254 12 11
DEELGEMEENTE
- Diegem

MEISE - buiten plan
Gemeenteplein - 1861 Wolvertem T.272 00 65
DEELGEMEENTEN
- Meise
- Wolvertem

MERCHTEM - buiten plan
Nieuwstraat 1 - 1785 T.052/37 08 11
DEELGEMEENTEN
- Brussegem
- Hamme

MOLENBEEK-SAINT-JEAN - 40C2 - Centr. 166A1
r. Comte de Flandre 20 - 1080 T.412 37 10

OTTIGNIES-LOUVAIN-LA-NEUVE - 163E1
avenue des Combattants 35 - 1340 T.010/43 78 11
ANTENNE DE
- Céroux-Mousty
- Limelette
- Ottignies

OUDERGEM / AUDERGHEM - 62B3
E. Idiersstraat 12 - 1160 T.676 48 02

OVERIJSE - 93A1
Justus Lipsiusplein 9 - 3090 T.687 60 40

RHODE-SAINT-GENESE / SINT-GENESIUS-RODE - 97D2-3
rue du Village 46 - 1640 T.380 20 40

RIXENSART - 126D2
av. de Mérode 75 - 1330 T.652 01 10
ANTENNE DE
- Genval
- Rosières

SAINT-GILLES / SINT-GILLIS - 58D1
pl. M. Van Meenen 39 - 1060 T.536 02 11

SAINT-JOSSE-TEN-NOODE / SINT-JOOST-TEN-NODE - 41C3 - Centr. 167B2
av. de l'Astronomie 13 - 1210 T.220 26 11

SCHAARBEEK / SCHAERBEEK - 32C3
pl. Colignon - 1030
Colignonplein - 1030 T.243 86 16

SINT-AGATHA-BERCHEM / BERCHEM-SAINTE-AGATHE - 30B4
Koning Albertlaan 33-1082 T.464 04 11

SINT-GENESIUS-RODE RHODE-SAINT-GENESE - 97D2-3
Dorpsstraat 46 - 1640 T.380 20 40

SINT-GILLIS / SAINT-GILLES - 58D1
M.Van Meenenplein 39 - 1060 T.536 02 11

SINT-JANS-MOLENBEEK - 40C2 - Centr. 166A1
Graaf van Vlaanderenstr. 20 T.412 37 10

SINT-JOOST-TEN-NODE / SAINT-JOSSE-TEN-NOODE - 41C3 - Centr. 167B2
Sterrenkundelaan 13 - 1210 T.220 26 11

SINT-LAMBRECHTS-WOLUWE / WOLUWE-SAINT-LAMBERT - 52A1
P. Hymanslaan 2 - 1200 T.761 27 76

SINT-PIETERS-LEEUW - 74E3
Pastorijstraat 21 - 1600 T.371 22 11
DEELGEMEENTEN
- Oudenaken
- Ruisbroek
- Sint-Laureins-Berchem
- Vlezenbeek

SINT-PIETERS-WOLUWE / WOLUWE-SAINT-PIERRE - 52A2
Ch. Thielemanslaan 93 - 1150 T.773 05 14

STEENOKKERZEEL - 18C2
E. Fuérisonplaats 18 - 1820 T.758 01 70
DEELGEMEENTEN
- Melsbroek
- Perk

TERVUREN - 62E2
Brusselsesteenweg 13 - 3080 T.769 20 11
DEELGEMEENTEN
- Duisburg
- Vossem

TUBIZE - hors plan
Grand Place 1 - 1480 T.391 39 11
ANTENNE DE
- Clabecq
- Saintes

UCCLE / UKKEL - 67B-C2
pl. J. Van der Elst pl. 29 - 1180 T.348 65 11

VILVOORDE - 6E2
Grote Markt - 1800 T.255 45 11
DEELGEMEENTE
- Peutie

VORST / FOREST - 57E4 - 58A4
Pastoorsstraat 2 - 1190 Br. T.370 22 11

WATERMAAL-BOSVOORDE / WATERMAEL-BOITSFORT - 69D3
pl. A. Gilson 1 - 1170
A. Gilsonplein 1 - 1170 T.674 74 13

WATERLOO - 123A1
rue François Libert 28 - 1410 T.352 99 62

WAVRE - 129A-B1
pl. de l'Hôtel de Ville - 1300 T. 010/23 03 11
ANTENNE DE
- Bierges
- Liemal

WEMMEL - 12C2-3
av.Dr.H.Follet 28 - 1780
Dokter H.Folletlaan 28 - 1780 T.462 05 41

WEZEMBEEK-OPPEM - 44C-D3
r. L. Marcelis 134 - 1970
L. Marcelisstraat 134 - 1970 T.783 12 11

WOLUWE-SAINT-LAMBERT / SINT-LAMBRECHTS-WOLUWE - 52A1
av.Paul Hymans 2 - 1200 T.761 27 76

WOLUWE-SAINT-PIERRE / SINT-PIETERS-WOLUWE - 52A2
av.Ch.Thielemans 93 - 1150 T.773 05 14

ZAVENTEM - 26A3
Diegemstraat 37 - 1930 T.720 02 54
DEELGEMEENTEN
-Nossegem
-Sint-Stevens-Woluwe
-Sterrebeek

NUMEROS POSTAUX SPECIFIQUES
SPECIALE POSTNUMMERS
BESONDERE POSTNUMMER
SPECIAL POSTCODES
CODICI POSTALE SPECIFICHE
CODIGOS POSTALES PARTICULARES

1010 Rijksadministratief Centrum - Brussel
Cité administrative de l'Etat - Bruxelles
1011 Vlaams Parlement
Parlement Flamand
1041 I.P.C. International Press Center
1043 V.R.T.
1044 R.T.B.F.
1048 Raad E.E.G.
Conseil C.E.E.
1049 Commissie E.E.G.
Commission C.E.E.
1100 Bestuur der Postchecks
Office des Chèques postaux
1110 OTAN-NATO-NAVO (Brussel-Bruxelles)
bd. Léopold III-laan
1201 R.T.L.-T.V.I.
1818 V.T.M.
1931 Brucargo

BUREAUX DE POSTE - POSTKANTOREN
POSTÄMTER - POST OFFICES
UFFICI POSTALI - CORREOS

ALSEMBERG
Winderickxplein 22 T.380 15 22
ANDERLECHT 1
rue Veeweyde 15
Veeweidestraat 15 T.521 62 40
ANDERLECHT 2
boulevard M. Herbette 2-4
M. Herbettelaan 2-4 T.521 11 94
ANDERLECHT ERASME/ERASMUS
route de Lennik 806
Lenniksebaan 806 T.527 02 08
ANDERLECHT 3
chaussée de Mons 1164
Bergensesteenweg 1164 T.521 46 19
ANDERLECHT 4
rue Rossini 5
Rossinistraat 5 T.521 62 53
ANDERLECHT 5
avenue d'Itterbeek 497
Itterbeekselaan 497 T.527 06 05
ANDERLECHT 6
rue Ropsy Chaudron 22B
Ropsy Chaudronstraat 22B T.520 85 51
ANDERLECHT 8
avenue Marius Renard 23
Marius Renardlaan 23 T.520 70 77
ANDERLECHT 9
av. Dr. Zamenhof-laan 35 T.520 64 81
ANDERLECHT 10
(Westland Shopping)
bd. Sylvain Dupuis 387
Sylvain Dupuislaan 387 T.524 33 45
ASSE
Prieelstraat 4 T.452 62 82
AUDERGHEM 2
chaussée de Wavre 1212 T.672 79 09
AUDERGHEM 3
rue A.Meunier 78 T.673 07 21
BEERSEL
Grotebaan 99 T.331 07 13
BERCHEM-SAINTE-AGATHE 1
avenue Josse Goffin 12 T.465 80 41
BERCHEM-SAINTE-AGATHE 2
av. Charles Quint 560 T.465.72.72
BRAINE-L'ALLEUD 1
place du Môle 18 T.384 24 65
BRAINE-L'ALLEUD 2
place St.-Sébastien 56 T.384 39 69
BRUSSEL 1
Muntcenter T.226 21 11
BRUSSEL 2
Tielemansstraat 32 T.426 32 45
BRUSSEL 3
Rogierlaan 162 T.216 81 47
BRUSSEL 4
Kortenberglaan 16 T.282 99 91
BRUSSEL 5
Boondaalsesteenweg 55 T.627 46 00
BRUSSEL 7
Gouverneur Nensstraat 5 T.522 70 40
BRUSSEL 8
Steengroefstraat 21-27 T.414 51 51
BRUSSEL 9
F. Lenoirstraat 29-31 T.426 29 14
BRUSSEL 12
Peter Benoitplein 34B T.268 23 08
BRUSSEL 14
Haachtsesteenweg 1031J T.245 53 35
BRUSSEL 15
Ch.Thielemanslaan 24 T.771 98 00
BRUSSEL 16
Gemeenteplein 12 T.672 38 44
BRUSSEL 17
E.Keympl. 50-51 T.672 69 01
BRUSSEL 18
Postiljonstraat 10-12 T.344 70 80
BRUSSEL 19
Stationstraat 9 T.376 23 74
BRUSSEL 20
St.-Lambertusstr. 139-143 T.770 22 15
BRUSSEL 21
Vooruitgangstraat 80 T.203 09 90
BRUSSEL 22
Centraal Station T.511 36 69
BRUSSEL 23
Bischoffsheimlaan 11 T.219 15 35
BRUSSEL 24
Bogaardenstraat 19 T.512 09 06

BRUSSEL 30
Koning Albertlaan 45 T.262 14 66
BRUSSEL 33
Hoogstraat 296c T.538 23 45
BRUSSEL 35
Atomiumsquare - BITM T.479 65 34
BRUSSEL 37
Justitiepaleis, Poelaertplein 1 T.512 73 86
BRUSSEL 39
N.A.V.O. T.726 89 90
BRUSSEL 42
Belliardstraat 8 T.513 53 59
BRUSSEL 43
Houba de Strooperlaan 12 T.476 12 22
BRUSSEL 44
Brieslaan 13 T.262 05 39
BRUSSEL 45
Dikkebeuklaan 1a T.479 63 06
BRUSSEL 101
Pachecolaan 19 T.210 20 80
BRUSSEL CITY 2
Nieuwstraat 123 b130 T.223 01 05
BRUSSEL X
(Industrieel sorteercentrum)
Fonsnylaan 48A T.538 40 00
BRUXELLES 1
Centre Monnaie T.226 21 11
BRUXELLES 2
rue Tielemans 32 T.426 32 45
BRUXELLES 3
av. Rogier 162 T.216 81 47
BRUXELLES 4
avenue de Cortenbergh 16 T.282 99 91
BRUXELLES 5
chaussée de Boondael 55 T.627 46 00
BRUXELLES 7
rue Gouverneur Nens 3 T.522 70 40
BRUXELLES 8
rue de la Carrière 21-27 T.414 51 51
BRUXELLES 9
rue F.Lenoir 29-31 T.426 29 14
BRUXELLES 12
place Peter Benoit 34B T.268 23 08
BRUXELLES 14
chaussée de Haecht 1031J T.245 53 35
BRUXELLES 15
avenue Ch. Thielemans 24 T.771 98 00
BRUXELLES 16
pl. Communale 12 T.672 38 44
BRUXELLES 17
pl. E. Keym 50-51 T.672 69 01
BRUXELLES 18
rue Postillon 10-12 T.344 70 80
BRUXELLES 19
rue de la Station 9 T.376 23 74
BRUXELLES 20
rue St.-Lambert 139-143 T.770 22 15
BRUXELLES 21
rue du Progrès 80 T.203 09 90
BRUXELLES 22
Gare Centrale T.511 36 69
BRUXELLES 23
bd. Bischoffsheim 11 T.219 15 35
BRUXELLES 24
rue des Bogards 19 T.512 09 06
BRUXELLES 30
av. Roi Albert 45 T.262 14 66
BRUXELLES 33
rue Haute 296c T.538 23 45
BRUXELLES 35
square Atomium-BITM T.479 65 34
BRUXELLES 37
Palais de Justice,
place Poelaert 1 T.512 73 86
BRUXELLES 39
OTAN T.726 89 90
BRUXELLES 42
rue Belliard 8 T.513 53 59
BRUXELLES 43
av. Houba de Strooper 12 T.476 12 22
BRUXELLES 44
av. de la Brise 13 T.262 05 39
BRUXELLES 45
av. de l'Arbre Ballon 1a T.479 63 06
BRUXELLES 101
bd. Pachéco 19 T.210 20 80
BRUXELLES CITY 2
rue Neuve 123 b130 T.223 01 05
BRUXELLES X
(Centre de Tri Industriel)
av. Fonsny 48A T.538 40 00
BUIZINGEN
Rozenlaan 33 T.356 53 16
DIEGEM
Haachtsesteenweg 86 T.720 09 29
DILBEEK
Baron R. de Vironlaan 107 T.569 04 96
DROGENBOS
Sterstraat 119
rue de l'Etoile 119 T.377 04 79
DWORP
Alsembergsesteenweg 586 T.380 32 56
ELSENE 1
Elsensesteenweg 27 T.511 98 90
ELSENE 2
Generaal Jacqueslaan 112 T.648 40 29
ELSENE 3
Luxemburgplein T.511 96 91
ELSENE 4
Louizalaan 247 T.640 60 53
ELSENE 6
Waterloosteenweg 550 T.344 43 33
ELSENE 7
Oude Lindesquare 6 T.673 73 70
ETTERBEEK 1
chaus. St.Pierre 124
St.Pieterssteenweg 124 T.648 04 42
ETTERBEEK 2
avenue de Tervueren 32
Tervurenlaan 32 T.733 75 20
ETTERBEEK 3
rue des Champs 49
Veldstraat 49 T.648 99 34
ETTERBEEK 4
cours St-Michel 82
St-Michielswarande 82 T.733 64 52
EVERE 2
av. du Cimetière de Bruxelles 35
Kerkhof van Brussellaan 35 T.726.60.47
EVERE 3
av. des Loisirs 9
Vrijetijdslaan 9 T.705 47 80
FOREST 2
rue Pierre Decoster 88 T.344 92 11
FOREST 3
pl.de l'Altitude Cent 12 T.344 55 35
FOREST 4
avenue Minerve 23a T.344 63 31
GANSHOREN
rue A. & M. Hellinckx-straat 26 T.426 30 10
GENVAL
place Communale 3 T.653 38 64
GRIMBERGEN
Wolvertemsesteenweg 89 T.269 13 97
GROOT-BIJGAARDEN
Brusselstraat 310 T.466 61 24
HALLE
Kardinaal Cardijnstraat 9 T.356 50 32

HALLE 2
St. Rochusstraat 44 T.356 80 85
HOEILAART
J.-B- Charlierlaan 1a T.657 02 84
ITTRE
rue de la Planchette 4 T. 067/64 63 65
IXELLES 1
chaussée d'Ixelles 27 T.511 98 90
IXELLES 2
bd. Général Jacques 112 T.648 40 29
IXELLES 3
pl. du Luxembourg T.511 96 91
IXELLES 4
av.Louise 247 T.640 60 53
IXELLES 6
chaussée de Waterloo 550 T.344 43 33
IXELLES 7
square du Vieux Tilleul 6 T.673 73 70
JETTE 2
rue E. De Smet 8
E. De Smetstraat 8 T.479 37 99
JETTE 3
rue A. Hainaut 16
Hainautstraat 16 T.428 73 65
KOEKELBERG
rue de l'Armistice 9
Wapenstilstandstraat 9 T.426 23 40
KORTENBERG
Stationstraat 22 T.759 67 80
KRAAINEM 1
Koningin Astridlaan 278
av. reine Astrid 278 T.731 11 02
KRAAINEM 2
av. A.Dezangre-laan 17 T.720 38 76
LA HULPE
rue des Combattants 82 T.653 69 97
LASNE
place Azay Rideau 1 T.633 11 08
LEMBEEK
A. Puesstraat 193 T.356 52 35
LILLOIS-WITTERZEE
Grand'Route 136 T.384. 25 38
LINKEBEEK
rue de la Station 80
Stationsstraat 80 T.380 98 36
LOT
Dworpsestraat 6 T.331 06 74
LOUVAIN-LA-NEUVE
place des Sciences 1A T.010/45 03 52
MACHELEN
Woluwestraat 4 T.251 19 72
MEISE
Nieuwelaan 37 T.270 82 26
MOLENBEEK 2
chaussée de Ninove 122
Ninoofsesteenweg 122 T.410 62 41
MOLENBEEK 4
rue R.Stijns 76
R.Stijnsstraat 76 T.414 52 22
MOLENBEEK 5
bd. Léopold II-laan44-48 T.414 08 21
MOLENBEEK 6
chaussée de Ninove 987
Ninoofsesteenweg 987 T.520 56 01
OHAIN
place Communale 9 T.633 11 07
OTTIGNIES 1
avenue des Combattants 114 T.010/41 42 70
OTTIGNIES 2
boulevard Martin 10 T.010/41 04 51
OUDERGEM 2
Waversesteenweg 1212 T.672 79 09
OUDERGEM 3
A. Meunierstraat 78 T.673 07 21
OVERIJSE 1
Geb. Danhieuxstraat 1 T.687 73 39
OVERIJSE 2
Brusselsesteenweg 420 T.657 19 16
PEUTIE
Aarschotsestraat 111 T.251 34 87
RHODE-SAINT-GENESE 1
rue Fontaine 22 T.380 52 93
RIXENSART 1
rue de Rixensart 31 T.653 61 05
RIXENSART 2
avenue Mérode 6 T.654 11 07
RIXENSART 3
rue St.-Roch 1 T.653 95 96
RUISBROEK
Kerkstraat 66 T.378 05 20
SAINT-GILLES 1
chaussée de Charleroi 33 T.539 19 62
SAINT-GILLES 2
rue de Moscou 2 T.537 27 91
SAINT GILLES 3
avenue Fonsny T.538 33 98
SAINT-JOSSE-TEN-NOODE 1
rue du Méridien 70 T.217 53 57
SAINT-JOSSE-TEN-NOODE 2
rue Willems 18 T.230 57 39
SCHAARBEEK 1
Koninklijke Sint-Mariastraat 98 T.216 29 74
SCHAARBEEK 4
Sleeckxlaan 5 T.215 40 00
SCHAARBEEK 5
Dr.Dejaselaan 22 T.215 28 85
SCHAARBEEK 6
E. Plaskylaan 191 T.734 24 85
SCHAARBEEK 7
Colignonplein 3 T.215 56 99
SCHAARBEEK 10
A. Francestraat 94 T.245 40 10
SCHAERBEEK 1
rue Royale Sainte-Marie 98 T.216 29 74
SCHAERBEEK 4
avenue Sleeckx 5 T.215 40 00
SCHAERBEEK 5
av Dr. Dejase 22 T.215 28 85
SCHAERBEEK 6
av. E. Plasky 191 T.734 24 85
SCHAERBEEK 7
pl.Colignon 3 T.215 56 99
SCHAERBEEK 10
rue Anatole France 94 T.245 40 10
SCHEPDAAL
Wijngaardstraat 25 T.569 22 59
SINT-AGATHA-BERCHEM 1
Josse Goffinlaan 12 T.465 80 41
SINT-AGATHA-BERCHEM 2
Keizer Karellaan 560 T.465 72 72
SINT-GENESIUS-RODE 1
Fonteinstraat 22 T.380 52 93
SINT-GILLIS 1
Charleroisteenweg 33 T.539 19 62
SINT-GILLIS 2
Moskoustraat 2 T.537 27 91
SINT-GILLIS 3
Fonsnylaan T.538 33 98
SINT-JOOST-TEN-NODE 1
Middaglijnstraat 70 T.217 53 57
SINT-JOOST-TEN-NODE 2
Willemsstraat 18 T.230 57 39
SINT-PIETERS-LEEUW 1
Bergensesteenweg 207 T.377 02 88
SINT STEVENS-WOLUWE
H.Thumasplein 47 T.720 05 11
STEENOKKERZEEL
Behetstraat 12 T.757 63 43

STERREBEEK
Nieuwstraat 33 T.731 26 30
STROMBEEK-BEVER
Grimbergsesteenweg 175 T.267 19 92
TERVUREN
Markt 5 T.767 33 99
TUBIZE
rue de l'industrie 11 T. 355 62 65
UCCLE 2
chaussée d'Alsemberg 1069 T.332 09 46
UCCLE 3
chaussée de Waterloo 1333 T.374 01 34
UCCLE 4
chaussée de Waterloo 715 T.345 00 35
UCCLE 5
avenue Montjoie 228 T.344 05 13
UCCLE 7
rue Vanderkindere 102 T.343 92 30
UKKEL 2
Alsembergsesteenweg 1069 T.332 09 46
UKKEL 3
Waterloosesteenweg 1333 T.374 01 34
UKKEL 4
Waterloosesteenweg 715 T.345 00 35
UKKEL 5
Montjoielaan 228 T.344 05 13
UKKEL 7
Vanderkinderestraat 102 T.343 92 30
VILVOORDE 1
Groenstraat 14 T.251 07 35
VILVOORDE 2
Schaarbeeklei 1 T.251 35 37
VILVOORDE 3
Meeuwenlaan 15 T.267 24 36
VILVOORDE 5
Haesendonckstraat 39 T.251 46 69
VIRGINAL-SAMME
rue de l'Ecole 10 T.067/64 82 88
VLEZENBEEK
Postweg 140 T.569 09 30
VORST 2
Pierre Decosterstraat 88 T.344 92 11
VORST 3
Hoogte Honderdplein 12 T.344 55 35
VORST 4
Minervalaan 23a T.344 63 31
WATERLOO 1
chaussée de Bruxelles 193 T.354 76 60
WATERLOO 3
rue Bodrissart 42 T.354 71 59
WATERMAAL-BOSVOORDE 1
Ph.Dewolfsstraat 8 T.672 03 22
WATERMAAL-BOSVOORDE 2
J. Wautersplein 1 T.675 11 38
WATERMAEL-BOITSFORT 1
rue Ph.Dewolf 8 T.672 03 22
WATERMAEL-BOITSFORT 2
pl. J. Wauters 1 T.675 11 38
WAVRE 1
rue Florimond Letroye 16 T.010/22 43 35
WAVRE 2
rue Tilleil 2 T. 010/22 25 73
WEMMEL 1
av. de Limbourg Stirum-laan 22 T.460 42 83
WEZEMBEEK-OPPEM
av.des Violettes 6
Viooltjeslaan 6 T.731 04 64
WOLUWE 2
av. Georges Henri - laan 328 T.733 37 33
WOLUWE 4
drève de Nivelles 128
Nijvelsedreef 128 T.672 79 29
WOLUWE 5
Parvis Ste.-Alix 8
St.Aleidisvoorplein 8 T.772 92 00
WOLUWE 6
pl. du Campanille 25
Campanileplein 25 T.770 53 14
WOLUWE 7
avenue Heydenberg 81
Heydenberglaan 81 T.772 13 52
WOLUWE 8
rue Blockmans 14
Blockmansstraat 14 T.771 07 14
ZAVENTEM 1
Leuvensestwg. 607 T.757 02 57
ZAVENTEM 2
Watertorenlaan 14-16 T.720 04 85
ZAVENTEM 3
Luchthaven Vracht (Brucargo) T.751 75 70
ZAVENTEM 4
Luchthaven-Aéroport T.720 07 36
ZELLIK
Brusselsesteenweg 644 T.466 74 62

GENDARMERIE - RIJKSWACHT
GENDARMERIE - GENDARMERIE
GENDARMERIA - GENDARMERIA

DRINGENDE OPROEP : 101
APPEL URGENT : 101

BRUSSEL/BRUXELLES
ETAT-MAJOR GENERAL
rue Frits Toussaint 47 - 1050 Ixe T.642 61 11
ECOLE ROYALE DE LA GENDARMERIE
av. Force Aérienne 10 - 1040 Ett T.642 61 11
PROVINCIALE VERKEERSEENHEID DISTRICT, BOB BRIGADE
Leuvenseweg 58 - 1000 Brl T.507 92 11
GENERALE STAF
F. Toussaintstr. - 1050 Ixe T.642 61 11
KONINKLIJKE RIJKSWACHTSCHOOL
Luchtmachtlaan 10 - 1040 Ett T.642 61 11
GROUPE TERRITORIAL BRABANT
av. de la Cavalerie 2 - 1040 Ett T.642 61 11
TERRITORIALE GROEP BRABANT
Ruiterijlaan 2 - 1040 Ett T.642 61 11
UNITE PROVINCIALE DE CIRCULATION DISTRICT, BSR, BRIGADE
rue de Louvain 58 - 1000 Brl T.507 92 11

ANDERLECHT
rue Victor Rauter 259 - 1070
Victor Rauterstr. 259 - 1070 T.521 15 25
AUDERGHEM/WATERMAEL-BOITSFORT
av. du Kouter 87 - 1160 T.672 29 13

BEERSEL
Kapellerond 37 - 1651 T.331 06 42
BRUSSEL I/ELSENE-ETTERBEEK-ST.GILLIS
Leuvenseweg 58 - 1000 T.507 92 11
BRUSSEL II
Stephaniestr. 87 - 1020 T.426 11 15
BRUXELLES I/ETTERBEEK-IXELLES-ST.GILLES
rue de Louvain 58 - 1000 T.507 92 11
BRUXELLES II
rue Stéphanie 87 - 1020 Br T.426 11 15
BERCHEM-GANSHOREN/JETTE-KOEKELBERG-MOLENBEEK
av. Charles-Quint 293
Keizer Karellaan 293 - 1083 T.468 22 24
GRIMBERGEN
Vilvoordsesteenweg 193 - 1861 T.270 29 99
MEISE (Wolvertem)
Hoogstraat 36 - 1861 T.269 14 00
OUDERGEM/WATERMAAL-BOSVOORDE
Kouterlaan 87 - 1160 T.672 29 13
OVERIJSE
Stationsplein 10 - 3090 T.687 70 03
SCHAARBEEK-EVERE/SCHAERBEEK/ST.JOSSE-ST-JOOST
rue J. Blockx-straat 22 - 1030 T.215 68 95
SINT-LAMBRECHTS-WOLUWE/SINT-PIETERS-WOLUWE
D. Van Beverstraat 6 - 1150 T.762 93 37
UCCLE/FOREST
rue du Patinage 44 - 1190 T.340 63 00
UKKEL/VORST
Schaatsstraat 44 - 1190 T.340 63 00
WOLUWE-SAINT-LAMBERT/WOLUWE-SAINT-PIERRE
rue D. Van Bever 6 - 1150 T.762 93 37

BRIGADES VAN HET DISTRICT ASSE
BRIGADES DU DISTRICT DE ASSE
ASSE
Nerviersstraat 60 - 1730 T.451 22 11
DILBEEK
Oudstrijderstraat 5 - 1700 T.569 43 12
OPWIJK
Nieuwstraat 2B - 1745 T.052/35 50 01

BRIGADES VAN HET DISTRICT HALLE
BRIGADES DU DISTRICT DE HALLE
HALLE
Fabriekstraat 2 - 1500 T.363 32 11

RHODE-SAINT-GENESE
av. de la Forêt de Soignes 79 T.380 60 15
SINT-GENESIUS-RODE
Zoniënwoudlaan 79 T.380 60 15
SINT-PIETERS-LEEUW
Gen. Lemanstr. 47 - 1600 T.377 17 47

BRIGADES VAN HET DISTRICT LEUVEN
BRIGADES DU DISTRICT LEUVEN
KORTENBERG
Stationstraat 3 - 3070 T.759 64 02
TERVUREN
Peperstraat 26 - 3080 T.767 30 05

BRIGADES VAN HET DISTRICT NIVELLES
BRIGADES DU DISTRICT DE NIVELLES
BRAINE L'ALLEUD
rue P. Flamand 62 - 1420 T.384 20 02
BRAINE-LE-CHATEAU
Grand'Place 7 - 1440 T.366 90 90
LASNE-CHAPELLE SAINT-LAMBERT
rue de la Gendarmerie 23 - 1380 T.633.10.16
TUBIZE
rue de Bruxelles 92 T.355 60 28
WATERLOO
ch. de Bruxelles 141 -1410 T.357 75 03

BRIGADES VAN HET DISTRICT VILVOORDE
BRIGADES DU DISTRICT DE VILVORDE
ZAVENTEM
Hoogstraat 20 - 1930 T.720 06 70
BRUSSEL NATIONAAL / BRUXELLES NATIONAL
Luchthaven - 1930 T.715 62 11
VILVOORDE
Zennelaan 76 - 1800 T.255 72 11

BRIGADES VAN HET DISTRICT WAVER
BRIGADES DU DISTRICT DE WAVRE
LA HULPE
avenue Docteur Terwagne - 1310 T.653 62 03
OTTIGNIES-LOUVAIN-LA-NEUVE
rue Sapinière 10 T.010/45 30 30
RIXENSART
rue de Rixensart 1 - 1330 T.653 62 63
WAVRE
chaussée de Louvain 34 T.010/23 32 11

POLICE - POLITIE
POLIZEI - POLICE
POLIZIA - POLICIA

DRINGENDE OPROEP : 101
APPEL URGENT : 101

ALSEMBERG (Beersel)
Alsembergsestwg. 1046 T.382 08 56
ANDERLECHT
1ere Division - rue Démosthène 36 T.558 10 20
2ième Div. - av. des Droits de l'Homme 2C T.521 01 70
1ste afdeling - Demosthenesstraat 36 T.558 10 20
2de Afd. - Mensenrechtenlaan 2c T.521 01 70
ASSE
De Vironstraat 24 T.452 66 73
AUDERGHEM
rue Emile Idiers 12 T.676 49 14

BEERSEL
Alsembergsestwg. 1046 T.382 08 56
BERCHEM-SAINTE-AGATHE
rue Hubert Blauwet 26 T.464 04 15
BRAINE-LE-CHATEAU
Grand'Place 1 - Wauthier-Braine T.366 92 67
BRUSSEGEM (Merchtem)
August de Boeckstraat 62 - Merchtem T.052/37 12 22
BRUSSEL
hoofdafdeling - Kolenmarkt 30 T.517 96 11
1ste en 3de afdeling - Kolenmarkt 30 T.517 96 30

2de en 4de afdeling - Kolenmarkt 30 T.517 96 20
5de afdeling - Clovislaan 6-10 T.517 96 50
6de afdeling - Livornostraat 136 T.517 96 60
7de afdeling - Glibertstraat 1 T.517 96 70
8ste afdeling - Emile Bockstaellaan 244 T.517 96 80
Heizel - Houba de Strooperlaan 141 T.517 96 84
9de afdeling - Wimpelbergstraat 2 T.517 96 90
10de afdeling - Kortenbachstr. 10 T.517 96 97
11de afdeling - Papenhoutlaan 67 T.517 96 45

BRUXELLES
Div. centrale - r. Marché au Charbon 30 T.517 96 11
1ere et 3ème div. - rue Marché au Charbon T.517 96 30
2ème et 4ème div. - rue Marché au Charbon T.517 96 20
5ème division - av. Clovis 6-10 T.517 96 50
6ème division - rue de Livourne 136 T.517 96 60
7ème division - rue Glibert 1 T.517 96 70
8ème division - bd. Emile Bockstael 244 T.517 96 80
Heysel - av. Houba de Strooper 141 T.517 96 84
9ème division - rue du Wimpelberg 2 T.517 96 90
10ème division - rue Cortenbach 10 T.517 96 97
11ème division - av. du Fusain 67 T.517 96 45

DIEGEM (Machelen)
Woluwestraat 1 - Machelen T.254 12 12

DILBEEK
de Heetveldelaan 10 T.569 59 29

DROGENBOS
Grand'Route 226
Grote Baan 226 T.377 06 28

DWORP (Beersel)
Alsembergsestwg. 1046 T.382 08 56

ELSENE
Middenafdeling - Gemeentehuis T.513 65 00
1ste afdeling - Gemeentehuis
2de afdeling - Alp. de Wittestr. 28
3de afdeling - L. Lepoutrelaan 4
4de afdeling - Boondaalsestwg 302

ETTERBEEK
ch. St.-Pierre 122
St.-Pietersstwg 122 T.627 22 22

EVERE
Gemeentehuis - S. Hoedemaekerssq. 10
Hôtel Communal/sq. S. Hoedemaekers 10 T.247 64 00
Kerkhof van Brussellaan 52
av. du Cimetière de Bruxelles 52 T.247 64 00

FOREST
rue de Liège 1 T.370 23 11
2ème division - Chée. d'Alsemberg 296 T.370 23 11

GANSHOREN
av. van Overbeke-laan 163 T.427 43 47

GRIMBERGEN
Kerkplein 7 T.272 72 72

GROOT-BIJGAARDEN (Dilbeek)
Gemeenteplein 1 T.466 02 88

HALLE
V. Baetensstraat 4 T.363 23 00

HAMME (Merchtem)
August de Boeckstraat 62 - Merchtem T.052/37 12 22

HOEILAART
W. Eggerickxstraat 16 T.657 13 18

HUIZINGEN (Beersel)
Alsembergsestwg. 1046 T.382 08 56

ITTERBEEK (Dilbeek)
Keperenbergstraat 41 T.569 00 40

IXELLES
division centr. - Hôtel communal T.513 65 00
1ère division - Hôtel communal
2ème division - rue Alf. de Witte 28
3ème division - av. L. Lepoutre 4
4ème division - chaus. de Boondael 302

JETTE
place Cardinal Mercier 1
Kard. Mercierpl. 1 T.423 14 00

KOBBEGEM (Asse)
De Vironstraat 24 T.452 66 73

KOEKELBERG
rue George-dit-Marchal 2
George-dit-Marchalstraat 2 T.414 23 92

KORTENBERG
Leuvensesteenweg 204 T.759 50 04

KRAAINEM
rue F. Kinnen 76
F. Kinnenstraat 76 T.731 12 47

LA HULPE
rue des Combattants 59 T.652 08 83

LASNE
place Communale - Ohain T.633 18 18

LEMBEEK
V. Baetensstraat 4 T. 363 23 00

LIMELETTE (Ottignies-Louvain-La-Neuve)
avenue de Jassons 67 T.010/42 08 60

LINKEBEEK
pl. Communale 2a T.380 62 23
Gemeenteplein 2a T.380 62 23

LOT (Beersel)
Alsembergsestwg. 1046 T.382 08 56

MACHELEN
Woluwestraat 1 T.254 12 12

MEISE
Stationstraat 25 - Wolvertem T.269 24 40

MELSBROEK (Steenokkerzeel)
E. Fuérisonplaats 14 - Ste T.759 78 72

MOLENBEEK-SAINT-JEAN
rue du Facteur 2 T.412 38 00
2ième div. - chaus. de Gand 535 T.482 09 00

NOSSEGEM (Zaventem)
Vijverstraat 14 - Za T.720 56 81

OHAIN (Lasne)
pl. Communale T.633 18 18

OTTIGNIES-LOUVAIN-LA-NEUVE
avenue de Jassons 67 - Limelette T.010/42 08 60

OUDERGEM
Emile Idiersstraat 12 T.676 49 14

OVERIJSE
Brusselsestwg. 145 T.687 60 65

PERK (Steenokkerzeel)
E. Fuérisonplaats 14 - Stz T.759 78 72

PEUTIE (Vilvoorde)
Aarschotsestr. 92 T.251 09 00

RELEGEM (Asse)
De Vironstraat 24 T.452 66 73

RHODE SAINT-GENESE
rue du Village 46 T.380 25 00

RIXENSART
avenue de Mérode 75 T.652 05 21

RUISBROEK (Sint-Pieters-Leeuw)
Pastorijstraat 21 - SPL T.371 22 28

SAINT-GILLES
rue A. Bréart 104 T.536 13 11

SAINT-JOSSE-TEN-NOODE
rue de Bériot 2 a T.220 26 11

SCHAARBEEK/SCHAERBEEK
Division centrale - pl. Colignon T.243 87 11
1ère division - rue des Palais 155 T.243 87 30
2ème division - bld Aug. Reyers 49 T.243 87 70
3ème division - sq. F. Riga 14 T.243 87 80
Hoofdafdeling - Colignonplein T.243 87 11
1ste afdeling - Paleizenstraat 155 T.243 87 30
2de afdeling - A. Reyerslaan 49 T.243 87 70
3de afdeling - F. Rigasquare 14 T.243 87 80

SINT-AGATHA-BERCHEM
Hubert Blauwetstraat 26 T.464 04 15

SINT-GENESIUS-RODE
Dorpstraat 46 T.380 25 00

SINT-GILLIS
A. Bréartstraat 104 T.536 13 11

SINT-JANS-MOLENBEEK
Briefdragerstraat 2 T.412 38 00
2de div. - Gentsesteenweg 535 T.482 09 00

SINT-JOOST-TEN-NODE
de Bériotstr. 2 a T.220 26 11
SINT-LAMBRECHTS-WOLUWE
F. De Belderstr. 15-17 T.761 29 54
SINT-MARTENS-BODEGEM (Dilbeek)
Kerkberg 5 T.582 11 95
SINT-PIETERS-LEEUW
Pastorijstraat 21 T.371 22 28
SINT-PIETERS-WOLUWE
Charles Thielemanslaan 95 T.773 05 00
SINT-STEVENS-WOLUWE (Zaventem)
Vijverstraat 14 - Za T.720 56 81
SINT-ULRIKS-KAPELLE (Dilbeek)
Kerkstraat 1 T.453 93 97
STEENOKKERZEEL
E. Fuérisonplaats 14 T.759 78 72
STERREBEEK (Zaventem)
Vijverstraat 14 - Za T.720 56 81
STROMBEEK-BEVER (Grimbergen)
Kerkplein 7 - Grimbergen T.272 72 72
TERVUREN
Markt 7 T.767 30 00
TUBIZE
rue de la Déportation 1 T. 390 90 06
UCCLE
Tous les services T.348 66 11
Division Centrale - rue A. Danse 3
UKKEL
Alle diensten T.348 66 11
Hoofdafdeling - A. Dansestraat 3

VILVOORDE
F. Geldersstraat 19-21 T.253 33 33
VLEZENBEEK (Sint-Pieters-Leeuw)
Pastorijstraat 21 - SPL T.371 22 28
VORST
Luikstraat 1 T.370 23 11
2de afdeling Alsembergse Steenweg 296 T.370 23 11
VOSSEM (Tervuren)
Markt 7 - Tervuren T.767 30 00
WATERMAAL-BOSVOORDE
Hertogdreef 2 T.674 74 74
WATERMAEL-BOITSFORT
drève du Duc 2 T.674 74 74
WAVRE
pl; de l'Hôtel de Ville T.010/23 04 30
WEMMEL
Van den Broeckstraat 25 T.462 06 00
WEZEMBEEK-OPPEM
Jozef de Keyzestraat 4 T.731 32 20
WOLUWE-SAINT-LAMBERT
rue F. De Belder 15-17 T.761 29 54
WOLUWE-SAINT-PIERRE
av. Charles Thielemans 95 T.773 05 00
ZAVENTEM
Vijverstraat 14 T.720 56 81
ZELLIK (Asse)
De Vironstraat 24 T.452 66 73

ORGANISATIONS EUROPEENNES
EUROPESE ORGANISATIES
EUROPÄISCHE ORGANISATIONEN
EUROPEAN ORGANIZATIONS
INSTITUTI EUROPEI
INSTITUCIONES EUROPEAS

BANQUE EUROPEENNE D'INVESTISSEMENT : rue de la Loi 227 - 1040 Brl T.230 98 90
COMMISSION EUROPEENNE : rue de la Loi 200 - 1049 Brl T.299 11 11
COMITE DES REGIONS : rue Belliard 79 - 1040 Brl T.282 22 11
COMITE ECONOMIQUE ET SOCIAL : rue Ravenstein 2 - 1000 Brl T.546 90 11
CONSEIL DE L'UNION EUROPEENNE : rue de la Loi 175 - 1048 Brl T.285 61 11
PARLEMENT EUROPEEN : rue Belliard 97 - 1047 Ett T.284 21 11
COUR DES COMPTES : rue de la Loi 83/85 - 1040 Brl T.230 50 90

COMITE VAN DE REGIO'S : Belliardstraat 79 - 1040 Brl T.282 22 11
EUROPESE COMMISSIE : Wetstraat 200 - 1049 Brl T.299 11 11
ECONOMISCH EN SOCIAAL COMITE : Ravensteinstraat 2 - 1000 Brl T.546 90 11
RAAD VAN DE EUROPESE UNIE : Wetstraat 175 - 1048 Brl T.285 61 11
EUROPEES PARLEMENT : Belliardstraat 97 - 1047 Brl T.284 21 11
EUROPESE INVESTERINGSBANK : Wetstraat 227 - 1040 Brl T.230 98 90
REKENKAMER : Wetstraat 83/85 - 1040 Brl T.230 50 90

AMBASSADES - AMBASSADES
BOTSCHAFTEN - EMBASSIES
AMBASCIATE - EMBAJADAS

AFRIQUE DU SUD
rue de la Loi 26 b7 - 1040 T.285 44 00
ALBANIE
avenue Louise 335 - 1050
Louizalaan 335 - 1050 T.640 34 45

ALGERIE / ALGERIJE
avenue Molière-laan 207 - 1050 T.343 50 78
ALLEMAGNE
av. de Tervueren 190 -1150 T.774 19 11

ANDORRA / ANDORRE
rue de la Montagne 10 - 1000
Bergstraat 10 - 1000 T.513 07 41
ANGOLA
rue Fr. Merjay 182-straat - 1050 T.346 18 80
ARABE SYRIENNE
av. Fr. Roosevelt 3 - 1050 T.648 01 35
ARABES UNIS (EMIRATS)
av. Fr. Roosevelt 73 - 1050 T.640 60 00
ARABIE SAOUDITE
av. Fr. Roosevelt 45 - 1050 T.649 57 25
ARGENTINE / ARGENTINIE
av. Louise 225 b6 - 1050
Louizalaan 225 b6 - 1050 T.647 78 12
ARMENIE
rue F Merjay-straat 157 - 1050 T.346 56 67
AUSTRALIA/ AUSTRALIE
rue Guimard-straat 6/8 - 1040 T.286 05 00
AUTRICHE
place du Champ de Mars 5 b5 - 1050 T.289 07 00
AZERBAIDJAN/AZERBEIDZJAN
av. Molière-laan 464 - 1050 T.345 26 60
BANGLADESH
rue J. Jordaens-straat 29/31 - 1000 T.640 55 00
BARBADE/BARBADOS
av. Général Lartigue 78 - 1200
Generaal Lartiguelaan 78 - 1200 T.732 17 37
BELARUS
av. Molière 192 - 1050 T.340 02 70
BENIN
av. de l'Observatoire 5 - 1180
Sterrenwachtlaan 5 - 1180 T.374 91 92
BOLIVIA/BOLIVIE
av. Louise 176 b6 - 1050
Louizalaan 176 b6 - 1050 T.627 00 10
BOTSWANA
av. de Tervueren 169 - 1150
Tervurenlaan 169 - 1150 T.735 20 70
BRAZILIE/BRESIL
av. Louise 350 - 1050
Louizalaan 350 - 1050 T.640 20 15
BRUNEI DARUSSALAM
av. Fr. Roosevelt-laan 238 - 1050 T.675 08 78
BULGARIE / BULGARIJE
av. Hamoir-laan 58 - 1180 T.374 59 63
BURKINA-FASO
place G. d'Arezzo-plaats 16 T.345 99 12
BURUNDI
square Marie-Louise 46 - 1000
Marie-Louiza-square 46 - 1000 T.230 45 35
CAMEROUN
av. Brugmann 131 - 1190 T.345 18 70
CANADA
av.de Tervueren 2 - 1040
Tervurenlaan 2 - 1040 T.741 06 11
CAP VERT
rue A. Labarre 30 - 1050 T.646 90 25
CENTRAAL-AFRIKAANSE REPUBLIEK/ CENTRAFRICAINE (REP.)
bld.Lambermont-laan - 1030 T.242 28 80
CHILI
rue Montoyer-str. 40 - 1000 T.280 16 20
CHINA - CHINE
bld. Général Jacques 19 - 1050
Generaal Jacqueslaan 19 - 1050 T.771 33 09
CHYPRE
sq. Ambiorix 2 - 1000 T.735 35 10
COLOMBIA/COLOMBIE
av. Fr. Roosevelt 96a - 1050
Fr. Rooseveltlaan 96a - 1050 T.649 72 33
CONGO (Rép. Démocratique/ Democratische.Rep.)
rue Marie de Bourgogne 30 - 1180 T.513 43 60
CONGO (Rép. Populaire/Volksrep.)
av. Fr.Roosevelt-laan 16-18 - 1050 T.648 38 56
COREE
av. Hamoir-laan 3 - 1180 T.375 39 80
COSTA RICA
av. Louise 489 - 1050
Louizalaan 489 - 1050 T.640 55 41
COTE D'IVOIRE
av. Fr. Roosevelt 234 - 1050 T.672 23 57
CROATIE
av. des Arts 50 b14 - 1000 T.500 09 20
CUBA
rue Roberts-Jonesstr. 77 - 1180 T.343 00 20
CYPRUS
Ambiorixsq. 2 - 1000 T.735 35 10
DANEMARK / DENEMARKEN
av. Louise 221 - 1050
Louizalaan 221 - 1050 T.626 07 70
DOMINICA
rue Aduatiques 100 - 1040
Aduatiekersstraat 100 - 1040 T.733 54 82
DOMINICAINE (REP.) / DOMINIKAANSE REP.
av. Bel-Air 12- 1180
Schoon Uitzichtlaan 12 - 1180 T.346 49 35
DUITSLAND
Tervurenlaan 190 - 1150 T.774 19 11
ECUADOR
Louizalaan 363 b1 - 1050 T.644 30 50
EGYPTE
av. Errera-laan 44 - 1180 T.345 50 15
EL SALVADOR
av. de Tervueren 171 - 1150
Tervurenlaan 171- 1150 T.733 04 85
EQUATEUR
av. Louise 363 b1 - 1050 T.644 30 50
EQUATORIAAL GUINEA
Brugmannlaan 295 - 1180 T.346 25 09
ERITREA/ERYTHREE
Wolvondaallaan 15 - 1180
av. Wolvendael 15 - 1180 T.374 44 34
ESPAGNE
rue de la Science 19 - 1040 T.230 03 40
ESTLAND / ESTONIA
av. I. Gérard-laan 1 - 1160 T.779 07 55
ETATS-UNIS D'AMERIQUE
bld. du Régent 27 - 1000 T.508 21 11
ETHIOPIE
av. de Tervueren 231 -1150
Tervurenlaan 231- 1150 T.771 32 94
FIDJI
av. de Cortenbergh 66-68 - 1000
Kortenberglaan 66-68 - 1000 T.736 90 50
FILIPPIJNEN
Molièrelaan 297 - 1050 Elsene T.340 33 77
FINLAND / FINLANDE
av. des Arts 58 - 1000
Kunstlaan 58 - 1000 T.287 12 12
FRANCE / FRANKRIJK
rue Ducale 65 - 1000
Hertogstraat 65 - 1000 T.548 87 11
GABON
av. W. Churchill-laan 112- 1180 T.340 62 10
GAMBIA / GAMBIE
av. Fr. Roosevelt-laan 126 - 1050 T.640 10 49
GEORGIE
rue Vergote-straat 15 - 1030 T.732 85 50
GHANA
bld. Général Wahis 7 - 1030
Generaal Wahislaan 7 - 1030 T.705 82 20
GRANDE-BRETAGNE
rue d'Arlon 85 - 1040 T.287 62 11
GRECE
av. Fr. Roosevelt 2 - 1050 T.648 17 30

GRENADA / GRENADE
rue de Laeken 123 - 1000
Lakensestraat 123 - 1000 T.233 72 98
GRIEKENLAND
Fr. Rooseveltlaan 2 - 1050 T.648 17 30
GROOT-BRITTANNIE
Aarlenstraat 85 - 1040 T.287 62 11
GUATEMALA
av. W. Churchill-laan 185 - 1180 T.345 90 47
GUINEE
rue Vandendriessche-straat 75 - 1150 T.771 01 26
GUINEE-BISSAU
av. Fr. Roosevelt-laan 70 - 1050 T.647 08 90
GUINEE EQUATORIALE
av. Brugmann 295 - 1180 T.346 25 09
GUYANA
av. du Brésil - Braziliëlaan 12 - 1000 T.675 62 16
HAITI
av.Louise 160a - 1050
Louizalaan 160a - 1050 T.649 73 81
HEILIGE STOEL
Franciskanenln 5-9 - 1150 T.762 20 05
HONDURAS
av.des Gaulois 3 - 1040
Galliërslaan 3 - 1040 T.734 00 00
HONGARIJE / HONGRIE
r. Ed. Picard-straat 41 - 1050 T.343 67 90
IERLAND
Froissartstraat 89 - 1040 T.230 53 37
IJSLAND
Trierstraat 74 - 1040 T.286 17 00
INDE / INDIE
chaussée de Vleurgat 217 - 1050
Vleurgatsesteenweg 217 - 1050 T.640 91 40
INDONESIE
av.de Tervueren 294 - 1150
Tervurenlaan 294 - 1150 T.771 20 14
IRAK
av. des Aubépines 23 - 1180
Hagedoornlaan 23 - 1180 T.374 59 92
IRAN
av. de Tervueren 415 - 1040
Tervurenlaan 415 - 1040 T.762 37 45
IRLANDE
rue Froissart 89 - 1040 T.230 53 37
ISLANDE
rue de Trèves 74 - 1040 T.286 17 00
ISRAEL
av.de l'Observatoire 40 - 1180
Sterrewachtlaan 40- 1180 T.373 55 00
ITALIE
r. E. Claus-straat 28-34 - 1050 T.649 97 00
IVOORKUST
Fr. Rooseveltlaan 234 - 1050 T.672 23 57
JAMAICA / JAMAIQUE
av. Palmerston-laan 2 - 1000 T.230 11 70
JAPAN / JAPON
av. des Arts 58 - 1000
Kunstlaan 58 - 1000 T.513 23 40
JEMEN
Van Eyckstraat 44 - 1000 T.646 52 90
JOEGOSLAVIE
E. De Motlaan 11 - 1000 T.647 26 52
JORDANIE
av. Fr. Roosevelt-laan 104 - 1050 T.640 77 55
KAAPVERDIE
A. Labarrestraat 30 - 1050 T.646 90 25
KAMEROEN
Brugmannlaan 131 - 1190 T.345 18 70
KAZACHSTAN
av. Van Bever 30 - 1180
Van Beverlaan 30 - 1180 T.374 95 62
KENIA / KENYA
av. W. Churchill-laan 208 - 1180 T.340 10 40
KIRGHIZSTAN / KIRGIZIE
rue de l'Abbaye 47 - 1050
Abdijstraat 47 - 1050 T.640 38 83
KOEWEIT
Fr. Rooseveltlaan 43 - 1050 T.647 79 50
KOREA
Hamoirlaan 3 - 1180 T.375 39 80
KROATIE
Kunstlaan 50 b1 - 1050 T.500 09 20
KUWAIT
av. Fr. Roosevelt 43 - 1050 T.647 79 50
LESOTHO
Bld. Gén. Wahis 45 - 1030
Gen. Wahislaan 45 - 1030 T.705 39 76
LETLAND / LETTONIE
av. Molière-laan 158 - 1050 T.344 16 82
LIBAN / LIBANON
rue G.Stocq-straat 2 - 1050 T.649 94 60
LIBERIA
av. du Château 50 - 1081
Kasteellaan 50 - 1081 T.411 09 12
LIBIE / LIBYE
av. Victoria-laan 28 - 1000 T.646 53 89
LIECHTENSTEIN
place du Congrès 1 - 1000
Congresplein 1 - 1000 T.229 39 00
LITUANIE / LITOUWEN
rue M. Liétart-straat 48 - 1150 T.772 27 50
MACEDOINE / MACEDONIE
av. de Tervueren 128/b1 - 1150
Tervurenlaan 128/b1- 1150 T.732 91 08
MADAGASCAR
av.de Tervueren 276 - 1150
Tervurenlaan 276 - 1150 T.770 17 26
MALAISIE / MALEISIE
av. de Tervueren 414a - 1150
Tervurenlaan 414a - 1150 T.776 03 40
MALAWI
rue de la Loi 15 - 1040
Wetstraat 15 - 1040 T.231 09 80
MALI
av. Molière-laan 487 - 1050 T.345 75 89
MALTA / MALTE
rue Jules Lejeune-44 - 1050
Jules Lejeunestraat 44 - 1050 T.343 01 95
MAROC / MAROKKO
bld. St.-Michel 29 - 1040
St.-Michielslaan 29 - 1040 T.736 11 00
MAURICE (ILE)
r.des Bollandistes 68 - 1040 T.733 99 88
MAURETANIE / MAURITANIE
av. de la Colombie 6 - 1000
Colombialaan 6 - 1000 T.672 47 47
MAURITIUS
Bollandistenstraat 68 - 1040 T.733 99 88
MEXICO / MEXIQUE
av. Fr. Roosevelt-laan 94 - 1050 T.629 07 77
MOLDAVIE
av. E. Max-laan 175 - 1030 T.732 93 00
MONACO
pl. G. d'Arezzo pl. 17 - 1180 T.347 49 87
MONGOLIE
av. Besme-laan 18 - 1190 T.344 69 74
MOZAMBIQUE
bld. St-Michel 94 - 1040
Sint-Michielslaan 94 -1040 T.736 25 64
NAMIBIE
av. de Tervueren 454 - 1160
Tervurenlaan 454 - 1160 T.771 14 10
NEDERLAND
Hermann-Debrouxlaan 48 - 1160 T.679 17 11
NEPAL
av. W. Churchill-laan 68 - 1180 T.344 13 61

NICARAGUA
av. Wolvendael-laan 55 - 1180 T.375 65 00
NIEUW-ZEELAND
Regentlaan 47 - 1000 T.512 10 40
NIGER
av. Fr. Roosevelt-laan 78 - 1050 T.648 61 40
NIGERIA
av.de Tervueren 288 - 1150
Tervurenlaan 288 - 1150 T.762 52 00
NOORWEGEN / NORVEGE
av. Louise 130a - 1050
Louizalaan 130a - 1050 T.646 07 80
NOUVELLE-ZELANDE
bld.du Régent 47 - 1000 T.512 10 40
OEGANDA
Tervurenlaan 317- 1150 T.762 58 25
OEKRAINE
L. Lepoutrelaan 99-101 - 1050 T.344 40 20
OEZBEKISTAN
Fr. Rooseveltlaan 99 - 1050 T.672 88 44
OOSTENRIJK
Marsveldplein 5 b5 - 1050 T.289 07 00
OUGANDA / UGANDA
av. de Tervueren 317 - 1050 T.762 58 25
OUZBEKISTAN
av. Fr. Roosevelt 99 - 1050 T.672 88 44
PAKISTAN
av. Delleur-laan 57 - 1170 T.673 80 07
PANAMA
bld. Brand Whitlock-laan 8 - 1150 T.733 90 89
PAPOEA-NIEUW-GUINEA
PAPOUASIE NOUVELLE GUINEE
av.de Tervueren 430 - 1150
Tervurenlaan 430 - 1150 T.779 06 09
PARAGUAY
av. Louise 475 b2 - 1050
Louizalaan 475 b2 - 1050 T.649 90 55
PAYS-BAS
av.Hermann-Debroux 48 - 1160 T.679 17 11
PEROU/PERU
av.de Tervueren 179 - 1150
Tervurenlaan 179 - 1150 T.733 33 19
PHILIPPINES
av. Molière 297 - 1050 T.340 33 77
POLEN / POLOGNE
rue des Francs 28 - 1040
Frankenstraat 28 - 1040 T.735 72 12
PORTUGAL
av.de la Toison d'Or 55 - 1060
Guldenvlieslaan 55 - 1060 T.539 38 50
QATAR
av. Fr. Roosevelt-laan 71 - 1050 T.642 90 13
ROEMENIE / ROUMANIE
rue.Gabrielle-straat 105 - 1180 T.345 26 80
RUSLAND (FED.) / RUSSIE (FED.)
av.De Fré-laan 66 - 1180 T.374 68 86
RWANDA
av. des Fleurs 1 - 1150
Bloemenlaan 1 - 1150 T.763 07 02
SAN MARINO / SAINT-MARIN
av. Fr. Roosevelt-laan 62 - 1050 T.644 22 24
SAINT-SIEGE
av. des Franciscains 5-9 -1150 T.762 20 05
SALOMON (EILANDEN/ILES DES)
av. de l'Yser 13 b3 - 1040
IJzerlaan 13 b3 - 1040 T.732 72 85
SAMOA (OCCIDENTALES/WESTELIJK)
av. Fr. Roosevelt-laan 123 - 1050 T.660 84 54
SAO TOME EN/ET PRINCIPE
av. de Tervueren 175 - 1050
Tervurenlaan 175 - 1050 T.743 89 66
SAUDI-ARABIE
Fr. Roosevelt 45 - 1050 T.649 57 25

SENEGAL
av.Fr.Roosevelt-laan 196 - 1050 T.673 00 97
SEYCHELLES(N)
bld. du Jubilé 157 - 1080
Jubelfeestlaan 157 - 1080 T.425 62 36
SIERRA LEONE
av. de Tervueren 410 - 1150
Tervurenlaan 410 - 1150 T.771 00 53
SINGAPORE / SINGAPOUR
av. Fr. Roosevelt-laan 198 - 1050 T.660 29 79
SLOVAKIJE / SLOVAQUIE
av. Molière 195 - 1050
Molièrelaan 195 - 1050 T.346 43 42
SLOVENIE
av. Louise 179 - 1050
Louizalaan 179 - 1050 T.646 90 99
SOEDAN / SOUDAN
av. Fr. Roosevelt-laan 124 - 1050 T.647 51 59
SPANJE
Wetenschapsstr. 19 - 1040 T.230 03 40
SRI LANKA
rue Lejeune 27 - 1050
Lejeunestraat 27 - 1050 T.344 55 85
SUD-AFRIQUE
rue de la Loi 26 b7 - 1040 T.285 44 00
SUEDE
av.Louise 148 - 1050 T.289 57 60
SUISSE
r.de la Loi 26 b9 - 1040 T.285 43 50
SURINAME
av. Louise 379 - 1050
Louizalaan 379 - 1050 T.640 11 72
SWAZILAND
av. W. Churchill-laan 188 - 1080 T.347 47 71
SYRIE
av. Fr. Rooseveltlaan 3 - 1050 T.648 01 35
TANZANIA / TANZANIE
av.Louise 363 - 1050
Loulzalaan 363 - 1050 T.640 65 00
TCHAD
bld. Lambermont 52 - 1030 T.215 19 75
TCHEQUE
rue Engeland 555 - 1180 T.375 59 51
THAILAND / THAILANDE
sq. du Val de Chambre 2 - 1050
Ter Kamerendalsquare 2 - 1050 T.640 68 10
TOGO
av.de Tervueren 264 - 1150
Tervurenlaan 264 - 1150 T.770 17 91
TRINIDAD & TOBAGO
av. de la Faisanderie 14 - 1150
Fazantenparklaan 14 - 1150 T.762 94 00
TSJAAD
Lambermontlaan 52 - 1030 T.215 19 75
TSJECHIE
Engelandstraat 555 - 1180 T.375 59 51
TUNESIE / TUNISIE
av.de Tervueren 278 - 1150
Tervurenlaan 278 - 1150 T.771 73 95
TURKIJE / TURQUIE
rue Montoyer 4 - 1000
Montoyerstraat 4 - 1000 T.513 40 95
UKRAINE
av. L.Lepoutre 99-101 - 1050 T.344 40 20
URUGUAY
av.Louise 437 - 1050
Louizalaan 437 - 1050 T.640 11 69
VENEZUELA
av. Fr. Roosevelt-laan 10 - 1050 T.639 03 40
VERENIGDE ARABISCHE EMIRATEN
Fr. Rooseveltlaan 73 - 1000 T.640 60 00
VERENIGDE STATEN VAN AMERIKA
Regentlaan 27 - 1000 T.508 21 11

VIETNAM
av. de la Floride 130 - 1180
Floridalaan 130 - 1180 T.374 91 33
WIT-RUSLAND
Molièrelaan 192 - 1050 T.340 02 70
YEMEN
rue Van Eyck 44 - 1000 T.646 52 90
YOUGOSLAVIE
av. E. De Mot 11 - 1000 T.647 26 52
ZAMBIA / ZAMBIE
av. Molière-laan 469 - 1050 T.343 56 49
ZIMBABWE
sq. Jos.-Charlotte-sq. 11 - 1200 T.762 58 08
ZUID AFRIKA
Wetstraat 26/b7 - 1040 T.285 44 00
ZWEDEN
Louizalaan 148 - 1050 T.289 57 60
ZWITSERLAND
Wetstraat 26 b9 - 1040 T.285 43 50

CONSULATS - CONSULATEN
KONSULATE - CONSULATES
CONSOLATI - CONSULADOS

ALGERIE / ALGERIJE
rue de Lausanne-straat 30-32 - 1060 T.537 81 33
BOSNIE-HERZEGOVINA / HERZEGOVINE
rue Van Eyck-straat 44 - 1000 T.644 33 23
COLOMBIA / COLOMBIE
rue Van Eyck-straat 44 - 1000
COMORES
chemin des Pins 27 - 1180 Uck
Pijnbomenweg 27 - 1180 Uck T.218 41 43
DJIBOUTI
bld. St.-Michel - 1040
St.-Michielslaan - 1040 T.736 36 07
FINLAND / FINLANDE
av. des Gaulois 7 - 1040
Galliërslaan 7 - 1040 T.743 13 60
FRANCE / FRANKRIJK
place de Louvain 14 - 1000
Leuvenseplein 14 - 1000 T.229 85 00
GRANDE-BRETAGNE / GROOT-BRITTANNIE
rue d'Arlon 85 - 1040
Aarlenstraat 85 - 1040 T.287 62 11
GUATEMALA
rue C. Lemonnier 113 - 1050
Lemonnierstraat 113 - 1050 T.343 05 39
HONDURAS
rue des Quatre Fils Aymon 13 - 1000
Vierheemskinderenstraat 13 - 1000 T.512 94 61
IJSLAND / ISLANDE
Gal. Ravenstein 27 - 1000
Ravensteingalerij 27 - 1000 T.512 59 65
ISRAEL
av. de l'Obeservatoire 40 - 1180
Sterrewachtlaan 40 - 1180 T.373 55 80
ITALIE
rue de Livourne 38 - 1050
Livornostraat 38 T.537 19 34
LETLAND / LETTONIE
av. I. Gérard-laan 22 - 1160 T.762 56 25
LIBERIA
pl. de Brouckère 31 - 1000
de Brouckèreplein 31 - 1000 T.217 23 00
MAROC / MAROKKO
av. Van Volxem-laan. 18 - 1190 T.346 19 66
OEKRAINE
av. L. Lepoutre-laan 99-101 - 1050 T.344 45 21
PEROU / PERU
rue des Pierres 29 - 1000
Steenstraat 29 - 1000 T.511 60 63
POLEN / POLOGNE
rue des Francs 28 - 1040
Frankenstraat 28 - 1040 T.735 72 12
RUSSIE (FED. DE) / RUSSISCHE FED.
rue Roberts-Jones-straat 78 - 1180 T.374 35 69
SAINT-MARIN / SAN MARINO
av. Brugmann 44 - 1190
Brugmannlaan 44 - 1190 T.343 31 36
TUNESIE / TUNISIE
bld. St.-Michel 103 - 1040
Sint-Michielslaan 103 - 1040 T.732 61 02
TURKIJE / TURQUIE
r. Montoyer-straat 4 - 1000 T.513 68 12
UKRAINE
av. L.Lepoutre 99-101 - 1050 T.344 45 21
URUGUAY
av.des Vaillants 17 - 1200
Dapperenlaan 17 T.770 58 50

Hulp		Secours
AMBULANCE **BRANDWEER**	**100**	**AMBULANCE** **POMPIERS**
RIJKSWACHT	**101**	**GENDARMERIE**
POLITIE-HULP **(Brusselse agglomeratie)**	**101**	**POLICE-SECOURS** **(agglomération bruxelloise)**
ANTIGIFCENTRUM **Brussel 070/245 245**		**CENTRE ANTI-POISON** **Bruxelles 070/245 245**

HOPITAUX - ZIEKENHUIZEN
KRANKENHAÜSER - HOSPITALS
CLINICO - HOSPITALES

BLIJVENDE WACHTDIENST (*)
SERVICE DE GARDE PERMANENT (*)

ACADEMISCH ZIEKENHUIS JETTE V.U.B. (*) : av. du Laerbeek/Laarbeeklaan 101 - 1090 .... T.477 41 11
ACADEMISCH ZIEKENHUIS ST-LUC UCL (*) : Hippocrateslaan 10 - 1200 .... T.764 11 11
ALGEMENE KLINIEK ST-JAN (*) : Broekstraat 104 - 1000 .... T.221 91 11
CENTRE HOSPITALIER ETTERBEEK/IXELLES : rue J. Paquot 63 - 1050 .... T.641 41 41
BRUSSELS ONE DAY CLINIC : Hertog Janlaan 45-47 - av. Duc Jean 45-47 - 1083 .... T.422 41 80
BARON LAMBERT-WAR MEMORIAL (CENTRE HOSPITALIER/VERPLEGINGSCENTRUM)
rue Baron Lambert-straat 38 - 1040 .... T.739 84 11
CENTRE HOSPITALIER J. BRACOPS (*) : rue Dr. Huet 79 - 1070 .... T.556 12 12
CAVELL (INSTITUT MEDICAL EDITH CAVELL) (*) : rue E. Cavell-straat 32 - 1180 .... T.340 40 40
CENTRE DE CHIRURGIE ABDOMINALE ET VASCULAIRE : rue Froissart 38 - 1000 .... T.287 55 60
CENTRE DE THERAPIES ET DE RECHERCHES SEXOLOGIQUES : av. W. Churchill-laan 83 - 1180 .... T.344 62 94
CENTRE DE TRAUMATOLOGIE ET DE READAPTION (*) : pl. A. Van Gehuchten 4 - 1020 .... T.475 12 11
CENTRE HOSPITALIER DR. TITECA : rue de la Luzerne-straat 11 - 1030 .... T.735 01 60
CENTRE HOSPITALIER UNIVERSITAIRE BRUGMANN (*) : pl. A. Van Gehuchten 4 - 1020 .... T.477 21 11
CENTRE HOSPITALIER NEW PAUL BRIEN (*) : rue du Foyer Schaerbeekois 36 - 1030 .... T.247 22 11
CENTRE HOSPITALIER TUBIZE-NIVELLES - SITE TUBIZE : avenue Scandiano 8 - 1480 .... T.391 01 31
CENTRE MEDICAL DE WAVRE : rue du Pont St.-Jean - 1300 .... T.010/23 29 10
CENTRE NEUROLOGIQUE WILLIAM LENNOX : Allée Clerlande 6 - 1340 .... T.010/43 02 11
CENTRE TETE ET COU : rue Pangaert 71 - 1083 .... T.422 41 70
CENTRE UNIVERSITAIRE SAINT-PIERRE (*) : rue Haute 322 - 1000 .... T.535 31 11
CLINIQUE ANTOINE DEPAGE : av. H. Jaspar-laan 101 - 1060 .... T.538 61 40
CLINIQUE CENTRE NATIONAL SCLEROSE EN PLAQUES : Vanheylenstraat 16 - 1820 .... T.752 96 00
CLINIQUE CESAR DE PAEPE (*) :
rue des Alexiens 11 - 1000 .... T.506 71 11
Vuurkruisenstraat 10 - 1500 .... T.356 55 01
CLINIQUE CHAMP ST.-ANNE : avenue Henri Lepage 5 - 1300 .... T.010/24 16 26
CLINIQUE DE LA FAISANDERIE : av. de la Faisanderie 84 - 1150 .... T.771 20 00
CLINIQUE DENTAIRE DU SOIR : bld. E. Bockstael 296 - 1020 .... T.425 65 98
CLINIQUE DENTAIRE U.C.L. : av. Hippocrate 15 - 1200 .... T.764 57 32
CLINIQUE DE DEPISTAGE (J. BORDET) : rue Héger-Bordet 1 - 1000 .... T.535 50 50
CLINIQUE EUROPE SAINT-MICHEL :
sq. Marie-Louise 59 - 1040 .... T.737 80 00
rue de Linthout 150 -1040 .... T.737 80 00
CLINIQUE LOUISE : rue J. Stallaert-straat 20 - 1050 .... T.344 40 30
CLINIQUE LAMBERMONT (Cavell) : rue des Pensées 1 - Penséestraat 1 - 1030 .... T.242 75 75
CLINIQUE DERSCHEID : chaussée de Tervueren - 1410 .... T.352 61 11
CLINIQUE NEURO-PSYCHIATRIQUE FOND'ROY : av. J. Pastur-laan 43 - 1180 .... T.375 95 55
CLINIQUE NEURO-PSYCHIATRIQUE SANATIA : rue du Collège 45 - 1050 .... T.649 28 34
CLINIQUE DU PARC LEOPOLD (*) : rue Froissart 38 - 1040 .... T.287 51 11
CLINIQUE PSYCHIATRIQUE ASSOCIATION LE DOMAINE : chemin J. Lanneau 39 - 1420 .... T.384 25 93
CLINIQUE DE LA RAMEE : av. de Boetendael-laan 34 - 1180 .... T.344 18 94

CLINIQUE SAINTE-ANNE : bld. J. Graindor 66 - 1070 .... T.556 51 11
CLINIQUE SAINTE-ELISABETH (*) : av. de Fré 206 - 1180 .... T.373 16 11
CLINIQUE SAINT-ETIENNE (*) : rue du Méridien 100 - 1210 .... T.225 91 11
CLINIQUE GENERALE SAINT-JEAN (*) : rue du Marais 104 - 1000 .... T.221 91 11
CLINIQUE SAINT-MICHEL : rue de Lantsheere 19 - 1040 .... T.739 07 11
CLINIQUE SAINT-PIERRE : avenue Reine Fabiola 9 - 1340 .... T.010/43 72 11
CLINIQUE SANS-SOUCI : av. de l'Exposition 218 - 1090 .... T.478 04 33
CLINIQUES UNIVERSITAIRES DE BRUXELLES (U.L.B.) : voir Hôpital Erasme
CLINIQUES UNIVERSITAIRES SAINT-LUC(*) : av. Hippocrate 10 - 1200 .... T.764 11 11
DISCCA (*) : rue des Six-Jetons 70 - Zespenningenstraat 70 - 1000 .... T.513 60 10
ERASMUS ZIEKENHUIS - A.Z.B. (*) : Lenniksebaan 808 - 1070 .... T.555 31 11
EUROPA SINT-MICHIELSKLINIEK
Maria-Louizasquare 59 - 1000 .... T.287 13 11
Linthoutstraat 150 - 1040 .... T.737 80 00
GENEES- EN HEELKUNDIG INSTITUUT DE BIJTJES : Inkendaalstr. 1 - 1602 .... T.531 51 11
HEILIG HARTKLINIEK : Bloklaan 5 - 1730 .... T.451 02 11
HOOFD- EN HALSCENTRUM : Hertog Janlaan 71-73 - 1030 .... T.422 41 80
HOPITAL CHAMPS ST.ANNEI : avenue Henri Lepage 5 - 1300 .... T.010/24 16 26
HOPTIAL DE BRAINE-L'ALLEUD-WATERLOO : rue Wayez 35 - 1420 .... T.389 02 11
HOPITAL ERASME (*) : route de Lennik 808 - 1070 .... T.555 31 11
HOPITAL FRANÇAIS REINE ELISABETH (*) : av J. Goffin 180 - 1082 .... T.482 40 00
HOPITAL MILITAIRE REINE ASTRID (*) : rue Bruyn 1 - 1120 .... T.264 41 11
HOPITAL MOLIERE LONGCHAMP : rue Marconi 142 - 1190 .... T.348 51 11
HOPITAL UNIVERSITAIRE DES ENFANTS "REINE FABIOLA"(*) : av. J. J. Crocq 15 - 1090 .... T.477 21 11
INSTITUT ALBERT Ier ET REINE ELISABETH : rue Wayenberg 9 - 1050 .... T.649 01 89
INSTITUT BORDET-CLINIQUE PAUL HEGER (*) : bld.de Waterloo 121 - 1000 .... T.535 31 11
INSTITUT G. BRUGMANN : Sanatoriumstraat 165 - 1652 .... T.382 12 11
INSTITUT DES DEUX ALICES : rue Groeselenberg-straat 57 - 1180 .... T.373 45 11
INSTITUT MEDICO CHIRURGICAL LES PETITES ABEILLES : Inkendaalstraat 1 - 1602 .... T.531 51 11
INSTITUT MEDICO CHIRURGICAL SAINT-JOSEPH : voir Clinique Baron Lambert
INSTITUT NEUROLOGIQUE BELGE : rue de Linthout-straat 152 - 1040 .... T.739 07 11
INSTITUUT ALBERT I & KONINGIN ELISABETH : Wayenbergstraat 9 - 1050 .... T.649 01 89
INSTITUUT G. BRUGMANN : Sanatoriumstraat 165 - 1652 .... T.382 12 11
INSTITUUT BORDET - KLINIEK HEGER (*) : Waterloolaan 121 - 1000 .... T.535 31 11
KLINIEK CESAR DE PAEPE (*) :
Cellebroersstraat 11 - 1000 .... T.506 71 11
Vuurkruisenstraat 10 - 1500 .... T.356 55 01
KLINIEK FAISANDERIE : Fazantenparklaan 84 - 1150 .... T.771 20 00
KLINIEK NAT. CENTR. MULTIPLE SCLEROSEI : Vanheylenstraat 16 - 1820 .... T.752 96 00
KLINIEK PARK LEOPOLD (*) : Froissartstraat 38 - 1040 .... T.287 51 11
KLINIEK SINT-ANNA - SINT REMIGIUS : J. Graindorlaan 66 - 1070 .... T.556 51 11
KLINIEK SINT-ELISABETH (*) : De Frélaan 206 - 1210 .... T.373 16 11
KLINIEK SINT-ETIENNE (*) : Middaglijnstraat 100 - 1210 .... T.225 91 11
KLINIEK SINT-JOZEF : Gendarmeriestraat 65 - 1800 Vilvoorde T.257 51 11
KLINIEK SINT-MARIA : Mons. Scenciestraat 4 - 1500 .... T.363 12 11
KLINIEK SINT-MICHIEL : De Landsheerstraat 19 - 1040 .... T.739 07 11
MALIBRAN-SOLBOSCH (CONSULTATIONS) : rue Malibran 39 - 1050 .... T.647 55 11
MEDICIS
av. de Tervuren 251 - 1150
Tervurenlaan 251 - 1150 .... T.762 03 25
MILITAIR HOSPITAAL KONINGIN ASTRID (*) : Bruynstraat 1 - 1120 .... T.264 41 11
NEUROCHIRURGICAAL CENTRUM VAN BRUSSEL : Froissartstraat 38 - 1040 .... T.287 56 50
NEURO-PSYCH. KLINIEK SANATIA : Collegestraat 45 - 1050 .... T.649 28 34
OPSPORINGSKLINIEK (INST. J. BORDET) : Héger-Bordetstraat 1 - 1000 .... T.535 50 50
POLICLINIQUE DE BRUXELLES : rue des Eperonniers 26 - 1000 .... T.512 39 79
S.O.S. HAND : Kliniek Parc Leopold - Froissartstraat 38 - 1040 .... T.287 50 50
S.O.S. MAIN : Clinique Parc Léopold - rue Froissart 38 - 1040 .... T.287 50 50
STICHTING H. LAMBERT : Baron Lambertstraat 38 - 1040 .... T.739 84 11
TANDHEELKUNDIGE KLINIEK UCL : Hippocrateslaan 15 - 1200 .... T.764 57 32
UNIVERSITAIR KINDERZIEKENHUIS KONINGIN FABIOLA : J.J. Crocqlaan - 1020 .... T.477 21 11
UNIVERSITAIR ZIEKENHUIS G. BRUGMANN (*) : Van Gehuchtenplein 4 - 1020 .... T.477 21 11
UNIVERSITAIR MEDISCH CENTRUM SINT-PIETER (*) : Hoogstraat 322 - 1000 .... T.535 31 11
VAN HELMONT ZIEKENHUIS (*) : Vaartstraat 42 - 1800 .... T.254 62 11
VERPLEGINGSCENTRUM JOSEPH BRACOPS (*) : Dr Huetstraat 79 - 1070 .... T.556 12 12
VERPLEGINGSCENTRUM NEW PAUL BRIEN (*) : Schaarbeekse Haardstraat 36 - 1030 .... T.247 22 11
ZIEKENHUIS MOLIERE LONGCHAMP : Marconistraat 142 - 1190 .... T.348 51 11
ZIEKENHUISCENTRUM ETTERBEEK-ELSENE : J. Paquotstraat 63 - 1050 .... T.641 41 11

CULTE CATHOLIQUE ROMAIN
ROOMS-KATOLIEKE EREDIENST
RÖMISCH-KATHOLISCHER GOTTESDIENST
ROMAN-CATHOLIC RELIGION
CULTO CATTOLICO ROMANO
CULTO CATOLICO ROMANO

ALSEMBERG (Beersel)
ONZE-LIEVE-VROUW
Pastoor J. Bolsstraat 19 T.380 15 94

ANDERLECHT
STE-BERNADETTE
Itterbeekselaan 432 T.522 59 94
ST.-JOZEF - HEILIGE GEEST
Korte Wolvenstraat 68a T.521 29 50
ST.-FRANCISCUS XAVERIUS
O.L. VROUW ONBEVLEKT (Kuregem)
Dr. De Meersmanstraat 12 T.521 55 30
O.L. VROUW VAN VREUGDE (Vogelzang) - ST-GERARDUS
Britse Soldaatlaan 29 T.522 39 50
ST.-PIETER EN ST-GUIDO - O.L.VROUW HEMELVAART - ST-LUCAS
Dapperheidspl. 14A T.527 03 51
ST.-VINCENTIUS A PAULO (Scheut) - O.L. VROUW VAN HET HEILIG HART
Ninoofsesteenweg 369 T.411 10 02

STE-BERNADETTE
av. d'Itterbeek 432 T.522 59 94
S.S. PIERRE ET GUIDON - SAINT-ESPRIT
av. Docteur Lemoine 13 T.522 81 51
ST.-JOSEPH
Petite rue des Loups 68 a T.521 29 50
ST.-LUC
rue Serment 35 T.521 22 48
NOTRE-DAME DE L'ASSOMPTION SAINT-VINCENT DE PAUL ET NOTRE DAME DU SACRE COEUR
rue Ad. Willemyns 74b4 T.520 56 98
NOTRE DAME IMMACULEE (Cureghem) - ST.-FRANÇOIS-XAVIER
rue Dr. De Meersman 14 T.521 55 30
NOTRE-DAME DE JOIE - ST.-GERARD
av. du Soldat Britannique 29 T.522 39 50

ASSE
HEILIGE FAMILIE (Asbeek)
Kespierstraat 22 T.452 74 47
ST.-HUBERTUS (Asse-Ter-Heide)
Gentsestwg. 344 T.452 70 64
ST.-MARTINUS
Kerkstraat 5 T.452 80 23
ONBEVLEKT HART VAN MARIA (Krokegem)
Dendermondsestwg. 25 T.452 66 89
ONZE LIEVE VROUW VAN HET HEILIG HART
(Walvergem-Tenberg)
Brusselsestwg. 127 T.452 53 90

AUDERGHEM
ST.-JULIEN
rue des Paysagistes 13 T.672 44 29
NOTRE-DAME DU BLANKEDELLE-STE-ANNE
av. des Héros 32 T.672 05 23

BEERSEL
ST.-LAMBERTUS
Stwg. op Ukkel 1 T.331 07 33

BEIGEM (Grimbergen)
O.L.. VROUW
Zevensterre 9 T.269 13 03

BEKKERZEEL (Asse)
ST.-GODARDUS
Schutstraat 4 T.452 64 81

BERCHEM SAINTE-AGATHE
STE-AGATHE
av. du Roi Albert 50 T.465 52 86

BERG (Kampenhout)
ST.-SERVATIUS
Pastorijstraat 3 T.016/65 55 00

BIERGES (Wavre)
ST.-PIERRE ET ST.-MARCELLIN
rue Poilu 15 T.010/41 38 34

BRAINE L'ALLEUD
SACRE-CŒUR (L'HERMITE)
Chem. de l'Hermite 160 T.384 36 49
ST.-ETIENNE
rue Sainte-Anne 3 T.384 25 12
ST.-SEBASTIEN
rue E. Laurent 94 T.384 34 32

BRAINE-LE CHATEAU
ST.-REMY
rue de la Libération 1 T.366 95 69

BRUSSEGEM (Merchtem)
ST.-STEFAAN
Brussegem Kerkstraat 19 T.460 08 52

BRUSSEL
GOEDE BIJSTAND EN RIJKE KLAREN
Gierstraat 76 T.514 31 13
SS. JAN EN STEFAAN MINIEMEN
Allardstraat 47 T.511 93 84
ST.-JACOB OP KOUDENBERG
Koningsplein T.511 78 36
ST.-MICHIEL EN ST-GOEDELEKATHEDRAAL
Wildewoudestraat 15 T.217 83 45
ST.-NIKLAAS
Taborastraat T.513 80 22
ST.-ROCHUS
Pijlstraat 18 T.502 53 62
ST.-JAN BAPTIST TER BEGIJNHOF
Begijnhof T.411 62 56
STE.-KATELIJNE
Zennestraat 1 T.502 53 62
O.L.VROUW VAN GOEDE BIJSTAND
Kolenmarkt 91 T.514 31 13
O.L. VROUW VAN FINISTERRAE
Nieuwstraat T.217 52 52
O.L. VROUW ONBEVLEKT
Vossenplein T.512 07 37
O.L. VROUW TEN ZAVEL
Regentschapsstraat T.511 57 41

O.L. VROUW TER KAPELLE
Haachtsesteenweg 8 T.512 07 37
ST.-ELISABETH (Haren)
Verdunstraat 360 T.216 24 88
KRISTUS KONING (Mutsaard)
Stalkruidlaan 13 T.262 05 20
GODDELIJK KIND JEZUS (Verregat) - *LAMBERTUS* (Heizel)
Sobieskilaan 74 T.478 63 09
O.L. VROUW EN H.H. ENGELEN (Laken)
K. Cardijnplantsoen 8 T.479 23 62
SS. PIETER EN PAULUS (N.o.Heembeek)
SS. Pieter en Paulusstraat 11 T.268 03 17
MAGDALENAKERK
Magdalenasteenweg T.511 28 45

BRUXELLES
NOTRE-DAME DE LAEKEN
bd. E. Bockstael 276 T.420 44 16
STE-CATHERINE
pl. Ste-Catherine T.513 34 81
CHRIST-ROI (Mutsaard) ET SS PIERRE ET PAUL
av. de la Bugrane 26 T.268 03 86
SS ANGES
rue du Gaz 61 T.479 40 65
SACRE-CŒUR
rue le Corrège 17A T.735 15 79
STE-ELISABETH (Haren)
rue de Verdun 360 T.216 24 88
DIVIN ENFANT JESUS (Verregat)
av. Houba de Strooper 757 T.478 03 41
ST.-JACQUES SUR COUDENBERG
pl. Royale T.511 78 36
ST.-JEAN BAPTISTE AU BEGUINAGE
pl. du Béguinage T.217 87 42
SS-JEAN ET ETIENNE AUX MINIMES
rue de Minimes 62 T.511 93 84
SS MICHEL & GUDULE (Cathédrale)
rue du Bois Sauvage 15 T.217 83 45
ST.-NICOLAS
rue de Tabora T.513 80 22
NOTRE-DAME DU BON SECOURS
rue Bon Secours 5 T.514 31 13
NOTRE-DAME DE LA CHAPELLE
place de la Chapelle T.512 07 37
NOTRE-DAME DU FINISTERE
rue Neuve T.217 52 52
NOTRE-DAME IMMACULEE
place du Jeu de Balle T.512 07 37
NOTRE-DAME DU SOMMEIL
rue de la Poudrière 62 T.512 90 22
NOTRE-DAME AUX RICHES CLAIRES
rue des Riches T.511 09 37
NOTRE-DAME DU SABLON
rue de la Régence 3b T.511 57 41
ST.-ROCH
rue Masui 127 T.201 10 15
LA MADELEINE
rue de la Madeleine T.511 28 45
SACRE-COEUR ET ST. LAMBERT
rue Campanules 4b9 T.410 67 47

BUIZINGEN (Halle)
H. JOANNES BOSCO
Schutstraat 4 T.452 64 81

CEROUX-MOUSTY (Ottignies L.L.N.)
NOTREE DAME DU BON SECOURS (Céroux)
pl. Communale 1 T.010/61 10 31
NOTRE-DAME (Mousty)
rue Station 1 T.010/41 66 39

CLABECQ-OISQUERCQ (Tubize)
ST.-JEAN-BAPTISTE, ST.-MARTIN
rue du Château 27, Clabecq T.355 60 01

COUTURE-SAINT-GERMAIN (Lasne)
ST.-GERMAIN
ruelle Curé 5 T.633 18 99

DIEGEM (Machelen)
ST-CATHARINA EN ST.-CORNELIUS O.L. VROUW VAN VII SMARTEN
Kerktorenstraat 33 T.720 10 41

DILBEEK
ST.-AMBROSIUS
Marktplein 6 T.569 35 76
STE.-THERESIA VAN HET KIND JEZUS
Heilige Theresialaan 79 T.569 35 05

DROGENBOS
ST.-NIKLAAS - ST.-NICOLAS
s'Herenstraat/r. Notre Seigneur 3 T.377 03 98

DUISBURG (Tervuren)
STE.-CATHARINA
Heidestraat 26 T.767 56 71

DWORP (Beersel)
ST.-GAUGERICUS
Vroenenbosstraat 5 T.380 31 35

ELSENE
Nederl. Pastoraal
Elsensesteenweg 210 T.640 86 82
voor : *ST.-ADRIAAN* (Boondaal)
ST.-BONIFATIUS
H. DRIEVULDIGHEID
HEILIGE KRUIS
O.L.VROUW BOODSCHAP
O.L. VROUW TER KAMEREN

ERPS - KWERPS (Kortenberg)
ST.-AMANDUS EN ST.-PIETER
Dorpsplein 16 T.759 62 83

EVERBERG (Kortenberg)
SS MARTINUS EN LODEWIJK
Gemeentehuisstraat 6 T.757 09 06

ETTERBEEK
Nederl. Pastoraal
Dekensstraat 37 T.734 90 62
voor : *ST.-ANTONIUS VAN PADUA*
O.L.VROUW VAN HET H. HART
O.L.VROUW ONBEVLEKT
STE GERTRIDUS

ST.-ANTOINE
rue de Haerne 194 T.648 54 36
NOTRE-DAME IMMACULEE
rue Gray 103b4 T.640 52 72
NOTRE-DAME DU SACRE-CŒUR
rue de Tervaete 24 T.734 25 77
STE-GERTRUDE
rue Colonel Van Gele 61 T.733 28 80

EVERE
ST.-JOZEF
Optimismelaan 57 T.705 28 06
O.L. VROUW ONBEVLEKT EN ST-VINCENTIUS
St.-Vincentiusplein 1 T.216 68 58

ST.-JOSEPH
rue Saint-Joseph 50 T.726 71 41
NOTRE-DAME IMMACULEE ET ST.-VINCENT
av. H. Conscience 156 T.215 32 37

FOREST
ST.-ANTOINE DE PADOUE
rue de Mérode 268 T.537 37 59
ST.-AUGUSTIN
av. Saint-Augustin 12 T.344 59 56
ST.-CURE D'ARS
av. de Haveskercke 25 T.376 52 62
ST.-DENIS
rue des Abesses 15 T.344 87 19
STE-MARIE MERE DE DIEU
rue de Melon 39 T.344 50 60
ST. PIE X
av. des Sept Bonniers 200 T.344 86 90

GANSHOREN
STE-CECILIA
Haachtsesteenweg 8 T.465 65 89
ST.-MARTINUS
Vrijdommenstraat 13 T.428 19 88

STE-CECILE
chaussée de Haecht 8 T.465 65 89
ST.-MARTIN
rue Franchises T.428 19 88

GENVAL
ST.-PIERRE (Maubroux)
rue de la Station 30 T.653 84 32
ST.-SIXTE
pl. Communale 36 T.653 63 24

GRIMBERGEN
HEILIG HART (Verbrande Brug)
Kerkplein 1 T.270 96 92
ST.-CORNELIUS
Tangedallaan 36 T.251 52 60
ST.-SERVAAS
Kerkplein 1 T.270 95 13

GROOT - BIJGAARDEN (Dilbeek)
ST.-DOMINICUS SAVIO
Stationsstraat 275 T.466 64 67
ST.-EGIDIUS
Is. Van Beverenstraat 1 T.466 12 31
HEILIGE FAMILIE
Gosssetlaan 1 T.466 52 22

HALLE
HEILIG HART (Breedhout)
Lenniksesteenweg 615 T.356 74 73
ST.-JOZEF EN FRANCISCUS
Kasteelstraat 112 T.356 77 65
ST.-MARTINUS
Dekenstraat 15 T.356 50 63
ST.-ROCHUS
Nijverheidsstraat 11 T.356 86 73

HAUT-ITTRE (Ittre)
ST.-LAURENT
rue de l'Eglise 13 T.067/21 01 75

HOEILAART
ST.-CLEMENS
Gemeenteplein 12 T.657 05 98

HUIZINGEN (Beersel)
ST.-JAN-BAPTIST
Torleylaan 60 T.361 55 71

HUMBEEK (Grimbergen)
ST.-RUMOLDUS
Kerkstraat 1 T.269 27 21

ITTERBEEK (Dilbeek)
ST.-PIETER
Kerkstraat 60 T.569 03 43

ITTRE
ST.-REMI
Grand-Place 2 T.067/64 61 25

IXELLES
ST.-ADRIEN (Boondael)
av. G. Gilbert 62 T.648 12 78
ST.-BONIFACE
rue de la Paix 21 T.512 81 43
STE-CROIX
rue A. De Witte 24 T.648 93 38
NOTRE-DAME DE L'ANNONCIATION
rue J. Stallaert 8 T.344 45 64
NOTRE-DAME DE LA CAMBRE
Abbaye de la Cambre 11 T.648 40 85
STE-TRINITE
rue de l'Aqueduc 46 T.537 54 66

JETTE
ST.-CLARA
Sobieskilaan 74 T.478 63 09
ST.-JOZEF
Reniersstraat 52 T.479 97 83
ST.-PIETER
Leopoldstraat 341 T.428 99 82
O. L. VROUW VAN LOURDES
J. B. Verbeystraat 26 T.428 99 82

STE-CLAIRE
av. M. Dekeyser 13 T.479 20 63
ST.-JOSEPH (Dielegem)
rue Bonaventure 61 T.478 32 36
NOTRE-DAME DE LOURDES
av. N-D de Lourdes 30b T.426 93 93
ST.-PIERRE
rue A. Vandenschrieck 53 T.428 92 27

KOBBEGEM (Asse)
ST.-GAUGERICUS
Brusselsesteenweg 127 T.452 53 90

KOEKELBERG
ST.-ANNA
H. Van Huffelplein 1 T.411 92 15
HEILIG HART (Basiliek)
Basiliekvoorplein 1 T.425 88 22

STE-ANNE
pl. H. Van Huffel 1 T.411 92 15
SACRE-CŒUR (Basilique)
parvis Basilique 1 T.425 88 22

KORTENBERG
O.L.-VROUW
Bosstraat 9 T.759 68 97

KRAAINEM
ST.-DOMINICUS
G. Tortelduivenlaan 2 T.731 53 76
ST.-PANCRATIUS
Zaventemsestwg. 6 T.720 02 61

LA HULPE
ST.-NICOLAS
rue des Combattants 2 T.652 24 78

LEMBEEK (Halle)
VERONUS
Stationstraat 2 T.356 51 24

LILLOIS-WITTERZEE (Braine l'Alleud)
STE.-GERTRUDE
rue Francq 31 T.384 37 19

LIMAL (Wavre)
ST.-MARTIN
rue Presbytère 2 T.010/41 37 03

LIMELETTE (Ottignies L.L.N.)
ST.-GERY ET ST.-JOSEPH ROFESSART (Ottignies L.L.N.)
avenue Albert 1er 26 T.010/41 98 39

LINKEBEEK
ST.-SEBASTIAAN
Pastoor Bolsstraat 19 - Als T.377 03 98

LOT (Beersel)
ST.-JOZEF
Pastoriestraat 34 T.331 07 46

LOUVAIN-LA-NEUVE (Ottignies L.L.N.)
COMMUNION DE LOUVAIN-LA-NEUVE
avenue J.L. Hennebel 30 T.010/45 10 85

MACHELEN
ST.-GERTRUDIS
Kerklaan 17 T.251 16 88

MARANSART (Lasne)
NOTRE-DAME

MEISE
ST.-BRIXIUS (Sint-Brixius-Rode)
Potaardestraat 7 T.269 40 95
ST.-MARTINUS
Brusselsesteenweg 5 T.269 35 76

MELSBROEK
ST.-MARTINUS
Vanheylenstraat 38 T.751 84 10

MOLENBEEK-SAINT-JEAN
STE-BARBE
ch. de Ninove 108 T.410 66 26
ST.-CHARLES - BON PASTEUR
rue Korenbeek 231 T.465 98 93
ST.-JEAN - ST. REMI ET NOTRE DAME DU MONDE ENTIER
rue Doyen Adriaens 18 T.411 87 40
NOTRE-DAME MEDIATRICE
rue de Menin 51 T.411 13 59
RESURRECTION
rue Paloke 77 T.521 20 02

MOLLEM (Asse)
ST.-ANTONIUS (Bollebeek)
Kerkstraat 9 - Merchtem T.052/37 25 14
ST.-STEFAAN (Merchtem-Opwijk)
Dorp 22 T.452 65 87

NOSSEGEM (Zaventem)
ST.-LAMBERTUS
St.-Lambertusstraat 16 T.757 91 28

OHAIN (Lasne)
ST.-ETIENNE
rue de l'Eglise 27 T.633 10 78
ST.-JOSEPH (Ransbèche)
rue Mont-Lassy 8 T.354 73 36

OPHAIN-BOIS-SEIGNEUR-ISAAC (Brain-l'Alleud)
NOTRE-DAME (Bois-Seigneur-Isaac)
rue A. De Moor 2 - Ophain T.067/21 55 52
STE.-ALGONDE
rue M. Botte 138 T.384 37 91

OTTIGNIES (Ottignies L.L.N.)
ST.-JOSEPH BLOCRY
rue Invasion 121 T.010/45 03 72
ST.-PIE X - PETIT-RY
avenue St-Pie X T.010/41 55 30
ST.-REMY
avenue des Combattants 42 T.010/41 50 31

OUDERGEM
ST.-ANNA
Tervuursestwg 93 T.673 67 32
ST.-JULIAAN EN O.L. VROUW BLANKENDELLE
Terugdrift 71 T.673 67 32

OVERIJSE
ST.-BERNARDUS (Tombeek) *EN ST.-JOOST* (Maleizen)
Terhulpensestwg. 466 T.687 31 66
ST.-MARIA MAGDALENA (Elzer)
Pastorijstraat 1 T.687 74 88
ST.-MARTINUS
Pastorijstraat 1 T.687 74 88
ONZE-LIEVE-VROUW (Jezus-Eik)
Brusselsestwg. 634 T.657 13 46

PERK (Steenokkerzeel)
ST.-NIKLAAS
Tervurensesteenweg 64 T.751 74 56

PEUTIE (Vilvoorde)
ST.-MAARTEN
J.B. Nowélei 15 T.251 06 79

PLANCENOIT (Lasne)
STE.-CATHERINE
rue Bachée 19 T.633 11 43

RELEGEM (Asse)
ST.-JAN-BAPTIST
Kerkplein 1 - Grimbergen T.270 96 92

RHODE-SAINT-GENESE
cfr SINT-GENESIUS RODE

RIXENSART
ST.-ETIENNE ET STE-CROIX
rue de l'Eglise 38 T.653 99 48
ST.-FRANÇOIS-XAVIER (Bourgeois)
pl. Cardinal Mercier 30a T.653 75 70

ROSIERES (Rixensart)
ST.-ANDRE
rue A. Bois Bosquet 2 T.653 80 23

RUISBROEK (Sint-Pieters-Leeuw)
ONZE-LIEVE-VROUW
Kerkplein 38 T.378 16 14

SAINT-GILLES
STE-ALENE
av. des Villas 47 T.537 85 44
ST.-BERNARD
pl. Loix 21 T.539 03 98
ST.-GILLES
rue de l'Eglise Saint-Gilles 67 T.537 49 91
JESUS TRAVAILLEUR
chaus. de Forest 199 T.537 28 03

SAINT-JOSSE-TEN-NOODE
ST.-JOSSE
pl. St.-Josse 62 T.218 06 93

SCHAARBEEK
ST.-FRANCISCUS
SS JAN EN NIKLAAS
STE MARIE - STE. ELISABETH EN ST.-SERVATIUS
Haachtsesteenweg 253 T.216 10 05
HEILIGE FAMILIE EN ST.-SUZANNA
F. Rigasquare 18 T.216 16 86
EPIFANIE
Optimismelaan 57 T.705 28 06
STE-THERESIA EN STE ALEYDIS
Daillylaan 134 T.215 06 91

SCHAERBEEK
ST.-ALBERT
av. Eugène Plasky 61 T.733 53 74
STE-ALICE
av. Dailly 134 T.215 06 91
STE-MARIE
rue Seutin 25b T.245 45 77
EPIPHANIE
rue Paul Leduc 33 T.705 17 55
STE-FAMILLE
av. Huart Hamoir 143 T.215 86 44
SS JEAN ET NICOLAS
rue d'Aerschot 56 T.218 60 09
ST.-SERVAIS, STE-ELISABETH ST. FRANÇOIS D'ASSISE
chaus. de Haecht 309 T.216 10 20
STE-SUZANNE
av. des Glycines 25 T.215 87 57
STE-THERESE
av. Rogier 397 T.734 58 45

SINT-AGATHA BERCHEM
STE.-AGATHA
Koning Albertlaan 50 T.465 52 86

SINT-GENESIUS-RODE
ST.-BARBARA (Den Hoek)
Grote-Hutsesteenweg 2 T.358 55 47
ST.-GENESIUS
Kerkstraat 16 T.380 72 98
ONZE-LIEVE-VROUW-OORZAAK ONZER BLIJDSCHAP
(Middenhut)
Trilpopulierenlaan 9 T.358 19 49

SINT-GILLIS
nederl. Pastoraal
de Merodestr. 268 T.537 16 84
voor : *ST.-BERNARDUS*
ST.-GILLIS
ST.-ANTONIUS VAN PADUA
STE-ALENA
JEZUS ARBEIDER

SINT-JANS-MOLENBEEK
STE.-BARBARA
Ninoofsestwg 108 T.410 66 26
GOEDE HERDER EN ST.-KAREL, VERRIJZENIS
Korenbeekstraat 191 T.465 24 57
ST.-JAN BAPTIST, ST.-REMIGUS EN O.L.VROUW VAN GANS DE WERELD
de Lehaiestr 12 T.414 03 07
O.L. VROUW MIDDELARES
Menenstraat 51 T.411 13 59
VERRIJZENIS
Palokestraat 77 T.521 20 02

SINT-JOOST-TEN-NODE
ST.-JOOST, ST. ALBERTUS EN H. HART
Grevelingenstraat 20 T.230 74 89

SINT-LAMBRECHTS-WOLUWE
GODDELIJKE ZALIGMAKER EN ST. HENDRIK
Roodebeeklaan 271 T.735 45 28
HEILIGE FAMILIE, ST.-LAMBERTUS EN O.L. VROUW HEMELVAART (Kapelleveld)
Familieplein 2 T.762 19 35

SINT-MARTENS-BODEGEM (Dilbeek)
ST.-MARTINUS
Processiestraat 3 T.582 12 36

SINT-PIETERS-LEEUW
ST.-LUTGART (Zuun)
Quintusstraat 20 T.377 21 69
ST.-PIETER
Pastorijstraat 8 T.377 19 76
ST.-STEVEN (Negenmanneke)
Sint-Stevensstraat 64 T.377 94 33

SINT-PIETERS-WOLUWE
O.L. VROUW (Stokkel), *ST.-PAULUS EN STE ALEYDIS*
Vandermaelenstraat 25 T.772 91 32
ST.-PIETER
Guldendallaan 90 T.771 99 02
O.L.VROUW VAN GENADE (Vogelzang)
Zeemeeuwenlaan 12 T.771 55 89

SINT-STEVENS-WOLUWE (Zaventem)
ST.-STEFAAN
Kleine Kerkstraat 15 T.720 04 59

SINT-ULRIKS-KAPELLE (Dilbeek)
ST.-ULRIK
Kerkstraat 31 T.453 91 70

STEENOKKERZEEL
STE.-CATHARINA
Billastraat 37 T.759 60 90
ST.-ROMULDUS
Keizerinlaan T.759 66 84

STERREBEEK (Zaventem)
ST.-PANCRATIUS
Kerkdries 26 T.731 19 81

STROMBEEK-BEVER (Grimbergen)
ST.-AMANDUS
St.-Amandsplein 4 T.267 19 72

TERVUREN
ST.-JAN-EVANGELIST
Marktplein T.735 57 77
ST.-JOZEF (Moorsel)
Moorselstraat 203 T.767 85 25

TUBIZE
STE.-GERTRUDE
rue de la Déportation 14 T.355 61 56
LA BRUYERE
rue Frères Taymans 202 T.390 0171

UCCLE
STE-ANNE
pl. de la Sainte-Alliance 8 T.374 24 38
SACRE-CŒUR (Le Chat)
rue de la Mutualité 77 T.343 10 83
ST.-JOB (Carloo)
pl. St.-Job 18 T.374 64 14
ST.-MARC
av. de Fré 74 T.374 91 76

NOTRE-DAME DE LA CONSOLATION ET ST.-JOSEPH (Calevoet)
chaus. d'Alsemberg 1156 T.376 21 26
NOTRE-DAME DU ROSAIRE (Langeveld)
av. Montjoie 29 T.344 57 90
ST.-PAUL (Stalle)
rue du Merlo 91 T.332 04 52
ST.-PIERRE
rue du Doyenné 96 T.344 23 65
PRECIEUX SANG (Wolvenberg)
rue du Coq 24 T.374 48 04

UKKEL
ST. PAULUS
Gatti de Gamondstraat 212 T.345 14 69
ST. MARKUS, ST.-JOB EN ROZENKRANS
St. Jobplein 19 T.374 52 18
HET KOSTBAAR BLOED, HEILIG HART ST.-MARKUS, ST.-PIETER, ST.-JOZEF (Tomberg) *EN O.L. VROUW VAN TROOST* (Kalevoet)
Dekenijstraat 98 T.345 14 69
STE.-ANNA (Our Lady of Mercy)
place de la Ste.-Alliance T.374 52 18

VILVOORDE
ST.-ALOYSIUS VAN GONZAGA (Koningslo)
Romeinsestwg 55 T.267 02 86
ST.-WIVINA
Hoveniersstraat 48 T.251 16 27
ST.-ANTONIUS (Houtem)
Trekelsstraat 46 T.251 12 46
HEILIG HART
Kerklaan 17 - Machelen T.251 07 70
ST.-JAN BERCHMANS (Het Voor)
Streekbaan 266 T.267 88 79
ST.-JOZEF
Gevaertstraat 26 T.251 14 95
O.L. VROUW VAN GOEDE HOOP
J.B. Nowelei 15 T.251 06 79

VIRGINAL-SAMME (Dilbeek)
ST.-PIERRE
rue de la Libération 13 T.067/64 61 39

VLEZENBEEK (St.-Pieters-Leeuw)
O. L. VROUW TEN HEMEL OPGENOMEN
Dorp 43 T.532 09 45

VORST
ST.-DENIJS, H. MARIA MOEDER GODS H. PASTOOR VAN ARS EN H. PIUS X, ST.-AUGUSTINUS
Mysteriestraat 15 T.345 59 29

WATERLOO
STE.-ANNE
avenue Valentin Tondeur 18 T.385 13 60
ST.-JOSEPH
avenue reine Astrid 11 T.354 00 11
ST.-PAUL
drève des Chasseurs 14 T.354 02 99
ST.-FRANÇOIS D'ASSISE
rue de l'Eglise T.354 74 31

WATERMAEL-BOITSFORT
ST.-CLEMENT
rue du Loutrier 50 T.672 52 29
STE-CROIX
av. des Coccinelles 25 T.672 52 21

NOTRE-DAME-DU-PERPETUEL SECOURS (Floréal)
av. des Archiducs 70 T.672 47 03
REINE DES CIEUX (N.D.) ET ST.-HUBERT
Jagersveld 6 T.672 23 95

WATERMAAL-BOSVOORDE
O.L.VROUW KONINGIN DER HEMELEN ST.-CLEMENS, ST.-HUBERTUS, H. KRUIS O.L. VROUW ALTIJDDURENDEN BIJSTAND (Floreal)
Terugdrift 71 T.673 67 32

WAUTHIER-BRAINE (Braine-le-château)
NOTRE-DAME DU BON CONSEIL
rue E. Van Volxem 3 T.366 02 62
SS PIERRE ET PAUL
Grand'Place 16 T.366 00 74

WAVRE
ST.-ANTOINE
chaussée des Atrébates 10 T.010/24 44 75
ST.-JEAN-BAPTISTE
pl. Curé 23 T.010/22 21 08
NOTRE DAME-BASSE-WAVRE
rue du Caluaire T.010/22 25 80

WEMMEL
ST.-ENGELBERTUS
J. De Ridderlaan 64 T.460 46 55
ST.-SERVATIUS
A. De Boecklaan 31 T.460 33 55

WEZEMBEEK-OPPEM
ST.-JOZEF (Oppem)
Oppemlaan 149 T.731 83 14
HH-MICHAEL EN JOZEF (Oppem)
Mechelsestwg. 94 T.731 32 69
ST.-PIETER (Wezembeek)
Sint-Pietersplein 7 T.731 08 96

WOLUWE-SAINT-LAMBERT
DIVIN SAUVEUR
av. de Roodebeek 269 T.732 98 35
ST.-HENRI
parvis Saint-Henri 18 T.734 47 63
ST.-LAMBERT ET STE FAMILLE
rue Madyol 2 T.770 15 71
NOTRE-DAME DE L'ASSOMPTION (Kapelleveld)
av. Vandervelde 153 T.770 67 30

WOLUWE-SAINT-PIERRE
STE-ALIX
av. Van Der Meerschen 94 T.770 15 57
NOTRE-DAME DES GRACES (Chant d'Oiseau)
av. du Chant d'Oiseau 2 T.770 42 15
ST.-PAUL ET NOTRE-DAME DE STOCKEL
av. du Hockey 96 T.770 00 79
ST.-PIERRE
petite rue de l'Eglise 2 T.770 09 60

ZAVENTEM
ST.-JOZEF EN ST-MARTINUS
Kerkplein 16 T.720 05 49

ZELLIK (Asse)
ST.-BAVO
Kerklaan 203 T.466 66 26

AUTRES CULTES - ANDERE EREDIENSTEN
ANDERE GOTTESDIENSTE - OTHER RELIGIONS
ALTRI CULTI - OTROS CULTOS

ANGLICAANSE KERK - EGLISE ANGLICANE
Drievuldigheids - Trinité
K. Crespelstr. 29/rue C. Crespel 29 - 1050 Ixe T.511 71 83

CHRISTIAN SCIENCE
Vleurgatsestwg 96/chaus. de Vleurgat 96 - 1050 Ixe T.647 64 56

ISLAMITEN - ISLAMIQUE
Moskee - Jubelpark 14 - 1040 Ett/Mosquée - Parc du Cinquantenaire 14 - 1040 Ett T.735 21 73

ISRAELITEN - ISRAELITE
SYNAGOGUE PRINCIPALE/VOORNAAMSTE SYNAGOGE
Regentschapsstr. 32/rue de la Régence 32 - 1000 Brl T.512 43 34
-Traditionele - Traditionnelle
J. Dupontstraat 2/rue J. Dupont 2 - 1000 Brl T.514 22 72
-Orthodoxe - Orthodoxe
Kliniekstraat 67A/rue de la Clinique 67A - 1070 And T.521 12 89
Rogierstraat 126/rue Rogier 126 - 1030 Sch
-Sepharadite - Sépharadite
Paviljoenstraat 47/rue du Pavillon 47 - 1030 Sch T.215 05 25

ORTHODOXE
- RUSSISCHE ORTODOXE -ORTHODOXE RUSSE
Eglise St.-Job : av.de Fré-laan 19 - 1180 Uck T.374 30 28
Eglise de la Resurrection du Seigneur :rue des Drapiers 42 - 1050 Ixe T.514 23 39
Kerk van de Verrijzenis van de Heer : Lakenweversstr. 42 - 1050 Ixe T.514 23 39
Eglise des SS-Panteleimon & Nicolas : rue J.A. Demot-straat 47 - 1030 Sch T.231 00 31
Cathédrale St.-Nicolas : Ridderstraat 29/rue des Chevaliers 29 - 1050 Ixe T.513 79 15
- GRIEKSE ORTHODOXE - ORTHODOXE GREC
Cathédrale des SS Archanges Michel & Gabriel : av. de Stalingrad-ln. 28 - 1000 Brl T.512 19 13
Eglise des SS Archanges Michel & Gabriel : rue de Stassart-straat 92 - 1050 Ixe T.502 27 00
Eglise St.-Nicolas : rue du Progrès-straat 293 - 1030 Sch T.201 15 48
Eglise St.-Jean Baptiste : Zwarte Vijverstraat 48/rue des Etangs Noirs 48 - 1080 SJM T.411 67 16
Eglise Ste.-Marina : av. Charbo-laan 71- 1030 Sch T.241 10 65
Eglise St.-Nicolas : rue de Brabant-straat 75 - 1030 Sch T.410 83 10
- ORTHODOXE
Eglise Ste.-Trinité & des SS Cosme & Damien : rue Paul Spaak-straat 26 - 1000 Brl T.736 96 73
Chapelle Ste.-Anne : av. des Trembles (parc de Laeken) - 1020 Brl T.427 38 13
Sint-Annakapel : Abelenlaan (park van Laken) - 1020 Brl T.427 38 13
Oratoire St.-Jean Evangeliste : rue de la Tulipe 66/Tulpstraat 66 - 1050 Ixe T.649 20 51
Eglise St-Clement d'Ohrid : rue Vicor Hugo-straat 8 - 1040 Ett T.734 57 89
- ARMEENSE ORTHODOXE - ORTHODOXE ARMENIEN
Eglise de la Madeleine : av. Kindermans-laan 1 - 1050 Ixe T.647 94 05
- SERVISCH ORTHODOXE - ORTHODOXE SERBE
Eglise St.-Sava : rue Gendebien-straat 9 - 1210 SJN T.262 41 39

PROTESTANT
Eglise de Bruxelles-Botanique : bld. Bischoffsheim-laan 40 - 1000 Brl T.343 34 25
Eglise d'Ixelles : rue du Champ de Mars-Marsveldstraat 5 - 1050 Ixe T.414 56 93
Eglise Protestante de Bruxelles : pl. du Musée-Museumplein 2 - 1000 Brl T.513 23 25
Eglise Evangélique d'Uccle : rue Beeckman-straat 26 a - 1180 Uck T.736 15 99
Eglise de Watermael-Boitsfort-Auderghem : av.des Cailles-Kwartelln 131 - 1170 WaB T.675 22 51
Deutschprachtige Evangelische Gemeinde : av. Salomé-laan 7 - 1150 SPW T.762 40 62
Bethleemkerk : rue de Walcourt-straat 103 - 1070 And T.688 15 09
Silokerk : Antwerpsesteenweg 324-326 - 1210 SJN T.262 15 98
Samen-op-weg-kerk : Nieuwe Graanmarkt 8 - 1000 Brl T.512 03 67
William-Tyndalekerk : Lange Molenstraat 58 - 1800 Vil T.251 39 45

EGLISE PROTESTANTE INTERNATIONAL - INTERNATIONAL PROTESTANT CHURCH
Kattenberg 19 - 1170 Brl T.673 05 81

CHURCH OF SCOTLAND (St.-Andrew)
chaussée de Vleurgat-sesteenweg 181 1050 Ixe T.672 40 56

INTERNATIONAL BAPTIST CHURCH
rue de Long Chêne-Lange Eikstraat 76/78 - 1970 WeO T.731 12 24

VRIJE EVANGELISCHE KERK - EGLISE EVANGELIQUE LIBRE
Staatsbladstraat 7/rue du Moniteur 7 - 1000 Brl T.217 40 15

PINKSTERKERK - EGLISE PENTECOTISTE
avenue Van Volxem-laan 194 - 1190 Vor T.347 57 29
rue Léon Lepage-straat 33-35 - 1000 Brl T.335 26 07
rue de l'Infante 224 1410 Wat T.384 01 99
rue du Châlet-straat 9 - 1210 SJN T.219 66 90
avenue des Iles d'Or 15/Gouden Eilandlaan 15 - 1200 WSL
rue de la Cuve 9/Kuipstraat 9 ..... T.640 17 35
chaussée de Waterloo 47/Waterloosesteenweg 47 - 1640 SGR T.358 18 71
bd. E. Bockstaellaan 106 - 1020 Brl T.052/30 94 44

EVANGELISCHE BAPTISTEN KERK - EGLISE EVANGELIQUE BAPTISTE
Eglise Baptiste d'Evere : Haachtsesteenweg 982/chaus. de Haecht 982 - 1140 Eve T.242 24 73
Eglise Baptiste de Bruxelles : rue Ernest Allard-straat 11-13 - 1000 Brl T.425 47 37

ADVENTKERK - EGLISE ADVENTISTE
rue E. Allard-straat 11/13 - 1000 Brl T.511 36 80

APOSTOLISCHE KERK - EGLISE APOSTOLIQUE
Eglise Apostolique d'Anderlecht : Onderwijsstraat 90 - rue de l'Instruction 90 - 1070 And T.522 09 02

EVANGELISCHE PENIEL KERK - EGLISE EVANGELISTE PENIEL
Eedstraat 27-29/rue du Serment 27-29 - 1070 And T.521 65 43

ONAFHANKELIJKE EVANGELISCHE KERK - EGLISE EVANGELISTE INDEPENDANTE
rue Franz Gaillard-straat 3 - 1060 SGi T.534 86 97

MENNONITEN KERK - EGLISE MENNONITE
Brussels Mennoniten centrum - Centre Mennonite de Bruxelles
rue Franklin-straat 112 - 1000 Brl ..... T. 734 81 07

CHRISTELIJKE GEMEENSCHAP VAN BRUSSEL - COMMUNAUTE CHRETIENNE DE BRUXELLES
rue Cap. Crespel 29 /Kap. Crespelstraat 29 - 1050 Ixe T.381 05 77

CIMETIERES - KERKHOVEN
FRIEDHÖFE - CEMETERIES
CIMITERE - CEMENTERIOS

Alsemberg	97C2
Anderlecht	56E3-4
Asse	10B2-3
Auderghem	61B4 - 70A-B1
Beersel	86E2
Berchem-Ste-Agathe (nouv.)	39A-B2
Berchem-Ste-Agathe (anc.)	30B4
Bierges	128D2
Braine-l'Alleud (Sacré Cœur)	122A4
Braine-l'Alleud	133D-E4
Braine-l'Alleud (du centre)	134C4
Braine-l'Alleud (Ste-Aldegonde)	157D1
Braine-l'Alleud (Lillois-Witterzée)	158A4
Braine-le-Château	143C2-3
Brussegem	2D3
Brussel	33D3-4 - E3-4
Bruxelles	33D3-4 - E3-4
Céroux-Mousty	163D1
Clabecq (St-Jean-Baptiste)	130B2
Clabecq	130C1
Couture Saint-Germain	149C3
Diegem	25B1
Dilbeek	28D3
Drogenbos	76E1-2
Elsene	59E3 - 60A3
Etterbeek (anc.-oud)	52A1
Evere (anc.-oud)	33C1
Evere (nieuw-nouv.)	33D3
Forest (nouv.)	87C-D4
Ganshoren (anc.-oud)	30D2
Ganshoren (nieuw-nouv.)	21C-D4 - 30C-D1
Genval	113D4
Grimbergen	5D1
Halle	119B1
Haut-Ittre	156C3
Hoeilaart	81B4 - 91B1
Huizingen	95E1
Itterbeek	46E3
Ittre	155B4
Ixelles	59E3 - 60A3
Jette	31B-C1
Kobbegem	10E1
Koekelberg	39A2
Kortenberg	27E2
Kraainem	35B4
Koningslo	14C-D1
Laeken	31E1 - 32A1
La Hulpe	113D1
Laken	31E1 - 32A1
Lasne	138A2
Linkebeek	87D2-3
Machelen	16C1
Meise	3E2
Melsbroek	8B-C4
Molenbeek	39D-E1
Neder-Over-Heembeek	23E1
Nossegem	27A4
Ohain	137A2

CINEMAS - BIOSCOPEN
KINOS - CINEMAS
CINEMA - CINES

BRUSSEL CENTRUM / BRUXELLES CENTRE
ABC
bld A. Max-laan 149 T.217 94 95
ACTOR'S STUDIO (2 zalen - 2 salles)
Korte Beenhouwersstraat 16
petite rue des Bouchers 16 T.512 16 96
ARENBERG-GALERIES (2 zalen - 2 salles)
Koninginnegal. 26
gal. de la reine 26 T.512 80 63
AVENTURE (3 zalen - 3 salles)
gal. du centre 57
centrumgalerij 57 T.219 17 48
NEW PARIS
bld. Ad. Max-laan 62 T.219 99 65
U.G.C. Brouckère (10 zalen - 10 salles)
pl. de Brouckère 38 T.0900/10 440
de Brouckèreplein 38 T.0900/10 450

BRUSSEL - BOVENSTAD
BRUXELLES - HAUT DE LA VILLE
U.G.C. ACROPOLE (11 zalen - 11 salles) T.513 79 45
Gulden Vlieslaan 8 T.0900/10 450
av. de la Toison d'Or 8 T.0900/10 440
STYX
Gewijdeboomstraat 72
rue de l'Arbre Bénit 72 T.512 21 02
VENDOME (5 zalen - 5 salles)
Waversesteenweg 18
ch. de Wavre 18 T.502 37 00

BRUXELLES HEYSEL-BRUSSEL HEIZEL
KINEPOLIS (26 salles - 26 zalen)
Bruparck-Heysel T.474 26 00
bd. du Centenaire 20/Eeuwfeestlaan 20
Infolijn Kinepolis Group T.0900/35 240
Ligne Info Kinepolis Group T.0900/35 241

FOREST-VORST
MOVY CLUB
Monikkenstraat 21
rue des Moines 21 T.537 69 54

LOUVAIN-LA-NEUVE
PARADISO
Studio : place Agora T.010/45 24 20

RIXENSART
CINE CENTRE
avenue de Merode 91 T.653 94 45
CINE-CLUB DE RIXENSART ASBL
place Communale 38 T.654 10 49

SAINT-GILLES/SINT-GILLIS
ORLY CENTER
bld Jamar-laan 9 T.522 10 50

ST-PIETERS-WOLUWE/WOLUWE-ST-PIERRE
STOCKEL (LE)
avenue de Hinnisdael-laan 17 T.779 10 79

TERVUREN
STUDIO FILM THEATER
Hoornzeelstraat 63 T.767 40 30

WATERLOO
CINE ROY
rue St-Germain162 T.354 60 62
WELLINGTON
chaus. de Bruxelles 165 T.354 93 59

WAVRE
PALACE DIAMANT
quai aux Huîtres 7 T.010/22 24 85

THEATRES ET SALLES DE CONCERT
SCHOUWBURGEN EN CONCERTZALEN
THEATER UND KONZERTHAÜSER
STAGES AND ENTERTAINMENTS
TEATRI E VARIETA
TEATROS Y VARIEDAS

ANCIENNE BELGIQUE
bld. Anspach-laan 110 - 1000 Brl T.548 24 24
ATELIER SAINTE-ANNE
rue des Tanneurs 75-77 - 1000 Brl
Huidevettersstraat 75-77 T.548 02 66
ATELIER THEATRAL DE LOUVAIN-LA-NEUVE
Ferme de Blocry
pl. de l'Hocaille - 1348 LLN T.010/45 05 00
AUDITORIUM 44
Kruidtuinlaan 44- 1000 Brl
bd. J. Botanique 44 T.218 27 35
BEURSSCHOUWBURG
A. Ortsstraat 22 - 1000 Brl T.513 82 90
CENTRE COMMUNAUTAIRE JOLI BOIS
av. du Haras 100 - 1150 Brl T.779 91 22
CENTRE CULTUREL ET ARTISTIQUE D'UCCLE
rue Rouge 47 - 1180 Uck T.374 04 95
CENTRE CULTUREL JACQUES FRANCK
chaussée de Waterloo 94 - 1060 SGi T.538 90 20
CIRQUE ROYAL
rue de l'Enseignement 81 - 1000 Brl T.218 20 15
COMEDIE C. VOLTER
av. Frères Legrain 98 - 1150 SPW
Gebroeders Legrainlaan 98 T.762 09 63
COMPAGNIE YVAN BAUDOUIN - LESLIE BUNTON
av. d'Auderghem 221 - 1040 Ett
Oudergemselaan 221 T.640 27 60

CONSERVATOIRE ROYAL DE MUSIQUE
rue de la Régence 30 - 1000 Brl T.511 04 27
FOREST NATIONAL
av. du Globe 36 - 1190 Vor T.340 22 11
HALLEN VAN SCHAARBEEK/ HALLES DE SCHAERBEEK
rue Royale Ste-Marie 22a - 1030 Sch
Koninklijke St.-Mariastraat 22a T.227 59 60
KAAITHEATER
quai des Péniches
Akenkaai - 1000 Brl T.201 58 58
KONINKLIJK CIRCUS
Onderrichtstraat 81 - 1000 Brl T.218 20 15
KONINKLIJK CONSERVATORIUM BRUSSEL
Regentschapsstr. 30 - 1000 Brl T.511 04 27
KONINKLIJKE VLAAMSE SCHOUWBURG
(K.V.S.)
Lakenstraat 146 - 1000 Brl T.217 69 37
LA LUNA
Sq. Sainctelette Sq. 20 - 1000 Brl T.201 58 58
LE BOTANIQUE (Centre Culturel Com. Fr.)
rue Royale 236 - 1210 SJN T.226 12 11
MAISON DU SPECTACLE DE LA BELLONE
rue de Flandre 46 - 1000 Brl
Vlaamsesteenweg 46 T.513 33 33
MEDIATHEQUE DE LA COMMUNAUTE FRANCAISE DE BELGIQUE
bld. Pachéco - 1000 Brl T.218 26 35
MOLIERE (THEATRE)
square du Bastion 32 - 1050 Brl
Bolwerksquare 32 T.513 58 00
NATIONALE OPERA - K.M.S
Muntplein - 1000 Brl T.229 12 11
NOUVEAU THEATRE DE BELGIQUE
r. du Viaduc-str. 122 - 1050 Ixe T.640 84 37
NOUVEAU THEATRE DE QUAT'SOUS
rue de la Violette 34 - 1000 Brl T.512 10 22
Violetstraat 34
OPERA NATIONAL - T.R.M.
pl. de la Monnaie - 1000 Brl T.229 12 11
PALAIS DES BEAUX ARTS
rue Ravenstein 23 - 1000 Brl T.507 82 00
PALEIS VOOR SCHONE KUNSTEN
Ravenstein 23 - 1000 Brl T.507 82 00
PARC (THEATRE ROYAL DU)
rue de la Loi 3 - 1000 Brl
Wetstraat 3 T.512 42 82
RIDEAU DE BRUXELLES (THEATRE DU)
rue Ravenstein-str. 23 -1000 Brl T.507 83 60
THEATRE 140
av. E. Plasky-laan 140 - 1030 Sch T.733 97 08
THEATRE DE LA BALSAMINE
av. F. Marchall-laan 1 - 1030 Sch T.735 64 68
THEATRE DE LA VIE
rue Traversière 45 - 1210 SJN
Dwarsstraat 45 T.218 79 35
THEATRE DE POCHE
Bois de la Cambre / chem. du Gymnase 1a
Ter Kamerenbos / Gymnasiumsweg 1a
1050 Brl T.649 17 27
THEATRE DU PLAN K
galerie de la Reine 2 - 1000 Brl T.511 83 01
THEATRE DU RESIDENCE-PALACE
rue de la Loi 155b4 - 1040 Brl T.231 03 05
THEATRE NATIONAL DE LA COMMUNAUTE FRANÇAISE DE BELGIQUE
pl Rogier - 1210 SJN T.203 28 95
THEATRE POEME
rue d'Ecosse 30 - 1060 SGi
Schotlandstraat 30 T.538 63 58
THEATRE ROYAL DES GALERIES
Galerie du Roi 32 - 1000 Brl
Koningsgalerij 32 T.512 04 07
THEATRE ROYAL DU PERUCHET
av. de la Fôret 50 - 1050 Ixe T.673 87 30
THEATRE VARIA
rue du Sceptre-straat 78 - 1050 Ixe T.640 82 58
TOONE (THEATRE ROYAL DE)
Petite rue des Bouchers 21 - 1000 Brl T.511 71 37
VORST NATIONAAL
Globelaan 36 - 1190 Vor T.340 22 11

CENTRES CULTURELS FRANCOPHONES
FRANSTALIGE CULTURELE CENTRA
FRANKOPHONE KULTURZENTREN
FRANCOPHONE CULTURAL CENTRES
CENTRI CULTURALI FRANCOFONI
CENTROS CULTURALES FRANCOFONOS

ANDERLECHT (Centre Intellectuel)
rue du Chapelain - 1070 And T.523 33 23
ANDERLECHT (Culturel)
rue d'Aumale 67 - 1070 And T.522 98 01
AUDERGHEM
bd du Souverain 185 - 1160 Aud T.660 03 03
CENTRE COMMUNAUTAIRE DE JOLI BOIS
av. du Haras 100 - 1150 SPW T.779 91 22
CENTRE CULTUREL - CENTENAIRE
Cité Modèle Bloc
Allée du Rubis - 1020 Brl T.479 84 99
CENTRE CULTUREL DE BRAINE-L'ALLEUD
rue du Môle 5 - 1420 BRA T.384 38 94
CENTRE CULTUREL DE TUBIZE
boulevard G. Deryck 124 - 1480 TUB T.355 98 95
CENTRE CULTUREL JACQUES FRANCK
ch. de Waterloo 94 - 1060 SGi T.538 90 20
COMMUNAUTE FRANCAISE LE "BOTANIQUE"
rue Royale 236 - 1210 SJN T.226 12 11
FONDATION INTERNATIONALE JACQUES BREL
place de la Vieille Halle
aux Blés 11 - 1000 Brl T.511 10 20
UCCLE
rue Rouge 47 - 1180 Uck T.374 04 95
WATERMAEL-BOITSFORT
(La Vénerie maison Haute)
place A. Gilson 3 - 1170 WaB T.660 49 60
WOLUWE-SAINT-PIERRE
av. Ch. Thielemans 93 - 1150 SPW T.773 05 88

CENTRES CULTURELS NEERLANDOPHONES
NEDERLANDSTALIGE CULTURELE CENTRA
NIEDERLÄNDISCHSPRACHIGE KULTURZENTREN
DUTCH-LANGUAGE CULTURAL CENTRES
CENTRI CULTURALI FIAMMINGHI
CENTROS CULTURALES NEERLANDOFONOS

ANDERLECHT
Trefcentrum De Rinck,
Dapperheidspl. 5-6-7 - 1070 T.524 32 35
BRUSSEL
Trefcentrum De Markten,
Oude Graanmarkt 5 - 1000 T.512 34 25
ELSENE
Elzenhof, Kroonlaan 12-16 - 1050 T.648 20 20
ETTERBEEK
De Maalbeek, Oudergemseln. 90 - 1040 T.734 64 43
GANSHOREN
De Zeyp, Van Overbekelaan 164 - 1083 T.422 00 11
HAREN
De Linde, Kortenbachstraat 7 - 1130 T.242 31 47
JETTE
Huize Essegem, Leopold I-str. 329 - 1090 T.427 80 39
LAKEN
Nekkersdal, E. Bockstaellaan 107-1020 T.428 53 77
Trefcentrum De Mutsaard,
De Wandtstraat 14 - 1020 T.268 20 82

SCHAARBEEK
De Kriekelaar, Gallaitstraat 86 - 1030 T.245 75 22
SINT-AGATHA-BERCHEM
de Kroon, J.B. Vandendrieschstr. 19 - 1082T.468 25 88
SINT-GILLIS
De Pianofabriek, Fortstraat 35A - 1060 T.538 09 01
SINT-JANS-MOLENBEEK
De Vaartkapoen, Schoolstraat 76 - 1080 T.414 29 07
SINT-JOOST-TEN-NODE
Ten Noey, Gemeentestraat 25 - 1210 T.217 19 22
SINT-LAMBRECHTS-WOLUWE
Op-Weule, Donkerstraat 10 - 1200 T.762 16 41
SINT-PIETERS-WOLUWE
Orbanlaan 54 - 1150 T.762 37 74
UKKEL
Brugmannlaan 433 - 1180 T.343 46 58
VORST
Ten Weyngaert, Bondgenotenstr. 54-1190 T.347 16 86
WATERMAAL-BOSVOORDE
De Jachthoorn, Delleurlaan 39-41 - 1170 T.675 40 10

MUSEES - MUSEA
MUSEEN - MUSEUMS
MUSEI - MUSEOS

ALGEMENE ARCHIEVEN VAN HET KONINKRIJK
Ruisbroekstraat 2 - 1000 Brl T.513 76 80
ANTOINE WIERTZ-MUSEUM
Vautierstraat 62 - 1050 Ixe T.648 17 18
ARCHIVES GENERALES DU ROYAUME
rue de Ruysbroeck 2 - 1000 Brl T.513 76 80
AUTOMOBIELMUSEUM AUTOWORLD
Jubelpark 10 - 1000 Brl T.736 41 65
BELGISCH CENTRUM
VAN HET BEELDVERHAAL
Zandstraat 20 - 1000 Brl T.219 19 80
BIBLIOTHEQUE ROYALE ALBERT I
(musée du livre et de l'Imprimerie)
bd. de l'Empereur 4 - 1000 Brl T.519 53 11
BRUSSELS MUSEUM VAN DE GUEUZE
Gheudestraat 56 - 1070 And T.521 49 28
CAMILLE LEMONNIER-MUSEUM
(Huis der schrijvers)
Waversestwg 150 - 1050 Ixe T.512 29 68
CENTRE BELGE DE LA BANDE DESSINEE
rue des Sables 20 - 1000 Brl T.219 19 80
CENTRE D'HISTOIRE ET DE TRADITION
DE LA GENDARMERIE
avenue de la Force Aérienne 33 - 1040 Ett T.642 69 29
CENTRUM VOOR GESCHIEDENIS EN
TRADITIES VAN DE RIJKSWACHT
Luchtmachtlaan 33 - 1040 Brl T.649 69 29
CHARLIER-MUSEUM
Kunstlaan 16 - 1210 SJN T.218 53 82
CHINA MUSEUM (Missionarissen van Scheut)
Ninoofsesteenweg 548 - 1070 And T.521 47 29

CHINEES PAVILJOEN / JAPANSE TOREN
Van Praetlaan 44 - 1020 Brl T.268 16 08
CONSTANTIN MEUNIER-MUSEUM
Abdijstraat 59 - 1050 Ixe T.648 44 49
ERASMUSHUIS
Kapittelstraat 28 - 1070 And T.521 13 83
FILMMUSEUM
Baron Hortastraat 9 - 1000 Brl T.513 41 55
GARDE-ROBE DE MANNEKEN-PIS
MAISON DU ROI
Grand'Place - 1000 Brl T.279 43 55
GARDEROBE VAN MANNEKEN-PIS
BROODHUIS
Grote Markt - 1000 Brl T.279 43 55
GEMEENTELIJK MUSEUM VAN ELSENE
Jean Van Volsemstraat 71 - 1050 Ixe
Toestel 1159 T.511 90 84
GEMEENTELIJK MUSEUM VAN HET
GRAAFSCHAP JETTE
Abdij Van Dielegem
J. Tiebackxstraat 14 - 1090 Jet T.479 00 52
HORTA MUSEUM
Amerikaansestr. 25 - 1060 SGi T.543 04 90
HOTEL DE VILLE
Grand-Place - 1000 Brl T.279 43 65
INSTITUT ROYAL DES SCIENCES
NATURELLES DE BELGIQUE
ch. de Wavre 260 - 1000 Brl T.627 42 38
INSTRUMENTENMUSEUM VAN HET
KONINKLIJK MUZIEKCONSERVATORIUM
Kleine Zavel 17 - 1000 Brl T.511 35 95

INTERNATIONAAL MARIONETTENMUSEUM
(Peruchettheater)
Woudlaan 50 - 1050 Brl T.673 87 30
KINDERMUSEUM
Burgemeestersstr. 15 - 1050 Ixe T.640 01 07
KONINKLIJKE BIBLIOTHEEK ALBERT I
(Museum van het boek en Drukkerij)
Keizerlaan 4 - 1000 Brl T.519 53 11
KONINKLIJKE MUSEA VOOR KUNST EN GESCHIEDENIS
Jubelpark 10 - 1000 Brl T.741 72 11
KONINKLIJK INSTITUUT VOOR NATUURWETENSCHAPPEN VAN BELGIE
Waversestwg 260 - 1000 Brl T.627 42 38
KONINKLIJK MUSEUM VAN HET LEGER EN DE KRIJGSGESCHIEDENIS
Jubelpark 3 - 1000 Brl T.734 52 52
KONINKLIJK MUSEUM VOOR MIDDEN-AFRIKA
Leuvensestwg 13 - 3080 Ter T.769 52 11
MAISON D'ERASME
rue du Chapitre 31 - 1070 And T.521 13 83
MINI-EUROPA - BRUPARCK
Voetballaan 1 - 1020 Brl T.478 05 50
MINI-EUROPE - BRUPARCK
av. du Football 1 - 1020 Brl T.478 05 50
MUSEE ANTOINE WIERTZ
rue Vautier 62 - 1050 Ixe T.648 17 18
MUSEE BRUXELLOIS DE LA GUEUZE
rue Gheude 56 - 1070 And T.521 49 28
MUSEE CAMILLE LEMONNIER
(Maison des écrivains)
chaus. de Wavre 150 - 1050 Ixe T.512 29 68
MUSEE COMMUNAL D'IXELLES
rue J. Van Volsem 71 - 1050 Ixe T.511 90 84
MUSEE COMMUNAL DU COMTE DE JETTE
Demeure abbatiale de Dieleghem
rue J. Tiebackx 14 - 1090 Jet T.479 00 52
MUSEE CONSTANTIN MEUNIER
rue de l'Abbaye 59 - 1050 Ixe T.648 44 49
MUSEE D'ART ANCIEN
rue de la Régence 3 - 1000 Brl T.508 32 11
MUSEE D'ART MODERNE
place Royale 1-2 - 1000 Brl T.508 32 11
MUSEE DAVID ET ALICE VAN BUUREN
av. L. Errera 41 - 1180 Uck T.343 48 51
MUSEE DE CHINE (Missionnaires de Scheut)
chaussée de Ninove 548 - 1070 And T.521 47 29
MUSEE DE CIRE (HISTORIUM)
Anspach Centre (1ere étage)
Bld. Anspach 36 - 1000 Brl T.217 80 12
MUSEE DE L'AUTOMOBILE AUTOWORLD
Parc du Cinquantenaire 11 - 1000 Brl T.736 41 65
MUSEE DE LA BRASSERIE
Grand'Place 10 - 1000 Brl. T.511 49 87
MUSEE DE LA DYNASTIE
pl. des Palais 7 - 1000 Brl T.511 55 78
MUSEE DE LA FORET DE SOIGNES
"Jan Van Ruusbroeck"
Duboislaan 6 - 1560 Hoeilaart T.657 93 64
MUSEE DE LA PORTE
rue de Bruxelles 64 - 1480 TUB T.355 55 39
MUSEE DE LA RELIURE
(Bibliotheca Wittockiana)
rue du Bemel 21-23 - 1150 SPW T.770 53 33
MUSEE DE LA RESISTANCE
rue Van Lint 14 - 1070 And T.522 40 41
MUSEE DE LA VIE FLAMANDE A BRUXELLES
r. des Poissonniers 13 - 1000 Brl T.512 42 81
MUSEE DE LA VILLE DE BRUXELLES
(Maison du Roi)
Grand-Place 1000 Brl T.279 43 50
MUSEE DES ENFANTS ASBL
r. du Bourgmestre 15 - 1050 Ixe T.640 01 07

MUSEE DES CHEMINS DE FER BELGE
Gare du Nord
rue du Progrès 76 - 1210 SJN T.224 62 79
MUSEE DES CHEMINS DE FER VICINAUX
Ninoofsesteenweg 955 - 1703 Schepdaal T.569 16 14
MUSEE DES POSTES ET TELECOMMUNICATIONS
place du Grand Sablon 40 - 1000 Brl T.511 77 40
MUSEE DU CINEMA
rue Baron Horta 9 - 1000 Brl T.513 41 55
MUSEE DU COSTUME ET DE LA DENTELLE
rue de la Violette 6 - 1000 Brl T.512 77 09
MUSEE DU JOUET
rue de l'Association 24 - 1000 Brl T.219 61 68
MUSEE DU TRANSPORT URBAIN BRUXELLOIS
avenue de Tervueren 364b - 1150 SPW T.515 31 08
MUSEE HORTA
rue Américaine 25 - 1060 SGi T.543 04 90
MUSEE HOTEL CHARLIER
av. des Arts 16 - 1210 SJN T.218 53 82
MUSEE INSTRUMENTAL DU CONSERVATOIRE ROYAL DE MUSIQUE
Petit Sablon 17 - 1000 Brl T.511 35 95
MUSEE INTERNATIONAL DES MARIONNETTES (THEATRE PERUCHET)
av. de la Forêt 50 - 1050 Ixe T.673 87 30
MUSEE NATIONAL DE LA FIGURINE HISTORIQUE
Demeure abbatiale de Dieleghem
rue J. Tiebackx 14 - 1090 Jet T.479 00 52
MUSEE NUMISMATIQUE ET HISTORIQUE DE LA BANQUE NATIONALE DE BELGIQUE
rue du Bois Sauvage 9 - 1000 Brl T.221 22 06
MUSEE PANORAMA DE WATERLOO
route du Lion 252 - 1420 BRA T.384 31 39
MUSEE PRIVE DE LA DOCUMENTATION FERROVIAIRE "MUPDOFER"
rue du Houblon 63 - 1000 Brl T.672 39 67
MUSEE ROYAL DE L'AFRIQUE CENTRALE
Leuvensesteenweg 13-3080 Ter T.769 52 11
MUSEE ROYAL DE L'ARMEE ET D'HISTOIRE MILITAIRE
parc du Cinquantenaire 3 - 1000 Brl T.734 52 52
MUSEES ROYAUX D'ART ET D'HISTOIRE
parc du Cinquantenaire 10 - 1000 Brl T.741 72 11
MUSEE WELLINGTON DE WATERLOO
chaussée de Bruxelles 147 - 1410 WAT T.354 78 06
MUSEUM DAVID EN ALICE VAN BUUREN
Leo Erreralaan 41 - 1180 Uck T.343 48 51
MUSEUM PANORAMA VAN WATERLOO
route du Lion 252-254 - 1420 BRA T.384 31 39
MUSEUM VAN DE BOEKBINDKUNST "BIBLIOTHECA WITTOCKIANA"
Bemelstraat 21-23 - 1150 SPW T.770 53 33
MUSEUM VAN DE BELGISCHE SPOORWEGEN (NOORDSTATION)
Vooruitgangstraat 76 - 1210 SJN T.224 62 79
MUSEUM VAN DE DYNASTIE
Paleizenplein 7 - 1000 Brl T.511 55 78
MUSEUM VAN DE STAD BRUSSEL
(Broodhuis)
Grote Markt - 1000 Brl T.279 43 50
MUSEUM VAN HET VLAAMS LEVEN TE BRUSSEL
Visverkopersstr.13 - 1000 Brl T.512 42 81
MUSEUM VAN HET ZONIENWOUD
"Jan Van Ruusbroeck"
Duboislaan 6 - 1560 Hoe T.657 93 64
MUSEUM VAN MODERNE KUNST
Koningsplein 1-2 - 1000 Brl T.508 32 11
MUSEUM VAN POSTERIJEN EN TELECOMMUNICATIE
Grote Zavel 40 - 1000 Brl T.511 77 40

MUSEUM VOOR GELD EN GESCHIEDENIS VAN DE NATIONALE BANK VAN BELGIE
Wilde Woudstraat 9 - 1000 Brl T.221 22 06
MUSEUM VOOR HET KOSTUUM EN DE KANT
Violetstraat 6 - 1000 Brl T.512 77 09
MUSEUM VOOR HET STEDELIJK VERVOER TE BRUSSEL
Tervurenlaan 364b - 1150 SPW T.515 31 08
MUSEUM VOOR OUDE KUNST
Regentschapsstraat 3 - 1000 Brl T.508 32 11
NATIONAAL MUSEUM VAN DE HISTORISCHE BEELDJES
Abdij van Dielegem
J. Tiebackxstraat 14 - 1090 Jet T.479 00 52
NATIONAAL MUSEUM VAN DE WEERSTAND
Van Lintstraat 14 - 1070 And T.522 40 41
PAVILLON CHINOIS / TOUR JAPONAISE
av. Van Praet 44 - 1020 Brl T.268 16 08
PRIVE-MUSEUM "MUPDOFER"
Hopstraat 63 - 1000 Brl T.672 39 67
SPEELGOEDMUSEUM
Verenigingstraat 24 - 1000 Brl T.219 61 68
STADHUIS VAN BRUSSEL
Grote Markt - 1000 Brl T.279 43 65
TRAMMUSEUM (Buurtspoorwegmuseum)
Ninoofsesteenweg 955 - 1703 Schepdaal T.569 16 14
U.L.B. (Université Libre de Bruxelles)
1) Museum van Mineralogie en Geologie
Antoine Depagelaan 30 5e verdieping
1050 Brl T.650 28 34
2) Museum van Farmacologie
Triomflaan (toegang 2) - 1160 Brl T.650 56 18
3) Museum van dierkunde "A. Lameere"
Solbosch - A. Lameereplantsoen - 1050 Brl T.650 36 78

U.L.B. (Université Libre de Bruxelles)
1) Musée de Minéralogie et de Géologie
av. Ant. Depage 30 (5e ét.) - 1050 Brl T.650 28 34
2) Musée de Pharmacognosie
Campus de la Plaine B205-4
Bld. du Triomphe (Accès 2) - 1050 Brl T.650 56 18
3) Musée de Zoologie "A. Lameere"
Solbosch - sq. A. Lameere - 1050 Brl T.650 36 78
WASSEN BEELDENMUSEUM (HISTORIUM)
Anspach Center (1ste verdieping)
Anspachlaan 36 - 1000 Brl T.217 80 12
WELLINGTONMUSEUM VAN WATERLOO
chaussée de Bruxelles 147 - 1410 WAT T.354 78 06

EXPOSITIONS PERMANENTES

ATOMIUM - BIOGENIUM
bd. du Centenaire - 1020 Brl T.474 89 77
JARDIN BOTANIQUE NATIONAL
Domaine de Bouchout
Nieuwelaan 38 - 1860 Meise T.269 39 05
OBSERVATOIRE MIRA
Abdijstraat 20 - 1850 Grimbergen T.269 12 80
PLANETARIUM NATIONAL
av. de Bouchout 10 - 1020 Brl T.478 95 26

DOORLOPENDE TENTOONSTELLINGEN

ATOMIUM - BIOGENIUM
Eeuwfeestlaan - 1020 Brl T.474 89 77
NATIONALE PLANTENTUIN VAN BELGIE
Domein van Boechout
Nieuwelaan 38 - 1860 Meise T.269 39 05
NATIONAAL PLANETARIUM
Boechoutlaan 10 - 1020 Brl T.478 67 22
VOLKSSTERREWACHT MIRA
Abdijstr. 20 - 1850 Grimbergen T.269 12 80

ENSEIGNEMENT SUPERIEUR - HOGER ONDERWIJS
HOCHSCHULEN - HIGH SCHOOLS
INSEGNAMENTO ELEMENTARE - ENSEÑANZA SUPERIOR

ACADEMIE DE MUSIQUE : rue du Doyenné 60 - 1180 Bruxelles 343 30 63
ACADEMIE D'ETTERBEEK : rue Géneral Tombeur 78 - 1040 Bruxelles 735 37 43
ACADEMIE ROYALE DES BEAUX ARTS : rue du Midi 114 - 1000 Bruxelles 511 04 91
BOSTON UNIVERSITY BRUSSELS : bld du Triomphe 39 - 1160 Bruxelles 640 74 74
BRABANTSE VOLKSHOGESCHOOL : Liedsstraat 27 - 1030 Brussel 240 95 35
CATECHESE LUMEN VITAE - ECOLE SUPERIEURE : rue Washington 184 - 1050 Brl 349 03 98
CHAMBRE BELGE DES COMPTABLES (C.B.C.) : bld. de Waterloo 53 B5 - 1000 Brl 511 01 49
COURS COMMUNAUX DE LANGUES MODERNES (C.C.L.M) : rue Abbé Jean Heymans 29 - 1200 Bruxelles 761 28 97
CENTRE D'ETUDE DU FRANÇAIS (LE) : chaussée du Vleurgat 275 - 1050 Bruxelles 344 15 15
CENTRE D'ETUDES D. SCIENCES OPTIQUES APPLIQUEES :bld. Léopold 43-1080 Brl 428 52 49
CENTRE DE PERFECTIONNEMENT EN SOINS INFIRMIERS :av. Hippocrate 91-1200 Brl 762 34 45
CENTRUM VOOR GEZINSWETENSCHAPPEN : Troonlaan 125 - 1050 Brussel 240 68 40
CERGECO : boulevard Brand Whitlock 6 - 1150 Bruxelles 739 37 66
CHARLES BULS - ECOLE : boulevard Maurice Lemonnier 110 - 1000 Bruxelles 512 37 67
CIFEM : boulevard Brand Whitlock 6 - 1150 Bruxelles 739 37 65
COIMBRA GROUP : rue de la Concorde 60 - 1000 Bruxelles 513 83 32
COURS COMMERCIAUX ET INDUSTRIELS DE LA VILLE WAVRE : r. du chemin de Fer 18 - 1300 Wavre . 010/22 20 26
COURS DE PROMOTION SOCIALE D'UCCLE : avenue de Fré 62 - 1180 Bruxelles 374 05 48
COURS INDUSTRIELS ET COMMERCIAUX : boulevard de l'Abattoir 50 - 1000 Bruxelles 279 51 00
COURS MELIUS : rue d'Oultremont 48 - 1040 Bruxelles 734 31 49
ECAM - ECOLE CENTRALE DES ARTS ET METIERS : rue du Tir 14 - 1060 Bruxelles 539 38 10
ECOLE BELGE D'HOMEOPATHIE : rue Père De Deken 8 - 1040 Bruxelles 735 35 25
ECOLE CENTRE DES ARTS DECORATIFS : rue du Beau Site 34 - 1000 Bruxelles 640 40 32
ECOLE DE LIL : rue Royale 229 - 1210 Bruxelles 217 14 49
ECOLE DE RECHERCHE GRAPHIQUE : rue du Page 87 - 1050 Bruxelles 538 98 29
ECOLE D'ERGOLOGIE C/O ULB : avenue Franklin Roosevelt 50 B164 - 1050 Bruxelles 650 53 60
ECOLE DE SPORTS - ULB : avenue P. Heger 22 - 1000 Bruxelles 650 21 99
ECOLE D'INFIRMIER(E)S ANNEXEE A L'ULB : Campus Erasme, route de Lennik 808, 1070 Bruxelles 555 35 47
ECOLE OUVRIERE SUPERIEURE EOS - I.S.S.H.A : rue Brogniez 44 - 1070 Bruxelles 523 80 40
ECOLE ROYALE DE LA GENDARMERIE : av. de la Force Aérienne 10 - 1040 Bruxelles 642 69 05
ECOLE ROYALE MILITAIRE : avenue de la Renaissance 30 - 1000 Bruxelles 737 60 11
ECOLE SUP. DE SOINS INFIRMIERS STE-ANNE - ST-IGNACE ASBL : place de Ste-Adresse 12 - 1070 Bru .. 522 64 06
ECOLE SUPERIEURE DE L'IMAGE LE 75 : avenue J.F. Debecker 10 - 1200 Bruxelles 761 27 02
ECOLE SUPERIEURE DES SCIENCES FISCALES - ICHEC : boulevard Brand Whitlock 2 - 1150 Bruxelles 739 37 96
ECOLE SUPERIEURE D'INFIRMIER(E)S ST-PIE X-ST-CAMILLE : rue du Marais 100 - 1000 Bruxelles 218 74 35
ECSEDI : avenue d'Auderghem 77 - 1040 Bruxelles 231 01 00
E.F.A.P. INTERNATIONAL ECS ASBL : avenue W. Churchill 150 - 1180 Bruxelles 345 91 66
E.H.S.A.L. : Stormstraat 2 - 1000 Brussel 210 12 11
ENSEIGNEMENT SUPERIEUR PEDAGOGIQUE DE SCHAERBEEK : grande rue au Bois 78 - 1030 Bruxelles 242 61 12
E.P.F.C. : C.P., boulevard du Triomphe 220 - 1050 Bruxelles 650 59 59
EPHEC : avenue K. Adenauer 3 - 1200 Bruxeles 772 65 75
*ERASMUS HOGESCHOOL BRUSSE*L : Nijverheidskaai 170 - 1070 Brussel 520 18 10
ERASMUS HOGESCHOOL BRUSSEL - DEP. RITS : Laarbeeklaan 121 - 1090 Brussel 479 18 90
ERASMUS HOGESCHOOL - DEP. HORTECO : De Bavaylei 116 - 1800 Vilvoorde 251 04 48
E.S.C.G. : rue des Drapiers 43 - 1050 Bruxelles 513 87 78
ESI : avenue de l'Astronomie 12 - 1210 Bruxelles 219 15 46
ESSAI ST LUC : avenue Van Overbeke10 - 1083 Bruxelles 428 11 28
EUROPEAN UNIVERSITY : rue de Livourne 116-120 - 1000 Bruxelles 648 67 81
FACULTES UNIVERSITAIRES ST-LOUIS : boulevard Jardin Botanique 43 - 1000 Brl 211 78 11
FACULTE UNIVERSITAIRE DE THEOLOGIE PROTESTANTE : rue des Bollandistes 40 - 1040 Bruxelles 735 67 46
GRANDJEAN ECOLE SUP. : rue de la Reinette/Pippelingstraat 2 - 1000 Bruxelles 512 88 92
GUARDINI INSTITUUT VOOR P.H.O. : Ninoofsesteenweg 339 - 1070 Brussel 411 10 63
GUARDINI INSTITUUT VOOR P.H.O. : Moutstraat 19 - 1000 Brussel 511 00 84
HIVEK : Nieuwland 198 - 1000 Brussel 514 09 37
HOGER INSTITUUT VOOR GODSDIENSTWETENSCHAP : Landsroemlaan 126 - 1083 Brussel 428 38 25
HOGER INSTITUUT VOOR PUBLIC RELATIONS OPLEIDING : Generaal de Gaullelaan 46 - 1050 Brussel 520 18 10
HOGESCHOOL VOOR WETENSCHAP EN KUNST - DEP. ARCHITECTUUR ST.-LUCAS
Paleizenstraat 65-67 - 1030 Brussel 242 00 00
HONIM - HOGER ONDERWIJS IMELDA : Birminghamstraat 41 - 1080 Brussel 410 46 31
ICHEC : boulevard Brand Whitlock 2 - 1150 Brussel 739 37 11
IHECS HAUTES ETUDES COMMUNICATIONS SOCIALES : rue de l'Etuve 58-60 - 1000 Bruxelles 512 90 93
I.L.B. : rue de Stassart 33 - 1050 Bruxelles 514 47 08
INRACI-HELB : avenue V. Rousseau 75 - 1190 Bruxelles 340 11 00
INSAS : rue Thérésienne 8 - 1000 Bruxelles 511 92 86
INSAS : rue de l'Athénée 17 - 1050 Bruxelles 513 22 81
INST. COOREMANS : place Anneessens 11- 1000 Bruxelles 551 02 10

INST. DE JOURNALISME ROBERT SCHUMAN - EUROPEAN ASBL : rue de l'Association 32 - 1000 Brux. 219 57 64
INST. D'ENSEIGNEMENT SUPERIEUR PARNASSE-DEUX ALICE : avenue E. Mounier 84 - 1200 Bruxelles .. 762 59 40
INST. D'ENSEIGNEMENT SUPERIEUR SOCIAL : rue de l'Abbaye 26 - 1050 Bruxelles 649 34 43
INST. D'ENS. SUPER. PEDAG. & TECHN. DE LA C.F. : avenue de Fré 62 - 1180 Brl 374 00 99
INST. DE PROMOTION SOCIALE DE RIXENSART : rue Albert Croy - 1330 Rixensart 654 00 30
INST. EUROPEEN DE COMMUNICATION I.E.C. : rue de Livourne 90 - 1000 Bruxelles 537 74 93
INSTITUT COMMERCIAL DE BRUXELLES : bld M. Lemonnier 110 - 1000 Bruxelles 512 81 06
NSTITUT COMMERCIAL "MARCEL TRICOT" : rue R. Willame 25 - 1160 Bruxelles 673 09 25
INSTITUT D'ENSEIGNEMENT SUPERIEUR PARAMEDICAL-ISEK : place Van Gehuchten 4B2 - 1020 Brux. .. 477 28 27
INSTITUT D'ENS. SUPER. PEDAGOGIQUE & TECHN. DE LA C.F. : sq. de Fré 2 - 1180 Bruxelles 374 09 66
INSTITUT DES ARTS & METIERS : boulevard de l'Abattoir 50 - 1000 Bruxelles 279 52 70
INSTITUT DES CARRIERES COMMERCIALES : rue de la Fontaine 4 - 1000 Bruxelles 279 58 40
INSTITUT D'OPTIQUE RAYMOND TIBAUT : rue Cap Crespel 26 - 1050 Bruxelles 512 76 02
INSTITUT LIBRE MARIE HAPS : rue d'Arlon 3-11 B4 - 1050 Bruxelles 511 92 92
INSTITUT PAUL LAMBIN :clos Chapelle aux Champs 43 - 1200 Bruxelles 771 98 10
INSTITUT SUP. DE FORMATION SOC. ET DE COMMUNIC : rue de la Poste 111 - 1030 Bruxelles 217 79 06
INSTITUT SUPERIEUR DE PEDAGOGIE DE LA REGION BRUXELLES CAPIT :
boulevard de Waterloo 100 - 1000 Bruxelles 542 82 11
INSTITUT SUPERIEUR INDUSTRIEL DE BRUXELLES : rue Royale 150 - 1000 Bruxelles 217 45 40
INST. LIBRE DE BRUXELLES (I.L.B.) : rue d'Ecosse 17 - 1060 Bruxelles 538 58 32
INST. ROGER GUILBERT ANCIENNEMENT I.N.P.E.T. : avenue E. Gryzon 1 - 1070 Brl 526 75 40
INST. SUP. D'ARCHITECTURE DE LA COMM. FRANC. LA CAMBRE : place E. Flagey 19 - 1050 Bruxelles 640 96 96
INST. SUP. DE SECRETARIAT DE LA COMMUNAUTE FRANÇAISE : chaussée d'Alsemberg 1091 - 1180 Brl . 376 11 10
INST. SUPERIEUR DE MOT - COUVREUR : rue Terre Neuve 116 - 1000 Bruxelles 512 45 15
INST. SUPERIEUR D'ENSEIGNEMENT INFIRMIER : clos Chapelle-Aux-Champs 41 B3960 - 1200 Bruxelles . 764 39 60
INST. SUPERIEUR PROTESTANT DES SCIENCES RELIGIEUSES DE BRU :
avenue Adolphe Lacomblé 6 B3 - 1030 Bruxelles 733 06 11
INST. TECH. COMMUNAL FRANS FISCHER : rue Général Eenens 66 - 1030 Bruxelles 215 40 69
INST. VOOR LICHAMELIJKE OPVOEDING EN KINESITHERAPIE : Stationsstraat 301 - 1700 Dilbeek 466 51 51
INTERNAT AUTONOME DE LA COMMUNAUTE FRANÇAISE A FOREST : rue de Bourgogne 48 - 1190 Brux. 343 82 11
ISALT : avenue d'Auderghem 77 - 1040 Bruxelles 231 01 00
I.S.C.A.M. : rue du Trône 218 - 1050 Bruxelles 646 95 61
I.S.C. SAINT-LOUIS : rue du Marais 113 - 1000 Bruxelles 219 27 03
ISEK : avenue Ch. Schnaller 91 - 1160 Bruxelles 660 20 27
ISEK : place Van Gehuchten 4 - 1020 Bruxelles 477 28 27
I.S.F.C.E. INSTITUT : rue J. Buedts 14 - 1040 Bruxelles 647 25 69
ISODR - SOPHROLOGIE : place du Roi Vainqueur 16 B4 - 1040 Bruxelles 736 53 66
ISS INSTITUT SUPERIEUR DE SCHAERBEEK : Grande rue au Bois 78-80 - 1030 Brl 241 28 28
ISTI : rue J. Hazard 34 - 1180 Bruxelles 340 12 80
KARDINAAL MERCIER INST. : D'Anethanstraat 33 - 1030 Brussel 216 21 96
KATHOLIEKE HOGESCHOOL BRUSSEL : Nieuwland 198 - 1000 Brussel 512 32 59
KATHOLIEKE UNIVERSITEIT BRUSSEL : Vrijheidslaan 17 - 1081 Brussel 412 42 11
KATHOLIEKE VLAAMSE HOGESCHOOL VOOR WETENSCHAP EN KUNST : Koningsstraat 336 - 1000 Brux. 250 15 11
KATHOLIEKE VLAAMSE SOCIALE HOGESCHOOL BRUSSEL EN PARNAS DILBEEK :
Poststraat 111 - 1030 Brussel 227 52 20
Stationsstraat 301 - 1700 Dilbeek 466 51 51
KORELCO : rue Gray 2 - 1040 Bruxelles 640 22 29
K.T.A. ANDERLECHT GEMEENSCHAPSONDERWIJS : Albert I Square 43 - 1040 Brl 524 20 10
LA CAMBRE : Abbaye de la Cambre 21 - 1000 Bruxelles 648 96 19
LUMEN VITAE - ECOLE SUPERIEURE CATECHESE : rue Washington 184 - 1050 Brl 349 03 70
MERCER UNIVERSITY : avenue Marnix - 1000 Bruxelles 548 04 80
OPEN UNIVERSITY (THE) : rue Emile Duray 38 B4 - 1050 Bruxelles 644 33 72
PARNASSE-DEUX ALICE - INST. D'ENSEIGNEMENT SUPERIEUR : Groeselenberg 57 - 1180 Brussel 375 25 06
R.I.T.S. : Moutstraat 15 - 1000 Brussel 507 14 11
SEMINAIRE BIBLIQUE DE BRUXELLES : W. Bernardstraat 24 - 1780 Wemmel 460 81 02
SINT-LUCAS BRUSSEL : Paleizenstraat 70 - 1030 Brussel 250 11 00
SINT-LUCAS DEP. ARCHITECTUUR : Paleizenstraat 65-67 - 1030 Brussel 242 00 00
SINT-LUC COURS DU SOIR : rue d'Irlande 57 - 1060 Bruxelles 537 36 45
UCL : av. Emmanuel Mounier 53 - 1200 Bruxelles 764 11 11
U.E.E. - UNIVERSITE EUROPEENNE D'ECRITURE : av. Brugmann 489 - 1180 Brl 344 65 70
U F I : avenue de l'Armée 10 - 1040 Bruxelles 735 56 75
UNITED BUSINESS INSTITUTES : avenue Marnix 20 - 1000 Bruxelles 548 04 80
UNIVERSITE CATHOLIQUE DE LOUVAIN : rue de Namur - 1000 Bruxelles 764 11 11
UNIVERSITE CATHOLIQUE DE LOUVAIN-LA-NEUVE : pl. Université 1 - 1348 LLN 010/47 88 11
UNIVERSITE LIBRE DE BRUXELLES : avenue Franklin Roosevelt 50 - 1050 Bruxelles 650 21 11
VERENIGING VAN VLAAMSE STUDENTEN VZW : Kleerkopersstraat 15-17 - 1000 Brl 223 05 05
VESALIUS COLLEGE : Pleinlaan 2 - 1050 Brussel 629 28 21
VILLE DE BRUXELLES (CENTRE HOSPITALIER UNIVERSITAIRE BRUGMANN) :
place A. Van Gehuchten 4 - 1020 Bruxelles 477 21 11
VLAAMSE INTERUNIVERSITAIRE RAAD : Egmontstraat 5 - 1000 Brussel 512 91 10
VLEKHO - BRUSSEL : Koningsstraat 336 - 1030 Brussel 221 12 11
VRIJE UNIVERSITEIT BRUSSEL (VUB) : Pleinlaan 2 - 1050 Brussel 629 22 34

PISCINES - ZWEMBADEN
SCHWIMMBÄDER - SWIMMING POOLS
PISCINE - PISCINAS

ANDERLECHT
COMPLEXE SPORTIF PROVINCIAL : rue des Grives 51 - 57B-C3 .... T.523 11 65
PROVINCIAAL SPORTCOMPLEX : Lijstersstraat 51 - 57B-C3 .... T.523 11 65

BRUSSEL
BRUSSELSE ZWEMBADEN
Kerkeveldstraat 89 - 31E2 .... T.425 57 12
Reebokstraat 28 - 49D2 - Centr. 168B2 .... T.511 24 68
Lombardsijdestraat 120 - 23D2 .... T.268 00 43
OCEADIUM - Bruparc - Eeuwfeestlaan 20 - 22C1 .... T.478 43 20

BRUXELLES
BAINS DE BRUXELLES
rue Champ de l'Eglise 73/89 - 31E2 .... T.425 57 12
rue du Chevreuil 28 - 49D2 - Centr. 168B2 .... T.511 24 68
rue de Lombartzyde 120 - 23D2 .... T.268 00 43
OCEADE - Bruparck - boulevard du Centenaire 20 - 22C1 .... T.478 43 20

DILBEEK
GEMEENTELIJK ZWEMBAD DILKOM : Beeldhouwkunstlaan - 47E1 .... T.569 35 70

ELSENE
SWIMMING CLUB : Zwemkunststraat 10 - 50D3 - Centr. 169C3 .... T.511 90 84

ETTERBEEK
COMPLEXE SPORTIF ESPADON : rue des Champs 71 - 51A4 .... T.640 38 38
ZWEMKOM ESPADON EN SPORTZALEN : Veldstraat 71 - 51A4 .... T.640 38 38

EVERE
BASSIN DE NATATION "LE TRITON" : av. des anciens Combattants 260 - 33C3 .... T.247 63 20
ZWEMBAD "LE TRITON" : Oudstrijderslaan 260 - 339C3 .... T.247 63 20

GANSHOREN
BAINS DE GANSHOREN NEREUS : pl. Reine Fabiola 10 - 30E2 .... T.427 31 91
ZWEMBAD VAN GANSHOREN NEREUS : Koningin Fabiolapl. 10 - 30E2 .... T.427 31 91

GRIMBERGEN
ZWEMBAD "DE LAMMEKES" : Veldkantstraat 100 - 5C-D1 .... T.270 94 53

GROOT-BIJGAARDEN
ZWEMBAD VAN GROOT-BIJGAARDEN : Gossetlaan 72 - 29C-D-E2 .... T.466 10 70

IXELLES
ROYAL IXELLES SWIMMING CLUB : rue de la Natation 10 - 50D3 - Centr. 169C3 .... T.511 90 84

LOT
ZWEMBAD VAN LOT : Dworpsestraat 147 - 85D2-3 - E3-4 .... T.356 87 72

MOLENBEEK-SAINT-JEAN
BAINS L. NAMECHE : Piscine Olympique, rue Van Kalck 87 - 39D2 .... T.410 08 03

OTTIGNIES LOUVAIN-LA-NEUVE
ARETHUSE : rue Bois de Rêves 55 - 164B2 .... T.010/45 56 01
PISCINE DU BLOCRY : place des Sports 1 - 152E3 .... T.082/45 02 42

OVERIJSE
ZWEMBAD 'T BEGIJNTJESBLAD : Begijnhof 1 - 93A1 .... T.686 90 20

RHODE SAINT-GENESE
PISCINE COMMUNALE (WAUTERBOS) : rue Tête d'Epine - 97E3 .... T.380 07 75

SCHAARBEEK
"NEPTUNIUM" : Jerusalemstraat 56 - 32D4 .... T.215 74 24

SCHAERBEEK
NEPTUNIUM : rue de Jérusalem 54/56 - 32D4 .... T.215 74 24

SAINT-GILLES
BAINS "VICTOR BOIN" : rue de la Perche 38 - 58D1 .... T.539 06 15

SAINT-JOSSE
BAINS DE SAINT-JOSSE : rue St-François 21-23 - 41B2 - Centr. 167A1 .... T.217 39 41

SINT-GENESIUS-RODE
GEMEENTELIJK ZWEMBAD (WAUTERBOS) : Doornlarenhoofdstraat - 97E3 .... T.380 07 75

SINT-GILLIS
GEMEENTEBADEN (VICTOR BOIN) : Wipstraat 38 - 58D1 .... T.539 06 15

SINT-JANS-MOLENBEEK
ZWEMKOM L. NAMECHE : Olympisch zwembad, Van Kalkstraat 87 - 39D2 .... T.410 08 03

SINT-JOOST-TEN-NODE
ZWEMKOM SINT-JOOST-TEN-NODE : Sint-Franciscusstraat 21-23 - 41B2 - Centr. 167A1 .... T.217 39 41

SINT-LAMBRECHTS-WOLUWE
POSEIDON : Dapperenlaan 2 - 43B4 .... T.771 66 55

SINT-PIETERS-WOLUWE
SOLARIUM SPORTCENTRUM : Olympisch zwembad, Salomélaan 2 - 52E4 .... T.773 18 20

TERVUREN
ZWEMBAD VAN TERVUREN : Paardenmarktstraat 1a - 63B2 .... T.767 93 95

TUBIZE
PISCINE DE TUBIZE : Stade Le Burton - hors plan T.355 88 30

UCCLE
LONGCHAMPS : square Defré 1 - 67D-E1 .... T.374 90 05

UKKEL
LONGCHAMPS : Defrésquare 1 - 67D-E1 .... T.374 90 05

VILVOORDE
ZWEMBAD VAN VILVOORDE : Heldenplein - 6E2 - 7A2 .... T.255 47 40

WATERMAAL-BOSVOORDE
ZWEMBAD "CALYPSO" : L. Wienerlaan 60 - 69C1 .... T.675 48 99

WATERMAEL-BOITSFORT
CALYPSO : avenue Léopold Wiener 60 - 69C1 .... T.675 48 99

WAVRE
AQUALIBI : rue Joseph Dechamps - 140C2 .... T. 010/42 16 00

WOLUWE-SAINT-LAMBERT
POSEIDON : avenue des Vaillants 2 - 43B4 .... T.771 66 55

WOLUWE-SAINT-PIERRE
SOLARIUM DU CENTRE SPORTIF : Piscine Olympique, avenue Salomé 2 - 52E4 .... T.773 18 20

ZAVENTEM
GEMEENTELIJK ZWEMBAD DE MOTTE : Parklaan - 35B1 .... T.725 96 96

INFORMATIONS TOURISTIQUES - TOERISTISCHE INFORMATIE
FREMDENVERKEHRSBÜROS - TOURIST INFORMATION
INFORMAZIONI TURISTICHE - INFORMACIONES TURISTICAS

CENTRE D'INFORMATION DE BRUXELLES (T.I.B.) : Hôtel de Ville - Grand Place - 1000 Brl T.513 89 40
COMMISSARIAT GENERAL DU TOURISME : rue du Marché aux Herbes 63 - 1000 Brl T.504 03 90
FEDERATION TOURISTIQUE DU BRABANT WALLON : chemin de Bruxelles 218 - 1410 Wat T.351 12 00
ROYAL AUTOMOBILE CLUB DE BELGIQUE (R.A.C.B) : rue d'Arlon 53 - 1040 Brl T.287 09 11
S.O.S DEPANNAGE R.A.C.B : rue d'Arlon 53 - 1040 Brl T.287 09 00
TOURING CLUB DE BELGIQUE (T.C.B.) : rue de la Loi 44 - 1040 Brl T.233 22 11
TOURING SECOURS (en cas de panne) : toute la Belgique T.070/34 47 77
TOURISME INFO BRUXELLES-BELGIQUE : rue du Marché aux Herbes 63 - 1000 Brl T.504 03 90

DIENST VOOR TOERISME VAN BRUSSEL (T.I.B.) : Stadhuis - Grote Markt - 1000 Brl T.513 89 40
COMMISSARIAAT GENERAAL VOOR TOERISME : Grasmarkt 63 - 1000 Brl T.504 03 90
TOERISTISCHE FEDERATIE VAN DE PROV. VLAAMS BRABANT :
L. Vanderkelenstraat 30 - 3000 Leuven T.016/26 76 20
TOERISME INFORMATIE BRUSSEL-BELGIE : Grasmarkt 63 - 1000 Brl T.504 03 90
KONINKLIJKE AUTOMOBIELCLUB VAN BELGIE : Aarlenstraat 53 - 1040 Brl T.287 09 11
S.O.S. DEPANNAGE K.A.C.B. : Aarlenstraat 53 - 1040 Brl T.287 09 00
TOURING CLUB VAN BELGIE (T.C.B.) : Wetstraat 44 - 1000 Brl T.233 22 11
TOURING-WEGENHULP : gans België T.070/34 47 77

METRO

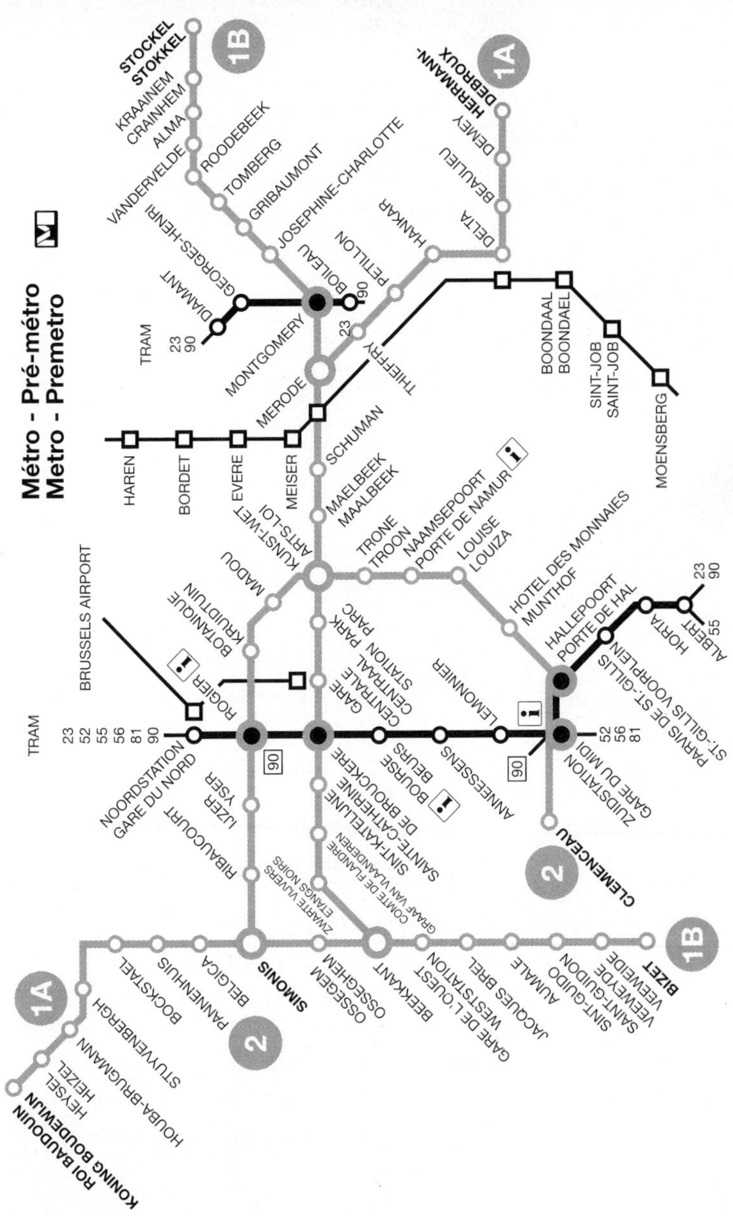
Métro - Pré-métro
Metro - Premetro
1A
1B
2
STOCKEL
STOKKEL
KRAAINEM
CRAINHEM
ALMA
VANDERVELDE
ROODEBEEK
TOMBERG
GRIBAUMONT
JOSEPHINE-CHARLOTTE
GEORGES-HENRI
DIAMANT
TRAM
23
90
BOILEAU
PETILLON
HANKAR
DELTA
BEAULIEU
DEMEY
HERRMANN-DEBROUX
MONTGOMERY
MERODE
THIEFFRY
BOONDAAL
BOONDAEL
SINT-JOB
SAINT-JOB
MOENSBERG
HAREN
BORDET
EVERE
MEISER
SCHUMAN
MAELBEEK
MAALBEEK
KUNST-WET
ARTS-LOI
MADOU
TRONE
TROON
NAAMSEPOORT
PORTE DE NAMUR
LOUISE
LOUIZA
HOTEL DES MONNAIES
MUNTHOF
HALLEPOORT
PORTE DE HAL
HORTA
ALBERT
55
BRUSSELS AIRPORT
BOTANIQUE
KRUIDTUIN
ROGIER
PARC
PARK
GARE CENTRALE
CENTRAAL STATION
LEMONNIER
52
56
81
NOORDSTATION
GARE DU NORD
IJZER
YSER
RIBAUCOURT
DE BROUCKERE
SAINTE-CATHERINE
SINT-KATELIJNE
BOURSE
BEURS
ANNEESSENS
ZUIDSTATION
GARE DU MIDI
PARVIS DE ST.-GILLIS
ST.-GILLIS VOORPLEIN
CLEMENCEAU
COMTE DE FLANDRE
GRAAF VAN VLAANDEREN
ETANGS NOIRS
ZWARTE VIJVERS
SIMONIS
BELGICA
PANNENHUIS
BOCKSTAEL
STUYVENBERGH
HOUBA-BRUGMANN
HEYSEL
HEIZEL
ROI BAUDOUIN
KONING BOUDEWIJN
OSSEGHEM
OSSEGEM
BEEKKANT
GARE DE L'OUEST
WESTSTATION
JACQUES BREL
AUMALE
SAINT-GUIDON
SINT-GUIDO
VEEWEYDE
VEEWEIDE
BIZET

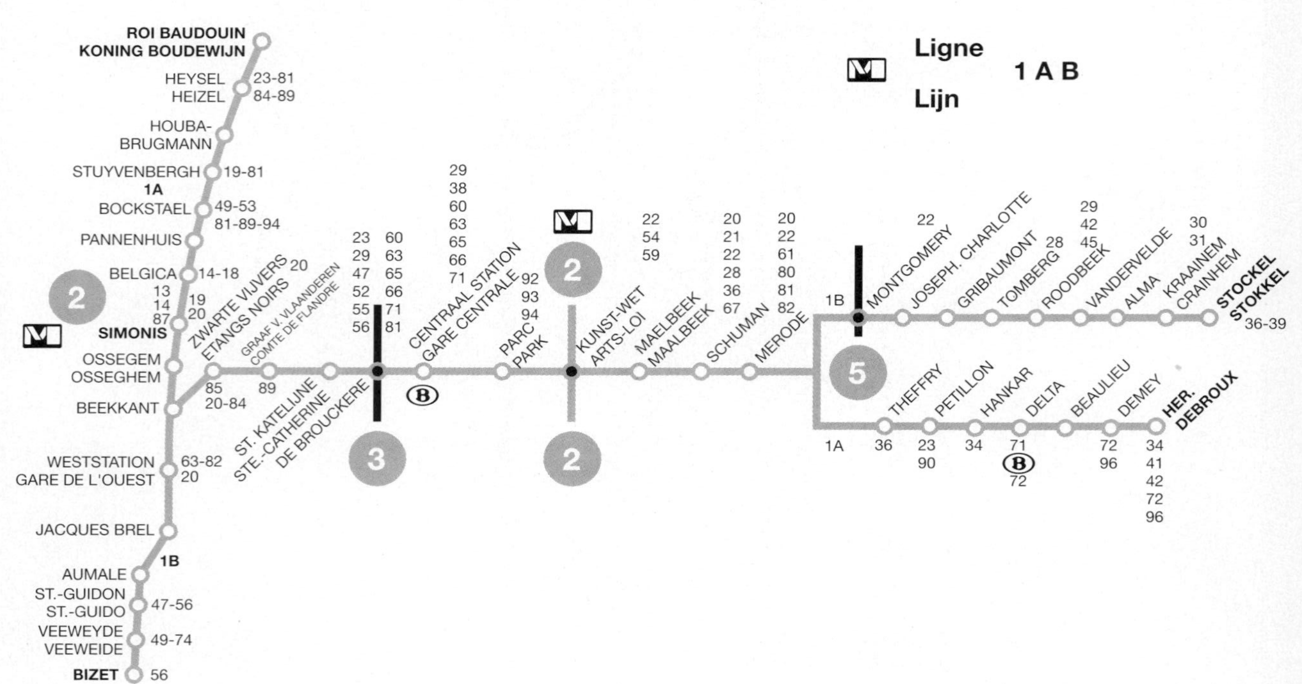
Ligne
Lijn
1 A B
ROI BAUDOUIN
KONING BOUDEWIJN
HEYSEL
HEIZEL
23-81
84-89
HOUBA-
BRUGMANN
STUYVENBERGH
19-81
1A
BOCKSTAEL
49-53
81-89-94
PANNENHUIS
BELGICA
14-18
13
14
87
19
20
SIMONIS
OSSEGEM
OSSEGHEM
BEEKKANT
WESTSTATION
GARE DE L'OUEST
63-82
20
JACQUES BREL
1B
AUMALE
ST.-GUIDON
ST.-GUIDO
47-56
VEEWEYDE
VEEWEIDE
49-74
BIZET
56
ZWARTE VIJVERS
ETANGS NOIRS
20
85
20-84
GRAAF V. VLAANDEREN
COMTE DE FLANDRE
89
ST. KATELIJNE
STE.-CATHERINE
DE BROUCKERE
23 29 47 52 55 56
60 63 65 66 71 81
CENTRAAL STATION
GARE CENTRALE
29 38 60 63 65 66 71
PARC
PARK
92 93 94
KUNST-WET
ARTS-LOI
22 54 59
MAELBEEK
MAALBEEK
20 21 22 28 36 67
SCHUMAN
20 22 61 80 81 82
MERODE
1B
MONTGOMERY
22
JOSEPH. CHARLOTTE
GRIBAUMONT
TOMBERG
28
ROODBEEK
29 42 45
VANDERVELDE
ALMA
KRAAINEM
CRAINHEM
30 31
STOCKEL
STOKKEL
36-39
1A
THEFFRY
36
PETILLON
23 90
HANKAR
34
DELTA
71
72
BEAULIEU
72 96
DEMEY
HER.
DEBROUX
34 41 42 72 96

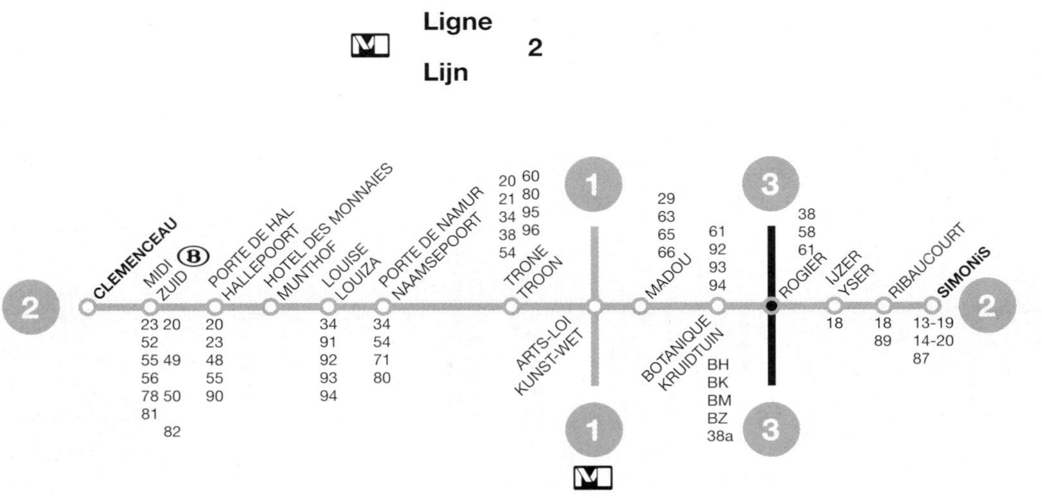
Ligne
Lijn
2
CLEMENCEAU
MIDI
ZUID
23 20
52
55 49
56
78 50
81
82
PORTE DE HAL
HALLEPOORT
20
23
48
55
90
HOTEL DES MONNAIES
MUNTHOF
LOUISE
LOUIZA
34
91
92
93
94
PORTE DE NAMUR
NAAMSEPOORT
34
54
71
80
20 60
21 80
34 95
38 96
54
TRONE
TROON
ARTS-LOI
KUNST-WET
1
29
63
65
66
MADOU
61
92
93
94
BOTANIQUE
KRUIDTUIN
BH
BK
BM
BZ
38a
3
38
58
61
ROGIER
IJZER
YSER
18
RIBAUCOURT
18
89
SIMONiS
13-19
14-20
87

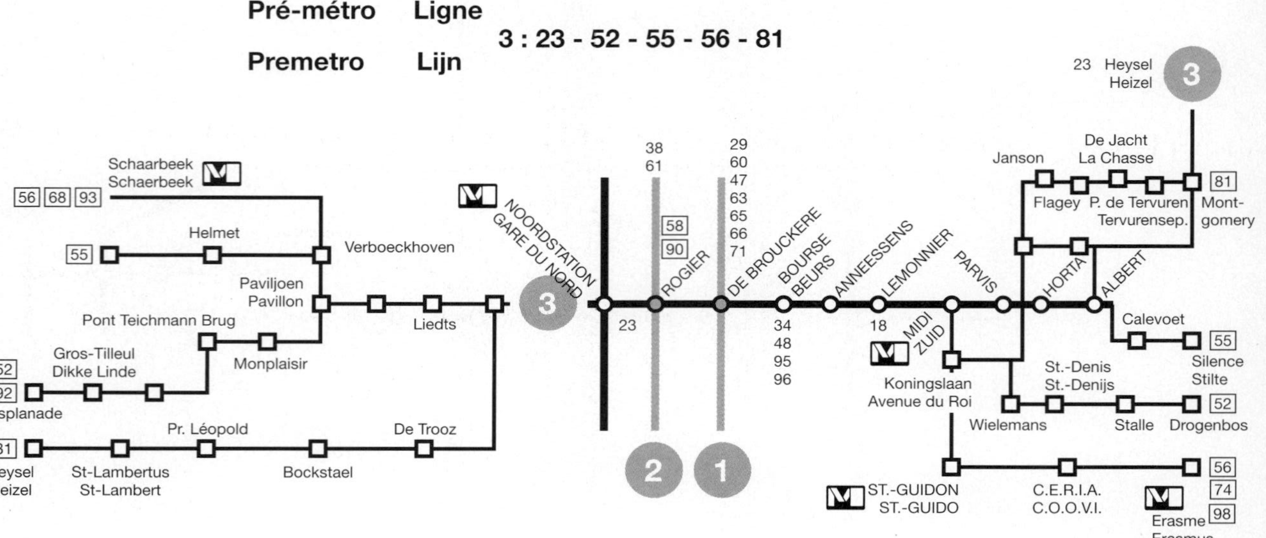

Pré-métro Ligne
Premetro Lijn
3 : 23 - 52 - 55 - 56 - 81
Schaarbeek Schaerbeek
56 68 93
Helmet
55
Verboeckhoven
Paviljoen Pavillon
Pont Teichmann Brug
Liedts
Gros-Tilleul Dikke Linde
Monplaisir
52 92 Esplanade
Pr. Léopold
De Trooz
81 Heysel Heizel
St-Lambertus St-Lambert
Bockstael
3
NOORDSTATION GARE DU NORD
23
38 61
58 90
ROGIER
29 60 47 63 65 66 71
DE BROUCKERE
BOURSE BEURS
34 48 95 96
ANNEESSENS
LEMONNIER
18
MIDI ZUID
PARVIS
HORTA
ALBERT
2
1
23 Heysel Heizel
3
Janson
De Jacht La Chasse
Flagey
P. de Tervuren Tervurensep.
81 Mont-gomery
Calevoet
55 Silence Stilte
Koningslaan Avenue du Roi
St.-Denis St.-Denijs
Wielemans
Stalle
52 Drogenbos
ST.-GUIDON ST.-GUIDO
C.E.R.I.A. C.O.O.V.I.
56 74 98
Erasme Erasmus

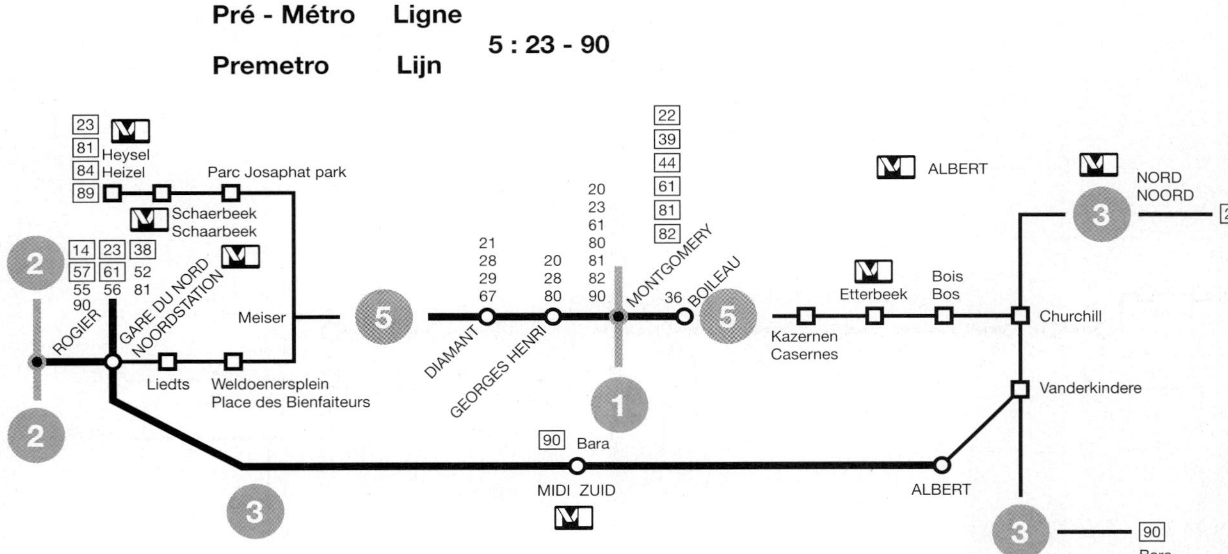
Pré - Métro Ligne
Premetro Lijn
5 : 23 - 90
23 81 84 89
Heysel
Heizel
Parc Josaphat park
Schaerbeek
Schaarbeek
2
14 23 38
57 61 52
55 56 81
90
ROGIER
GARE DU NORD
NOORDSTATION
Liedts
Weldoenersplein
Place des Bienfaiteurs
Meiser
2
5
21 28 29 67
DIAMANT
20 28 80
GEORGES HENRI
20 23 61 80 81 82 90
MONTGOMERY
22 39 44 61 81 82
1
36
BOILEAU
5
Kazernen
Casernes
Etterbeek
Bois
Bos
ALBERT
Churchill
Vanderkindere
NORD
NOORD
3
23
90
Bara
3
MIDI ZUID
ALBERT
3
90
Bara

TRANSPORTS PUBLICS
OPENBAAR VERVOER
ÖFFENTLICHEN VERKEHRSMITTEL
PUBLIC TRANSPORT
TRASPORTO PUBBLICO
TRANSPORTES PUBLICOS

TRANSPORT URBAIN (S.T.I.B.)

METRO - TRAM - BUS

☎ **515.20.00**

1A (M) ROI BAUDOUIN - HERRMANN-DEBROUX

1B (M) BIZET - STOCKEL

2 (M) SIMONIS - CLEMENCEAU

13 SIMONIS (M) - (+) A.Z. V.U.B.

14 NORD (B) (M) - Belgica (M) - Simonis (M) - Miroir - (+) A.Z. V.U.B.

18 HOUBA DE STROOPER - (+) Brugmann - Belgica (M) - Yser (M) - Porte De Flandre - Midi (B) (M) - Barr. de St.-Gilles - Wielemans - St.-Denis - DIEWEG

19 GROOT-BIJGAARDEN - Basilique - Simonis (M) - "DE WAND"

20 HUNDERENVELD - Simonis (M) - Etangs Noirs (M) - Midi (B) (M) - Pl. Royale - Trône (M) - Q. Léopold (B) - Montgomery (M) - VERHEYLEWEGHEN

21 DUCALE - Quartier Léopold (B) - Schuman (B) (M) - Diamant (M) - Hoedemaekers - Bordet (B) - NATO

22 QUARTIER LEOPOLD (B) - Arts-Loi (M) - Ambiorix - Schuman (B) (M) - Mérode (B) (M) - MONTGOMERY (M)

23 HEYSEL (M) - Pr. Elisabeth - Meiser - Montgomery (M) - Bois - Albert - Midi (B) (M) - GARE DU NORD (B) (M)

28 SCHUMAN (B) (M) - de Jamblinne de Meux - Georges Henri (M) - Tomberg (M) - Stade Fallon - KONKEL

29 DE BROUCKERE (M) - Gare Centrale (B) (M) - Madou (M) - Plasky - Verheyleweghen - HOF-TEN-BERG

30 CRAINHEM (M) - Wezembeek - OPPEM

31 CRAINHEM (M) - Wezembeek - HIPPODROOMLAAN

34 BOURSE (M) - Sablon - Louise (M) - Porte de Namur (M) - La Chasse - Hankar (M) - TRANSVAAL

36 SCHUMAN (B) (M) - La Chasse - Chant d'Oiseau - Woluwe - Ste-Alix - Stockel (M) - KONKEL

38 NORD (B) (M) - Gare Centrale (B) (M) - Trône (M) - Flagey - Danco - Calevoet (B) - HOMBORCH

39 MONTGOMERY (M) - Woluwe - Stockel (M) - BAN EIK

41 CALEVOET (B) - Marlow - (+) Ste-Elisabeth - Keym - Wiener - HERRMANN-DEBROUX (M)

42 WIENER - Herrmann-Debroux (M) - Woluwe - Roodebeek (M) - (+) UCL St.-Luc - VIADUC E40

43 HEROS - Calevoet Ⓑ - Bourdon - Linkebeek Ⓑ - Homborch - VIVIER D'OIE

44 MONTGOMERY Ⓜ - Woluwe - TERVUREN

45 ROODEBEEK Ⓜ - de Paduwa - Bordet Ⓑ - ST. VINCENT

47 VILVOORDE - ✚ Militaire - De Trooz - De Brouckère Ⓜ - Clemenceau Ⓜ - St.-Guidon Ⓜ - MOORTEBEEK

48 BOURSE Ⓜ - Chapelle - Pte de Hal Ⓜ - Barrière de St.-Gilles - Albert Ⓜ - Altitude Cent - UCCLE-STALLE Ⓑ

49 BOCKSTAEL Ⓑ Ⓜ - Basilique - Mettewie - Saint-Guidon Ⓜ - L. Wielemans - MIDI Ⓑ Ⓜ

50 MIDI Ⓑ Ⓜ - St. Denis - Ruisbroek - LOT

52 ESPLANADE - Verboekhoven - Nord Ⓑ Ⓜ - Midi Ⓑ Ⓜ - St. Denis - DROGENBOS

53 VAL MARIA - P. Benoit - Gros Tilleul - Bockstael Ⓑ Ⓜ - ✚ Brugmann - ✚ A.Z.V.U.B. - LIEBRECHT

54 MACHELEN - St.-Vincent - Q. Léopold Ⓑ - Porte de Namur Ⓜ - Ma Campagne - Albert Ⓜ - ST.-DENIS

55 BORDET Ⓑ - Pl. Paix - Verboekhoven - Nord Ⓑ Ⓜ - Midi Ⓑ Ⓜ - Albert Ⓜ - Calevoet Ⓑ - SILENCE

56 SCHAERBEEK Ⓑ - Verboekhoven - Nord Ⓑ Ⓜ - Midi Ⓑ Ⓜ - St.-Guidon Ⓜ - C.E.R.I.A. - ✚ ERASME

57 ✚ MILITAIRE - Van Praet - De Trooz - NORD Ⓑ Ⓜ

58 VILVOORDE - Buda - Schaerbeek Ⓑ - ROGIER Ⓜ

59 BORDET Ⓑ - Schaerbeek Ⓑ - St.-Josse - Maelbeek Ⓜ- Jourdan - Flagey - ✚ ETTERBEEK-IXELLES

60 DE BROUCKERE Ⓜ - Gare Centrale Ⓑ Ⓜ - Trône Ⓜ - Flagey - G. Brugmann - Observatoire - VIVIER D'OIE

61 NORD Ⓑ Ⓜ - Botanique Ⓜ - Dailly - MONTGOMERY Ⓜ

63 MAES - Cimetière Bruxelles - Plasky - Madou Ⓜ - De Brouckère Ⓜ - Gare de l'Ouest Ⓜ - MACHTENS

65 N.A.T.O. - Chazal - Bienfaiteurs - Madou Ⓜ - Gare Centrale Ⓑ Ⓜ - DE BROUCKERE Ⓜ

66 CIMETIERE BRUXELLES - de Paduwa - Madou Ⓜ - Gare Centrale Ⓑ Ⓜ - DE BROUCKERE Ⓜ

67 BORDET Ⓑ - Cimetière Bruxelles - de Paduwa - Diamant Ⓜ - SCHUMAN Ⓑ Ⓜ

68 J. BORDET - Bordet Ⓑ - SCHAERBEEK Ⓑ

71 DE BROUCKERE Ⓜ - Gare Centrale Ⓑ Ⓜ - Porte de Namur Ⓜ - Flagey - U.L.B. - DELTA Ⓜ

72 U.L.B. - H. Debroux Ⓜ- A.D.E.P.S.

74 VEEWEYDE Ⓜ - ✚ ERASME

78 MIDI Ⓑ Ⓜ - Petite Ile - BD. HUMANITE

80 ANDROMEDE - Georges-Henri Ⓜ - Montgomery Ⓜ - Jourdan - PORTE DE NAMUR Ⓜ

81 HEYSEL Ⓜ - BockstaelⒷ Ⓜ - Nord Ⓑ Ⓜ - Midi Ⓑ Ⓜ - Bar. de St.-Gilles - La Chasse - MONTGOMERY Ⓜ

82 BERCHEM (B) - Gare de l'Ouest [M] - Midi (B) [M] - Barrière St.-Gilles - La Chasse - MONTGOMERY [M]

84 BEEKKANT [M] - Elbers - Berchem (B) - [+] A.Z.V.U.B. - Cité Modèle - HEYSEL [M]

85 BEEKKANT [M] - Schweitzer - BERCHEM (B)

87 SIMONIS [M] - Basilique - BASILIX

89 HEYSEL [M] - [+] Brugmann - Bockstael (B) [M] - Comte de Flandre [M] - Jacques Brel [M] - Peterbos - WESTLAND SHOPPING

90 ROGIER [M] - Liedts - Bienfaiteurs - Meiser - Montgomery [M] - Bois - Albert [M]- MIDI (B) [M]

91 LOUISE [M] - Vanderkindere - Danco - STALLE

92 ESPLANADE - Verboekhoven - Botanique [M] - Parc [M] - Louise [M] - Vanderkindere - FORT JACO

93 SCHAERBEEK (B) - Verboekhoven - Botanique [M] - Parc [M] - Louise [M] - Legrand - MARIE-JOSE

94 CIMETIERE JETTE - Bockstael (B) [M]- Liedts - Botanique [M] - Parc [M] - Louise [M] - Marie-José - WIENER

95 BOURSE [M] - Sablon - Pl. Royale - Trône [M] - Q. Léopold (B) - Cim. d'Ixelles - Keym - Wiener - HEILIGENBORRE

96 BOURSE [M] - Sablon - Pl. Royale - Trône [M] - Q. Léopold (B) - Cim. d'Ixelles - Keym - Archiducs - H. Debroux [M] - STE-ANNE

98 HEROS - Stalle - [+] ERASME

STADSVERVOER (M.I.V.B.)
METRO - TRAM - BUS
☎ 515.20.00

1A [M] KONING BOUDEWIJN - HERRMANN-DEBROUX

1B [M] BIZET - STOKKEL

2 [M] SIMONIS - CLEMENCEAU

13 SIMONIS [M] - [+] A.Z. V.U.B.

14 NOORD (B) [M] - Belgica [M] - Simonis [M] - Spiegel - [+] A.Z. V.U.B.

18 HOUBA DE STROOPER - [+] Brugmann - Belgica [M] - IJzer [M] - Vlaamse Poort - Zuid (B) [M] - Bareel van St.-Gillis - Wielemans - St.-Denijs - DIEWEG

19 GROOT-BIJGAARDEN - Basiliek - Simonis [M] - "DE WAND"

20 HUNDERENVELD - Simonis [M] - Zwarte Vijvers [M] - Zuid (B) [M] - Koningspl. - Troon [M] - Leopoldswijk (B) - Montgomery [M] - VERHEYLEWEGHEN

21 HERTOG - Leopoldswijk (B) - Schuman (B) [M] - Diamant [M] - Hoedemaekers - Bordet (B) - NATO

22 LEOPOLDSWIJK (B) - Kunst-Wet [M] - Ambiorix - Schuman (B) [M] - Mérode (B) [M] - MONTGOMERY [M]

23 HEIZEL [M] - Pr. Elisabeth - Meiser - Montgomery [M] - Bos - Albert - Zuidi (B) [M] - NOORDSTATION (B) [M]

28 SCHUMAN (B) [M] - de Jamblinne de Meux - Georges Henri [M] - Tomberg [M] - Fallon Stadion - KONKEL

29 DE BROUCKERE Ⓜ - Centraal Station Ⓑ Ⓜ - Madou Ⓜ - Plasky - Verheyleweghen - HOF-TEN-BERG

30 KRAAINEM Ⓜ - Wezembeek - OPPEM

31 KRAAINEM Ⓜ - Wezembeek - HIPPODROOMLAAN

34 BEURS Ⓜ - Zavel - Louiza Ⓜ - Naamsepoort Ⓜ - De Jacht - Hankar Ⓜ - TRANSVAAL

36 SCHUMAN Ⓑ Ⓜ - De Jacht - Vogelzang - Woluwe - Ste-Aleidis - Stokkel Ⓜ - KONKEL

38 NOORD Ⓑ Ⓜ - Centraal Station Ⓑ Ⓜ - Troon Ⓜ - Flagey - Danco - Kalevoet Ⓑ - HOMBORCH

39 MONTGOMERY Ⓜ - Woluwe - Stokkel Ⓜ - BAN EIK

41 KALEVOET Ⓑ - Marlow - ✚ Ste-Elisabeth - Keym - Wiener - HERRMANN-DEBROUX Ⓜ

42 WIENER - Herrmann-Debroux Ⓜ - Woluwe - Roodebeek Ⓜ - ✚ UCL St.-Luc - VIADUCT E40

43 HELDEN - Kalevoet Ⓑ - Bourdon - Linkebeek Ⓑ - Homborch - DIESDELLE

44 MONTGOMERY Ⓜ - Woluwe - TERVUREN

45 ROODEBEEK Ⓜ - de Paduwa - Bordet Ⓑ - ST. VINCENTIUS

47 VILVOORDE - ✚ Militair - De Trooz - De Brouckère Ⓜ - Clemenceau Ⓜ - St.-Guido Ⓜ - MOORTEBEEK

48 BEURS Ⓜ - Kapelle - Hallepoort Ⓜ - Barr. van Sint-Gillis - Albert Ⓜ - Hoogtepunt Honderd - UKKEL-STALLE Ⓑ

49 BOCKSTAEL Ⓑ Ⓜ - Basiliek - Mettewie - Sint-Guido Ⓜ - L. Wielemans - ZUID Ⓑ Ⓜ

50 ZUID Ⓑ Ⓜ - St. Denijs - Ruisbroek - LOT

52 ESPLANADE - Verboekhoven - Noord Ⓑ Ⓜ - Zuid Ⓑ Ⓜ - St. Denijs - DROGENBOS

53 MARIENDAAL - P. Benoit - Dikke Linde - Bockstael Ⓑ Ⓜ - ✚ Brugmann - ✚ A.Z.V.U.B. - LIEBRECHT

54 MACHELEN - St.-Vincentius - Leopoldswijk Ⓑ - Naamsepoort Ⓜ - Ma Campagne - Albert Ⓜ - ST.-DENIJS

55 BORDET Ⓑ - Vrede - Verboekhoven - Noord Ⓑ Ⓜ - Zuid Ⓑ Ⓜ - Albert Ⓜ - Kalevoet Ⓑ - STILTE

56 SCHAARBEEK Ⓑ - Verboekhoven - Noord Ⓑ Ⓜ - Zuid Ⓑ Ⓜ - St.-Guido Ⓜ - C.O.O.V.I. - ✚ ERASMUS

57 ✚ MILIT. - Van Praet - De Trooz - NOORD Ⓑ Ⓜ

58 VILVOORDE - Buda - Schaarbeek Ⓑ - ROGIER Ⓜ

59 BORDET Ⓑ - Schaarbeek Ⓑ - St.-Joost - Maalbeek Ⓜ- Jourdan - Flagey - ✚ ETTERBEEK-ELSENE

60 DE BROUCKERE Ⓜ - Centraal Station Ⓑ Ⓜ - Troon Ⓜ - Flagey - G. Brugmann - Sterrenacht - DIESDELLE

61 NOORD Ⓑ Ⓜ - Kruidtuin Ⓜ - Dailly - MONTGOMERY Ⓜ

63 MAES - Kerkhof Brussel - Plasky - Madou Ⓜ - De Brouckère Ⓜ - Weststation Ⓜ - MACHTENS

65 N.A.T.O. - Chazal - Weldoeners - Madou Ⓜ - Centraal Station Ⓑ Ⓜ - DE BROUCKERE Ⓜ

66 KERKHOF BRUSSEL - de Paduwa - Madou Ⓜ - Centraal Station Ⓑ Ⓜ - DE BROUCKERE Ⓜ

67 BORDET Ⓑ - Kerkhof Brussel - de Paduwa - Diamant Ⓜ - SCHUMAN Ⓑ Ⓜ

68 J. BORDET - Bordet Ⓑ - SCHAARBEEK Ⓑ

71 DE BROUCKERE Ⓜ - Centraal Station Ⓑ Ⓜ - Naamsepoort Ⓜ - Flagey - V.U.B. - DELTA Ⓜ

72 V.U.B. - H. Debroux Ⓜ- A.D.E.P.S.

74 VEEWEIDE Ⓜ - ✚ ERASMUS

78 ZUID Ⓑ Ⓜ - Klein Eiland - HUMANITEIT

80 ANDROMEDA - Georges-Henri Ⓜ - Montgomery Ⓜ - Jourdan - NAAMSEPOORT Ⓜ

81 HEIZEL Ⓜ - Bockstael Ⓑ Ⓜ - Noord Ⓑ Ⓜ - Zuid Ⓑ Ⓜ - Bar. van St.-Gillis - De Jacht - MONTGOMERY Ⓜ

82 BERCHEM Ⓑ - Weststation Ⓜ - Zuid Ⓑ Ⓜ - Bareel van St.-Gillis - De Jacht - MONTGOMERY Ⓜ

84 BEEKKANT Ⓜ - Elbers - Berchem Ⓑ - ✚ A.Z.V.U.B. - Modelwijk - HEIZEL Ⓜ

85 BEEKKANT Ⓜ - Schweitzer - BERCHEM Ⓑ

87 SIMONIS Ⓜ - Basiliek - BASILIX

89 HEIZEL Ⓜ - ✚ Brugmann - Bockstael Ⓑ Ⓜ - Graaf Van Vlaanderen Ⓜ - Jacques Brel Ⓜ -
Peterbos - WESTLAND SHOPPING

90 ROGIER Ⓜ - Liedts - Weldoeners - Meiser - Montgomery Ⓜ - Bos - Albert Ⓜ - ZUID Ⓑ Ⓜ

91 LOUIZA Ⓜ - Vanderkindere - Danco - STALLE

92 ESPLANADE - Verboekhoven - Kruidtuin Ⓜ - Park Ⓜ - Louiza Ⓜ - Vanderkindere - FORT JACO

93 SCHAARBEEK Ⓑ - Verboekhoven - Kruidtuin Ⓜ - Park Ⓜ - Louiza Ⓜ - Legrand - MARIE-JOSE

94 KERKHOF JETTE - Bockstael Ⓑ Ⓜ- Liedts - Kruidtuin Ⓜ - Park Ⓜ - Louiza Ⓜ - Marie-José - WIENER

95 BEURS Ⓜ - Zavel - Koningspl. - Troon Ⓜ - Leopoldswijk Ⓑ - Kerkhof Elsene - Keym - Wiener - HEILIGENBORRE

96 BEURS Ⓜ - Zavel - Koningspl. - Troon Ⓜ - Leopoldswijk Ⓑ - Kerkhof Elsene - Keym - Aartshertogen -
H. Debroux Ⓜ - ST-ANNA

98 HELDEN - Stalle - ✚ ERASMUS

METRO TRAM BUS

RESEAU "DE LIJN"

☎ 02/526.28.28

A	NORD - Zellik - Asse - AALST
BH	NORD - Diegem - HAACHT
BK	NORD - Diegem - KEERBERGEN
BM	NORD - STEENOKKERZEEL - KORTENBERG
BN	NORD - Meise - NIEUWENRODE
BS	NORD - Strombeek - KONINGSLO
BW	NORD - Jette V.U.B. - WEMMEL + Ext. à Jette (A.Z. V.U.B.)
BZ	NORD - Diegem - AEROPORT
EO	QU. LEOPOLD - Etterbeek - OVERIJSE
F	NORD - Scheut - La Roue - HOPITAL ERASME
H	PLACE ROUPPE - Midi - Halle - LEERBEEK
H	ST.-ELISABETH - Ruisbroek - St.-Pieters-Leeuw - VLEZENBEEK
HM	QU. LEOPOLD - Huldenberg - HAMME-MILLE
	NORD - Bever - LONDERZEEL
~~L~~	NORD - Bever - WOLVERTEM
LK	PLACE ROUPPE - Lennik - LEERBEEK
~~LK~~	PL. ROUPPE - Vlezenbeek - ST.-KW.-LENNIK
LN	PL. ROUPPE - Leerbeek - Vollezele - NINOVE
~~LN~~	PLACE ROUPPE - Oetingen - VOLLEZELE
M	NORD - Scheut - DILBEEK + Extension au Zuunweide
MH	PLACE ROUPPE - Heikruis - VOLLEZELE
N	R. DES HALLES - Scheut - Dilbeek - NINOVE + Ext. au W.T.C.
O	PL. ROUPPE - Midi - Observatoire - VIVIER D' OIE
R	DILBEEK - Midi - Rhode-St.-Genèse - ALSEMBERG + Ext. au Zuunweide
RH	LA ROUE - Oudenaken - HALLE
TO	OVERIJSE - Duisburg - TERVUREN
UB	CALEVOET - Beersel - HALLE
UH	CALEVOET - Alsemberg - Huizingen - HALLE
VW	VILVOORDE - Nieuwenrode - WILLEBROEK
WA	QU. LEOPOLD - Hoeilaart - WAVRE
~~WA~~	QU. LEOPOLD - Hoeilaart - OVERIJSE
WL	NORD - Stade - WEMMEL (Drijpikkel)
WL	NORD - Stade - Wemmel - Zellik - 3 KONINGEN
WL	NORD - Stade - Wemmel - ASSE (Gare)
105	BERTEM - KRAAINEM
106	LEUVEN - KRAAINEM
107	BRUSSEL - Tervuren - LEUVEN
108	BRUSSEL - VREBOS
109	LEUVEN - VREBOS
110	BRUSSEL - HEVERLEE
118	PL. ROUPPE - ITTERBEEK + Extensions
220	MERCHTEM - GRIMBERGEN - VILVOORDE - ZAVENTEM
221	JETTE AZ-VUB - VILVOORDE - ZAVENTEM
222	VILVOORDE - DIEGEM-LO - ZAVENTEM
223	STEENOKKERZEEL - VILVOORDE
224	GRIMBERGEN - MOLENVELD - VILVOORDE, écoles
230	NORD - Strombeek - Grimbergen - HUMBEEK
231	NORD - Het Voor - GRIMBERGEN
232	HEYSEL - Strombeek - Grimbergen - HUMBEEK
233	NORD - Meise - HUMBEEK
275	VILVOORDE (Clinique) - HOUTEM (Achtbunderstr.)
282	ZAVENTEM - MECHELEN
355	NORD - Ternat - LIEDEKERKE + Ext. Ternat-Asse
356	NORD - Merchtem - DENDERMONDE
358	NORD - Kortenberg - LEUVEN
359	ZAVENTEM - ROODEBEEK
337	LEUVEN - Oud-Heverlee - Sint-Jorsis-Weert - Neerijse -St-Agatha-Rode - Ottenburg - WAVRE
360	NORD - Boom - AARTSELAAR
509	VILVOORDE - MECHELEN

548 OVERIJSE - Maleizen - Lotharingenkruis - Bakenbos - LA HULPE

549 OVERIJSE - Terlanen - Ottenburg - Sint-Agatha - Rode - HULDENBERG

584 LEUVEN - Overijse - HOEILAART

RESEAU "T.E.C."
☎ 010/23.53.53

E QU. LEOPOLD - Overijse - Wavre - Chaumont - Eghezée - FORVILLE (543)

~~E~~ FORVILLE - parcours limités

~~UH~~ UCCLE - Alsemberg - BRAINE L'ALLEUD

W PL. ROUPPE - Braine L'Alleud - WAVRE (536)

~~W~~ PLACE ROUPPE - Espinette - RHODE-SAINT-GENESE (service scolaire-Berlaymont)

1 JODOIGNE - Louvain-la-Neuve - OTTIGNIES

2 TUBIZE - NIVELLES

18 JODOIGNE - Beauvechain - LEUVEN

19 OTTIGNIES - Court-St.-Etienne - Genappe - NIVELLES

20 OTTIGNIES - Louvain-la-Neuve - Wavre

21 LOUVAIN-LA-NEUVE - DION-LE-MONT

22 OTTIGNIES - WAVRE - Zoning Nord

23 JODOIGNE/HAMME - Mille - WAVRE

24 WAVRE - Corbais - CHASTRE

28 OTTIGNIES - Céroux-Mousty - GENAPPE

30 OTTIGNIES - Mont-Saint-Guibert - Chastre - NIL

31 OTTIGNIES - Mont-Saint-Guibert - Chastre - NIL

65 NIVELLES - Ronquieres - BRAINE-LE-COMTE

66 BRAINE-L'ALLEUD - Ophain - NIVELLES

69 NIVELLES - BRAINE-LE-CHATEAU

75 WATERLOO - Chenois - BRAINE-L'ALLEUD

115a BRAINE-L'ALLEUD - TUBIZE/HALLE

115b SOIGNIES - Braine-le-Comte - Tubize - HALLE

365a PLACE ROUPPE - Genappe - CHARLEROI (365a)

366 FLAGEY - Rixensart - COURT-ST.-ETIENNE (366)

471 HALLE/TUBIZE - Enghien - SINT-PIETERS-KAPELLE

474 TUBIZE - Virginal - Ittre - TUBIZE

558 BRAINE-L'ALLEUD - Waterloo - Genval/La Hulpe - RIXENSART)

NET "DE LIJN"
☎ 02/526.28.28

AL NOORD - Zellik - Asse - AALST

BH NOORD - Diegem - HAACHT

BK NOORD - Diegem - KEERBERGEN

BM NOORD - STEENOKKERZEEL - KORTENBERG

BN NOORD - Meise - NIEUWENRODE

BS NOORD - Strombeek - KONINGS-LO

BW NOORD - Jette V.U.B. - WEMMEL + Uitbreid. naar Jette (A.Z. V.U.B.)

BZ NOORD - Diegem - LUCHTHAVEN

EO LEOPOLDSWIJK - Etterbeek - OVERIJSE

F NOORD - Scheut - Het Rad - Ziekenhuis ERASMUS

~~HL~~ ROUPPEPLEIN - Zuid - Halle - LEERBEEK

HL ST.-ELIZABETH - Ruisbroek - St.-Pieters-Leeuw - VLEZENBEEK

HM LEOPOLDSWIJK - Huldenberg - HAMME-MILLE

L NOORD - Bever - LONDERZEEL

~~L~~ NOORD - Bever - STEENHUFFEL

~~L~~ NOORD - Bever - WOLVERTEM

LK ROUPPEPLEIN - Lennik - LEERBEEK

LK ROUPPEPLEIN - Vlezenbeek - ST.-KW.-LENNIK

LN ROUPPEPLEIN - Leerbeek - Vollezele - NINOVE

LN ROUPPEPLEIN - Oetingen - VOLLEZELE

M NOORD - Scheut - DILBEEK + Uitbreiding Zuunweide

MH ROUPPEPLEIN - Heikruis - VOLLEZELE

N HALLESTRAAT - Scheut - Dilbeek - NINOVE + Uitbreid. W.T.C.

O ROUPPEPLEIN - Zuid - Sterrewacht - DIESDELLE

R DILBEEK - Zuid - St.-Gen.-Rode - ALSEMBERG + Uitbreiding Zuunweide

RH HET RAD - Oudenaken - HALLE

TO OVERIJSE - Duisburg - Tervuren

UB KALEVOET - Beersel - HALLE

UH KALEVOET - Alsemberg - Huizingen - HALLE

VW VILVOORDE - Nieuwenrode - WILLEBROEK

WA LEOPOLDSWIJK - Hoeilaart - WAVRE

~~WA~~ LEOPOLDSWIJK - Hoeilaart - OVERIJSE

WL NOORD - Stadion - WEMMEL (Drijpikkel)

WL NOORD - Stadion - Wemmel - Zellik - 3 KONINGEN

WL NOORD - Stadion - Wemmel - ASSE (Station)

105 BERTEM - KRAAINEM

106 LEUVEN - KRAAINEM

107 BRUSSEL - Tervuren - LEUVEN

108 BRUSSEL - VREBOS

109 LEUVEN - VREBOS

110 BRUSSEL - HEVERLEE

118 ROUPPEPLEIN - ITTERBEEK + Uitbreidingen

220 MERCHTEM - Grimbergen - Vilvoorde - ZAVENTEM

221 JETTE AZ VUB - Vilvoorde - ZAVENTEM

222 VILVOORDE - DIEGEM-LO - ZAVENTEM

223 STEENOKKERZEEL - VILVOORDE

224 GRIMBERGEN - Molenveld - VILVOORDE, Scholen

230 NOORD - Strombeek - Grimbergen - HUMBEEK

231 NOORD - Het Voor - GRIMBERGEN

232 HEIZEL - Strombeek - Grimbergen - HUMBEEK

233 NOORD - Meise - HUMBEEK

275 VILVOORDE (kliniek) - HOUTEM (Achtbunderstr.)

282 ZAVENTEM - MECHELEN

337 LEUVEN - Oud-Heverlee - Sint-Joris-Weert - Neerijse -St.Agatha-Rode - Ottenburg - WAVRE

355 NOORD - Ternat - LIEDEKERKE + Uitbreid. Ternat-Asse

356 NOORD - Merchtem - DENDERMONDE

358 NOORD - Kortenberg - LEUVEN + Uitbreid.

359 ZAVENTEM - ROODEBEEK

360 NOORD - Boom - AARTSELAAR (360)

509 VILVOORDE - MECHELEN

548 OVERIJSE - Maleizen - Lotharingenkruis - Bakenbos - LA HULPE

549 OVERIJSE - Terlanen - Ottenburg - Sint-Agatha-Rode - HULDENBERG

584 LEUVEN - Overijse - HOEILAART

NET "T.E.C."
☎ 010/23.53.53

E LEOPOLDSWIJK - Overijse - Wavre - Chaumont - Eghezée - FORVILLE (543)

~~E~~ FORVILLE - beperkte ritten

~~UH~~ UCCLE - Alsemberg - BRAINE L'ALLEUD

W ROUPPEPLEIN - Braine L'Alleud - WAVRE (536)

W	ROUPPEPLEIN - Hut - ST.-GENESIUS-RODE (schooldienst + Berlaymont)
1	JODOIGNE - Louvain-la-Neuve - OTTIGNIES
2	TUBIZE - NIVELLES
18	JODOIGNE - Beauvechain - LEUVEN
19	OTTIGNIES - Court-St.-Etienne - Genappe - NIVELLES
20	OTTIGNIES - Louvain-la-Neuve - Wavre
21	LOUVAIN-LA-NEUVE - DION-LE-MONT
22	OTTIGNIES - WAVRE - Zoning Nord
23	JODOIGNE/HAMME - Mille - WAVRE
24	WAVRE - Corbais - CHASTRE
28	OTTIGNIES - Céroux-Mousty - GENAPPE
30	OTTIGNIES - Mont-Saint-Guibert - Chastre - NIL
31	OTTIGNIES - Mont-Saint-Guibert - Chastre - NIL
65	NIVELLES - Ronquieres - BRAINE-LE-COMTE
66	BRAINE-L'ALLEUD - Ophain - NIVELLES
69	NIVELLES - BRAINE-LE-CHATEAU
75	WATERLOO - Chenois - BRAINE-L'ALLEUD
115a	BRAINE-L'ALLEUD - TUBIZE/HALLE
115b	SOIGNIES - Braine-le-Comte - Tubize - HALLE
365a	ROUPPEPLEIN - Genappe - CHARLEROI (365a)
366	FLAGEY - Rixensart - COURT-ST.-ETIENNE (366)
471	HALLE/TUBIZE - Enghien - SINT-PIETERS-KAPELLE
474	TUBIZE - Virginal - Ittre - TUBIZE
558	BRAINE-L'ALLEUD - Waterloo - Genval/La Hulpe - RIXENSART

CHEMINS DE FER BELGES (S.N.C.B.) T.02/203 36 40
BELGISCHE SPOORWEGEN (N.M.B.S.) T.02/203 28 80

STATIONS - GARES

BERCHEM-SAINTE-AGATHE
pl. de la Gare 1 — 30B2
BIERGES
rue de la Wastinne — 128D-E3
BOCKSTAEL
bd. E. Bockstael — 32A1
BOITSFORT
chaus. de la Hulpe 195 — 69C4
BOSVOORDE
Terhulpsestwg 195 — 69C4
BRAINE-L'ALLEUD
rue des Croix de Feu — 134C-D4
BRUSSEL CENTRAAL
Europakruispunt 2 — 41A4 - Centr. 166D4
BRUSSEL CONGRES
Pachecolaan 36 — 41A-B3 - Centr. 166D2 - 167A2
BRUSSEL-KLEIN EILAND
(goederen) — 49A4
BRUSSEL LEOPOLDSWIJK
Luxemburgplein — 50C2 - Centr. 169B2
BRUSSEL NAT. LUCHTHAVEN — 26C1
BRUSSEL-NOORD
Vooruitgangstraat 76 — 41A1
BRUSSEL-SCHUMAN
Wetstraat — 50D1 - Centr. 169C1
BRUSSEL-THURN EN TAXIS
(goederen) Picardstraat 5/7 — 31D3-4 - E3-4
BRUSSEL-ZUID
Frankrijkstraat — 49C2-3 - Centr. 168A2-3

BRUXELLES-CENTRAL
Car. de l'Europe 2 — 41A4 - Centr. 166D4
BRUXELLES-CONGRES
bd. Pachéco 36 — 41A-B3 - Centr. 166D2 - 167A2
BRUXELLES-MIDI
rue de France — 49C2-3 - Centr. 168A2-3
BRUXELLES AEROPORT NATIONAL — 26C1
BRUXELLES-NORD
rue du Progrès 76 — 41A1
BRUXELLES PETITE ILE
(marchandises) — 49A4
BRUXELLES-QUART.LEOPOLD
pl. du Luxembourg — 50C2 - Centr. 169B2
BRUXELLES SCHUMAN
rue de la Loi — 50D1 - Centr. 169C1
BRUXELLES TOUR ET TAXIS
(marchandises) rue Picard 5/7 — 31D3-4 - E3-4
BUIZINGEN
Alsembergsesteenweg — 95B1
CEROUX-MOUSTY
rue de la Station — 164A1-2
COURT-SAINT-ETIENNE
avenue de Wisterzée — 163E4
DILBEEK
Stationstraat — 28E4
ETTERBEEK
bd. Général Jacques-laan 264 F — 15B1
FOREST-EST
chem. d'Accès 36 — 58A4
GENVAL
chem. du Grand Prieur — 114C3
GROENENDAEL
stwg. op Groenendael — 90D2
GROOT-BIJGAARDEN
Brusselstraat 112 — 29D3

HALLE
Stationsplein 106C1
HOLLEKEN
Perkstraat 87E2 - 88A2
HUIZINGEN
Guido Gezellestraat 95C1
JETTE
pl. Cardinal Mercier-plein 22B4 - 31B1
LA HULPE
pl. Favresse 101E4- 102A4
LEMBEEK
Stationsstraat 118B2
LIMAL
avenue de la Gare 140B3
LINKEBEEK
Stationstraat 109 rue de la Gare 77C4
LOT
Stationstraat 85D2
LOUVAIN-LA-NEUVE
rue des Wallons 153B3
MOLLEM
Voorste Hoeve 1A1
NOSSEGEM
Perronstraat 27B4
OTTIGNIES-LOUVAIN-LA-NEUVE
place de la Gare 152A3
RHODE-SAINT-GENESE
Stationsplein 98A2
RIXENSART
pl. de la Gare 127A2
RUISBROEK
Stationsstraat 54 80B4
SCHAARBEEK
Pr. Elisabethplein 5 32D1
SCHAERBEEK
pl. Pr. Elisabeth 5 32D1
SINT-AGATHA BERCHEM
Statieplein 1 30B2
SINT-GENESIUS-RODE
Stationsplein 98A2
UCCLE-CALEVOET
chaus. d'Alsemberg 1065 67B4
UCCLE-STALLE
rue Victor Allard 256 67A2
UKKEL-KALEVOET
Alsembergsestwg 1065 67B4
UKKEL-STALLE
V. Allardstraat 256 67A2
VILVOORDE
Stationsplein 9 7A3
VORST-OOST
Toegangweg 36 58A4
WATERLOO
drève de l'Infante 122E1
WAVRE
ruelle de la Gare de Basse-Wavre 117C-D3
WAVRE
pl. Henri Berger 129A1
WAVRE
rue Leon Deladrière 139C2
ZAVENTEM
Heldenplein 26B3-4

POINTS D'ARRET - STILSTANDEN

BOONDAAL - BOONDAEL
Woudlaan
av. de la Forêt 71A2
BORDET
av. Jules Bordet-laan 33C1
BRUSSEL KAPELLEKERK
Ursulinenstraat 49E1 - Centr. 168C1
BRUXELLES-CHAPELLE
rue des Ursulines 49E1 - Centr. 168C1
BUDA
Diegemstraat 15D2
DELTA
Triomflaan
bd. du Triomphe 60B-C2
DIEGEM
Stationstraat 25C2
EVERE
rue Dupont-straat 33B3
FOREST-MIDI
rue de la Station 57D4
HAREN
r. Harenheyde et Middelweg 24E3
HAREN SUD
rue de Verdun 24D2
HAREN ZUID
Verdunstraat 24D2
HOEILAART
IJzerstraat 91B3
MACHELEN
Budasesteenweg 15E3
MEISER
Leuvensesteenweg
chaus. de Louvain 42A2
MERODE
Tervurensepoort
porte de Tervuren 51B2
MOENSBERG
Moensberg 77B3
SAINT-JOB
av. Jean et Pierre Carsoel 68A-B4
SINT-JOB
J. en P. Carsoellaan 68A-B4
VORST ZUID
Stationstraat 57D4
WATERMAAL
Arcadenplein 2 69B1
WATERMAEL
place des Arcades 2 68B1
ZELLIK
Fr. Timmermansstraat 20D3

CHEMINS DE FER ETRANGERS
BUITENLANDSE SPOORWEGEN
AUSLÄNDISCHE BUNDESBAHNEN
FOREIGN RAILWAYS
FERROVIE STRANIERE
FERROCARRILES EXTRANJEROS

BRITSE SPOORWEGEN - BRITISH RAIL INT. : Bergstraat 50 - 1000 Brl T.548 00 40
CHEMINS DE FER ALLEMANDS - DEUTSCHE BAHN AG : rue du Luxembourg 23 - 1000 Brl T.512 53 39
CHEMINS DE FER BRITANNIQUES - BRITISH RAIL INT. : rue de la Montagne 50 - 1000 Brl T.548 00 40
CHEMINS DE FER FEDERAUX SUISSES : bd. Ad. Max 48 - 1000 Brl T.217 57 63
CHEMINS DE FER ITALIENS DE L'ETAT - FS-FERROVIE ITALIANE : 12-BTE. 120 Av. Louise - 1050 Brl T.640 71 40
DUITSE SPOORWEGEN - DEUTSCHE BAHN AG : Luxemburgstraat 23 - 1000 Brl T.512 53 39
ITALIAANSE STAATSPOORWEGEN - FS-FERROVIE ITALIANE : Louizalaan 12-bus 120 - 1050 Brl T.640 71 40
LE SHUTTLE - EUROTUNNEL T.717 45 00
ZWITSERSE BONDS-SPOORWEGEN : Ad. Maxlaan 48 - 1000 Brl T.217 57 63

COMPAGNIES AERIENNES
LUCHTVAARTMAATSCHAPPIJEN
LUFTVERKEHRSGESELLSCHAFTEN
AIRLINE COMPANIES
COMPAGNIE AEREE
COMPANIAS DE NAVEGACION AEREAS

AER LINGUS
Troonstraat 98
rue du Trône 98 - 1050 Ixe T.548 98 48

AEROFLOT
Koloniënstraat 58 - 1000 Brl
rue des Colonies 58 T.513 60 66

AIR CANADA
bld. Anspach-laan 1/b 4 - 1000 Brl T.212 09 50

AIR FRANCE
149 Bte 31 Av. Louise - 1050 Ixe
149 bus 31 Louizalaan T.541 41 11

AIR INDIA
rue Ravenstein-straat 50 - 1000 Brl T.512 75 15

AIR MAURITIUS
bld. Jacqmain-laan 6/b15 - 1000 Brl T.218 57 05

AIR U.K.
BRUSSELS NATIONAL AIRPORT
(P.O. BOX 27) - 1930 Zav T.717 20 70

ALITALIA
rue C. Crespel-straat 2 - 1050 Ixe T.551 11 22

AIR ALGERIE
bd. A. Max-laan 101 - 1000 Brl T.218 61 85

ALL NIPPON AIRWAYS
av. Louise 283 - 1050 Brl
Louisalaan 283 T.647 33 83

AMERICAN AIRLINES/AMERICAN EAGLE
rue du Trône 98 - 1050 Ixe
Troonstraat 98 T.714 49 04

AUSTRIAN AIRLINES
C/O SABENA HOUSE, BOX 41
BRUSSELS NATIONAL AIRPORT -
1930 Zav T.723 83 00

AVIANCA
Louizalaan 363-365 - 1050 Brl
av. Louise 363-365 T.640 85 02

BALKAN AIRLINES
rue Ravenstein-straat 62 - 1000 Brl T.512 00 72

BRITISH AIRWAYS
rue du Trône 98 - 1050 Ixe
Troonstraat 98 T.0900.10444

CITY BIRD
Brucargo 117D - 1820 Mel T.752 52 52

CSA CZECHOSLOVAK AIRLINES
rue du Finistère 4 - 1000 Brl
Finisterraestraat 4 T.217 17 92

CYPRUS AIRWAYS
Gal Porte Louise 203 - 1050 Ixe
Louizapoortgal 203 T.502 26 28

DELTA AIRLINES
Kol. Bourgstr. 128 - 1140 Brl
rue Colonel Bourg 128 T.753 22 22

EGYPTAIR
bld. Jacqmain-laan 4-6 - 1000 Brl T.219 16 14

EL AL
rue de la Loi 28 - 1040 Brl
Wetstraat 28 T.231 01 03

FINNAIR
Finisterraestraat 4 - 1000 Brl
rue du Finistère T.218 28 38

GARUDA INDONESIAN AIRWAYS
Gal. Porte Louise 203 - 1050 Ixe
Louizapoortgal 203 T.512 30 90